BIOCHIMIE

Chez De Boeck Université

Biochimie

Borel J.-P., Maquart F.-X., Le Peuch C., Randoux A., Gillery Ph., Bellon G., Monboisse J.-C., *Biochimie dynamique*

Branden C., Tooze J., *Introduction à la structure des protéines*

Hennen G., *Biochimie humaine. Introduction biochimique à la médecine interne*

Horton H.R., Moran L.A., Ochs R.S., Rawn J.D., Scrimgeour K.G., *Principes de biochimie*

Lippard S., Berg J., *Principes de biochimie minérale*

Moussard Ch., *La biochimie. Tome 1 Biochimie structurale et métabolique*

Murray R.K., Granner D.K., Mayes P.A., Rodwell V.W., *Précis de biochimie de Harper*

Voet D., Voet J.G., *Biochimie*

BIOCHIMIE

• Reginald H. GARRETT •
• Charles M. GRISHAM •

Traduction de la 2e édition américaine
par Bernard Lubochinsky

Ouvrage original :
Biochemistry, second edition, by Reginald H. Garrett and Charles M. Grisham

---

Pour toute information sur notre fonds et les nouveautés dans votre domaine de spécialisation, consultez notre site web : http://www.deboeck.be

1re édition

Imprimé en Italie

Dépôt légal :
Bibliothèque Nationale, Paris : avril 2000
Bibliothèque Royale Albert 1er, Bruxelles : 2000/0074/67

ISBN 2-7445-0020-8

Sommaire

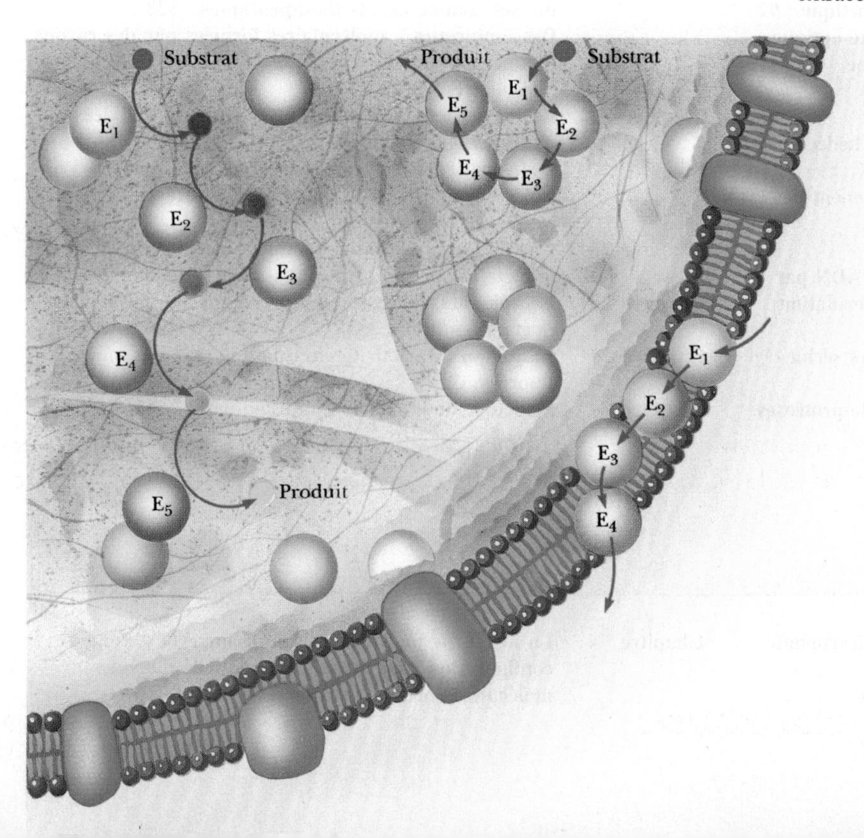

Liste des encarts

Biochimie humaine

Développements décisifs en biochimie

Pour en savoir plus

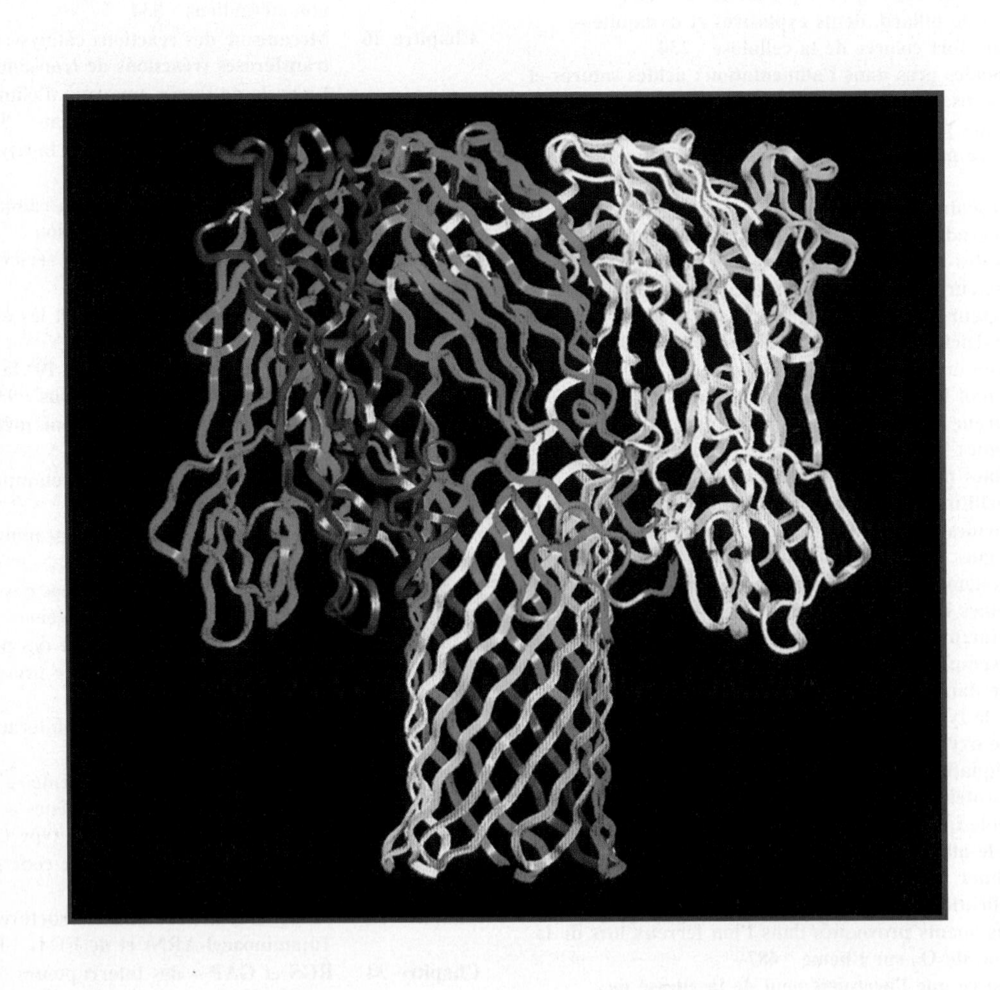

Table des matières

Première partie : Les molécules cellulaires 1

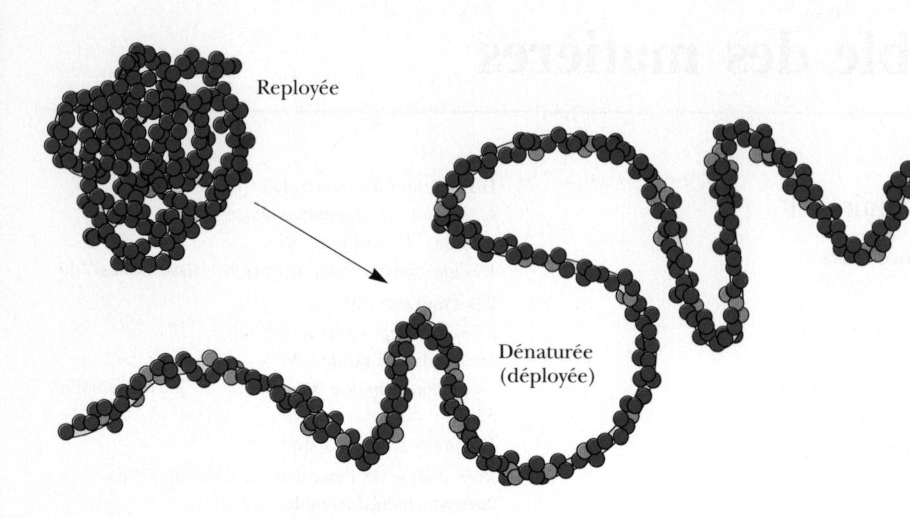
Reployée
Dénaturée
(déployée)

Couches **Micelles**

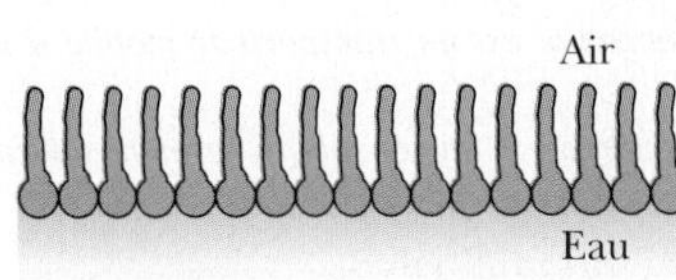

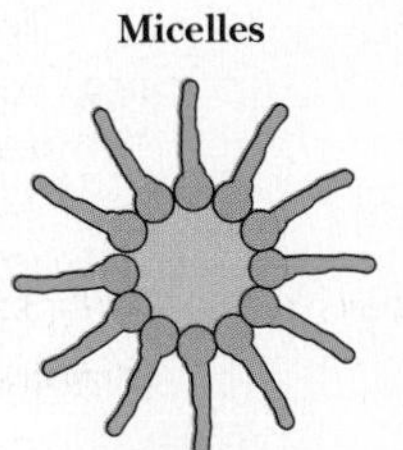

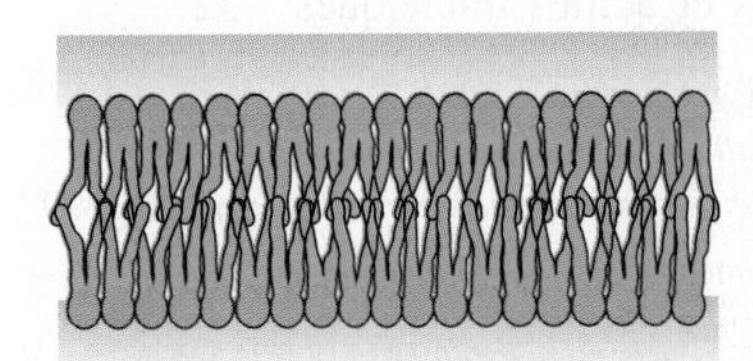

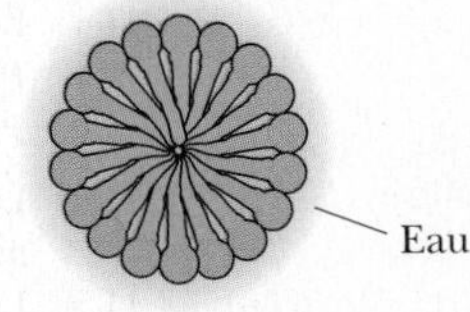

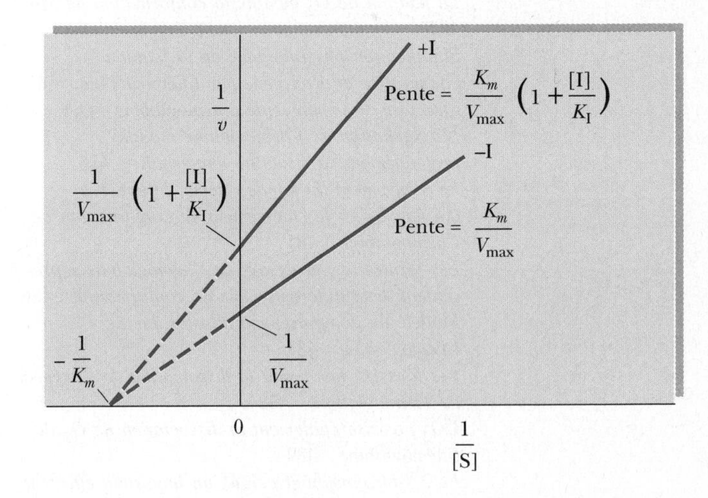
+I
$\frac{1}{v}$
Pente = $\frac{K_m}{V_{max}}\left(1+\frac{[I]}{K_I}\right)$
–I
$\frac{1}{V_{max}}\left(1+\frac{[I]}{K_I}\right)$
Pente = $\frac{K_m}{V_{max}}$
$-\frac{1}{K_m}$
$\frac{1}{V_{max}}$
0
$\frac{1}{[S]}$

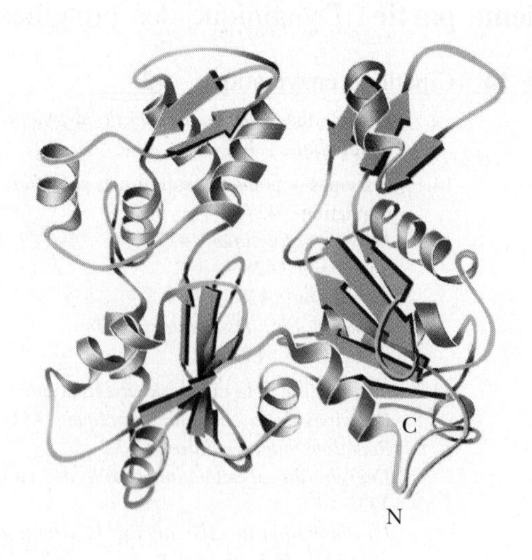
C
N

Troisième partie : Le métabolisme et sa régulation 565

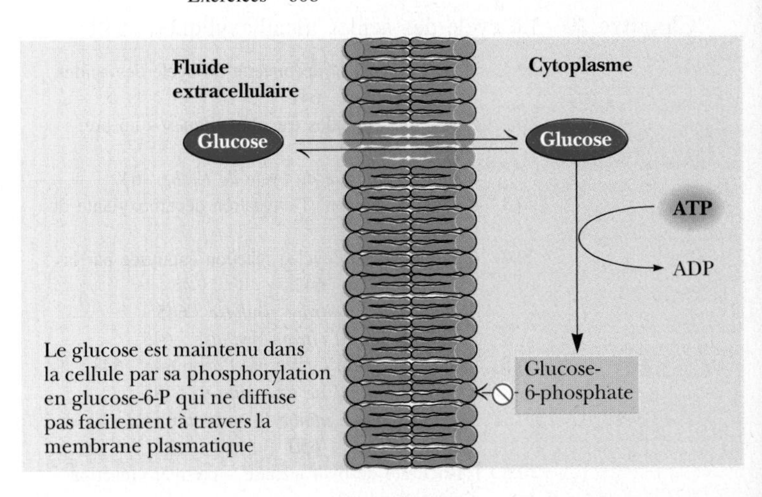
Fluide extracellulaire
Cytoplasme
Glucose
Glucose
ATP
ADP
Le glucose est maintenu dans la cellule par sa phosphorylation en glucose-6-P qui ne diffuse pas facilement à travers la membrane plasmatique
Glucose-6-phosphate

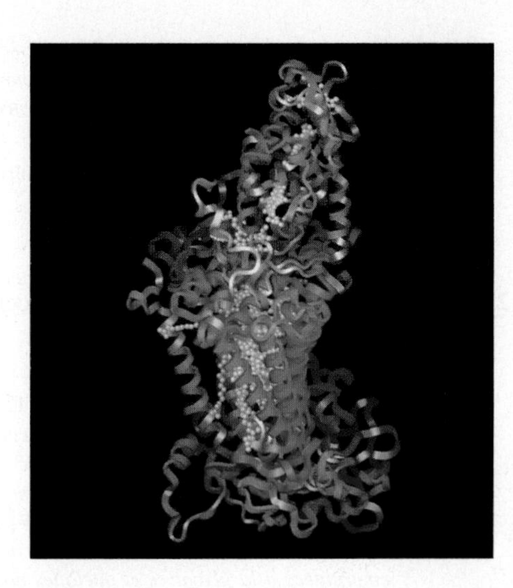

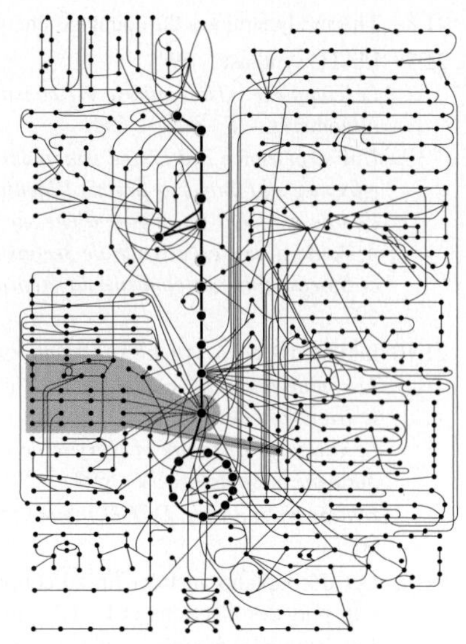
Catabolisme des acides gras

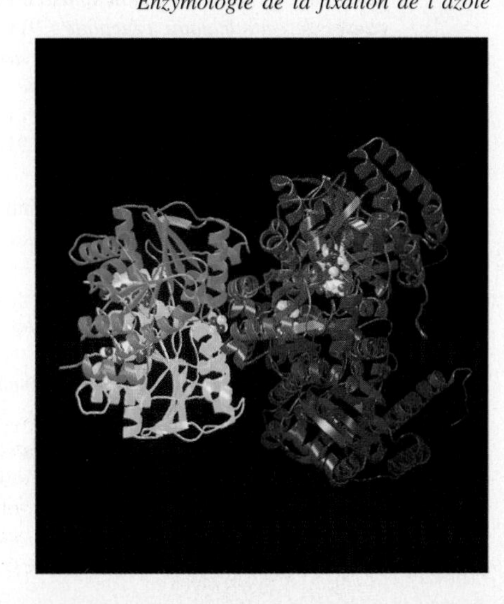

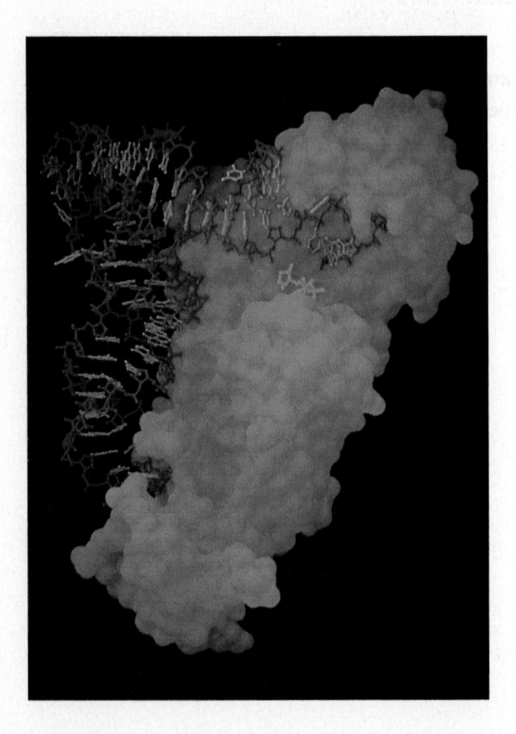

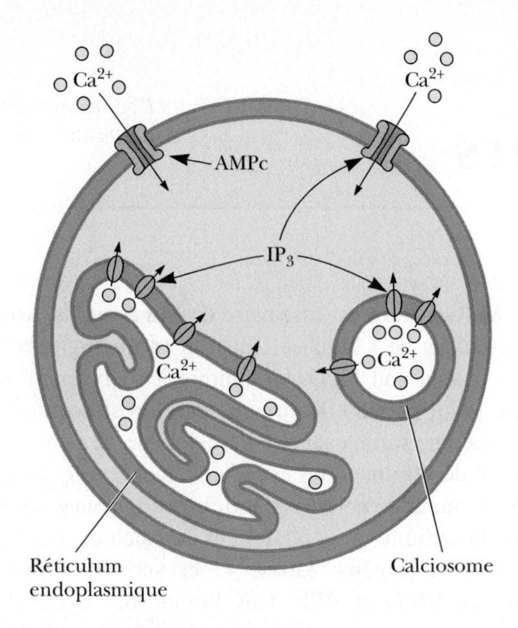
Ca2+
Ca2+
AMPc
IP3
Ca2+
Ca2+
Réticulum
endoplasmique
Calciosome

Les auteurs

Reginald H. Garrett, éduqué à Baltimore, puis à l'Université John Hopkins où il a obtenu son Ph.D. en Biologie en 1968. Depuis lors il a rejoint l'Université de Virginie où il est actuellement professeur de Biologie. Il est l'auteur de nombreux articles et de revues sur la biochimie, la génétique et la biologie moléculaire du métabolisme de l'azote minéral. Depuis 1964, il s'intéresse plus particulièrement à l'assimilation des nitrates par les champignons filamenteux. Ses recherches ont contribué à notre connaissance de l'enzymologie, de la génétique, et de la régulation des principales voies de la fixation biologique de l'azote. Elles ont bénéficié du soutien financier des organismes fédéraux (National Institutes of Health et National Science Foundation) et du secteur privé. Ancien boursier Fullbright, il a été à deux reprises en année sabbatique à l'Université de Cambridge. Depuis 26 ans, il enseigne la Biochimie. Il est membre de la Société américaine de Biochimie et de Biologie moléculaire.

Charles M. Grisham est originaire de Minneapolis, Minnesota. Après un cursus de Chimie à l'Institut technologique de l'Illinois, il a obtenu son Ph.D. en Chimie à l'Université du Minnesota en 1973, puis a effectué un séjour post-doctoral à l'Institut de recherche sur le cancer à Philadelphie. Il a ensuite rejoint l'Université de Virginie où il est actuellement professeur de Chimie. Il est l'auteur de nombreux articles et de revues sur le transport actif du sodium, du potassium et du calcium chez les mammifères, sur la protéine kinase C et sur l'utilisation de la spectroscopie RMN et RPE dans l'étude des systèmes biologiques. Ses recherches ont bénéficié du soutien financier des organismes fédéraux (National Institutes of Health et National Science Foundation), de l'Association américaine de lutte contre la dystrophie musculaire, de la Research Corporation et de la Société américaine de Chimie. Pour ses travaux, il a reçu un prix des National Institutes of Health. En 1983 et 1984, il a été en année sabbatique à l'Université d'Aarhus, Danemark et en 1999 à Standford. Depuis 24 ans, il enseigne la Chimie et la Chimie-physique à l'Université de Virginie. Il est membre de la Société américaine de Biochimie et de Biologie moléculaire.

De gauche à droite : Reginald Garrett, Clancy, Charles Grisham
(Rosemary Jurbala Grisham)

Avant-propos

La compréhension scientifique de la nature moléculaire de la vie progresse à une vitesse étonnante. La société dans son ensemble bénéficie dès aujourd'hui de cette meilleure connaissance. Les traitements de maladies, un meilleur service de santé publique, de nouveaux moyens de lutte contre la pollution, la production de produits naturels plus sains et moins coûteux, sont déjà quelques-uns des résultats pratiques de cette connaissance.

De plus, cette expansion du savoir favorise ce que Thomas Jefferson appelait « la liberté illimitée de la conscience humaine ». Les biochimistes peuvent utiliser les outils de la Biochimie et de la Biologie moléculaire pour explorer un organisme sous tous ses aspects – des questions de base comme sa composition chimique jusqu'aux subtilités de son métabolisme, de son développement et de sa différenciation, l'analyse de son évolution et même son comportement. La Biochimie est une science qui recouvre actuellement tous les aspects de la biologie, des molécules aux cellules et aux organismes, ainsi que l'écologie.

À mesure que la biochimie accroît sa prééminence dans les sciences naturelles, son introduction dans un cursus biologique, chimique, et des sciences de la vie, se généralise dès le premier cycle universitaire. C'est un formidable défi pour les auteurs et les enseignants : comment donner une description des principales caractéristiques de la biochimie moderne à de jeunes étudiants.

Heureusement, l'élargissement des connaissances permet de faire des généralisations rapprochant les propriétés biochimiques des systèmes vivants de celles des molécules qui les constituent. Ces généralisations, validées par des exemples renouvelés, aboutissent à la formulation des principes de base de la biochimie. Ces principes sont particulièrement utiles pour discerner et décrire de nouvelles relations entre les fonctions des diverses molécules biologiques et, à l'occasion des nouvelles découvertes, pour la prévision des mécanismes qui sous-tendent les propriétés de ces molécules.

Ce traité de Biochimie est écrit avec l'intention de faire comprendre à de jeunes étudiants, du début à la fin de leur cursus, les principes fondamentaux qui gouvernent la structure, la fonction et les interactions des molécules biologiques. Nous souhaitons qu'ils reconnaissent que la Biochimie est une importante partie des sciences de la vie, dont la connaissance est nécessaire à la compréhension de la physiologie humaine et pour mieux saisir les problèmes de santé.

Nous sommes deux biochimistes – l'un dans un département de Biologie, l'autre dans un département de Chimie. Très certainement, notre approche de la biochimie est influencée par notre vision des perspectives universitaires de nos disciplines respectives. Cependant, nous croyons que notre collaboration au cours de la rédaction de cet ouvrage représente une fusion de nos perspectives et que cela donnera aux étudiants une nouvelle approche, une nouvelle façon de comprendre la Biochimie.

Principales caractéristiques et organisation du texte

Notre approche dans l'organisation de ce traité est traditionnelle puisque nos partons du plus simple pour aller vers le plus complexe. La première partie, **Les molécules cellulaires**, commence avec la présentation de la structure et des propriétés chimiques des molécules biologiques. Cette partie crée une continuité entre la biochimie et le cours de chimie organique qui devrait constituer un préalable à sa lecture. Cette partie commence par les notions élémentaires – la structure et la hiérarchie de l'organisation des molécules biologiques dans les cellules (Chapitre 1) et le rôle fondamental de l'eau comme « solvant » de la vie (Chapitre 2). Le Chapitre 3, *Thermodynamique des systèmes biologiques*, présente les relations thermodynamiques fondamentales utiles à la compréhension de l'énergétique du métabolisme cellulaire. La thermodynamique du reploiement d'une protéine est donnée comme illustration exemplaire des contributions relatives des variations d'enthalpie et d'entropie qui accompagnent les variations d'énergie dans les systèmes biologiques. Dans ce chapitre, nous soulignons les caractéristiques chimiques particulières de l'ATP et d'autres molécules biologiques qui font de ces substances des transporteurs d'énergie utilisable par les cellules.

Le Chapitre 4, *Les acides aminés*, commence notre revue des molécules biologiques avec une description de la structure et de la chimie de ces substances qui sont les unités de base des protéines. Les Chapitres 5 et 6, *Les protéines : fonctions biologiques et structure primaire*, et *Les protéines : structures secondaires, tertiaires et quaternaires*, sont consacrés à une description nouvelle et détaillée de l'anatomie des molécules protéiques, illustrée par de nombreuses représentations schématiques sous forme de diagrammes et de modèles calculés par ordinateur qui permettent de saisir la diversité de ces structures, les plus complexes de toutes les molécules biologiques.

Le Chapitre 7 : *Les glucides* et le Chapitre 8 : *Les lipides*, décrivent la structure et les propriétés chimiques de ces grandes classes de molécules biologiques et permettent d'explorer en profondeur la structure la chimie et la fonction de ces ensembles complexes qui définissent les limites cellulaires examinées Chapitre 9 : *Membranes et surfaces cellulaires*. Les points les plus importants comprennent les propriétés chimiques et structurales des protéines membranaires ancrées par des lipides et les structures des protéoglycannes présents à la surface des cellules. Chapitre 10 : *Les transports membranaires ;* ce chapitre traite des questions posées par la manière dont les cellules peuvent acquérir les substances nécessaires à son développement ou à son activité et éliminer ses produits ou ses déchets en dépit de la membrane normalement imperméable qui l'entoure.

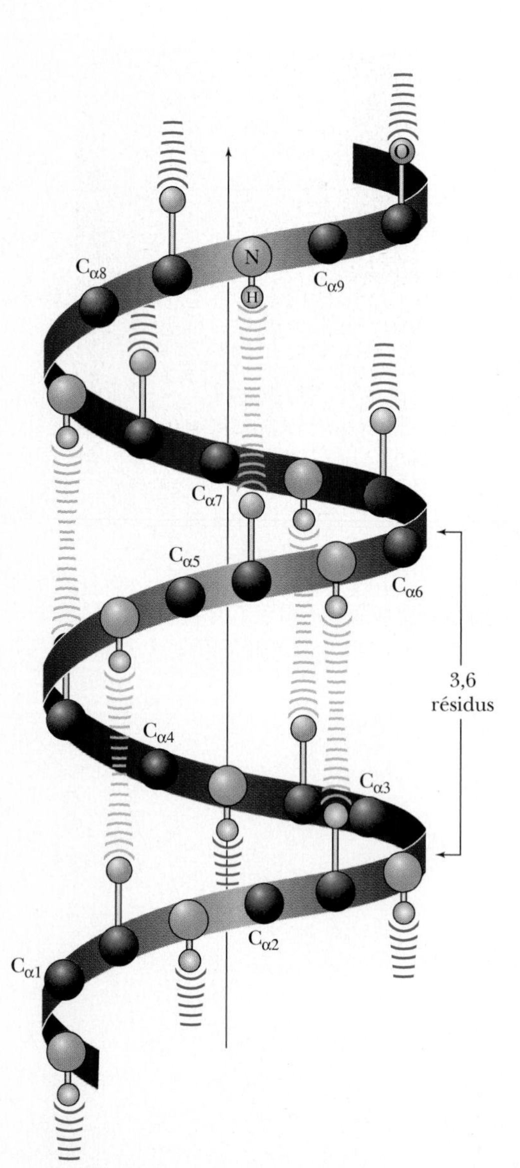

Chapitre 11 : *Nucléotides et acides nucléiques,* décrit les propriétés chimiques des nucléotides et l'organisation de ces unités dans les molécules polymériques, acide ribonucléique (ARN) et acide désoxyribonucléique (ADN). Le Chapitre 12 : *Structure des acides nucléiques,* présente en particulier l'arrangement des acides nucléiques dans des structures d'ordre supérieur, comme les formes A, B et Z de la double hélice de l'ADN. Un chapitre sur la technologie de l'ADN recombinant, le Chapitre 13, *L'ADN recombinant : clonage et création de gènes chimères*, est inséré à cet endroit du traité afin de familiariser les étudiants avec les concepts de base et les méthodes utilisées. La technologie de l'ADN recombinant est un des derniers outils de la recherche en Biochimie et les avancées spectaculaires qu'elle permet illuminent, d'une façon incomparable, les relations entre l'information génétique, la structure des molécules biologiques et leurs fonctions. Les chapitres de cette première partie, comme de nombreux autres chapitres de cet ouvrage, contiennent des encarts de trois types : **Biochimie humaine, Pour en savoir plus et Étapes décisives de la Biochimie.** Ces textes soulignent quelques aspects de la biochimie médicale et fouillent un peu plus profondément divers sujets ou certaines observations expérimentales donnant à l'étudiant une meilleure appréciation de la logique et du contexte historique d'importantes découvertes biochimiques.

La deuxième partie, **Dynamique des protéines**, commence par une présentation quantitative, mais facile à suivre, de la cinétique des réactions catalysées par les enzymes (Chapitre 14). La découverte du rôle catalytique de certains acides ribonucléiques (appelés les *ribozymes*) et la production d'anticorps à activité catalytique désirée (les *abzymes*) sont aussi signalées. Le Chapitre 15, *Spécificité enzymatique et régulation*, est consacré aux mécanismes de la régulation de l'activité enzymatique – et donc des processus métaboliques. En particulier, ce chapitre comprend une description détaillée de la glycogène phosphorylase et de sa régulation par des mécanismes allostériques et par une phosphorylation réversible. La structure cristalline de cet enzyme exemplaire des enzymes allostériques a été résolue au niveau atomique, et les détails de cette structure permettent une étude approfondie des propriétés catalytiques des enzymes et des voies de la régulation enzymatique. Ce chapitre s'achève avec un examen approfondi de l'hémoglobine et de ses propriétés allostériques.

Le Chapitre 16 : *Mécanisme d'action des enzymes*, présente les principes physico-chimiques élémentaires de la stabilisation de l'état de transition qui est à la base du pouvoir catalytique des enzymes. Il décrit une série de mécanismes enzymatiques, dont ceux, biens connus, des sérine protéases et des aspartate protéases. Cette dernière classe d'enzyme comprend la protéase VIH-1, une des cibles privilégiées de la lutte contre le VIH, le virus agent du sida. Le Chapitre 17 : *Moteurs moléculaires*, rassemble en un seul chapitre une présentation des complexes protéiques qui assurent la transduction de l'énergie chimique en mouvement mécanique. Ce chapitre comprend une description de la structure et de la fonction des muscles ainsi que celle d'autres systèmes comme celui de la vibration des cils, du transport des vésicules et des organites intracellulaires par la kinésine et la dynéine ; une attention particulière est portée à la description du mécanisme rotatif par lequel les flagelles contribuent aux déplacements de certaines cellules.

La troisième partie, **Le métabolisme et sa régulation**, qui comprend les chapitres 18 à 28, décrit les voies métaboliques qui orchestrent les réactions de synthèse et de dégradation propres à la vie. Une attention particulière est portée à la logique chimique du métabolisme intermédiaire. Le Chapitre 18 : *Le métabolisme – vue d'ensemble*, souligne les similarités fondamentales du métabolisme de tous les organismes et donne un aperçu général des principes qui régissent le métabolisme en soulignant le rôle des vitamines comme coenzymes ou précurseurs de coenzymes. Les aspects fondamentaux du catabolisme sont décrits Chapitres 19 : *La glycolyse*, 20 : *Le cycle des acides tricarboxyliques* et 21 : *Transport des électrons et oxydations phosphorylantes*. Il est aujourd'hui admis que le couplage énergétique dans les mitochondries n'est probablement pas stœchiométrique ce qui donne par exemple un rapport P/O proche de 2,5 plutôt que la valeur traditionnelle de 3. Ce point est commenté Chapitre 21.

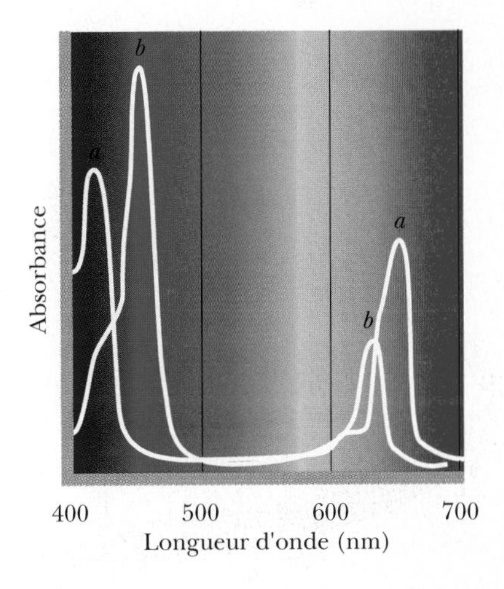

Les processus photosynthétiques, qui fournissent l'énergie et sont la source fondamentale de la synthèse des glucides dont dépendent presque tous les organismes vivants, sont décrits Chapitre 22 : *La photosynthèse*. Au cœur de ce chapitre se trouvent en particulier la description de la structure moléculaire des centres réactionnels photosynthétiques comme on la conçoit à présent et le mécanisme et la régulation de la ribulose bisphosphate carboxylase.

Le Chapitre 23 : *Néoglucogenèse, métabolisme du glycogène et voie des pentoses phosphates* étend la présentation du métabolisme glucidique au-delà de la glycolyse et insiste sur les relations entre les différentes voies de la conversion des oses. Deux chapitres sont ensuite consacrés au métabolisme des lipides, le Chapitre 24 : *Catabolisme des acides gras* qui décrit les voies d'oxydation des acides gras et le Chapitre 25 : *Biosynthèse des lipides* ; ce dernier chapitre détaille les propriétés de l'acétyl-CoA carboxylase, qui catalyse la principale étape soumise à régulation de la synthèse des acides gras, et présente la synthèse du cholestérol et des lipides à activité biologique (eicosanoïdes et hormones stéroïdes).

Le Chapitre 26 : *Acquisition de l'azote et métabolisme des acides aminés*, insiste, plus qu'il n'est d'usage, sur le métabolisme de l'azote et l'acquisition de l'azote minéral par le monde vivant. Il comporte également la description des voies de la dégradation et de la biosynthèse des acides aminés. Le Chapitre 27 : *Synthèse et dégradation des nucléotides*, outre le métabolisme des bases puriques et pyrimidiques, examine les bases biochimiques des déficiences génétiques dans le métabolisme de ces bases et envisage les possibilités d'une intervention médicamenteuse sur les voies qui contrôlent la prolifération pathologique, comme dans le cancer ou dans les infections bactériennes.

Le Chapitre 28 : *Intégration métabolique et caractère unidirectionnel des séquences métaboliques*, est unique parmi les chapitres des traités classiques en ce qu'il définit la nature essentiellement unidirectionnelle des voies métaboliques et le rôle stœchiométrique de l'ATP dans l'entraînement des processus vitaux qui sont thermodynamiquement défavorables. Ce chapitre traite aussi de la logique reliant les voies métaboliques et des relations métaboliques entre les principaux organes du corps humain.

La quatrième partie, **Le transfert de l'information**, décrit le rôle essentiel de la conservation de l'information biologique et de sa transmission dans les organismes ainsi que les mécanismes par lesquels ils interprètent et répondent aux informations chimiques et physiques provenant de l'environnement. Les expériences historiques aboutissant à la mise en évidence de l'ADN comme support des caractères héréditaires (de l'information génétique), sont présentées Chapitre 29 : *L'ADN : information génétique, recombinaison et mutation*, avec les dernières découvertes permettant de comprendre le mécanisme moléculaire des recombinaisons génétiques. Le Chapitre 30 : *Réplication et réparation de l'ADN*, est consacré à la biochimie de la conservation et de la réplication de l'information génétique transmise aux cellules filles, l'accent étant mis sur la chorégraphie des sous-unités du complexe enzymatique de la réplication de l'ADN. Le Chapitre 31 : *Transcription et régulation de l'expression des gènes*, présente ensuite les moyens par lesquels l'information codée dans l'ADN est exprimée par la synthèse de l'ARN et comment cette expression est régulée. La structure moléculaire et le mécanisme réactionnel de l'ARN polymérase ainsi que le rôle des facteurs protéiques liant l'ADN qui modulent son activité constituent des points importants de ce chapitre.

La Chapitre 32 : *Le code génétique*, décrit les approches biochimiques qui ont permis de déchiffrer le code génétique et les aspects moléculaires de ce qui a pu être appelé « le second code génétique » : comment les aminoacyl-ARNt synthétases reconnaissent spécifiquement leurs ARNt accepteurs. Le Chapitre 33 : *Synthèse et dégradation des protéines*, présente la structure et la fonction des ribosomes comme agents de la synthèse des protéines et souligne le fait que l'ARNr 23S est la molécule à activité peptidyltransférase responsable de la formation de la liaison peptidique. Dans ce chapitre, nous discutons la nouvelle évaluation du rôle des protéines du choc thermique dans le reploiement des protéines et de l'importance de la dégradation des protéines comme moyen de la régulation de la concentration intracellulaire de certaines protéines.

Le Chapitre 34 : *Réception et transmission de l'information d'origine extracellulaire*, est une sorte de mise au point des connaissances acquises dans le domaine de la signalisation cellulaire ; il met surtout l'accent sur les aspects du transfert de l'information impliqués dans l'information provenant de l'environnement : action des hormones, cascades de réactions dans la transduction d'un signal, récepteurs membranaires, oncogènes, gènes suppresseurs de tumeurs, transduction des sensations, neurotransmission et biochimie des troubles neurologiques.

Remerciements

Nous devons beaucoup aux nombreux spécialistes en Biochimie et Biologie moléculaire qui ont soigneusement revu le manuscrit aux diverses étapes de sa préparation et pour leur inestimable contribution à la manière d'écrire un manuel de biochimie intéressant pour les étudiants. Leurs noms sont cités dans la Liste des lecteurs et contributeurs à la fin de l'avant-propos.

Nous voulons assurer de notre reconnaissance les nombreuses personnes qui nous ont assisté et encouragé dans notre entreprise, et parmi elles, la direction de Saunders College Publishing ainsi que John Vondeling, notre éditeur, qui nous a fait confiance et a maintenu la pression pour que nous terminions la réécriture de ce traité. Nous remercions également Sandi Kiselica dont la ferme résolution à voir réussir le projet nous a poussé à nous concentrer sur notre tâche, à respecter la programmation et à contenir les sujets traités dans un nombre de pages compatibles avec un traité destiné à des étudiants. Nous devons signaler les indispensables contributions des collaborateurs dont les efforts ont transformé un manuscrit encore brut en produit final : Charlene Squibb, directrice de la production, Carol Bleistine, directrice artistique, et les responsables du projet, Linda Boyle Riley, Beth Arens, et tout particulièrement Sarah Fitz-Hugh. Sarah fut pour nous un fidèle régisseur suivant les diverses versions du manuscrit ; nous nous rendons compte de son travail et conservons un très bon souvenir de nos amicales relations. Nous devons aussi remercier Pauline Mula, elle est plus qu'un Directeur de la distribution, elle est notre amie. Si ce livre à un aspect visuel agréable, une certaine élégance dans la présentation, c'est à elle que nous le devons. Les illustrations qui non seulement décorent cet ouvrage mais contribuent à l'explication de son contenu sont l'œuvre d'une équipe imaginative travaillant pour Dartmouth Graphics et de John Woolsey et Patrick Lane de chez J/B Woolsey Associates. Nous renouvelons l'expression de notre gratitude aux collègues qui nous ont confié leurs dessins et graphiques originaux, en particulier Jane Richardson, professeur à l'Université Duke, qui nous a fourni de nombreux originaux de la représentation schématique de la structure des protéines ornée de flèches, de rubans et de boucles. Michael Sabat et Mindy Whaley ont préparé les graphiques moléculaires utilisés comme illustrations. Flora Lackner a de bon coeur accompli cette tâche ingrate mais essentielle qu'est la compilation de l'index. Peter T. Gates a participé à la correction du manuscrit. Nous devons des remerciements chaleureux à nos épouses pour leur patience et leur dévoué soutien, en particulier à Rosemary Jurbala Grisham qui fut aussi notre photographe attitrée.

Avec la publication de cette deuxième édition, nous voulons célébrer et commémorer les vies de nos maîtres, de ceux qui nous ont fait littéralement vivre la Biochimie : Alvin Nason, Kenneth R. Schug, William D. McElroy, Ronald E. Barnett, Maurice J. Bessman, Albert S. Mildvan, Ludwig Brand et Rufus Lumry.

Reginald H. Garrett
Advance Mills, VA

Charles M. Grisham
Ivy, VA

Liste des personnes ayant contribué au bon achèvement de ce traité

Nous tenons à manifester notre reconnaissance à ceux qui ont soigneusement relu le manuscrit. Leurs suggestions nous ont été des plus utiles.

Michael Behe, *Lehigh University*
Judy Callis, *University of California, Davis*
Scott Champney, *East Tennessee State University, School of Medicine*
Jeffrey Cohlberg, *California State University, Long Beach*
Frank Deis, *Rutgers University*
Terry Elton, *Brigham Young University*
Nancy Gerber, *San Francisco State University*
Paul Gollnick, *State University of New York, Buffalo*
Christina Goode, *California State University, Fullerton*
Milton Gordon, *University of Washington*
Mark Griep, *University of Nebraska, Lincoln*
Charles Grissom, *University of Utah*
Robert Gunderson, *University of Maine*
Russell Kerr, *Florida Atlantic University*
George B. Kitto, *University of Texas*
George Kreishman, *University of Cincinnati*
Gary Kunkel, *Texas A & M University*
Sidney Kushner, *University of Georgia*
Robert Lindquist, *San Francisco State University*
Mary Luckey, *San Francisco State University*
Charles Matz, *University of Illinois, Urbana-Champaign*
Phillip McFadden, *Oregon State University*
Allen Phillips, *Pennsylvania State University*
Leigh Pleisniak, *University of San Diego*
Michael Reddy, *University of Wisconsin, Milwaukee*
Jonathan Scholey, *University of California, Davis*
William Scovell, *Bowling Green State University*
Roger Sloboda, *Dartmouth College*
Daniel Weeks, *University of Iowa, College of Medicine*
Gail Willsky, *State University of New York, Buffalo*
Marc Wold, *University of Iowa, College of Medicine*

Ce qui est nouveau dans cette deuxième édition

Nous remercions sincèrement les nombreux utilisateurs de la première édition et les critiques scientifiques pour leurs commentaires positifs et leurs recommandations. De nombreuses modifications introduites dans cette seconde édition résultent du vif intérêt qu'ils ont manifesté pour ce traité.

Le supplément qui accompagnait notre première édition a été incorporé pour ne former qu'un seul volume. Il nous a fallu sélectionner, distiller l'essentiel, pour ne pas augmenter le nombre total des pages.

Une nouvelle catégorie d'encarts, « Biochimie humaine », a été ajoutée pour souligner les bases moléculaires de diverses maladies ou de troubles cliniques. Les étudiants intéressés par les sciences biomédicales devraient pouvoir en tirer profit.

Nous avons également augmenté le nombre d'encarts, « Pour en savoir plus » et « Développements décisifs ». Ces encarts – 124 au total – rendent la Biochimie plus familière, permettent d'approfondir et d'enrichir les sujets concernés.

De nouveaux graphiques moléculaires ont été dessinés par Michael Sabat, de l'Université de Virginie, afin de rendre plus compréhensibles les structures des protéines.

Certains chapitres ont été remaniés ou introduits :

Chapitre 3 : Concerne la thermodynamique et les produits « riches en énergie ».

Chapitre 6 : Présente l'algorithme de Rose et Srinivasan utilisé pour la prédiction par ordinateur de la structure tertiaire d'une protéine à partir de la séquence des acides aminés. Le reploiement des protéines et la prédiction des structures tertiaires demeurent l'un des champs d'activité les plus ouverts de la Biologie moléculaire.

Chapitres 9 et 10 : Décrivent les membranes et les surfaces cellulaires, et plus particulièrement les structures des toxines formant des pores ainsi que les protéines de transport.

Chapitre 12 : Il comprend la structure, récemment résolue au niveau atomique, des nucléosomes complexés à l'ADN.

Chapitre 13 : Décrit les protocoles expérimentaux du clonage, de la construction des vecteurs utilisés pour la création d'organismes transgéniques, de la construction de banques combinatoires et de leur criblage.

Chapitre 15 : Présente la glycogène phosphorylase comme exemple typique de la régulation des enzymes : contrôle allostérique et modification covalente par phosphorylation réversible.

Chapitre 17 : Un nouveau chapitre complètement inédit, *Les moteurs moléculaires*, décrit l'assemblage des protéines impliquées dans les mouvements, tant au niveau cellulaire qu'au niveau subcellulaire.

Chapitre 18 : Concerne à présent aussi bien la nutrition que l'introduction au métabolisme.

Chapitre 20 : Envisage la possibilité qu'aux débuts de l'évolution biologique, le cycle de l'acide citrique pouvait fonctionner en sens inverse et contribuer à la réduction du CO_2 fixé.

Chapitre 21 : Présente la structure atomique récemment révélée du complexe III (complexe cytochrome bc_1) et du complexe IV (cytochrome oxydase).

Chapitre 22 : Décrit la structure cristalline du Photosystème I.

Chapitre 26 : Décrit la structure cristalline de la nitrogénase (enzyme catalysant la fixation de l'azote).

Chapitre 28 : Placé, de façon appropriée, à la fin de la partie consacrée au métabolisme, ce chapitre analyse l'intégration des diverses voies métaboliques.

Chapitre 29 : Décrit le modèle moléculaire de la recombinaison dans la jonction de Holliday.

Chapitre 30 : Présente les dernières conceptions sur le réplisome, la machinerie moléculaire de la réplication de l'ADN.

Chapitre 31 : Révèle les connaissances actuelles sur l'assemblage de l'ARN polymérase et examine les propriétés des protéines liant l'ADN qui participent à la régulation de la transcription.

Chapitre 32 : Met l'accent sur le concept de « second code génétique » : la reconnaissance hautement spécifique des acides aminés appropriés et des ARNt substrats des aminoacyl-ARNt synthétases.

Chapitre 33 : Complète la synthèse des protéines par une large place à la description graphique de la structure et de la fonction des ribosomes, du rôle des chaperonines (chaperons protéiques) dans le reploiement des protéines, de l'importance de la protéolyse dans la régulation de la concentration des protéines et du rôle de l'ubiquitinylation et du protéasome 26S dans leur dégradation.

Chapitre 34 : Ce chapitre analyse les mécanismes par lesquels les cellules interprètent et répondent aux hormones, aux neurotransmetteurs et à la lumière. Le rôle des protéines adhésives dans l'assemblage des complexes polymériques de la signalisation est largement évoqué.

Dédicace

Nous dédions ce livre à celles et ceux dont l'influence parentale a suscité notre curiosité et infailliblement, quoique non intentionnellement, nous a conduit à étudier les sciences et à nous poser des questions sur la nature de la vie.

Cora Blankenship
William W. Garrett
Marjorie K. Garrett
Lelia B. Bosley

Mary Charlotte Markell Grisham
Ernest M. Grisham

Première partie
Les molécules cellulaires

Tout ce qui est vivant exige de l'eau ; tous les organismes sont des systèmes chimiques en phase aqueuse. (Vagues à Oahu, Hawaï, Brad Lewis/Liaison International)

« Tout ce que les êtres vivants font peut être décrit en termes de vibration et d'agitation des atomes. »

RICHARD P. FEYNMAN
Cours de Physique

Chapitre 1

La chimie est la logique des phénomènes biologiques

PLAN

« Animaux des marécages et oiseaux sur la Gambie » vers 1912, par Harry Hamilton Johnston (1858-1927). *(Royal Geographical Society, Londres/The Bridgeman Art Library)*

Les molécules ne sont pas des structures vivantes. Cependant, les organismes vivants sont composés d'un grand nombre de molécules plus ou moins complexes. Ces systèmes vivants se distinguent du monde inanimé par certaines propriétés extraordinaires. Ils peuvent croître, se déplacer, sont capables d'une incroyable chimie métabolique, répondent aux stimulations de l'environnement et, ce qui est encore plus significatif, peuvent se reproduire avec une exceptionnelle fidélité. La structure complexe et le comportement des organismes vivants masquent une vérité fondamentale : leur composition moléculaire peut être décrite et comprise. La chimie des cellules vivantes est semblable à celle des réactions de la chimie organique. En vérité, les constituants biologiques cellulaires, ou **biomolécules**, se conforment aux principes chimiques et physiques qui régissent toute la matière. Malgré la spectaculaire diversité des formes de la vie et la complexité des structures biologiques et des mécanismes réactionnels propres à la vie, toutes ses fonctions peuvent, en fin de compte, être interprétées en termes chimiques. *La chimie est la logique des phénomènes biologiques.*

1.1 • Propriétés distinctives des systèmes vivants

La caractéristique la plus évidente des **organismes vivants** est qu'ils sont *complexes et extrêmement organisés* (Figure 1.1). Par exemple, les organismes assez grands pour être visibles à l'œil nu sont formés de nombreuses **cellules**, le plus souvent de types différents. À leur tour, ces cellules contiennent des structures subcellulaires, ou **organites**, qui sont des assemblages complexes de très grosses molécules polymériques, les **macromolécules**. Ces macromolécules elles-mêmes ont un remarquable degré d'organisation avec une structure tridimensionnelle très complexe, bien qu'elles soient constituées d'un petit nombre d'éléments chimiques comme les sucres ou les acides aminés. En fait, la structure tridimensionnelle complexe, ou **conformation**, caractéristique des macromolécules résulte des interactions entre ses constituants, en fonction de leurs propriétés chimiques individuelles.

Les structures biologiques correspondent à des fonctions définies. La vie d'un organisme dépend du rôle des structures biologiques. Chaque composante de l'organisme correspond à une fonction biologique, des membres aux divers organes, et jusqu'aux agents chimiques du métabolisme, comme les enzymes ou les produits du métabolisme intermédiaire. En fait, c'est cette caractéristique fonctionnelle des structures biologiques qui différencie la Biologie des sciences du monde inanimé comme la Chimie, la Physique et la Géologie. En Biologie, il est toujours raisonnable de se poser la question du « pourquoi » de l'existence des structures, de l'organisation ou des motifs observés, c'est-à-dire de se poser la question de la fonction qui leur correspond.

Les systèmes vivants sont activement engagés dans des transformations énergétiques. Le maintien d'une structure extrêmement organisée et de l'activité des systèmes vivants dépend de leur aptitude à extraire de leur environnement l'énergie nécessaire. Le soleil est la source primaire d'énergie. L'énergie solaire passe des *organismes photosynthéthiques* (organismes ayant la capacité de capter l'énergie solaire par la voie de la photosynthèse), aux herbivores et finalement aux carnivores

(a)

(b)

Figure 1.1 • (a) Tête de Mandrill (*Mandrillus sphinx*), singe voisin du babouin originaire de l'Afrique de l'Ouest. (b) Orchidée tropicale (*Bulbophyllum blumei*) de Nouvelle-Guinée. *(a, Tony Angermayer/Photo Reseachers, Inc. ; b, Thomas C. Boyden/Mare Selby Botanical Gardens)*

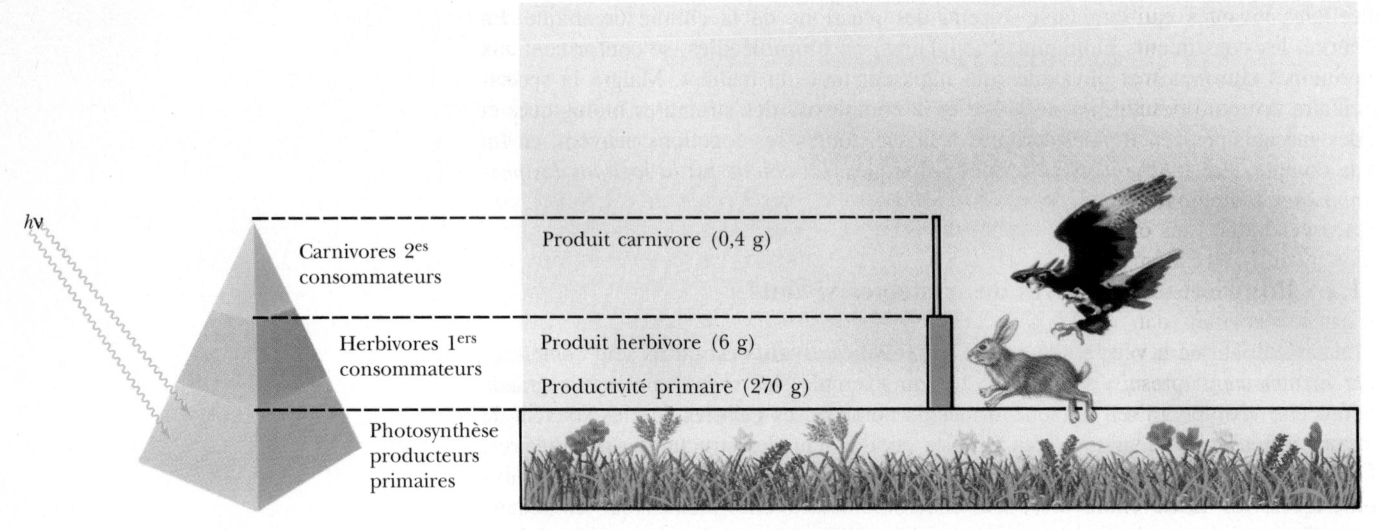

Figure 1.2 • Pyramide de la chaîne alimentaire. À la base, les organismes photosynthétiques capturent l'énergie lumineuse. Les herbivores puis les carnivores dépendent de l'énergie accumulée par ces producteurs primaires.

à l'extrémité de la chaîne ou de la pyramide alimentaire (Figure 1.2). Un flux d'énergie traverse ainsi la biosphère. Les organismes vivants captent une partie de cette énergie, que ce soit par photosynthèse ou par voie métabolique à partir de la nourriture, et synthétisent des biomolécules énergétiques particulières parmi lesquelles l'**ATP** et le **NADPH** sont les deux exemples les plus importants (Figure 1.3). (Les abréviations les plus souvent utilisées, comme ATP ou NADPH, sont définies dans les dernières pages du livre). L'ATP et le NADH sont des molécules énergétiques très particulières, elles contiennent de l'énergie chimique utilisable par les cellules. Nous examinerons les bases chimiques de cette accumulation d'énergie dans les chapitres ultérieurs. Pour l'instant, il suffit de dire que lorsque ces molécules réagissent avec d'autres molécules cellulaires, l'énergie libérée peut être utilisée pour permettre le déroulement de réactions dans des conditions thermodynamiquement défavorables en leur absence. L'ATP, le NADH et les molécules apparentées sont donc des sources d'énergie permettant les activités cellulaires qui exigent de l'énergie, comme les biosynthèses, les mouvements, le travail osmotique contre les gradients de concentration et parfois l'émission de lumière (bioluminescence). Un organisme vivant n'est en équilibre avec le monde inanimé environnant qu'après sa mort. *L'état vivant se caractérise par le flux d'énergie qui le traverse*. Aux dépens de ce flux, l'organisme peut maintenir son haut niveau de complexité, avoir une activité

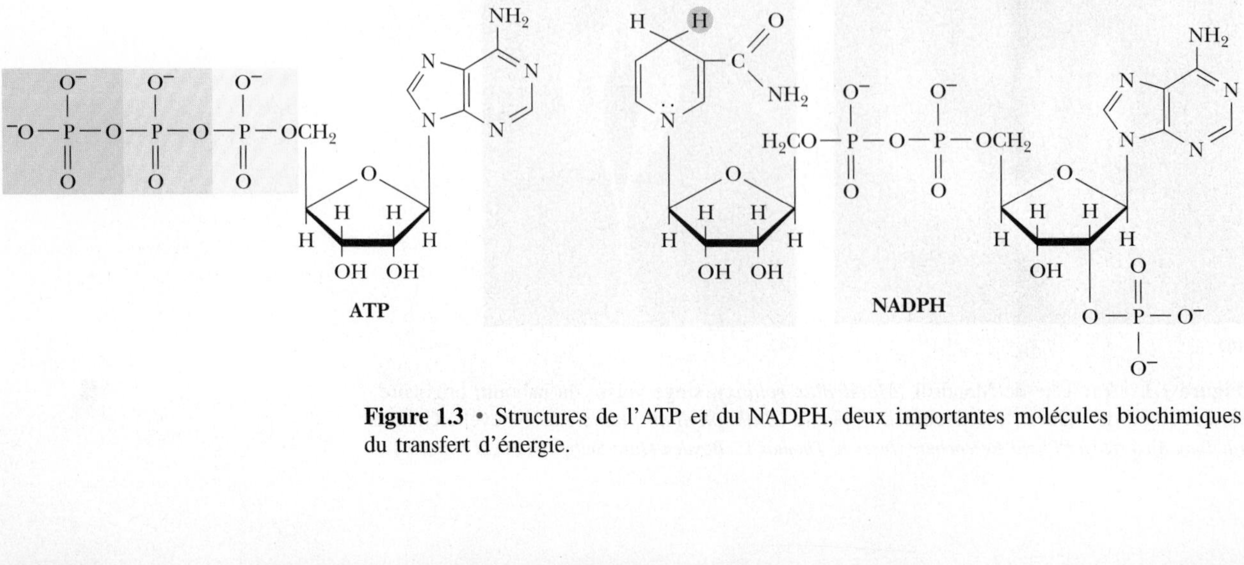

ATP **NADPH**

Figure 1.3 • Structures de l'ATP et du NADPH, deux importantes molécules biochimiques du transfert d'énergie.

très éloignée de l'équilibre avec son environnement et cependant sembler stable au cours du temps. Cette stabilité apparente, appelée **état d'équilibre**, recouvre en vérité une situation très dynamique : l'organisme consomme et utilise de l'énergie et de la matière première pour maintenir sa complexe et harmonieuse organisation. Au contraire, la matière inanimée, à l'exemple de l'univers, tend vers un désordre croissant, ou, en termes de thermodynamique, vers un maximum d'entropie.

Les systèmes vivants ont une remarquable capacité de réplication. Génération après génération, les organismes se reproduisent sous forme de copies pratiquement identiques à eux-mêmes. Cette réplication procède de mécanismes extrêmement variés, de la simple division cellulaire à la reproduction sexuée chez les animaux et les végétaux, mais dans tous les cas, elle se caractérise par une surprenante précision (Figure 1.4). En vérité, si cette précision était encore meilleure, l'évolution des organismes serait presque bloquée, car l'évolution dépend de la sélection naturelle opérée sur des organismes individuels qui diffèrent très légèrement quant à leur capacité d'adaptation à leur environnement. La fidélité de la réplication provient en fin de compte de la nature chimique du support des caractères héréditaires. Le support est constitué de chaînes d'acide désoxyribonucléique, ou **ADN**, à structures complémentaires l'une de l'autre (Figure 1.5). Ces molécules génèrent des copies d'elles-mêmes, avec l'aide d'un processus de polymérisation rigoureusement exécuté qui assure une reproduction particulièrement fidèle des chaînes d'ADN originales. Par opposition, les molécules du monde inanimé n'ont pas cette capacité. Un mécanisme de réplication rudimentaire, ou une formation de structure chimique spécifique à partir d'une structure organisatrice, doit avoir existé à l'origine de la vie.

(a)

(b)

(c)

Figure 1.4 • Les organismes ressemblent à leurs parents. (a) Reg Garrett avec ses fils Robert, Jeffrey, Randal, et son petit-fils Jackson. (b) Un orang-outang et son petit. (c) La famille Grisham : Andrew, Rosemary, Charles, Emily et David.
(a, William W. Garrett ; b, Randal Harrison Garrett ; c, Charles Y. Sipe)

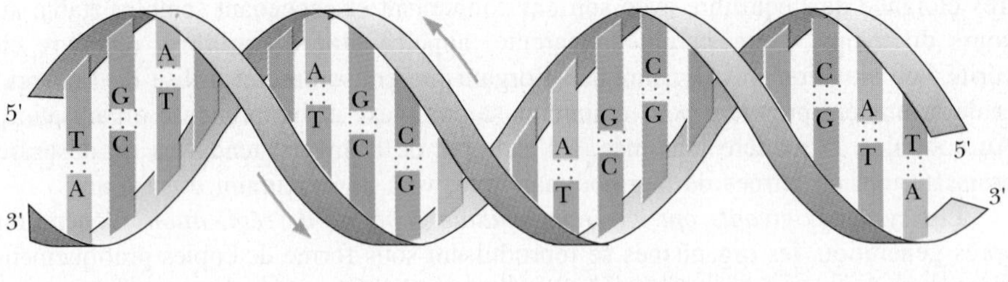

Figure 1.5 • La double hélice de l'ADN. Les deux chaînes de nucléotides sont complémentaires et orientées dans des directions opposées. Elles sont appariées par des liaisons hydrogène entre les bases azotées. La complémentarité des séquences de nucléotides engendre une complémentarité structurale.

Ce système primitif devait sans aucun doute posséder certaines des propriétés de **complémentarité structurale** (voir plus loin) propres aux systèmes de réplication très évolués présents de nos jours.

complémentaires • qui se complètent, qui par combinaison forment un tout, ou, qui par combinaison corrigent une déficience.

1.2 • Les biomolécules : molécules de la vie

La composition élémentaire de la matière vivante diffère notablement de l'abondance relative des éléments dans l'écorce terrestre (Tableau 1.1). L'hydrogène, l'oxygène, le carbone et l'azote constituent plus de 99 % des atomes des cellules du corps humain, la plus grande partie de l'hydrogène et de l'oxygène se trouvant sous forme de H_2O. L'oxygène, le silicium, l'aluminium et le fer sont les atomes les plus abondants de l'écorce terrestre, tandis que l'hydrogène, le carbone et l'azote sont relativement rares (moins de 0,2 % chacun). L'azote sous forme moléculaire (N_2) est le gaz dominant dans l'atmosphère qui contient aussi 0,05 % de gaz carbonique, une quantité faible mais critique. L'oxygène est abondant dans l'atmosphère et dans les océans. Quelle est la propriété commune à H, O, C et N qui fait que ces atomes sont si appropriés à la chimie de la vie ? C'est la capacité à former des liaisons covalentes par la mise en commun de paires d'électrons. De plus, H, C, N et O sont

Tableau 1.1

Composition de la croûte terrestre, de l'eau de mer et du corps humain*

Croûte terrestre		**Eau de mer**		**Corps humain**[†]	
Élément	%	Composé	m*M*	Élément	%
O	47	Cl^-	548	H	63
Si	28	Na^+	470	O	25,5
Al	7,9	Mg^{2+}	54	C	9,5
Fe	4,5	SO_4^{2-}	28	N	1,4
Ca	3,5	Ca^{2+}	10	Ca	0,31
Na	2,5	K^+	10	P	0,22
K	2,5	HCO_3^-	2,3	Cl	0,08
Mg	2,2	NO_3^-	0,01	K	0,06
Ti	0,46	HPO_4^{2-}	<0,001	S	0,05
H	0,22			Na	0,03
C	0,19			Mg	0,01

* Les valeurs du Tableau, pour la croûte terrestre et le corps humain, correspondent au pourcentage du nombre total des atomes ; pour l'eau de mer, il s'agit de la concentration en millimoles par litre. Les valeurs données pour la croûte terrestre *ne tiennent pas* compte de l'eau, celles pour le corps humain en tiennent compte.

† Les éléments rares du corps humain ayant une importante fonction physiologique comprennent : Mn, Fe, Co, Cu, Zn, Mo, I, Ni, et Se.

les plus légers des éléments ayant cette capacité (Figure 1.6). Comme la force des liaisons covalentes est inversement proportionnelle à la masse atomique des atomes impliqués, H, C, N et O forment les liaisons covalentes les plus fortes. Deux autres éléments pouvant former des liaisons covalentes ont également un rôle important dans les biomolécules, le phosphore (sous forme de dérivés du phosphate, $-PO_3^{2-}$) et le soufre.

Les biomolécules sont des composés carbonés

Toutes les biomolécules contiennent du carbone. La prédominance du carbone provient de son incomparable capacité à former des liaisons covalentes stables par la mise en commun de paires d'électrons. Un atome de carbone peut former jusque quatre liaisons covalentes en donnant chacun des quatre électrons non appariés de la couche électronique externe pour former des doublets avec des électrons provenant d'autres atomes. Les atomes les plus fréquemment rencontrés dans ces liaisons avec C sont, C lui-même, H, O et N. L'hydrogène peut former ce type de liaison en apportant son unique électron pour former la paire d'électrons. L'oxygène, avec les deux électrons non appariés de sa couche externe, peut participer à la formation de deux liaisons covalentes, et l'azote qui a trois électrons non appariés peut former trois liaisons covalentes. De plus, C, N et O peuvent mettre en commun deux paires d'électrons pour former des doubles liaisons dans les biomolécules, ce qui multiplie leurs potentialités chimiques. Le carbone et l'azote peuvent même mettre en commun trois paires d'électrons et former ainsi des triples liaisons.

Atomes	Appariement d'électrons	Liaison covalente	Énergie de la liaison (kJ/mol)
H· + H· →	H:H	H—H	436
·C· + H· →	·C:H	—C—H	414
·C· + ·C· →	·C:C·	—C—C—	343
·C· + ·N: →	·C:N:	—C—N<	292
·C· + ·O: →	·C:O:	—C—O—	351
·C· + ·C· →	C::C	>C=C<	615
·C· + ·N: →	C::N:	>C=N—	615
·C· + ·O: →	C::O:	>C=O	686
·O: + ·O: →	·O:O·	—O—O—	142
·O: + ·O: →	O::O	O=O	402
·N: + ·N: →	:N:::N:	N≡N	946
·N: + H· →	:N:H	>N—H	393
·O: + H· →	·O:H	—O—H	460

Figure 1.6 • Formation de liaisons covalentes par la mise en commun d'électrons.

Figure 1.7 • Exemples de divers types de liaisons C-C dans des structures complexes : linéaire aliphatique, cyclique, ramifiée et plane.

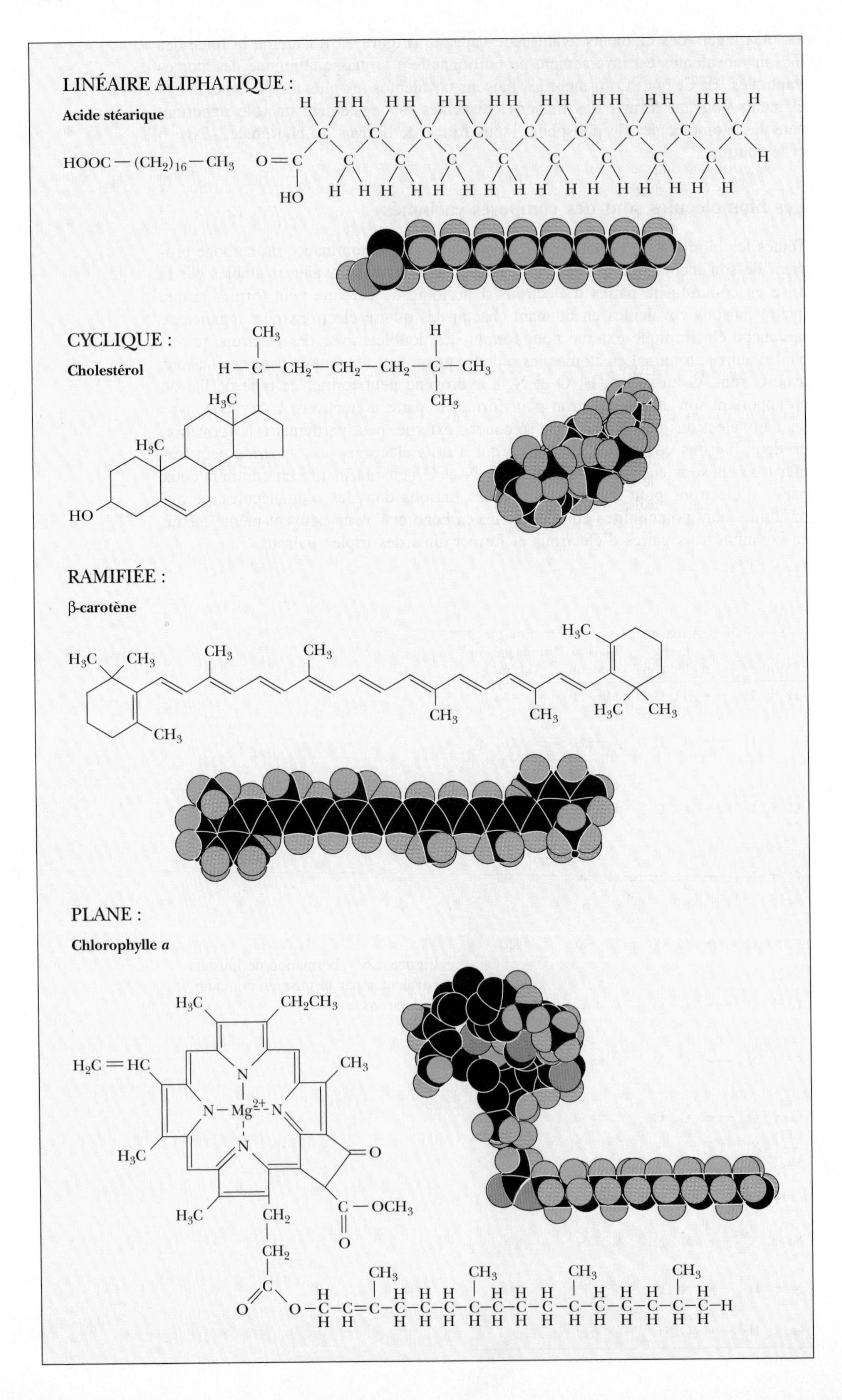

Deux des propriétés des liaisons covalentes du carbone méritent une attention particulière. La première est la capacité du carbone à former des liaisons covalentes avec lui-même. La seconde est la nature tétraédrique des quatre liaisons covalentes formées par un unique atome de carbone. Ces deux propriétés réunies permettent une incroyable variété de dérivés du carbone, linéaires, branchés ou cycliques, dont la multiplicité est encore augmentée par la possibilité de l'introduction d'atomes de N, O, et/ou H, dans ces dérivés (Figure 1.7). On peut donc facilement imaginer la capacité de C à générer des structures complexes tridimensionnelles. Ces structures, incluant des atomes de N, O et H de façon appropriée, peuvent posséder des propriétés chimiques particulières compatibles avec l'état vivant. Mais alors on peut se poser une question, existe-t-il une trame ou une organisation qui introduit un peu d'ordre dans cette potentialité quasi illimitée ?

1.3 • Hiérarchie biomoléculaire : des molécules simples sont les unités de construction des structures complexes

L'examen de la composition chimique des cellules révèle une stupéfiante variété de composés organiques recouvrant une vaste zone de tailles moléculaires (Tableau 1.2). Le tri de cette complexité, la classification des biomolécules en fonction des analogies de taille et de propriétés chimiques, met en évidence un type d'organisation. Les constituants moléculaires de la matière vivante ne représentent pas l'infinie variété des combinaisons possibles des atomes de C, H, O, et N. En fait, on observe

Tableau 1.2

Dimensions des molécules biologiques

Les masses et les longueurs sont respectivement exprimées en daltons et en nanomètres[†]. Un dalton (Da) est la masse d'un atome d'hydrogène, $1{,}67 \times 10^{-24}$ g. Un nanomètre (nm) vaut 10^{-9} m, ou 10 Å (angström).

	Longueur, la plus grande dimension en nm	Masse	
		Daltons	Picogrammes
Eau	0,3	18	
Alanine	0,5	89	
Glucose	0,7	180	
Phospholipide	3,5	750	
Ribonucléase (une petite protéine)	4	12.600	
Immunoglobuline (IgG)	14	150.000	
Myosine (une grosse protéine)	160	470.000	
Ribosome bactérien	18	2.520.000	
Bactériographe ϕX174 (un très petit virus de bactérie)	25	4.700.000	
Complexe de la pyruvate déshydrogénase (complexe multienzymatique)	60	7.000.000	
Virus de la mosaïque du tabac (virus de la plante)	300	40.000.000	$6{,}68 \times 10^{-5}$
Mitochondrie (du foie)	1.500		1,5
Cellule d'*Escherichia coli*	2.000		2
Chloroplaste (d'épinard)	8.000		60
Hépatocyte	20.000		8.000

* Au cours de cet ouvrage, les masses moléculaires sont exprimées en daltons (Da), ou kilodaltons (kDa) ; parfois, la *masse moléculaire relative*, sans dimension, est symbolisée par Mr, elle est définie par le rapport de la masse de la molécule à la masse d'un dalton.

[†] Préfixes utilisés pour les puissances de 10

10^{6}	méga	M	10^{3}	kilo	k	10^{-1}	déci	d
10^{-2}	centi	c	10^{-3}	milli	m	10^{-6}	micro	μ
10^{-9}	nano	n	10^{-12}	pico	p	10^{-15}	femto	f

une série limitée de possibilités qui ont en commun certaines propriétés essentielles à la formation et au maintien de la vie. L'aspect le plus évident de l'organisation des biomolécules est que les structures biomoléculaires sont formées à partir de molécules simples pour aboutir à des structures de plus en plus complexes. Mais, quelles sont les propriétés des biomolécules qui les rendent si appropriées aux conditions de la vie ?

Métabolites et macromolécules

Les précurseurs les plus importants pour la formation des biomolécules sont l'eau, le gaz carbonique et trois composés minéraux de l'azote, l'ammonium (NH_4^+), le nitrate (NO_3^-) et l'azote moléculaire (N_2). Des processus métaboliques assimilent et transforment ces précurseurs minéraux en molécules de plus en plus complexes ayant la qualité de biopolymères (Figure 1.8). Lors d'une première étape, les précurseurs sont convertis en **métabolites**, molécules organiques simples. Ces métabolites sont les intermédiaires des transformations énergétiques cellulaires et de la biosynthèse des diverses **unités de construction** : les acides aminés, les sucres, les nucléotides, les acides gras et le glycérol. La liaison covalente de ces unités de base permet la construction de **macromolécules :** protéines, polyosides (ou polysaccharides), polynucléotides (ADN et ARN), et lipides. (En toute rigueur, les lipides contiennent relativement peu d'unités de construction et ne sont donc pas réellement des « macromolécules », mais les lipides contribuent de façon importante à l'accroissement du degré de complexité). Les interactions entre les macromolécules aboutissent à un degré supérieur d'organisation structurale, avec la formation de **complexes supramoléculaires**. Dans ce dernier cas, divers membres d'une même classe ou de plusieurs classes de macromolécules sont réunis et constituent des assemblages spécifiques, supports d'importantes fonctions subcellulaires. Parmi ces assemblages supramoléculaires, on peut citer les complexes enzymatiques multifonctionnels, les ribosomes, les cytochromes et les divers éléments du cytosquelette. Le ribosome des eucaryotes, par exemple, contient quatre différents types de molécules d'ARN et au moins 70 espèces moléculaires de protéines distinctes. Ces assemblages supramoléculaires présentent un intéressant contraste avec les molécules qui les composent. Des forces non covalentes, et non pas des liaisons covalentes, maintiennent l'intégrité de leur structure. Des liaisons hydrogène, des attractions ioniques, des forces de van der Waals et des interactions hydrophobes interviennent entre les macromolécules et les maintiennent assemblées, hautement organisées, dans un état fonctionnel. Les forces non covalentes sont faibles (moins de 40 kJ/mol). Mais elles sont si nombreuses dans ces assemblages que collectivement elles peuvent maintenir l'architecture essentielle des complexes supramoléculaires dans les conditions de température, pH et de force ionique, compatibles avec la vie.

Les organites

Le rang immédiatement supérieur de l'échelle hiérarchique de complexité est occupé par les **organites**, entités de dimensions considérables par rapport à la cellule qui les contient. Les organites ne sont présents que dans les **cellules eucaryotes**, c'est-à-dire dans les cellules des organismes « supérieurs » (les cellules eucaryotes seront traitées Section 1.5). Certains organites comme les mitochondries et les chloroplastes proviennent très vraisemblablement de la spécialisation de bactéries qui auraient pénétré dans le cytoplasme de la cellule précurseur des eucaryotes. Les organites ont en commun deux propriétés : ce sont toujours des inclusions cellulaires, généralement limités par une membrane, et ils ont dans la cellule une fonction particulière, importante. Les organites comprennent le noyau, les mitochondries, les chloroplastes, le réticulum endoplasmique, l'appareil de Golgi, les vacuoles et d'autres inclusions cellulaires plus petites comme les peroxysomes les lysosomes et les chromoplastes. Le **noyau** contient l'information génétique sous forme de séquences linéaires de nucléotides dans l'ADN des chromosomes. Les **mitochondries** sont les « centrales énergétiques » des cellules. Elles réalisent l'oxydation aérobie des méta-

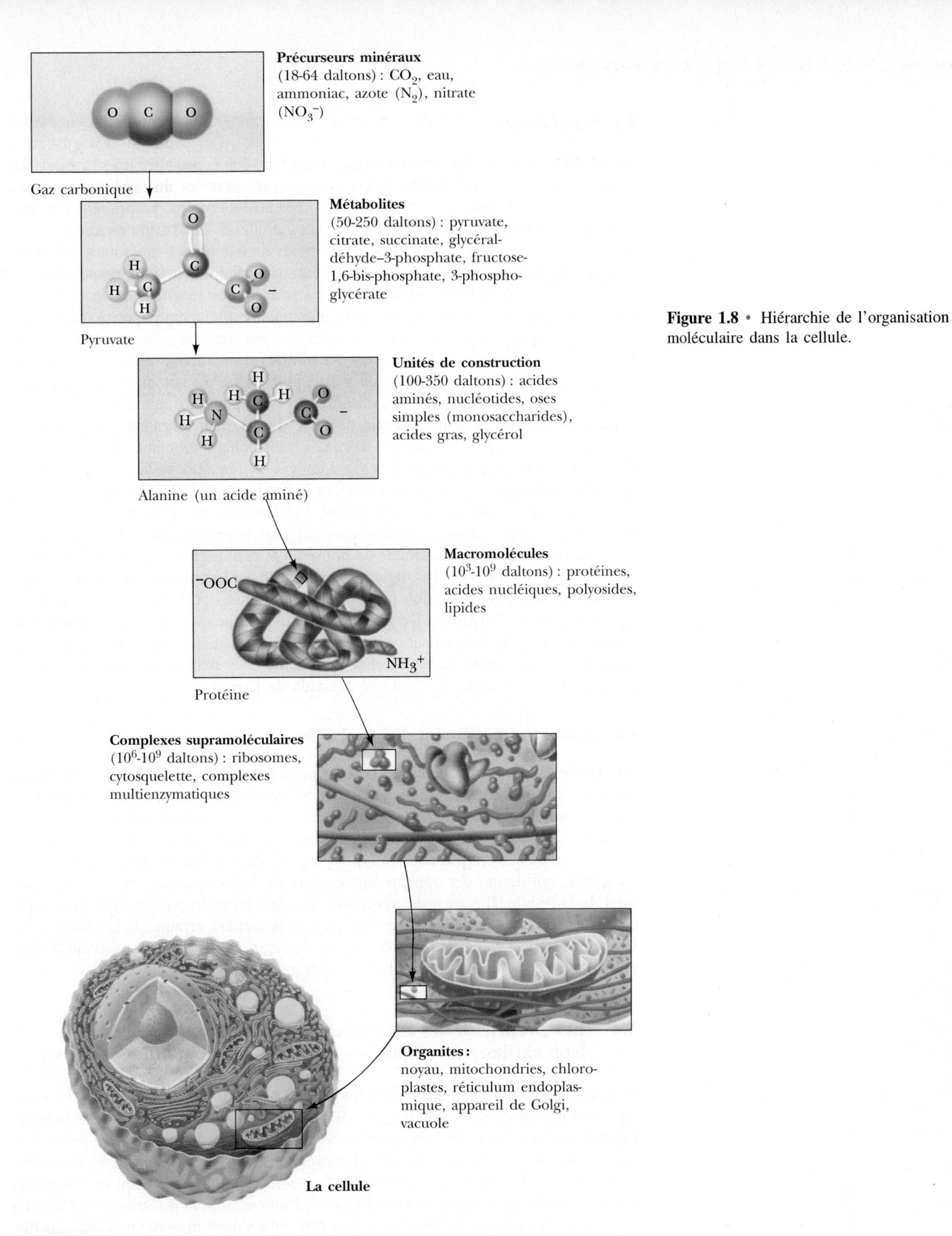

Figure 1.8 • Hiérarchie de l'organisation moléculaire dans la cellule.

bolites produits par la dégradation des sucres et des lipides, avec un transfert concomitant de l'énergie produite au cours des réactions dans des molécules utiles pour le métabolisme, comme l'ATP. Les **chloroplastes** rendent les cellules qui les contiennent capables d'effectuer les réactions de photosynthèse. Ce sont les agents biologiques de la capture de l'énergie lumineuse et de sa transformation en composés chimiques utilisables pour le métabolisme.

Les membranes

Les membranes sont les structures qui délimitent les cellules et les organites. En tant que telles, elles ne peuvent guère être classées avec les assemblages supramoléculaires ou les organites bien qu'elles en possèdent les propriétés. Par leur construction, les membranes ressemblent aux complexes supramembranaires puisque ce sont des complexes de protéines et de lipides maintenus par des forces non covalentes. **Les interactions hydrophobes** sont particulièrement importantes pour le maintien des structures membranaires. Ces interactions résultent de la préférence qu'ont les molécules d'eau (ou les molécules polaires) à se regrouper (à réagir entre elles) plutôt qu'à réagir avec des molécules non polaires. La présence de molécules non polaires diminue le nombres des possibilités d'interaction entre les molécules d'eau et les oblige à se disposer de façon plus ordonnée autour des groupes non polaires. Ce plus haut degré d'organisation de l'eau peut être minimisé si les molécules non polaires passent d'un état dispersé dans l'environnement aqueux en une phase organique agrégée entourée d'eau. L'assemblage spontané des membranes dans l'environnement aqueux où la vie a eu son origine, et où elle se maintient, est le résultat spontané provenant du caractère hydrophobe (qui a « peur de l'eau ») des protéines et des lipides qui les constituent. Les interactions hydrophobes participent activement à la formation des membranes et sont probablement la force motrice à l'origine de la création des limites de la première cellule. Les membranes des organites, comme les noyaux, les mitochondries ou les chloroplastes, diffèrent les unes des autres par une composition particulière de protéines et de lipides correspondant à la fonction de l'organite. De plus, la création de petits volumes, ou **compartiments**, (la compartimentalisation) à l'intérieur des cellules est non seulement la conséquence inévitable de la présence des membranes mais aussi une condition, le plus souvent essentielle, de l'activité normale de l'organite.

La cellule, unité élémentaire de la vie

La **cellule** est l'unité élémentaire de la vie, la plus petite entité capable de manifester les attributs caractéristiques associés à l'état vivant : croissance, métabolisme, réponse aux stimuli, et réplication. Nous avons jusqu'à présent volontairement restreint l'infinie complexité chimique potentielle à la disposition d'une vie organique. Nous avons également présenté un type d'organisation, allant du plus simple au plus complexe, qui donne des aperçus intéressants du fonctionnement et du plan structural de la cellule. Il n'en reste pas moins que cela ne suffit pas à fournir une explication évidente des attributs caractéristiques de la matière vivante, de la cellule. Pouvons-nous trouver dans les biomolécules des causes qui, bien que fondamentalement chimiques, permettent d'anticiper et d'éclairer l'état vivant ?

1.4 • Les propriétés des biomolécules reflètent leur aptitude à remplir les fonctions qui conditionnent la vie

Si nous examinons ce qui dans les biomolécules rend compte de leur capacité à participer aux mécanismes de croissance et de réplication, nous pouvons dégager quelques thèmes dans la structure et l'organisation de ces molécules, thèmes qui sont au cœur de leurs propriétés biologiques. De plus, lorsque nous aborderons la partie biochimique, nous verrons qu'il en est de même pour leur rôle biochimique. Parmi les propriétés requises pour leur fonction, la contribution à *l'information et à l'apport de l'énergie nécessaire au maintien de l'état vivant* est particulièrement importante. Certaines biomolécules doivent avoir la capacité de contenir l'information, « la recette » de la vie. Ce principe nous conduit à prédire que certaines biomolécules doivent contenir l'information, la « recette », ou encore la « formule », de la vie. D'autres molécules doivent pouvoir traduire cette information afin qu'elle soit transférée dans des structures organisées, fonctionnelles, essentielles à la vie. Les interactions entre ces structures sont l'essence même des divers processus qui *sont* la vie. Il doit aussi exister un mécanisme bien réglé capable d'extraire l'énergie disponible de l'environnement pour propulser cette dynamique, ces processus. Quelles sont les propriétés se trouvant à la base de leurs remarquables qualités potentielles des biomolécules ?

Les macromolécules biologiques et leurs éléments de construction ont un « sens », elles sont orientées

Les macromolécules cellulaires sont construites à partir d'éléments, ou d'unités, acides aminés pour les protéines, nucléotides pour les acides nucléiques, sucres pour les polyosides, qui ont une **polarité structurale**. C'est-à-dire que ces molécules ne sont pas symétriques, on peut considérer qu'elles ont une « tête » et une « queue ». La polymérisation de ces unités pour former des macromolécules s'effectue par des liaisons covalentes, linéaires, de tête-à-queue. Il en résulte que la structure de la macromolécule est également orientée (Figure 1.9).

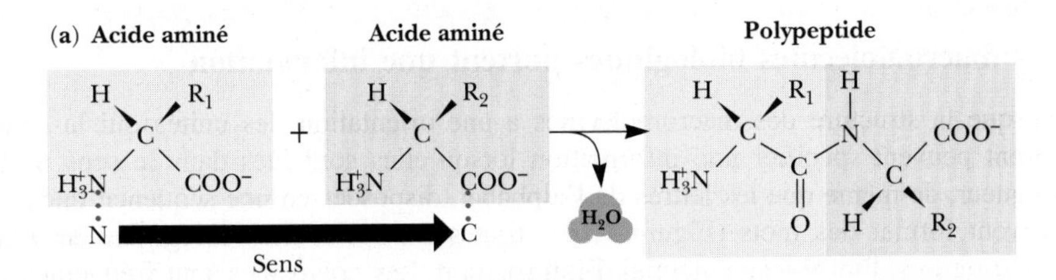

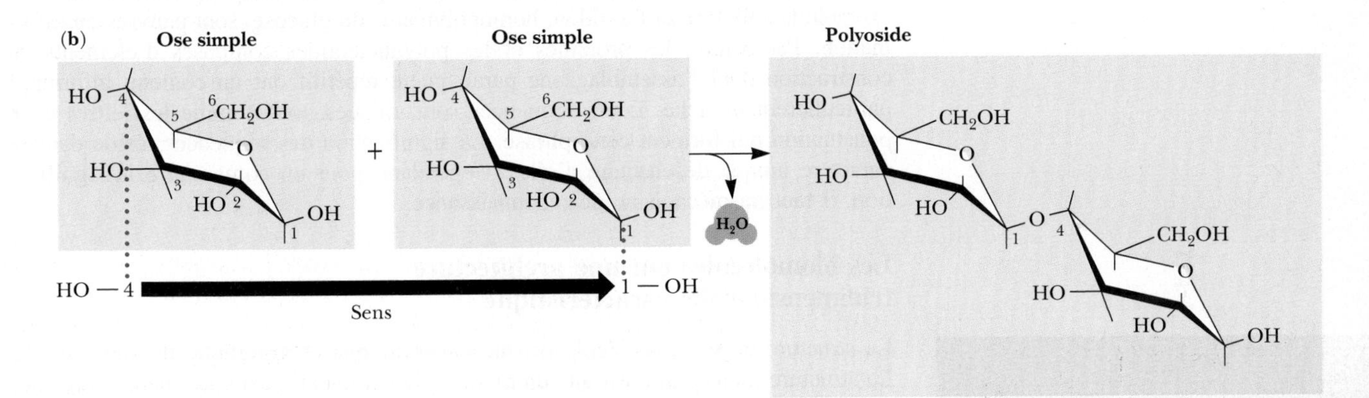

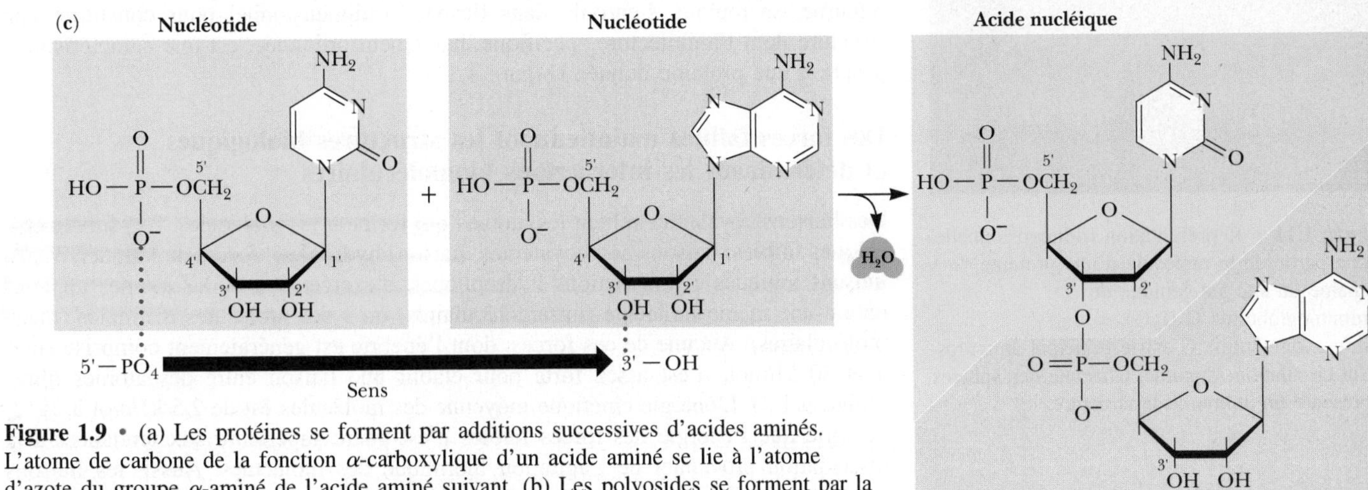

Figure 1.9 • (a) Les protéines se forment par additions successives d'acides aminés. L'atome de carbone de la fonction α-carboxylique d'un acide aminé se lie à l'atome d'azote du groupe α-aminé de l'acide aminé suivant. (b) Les polyosides se forment par la liaison entre l'hydroxyle en C-1 d'un sucre et l'hydroxyle en C-4 du sucre suivant. (c) Les acides nucléiques sont des polymères de nucléotides. Les liaisons qui relient les nucléotides se forment entre le 3'-OH du cycle pentose d'un nucléotide et le groupe 5'-PO_4 du nucléotide suivant. La formation de chaque liaison au cours de ces processus de polymérisation s'effectue avec élimination d'une molécule d'eau.

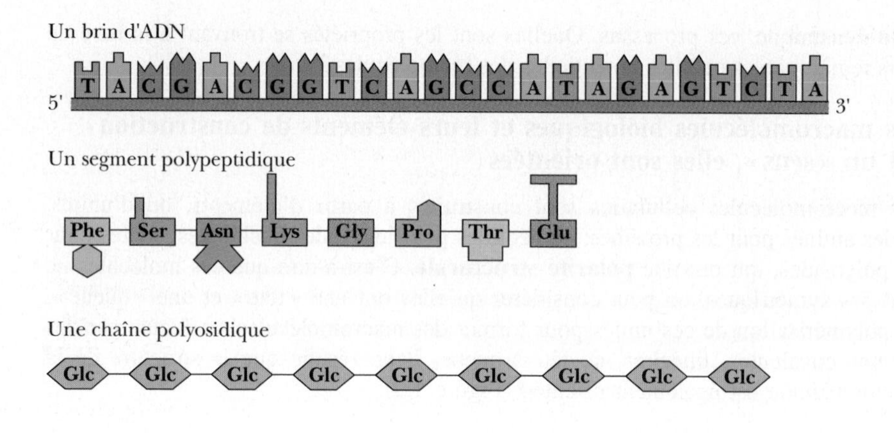

Figure 1.10 • La séquence des unités monomériques d'un polymère biologique peut contenir une information si la diversité et l'ordre des unités n'est pas trop simple ou répétitive. Les acides nucléiques et les protéines contiennent une grande quantité d'informations ; les homopolyoside n'en contiennent guère.

Les macromolécules biologiques portent une information

Puisque la structure des macromolécules a une orientation, les unités qui la composent peuvent spécifier une information lorsqu'elles sont lues dans le sens de la longueur, de même que les lettres de l'alphabet, disposées en une séquence linéaire, peuvent former des mots (Figure 1.10). Toutes les molécules biologiques ne sont pas porteuses d'un même potentiel d'information. Les polyosides sont fréquemment formés à partir d'une même unité glucidique répétée un grand nombre de fois, par exemple la cellulose et l'amidon, homopolymères du glucose, sont pauvres en information. Par contre, les protéines et les polynucléotides composés d'éléments de construction dont l'assemblage ne paraît guère répétitif ont un contenu informatif particulièrement riche. Leurs séquences sont uniques, tout comme les lettres et la ponctuation qui forment cette phrase. La signification des séquences réside dans le caractère unique de chacune d'elles. Cependant, pour en comprendre la signification, il faut un mécanisme de reconnaissance.

Les biomolécules ont une architecture tridimensionnelle caractéristique

La structure de toute molécule est un aspect unique et spécifique de son identité. La structure moléculaire est au summum de la complexité dans les macromolécules biologiques, en particulier dans les protéines. Bien qu'une protéine ne soit qu'une séquence linéaire d'acides aminés liés de façon covalente, la chaîne formée se retourne, se reploie, s'enroule dans l'espace tridimensionnel pour constituer une structure dont l'architecture spécifique, hautement ordonnée, est une caractéristique propre à une protéine donnée (Figure 1.11).

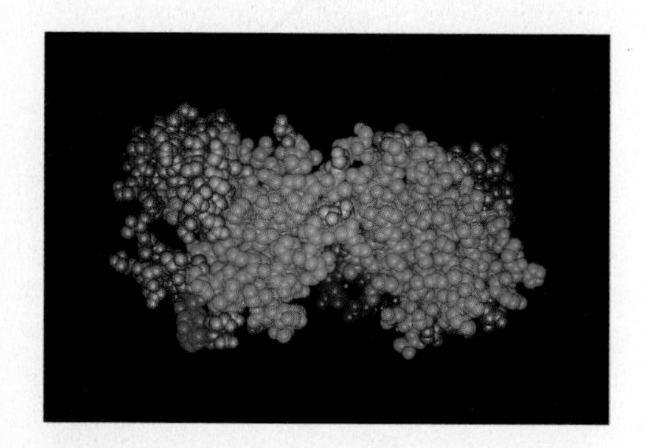

Figure 1.11 • Représentation tridimensionnelle d'une partie de la molécule d'une protéine, le domaine du site antigénique de l'immunoglobuline G (IgG). L'immunoglobuline G est le principal anticorps de la circulation sanguine. Chacune des sphères représente un atome de la structure.

Des forces faibles maintiennent les structures biologiques et déterminent les interactions biomoléculaires

Des liaisons covalentes relient les atomes qui forment les molécules. Les **forces chimiques faibles,** liaisons non covalentes, liaisons hydrogène, forces de Van der Waals, liaisons ioniques et interactions hydrophobes, s'exercent entre des atomes appartenant à une même molécule (intramoléculaires) ou à des molécules distinctes (intermoléculaires). Aucune de ces forces, dont l'énergie est généralement comprise entre 4 et 30 kJ/mol, n'est assez forte pour établir une liaison entre des atomes libres (Tableau 1.3). L'énergie cinétique moyenne des molécules est de 2,5 kJ/mol à 25°C, de sorte que l'énergie des forces faibles n'est guère supérieure aux tendances à la dissociation provenant de l'agitation thermique des molécules. Aussi, les liaisons faibles sont-elles, aux températures physiologiques, à l'origine d'interactions constamment formées et rompues à moins que l'accumulation d'un grand nombre de ces liaisons maintienne la stabilité de la structure engendrée par leur effet. Ces forces faibles méritent une plus ample description car elles influencent profondément la nature des structures qu'elles génèrent.

Tableau 1.3

Les forces chimiques faibles, distances et forces relatives

Force	Énergie (kJ/mol)	Distance (nm)	Description
Interactions de Van der Waals	0,4-4,0	0,2	Leur force dépend de la taille relative des atomes ou des molécules et de la distance qui les sépare. La taille détermine la zone de contact entre les molécules : plus la zone est importante, plus les interactions sont fortes. La force d'attraction est inversement proportionnelle à la puissance six de la distance r qui sépare deux atomes ou molécules : $F \approx 1/r^6$.
Liaisons hydrogène	12-30	0,3	La force est proportionnelle à la polarité de l'atome donneur de la liaison et de l'accepteur. Quand les atomes sont plus polaires, les liaisons hydrogène sont plus fortes.
Liaisons ioniques	20	0,25	La force dépend également de la polarité des fonctions portant la charge électrique. Quelques liaisons ioniques sont parfois aussi des liaisons hydrogène: $—NH_3^+ ... ^-OOC—$
Interactions hydrophobes	<40	—	Cette force est un phénomène complexe déterminé par le degré de désorganisation de l'eau lors de la coalescence de molécules ou de régions de molécules hydrophobes

Les forces d'attraction de Van der Waals

Les forces de Van der Waals résultent de l'interaction entre les nuages électroniques des atomes ou molécules très proches les uns des autres. La charge négative d'un nuage électronique n'est pas « figée », à tout moment le nuage électronique fluctue, il n'est que statistique, ce qui permet les attractions entre un noyau, chargé positivement, et le nuage des électrons d'un atome voisin. Les interactions de van der Waals comprennent les interactions dipôle-dipôle dont l'énergie d'interaction diminue en fonction de $1/r^3$, les interactions dipôle-dipôle induit dont l'énergie diminue en fonction de $1/r^5$, les interactions (entre atomes) dipôle induit-dipôle induit, aussi appelées **forces de London**, dont l'énergie diminue en fonction de $1/r^6$. Les forces de London contribuent aux forces d'attraction intermoléculaires, même en l'absence de dipôles permanents et sont de ce fait plus importantes que les forces d'attraction dipôle-dipôle. Les attractions de van der Waals ne se manifestent donc que dans une zone de distance interatomique très limitée ; aux températures dites physiologiques l'efficacité des liaisons dépend du nombre des atomes d'une molécule qui sont en interaction avec les atomes de la molécule voisine. Il faut donc que les atomes des molécules en interaction soient précisément assemblés. En d'autres termes, il faut que les surfaces de ces molécules possèdent une bonne complémentarité structurale (Figure 1.12).

Les interactions de van der Walls sont généralement faibles, leur contribution individuelle à l'énergie de stabilisation varie de 0,4 à 4,0 kJ/mol. Cependant, la contribution globale des très nombreuses interactions au sein d'une macromolécule ou entre des macromolécules peut devenir importante. Par exemple, les études modélisées des chaleurs de sublimation montrent que chacun des groupes méthylène d'un hydrocarbure cristallisé contribue pour 8 kJ/mol à l'énergie de stabilisation et que chaque groupe C–H d'un cristal de benzène contribue pour 7 kJ d'énergie due aux forces de van der Walls par mole. Les calculs montrent également que l'énergie d'attraction relevant des forces de van der Walls entre le lysozyme et le substrat osidique qu'il lie est d'environ 60 kJ/mol.

(a)

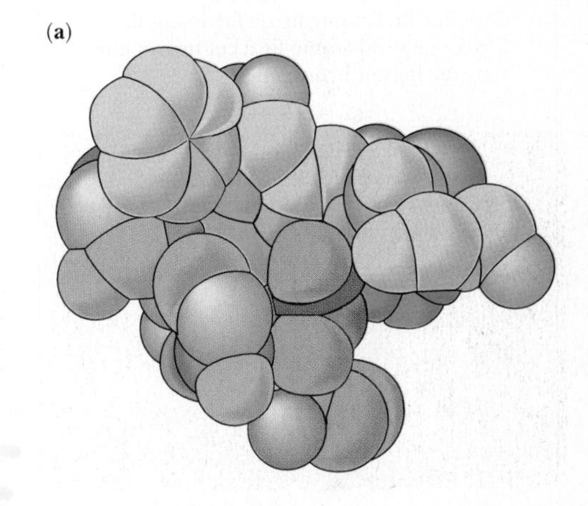

(b)

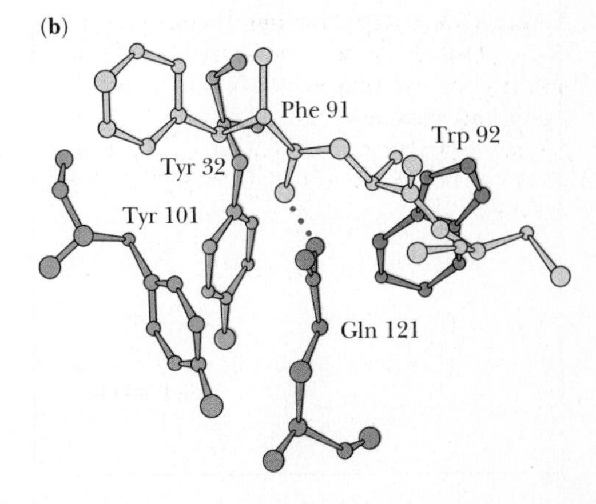

Figure 1.12 • Les attractions de Van der Waals sont renforcées si les structures des molécules sont complémentaires. Gln^{121} forme une protubérance à la surface du lysozyme. Cette protubérance correspond précisément à la poche du site antigénique d'un anticorps produit en réaction au lysozyme. La poche du site antigénique est formée par les résidus Tyr^{101}, Tyr^{32}, Phe^{91}, et Trp^{92} (cf. aussi Figure 1.16). (a) Modèle compact. (b) Modèle éclaté. (*d'après* Science **233** *: 751, 1986, figure 5*)

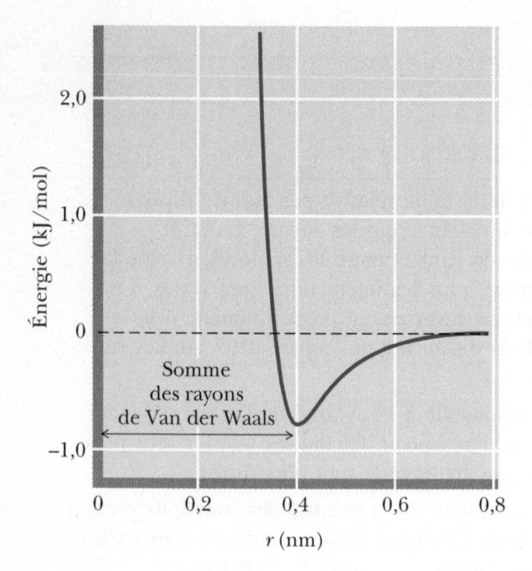

Figure 1.13 • Courbe de l'énergie des interactions de Van der Waals en fonction de la distance, *r*, entre les centre de deux atomes. L'énergie est calculée en utilisant l'équation empirique $U = B/r^{12} - A/r^6$. (Les valeurs des paramètres $B = 11{,}5 \times 10^{-6}$ kJnm^{12}/mol et $A = 5{,}96 \times 10^{-3}$ kJnm^6/mol utilisées pour les calculs sont de Levitt, 1974, M., *Journal of Molecular Biology* **82 :** 393–420.)

Lorsque deux atomes sont suffisamment proches l'un de l'autre pour que leurs nuages d'électrons s'interpénètrent, des forces de répulsions se manifestent. Ces forces de *répulsion* de van der Walls sont inversement proportionnelles à la distance à la puissance douze ($1/r^{12}$) séparant les centres des atomes. La courbe représentant l'énergie d'attraction ou de répulsion en fonction de *r* présente un minimum (Figure 1.13). Ce point d'inflexion définit une distance connue sous le nom de **distance de contact de Van der Waals**, distance interatomique qui séparerait deux atomes si les seules force de Van der Walls les maintenaient réunis. La limite du rapprochement entre deux atomes est déterminée par la somme de leur rayon de van der Waals (Tableau 1.4).

Les liaisons hydrogène

Les liaisons hydrogène s'établissent entre un atome d'hydrogène lié de façon covalente à un atome électronégatif (comme l'oxygène ou l'azote) et un autre atome électronégatif qui sert d'accepteur de la liaison hydrogène. La Figure 1.14 présente quelques exemples biologiques. La force des liaisons hydrogène, de 12 à 30 kJ/mol, est plus importante que celle des forces de van der Waals. Les liaisons hydrogène ont aussi une propriété supplémentaire, elles sont essentiellement directionnelles et les atomes impliqués (donneurs, H, accepteurs) sont en général disposés de façon linéaire. Il faut aussi ajouter que les liaisons hydrogène sont plus spécifiques que les interactions de van der Waals car elles requièrent la présence de groupements donneurs et accepteurs d'hydrogène complémentaires.

Les liaisons ioniques

Les **liaisons ioniques, ou interactions électrostatiques,** résultent des forces d'attraction entre deux fonctions polaires dont les charges électriques sont opposées, par exemple entre un groupement carboxylique négatif et un groupement aminé positif (Figure 1.15). La force de ces attractions électrostatiques est d'environ 20 kJ/mol en solution aqueuse. Les charges électrostatiques étant réparties de façon radiale, les liaisons ioniques n'ont pas le caractère directionnel des liaisons hydrogène et n'exigent pas la nécessaire précision des ajustements des interactions de van der Waals. Néanmoins, les charges opposées ne se trouvant que dans des positions bien définies de la structure, les liaisons ioniques contribuent de façon importante à la spécificité structurale.

La force des interactions électrostatiques est très dépendante de la nature des espèces en interaction et de la distance, *r*, entre elles. Les interactions électrostatiques s'observent entre des **ions** (espèces possédant une charge électrique), des **dipôles permanent** (les charges positives et négatives d'une espèce sont séparées de façon permanente), et des **dipôles induits** (la séparation temporaire des charges est induite par l'environnement). Entre les ions, l'énergie des forces est inversement proportionnelle à la distance qui les sépare. L'énergie d'interaction entre des dipôles permanents est inversement proportionnelle à la distance à la puissance trois, et l'énergie d'interaction entre un ion et un dipôle induit est inversement à la distance à la puissance quatre.

Atomes liés	Longueur approximative de la liaison*
O—H---O	0,27 nm
O—H---O$^-$	0,26 nm
O—H---N	0,29 nm
N—H---O	0,30 nm
N$^+$—H---O	0,29 nm
N—H---N	0,31 nm

*Distance de l'atome lié de façon covalente à l'hydrogène à l'atome lié à cet hydrogène par une liaison hydrogène :

O—H---O (⟵0,27 nm⟶)

Principaux groupes donneurs ou accepteurs de liaisons hydrogène :

Donneurs **Accepteurs**

Figure 1.14 • Principales liaisons hydrogène et groupes chimiques donneurs ou accepteurs de liaisons H.

Tableau 1.4

Rayons des atomes communs des biomolécules

Atome	Rayon de Van der Waals, nm	Rayon de covalence, nm	Atomes, à même échelle
H	0,1	0,037	
C	0,17	0,077	
N	0,15	0,070	
O	0,14	0,066	
P	0,19	0,096	
S	0,185	0,104	
Demi-épaisseur d'un cycle aromatique	0,17	—	

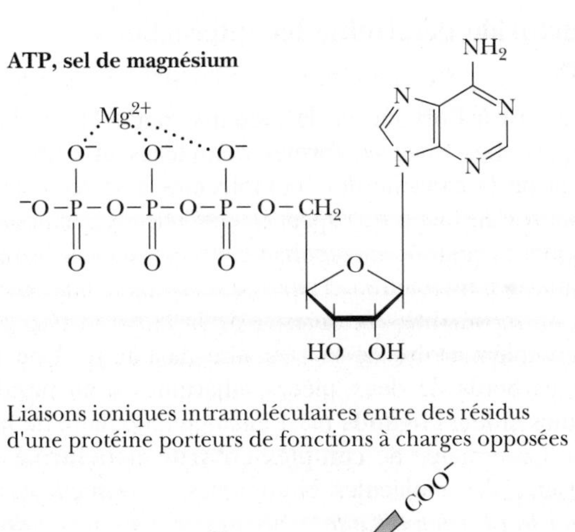

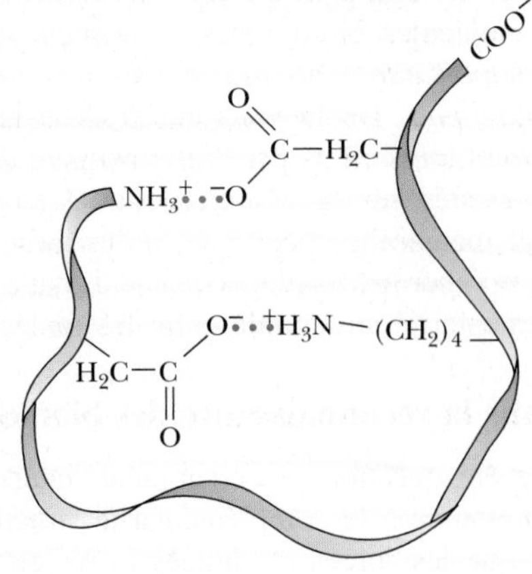

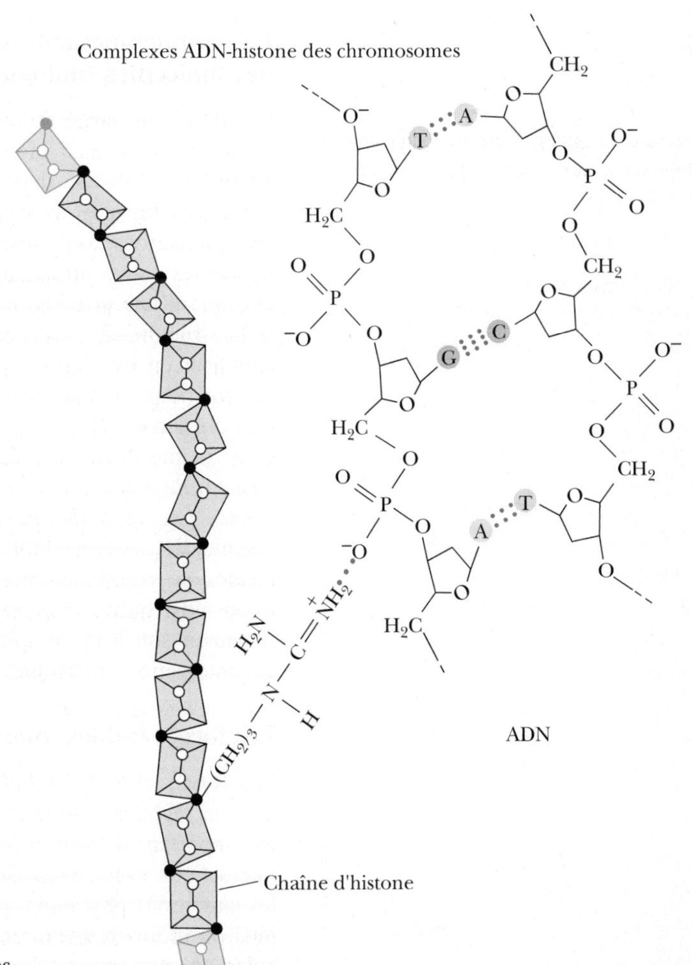

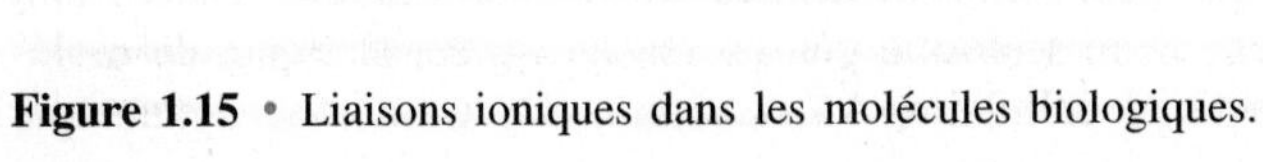

Figure 1.15 • Liaisons ioniques dans les molécules biologiques.

Les interactions hydrophobes

Les interactions hydrophobes sont la conséquence de la très forte tendance des molécules d'eau à exclure les groupements et les molécules non polaires (voir Chapitre 2). Les interactions hydrophobes ne résultent pas tant d'une affinité particulière des substances non polaires entre elles (encore que les forces de van der Waals établissent des liaisons faibles entre ces molécules), mais du fait de la très forte interaction entre les molécules d'eau, interaction beaucoup plus forte qu'avec une molécule non polaire. Les interactions et la formation de liaisons hydrogène entre les molécules d'eau polaires sont plus variées et plus nombreuses si les molécules non polaires se rassemblent (par coalescence) pour former une phase organique distincte de la phase aqueuse. Cette séparation des phases augmente l'entropie de l'eau car le nombre de molécules d'eau ordonnées autour des molécules organiques individuelles diminue avec la coalescence des molécules non polaires, il y a donc accroissement du désordre. Comme la plus forte des interactions possibles entre deux molécules l'emporte sur les autres, la formation de liaisons hydrogène entre les molécules d'eau polaires exclut les molécules et groupements non polaires. L'exclusion des substances hydrophobes d'une solution aqueuse et la tendance des molécules non polaires à s'agglutiner est une conséquence des interactions préférentielles des molécules d'eau. C'est pour cette raison que les régions non polaires des macromolécules biologiques sont souvent enfouies à l'intérieur des molécules, ce qui les exclut du milieu aqueux. La formation de gouttelettes d'huile, par coalescence des molécules d'un lipide non polaire hydrophobe mélangé à de l'eau, représente un bon aperçu du phénomène. Cette tendance a d'importantes conséquences concernant la formation et la stabilité des structures macromoléculaires et des assemblages supramoléculaires des cellules vivantes.

milieu • signifie, selon les cas, les fluides internes des cellules ou des organismes, ou bien l'ensemble des caractéristiques chimiques ou physiques qui environnent les cellules ou organismes.

La complémentarité structurale détermine les interactions des molécules biologiques

La complémentarité structurale est à l'origine de la reconnaissance et des interactions des molécules biologiques. Les diverses formes complexes et extrêmement organisées de la vie dépendent de la capacité des biomolécules à se reconnaître et à interagir les unes avec les autres de façon très spécifique. Cette reconnaissance et ces interactions sont fondamentales pour le métabolisme, la croissance, la réplication et les autres processus vitaux. L'interaction d'une molécule avec une autre, par exemple d'une protéine avec un métabolite, est obtenue de la façon la plus précise si la structure de l'une est complémentaire de la structure de l'autre. Une image simpliste en est donnée par les bords de deux pièces adjacentes d'un puzzle, ou comme pour les macromolécules et leurs **ligands** par l'analogie populaire de la relation clé-serrure (Figure 1.16). Ce principe de **complémentarité structurale** est au cœur même de la reconnaissance des molécules biologiques. *La complémentarité structurale est la clé, la notion la plus importante, pour la compréhension des propriétés fonctionnelles des systèmes biologiques.* De la macromolécule à la cellule vivante, les systèmes biologiques produisent leurs effets par l'intermédiaire de mécanismes de reconnaissance moléculaire fondés sur la complémentarité structurale. C'est ainsi qu'un enzyme reconnaît son métabolite spécifique, qu'un brin d'ADN reconnaît son brin complémentaire, qu'un spermatozoïde reconnaît l'ovule. Toutes ces interactions impliquent une complémentarité structurale entre les molécules.

ligand • terme désignant toute molécule qui se lie spécifiquement à une autre molécule, du latin *ligare*, lier.

Les forces faibles interviennent dans la reconnaissance des biomolécules

Les forces chimiques faibles, dont il a été question précédemment, interviennent dans la reconnaissance moléculaire consécutive à la complémentarité structurale. Il est important d'avoir présent à l'esprit que les forces chimiques mises en jeu, les interactions donc, étant suffisamment faibles, elles sont aisément réversibles dans les conditions physiologiques. En conséquence, les interactions biomoléculaires sont plus ou moins transitoires ; il ne se forme pas un réseau rigide, statique, de molécules qui paralyserait l'activité cellulaire. Au contraire, il y a un effet dynamique

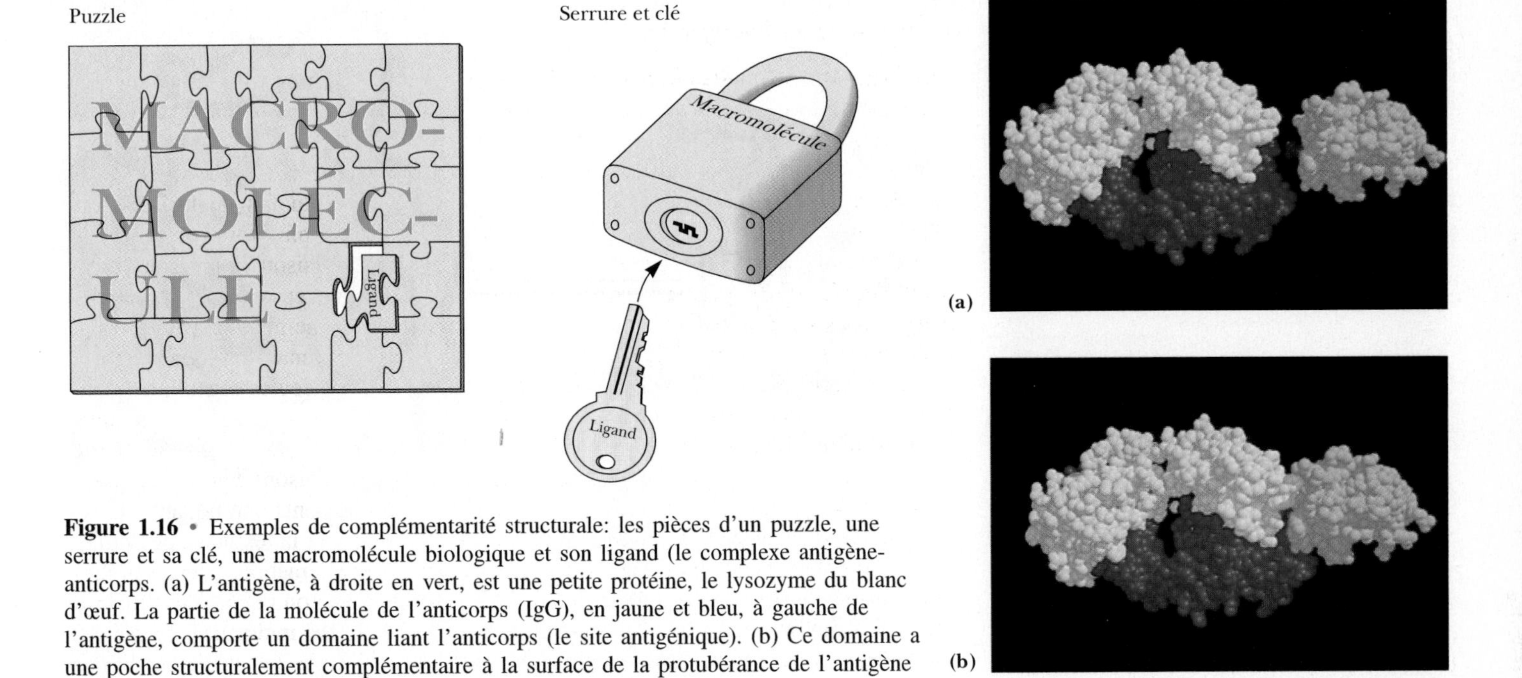

Figure 1.16 • Exemples de complémentarité structurale: les pièces d'un puzzle, une serrure et sa clé, une macromolécule biologique et son ligand (le complexe antigène-anticorps. (a) L'antigène, à droite en vert, est une petite protéine, le lysozyme du blanc d'œuf. La partie de la molécule de l'anticorps (IgG), en jaune et bleu, à gauche de l'antigène, comporte un domaine liant l'anticorps (le site antigénique). (b) Ce domaine a une poche structuralement complémentaire à la surface de la protubérance de l'antigène (Gln^{121}, en rouge entre l'antigène et le site antigénique). (cf. Figure 1.12).
(Photos aimablement communiquées par le Professeur Simon E. V. Philips)

réciproque entre les métabolites et les macromolécules, les hormones et les récepteurs, et tous les composants qui participent aux processus de la vie. L'origine de cette relation dynamique est dans la reconnaissance spécifique de molécules complémentaires, reconnaissance qui se concrétisera par une activité physiologique unique. *Une fonction biologique est accomplie à l'aide de mécanismes fondés sur une complémentarité structurale et sur des interactions chimiques faibles.*

Ce principe de la complémentarité structurale s'étend aux interactions les plus évoluées essentielles à l'apparition de la vie. Par exemple, la formation de complexes supramoléculaires est rendue possible par la reconnaissance et les interactions entre les diverses composantes macromoléculaires, interactions dépendantes des forces faibles. S'il se forme suffisamment de liaisons faibles accompagnant la complémentarité de structure des macromolécules, l'assemblage de structures plus imposantes sera spontané. La tendance des molécules et des groupements non polaires à se rassembler sous l'effet des interactions hydrophobes intervient également dans la formation des assemblages supramoléculaires. La formation spontanée des structures subcellulaires les plus complexes est également rendue possible par les faibles forces accumulées par complémentarité structurale.

Les forces faibles restreignent la vie des organismes à d'étroites conditions d'environnement

Le rôle central des forces faibles dans les interactions biomoléculaires limite les systèmes vivants à d'étroites conditions physiques d'environnement. Les macromolécules biologiques ne sont fonctionnelles que dans des limites étroites de conditions comme la température, la force ionique ou le pH du milieu. Ces conditions physiques provoquent dans les cas extrêmes la rupture des forces faibles essentielles au maintien de la structure complexe des macromolécules. Il en résulte ce qui est appelé une **dénaturation** de la structure normale, dite native, dénaturation accompagnée d'une perte de fonction (Figure 1.17). Par conséquent les cellules ne peuvent pas tolérer les réactions qui libèrent de grandes quantités d'énergie. De même, elles ne peuvent pas générer un important apport ponctuel d'énergie qui permettrait le déroulement d'une réaction exigeant beaucoup d'énergie. Une telle réaction sera rempla-

Figure 1.17 • Dénaturation et renaturation de la structure apparemment embrouillée d'une protéine.

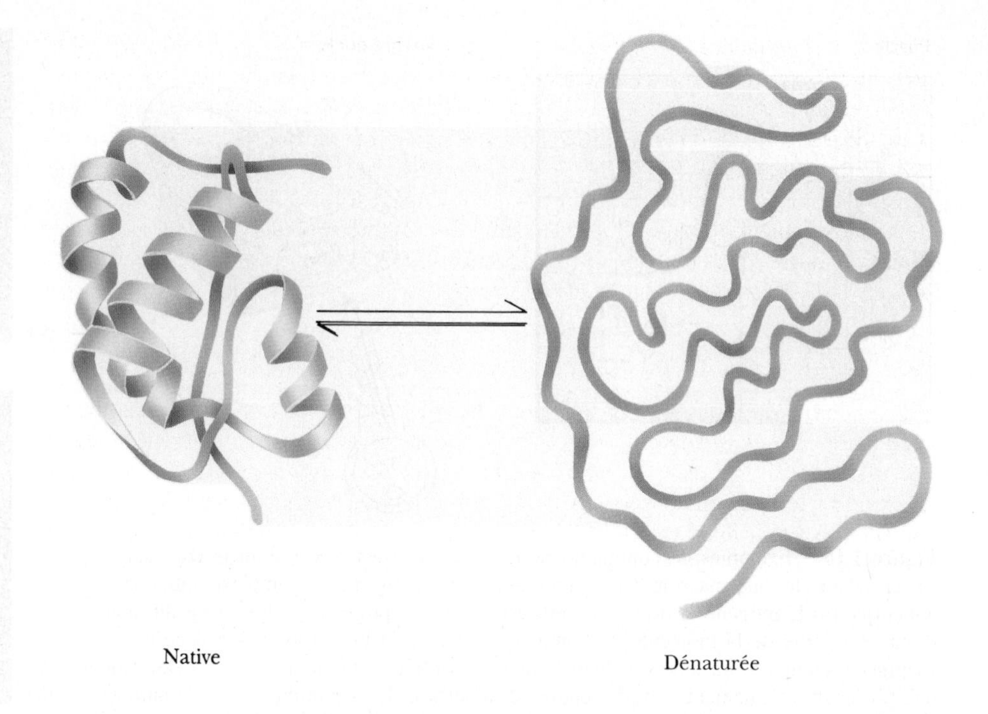

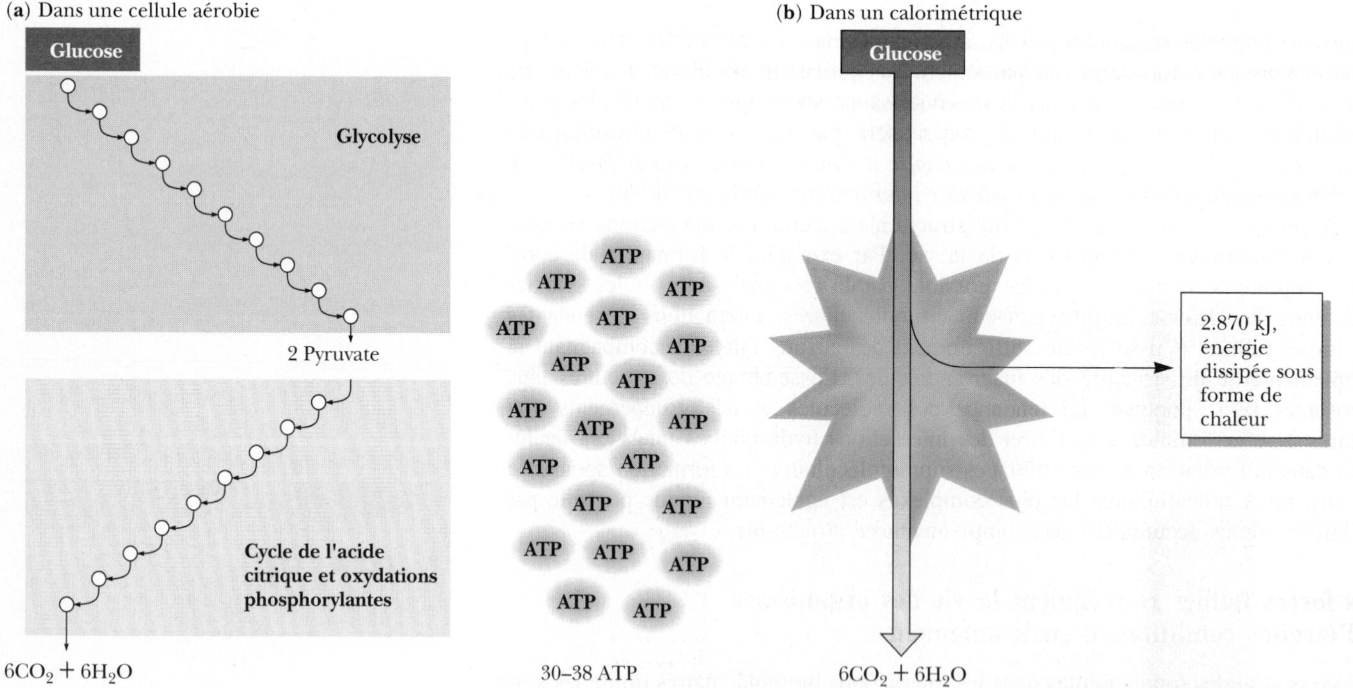

Figure 1.18 • Le métabolisme est une succession cohérente de perte et de gains de petites quantités d'énergie dont le bilan final est une importante variation d'énergie. (a) Par exemple, la combustion du glucose par les cellules est une des principales sources d'énergie. Une fraction de cette énergie se retrouve dans 30 à 38 molécules d'ATP, la principale source d'énergie chimique utilisable par les cellules. Les dix réactions de la glycolyse, les neuf réactions du cycle de l'acide citrique et les réactions successives d'oxydations phosphorylantes libèrent progressivement l'énergie contenue dans le glucose ; une partie de l'énergie libérée est récupérée par « paquets » dans la synthèse de l'ATP. (b) La combustion du glucose dans une bombe calorimétrique produit une libération brutale de l'énergie, sous sa forme la moins utile, la chaleur.

cée par une séquence de réactions chimiques successives dont la somme des effets produira l'importante variation énergétique attendue bien que chacune des réactions intermédiaires n'ait produit ou exigé que de faibles quantités d'énergie (Figure 1.18). Les séquences réactionnelles sont organisées pour libérer, par dégradation des aliments, l'énergie utile à la cellule ou pour utiliser cette énergie afin de synthétiser les molécules nécessaires au maintien de la vie. La totalité de ces séquences réactionnelles constitue le **métabolisme** cellulaire : le métabolisme cellulaire est donc l'ensemble des voies réactionnelles ordonnées de la chimie cellulaire par lesquelles les transformations énergétiques sont accomplies.

Les enzymes

La sensibilité des constituants cellulaires aux conditions de l'environnement impose une autre contrainte aux réactions métaboliques. La vitesse à laquelle les réactions cellulaires sont effectuées est un important facteur de conservation de l'état vivant. Cependant les moyens classiques de la chimie utilisés pour accélérer les réactions ne sont pas utilisables par la cellule ; la température ne peut guère être augmentée, la pression ne peut être augmentée, le pH intracellulaire ne peut pas varier par addition d'un acide ou d'une base, et les concentrations ne peuvent pas changer de façon significative. Des catalyseurs biologiques, les **enzymes**, interviennent, qui permettent le métabolisme cellulaire en accélérant la vitesse des réactions de plusieurs ordres de grandeur ; chacun de ces catalyseurs participe à la sélection et détermine la nature de la réaction spécifique à laquelle sera soumise la substance transformée. Pratiquement dans toutes les réactions métaboliques un enzyme intervient dont le seul rôle est de catalyser une réaction spécifique (Figure 1.19).

Le contrôle de l'activité enzymatique assure la régulation métabolique

À tout moment des milliers de réactions catalysées par un nombre égal d'enzymes se déroulent dans la cellule. Les voies métaboliques comportent de nombreux points de branchement, des cycles et des interconnexions, comme on peut le constater sur

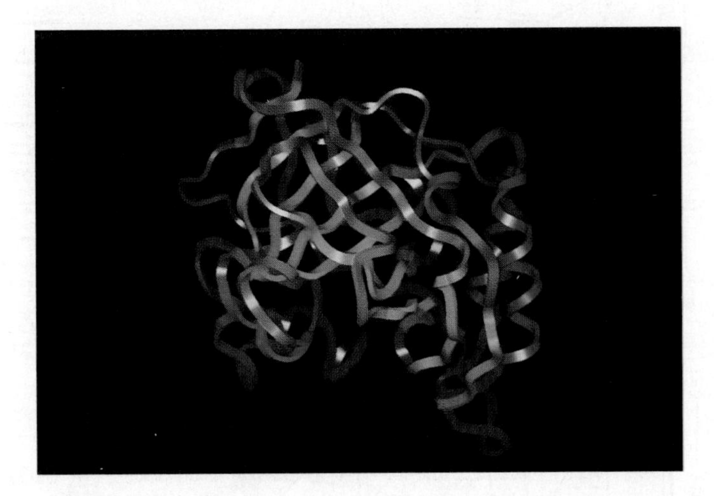

Figure 1.19 • Un exemple d'enzyme, l'anhydrase carbonique et la réaction qu'elle catalyse. Le gaz carbonique dissous dans l'eau est lentement hydraté pour former un ion bicarbonate et H^+ :

$$CO_2 + H_2O \rightleftharpoons HCO^{-3} + H^+$$

À 20° C, la constante de vitesse de cette réaction non catalysée, k est de 0,03/sec. En présence de l'anhydrase carbonique, la constante de vitesse de la réaction, k_{cat} est de 10^6/sec. L'anhydrase carbonique accélère donc $3{,}3 \times 10^7$ fois la vitesse de la réaction. L'anhydrase carbonique est une protéine de 29 kDa.

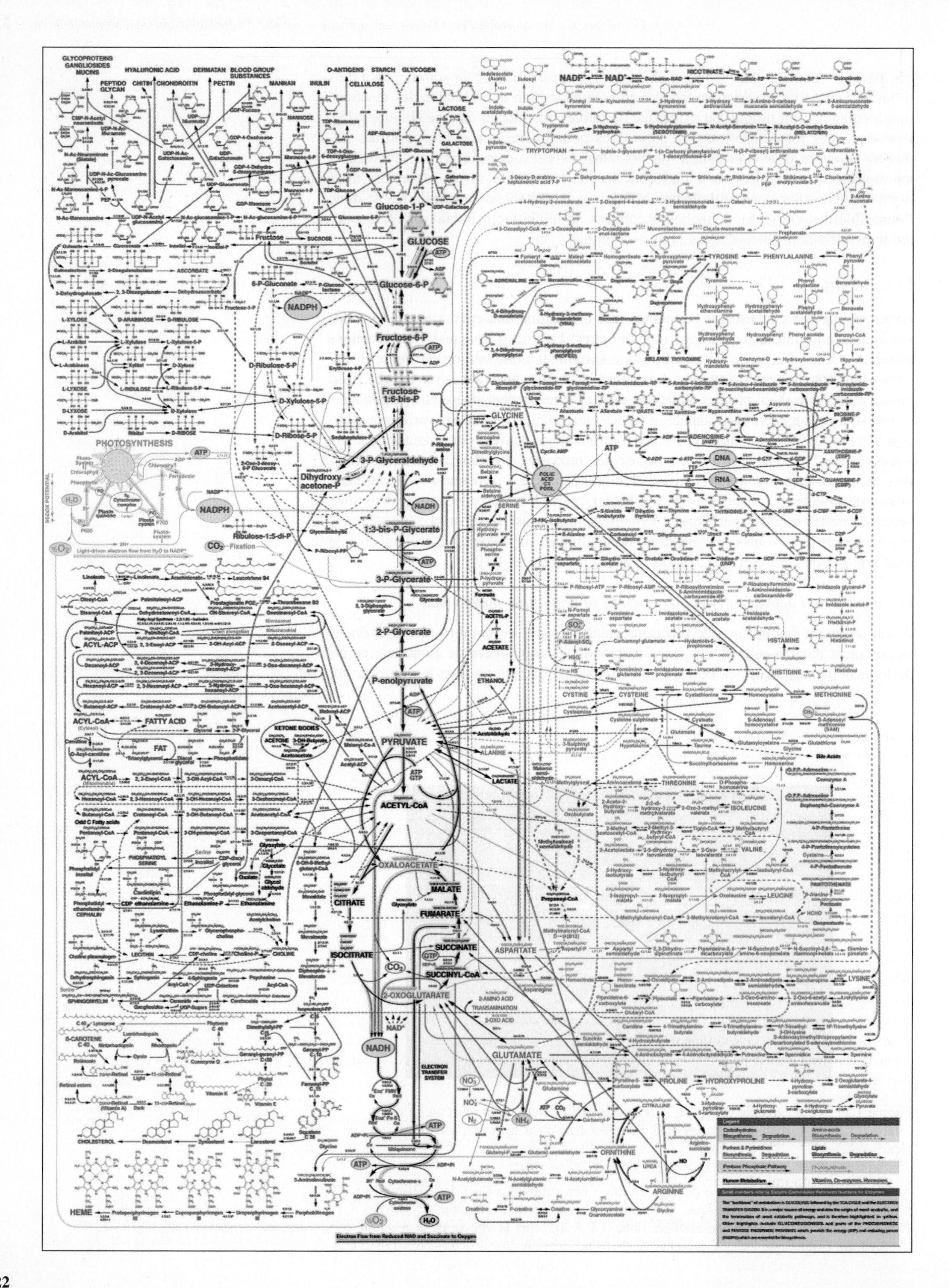

GLYCOPROTEINS
GANGLIOSIDES
MUCINS
HYALURONIC ACID
DERMATAN
BLOOD GROUP SUBSTANCES
PEPTIDO GLYCAN
CHITIN
CHONDROITIN
PECTIN
MANNAN
INULIN
O-ANTIGENS
STARCH
GLYCOGEN
CELLULOSE
LACTOSE
GALACTOSE
MANNOSE
Glucose-1-P
GLUCOSE
ATP
ADP
Fructose
SUCROSE
ASCORBATE
6-P-Gluconate
Glucose-6-P
NADPH
Fructose-6-P
D-Ribulose-5-P
Fructose-1:6-bis-P
D-Xylulose-5-P
D-Ribose-5-P
PHOTOSYNTHESIS
3-P-Glyceraldehyde
Dihydroxy acetone-P
NADH
1:3-bis-P-Glycerate
Ribulose-1:5-di-P
CO_2
Fixation
3-P-Glycerate
2-P-Glycerate
P-enolpyruvate
PYRUVATE
KETONE BODIES
ACETONE
ACYL-ACP
ACYL-CoA
FATTY ACID
FAT
ACETYL-CoA
OXALOACETATE
CITRATE
MALATE
FUMARATE
SUCCINATE
ISOCITRATE
SUCCINYL-CoA
2-OXOGLUTARATE
ASPARTATE
GLUTAMATE
NAD+
ELECTRON TRANSFER SYSTEM
CHOLESTEROL
HEME
H_2O
Electron Flow from Reduced NAD and Succinate to Oxygen
NADP+
NAD+
NICOTINATE
TRYPTOPHAN
PHENYLALANINE
TYROSINE
ADRENALINE
MELANIN
THYROXINE
GLYCINE
SERINE
URATE
DNA
RNA
FOLIC ACID C1 POOL
ATP
ACETATE
ETHANOL
CYSTINE
CYSTEINE
METHIONINE
HISTAMINE
HISTIDINE
ALANINE
LACTATE
THREONINE
ISOLEUCINE
VALINE
LEUCINE
LYSINE
PROLINE
HYDROXYPROLINE
ORNITHINE
ARGININE
UREA
CITRULLINE
Legend
Carbohydrates
Amino-acids
Purines & Pyrimidines
Lipids
Pentose Phosphate Pathway
Photosynthesis
Human Metabolism
Vitamins, Co-enzymes, Hormones

Figure 1.20 • Reproduction d'une carte du métabolisme général. *(Avec l'aimable autorisation de D. E. Nicholson, Université de Leeds et de Sigma Chemical Co., St. Louis, MO.)*

la carte des voies métaboliques (Figure 1.20). Toutes ces réactions, dont certaines sont visiblement à des carrefours permettant de répondre à des besoins particuliers de la cellule, doivent être finement régulées et intégrées de sorte que le métabolisme, en fin de compte la vie, se poursuive harmonieusement. La régulation du métabolisme est donc une évidente nécessité. Divers modes de contrôle de l'activité enzymatique participent à cette régulation métabolique afin que les vitesses des réactions soient appropriées aux besoins cellulaires.

Malgré l'organisation séquentielle du métabolisme et le très grand nombre d'enzymes requis, les réactions cellulaires se conforment aux principes de la thermodynamique qui régissent toutes les réactions chimiques. Les enzymes n'ont aucune influence sur les variations d'énergie (la composante thermodynamique) des réactions. Ils n'ont d'effet que sur la vitesse de la réaction. Les cellules se comportent ainsi comme des systèmes qui consomment de la nourriture, rejettent les déchets, exécutent des dégradations complexes et des biosynthèses essentielles à leur survie. Et tout cela s'effectue dans des conditions pratiquement constantes de température et de pression ; elles maintiennent un environnement interne constant (**homéostasie**) sans modifications visibles de l'extérieur. *Les cellules sont des systèmes thermodynamiques ouverts qui échangent de la matière et de l'énergie avec leur environnement et fonctionnent comme des machines isothermiques très finement régulées.*

1.5 • Organisation et structure cellulaires

Toutes les cellules vivantes appartiennent à l'une des deux grandes catégories – **procaryotes** ou **eucaryotes**. La distinction se fonde sur l'absence ou la présence d'un noyau. Les procaryotes sont des organismes unicellulaires qui n'ont pas de noyau ni d'autre organite, le mot provient de *pro* qui signifie « avant », et de *karyon* qui signifie « noyau ». Dans les classifications biologiques conventionnelles, tous les procaryotes appartiennent au règne des Monères, qui comprend les bactéries et les cyanobactéries (autrefois les algues bleu-vert). Les quatre autres règnes vivants rassemblent tous les eucaryotes, des Protistes unicellulaires comme l'amibe, à toutes les formes multicellulaires, Champignons, Végétaux et Animaux. Les cellules eucaryotes (le préfixe *eu* signifiant « vrai ») ont toutes un noyau et des organites comme les mitochondries.

Évolution primitive des cellules

Jusqu'à tout récemment, la plupart des biologistes acceptaient l'idée que les eucaryotes étaient issus des procaryotes par une simple complexification linéaire au cours de l'évolution. Les connaissances contemporaines conduisent à regrouper les organismes d'aujourd'hui en trois classes ou lignées distinctes : les eucaryotes et deux groupes de procaryotes, les **eubactéries** et les **archaebactéries**. Il semble qu'elles sont apparues il y a environ 3,5 milliards d'années à partir d'une forme ancestrale commune dénommée le **progénote**. On pense actuellement que les cellules eucaryotes sont en réalité des cellules composites à la formation desquelles plusieurs procaryotes ont contribué. La dichotomie entre les procaryotes et les eucaryotes, pour aussi utile qu'elle soit, relèverait donc d'une distinction artificielle.

En dépit d'une grande diversité de formes et de fonctions, les cellules et les organismes ont une même biochimie. Ce caractère commun reconnu depuis longtemps a été confirmé par le séquençage de génomes entiers (détermination de la séquence totale des nucléotides de l'ADN d'un organisme). Par exemple, les gènes de 44 % du génome de *Methanococcus jannaschii*, une archaebactérie, ont une grande similitude avec des gènes connus chez les eubactéries et les eucaryotes, bien que 56 % de ses gènes soient différents de tous les autres gènes connus. Le séquençage de génomes entiers révolutionne la biochimie à mesure que les nouvelles séquences codant pour des protéines accroît notre compréhension concernant les possibilités des protéines.

Organisation structurale des cellules procaryotes

Parmi les procaryotes (les cellules les plus simples), les eubactéries constituent le groupe le plus répandu et contenant le plus grand nombre d'espèces. Certaines sont pathogènes pour le genre humain. Les archaebactéries sont remarquables car elles sont surtout présentes dans des environnements particuliers ne permettant pas la survie d'autres cellules. Les archaebactéries comprennent les **thermoacidophiles** des sources thermales (bactéries vivant dans des milieux chauds et acides), les **halophiles** (bactéries des eaux salées) et les **méthanogènes** (bactéries qui synthétisent du méthane à partir de CO_2 et de H_2). Les procaryotes sont typiquement de très petite taille, de un à quelques microns de long, et sont en général entourées d'une **paroi** rigide qui protège la cellule et lui confère sa forme. L'organisation structurale caractéristique d'un procaryote est représentée Figure 1.21.

Les procaryotes n'ont qu'une unique membrane, la **membrane plasmique** ou **membrane cellulaire**. N'ayant pas d'autres membranes, les cellules procaryotes n'ont pas de noyau ni d'organites. Néanmoins, ces cellules possèdent une **zone nucléaire** distincte dans laquelle se trouve un unique chromosome circulaire. Quelques bactéries contiennent une structure membranaire interne dénommée **mésosome** qui est une expansion de la membrane cellulaire. Les réactions spécifiques à la respiration cellulaire sont localisées sur la membrane cellulaire. Les **cyanobactéries** et d'autres procaryotes photosynthétiques contiennent des feuillets à structure lamellaire qui proviennent de l'invagination de la membrane cellulaire. Ces lamelles

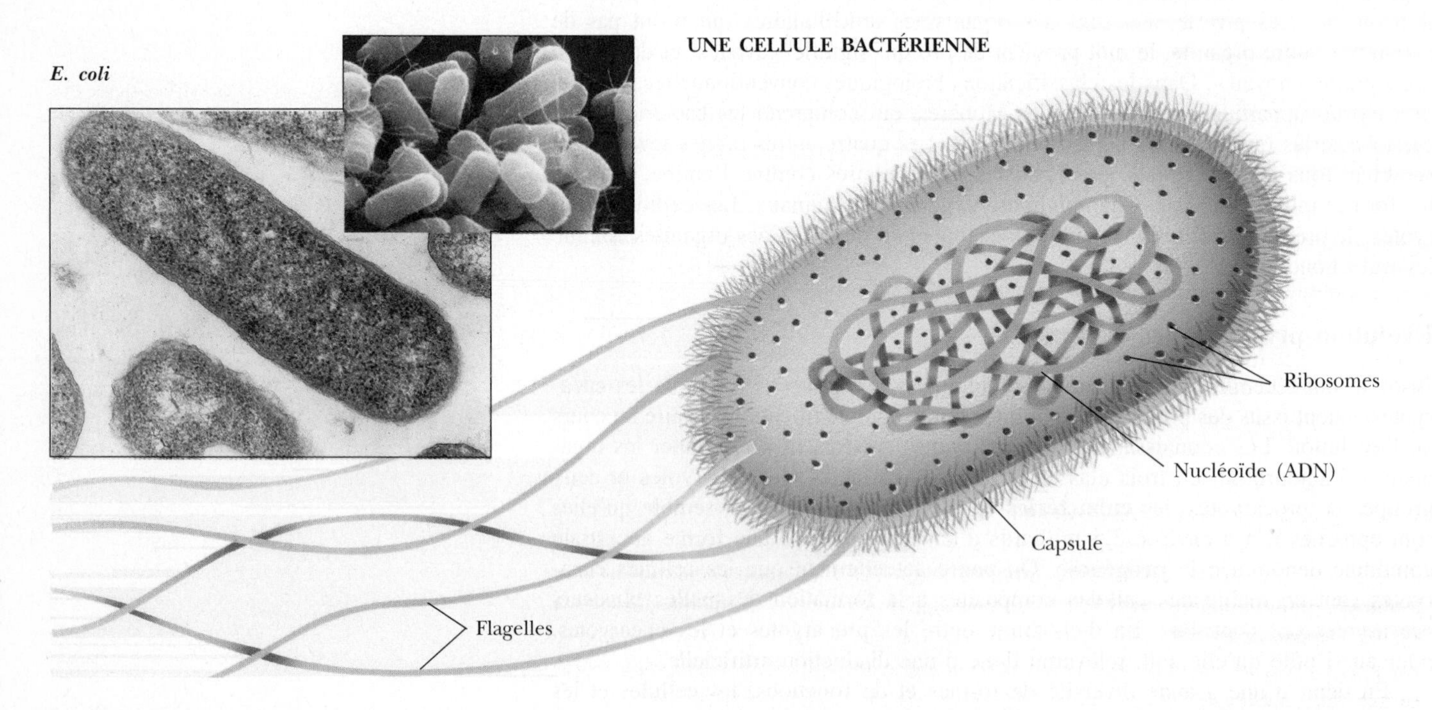

Figure 1.21 • *Escherichia coli* est une bactérie, du groupe des bactéries coliformes, normalement présente dans l'intestin humain. *E.coli* a relativement peu d'exigences nutritionnelles. La cellule se développe et se multiplie abondamment en présence d'une source d'énergie (un ose comme le glucose), d'une source d'azote (des ions ammonium) et de quelques sels minéraux. Ce peu d'exigences signifie que les capacités de biosynthèses de cet organisme « inférieur » sont particulièrement développées. À 37° C et sur un milieu organique « riche », les cellules d'*E.coli* se divisent en moins de 20 minutes. Parmi les structures subcellulaires caractéristiques, on note une paroi cellulaire, une membrane plasmique, une région nucléaire, des ribosomes, des dépôts granulaires, et le cytosol (Tableau 1.5). *(Photo, Martin Rotker/Phototake, Inc. ; insert, photo de David M. Philips/The population Council/Science source/Photo Researchers, Inc.)*

Tableau 1.5

Principales caractéristiques des cellules procaryotes

Structure	Composition moléculaire	Fonction
Paroi cellulaire	Peptidoglycanne : un réseau de polyosides réticulés par de courtes chaînes polypeptidiques. Certaines bactéries ont une membrane externe composée de lipopolyosides et de protéines	Support mécanique, forme, et protection contre la turgescence en milieu hypotonique. La paroi cellulaire est une barrière poreuse, non sélective, permettant le passage des petites molécules.
Membrane cellulaire	La membrane cellulaire, ou plasmique, contient 45 % de lipides et 55 % de protéines. Les lipides forment une bicouche, phase continue, hydrophobe, dans laquelle des protéines sont inclues.	La membrane cellulaire a une perméabilité extrêmement sélective qui contrôle l'entrée dans la cellule de la plupart des substances.
Zone nucléaire, ou nucléoïde	Le matériel génétique est une unique molécule d'ADN, pelotonnée, de 2 nm de diamètre et d'un mm de long (l'ADN de *E.coli* formé de $4{,}72 \times 10^6$ paires de bases a une masse moléculaire de 3×10^9 daltons).	L'ADN représente le plan détaillé de toute la cellule, il contient l'information génétique. Au cours de la division cellulaire, chacun des brins de la molécule d'ADN bicaténaire est répliqué pour donner deux molécules filles bicaténaires (deux hélices doubles). L'ADN est transcrit en ARN messager (ARNm) qui sera traduit pour la synthèse des protéines.
Ribosomes	Les cellules bactériennes contiennent environ 15.000 ribosomes formés de deux sous-unités, une petite sous-unité (30S) et une grosse sous-unité (50S). La masse d'un ribosome est de $2{,}3 \times 10^6$ daltons. Un ribosome contient 65 % d'ARN et 35 % de protéines.	Les ribosomes sont le lieu de la synthèse des protéines. L'ARNm se lie aux ribosomes et la séquence des nucléotides de l'ARNm spécifie la séquence des acides aminés de la protéine synthétisée.
Les dépôts granulaires	Les bactéries contiennent des granules qui sont des réserves de métabolites polymérisés, polyosides ou polymères de l'acide β-hydroxybutyrique.	En cas de carence, les unités monomériques des polymères sont libérées et utilisées comme sources d'énergie par les voies métaboliques de la cellule.
Cytosol	En dépit d'une apparence amorphe, le cytosol forme un compartiment gélatineux organisé, qui contient 20 % de son poids en protéines et de nombreuses molécules produites au cours du métabolisme.	Le cytosol est le lieu du métabolisme, des interconnections des séries de réactions chimiques qui fournissent l'énergie et les précurseurs nécessaires à la biosynthèse des macromolécules essentielles pour la croissance et les fonctions cellulaires.

sont le support de l'activité photosynthétique, mais dans les procaryotes elles ne sont pas contenues dans des vésicules, les **plastides**, organites de la photosynthèse chez les plantes vertes. Les cellules procaryotes n'ont pas de cytosquelette; la paroi cellulaire maintient leur structure. Quelques bactéries ont des **flagelles**, longs filaments séparés utilisés pour la motilité. Les procaryotes se reproduisent essentiellement par division asexuée, bien que des échanges de type sexuel puissent se produire. Le Tableau 1.5 présente les principales caractéristiques des cellules procaryotes.

Organisation structurale des cellules eucaryotes

Comparées aux cellules procaryotes, les cellules eucaryotes sont beaucoup plus grandes, les volumes cellulaires étant de 10^3 à 10^4 fois supérieurs. Elles sont aussi beaucoup plus complexes. Ces deux caractéristiques ont pour conséquence la néces-

Réticulum endoplasmique rugueux (végétal et animal)

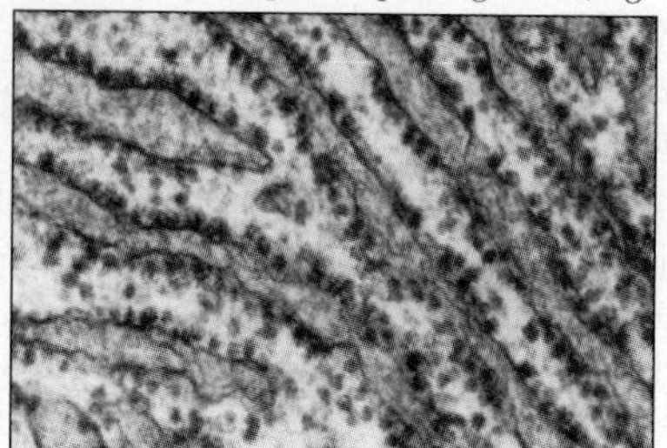

Réticulum endoplasmique lisse (végétal et animal)

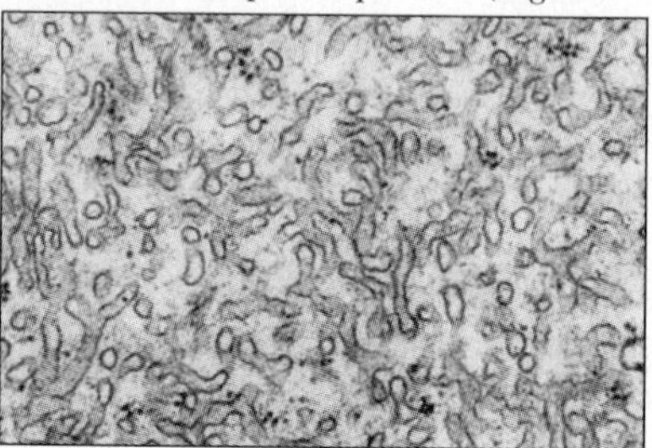

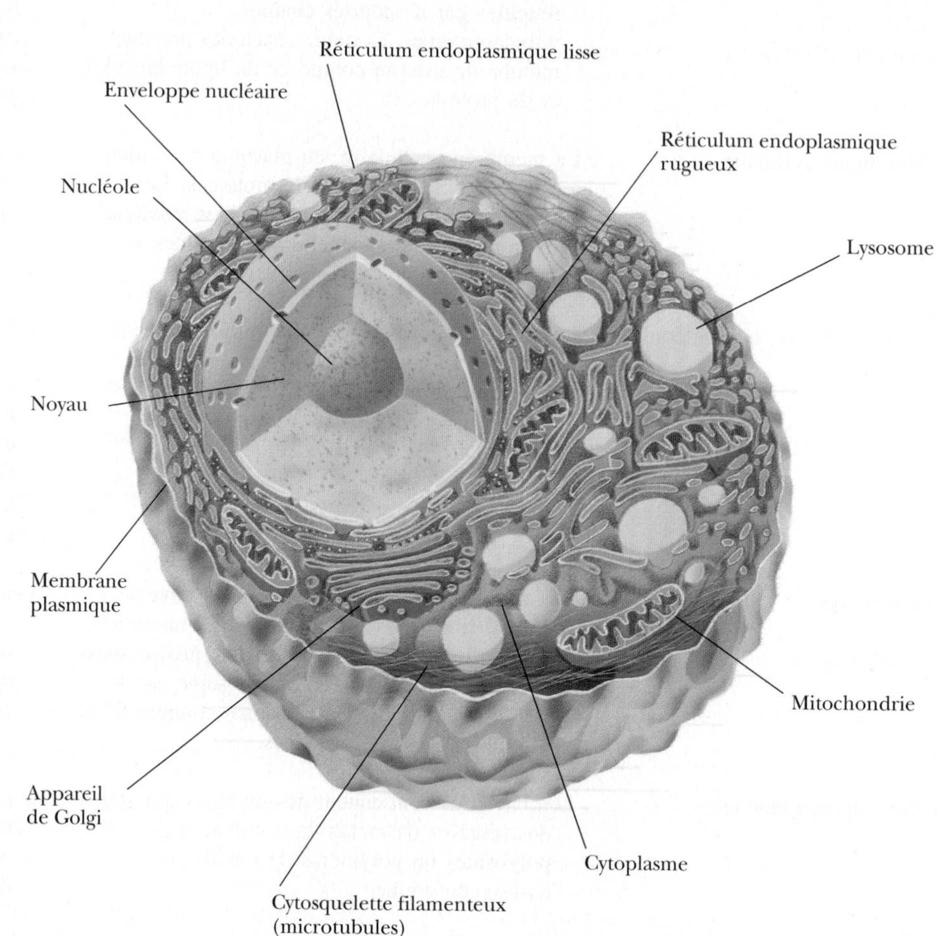

Mitochondrie (végétal et animal)

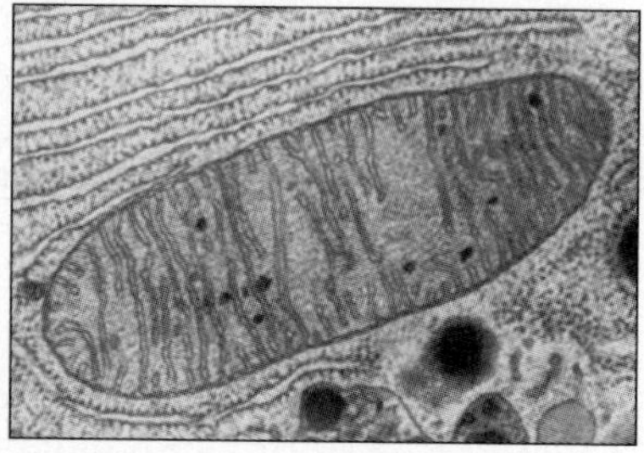

Figure 1.22 • Coupe schématique d'une cellule de foie de rat, représentative d'une cellule animale avec toutes ses composantes caractéristiques, noyau, nucléole, mitochondries, appareil de Golgi, lysosomes, et réticulum endoplasmique. Les microtubules et le réseau de filaments du cytosquelette sont également représentés. *(Photos, en haut, Dwight R. Kuhn/Visuals Unlimited ; au milieu, D. W. Fawcett/Visual Unlimited ; en bas, Keith Porter/Photo Researchers, Inc.)*

saire répartition des divers processus métaboliques dans des compartiments distincts, chacun d'eux étant consacré à une unique ou à un petit nombre de fonctions particulières. Un système de membranes internes permet cette répartition. Une cellule animale typique et une cellule végétale typique sont respectivement représentées Figure 1.22 et Figure 1.23. Les tableaux 1.6 et 1.7 précisent respectivement les principales caractéristiques d'une cellule animale et d'une cellule végétale.

Les cellules eucaryotes ont un **noyau** distinct, lié à une membrane nucléaire, qui contient le matériel génétique de la cellule distribué dans un nombre plus ou moins grand de **chromosomes**. Lors de la division cellulaire, des copies identiques de ce matériel génétique seront distribuées dans les cellules filles après duplication et partition ordonnée des chromosomes par un processus dénommé la **mitose**. Comme chez les procaryotes, une membrane plasmique entoure les cellules euca-

Tableau 1.6

Principales caractéristiques d'une cellule animale

Structure	Composition moléculaire	Fonction
Glycocalix	Les surfaces des cellules animales sont recouvertes par une couche adhésive et flexible constituée de polyosides, de protéines et de lipides.	Cette couverture complexe est spécifique d'un type cellulaire, elle sert à la reconnaissance et à la communication entre les cellules, elle est aussi une couche de protection.
Membrane cellulaire (membrane plasmique)	Environ 50 % de lipides et 50% de protéines, sous forme d'une bicouche lipidique continue de 5 nm d'épaisseur contenant de nombreuses protéines.	La membrane plasmique est la membrane à perméabilité sélective qui délimite la cellule. Elle contient des systèmes spécifiques (pompes, transporteurs, canaux) qui permettent les échanges nutritifs, et autres, avec l'environnement. Elle contient aussi des enzymes.
Noyau	Une double membrane, l'enveloppe nucléaire, sépare le noyau du cytosol. L'ADN complexé avec des protéines basiques (les histones) forme les fibres de la chromatine, le constituant des chromosomes. Une région particulière, le nucléole, riche en ARN, est le lieu de l'assemblage des ribosomes.	Le noyau contient le génome (l'information génétique) sous forme d'ADN dans les chromosomes. Au cours de la mitose, les chromosomes sont répliqués puis transmis aux cellules filles. L'information génétique de l'ADN est transcrite en ARN dans le noyau ; cet ARN passe dans le cytoplasme où l'information est traduite en protéines par les ribosomes.
Les mitochondries	Les mitochondries sont des organites délimités par deux membranes distinctes par leur composition lipidique et protéique. La membrane interne et le volume intérieur de la mitochondrie, la matrice, contiennent d'importants enzymes du métabolisme énergétique. La taille d'une mitochondrie est voisine de celle d'une bactérie, $\approx$ 1µm. Les cellules contiennent des centaines de mitochondries qui, collectivement, peuvent occuper jusqu'au cinquième du volume intracellulaire.	Les mitochondries sont les « centrales » énergétiques des cellules eucaryotes dans lesquelles les sucres, les lipides, et les acides aminés, sont oxydés jusqu'au stade CO_2 et H_2O. L'énergie libérée est en partie récupérée sous forme de liaison phosphate à haut potentiel d'énergie dans l'ATP.
L'appareil de Golgi	Un système de vésicules aplaties délimitées par une membrane, souvent empilées et formant un réseau complexe. De nombreuses petites vésicules sont à la périphérie de l'appareil de Golgi, elles contiennent des produits de sécrétion empaquetés par le système.	Centre de triage et d'affinage des produits du réticulum endoplasmique, avant leur sécrétion vers d'autres compartiments cellulaires.
Réticulum endoplasmique (RE) et ribosomes	RE : Ensemble de sacs aplatis, de tubules, et de feuillets de membrane interne s'étendant dans tout le cytoplasme cellulaire et délimitant une série de sacs plus vastes interconnectés appelés *citernes*. La membrane du RE est en continuité avec la membrane externe de l'enveloppe nucléaire. Certaines parties des feuillets du RE sont parsemées de ribosomes, elles constituent le *RE rugueux*. Les ribosomes des eucaryotes sont plus gros que ceux des procaryotes.	Le RE est un système labyrinthique dans lequel les protéines membranaires et les lipides sont synthétisés. Les protéines synthétisées par les ribosomes du RE passant à travers la membrane externe du RE, se retrouvent dans les citernes d'où, en suivant l'appareil de Golgi, elles seront transportées vers la périphérie de la cellule. D'autres ribosomes, indépendants du RE, effectuent la synthèse des protéines directement dans le cytosol.
Lysosomes	Les lysosomes sont des vésicules de 0,2 à 0,5 µm de diamètre, délimités par une simple membrane. Ils contiennent des enzymes qui hydrolysent certaines liaisons, comme des protéases ou des nucléases, qui, si elles étaient libérées dans le cytosol dégraderaient des constituants cellulaires essentiels Les lysosomes sont formés par des bourgeonnements de l'appareil de Golgi.	La fonction des lysosomes est la digestion intracellulaire des substances qui pénètrent dans la cellule par phagocytose ou par pinocytose. Ils participent aussi à la dégradation (au recyclage) des macromolécules et des organites intracellulaires.
Peroxysomes	Comme les lysosomes, les peroxysomes sont des vésicules de 0,2 à 0,5 µm de diamètre, délimités par une simple membrane. Ils contiennent de nombreux enzymes d'oxydation qui utilisent l'oxygène et génèrent des peroxydes. Ils sont formés par bourgeonnement du réticulum endothélial ER lisse et incorporation de protéines et de lipides du cytosol.	Les enzymes des peroxysomes oxydent certains métabolites comme les acides aminés. Ces oxydations génèrent des produits toxiques comme H_2O_2 qui est ensuite décomposé par la catalase en H_2O et O_2.
Cytosquelette	Le cytosquelette est formé d'un réseau de filaments protéiques: filaments d'actine (ou microfilaments) de 7 nm de diamètre, filaments intermédiaires de 8 à 10 nm de diamètre, et microtubules de 25 nm. Ces filaments sont en interaction, ils forment la structure du cytosquelette et participent à ses fonctions. Ce réseau de filaments structure et organise le cytoplasme.	Le cytosquelette détermine la forme de la cellule et lui donne sa mobilité. Il intervient dans les mouvements internes du cytoplasme à l'occasion du déplacement des organites et de celui des chromosomes lors de la mitose. Les appendices de propulsion des cellules – cils et les flagelles – sont formés de microtubules.

Chloroplaste (propre à la cellule végétale)

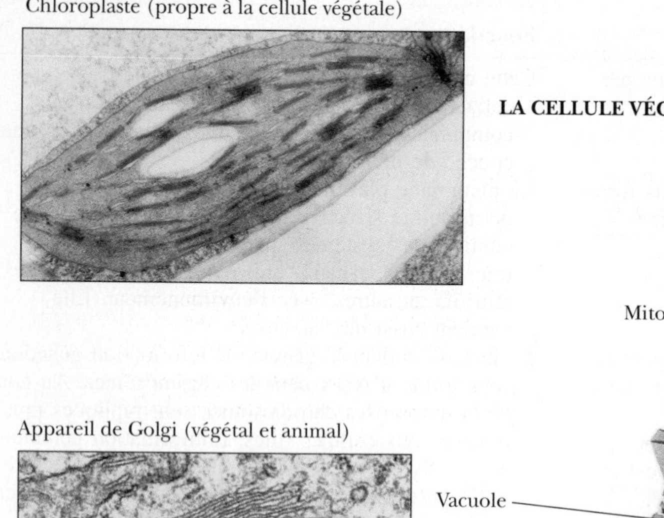

Appareil de Golgi (végétal et animal)

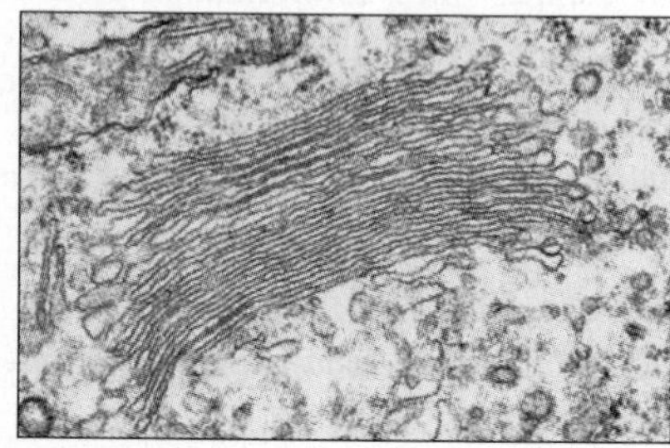

Noyau (végétal et animal)

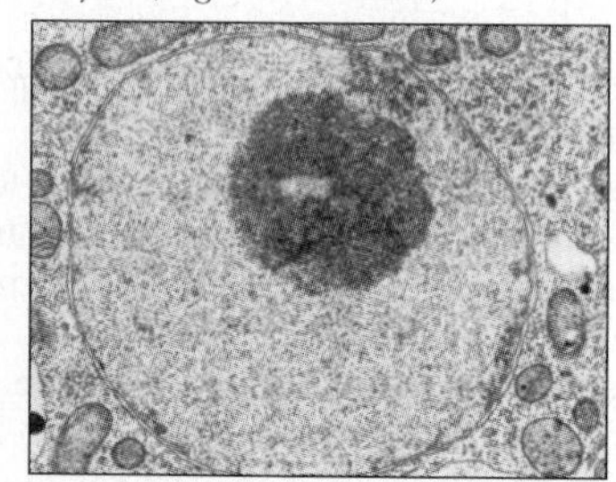

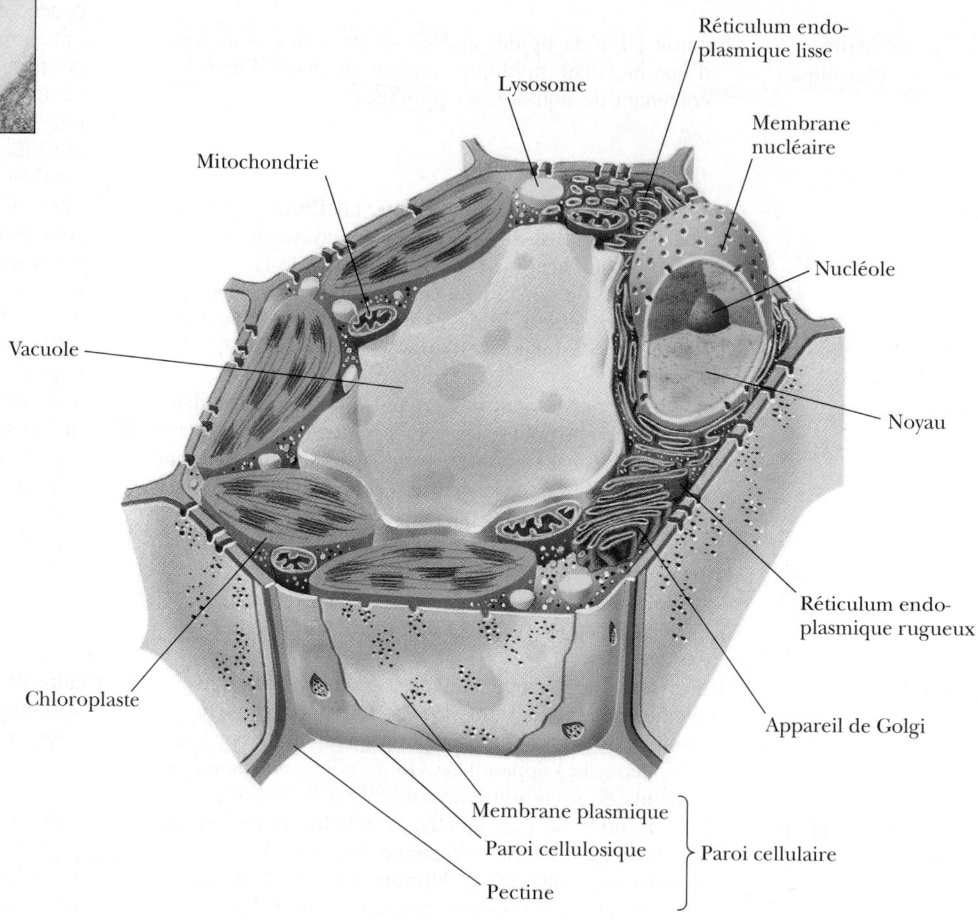

Figure 1.23 • Coupe schématique d'une cellule de feuille de plante verte, représentative d'une cellule végétale, avec noyau, nucléole, paroi cellulaire, membrane cellulaire, noyau, chloroplastes, mitochondries, vacuole, réticulum endoplasmique et quelques autres particularités distinctives. *(Photos, en haut et au milieu, Dr. Dennis Kunkel/Phototake, NYC ; en bas, Biophoto Associates)*

ryotes. À la différence des procaryotes, les cellules eucaryotes contiennent de nombreuses membranes internes. Ces membranes sont différenciées en structures spécialisées comme le **réticulum endoplasmique** (**RE**) et **l'appareil de Golgi**. Des membranes enveloppent également certains organites (par exemple les **mitochondries** et les **chloroplastes**) et diverses vésicules dont les **vacuoles**, les **lysosomes** et les **peroxysomes**. La finalité commune à ce cloisonnement membranaire est la création de compartiments cellulaires ayant des fonctions métaboliques spécifiques, c'est ainsi que le rôle de la mitochondrie est d'être le lieu principal de la production énergétique de la cellule. Les cellules eucaryotes ont un **cytosquelette** composé de rangées de filaments qui donnent à la cellule sa forme et permettent sa mobilité. Certaines cellules eucaryotes ont aussi de longues projections à leur surface – cils ou flagelles – qui sont des moyens de propulsion.

Tableau 1.7

Principales caractéristiques d'une cellule de plante supérieure : la cellule d'une feuille de plante verte (à photosynthèse)

Structure	Composition moléculaire	Fonction
Paroi cellulaire	Fibres de cellulose enrobées dans une matrice faite de protéines et de polysaccharides; elle est épaisse, plus de 0,1 μm, rigide et perméable aux petites molécules.	Protection contre la pression osmotique et la rupture mécanique. Les parois des cellules végétales voisines sont réunies par une couche adhésive pour constituer la plante. Les parois sont percées par des petits canaux qui permettent le passage des fluides et établissent une continuité entre les cellules. Des couches successives de constituants de structure donnent forme et résistance mécanique aux tissus végétaux.
Membrane cellulaire	La structure et l'organisation de la membrane plasmique des cellules végétales sont analogues à celles des cellules animales, elles en diffèrent par la composition lipidique et protéique.	La membrane plasmique a une perméabilité sélective, elle contient les systèmes de transport des métabolites et des ions minéraux. Beaucoup d'enzymes y sont localisées.
Noyau	Noyau, nucléole, et enveloppe nucléaire des cellules végétales et animales sont semblables.	L'organisation des chromosomes, le réplication de l'ADN, la transcription, les ribosomes, et la mitose, des cellules végétales et animales sont globalement similaires.
Chloroplastes	Les cellules végétales contiennent une famille d'organites typiquement végétaux, les plastes. Le chloroplaste en est l'exemple le plus important. Les chloroplastes ont une enveloppe formée d'une double membrane, entourant un milieu intérieur, le **stroma**, dans lequel baigne une membrane interne, la membrane du thylakoïde. Cette membrane enferme un troisième compartiment, la **lumière** du **thylakoïde**. Les chloroplastes sont plus volumineux que les mitochondries. Il existe encore d'autres plastes spécialisés dans certaines structures comme les fruits, les pétales des fleurs, et les racines.	Les chloroplastes sont le lieu de la photosynthèse, ensemble des réactions par lesquelles l'énergie lumineuse est en partie convertie en ATP, une énergie chimique utilisable par le métabolisme. Ces réactions ont lieu dans la membrane des thylacoïdes. La formation d'oses à partir de CO_2 a lieu dans le stroma. La photosynthèse produit aussi de l'oxygène. Les chloroplastes des végétaux et des algues sont la source d'énergie primaire pour les autres organismes vivants.
Mitochondries	La forme et la fonction des mitochondries végétales et animales sont semblables.	Les mitochondries sont les principaux lieux de production d'énergie des cellules vertes (à chlorophylle) à l'obscurité, et des cellules sans chlorophylle dans tous les cas.
Vacuole	La vacuole est normalement le compartiment le plus en évidence dans une cellule végétale. C'est une très grande vésicule, le **tonoplaste**, entourée d'une simple membrane. Les vacuoles sont relativement plus petites dans les jeunes cellules, mais à maturité elles peuvent occuper plus de 50% du volume cellulaire. Les vacuoles sont au centre des cellules, entourées de cytoplasme. Elles sont analogues aux lysosomes des cellules animales	Les vacuoles ont un rôle dans le transport et le stockage des métabolites ainsi que dans celui des sous-produits du métabolisme. En accumulant de l'eau, les vacuoles augmentent la taille des cellules végétales sans que le volume du cytoplasme change.
Appareil de Golgi, réticulum endoplasmique, ribosomes, lysosomes peroxysomes, et cytosquelette	Les cellules végétales contiennent ces organites caractéristiques des eucaryotes, sous des formes essentiellement voisines de celles des cellules animales.	Ces organites ont les mêmes fonctions que dans les cellules animales.

1.6 • Les virus sont des assemblages supramoléculaires qui se comportent comme des parasites intracellulaires

Les virus sont des complexes supramoléculaires d'acide nucléique, soit de l'ADN, soit de l'ARN, encapsulé dans une enveloppe protéique et, dans quelques cas, entouré par une enveloppe membranaire (Figure 1.24). Les courts segments d'acide nucléique dans les virus sont en réalité des éléments d'information génétique mobiles. L'enveloppe protéique du virus sert à protéger l'acide nucléique et à permettre sa pénétration dans les cellules cibles spécifiques. On connaît des virus spécifiques pour chaque type de cellule. Les virus infectant les bactéries sont dénommés des **bactériophages** (« qui mangent les bactéries ») ; des virus différents infectent les cellules animales et les cellules végétales. Lorsque l'acide nucléique d'un virus a pu parvenir à l'intérieur d'une cellule, il prend généralement la direction de la machinerie métabolique de la cellule hôte et l'oriente vers la production de particules virales. Les fonctions métaboliques sont asservies à la synthèse de l'acide nucléique et des protéines virales. La particule virale mature est formée par encapsulation de l'acide nucléique dans une enveloppe protéique appelée **capside**. Les virus sont donc des assemblages supramoléculaires qui parasitent les cellules (Figure 1.25).

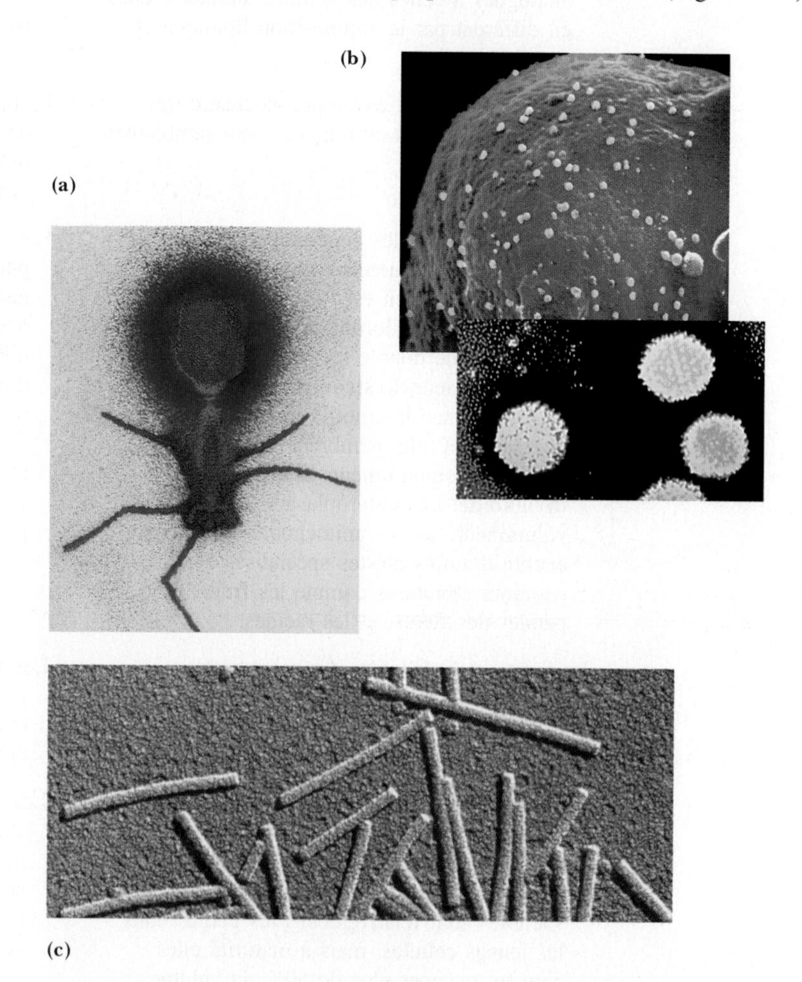

Figure 1.24 • Les virus sont des éléments génétiques entourés d'une capside protéique. Les virus ne sont pas des organismes vivants, ils ne peuvent se reproduire qu'à l'intérieur des cellules. Un virus a une spécificité quasiment absolue pour une cellule hôte particulière ; il n'infecte et ne se multiplie que dans cette cellule. On connaît des virus pour pratiquement chaque type de cellule. (a) un virus bactérien, le bactériophage T4 ; (b) un virus de cellule animale, un adénovirus (deux photos à échelles différentes) ; (c) un virus de plante, le virus de la mosaïque du tabac. *(a, M. Wurtz/Biozentrum/Université de Bâle/SPL/Photo Researchers, Inc. ; b, Thomas Broker/Phototake, NYC ; insert, CNRI/SPL/Photoresearchers, Inc. ; c, Biology Media/Photoresearchers Inc.)*

Les virus provoquent fréquemment la lyse des cellules qu'ils infectent. Cette cytolyse est à la base des maladies virales. Dans certaines circonstances, les éléments génétiques viraux peuvent s'intégrer dans le chromosome de l'hôte et devenir latents. Cet état est dénommé **lysogène**. Par la suite, un dommage à la cellule hôte peut activer la réplication de l'acide nucléique viral intégré et le cycle infectieux déclenché aboutira à la prolifération et à la libération de nouvelles particules virales. Des virus sont impliqués dans la transformation de cellules normales en cellules cancéreuses, c'est-à-dire que la division cellulaire n'est plus régulée, les cellules elles se divisent et prolifèrent de façon anarchique. Puisque les virus sont extrêmement dépendants des cellules hôtes pour leur multiplication, leur apparition au cours de l'évolution doit être postérieure à la formation des cellules. Les premiers virus furent très probablement des fragments d'acide nucléique ayant développé une capacité de réplication indépendante de celle du chromosome, puis acquis les gènes nécessaires permettant la protection, l'autonomie et le mécanisme de transfert entre les cellules.

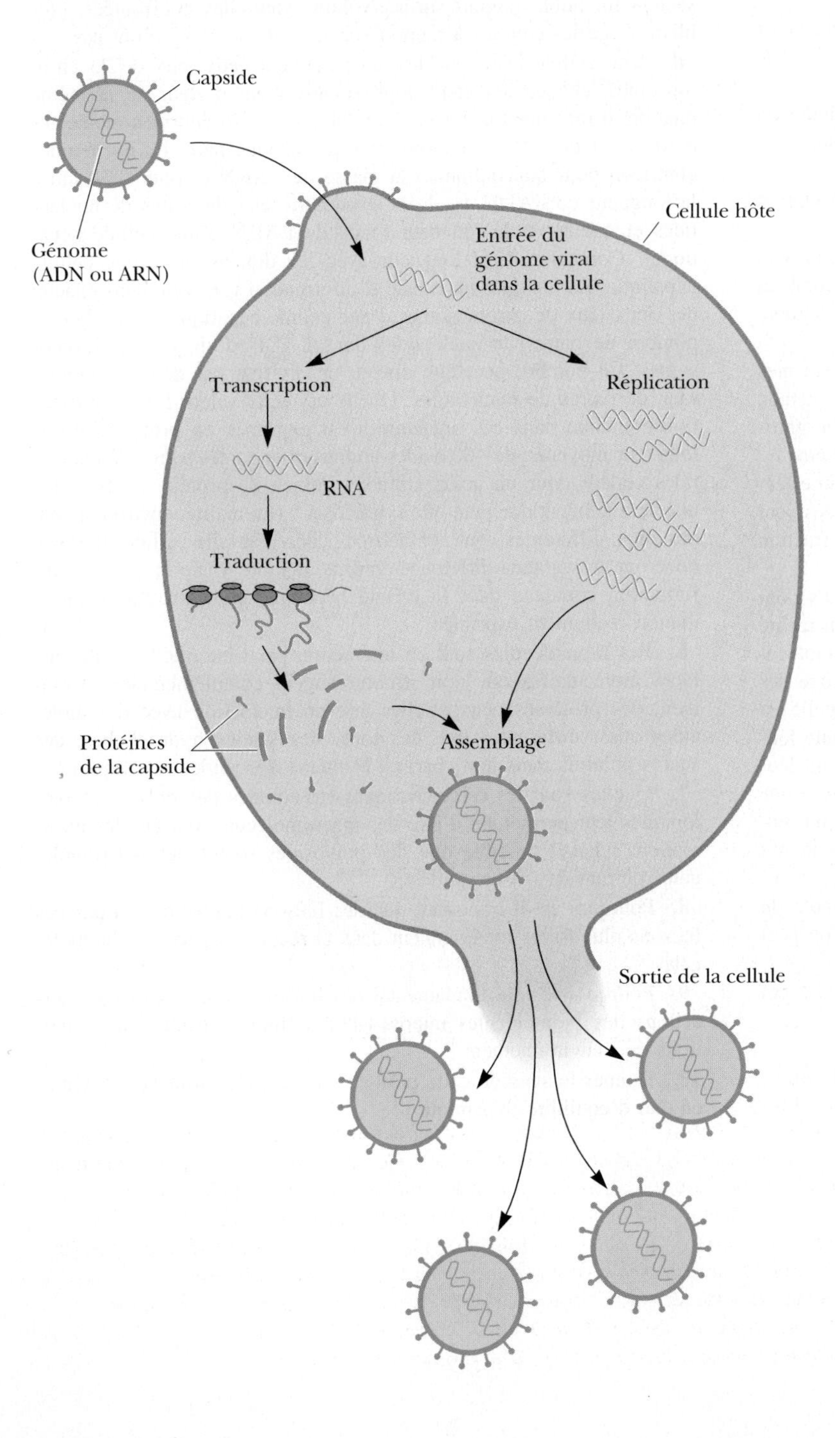

Figure 1.25 • Cycle de réplication d'un virus. Les virus sont des petits éléments d'information génétique mobiles encapsulés dans une capside protéique. Le génome peut être constitué d'ADN ou d'ARN. Lorsque ce génome a pénétré (infecté) sa cellule hôte, il détourne la synthèse des macromolécules cellulaires et l'oriente vers la synthèse de l'acide nucléique et des protéines spécifiques du virus. Ces produits s'assemblent ensuite pour reconstituer de nouvelles particules virales qui sortent de la cellule. Le cycle de l'infection virale se termine souvent par la lyse de la cellule parasitée.

Exercices

1. Les exigences nutritionnelles d'*Escherichia coli* sont bien plus simples que celles des humains, cependant les macromolécules des bactéries sont presque aussi complexes que celles des animaux. Puisque les bactéries cultivées sur un milieu relativement simple peuvent synthétiser la plupart des biomolécules essentielles, pensez-vous que les bactéries ont une capacité de biosynthèse plus importante et donc plus complexe que celle des animaux ? Donnez votre réponse en développant rationnellement vos arguments positifs ou négatifs.

2. Sans consulter les figures de ce chapitre, résumer sur un dessin les caractéristiques des cellules animales ou végétales typiques et donner le nom des organites et systèmes membranaires.

3. Les cellules d'*Escherichia coli* mesurent environ 2 µm (microns) de long et 0,8 µm de diamètre.

a. Combien faudra-t-il de cellules mises bout à bout pour recouvrir un diamètre d'une tête d'épingle ? Admettre que le diamètre de cette tête d'épingle est de 0,5 mm.

b. Quel est le volume de cette cellule ? Admettre que le cylindre est parfait. (Le volume du cylindre est donné par l'équation suivante $V = \pi r^2 h$, avec $\pi = 3{,}14$.)

c. Quelle est la surface de la paroi cellulaire ? Quel est le rapport de la surface au volume ?

d. Le glucose, principale molécule nutritive énergétique, est présent dans cette cellule bactérienne à la concentration de 1 m*M*. Combien de molécules de glucose y a-t-il dans une cellule d'*E. coli* ? (Le nombre d'Avogrado est égal à $6{,}023 \times 10^{23}$).

e. Les molécules de certaines protéines régulatrices sont présentes à un ou deux exemplaires par cellule. Supposant qu'une cellule d'*E.coli* ne contienne qu'un unique exemplaire d'une protéine particulière, quelle est la concentration intracellulaire de cette protéine ?

f. Une cellule d'*E. coli* contient environ 15.000 ribosomes qui effectuent la synthèse des protéines. En supposant que les ribosomes sont sphériques et ont un diamètre de 20 nm (nanomètres), quelle fraction du volume cellulaire occupent-ils ?

g. Le chromosome d'*E. coli* est une unique molécule d'ADN dont la masse est d'environ 3×10^9 daltons. Cette molécule est en réalité un arrangement linéaire de paires de nucléotides. La masse moléculaire moyenne d'une paire de nucléotides est de 660 et chacune des paires contribue à allonger la molécule d'ADN de 0,34 nm. Quelle est la longueur totale du chromosome chez *E. coli* ? Comparez cette longueur avec la dimension de la bactérie. Combien de paires de nucléotides cet ADN contient-il ? En moyenne, une protéine d'*E.coli* est une chaîne linéaire contenant 360 acides aminés. Si trois paires de nucléotides dans un gène codent pour un acide aminé, combien de protéines pourraient théoriquement être codées par un chromosome d'*E. coli* ? (La réponse à cette question est une approximation raisonnable du nombre maximum d'espèces moléculaires de protéines que l'on peut s'attendre à trouver dans la bactérie.

4. En supposant que les mitochondries sont des cylindres de 1,5 µm de long et de 0,6 µm de diamètre,

a. Quel est le volume d'une mitochondrie ?

b. L'oxalo-acétate est un intermédiaire du cycle de l'acide citrique, une importante voie du métabolisme localisée dans les mitochondries des cellules eucaryotes. La concentration de l'oxalo-acétate dans une mitochondrie est d'environ 0,03 µ*M*. Quel est le nombre de molécules d'oxalo-acétate dans une mitochondrie ?

5. Supposons que les cellules hépatiques sont de forme cubique, de 20 µm de côté.

a. Combien faudra-t-il de cellules hépatiques mises bout à bout pour recouvrir un diamètre d'une tête d'épingle ? (Diamètre 0,5 mm).

b. Quel est le volume de la cellule hépatique (en admettant une cellule cubique) ?

c. Quelle est la surface de l'enveloppe de la cellule hépatique, quel est le rapport de la surface au volume ? Comparer cette réponse à celle de la question 3 c. A quels problèmes particuliers les cellules qui présentent un faible rapport surface/volume sont-elles confrontées, problèmes que les cellules à rapport surface/volume élevé n'ont pas ?

d. Une cellule hépatique humaine contient deux jeux de 23 chromosomes, chaque jeu étant approximativement porteur de la même quantité d'information. La masse totale de ces 46 énormes molécules d'ADN est de 4×10^2 daltons. Puisque chaque paire de nucléotides contribue pour 660 daltons à la masse de l'ADN et pour 0,34 nm à la longueur de l'ADN, quel est le nombre total de paires de nucléotides et quelle est la longueur totale de l'ADN d'une cellule hépatique ? Comparer cette longueur avec les dimensions d'une cellule hépatique. La quantité maximale d'information contenue dans chacun des deux jeux de chromosomes d'une cellule hépatique est à relier au nombre de paires de nucléotides dans l'ADN d'un jeu de chromosomes. Ce nombre peut être obtenu en divisant par deux le nombre total de paires de nucléotides. Quelle est cette valeur ? Si l'information contenue dans ces nucléotides est exprimée en protéines d'une longueur moyenne de 400 acides aminés et que trois paires de nucléotides codent pour un acide aminé, combien de protéines différentes une cellule hépatique peut-elle synthétiser ? (En réalité, environ 30.000 protéines différentes sont synthétisées dans une telle cellule. Il existe donc une très grande différence entre la quantité totale théorique d'information contenue dans la cellule hépatique et la quantité d'information réellement exprimée).

6. Les biomolécules sont en interaction par l'intermédiaire de surfaces moléculaires qui sont structuralement complémentaires. Comment des protéines peuvent-elles être en interaction avec des molécules aussi différentes que des ions, des lipides hydrophobes, des sucres polaires mais non chargés, et même des acides nucléiques ?

7. Quelles sont les caractéristiques structurales des polymères biologiques leur permettant d'être des macromolécules portant des informations ? Est-il possible que des polyosides soient des macromolécules portant des informations ?

8. Pourquoi est-il important que des liaisons faibles et non pas des liaisons plus fortes interviennent dans la reconnaissance des biomolécules ?

9. Pourquoi le rôle fondamental des liaisons faibles dans les interactions des biomolécules impose-t-il des limites étroites aux conditions de l'environnement ?

10. Donner le sens de cette phrase : « les cellules sont des systèmes en état d'équilibre dynamique ».

LECTURES COMPLÉMENTAIRES

Alberts, B., Bray, D., Lewis, J., et al., 1989. *Molecular Biology of the Cell*, 2nd ed. New York : Garland Press.

Goodsell, D.S., 1991. Inside a living cell. *Trends in Biochemical Sciences* **16** : 203-206.

Koonin, E.V., et al., 1996. Sequencing and analysis of bacterial genomes. *Current Biology* **6** : 404-416.

Lloyd, A.G., Siekevitz, P., Menninger, J.R., Gallant, J.A.N., 1991. *Cell Structure and Function*. Philadelphia : Saunders College Publishing.

Pace, N.R., 1996. New perspective on the natural microbial world : Molecular microbial ecology. *ASM News* **62** : 463-470.

Service, R.F., 1997. Microbiologists explore life's rich, hidden kingdoms. *Science* **275** : 1740-1742.

Solomon, E.P., Berg, L.R., Martin, D.W., et Villee, C., 1999. *Biology*. 5th ed. Philadelphia : Saunders College Publishing.

Wald, G., 1964. The origins of life. *Proceedings of the National Academy of Science, U.S.A.* **52** : 595-611.

Watson, J.D., Hopkins, N.H., Roberts, J.W., et al., 1987. *Molecular Biology of the Gene*, 4th ed. Menlo Park, CA : Benjamin/Cummings Publishing Co.

Woese, C.R., 1996. Phylogenetic trees : Whither microbiology ? *Current Biology* **6** : 1060-1063.

« S'il existe quelque chose de magique sur cette planète, elle se trouve dans l'eau. »

LOREN EISLEY

Inscription sur le mur du National Aquarium à Baltimore, MD

Chapitre 2

L'eau, le pH et l'équilibre ionique

PLAN

2.1 • Propriétés de l'eau
2.2 • Le pH
2.3 • Tampons et effet tampon
2.4 • Rôle unique de l'eau dans la formation d'un environnement favorable

Un aspect de la magie de l'eau : étudiants et professeur examinent un crabe du corail dans le port de Graham, Île de San Salvador, Bahamas. (Lara Call)

L'eau est le composant chimique le plus important à la surface de la Terre. Elle est indispensable à la vie. En fait, c'est le seul liquide que la plupart des organismes rencontrent au cours de leur existence. C'est alternativement un bien que nous considérons naturel à cause de son ubiquité et de sa banalité ou qui nous émerveille par ses nombreuses et fascinantes propriétés. Au centre de cette fascination se trouve le rôle de l'eau, milieu fondamental de la vie. La vie est apparue, a évolué et s'est développée dans les mers. Les organismes ont ensuite envahi et occupé l'espace terrestre et aérien, mais aucun n'est vraiment devenu indépendant de l'eau puisque les organismes sont constitués par 70 à 90 % d'eau. En fait, il ne peut y avoir de métabolisme normal que si les cellules contiennent au moins 65 % de H_2O. Cette dépendance de la vie à l'égard de l'eau n'est pas chose simple, mais on peut la comprendre en considérant les propriétés physiques et chimiques exceptionnelles de H_2O. Les chapitres suivants montreront que l'eau et ses produits d'ionisation, l'ion hydrogène et l'ion hydroxyde, sont des déterminants critiques de la structure et des fonctions des protéines, des acides nucléiques et des membranes. Dans un autre rôle fondamental, l'eau est un participant indirect : une différence de concentration des ions hydrogène sur les faces opposées d'une membrane représente une forme d'énergie essentielle aux mécanismes biologiques de transformation de l'énergie. Dans un premier temps, nous passerons en revue les remarquables propriétés de l'eau.

2.1 • Propriétés de l'eau

Des propriétés exceptionnelles

En comparaison avec des composés chimiques à organisation atomique similaire et de même taille moléculaire, l'eau présente des propriétés plutôt aberrantes. Par exemple comparons l'eau, hydrure d'oxygène, avec les hydrures des plus proches voisins de la table périodique des éléments, c'est-à-dire l'ammoniac (NH_3) et l'acide fluorhydrique (FH), ou avec l'hydrure du plus proche élément de la série, l'hydrogène sulfuré (SH_2). L'eau a un point d'ébullition, un point de fusion, une chaleur de vaporisation et une tension superficielle substantiellement plus élevés. En fait, toutes ces propriétés physiques sont anormalement élevées pour une substance, ni métallique ni ionisée, ayant cette masse moléculaire. Ces propriétés suggèrent que les forces d'attraction entre les molécules d'eau doivent être très élevées. Aussi la cohésion interne de cette substance est-elle très forte. Par ailleurs, la constante diélectrique est anormalement élevée. L'état liquide, et non pas l'état solide, présente une densité maximale. À poids égal la forme solide de l'eau, la glace, occupe un volume plus grand que sa forme liquide et lors de la fusion de la glace, le volume diminue. Il est vraiment surprenant que tant de propriétés « excentriques » soient présentes en même temps dans une seule substance. En tant que chimistes, nous nous attendons à trouver dans la structure de l'eau une explication à ces anomalies apparentes. La clé de ces attractions intermoléculaires doit être intrinsèque à sa constitution atomique. Effectivement, *le point crucial dans la compréhension des propriétés de l'eau est son incomparable capacité à former des liaisons hydrogène.*

Structure de l'eau

Les deux atomes d'hydrogène de l'eau sont liés de façon covalente à l'oxygène, chacun d'eux partageant avec l'oxygène une paire d'électrons, pour donner un arrangement non linéaire (Figure 2.1). Cette « courbure » de la structure de la molécule H_2O a des conséquences très importantes pour ses propriétés. Si la structure de H_2O était linéaire, l'eau serait une substance non polaire. Dans la configuration courbe, l'atome O électronégatif et les deux atomes H forment un dipôle qui rend la molécule nettement polaire. De plus, cette structure dipolaire est idéalement adaptée à la formation de liaisons hydrogène. L'eau peut servir à la fois de donneur d'H et d'accepteur d'H lors de la formation d'une liaison hydrogène. La possibilité de formation de quatre liaisons hydrogène par molécule d'eau est à l'origine de la très forte attraction intermoléculaire qui confère à cette substance un point d'ébullition, un point de fusion, une chaleur de vaporisation et une tension superficielle, aussi anormalement élevés. Dans la glace ordinaire, forme commune de la cristallisation de l'eau, chaque molécule H_2O lie quatre de ses plus proches voisines par une liaison hydrogène : chacun des atomes d'hydrogène contribue à la formation d'une liaison avec un atome O d'une molécule voisine, tandis que l'atome O sert d'accepteur pour la formation de liaisons hydrogène avec des H liés de façon covalente à deux molécules d'eau distinctes (Figure 2.2). Il en résulte localement une structure tétraédrique.

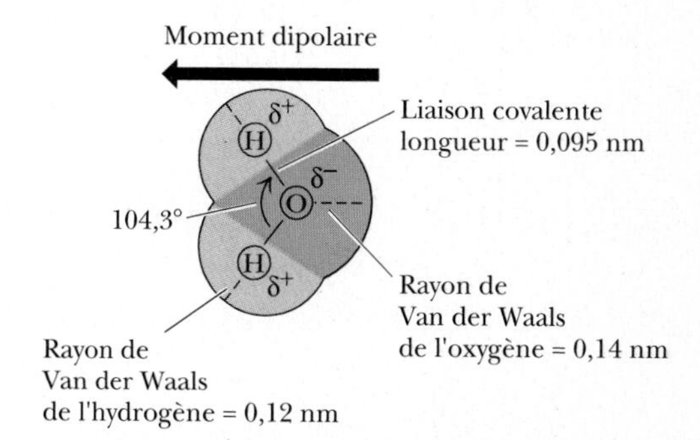

Figure 2.1 • Structure de l'eau. La charge négative provenant de la paire d'électrons libres se répartit en deux lobes situés au-dessus et au-dessous du plan de la figure. L'important moment dipolaire et les propriétés de polarisation de la molécule d'eau proviennent en grande partie de cette charge électronique. Les liaisons O–H sont partiellement ioniques (33 % de caractère ionique). Noter que l'angle des liaisons de H–O–H est de 104,3° et *non pas* 109°, valeur de l'angle observée dans les molécules à symétrie tétraédrique, telles que CH_4. Plusieurs des importantes propriétés de l'eau résultent de cette valeur angulaire, par exemple la diminution de la densité de la glace, état cristallin de l'eau.

La formation des liaisons hydrogène dans l'eau est coopérative. C'est-à-dire qu'une molécule d'eau liée par une liaison H, après avoir été accepteur devient meilleur donneur qu'une molécule non liée (et une molécule d'eau ayant servi de donneur devient meilleur accepteur). La participation de molécules d'eau à la formation de liaisons H aboutit ainsi à un phénomène qui se renforce mutuellement. La liaison H entre molécules voisines est faible (23 kJ/mol) comparativement à la liaison covalente H—O

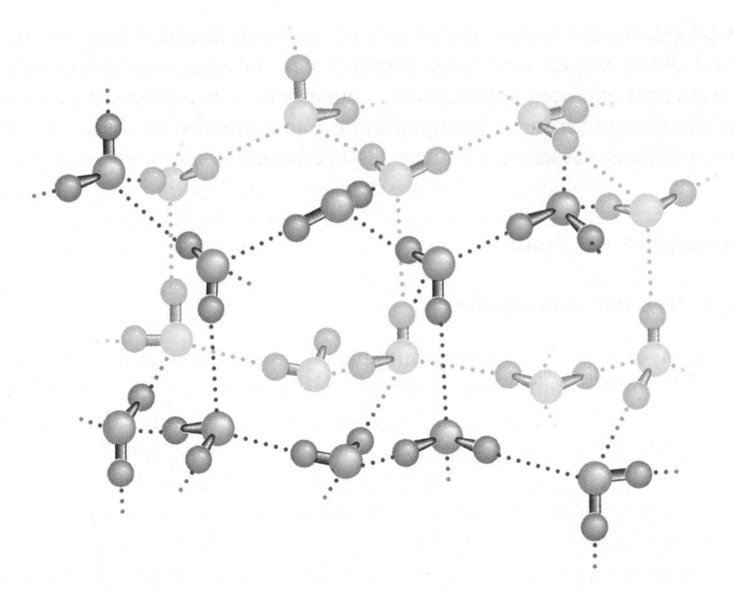

Figure 2.2 • Structure de la glace normale. Les liaisons hydrogène dans la glace forment un réseau tridimensionnel. Le plus petit nombre de molécules d'eau compris dans tout espace entouré par un circuit clos de liaisons hydrogène est de six, aussi appelle-t-on cette structure la *glace hexagonale*. Les liaisons covalentes sont représentées par des lignes continues et les liaisons hydrogène par des lignes en pointillés. La direction préférentielle des liaisons H a pour conséquence la formation dans la structure cristalline de la glace d'un réseau hexagonal plutôt lâche (ouvert) et donc, d'une plus faible densité pour l'eau à l'état solide. La distance totale entre deux atomes d'oxygène voisins reliés par une liaison H est de 0,274 nm. Puisque la longueur de la liaison covalente H–O est de 0,095 nm, la longueur d'une liaison H dans la glace est de 0,18 nm.

(420 kJ/mol). Par conséquent, les atomes d'hydrogène ne sont pas situés symétriquement le long de l'axe O—O, entre les deux atomes d'oxygène. Il n'y a jamais d'ambiguïté dans la détermination de l'atome H chimiquement lié à un atome O, ni dans la détermination de O lié à un H par une liaison hydrogène.

Structure de la glace

Dans la glace, les liaisons hydrogène forment un réseau tridimensionnel qui remplit l'espace. Les liaisons sont directionnelles et rectilignes, c'est-à-dire qu'un atome H est sur une ligne droite entre deux atomes O. Cette linéarité et cette directivité signifient que les liaisons H résultantes sont fortes. De plus, la préférence directionnelle des liaisons H aboutit à la formation d'une structure en réseau, structure dite ouverte pour rappeler la grande quantité d'espaces vides entre les molécules. Si les molécules d'eau sont approximativement considérées comme des sphères rigides centrées sur les atomes d'oxygène du réseau, on constate que la densité de la glace ne correspond qu'à 57 % de la densité attendue si l'arrangement des sphères était compact. Les liaisons hydrogène qui, dans la glace, maintiennent les molécules d'eau écartées les unes des autres sont à l'origine de ce phénomène. La fusion impliquera la rupture de quelques-unes des liaisons hydrogène à l'origine de la structure cristalline de la glace et les molécules d'eau (liquide) seront effectivement plus proches les unes des autres. C'est la raison pour laquelle la densité de la glace est légèrement inférieure à celle de l'eau à 0 °C. La glace flotte donc sur l'eau, une propriété de grande importance pour les organismes aquatiques sous les climats froids.

Dans l'eau liquide, la fluidité remplace la rigidité de la glace, une homogénéité spatiale succède à la périodicité cristalline de la glace. Les molécules de l'eau liquide, reliées par des liaisons hydrogène, forment un réseau statistique dans lequel les molécules sont, en moyenne, environnées par 4,4 molécules voisines, la distance entre deux atomes d'oxygène étant de 0,284 nm (2,84 Å). Au moins la moitié des liaisons hydrogène n'ont pas l'orientation idéale (ne sont pas parfaitement rectilignes) ; par conséquent, l'eau liquide n'a pas la structure régulière en réseau de la glace. L'espace autour d'un atome d'oxygène n'est pas délimité par la présence de quatre atomes d'hydrogène, mais peut être occupé par d'autres molécules d'eau orientées au hasard, de sorte que l'environnement local devient essentiellement uniforme. Cependant, la chaleur de fusion de la glace ne représente qu'une petite fraction (13 %) de la chaleur de sublimation de la glace (énergie nécessaire pour passer de l'état solide à l'état gazeux). Ce fait signifie que la majorité des liaisons hydrogène entre les molécules H_2O sont conservées lors de la transition de l'état solide à l'état liquide. À 10 °C, il reste 2,3 liaisons H par molécule de H_2O et l'arrangement tétraédrique des liaisons persiste bien qu'il y ait un désordre relativement important.

Les interactions moléculaires dans l'eau liquide

L'interprétation moderne de la structure de l'eau est que les molécules d'eau sont reliées par des suites ininterrompues de liaisons hydrogène s'étendant dans toutes les directions de l'échantillon. La participation de chaque molécule d'eau à la formation statistique de liaisons hydrogène avec les molécules voisines signifie que chaque molécule est reliée aux autres par un réseau fluide, toujours renouvelé, de liaisons H. La durée moyenne d'une liaison hydrogène entre deux molécules H_2O dans l'eau est de 9,5 ps (picoseconde, 1 ps = 10^{-12} s). C'est ainsi que toutes les 10 ps, une quelconque molécule H_2O se déplace, se réoriente, et interagit avec de nouveaux voisins (Figure 2.3).

En résumé, l'eau liquide pure est constituée de molécules H_2O maintenues dans un réseau tridimensionnel statistique qui a localement une préférence pour la géométrie tétraédrique, mais qui contient un grand nombre de liaisons hydrogène soumises à tension ou rompues. La présence des tensions crée une situation cinétique dans laquelle les molécules de H_2O peuvent facilement rompre leurs liaisons hydrogène et en former d'autres avec d'autres molécules environnantes ; c'est l'origine de la fluidité de l'eau.

Propriétés de solvatation

La nature extrêmement polaire de l'eau fait qu'elle est un excellent solvant des substances ionisables comme les sels, des substances non ionisables mais polaires (les oses, les alcools simples, les amines, et les molécules à fonction carbonyle, aldéhydes et cétones). Bien que les interactions électrostatiques entre les ions positifs et négatifs dans le réseau cristallin d'un sel soient très fortes, l'eau dissout rapidement la plupart des sels. Par exemple, l'eau dissout le chlorure de sodium car les molécules d'eau dipolaires participent à la formation de puissantes interactions électrostatiques avec les ions Na^+ et Cl^-, ce qui aboutit à la formation **d'enveloppes** (ou **manteaux**) **d'hydratation** entourant ces ions (Figure 2.4). On dit que les ions sont solvatés. Ces enveloppes d'hydratation sont des structures dynamiques stables. Chacune des molécules d'eau à l'intérieur de l'enveloppe d'hydratation autour des ions Na^+ est remplacée par une autre, en moyenne toutes les 2 à 4 ns (nanoseconde, 1 ns = 10^{-9} s). Une molécule d'eau est donc piégée par le champ des forces électrostatiques pendant un temps plusieurs centaines de fois plus long que par le réseau des liaisons hydrogène formé par l'eau. (Il faut se rappeler que la durée de vie moyenne d'une liaison hydrogène entre des molécules d'eau est d'environ 10 ps).

L'eau a une constante diélectrique élevée

On appelle **hydratation** l'interaction des molécules d'eau avec des ions. Les attractions mises en jeu sont bien plus fortes que la tendance des ions de charges opposées à s'attirer réciproquement. La capacité de l'eau à entourer les ions par des

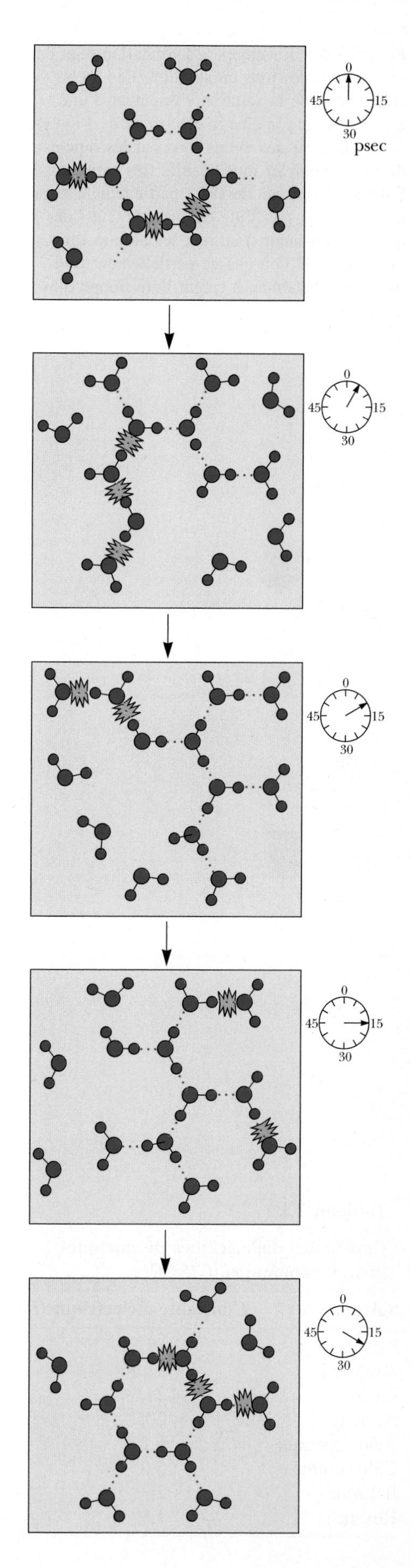

Figure 2.3 • Réseau fluide des liaisons H reliant les molécules d'eau à l'état liquide. Il est instructif de constater qu'un photon (qui se déplace à la vitesse de 3×10^8 m/s) ne se déplace que de 0,003 m en 10 ps.

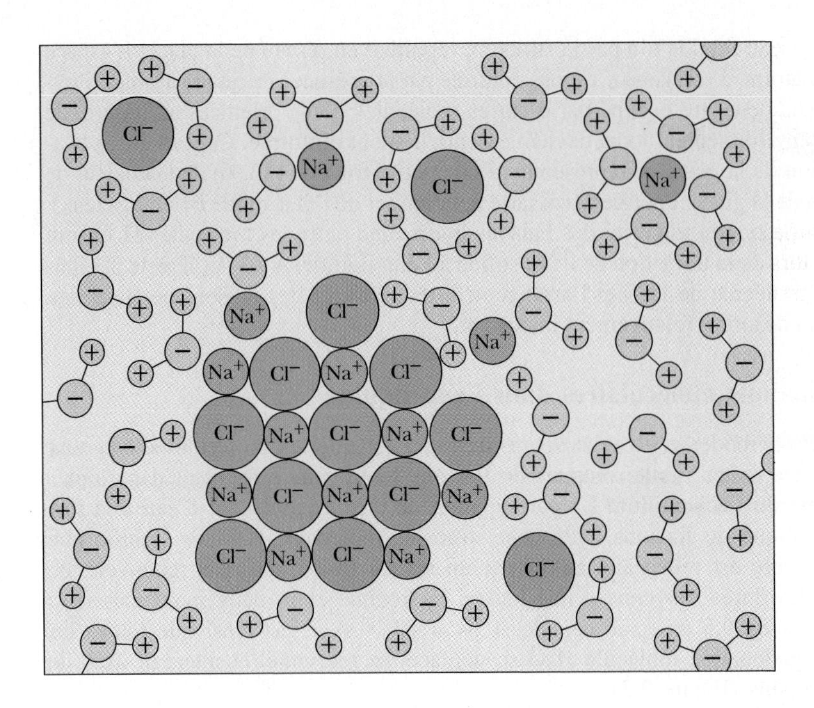

Figure 2.4 • Enveloppe d'hydratation (eau de solvatation) des ions en solution. Les molécules d'eau de la solution s'orientent d'une façon telle que la charge électrique de l'ion est isolée de celle des autres ions par les dipôles de l'eau. Pour les ions positifs (les cations), l'atome d'oxygène de H_2O, partiellement négatif, est dirigé vers l'ion en solution. Les ions négatifs (les anions) attirent les atomes d'hydrogène de H_2O à charge partiellement positive. Ces phénomènes créent l'enveloppe d'hydratation des ions.

interactions dipolaires et à diminuer les attractions entre ces mêmes ions est une mesure de sa **constante diélectrique**, *D*. En effet, l'ionisation des sels en solution dépend de la constante diélectrique du solvant; en son absence, la forte attraction entre les ions positifs et négatifs les réunirait pour former des molécules neutres. La valeur de la constante diélectrique est reliée à la force, *F*, mesurée entre deux ions de charge opposée séparés par une distance, *r*, selon le rapport

$$F = e_1 e_2 / Dr^2$$

dans lequel e_1 et e_2 représentent les charges des deux ions. Le Tableau 2.1 donne les valeurs des constantes diélectriques de quelques solvants usuels. Remarquez que la constante diélectrique de l'eau est deux fois plus élevée que celle du méthanol et plus de quarante fois celle de l'hexane.

L'eau forme des liaisons hydrogène avec les solutés polaires

Dans le cas des substances non ioniques mais polaires, comme les oses, les excellentes propriétés de solubilisation de l'eau sont attribuées à sa capacité à former facilement des liaisons hydrogène avec les diverses fonctions polaires, hydroxyles, amines, carbonyles, portées par ces produits. Les interactions polaires entre le solvant et le soluté sont plus fortes que les attractions intermoléculaires entre les molécules du soluté causées par les forces de Van der Waals et les liaisons hydrogène plus faibles. C'est la raison pour laquelle les molécules du soluté se dissolvent si rapidement dans l'eau.

Tableau 2.1

Constantes diélectriques de quelques solvants communs à 25 °C

Solvant	Constante diélectrique (*D*)
Eau	78,5
Méthanol	32,6
Éthanol	24,3
Acétone	20,7
Acide acétique	6,2
Chloroforme	5,0
Benzène	2,3
Hexane	1,9

Les interactions hydrophobes

Le comportement de l'eau envers les solutés non polaires est différent de ce qui vient d'être présenté. Les solutés non polaires (ou les groupements non polaires des macromolécules biologiques) ne forment pas facilement de liaison H avec H_2O et, par conséquent, ces composés ne sont que très peu solubles dans l'eau. Le processus de dissolution de ces substances s'accompagne d'une importante réorganisation de l'eau qui entoure le soluté, de sorte que la réponse de l'eau de solvatation au soluté peut être considérée comme une « action de structuration ». Puisque les solutés non polaires doivent occuper une partie de l'espace, les liaisons du réseau statistique de liaisons hydrogène de l'eau, vont se réorganiser pour s'ajuster à leur présence. En même temps, les molécules d'eau participeront à la formation d'autant de liaisons hydrogène (entre les molécules d'eau) que la température l'autorisera. Le

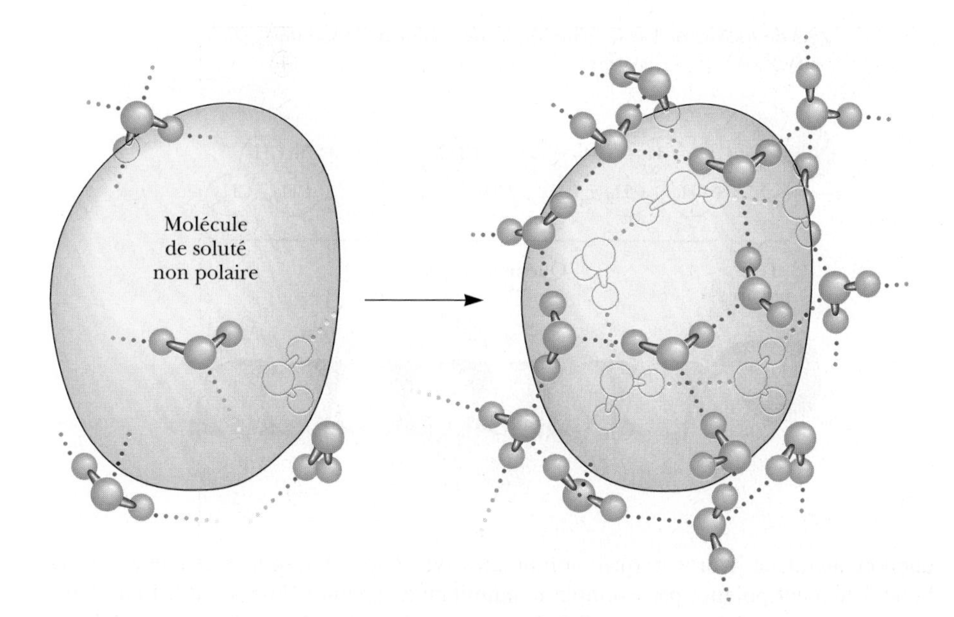

Figure 2.5 • Formation d'un clathrate par les molécules d'eau entourant un soluté hydrophobe.

réseau des liaisons hydrogène se réorganisera donc en formant des structures locales, sortes de cages (**clathrates**) enveloppant chaque molécule de soluté (Figure 2.5). Les molécules d'eau autour d'une molécule de « soluté » hydrophobe forment une enveloppe d'hydratation. Une conséquence importante de ces réarrangements est que les molécules de H_2O de la couche formant la cage ont beaucoup moins de possibilités d'orientations. Ces molécules tendent à recouvrir le soluté non polaire de telle façon que deux ou trois directions du tétraèdre formé par les vecteurs des liaisons hydrogène se trouvent tangentes à l'espace occupé par le soluté inerte. Ce mode de recouvrement aboutit à ce qu'aucune capacité de formation de liaison hydrogène n'est perdue puisque aucune liaison H donneur ou accepteur n'est directement orientée vers le soluté « encagé ». Les molécules d'eau formant ces clathrates sont donc impliquées dans des structures hautement organisées. C'est-à-dire que la formation de clathrates s'accompagne d'une diminution importante du désordre, l'entropie est négative.

Dans ces conditions, les molécules non polaires du soluté subissent l'une pour l'autre une attraction nette dénommée **interaction hydrophobe**. La raison de cette interaction est que lorsque deux molécules non polaires se rencontrent, la formation d'une unique cage de solvatation implique une plus petite surface donc un plus petit nombre de molécules ordonnées que dans les deux cages séparées. « L'attraction » entre des solutés non polaires est un processus favorisé par l'accroissement de l'entropie provoqué par diminution de l'ordre dans les molécules d'eau. Pour être précis, les interactions hydrophobes entre les molécules non polaires se manifestent non pas tant par des interactions directes entre des solutés, inertes par eux-mêmes, que par la stabilité acquise consécutive à la coalescence des cages d'eau et à leur réorganisation. Les interactions entre les molécules des solutés non polaires et celles l'eau qui les entoure étant d'une stœchiométrie incertaine et ne présentant pas la participation égale de chaque atome implicite dans la liaison chimique, l'expression *interaction hydrophobe* est plus correcte que l'expression *liaison hydrophobe* qui prête à confusion.

Les molécules amphiphiles

Les **molécules amphiphiles** (du grec *amphi*, les deux, et *philos*, ami) ou **amphipathiques** (du grec *pathos*, passion, ou souffrance), sont des composés contenant à la fois des groupements fortement polaires et des groupements non polaires, très hydrophobes. Les sels des acides gras sont des exemples biologiques caractéristiques. Ils ont

molécule amphiphile, molécule amphipathique • molécule qui comporte à la fois un (ou plus) groupement à forte polarité et un (ou plus) groupement non polaire (hydrophobe).

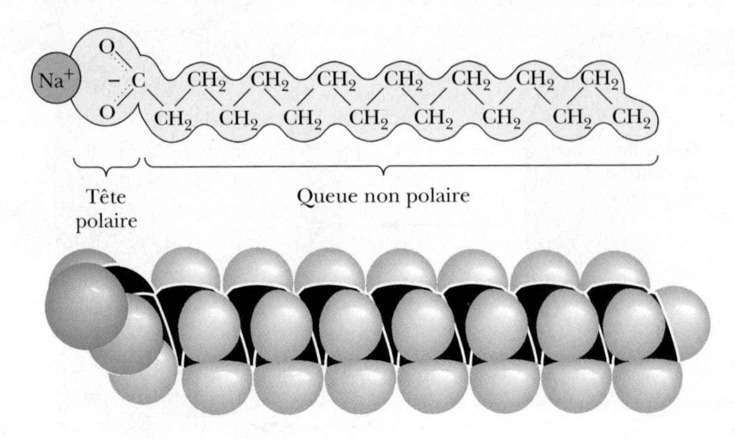

Figure 2.6 • Une molécule amphiphile, le palmitate de sodium. Les molécules amphiphiles sont fréquemment symbolisées par une sphère reliée à une ligne en zigzag •〰. La sphère représente la tête polaire hydrophile et le zigzag la queue non polaire hydrophobe d'un radical hydrocarboné.

une longue queue hydrocarbonée non polaire avec à leur extrémité une tête carboxylique fortement polaire, par exemple le palmitate de sodium (Figure 2.6). Leur comportement en solution aqueuse reflète le contraste de la double combinaison polaire et non polaire de ces substances. La fonction carboxylique ionisée s'hydrate facilement tandis que la longue queue hydrophobe est intrinsèquement insoluble. Néanmoins, le palmitate de sodium, comme d'autres substances amphiphiles analogues, se disperse rapidement dans l'eau, car les queues hydrocarbonées se regroupent sous l'influence des interactions hydrophobes, tandis que les fonctions carboxyliques polaires sont hydratées de façon typiquement hydrophile. Ces regroupements de molécules amphipathiques sont dénommés **micelles** ; la Figure 2.7 représente un modèle de ce type de structure. Le comportement contrasté des deux extrémités d'une molécule amphiphile lors de son introduction en milieu aqueux est d'une extrême importance biologique. L'extrémité polaire exprime son hydrophilie par des interactions ioniques avec le solvant, tandis que la partie non polaire de la molécule est exclue de l'eau vers un domaine hydrophobe constitué de nombreuses queues hydrophobes. C'est exactement le phénomène qui rend compte de la formation des membranes, ces structures qui définissent les limites et les compartiments des cellules (voir Chapitre 9).

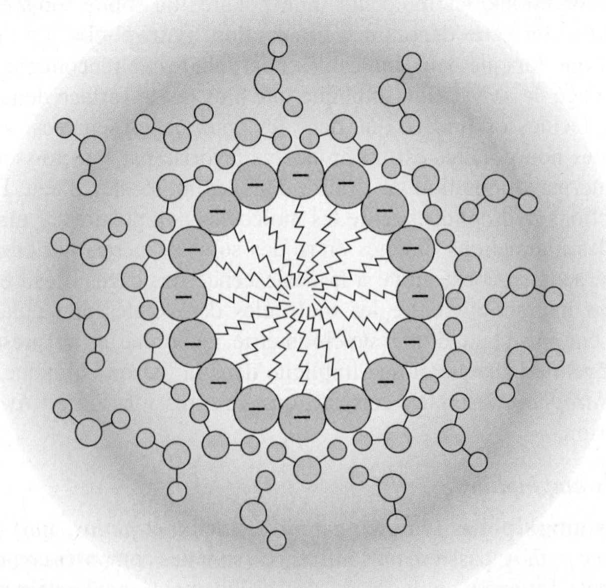

Figure 2.7 • Formation d'une micelle par des molécules amphiphiles en solution aqueuse. Les groupes carboxyliques des têtes, négativement chargés, s'orientent vers la surface de la micelle et établissent des interactions avec les molécules d'eau polaires par l'intermédiaire de liaisons hydrogène. Les queues hydrocarbonées non polaires se rassemblent à l'intérieur de la micelle du fait de leur exclusion hydrophobe par le solvant et de la formation d'interactions de Van der Waals favorables. En raison de la charge négative de leurs surfaces, les micelles voisines se repoussent réciproquement ce qui donne une certaine stabilité à la solution.

Influence des solutés sur les propriétés de l'eau

La présence de substances en solution perturbe la structure de l'eau et modifie ses propriétés. Le réseau dynamique des liaisons hydrogène doit s'adapter à la substance introduite. Le résultat final est que les solutés, qu'ils soient polaires ou non polaires, fixent les molécules d'eau voisines dans un arrangement plus ordonné. Les ions, par leur interaction avec les dipôles des molécules d'eau, forment une enveloppe d'hydratation et créent un ordre local. Les effets hydrophobes, quels qu'en soient les raisons, forment des structures à l'intérieur de l'eau. Autrement dit, les solutés, restreignent les possibilités d'orientation des molécules d'eau voisines, accroissent l'ordre du solvant et diminuent les échanges dynamiques normaux entre des molécules d'eau pure.

Propriétés colligatives

Cette influence du soluté sur l'eau se traduit par un ensemble de changements du comportement réunis sous le terme de **propriétés colligatives** (propriétés reliées par un principe commun). Ces modifications des propriétés du solvant sont reliées par le fait qu'elles dépendent toutes du nombre de particules de soluté par unité de volume du solvant et non pas de la nature chimique du soluté. Ces effets comprennent l'abaissement du point de congélation, l'élévation du point d'ébullition, l'abaissement de la tension de vapeur et des effets sur la pression osmotique. Par exemple, 1 mole d'un soluté idéal, non ionisable, dissoute dans 1.000 g d'eau (solution 1 *m* ou molale), sous une pression de 1 atm, abaisse la température de congélation de 1,86 °C, élève la température d'ébullition de 0,543 °C, diminue la tension de vapeur d'une façon qui dépend de la température et donne une solution dont la pression osmotique relative à celle de l'eau pure est de 22,4 atm. En effet, en imposant un ordre local aux molécules d'eau, le soluté rend plus difficile la formation d'un réseau cristallin (lors du gel) ou la libération de molécules d'eau dans l'atmosphère (lors de l'évaporation ou de l'ébullition). De plus, si une solution (telle que la solution molale dont il est question) est séparée d'un volume d'eau pure par une membrane semi-perméable, elle attirera les molécules d'eau à travers cette barrière. Les molécules d'eau se déplaceront de la région où leur concentration réelle est la plus élevée, l'eau pure, vers la région où la concentration réelle est plus faible, la solution. Ce mouvement de l'eau vers la solution dilue les effets du soluté présent. La force osmotique exercée par les molécules de soluté est si élevée qu'il faut appliquer une pression de 22,4 atm pour la contrebalancer (Figure 2.8).

La pression osmotique résultant de la concentration élevée de solutés dissous pose de sérieux problèmes aux cellules. Les bactéries et les cellules végétales ont une solide paroi cellulaire rigide qui résiste à ces pressions. Au contraire, les cellules animales baignent dans des fluides extracellulaires de pression osmotique comparable, il n'y a donc pratiquement pas de gradient osmotique. Pour minimiser la pression osmotique engendrée par les substances qu'elles contiennent dans leur

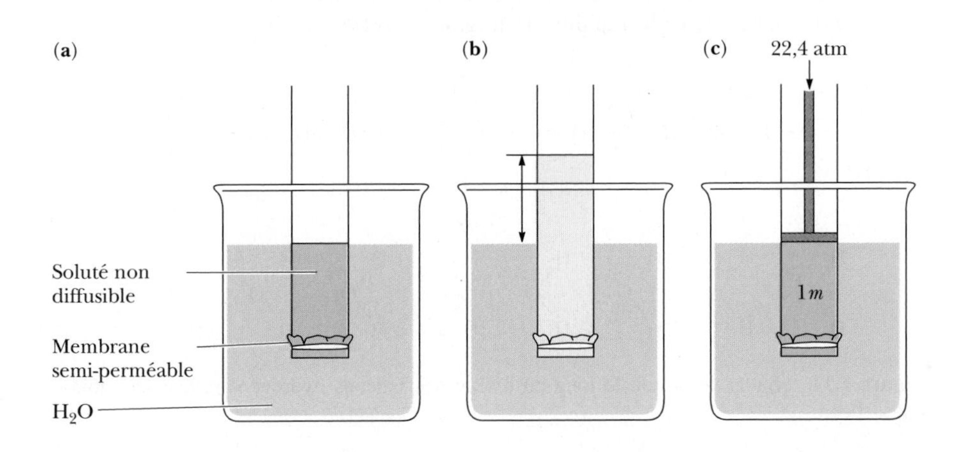

Figure 2.8 • La pression osmotique d'une solution molale (1 *m*) d'une substance non ionisable est égale à une pression de 22,4 atmosphères. (a) Un soluté non diffusible est séparé de l'eau pure par une membrane semi-perméable, à travers laquelle l'eau passe librement, (b) des molécules d'eau passent dans la solution (par osmose) et la hauteur de la colonne de la solution dans le tube augmente. La pression nécessaire pour repousser les molécules d'eau à travers la membrane, à une vitesse exactement égale à celle de la pénétration des molécules d'eau dans la colonne, est la pression osmotique de la solution. (c) Pour une solution 1 *m* d'une substance non ionisée, cette force est égale à une pression de 22,4 atm. La pression osmotique est directement proportionnelle à la concentration du soluté non diffusible.

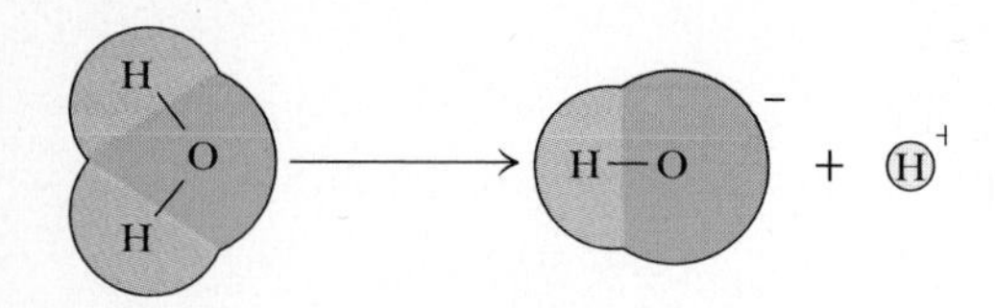

Figure 2.9 • Ionisation de l'eau.

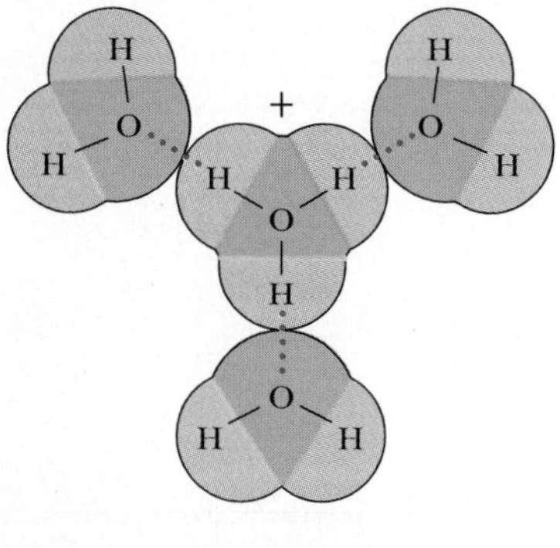

cytosol, les cellules tendent à mettre en réserve les acides aminés et les sucres sous forme de polymères. Par exemple, une molécule de glycogène ou d'amidon contenant 1.000 résidus de glucose exerce une pression osmotique qui n'est que le 1/1.000 de la pression osmotique qui serait exercée par 1.000 molécules libres de glucose.

Ionisation de l'eau

L'eau possède une faible, mais réelle, tendance à se dissocier. Cette tendance est démontrée par la conductivité électrique de l'eau pure, une propriété qui établit clairement la présence d'espèces chargées (les ions). L'eau s'ionise car l'atome d'oxygène plus volumineux et fortement électronégatif arrache l'électron de l'un des deux atomes d'hydrogène, laissant le proton se dissocier (Figure 2.9) :

$$H{-}O{-}H \longrightarrow H^+ + OH^-$$

Deux sortes d'ions se forment, des protons ou **ions hydrogène**, H^+, et des **ions hydroxyles**, OH^-. Les protons libres s'hydratent immédiatement pour donner les **ions hydronium**, H_3O^+ :

$$H^+ + H_2O \longrightarrow H_3O^+$$

La plupart des atomes d'hydrogène dans l'eau liquide étant liés par des liaisons hydrogène à une molécule d'eau voisine, l'hydratation du proton est un processus instantané et les produits de l'ionisation de l'eau sont H_3O^+ et OH^- :

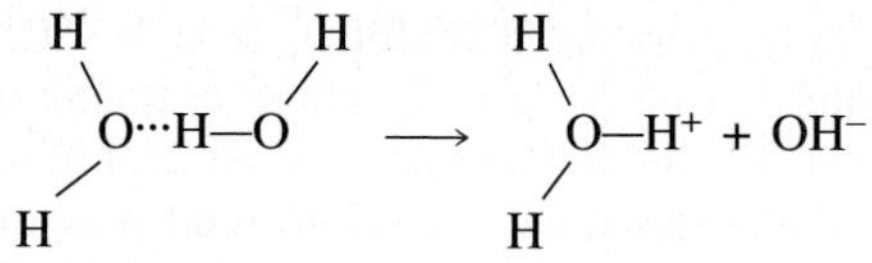

$$H_2O \cdots H{-}OH \longrightarrow H_2O{-}H^+ + OH^-$$

La quantité de H_3O^+ ou de OH^- dans 1 l (1 litre) d'eau pure à 25 °C est de 1×10^{-7} moles ; la concentration est la même pour chacun des deux ions car la dissociation est stœchiométrique.

Il est important de conserver présent à l'esprit que l'ion hydronium, l'ion hydrogène hydraté, est réellement l'espèce active en solution. Par convention on parle de la concentration en ion hydrogène libre dans une solution, bien que des protons « nus » n'existent pratiquement pas. En fait, H_3O^+ est entouré d'une enveloppe d'hydratation par des liaisons hydrogène avec des molécules d'eau adjacentes pour former $H_9O_4^+$ (Figure 2.10) et même des formes encore plus hydratées. De la même façon, les ions hydroxyles sont hydratés, comme toutes les autres espèces hautement chargées.

Figure 2.10 • Hydratation de H_3O^+. Les lignes pleines représentent les liaisons covalentes, les lignes en pointillé représentent les liaisons hydrogène formées entre un ion hydronium et son eau d'hydratation.

Les sauts de protons

Du fait du très grand nombre de liaisons hydrogène dans l'eau, les ions H^+ présentent une vitesse apparente de migration dans un champ électrique beaucoup plus grande que celle des autres ions monovalents (Na^+, K^+) en solution aqueuse. Le transfert d'un proton de molécule à molécule, le long du réseau de liaisons hydrogène, rend compte de cette rapidité de migration apparente (Figure 2.11).

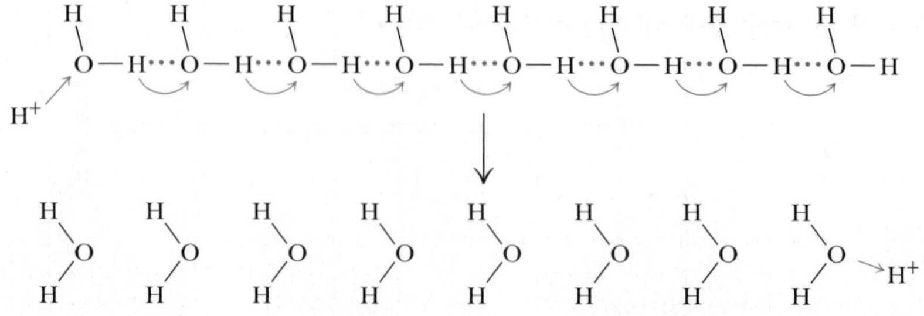

Figure 2.11 • Sauts de proton le long du réseau des liaisons hydrogène reliant les molécules d'eau.

Le réseau des liaisons hydrogène fournit une voie naturelle pour un transfert rapide. Ce phénomène de **saut de proton** (transfert de proton par un processus de type tunnel) s'effectue avec très peu de déplacements réels des molécules d'eau. La glace a une conductivité électrique voisine de celle de l'eau car ces sauts de protons ont facilement lieu, même quand les molécules d'eau sont immobilisées dans un réseau cristallin. La conduction des protons par l'intermédiaire de molécules liées par des liaisons hydrogène (le déplacement *collectif* de protons) est une des raisons avancées pour expliquer certains transferts biologiques rapides de protons.

Le produit ionique de l'eau, K_{eau}

La dissociation de l'eau se poursuit jusqu'à ce que 10^{-7} moles de H^+ et 10^{-7} moles de OH^- soient présentes, à l'équilibre, dans un litre d'eau à 25°.

$$H_2O \longrightarrow H^+ + OH^-$$

La constante d'équilibre de ce processus est :

$$K_{eq} = \frac{[H^+]\,[OH^-]}{[H_2O]}$$

dans laquelle les valeurs entre crochets représentent les concentrations en moles par litre. La concentration de H_2O dans un litre d'eau pure est égale au nombre de molécules gramme d'eau présentes dans un litre d'eau (1.000 g) soit 1.000/18= 55,5 M. La diminution de la concentration de H_2O dans l'eau pure consécutive à la formation des ions $[H^+]$ et $[OH^-]$ (= 10^{-7} M) est négligeable par comparaison et son influence sur la concentration totale de H_2O peut être ignorée. L'équation peut s'écrire :

$$K_{eq} = \frac{(10^{-7})(10^{-7})}{55{,}5} = 1{,}8 \times 10^{-16}$$

La concentration de H_2O dans l'eau pure est pratiquement constante, on peut donc introduire une nouvelle constante, K_{eau}, **produit ionique de l'eau** :

$$K_{eau} = 55{,}5\,K_{eq} = 10^{-14} = [H^+]\,[OH^-]$$

Cette équation a le mérite de révéler la relation réciproque entre les concentrations de H^+ et de OH^- dans les solutions aqueuses. Si une solution est acide, ce qui signifie que $[H^+]$ a augmenté, le produit ionique de l'eau, constant, impose une diminution corrélative de $[OH^-]$. Par exemple, si $[H^+]$ est 10^{-2} *M*, $[OH^-]$ doit être 10^{-12} *M* ($K_{eau} = 10^{-14} = [10^{-2}]\,[OH^-]$; $[OH^-] = 10^{-12}$ *M*). De même, pour une solution alcaline, ou basique, à $[OH^-]$ plus élevée correspond $[H^+]$ plus faible.

2.2 • Le pH

Afin d'éviter l'utilisation mal commode des exposants négatifs pour exprimer des valeurs de concentration qui s'étalent sur 14 ordres de grandeur, Sørensen, un biochimiste danois, a imaginé une **échelle de pH** en définissant **le pH** comme *le cologarithme de la concentration en ions hydrogène* [1]

$$pH = -\log_{10}\,[H^+]$$

[1] En termes de Physique et pour être précis, les *activités* des divers composants et *non* leurs concentrations molaires devraient être utilisées dans ces équations. L'activité (*a*) d'un soluté est définie par le produit de sa concentration molaire, *c*, et de son *coefficient d'activité*, γ: $a = [c]\,\gamma$. En Biochimie, on a dans la plupart des cas, affaire à des solutions diluées et l'utilisation des activités au lieu des concentrations peut, en général, être négligée. Cependant la concentration de quelques solutés peut être très élevée dans certaines cellules vivantes.

Tableau 2.2

Échelle de pH

Les concentrations des ions H^+ et OH^- sont données en moles par litre à 25 °C.

pH	[H⁺]		[OH⁻]	
0	(10^{0})	1,0	0,00000000000001	(10^{-14})
1	(10^{-1})	0,1	0,0000000000001	(10^{-13})
2	(10^{-2})	0,01	0,000000000001	(10^{-12})
3	(10^{-3})	0,001	0,00000000001	(10^{-11})
4	(10^{-4})	0,0001	0,0000000001	(10^{-10})
5	(10^{-5})	0,00001	0,000000001	(10^{-9})
6	(10^{-6})	0,000001	0,00000001	(10^{-8})
7	**(10^{-7})**	**0,0000001**	**0,0000001**	**(10^{-7})**
8	(10^{-8})	0,00000001	0,000001	(10^{-6})
9	(10^{-9})	0,000000001	0,00001	(10^{-5})
10	(10^{-10})	0,0000000001	0,0001	(10^{-4})
11	(10^{-11})	0,00000000001	0,001	(10^{-3})
12	(10^{-12})	0,000000000001	0,01	(10^{-2})
13	(10^{-13})	0,0000000000001	0,1	(10^{-1})
14	(10^{-14})	0,00000000000001	1,0	(10^{0})

Le Tableau 2.2 présente l'échelle des pH. (Noter à nouveau la relation réciproque entre $[H^+]$ et $[OH^-]$). De même, puisque l'échelle de pH est fondée sur des cologarithmes, les basses valeurs de pH représentent les concentrations élevées de H^+ (et les plus faibles concentrations de OH^- comme requis par K_{eau}). Observer également que

$$pK_{eau} = pH + pOH = 14$$

L'échelle des pH est très utilisée en Biologie car les concentrations des ions H^+ sont extrêmement faibles, voisines de 10^{-7} *M*, soit 0,0000001 *M*, une valeur plus aisément représentée par pH 7. Par exemple, le pH du plasma sanguin est de 7,4 ou, 0,00000004 *M* H^+. Lors de certaines maladies, le pH du plasma peut descendre jusqu'à 6,8 et même moins, ce qui peut aboutir à la mort. À pH 6,8, la concentration de H^+ est de 0,00000016 *M*, quatre fois plus élevée qu'à pH 7,4.

À pH = 7, $[H^+] = [OH^-]$, il n'y a ni excès d'acidité, ni excès d'alcalinité. Le point de **neutralité** est à pH 7, et les solutions ayant un pH de 7 sont dites être à pH neutre. Le Tableau 2.3 donne la liste des principaux fluides biologiques ou d'intérêt courant. Puisque l'échelle des pH est une échelle logarithmique, deux solutions dont le pH diffère d'une unité ont leurs concentrations en H^+ dans un rapport de 1 à 10. Par exemple, le jus de pamplemousse à pH 3,2 contient 12 fois plus de H^+ que le jus d'orange à pH 4,3.

Tableau 2.3

pH de divers fluides communs

Fluide	pH
Lessive de soude	13,6
Eau de javel	12,6
Ammoniaque (pour le ménage)	11,4
Lait de magnésie	10,3
Bicarbonate de sodium	8,4
Eau de mer	8,0
Suc pancréatique	7,8-8,0
Plasma sanguin	7,4
Fluides intracellulaires	
Foie	6,9
Muscle	6,1
Salive	6,6
Urine	5-8
Acide borique	5,0
Bière	4,5
Jus d'orange	4,3
Jus de pamplemousse	3,2
Vinaigre	2,9
Boissons gazeuses non alcoolisées	2,8
Jus de citron	2,3
Suc gastrique	1,2-3,0
Acide d'un accumulateur	0,35

Dissociation des électrolytes forts

Les **électrolytes forts** sont des substances qui, en solution, sont presque totalement dissociées pour former des ions (les substances sont ionisées). Le terme **électrolyte** définit les substances capables de générer des ions en solution et de ce fait d'accroître la conductivité électrique de la solution. Certains sels, NaCl et K_2SO_4, appartiennent à cette catégorie de substances, de même les acides forts, par exemple HCl, et les bases fortes, par exemple NaOH. Il faut se rappeler que les acides sont des donneurs de protons et que les bases sont des accepteurs de protons. En effet, la dissociation d'un acide fort tel que HCl dans l'eau peut être considérée comme une réaction de transfert de proton entre l'acide HCl et la base H_2O, qui donne **l'acide conjugué** H_3O^+ et la **base conjuguée** Cl^- :

$$HCl + H_2O \longrightarrow H_3O^+ + Cl^-$$

La constante d'équilibre de cette réaction est :

$$K = \frac{[H_3O^+][Cl^-]}{[H_2O][HCl]}$$

Habituellement, le terme $[H_2O]$, pratiquement constant dans les solutions aqueuses diluées, est incorporé à la constante d'équilibre K pour donner une nouvelle constante, K_a, la **constante de dissociation de l'acide** dans laquelle $K_a = K[H_2O]$. De même le terme $[H_3O^+]$ est généralement remplacé par H^+, de sorte que

$$K_a = \frac{[H^+][Cl^-]}{[HCl]}$$

Pour HCl, la valeur de K_a est extrêmement élevée car la concentration de HCl en solution aqueuse tend vers zéro. Pour cette raison, le pH des solutions de HCl se calcule facilement à partir de la concentration de HCl utilisée pour faire la solution :

$$[H^+] \text{ en solution} = [HCl] \text{ ajouté à la solution}$$

Une solution 1 M de HCl a un pH théorique de 0; une solution 0,001 M a un pH de 3. De façon analogue, une solution 0,1 M en NaOH a un pH de 13 (puisque $[OH^-] = 0{,}1\ M$, $[H^+]$ doit être $10^{-13}\ M$).

Examinant la dissociation des électrolytes forts sous un autre angle, on peut voir que les ions formés ont très peu d'affinité l'un pour l'autre. Dans l'exemple de HCl en solution aqueuse, Cl^- a très peu d'affinité pour H^+ :

$$HCl \longrightarrow H^+ + Cl^-$$

et dans les solutions de NaOH, Na^+ a très peu d'affinité pour OH^-. La dissociation de ces substances dans l'eau est pratiquement totale.

Dissociation des électrolytes faibles

Les **électrolytes faibles** sont des substances qui, en solution, n'ont qu'une faible tendance à se dissocier pour former des ions. L'acide acétique en est un bon exemple :

$$CH_3COOH + H_2O \rightleftharpoons CH_3COO^- + H_3O^+$$

La constante d'acidité K_a pour l'acide acétique est de $1{,}74 \times 10^{-5}$:

$$K_a = \frac{[H^+][CH_3COO^-]}{[CH_3COOH]} = 1{,}74 \times 10^{-5}$$

Le terme K_a est également dénommé **constante d'ionisation** car il représente la capacité d'une substance à former des ions en solution. La relativement faible valeur de K_a de l'acide acétique révèle que la forme non ionisée, CH_3COOH, prédomine sur H^+ et CH_3COO^- dans les solutions aqueuses d'acide acétique. Vu sous un autre angle, l'ion acétate, CH_3COO^-, a beaucoup d'affinité pour H^+.

EXEMPLE DE CALCUL

Quel est le pH d'une solution 0,1 M d'acide acétique ? Ou, pour formuler la question plus précisément, quel est le pH final quand on ajoute 0,1 mole d'acide acétique (HAc) à de l'eau et que le volume de la solution est ajusté à 1 l ?

RÉPONSE

La dissociation de HAc dans l'eau peut être écrite sous la forme :

$$HAc \rightleftharpoons H^+ + Ac^-$$

équation dans laquelle AC^- représente l'ion acétate, CH_3COO^-. En solution, une certaine quantité x de HAc se dissocie générant la même quantité x de Ac^- et x de H^+. Les équilibres ioniques s'établissent très rapidement. À l'équilibre, la concentration de HAc + Ac^- doit être égale à 0,1 M, donc, [HAc] est représentée par $(0{,}1 - x)$ *M*, et les concentrations de Ac^- et de H^+ sont chacune x molaire. La constante de dissociation de l'acide acétique étant de $1{,}74 \times 10^{-5}$, nous pouvons écrire : $1{,}74 \times 10^{-5} = ([H^+][Ac^-])/[Ac]$, soit $1{,}74 \times 10^{-5} = x^2/[0{,}1 - x]$. La solution d'une équation de cette forme $(ax^2 + bx + c = 0)$ est : $x = (-b \pm \sqrt{b^2 - 4ac}/2a$ Cependant, le calcul de x peut être simplifié en remarquant que K_a est relativement petit, $x << 0{,}1$ M. Donc K_a est pratiquement égal à $x^2 / 0{,}1$. Cette simplification donne $x^2 = 1{,}74 \times 10^{-6}$, soit $x = 1{,}32 \times 10^{-3}$ *M* et pH = 2,88.

L'équation de Henderson-Hasselbalch

Considérons l'ionisation d'un quelconque acide faible, HA, dont la constante d'ionisation est K_a. Nous avons :

$$HA \rightleftharpoons H^+ + A^-$$

et

$$K_a = \frac{[H^+][A^-]}{[HA]}$$

Réarrangeons cette équation pour sortir le paramètre intéressant, $[H^+]$, nous avons :

$$[H^+] = \frac{K_a[HA]}{[A^-]}$$

Prenons le logarithme des deux membres de l'équation

$$\log [H^+] = \log K_a + \log_{10} \frac{[HA]}{[A^-]}$$

Si nous changeons les signes et définissons $pK_a = -\log K_a$, nous avons :

$$pH = pK_a - \log_{10} \frac{[HA]}{[A^-]}$$

ou

$$\mathbf{pH = pK_a + \log_{10} \frac{[A^-]}{[HA]}}$$

Cette relation est connue sous le nom **d'équation d'Henderson-Hasselbalch**. Donc, le pH d'une solution peut être calculé, si K_a et les concentrations de l'acide faible HA et de sa base conjuguée A^- sont connues. À remarquer particulièrement que lorsque $[AH] = [A^-]$, pH = pK_a. Par exemple, des volumes égaux de HAc 0,1 *M* et d'acétate de sodium 0,1 *M* sont mélangés, on a :

$$pH = pK_a = 4{,}76$$

$$pK_a = -\log K_a = -\log_{10} (1{,}74 \times 10^{-5}) = 4{,}76$$

(L'acétate de sodium, sel de sodium de l'acide acétique, est un électrolyte fort qui se dissocie complètement dans l'eau pour donner Na^+ et Ac^-).

Tableau 2.4

Constantes de dissociation acide et valeurs de pKa de quelques électrolytes faibles (à 25 °C)

Acide	K_a (*M*)	pK_a
HCOOH (acide formique)	$1,78 \times 10^{-4}$	3,75
CH_3COOH (acide acétique)	$1,74 \times 10^{-5}$	4,76
CH_3CH_2COOH (acide propionique)	$1,35 \times 10^{-5}$	4,87
CH3CHOHCOOH (acide lactique)	$1,38 \times 10^{-4}$	3,86
$HOOCCH_2CH_2COOH$ (acide succinique) pK_1*	$6,16 \times 10^{-5}$	4,21
$HOOCCH_2CH_2COO^-$ (acide succinique) pK_2	$2,34 \times 10^{-6}$	5,63
H_3PO_4 (acide phosphorique) pK_1	$7,08 \times 10^{-3}$	2,15
$H_2PO_4^-$ (acide phosphorique) pK_2	$6,31 \times 10^{-8}$	7,20
HPO_4^{2-} (acide phosphorique) pK_3	$3,98 \times 10^{-13}$	12,40
$C_3N_3H_5^+$ (imidazole)	$1,02 \times 10^{-7}$	6,99
$C_6O_2N_3H_{11}^+$ (histidine (groupe imidazole) pK_R†	$9,12 \times 10^{-7}$	6,04
H_2CO_3 (acide carbonique) pK_1	$1,70 \times 10^{-4}$	3,77
HCO_3^- (bicarbonate) pK_2	$5,75 \times 10^{-11}$	10,24
$(HOCH_2)_3CNH_3^+$ (*tris*-hydroxyméthylaminométhane)	$8,32 \times 10^{-9}$	8,07
NH_4^+ (ammonium)	$5,62 \times 10^{-10}$	9,25
$CH_3NH_3^+$ (méthylammonium)	$2,46 \times 10^{-11}$	10,62

* Les valeurs de pK_1, pK_2, et pK_3 sont en réalité des valeurs de pK_a des dissociations correspondantes. Cette simplification sera utilisée dans tout l'ouvrage

† pK_R fait référence à l'ionisation de l'imidazole de l'histidine.

Valeurs extraites de *CRC Handbook of Biochemistry*, The Chemical Rubber Co., 1968.

L'équation d'Henderson-Hasselbalch fournit une solution générale au traitement quantitatif des équilibres acido-basiques dans les systèmes biologiques. Le Tableau 2.4 donne les constantes de dissociation acide et les valeurs de pK_a de quelques électrolytes faibles ayant un intérêt biologique.

EXEMPLE DE CALCUL

Quel est le pH d'un mélange de 100 ml de NaOH 0,1 *N* et de 150 ml de HAc 0,2 *M* sachant que le pK_a de l'acide acétique est = 4,76 ?

RÉPONSE

100 ml de NaOH 0,1 *N* = 0,01 mole OH^-, qui neutralise 0,01 mole de HAc libérant une quantité équivalente de Ac^- :

$$OH^- + HAc \longrightarrow Ac^- + H_2O$$

De 0,03 mole d'HAc d'origine, il reste 0,02 mole d'acide acétique pratiquement non dissocié. Le volume final est 250 ml.

$$pH = pK_a + \log_{10} \frac{[Ac^-]}{[HAc]} = 4,76 + \log\ (0,01\ mol)/(0,02\ mol)$$

$$pH = 4,76 - \log_{10} 2 = 4,46$$

Si 150 ml d'acide acétique 0,02 *M* avaient simplement été dilués par 100 ml d'eau pure, nous aurions 250 ml de HAc 0,12 *M*. Le pH de cette solution serait

$$K_a = \frac{[H^+][Ac^-]}{[HAc]} = \frac{x^2}{0{,}12\ M} = 1{,}74 \times 10^{-5}$$

$$x = 1{,}44 \times 10^{-3} = [H^+]$$

$$pH = 2{,}84$$

Visiblement, l'hydroxyde de sodium présent neutralise l'acidité de l'acide acétique en formant des ions acétate.

Courbes de titration

La *titration* est une méthode analytique utilisée pour déterminer la quantité d'un acide en solution. Un volume déterminé d'une solution acide est titré par addition d'une solution de base, souvent NaOH, de concentration connue. Après chaque addition d'une certaine quantité de NaOH, on détermine le pH de la solution et le tracé du pH en fonction de la quantité de OH^- ajouté donne la **courbe de titration.** La Figure 2.12 représente la courbe de titration de l'acide acétique. En examinant la progression de cette titration, il faut avoir présent à l'esprit deux équilibres importants :

1. $HAc \rightleftharpoons H^+ + Ac^- \qquad K_a = 1{,}74 \times 10^{-5}$
2. $H^+ + OH^- \longrightarrow H_2O \qquad K = \dfrac{[H_2O]}{K_{eau}} = 5{,}55 \times 10^{15}$

Au début de la titration, HAc n'est pour l'essentiel pas ionisé, la faible quantité de H^+ et de Ac^- peut être calculée (voir l'exemple page 45). L'addition d'une solution de NaOH apporte des ions hydroxyle qui neutraliseront les H^+ présents. Remarquez la présentation de l'équation 2 ; la constante d'équilibre apparente est plus grande que 10^{15}, la réaction est nettement favorisée. À mesure que H^+ est neutralisé, de nouvelles molécules de HAc se dissocieront en H^+ et Ac^-. Avec l'addition de NaOH, la valeur du pH augmentera graduellement car Ac^- s'accumule aux dépens de HAc et de la neutralisation de H^+. Lorsque la moitié de HAc aura été neutralisée, c'est-à-dire que 0,5 équivalent de OH^- aura été ajouté, les concentrations d'HAc et de Ac^- seront égales. À ce point de la courbe, le pH = pK_a de l'acide acétique. Nous avons donc une méthode expérimentale pour la détermination de la valeur du pK_a des électrolytes faibles. Ces valeurs de pK_a se trouvent au milieu de leurs courbes respectives de titration. Lorsque tout l'acide a été neutralisé (après addition d'une quantité équivalente de base), le pH croît exponentiellement.

Les formes des courbes de titration des électrolytes faibles sont identiques (Figure 2.13). Cependant les pH des points d'inflexion (points de demi-équivalence) des différentes courbes sont différents, ils caractérisent un électrolyte donné. Le pK_a de l'acide acétique est 4,76, celui de l'imidazole 6,99, et celui de l'ammonium est 9,25. Ces valeurs de pK_a sont directement reliées à la valeur de la constante de dissociation de ces substances, ou encore, aux affinités respectives des bases conjuguées pour les protons. Comparé à Ac^-, NH_3 a une forte affinité pour les protons ; NH_4^+ est un acide très faible comparé à l'acide acétique.

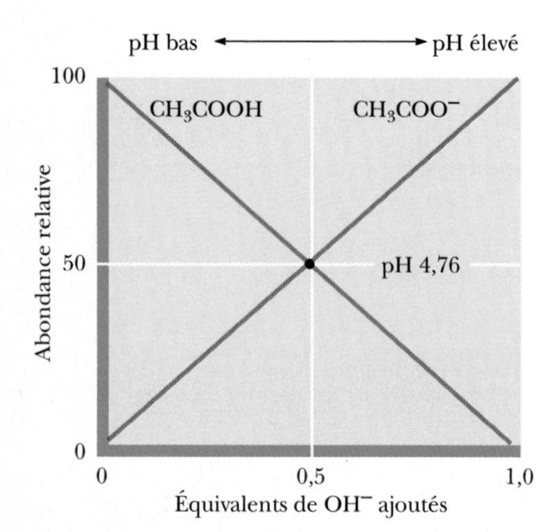

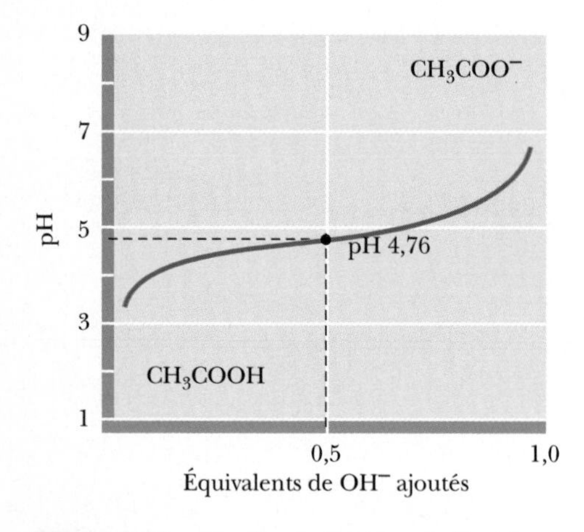

Figure 2.12 • Courbe de titration de l'acide acétique. Noter que la courbe de titration est relativement plate pour les valeurs de pH proches du pK_a; en d'autres termes, dans cette région de la courbe de titration, le pH change assez peu lors de l'addition de OH^-.

L'acide phosphorique a trois H^+ dissociables

La courbe de titration de l'acide phosphorique, H_3PO_4, (Figure 2.14) est plus complexe. Cette substance est un *acide polyprotique*, ce qui signifie qu'elle a plus d'un proton dissociable. En fait, l'acide phosphorique en a trois, il faut donc trois équivalents de OH^- pour le neutraliser ainsi qu'on peut le constater Figure 2.14. Les trois H^+ sont dissociés au cours de trois étapes distinctes, chacune ayant un pK_a caractéristique. La première constante, ou pK_1, s'observe à pH = 2,15 quand les concentrations de l'acide H_3PO_4 et de la base $H_2PO_4^-$ sont égales. Lors de la deuxième dissociation, $H_2PO_4^-$ se comporte comme un acide et HPO_4^{2-} est sa base

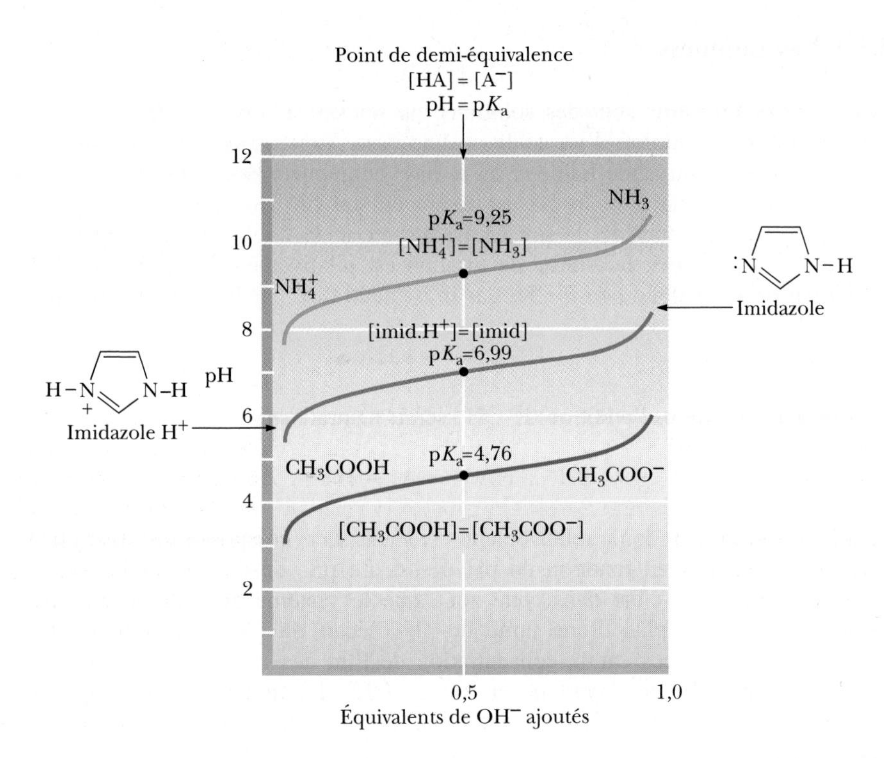

Figure 2.13 • Courbes de titration de quelques électrolytes faibles : acide acétique, imidazole, et ammonium. Noter que la forme de ces courbes est identique dans les trois cas. Seule leur position sur l'échelle des pH est décalée. Le décalage est en rapport avec les affinités respectives pour les ions H^+, il reflète les valeurs différentes de pK_a.

conjuguée. Leurs concentrations sont égales à pH = 7,20, donc le pK_2 = 7,20. À ce point, il a été ajouté 1,5 équivalents de OH^-. L'addition répétée de OH^-, titre le dernier hydrogène dissociable et le pK_3 s'observe à pH = 12,4 quand $[HPO_4^{2-}]$ = $[PO_4^{3-}]$.

La forme même de la courbe de titration des électrolytes faibles révèle un aspect important en biologie : dans la région du pK_a, le pH est très peu affecté par l'addition de nouvelles quantités de OH^- ou de H^+. L'acide faible et sa base conjuguée agissent comme un tampon.

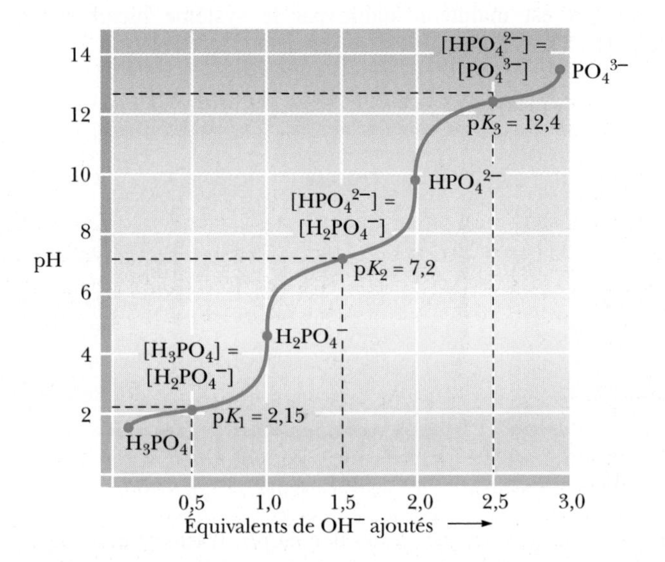

Figure 2.14 • Courbe de titration de l'acide phosphorique. Les formules chimiques mettent en évidence les espèces ioniques dominantes présentes aux diverses valeurs de pH. L'acide phosphorique (H_3PO_4) a trois atomes d'hydrogène titrables, on observe donc trois points de demi-équivalence : à pH 2,15 (pK_1), pH 7,20 (pK_2) et pH 12,4 (pK_3).

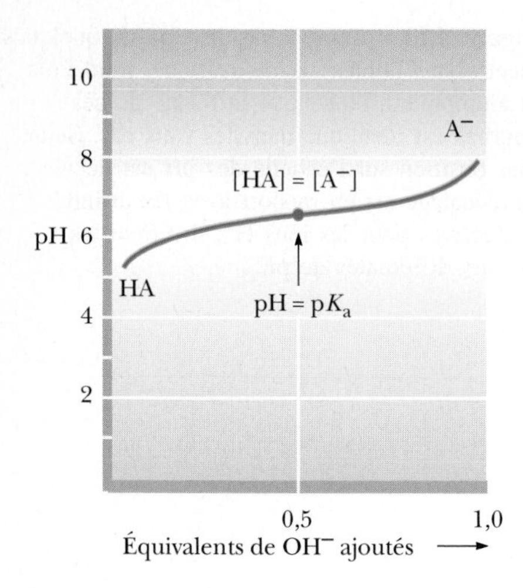

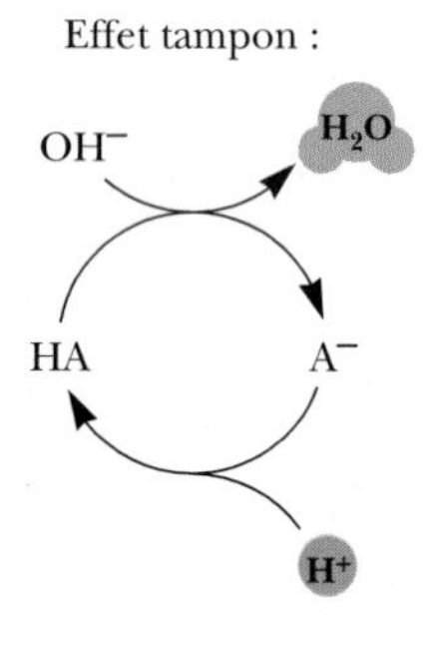

Figure 2.15 • Les systèmes tampons sont constitués d'un acide faible, HA, et de sa base conjuguée, A^-. Le pH ne varie que légèrement dans la région de la courbe de titration ou [HA] = [A^-]. Le pouvoir tampon est le plus fort au voisinage du pK_a. Effet tampon : lorsque HA et A^- sont tous deux présents à des concentrations suffisantes, la solution peut recevoir des ions H^+ ou OH^-, sans que son pH varie sensiblement.

2.3 • Les tampons

Les solutions **tampons** sont des solutions qui tendent à résister à la variation de leur pH lors de l'addition d'un acide ou une base. Typiquement, un système tampon se compose d'un acide faible *et* de sa base conjuguée. Par définition, une solution d'un acide faible dont le pH est voisin de son pK_a contient une quantité de base conjuguée très voisine de son équivalent en acide faible. Il faut rappeler que dans cette zone de pH, la courbe de titration est relativement plate (Figure 2.15). L'addition de H^+ a donc peu d'effet car il est neutralisé par la réaction suivante :

$$H^+ + A^- \longrightarrow HA$$

D'une façon similaire, l'addition de OH^- serait neutralisée :

$$OH^- + HA \longrightarrow A^- + H_2O$$

Le pH se maintient donc relativement constant. Les composants d'un système tampon sont choisis en fonction du pH désiré. Le pK_a de l'acide faible doit être voisin de ce pH car c'est dans cette zone que le système présente sa plus forte capacité tampon. À plus d'une unité de pH d'écart du pK_a, les systèmes tampons sont peu efficaces car la concentration de l'un des composants devient trop faible pour absorber un apport de H^+ ou de OH^-. La molarité d'un tampon est définie comme la somme des concentrations de la forme acide et de celle de la base conjuguée.

Le maintien du pH est vital pour toutes les cellules. Les processus cellulaires, dont le métabolisme, dépendent de l'activité des enzymes et l'activité enzymatique est très influencée par le pH (voir Figure 2.16). Pour des raisons qui seront explicitées dans des chapitres ultérieurs, un changement de pH perturberait très sérieusement le métabolisme. Les organismes disposent d'une grande variété de mécanismes pour maintenir constant le pH des fluides intra- et extracellulaires, mais la protection primaire est assurée par des systèmes tampons. Les systèmes biologiques sélectionnés proviennent de la nécessité d'une valeur du pK_a voisin de 7 et de la compatibilité des composants du tampon avec le métabolisme cellulaire. Deux systèmes tampons contribuent au maintien du pH intracellulaire pratiquement constant(le système phosphate ($HPO_4^{2-}/H_2PO_4^-$) et le système histidine. Le pH des fluides extracellulaires qui baignent les cellules et les tissus des animaux est maintenu stable par le système bicarbonate/acide carbonique (HCO_3^-/H_2CO_3).

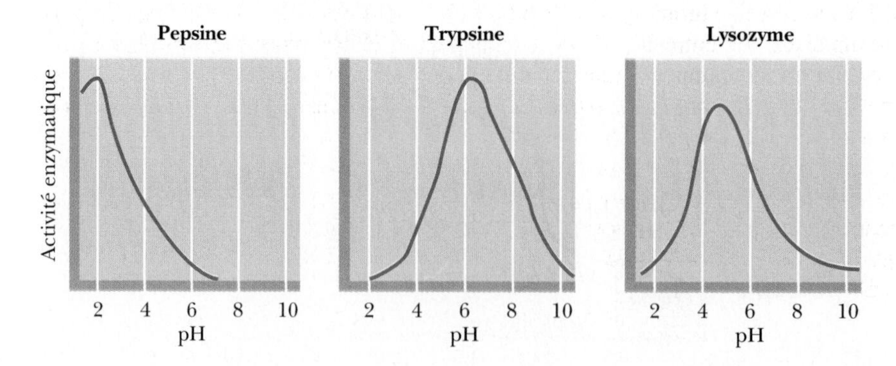

Figure 2.16 • Activité enzymatique en fonction du pH. L'activité catalytique des enzymes est très sensible au pH. Le pH optimum d'un enzyme est l'une de ses plus importantes caractéristiques. La pepsine est un enzyme de la digestion des protéines, elle est active dans le suc gastrique. La trypsine est également un enzyme protéolytique mais elle agit dans le milieu plus alcalin de l'intestin grêle. Le lysozyme digère les parois bactériennes; il est présent dans les larmes.

Le système phosphate

Le système phosphate maintient la stabilité du pH des fluides intracellulaires des cellules au pH physiologique car pK_2 est proche de cette valeur. Le pH intracellulaire de la plupart des cellules se situe entre 6,9 et 7,4. Le phosphate est un anion cellulaire abondant, à la fois sous forme minérale et sous forme organique. Il est dans ce dernier cas un important groupement de substitution de molécules organiques à rôle métabolique ou précurseur de macromolécules. Sous ces deux formes, son pK_2 caractéristique permet que l'espèce ionisée, présente en quantité suffisante au pH physiologique, donne ou accepte des ions hydrogène pour tamponner tout changement de pH (voir Figure 2.14). Par exemple, si la concentration cellulaire totale en phosphate est 20 mM (millimolaire) et que le pH est 7,4, la distribution des principaux ions phosphate est donnée par les relations suivantes :

$$\text{pH} = \text{p}K_2 + \log_{10} \frac{[\text{HPO}_4{}^{2-}]}{[\text{H}_2\text{PO}_4{}^{-}]}$$

$$7{,}4 = 7{,}20 + \log_{10} \frac{[\text{HPO}_4{}^{2-}]}{[\text{H}_2\text{PO}_4{}^{-}]}$$

$$\frac{[\text{HPO}_4{}^{2-}]}{[\text{H}_2\text{PO}_4{}^{-}]} = 1{,}58$$

Donc si $[\text{HPO}_4{}^{2-}] + [\text{H}_2\text{PO}_4{}^{-}] = 20$ mM, alors

$$[\text{HPO}_4{}^{2-}] = 12{,}25 \text{ m}M \text{ et } [\text{H}_2\text{PO}_4{}^{-}] = 7{,}75 \text{ m}M$$

Le système histidine

L'histidine est l'un des vingt acides aminés communément retrouvés dans les protéines (voir Chapitre 4). Sa structure comprend un groupement imidazole, noyau hétérocyclique de cinq atomes dont deux d'azote. Le pK_a de la dissociation de l'hydrogène du groupement imidazole de l'histidine est 6,04.

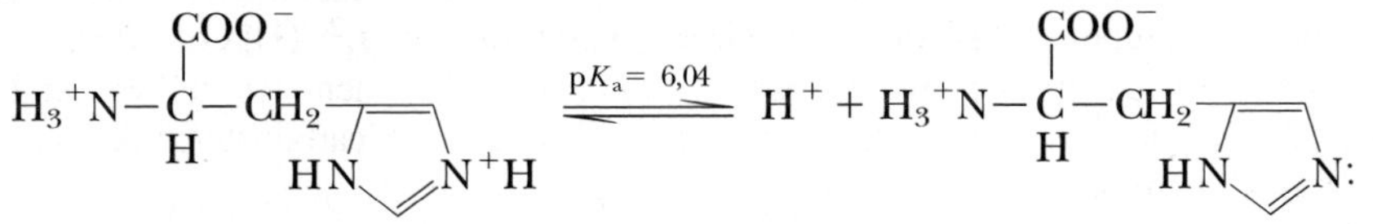

$$\text{H}_3{}^{+}\text{N}-\text{CH}(\text{COO}^-)-\text{CH}_2-\text{(imidazole HN, N}^+\text{H)} \underset{}{\overset{\text{p}K_a = 6{,}04}{\rightleftharpoons}} \text{H}^+ + \text{H}_3{}^{+}\text{N}-\text{CH}(\text{COO}^-)-\text{CH}_2-\text{(imidazole HN, N:)}$$

Dans les cellules, l'histidine est présente sous forme d'acide aminé libre, de constituant des protéines et aussi de dipeptides, en association avec d'autres acides aminés. La faible concentration de l'histidine libre dans les cellules et l'écart de plus d'une unité de pH entre le pK_a de l'imidazole et le pH intracellulaire ne lui permettent qu'un rôle tampon intracellulaire mineur. Mais, dans certaines cellules, l'histidine liée dans les protéines ou les dipeptides peut constituer le système tampon dominant. Le pK_a du groupement imidazole augmente notablement lorsque l'histidine est combinée avec d'autres acides aminés, dans les dipeptides et les protéines. Le pK_a de l'imidazole de **l'ansérine** est 7,04. L'ansérine est un dipeptide de la β-alanine et de l'histidine (Figure 2.17). Son pK_a est proche du pH physiologique ; d'autres peptides contenant de l'histidine sont également bien appropriés pour avoir un effet tampon à ce pH.

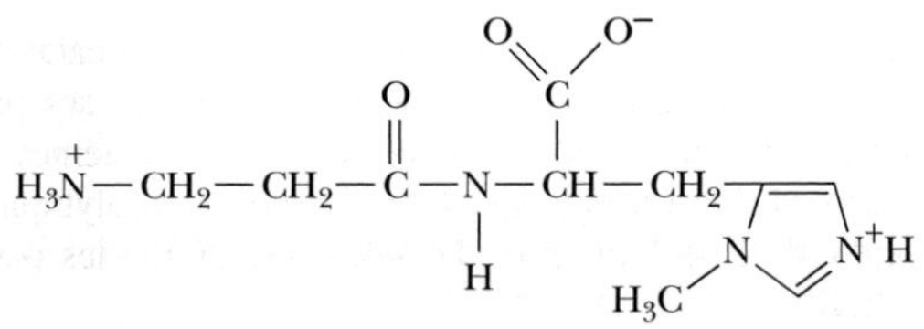

$$\text{H}_3\overset{+}{\text{N}}-\text{CH}_2-\text{CH}_2-\overset{\text{O}}{\overset{\|}{\text{C}}}-\underset{\text{H}}{\text{N}}-\text{CH}(\text{COO}^-)-\text{CH}_2-\text{(imidazole: N-CH}_3\text{, N}^+\text{H)}$$

Figure 2.17 • L'ansérine (N-β-alanyl-3-méthyl-L-histidine) est un dipeptide à pouvoir tampon qui joue un rôle important dans le maintien du pH intracellulaire de certains tissus. La structure représentée est celle de l'espèce ionique prédominante à pH = 7 ; pK_1 (COOH) = 2,64 ; pK_2 (imidazole-N$^+$H) = 7,04 ; pK_3 ($\text{NH}_3{}^+$) = 9,49.

Le système tampon bicarbonate du plasma sanguin

L'important couple bicarbonate/acide carbonique forme le système tampon du plasma sanguin :

$$H_2CO_3 \rightleftharpoons H^+ + HCO_3^-$$

Le pK_a intéressant est le pK_1 de l'acide carbonique, d'une valeur de 3,77 à 25 °C (Tableau 2.4) et de 3,57 à 37 °C ; c'est bien loin du pH normal du plasma sanguin (7,4). À pH 7,4, la concentration de H_2CO_3 n'est qu'une infime fraction de celle de HCO_3^- et donc en apparence le plasma sanguin serait mal protégé contre un influx d'ions OH^-.

$$\text{pH} = 7{,}4 = 3{,}57 + \log_{10} \frac{[HCO_3^-]}{[H_2CO_3]}$$

$$\frac{[HCO_3^-]}{[H_2CO_3]} = 6761$$

Si par exemple $[HCO_3^-]$ = 24 m*M*, alors $[H_2CO_3]$ est seulement de 3,55 μM ($3{,}55 \times 10^{-6}$ *M*), et l'addition d'une quantité équivalente d'ions OH^- (sa concentration classique dans le plasma) submergerait le système tampon, provoquant une dangereuse augmentation du pH. Comment donc ce système bicarbonate peut-il être fonctionnel ? Le système tampon bicarbonate fonctionne, et même bien, car la concentration de H_2CO_3 est maintenue relativement constante, en équilibre avec le CO_2 dissous provenant du métabolisme cellulaire, et sa disponibilité à partir du réservoir de CO_2 gazeux présent dans les poumons. [2]

Les tampons de « Good »

Peu de substances courantes ont une valeur de pK_a comprise entre 6 et 8. Le choix des biochimistes effectuant des expériences *in vitro* à pH physiologique ou voisin était donc très limité. En 1966, N. E. Good a mis au point une série de tampons synthétiques pour remédier à cette situation. Au cours des années qui ont suivi, la liste des tampons de ce type s'est allongée et l'on dispose aujourd'hui de toute une sélection de tampons « Good » couvrant une vaste zone de pH (Figure 2.18).

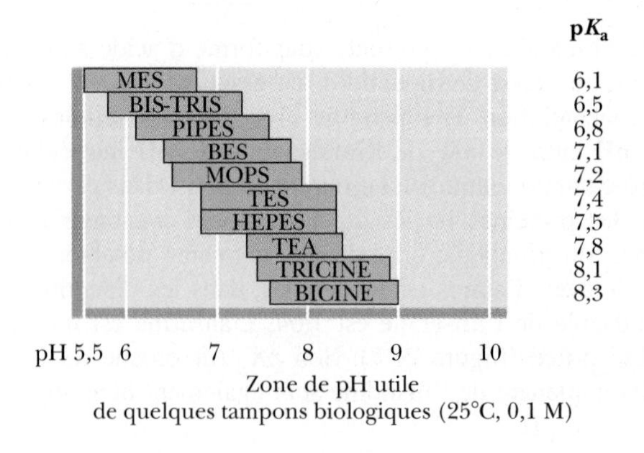

Figure 2.18 • Valeurs de pK_a et de pH de quelques tampons « Good ».

[2] Les êtres humains adultes normalement nourris exhalent environ 1 kg de CO_2 par jour. Imaginez les problèmes d'élimination si le CO_2 n'avait pas été un gaz !

POUR EN SAVOIR PLUS

Comment fonctionne le système tampon bicarbonate

L'anhydride carbonique CO_2 gazeux (CO_2(g)) des tissus et des poumons, est symbolisé par CO_2(d) lorsqu'il est dissous dans le plasma sanguin et par H_2CO_3 sous sa forme hydratée.

$$CO_2(g) \rightleftharpoons CO_2(d)$$
$$CO_2(d) + H_2O \rightleftharpoons H_2CO_3$$
$$H_2CO_3 \rightleftharpoons H^+ + HCO_3^-$$

Donc la concentration de H_2CO_3 est elle-même tamponnée par le CO_2 disponible. L'hydratation de CO_2 est catalysée par un enzyme très actif, *l'anhydrase carbonique*, qui facilite l'équilibre de la réaction :

$$H_2O + CO_2(d) \rightleftharpoons H_2CO_3$$

Dans les conditions de force ionique et de température existant dans les fluides corporels des mammifères, l'équilibre de cette réaction est très en faveur de la gauche, de sorte que 500 molécules de CO_2 sont présentes en solution pour chaque molécule de H_2CO_3. Comme CO_2 dissous et H_2CO_3sont en équilibre, l'expression correcte donnant la disponibilité de H_2CO_3 est, [CO_2(d)] + [H_2CO_3], ce qu'on appelle le pool d'acide carbonique, principalement constitué de CO_2(d). La réaction d'équilibre global du système tampon bicarbonate est donc :

$$CO_2(d) + H_2O \overset{K_h}{\rightleftharpoons} H_2CO_3$$
$$H_2CO_3 \overset{K_a}{\rightleftharpoons} H_+ + HCO_3^-$$

Dans ces conditions, donc en présence de CO_2 dissous, l'expression de l'ionisation de H_2CO_3 peut être obtenue à partir de K_h, constante d'équilibre de l'hydratation de CO_2, et de K_a, première constante de dissociation acide de H_2CO_3 :

$$K_h = \frac{[H_2CO_3]}{[CO_2(d)]}$$

soit,

$$[H_2CO_3] = K_h[CO_2(d)]$$

Portant cette valeur de [H_2CO_3] dans l'équation de la première dissociation de H_2CO_3, on obtient :

$$K_a = \frac{[H^+][HCO_3^-]}{[H_2CO_3]}$$

$$= \frac{[H^+][HCO_3^-]}{K_h[CO_2(d)]}$$

et donc, la constante globale d'équilibre de l'ionisation de H_2CO_3 en équilibre avec CO_2(d), est donnée par :

$$K_aK_h = \frac{[H^+][HCO_3^-]}{[CO_2(d)]}$$

et K_aK_h, le produit des deux constantes, peut être défini par une nouvelle constante d'équilibre, $\boldsymbol{K_{globale}}$. La valeur de K_h à 37 °C est 0,003 et celle de K_a, la constante d'ionisation de H_2CO_3 est $10^{-3,57}$ = 0,000269. Donc,

$$K_{globale} = (0{,}000269)(0{,}003)$$
$$= 8{,}07 \times 10^{-7}$$
$$pK_{globale} = 6{,}1$$

qui permet d'écrire l'équation d'Henderson-Hasselbalch appliquée au tampon bicarbonate :

$$pH = pK_{globale} + \log_{10} \frac{[HCO_3^-]}{[CO_2(d)]}$$

Bien que le pH normal du sang, 7,4, soit différent du K_{global} de plus d'une unité, le système bicarbonate est néanmoins un bon tampon. Au pH du sang, la concentration de la forme acide du système tampon est inférieure à 10 % de celle de la forme base conjuguée. On pourrait croire que l'acide serait submergé par une faible quantité de base, avec pour conséquence une dangereuse élévation du pH sanguin. Cependant, la forme acide réellement disponible est le pool total d'acide carbonique, [CO_2(d)] + [H_2CO_3], qui est stable, en équilibre avec CO_2(g). Le CO_2 gazeux compense toute perte du pool d'acide carbonique en passant en solution sous forme de CO_2 (d), le pH sanguin est donc efficacement maintenu. Ainsi le système tampon bicarbonate est-il un *système ouvert*. La présence naturelle de CO_2 gazeux dans les alvéoles pulmonaires, à la pression partielle de 40 mm de Hg, et l'équilibre

$$CO_2(g) \rightleftharpoons CO_2(d)$$

maintiennent la concentration de CO_2(d), principale composante du pool d'acide carbonique total du plasma sanguin, aux environs de 1,2 m*M*. Dans ces conditions, [HCO^{3-}] est d'environ 24 m*M*.

2.4 • Rôle unique de l'eau dans la formation d'un environnement favorable

Les remarquables propriétés de l'eau la rendent particulièrement bien adaptée à son rôle unique dans l'environnement et dans les processus vivants, et son abondance favorise l'existence de la vie. Examinons les propriétés physiques et chimiques de l'eau afin de constater dans quelle mesure elles sont à l'origine des conditions avantageuses pour la vie.

L'eau est un *solvant* puissant et cependant inoffensif. Aucun autre solvant chimiquement inerte ne peut être comparé à l'eau pour la variété des substances qu'elle

pH sanguin et respiration

Il y a hyperventilation lorsque la fréquence de la respiration est plus rapide que nécessaire pour l'élimination du CO_2 produit par l'organisme, ce qui réduit anormalement $[CO_2(g)]$ dans le sang. Certains troubles du système nerveux comme la méningite, l'encéphalite, ou l'hémorragie cérébrale, ainsi que certaines substances ou hormones qui induisent des changements physiologiques peuvent provoquer l'hyperventilation. Puisque $[CO_2(g)]$ chute par une exhalation trop importante, $[H_2CO_3]$ dans le plasma sanguin diminue, avec pour conséquence une baisse de $[H^+]$ et de $[HCO_3^-]$. Le pH du sang s'élève dans les 20 s qui suivent le début de l'hyperventilation et atteint un plafond en 15 min. La concentration en H^+, normalement de 40 nM (pH = 7,4) passe à 18 nM (pH = 7,74). Cette élévation du pH sanguin (accroissement de l'alcalinité) est dénommée **alcalose respiratoire**.

L'**hypoventilation** est le contraire de l'hyperventilation, elle est caractérisée l'impossibilité d'évacuer assez rapidement le CO_2 selon les nécessités physiologiques. Les narcotiques, les sédatifs, les anesthésiques, les médicaments dépresseurs peuvent provoquer l'hypoventilation ; il en est de même pour les maladies pulmonaires. L'hypoventilation aboutit à **l'acidose respiratoire**, l'accumulation de $CO_2(g)$ étant suivie de la formation de H_2CO_3 qui se dissocie en H^+ et HCO_3^-.

peut dissoudre. L'eau est également un « pauvre » solvant de substances non polaires, ce qui est très important pour la vie. Par l'intermédiaire des interactions hydrophobes il y a coalescence des lipides, les membranes se forment créant des frontières qui délimitent des compartiments et établissent ainsi la nature cellulaire de la vie. À cause de sa constante diélectrique très élevée, l'eau est un milieu favorisant les ionisations. Les solutions aqueuses sont la principale source d'ions. Les ions enrichissent l'environnement en ce qu'ils augmentent la variété des espèces chimiques et introduisent une importante classe de réactions chimiques. Ils donnent aux solutions, et donc aux organismes, leurs propriétés électriques. Les solutions aqueuses sont la principale source d'ions.

Les *propriétés thermiques* de l'eau sont tout particulièrement en rapport avec sa capacité à former un environnement favorable. Elle a un excellent pouvoir de résistance aux changements thermiques (changements de température). Sa chaleur spécifique (4,1840 J/g/°C) est remarquablement élevée ; elle est dix fois plus grande que celle du fer, cinq fois plus que celle du quartz ou du sel et deux fois plus que celle de l'hexane. La chaleur de fusion est de 335 J/g. C'est ainsi qu'à 0 °C, il faut une perte de 335 J pour qu'un gramme d'eau passe de l'état liquide à l'état solide. Sa chaleur de vaporisation, 2,24 kJ/g, est exceptionnellement élevée. Ces propriétés thermiques signifient qu'il faut un important changement dans la quantité des calories emmagasinées pour modifier la température et en particulier *l'état* physique de l'eau. Les propriétés thermiques de l'eau lui permettent de tamponner le climat, par des processus comme la condensation, l'évaporation, la fusion et la congélation. De plus ces propriétés permettent une réelle régulation de la température des organismes vivants. Par exemple, la chaleur produite par le métabolisme peut efficacement être éliminée d'un organisme par évaporation ou par conduction. En comparaison avec celle des autres liquides, la conductivité thermique de l'eau est très élevée. L'expansion anormale du volume de l'eau lorsqu'elle se refroidit à des températures proches de la congélation est une propriété unique de très grande importance pour ses vertus naturelles. Lorsque l'eau se refroidit, l'agitation thermique ralentit, il se forme plus de liaisons hydrogène, ce qui tend à séparer les molécules, et donc la densité de l'eau diminue (voir Figure 2.2 et Section Structure de la glace p. 36). Il résulte de ce changement de densité, aux températures inférieures à 4 °C, que l'eau froide monte et que, conséquence des plus importantes, l'eau gèle à la surface des étendues d'eau formant une couche d'isolation qui protège l'eau liquide qu'elle recouvre.

De tous les liquides, à l'exception du mercure, l'eau a la plus forte *tension superficielle* (75 dynes/cm). La tension superficielle et la densité déterminent la hauteur à laquelle un liquide s'élèvera par capillarité. Les déplacements capillaires de l'eau ont un rôle important dans la vie des plantes. Enfin, rappelons *l'osmose*, ce mouvement global de l'eau d'une solution aqueuse plus diluée vers une solution plus concentrée à travers une membrane semi-perméable. De tels mouvements déterminent la forme, l'aspect de ce qui vit.

L'eau est réellement un déterminant crucial dans la formation d'un environnement favorable. Au sens propre du terme, les organismes sont des systèmes aqueux dans un monde aqueux.

EXERCICES

1. Calculer le pH des solutions suivantes :

a. 5×10^{-4} *M* HCl

b. 7×10^{-5} *M* NaOH

c. 2 μM HCl

d. 3×10^{-2} *M* KOH

e. 0,04 m*M* HCl

f. 6×10^{-9} *M* HCl

2. À partir des valeurs de pH données Tableau 2.3, calculer les concentrations suivantes :

a. $[H^+]$ dans le vinaigre

b. $[H^+]$ dans la salive

c. $[H^+]$ dans l'ammoniaque utilisée pour les nettoyages

d. $[OH^-]$ dans le lait de magnésie

e. $[OH^-]$ dans la bière

f. $[H^+]$ à l'intérieur d'une cellule hépatique

3. Le pH d'une solution d'un acide faible est 4,6.

a. Quelle est $[H^+]$ dans cette solution ?

b. Calculer la constante de dissociation K_a et le pK_a de cet acide.

4. Le K_a de l'acide formique est 1,78 x 10^{-4} *M*.

a. Quel est le pH d'une solution 0,1 *M* ?

b. On ajoute 150 ml de NaOH 0,1 *M* à 200 ml d'acide formique 0,1 *M* et suffisamment d'eau pour amener le volume final à 1 l. Quel est le pH de la solution ?

5. En partant de deux solutions 0,1 *M* d'acide acétique et d'acétate de sodium décrire la préparation d'un litre de tampon acétate 0,1 *M* à pH 5,4.

6. Si le pH intracellulaire d'une cellule musculaire est 6,8, quelle est la valeur du rapport $[HPO_4^{2-}]/[H_2PO_4^-]$ dans la cellule ?

7. En partant de deux solutions 0,1 *M* de Na_3PO_4 et de H_3PO_4 décrire la préparation d'un litre de tampon phosphate 0,1 *M* à pH 7,5. Quelles sont les concentrations molaires des ions de la solution tampon, y compris celles de Na^+ et de H^+ ?

8. La BICINE est une substance contenant un groupement amine tertiaire dont le pK_a est 8,3 (Figure 2.18). Soit 1 l de BICINE 0,05 *M* dont le groupement amine tertiaire n'est pas protoné, combien faut-il ajouter d'HCl 0,1 *N* pour obtenir une solution tampon à pH 7,5 ? Quelle est la molarité de la BICINE dans ce tampon ?

9. Quels sont, approximativement, les rapports des concentrations des espèces suivantes de phosphate aux pH 0, 2, 4, 6, 8, 10 et 12 ?

a. H_3PO_4

b. $H_2PO_4^-$

c. HPO_4^{2-}

d. PO_4^{3-}

10. L'acide citrique, un acide tricarboxylique du métabolisme intermédiaire, peut être représenté par H_3A. Ses réactions de dissociation sont les suivantes :

$$H_3A \rightleftharpoons H^+ + H_2A^- \qquad pK_1 = 3,13$$
$$H_2A^- \rightleftharpoons H^+ + HA^{2-} \qquad pK_2 = 4,76$$
$$HA^{2-} \rightleftharpoons H^+ + A^{3-} \qquad pK_1 = 6,40$$

Si la concentration *totale* de l'acide *et* de ses formes anioniques est 0,02 *M*, quelles sont les concentrations individuelles de H_3A, H_2A^-, HA^{2-}, et de A^{3-}, à pH 5,2 ?

11. a. Si on ajoute 50 ml d'HCl 0,01 *M* à 100 ml de tampon phosphate 0,05 *M* à pH 7,2, que sera le pH final ? Quelles seront alors les concentrations de $H_2PO_4^-$ et de HPO_4^{2-} ?

b. Si on ajoute 50 ml de OHNa 0,01 *M* à 100 ml de tampon phosphate 0,05 *M* à pH 7,2, que sera le pH final ? Quelles seront alors les concentrations de $H_2PO_4^-$ et de HPO_4^{2-} ?

12. Si le pH du plasma sanguin est de 7,4 et si la concentration de HCO_3^- dans le plasma est 15 m*M*, quelle est la concentration de $H_2CO_3^-$? Quelle est la concentration de CO_2(dissous) ? Si l'activité métabolique modifie la concentration de CO_2(dissous) qui devient 3 m*M* et que $[HCO_3^-]$ reste 15 mM, quel sera le pH du plasma ?

LECTURES COMPLÉMENTAIRES

Beynon, R.J., et Easterby, J.S., 1996. *Buffer Solutions : The Basics.* New York : IRL Press : Oxford University Press.

Cooper, T.G., 1977. *The Tools of Biochemistry*, Chap. 1. New York : John Wiley & Sons.

Darvey, I.G., et Ralston, G.B., 1993. Titration curves – misshapen or mislabeled ? *Trends in Biochemical Sciences* **18** : 69-71.

Edsall, J.T., et Wyman, J., 1958. Carbon dioxide and carbonic acid, in *Biophysical Chemistry*, Vol. 1, Chap. 10. New York : Academic Press.

Franks, F., ed., 1982. *The Biophysics of Water.* New York : John Wiley & Sons.

Henderson, L.J., 1913. *The Fitness of the Environment.* New York : Macmillan Co. (republié 1970. Gloucester, MA : P. Smith).

Hille, B., 1992. *Ionic Channels of Excitable Membranes*, 2nd ed., Chap. 10. Sunderland, MA : Sinauer Associates.

Masoro, E.J., et Siegel, P.D., 1971. *Acid-Base Regulation : Its Physiology and Pathophysiology.* Philadelphia : WB Saunders Co.

Perrin, D.D., 1982. *Ionization Constants of Inorganic Acids and Bases in Aqueous Solution.* New York : Pergamon Press.

Rose, B.D., 1994. *Clinical Physiology of Acid-Base and Electrolyte Disorders*, 4th ed., New York : McGraw-Hill, Inc.

Segel, I.H., 1976. *Biochemical Calculations*, 2nd ed., Chap. 1. New York : John Wiley & Sons.

Stillinger, F.H., 1980. Water revisisted. *Science* **209** : 451-457.

« Une théorie est d'autant plus impressionnante que ses bases sont plus simples, que les faits et les phénomènes qu'elle rapproche sont différents et que ses applications sont plus étendues et variées. C'est la raison pour laquelle la thermodynamique classique m'a fait une si profonde impression. C'est la seule théorie physique d'une valeur universelle dont, dans les limites de l'application de ses concepts de base, je suis convaincu qu'elle ne sera jamais dépassée. »

ALBERT EINSTEIN

Chapitre 3

Thermodynamique des systèmes biologiques

PLAN

Le soleil, emblème de Louis XIV, sur un portail du Château de Versailles. Le soleil est la source principale d'énergie pour la vie sur Terre et la thermodynamique ouvre la voie à la compréhension du métabolisme. (Giraudon/Art Research, New York)

Les activités des organismes vivants exigent de l'énergie. Les mouvements, la croissance, la synthèse des biomolécules et le transport des ions à travers la membrane demandent un apport énergétique. Tous les organismes doivent obtenir de leur environnement l'énergie dont ils ont besoin et doivent utiliser efficacement cette énergie indispensable à leur survie. L'étude de ces phénomènes bioénergétiques exige une certaine familiarité avec la **thermodynamique**, un ensemble de principes décrivant les flux et les échanges de chaleur, d'énergie et de matière dans les systèmes considérés. La thermodynamique nous permet également de déterminer si un processus chimique ou une réaction peut ou non se dérouler spontanément. Tout étudiant devrait apprécier le pouvoir et la valeur pratique du raisonnement thermodynamique et se rendre compte que les efforts nécessaires pour l'assimiler sont des plus justifiés.

Même les aspects les plus complexes de la thermodynamique, et parfois difficiles à comprendre, sont en fin de compte basés sur trois principes plutôt simples et clairement énoncés. Ces principes et leurs conséquences vont parfois à l'encontre de notre connaissance intuitive. Mais, une fois que les principes de base sont réellement compris, ils deviennent des plus utiles pour mettre de l'ordre dans les problèmes chimiques et biochimiques les plus compliqués. Au stade actuel du développement des sciences, le raisonnement thermodynamique devient agréable et constitue une activité intellectuellement très satisfaisante.

Plusieurs des principes de base de la thermodynamique seront présentés au cours de ce chapitre, y compris l'analyse des flux thermiques, la production de l'entropie, et le rôle de l'énergie libre, ainsi que la relation entre l'entropie et l'information. Quelques concepts annexes seront aussi considérés, par exemple celui de l'état standard, l'effet du pH sur l'énergie libre standard, l'effet de la concentration sur la variation nette de l'énergie libre d'une réaction, et l'importance des réactions couplées dans les processus métaboliques. Le chapitre s'achèvera avec une discussion sur l'ATP et d'autres composés à haut potentiel énergétique.

3.1 • Concepts de base de la thermodynamique

Dans toute considération thermodynamique, il faut faire la distinction entre un système et son environnement. Un **système** est une partie de *l'univers*, partie dont il est question, alors que **l'environnement** inclus tout le reste de l'univers (Figure 3.1). La nature du système doit également être spécifiée. Il y a fondamentalement trois systèmes : clos, isolé et ouvert. Un **système isolé** ne peut échanger ni matière ni énergie avec son environnement. Un **système clos** peut échanger de l'énergie avec son environnement, mais pas de la matière. Un **système ouvert** peut échanger de l'énergie et/ou de la matière avec son environnement. Les organismes vivants sont des exemples de systèmes ouverts qui échangent de la matière (aliments et produits d'élimination) et de la chaleur (provenant par exemple du métabolisme) avec l'environnement.

Système isolé
Pas d'échange de matière ni d'énergie

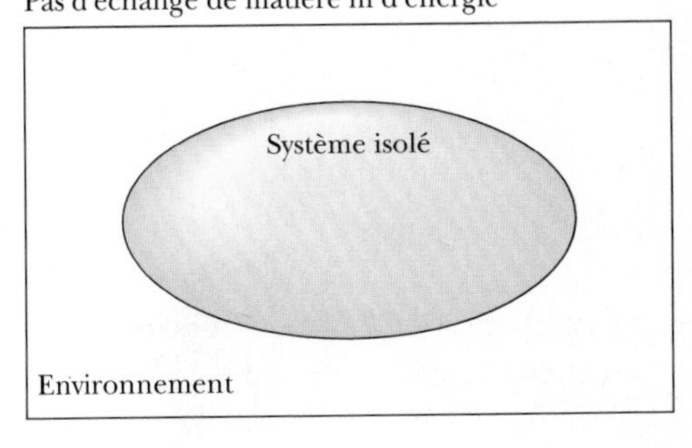

Système clos
Les échanges d'énergie sont possibles

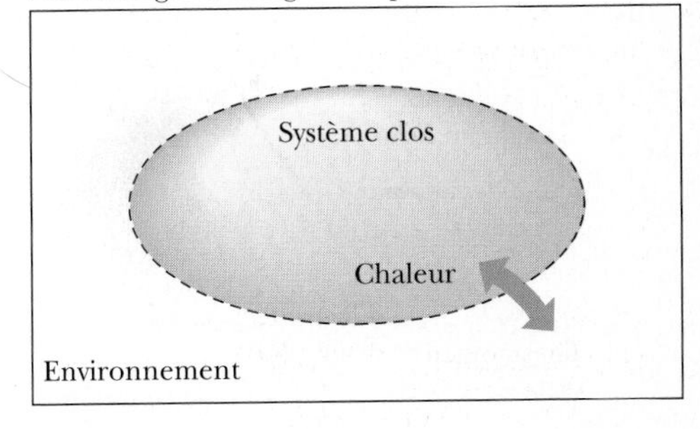

Système ouvert
Les échanges d'énergie et/ou de matière sont possibles

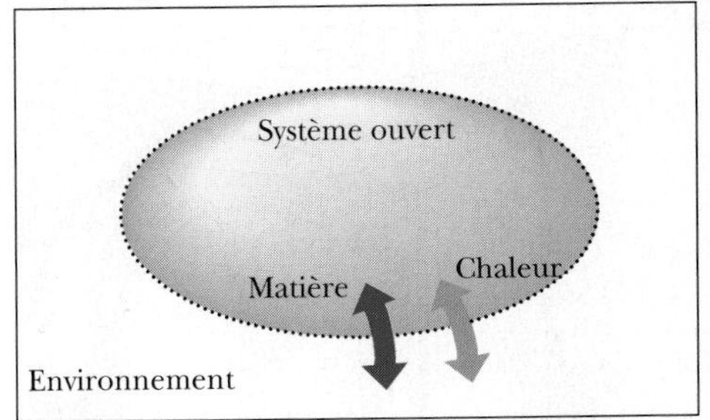

Figure 3.1 • Caractéristiques d'un système isolé, clos, ou ouvert. Un système isolé n'échange ni matière ni énergie avec son environnement. Un système clos peut échanger de l'énergie, mais pas de la matière avec son environnement. Un système ouvert peut échanger de l'énergie et de la matière avec son environnement.

Premier principe : chaleur, travail et autres formes d'énergie

Dès les débuts du développement de la thermodynamique on s'est rendu compte que la chaleur pouvait être convertie en une autre forme d'énergie puis, et surtout, que toute forme d'énergie pouvait être convertie en une autre forme d'énergie. **Le premier principe de la thermodynamique** énonce que *l'énergie totale d'un système isolé est toujours conservée.* Les thermodynamiciens ont formulé une fonction qui permet d'un point de vue mathématique de tenir compte des transferts de chaleur et de la consommation d'énergie due au travail dans un système thermodynamique. Cette fonction, appelée **l'énergie interne** est communément représentée par la lettre E ou U ; elle ne dépend que de l'état actuel de l'énergie d'un système, on dit donc qu'il s'agit d'une **fonction d'état**. Cette énergie interne est **indépendante de la voie** par laquelle le système est arrivé à son état actuel. Une extension de cette considération est qu'un système peut subir toutes sortes de modifications, mais que s'il revient à l'état d'origine, l'énergie interne, E, n'aura pas été modifiée par ces manipulations.

L'énergie interne, E, d'un système ne sera changée que si de l'énergie sous forme de travail ou de chaleur entre ou sort de ce système. Pour tout processus qui convertit un état (état 1) entre un autre état (état 2), la variation d'énergie interne ΔE est donné par

$$\Delta E = E_2 - E_1 = q + w \tag{3.1}$$

q étant la *quantité de chaleur absorbée par le système à partir de son environnement* (ou chaleur reçue par le système), et w le *travail effectué sur le système par son environnement.* **Le travail mécanique** est défini comme *le mouvement effectué* *sur une certaine distance en réponse à l'application d'une force.* Il faut qu'il y ait mouvement et force pour qu'un travail soit effectué. Par exemple si une personne tente, en vain, de soulever un poids trop lourd pour elle, d'un point de vue thermodynamique elle n'aura effectué aucun travail. (La dépense d'énergie musculaire est évacuée sous forme de chaleur). Dans les systèmes chimiques et biochimiques, le travail se rapporte souvent à une variation de pression ou de volume du système concerné. Le travail mécanique, w, reçu par le système est défini par $w = -P\Delta V$, où P est la pression et où le changement de volume ΔV est égal à $V_2 - V_1$. Lorsque le travail est ainsi défini, le signe à droite de l'Equation (3.1) est positif. (Parfois, w est défini comme le travail effectué *par* le système ; dans ce cas l'équation devient ($E = q - w$). Le travail peut avoir plusieurs formes, mécanique, électrique, magnétique, ou chimique. Dans toutes les circonstances, ΔE, q, et w doivent être exprimés dans les mêmes unités. La **calorie**, **cal** en abrégé, et la **kilocalorie** (**kcal**) ont traditionnellement été utilisées par les chimistes et les biochimistes, mais l'unité standard internationale (SI), le **joule**, est aujourd'hui recommandée.

Enthalpie : une fonction plus utile pour les systèmes biologiques

Si la définition du travail est limitée au travail mécanique, une intéressante simplification devient possible. Dans ce cas, ΔE n'est plus que la *chaleur échangée à volume constant.* Il en est ainsi car si le volume reste constant, aucun travail mécanique ne peut être reçu ni fourni par le système. Alors $\Delta E = q$. Donc ΔE est une quantité très utile dans les réactions à volume constant. Cependant, les réactions chimiques, et particulièrement les réactions biochimiques, ont le plus souvent lieu à pression constante. Dans ce cas, ΔE n'est pas nécessairement égal à la quantité de chaleur transférée. Pour cette raison, les chimistes et les biochimistes ont défini une autre fonction d'état, plus spécialement adaptée aux réactions à pression constante. Il s'agit de **l'enthalpie**, ***H*** (de *Heat*, chaleur en anglais), définie par

$$H = E + PV \tag{3.2}$$

Le caractère judicieux de cette définition n'est pas immédiatement apparent. Cependant, si la pression est constante, nous avons

$$\Delta H = \Delta E + P\Delta V = q + w + P\Delta V = q - P\Delta V + P\Delta V = q \tag{3.3}$$

Très clairement, dans un processus réactionnel à pression constante, ΔH est égal à la chaleur transférée. Les réactions biochimiques ayant normalement lieu en phase liquide ou solide plutôt qu'en phase gazeuse, les changements de volume sont très faibles et *l'enthalpie et l'énergie interne sont le plus souvent pratiquement égales.*

De façon à pouvoir comparer les paramètres thermodynamiques de différentes réactions, il convient de définir un *état standard.* Pour les solutés, l'état standard doit normalement tenir compte de l'activité (concentration effective), mais par simplification c'est la concentration 1 M qui est le plus souvent utilisée. L'enthalpie, l'énergie interne, et les autres quantités thermodynamiques sont généralement données, ou déterminées, pour des conditions d'état standard, ce qui est signalé par la notation « ^{o} », comme dans $\Delta H°$, $\Delta E°$, etc.

La variation d'enthalpie pour une réaction biochimique peut être déterminée expérimentalement en mesurant la chaleur absorbée (ou libérée) par la réaction dans un *calorimètre* (Figure 3.2). Pour tout processus $A \rightleftharpoons B$ à l'équilibre, la variation d'enthalpie standard peut être déterminée à partir de la constante d'équilibre qui varie en fonction de la température :

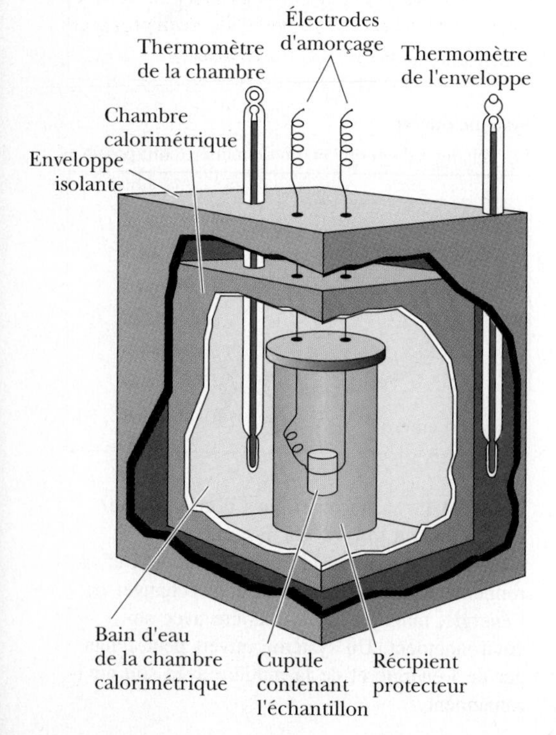

Figure 3.2 • Représentation schématique d'un calorimètre. Le récipient dans lequel s'effectue la réaction est totalement immergé dans un bain d'eau. La chaleur libérée par une réaction est déduite de l'élévation de la température du bain d'eau.

$$\Delta H^\circ = -R\,\frac{d(\ln K_{eq})}{d(1/T)} \qquad (3.4)$$

équation dans laquelle R, *constante des gaz*, = 8,314 J/mol.K. Le graphe le plus utilisé, celui de **Van't Hoff** s'obtient en portant $R(\ln K_{eq})$ en fonction de $1/T$.

EXEMPLE

Lors de l'étude de la dénaturation réversible de la chymotrypsine sous l'effet de la température [1],

$$\text{État natif (N)} \rightleftharpoons \text{État dénaturé (D)}$$
$$K_{eq} = [D]/[N]$$

John F. Brandts a mesuré les constantes d'équilibres pour la dénaturation du chymotrypsinogène en fonction du pH et de la température. Les résultats à pH 3 sont les suivants :

$T(K)$:	324,4	326,1	327,5	329,0	330,7	332,0	333,8
K_{eq} :	0,041	0,12	0,27	0,68	1,9	5,0	21

En portant $R(\ln K_{eq})$ en fonction de $1/T$ (graphe de Van't Hoff) on obtient le graphe représenté Figure 3.3. La valeur de ΔH° pour un processus de dénaturation à une température donnée correspond à la valeur négative de la pente de la courbe à cette température. À 54,5 °C (327,5 °K),

$$\Delta H^\circ = -[-3{,}2 - (-17{,}6)]/[(3{,}04 - 3{,}067) \times 10^{-3}] = +533 \text{ kJ/mol}$$

Que signifie cette valeur de ΔH° pour la dénaturation de la protéine? Des valeurs positives de ΔH° sont attendues résultant de la rupture de liaisons hydrogène et de l'exposition, lors de la dénaturation, des chaînes latérales hydrophobes provenant de l'intérieur de la protéine native. Ces événements devraient augmenter l'énergie de la solution protéique. La variation d'enthalpie du chymotrypsinogène à 54,5 °C (533 kJ/mol) est relativement importante comparée à celles des variations obtenues dans les mêmes conditions pour d'autres protéines, et à celle de la même protéine mesurée à 25 °C (Tableau 3.1). Si nous ne considérions que cet unique paramètre, la variation positive de l'enthalpie lors de la dénaturation, l'état natif reployé serait nettement favorisé. Nous verrons que d'autres paramètres doivent être pris en compte.

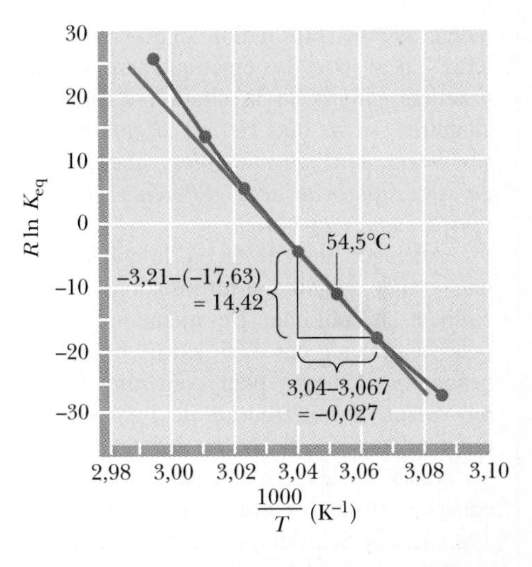

Figure 3.3 • La variation d'enthapie, ΔH°, d'une réaction peut être déterminée à partir de la pente d'une courbe de R ln K_{eq}, en fonction de 1/T. Pour illustrer la méthode, les valeurs expérimentales de deux points, pris de part et d'autre de la valeur correspondant à 327,5 °K (54,5 °C), ont été utilisées pour calculer ΔH° à 54,5 °C. L'utilisation d'une droite de régression eut été préférable. (*D'après Brandts* [1])

Tableau 3.1

Paramètres thermodynamiques de la dénaturation d'une protéine

Protéine (et conditions)	**ΔH° kJ/mol**	**ΔS° kJ/mol·K**	**ΔG° kJ/mol**	**ΔC_p kJ/mol·K**
Chymotrypsinogène (pH 3, 25 °C)	164	0,440	31	10,9
β-Lactoglobuline (5 *M* urée, pH 3, 25 °C)	–88	–0,300	2,5	9,0
Myoglobine (pH 9, 25 °C)	180	0,400	57	5,9
Ribonucléase (pH 2,5, 30 °C)	240	0,780	3,8	8,4

D'après Cantor C., et Schimmel, P., 1980. *Biophysical Chemistry*. San Francisco : W.H. Freeman, et Tanford, C., 1968. Protein denaturation. *Advances in Protein Chemistry* **23** : 121-282.

[1] Brandts, J.F., 1964. The thermodynamics of protein denaturation. I. The denaturation of chymotrypisogen. *Journal of the American Chemical Society* **86** : 4291-4301.

POUR EN SAVOIR PLUS

Entropie, information, et importance de la « négentropie »

Lorsque l'entropie d'un système thermodynamique augmente, ce système est moins ordonné. Inversement, une diminution de l'entropie reflète une augmentation de l'ordre. Plus un système est ordonné, plus il est organisé, c'est-à-dire qu'il possède une quantité d'information plus importante. Pour mieux concevoir les implications d'une diminution de l'entropie d'un système, considérez la distribution aléatoire des lettres de la figure à droite. Cette distribution désorganisée de lettres ne possède par elle-même aucune information significative. Par contre, cette série de lettres peut être systématiquement arrangée pour construire la première phrase de la citation d'Einstein placée en tête de ce chapitre : « *Une théorie est d'autant plus impressionnante que ses bases sont plus simples, que les faits et les phénomènes qu'elle rapproche sont différents et que ses applications sont plus étendues et variées.* »

Arrangée de cette façon, la collection des 165 lettres contient une grande quantité d'informations : les paroles profondes d'un éminent scientifique. De même qu'il a fallu fournir un effort pour réarranger ces 165 lettres et en faire une phrase, il faut beaucoup d'énergie pour construire un organisme et le maintenir vivant. Il faut fournir de l'énergie pour produire des structures organisées, riches en information, comme les protéines et les acides nucléiques. On peut considérer *l'information* contenue dans ces structures ordonnées comme une *entropie négative*. En 1945 Erwin Schrödinger, tout préoccupé qu'il fut par ses études sur la mécanique quantique, prit le temps nécessaire pour écrire un livre délicieux intitulé *Qu'est-ce que la vie ?* Dans cet ouvrage, Schrödinger inventa le terme *négentropie* pour décrire la variation négative d'entropie qui permet l'organisation d'un organisme vivant et l'information qu'il contient. Schrödinger fit remarquer que les organismes devaient « acquérir de la négentropie » pour rester vivants.

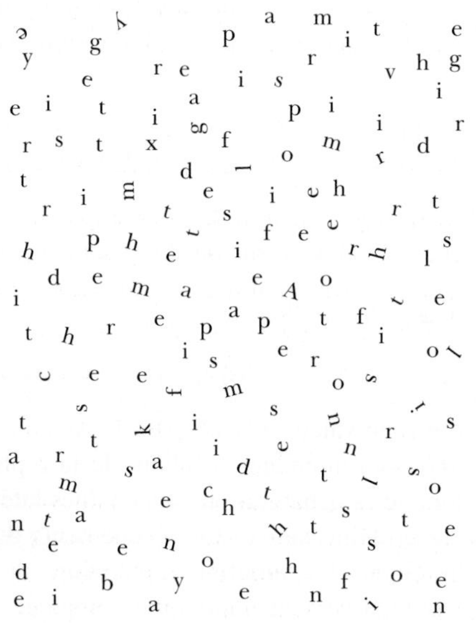

Deuxième principe et entropie : une façon ordonnée de penser le désordre

Il y a plusieurs manières d'énoncer le **deuxième principe de la thermodynamique**. Par exemple :

1. Les systèmes tendent à évoluer d'un état *ordonné* (à *basse entropie*, ou à faible probabilité), vers un état *désordonné* (à *haute entropie*, ou à haute probabilité).
2. *L'entropie* d'un système plus son environnement n'est pas modifiée par *les processus réversibles* ; l'entropie d'un système plus son environnement s'accroît pour *les processus irréversibles.*
3. Tous les processus naturels tendent à se mettre à **l'équilibre**, c'est-à-dire vers leur état d'énergie potentielle minimale.

Les deux premières expressions invoquent le concept d'**entropie**, *qui est une mesure du désordre dans un système* (ou de son environnement) et de la répartition aléatoire des composantes. Un état organisé, ou ordonné, a une faible entropie, tandis qu'un état désordonné est un état d'entropie élevée. Toutes choses étant égales par ailleurs, une réaction qui entraîne une grande variation positive d'entropie, ΔS, a plus de chance de se produire qu'une réaction avec une variation d'entropie moins importante, ou avec une variation d'entropie négative.

L'entropie peut, quantitativement, être définie de plusieurs façons. Si W est le nombre des arrangements possibles des composants d'un système (c'est-à-dire le nombre des états microscopiques, à une température et une pression données, et pour une même quantité de produit), sans changement d'énergie interne ou d'enthalpie, l'entropie est définie par

$$S = k \ln W \tag{3.5}$$

où k est la constante de Boltzman ($k = 1{,}38 \times 10^{-23}$ J/K). Cette définition est très utile pour les calculs statistiques (elle est en fait le fondement de la *thermodynamique statistique*), mais une définition plus commune relie l'entropie à la chaleur transférée lors d'une réaction :

$$dS_{\text{réversible}} = \frac{dq}{T} \tag{3.6}$$

où $dS_{\text{réversible}}$ est la variation d'entropie du système lors d'une réaction réversible[2], q la chaleur transférée et T la température à laquelle s'effectue le transfert de chaleur.

Troisième principe : pourquoi le « zéro absolu » est-il si important ?

Le troisième principe de la thermodynamique postule que l'entropie de toute substance cristallisée, avec des cristaux bien ordonnés, tend vers zéro lorsque la température tend vers 0 K et qu'à $T = 0$ K, *l'entropie est exactement égale à zéro.* À partir de cette donnée, il est possible d'établir une échelle quantitative d'entropie absolue, pour toute substance, telle que

$$S = \int_0^T C_P d \ln T \tag{3.7}$$

où C_P est la *capacité calorifique* à pression constante. La capacité calorifique d'une substance est la quantité de chaleur emmagasinée par une mole de cette substance lorsque sa température a augmenté d'un degré. À pression constante, la capacité calorifique est mathématiquement décrite par :

$$C_P = \frac{dH}{dT} \tag{3.8}$$

Si la capacité calorifique peut être déterminée pour toutes les températures comprises entre 0 K et la température concernée, il est possible de calculer l'entropie absolue. Pour les processus biologiques, il est plus utile de connaître les *variations d'entropie* que les entropies absolues. Il est possible de calculer la variation d'entropie d'un processus si la variation d'enthalpie et la *variation d'énergie libre* sont connues.

Énergie libre : une notion hypothétique, mais utile

Une question importante pour les chimistes et particulièrement pour les biochimistes est la suivante : « La réaction peut-elle se dérouler dans le sens écrit ? » J. Willard Gibbs, l'un des pères de la thermodynamique, a compris que la réponse à cette question se trouvait dans la comparaison entre la variation de l'enthalpie et la variation de l'entropie dans une réaction à une température donnée. **L'énergie libre de Gibbs**, G, est définie par :

$$G = H - TS \tag{3.9}$$

Pour tout processus de type A $\rightleftharpoons$ B, à pression et à température constantes, la *variation d'énergie libre* est donnée par :

$$\Delta G = \Delta H - T\Delta S \tag{3.10}$$

[2] Un processus réversible est un processus qui peut être inversé par la modification infinitésimale d'une variable.

Si ΔG est égal à 0, le processus réactionnel est à *l'équilibre*, il n'y a pas de flux net dans aucune des deux directions. Quand $\Delta G = 0$, $\Delta S = \Delta H/T$, et les variations d'enthalpie et d'entropie s'équilibrent exactement. Toute réaction dans laquelle ΔG n'est pas égal à 0 se déroulera spontanément vers un état final de plus faible énergie libre. Si ΔG est négatif, la réaction s'effectuera spontanément dans le sens écrit, si le ΔG est positif, la réaction se déroulera spontanément dans la direction inverse. (Ni le signe ni la valeur de ΔG ne permettent de déterminer quelle sera la *rapidité* de la réaction.) Si une réaction a un ΔG négatif, elle est **exergonique**, si ΔG est positif, la réaction est **endergonique**.

Variation de l'énergie libre standard

La variation d'énergie libre, ΔG, de toute réaction dépend de la nature des réactifs et des produits, mais aussi des conditions de la réaction, comme la température, la pression, le pH, et la concentration des réactifs et des produits. Pour les raisons qui ont déjà été précisées, il est utile de définir un état standard pour les réactions. Si la variation d'énergie libre est si sensible aux conditions de la réaction, quelle peut-être la signification de la variation d'énergie libre d'un état standard ? Pour répondre à cette question, considérons une réaction entre les réactifs A et B qui conduit à la formation des produits C et D.

$$\mathrm{A} + \mathrm{B} \rightleftharpoons \mathrm{C} + \mathrm{D} \tag{3.11}$$

La variation d'énergie libre pour des concentrations différentes de celle de l'état standard est donnée par la relation :

$$\Delta D = \Delta G^\circ + RT \ln \frac{[\mathrm{C}]\,[\mathrm{D}]}{[\mathrm{A}]\,[\mathrm{B}]} \tag{3.12}$$

À l'équilibre, $\Delta G = 0$ et $[\mathrm{C}]\,[\mathrm{D}]\,/\,[\mathrm{A}]\,[\mathrm{B}] = K_{eq}$. Nous avons donc :

$$\Delta G^\circ = -RT \ln K_{eq} \tag{3.13}$$

ou, en utilisant les logarithmes de base 10 :

$$\Delta G^\circ = -2{,}3RT \log_{10} K_{eq} \tag{3.14}$$

Cette équation peut être réarrangée :

$$K_{eq} = 10^{-\Delta G^\circ/2{,}3RT} \tag{3.15}$$

Quelle que soit la relation utilisée, chacune d'elle permet de calculer la variation d'énergie libre de l'état standard, pourvu que la constante d'équilibre soit connue. Ce qui est encore plus important, c'est qu'elle spécifie que *l'équilibre d'une réaction en solution varie en fonction de la variation d'énergie libre de l'état standard de cette réaction.* Ceci étant, ΔG° est une autre façon d'écrire la constante d'équilibre d'une réaction.

EXEMPLE

Les constantes d'équilibre à différentes températures, déterminées par Brandts lors de ses études sur la dénaturation thermique du chymotrypsinogène (cf. l'Exemple précédent), peuvent être utilisées pour calculer la variation d'énergie libre lors de la dénaturation. Par exemple, la constante d'équilibre à 54,5 °C est 0,27, nous aurons :

$$\Delta G^\circ = -(8{,}314\ \mathrm{J/mol \cdot K})\,(327{,}5\ \mathrm{K})\ \ln\,(0{,}27)$$

$$\Delta G^\circ = -(2{,}72\ \mathrm{kJ/mol})\ \ln\,(0{,}27)$$

$$\Delta G^\circ = 3{,}56\ \mathrm{kJ/mol}$$

La valeur positive de ΔG° signifie que le processus de dénaturation est thermodynamiquement défavorable, c'est-à-dire qu'à 54,5 °C la forme reployée est la forme la plus stable. Mais la faible valeur de ΔG° signifie également que la forme reployée n'est que faiblement favorisée. La Figure 3.4 représente la courbe de la variation de $\Delta G°$ en fonction de la température lors de la dénaturation à pH 3 (courbe tracée à partir des valeurs citées dans l'exemple de la page 59).

Ayant calculé $\Delta H°$ et $\Delta G°$ pour la dénaturation du chymotrypsinogène, nous pouvons aussi calculer $\Delta S°$ à l'aide de l'Équation, (3.10) :

$$\Delta S° = -\frac{(\Delta G° - \Delta H°)}{T} \tag{3.16}$$

A 54,5 °C (327,5 °K) nous aurons :

$$\Delta S° = -(3560 - 533{,}000 \text{ J/mol}) / 327{,}5 \text{ K}$$
$$\Delta S° = 1{,}620 \text{ J/mol}\cdot\text{K}$$

La Figure 3.5 représente la variation de $\Delta S°$ en fonction de la température lors de la dénaturation du chymotrypsinogène à pH 3. La valeur positive de $\Delta S°$ signifie que la solution protéique devient plus désordonnée quand la protéine se déploie. La comparaison de la valeur calculée de $\Delta S°$, 1,62 kJ/mol·K, à 54,5 °C, avec les valeurs de $\Delta S°$ données dans le Tableau 3.1, mais pour des températures plus basses, montre que l'écart est assez important. La signification physique des paramètres thermodynamiques de la dénaturation du chymotrypsinogène sera explicitée dans la section suivante.

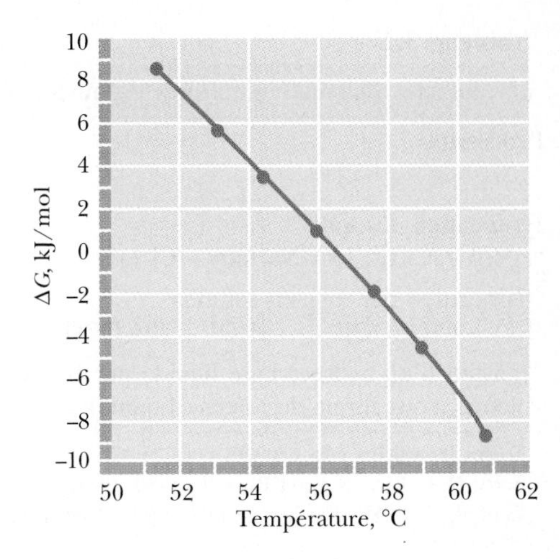

Figure 3.4 • Influence de la température sur $\Delta G°$ de la dénaturation du chymotrypsinogène. *(D'après Brandts, J.F., 1964. The thermodynamics of protein denaturation. I. The denaturation of chymotrypsinogen.* Journal of the American Chemical Society **86** *: 4291-4301.)*

3.2 • Signification physique des paramètres thermodynamiques

Les paramètres thermodynamiques peuvent-ils nous renseigner sur les événements biochimiques ? La meilleure réponse à cette question est qu'un seul paramètre ($\Delta H°$ou $\Delta S°$ par exemple) n'a guère de signification. Un $\Delta H°$ positif lors du déploiement (de la dénaturation) d'une protéine peut résulter *soit* de la rupture de liaisons hydrogène intramoléculaires soit de l'exposition de chaînes latérales hydrophobes à l'eau de la solution (Figure 3.6). Cependant, *la comparaison de plusieurs paramètres thermodynamiques peut fournir des renseignements intéressants sur un processus.* Par exemple, le transfert des ions Na^+ et Cl^- d'une phase gazeuse vers une phase aqueuse se traduit par un important $\Delta H°$ négatif (et donc très favorable à la stabilisation des ions en solution) et en comparaison, un faible $\Delta S°$ (Tableau 3.2). La variation négative de l'entropie reflète l'organisation des molécules d'eau dans la couche d'hydratation des ions Na^+ et Cl^-. Cet effet défavorable est beaucoup plus que compensé par la très grande chaleur d'hydratation nettement favorable à la dissolution (le $\Delta G°$ est largement négatif). La variation négative de l'entropie lors de la dissociation de l'acide acétique dans l'eau reflète de même l'organisation des molécules d'eau dans la couche d'hydratation des ions. Mais dans ce cas, la variation d'enthalpie est quantitativement moins importante. Il en résulte que le $\Delta G°$ de

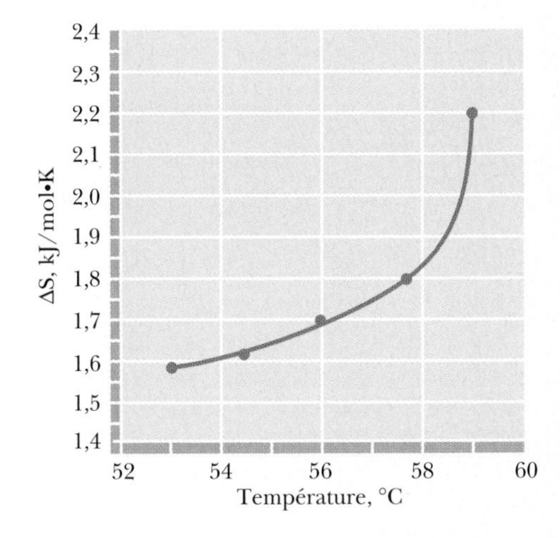

Figure 3.5 • Variation de $\Delta S°$ en fonction de la température de la dénaturation du chymotrypsinogène. *(D'après Brandts, J.F., 1964. The thermodynamics of protein denaturation. I. The denaturation of chymotrypsinogen.* Journal of the American Chemical Society **86** *: 4291-4301.)*

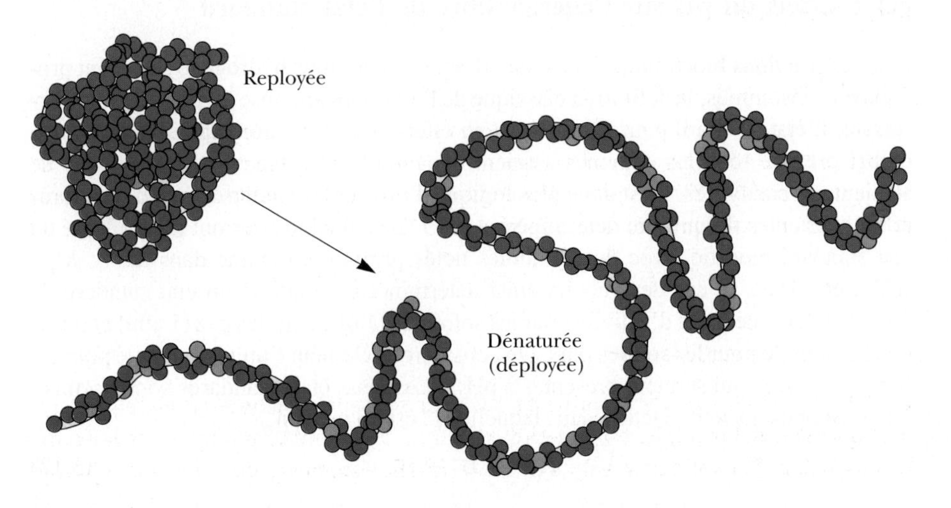

Figure 3.6 • La dénaturation d'une protéine globulaire expose de nombreux groupes non polaires à l'environnement aqueux. Ces groupes perturbent l'ordre dans le solvant, avec pour conséquence une valeur négative pour le $\Delta S°$ de la dénaturation. Les sphères jaunes représentent les groupes non polaires ; les sphères bleues les groupes polaires et, ou, ionisés.

Tableau 3.2

Paramètres thermodynamiques de quelques processus simples *

Processus	$\Delta H°$ kJ/mol	$\Delta S°$ kJ/mol·K	$\Delta G°$ kJ/mol	ΔC_P kJ/mol·K
Hydratation des ions†				
$Na^+(g) + Cl^-(g) \longrightarrow Na^+(aq) + Cl^-(aq)$	–760,0	–0,185	–705,0	
Dissociation des ions en solution‡				
$H_2O + CH_3COOH \longrightarrow H_3O^+ + CH_3COO^-$	–10,3	–0,126	27,26	–0,143
Transfert d'un hydrocarbure liquide pur vers l'eau‡				
Toluène (sous forme de toluène liquide) ⟶ toluène (en solution aqueuse)	1,72	–0,071	22,7	0,265

* Toutes les valeurs sont données pour 25 °C.
† Berry, R.S., Rice, S.A., et Ross, J., 1980. *Physical Chemistry*. New York : John Wiley.
‡ Tanford, C., 1980. *The Hydrophobic Effect*. New York : John Wiley.

la dissociation de l'acide acétique dans l'eau est positif, et l'acide acétique est donc un acide très peu dissocié, c'est un acide faible.

Le transfert d'une molécule d'un hydrocarbure non polaire, de sa forme liquide pure vers l'eau est un bon modèle pour étudier les conséquences de l'exposition des groupements hydrophobes au solvant lorsqu'une protéine globulaire se déploie. Le transfert du toluène sous forme liquide vers l'eau, entraîne un $\Delta S°$ négatif, un $\Delta G°$ positif, et un $\Delta H°$ petit, comparé à $\Delta G°$ (phénomène déjà observé pour la dissolution de l'acide acétique). *Ce qui distingue ces deux processus très différents, c'est le changement de la capacité calorifique* (Tableau 3.2). Un changement positif de capacité calorifique pour un processus traduit le fait que les molécules impliquées ont acquis de nouvelles possibilités de mobilité (et donc d'emmagasiner de l'énergie). Un ΔC_P négatif indique, au contraire, que le processus a eu pour conséquence de diminuer la liberté de mouvement des molécules impliquées. ΔC_P est négatif pour la dissociation de l'acide acétique, il est positif pour le transfert du toluène à l'eau. Les molécules polaires et non polaires organisent *toutes deux* les molécules d'eau à proximité, mais cela se fait de *deux manières différentes*. Les molécules d'eau près d'un soluté non polaire sont organisées, mais cette *organisation est labile*. Les liaisons hydrogène entre les molécules d'eau au voisinage des solutés non polaires se réarrangent plus rapidement que les liaisons hydrogène de l'eau pure. Par contre les liaisons hydrogène formées entre les molécules d'eau au voisinage d'un ion sont moins labiles (elles se réarrangent plus lentement) que celles de l'eau pure. Cela doit donc se traduire par un ΔC_P négatif pour la dissociation des ions en solution, ce qui est effectivement observé pour l'acide acétique (Tableau 3.2).

3.3 • Effets du pH sur l'énergie libre de l'état standard

Pour les réactions biochimiques au cours desquelles des ions hydrogène (H^+) sont produits ou consommés, la définition classique de l'état standard pose un problème embarrassant. L'état standard pour l'ion H^+ est en effet 1 *M*, ce qui correspond à pH = 0. À ce pH presque tous les enzymes seraient dénaturés et les réactions biologiques ne seraient pas catalysées. Il est donc plus logique d'utiliser les valeurs des énergies libres et les constantes d'équilibre déterminées à pH 7. Les biochimistes ont ainsi adopté un état standard modifié, avec des symboles notés prime ($'$), comme dans $\Delta G°'$, K'_{eq}, $\Delta H°'$, etc. Dans le cas des valeurs ainsi déterminées, on admet un état standard de 10^{-7} *M* H^+, d'une unité d'activité pour les solutions (1 *M*), pour les gaz (1 atm) et d'une unité d'activité pour les solides purs. On considère également l'unité d'activité pour les formes ionisées qui seraient présentes à pH 7. Les deux états standards sont aisément reliés. Supposons une réaction dans laquelle H^+ est un produit,

$$A \longrightarrow B^- + H^+ \qquad (3.17)$$

la relation entre les constantes d'équilibre des deux états standards est :

$$K_{eq}' = K_{eq}[H^+] \tag{3.18}$$

et $\Delta G^{\circ\prime}$ est donné par :

$$\Delta G^{\circ\prime} = \Delta G^\circ + RT \ln [H^+] \tag{3.19}$$

Pour une réaction qui consomme H^+ :

$$A^- + H^+ \longrightarrow B \tag{3.20}$$

la relation entre les constantes d'équilibre est :

$$K_{eq}' = \frac{K_{eq}}{[H^+]} \tag{3.21}$$

et $\Delta G^{\circ\prime}$ est donné par :

$$\Delta G^{\circ\prime} = \Delta G^\circ + RT \ln \left(\frac{1}{[H^+]}\right) = \Delta G^\circ - RT \ln [H+] \tag{3.22}$$

3.4 • Importance de l'effet de la concentration sur les changements nets d'énergie libre

L'Équation (13.12) montre que la valeur de la variation de l'énergie libre d'une réaction peut être très différente de celle de l'état standard si les concentrations des réactifs et des produits sont sensiblement différentes de l'unité d'activité (1 *M* pour les solutions). Les effets peuvent souvent être surprenants. Soit l'hydrolyse de la phosphocréatine :

$$\text{Phosphocréatine} + H_2O \longrightarrow \text{créatine} + P_i \tag{3.23}$$

Cette réaction est fortement exergonique, et le ΔG° à 37 °C est de –42,8 kJ. Dans les conditions physiologiques, les concentrations de la phosphocréatine, de la créatine, et du phosphate inorganique, sont normalement de 1 m*M* à 10 m*M*. Supposons qu'elles soient de 1 m*M*, d'après l'Équation (3.12), le ΔG de l'hydrolyse de la phosphocréatine sera :

$$\Delta G = -42{,}8 \text{ kJ/mol} + (8{,}314 \text{ J/mol}\cdot\text{K})(310 \text{ K}) \ln \left(\frac{[0{,}001]\,[0{,}001]}{[0{,}001]}\right) \tag{3.24}$$

À 37 °C, la différence entre la valeur de la variation d'énergie libre à l'état standard et celle de la réaction avec des concentrations de 1 m*M* est voisine de –17,7 kJ/mol.

3.5 • Importance des processus réactionnels couplés dans les organismes vivants

De nombreuses réactions nécessaires à la vie des cellules et des organismes se déroulent dans une direction opposée à celle de leur **potentiel thermodynamique**, c'est-à-dire dans la direction de ΔG positif. Il s'agit par exemple de la synthèse de l'adénosine triphosphate, de celles d'autres molécules à haut potentiel énergétique et de la création d'un gradient ionique dans toutes les cellules de mammifères. Ces processus sont entraînés dans une direction thermodynamiquement défavorable par un *couplage* avec un processus hautement favorable. Nous rencontrerons ultérieurement de multiples *processus couplés*. Nous verrons qu'ils sont d'une importance cruciale dans le métabolisme intermédiaire, dans les oxydations phosphorylantes, ou encore dans le transport membranaire.

Il est possible de prédire si des paires de réactions couplées pourront se dérouler spontanément, simplement en additionnant les variations d'énergie libre de chacune des réactions. Par exemple, examinons une des réactions de la glycolyse (Chapitre 19) la réaction qui aboutit à la conversion du phosphoénolpyruvate (PEP) en

$$\underset{\text{PEP}}{COO^- - C(OPO_3^{2-})=CH_2} \xrightarrow{ADP + P_i \;\; ATP} \underset{\text{Pyruvate}}{COO^- - C(=O) - CH_3}$$

Figure 3.7 • Réaction catalysée par la pyruvate kinase.

pyruvate (Figure 3.7). L'hydrolyse du PEP est énergétiquement très favorable, elle est utilisée pour entraîner la phosphorylation de l'ADP en ATP. En utilisant les valeurs de (*G* typiques pour les érythrocytes humains nous avons :

$$PEP + H_2O \longrightarrow \text{pyruvate} + P_i \qquad \Delta G = -78 \text{ kJ/mol} \qquad (3.26)$$

$$ADP + P_i \longrightarrow ATP + H_2O \qquad \Delta G = +55 \text{ kJ/mol} \qquad (3.27)$$

$$PEP + ADP \longrightarrow \text{pyruvate} + ATP \qquad \Delta G \text{ total} = -23 \text{ kJ/mol} \qquad (3.28)$$

La réaction nette catalysée par la pyruvate kinase dépend du couplage entre les deux réactions, représentées par les Équations (3.26) et (3.27), donne la réaction de l'Équation (15.29) ; le total à un $\Delta G°'$ net négatif. Nous rencontrerons de nombreux autres exemples de réactions couplées dans la partie consacrée au métabolisme intermédiaire (Partie III). Il faut aussi signaler dès à présent que de nombreux systèmes biochimiques complexes dont il sera question dans ce traité impliquent des réactions avec une valeur de $\Delta G°'$ positive. Ces réactions ne peuvent se dérouler qu'avec leur couplage à des réactions à $\Delta G°'$ négatif.

3.6 • Biomolécules à haut potentiel énergétique

Presque tout le monde vivant sur Terre dépend de l'énergie solaire. Parmi les différentes formes de vie, on constate une hiérarchie fondée sur l'origine de l'énergie utilisée : certains organismes captent directement l'énergie solaire, d'autres utilisent l'énergie accumulée par ce premier groupe d'organismes. Les **organismes phototrophes** absorbent directement l'énergie solaire. Ces organismes accumulent l'énergie solaire sous forme de diverses molécules organiques. Les **organismes chimiotrophes** se nourrissent aux dépens de ces dernières molécules et libèrent l'énergie mise en réserve par une série de réactions d'oxydation. En dépit de cette différence fondamentale, les deux types d'organismes ont en commun des mécanismes permettant de générer une forme utilisable d'énergie chimique. Une fois mise en réserve sous forme chimique, l'énergie peut être libérée par des réactions exergoniques contrôlées permettant une grande variété de réactions endergoniques (qui requièrent de l'énergie) dans la cellule vivante. Un petit groupe de biomolécules, universelles, intervient dans le flux énergétique qui va des réactions exergoniques vers les processus vitaux qui exigent de l'énergie. Ces molécules sont des *coenzymes réduits* (cf. Chapitre 14) et des *substances phosphorylées à haut potentiel énergétique*. Une substance phosphorylée est considérée à haut potentiel énergétique si son hydrolyse s'accompagne d'une grande variation d'énergie libre (c'est-à-dire que $\Delta G°'$ est plus négatif que –25 kJ/mol).

Le Tableau 3.3 donne la liste des principales substances biologiques phosphorylées à haut potentiel d'énergie. Ces molécules comprennent en particulier les *anhydrides phosphoriques* (ADP, ATP), un *énolphosphate* (PEP), un *acyl-phosphate* (acétyl-phosphate) et un *guanidinophosphate* (la phosphocréatine). La liste comprend également des thioesters, comme l'acétyl-CoA, qui ne contiennent pas de phosphate mais qui présentent une importante variation d'énergie libre lors de leur hydrolyse. Ainsi que nous l'avons vu au début de ce chapitre, la quantité exacte d'énergie libre chimiquement utilisable par suite de l'hydrolyse de ces molécules dépendra de la concentration, du pH, de la température, etc., mais les valeurs de $\Delta G°'$ resteront toujours substantiellement plus négatives que celles des autres métabolites. Deux précisions sont importantes. Premièrement, les substances phosphorylées à haut potentiel énergétique ne sont pas des molécules pouvant servir de réserve d'énergie à long terme. Ce sont des formes d'énergie *transitoires* destinées à transférer l'énergie de réaction en réaction, d'un système enzymatique à un autre, dans l'existence immédiate de la cellule. (Nous verrons dans les chapitres suivants que d'autres molécules interviennent dans la mise en réserve de l'énergie pour le long terme). Deuxièmement, le terme « substance à haut potentiel énergétique » ne doit pas être inter-

Tableau 3.3

Énergie libre d'hydrolyse de quelques molécules à haut potentiel d'hydrolyse*

Molécule (et produits d'hydrolyse)	$\Delta G°'$ (kJ/mol)	Structure
Phosphoénolpyruvate (pyruvate + P_i)	–62,2	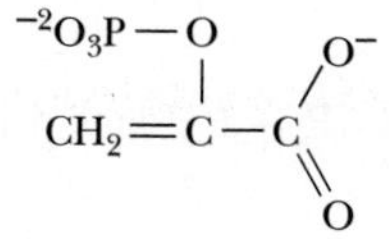 $CH_2=C(O-PO_3^{2-})-COO^-$
Adénosine-3',5'-monophosphate cyclique (5'-AMP)	–50,4	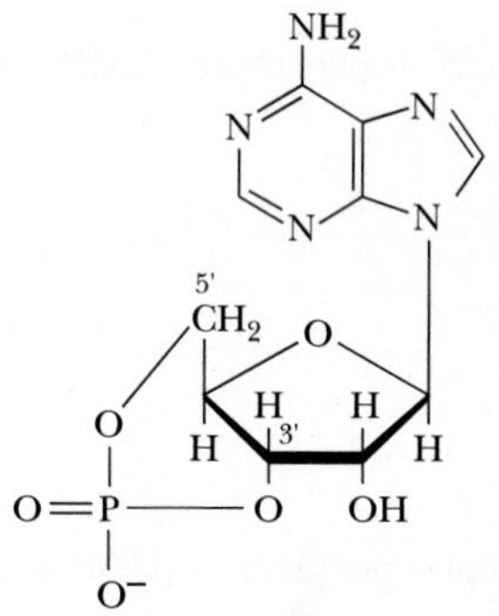
1,3-Bisphosphoglycérate (3-phosphoglycérate + P_i)	–49,6	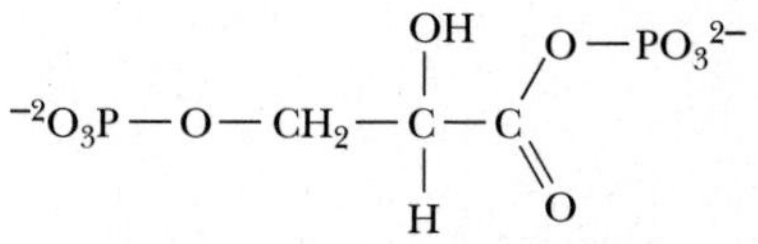 $^{-2}O_3P-O-CH_2-CH(OH)-C(=O)-O-PO_3^{2-}$
Créatine-phosphate (créatine + P_i)	–43,3	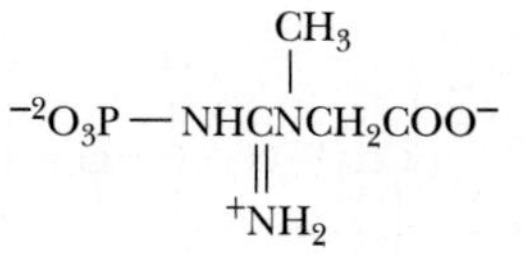 $^{-2}O_3P-NHC(=^{+}NH_2)N(CH_3)CH_2COO^-$
Acétyl-phosphate (acétate + P_i)	–43,3	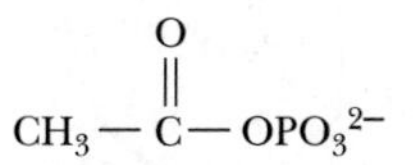 $CH_3-C(=O)-OPO_3^{2-}$
Adénosine-5'-triphosphate (ADP + Pi)	–35,7†	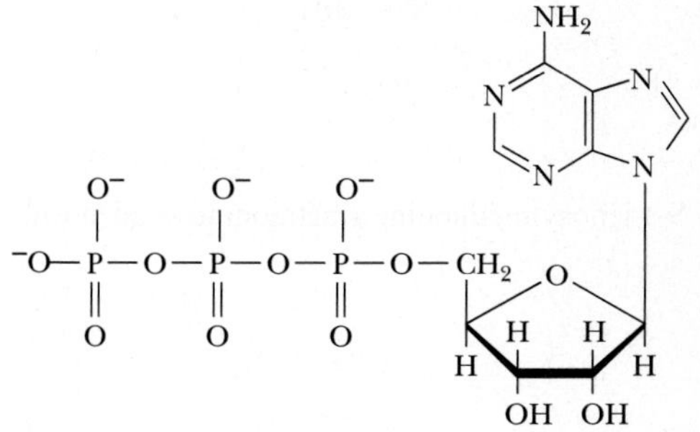
Adénosine-5'-triphosphate (ADP + P_i), Mg^{2+} en excès	**–30,5**	
Adénosine-5'-diphosphate (AMP + P_i)	–35,7	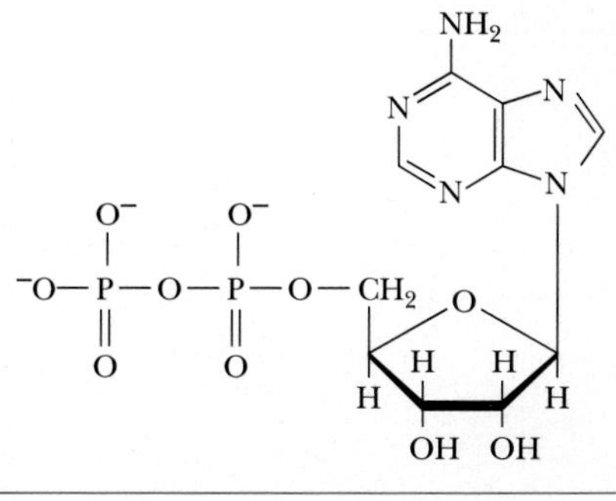

(à suivre)

Tableau 3.3
suite

Molécule (et produits d'hydrolyse)	$\Delta G^{\circ\prime}$ (kJ/mol)	Structure
Pyrophosphate (P_i + P_i) dans 5 m*M* Mg^{2+}	–33,6	$^{-}O-P(=O)(O^{-})-O-P(=O)(O^{-})-O^{-}$
Adénosine-5'-triphosphate (AMP + PP_i), Mg^{2+} en excès	–32,3	(voir structure de l'ATP page précédente)
Uridine diphosphoglucose (UDP + glucose)	–31,9	
Acétyl-coenzyme A (acétate + CoA)	–31,5	Adénine
S-adénosylméthionine (méthionine + adénosine)	–25,6‡	

prété comme signifiant que ces molécules sont instables et s'hydrolysent ou se décomposent de façon non prévisible. Par exemple, l'ATP est une molécule relativement stable. Il faut fournir une énergie d'activation substantielle pour obtenir l'hydrolyse du groupe phosphate terminal (ou γ-phosphate). En fait, *l'énergie d'activation* que la molécule doit absorber pour la rupture de la liaison O–P est normalement de 200 à 400 kJ/mol, ce qui est beaucoup plus grand que l'énergie nette de 30,5 kJ/mol libérée par la réaction d'hydrolyse (Figure 3.8). Les biochimistes attachent plus d'importance à la *libération nette* de 30,5 kJ/mol qu'à l'énergie d'acti-

Molécule (et produits d'hydrolyse)	$\Delta G^{\circ\prime}$ (kJ/mol)	Structure
Molécules à bas potentiel énergétique		
Glucose-I-P (glucose + P_i)	–21,0	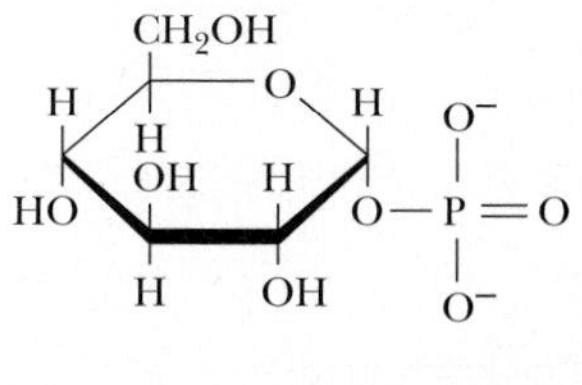
Fructose-I-P (fructose + P_i)	–16,0	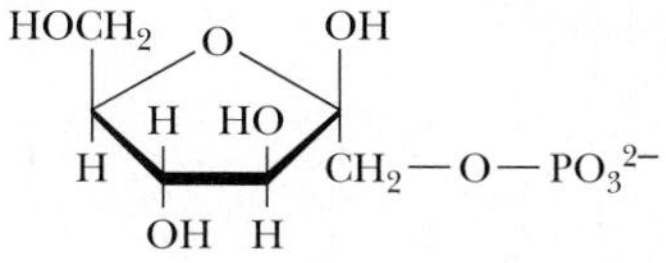
Glucose-6-P (glucose + P_i)	–13,9	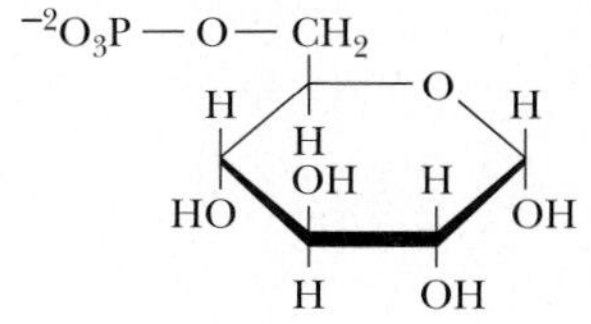
sn-Glycérol-3-phosphate (glycérol + P_i)	–9,2	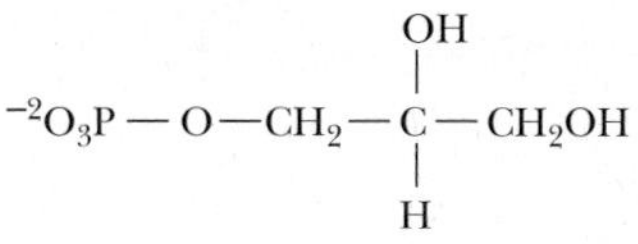 $^{-2}O_3P-O-CH_2-C(OH)(H)-CH_2OH$
Adénosine-5'-monophosphate (adénosine + P_i)	–9,2	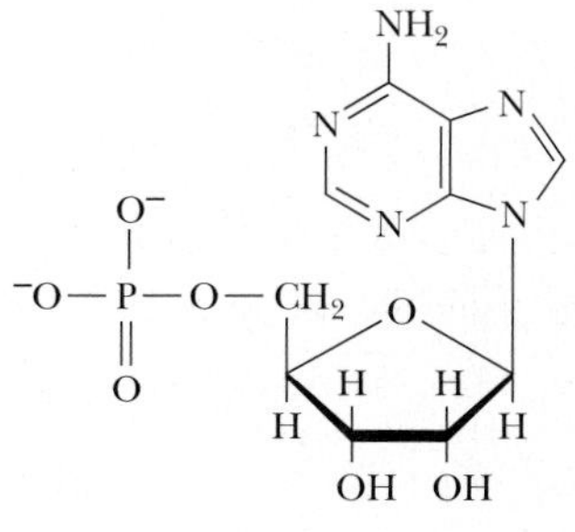

* Extrait principalement de *Handbook of Biochemistry and Molecular Biology*, 1976, 3rd ed. In *Physical and Chemical Data*, G. Fasman, ed., Vol. 1, pp. 296-304. Boca Raton, FL : CRC Press.

† D'après Gwynn, R.W., et Veech, R.L., 1973. The equilibrium constants of the adenosine triphosphate hydrolysis and the adenosine triphosphate-citrate lyase reactions. *Journal of Biological Chemistry* **248** : 6966-6972.

‡ D'après Mudd, H., et Mann, J., 1963. Activation of methionine for transmethylation. *Journal of Biological Chemistry* **238** : 2164-2170.

vation de la réaction (car un enzyme approprié intervient pour abaisser cette dernière). La libération nette d'une grande quantité d'énergie libre distingue les anhydrides phosphoriques de leurs cousins esters, comme le glycérol-3-phosphate, à « bas niveau énergétique » (Tableau 3.3). La section suivante précisera les notions quantitatives permettant de comprendre ces comparaisons.

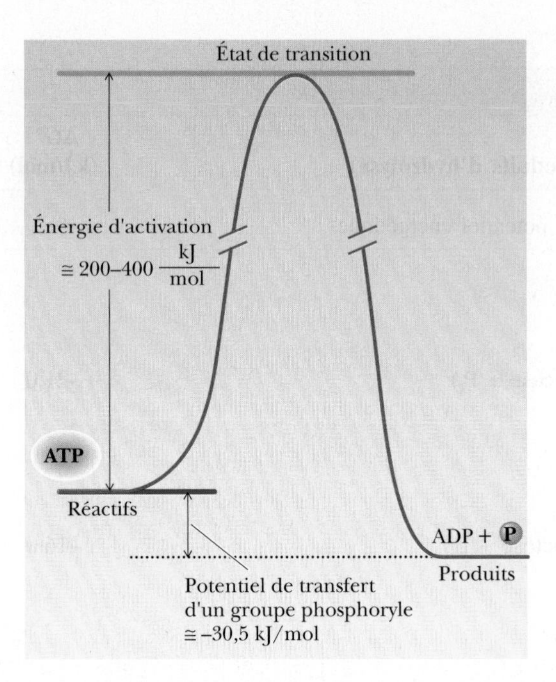

Figure 3.8 • Les énergies d'activation des réactions de transfert d'un groupe phosphoryle (200 à 400 kJ/mol) sont beaucoup plus importantes que la variation d'énergie libre lors de l'hydrolyse de l'ATP (–30,5 kJ/mol).

La molécule d'ATP est une navette énergétique intermédiaire

Le Tableau 3.3 appelle une dernière remarque. Étant donné le rôle biologique central de l'ATP comme dérivé phosphorylé à haut potentiel d'énergie, les étudiants sont parfois surpris de constater que l'ATP n'occupe qu'un rang intermédiaire parmi les molécules phosphorylées à haut potentiel énergétique. Le PEP, l'AMP cyclique, le 1,3-BPG, la phosphocréatine, l'acétyl-phosphate et le pyrophosphate ont tous une valeur de $\Delta G°'$ plus élevée. Cela ne relève pas d'une anomalie biologique. L'ATP est particulièrement bien situé, entre les molécules phosphorylées à très haut potentiel d'énergie synthétisées lors de la dégradation des principales sources d'énergie et les nombreuses molécules à plus faible potentiel énergétique qui sont phosphorylées au cours des réactions métaboliques. L'ADP accepte à la fois l'énergie et le phosphate provenant de molécules à plus haut potentiel énergétique et l'ATP ainsi formé peut à la fois céder de l'énergie et du phosphate à des métabolites à plus faible potentiel énergétique. La paire ATP/ADP constitue un système donneur/accepteur placé de façon intermédiaire parmi les dérivés phosphorylés à haut potentiel énergétique. Dans ce contexte, l'ATP fonctionne comme une navette énergétique intermédiaire, aux capacités multiples, qui peut interagir avec de nombreux enzymes catalysant de nombreuses réactions de couplage énergétique du métabolisme.

Potentiel de transfert de groupe

De nombreuses réactions biochimiques impliquent le transfert d'un groupe fonctionnel d'une molécule donneur à un récepteur spécifique, ou à une molécule d'eau. Le concept de **potentiel de transfert de groupe** explique pourquoi ce type de réaction peut avoir lieu. Les biochimistes définissent le potentiel de transfert de groupe comme la variation de l'énergie libre qui apparaît lors de l'hydrolyse, c'est-à-dire lors du transfert d'un groupe fonctionnel à une molécule d'eau. Ce concept et cette terminologie sont préférables à la notion plus qualitative de *liaisons riches en énergie*.

Le concept de potentiel de transfert d'un groupe n'est pas particulièrement nouveau. D'autres sortes de transferts (des ions hydrogène ou des électrons par exemple)

Tableau 3.4

Types de potentiel de transfert

	Potentiel de transfert de proton (acidité)	**Potentiel standard de réduction (Potentiel de transfert d'électron)**	**Potentiel de transfert de groupe (Liaison « riche en énergie »)**
Équation simple	$AH \rightleftharpoons A^- + H^+$	$A \rightleftharpoons A^+ + e^-$	$A \sim P \rightleftharpoons A + P_i$
Équation incluant l'accepteur	$AH + H_2O \rightleftharpoons A^- + H_3O^+$	$A + H^+ \rightleftharpoons A^+ + \frac{1}{2}H_2$	$A \sim PO_4^{2-} + H_2O \rightleftharpoons A\text{—}OH + HPO_4^{2-}$
Mesure du potentiel de transfert	$pK_a = \dfrac{\Delta G°}{2{,}303\ RT}$	$\Delta\mathscr{E}_o = \dfrac{-\Delta G°}{n\mathscr{F}}$	$\ln K_{eq} = \dfrac{-\Delta G°}{RT}$
La variation d'énergie libre lors du transfert est donnée par :	$\Delta G°$ par mole de H^+ transféré	$\Delta G°$ par mole de e^- transféré	$\Delta G°$ par mole de phosphate transféré

D'après : Klotz, I.M., 1986. *Introduction to Biomolecular Energetics*. New York : Academic Press.

sont couramment caractérisées en termes de mesures appropriées au potentiel de transfert (respectivement le pK_a et le potentiel de réduction, E_0). Comme nous pouvons le constater Tableau 3.4, la notion de transfert de groupe est tout à fait analogue à celle de potentiel d'ionisation et de potentiel de réduction. L'analogie n'est pas une simple coïncidence puisqu'il s'agit dans tous les cas de variations d'énergie libre. Si nous écrivons :

$$AH \longrightarrow A^- + H^+ \tag{3.29a}$$

nous ne voulons pas réellement signifier qu'un proton a littéralement été enlevé de l'acide AH. En phase gazeuse tout au moins, il faudrait fournir approximativement 1200 kJ/mol ! Ce que cette équation veut réellement dire, c'est que le proton a été *transféré* à un accepteur, en général l'eau :

$$AH + H_2O \longrightarrow A^- + H_3O^+ \tag{3.29b}$$

La relation avec la variation d'énergie libre serait plus précisément :

$$pK_a = \frac{\Delta G°}{2{,}303\ RT} \tag{3.30}$$

D'une façon similaire, dans le cas d'une réaction d'oxydoréduction :

$$A \longrightarrow A^- + e^- \tag{3.31a}$$

nous ne voulons pas dire que A s'oxyde indépendamment de son environnement. Ce que nous voulons réellement signifier (et c'est ce qui est le plus vraisemblable dans les réactions biochimiques), c'est que l'électron est transféré sur un accepteur convenable :

$$A + H^+ \longrightarrow A^+ + \tfrac{1}{2}H_2 \tag{3.31b}$$

et la relation appropriée avec la variation d'énergie libre est :

$$\Delta\mathscr{E}_o = \frac{-\Delta G°}{n\mathscr{F}} \tag{3.32}$$

dans laquelle n est le nombre d'équivalents d'électrons transférés et F est la **constante de Faraday**.

De la même façon, la libération d'énergie qui accompagne l'hydrolyse de l'ATP et des autres molécules phosphorylées « riches en énergie » peut être quantitativement exprimée en termes de *transfert de groupe*. Il est ainsi classique d'écrire pour l'hydrolyse de l'ATP :

$$ATP + H_2O \longrightarrow ADP + P_i \tag{3.33}$$

La variation d'énergie libre, que nous appellerons désormais le *potentiel de transfert de groupe*, est donnée par :

$$\Delta G^\circ = -RT \ln K_{eq} \tag{3.34}$$

équation dans laquelle K_{eq}, est la constante d'équilibre du transfert de groupe. Cette constante est normalement définie par :

$$K_{eq} = \frac{[ADP]\,[P_i]}{[ATP]\,[H_2O]} \tag{3.35}$$

Il faut encore ajouter que cette série d'équations ne représente qu'une approximation car l'ATP, l'ADP et le P_i, sont toujours présents en solution sous forme d'un mélange d'espèces ioniques. Ce problème sera examiné dans une prochaine Section. Pour l'instant, il suffit de retenir que les variations d'énergie libre du Tableau 3.3 sont les potentiels de transfert de groupe observés lors d'un transfert vers de l'eau.

Anhydrides de l'acide phosphorique

L'ATP contient deux fois la *liaison pyrophosphoryle*, ou **liaison anhydride de l'acide phosphorique** (Figure 3.9). Les autres biomolécules communes contenant des liaisons anhydride phosphorique sont l'ADP, le GTP et les autres nucléosides di et triphosphate, les oses nucléotidiques comme l'UDP-glucose, et le pyrophosphate minéral lui-même. Leur hydrolyse s'accompagne toujours d'une importante variation négative d'énergie libre (Tableau 3.3). Parmi les raisons chimiques d'une aussi grande variation négative de $\Delta G°'$ lors de leur hydrolyse, il faut citer la déstabilisation du réactif due à la tension de la liaison provoquée par la répulsion électrostatique, la stabilisation des produits d'hydrolyse par résonance et ionisation, et l'accroissement de l'entropie résultant de l'hydrolyse et des ionisations consécutives.

Déstabilisation due à la répulsion électrostatique

La répulsion électrostatique dans les réactifs se comprend plus aisément en comparant les anhydrides phosphoriques à d'autres anhydrides réactifs comme l'anhydride acétique. Comme indiqué Figure 3.10a, les atomes d'oxygène électronégatifs des fonctions carbonyle, attirent les électrons des liaisons C=O, il s'ensuit que ces atomes d'oxygène portent des charges partielles négatives et que les atomes de carbone

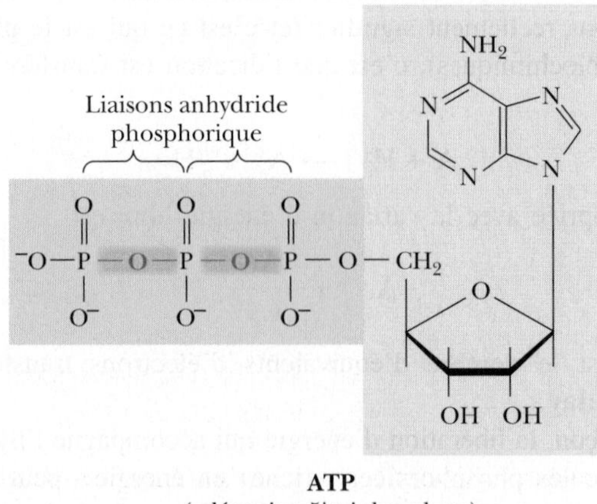

Figure 3.9 • La chaîne triphosphate de l'ATP contient deux liaisons pyrophosphate ; chacune d'elles libère par hydrolyse une importante quantité d'énergie.

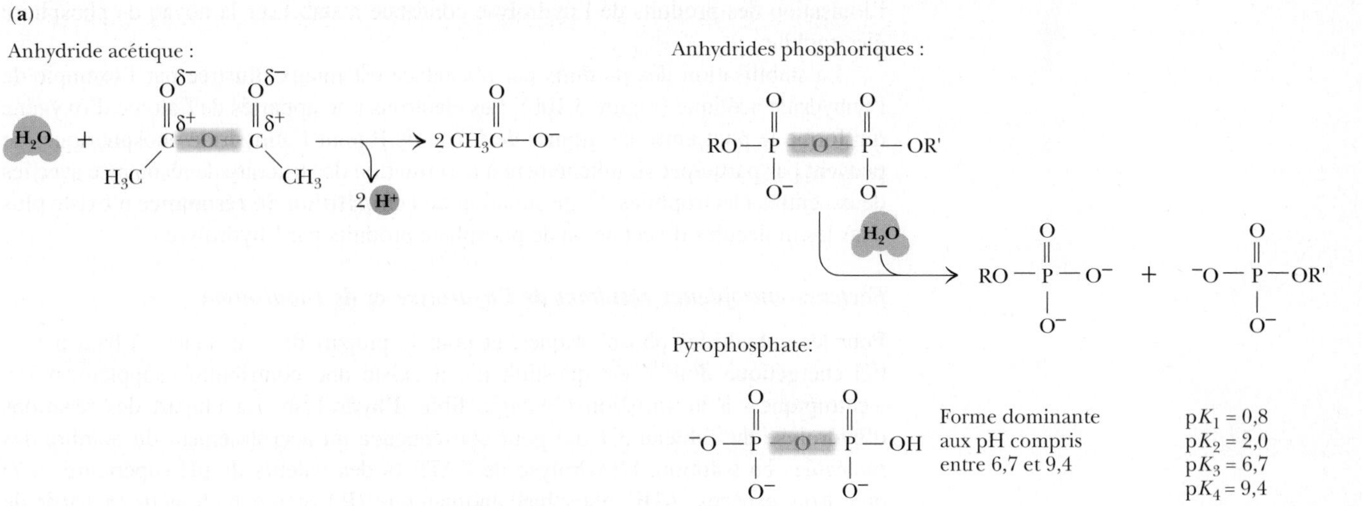

(a)

Anhydride acétique :

$H_2O + (CH_3CO)_2O \rightarrow 2\ CH_3C(O)-O^- + 2\ H^+$

Anhydrides phosphoriques :

$RO-P(O)(O^-)-O-P(O)(O^-)-OR' + H_2O \rightarrow RO-P(O)(O^-)-O^- + {}^-O-P(O)(O^-)-OR'$

Pyrophosphate:

$^-O-P(O)(O^-)-O-P(O)(O^-)-OH$

Forme dominante aux pH compris entre 6,7 et 9,4

pK_1 = 0,8
pK_2 = 2,0
pK_3 = 6,7
pK_4 = 9,4

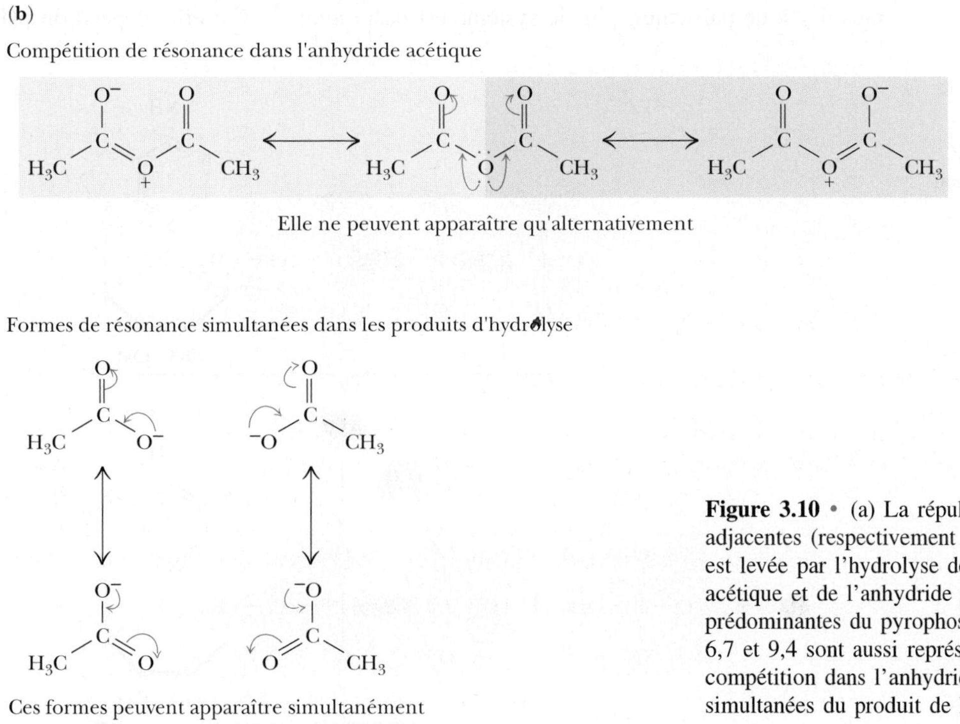

(b)

Compétition de résonance dans l'anhydride acétique

Elle ne peuvent apparaître qu'alternativement

Formes de résonance simultanées dans les produits d'hydrolyse

Ces formes peuvent apparaître simultanément

Figure 3.10 • (a) La répulsion entre deux charges partielles positives adjacentes (respectivement sur les atomes de carbone et de phosphore) est levée par l'hydrolyse de la liaison anhydride de l'anhydride acétique et de l'anhydride phosphorique. Les formes ionisées prédominantes du pyrophosphate à des valeurs de pH comprises entre 6,7 et 9,4 sont aussi représentées. (b) Formes de résonance en compétition dans l'anhydride acétique et formes de résonance simultanées du produit de l'hydrolyse, l'acétate.

portent des charges partielles positives. La déstabilisation de chacun de ces atomes de carbone devenus électrophiles est amplifiée par l'autre groupe acétyle qui, par nature, attire également les électrons. L'anhydride acétique est donc instable par rapport aux produits d'hydrolyse.

La situation avec les anhydrides phosphoriques est similaire. Les atomes de phosphore de l'anion pyrophosphate attirent les électrons et déstabilisent PP_i par rapport aux produits de l'hydrolyse. De plus, la réaction inverse exige de surmonter la répulsion électrostatique entre les anions (cf. ci-dessous).

Stabilisation des produits d'hydrolyse par ionisation et résonance

Au voisinage de pH 7,5 et au-dessus, la partie pyrophosphate possède trois charges négatives (voir rappel des pK_a Figure 3.10a). Les produits d'hydrolyse, à des valeurs de pH supérieures à 7,2, portent chacun deux charges négatives. L'augmentation de l'ionisation des produits de l'hydrolyse contribue à stabiliser le noyau de phosphore électrophile.

La stabilisation des produits par résonance est mieux illustrée par l'exemple de l'anhydride acétique (Figure 3.10b). Les électrons non appariés de l'atome d'oxygène qui forme le pont entre les atomes de C (ou de P pour l'anhydride phosphorique) ne peuvent pas participer simultanément à la formation de structure de résonance avec les deux centres électrophiles. Cette situation **de compétition de résonance** n'existe plus dans les molécules d'acétate ou de phosphate produits par l'hydrolyse.

Facteurs entropiques résultant de l'hydrolyse et de l'ionisation

Pour les anhydrides phosphoriques, et pour la plupart des substances à haut potentiel énergétique dont il est question ici, il existe une contribution supplémentaire, « entropique » à la variation d'énergie libre d'hydrolyse. La plupart des réactions d'hydrolyse du Tableau 3.1 ont pour conséquence un accroissement du nombre des molécules en solution. L'hydrolyse de l'ATP (à des valeurs de pH supérieures à 7) crée trois espèces, ADP, phosphate inorganique (P_i) et ion hydrogène, à partir de deux réactifs, ATP et H_2O, (Figure 3.11). L'entropie de la solution augmente car plus il y a de particules, plus le système est désordonné [3]. (Cet effet dépend du pH

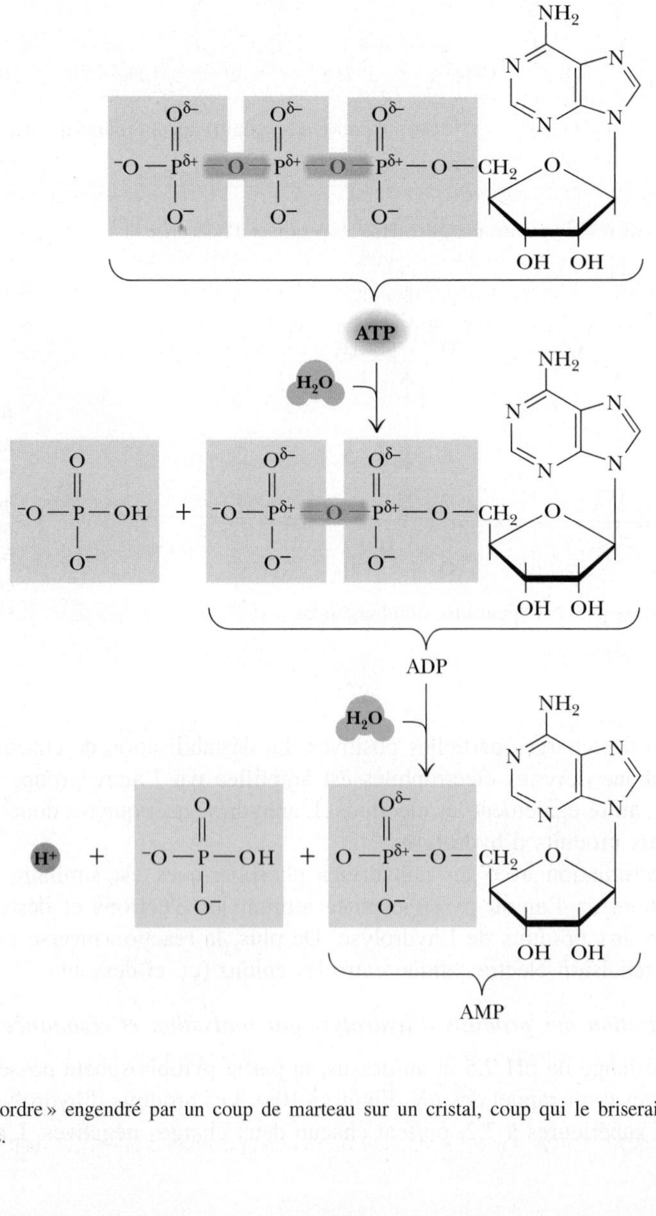

Figure 3.11 • L'hydrolyse de l'ATP en ADP (et/ou de l'ADP en AMP) diminue la répulsion électrostatique.

[3] Imaginez le « désordre » engendré par un coup de marteau sur un cristal, coup qui le briserait en de multiples fragments.

car, à bas pH, l'ion hydrogène formé lors de la plupart de ces réactions servirait simplement à protoner une des fonctions acides du phosphate, il en résulterait que le nombre des particules produites serait moins important).

Comparaison entre les variations d'énergie libre d'hydrolyse de l'ATP, de l'ADP et de l'AMP

Les concepts de déstabilisation des réactifs et de la stabilisation des produits décrits pour le pyrophosphate s'appliquent également à l'ATP et aux autres anhydrides phosphoriques (Figure 3.11). Par rapport aux produits de l'hydrolyse, l'ATP et l'ADP sont déstabilisés par des répulsions électrostatiques, par la compétition de résonance, et par l'entropie. Par contre, l'AMP est un ester phosphorique (et non un anhydride), qui ne possède qu'un groupe phosphate et n'est donc pas, en termes de répulsion électrostatique et de stabilisation par résonance, très différent du produit de l'hydrolyse, le phosphate minéral. Donc la valeur $\Delta G°'$ de l'hydrolyse de l'AMP est beaucoup plus petite que celles des valeurs correspondantes pour l'ATP et l'ADP.

Anhydrides mixtes, carboxyl-phosphates

Les anhydrides mixtes de l'acide phosphorique et de l'acide carboxylique, fréquemment appelés acyl-phosphates, sont également à haut potentiel énergétique. L'acétyl-phosphate et le 1,3-bisphosphoglycérate sont deux importants acyl-phosphates biologiques. L'hydrolyse de ces molécules libère respectivement de l'acétate et du 3-phosphoglycérate en plus de la molécule de phosphate (Figure 3.12). Là encore, les grandes valeurs de $\Delta G°'$ indiquent que les réactifs sont déstabilisés par rapport aux produits. Cela provient surtout des tensions sur la liaison covalente, tensions provoquées par les charges partielles positives sur l'atome de carbone du carbonyle et sur l'atome de phosphore de ces structures. L'énergie en réserve dans ces liaisons anhydrides mixtes (énergie nécessaire pour surmonter la répulsion électrostatique) est libérée par l'hydrolyse. L'augmentation des possibilités de résonance dans les produits comparativement aux réactifs contribue aussi aux importantes valeurs négatives des $\Delta G°'$. La valeur de $\Delta G°'$ dépend des valeurs du pK_a de l'an-

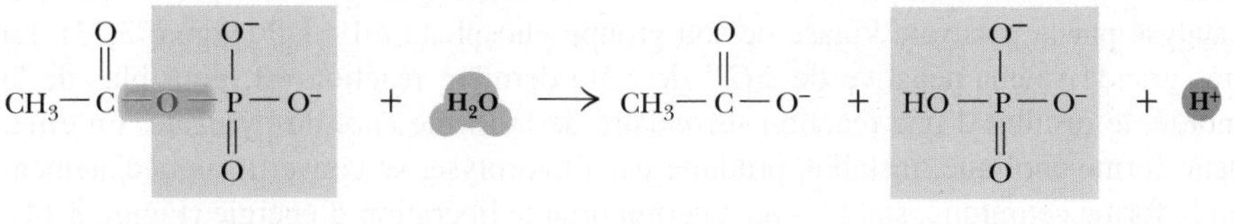

$CH_3-CO-O-PO_3^{2-} + H_2O \longrightarrow CH_3-COO^- + HO-PO_3^{2-} + H^+$

Acétyl-phosphate

$\Delta G°' = -43{,}3$ kJ/mol

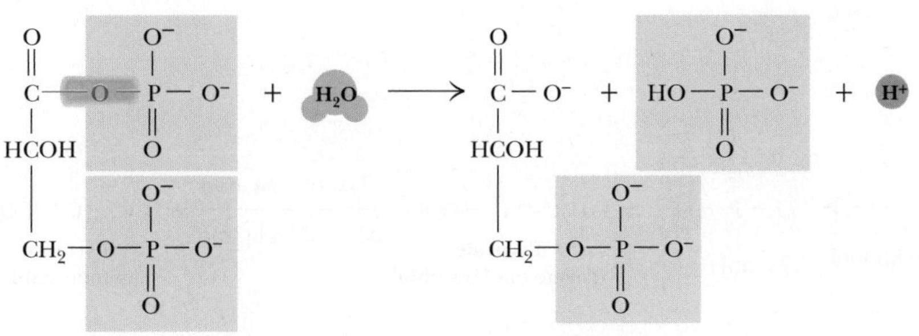

1,3-Bisphosphoglycérate + H_2O ⟶ **3-Phosphoglycérate** + $HO-PO_3^{2-}$ + H^+

$\Delta G°' = -49{,}6$ kJ/mol

Figure 3.12 • Réactions d'hydrolyse de l'acétyl-phosphate et du 1,3-bisphosphoglycérate.

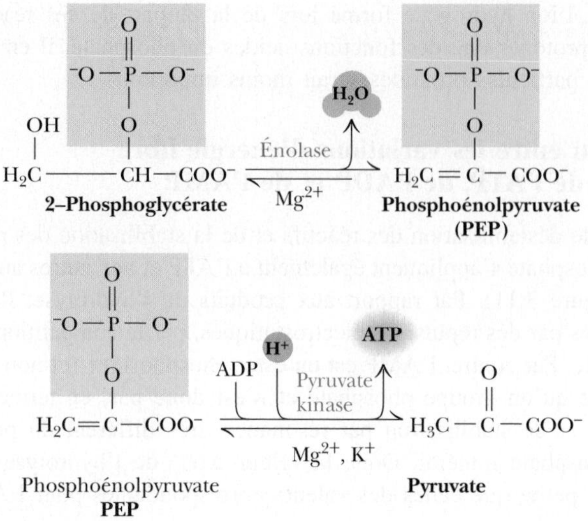

Figure 3.13 • Le phosphoénolpyruvate (PEP) est produit dans la réaction catalysée par l'énolase (au cours de la glycolyse ; cf. Chapitre 19) ce qui permettra la phosphorylation de l'ADP en ATP dans la réaction catalysée par la pyruvate kinase.

hydride de départ et des produits, acide phosphorique et acide carboxylique. Elle dépend aussi du pH du milieu.

Énolphosphates

La plus grande valeur négative de $\Delta G°'$ dans le Tableau 3.3 est celle du *phosphoénolpyruvate*, ou PEP, un exemple d'énolphosphate. Cette molécule est un important intermédiaire du métabolisme glucidique et, du fait de la très grande valeur négative du $\Delta G°'$ de la réaction, est un puissant agent de phosphorylation. Le PEP se forme au cours de la glycolyse lors de la déshydratation du 2-phosphoglycérate catalysée par l'énolase. Le PEP est ensuite transformé en pyruvate par le transfert catalysé par la pyruvate kinase de son groupe phosphate à l'ADP (Figure 3.13). La très grande valeur négative de $\Delta G°'$ de cette dernière réaction est, pour plus de la moitié, le résultat d'une réaction secondaire de la forme *énol* du pyruvate. En effet, cette forme énolique, instable, produite par l'hydrolyse, se convertit immédiatement en la forme cétonique, stable, avec une importante libération d'énergie (Figure 3.14). L'hydrolyse et tautomérisation subséquente ont un $\Delta G°'$ total de –62,2 kJ/mol.

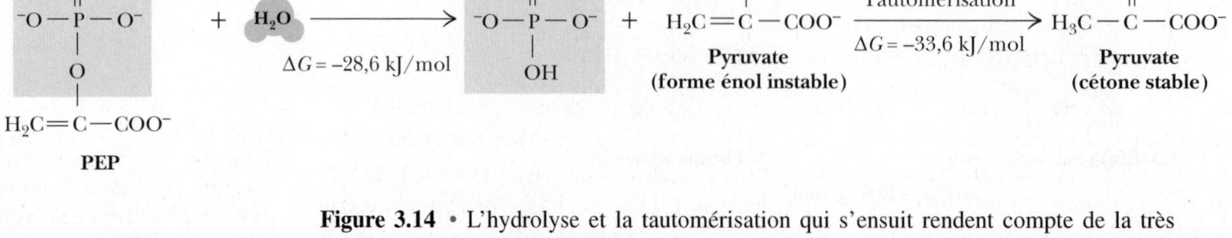

Figure 3.14 • L'hydrolyse et la tautomérisation qui s'ensuit rendent compte de la très grande valeur de $\Delta G°'$ du PEP.

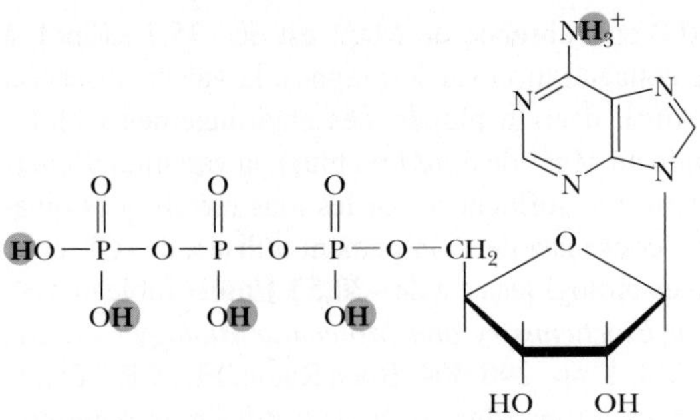

Figure 3.15 • L'adénosine 5'-triphosphate (ATP).

Les taches colorées indiquent l'emplacement des cinq protons dissociables de l'ATP.

3.7 • Complexité des équilibres dans l'hydrolyse de l'ATP

Jusqu'à présent, comme dans l'Équation (3.33), les hydrolyses de l'ATP ou des autres dérivés phosphorylés à haut potentiel ont été représentées sous forme de processus assez simples. Dans les systèmes biologiques, la situation est bien plus complexe du fait de la présence de plusieurs espèces ioniques dans les équilibres réactionnels. Premièrement, l'ATP, l'ADP et les autres molécules du Tableau 3.3 peuvent se présenter sous différents états d'ionisation dont il faut tenir compte pour toute analyse quantitative. Deuxièmement, les substances phosphorylées lient divers cations divalents et monovalents avec une affinité plutôt élevée et ces divers complexes métalliques doivent être inclus dans de telles analyses. Les analyses quantitatives ainsi conduites donnent des résultats plus proches de la réalité biologique. L'importance de la multiplicité des équilibres dans les réactions de transfert de groupe sera illustrée par l'hydrolyse de l'ATP mais les principes présentés sont généraux, ils peuvent être appliqués à toutes les réactions d'hydrolyse similaires.

Les multiples états d'ionisation de l'ATP et effets du pH sur $\Delta G°'$ d'hydrolyse

L'ATP a cinq protons dissociables (Figure 3.15). Trois de ces protons de la chaîne triphosphate se dissocient à très bas pH. Le groupe amino du cycle purique a un pK_a de 4,06 et le dernier proton de la chaîne triphosphate à se dissocier à un pK_a de 6,95. À pH plus élevé, l'ATP est complètement déprotoné. L'ADP et l'acide phosphorique ont également de multiples états d'ionisation. Ces ionisations multiples font que la constante d'équilibre de l'ATP est bien plus complexe que la simple expression représentée dans l'Équation (3.35). Il faut aussi tenir compte de ces multiples possibilités d'ionisation quand on analyse l'effet du pH sur le $\Delta G°'$ d'hydrolyse. Les calculs sont en dehors de l'objet de ce Traité ; à titre indicatif, la Figure 3.16 représente la variation de $\Delta G°'$ en fonction du pH. La variation d'énergie libre est pratiquement constante de pH 4 à pH 6. À des pH plus élevés, $\Delta G°'$ augmente de façon linéaire, sa valeur devient plus négative de 5,7 kJ/mol pour chaque accroissement d'une unité de pH à 37 °C. Puisque le pH de la plupart des tissus et fluides biologiques est voisin de la neutralité, son effet sur $\Delta G°'$ est relativement faible mais il faut en tenir compte dans certaines situations.

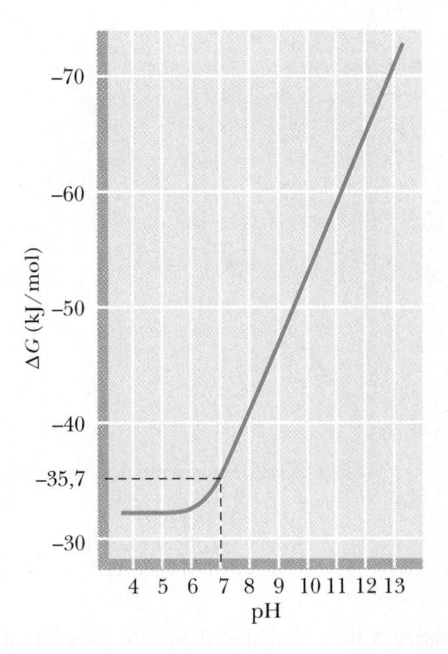

Figure 3.16 • Effets du pH sur la variation d'énergie libre lors de l'hydrolyse de l'ATP. Comme le pH ne varie que très faiblement dans un environnement biologique, l'effet sur ΔG est généralement faible.

Effets des ions métalliques sur la variation de l'énergie libre d'hydrolyse de l'ATP

Le plus souvent, les milieux biologiques contiennent de grandes quantités d'ions métalliques divalents et monovalents, Mg^{2+}, Ca^{2+}, Na^+, K^+, etc. Quels peuvent être les effets de ces ions métalliques sur les constantes d'équilibre de l'hydrolyse de l'ATP et sur les variations d'énergie libre qui sont associées. La Figure 3.17 représente la variation de $\Delta G°'$ en présence de pMg (c'est-à-dire, $-\log_{10}[Mg^{2+}]$), à 38 °C et pH 7,0. La

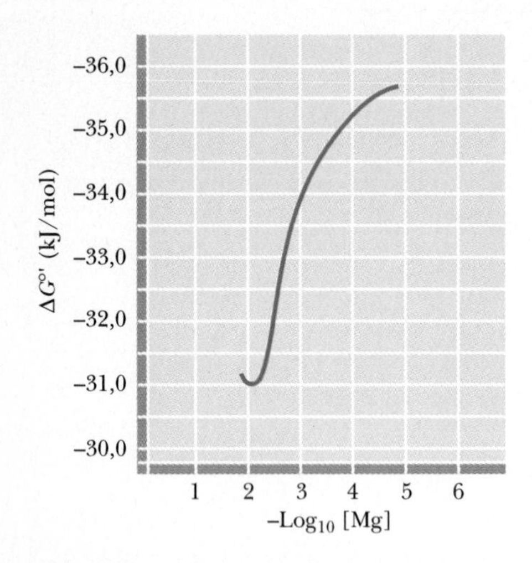

Figure 3.17 • Variation d'énergie libre lors de l'hydrolyse de l'ATP en fonction de la concentration totale de l'ion Mg^{2+}, à 38 °C et pH 7,0. *(D'après Gwynn, R.W., et Veech, R.L., 1973. The equilibrium constants of the adenosine triphosphate hydrolysis and the adenosine triphosphate-citrate lyase reactions.* Journal of Biological Chemistry **248** *: 6966-6972).*

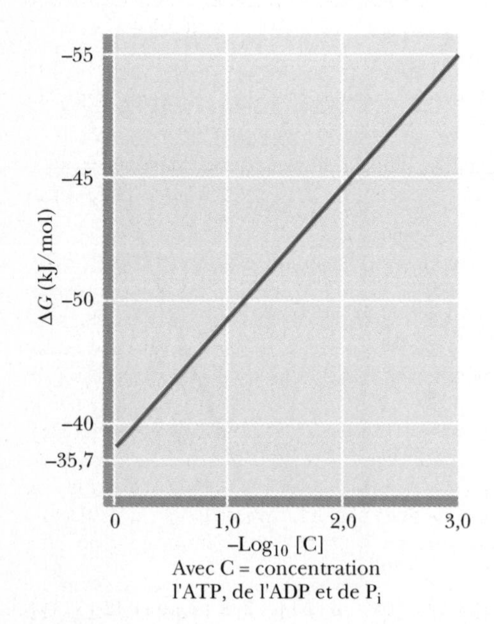

Figure 3.18 • Variation d'énergie libre lors de l'hydrolyse de l'ATP en fonction de la concentration, à 38 °C et pH 7,0. La droite correspond à la relation décrite Équation (3.36), pour des concentrations, [C], de l'ATP, de l'ADP et de P_i supposées égales.

valeur de $\Delta G^{\circ\prime}$ d'hydrolyse de l'ATP en l'absence de Mg^{2+} est de –35,7 kJ/mol, à 5 m*M* de Mg^{2+} libre (la plus faible concentration sur le graphe), la valeur observée, ΔG°_{obs} est d'environ –31 kJ/mol. Ainsi, dans la plupart des environnements biologiques (pH voisin de 7 et concentration en Mg^{2+} de 5 m*M* ou plus), la variation d'énergie libre dans l'hydrolyse de l'ATP est plus influencée par les ions métalliques divalents que par les protons. La valeur « consensuelle », largement utilisée, de (G°' pour l'hydrolyse de l'ATP dans les systèmes biologiques est de **–30,5 kJ/mol** (Tableau 3.3). Cette valeur citée dans *Handbook of Biochemistry and Molecular Biology* (3rd ed., 1976., *Physical and Chemical Data*, Vol. 1, pp. 296-304, Boca Raton, FL : CRC Press) fut déterminée en présence d'un « excès d'ions Mg^{2+} ». *Nous l'utiliserons régulièrement dans ce Traité pour les divers calculs des équilibres métaboliques.*

Effets de la concentration sur l'énergie libre d'hydrolyse de l'ATP

Au cours de tous les calculs concernant les effets du pH et des ions métalliques sur l'équilibre de l'hydrolyse de l'ATP, nous avons admis que les concentrations de toutes les espèces, sauf les protons, étaient « standard ». Mais dans la vie, les concentrations de l'ATP et des autres molécules à haut potentiel énergétique sont bien loin d'approcher celle de l'état standard, 1 *M*. Dans la plupart des cellules, les concentrations de ces molécules sont plutôt comprises entre 1 et 5 m*M*, et même moins. Nous avons décrit les effets de la concentration sur les constantes d'équilibre et les variations d'énergie libre sous la forme de l'Équation (3.12). Dans le cas présent nous pouvons la réécrire sous la forme :

$$\Delta G = \Delta G^{\circ} + RT \ln \frac{[\Sigma \mathrm{ADP}][\Sigma \mathrm{P_i}]}{[\Sigma \mathrm{ATP}]} \tag{3.36}$$

dans laquelle les termes entre crochets représentent la somme (Σ) des concentrations de toutes les formes ioniques de l'ATP, de l'ADP et de P_i.

Il est évident que tout changement dans la concentration de ces diverses espèces peut avoir de grandes conséquences sur ΔG. Dans un environnement biologique réel, les concentrations de l'ATP, de l'ADP et de P_i peuvent varier indépendamment les unes des autres ; mais si pour faciliter les calculs nous admettons que les trois concentrations sont égales, les effets de la concentration sur ΔG sont ceux qui sont représentés Figure 3.18. La variation d'énergie libre de l'hydrolyse de l'ATP, qui est de –35,7 kJ/mol à 1 *M*, devient –49,4 kJ/mol à 5m*M* (concentration pour laquelle p*C* = –2,3 dans la Figure 3.18). Pour 1 mM d'ATP, d'ADP et de P_i, la variation d'énergie libre est encore plus négative, sa valeur est de –53,6 kJ/mol. *Il est évident que, dans les conditions physiologiques, les effets de la concentration sont bien plus prononcés que les effets des protons et des ions métalliques.*

L'effet « concentration » peut-il modifier la position de l'ATP dans la hiérarchie des molécules à haut potentiel énergétique (Tableau 3.3) ? La réponse est non. Toutes les autres substances phosphorylées, à haut ou bas potentiel énergétique, subissent dans les conditions physiologiques des changements de concentration similaires et donc, des changements similaires de la variation d'énergie libre d'hydrolyse. Les rôles des molécules à très haut potentiel d'hydrolyse (PEP, 1,3-bisphosphoglycérate, et créatine-phosphate) dans la synthèse et le maintien de la concentration de l'ATP cellulaire seront précisés dans les chapitres sur les séquences métaboliques. Mais, les conséquences des effets examinés à la fin de ce chapitre sont déjà parmi les plus intéressantes notions.

3.8 • Quantité quotidienne d'ATP consommé par un organisme humain adulte

Nous pouvons, à la fin de cette discussion sur l'ATP et les autres composés à haut potentiel d'hydrolyse, examiner la consommation métabolique quotidienne d'ATP par un organisme humain. Un calcul approximatif fournit des résultats assez surprenants et impressionnants. Supposons qu'un adulte consomme en moyenne 11.700 kJ (2.800 kcal, ou 2.800 Calories) par jour. Supposons également que les séquences métaboliques aboutissant à la synthèse d'ATP ont un rendement thermodynamique d'environ 50 %. Donc, des 11.700 kJ ingérés chaque jour sous forme d'aliments, 5.850 kJ se retrouvent dans de l'ATP synthétisé (à partir de ADP + P_i). Nous venons de voir que l'hydrolyse d'une mole d'ATP produit environ 50 kJ d'énergie libre dans les conditions prévalant dans les cellules. Cela signifie que l'organisme peut produire (et utilise) 117 moles d'ATP chaque jour à partir de ADP + P_i. Le sel disodique de l'ATP a une masse moléculaire de 551 g/mol donc une personne hydrolyse en moyenne

$$51 \times 117 = 64.467 \text{ g d'ATP}$$

Un adulte d'environ 70 kg consomme donc près de 65 kg d'ATP chaque jour, presque l'équivalent de son propre poids ! Heureusement nous disposons d'un système de recyclage ATP/ADP extrêmement efficace. L'énergie fournie par les aliments n'est que transitoirement mise en réserve dans l'ATP. Lorsque l'énergie libérée par l'hydrolyse de l'ATP est utilisée, le métabolisme intermédiaire de notre organisme recycle l'ADP et le P_i en ATP. Un corps humain de 70 kg contient environ 50 grammes du total ADP + ATP. Chacune des molécules d'ATP de notre corps est donc quotidiennement recyclée près de 1.300 fois ! Si tel n'était pas le cas, notre « dépendance » de l'ATP au tarif commercial de 10 $ le gramme nous coûterait près de 650.000 $ par jour ! De ce point de vue, très artificiel, les capacités biochimiques à entretenir la vigueur et l'activité des organismes méritent respect et fascination.

EXERCICES

1. L'hydrolyse enzymatique du fructose-1-phosphate,

$$\text{Fructose-1-P} + H_2O \rightleftharpoons \text{fructose} + P_i$$

se déroule à 25 °C jusqu'à obtention de l'équilibre. La concentration du fructose-1-P à l'origine était de 0,2 *M*, à l'équilibre, la concentration du fructose-1-P est de $6{,}52 \times 10^{-5}$ *M*. Calculez la constante d'équilibre de cette réaction, et la variation d'énergie libre lors de l'hydrolyse du fructose-1-P.

2. La valeur de la constante d'équilibre d'un processus A (B est de 0,5 à 20 °C et de 10 à 30 °C. En supposant que $\Delta H°$ est indépendant de la température, calculer le $\Delta H°$ de cette réaction. Déterminez $\Delta G°$ et $\Delta S°$ à 20 °C et à 30 °C. Pourquoi dans ce problème est-il si important de considérer que la valeur de $\Delta H°$ est indépendante de la température ?

3. L'énergie libre standard de l'hydrolyse de l'acétyl-phosphate est $\Delta G° = -42{,}3$ kJ/mol.

$$\text{Acétyl-phosphate} + H_2O \longrightarrow \text{acétate} + P_i$$

Calculez la variation d'énergie libre pour l'hydrolyse de l'acétyl-phosphate dans une solution 2 m*M* en acétate, 2 m*M* en phosphate et 3 n*M* en acétyl-phosphate.

4. Définissez la fonction d'état. Nommez trois quantités thermodynamiques qui sont des fonctions d'état et trois qui n'en sont pas.

5. L'hydrolyse de l'ATP à pH 7,0 s'accompagne d'une libération d'ion hydrogène dans la solution.

$$ATP^{4-} + H_2O \rightleftharpoons ADP^{3-} + HPO_4^{2-} + H^+$$

Si le $\Delta G°'$ de cette réaction est –30,5 kJ/mol, quelle est la valeur de $\Delta G°$ (c'est-à-dire la variation d'énergie libre pour la même réaction, si tous les composants, y compris H^+, sont à l'état standard 1 *M*) ?

6. Pour le processus A $\rightleftharpoons$ B, $K_{eq}(AB) = 0{,}02$ à 37 °C. Pour le processus B Δ C, $K_{eq}(BC) = 1.000$ à 37 °C.

a. Déterminez $K_{eq}(AC)$, la constante d'équilibre du processus réactionnel complet A $\rightleftharpoons$ C, à partir de $K_{eq}(AB)$ et de $K_{eq}(BC)$.

b. Déterminez les variations d'énergie libre standard pour les trois réactions, et utilisez $\Delta G°(AC)$ pour déterminer $K_{eq}(AC)$. Assurez-vous que cette valeur correspond à celle déterminée ci-dessus.

7. Écrivez la constante d'équilibre, K_{eq}, de l'hydrolyse de la créatine-phosphate et calculez la valeur de K_{eq} à 25 °C à partir de la valeur de $\Delta G°'$ du Tableau 3.3.

8. Admettez que la créatine-phosphate, et non l'ATP, est la molécule essentielle du transfert d'énergie dans le corps humain. Répétez les raisonnements et les calculs développés Section 3.8, pour déterminer le poids de créatine-phosphate qu'un organisme humain adulte devrait consommer chaque jour si la créatine-phosphate n'était pas recyclée. Si le recyclage de la créatine-phosphate était possible, et si le corps adulte humain contenait 20 g de créatine-phosphate, combien de fois par jour chacune des molécules de créatine-phosphate serait-elle hydrolysée et resynthétisée ? Répétez les calculs en supposant cette fois que le glycérol-3-phosphate est la molécule universelle du transfert d'énergie et que le corps humain contient 20 g de glycérol-3-phosphate.

9. Calculez la variation d'énergie libre lors de l'hydrolyse de l'ATP dans une cellule hépatique de rat où les concentrations d'ATP, d'ADP, et de P_i, sont respectivement 3,4 *M*, 1,3 *M* et 4,8 *M*.

10. L'hexokinase catalyse la phosphorylation du glucose par l'ATP, et produit du glucose-6-phosphate et de l'ADP. En utilisant les valeurs fournies par le Tableau 3.3, calculez la variation de l'énergie libre de l'état standard et la constante d'équilibre de la réaction.

11. Pensez-vous que la variation d'énergie libre lors de l'hydrolyse de l'acétoacétyl-coenzyme A est plus grande ou moins grande que celle de l'acétyl-CoA ? Donnez une justification chimique rationnelle à votre réponse.

$$CH_3-\overset{O}{\overset{\|}{C}}-CH_2-\overset{O}{\overset{\|}{C}}-S-CoA$$

12. Le carbamyl-phosphate est un précurseur de la synthèse des pyrimidines:

$$H_3\overset{+}{N}-\overset{O}{\overset{\|}{C}}-O-PO_3^{2-}$$

En tenant compte des explications de ce chapitre concernant les dérivés phosphorylés à haut potentiel énergétique, pensez-vous que le carbamyl-phosphate a un haut potentiel d'hydrolyse ? Donnez une justification chimique rationnelle à votre réponse.

LECTURES COMPLÉMENTAIRES

Alberty, R.A., 1968. Effect of pH and metal ion concentration on the equilibrium hydrolysis of adenosine triphosphate to adenosine diphosphate. *Journal of Biological Chemistry* **243** : 1337-1343.

Alberty, R.A., 1969. Standard Gibbs free energy, enthalpy, and entropy changes as a function of pH and pMg for reactions involving adenosine phosphates. *Journal of Biological Chemistry* **244** : 3290-3302.

Brandts, J.F., 1964. The thermodynamics of protein denaturation. I. The denaturation of chymotrypsinogen. *Journal of the American Chemical Society* **86** : 4291-4301.

Cantor, C.R., et Schimmel, P.R., 1980. *Biophysical Chemistry*. San Francisco : W.H. Freeman.

Dickerson, R.E., 1969. *Molecular Thermodynamics*. New York : Benjamin Co.

Edsall, J.T., et Gutfreund, H., 1983. *Biothermodynamics : The Study of Biochemical Processes at Equilibrium*. New York : John Wiley.

Edsall, J.T., et Wyman, J., 1958. *Biophysical Chemistry*. New York : Academic Press.

Gwynn, R.W., et Veech, R.L., 1973. The equilibrium constants of the adenosine triphosphate hydrolysis and the adenosine triphosphate-citrate lyase reactions. *Journal of Biological Chemistry* **248** : 6966-6972.

Klotz, I.M., 1967. *Energy Changes in Biochemical Reactions*. New York : Academic Press.

Lehninger, A.L., 1972. *Bioenergetics*, 2nd ed. New York : Benjamin Co.

Morris, J.G., 1968. *A Biologist's Physical Chemistry*. Reading, MA : Addison-Wesley.

Patton, A.R., 1965. *Biochemical Energetics and Kinetics*. Philadelphia : W.B. Saunders.

Schrödinger, E., 1945. *What Is Life ?* New York : Macmillan.

Segel, I.H., 1976. *Biochemical Calculations*, 2nd ed. New York : John Wiley.

Tanford, C., 1980. *The Hydrophobic Effect*, 2nd ed. New York : John Wiley.

Chapitre 4

Les acides aminés

« ...présenter un miroir pour y voir votre vraie nature »
WILLIAM SHAKESPEARE, *Hamlet*

PLAN

Dans un miroir, tous les objets ont une image. Comme de nombreuses molécules biologiques, chaque acide aminé, sauf le glycocolle, a une forme qui correspond à son image dans un miroir (stéréoisomère) ; ces formes ne sont pas superposables. Dans les protéines naturelles, on ne trouve principalement que les isomères de la série L. (Le miroir de Vénus (1898), *Sir Edward Burbe-Jones/Musée Calouste Gulbenkian, Lisbonne, The Bridgeman Art Library)*

Les protéines sont les agents fondamentaux des fonctions biologiques et les **acides aminés** sont les éléments de construction des protéines. L'étonnante diversité des milliers de protéines connues résulte des propriétés particulières de seulement vingt acides aminés. Ces particularités incluent (1) la capacité de polymérisation, (2) des caractéristiques acido-basiques nouvelles, (3) la variété des chaînes latérales et de leurs fonctions chimiques et, (4) la chiralité des molécules. Ces propriétés, décrites en détail au cours de ce chapitre, constituent le fondement des points traités ultérieurement : structure des protéines (Chapitres 5 et 6), fonction enzymatique (Chapitres 14-16), ainsi que ceux de nombreux autres sujets de chapitres ultérieurs.

4.1 • Les acides aminés, éléments de construction des protéines

Structure générale d'un acide aminé typique

La Figure 4.1 représente la structure typique d'un acide aminé. Au cœur de cette structure est un carbone alpha (carbone α ou C_α) tétraédrique lié de façon covalente à un groupe aminé et à un groupe carboxylique. Le carbone α est également lié à un hydrogène et à une chaîne latérale variable. Cette chaîne latérale, dénommée le groupe R, donne son identité à chacun des acides aminés. Le caractère acide et basique des acides aminés sera détaillé par la suite, il suffit pour l'instant de savoir que dans une solution neutre (pH 7), le groupe carboxylique est présent sous la forme $-COO^-$ et le groupe aminé sous la forme $-NH_3^+$. Comme l'acide aminé contient ainsi une charge positive et une charge négative, la molécule est neutre, on dit que l'on a un ion mixte ou encore, un **ion dipolaire**. Les acides aminés sont aussi des molécules *chirales*. Étant lié à quatre groupes différents, le carbone α est dit *asymétrique*. Les deux configurations possibles du carbone α constituent deux isomères non identiques, images l'un de l'autre par rapport à un miroir plan, ce sont des *énantiomères*. La stéréochimie des acides aminés sera approfondie Section 4.4.

Des liaisons peptidiques peuvent relier les acides aminés

La caractéristique cruciale des acides aminés, celle qui leur permet de polymériser pour former des peptides et des protéines (Figure 4.2) est la présence des deux groupes chimiques : le groupe amino ($-NH_3^+$) et le groupe carboxylique ($-COO^-$). Le groupe $-COO^-$ d'un acide aminé et le groupe $-NH_3^+$ d'un autre acide aminé peuvent réagir avec élimination d'une molécule d'eau et formation d'une liaison amide, covalente, dénommée **liaison peptidique** dans le cas des peptides et des protéines. En solution aqueuse, l'équilibre de la réaction est en faveur de l'hydrolyse de la liaison peptidique. Pour cette raison, les systèmes biologiques, et les chimistes au laboratoire, doivent effectuer la formation d'une liaison peptique par une voie indirecte, avec un apport d'énergie.

L'itération de la réaction, présentée Figure 4.2, produit des **polypeptides** et des **protéines**. Les propriétés remarquables des protéines, que nous découvrirons et apprécierons au cours des chapitres suivants, proviennent directement ou indirectement des propriétés spécifiques et de la diversité des 20 acides aminés généralement retrouvés dans les protéines.

Principaux acides aminés

Vingt acides aminés sont communément présents dans presque toutes les protéines (structures et abréviations Figure 4.3). À l'exception de la proline, tous ont un groupe α aminé et un groupe α carboxylique libres (Figure 4.1). Il y a plusieurs modes de classification des acides aminés, ou α aminoacides, la plus utile étant fondée sur la polarité des chaînes latérales. Les structures présentées Figure 4.3 sont regroupées dans les catégories suivantes : (1) acides aminés non polaires ou hydrophobes, (2) acides aminés neutres (non chargés), mais polaires, (3) acides aminés acides,

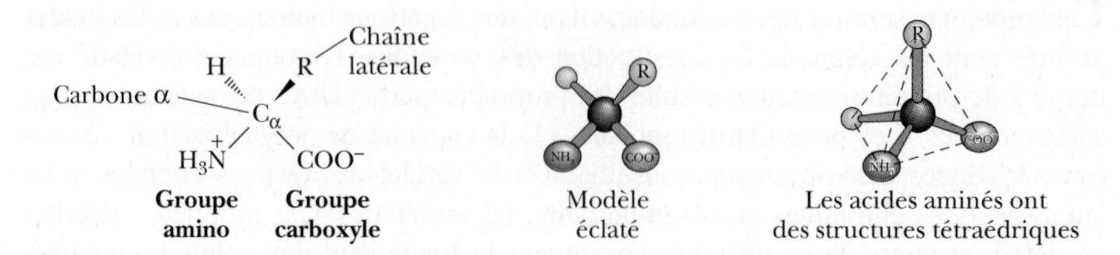

Figure 4.1 • Anatomie d'un acide aminé. Sauf la proline et ses dérivés, tous les acides aminés couramment observés dans les protéines possèdent ce type de structure.

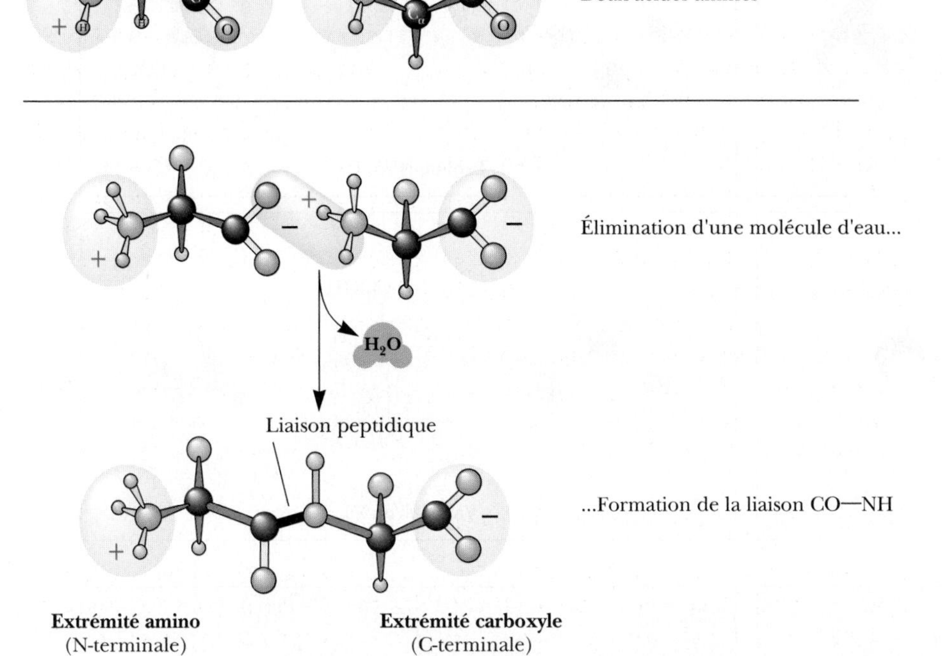

Figure 4.2 • Les groupes α-COOH et α-NH_3^+ de deux acides aminés peuvent réagir, avec élimination d'une molécule d'eau, pour former une liaison amide covalente. *(Irving Geis.)*

dont la charge nette est négative à pH 7 et (4) acides aminés basiques, dont la charge nette est positive à pH 7. Plus tard, nous comprendrons l'importance de ce système de classification pour la prédiction des propriétés des protéines. Deux types de codes, à une lettre ou à trois lettres (Figure 4.3), permettent de représenter les acides aminés de façon abrégée. Ils sont très utiles pour écrire et comparer des séquences primaires. (À noter que quelques abréviations à une lettre ont une origine phonétique : phénylalanine, F, de « **F**énylalanine » ; acide aspartique, D, de acide « aspar**d**ique » ; arginine, R, de « **R**ginine », la lettre R se prononçant ar en anglais).

Acides aminés non polaires

Les acides aminés non polaires (Figure 4.3a) comprennent ceux dont la chaîne latérale R est un alkyle (alanine, valine, leucine, isoleucine) ainsi que la proline (avec une structure cyclique peu commune), la méthionine (l'un des deux acides aminés contenant un atome de soufre) et deux acides aminés aromatiques, la phénylalanine et le tryptophanne. Le tryptophanne est un cas limite dans ce groupe car il peut former des liaisons avec l'eau par l'intermédiaire du N–H du noyau imidazole. Pour être précis, la proline n'est pas un acide aminé classique, la fonction amine, engagée dans le cycle, est une amine secondaire.

Acides aminés polaires, non chargés

Les acides aminés polaires non chargés (Figure 4.3b), à l'exception du glycocolle (la glycine), contiennent une chaîne latérale qui peut former des liaisons hydrogène avec l'eau. Ces acides aminés sont généralement plus solubles dans l'eau que les acides aminés non polaires. Il y a cependant des exceptions. La tyrosine est la moins soluble des 20 acides aminés considérés (0,453 g/l à 25 °C), tandis que la proline est très soluble dans l'eau et que l'alanine et la valine sont aussi solubles que l'arginine et la sérine. Les groupes amide de l'asparagine et de la glutamine, les groupes hydroxyle de la tyrosine, de la thréonine et de la sérine, ainsi que le groupe sulfhydryle de la cystéine sont tous très favorables à la formation de liaisons hydrogène. Le glycocolle, le plus simple des acides aminés, le groupe R n'est qu'un

(suite du texte page 86)

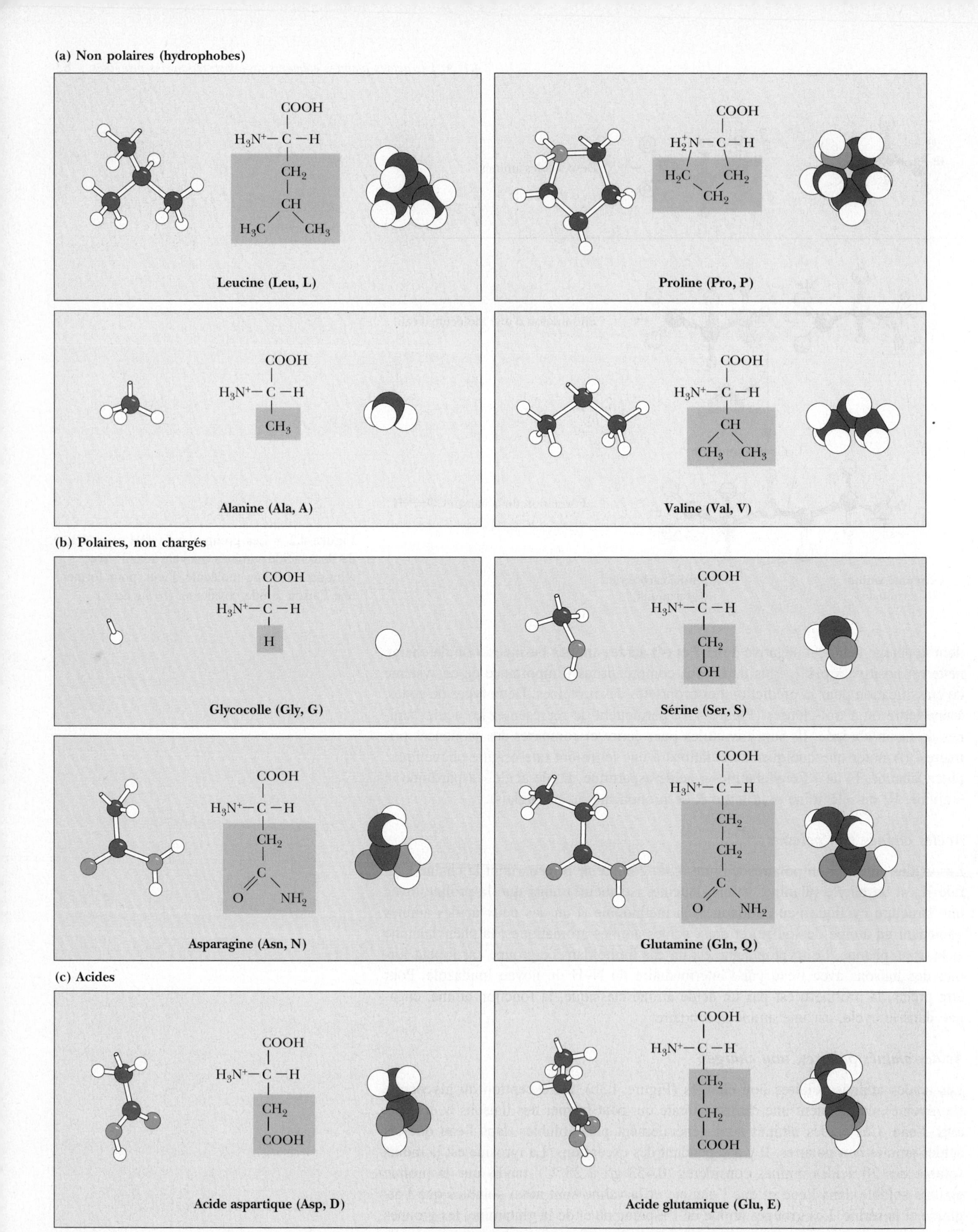

Figure 4.3 • Les 20 acides aminés qui sont les éléments de construction de la plupart des protéines peuvent être classés en quatre groupes : (a) non polaires (hydrophobes), (b) polaires neutres, (c) polaires acides, et (d) polaires basiques.

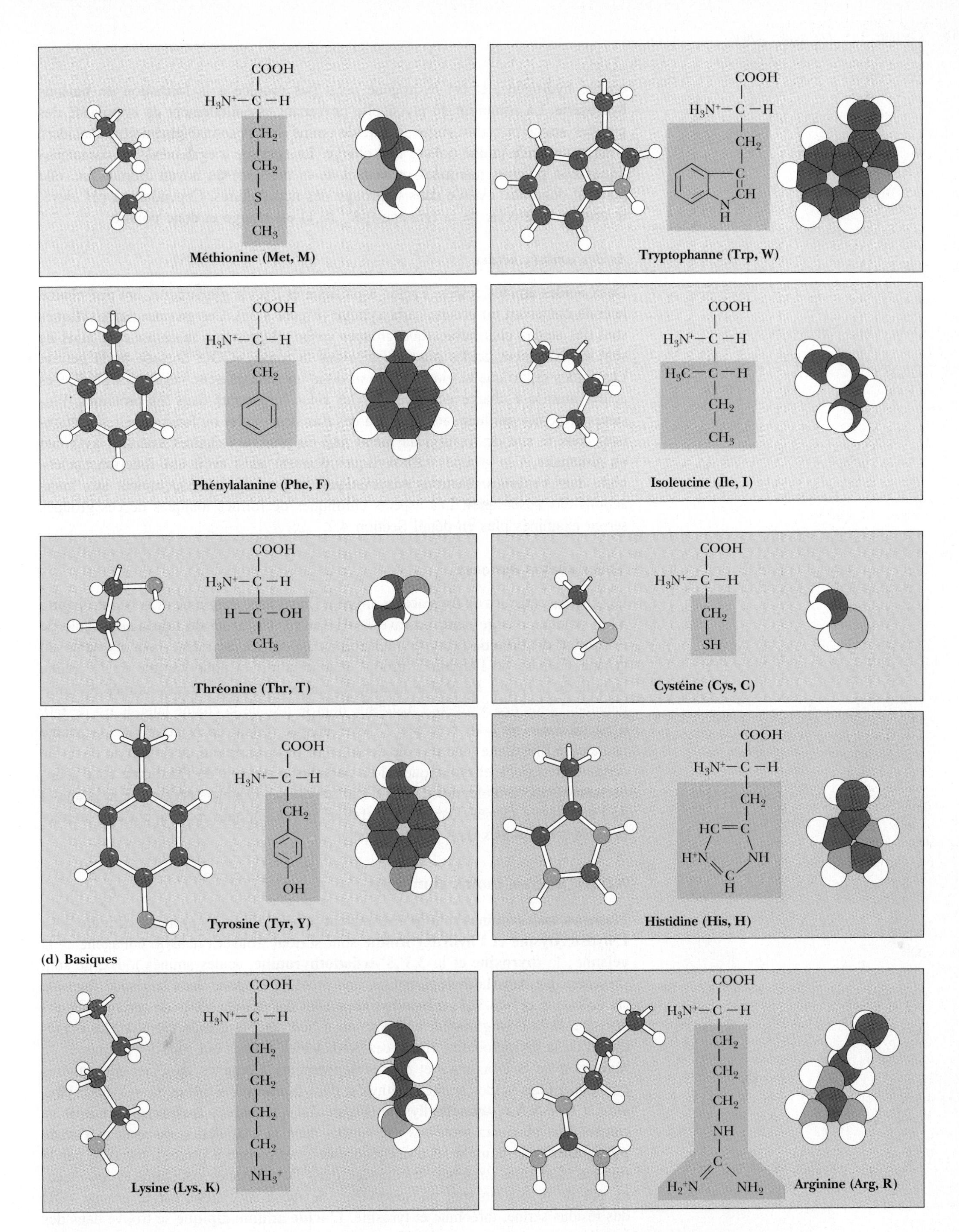

Les codes à une et trois lettres utilisés pour simplifier l'écriture des acides aminés sont aussi représentés. Pour chacun des acides aminés, le modèle éclaté (à gauche) et le modèle compact (à droite) ne présente que la chaîne latérale (*Irving Geis*).

unique hydrogène, et cet hydrogène n'est pas propice à la formation de liaisons hydrogène. La solubilité du glycocolle provenant essentiellement de la polarité des groupes amine et carboxylique, cet acide aminé doit raisonnablement être considéré comme un acide aminé polaire non chargé. La tyrosine a également des caractéristiques non polaires marquées provenant de la présence du noyau aromatique, elle pourrait donc être classée dans le groupe des non polaires. Cependant, à pH élevé, le groupe hydroxyle de la tyrosine (pK_a 10,1) est chargé et donc polaire.

Acides aminés acides

Deux acides aminés acides, l'acide aspartique et l'acide glutamique, ont une chaîne latérale contenant un groupe carboxylique (Figure 4.3c). Ces groupes carboxyliques sont des acides plus faibles que groupes carboxyliques liés au carbone α, mais ils sont suffisamment acides pour exister sous la forme $-COO^-$ ionisée à pH neutre. Les acides aspartique et glutamique ont donc une charge nette négative à pH 7. Ces acides aminés à charge négative ont des rôles importants dans les protéines. Plusieurs protéines qui lient des métaux à des fins structurales ou fonctionnelles contiennent dans le site de fixation du métal une ou plusieurs chaînes latérales aspartate ou glutamate. Ces groupes carboxyliques peuvent aussi avoir une fonction nucléophile dans certaines réactions enzymatiques et participent fréquemment aux interactions électrostatiques. Les aspects chimiques de formes ioniques de ces groupes seront examinés plus en détail Section 4.2.

Acides aminés basiques

Les chaînes latérales de trois acides aminés, l'histidine, l'arginine et la lysine (Figure 4.3d) ont une charge nette positive à pH neutre. Un azote du noyau imidazole de l'histidine est protoné (groupe imidazolium), il en est de même pour un azote du groupe guanido de l'arginine (groupe guanidinium) et pour l'amine de la chaîne latérale de la lysine. La chaîne latérale de ces deux derniers acides aminés est complètement protonée à pH 7 ; l'histidine, dont le pK_a de la chaîne latérale est de 6,0, n'est protonée qu'à 10 % à pH 7. Avec un pK_a voisin de la neutralité, la chaîne latérale de l'histidine joue un rôle de donneur ou d'accepteur de proton au cours de certaines réactions enzymatiques. Les peptides contenant de l'histidine sont d'importants tampons biologiques (voir Chapitre 2). Les chaînes latérales de la lysine et de l'arginine, protonées dans les conditions physiologiques, participent aux interactions électrostatiques dans les protéines.

Acides aminés moins communs

Plusieurs acides aminés sont moins souvent présents dans les protéines (Figure 4.4). **L'hydroxylysine** et **l'hydroxyproline** sont surtout trouvées dans le collagène et la gélatine ; la **thyroxine et la 3,3',5'-triiodothyronine**, acides aminés iodés, ne sont présentes que dans la thyroglobuline, une protéine produite dans la glande thyroïde (la thyroxine et la 3,3',5'-triiodothyronine sont des dérivés iodés de certains résidus tyrosine de la thyroglobuline ; la réaction a lieu dans la glande thyroïde. La dégradation de la thyroglobuline libère ces deux acides aminés qui sont des hormones de régulation de la croissance et du développement). Certaines protéines musculaires contiennent des acides aminés méthylés, dont la **méthylhistidine**, la **ϵ-*N*-méthyllysine** et la **ϵ-*N,N,N*-triméthyllysine** (Figure 4.4). **L'acide γ-carboxyglutamique** se trouve dans plusieurs protéines impliquées dans la coagulation du sang et **l'acide pyroglutamique** dans la bactériorhodopsine, une pompe à protons stimulée par la lumière. Certaines protéines impliquées dans la croissance cellulaire et les mécanismes de régulation sont phosphorylées, de façon réversible, sur le groupe –OH des résidus sérine, thréonine et tyrosine. **L'acide aminoadipique** se trouve dans des protéines extraites du maïs. Enfin, la ***N*-méthylarginine** et la ***N*-acétyllysine** sont présentes dans les histones, protéines associées aux chromosomes.

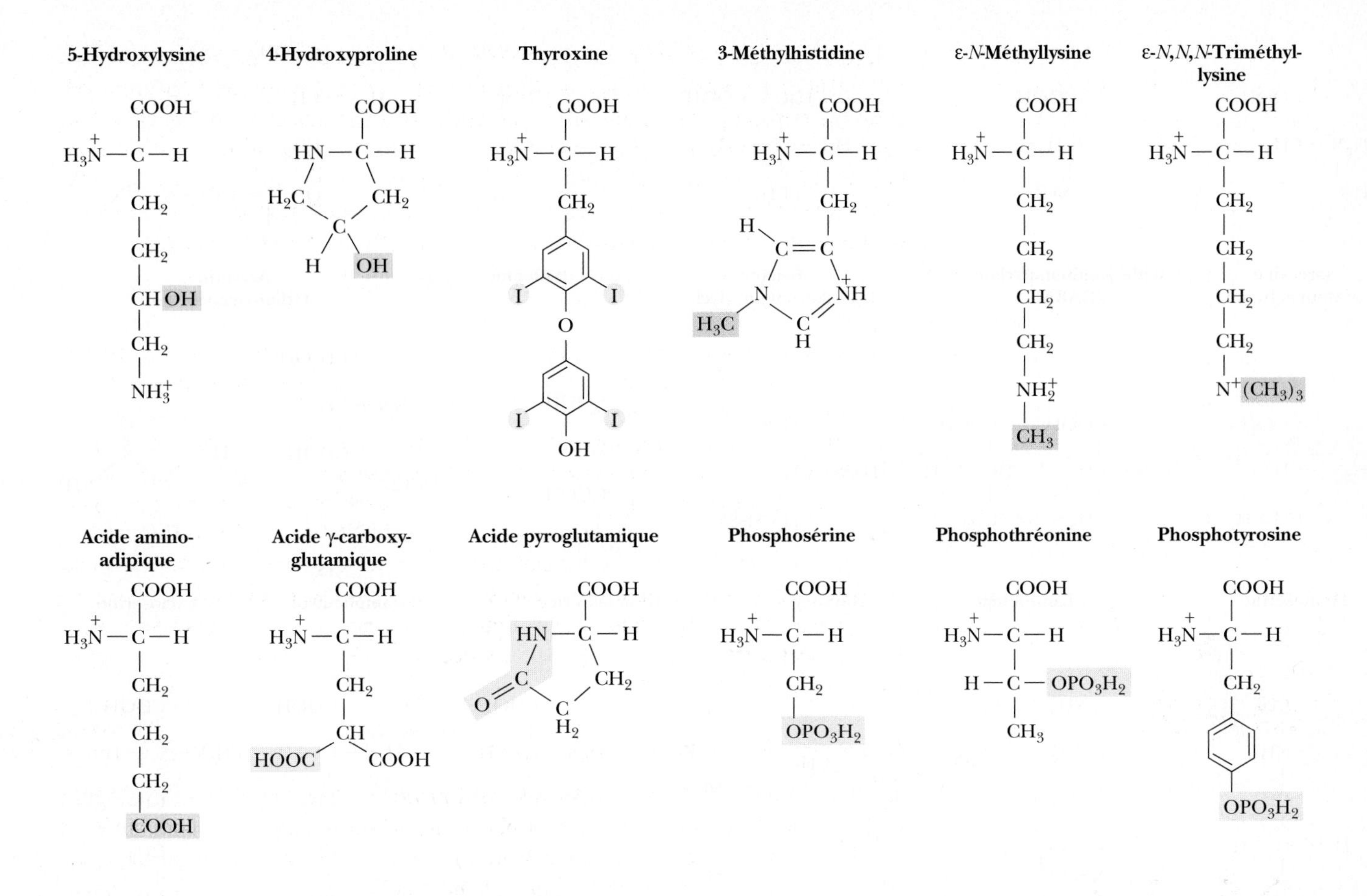

Figure 4.4 • Structures de quelques acides aminés peu communs mais qui se trouvent dans certaines protéines. L'hydroxylysine et l'hydroxyproline sont présents dans les protéines des tissus conjonctifs. L'acide pyroglutamique se trouve dans la bactériorhodopsine (une protéine de *Halobacterium halobium*), et l'acide aminoadipique est présent dans les protéines du maïs.

Acides aminés absents des protéines

Bien qu'absents des protéines, certains acides aminés et leurs dérivés, ont une grande importance biochimique (Figure 4.5). **L'acide γ-aminobutyrique**, ou **GABA**, un neurotransmetteur, est formé par la décarboxylation de l'acide glutamique. **L'histamine** résultant de la décarboxylation de l'histidine et la **sérotonine**, un dérivé du tryptophanne, sont également des neurotransmetteurs et interviennent dans la régulation. La ***β*-alanine** se trouve dans deux peptides naturels, la carnosine et l'ansérine, ainsi que dans une vitamine, l'acide pantothénique, précurseur du coenzyme A. **L'adrénaline** (ou **épinéphrine**), dérivée de la tyrosine, est une hormone importante. La **pénicillinamine** est un constituant des pénicillines, un groupe d'antibiotiques. **L'ornithine**, la **bétaïne**, **l'homocystéine** et **l'homosérine**, sont des intermédiaires métaboliques. La **citrulline** est le précurseur immédiat de l'arginine.

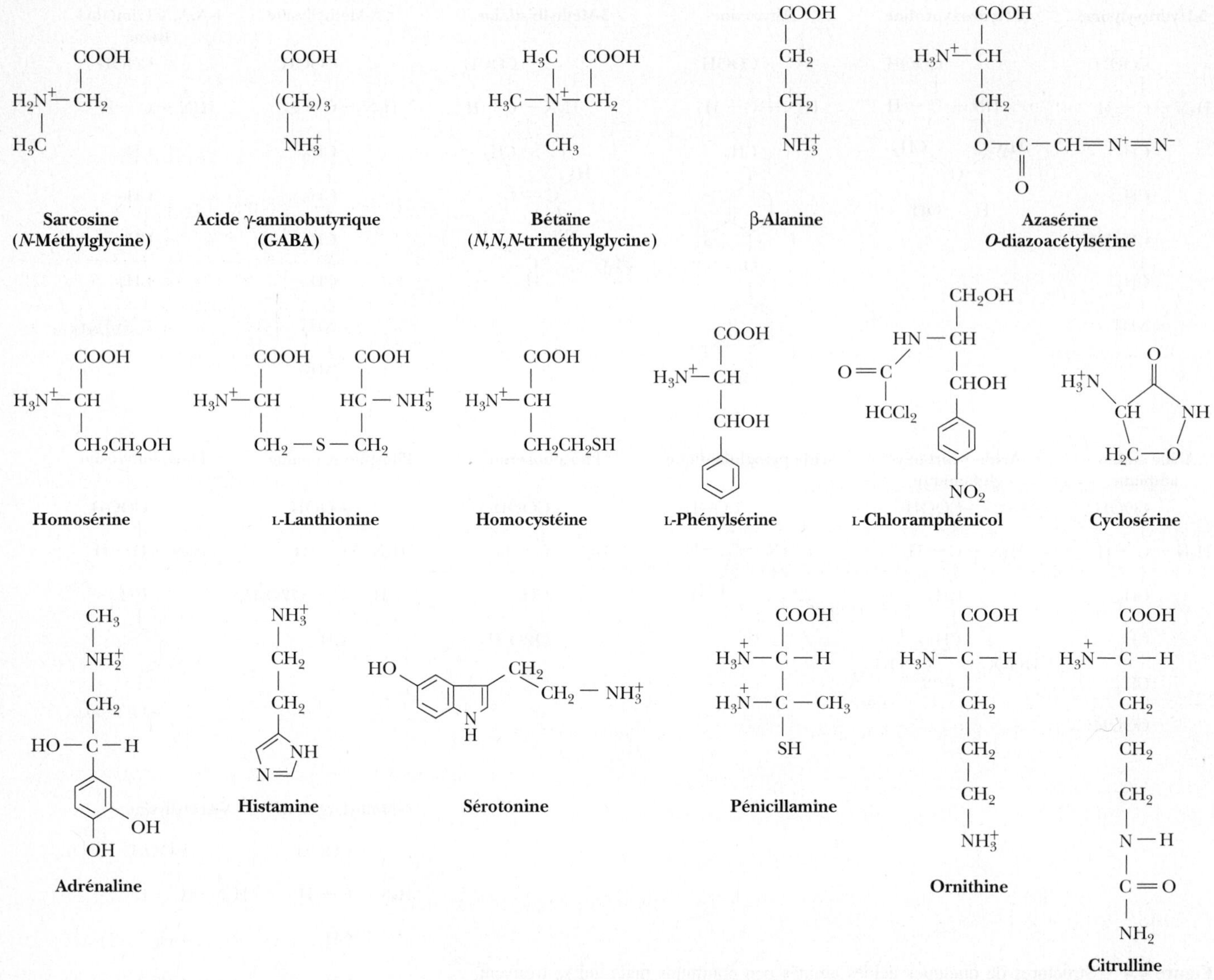

Sarcosine (*N*-Méthylglycine)

Acide γ-aminobutyrique (GABA)

Bétaïne (*N,N,N*-triméthylglycine)

β-Alanine

Azasérine *O*-diazoacétylsérine

Homosérine

L-Lanthionine

Homocystéine

L-Phénylsérine

L-Chloramphénicol

Cyclosérine

Adrénaline

Histamine

Sérotonine

Pénicillamine

Ornithine

Citrulline

Figure 4.5 • Structures de quelques acides aminés qui, normalement, ne sont pas présents dans les protéines mais qui interviennent dans certaines fonctions biologiques. L'adrénaline, l'histamine et la sérotonine, bien que n'étant pas des acides aminés en dérivent et leur restent très apparentées.

4.2 • Formes ioniques des acides aminés

Les acides aminés sont des acides polyprotiques faibles

D'un point de vue chimique, les acides aminés sont tous des acides polyprotiques faibles. Les groupes ionisables ne sont pas fortement dissociés et leur degré de dissociation dépend donc du pH du milieu. Tous les acides aminés contiennent au moins deux atomes d'hydrogène dissociables.

Examinons le comportement acido-basique du plus simple des acides aminés, le glycocolle. À bas pH, les deux groupes, carboxylique et aminé, sont protonés et la molécule possède une charge nette positive. Si l'ion négatif est un chlorure, cette forme est dénommée **chlorure de glycocolle**. Si on élève le pH, le groupe carboxylique est le premier à se dissocier, donnant lieu à la formation d'ions mixtes neutres, Gly^0 (Figure 4.6). Une élévation plus importante du pH aboutira à la dissociation du groupe amine, avec formation de **glycocollate** porteur d'une charge

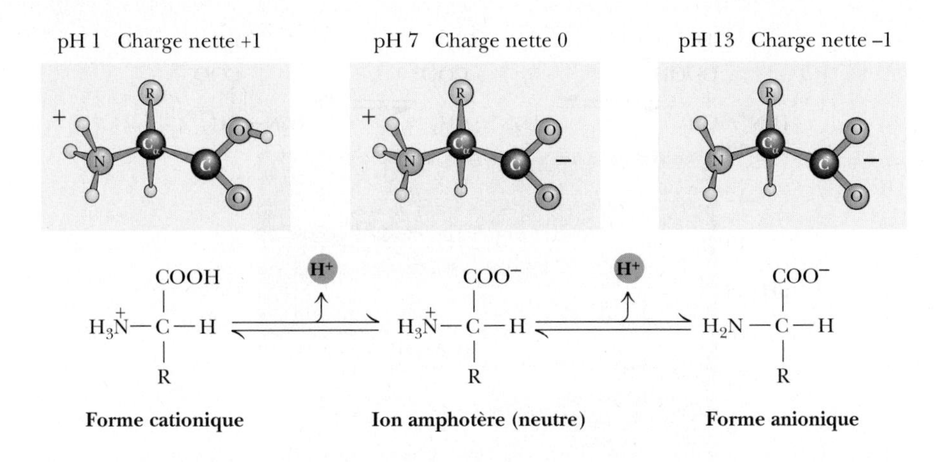

Figure 4.6 • Formes ioniques des acides aminés, présentées sans tenir compte des ionisations éventuelles de la chaîne latérale. La forme cationique est celle observée à bas pH, et la titration des espèces cationiques par une base donne d'abord un ion amphotère puis la forme anionique. *(Irving Geis)*

négative. Si ces trois formes sont symbolisées par Gly^+, Gly^0 et Gly^-, nous pouvons décrire la première dissociation de Gly^+ :

$$Gly^+ + H_2O \rightleftharpoons Gly^0 + H_3O^+$$

et mettre en évidence la constante de dissociation K_1 :

$$K_1 = \frac{[Gly^0]\,[H_3O^+]}{[Gly^+]}$$

Les valeurs de K_1 pour la plupart des acides aminés sont comprises entre 0,4 et $1{,}0 \times 10^{-2}$ *M*, de sorte que les valeurs de pK_1 sont comprises entre 2,0 et 2,4 (Tableau 4.1). De la même façon, nous pouvons décrire la seconde réaction de dissociation :

$$Gly^0 + H_2O \rightleftharpoons Gly^- + H_3O^+$$

Tableau 4.1

Valeurs du pK_a des acides aminés communs

Acide aminé	α-COOH pK_a	α-NH_3^+ pK_a	pK_a du groupe R
Acide aspartique	2,1	9,8	3,9
Acide glutamique	2,2	9,7	4,3
Alanine	2,4	9,7	
Arginine	2,2	9,0	12,5
Asparagine	2,0	8,8	
Cystéine	1,7	10,8	8,3
Glutamine	2,2	9,1	
Glycocolle	2,3	9,6	
Histidine	1,8	9,2	6,0
Isoleucine	2,4	9,7	
Leucine	2,4	9,6	
Lysine	2,2	9,0	10,5
Méthionine	2,3	9,2	
Phénylalanine	1,8	9,1	
Proline	2,1	10,6	
Sérine	2,2	9,2	~13
Thréonine	2,6	10,4	~13
Tryptophanne	2,4	9,4	
Tyrosine	2,2	9,1	10,1
Valine	2,3	9,6	

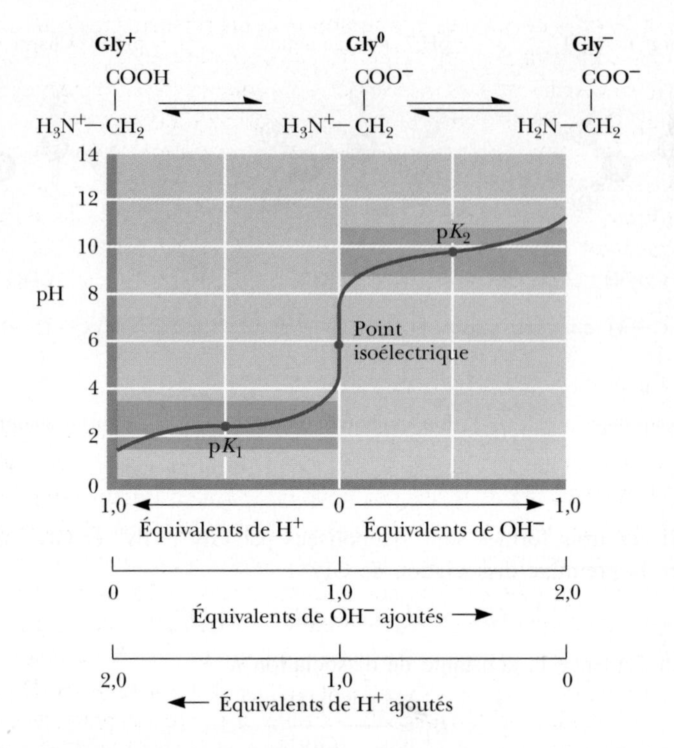

Figure 4.7 • Titration du glycocolle, un acide aminé simple. Le point isoélectrique, pI, est le pH pour lequel la molécule a une charge nette égale à 0. pI = $(pK_1 + pK_2)/2$.

et mettre en évidence la constante de dissociation K_2 :

$$K_2 = \frac{[\text{Gly}^-][\text{H}_3\text{O}^+]}{[\text{Gly}^0]}$$

Les valeurs de pK_2 sont généralement comprises entre 9,0 et 9,8. Au pH physiologique, le carboxyle α des acides aminés simples (n'ayant pas de chaîne latérale ionisable) est totalement dissocié, alors que le groupe α aminé ne l'est pratiquement pas. Une courbe de titration d'un tel acide aminé est présentée Figure 4.7

EXEMPLE

Quel est le pH d'une solution de glycocolle dans laquelle un tiers du groupe α NH_3^+ est dissocié ?

Solution

L'équation de Henderson-Hasselbalch appropriée est :

$$\text{pH} = pK_a + \log_{10} \frac{[\text{Gly}^-]}{[\text{Gly}^0]}$$

Si un tiers du groupe α aminé est dissocié, cela signifie qu'il y a une partie de Gly^- pour deux parties de Gly^0. Le pK_a important est dans ce cas le pK_a du groupe aminé, soit 9,6 pour le glycocolle. Le résultat est donc :

$$\text{pH} = 9{,}6 + \log_{10}(1/2)$$
$$\text{pH} = 9{,}3$$

Il faut retenir que les constantes de dissociation des groupes α carboxyle et α amino sont affectées par la présence d'autres groupes ionisables. La présence d'un $-NH_2$ lié au même carbone α que le groupe carboxyle accroît l'acidité de ce dernier (c'est-à-dire abaisse le pK_a) de sorte que le proton est plus rapidement libéré que dans le cas des acides carboxyliques aliphatiques. Par exemple, le pK_a de 2,0 à 2,1 pour l'α carboxyle des acides aminés est bien plus bas que celui de l'acide acétique (pK_a = 4,76). Pour quelle raison le pK_a du groupe α carboxylique des acides aminés est-il plus faible ? Le groupe ammonium, α-NH_3^+, attire fortement les électrons (donc diminue la densité électronique au voisinage du groupe carboxylique, ce qui en règle générale favorise la dissociation du proton) et la charge positive du groupe amino exerce un puissant effet de champ qui stabilise l'anion carboxylate. (L'effet du groupe α-COOH sur le pK_a du groupe α-NH_3^+ est l'objet du 4ème exercice à la fin de ce chapitre).

Ionisation des chaînes latérales

Les chaînes latérales de certains acides aminés contiennent des groupes dissociables. Les chaînes latérales de l'acide aspartique et l'acide glutamique ont une fonction carboxylique supplémentaire, tandis que celle de la lysine a une fonction amine aliphatique. L'histidine contient un groupe imidazolium, –NH^+, qui peut libérer un proton et l'arginine un groupe guanidinium, –NH_2^+, qui peut également libérer un proton. Les valeurs de pK_a de ces groupes figurent dans le Tableau 4.1. Les fonctions β-carboxylique de l'acide aspartique et γ-carboxylique de l'acide glutamique, portées par les chaînes latérales, ont une valeur de pK_a intermédiaire entre celles des pK_a des α-carboxyles et celles des groupes carboxyles aliphatiques. De même, le pK_a du groupe ϵ-amino de la chaîne latérale de la lysine est plus élevé que celui d'un α-amino, par contre il est analogue à celui du –NH_2 des amines aliphatiques. Ces valeurs intermédiaires du pK_a proviennent de la diminution de l'effet inducteur des groupes dissociables liés au carbone α car plusieurs atomes de carbone séparent ces derniers des groupes portés par les chaînes latérales. La Figure 4.8 présente

Figure 4.8 • Titration de l'acide glutamique et de la lysine.

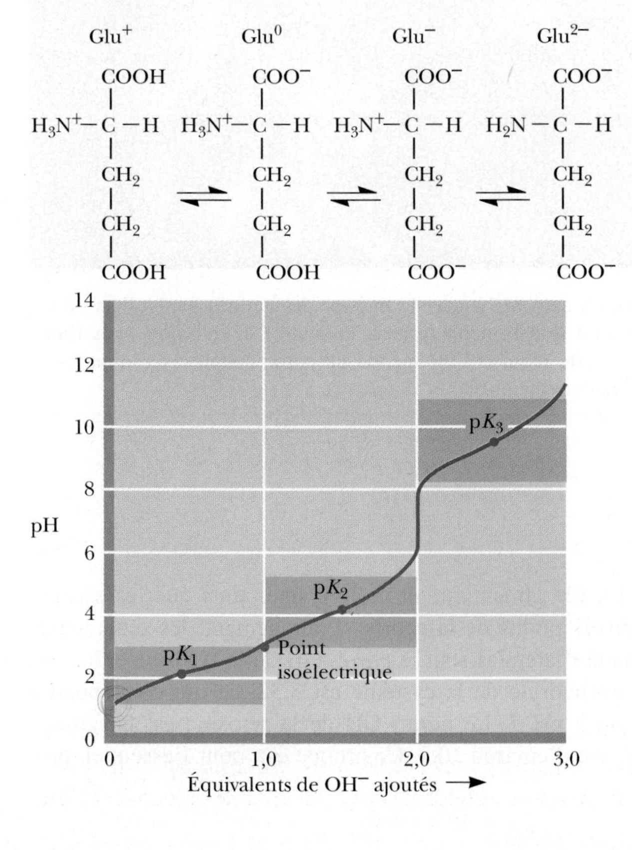

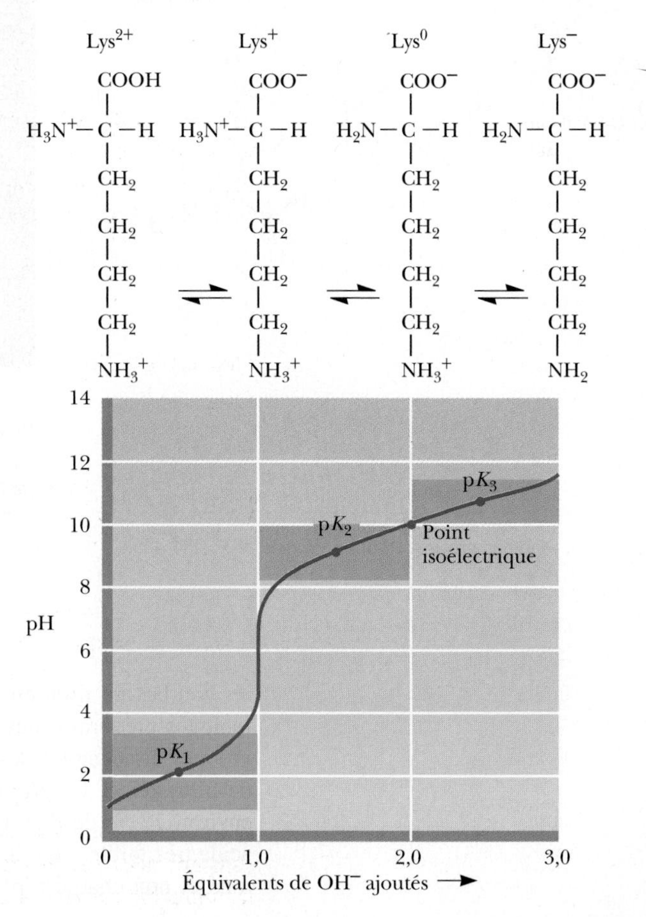

DÉVELOPPEMENTS DÉCISIFS EN BIOCHIMIE

Une protéine à fluorescence verte : la lumière bizarre d'une méduse au service de l'ingénierie génétique

Une méduse du nord-ouest de l'océan Pacifique, *Aquorea victoria*, contient une **protéine à fluorescence verte (PFV)** qui fonctionne en association avec une autre protéine, **l'aequorine**, dans un système de défense de l'animal. Quand la méduse est attaquée (ou même secouée), l'aequorine, ayant complexé un ion calcium, émet une lumière bleue. Cette énergie lumineuse est captée par la PFV qui émet alors un éclair de lumière verte qui probablement éblouit ou effraye l'attaquant. Le point intéressant est que la PFV émet cette lumière sans qu'un groupe prosthétique intervienne. La capacité de transduction de la lumière résulte de l'interaction de trois résidus de la chaîne des acides aminés de la protéine. Ces résidus, Ser, Tyr et Gly adjacents dans la séquence, réagissent pour former un pigment complexe, un **chromophore**. Aucun enzyme n'est nécessaire, il s'agit d'une réaction autocatalytique (photo du haut, le chromophore est mis en évidence).

Comme la capacité de transduction de la lumière ne dépend que de la protéine elle-même, la PFV est rapidement devenue un outil de prédilection des laboratoires d'ingénierie génétique. Le promoteur de tout gène dont on désire savoir s'il est exprimé peut être fusionné avec la séquence de l'ADN de la PFV. L'apparition d'une fluorescence verte signale que le gène fusionné a effectivement été exprimé (photo du bas et voir Chapitre 13).

Phe-**Ser-Tyr-Gly**-Val-Gln (64 … 69) $\xrightarrow{O_2}$ [structure du chromophore : HO, O, N, N, Val, Gln, O, H, N, Phe, O, H]

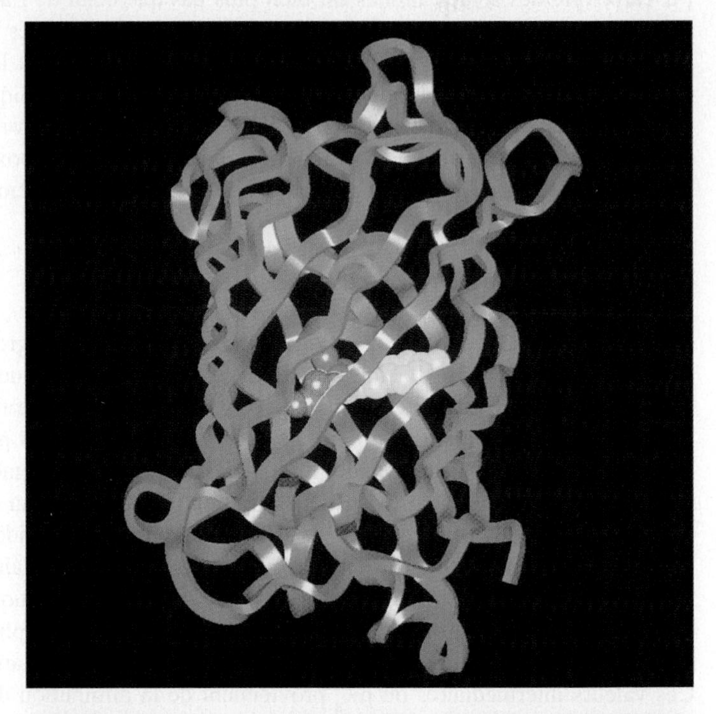

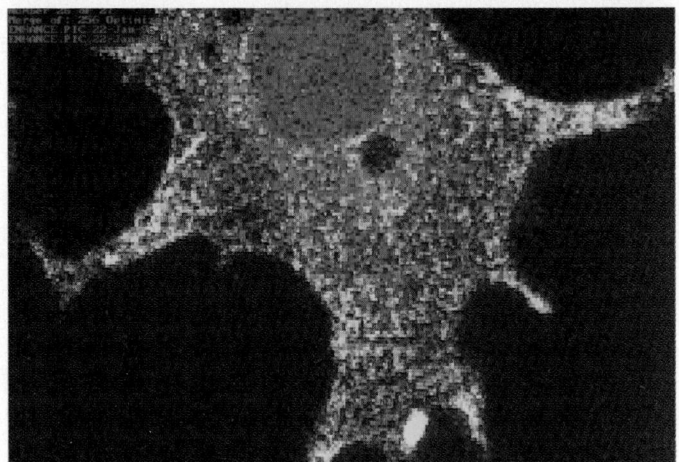

L'oxydation autocatalytique de trois acides aminés particuliers de la PFV produit le chromophore (voir ci-contre). L'émission de la fluorescence verte requiert l'interaction du chromophore avec d'autres parties de la protéine.

Boxer, S.G., 1997. Another green revolution. *Nature* **383** : 484-485.

les courbes de titration de l'acide glutamique et de la lysine, ainsi que les espèces ioniques prédominantes à divers points de la courbe. Pratiquement, les seuls autres groupes dissociables des chaînes latérales sont le *para* –OH de la tyrosine et le –SH de la cystéine. Le pK_a du sulfhydryle de la cystéine est 8,32, ce qui correspond à environ 12 % de dissociation à pH 7. Le *para* –OH de la tyrosine est un groupe acide très faible, dont le pK_a est d'environ 10,1. Ce groupe est, pour l'essentiel, protoné et non chargé à pH 7.

4.3 • Réactions chimiques des acides aminés

Réactivité des groupes α-amino et α-carboxy

Les groupes α-amino ainsi que les groupes α-carboxyle de tous les acides aminés ont pratiquement les mêmes réactivités chimiques. Par contre, les chaînes latérales ont des réactivités chimiques différentes qui dépendent de la nature de la fonction considérée. Bien que toutes ces réactivités soient importantes lors de l'étude et de l'analyse des acides aminés, seules les propriétés caractéristiques de la chaîne latérale régissent la réactivité des acides aminés incorporés dans les protéines. Trois raisons principales justifient l'étude de ces réactivités. Les protéines peuvent être chimiquement modifiées de façon très spécifique en tenant compte de la réactivité chimique de certaines chaînes latérales. La détection et la quantification des acides aminés et des protéines dépendent souvent de réactions qui sont spécifiques à un ou plusieurs acides aminés ; elles se traduisent par une coloration, une radioactivité ou tout autre phénomène facilement quantifiable. Enfin, et c'est le plus important, les fonctions biologiques des protéines dépendent de la nature et de la réactivité des chaînes latérales (les groupes –R).

Les groupes carboxyliques des acides aminés participent à toutes les réactions simples communes à cette fonction chimique. La réaction avec l'ammoniac ou les amines primaires conduit respectivement à la formation d'amides ou d'amides substitués (Figure 4.9a,b). Des esters ou des chlorures d'acide peuvent facilement être

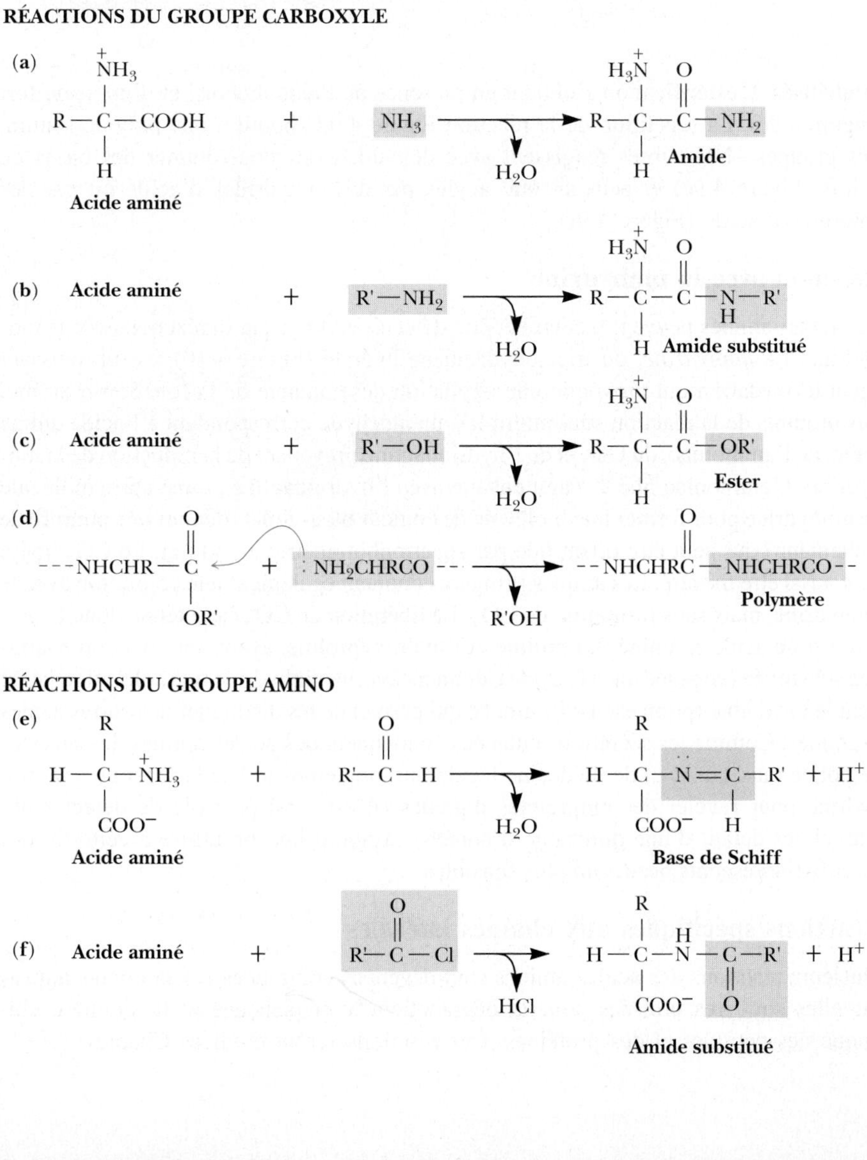

RÉACTIONS DU GROUPE CARBOXYLE

(a) $R{-}CH(NH_3^+){-}COOH + NH_3 \xrightarrow{-H_2O} R{-}CH(H_3N^+){-}C(=O){-}NH_2$

Acide aminé → **Amide**

(b) Acide aminé + $R'{-}NH_2 \xrightarrow{-H_2O} R{-}CH(H_3N^+){-}C(=O){-}NH{-}R'$

Amide substitué

(c) Acide aminé + $R'{-}OH \xrightarrow{-H_2O} R{-}CH(H_3N^+){-}C(=O){-}OR'$

Ester

(d) $---NHCHR{-}C(=O){-}OR' + :NH_2CHRCO-- \xrightarrow{-R'OH} --NHCHRC(=O){-}NHCHRCO--$

Polymère

RÉACTIONS DU GROUPE AMINO

(e) $H{-}C(R)(COO^-){-}NH_3^+ + R'{-}C(=O){-}H \xrightarrow{-H_2O} H{-}C(R)(COO^-){-}\ddot{N}{=}CH{-}R' + H^+$

Acide aminé → **Base de Schiff**

(f) Acide aminé + $R'{-}C(=O){-}Cl \xrightarrow{-HCl} H{-}C(R)(COO^-){-}NH{-}C(=O){-}R' + H^+$

Amide substitué

Figure 4.9 • Réactions typiques des acides aminés communs (voir le texte pour les détails).

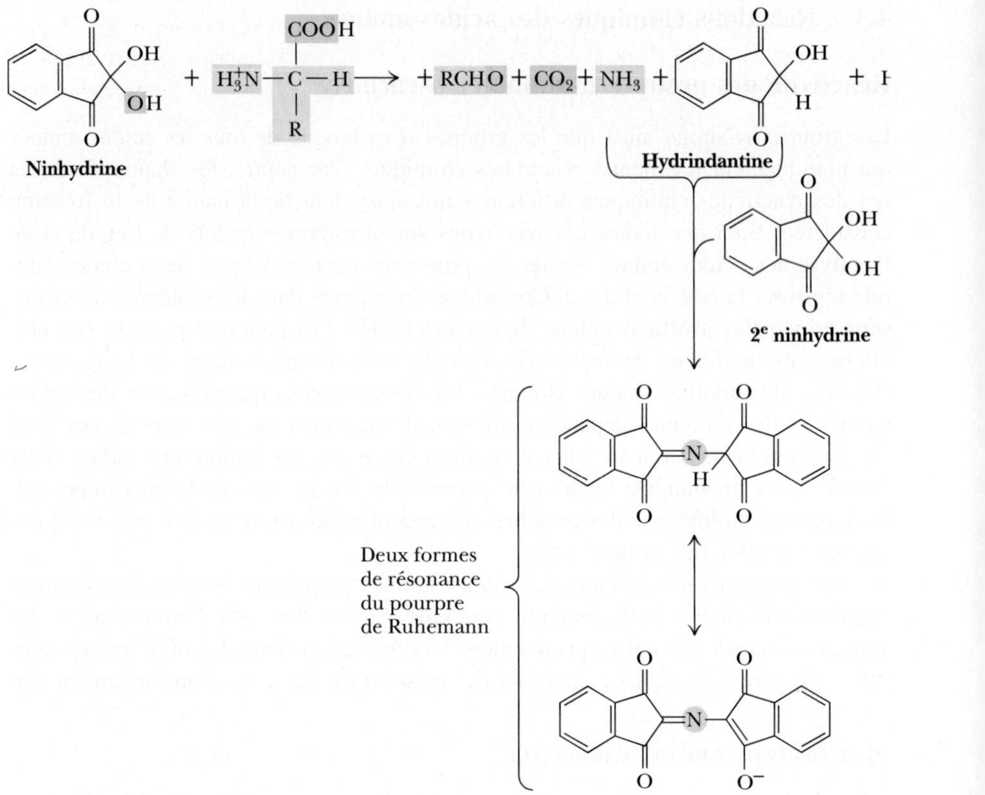

Figure 4.10 • Séquences réactionnelles de la réaction à la ninhydrine. La coloration violette est due à la formation du « pourpre de Ruhemann ». Le produit absorbe fortement à 570 nm. Noter que la réaction consomme deux molécules de ninhydrine.

synthétisés. L'estérification s'obtient en présence de l'alcool choisi et d'un acide fort (Figure 4.9c). La répétition de la réaction Figure 4.9d aboutit à une polymérisation. Les groupes $-NH_2$ libres réagissent avec des aldéhydes pour donner des bases de Schiff (Figure 4.9e) et peuvent être acylés par des anhydrides d'acide ou par des chlorures d'acide (Figure 4.9f).

Réaction avec la ninhydrine

Les acides aminés peuvent facilement être détectés et dosés par la réaction avec la ninhydrine. La *ninhydrine*, ou tricétohydrindène hydraté (Figure 4.10), est un puissant agent d'oxydation qui provoque une oxydation désaminante de la fonction α amino. Les produits de la réaction sont multiples, un aldéhyde correspondant à l'acide aminé traité, de l'ammoniac, du CO_2 et de l'hydrindantine provenant de la réduction de la ninhydrine. L'ammoniac libéré réagit ensuite avec l'hydrindantine et une autre molécule de ninhydrine pour former une molécule de couleur bleu-violet (dénommée pourpre de Ruhemann) qui peut être quantifiée par spectrophotométrie à 570 nm. Le CO_2 libéré peut aussi être mesuré. Les amines primaires donnent également une coloration avec le ninhydrine, mais sans formation de CO_2. La libération de CO_2 caractérise donc la présence d'un acide α-aminé. La proline et l'hydroxyproline, ayant une fonction α-aminée substituée (engagée dans le cycle), donnent avec la ninhydrine une coloration jaune dont le pic d'absorption est à 440 nm, ce qui permet de les distinguer des autres acides α-aminés. Comme les sécrétions cutanées contiennent des acides aminés, les services de police (aux USA) et de médecine légale ont longtemps utilisé la réaction à la ninhydrine pour révéler des empreintes digitales (il est ainsi possible de détecter des empreintes datant d'une quinzaine d'années). Aujourd'hui, on utilise à cette fin des réactifs fluorescents beaucoup plus sensibles.

Réactions spécifiques aux chaînes latérales

Plusieurs réactions des acides aminés sont devenues communes ces dernières années car elles sont très utilisées pour la dégradation, le séquençage et la synthèse chimique des peptides et des protéines. Ces réactions seront étudiées Chapitre 5.

Les biochimistes ont développé un arsenal de réactions relativement spécifiques de la chaîne latérale d'un acide aminé donné. Ces réactions peuvent être utilisées pour identifier les acides aminés du site actif d'un enzyme ou pour marquer les protéines avec un réactif approprié afin de faciliter des études ultérieures. Par exemple, les résidus cystéine des protéines peuvent réagir entre eux pour former des ponts disulfure, ou encore, réagir avec divers réactifs, par exemple les maléimides, en particulier le *N*-éthylmaléimide (Figure 4.11). La cystéine réagit également très bien

Figure 4.11 • Réactions des groupes fonctionnels des chaînes latérales.

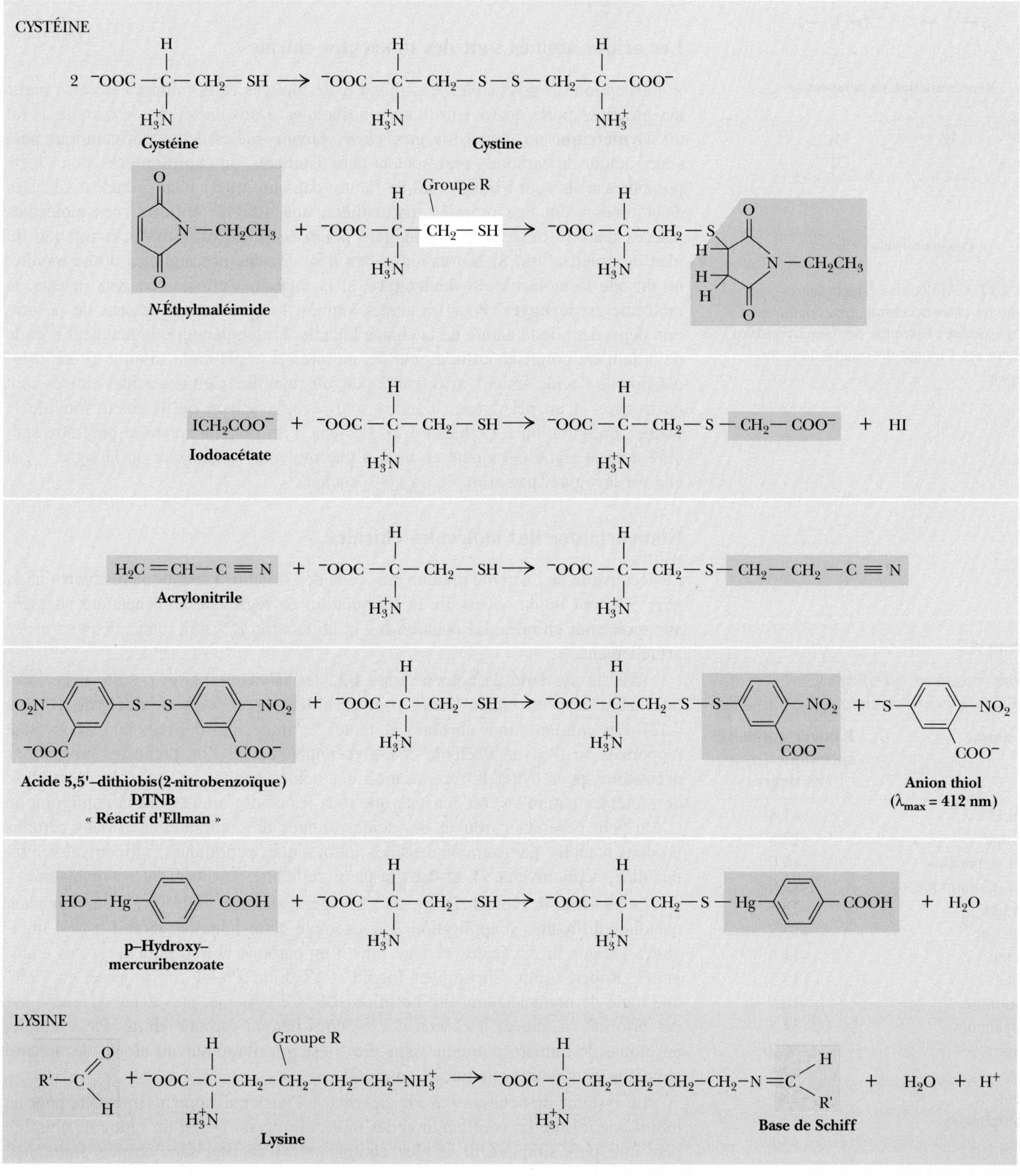

CYSTÉINE

$$2\ {}^{-}OOC-CH(NH_3^+)-CH_2-SH \longrightarrow {}^{-}OOC-CH(NH_3^+)-CH_2-S-S-CH_2-CH(NH_3^+)-COO^-$$

Cystéine → **Cystine**

$$N\text{-éthylmaléimide } (N-CH_2CH_3) + {}^{-}OOC-CH(NH_3^+)-\underbrace{CH_2-SH}_{\text{Groupe R}} \longrightarrow {}^{-}OOC-CH(NH_3^+)-CH_2-S-(\text{succinimide}, N-CH_2CH_3)$$

***N*-Éthylmaléimide**

$$ICH_2COO^- + {}^{-}OOC-CH(NH_3^+)-CH_2-SH \longrightarrow {}^{-}OOC-CH(NH_3^+)-CH_2-S-CH_2-COO^- + HI$$

Iodoacétate

$$H_2C=CH-C\equiv N + {}^{-}OOC-CH(NH_3^+)-CH_2-SH \longrightarrow {}^{-}OOC-CH(NH_3^+)-CH_2-S-CH_2-CH_2-C\equiv N$$

Acrylonitrile

$$O_2N-C_6H_3(COO^-)-S-S-C_6H_3(COO^-)-NO_2 + {}^{-}OOC-CH(NH_3^+)-CH_2-SH \longrightarrow {}^{-}OOC-CH(NH_3^+)-CH_2-S-S-C_6H_3(COO^-)-NO_2 + {}^{-}S-C_6H_3(COO^-)-NO_2$$

Acide 5,5'–dithiobis(2-nitrobenzoïque)
DTNB
« Réactif d'Ellman »

Anion thiol
($\lambda_{max} = 412$ nm)

$$HO-Hg-C_6H_4-COOH + {}^{-}OOC-CH(NH_3^+)-CH_2-SH \longrightarrow {}^{-}OOC-CH(NH_3^+)-CH_2-S-Hg-C_6H_4-COOH + H_2O$$

p–Hydroxy–mercuribenzoate

LYSINE

$$R'-CHO + {}^{-}OOC-CH(NH_3^+)-\underbrace{CH_2-CH_2-CH_2-CH_2-NH_3^+}_{\text{Groupe R}} \longrightarrow {}^{-}OOC-CH(NH_3^+)-CH_2-CH_2-CH_2-CH_2-N=CH-R' + H_2O + H^+$$

Lysine → **Base de Schiff**

avec l'acide iodoacétique pour donner un dérivé, la *S*-carboxyméthylcystéine. De nombreuses autres réactions font appel à des réactifs spécifiques d'un groupe particulier d'une chaîne latérale. La Figure 4.11 donne une liste représentative de ces réactifs et des produits formés. Il ne faut pas oublier que très peu, pour ne pas dire aucune, de ces réactions n'est absolument spécifique d'une seule fonction, il faut donc interpréter les résultats avec précaution.

4.4 • Activité optique et stéréochimie des acides aminés

Les acides aminés sont des molécules chirales

À l'exception du glycocolle, le carbone α de tous les acides aminés isolés à partir des protéines porte quatre substituants différentes. Dans un tel cas, le carbone α est dit **asymétrique** ou **chiral** (du grec *cheir*, « main »). Les deux configurations possibles autour du carbone (représentent deux isomères, ou **énantiomères**, non superposables car ils sont l'image l'un de l'autre dans un miroir plan (Figure 4.12). Des énantiomères ont une propriété particulière, une **activité optique ;** ces molécules placées dans le faisceau d'une lumière polarisée plane provoquent la rotation du plan de polarisation. Si la rotation a lieu dans le sens des aiguilles d'une montre, on dit que la molécule est **dextrogyre**, si la rotation s'effectue en sens inverse, la molécule est **lévogyre**. Pour les acides aminés, l'importance et le sens de la rotation dépendent de la nature de la chaîne latérale. La température, la longueur d'onde de la lumière polarisée utilisée pour les mesures et le pH de la solution (l'état d'ionisation de l'acide aminé), affectent le pouvoir rotatoire. Certains acides aminés sont dextrogyres à un pH donné, d'autres sont lévogyres bien qu'ils soient tous de la même configuration L (Tableau 4.2). Le sens d'un pouvoir rotatoire peut être spécifié avec le signe (+) ajouté au nom d'une molécule dextrogyre ou le signe (–) si elle est lévogyre, par exemple, la L(+)-leucine.

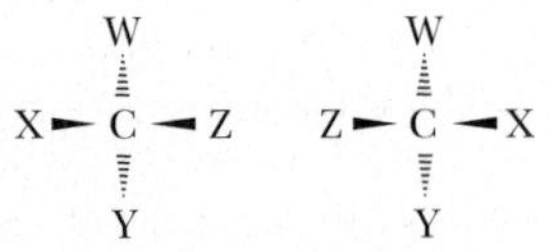

Représentation en perspective

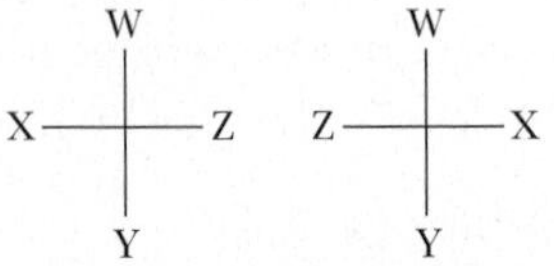

Projection selon Fischer

Figure 4.12 • Molécules énantiomères ayant un atome de carbone chiral. Les énantiomères sont des isomères optiques non superposables car chacun est l'image de l'autre dans un miroir plan.

Nomenclature des molécules chirales

La découverte de l'activité optique puis celle des structures énantiomères (voir Encart page 97), ont rendu nécessaire la formulation de règles de nomenclature adaptées aux molécules chirales. La notation D,L et la notation *R*,*S* sont toutes deux en usage actuellement.

Avec le **système** de nomenclature **D,L**, les isomères (+) et (–) du glycéraldéhyde sont respectivement écrits **D-glycéraldéhyde** et **L-glycéraldéhyde** (Figure 4.13). Les configurations absolues de toutes les molécules dérivées du carbone sont rapportées au D-glycéraldéhyde et L-glycéraldéhyde. Si l'on prend les précautions nécessaires pour éviter la racémisation des acides aminés au cours de l'hydrolyse de protéines naturelles, on constate que tous les acides aminés ont la configuration L. On peut cependant trouver des acides aminés de configuration D dans certains produits naturels, par exemple dans des antibiotiques peptidiques, valinomycine, gramicidine, actinomycine D, et dans la paroi cellulaire de divers microorganismes.

Le système de nomenclature D,L, très généralement utilisé présente cependant quelques difficultés d'application. Par exemple cette notation aboutit à des ambiguïtés lorsque la molécule présente plus d'un carbone chiral. Pour lever ces ambiguïtés, Robert Cahn, Christopher Ingold et Vladimir Prelog ont proposé, en 1956, une règle de nomenclature dite **notation *R*,*S***. Ce système, plus général, repose sur des priorités accordées à chacun des groupes liés au carbone chiral. Par exemple, un atome de numéro atomique plus élevé est prioritaire sur un atome de numéro atomique plus petit (voir Encart page 99).

Le système de notation *R*,*S* est supérieur à l'ancienne nomenclature D,L, pour au moins une raison. La configuration des molécules ayant plus d'un centre de chiralité peut être plus simplement et plus complètement décrite, sans aucune ambiguïté.

Tableau 4.2

Pouvoir rotatoire spécifique de quelques acides aminés

Acide aminé	Pouvoir rotatoire spécifique $[\alpha]_D^{25}$, en degrés
L-Alanine	+1,8
L-Arginine	+12,5
Acide L-aspartique	+5,0
Acide L-glutamique	+12,0
L-Histidine	–38,5
L-Isoleucine	+12,4
L-Leucine	–11,0
L-Lysine	+13,5
L-Méthionine	–10,0
L-Phényalanine	–34,5
L-Proline	–86,2
L-Sérine	–7,5
L-Thréonine	–28,5
L-Tryptophanne	–33,7
L-Valine	+5,6

DÉVELOPPEMENTS DÉCISIFS EN BIOCHIMIE

Découverte des molécules ayant une activité optique et détermination de la configuration absolue

Jean-Baptiste Biot en 1815 a découvert l'activité optique du quartz et de quelques autres substances et Louis Pasteur, alors jeune chimiste, a fait en 1848 une remarquable découverte ayant un rapport avec l'activité optique. Pasteur a observé que des cristaux de tartrate d'ammonium et de sodium, provenant de solutions optiquement inactives, sont visiblement constitués de deux types de cristaux qui sont l'un par rapport à l'autre comme des images dans un miroir. Après avoir soigneusement sélectionné les deux types de cristaux et les avoir séparément dissous dans de l'eau, il a constaté que chaque solution était *optiquement active*. Plus surprenant encore, le pouvoir rotatoire spécifique de chacune des solutions était le même, mais affecté d'un signe opposé. Ces différences de rotation semblaient provenir des molécules en solution. Pasteur a donc émis l'hypothèse que les molécules elles-mêmes étaient comme les cristaux dont elles provenaient et qu'une molécule de tartrate (–) était l'image dans un miroir de la molécule de tartrate (+). En 1874, Van't Hoff et Le Bel ont rapporté cette activité optique à la structure du carbone porteur de substituants différents et proposé une disposition tétraédrique des valences du carbone.

En 1888, Emil Fisher pensa qu'il devait être possible de déterminer la *configuration relative* du (+)-glucose, un sucre à six atomes de carbone, dont quatre sont des centres d'asymétrie (voir la figure).

Comme chaque centre d'asymétrie correspond à deux configurations, le glucose pourrait donc avoir l'une des 16 configurations isomériques possibles. Trois ans de travaux chimiques minutieux et de réflexion ont été nécessaires pour résoudre le problème posé. En 1891, Fisher n'hésitait plus qu'entre deux structures énantiomères (isomères optiques). Les méthodes pour la détermination de la configuration *absolue* n'existant pas encore, Fisher n'a pu faire qu'une estimation pour choisir en fin de compte la structure présentée dans la Figure. Pour cet exploit, Fisher a reçu le Prix Nobel de Chimie en 1902. Chimiste brillant, mais tourmenté, Fisher s'est malheureusement suicidé par la suite.

Le choix scientifiquement fondé de la configuration absolue du glucose (la distinction entre les deux formes énantiomères) ne put être effectué que longtemps plus tard. En 1951, J. M. Bijvoet à Utrecht, Pays-Bas, a utilisé une nouvelle technique de diffraction des rayons X pour déterminer la configuration absolue du sel de rubidium et de sodium de l'acide tartrique (+). La configuration de l'acide tartrique peut être reliée à celle du glycéraldéhyde et les configurations des sucres et des acides aminés peuvent également être reliées à celle du glycéraldéhyde. Il était alors devenu possible de déterminer la configuration absolue d'un sucre ou d'un acide aminé. La configuration absolue de l'acide tartrique déterminée par Bijvoet s'est révélée être celle qui jusqu'alors n'était que la configuration présumée. Cela signifie que le choix arbitraire effectué par Emil Fisher 60 ans plus tôt était le bon.

Un jeune chimiste, instructeur à l'Université de New York, M. A. Rosanoff, a été le premier (en 1906) à proposer que les isomères du glycéraldéhyde soient la référence pour la description de la stéréochimie des sucres et des autres molécules. Plus tard, lorsqu'il a été montré que la configuration du (+)-glycéraldéhyde était reliée à celle du (+) glucose, le (+) glycéraldéhyde est devenu le D-glycéraldéhyde (par définition dextrogyre). Cette **convention de Rosanoff** aujourd'hui universellement adoptée a, en son temps, été rejetée par Emil Fisher. Ironiquement, cette nomenclature est très souvent appelée la **convention de Fisher.**

CHO
H—C—OH
HO—C—H
H—C—OH
H—C—OH
CH_2OH

Configuration absolue du (+) glucose.

Plusieurs acides aminés, l'isoleucine, la thréonine, l'hydroxyproline et l'hydroxylysine, ont deux centres de chiralité. Avec la notation *R,S*, la L-thréonine devient la (2*S*,3*R*)-thréonine. Une molécule ayant *n* centres de chiralité peut théoriquement avoir 2^n structures isomériques. Les quatre acides aminés ci-dessus cités ont chacun quatre configurations isomériques qui correspondent à deux paires d'énantiomères. Des isomères qui diffèrent par un seul des centres asymétriques sont des **diastéréoisomères**, ils ne sont pas l'image l'un de l'autre dans un miroir. La Figure 4.14 présente les quatre

L-Glycéraldéhyde	D-Glycéraldéhyde
CHO HO—C—H CH_2OH	CHO H—C—OH CH_2OH
L-Sérine	**D-Sérine**
COOH $H_3\overset{+}{N}$—C—H CH_2OH	COOH H—C—$\overset{+}{N}H_3$ CH_2OH

Figure 4.13 • La configuration des L-acides aminés communs peut être rapportée à celle du L(-) glycéraldéhyde. Ces représentations sont connues sous le nom de projections selon Fischer. Les lignes horizontales dans ces projections sont dirigées à partir du carbone chiral (central ici) vers l'extérieur de la page, en direction du lecteur, tandis que les lignes verticales représentent les liaisons s'étendant du même carbone vers le dessous de la page.

Pour en savoir plus

La météorite de Murchison – découverte d'une configuration structurale préférentielle dans des molécules d'origine extraterrestre

La prédominance des acides aminés L dans les systèmes biologiques est une constatation surprenante. Il semblerait normal que la synthèse prébiotique des acides aminés fournisse des quantités équivalentes d'énantiomères L et D. Il faut admettre que lors de la constitution des protéines un processus particulier est intervenu pour sélectionner les L-acides aminés de préférence aux D-acides aminés. Cette sélection n'a-t-elle été qu'un phénomène accidentel, d'origine aléatoire ?

L'examen de substances organiques – comme des acides aminés – d'origine extraterrestre devrait pouvoir fournir des indications sur ce mystère. John Cronan et Sandra Pizzarello ont analysé la distribution anomérique des acides aminés peu communs extraits de la météorite de Murchison, météorite qui, le 28 septembre 1969, a heurté notre planète près de Murchison, en Australie (Le choix des acides aminés peu communs avait pour but de s'assurer que les substances étudiées venaient bien de l'espace interstellaire et non pas de contaminants provenant de l'atmosphère terrestre). Pour quatre acides aminés a-dialkylés (l'α-méthylisoleucine, l'α-méthylalloisoleucine, l'α-méthylnorvaline et l'isovaline), l'excès des formes L-énantiomères variait de 2 à 9 %.

C'est probablement la première démonstration d'un enrichissement naturel en L-énantiomère possible dans certaines conditions de l'environnement cosmique. Cette observation a-t-elle un rapport avec l'émergence de la domination des L-acides aminés dans la vie terrestre ? Et s'il en est ainsi, existerait-il quelque part dans l'univers une vie fondée sur le même choix ?

$CH_3—CH_2—CH(CH_3)—C(NH_3^+)(CH_3)—COOH$

Acide 2-Amino-2, 3-diméthylpentanoïque*

$CH_3—CH_2—C(NH_3^+)(CH_3)—COOH$

Isovaline

$CH_3—CH_2—CH_2—C(NH_3^+)(CH_3)—COOH$

α-Méthylnorvaline

Acides aminés isolés de la météorite de Murchison.

* *Les quatre stéréoisomères de cet acide aminé comprennent les formes* D *et* L *de l'a-méthylisoleucine et de l'a-méthylalloisoleucine.*

Cronin, J.R., et Pizzarello, S., 1997. Enantiomeric excesses in meteoritic amino acids. Science **275** *: 951-955.*

stéréoisomères de l'isoleucine. Par convention, l'isomère obtenu par hydrolyse des protéines naturelles est la L-isoleucine. Avec la notation *R,S*, c'est la (2*S*,3*S*)-isoleucine. Son diastéréoisomère, (2*S*,3*R*)-isoleucine, est la L-allo-isoleucine. La paire d'isomères constituée par les D-énantiomères est décrite de façon analogue.

Figure 4.14 • Stéréoisomères de l'isoleucine et de la thréonine. Les structures à l'extrême gauche sont celles des isomères naturellement présents.

	L-Isoleucine (2*S*,3*S*)-Isoleucine	D-Isoleucine (2*R*,3*R*)-Isoleucine	L-Alloisoleucine (2*S*,3*R*)-Isoleucine	D-Alloisoleucine (2*R*,3*S*)-Isoleucine
	COOH	COOH	COOH	COOH
C2	$H_3\overset{+}{N}—C—H$	$H—C—\overset{+}{N}H_3$	$H_3\overset{+}{N}—C—H$	$H—C—\overset{+}{N}H_3$
C3	$H_3C—C—H$	$H—C—CH_3$	$H—C—CH_3$	$H_3C—C—H$
	C_2H_5	C_2H_5	C_2H_5	C_2H_5

	L-Thréonine	D-Thréonine	L-Allothréonine	D-Allothréonine
	COOH	COOH	COOH	COOH
C2	$H_3\overset{+}{N}—C—H$	$H—C—\overset{+}{N}H_3$	$H_3\overset{+}{N}—C—H$	$H—C—\overset{+}{N}H_3$
C3	$H—C—OH$	$HO—C—H$	$HO—C—H$	$H—C—OH$
	CH_3	CH_3	CH_3	CH_3

DÉVELOPPEMENTS DÉCISIFS EN BIOCHIMIE

Règles de nomenclature du système R,S de description d'un centre de chiralité

Pour décrire un centre de chiralité dans le système *R,S*, on regarde la molécule, du centre de chiralité vers l'atome ayant la priorité la plus basse (l'atome de numéro atomique le plus faible). Si la priorité des trois atomes faisant face à l'observateur décroît dans le sens des aiguilles d'une montre, le centre est dit de configuration *R* (*R* du latin *rectus*, « droit ») Si la priorité décroît dans le sens inverse des aiguilles d'une montre, la configuration est dite *S* (*S* du latin *sinistrus*, « gauche »). Si deux des atomes liés à un centre chiral sont identiques, on doit pour déterminer les priorités considérer les atomes qui leur sont liés. Les priorités de certains groupes présents dans les acides aminés et d'autres molécules sont les suivantes :`

$$SH > OH > NH_2 > COOH > CHO > CH_2OH > CH_3$$

Il devient ainsi plus évident que le D-glycéraldéhyde est le *R*-glycéraldyde, et la L-alanine est la *S*-alanine (voir la figure). La configuration du carbone α est *S* pour tous les acides aminés, à l'exception de la cystéine qui, du fait du groupe thiol, est la *R*-cystéine.

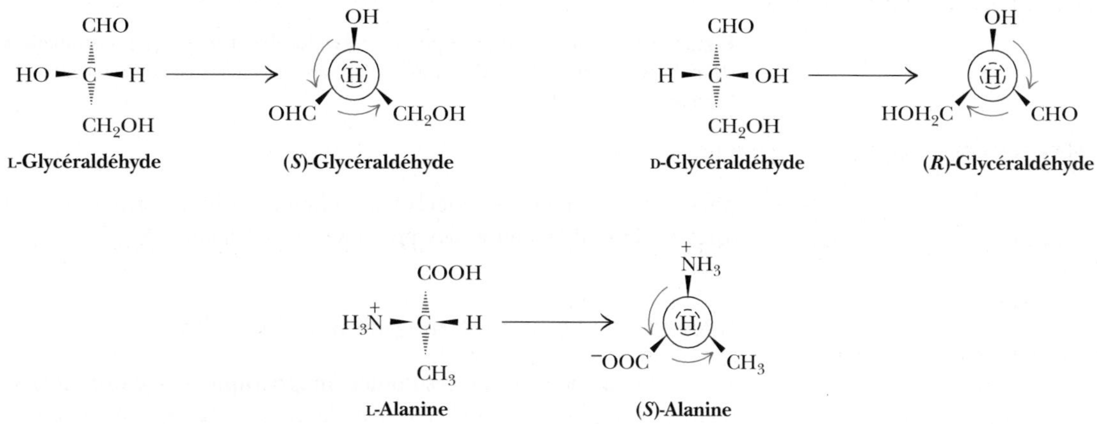

L-Glycéraldéhyde → **(*S*)-Glycéraldéhyde**　　**D-Glycéraldéhyde** → **(*R*)-Glycéraldéhyde**

L-Alanine → **(*S*)-Alanine**

Fixation de la notation *R* ou *S* du glycéraldéhyde et de la L-alanine.

4.5 • Propriétés spectroscopiques des acides aminés

L'utilisation de **méthodes spectroscopiques** a été à l'origine d'un des plus importants et des plus stimulants progrès en biochimie moderne. Ces méthodes mesurent l'absorption et l'émission d'énergie de différentes longueurs d'onde par des molécules ou des atomes. L'étude spectrale des protéines, des acides nucléiques et d'autres molécules biologiques, donne des informations complémentaires sur la structure de ces molécules et sur les processus dynamiques internes.

Spectres dans l'ultraviolet

De nombreux détails concernant la structure et la chimie des acides aminés peuvent être élucidés ou tout au moins confirmés par des mesures spectroscopiques. Aucun acide aminé n'absorbe la lumière dans la région visible du spectre électromagnétique. Cependant, plusieurs absorbent les radiations **ultraviolettes** et tous absorbent dans **l'infrarouge**. L'absorption de l'énergie par les électrons lorsqu'ils passent à un niveau énergétique supérieur se produit dans la région UV-visible du spectre. Seuls les acides aminés aromatiques, phénylalanine, tyrosine et tryptophanne, absorbent de façon importante dans l'ultraviolet au-dessus de 250 nm (Figure 4.15). Ces fortes absorptions sont à l'origine des méthodes spectroscopiques de détermination de la concentration des protéines en solution. Les acides aromatiques sont aussi très faiblement fluorescents et le tryptophanne, après irradiation, émet une lumière pendant une durée relativement longue, il est *phosphorescent*. Fluorescence et phos-

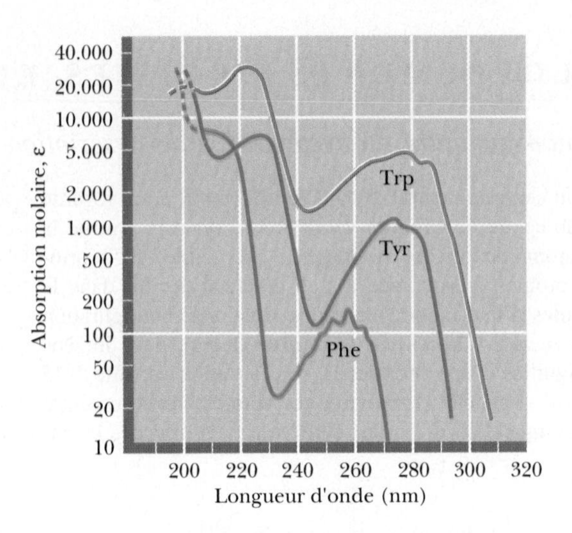

Figure 4.15 • Spectre d'absorption ultraviolet des acides aminés aromatiques à pH 6. *(D'après Wetlaufer, D.B., 1962. Ultraviolet spectra of proteins and amino acids.* Advances in Protein Chemistry ***17****: 303-390.)*

phorescence sont des propriétés particulièrement intéressantes pour l'étude des structures et de la dynamique des protéines (voir Chapitre 6).

Spectres de résonance magnétique nucléaire

Le développement de la **résonance magnétique nucléaire** (RMN) au cours des années 50 a joué un grand rôle dans la caractérisation chimique des acides aminés et des protéines. Cette technique spectroscopique utilise l'absorption de l'énergie des fréquences radio par certains noyaux placés dans un champ magnétique. Les études aboutirent rapidement à mettre en évidence quelques principes importants. Premièrement, **le déplacement chimique** [1] des protons des acides aminés dépend de leur environnement chimique particulier et donc de leur état d'ionisation. Deuxièmement, la variation de la densité électronique au cours d'un titrage se transmet le long de la chaîne carbonée des acides aminés aliphatiques et le long de la partie aliphatique des acides aminés aromatiques. Des changements dans le déplacement chimique des protons concernés traduisent cette variation. Enfin, la valeur des **constantes de couplage** entre les protons et les atomes de carbone adjacents dépend, dans certains cas, de l'état d'ionisation de l'acide aminé. Ce qui semble refléter des différences entre les diverses conformations adoptées par l'acide aminé selon son état d'ionisation. La Figure 4.16 présente le spectre de résonance magnétique du proton de deux acides aminés. Les déplacements chimiques des signaux RMN sont extrêmement sensibles à leur environnement, ils permettent de détecter les ionisations dépendantes du pH. La Figure 4.17 montre les déplacements chimiques du ^{13}C lors d'une titration de la lysine. Remarquez que les déplacements chimiques du carbone α, du carbone β et du carbone carboxylique de la lysine, sont sensibles à la dissociation des protons des groupes α-COOH et α-NH_3^+ voisins (valeurs respectives pK_a, voisins de 2 et 9), tandis que les carbone C_δ et C_ε sont sensibles à la dissociation du groupe ε-NH_3^+. De telles mesures ont été très utiles pour l'étude du comportement des résidus des acides aminés ionisables dans les protéines. Des

[1] Le déplacement chimique d'un signal RMN correspond à la différence entre la fréquence de résonance d'un signal observé et la fréquence du signal de référence. Si les champs magnétiques de deux noyaux sont couplés, les signaux RMN de ces noyaux sont dédoublés et la distance entre les signaux, dénommée constante de couplage, dépendra des relations structurales entre les deux noyaux.

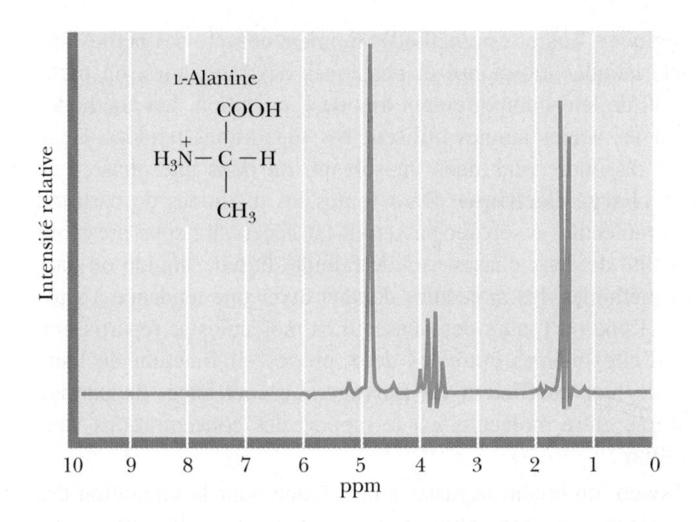

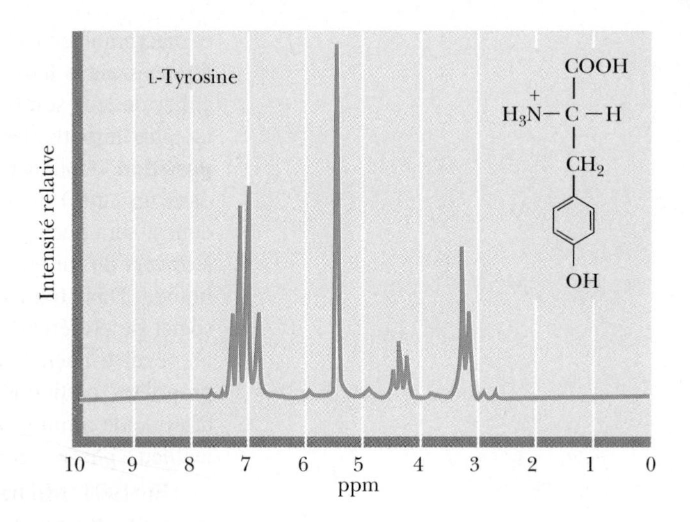

Figure 4.16 • Spectre de résonance magnétique du proton de deux acides aminés. Le zéro sur l'échelle du déplacement chimique est défini par la résonance du tétraméthylsilane (TMS). *(D'après Aldrich Library of NMR Spectra.)*

méthodes de mesure RMN plus élaborées, en présence de champs magnétiques très puissants, sont à présent utilisées pour déterminer la structure des peptides et même de petites protéines.

4.6 • Séparation et analyse de mélanges d'acides aminés

Méthodes chromatographiques

La purification et l'analyse des acides aminés individuels contenus dans un mélange complexe utilisaient autrefois des processus particulièrement lourds. Aujourd'hui, les biochimistes disposent d'une grande variété de méthodes pour la séparation et l'analyse des acides aminés ; elles sont généralement valables pour les autres molécules

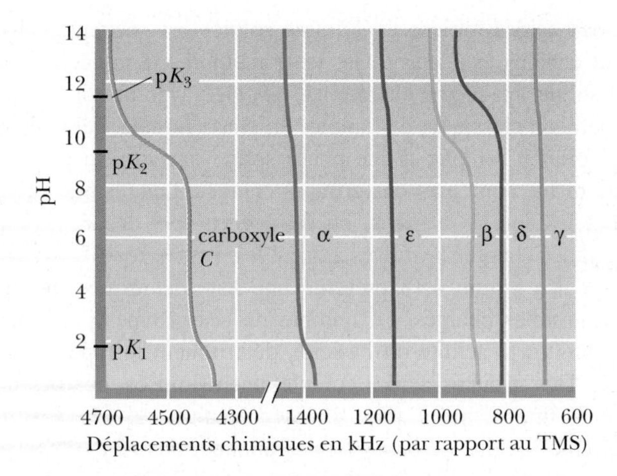

Figure 4.17 • Graphe des déplacements chimiques en fonction du pH pour les atomes de carbone de la lysine. Les déplacements chimiques sont plus prononcés pour les atomes situés au voisinage des groupes dissociables. Remarquez la correspondance entre les valeurs de pK_a et les changements d'un déplacement chimique particulier. Tous les déplacements chimiques sont définis par rapport au tétraméthylsilane. *(D'après Suprenant, H., et al., 1980.* Journal of Magnetic Resonance ***40** : 231-243.)*

et macromolécules biologiques. Toutes ces méthodes tiennent compte des petites différences entre les caractéristiques chimiques et physiques des molécules, en particulier de leur solubilité ou de leur comportement lors de l'ionisation. Les méthodes les plus importantes pour les acides aminés utilisent des séparations fondées sur la **partition** (tendance à se dissoudre plus dans un solvant, ou dans une phase, que dans un autre) ou sur la **charge électrique**. Dans toutes les méthodes de partition dont il sera question, les molécules à séparer passeront (si nécessaire sous pression) à travers un milieu constitué de deux phases : solide-liquide, liquide-liquide ou gaz-liquide. Dans toutes ces méthodes, les molécules doivent avoir une tendance à s'associer de préférence avec l'une ou l'autre des phases. Les molécules se répartissent, ou se distribuent, ainsi d'elles-mêmes entre les deux phases en fonction de leurs propriétés particulières, de leur **coefficient de partage**. Le coefficient de partage d'un acide aminé, ou d'une autre molécule, est le rapport des concentrations dans les deux phases en équilibre.

En 1903, Mikhail Tswett, un botaniste russe, a développé pour la séparation des pigments des plantes (carotènes et chlorophylles) une technique fondée sur la partition répétée entre deux phases. Une solution de pigments est filtrée à travers une colonne d'alumine finement pulvérisée, ou d'une autre substance solide ; au cours de cette filtration, les pigments se répartissent entre la phase liquide et la phase solide (l'alumine). Les pigments étant colorés, les bandes séparées sont colorées, d'où le nom donné par Tswett à sa technique, la **chromatographie**. Ce terme est à présent appliqué à de nombreuses méthodes de séparation, indépendamment de la nature colorée ou non des produits traités. La qualité des résultats de toutes les techniques de chromatographie dépend de la partition, répétée un très grand nombre de fois, du mélange en solution entre les phases présentes. Le résultat de la séparation finale sera d'autant plus efficace que le phénomène de partition, dans un temps donné ou dans un volume fixé, sera plus souvent répété. Les méthodes de chromatographie ont fait beaucoup de progrès ces dernières années, en particulier grâce à l'élaboration de nouveaux produits constituant la phase solide. Les méthodes les plus fréquemment utilisées pour la séparation des acides aminés comprennent la chromatographie sur résines échangeuses d'ions, la chromatographie en phase gazeuse et la chromatographie liquide à haute résolution, sous pression élevée (en anglais, HPLC, High-Performance Liquid Chromatography).

Chromatographie sur échangeur d'ions

La séparation des acides aminés et d'autres solutés est souvent réalisée par chromatographie sur échangeur d'ions. Dans cette méthode, la molécule chargée se fixe sur un support solide, lui-même chargé, par *échange* avec un ion qui passe en solution. Dans la méthode classique, des solutés en phase liquide, généralement aqueuse, traversent une colonne remplie d'une phase solide poreuse, le plus souvent un lit de particules de résine contenant des groupes chargés. Les résines ayant des charges positives attirent les solutés négatifs, on dit que ce sont des *échangeurs d'anions*. Les résines ayant des charges négatives attirent les solutés positifs, ce sont des *échangeurs de cations*. La Figure 4.18 présente une liste de résines très utilisées, avec divers types de groupes chargés. Le nombre de ces groupes par unité de volume, leur plus ou moins forte acidité ou basicité, déterminent le type d'une résine et sa force de liaison. Des groupes acides complètement ionisés, comme les acides sulfoniques, donnent une résine à forte charge négative qui fixe très fortement les cations. Des groupes acides ou bases faibles donnent des résines dont la charge (et la capacité de fixation) dépend du pH du solvant d'élution. Le choix de la résine utilisée dépend de la force de liaison recherchée. La charge portée par ces phases solides doit être neutralisée (contrebalancée) par des ions de charge opposée en solution (les « contre-ions »). Le lavage, par une solution de NaCl, d'un échangeur de cation comme la résine Dowex-50, à groupe phényl-SO_3^- acide très fort, donne la forme « sodium » de la résine (Figure 4.19). Lorsque la solution du mélange à ana-

(a) Supports de résines échangeuses de cations	**Structure**
Résine polystyrène, acide fort (Dowex–50)	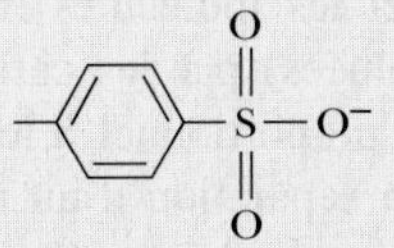 $-C_6H_4-SO_2-O^-$
Carboxylméthylcellulose (CM), acide faible	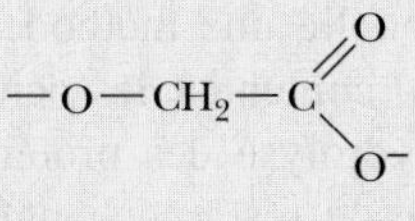 $-O-CH_2-COO^-$
Résine polystyrène, chélatant, acide faible (Chelex–100)	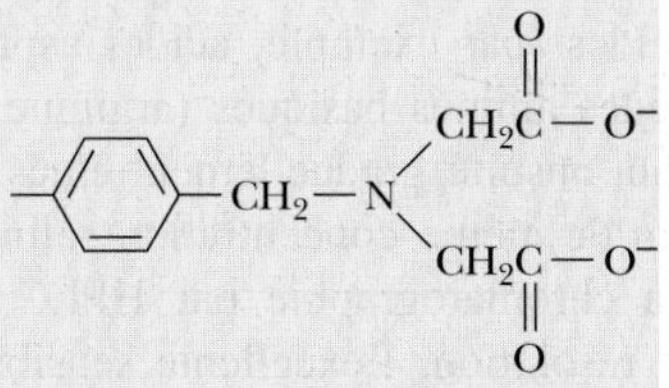 $-C_6H_4-CH_2-N(CH_2COO^-)_2$

(b) Supports de résines échangeuses d'anions	**Structure**
Résine polystyrène, base forte (Dowex–1)	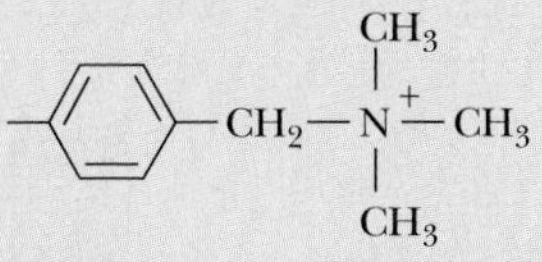 $-C_6H_4-CH_2-N^+(CH_3)_3$
Diéthylaminoéthylcellulose (DEAE cellulose), base faible	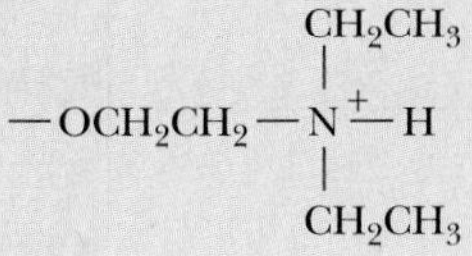 $-OCH_2CH_2-N^+H(CH_2CH_3)_2$

Figure 4.18 • Résines échangeuses de (a) cations et (b) d'anions, les plus fréquemment utilisées pour les séparations biochimiques.

Bille de résine échangeuse de cations au début des opérations

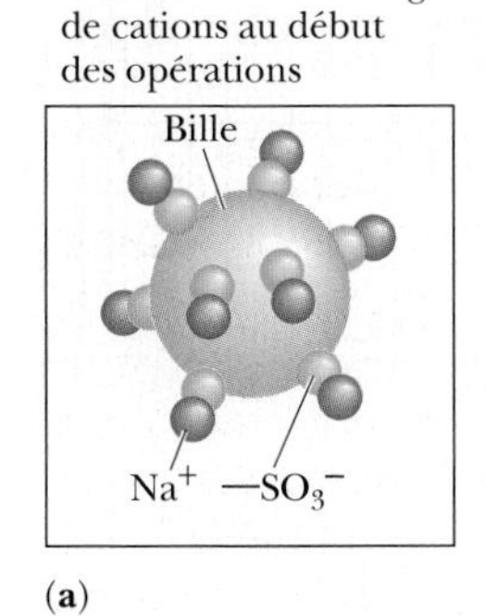

(a)

Addition d'un mélange de Asp, Ser, Lys

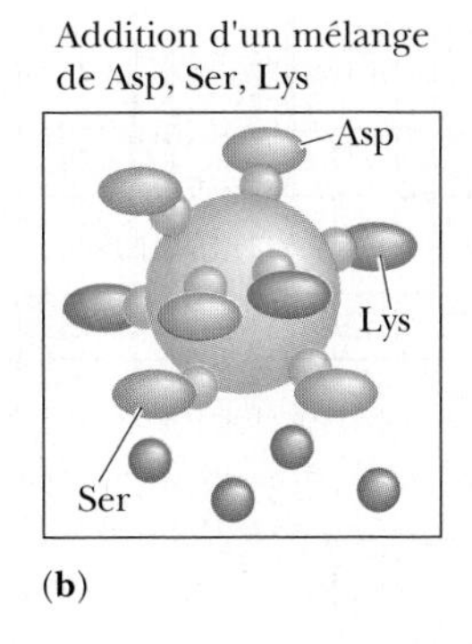

(b)

Addition de Na^+ (NaCl)

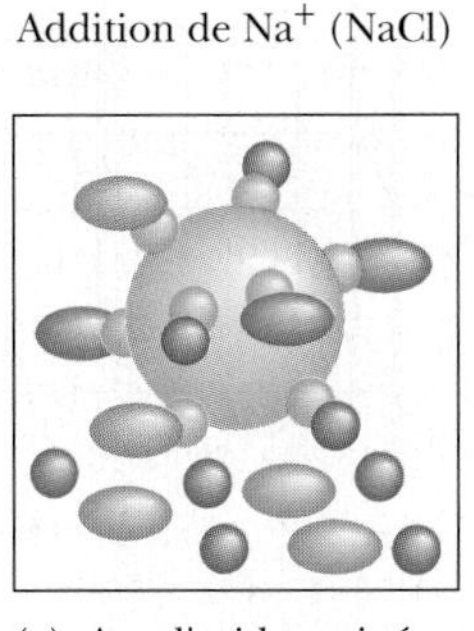

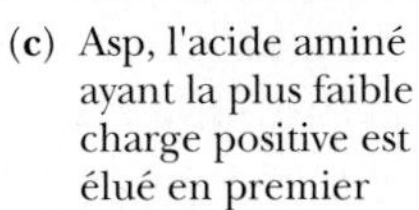

(c) Asp, l'acide aminé ayant la plus faible charge positive est élué en premier

Accroissement de $[Na^+]$

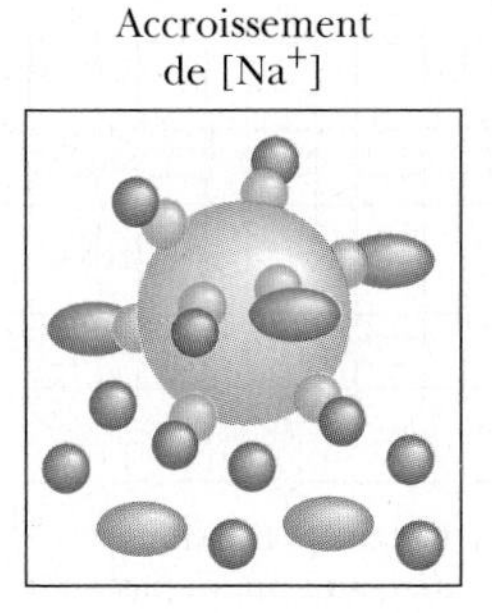

(d) Puis la sérine est éluée

Accroissement de $[Na^+]$

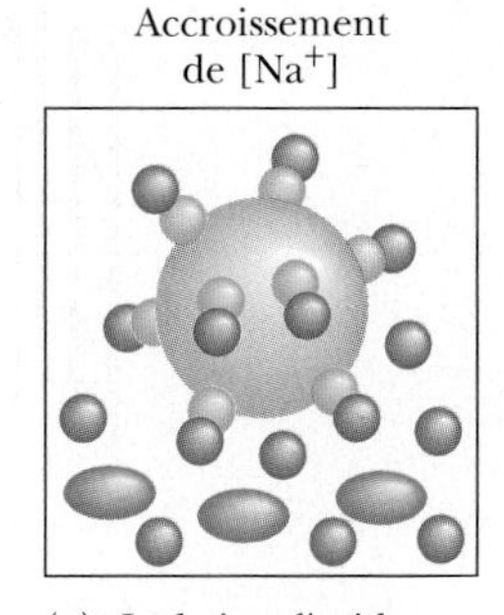

(e) La lysine, l'acide aminé à charge positive la plus élevée, est éluée en dernier

Figure 4.19 • Séparation d'un mélange de Asp, Ser, et Lys, sur une colonne d'un support échangeuse de cations. (a) Au début la résine est sous la forme Na^+. (b) Un mélange de Asp, Ser, et Lys, est déposé sur la colonne contenant la résine. (c) Une solution de plus en plus concentrée d'un sel d'élution (par exemple du NaCl) est versée sur la colonne. L'acide aminé ayant la plus faible charge positive, Asp, est élué en premier. (d) Lorsque la concentration en sel de l'éluant s'accroît suffisamment, la sérine est éluée. (e) Enfin, avec une concentration saline plus importante, l'acide aminé ayant la plus forte charge positive, Lys, est élué en dernier.

lyser passe à travers la colonne, les molécules portant une charge positive déplacent les ions Na^+ et se fixent sur la résine. Une solution, dont la nature saline et le gradient de concentration sont appropriés à la manipulation en cours, est déposée sur la colonne et les molécules fixées sont alors compétitivement et séquentiellement déplacées (éluées) par les cations de la solution. L'ordre d'élution des cations est inversement proportionnel à leur affinité pour la colonne. Les Figures 4.19 et 4.20 présentent la séparation d'un mélange d'acides aminés par cette méthode de chromatographie sur colonne. En 1958, Stanford Moore, Darrel Spackman et William Stein, ont publié une méthode devenue classique de séparation des acides aminés. La solution, contenant les acides aminés (mélange synthétique ou solution provenant de l'hydrolyse des protéines), est amenée à pH 3,5 avant d'être déposée sur une colonne de résine échangeuse de cations. Dans ces conditions les acides aminés acides (par exemple, acides aspartique et glutamique) sont faiblement fixés et les acides aminés basiques (arginine, lysine) sont fortement fixés. Les acides aminés sont ensuite graduellement élués de la colonne par deux solutions de citrate de sodium de même concentration saline mais de pH différents (Figure 4.21).

La chromatographie par HPLC est aujourd'hui la méthode préférée. La très bonne résolution, l'excellente sensibilité et la rapidité de la technique compensent le plus souvent la plus faible capacité des colonnes. La figure 4.22 présente un exemple de chromatographie par HPLC, utilisant une précolonne dans laquelle les acides aminés réagissent avec l'*o*-bisaldéhyde phtalique (OAP) pour donner un dérivé fluorescent avant de passer sur la colonne de séparation.

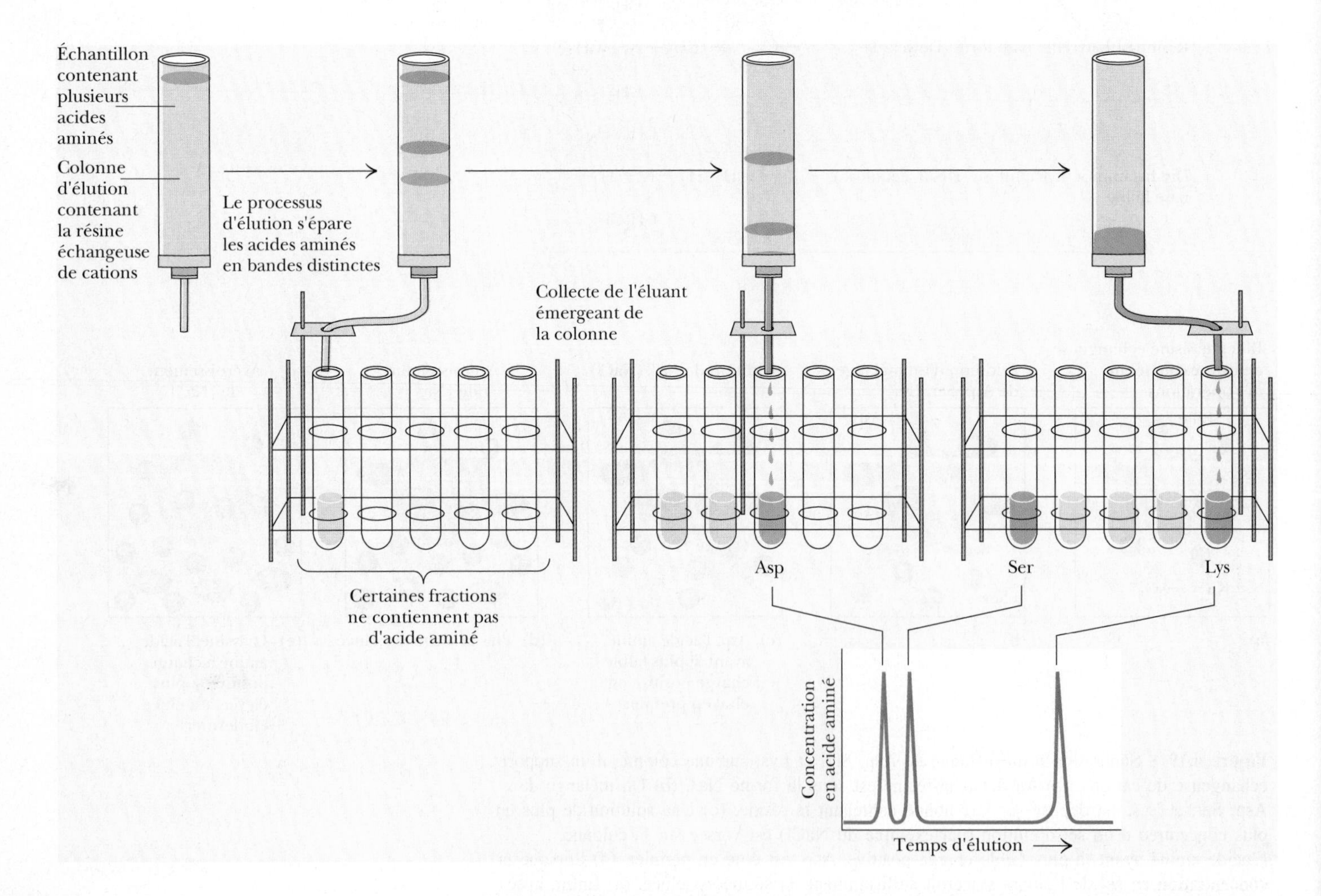

Figure 4.20 • Séparation des acides aminés sur une colonne de résine échangeuse de cations.

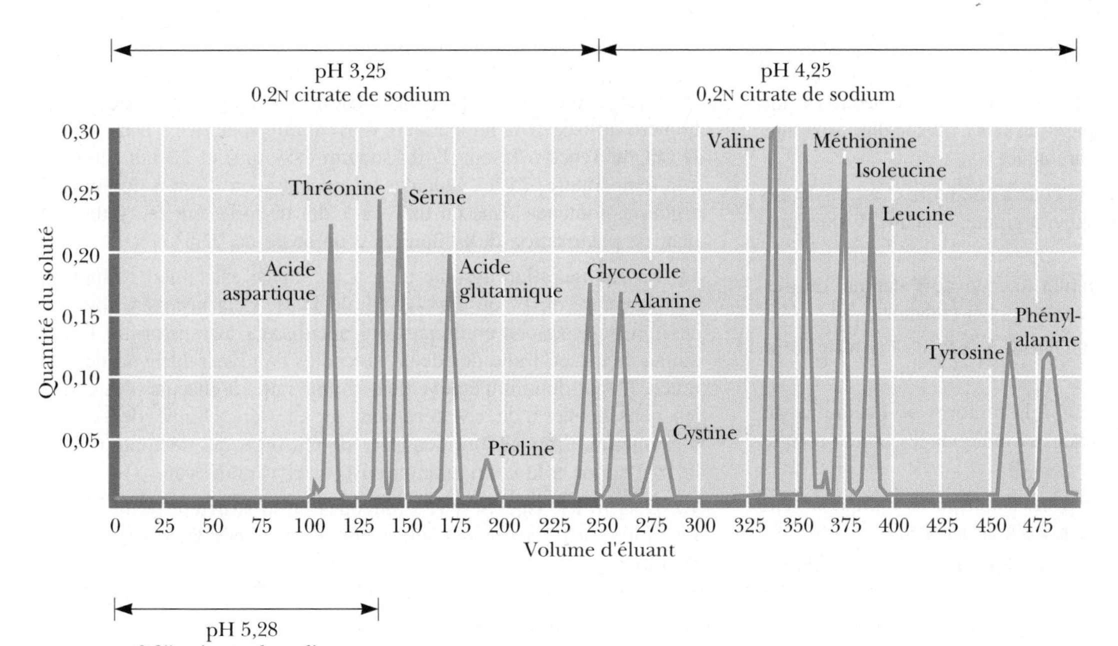

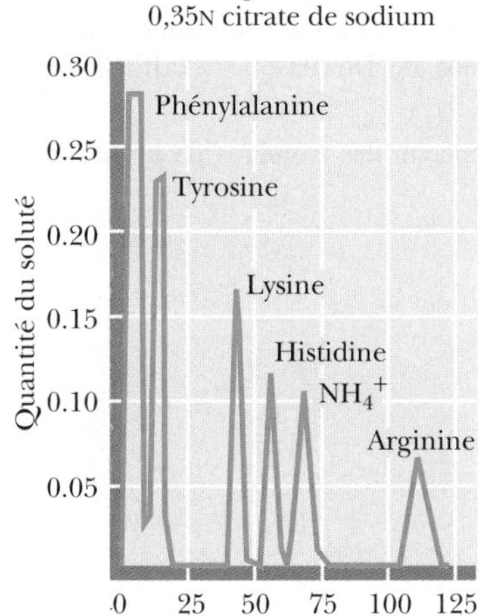

Figure 4.21 • Fractionnement chromatographique d'un mélange synthétique d'acides aminés sur des colonnes contenant de l'Amberlite IR 120, une résine polystyrène sulfonée similaire au Dowex 50. Une seconde colonne avec des conditions d'élution différentes permet de séparer les acides aminés basiques. *(D'après Moore, S., Spackman, D., et Stein, W., 1958. Chromatography of amino acids on sulfonated polystyrene resins.* Analytical Chemistry ***30** : 1185-1190.)*

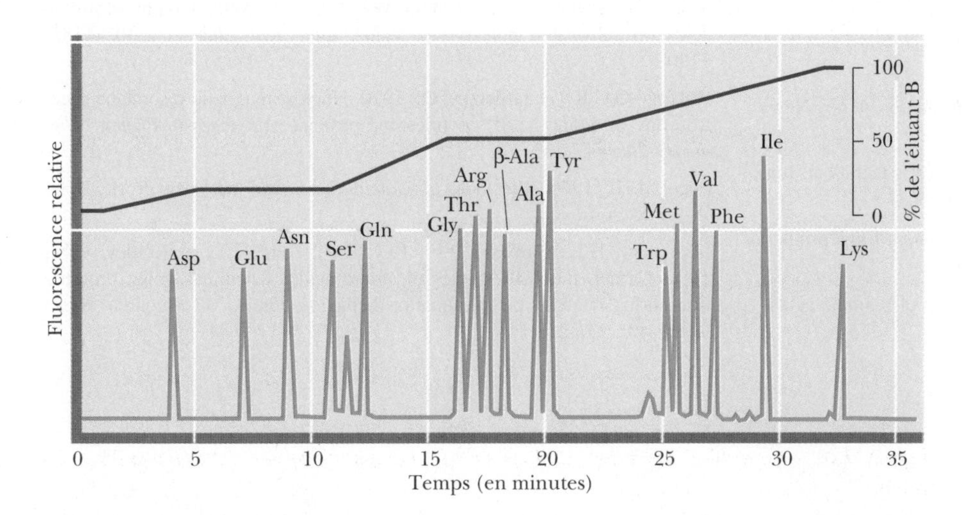

Figure 4.22 • Séparation des acides aminés par HPLC, avec utilisation d'une précolonne de réaction avec OPA. La séparation chromatographique a été effectuée sur une colonne de Ultrasphère ODS, à l'aide d'un gradient d'éluants, éluant A : tétrahydrofuranne:méthanol:acétate de sodium 0,05 M (pH 5,9), 1:19:80 ; éluant B : méthanol:acétate de sodium 0,05 M (pH 5,9), 4:1. Vitesse d'élution 1,7 ml/min. *(D'après Jones, B.N., Pääbo, S., et Stein, S., 1981. Amino acid analysis and enzymic sequence determination of peptides by an improved* o*-phtaldialdehyde precolumn labeling procedure.* Journal of Liquid Chromatography ***4** : 56-586.)*

Exercices

1. Sans consulter les figures du chapitre, écrire en projection selon Fisher les formules des acides aminés suivants : glycocolle, aspartate, leucine, isoleucine, méthionine et thréonine.

2. Sans se référer au texte, donner le code à une lettre et à trois lettres des acides aminés suivants : asparagine, arginine, cystéine, lysine, proline, tyrosine et tryptophanne.

3. Écrire les équations de dissociation ionique de l'alanine, du glutamate, de l'histidine, de la lysine et de la phénylalanine.

4. Quel est l'effet du groupe α-COOH sur le pK_a de l'α-NH_3^+ d'un acide aminé ?

5. Tracer une courbe correspondant à la titration de l'acide aspartique, préciser les axes de coordonnées et indiquer les points d'équivalence et les valeurs de pK_a.

6. Calculer la concentration de chacune des espèces ioniques d'une solution d'histidine 0,25 *M* à pH 2, pH 6,4 et à pH 9,3.

7. Calculer le pH pour lequel les deux tiers du groupe γ-carboxylique de l'acide glutamique sont dissociés.

8. Calculer le pH pour lequel 20 % du groupe ε-amino de la lysine sont dissociés.

9. Calculer le pH d'une solution 0,3 *M* de (a) de chlorure de leucine, (b) du sel de sodium de la leucine, (c) de leucine au point isoélectrique.

10. Les mesures quantitatives du pouvoir rotatoire, sont effectuées avec un polarimètre. Le pouvoir rotatoire spécifique $[\alpha]_D^{25}$ est défini par la relation suivante :

$$[\alpha]_D^{25} = \frac{(\text{Rotation mesurée en degrés} \times 100)}{(\text{profondeur de la cuve en dm}) \times (\text{conc. en g/ml})}$$

Pour toute mesure du pouvoir rotatoire, la longueur d'onde de la lumière utilisée et la température doivent être spécifiées. Dans ce cas, D fait référence à la raie D du sodium (589 nm) et 25 fait référence à la température, 25 °C. Calculer la concentration d'une solution de l-arginine, contenue dans un tube de 1 dm de long, qui fait tourner le plan de polarisation de la lumière d'un angle de 0,35°.

11. La configuration absolue d'un acide aminé est toujours rapportée à la structure du D- ou du L-glycéraldéhyde. Cela nécessite une succession de réactions chimiques qui aboutissent à transformer l'acide aminé étudié en l'une des deux molécules de glycéraldéhyde de référence. Il faut donc impérativement comprendre, à chacune des étapes, les conséquences de ces réactions sur la stéréochimie des centres d'asymétrie. Proposer une séquence de réactions qui démontrerait que la L(–) sérine a la configuration du L(–) glycéraldéhyde.

12. Décrire les aspects stéréochimiques de la structure de la cystine. La cystine est formée par une paire de cystéines liées par un pont disulfure.

13. Écrire le mécanisme simplifié de la réaction du groupe sulfhydryle de la cystéine avec l'iodacétamide.

14. Une solution du mélange aspartate, histidine, isoleucine, valine et arginine, est passée sur une colonne de Dowex-50. Décrire le profil d'élution attendu.

15. Attribuer une notation *R,S* à chacun des isomères de la thréonine (Figure 4.14).

Lectures complémentaires

Barker, R., 1971. *Organic Chemistry of Biological Compounds*, Chap. 4. Englewood Cliffs, NJ : Prentice-Hall.

Barrett, G.C., ed., 1985. *Chemistry and Biochemistry of the Amino Acids*. New York : Chapman and Hall.

Bovey, F.A., et Tiers, G.V.D., 1959. Proton N.S.R. spectroscopy. V. Studies of amino acids and peptides in trifluoroacetic acid. *Journal of the American Chemical Society* **81** : 2870-2878.

Cahn, R.S., 1964. An introduction to the sequence rule. *Journal of Chemical Education* **41** : 116-125.

Greenstein, J.P., et Winitz, M., 1961. *Chemistry of the Amino Acids*. New York : John Wiley & Sons.

Heiser, T., 1990. Amino acid chromatography : The « best » technique for student labs. *Journal of Chemical Education* **67** : 964-966.

Herod, D.W., et Menzel, E.R., 1982. Laser detection of latent fingerprints : Ninhydrin. *Journal of Forensic Science* **27** : 200-204.

Iizuka, E., et Yang, J.T., 1964. Optical rotatory dispersion of L-amino acids in acid solution. *Biochemistry* **3** : 1519-1524.

Kauffman, G.B., et Priebe, P.M., 1990. The Emil Fischer-William Ramsey friendship. *Journal of Chemical Education* **67** : 93-101.

Mabbott, G., 1990. Qualitative amino acid analysis of small peptides by GC/MS. *Journal of Chemical Education* **67** : 441-445.

Meister, A., 1965. *Biochemistry of the Amino Acids*, 2nd ed., Vol. 1. New York : Academic Press.

Moore, S., Spackman, D., et Stein, W.H., 1958. Chromatography of amino acids on sulfonated polystyrene resins. *Analytical Chemistry* **30** : 1185-1190.

Roberts, G.C.K., et Jardetzky, O., 1970. Nuclear magnetic resonance spectroscopy of amino acids, peptides and proteins. *Advances in Protein Chemistry* **24** : 447-545.

Segel, I.H., 1976. *Biochemical Calculations*, 2nd ed. New York : John Wiley & Sons.

Suprenant, H.L., Sarneski, J.E., Key, R.R., Byrd, J.T., et Reilley, C.N., 1980. Carbon-13 NMR studies of amino acids : Chemical shifts, protonation shifts, microscopic protonation behavior. *Journal of Magnetic Resonance* **40** : 231-243.

Chapitre 5

Les protéines : fonctions biologiques et structure primaire

« ...les grandes choses doivent d'abord passer par de petites et simples choses. »
ALMA 37.6, *Le Livre des Mormons*

Alors que les structures hélicoïdales sont peu nombreuses dans les constructions édifiées par l'Homme, elles sont un thème très commun dans les macromolécules biologiques – protéines, acides nucléiques et même les polyosides. (Loretto Chapel, Santa Fe, NM/ © Sarbo)

PLAN

Les protéines forment la classe la plus nombreuse et la plus diversifiée des molécules biologiques, elles constituent plus de 50 % du poids sec des cellules. Cette abondance reflète le rôle ubiquitaire des protéines dans pratiquement tous les aspects structuraux et fonctionnels de la cellule. L'incroyable diversité des activités cellulaires n'est rendue possible que par l'extrême variété des protéines, chacune d'elles étant spécifiquement façonnée pour son rôle biologique. La matrice selon laquelle chacune est façonnée se trouve dans l'information génétique des cellules, codée dans l'ADN par une séquence spécifique de bases nucléotidiques. Chaque segment de ce type, porteur d'information, définit un gène, et l'expression du gène aboutit à la synthèse d'une protéine spécifique de la séquence, dotant la cellule d'une fonction caractéristique, propre à cette protéine particulière. Les protéines sont les agents des fonctions biologiques ; elles expriment aussi l'information génétique.

5.1 • Les protéines sont des polymères linéaires d'acides aminés

D'un point de vue chimique, les protéines sont des polymères non branchés d'acides aminés liés par la formation de **liaisons peptidiques** covalentes, entre le groupe α-carboxylique d'un acide aminé et le groupe α-aminé de l'acide aminé suivant. La liaison peptidique est un cas particulier de liaison amide, c'est un amide secondaire (Figure 5.1).

La formation de la liaison peptidique aboutit aussi à la libération d'une molécule d'eau. Le « squelette » peptidique d'une protéine est formé de séquences répétées, $-N-C_\alpha-C-$, N représentant l'azote de l'amide, C_α l'atome de carbone α d'un acide aminé de la chaîne du polymère et C le carbone du carbonyle de l'acide aminé lié au N amidique de l'acide aminé suivant. La Figure 5.2 représente la géométrie de la liaison peptidique. Il faut noter que l'oxygène du carbonyle et l'hydrogène de l'amide sont en *trans* par rapport à la liaison C–N. Cette conformation est énergétiquement plus favorable car elle provoque moins d'encombrement stérique entre les atomes non liés des acides aminés voisins. L'atome de carbone α étant un centre d'asymétrie chez tous les acides aminés, à l'exception du glycocolle, la chaîne polypeptidique est naturellement asymétrique. Les protéines ne contiennent que des L-acides aminés.

La liaison peptidique a partiellement le caractère d'une double liaison

On représente généralement la liaison peptidique par une liaison simple entre le carbone du carbonyle et l'azote de l'amide (Figure 5.3a). Donc, en principe, il y a possibilité de rotation autour de chacune des liaisons covalentes du squelette polypeptidique puisque les trois sortes de liaisons présentes ($N-C_\alpha$, $C_\alpha-C_0$, et C_0-N) sont des liaisons simples. Dans cette représentation, les atomes de carbone et d'azote de l'ensemble peptique sont dans un plan d'hybridation sp^2 et les atomes C et O sont liés par des liaisons π, l'azote du groupe amide restant avec une seule paire d'électrons libres sur l'orbitale *2p*. Cependant, une autre forme de résonance de la liaison peptidique est possible, dans laquelle les atomes C et N participent à la formation d'une liaison π, laissant une seule paire d'électrons sur l'atome d'oxygène (Figure 5.3b). Cette dernière structure empêche la libre rotation autour de la liaison peptidique C_0-N. Le caractère réel de la liaison peptidique est intermédiaire entre ces deux cas extrêmes. On dit que la liaison peptidique a partiellement le caractère d'une double liaison (Figure 5.3c).

La résonance de la liaison peptidique a plusieurs conséquences importantes. Premièrement, elle restreint la libre rotation autour de la liaison peptidique, il ne reste

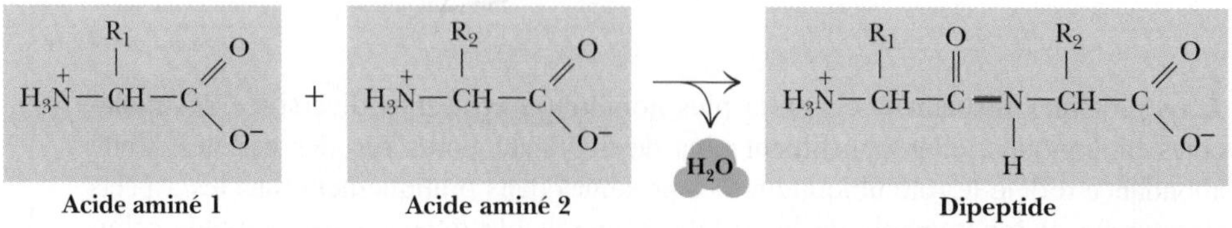

$$H_3\overset{+}{N}-CH(R_1)-COO^- + H_3\overset{+}{N}-CH(R_2)-COO^- \rightarrow H_3\overset{+}{N}-CH(R_1)-C(=O)-NH-CH(R_2)-COO^- + H_2O$$

Acide aminé 1 — Acide aminé 2 — Dipeptide

Figure 5.1 • La formation d'un peptide résulte de la création d'une liaison amide entre le groupe carboxylique d'un acide aminé et le groupe amino d'un autre acide aminé. R_1 et R_2 représentent les groupements R (les radicaux) de deux acides aminés différents.

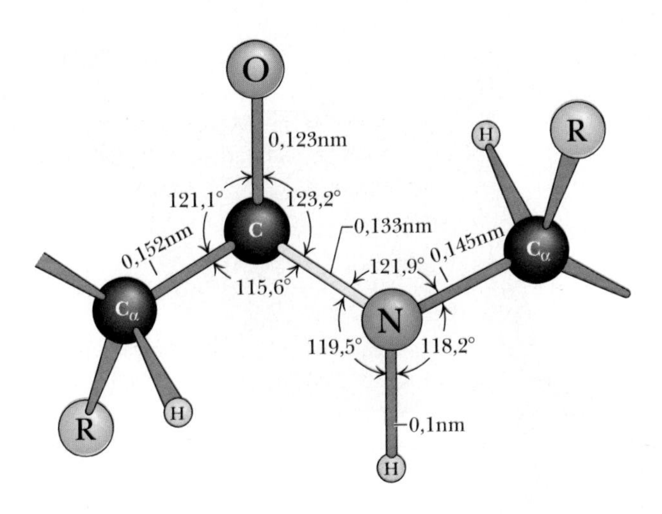

Figure 5.2 • Liaison peptidique présentée dans la conformation *trans*. Les atomes en *trans* sont l'O du carbonyle et le H de l'amide. Les atomes C_α sont les carbones α de deux acides aminés adjacents reliés par une liaison peptidique. Les dimensions des liaisons et des angles qu'elles forment sont des valeurs moyennes résultant de l'analyse cristallographique des acides aminés et de petits peptides. La liaison peptidique est en gris clair, elle relie C et N. *(D'après Ramachandran, G.N., et al., 1974.* Biochimica Biophysica Acta ***359** : 298-302.)*

plus que deux degrés de liberté : autour des liaisons N–C_α, et C_α–C_0 [1]. Deuxièmement, les six atomes du groupement peptidique tendent à être dans un même plan, formant ce qu'on appelle le **plan de l'amide** du squelette polypeptidique (Figure 5.4). La longueur de la liaison C_O–N, (0,133 nm), est plus courte que celle d'une liaison C–N normale (par exemple 0,145 nm pour C_α–N) mais plus longue qu'une double liaison C=N typique (0,125 nm). On estime que la liaison peptidique a 40 % du caractère de la double liaison.

Figure 5.3 • Caractère partiellement double de la liaison peptidique. Les interactions entre les atomes de carbone, d'oxygène, et d'azote, peuvent être représentées par deux structure extrêmes, ou limites, de résonance (a et b). (a) représentation classique des atomes d'une liaison peptidique. (b) autre forme possible, la liaison peptidique est représentée par une double liaison; l'azote de l'amide porte une charge positive, et O du carbonyle porte une charge négative. (c) La nature de la liaison peptidique est plus fidèlement décrite comme un hybride de résonance entre les formes (a) et (b). Tous les atomes de la liaison peptidique sont coplanaires, la rotation autour de la liaison C_O–N n'est plus possible et le groupe peptidique est polaire. *(Irving Geis)*

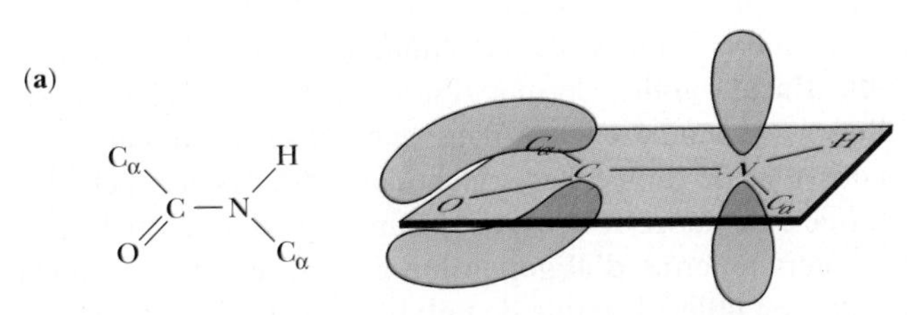

Une double liaison complète entre le O et le C du carbonyle autoriserait une libre rotation autour de la liaison C — N.

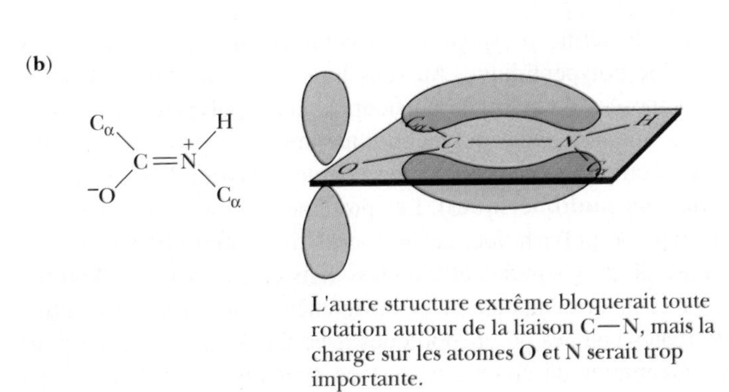

L'autre structure extrême bloquerait toute rotation autour de la liaison C — N, mais la charge sur les atomes O et N serait trop importante.

(c) La densité électronique réelle est intermédiaire. La barrière énergétique, 88 kJ/mol, est suffisante pour empêcher la rotation autour de la liaison C — N, elle maintient le groupe amide dans le plan.

[1] L'angle de rotation autour de la liaison N–C_α est désigné par ϕ, phi, et l'angle de rotation autour de C_α–C_O par ψ, psi.

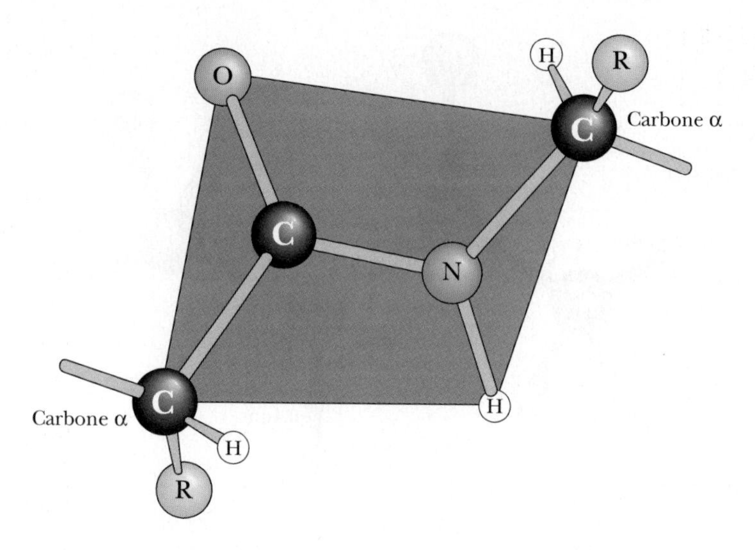

Figure 5.4 • Le plan imaginaire, ombré, qui relie deux atomes de carbone α vicinaux de la chaîne polypeptidique, met en évidence la coplanarité des atomes du groupe peptidique.

Le squelette polypeptidique est relativement polaire

La résonance de la liaison peptidique est aussi à l'origine de la polarité relative du squelette polypeptidique. Dans l'état hybride de résonance (Figure 5.3b) l'azote de l'amide porte une charge positive (ou est protoné), et l'atome d'oxygène du carbonyle devient un atome à charge négative. Dans la réalité, les charges nettes sont partielles, charge positive de 0,28 (car partiellement protoné) pour l'azote et charge partielle négative de 0,28 pour l'atome d'oxygène du carbonyle. La présence de ces charges partielles signifie que la liaison peptidique est un dipôle permanent. Néanmoins, le squelette peptidique est fort peu réactif, les groupements peptidiques ne perdent ou ne gagnent de protons que dans des conditions extrêmes de pH.

Classification des peptides

On réserve le nom de **peptide** aux courtes chaînes d'acides aminés. Les peptides sont classés en fonction du nombre d'unités d'acide aminé dans la chaîne. Chaque unité est dénommée **résidu d'acide aminé**, le mot *résidu*, plus simplement utilisé, rappelle ce qu'il reste d'un acide aminé engagé dans une chaîne peptidique. Les **dipeptides** ont deux résidus d'acide aminé, les tripeptides trois, les tétrapeptides quatre et ainsi de suite. Au-delà de douze résidus, la terminologie devient mal commode à utiliser, on préfère alors le terme **d'oligopeptide** puis, si la chaîne contient quelques douzaines de résidus, on utilise le terme de **polypeptide**. En fait, les limites de chaque catégorie sont peu précises.

Les protéines sont composées d'une ou de plusieurs chaînes polypeptidiques

On utilise indifféremment le terme *polypeptide* ou celui de *protéine* lorsqu'il est question d'une seule chaîne polypeptidique. Au sens large, le terme **protéine** s'applique aux molécules composées d'une ou de plusieurs chaînes polypeptidiques. Les protéines n'ayant qu'une unique chaîne polypeptidique sont des **protéines monomériques**. Les protéines composées de plus d'une chaîne polypeptidique sont des **protéines oligomériques (ou multimériques)**. Les protéines oligomériques peuvent ne contenir qu'un seul type de polypeptide, ce sont alors des **homo-oligomères**, ou contenir plusieurs chaînes de polypeptides différentes, dans cas, ce sont des **hétéro-oligomères**. S'il faut préciser la composition des oligomères, on utilise des lettres grecques pour les différentes chaînes polypeptidiques avec un chiffre en indice pour le nombre de chaînes identiques de chaque type. Une protéine de type α_2 est un dimère contenant deux chaînes polypeptidiques identiques, c'est un **homodimère**. L'hémoglobine (Tableau 5.1) est formée de quatre chaînes polypeptidiques de deux espèces différentes, c'est un hétéro-oligomère α_2-β_2.

Tableau 5.1

Taille des molécules protéiques*

Protéine	M_r	Nombre de résidus par chaîne	Organisation des sous-unités
Insuline (bovine)	5.733	21 (A) 30 (B)	$\alpha\beta$
Cytochrome (équine)	12.500	104	α_1
Ribonucléase A (pancréas bovin)	12.640	124	α_1
Lysozyme (blanc d'œuf)	13.930	129	α_1
Myoglobine (équine)	16.980	153	α_1
Chymotrypsine (pancréas bovin)	22.600	13 (α) 132 (β) 97 (γ)	$\alpha\beta\gamma$
Hémoglobine (humaine)	64.500	141 (α) 146 (β)	$\alpha_2\beta_2$
Sérum albumine (humaine)	68.500	550	α_1
Hexokinase (levure)	96.000	200	α_4
γ-globuline (équine)	149.900	214 (α) 446 (β)	$\alpha_2\beta_2$
Glutamate déshydrogénase (hépatique)	332.694	500	α_6
Myosine (lapin)	470.000	1800 (lourde, h) 190 (α) 149 (α') 160 (β)	$h_2\alpha_1\alpha'_2\beta_2$
Ribulose biphosphate carboxylase (épinard)	560.000	475 (α) 123 (β)	$\alpha_8\beta_8$
Glutamine synthétase (*E. coli*)	600.000	468	α_{12}

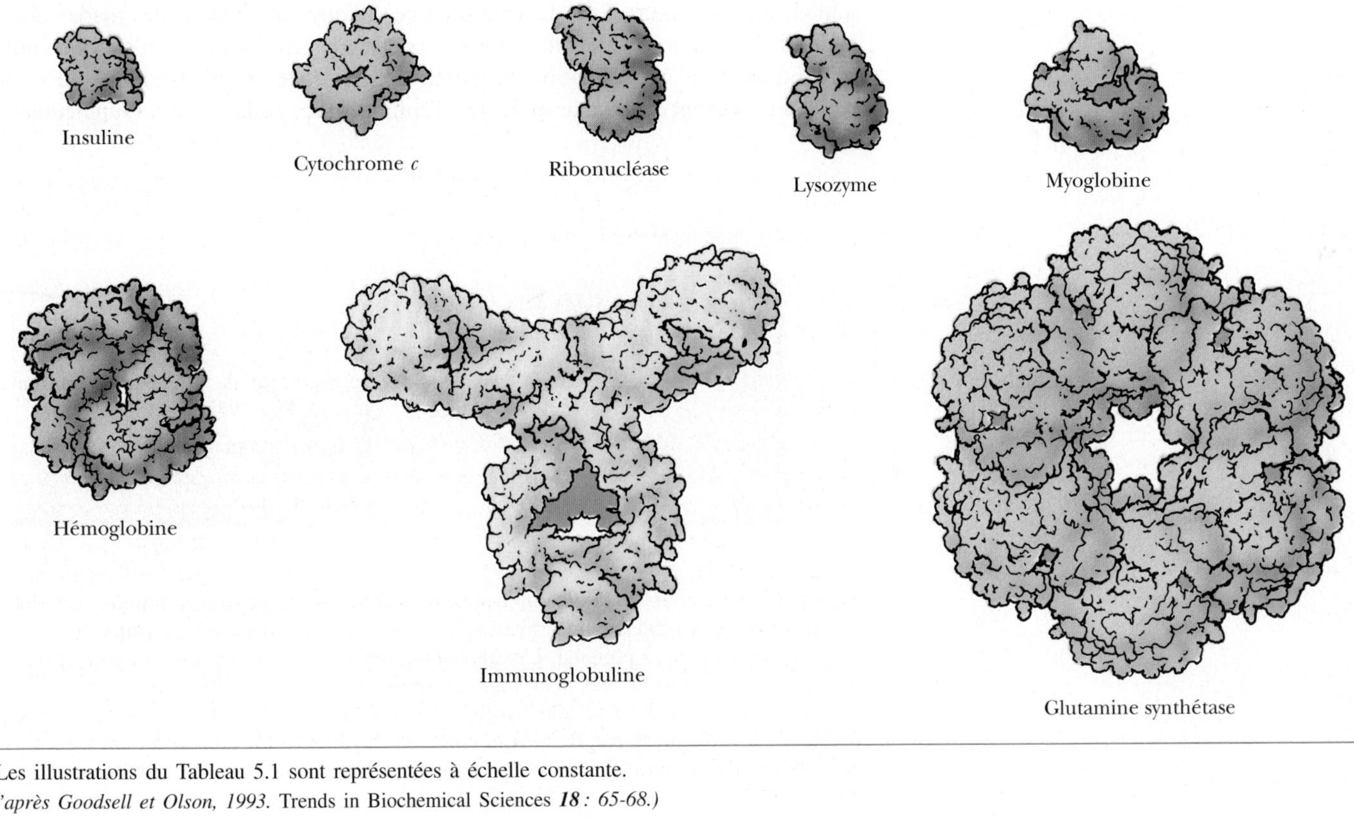

Insuline

Cytochrome *c*

Ribonucléase

Lysozyme

Myoglobine

Hémoglobine

Immunoglobuline

Glutamine synthétase

* Les illustrations du Tableau 5.1 sont représentées à échelle constante.
(D'après Goodsell et Olson, 1993. Trends in Biochemical Sciences ***18** : 65-68.)*

La longueur des chaînes polypeptidiques des protéines est très variable, d'une centaine d'acides aminés et jusqu'à 1.800 pour chacune des deux chaînes de la myosine, une protéine contractile musculaire. Une autre protéine musculaire, la titine, est constituée de près de 27.000 résidus d'acides aminés (masse moléculaire de $2{,}8 \times 10^6$). La masse moléculaire moyenne des chaînes polypeptidiques des cellules d'eucaryotes est d'environ 31.700, ce qui correspond à environ 270 résidus d'acides aminés. Le Tableau 5.1 présente une liste de protéines classées par ordre croissant de masse moléculaire. Les masses moléculaires des protéines (M_r) peuvent être estimées à l'aide de plusieurs méthodes physicochimiques comme l'électrophorèse en gel de polyacrylamide ou l'ultracentrifugation (voir l'Appendice au Chapitre). La détermination la plus précise de la masse moléculaire d'une protéine s'obtient par un simple calcul dès lors que l'on connaît la séquence des acides aminés. Il n'y a pas de corrélation évidente entre la taille d'une protéine et sa fonction. Par exemple, des protéines de masses moléculaires différentes, provenant de cellules différentes, peuvent avoir une même fonction. La protéine qui catalyse la synthèse de la glutamine (*glutamine synthétase*) chez *Escherichia coli* a une masse moléculaire de 600.000, tandis que celle de la protéine enzymatique correspondante du tissu cérébral est seulement de 380.000.

Hydrolyse acide des protéines

Les acides forts et les bases fortes hydrolysent les liaisons peptidiques des protéines. La méthode de choix pour la détermination des acides aminés d'une protéine ou d'un polypeptide est l'hydrolyse acide car, contrairement à l'hydrolyse alcaline, elle ne provoque pas la racémisation des acides aminés et la dégradation de quelques acides aminés (Ser, Thr, Arg, et Cys) est peu importante. Classiquement, des échantillons de protéine introduits dans des tubes de verre scellés, sont hydrolysés par HCl, 6 *N*, à 110 °C pendant 24, 48, et 72 h. Le tryptophanne est détruit au cours de l'hydrolyse acide. Sa détermination qualitative et quantitative requiert d'autres méthodes. Les aminoacides ayant une fonction alcool, Sérine et Thréonine, sont progressivement détruits, mais les résultats d'analyse obtenus après 24, 48, et 72 h d'hydrolyse permettent, par extrapolation au temps zéro, de déterminer leur concentration initiale (Figure 5.5). Les liaisons peptidiques impliquant des acides aminés hydrophobes (valine, isoleucine) sont par contre très lentement hydrolysées en milieu acide ; pour une détermination quantitative précise, les résultats d'analyse correspondants doivent être extrapolés à l'infini. Une complication supplémentaire

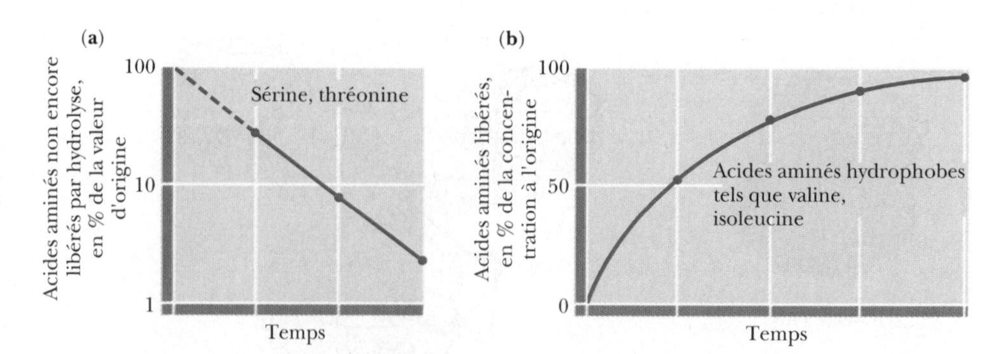

Figure 5.5 • (a) Lors de la détermination de la composition en acides aminés, la sérine et la thréonine, deux acides aminés hydroxylés, sont lentement détruites au cours de l'hydrolyse acide de la protéine. L'extrapolation des résultats au temps zéro permet de retrouver les quantités de ces acides aminés présentes à l'origine. (b) Les liaisons peptidiques impliquant les résidus hydrophobes tels que la valine et l'isoleucine, sont assez résistantes à l'hydrolyse par HCl. Si la durée de l'hydrolyse est prolongée, ces acides aminés sont libérés et leur concentration approche une valeur limite très proche de la réalité.

provient de ce que les liaisons β- et γ-amide de l'asparagine et de la glutamine sont acido-labiles. L'azote amidique est libéré sous forme de NH_3 et tous les résidus Asn et Gln deviennent respectivement de l'acide aspartique (Asp) et de l'acide glutamique (Glu). La quantité de NH_3 dosée à la fin de l'hydrolyse acide permet de connaître le nombre total des résidus Asn et Gln dans la protéine analysée, mais sans autre précision. C'est la raison pour laquelle les concentrations de Asp et de Glu ainsi déterminées sont respectivement exprimées par Asx et Glx. Pour avoir des informations plus précises sur les contributions relatives de Asn + Asp (Asx) et de Gln + Glu (Glx), il faut utiliser d'autres méthodes d'analyse.

Analyse des acides aminés après hydrolyse d'une protéine

L'hydrolysat obtenu, après 1, 2, ou 3 jours de digestion de la protéine dans de l'acide chlorhydrique 6 *N*, est un mélange complexe d'acides aminés qui peuvent être séparés par chromatographie sur échangeurs d'ions (voir Chapitre 4) ou par chromatographie liquide à haute performance (HPLC) en phase inverse (voir l'Appendice au chapitre). Ils sont ensuite individuellement dosés. Après chromatographie sur échangeurs d'ions, les acides aminés sont fréquemment dosés par réaction avec la ninhydrine. Pour la chromatographie HPLC, les acides aminés sont d'abord convertis en dérivés de la phénylthiohydantoïne à l'aide du réactif d'Edman (voir Figure 5.19). Le fractionnement chromatographique et les dosages sont aujourd'hui automatisés. Pour une protéine de 30 kDa, les appareils, des **analyseurs automatiques d'acides aminés**, effectuent les opérations nécessaires en moins d'une heure, avec au départ 6 µg de protéine (0,2 nmole).

Le Tableau 5.2 présente la composition en acides aminés de quelques protéines, ribonucléase A, alcool déshydrogénase, myoglobine, histone H3 et collagène. Chacun des 20 acides aminés est normalement présent, au moins une fois dans une protéine. Mais, dans les petites protéines, ce n'est pas toujours le cas. Ainsi, la ribonucléase (12,6 kDa, 124 résidus) n'a pas de tryptophanne. Pratiquement jamais, les acides aminés ne sont présents en quantités équimoléculaires, ce qui prouve que les protéines ne sont pas constituées par des séries répétées d'acides aminés. Il y a quelques rares exceptions à cette règle, le collagène par exemple contient une grande proportion de glycocolle et de proline. Une importante partie de sa structure est formée par des unités répétitives, Gly-*x*-Pro, dans lesquelles *x* peut être un quelconque acide aminé. D'autres protéines ont une abondance particulière de certains acides aminés. Les histones sont riches en acides aminés à charge positive, arginine et leucine. Les histones sont une classe de protéines associées aux groupes phosphate, anioniques, de l'ADN des eucaryotes.

L'analyse des acides aminés ne donne pas directement le nombre de résidus de chaque acide aminé mais des quantités à partir desquelles il est possible de calculer le pourcentage, ou le rapport, de chacun d'eux dans le polypeptide (Tableau 5.2). Si la masse moléculaire *et* la quantité exacte (le poids) de la protéine analysée sont connues (ou le nombre des résidus par molécule), il est possible de déterminer les rapports molaires des acides aminés. Mais cette analyse ne donne aucune information concernant l'ordre ou la séquence des résidus dans la protéine. Comme une chaîne polypeptidique n'est pas branchée, elle n'a que deux extrémités, une extrémité amino-terminale, ou **extrémité N-terminale**, et une extrémité carboxyle terminale, ou **extrémité C-terminale**.

Séquence des acides aminés dans les protéines

La séquence des résidus d'acides aminés dans la (ou les) chaîne(s) polypeptidique(s) d'une protéine est une caractéristique spécifique à chaque protéine. C'est cette **séquence des acides aminés** qui est codée par la séquence des nucléotides de l'ADN. Elle représente donc une forme d'information génétique. Par convention, la séquence des acides aminés d'un polypeptide est lue de son extrémité N-terminale

Tableau 5.2

Composition en acides aminés de quelques protéines

Quantité d'un acide aminé donné exprimée en % de la totalité des acides aminés.

	Protéines*				
Acide aminé	RNase	ADH	Mb	Histone H3	Collagène
Ala	6,9	7,5	9,8	13,3	11,7
Arg	3,7	3,2	1,7	13,3	4,9
Asn	7,6	2,1	2,0	0,7	1,0
Asp	4,1	4,5	5,0	3,0	3,0
Cys	6,7	3,7	0	1,5	0
Gln	6,5	2,1	3,5	5,9	2,6
Glu	4,2	5,6	8,7	5,2	4,5
Gly	3,7	10,2	9,0	5,2	32,7
His	3,7	1,9	7,0	1,5	0,3
Ile	3,1	6,4	5,1	5,2	0,8
Leu	1,7	6,7	11,6	8,9	2,1
Lys	7,7	8,0	13,0	9,6	3,6
Met	3,7	2,4	1,5	1,5	0,7
Phe	2,4	4,8	4,6	3,0	1,2
Pro	4,5	5,3	2,5	4,4	22,5
Ser	12,2	7,0	3,9	3,7	3,8
Thr	6,7	6,4	3,5	7,4	1,5
Trp	0	0,5	1,3	0	0
Tyr	4,0	1,1	1,3	2,2	0,5
Val	7,1	10,4	4,8	4,4	1,7
Acides	8,4	10,2	13,7	8,1	7,5
Basiques	15,0	13,1	21,8	24,4	8,8
Aromatiques	6,4	6,4	7,2	5,2	1,7
Hydrophobes	18,0	30,7	27,6	23,0	6,5

* Les protéines sont les suivantes :

RNase : La ribonucléase A bovine, un enzyme composé de 124 résidus. Remarquez l'absence de tryptophanne.

ADH : L'alcool déshydrogénase du foie de cheval. Un dimère de deux chaînes polypeptidiques identiques à 374 résidus. La composition en acides aminés de l'ADH est assez représentative de la plupart des protéines hydrosolubles.

Mb : La myoglobine du sperme de la baleine, une protéine qui lie l'oxygène, contenant 153 résidus. Remarquez l'absence de cystéine.

Histone H3 : Les histones sont des protéines chromosomiques qui se lient à l'ADN ; l'histone H3 contient 135 résidus. Remarquez la caractère très basique de cette protéine, dû à l'abondance relative des résidus Arg et Lys. Le tryptophanne est absent de la protéine.

Collagène : Le collagène est une protéine structurale extracellulaire comprenant 1052 résidus. Le collagène a une composition en acides aminés peu commune. Près d'un tiers des résidus sont du glycocolle et la protéine est riche en proline. Notez l'absence de cystéine et de tryptophanne, et la carence générale en acides aminés aromatiques.

vers son extrémité C-terminale. Par exemple, chacune des molécules de ribonucléase A du pancréas bovin a la même séquence d'acides aminés, commençant par la lysine N-terminale, en position 1, et finissant par la valine C-terminale, en position 124 (Figure 5.6). Chacun des 20 acides aminés pouvant occuper chacune des positions, le nombre des séquences possibles est astronomique. Ce grand nombre de séquences possibles permet de comprendre l'incroyable diversité des molécules protéiques dans les systèmes biologiques que nous examinerons brièvement.

Figure 5.6 • La ribonucléase A du pancréas bovin contient 124 résidus d'acides aminés mais aucun résidu tryptophanne. Quatre ponts disulfure intracaténaires relient Cys^{26} et Cys^{84}, Cys^{40} et Cys^{95}, Cys^{58} et Cys^{110}, Cys^{65} et Cys^{72}. Ces ponts disulfure sont représentés par une barre jaune.

5.2 • Architecture des molécules protéiques

Forme des protéines

En première approximation, les protéines appartiennent à l'une de trois grandes classes, définies par la forme des protéines ou leur solubilité : fibreuses, globulaires ou membranaires (Figure 5.7). Les **protéines fibreuses** ont des structures relativement simples, linéaires. Ces protéines ont souvent un rôle structural dans les cellules. Elles sont pratiquement insolubles dans l'eau et dans les solutions salines diluées. À l'opposé, les **protéines globulaires** ont une forme plutôt sphérique. La chaîne polypeptidique se reploie en une structure compacte, de sorte que les chaînes latérales hydrophobes sont enfouies à l'intérieur de la molécule et les chaînes latérales hydrophiles sont tournées vers l'extérieur, exposées à la solution environnante. En conséquence, les protéines globulaires sont généralement très solubles dans les solutions aqueuses. La plupart des protéines solubles de la cellule, par exemple les enzymes du cytosol, ont une forme globulaire. Les **protéines membranaires** sont associées à d'autres molécules dans les divers systèmes membranaires de la cellule. Pour les interactions avec la phase non polaire à l'intérieur des membranes, certaines chaînes latérales hydrophobes des acides aminés de ces protéines sont orientées vers l'extérieur. Les protéines membranaires sont insolubles dans les solutions aqueuses mais elles peuvent être solubilisées en présence de détergents. Ces protéines ont typiquement moins d'acides aminés hydrophiles que les protéines cytosoliques.

(a)

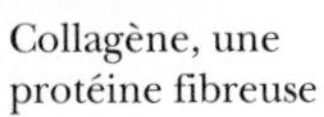

Collagène, une protéine fibreuse

(b)

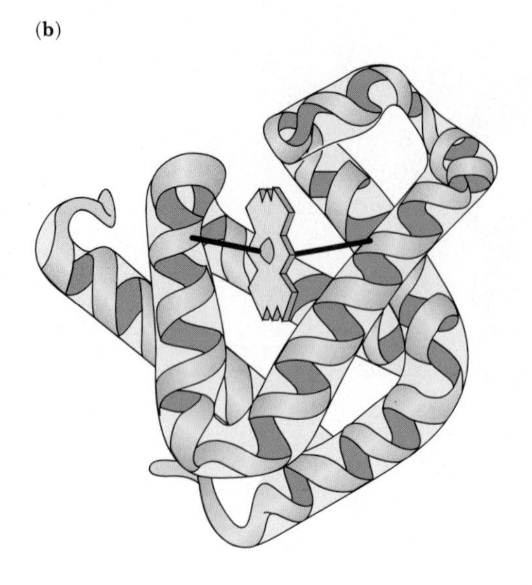

Myoglobine, une protéine globulaire

(c)

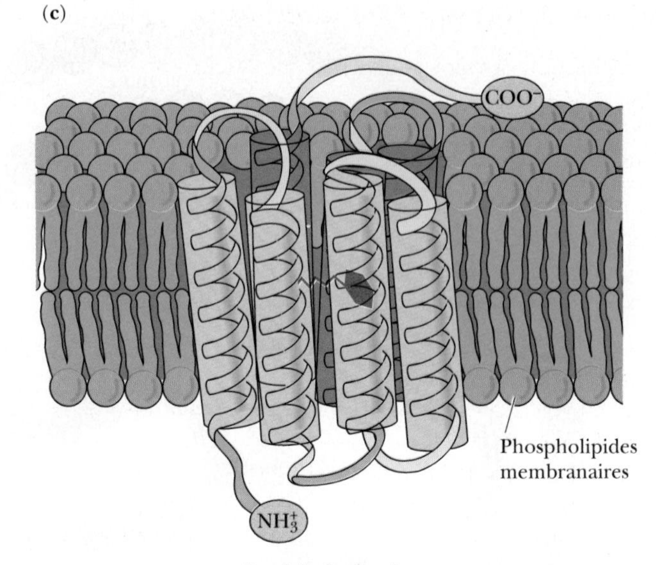

Bactériorhodopsine

Figure 5.7 • (a) Les protéines ayant un rôle structural dans les cellules sont typiquement fibreuses et souvent insolubles dans l'eau. Le collagène est un bon exemple. Le collagène est composé de trois chaînes polypeptidiques entrelacées. (b) Les protéines solubles, à fonction métabolique, sont généralement des protéines compactes, des molécules globulaires comme la myoglobine. Le reploiement de la chaîne enfouit les chaînes latérales des acides aminés hydrophobes à l'intérieur de la structure tandis que les chaînes latérales hydrophiles sont tournées vers l'extérieur ce qui rend la protéine particulièrement soluble dans l'eau. (c) Dans les régions où les protéines membranaires sont associées à la membrane, le reploiement de leurs chaînes polypeptidiques expose les chaînes latérales des résidus hydrophobes ; mais les parties de ces membranes qui restent exposées à un environnement aqueux ont un caractère hydrophile, tout comme les protéines solubles. La bactériorhodopsine est une protéine membranaire typique ; elle lie un pigment qui absorbe la lumière, le *cis*-rétinal, en rouge sur la figure. *(a et b, Irving Geis)*

Pour en savoir plus

Le nombre des séquences d'acides aminés différentes est pratiquement illimité

Dans une chaîne classique de *n* résidus, il y a 20^n arrangements distincts possibles. Pour illustrer ce fait, considérons le nombre des tripeptides possibles formés des trois mêmes acides aminés, A, B, et C (tripeptide = trois résidus = *n*) : on peut observer $n^3 = 3^3 = 27$ tripeptides différents :

AAA	BBB	CCC
AAB	BBA	CCA
AAC	BBC	CCB
ABA	BAB	CBC
ACA	BCB	CAC
ABC	BAA	CBA
ACB	BCC	CAB
ABB	BAC	CBB
ACC	BCA	CAA

Pour une chaîne polypeptidique à 100 résidus, une longueur plutôt modeste, le nombre des séquences possibles est de 20^{100}, soit, puisque $20 = 10^{1,3}$, 10^{130} possibilités distinctes. Ces nombres sont réellement astronomiques ! Une protéine de 100 résidus aurait en moyenne une masse de 13.800 daltons (la masse moyenne d'un résidu est de 138), 10^{130} de ces protéines auraient une masse de $1,38 \times 10^{134}$ daltons. Or la masse de tout l'univers connu est estimée à 10^{80} fois la masse du proton (environ 10^{80} daltons). Il n'y a donc pas assez de matière dans l'univers pour faire toutes les combinaisons possibles de séquences polypeptidiques d'une protéine ayant seulement 100 résidus.

Niveaux de structure des protéines

L'architecture des molécules protéiques est des plus complexes. Il est cependant possible de distinguer des niveaux dans l'organisation structurale.

Structure primaire des protéines

La séquence des acides aminés est la **structure primaire (1°)** de la protéine, par exemple celle qui est représentée Figure 5.6.

Structure secondaire des protéines

Les liaisons hydrogène résultant des interactions entre des résidus adjacents dans la chaîne polypeptidique (voir Chapitre 6) peuvent lui imposer deux dispositions spatiales caractéristiques, l'une hélicoïdale, l'autre plissée. Ces conformations structurales, appelées **structures régulières**, s'étendent dans une direction comme les spires d'un ressort. Ces architectures caractéristiques des protéines (Figure 5.8) sont appelées les **structures secondaires (2°).** Les structures secondaires ne sont qu'un des niveaux supérieurs dans la description de la complexité de la structure tridimensionnelle d'une protéine.

Hélice α
Seuls les atomes N — C_α — C du squelette sont représentés. La ligne verticale est l'axe de l'hélice.

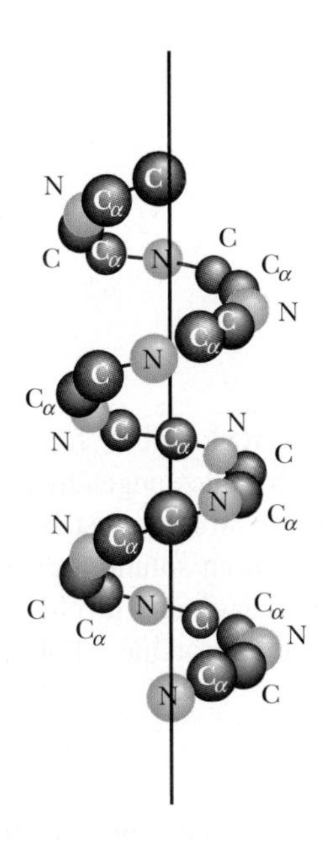

Brin β
Les atomes N — C_α — C du squelette sont représentés ainsi que le C_β du groupe R. Notez que les plans contenant les amides sont perpendiculaires à la page.

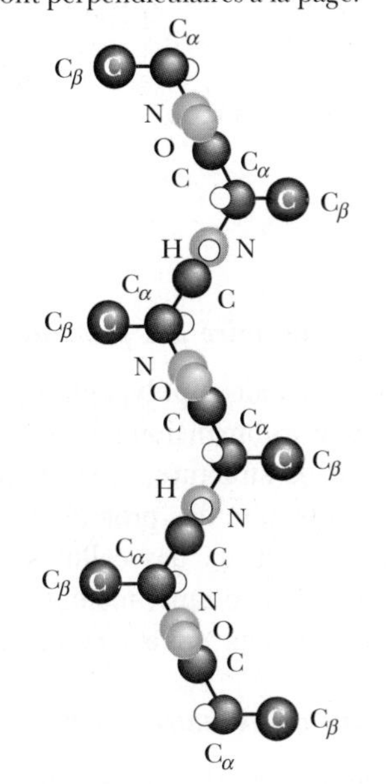

Représentations schématiques de l'hélice α

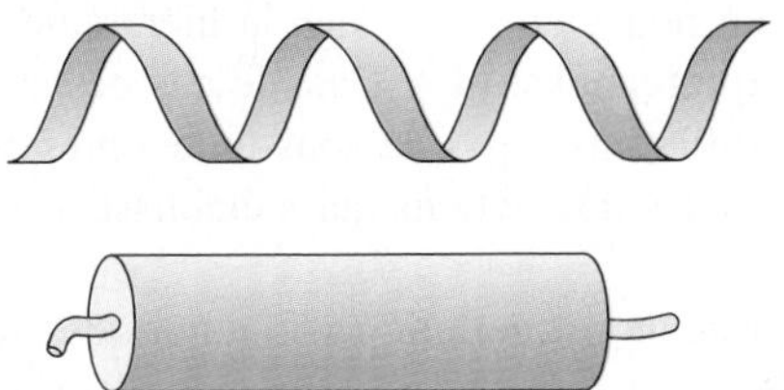

Représentation schématique du brin β

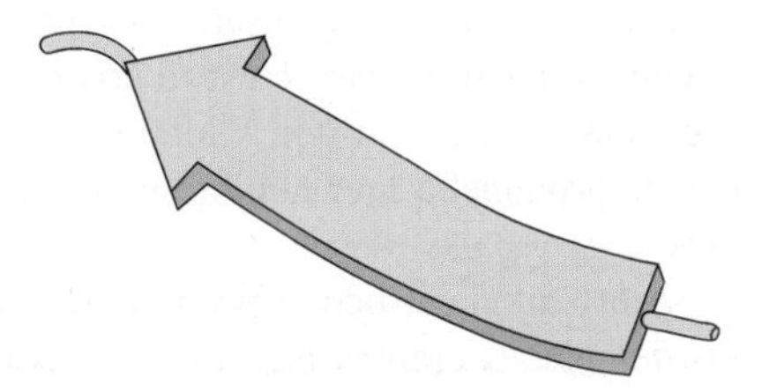

Figure 5.8 • Le niveau supérieur d'organisation de la structure primaire des protéines est organisé selon deux motifs dominants, l'hélice α et le brin β plissé. Ces structures secondaires sont représentées au-dessus des structures symboliques utilisées par les spécialistes : un ruban plat hélicoïdal, ou un cylindre, pour l'hélice α, et une large flèche plate pour les structures β. Ces deux structures secondaires sont stabilisées par la formation de liaisons hydrogène entre les N–H et les C=O du squelette polypeptidique cf. Chapitre 6).

(a) Structure primaire de la chymotrypsine

H_2N–CGVPAIQPVL$_{10}$SGL[SR]IVNGE$_{20}$EAVPGSWPWQ$_{30}$VSLQDKTGFH$_{40}$GGSLINEN$_{50}$WVVTAAHCGV$_{60}$TTSDVVVAGE$_{70}$FDQGSSSEKI$_{80}$QKLKIA
KVFK$_{90}$NSKYNSLTIN$_{100}$NDITLLKLST$_{110}$AASFSQTVSA$_{120}$VCLPSASDDF$_{130}$AAGTTCVTTG$_{140}$WGLTRY[TN]AN$_{150}$LPSDRLQQASL$_{160}$PLLSNTNCK
K$_{170}$YWGTKIKDAM$_{180}$ICAGASGVSS$_{190}$CMGDSGGPLV$_{200}$CKKNGAWTLV$_{210}$GIVSWGSSTC$_{220}$STSTPGVYAR$_{230}$VTALVNWVQQ$_{240}$TLAAN–COOH

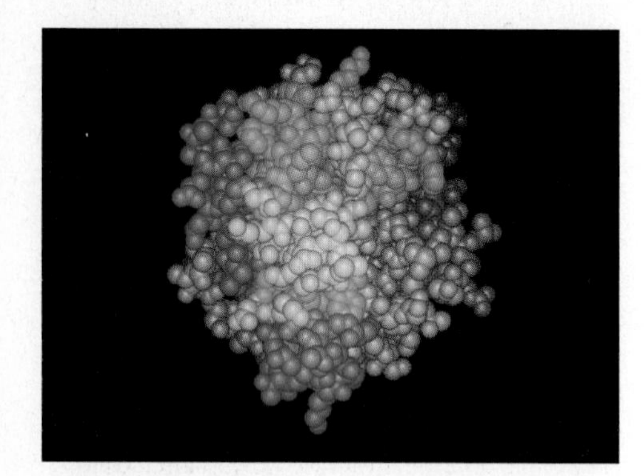

Modèle compact de la chymotrypsine

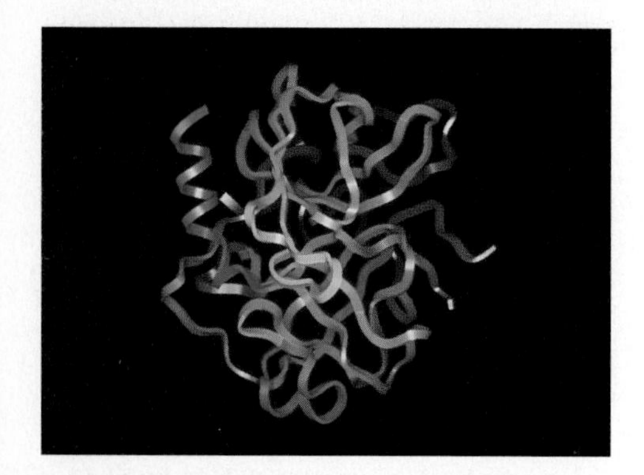

Représentation schématique de la disposition
de la chaîne polypeptidique dans l'espace

(b) Structure tertiaire de la chymotrypsine

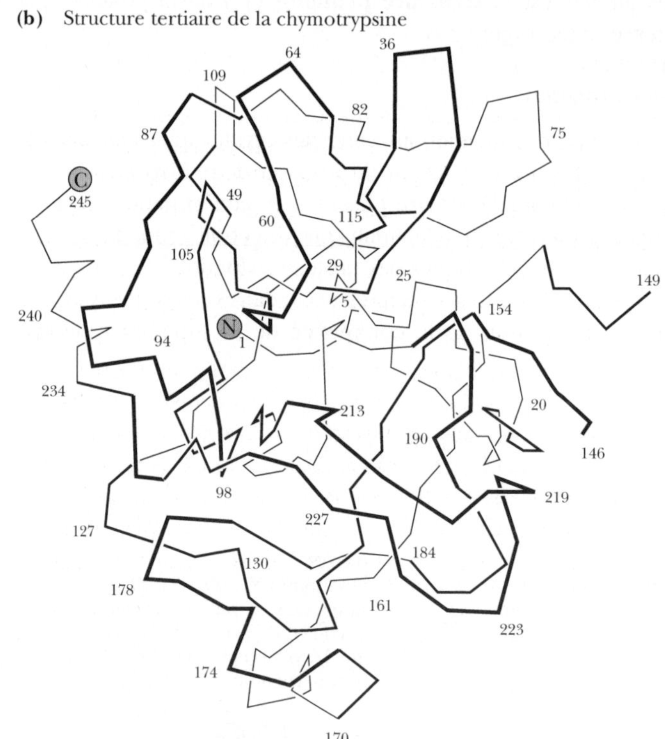

Figure 5.9 • Le reploiement de la chaîne polypeptidique en une conformation compacte, globalement sphérique, crée le troisième niveau de structure des protéines. (a) Structure primaire, et (b) représentation de la structure tertiaire de la chymotrypsine, un enzyme protéolytique. À droite, le reploiement de la chaîne polypeptidique (sa trajectoire) est rendu visible et comprend une numérotation des acides aminés de la séquence. (Les résidus 14 et 15, de même que les résidus 147 et 148, sont absents car ils sont éliminés par protéolyse lorsque la chymotrypsine est formée à partir de son précurseur plus long, le chymotrypsinogène). Le ruban est une représentation schématique tridimensionnelle de la chymotrypsine.

Structure tertiaire des protéines

Quand les chaînes polypeptidiques se recourbent et se reploient de façon à prendre une forme tridimensionnelle plus compacte (Figure 5.9), elles engendrent un niveau supérieur de structure, la **structure tertiaire (3°)**. Cette structure est la cause de la forme globulaire des protéines présentes, le plus souvent en solution, dans les compartiments aqueux des cellules. La forme globulaire leur donne le plus faible rapport surface à volume, mettant la plus grande partie de la protéine à l'abri des interactions avec leur environnement.

Structure quaternaire des protéines

De nombreuses protéines sont constituées de deux, ou même plus, chaînes polypeptidiques en interactions ayant leur propre structure tertiaire (Figure 5.10). Chacune de ces chaînes est individuellement considérée comme une **sous-unité** de la protéine. Ce type d'organisation constitue un nouveau degré dans la hiérarchie des structures des protéines, c'est la **structure quaternaire (4°)**. Dans le cas des structures quaternaires, on doit s'intéresser aux différents types de sous-unités présentes dans la protéine, à leur nombre et à la nature des interactions qui s'établissent entre elles.

Alors que la structure primaire d'une protéine est définie par la nature des résidus des acides aminés liés de façon covalente, les structures secondaires, tertiaires et quaternaires sont principalement déterminées par des forces non covalentes, liaisons hydrogène, liaisons ioniques, interactions de Van der Waals ou hydrophobes. Il est important de souligner *que toute l'information nécessaire pour qu'une protéine adopte son architecture finale réside dans sa structure primaire*, c'est-à-dire dans la séquence des acides aminés de la (ou des) chaîne(s) polypeptidique(s). Les structures secondaires, tertiaires et quaternaires des protéines seront traitées Chapitre 6.

Conformation des protéines

Le terme **conformation** qualifie toute l'architecture tridimensionnelle d'une protéine. Ce terme ne doit pas être confondu avec celui de **configuration** qui précise une possibilité géométrique pour un ensemble particulier d'atomes (Figure 5.11). Pour passer d'une configuration à une autre, il faut nécessairement rompre des liaisons covalentes et les réorganiser. Par contre, les diverses conformations d'une protéine peuvent être obtenues sans aucune rupture de liaison covalente. Des rotations autour de chacune des liaisons covalentes simples du squelette peptidique peuvent modifier l'orientation de la chaîne polypeptidique dans l'espace. Ces possibilités de rotations créent de nombreuses orientations possibles pour la chaîne polypeptidique, orientations désignées par l'expression *possibilités conformationnelles*. Parmi un grand nombre de conformations théoriques, une protéine n'adopte que celles, très peu nombreuses, qui sont énergétiquement favorables dans les conditions physiologiques. À ce jour on ne connaît encore que très peu de chose concernant les règles qui régissent le reploiement des chaînes protéiques dans leurs conformations énergétiquement favorables ; à ce titre, elles sont actuellement l'objet d'intenses recherches.

Chaînes β

Hème

Chaînes α

Figure 5.10 • L'hémoglobine formée par deux chaînes polypeptidiques α et deux chaînes β est un exemple de structure quaternaire. Dans le dessin ci-dessus, les chaînes β sont à la partie supérieure et les chaînes α à la partie inférieure de la molécule. Les deux chaînes situées à l'avant de la structure (coloration plus foncée) sont la chaîne β_2 (*en haut à gauche*) et la chaîne α_1 (*en bas à droite*). Les rectangles, avec une sphère au centre (l'atome de fer de l'hème) représentent les hèmes des quatre globines. Remarquez la structure symétrique de cette macromolécule. *(Irving Geis)*

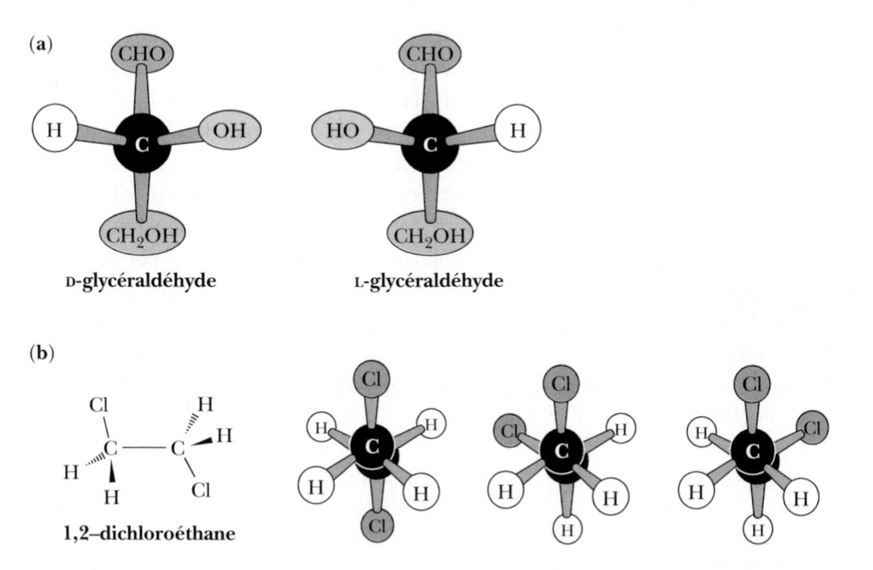

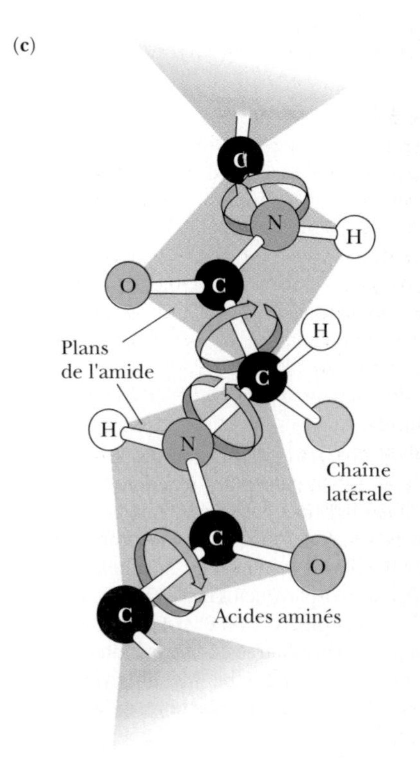

Figure 5.11 • Configuration et conformation *ne sont pas* des termes synonymes. (a) Le passage de la configuration d'une molécule à son autre configuration ne peut se faire qu'après rupture, puis rétablissement de liaisons covalentes. Aucune réorientation des liaisons du D-glycéraldéhyde ne permettrait, par simple rotation dans le plan, d'aboutir à une géométrie identique à celle du L-glycéraldéhyde, bien que ces deux molécules soient l'image l'une de l'autre dans un miroir. (b) La rotation, normalement libre, autour des liaisons covalentes engendre une grande variété de conformations tridimensionnelles, même pour des molécules relativement simples. Considérons le 1,2-dichloroéthane. Vu dans l'axe de la projection selon Newman, par rotations successives, on observe trois orientations ou conformations principales. Seul un petit nombre de conformations reste possible du fait des répulsions stériques entre les conformations éclipsées et partiellement éclipsées. (c) Imaginez le nombre des conformations possibles d'une protéine, quand la rotation de deux sur trois des liaisons successives du squelette polypeptidique est libre !

Nous reviendrons par la suite à l'analyse de la structure primaire des protéines et aux méthodes utilisées pour déterminer la séquence des acides aminés dans un polypeptide. Nous examinerons d'abord l'extraordinaire variété et diversité fonctionnelle de ces macromolécules si intéressantes.

5.3 • Diversité des fonctions biologiques des protéines

Les protéines sont les agents des fonctions biologiques. Pratiquement, chacune des activités cellulaires dépend de la présence d'une, ou de plusieurs, protéine(s) particulière(s). Il est donc plus commode de classer le très grand nombre de protéines connues d'après leur fonction biologique. Le Tableau 5.3 résume la classification des protéines selon leurs fonctions et donne des exemples représentatifs pour chacune des classes.

Les enzymes

Les enzymes forment, et de beaucoup, la plus importante classe de protéines. Le livre de référence de la classification des enzymes, la *Nomenclature des enzymes*, contient plus de 3.000 enzymes différents. Les **enzymes** sont des catalyseurs qui accélèrent la vitesse des réactions biologiques. Chaque enzyme a une fonction très spécifique et n'intervient que dans une réaction métabolique particulière. La quasi-totalité de chacune des étapes du métabolisme est catalysée par un enzyme. L'activité catalytique des enzymes est nettement supérieure à celle des catalyseurs d'origine minérale ou synthétique. La vitesse d'une réaction cellulaire, catalysée par un enzyme, peut être de plus de 10^{16} fois celle de la réaction en l'absence d'enzyme. La classification systématique des enzymes tient compte de la nature de la réaction catalysée, par exemple un transfert de groupe phosphate (*phosphotransférase*), ou une oxydoréduction (*oxydoréductase*). La dénomination internationale des enzymes tient également compte des particularités de la réaction à l'intérieur de la classe considérée, nom du substrat, du cosubstrat. Citons par exemple, l'ATP:D-fructose-6-phosphate 1-phosphotransférase, ou l'éthanol:NAD^+ oxydoréductase, dont les noms communs, plus souvent utilisés sont respectivement la *phosphofructokinase* et *l'alcool déshydrogénase*. (Kinase est un nom commun qui signifie phosphotransférase ATP dépendante). La Figure 5.12 présente les réactions catalysées par ces deux enzymes. Les noms communs de quelques enzymes ont une origine historique, comme la *catalase* (dans la nomenclature systématique, peroxyde d'hydrogène:peroxyde d'hydrogène oxydoréductase). Certains noms communs ont également une connotation descriptive : *l'enzyme malique* (la L-malate:$NADP^+$ oxydoréductase).

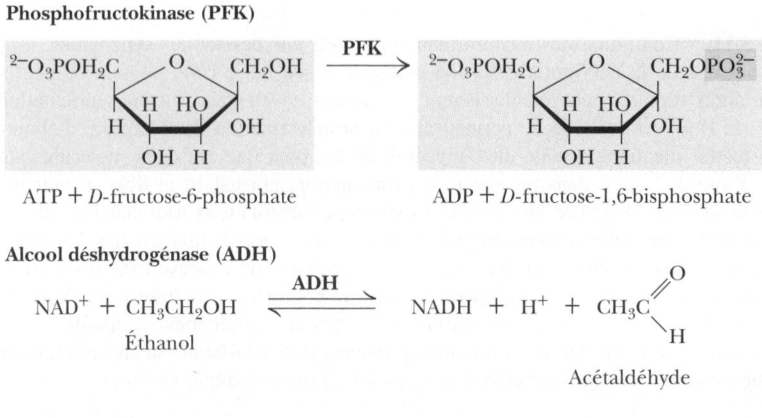

Phosphofructokinase (PFK)

$$^{2-}O_3POH_2C\text{–(furanose)–}CH_2OH \xrightarrow{PFK} {}^{2-}O_3POH_2C\text{–(furanose)–}CH_2OPO_3^{2-}$$

ATP + *D*-fructose-6-phosphate → ADP + *D*-fructose-1,6-bisphosphate

Alcool déshydrogénase (ADH)

$$NAD^+ + CH_3CH_2OH \underset{}{\overset{ADH}{\rightleftharpoons}} NADH + H^+ + CH_3CHO$$

Éthanol → Acétaldéhyde

Figure 5.12 • La classification des enzymes est fondée sur la nature des réactions biologiques qu'elles catalysent. Les cellules contiennent des milliers d'enzymes différents. Deux exemples d'enzymes du métabolisme du glucose, la phosphofructokinase (PFK), ou, pour être plus précis, l'ATP: D-fructose-6-phosphate 1-phosphotransférase et l'alcool déshydrogénase (ADH), ou Alcool:NAD^+ oxydoréductase, avec les réactions qu'elles catalysent.

Tableau 5.3

Fonctions biologiques des protéines et quelques protéines représentatives

Fonctions biologiques	Exemples
Enzymes	Ribonucléase Trypsine Phosphofructokinase Alcool déshydrogénase Catalase Enzyme malique
Protéines régulatrices	Insuline Somatotropine Thyréotropine Répresseur *lac* NF1 (facteur nucléaire 1) Protéine CAP
Protéines de transport	Hémoglobine Sérum albumine Transporteur du glucose
Protéines de réserve	Ovalbumine Caséine Zéine Phaséoline Ferritine
Protéines contractiles et de motilité	Actine Myosine Tubuline Dynéine Kinésine
Protéines structurales	Kératines-α Collagène Élastine Fibroïne Protéoglycannes
Protéines adaptatrices	Grb 2 crk shc stat IRS-1
Protéines de protection (ou d'agression) (ou opportunistes)	Immunoglobulines Thrombine Fibrinogène Protéines antigel Protéines du venin de serpent ou d'abeille Toxine diphtérique Ricine
Protéines exotiques	Monelline Résiline Protéines adhésives

Les protéines régulatrices

Certaines protéines ne participent pas directement à une transformation chimique, cependant elles régulent l'activité physiologique des autres protéines. Ces protéines sont appelées **protéines régulatrices**. Un exemple très connu est celui de *l'insuline*, hormone de régulation du métabolisme du glucose des animaux. L'insuline est une protéine relativement petite (5,7 kDa), constituée de deux chaînes polypeptidiques réunies par un pont disulfure. La somatotropine (21 kDa), qui stimule la croissance, et la thyréotropine (28 kDa), qui stimule la glande thyroïde, sont également des hormones protéiques. Un autre groupe de protéines régulatrices rassemble les protéines impliquées dans la régulation de l'expression génétique. D'une façon générale, ces protéines se fixent sur des séquences d'ADN adjacentes aux régions codantes des gènes, elles activent ou inhibent ainsi la transcription de l'information génétique de l'ADN en ARN. On peut en particulier citer les répresseurs qui, bloquant la transcription, sont considérés comme des éléments de contrôle négatif.

Une des protéines régulatrices de procaryotes est le *répresseur lac* (37 kDa) qui régule l'expression du système enzymatique permettant la dégradation du lactose (le « sucre » du lait) ; chez les mammifères, le *facteur NF1* (pour Nuclear Factor 1, 60 kDa) inhibe la transcription du gène codant pour la chaîne polypeptidique de la β-globine (dans l'hémoglobine). On connaît aussi des éléments de contrôle positif. Par exemple, chez *E. Coli*, la protéine **CAP** de 44 kDa (*Catabolic gene Activator Protein*) peut dans certaines conditions métaboliques se fixer sur des sites spécifiques du chromosome bactérien et augmenter la vitesse de transcription des gènes adjacents. Chez les mammifères, le facteur de transcription *AP1* active l'expression du gène de la β-globine. AP1 est un hétérodimère constitué d'un polypeptide de la famille *Jun* et d'un polypeptide de la famille *Fos* ; les protéines Jun et Fos sont des protéines régulatrices de gènes. Les protéines régulatrices se liant à l'ADN ont souvent des motifs structuraux caractéristiques comme le motif hélice-tour-hélice, la « fermeture éclair » à leucines, ou les doigts à zinc (voir Chapitre 30).

Les protéines de transport

Les **protéines de transport** forment une troisième classe de protéines. La fonction spécifique de ces protéines est de transporter une substance spécifique d'un endroit vers un autre. *L'hémoglobine* qui transporte l'oxygène des poumons vers les cellules et les tissus (Figure 5.13a) et la *sérum albumine* du sang, qui transporte les acides gras des tissus adipeux aux divers organes, sont deux exemples d'une première catégorie de protéines de transport. Des protéines membranaires spécifiques effectuent un type de transport très différent, le transport des métabolites à travers des barrières de perméabilité comme les membranes cellulaires. Ces *protéines de transport membranaire* fixent des molécules d'un métabolite qui se trouvent d'un côté de la membrane, les transportent à travers cette membrane, puis les libèrent de l'autre coté. Des protéines de transport spécifiques permettent par exemple la pénétration des substances nutritives essentielles, glucose ou acides aminés, dans les cellules (Figure 5.13b). Tous les systèmes de transport par des protéines naturellement présentes dans les membranes étudiés à ce jour forment des canaux transmembranaires par lesquels passent les substances transportées.

Les protéines de réserve

Les protéines, dont la fonction est de servir à la mise en réserve d'un élément ou d'une molécule nécessaire à l'organisme sont appelées **protéines de réserve**. L'azote étant fréquemment un facteur limitant de la croissance, certains organismes accumulent des protéines afin de couvrir, le cas échéant, leurs besoins en azote. Par exemple, l'*ovalbumine*, la protéine du blanc d'œuf, fournit la source d'azote indispensable au développement de l'embryon d'oiseau enfermé dans sa coquille. La *caséine* est la protéine la plus importante du lait et, de ce fait, la plus importante source d'azote pour les très jeunes mammifères. Les graines des plantes supérieures

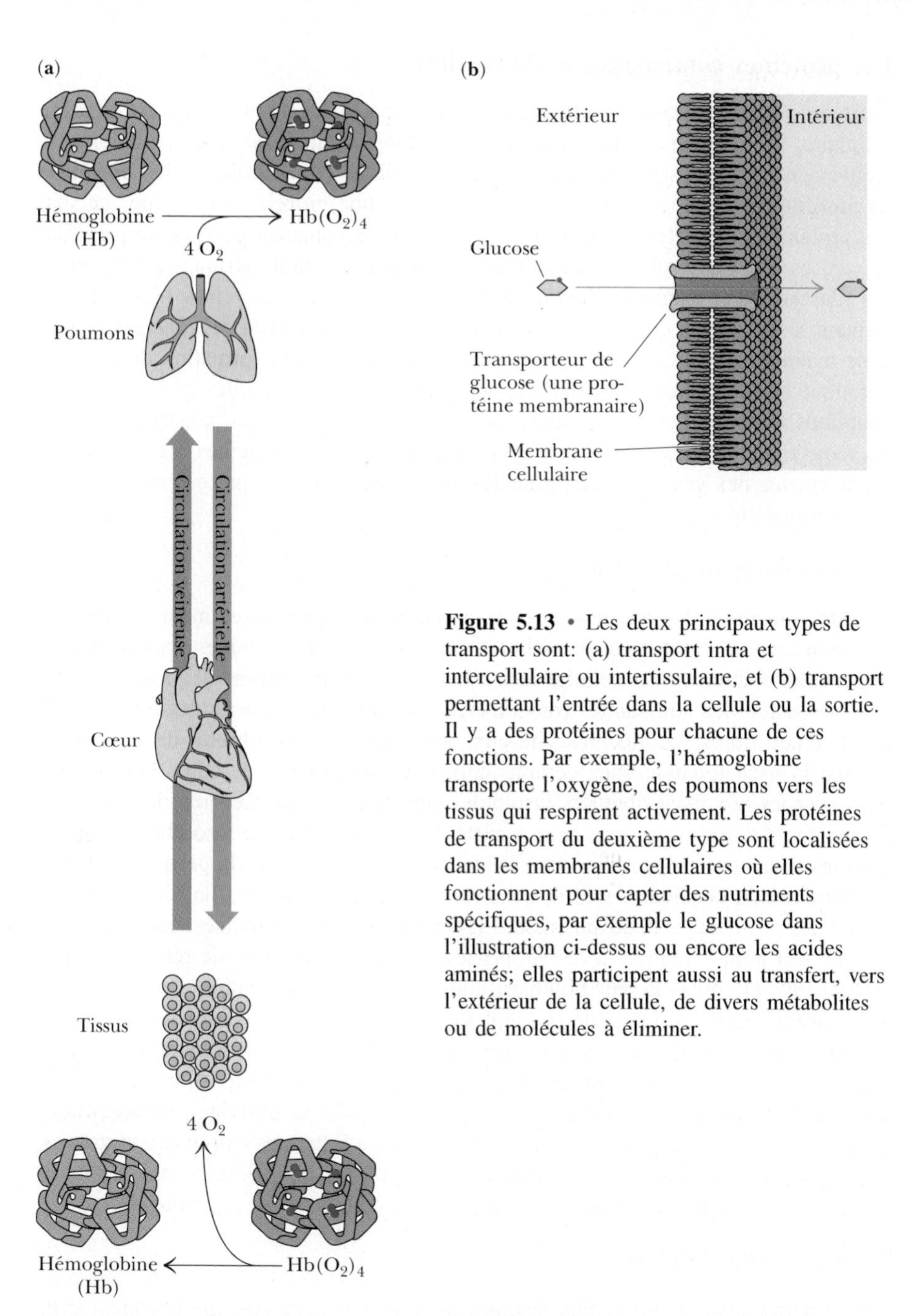

Figure 5.13 • Les deux principaux types de transport sont: (a) transport intra et intercellulaire ou intertissulaire, et (b) transport permettant l'entrée dans la cellule ou la sortie. Il y a des protéines pour chacune de ces fonctions. Par exemple, l'hémoglobine transporte l'oxygène, des poumons vers les tissus qui respirent activement. Les protéines de transport du deuxième type sont localisées dans les membranes cellulaires où elles fonctionnent pour capter des nutriments spécifiques, par exemple le glucose dans l'illustration ci-dessus ou encore les acides aminés; elles participent aussi au transfert, vers l'extérieur de la cellule, de divers métabolites ou de molécules à éliminer.

contiennent jusqu'à 60 % de protéines de réserve destinées à satisfaire les besoins en azote au cours de la germination, une étape critique du développement de la plante. Dans le germe des graines de maïs (*Zea mays*), un ensemble de protéines de faible masse moléculaire, les *zéines*, jouent ce rôle ; on retrouve encore ce type de protéine, la *phaséoline*, dans les petits pois (*Phaseolus vulgaris*). Une réserve d'azote sous forme de protéine est plus intéressante que la mise en réserve d'une quantité équivalente d'acides aminés. Non seulement l'influence sur la pression osmotique est des plus réduites, mais la capacité cellulaire de rétention de l'eau est moins mise à contribution par l'hydratation d'une molécule de polymère que par la dissolution de plus d'une centaine de molécules libres d'acides aminés. Ces protéines servent également à la mise en réserve d'autres éléments que ceux qui sont constitutifs des acides aminés (N, C, H, O, et S). La *ferritine*, une protéine des tissus animaux, lie de grandes quantités de fer; ce fer peut ensuite être utilisé pour la synthèse de l'hémoglobine, une protéine contenant du fer. Une molécule de ferritine (460 kDa) lie jusque 4.500 atomes de fer, soit 35 % de son poids.

Les protéines contractiles et de motilité

Certaines protéines donnent aux cellules leur capacité de mouvement. La division cellulaire, la contraction musculaire et la motilité cellulaire sont des exemples de mouvements effectués par les cellules. Les **protéines contractiles** et les **protéines de motilité** qui sous-tendent ces mouvements ont une propriété commune : ce sont des protéines filamenteuses, elles sont constituées de chaînes polypeptidiques filamenteuses qui s'assemblent souvent en des structures multimériques pour former des filaments. Par exemple, l'*actine* et la *myosine* sont des protéines filamenteuses formant les systèmes contractiles des cellules musculaires et la *tubuline* est la protéine majeure des microtubules (filaments impliqués dans la formation du faisceau mitotique de la division cellulaire ainsi que dans celle des flagelles et des cils). Les **protéines motrices** constituent une autre classe de protéines qui interviennent dans les mouvements. Elles incluent la *dynéine* et la *kinésine*, protéines à l'origine des déplacements des vésicules, des granules et des organites le long des microtubules du cytosquelette.

Les protéines de structure

Une des fonctions des protéines, très importante bien qu'apparemment passive, est leur rôle dans la création et le maintien des structures biologiques. Les **protéines de structure** donnent aux cellules leur résistance et leurs moyens de protection. Par polymérisation, les sous-unités (monomères) des protéines structurales forment soit des longues fibres, comme les cheveux, soit des feuillets fibreux de protection, comme la peau (épaisse chez certains animaux, elle donnera le cuir). Les *α-kératines* sont les protéines fibreuses insolubles constitutives des cheveux, des cornes et des ongles. Le *collagène*, une autre variété de protéine fibreuse insoluble, se trouve dans les tissus osseux et connectifs, les tendons, le cartilage et la peau, sous forme de fibrilles non élastiques, très résistantes à la traction. Un tiers de toutes les protéines des vertébrés est du collagène. L'*élastine* est une protéine structurale qui, comme son nom l'indique, a des propriétés élastiques ; le mode de réticulation des monomères au cours de leur polymérisation aboutit à la formation d'une structure qui peut être étirée et donne de la souplesse aux tissus. Certains insectes produisent une protéine structurale qui leur est très utile, la *fibroïne* (une β-kératine), constituant majeur des cocons (comme ceux du ver à soie) et des toiles d'araignées. Une importante barrière de protection des cellules animales la **matrice extracellulaire** est formée par du collagène et des protéoglycannes à fonctions extrêmement variées. Ces complexes covalents de protéines et de polyosides interviennent dans la lubrification des articulations et dans la résilience de certains tissus (cartilages).

Protéines adaptatrices

Des protéines particulières, plus récemment mises en évidence, interviennent dans la réponse cellulaire aux hormones et aux facteurs de croissance. Ces protéines, ou **protéines adaptatrices**, ont une organisation de type modulaire. Des parties spécifiques de la structure protéique (les **modules**) reconnaissent et se lient par des **interactions protéine-protéine** à certains éléments structuraux d'autres protéines. Par exemple, les modules *SH2* lient des protéines dont un résidu Tyr est phosphorylé, et les modules *SH3* lient des protéines ayant un ensemble caractéristique de résidus proline. D'autres protéines, à module *PH*, se lient aux membranes et les protéines à module *PDZ* se lient spécifiquement à l'acide aminé de l'extrémité C-terminale de certaines protéines. Les protéines adaptatrices contiennent généralement plusieurs types de modules, elles peuvent donc intervenir comme un « échafaudage » sur lequel une série de protéines différentes s'assemblent pour donner un complexe protéique. Ce type de complexe intervient souvent dans le transfert et la coordination de la réponse intracellulaire aux hormones ou à d'autres molécules signal (Figure 5.14). Les **protéines d'ancrage** sont des protéines qui se lient à d'autres protéines permettant leur association avec diverses structures cellulaires. Il existe une famille de

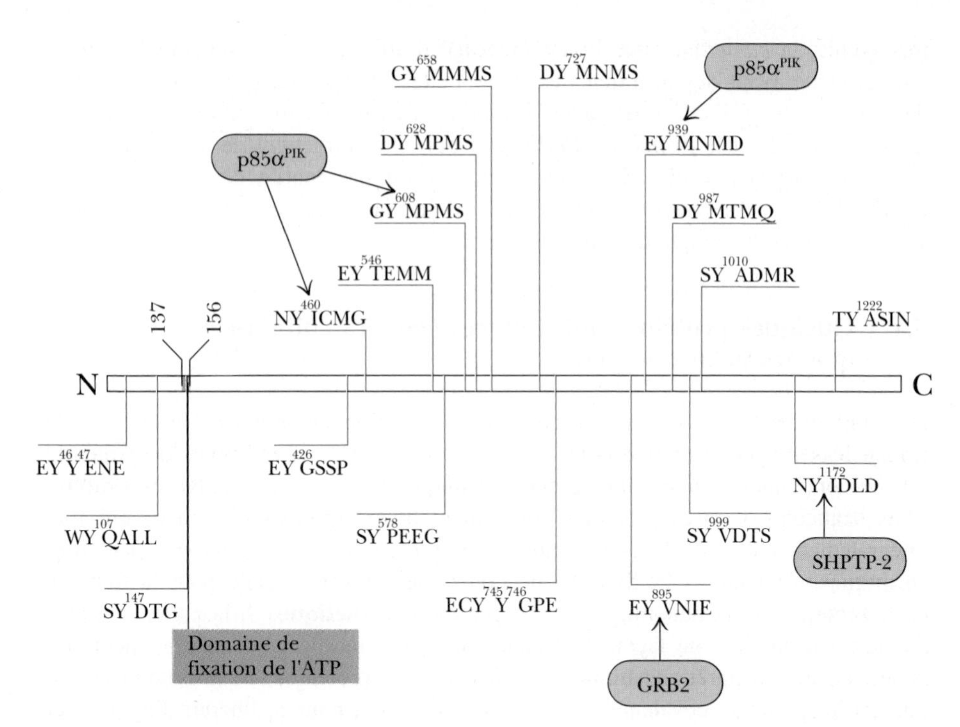

Figure 5.14 • Schéma de l'organisation de la séquence N → C d'une protéine adaptatrice : le récepteur de l'insuline-1 (*IRS-1, pour Insulin receptor substrate-1*). Dans le schéma, les diverses séquences (code à une lettre) contenant un résidu tyrosine (Y) susceptible de phosphorylation sont représentées. D'autres protéines adaptatrices reconnaissant quelques uns de ces sites sont également indiquées (*Grb2, SHPTP-2* et *p85a^PIK*). La fixation d'insuline sur le site récepteur de l'insuline active l'activité catalytique qui phosphoryle ces résidus Tyr dans IRS-1. (*D'après White, M.F., et Kahn, C.R., 1994.* Journal of Biological Chemistry ***269*** *: 1-4.*)

protéines d'ancrage, appelées *AKAP* (pour *A kinase anchoring protein*) dont certains membres lient la *protéine kinase A* (PKA), un enzyme régulateur, à divers compartiments intracellulaires. Par exemple, AKAP100 dirige la PKA vers le réticulum endoplasmique, alors que AKAP79 dirige PKA vers la membrane plasmique.

Protéines de protection (de défense) et protéines d'agression

À la différence des protéines structurales de protection, essentiellement passives, il existe d'autres protéines qui peuvent être classées dans le groupe des protéines dites de façon appropriée, les **protéines de protection** (ou de défense) et les **protéines d'agression**. Ces protéines ont un rôle biologique actif dans la protection des cellules ou des organismes, ou dans l'exploitation des cellules étrangères. Les *immunoglobulines*, ou *anticorps,* sont parmi les plus importantes des protéines de défense ; elles sont produites par les lymphocytes des vertébrés. Les anticorps ont la remarquable propriété « d'ignorer » les molécules qui sont intrinsèques à l'organisme et cependant reconnaître spécifiquement et neutraliser des molécules « étrangères », ces molécules pouvant provenir de l'invasion de l'organisme par des bactéries, des virus ou d'autres agents infectieux. La *thrombine* et le *fibrinogène* représentent un autre groupe de protéines de protection ; lorsque des vaisseaux sanguins sont endommagés, ces protéines de coagulation du sang évitent les hémorragies. Les poissons de l'Arctique et de l'Antarctique ont dans le sang des protéines « antigel » qui abaissent suffisamment le point de congélation pour les protéger contre les températures très basses de ces régions polaires. Il existe encore d'autres variétés de protéines utilisées soit pour la défense des organismes ou au contraire pour exploiter d'autres organismes. Elles englobent les protéines lytiques ou neurotoxiques du venin des serpents ou des abeilles et des protéines végétales comme la *ricine*. Il semble que la ricine protégerait la plante de l'appétit des herbivores. Enfin, les protéines d'exploitation comprennent des toxines produites par divers microorganismes, par exemple la toxine diphtérique et la toxine cholérique.

Les protéines exotiques

Certaines protéines ont des fonctions plutôt exotiques qui ne permettent pas de les ranger dans la classification précédente. Une plante africaine contient une protéine très sucrée, la *monelline*, que l'on a envisagé d'utiliser comme substitut du sucre. Une protéine ayant des propriétés exceptionnelles d'élasticité, la *résiline*, se trouve dans les points de fixation des ailes d'insectes. Des organismes marins, comme les moules, sécrètent des ***protéines d'adhésion*** qui leur permettent de se coller fermement aux surfaces solides. Pour terminer, il n'est pas inutile de rappeler que la grande diversité des fonctions qui viennent d'être survolées est obtenue par l'utilisation d'une petite vingtaine d'acides aminés.

5.4 • Quelques protéines ont d'autres groupes chimiques que des acides aminés

De nombreuses protéines ne sont constituées que d'acides aminés. Un enzyme, la ribonucléase, et une protéine contractile, l'actine, sont deux exemples de protéines qui ne contiennent aucun autre groupe chimique. Ce sont des **protéines simples**. Mais beaucoup d'autres protéines contiennent divers groupes chimiques qui font intégralement partie de leurs structures. Ces protéines sont dénommées **protéines conjuguées** (Tableau 5.4). Si la partie non protéique est cruciale pour la fonction de la protéine, on la dénomme souvent **groupe prosthétique**. Si la partie non protéique n'est pas liée de façon covalente à la protéine, elle peut généralement être isolée, au besoin après dénaturation de la structure protéique. Si le produit conjugué est lié de façon covalente, il peut être nécessaire, pour le libérer, d'hydrolyser la protéine jusqu'à la libération de tous les acides aminés. La classification des protéines conjuguées tient normalement compte de la nature chimique de la partie non protéique. Le Tableau 5.4 présente une sélection de protéines conjuguées. La comparaison des Tableaux 5.3 et 5.4 révèle deux modes de classification, différents par la façon de considérer les protéines, par leur fonction ou par leurs caractéristiques chimiques.

Les glycoprotéines. Ce sont des protéines qui contiennent des oses. Les protéines destinées à être exportées sont généralement des glycoprotéines. Par exemple, la fibronectine et les protéoglycannes sont des composantes importantes de la matrice extracellulaire qui entoure les cellules de la plupart des tissus animaux. Les immunoglobulines G sont les principales espèces d'anticorps circulant librement dans le plasma sanguin. Le segment extracellulaire de diverses protéines membranaires est glycosylé.

Les lipoprotéines. Les lipoprotéines du plasma sanguin sont des exemples caractéristiques de protéines conjuguées à des lipides. Ces lipoprotéines plasmatiques servent essentiellement au transport des lipides vers leur lieu d'utilisation, par exemple pour la synthèse des membranes. La concentration des *lipoprotéines de faible densité* (LDL, pour low density lipoproteins) est souvent déterminée à des fins cliniques pour renseigner sur la susceptibilité aux troubles vasculaires.

Les nucléoprotéines. Ces protéines ont un rôle dans la conservation et dans la transmission de l'information génétique. Les ribosomes sont le site de la synthèse des protéines. Les particules virales et les chromosomes sont des complexes nucléoprotéiques.

Les phosphoprotéines. Dans ces protéines, les hydroxyles de certains résidus sérine, thréonine, ou tyrosine, sont phosphorylés. La caséine du lait contient de nombreux groupes phosphate, elle est la source principale de phosphate chez le nourrisson et au cours de la croissance de l'enfant. De nombreuses étapes du métabolisme sont régulées par la phosphorylation ou la déphosphorylation des enzymes (Chapitre 15). La glycogène phosphorylase *a* est un exemple particulièrement étudié.

Les métalloprotéines. Ce sont soit des protéines de réserve, comme la ferritine, soit des enzymes dans lesquels un atome de métal participe activement à l'activité catalytique. Nous rencontrerons dans ce traité de nombreux exemples de métalloprotéines ayant des fonctions métaboliques vitales.

Tableau 5.4

Exemples de protéines conjuguées

Classe	Groupe prosthétique	% approximatif, en poids
Glycoprotéines, contiennent des sucres		
Fibronectine		
γ-globulines		
Protéoglycannes		
Lipoprotéines, contiennent des lipides		
Lipoprotéines du plasma sanguin		
Lipoprotéines de haute densité (HDL) (α-lipoprotéines)	Triglycérides, phospholipides, cholestérol	75
Lipoprotéines de faible densité (LDL) (β-lipoprotéines)	Triglycérides, phospholipides, cholestérol	67
Complexes nucléoprotéiques, contiennent des acides nucléiques		
Ribosomes	ARN	60
Virus de la mosaïque du tabac	ARN	5
Adénovirus	ADN	
HIV-1 (virus du sida)	ARN	
Phosphoprotéines, contiennent du phosphate		
Caséine	Groupes phosphate	
Glycogène phosphorylase *a*	Groupes phosphate	
Métalloprotéines, contiennent des atomes de métal		
Ferritine	Fer	35
Alcool déshydrogénase	Zinc	
Cytochrome oxydase	Cuivre et fer	
Nitrogénase	Molybdène et fer	
Cuivre et fer		
Pyruvate carboxylase	Manganèse	
Hémoprotéines, contiennent un hème		
Hémoglobine		
Cytochrome *c*		
Catalase		
Nitrate réductase		
Ammonium oxydase		
Flavoprotéines, contiennent une flavine		
Succinate déshydrogénase	FAD	
Déshydrogénase NADH	FMN	
Dihydroorotate déshydrogénase	FAD et FMN	
Sulfite réductase	FAD et FMN	

LES HÉMOPROTÉINES. Ces protéines sont une sous-classe des métalloprotéines puisque leur groupe prosthétique, **l'hème**, est la protoporphyrine IX qui contient du fer (Figure 5.15). L'importance biologique toute particulière de ces protéines en fait une classe distincte des métalloprotéines.

LES FLAVOPROTÉINES. La *flavine* est une substance essentielle à l'activité de nombreuses oxydoréductases. La chimie de la flavine et de ses dérivés, FMN et FAD, sera traitée Chapitre 21, avec le transport des électrons et les oxydations phosphorylantes.

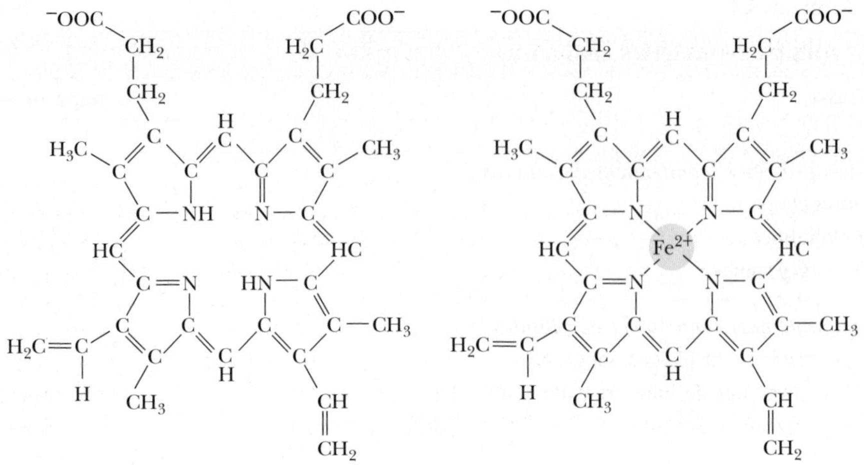

Figure 5.15 • L'hème est formé par la protoporphyrine IX et un atome de fer. La protoporphyrine, un système de doubles liaisons conjuguées, est composée de quatre hétérocycles à cinq sommets (pyrroles) reliés pour former un tétrapyrrole macrocyclique. La disposition des substituants méthyl, vinyl et propionyl est celle spécifique de la protoporphyrine IX. La coordination d'un atome de fer ferreux Fe^{2+} par les atomes d'azote des quatre cycles pyrroliques donne naissance à l'hème.

Protoporphyrine IX

Hème
(ferro-protoporphyrine IX)

5.5 • Réactions chimiques des peptides et des protéines

Il est plus simple d'envisager les propriétés chimiques des peptides et des protéines à partir de la chimie de leurs groupes fonctionnels. Ils ont la réactivité des extrémités amino et carboxy-terminales, ainsi que les réactions chimiques propres aux groupes R des acides aminés qui les composent. Ces réactions sont celles que l'on voit en Chimie organique, quelques-unes ont été citées Chapitre 4, elles ne seront pas revues ici.

5.6 • Purification des mélanges de protéines

Les cellules contiennent des milliers de protéines différentes. Un des problèmes majeurs de la chimie des protéines consiste à purifier une protéine donnée afin de pouvoir étudier ses propriétés spécifiques, en l'absence des autres protéines. Les protéines ont depuis longtemps été séparées et purifiées sur la base de deux propriétés physiques principales, la taille et la charge électrique. Une approche plus directe consiste à utiliser des stratégies de purification d'affinité qui sont fondées sur la fonction biologique ou les propriétés de reconnaissance spécifique d'une protéine (voir Tableau 5.5 et l'Appendice au chapitre).

Méthodes de séparation

Les méthodes de séparation fondées sur la taille des protéines comprennent la chromatographie d'exclusion-diffusion, l'ultrafiltration et l'ultracentrifugation (cf. l'Appendice au chapitre). Les propriétés ioniques des peptides et des protéines proviennent principalement des chaînes latérales ionisables des acides aminés qui les composent. Par ailleurs, l'ionisation de ces groupes dépend du pH.

De nombreuses techniques utilisent la différence de charge électrique comme un moyen de discrimination entre des protéines ; citons comme exemples, la chromatographie sur échangeur d'ions (voir Chapitre 4), l'électrophorèse (voir l'Appendice), et la solubilité. La solubilité des protéines tend à être la plus faible à **leur point isoélectrique**, valeur du pH pour lequel la somme des charges positives et des charges négatives est égale à zéro. À ce pH, la répulsion électrostatique entre les protéines est minimale, il sera donc plus aisé d'obtenir la coalescence et le relargage des molécules. La force ionique des solutions influe profondément sur la solubilité des protéines. La solubilité de la plupart des protéines globulaires s'accroît

POUR EN SAVOIR PLUS

Estimation de la concentration des protéines dans des solutions d'origine biologique

Les biochimistes désirent souvent connaître la concentration des protéines dans diverses préparations d'origine biologique. Cette analyse quantitative n'est pas aussi simple qu'on pourrait le croire. Les extraits cellulaires sont des mélanges complexes de molécules protéiques de masses moléculaires très variables, de sorte que les dosages de protéines ne peuvent pas être exprimés en termes de molécules. En dehors de la structure répétitive de l'unité peptidique, par ailleurs peu réactive, il n'y a guère de caractères chimiques communs qui se prêteraient à une analyse chimique précise. La plupart des propriétés chimiques varient avec la composition en acides aminés, par exemple la teneur en S, la présence de groupes aromatiques, d'hydroxyles ou d'autres groupes fonctionnels.

La méthode de Lowry

La *méthode de Lowry* a pendant longtemps été la technique standard par excellence. Cette méthode combine l'utilisation des ions Cu^{2+} et du *réactif de Folin-Ciocalteau*, une solution d'un mélange d'acide phosphomolybdique et d'acide phosphotungstique qui réagit avec Cu^{+}. Ce Cu^{+} provient de la réduction de Cu^{2+} par des résidus d'acides aminés facilement oxydables comme la cystéine, le phénol de la tyrosine, l'indole du tryptophanne. Le mécanisme exact de la réaction reste incertain, mais la réaction du réactif de Folin avec Cu^{+} donne des dérivés extrêmement colorés dont l'intensité peut être mesurée à l'aide d'un spectrophotomètre.

Méthode à l'acide bicinchoninique

Un réactif plus efficace que celui de Folin-Ciocalteau est parfois utilisé pour le dosage des protéines. *L'acide bicinchoninique* (BCA) forme un complexe de coloration pourpre avec Cu^{+} en solution alcaline.

Dosages fondés sur l'adsorption d'un colorant

D'autres protocoles de dosage sont actuellement d'un usage plus général au laboratoire. La **technique de Bradford** est rapide, fiable et très sensible. Elle utilise un colorant, le *Bleu Coomassie G250*, dont la coloration change après adsorption (fixation par des liaisons non covalentes) sur des protéines. La fixation est quantitative et peu sensible à la variation de composition des protéines. Le changement de coloration se mesure facilement par spectrophotométrie. Une méthode similaire, 1.000 fois plus sensible, est basée sur le changement de coloration de l'or colloïdal adsorbé sur des protéines.

Cu^{+} + BCA ⟶ [structure : ^{-}OOC, N, Cu^{+}, COO^{-}]

Complexe BCA–Cu^{+}

lorsqu'on élève la force ionique. Ce phénomène est attribué à l'effet des ions du sel sur la diminution des attractions électrostatiques entre les molécules protéiques. Ces attractions tendent normalement à favoriser la précipitation. Mais, si la concentration saline atteint des niveaux plus élevés (supérieure à 1 *M*) on observe un effet inverse, les protéines sont relarguées. À ce moment, les très nombreux ions du sel en compétition avec les protéines pour l'eau de solvatation, l'emportent et les protéines deviennent insolubles. Un exemple de solubilité d'une protéine globulaire est présenté Figure 5.16.

La plupart des chaînes latérales non polaires des acides aminés d'une protéine en solution sont enfouies à l'intérieur de la molécule, à l'abri du contact avec le solvant aqueux. Cependant il en reste une fraction non négligeable exposée à la sur-

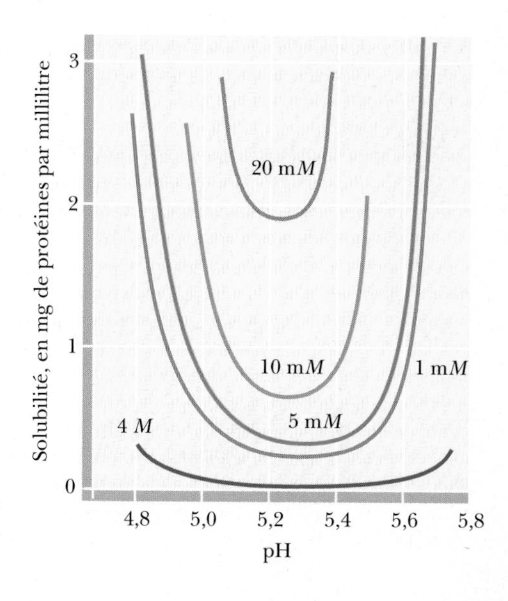

Figure 5.16 • La solubilité de la plupart des protéines globulaires est très dépendante du pH et de la force ionique. Ce graphique présente le solubilité d'une telle protéine en fonction du pH et à différentes concentrations salines.

Tableau 5.5

Exemple de purification d'une protéine : purification de la xanthine déshydrogénase fongique

	Volume (ml)	Protéines totales (mg)	Activité totale*	Activité spécifique†	Activité présente, en %‡
1. Extrait brut	3.800	22.800	2.460	0,108	100
2. Précipité salin	165	2.800	1.190	0,425	48
3. Chromatographie sur échangeur d'ions	65	100	720	7,2	29
4. Chromatographie sur tamis moléculaire	40	14,5	555	38,3	23
5. Chromatographie par immunoaffinité§	6	1,8	275	152	11

* L'activité xanthine déshydrogénase de chaque fraction est définie par des unités arbitraires.

† L'activité spécifique correspond à l'activité totale d'une fraction divisée par la quantité totale de protéines dans la fraction. Cette valeur donne une idée de l'augmentation de la pureté obtenue au cours de la purification de la xanthine déshydrogénase

‡ Le pourcentage de l'activité totale d'origine qui reste présent dans une fraction considérée est une mesure du rendement en produit désiré

§ La dernière étape de la purification est une chromatographie d'affinité dans laquelle un anticorps spécifique de la xanthine déshydrogénase est lié de façon covalente sur une matrice, polymère ou particules solides. Le produit de la réaction est placé dans un tube de verre pour former une colonne de chromatographie sur laquelle on fait passer la solution résultant de l'étape 4. L'enzyme se fixe par immunoaffinité sur la matrice, tandis que les autres protéines passent librement. L'enzyme est élué de la colonne sous l'effet d'une solution saline concentrée qui dissocie le complexe enzyme-anticorps.

(D'après Lyon, E.S., et Garrett, R.H., 1978. *Journal of Biochemical Chemistry*, **253** : 2604-2614.

face de la protéine ce qui lui confère un caractère hydrophobe partiel. La *chromatographie hydrophobe* est une technique qui utilise les interactions de type hydrophobe pour séparer des protéines (cf. l'Appendice).

Exemple de purification d'une protéine

La plupart des procédures de purification utilisées ont été développées de manière empirique, l'objectif imposé étant d'obtenir une protéine purifiée jusqu'au stade d'homogénéité avec un rendement acceptable. Le Tableau 5.5 présente le compte rendu résumé d'une purification de la xanthine déshydrogénase. Remarquez **l'activité spécifique** de l'enzyme dans l'extrait brut (fraction 1) et dans l'extrait purifié par immunoaffinité (fraction 5). L'activité spécifique de la xanthine déshydrogénase de la fraction 5 comparée à la fraction 1 est enrichie de plus de 1.400 fois (152/0,108) au cours de cette purification.

5.7 • Structure primaire d'une protéine : détermination de la séquence des acides aminés

En 1953, Frederick Sanger, de l'Université de Cambridge en Angleterre, a publié la séquence des acides aminés des deux chaînes polypeptidiques composant l'insuline (Figure 5.17). Ce fut non seulement un remarquable travail de chimie analytique, mais aussi une contribution à la démystification des spéculations sur la nature chimique des protéines. Les résultats de Sanger prouvaient clairement que toutes les molécules d'une protéine donnée avaient une composition et une séquence en acides aminés définies et donc une masse moléculaire constante. En bref, les protéines étaient chimiquement bien définies. On connaît aujourd'hui la séquence de près de 100.000 protéines différentes. Si beaucoup de ces séquences ont été déterminées par application des principes établis en premier lieu par Sanger, la plupart d'entre elles sont à présent déduites à partir de la séquence des nucléotides du gène qui code la protéine.

Stratégie du séquençage d'une protéine

La détermination de la séquence des acides aminés d'une protéine implique normalement huit étapes fondamentales :

1. Si la protéine contient plus d'une chaîne polypeptidique, les chaînes sont séparées avant la purification.
2. Les ponts disulfure (S–S) entre les résidus cystéine d'une chaîne sont rompus. Si ces ponts disulfure sont établis entre deux chaînes, l'étape 2 précède l'étape 1.
3. On détermine la composition en acides aminés de chaque chaîne polypeptidique.
4. Les résidus N- et C-terminaux sont identifiés.
5. Chaque chaîne polypeptidique est scindée (clivée) en petits fragments, puis on détermine la composition en acides aminés et la séquence de chacun des fragments.
6. On répète l'étape 5, en utilisant à chaque fois des techniques différentes de clivage de la chaîne afin d'obtenir des séries de fragments différents dont les séquences se recouvreront partiellement.
7. La séquence globale de la protéine est reconstruite à partir des séquences des fragments qui se recouvrent.
8. On localise la position des ponts disulfure formés entre les résidus cystéine de la chaîne polypeptidique d'origine.

Chacune de ces étapes est examinée en détail dans les sections qui suivent.

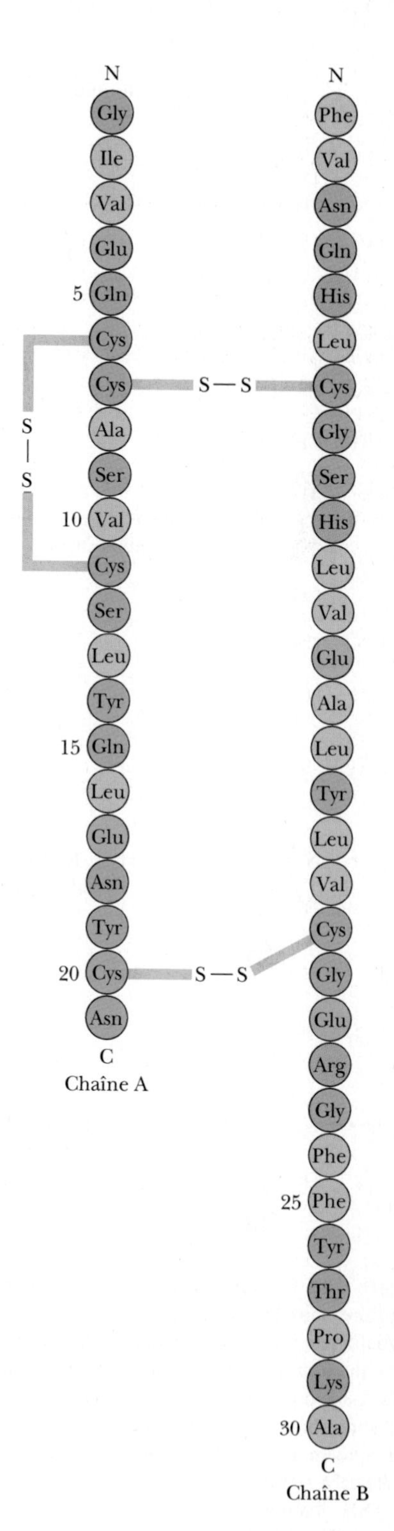

Figure 5.17 • L'insuline est une hormone formée de deux chaînes polypeptidiques, A et B, reliées par deux ponts disulfure (S–S). La chaîne A, a 21 résidus d'acides aminés et un pont disulfure intracaténaire ; la chaîne B, contient 30 résidus. La séquence ci-dessus est celle de l'insuline bovine.

1re étape. Séparation des chaînes polypeptidiques

Si la protéine étudiée est composée de plusieurs types de chaînes polypeptidiques (hétéro-oligomère), la protéine doit être dissociée et les sous-unités (protomères) qui la composent doivent être séparées pour être séquencées individuellement. L'association des protomères dans les oligomères résulte essentiellement des forces non covalentes. La plupart des protéines oligomériques peuvent donc être dissociées par exposition à des pH extrêmes, à de l'urée 8 *M* ou du chlorure de guanidine 6 *M*, ou par des concentrations salines élevées. (Tous ces traitements provoquent la rupture des interactions polaires, en particulier des liaisons hydrogène au sein de la molécule protéique et entre la protéine et les molécules d'eau du solvant). Une fois dissociés, les polypeptides peuvent être séparés les uns des autres en fonction de leur taille ou de leur charge. Les sous-unités de certains oligomères sont parfois fois reliées par des ponts S–S. Dans ce cas, il faut que ces ponts soient clivés avant la dissociation des chaînes. Les méthodes décrites pour l'étape 2 sont utilisables à cette fin.

2e étape. Le clivage des ponts disulfure

Plusieurs méthodes permettent le clivage des ponts disulfure (Figure 5.18). Ce clivage doit impérativement être effectué dans des conditions qui ne permettront pas le rétablissement des ponts d'origine, ni la création de nouvelles liaisons S–S. L'oxydation des ponts disulfure par l'acide performique aboutit à la formation de deux équivalents d'acide cystéique (Figure 5.18a). La transformation chimique du –SH de la cystéine en un groupe SO_3^- ionisé empêche la recombinaison S–S. Des molécules contenant des fonctions –SH, par exemple le 2-mercaptoéthanol, réduisent facilement les ponts disulfure avec régénération des chaînes latérales des cystéines (5.18b). Mais ces groupes –SH peuvent se recombiner pour redonner le pont d'origine, ou, si d'autres groupes –SH sont à proximité, peuvent créer de nouveaux ponts. Pour prévenir ces réactions, la réduction des S–S doit immédiatement être suivie d'un traitement par des agents d'alkylation, comme l'iodacétate ou le 3-bromopropylamine qui bloquent les fonctions –SH (Figure 5.18a).

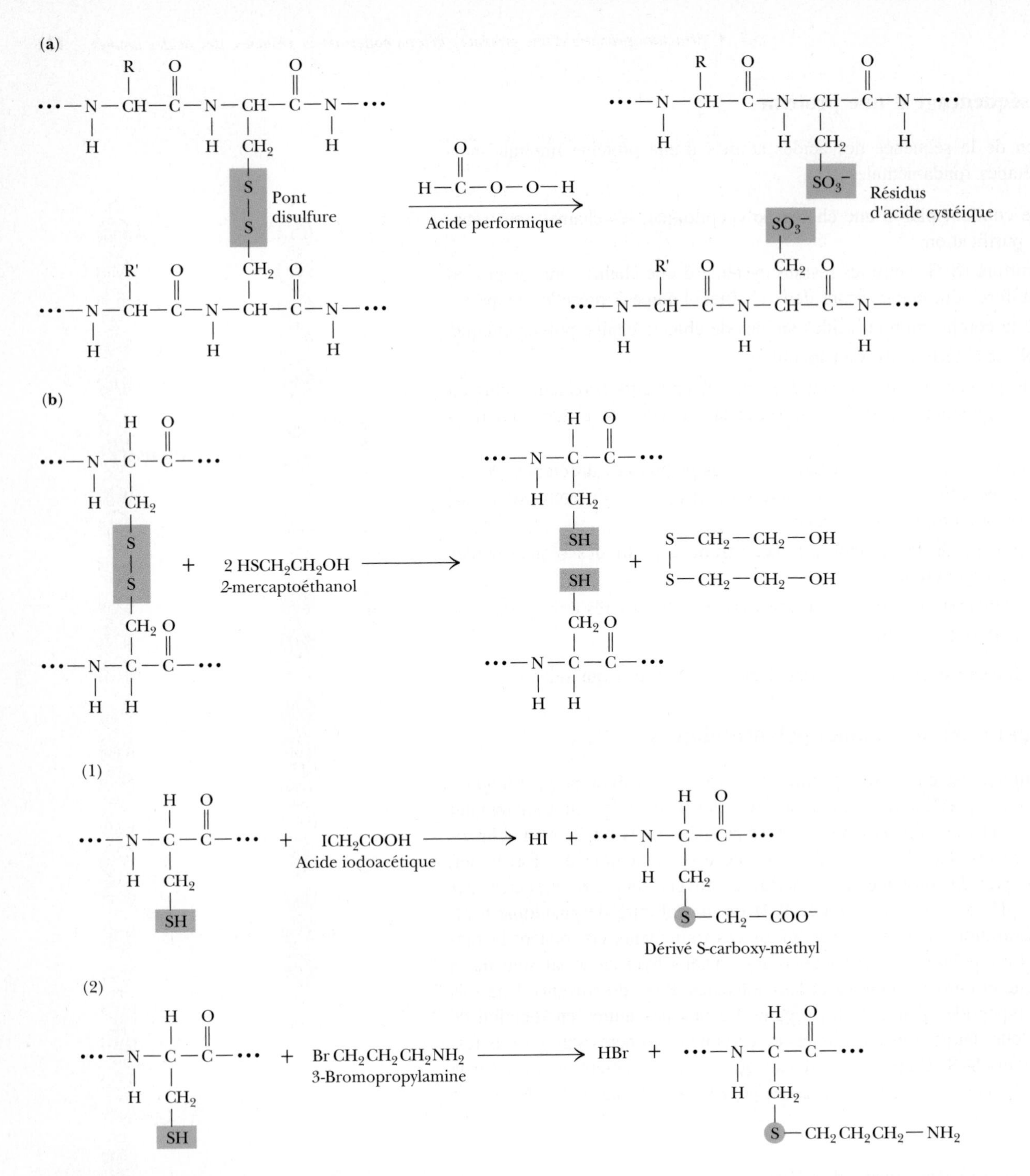

Figure 5.18 • Méthodes de clivage des ponts disulfure dans les protéines. (a) Clivage oxydatif par l'acide performique. (b) Clivage par réduction à l'aide de composés à fonction –SH. La réduction de la liaison disulfure S–S peut être obtenue par des agents comme le 2-mercaptoéthanol ou le dithiothréitol. La tendance à reformer des ponts disulfure à partir des –SH obtenus par réduction est très forte, il faut rapidement bloquer le –SH : (1) par alkylation avec l'acide iodoacétique ou (2) par modification avec la 3-bromopropylamine.

3ᵉ étape. Analyse de la composition en acides aminés

Nous avons déjà vu, Section 5.1, le protocole standard d'analyse de la composition en acides aminés des protéines. Les résultats de ces analyses permettent de sélectionner par anticipation les méthodes de fragmentation de la chaîne polypeptidique les plus favorables pour le séquençage de la protéine.

4ᵉ étape. Identification des résidus N- et C-terminaux

L'analyse des groupes terminaux révèle plusieurs choses. D'abord, elle identifie les résidus terminaux d'une chaîne polypeptidique. Ensuite, elle peut informer sur le nombre des extrémités dans la protéine. Si la protéine contient deux, ou plus, chaînes polypeptidiques différentes, la présence éventuelle de plus de deux groupes terminaux peut attirer l'attention sur la présence de ces multiples chaînes.

A. Analyse de l'extrémité N-terminale

Il y a plusieurs moyens d'identifier l'extrémité N-terminale d'une protéine ; la dégradation d'Edman est devenue la méthode de choix car elle permet l'identification séquentielle de plusieurs des résidus en commençant par l'extrémité N-terminale (Figure 5.19). En solution légèrement alcaline, le réactif d'Edman (le phénylisothiocyanate, phényl–N=C=S) réagit avec la fonction $-NH_2$ libre de l'extrémité N-terminale d'une protéine (Figure 5.19). Le dérivé formé peut être libéré de l'extrémité de la chaîne du polypeptide simplement en passant en milieu acide, on obtient une phénylhydantoïne (PTH). Les dérivés PTH peuvent être identifiés par chromatographie. Le point remarquable de cette technique est que le reste de la chaîne polypeptidique demeure intact, il peut être soumis à un nouveau cycle de dégradation d'Edman pour isoler et identifier le résidu d'acide aminé qui se trouve à présent à l'extrémité N-terminale de la protéine. Il est possible de répéter ce cycle un grand nombre de fois. Dans la pratique, l'extrémité carboxylique du polypeptide est souvent couplée à une matrice insoluble, ce qui permet une récupération aisée par filtration à la fin de chaque cycle de traitement. Ainsi la réaction d'Edman permet donc, non seulement d'identifier une extrémité N-terminale, mais encore d'obtenir des informations sur le début de la séquence des acides aminés. Il existe des appareils, des séquenceurs, qui effectuent automatiquement les diverses opérations du cycle et donnent dans les cas favorables la séquence des 50 premiers résidus d'acides

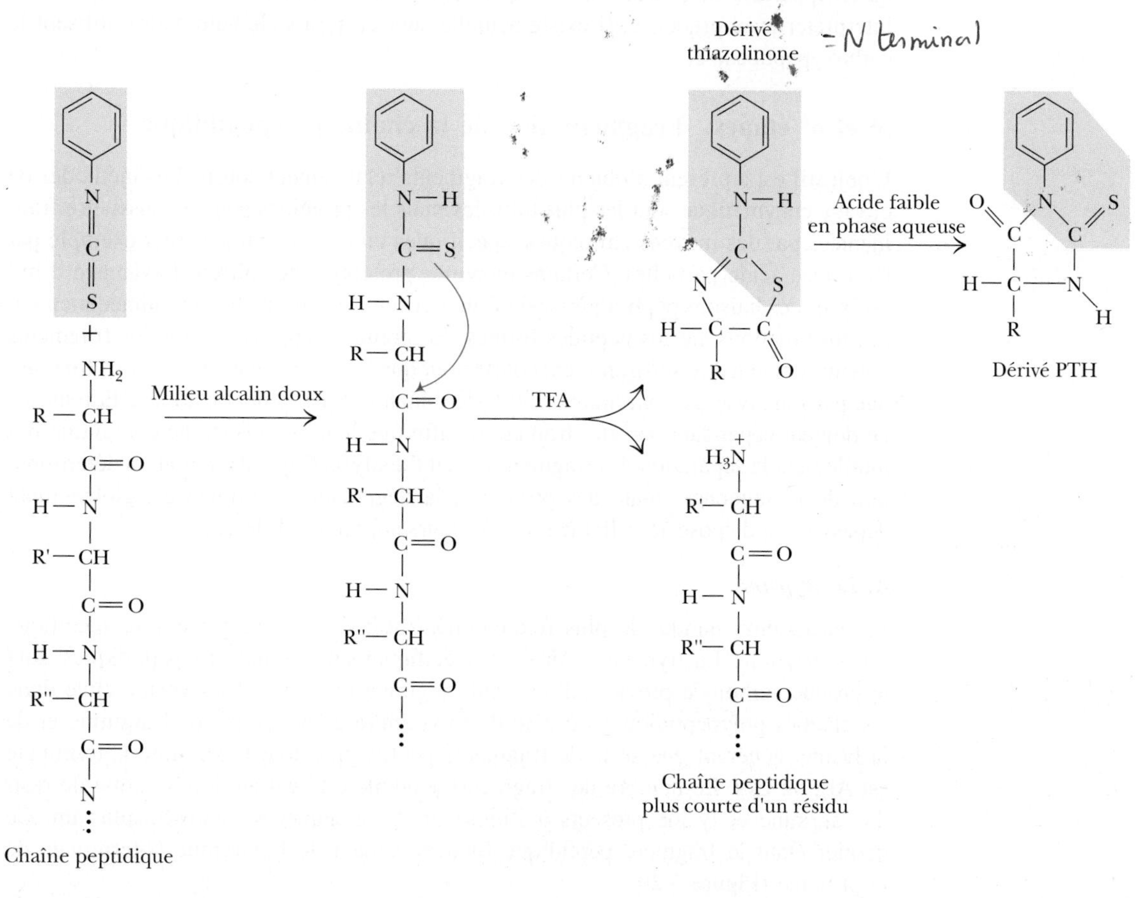

Dérivé thiazolinone

Milieu alcalin doux

TFA

Acide faible en phase aqueuse

Dérivé PTH

Chaîne peptidique

Chaîne peptidique plus courte d'un résidu

Figure 5.19 • Analyse de l'extrémité N-terminale à l'aide du réactif d'Edman, le phénylisothiocyanate. En milieu légèrement alcalin, le phénylisothiocyanate se combine à l'extrémité N-terminale d'un peptide pour donner un dérivé phénylthiocarbamoylé. Un traitement au TFA (acide trifluoroacétique) cyclise le groupe phénylthiocarbamoyle et libère l'acide aminé N-terminal sous forme d'une thiazolinone sans que les autres liaisons peptidiques soient hydrolysées. Ce dernier produit est sélectivement extrait par un solvant organique ; sous l'effet d'une solution aqueuse d'un acide faible, il y a formation du dérivé phénylthiohydantoïne (PTH) de l'acide aminé N-terminal.

aminés d'un polypeptide à partir de 50 pmoles (environ 0,1 μg) d'un polypeptide de 100 à 200 résidus. L'efficacité diminue avec les protéines plus grosses ; par exemple une protéine ayant 2.000 résidus ne permet que 10 à 20 cycles.

B. Analyse de l'extrémité C-terminale

Pour l'identification du résidu C-terminal des polypeptides une approche enzymatique est généralement préférée.

ANALYSE DE L'EXTRÉMITÉ C-TERMINALE PAR LES CARBOXYPEPTIDASES. Les carboxypeptidases sont des enzymes qui clivent, de façon récurrente, les résidus des amino-acides à partir de l'extrémité C-terminale de la chaîne polypeptidique. Les plus fréquemment utilisées sont les carboxypeptidases A, B, C et Y. La *carboxypeptidase A* (du pancréas bovin) est très efficace pour l'hydrolyse de la liaison peptidique C-terminale de tous les résidus à l'exception de la proline, de l'arginine et de la lysine. La *carboxypeptidase B*, du pancréas de porc, n'est active que si Arg ou Lys sont les résidus C-terminaux. Un mélange de carboxypeptidase A et B libérera donc tous les acides aminés C-terminaux à l'exception de la proline. La *carboxypeptidase C* des feuilles de citrus et la *carboxypeptidase Y* de la levure agissent sur les liaisons peptidiques de tous les acides aminés C-terminaux. Malheureusement, les résultats ne sont pas simples. La nature du résidu à l'extrémité de la chaîne détermine souvent la vitesse du clivage des liaisons, et les carboxypeptidases libèrent successivement les derniers résidus à mesure qu'ils apparaissent à l'extrémité de la chaîne. On obtient donc des mélanges qu'il faut interpréter avec prudence. Il existe actuellement un protocole automatisé utilisant la carboxypeptidase Y.

5e et 6e étapes. Fragmentation de la chaîne polypeptidique

L'objectif est à présent d'obtenir des fragments relativement courts. Les méthodes de clivage enzymatique sont les plus utilisées mais les protéines peuvent aussi être fragmentées par des moyens chimiques, spécifiques ou non spécifiques (par exemple par hydrolyse acide partielle). Certains enzymes protéolytiques offrent l'avantage d'hydrolyser des liaisons peptidiques spécifiques et cette spécificité fournit immédiatement des informations sur les peptides formés. En première approximation, les fragments obtenus doivent être suffisamment courts pour que toute leur séquence puisse être obtenue par l'analyse des extrémités N et C-terminales et par la dégradation d'Edman. Ils ne doivent cependant pas être trop courts afin que leur abondance ne complique pas inutilement la séparation des fragments avant l'analyse. Cependant, pour la détermination de la séquence totale des protéines, la dégradation d'Edman est globalement dépassée, on dispose actuellement de plusieurs approches différentes.

A. La trypsine

Le réactif enzymatique le plus fréquemment utilisé pour une protéolyse spécifique est *la trypsine.* La trypsine hydrolyse spécifiquement les liaisons peptidiques dont le groupe carbonyle provient d'un résidu arginine ou lysine. La trypsine clive donc les chaînes polypeptidiques du côté de l'extrémité carboxylique de l'arginine et de la lysine, générant une série de fragments peptidiques dont l'extrémité C-terminale est Arg ou Lys. Le nombre des fragments produits est égal au nombre total de résidus arginine et lysine présents à l'intérieur de la séquence analysée, plus un. Ce dernier étant le fragment peptidique final provenant de l'extrémité C-terminale de la protéine (Figure 5.20).

B. La chymotrypsine

La *chymotrypsine* hydrolyse très préférentiellement les liaisons peptidiques formées par les groupes carboxyliques des acides aminés aromatiques, phénylalanine, tyrosine et tryptophanne. Mais, la spécificité de la chymotrypsine n'est pas absolue et, quoique plus lentement, la chymotrypsine hydrolyse aussi d'autres liaisons peptidiques, en particulier celles qui sont formées avec le carboxyle de la leucine. Les

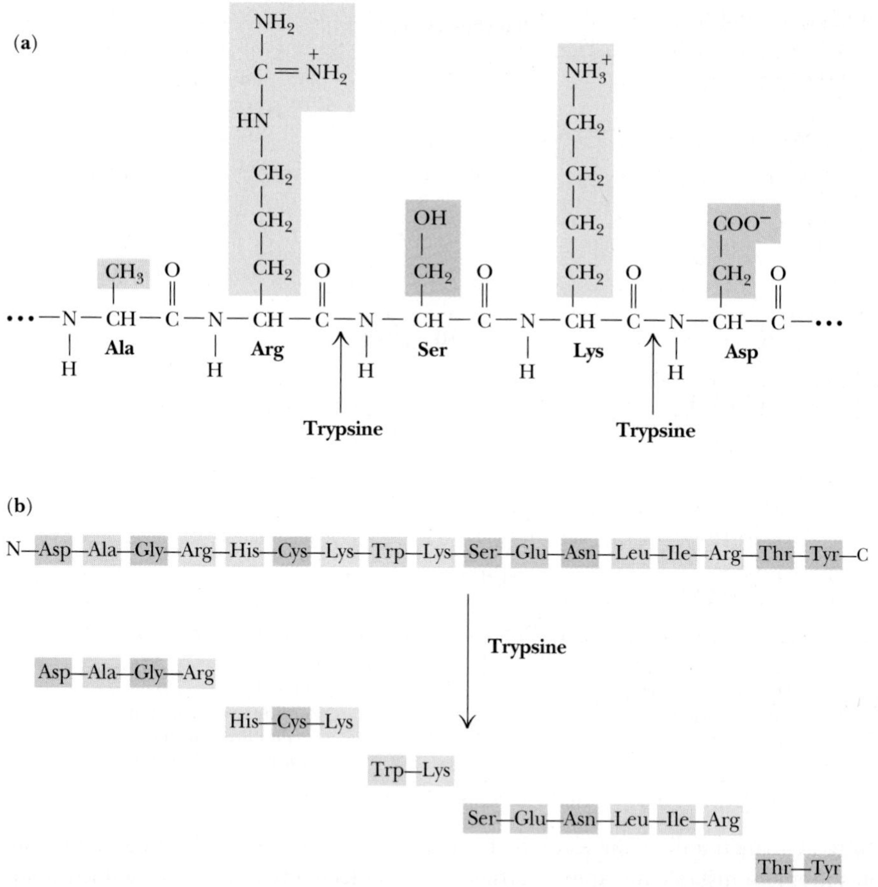

(**a**)

$$\cdots-\underset{\mathrm{H}}{\mathrm{N}}-\underset{\textbf{Ala}}{\overset{\mathrm{CH_3}}{\mathrm{CH}}}-\overset{\mathrm{O}}{\overset{\|}{\mathrm{C}}}-\underset{\mathrm{H}}{\mathrm{N}}-\underset{\textbf{Arg}}{\overset{\mathrm{CH_2CH_2CH_2NHC(NH_2)=\overset{+}{N}H_2}}{\mathrm{CH}}}-\overset{\mathrm{O}}{\overset{\|}{\mathrm{C}}}-\underset{\mathrm{H}}{\mathrm{N}}-\underset{\textbf{Ser}}{\overset{\mathrm{CH_2OH}}{\mathrm{CH}}}-\overset{\mathrm{O}}{\overset{\|}{\mathrm{C}}}-\underset{\mathrm{H}}{\mathrm{N}}-\underset{\textbf{Lys}}{\overset{\mathrm{CH_2CH_2CH_2CH_2\overset{+}{N}H_3}}{\mathrm{CH}}}-\overset{\mathrm{O}}{\overset{\|}{\mathrm{C}}}-\underset{\mathrm{H}}{\mathrm{N}}-\underset{\textbf{Asp}}{\overset{\mathrm{CH_2COO^-}}{\mathrm{CH}}}-\overset{\mathrm{O}}{\overset{\|}{\mathrm{C}}}-\cdots$$

Trypsine **Trypsine**

(**b**)

N—Asp—Ala—Gly—Arg—His—Cys—Lys—Trp—Lys—Ser—Glu—Asn—Leu—Ile—Arg—Thr—Tyr—C

Trypsine

Asp—Ala—Gly—Arg

His—Cys—Lys

Trp—Lys

Ser—Glu—Asn—Leu—Ile—Arg

Thr—Tyr

Figure 5.20 • La trypsine est un enzyme protéolytique, ou *protéase*, qui clive, spécifiquement les liaisons peptidiques dont la fonction carbonyle provient de l'arginine ou de la lysine. Les produits de la réaction sont un mélange de fragments peptidiques avec un C-terminal Arg ou Lys *et* un peptide provenant de l'extrémité C-terminale du polypeptide d'origine.

fragments produits par la chymotrypsine sont différents des fragments produits par la trypsine. Le traitement de deux échantillons d'une protéine par ces deux enzymes générera des fragments dont les séquences se recouvriront. La résolution de la séquence des résidus d'acides aminés dans les fragments permettra de retrouver l'ordre des fragments dans la protéine originale et donc sa séquence.

C. Endopeptidases relativement moins spécifiques

En plus des enzymes précitées, quelques autres *endopeptidases* (protéases qui clivent des liaisons peptidiques à l'intérieur d'une chaîne polypeptidique) sont parfois utilisées. Bien qu'elles soient moins spécifiques, elles présentent certains avantages. Par exemple, la *clostripaïne* hydrolyse de préférence les liaisons peptidiques dont le carbonyle provient de l'arginine ; *l'endopeptidase Lys-C* ne clive qu'au niveau des résidus Lys, la *protéase du staphylocoque* agit sur les liaisons avec les résidus acides, Asp et Glu. D'autres enzymes sont très commodes quand il est nécessaire d'hydrolyser des longs fragments résultant d'une digestion trypsique ou chymotrypsique. La *pepsine*, la *papaïne*, la *subtilisine*, la *thermolysine* et *l'élastase* sont quelques exemples de ces endopeptidases. La papaïne est le principe actif des produits utilisés pour attendrir la viande (aux USA) ou nettoyer les verres de contact, elle est aussi présente dans certaines poudres à lessives. L'abondance de la papaïne dans la papaye et celle d'une protéase similaire dans l'ananas, la broméline, provoque l'hydrolyse de la gélatine utilisée parfois pour la préparation de desserts à base de fruits frais (la Jell-O®). La cuisson préalable de ces fruits dénature leurs enzymes protéolytiques, on peut alors les utiliser pour les desserts à base de gélatine.

D. Le bromure de cyanogène

Une méthode chimique de protéolyse, très spécifique et la plus répandue, est celle du clivage des chaînes polypeptidiques par le *bromure de cyanogène* (CNBr). L'atome de

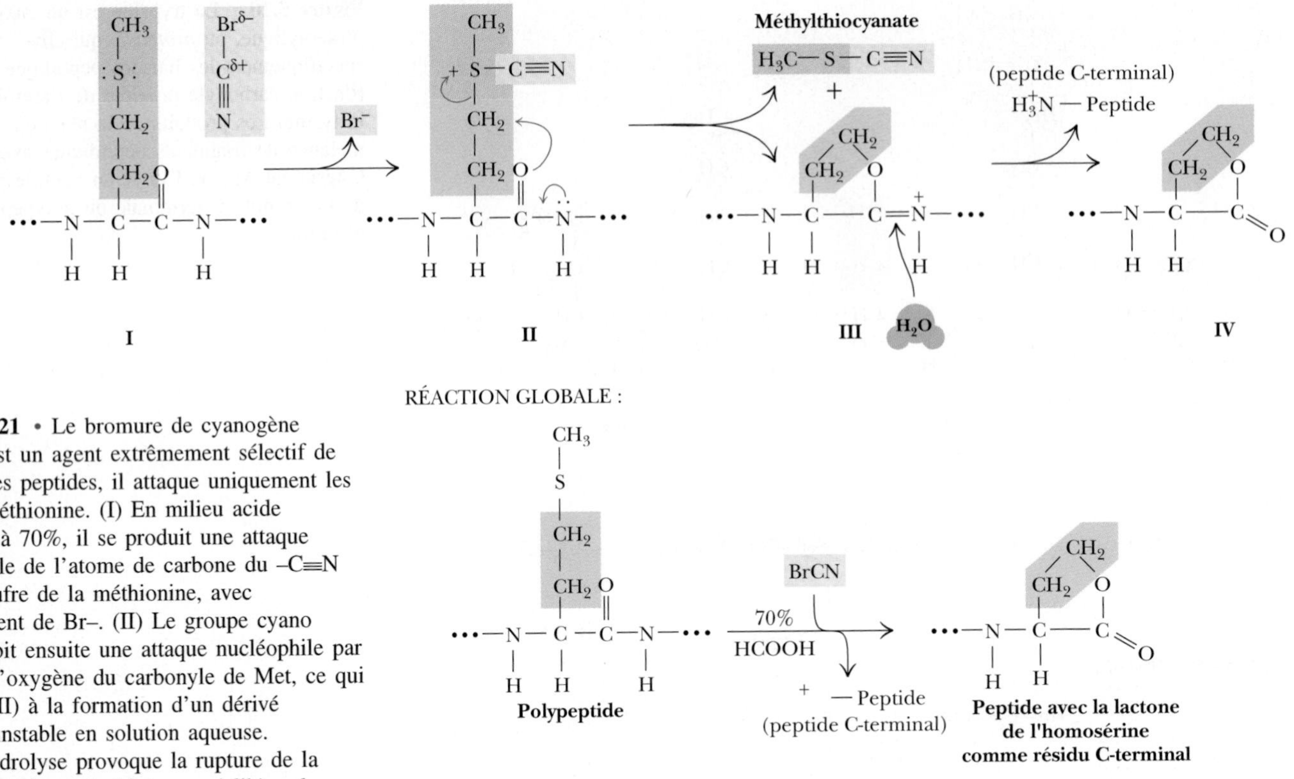

Méthylthiocyanate

(peptide C-terminal)

I II III IV

RÉACTION GLOBALE :

Polypeptide

BrCN

70% HCOOH

+ — Peptide (peptide C-terminal)

Peptide avec la lactone de l'homosérine comme résidu C-terminal

Figure 5.21 • Le bromure de cyanogène (CNBr) est un agent extrêmement sélectif de clivage des peptides, il attaque uniquement les résidus méthionine. (I) En milieu acide formique à 70%, il se produit une attaque nucléophile de l'atome de carbone du –C≡N par le soufre de la méthionine, avec déplacement de Br–. (II) Le groupe cyano formé subit ensuite une attaque nucléophile par l'atome d'oxygène du carbonyle de Met, ce qui aboutit (III) à la formation d'un dérivé cyclique instable en solution aqueuse. (IV) L'hydrolyse provoque la rupture de la liaison peptidique de Met, ce qui libère des fragments peptidiques avec comme résidu C-terminal, la lactone de l'homosérine à la place du résidu Met. Un seul fragment n'aura pas de lactone à son extrémité C-terminale, celui provenant de l'extrémité C-terminale du polypeptide d'origine.

soufre de la méthionine, nucléophile, réagit avec CNBr (Figure 5.21) pour donner un ion sulfonium instable qui après réarrangement moléculaire interne libère une iminolactone cyclique. L'eau hydrolyse rapidement cette iminolactone ce qui provoque le clivage du polypeptide et la formation de fragments peptidiques ayant pour résidu C-terminal la lactone de l'homosérine à la place des résidus Met d'origine.

Autres méthodes de fragmentation

De nombreuses méthodes chimiques permettent la fragmentation spécifique des polypeptides. Par exemple, l'hydroxylamine (NH_2OH) à pH 9 clive les liaisons asparagine-glycocolle, ou encore, en milieu légèrement acide et à 40 °C, clive sélectivement les liaisons entre les résidus Asp et Pro. Le Tableau 5.6 résume les procédures qui viennent d'être décrites pour la fragmentation spécifique des polypeptides. Ces méthodes ne représentent qu'une petite partie des réactions chimiques utilisables. Les fragments générés par ces clivages doivent ensuite être isolés et individuellement analysés pour accumuler les informations nécessaires à la reconstitution de la totalité de la séquence de la protéine d'origine (composition en acides aminés, identité des résidus terminaux et séquence de chaque fragment). Dans le passé, avant l'utilisation de la technique de dégradation d'Edman applicable à de plus grands fragments, il fallait analyser laborieusement de très nombreux petits peptides dont les séquences devaient se recouvrir.

Détermination d'une séquence par spectrométrie de masse

La spectrographie de masse est fondée sur les différences des rapports masse/charge (m/z) des atomes ionisés, ou des molécules, pour les séparer les uns des autres. Le rapport m/z d'une molécule est aussi une propriété hautement caractéristique utilisée pour déterminer la composition chimique et obtenir des informations concernant la structure. De plus les molécules peuvent être fragmentées dans des spectrographes de masse et les fragments formés donnent des informations assez spécifiques sur la structure de la molécule. Les principales opérations à l'intérieur de l'appareil sont 1) volatilisation et ionisation des molécules dans le vide de l'appareil, ce qui crée

Tableau 5.6

Spécificité de quelques techniques de clivage utilisées pour l'analyse des séquences polypeptidiques

Méthode	Côté C ou N du résidu donnant la spécificité au clivage de la liaison peptidique	Résidu(s) spécifique(s)
Enzymes protéolytiques		
Trypsine	C	Arg ou Lys
Chymotrypsine	C	Phe, Trp or Tyr ; Leu
Clostripaïne	C	Arg
Protéase de staphylocoque	C	Asp ou Glu
Méthodes chimiques		
Bromure de cyanogène	C	Met
NH_2OH	Liaison Asn-Gly	
pH 2,5, 40 °C	Liaison Asp-Pro	

Tableau 5.7

Méthodes d'ionisation des macromolécules dans la spectrométrie de masse

Dispersion électrostatique par ionisation (ESI-MS, pour *Electrospray ionisation*)	Une solution de macromolécules est dispersée sous l'impulsion d'un fort champ électrique à la sortie d'un tube capillaire. Les microgouttelettes captent une charge ; l'évaporation du solvant libère des molécules fortement chargées.
Bombardement par des atomes accélérés (FAB-MS, pour *Fast atom bombardement*)	Le faisceau de molécules d'un gaz inerte accéléré (argon ou xénon) est dirigé sur un échantillon solide ; les macromolécules à analyser sont expulsées de l'échantillon dans la phase gazeuse, sous forme ionisée.
Ionisation au laser (LIMS, pour *laser ionisation*)	Un faisceau laser est utilisé pour expulser les molécules à analyser de la surface d'un échantillon solide ; l'irradiation au laser créée un microplasma qui ionise les molécules de l'échantillon.
Ionisation par désorption assistée par une matrice (MALDI, pour *Matrix-assisted desorption ionisation*)	Méthode LIMS appliquée à la vaporisation et à l'ionisation de macromolécules biologiques comme les protéines ou l'ADN. Les molécules biologiques sont dispersées dans une matrice solide qui sert de transporteur. La matrice est fréquemment constituée d'acide nicotinique.

une phase de gaz ionisé, 2) séparation des ions dans l'espace en fonction de leurs rapport *m/z*, et 3) mesure des quantités d'ions à rapport *m/z* spécifique. Comme les protéines (ainsi que les acides nucléiques et les glucides) sont décomposés sous l'effet de la chaleur, plutôt que de les volatiliser, diverses méthodes d'ionisation ont été mises au point (Tableau 5.7). La Figure 5.22 illustre les principes de la spectrographie de masse par dispersion électrostatique (ES-MS). Dans cette technique, les protéines captent, en moyenne, une charge positive (un proton) par kilodalton ce qui

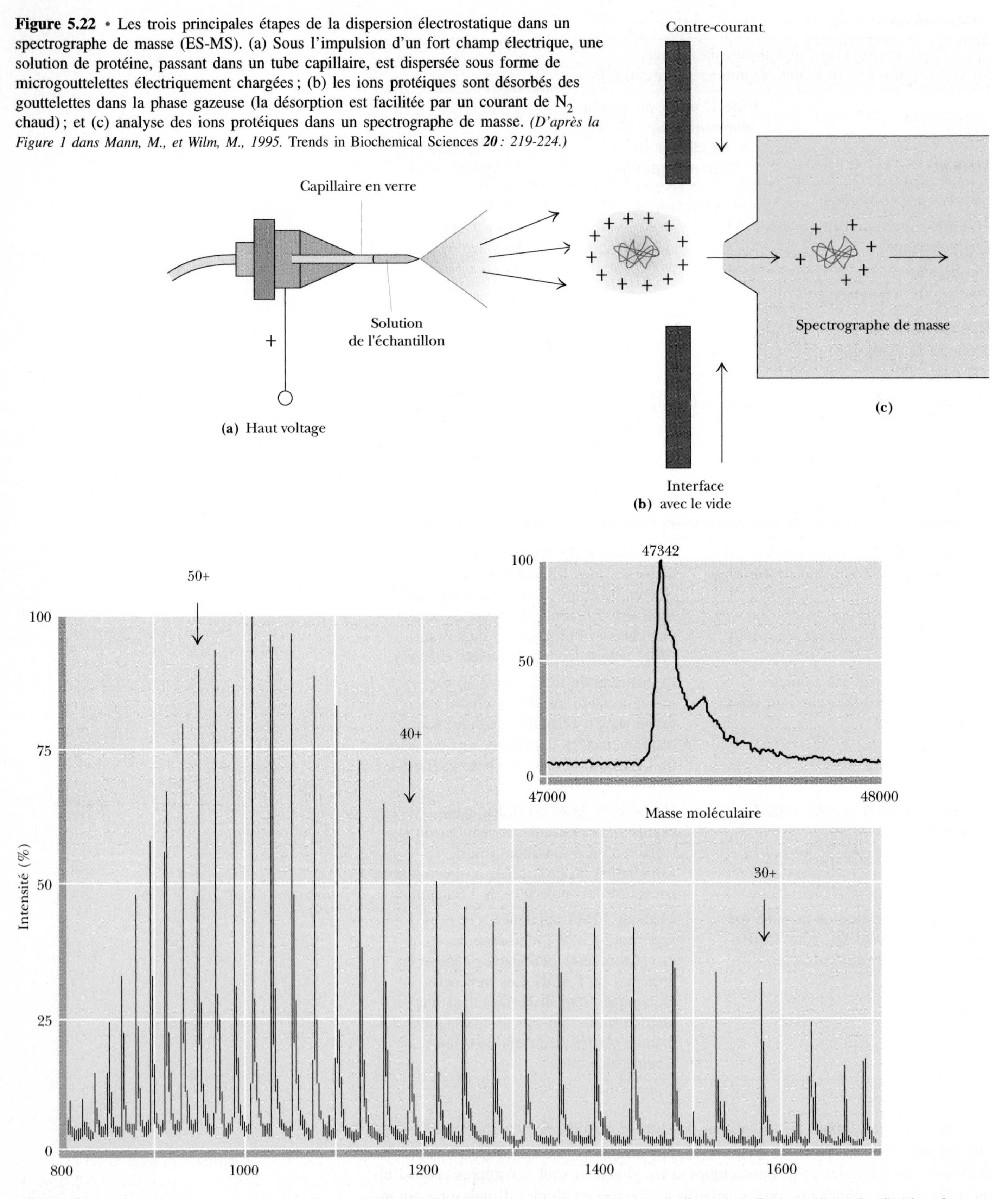

Figure 5.22 • Les trois principales étapes de la dispersion électrostatique dans un spectrographe de masse (ES-MS). (a) Sous l'impulsion d'un fort champ électrique, une solution de protéine, passant dans un tube capillaire, est dispersée sous forme de microgouttelettes électriquement chargées ; (b) les ions protéiques sont désorbés des gouttelettes dans la phase gazeuse (la désorption est facilitée par un courant de N_2 chaud) ; et (c) analyse des ions protéiques dans un spectrographe de masse. *(D'après la Figure 1 dans Mann, M., et Wilm, M., 1995.* Trends in Biochemical Sciences ***20*** *: 219-224.)*

Figure 5.23 • Spectre d'une protéine, l'aérolysine K, formé dans un spectrographe de masse par dispersion électrostatique. La fixation de nombreux protons par molécule de protéine (de moins de 30 à plus de 50 dans le cas présenté) conduit à la formation d'une série de pics *m/z*. Dans l'insert, l'analyse par ordinateur des paramètres de cette série de pics génère un pic unique avec un maximum correspondant exactement à la masse moléculaire de la protéine. *(D'après la Figure 1 dans Mann, M., et Wilm, M., 1995.* Trends in Biochemical Sciences ***20*** *: 219-224.)*

fournit un spectre de rapports *m/z* à partir d'une seule protéine (Figure 5.23). Des algorithmes permettent, à l'aide d'un ordinateur, de convertir l'ensemble du spectre en un spectre unique ayant un pic maximum correspondant précisément à la masse moléculaire de la protéine (Figure 5.23).

Séquençage par spectrographie de masse en tandem. *La spectrographie de masse en tandem (Tandem MS ou MS/MS)* permet d'avoir un appareil pour la séparation des oligopeptides produits lors de la digestion d'une protéine puis de les sélectionner pour la suite de l'analyse. Un oligopeptide sélectionné (tous les oligopeptides sont ionisés dans le premier appareil) est dirigé vers le second appareil ; en cours de transfert, l'oligopeptide est fragmenté par collision avec des molécules d'argon ou d'hélium et la collection de fragments est analysée dans le second appareil (Figure 5.24). La fragmentation s'effectue essentiellement au niveau des liaisons

(a)

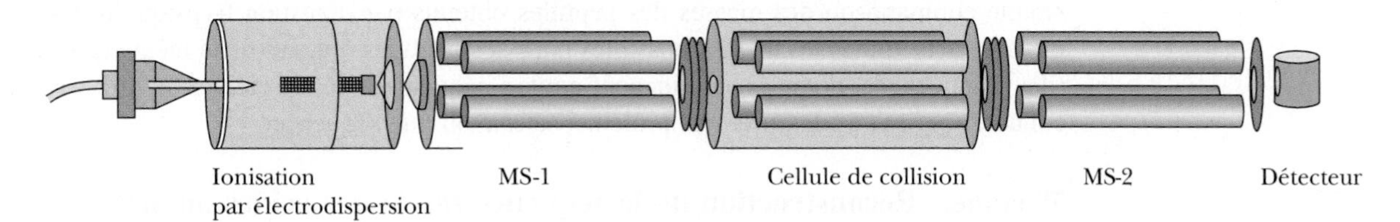

(b)

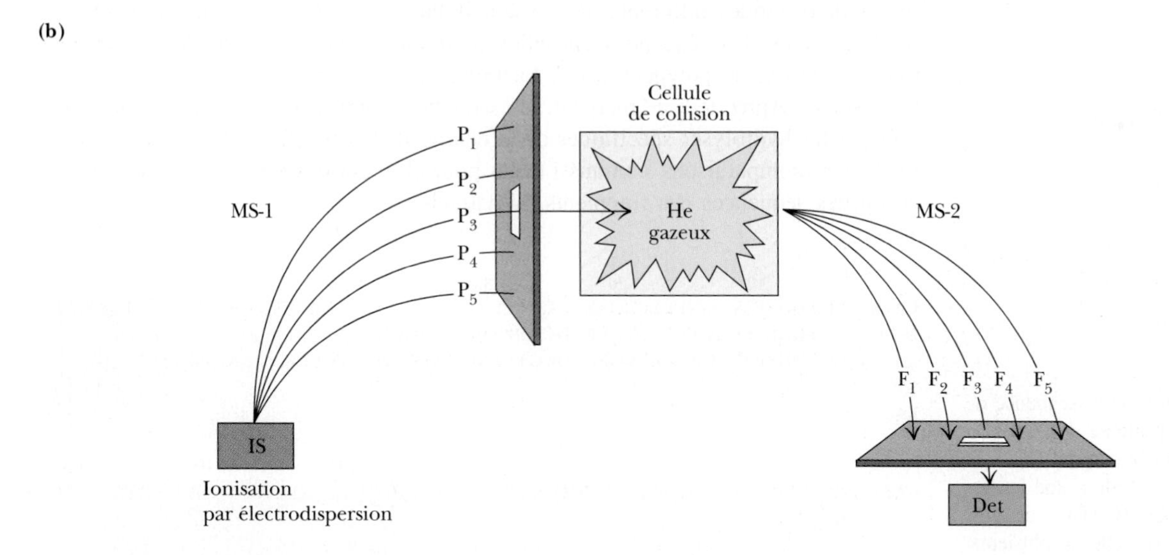

(c)

$$\cdots-\underset{\mathrm{H}}{\mathrm{N}}-\underset{\mathrm{H}}{\overset{\mathrm{R_1}}{\mathrm{C}}}-\overset{\mathrm{O}}{\overset{\|}{\mathrm{C}}}-\underset{\mathrm{H}}{\mathrm{N}}-\underset{\mathrm{H}}{\overset{\mathrm{R_2}}{\mathrm{C}}}-\overset{\mathrm{O}}{\overset{\|}{\mathrm{C}}}-\underset{\mathrm{H}}{\mathrm{N}}-\underset{\mathrm{H}}{\overset{\mathrm{R_3}}{\mathrm{C}}}-\overset{\mathrm{O}}{\overset{\|}{\mathrm{C}}}-\cdots$$

Fragmentation au niveau des liaisons peptidiques

Figure 5.24 • Spectrographie de masse en tandem. (a) Configuration de l'équipement MS en tandem. (b) description schématique de la spectrographie de masse en tandem : elle implique la dispersion électrostatique d'une solution de protéine ayant subit une digestion (IS dans la figure), suivie de la sélection d'un peptide de masse spécifique ; ce dernier sera bombardé par des molécules d'un gaz inerte (He) et la masse des fragments ionisés provenant de la collision sera déterminée. (c) Comme indiqué, la fragmentation s'effectue généralement au niveau des liaisons peptidiques. *(I : D'après Yates, J.R., 1996.* Methods in Enzymology ***271*** *: 351-376 ; II : D'après Gillece-Castro, B.L., et Stults, J.T., 1996.* Methods in Enzymology ***271*** *: 427-447.)*

peptidiques de l'oligopeptide et fournit une nouvelle série de peptides dont la taille diffère d'un résidu. Les masses des fragments diffèrent de 56 unités de masse atomique (masse des atomes du squelette peptidique NH-CH-CO), plus la masse du groupe R sur chaque position ; la masse atomique d'un groupe R varie de 1 unité de masse atomique (Gly) à 130 (Trp).

La spectrométrie de masse à l'avantage d'une très grande sensibilité, de la facilité de la préparation des échantillons et de la possibilité d'analyser des mélanges de protéines. Il suffit de moins de 10^{-12} moles de peptide pour une analyse. En pratique, la spectrométrie en tandem est limitée aux courtes séquences (pas plus d'une quinzaine de résidus). Cependant, même des mélanges de peptides provenant d'une digestion trypsique peuvent, après séparation par HPLC capillaire, être envoyés dans un spectromètre en tandem. Il est parfois possible d'identifier une protéine spécifique à partir du mélange de protéines provenant d'un extrait cellulaire total. L'extrait total est fractionné par électrophorèse bidimensionnelle (voir l'Appendice) puis la protéine provenant d'une tache sélectionnée est traitée par la trypsine ; la solution est ensuite directement injectée dans un système d'appareils couplés, HPLC/MS en tandem. Souvent, la simple comparaison des masses des peptides obtenus par digestion trypsique d'une protéine avec toutes les masses possibles pour des peptides obtenus de la même façon (des banques de données contiennent toutes séquences des protéines et d'ADN connues) permet d'identifier une protéine, sans avoir à la séquencer.

7e étape. Reconstruction de la séquence totale des acides aminés

Les séquences obtenues pour toutes les séries de fragments doivent provenir d'au moins deux modes différents de clivage. Il faut impérativement identifier tous les recouvrements des séquences partielles pour établir la continuité de la séquence totale de la chaîne polypeptidique. La Figure 5.25 illustre par un exemple la stratégie suivie. Après leur alignement, les séquences individuelles des peptides engendrés par les hydrolyses spécifiques de la chaîne B de l'insuline révèlent la séquence totale. Ces comparaisons sont aussi utiles pour éliminer des erreurs et valider la précision des séquences des fragments individuels.

```
        1        10        20        30        40        50        60
CAT-C   LGTDIISPPVCGNELLEVGEECDCGTPENCQNECCDAATCKLKSGSQCGHGDCCEQCKFS
N-Term  LGTDIISPPVCGNELLEVGEECDCGTPENCQNECCDAAT
M1      LGTDIISPPVCGNELLEVGEECDCGTPENCQNECCDAATCKLKSGSQCGHGDCCEQC
K3
K4

                 70        80        90       100       110       120
CAT-C   KSGTECRASMSECDPAEHCTGQSSECPADVFHKNGQPCLDNYGYCYNGNCPIMYHQCYDL
M1      K
M2                SECDPAEHCTGQSSECPADVFHKNGQPCLDNYGYCY
M3                                                           YHQCYDL
K4      K
K5       SGTECRASMSECDPAEHCTGQSSECPADVF
K6                                       NGQPCLDNYGYCYNGNCPIMYHQCYDL

                130       140       150       160       170       180
CAT-C   FGADVYEAEDSCFERNQKGNYYGYCRKENGNKIPCCAPEDVKCGRLYCKDNSPGQNNPCKM
M3      FGADVYEAEDSCF-RNQKGNYYGYCRKENGNKIPCCAPEDVKCGRLYCKDN-PGQN- PCK
K6      FGA
E13              -SCFERNQKGN
E15                                            DVKCGRLYCKDNSPGQNNPCKM

                190       200       210
CAT-C   FYSNEDEHKGMVLPGTKCADGKVCSNGHCVDVATAY
M4      FYSNEDEHKGM
M5                 VLPGTKCADGKVCSNGHCVDVATAY
E15     FYSNEDEHKGMVLPGTKCADGKVC
```

Figure 5.25 • Détermination de la séquence de la catrocollastatine-C, une protéine de 23,6 kDa extraite du venin de crotale, le serpent à sonnette (Crotalus atrox). Le code à une lettre est utilisé. La séquence finale (CAT-C), de 216 acides aminés, est déduite de celle de plusieurs fragments. Ces fragments, dont les séquences se recouvrent, ont été obtenus de la façon suivante : (a) **N-term :** À partir de la protéine intacte, par dégradation d'Edman dans un séquenceur automatique ; (b) **M :** après clivage par le CNBr et séquençage automatique des fragment individuels (numérotés **M1 à M5**) ; (c) **K :** fragments protéolytiques, obtenus par digestion avec l'endopeptidase Lys-C, et séquençage automatique des fragments individuels (K3 à K6) ; (d) **E :** fragments protéolytiques obtenus par digestion avec la protéase de *Staphylococcus* et séquençage automatique des fragments individuels (E13 et E15). *(D'après Shimokawa, D., et al., 1997.* Archives of Biochemistry and Biophysics ***343*** *: 35-43.)*

8e étape. Localisation des ponts disulfure

En toute rigueur, un pont disulfure entre des résidus cystéine d'une protéine, ne fait pas partie de sa structure primaire. Cependant les procédures de séquençage permettent parfois de fournir des renseignements sur la position de ces ponts, s'ils n'ont pas été rompus préalablement à la fragmentation des chaînes polypeptidiques. Lors du clivage polypeptides, des liaisons disulfure restent le plus souvent stables, les ponts disulfure, intacts, relieront les fragments peptidiques contenant ces résidus cystéine spécifiques. Après la fragmentation, ces fragments pourront donc être isolés et identifiés.

Une **double électrophorèse « en diagonale »,** permet d'isoler facilement les fragments reliés par des ponts (cf. le principe de *l'électrophorèse* dans l'Appendice). Le clivage d'une protéine, par exemple par digestion trypsique, donne un mélange

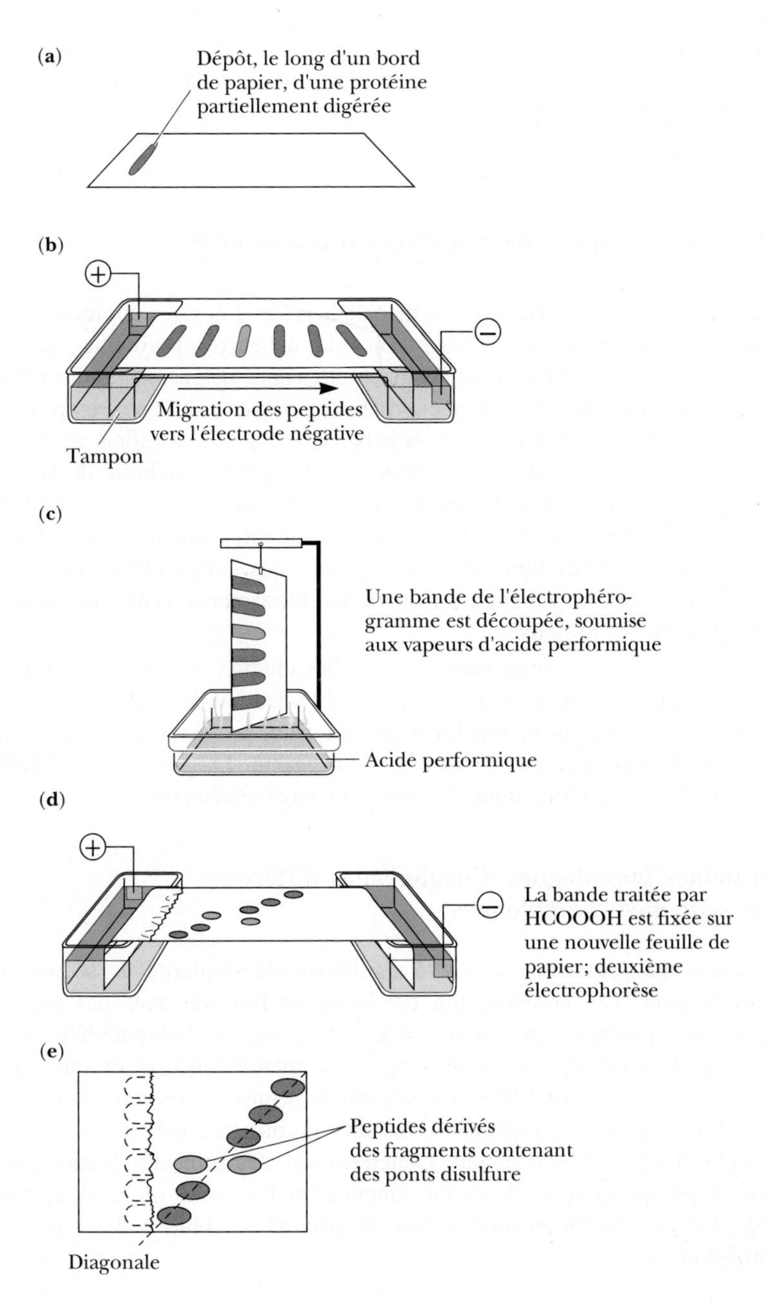
(a)
Dépôt, le long d'un bord de papier, d'une protéine partiellement digérée
(b)
Migration des peptides vers l'électrode négative
Tampon
(c)
Une bande de l'électrophérogramme est découpée, soumise aux vapeurs d'acide performique
Acide performique
(d)
La bande traitée par HCOOOH est fixée sur une nouvelle feuille de papier; deuxième électrophorèse
(e)
Peptides dérivés des fragments contenant des ponts disulfure
Diagonale

Figure 5.26 • Les ponts disulfure sont normalement clivés avant la détermination de la structure primaire d'un polypeptide. La position de ces liaisons de pontage n'est donc pas connue avec certitude par la simple lecture de la séquence. Pour déterminer leur position, un échantillon du polypeptide doit préalablement être fragmenté ; les fragments ayant des ponts S–S. sont ensuite individuellement analysés. La technique de *l'électrophorèse « en diagonale »* permet d'identifier les fragments intéressants. (a) La protéine avec ses ponts disulfure intacts est digérée selon la méthode choisie ; l'hydrolysat est déposé sur le bord d'une feuille de papier filtre et (b) soumis à électrophorèse. (c) un côté de la feuille est découpé et exposé à des vapeurs d'acide performique qui oxydent tous les ponts disulfure. (d) La bande est alors fixée à une nouvelle feuille de papier filtre puis soumise à une seconde électrophorèse, effectuée dans les mêmes conditions que la première, mais dans une direction perpendiculaire à la bande traitée à l'acide performique. (e) Les fragments peptidiques qui n'avaient pas de ponts disulfure migrent avec la même mobilité que lors de la première électrophorèse ; après révélation, ils s'alignent sur une diagonale. Les peptides qui contenaient des ponts disulfure n'auront plus la même mobilité, ils se trouveront donc à l'extérieur de cette diagonale. Ils peuvent facilement être identifiés, isolés ; leur séquençage révélera la position des résidus d'acide cystéique correspondant aux résidus Cys qui étaient impliqués dans des ponts disulfure.

de fragments peptidiques avec tous les ponts disulfure intacts. Lors de la seconde migration, perpendiculaire, effectuée dans les mêmes conditions que la première, les peptides qui étaient à l'origine liés par un pont disulfure migreront après rupture de ces ponts comme des espèces distinctes, ayant des mobilités différentes elles sont visiblement à l'extérieur de la diagonale sur laquelle s'alignent les fragments exempts de résidus Cys liés par des ponts disulfure (Figure 5.26e). Ces peptides contenant des résidus d'acide cystéique sont récupérés et séquencés. Il est ainsi possible de retrouver la position des ponts dans la protéine.

Les banques de séquences

L'Atlas des séquences protéiques et des structures rassemble plusieurs milliers de séquences de protéines. Il faut remarquer que la plupart des séquences sont déduites directement de la séquence nucléotidique des gènes (voir Chapitre 13). Il est en effet beaucoup plus rapide, efficace et instructif de séquencer un gène cloné que de déterminer la séquence des acides aminés d'une protéine. Quelques banques de données régulièrement mises à jour sont accessibles à partir d'un ordinateur individuel. Les plus importantes sont PIR (Protein Identification Resource), Genbank (Genetic Sequence Data Bank), et EMBL (European Molecular Biology Data Library).

5.8 • Caractéristiques des séquences d'acides aminés

À présent que nous avons pris connaissance de la méthodologie, examinons les résultats concernant les études sur la composition et la séquence des protéines. Le Tableau 5.8 donne une liste des fréquences relatives moyennes des acides aminés dans les protéines. Il est exceptionnel qu'une protéine globulaire ait une composition en acides aminés assez différente de ces valeurs. Cette répartition reflète apparemment une répartition des acides aminés polaires optimale pour la stabilité de la protéine en milieu aqueux. Les protéines membranaires ont relativement plus d'acides aminés hydrophobes, et moins d'hydrophiles, une constatation compatible avec leur environnement. Les protéines fibreuses peuvent avoir des compositions atypiques par rapport à la moyenne, ce qui souligne la relation fondamentale entre la composition et la structure de ces protéines.

Les protéines ont des séquences individuelles uniques, et c'est cette unicité qui finalement donne à chaque protéine sa particularité. Du fait du nombre astronomique de séquences possibles, la probabilité pour que deux protéines distinctes aient des séquences analogues d'acides aminés est négligeable. La présence de similarités entre des protéines implique donc des relations phylogénétiques.

Les protéines homologues d'organismes différents ont des séquences homologues

Les protéines qui présentent un degré significatif de similarité de séquence sont dites **homologues**. Les protéines qui ont la même fonction dans des organismes différents sont également dites homologues. Par exemple l'hémoglobine, protéine du transport de l'oxygène dans le sang, a la même fonction et une structure similaire chez tous les vertébrés. L'étude de la séquence des acides aminés des protéines homologues d'organismes différents fournit une preuve de leur évolution à partir d'un ancêtre commun. Généralement, des protéines homologues ont des chaînes polypeptidiques de même longueur et l'identité, ou la similarité, des séquences est en corrélation directe avec la proximité évolutive des espèces dont elles proviennent.

Tableau 5.8

Fréquence des acides aminés dans les protéines

Acide aminé		**M_r***	**Fréquence (%)†**
Alanine	Ala A	71,1	9,0
Arginine	Arg R	156,2	4,7
Asparagine	Asn N	114,1	4,4
Acide aspartique	Asp D	115,1	5,5
Cystéine	Cys C	103,1	2,8
Glutamine	Gln Q	128,1	3,9
Acide glutamique	Glu E	129,1	6,2
Glycocolle	Gly G	57,1	7,5
Histidine	His H	137,2	2,1
Isoleucine	Ile I	113,2	4,6
Leucine	Leu L	113,2	7,5
Lysine	Lys K	128,2	7,0
Méthionine	Met M	131,2	1,7
Phénylalanine	Phe F	147,2	3,5
Proline	Pro P	97,1	4,6
Sérine	Ser S	87,1	7,1
Thréonine	Thr T	101,1	6,0
Tryptophanne	Trp W	186,2	1,1
Tyrosine	Tyr Y	163,2	3,5
Valine	Val V	99,1	6,9

* Masse moléculaire de l'acide aminé *moins* celle de l'eau

† Fréquence moyenne de chaque acide aminé, calculée sur sa présence dans 207 protéines séquencées, non apparentées.

D'après Klapper, M.H., 1977. *Biochemical and Biophysical Research Communications* **78** : 1018-1024.

Le cytochrome c

Une protéine de la chaîne du transport des électrons dans la mitochondrie de tous les organismes eucaryotes, le cytochrome *c*, est le meilleur exemple d'homologie. La chaîne polypeptidique du cytochrome *c* de la plupart des espèces contient un peu plus de 100 acides aminés, avec une masse moléculaire d'environ 12,5 kDa. Le séquençage du cytochrome *c* de plus de 40 espèces différentes révèle que 28 résidus occupent toujours les mêmes des positions dans la chaîne polypeptidique (Figure 5.27). Ces **résidus invariants** ont apparemment un rôle crucial dans la fonction biologique de la protéine et, à ces positions, aucune substitution par un autre acide aminé ne peut être tolérée.

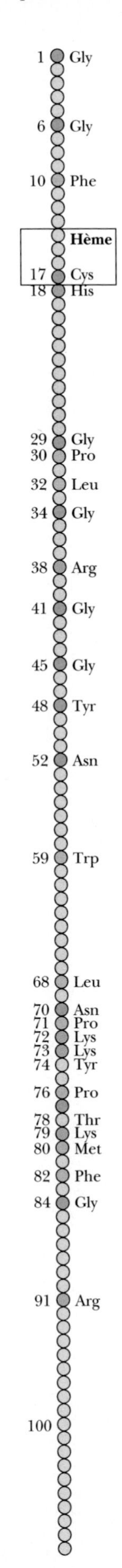

Figure 5.27 • Le cytochrome *c* est une petite protéine constituée d'une seule chaîne polypeptidique, de 104 résidus chez les vertébrés terrestres, de 103 ou 104 chez les poissons, 107 chez les insectes, 107 à 109 chez les champignons et les levures, et de 111 ou 112 dans les plantes vertes. L'analyse de la séquence des acides aminés du cytochrome *c* de plus de 40 espèces différentes révèle 28 résidus invariants. Ces invariants sont distribués irrégulièrement dans la chaîne polypeptidique, à l'exception d'un regroupement compris entre les résidus 70 et 80. Tous les cytochromes *c* ont un résidu Cys en position 17 de la chaîne et tous sauf un ont un autre résidu Cys en position 14. Ces résidus lient le groupe prosthétique, l'hème, à la chaîne polypeptidique du cytochrome *c*. Ce rôle explique leur présence constante. ▶

	Chimpanzé	Mouton	Serpent à sonnette	Carpe	Escargot	Chenille	Levure	Chou-fleur	Panais
Humain	0	10	14	18	29	31	44	44	43
Chimpanzé		10	14	18	29	31	44	44	43
Mouton			20	11	24	27	44	46	46
Serpent à sonnette				26	28	33	47	45	43
Carpe					26	26	44	47	46
Escargot						28	48	51	50
Chenille du tabac							44	44	41
Levure de boulangerie (iso-1)								47	47
Chou-fleur									13

Figure 5.28 • Le nombre des acides aminés différents entre deux séquences de cytochrome *c* de deux organismes différents est en relation directe avec le degré de parenté de ces organismes. Le cytochrome *c* de chacune des espèces comparées dans le tableau a au moins 104 résidus et chacune des paires a en commun au moins la moitié de ses résidus. *(D'après Creighton, T. E., 1983.* Proteins : Structure and Molecular Properties. *San Francisco : W.H. Freeman and Co.)*

Autre remarque intéressante, le nombre des acides aminés différents dans deux séquences de cytochrome *c* est proportionnel à la différence phylogénétique entre les espèces dont proviennent ces cytochromes (Figure 5.28). Les cytochromes *c* des humains et des chimpanzés sont identiques. Dix résidus du cytochrome *c* humain sont différents de ceux du cytochrome *c* d'un autre mammifère (le mouton). Les différences portent sur 14 résidus avec le cytochrome *c* d'un reptile (le serpent à sonnette), sur 18 avec celui d'un poisson (la carpe), sur 29 avec celui d'un mollusque (l'escargot), sur 31 avec celui d'un insecte (la mite), et plus de 40 en ce qui concerne la levure ou les plantes supérieures (le chou-fleur).

L'arbre phylogénétique du cytochrome c

L'arbre phylogénétique de la Figure 5.29, diagramme illustrant les relations évolutives parmi un groupe d'organismes, est établi à partir des séquences du cytochrome *c*. Les espèces contemporaines dont les séquences ont été déterminées occupent les extrémités des branches. L'arbre est déduit de l'analyse par ordinateur du minimum de mutations requises pour relier les différentes branches. D'autres méthodes d'analyse sont utilisées pour déduire les séquences ancestrales représentées par les nœuds, ou points d'embranchement. Ce type d'analyse suggère en fin de compte la présence de la séquence d'un cytochrome *c* primordial à la base du tronc. Les arbres phylogénétiques ainsi construits, sur la seule base des différences entre les acides aminés des séquences d'une protéine sélectionnée, sont remarquablement fidèles aux relations phylogénétiques établies par des approches plus classiques. Ils sont à l'origine d'un nouveau champ d'activité, *l'évolution moléculaire.*

Figure 5.29 • Arbre phylogénétique des relations évolutives de divers organismes, établi en fonction de la similitude des séquences des cytochromes *c* respectifs. Les nombres placés le long des branches indiquent les différences dénombrées entre une espèce et l'espèce hypothétique dont elle provient. Notez que les espèces actuelles sont situées aux extrémités des branches. Sous l'arbre, la séquence du cytochrome *c* humain est comparée à celle, obtenue par inférence, de l'ancêtre à la base du tronc. Les incertitudes sont signalées par un point d'interrogation. *(D'après Creighton, T.E., 1983.* Proteins : Structure and Molecular Properties. *San Francisco : W.H. Freeman and Co.)* ▶

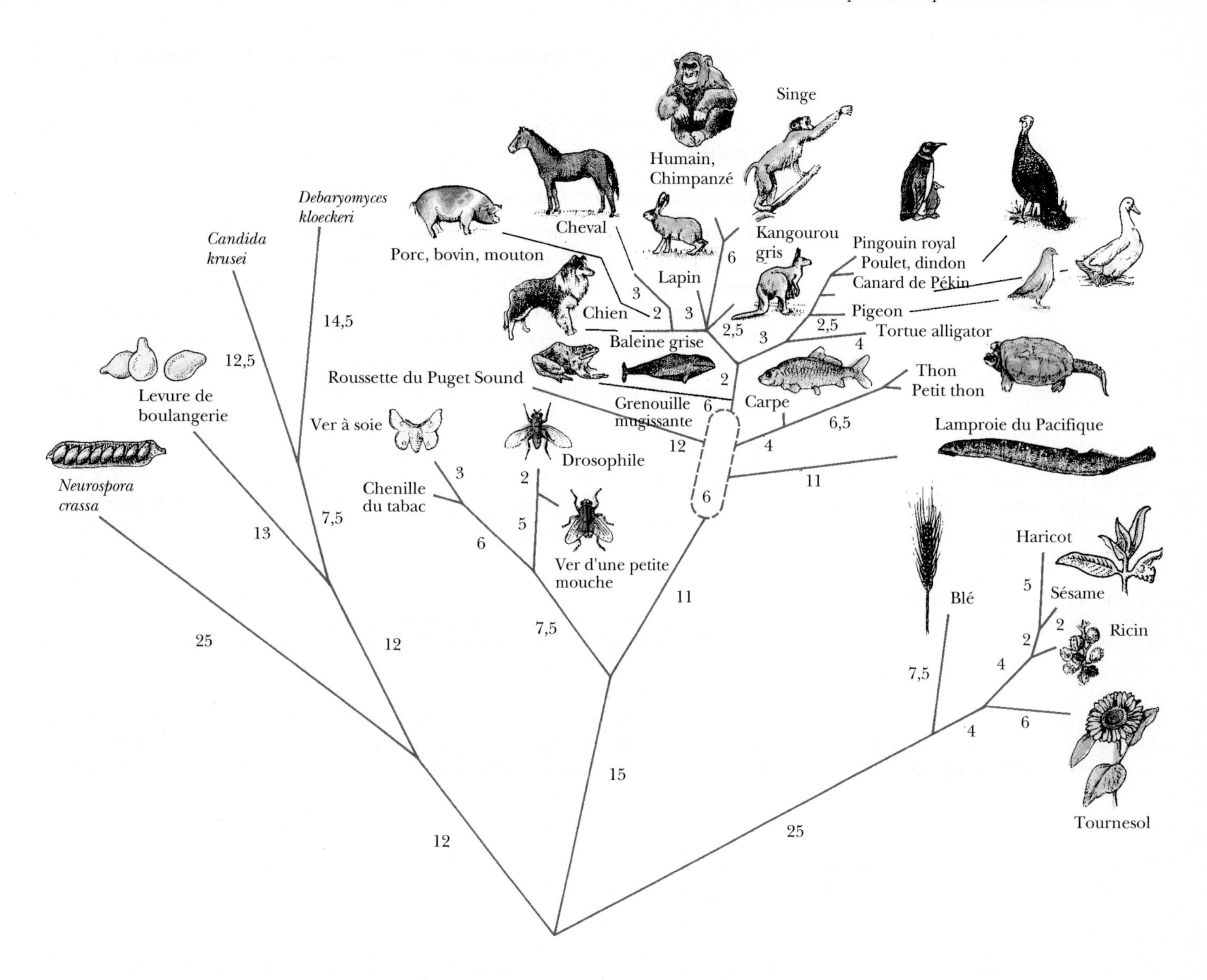

Cytochrome *c* ancestral	1 … 10 … 20 −Pro−Ala−Gly−Asp− ? −Lys−Lys−Gly−Ala−Lys−Ile−Phe−Lys−Thr− ? −Cys−Ala−Gln−Cys−His−Thr−Val−Glu− ? −Gly−Gly− ? −
Cytochrome *c* humain	Gly−Asp−Val−**Glu**−Lys−Gly−**Lys**−Lys−Ile−Phe−**Ile**−**Met**−Lys−Cys−**Ser**−Gln−Cys−His−Thr−Val−Glu−Lys−Gly−Gly−Lys−

30 … 40 … 50

−His−Lys−Val−Gly−Pro−Asn−Leu−His−Gly−Leu−Phe−Gly−Arg−Lys− ? −Gly−Gln−Ala− ? −Gly−Tyr−Ser−Tyr−Thr−Asp−

−His−Lys−**Thr**−Gly−Pro−Asn−Leu−His−Gly−Leu−Phe−Gly−Arg−Lys−Thr−Gly−Gln−Ala−Pro−Gly−Tyr−Ser−Tyr−Thr−**Ala**−

60 … 70

−Ala−Asn−Lys−Asn−Lys−Gly− ? − ? −Trp− ? −Glu−Asn−Thr−Leu−Phe−Glu−Tyr−Leu−Glu−Asn−Pro−Lys−Lys−Tyr−Ile−

−Ala−Asn−Lys−Asn−Lys−Gly−Ile−Ile−Trp−Gly−Glu−Asp−Thr−Leu−**Met**−Gln−Tyr−Leu−Glu−Asn−Pro−Lys−Lys−Tyr−**Pro**−

80 … 90 … 100

−Pro−Gly−Thr−Lys−Met− ? −Phe− ? −Gly−Leu−Lys−Lys− ? − ? −Asp−Arg−Ala−Asp−Leu−Ile−Ala−Tyr−Leu−Lys− ? −

−Pro−Gly−Thr−Lys−Met−Ile−Phe−Val−Gly−**Ile**−Lys−Lys−Lys−Glu−**Glu**−Arg−Ala−Asp−Leu−Ile−Ala−Tyr−Leu−Lys−Lys−

−Ala−Thr−Ala

−Ala−Thr−Asn−Glu

Des protéines apparentées ont une origine évolutive commune

L'analyse de la séquence des acides aminés révèle que des protéines dont les fonctions sont semblables ont souvent des séquences à haut degré de similarité. Ces résultats confortent l'idée d'un ancêtre commun à toutes ces protéines.

Hémoprotéines liant l'oxygène

La myoglobine, une hémoprotéine musculaire liant l'oxygène, n'a qu'une chaîne polypeptidique de 153 résidus. **L'hémoglobine**, la protéine de transport de l'oxygène des érythrocytes, est un tétramère composé de **deux chaînes α** (chacune de 141 résidus) et de **deux chaînes β** (chacune de 146 résidus). Ces protéines globulaires, myoglobine, α-globine (la chaîne α) et β-globine (la chaîne β), ont une importante homologie de séquence (Figure 5.30). La myoglobine et l'α-globine ont en commun 38 acides aminés, l'α-globine et la β-globine en ont 64. Ces similarités

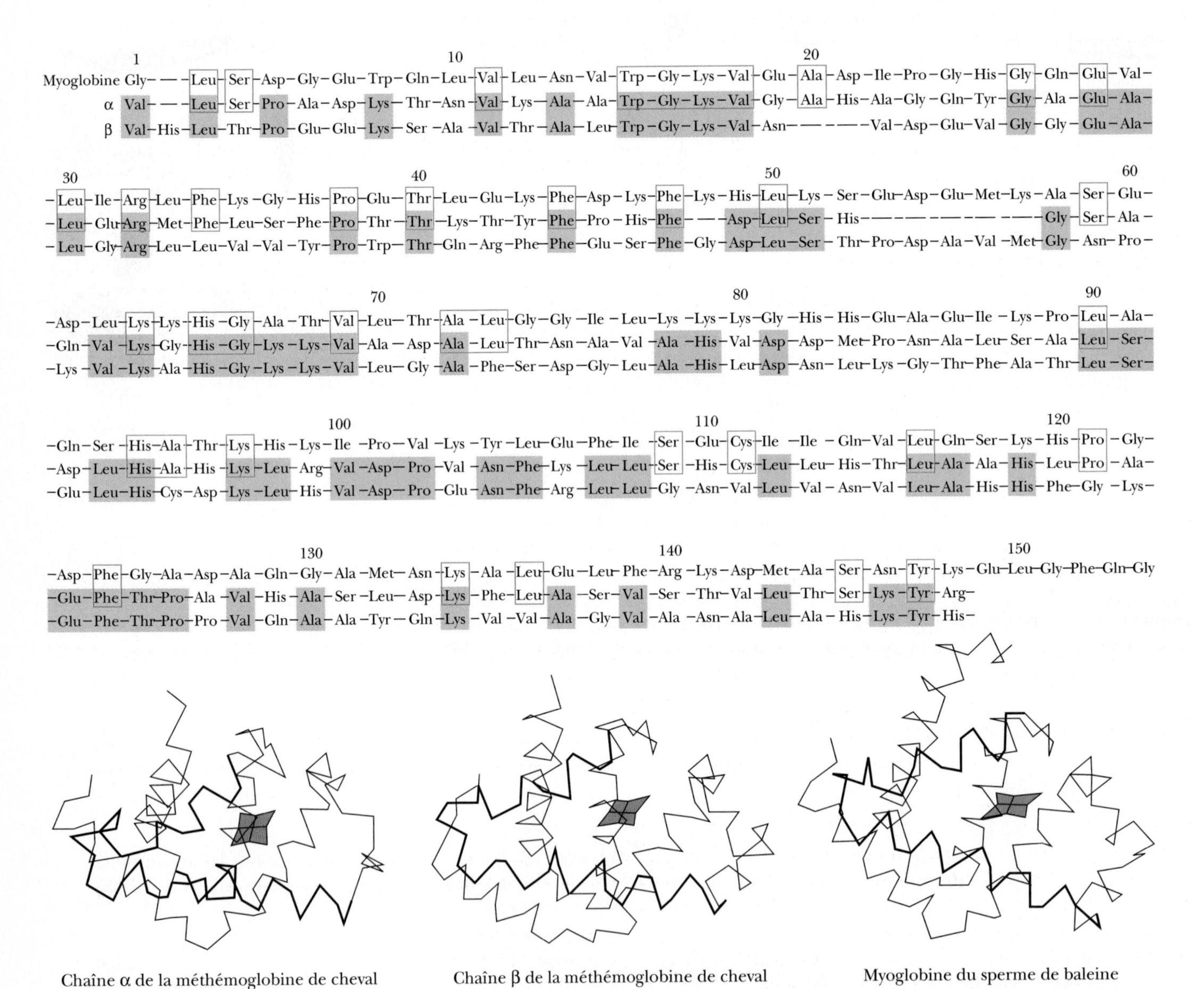

Figure 5.30 • L'examen des séquences d'acides aminés des chaînes polypeptidiques de l'hémoglobine et de la myoglobine humaines révèle un haut degré d'homologie. Les chaînes α et β de l'hémoglobine ont en commun 64 de leurs résidus (sur environ 140). La chaîne α et la myoglobine ont en commun 38 résidus. Les homologies sont encore plus marquées dans la structure tertiaire de ces protéines. *(Irving Geis)*

suggèrent qu'au cours de l'évolution, des mutations successives ont été à l'origine de la substitution de certains acides aminés à d'autres pour aboutir aux divergences observées dans les structures primaires actuelles. Une première duplication du gène primordial d'une globine a donné naissance à l'ancêtre du gène de la myoglobine et au gène ancestral de l'hémoglobine (Figure 5.31). Une duplication ultérieure de ce dernier gène est à l'origine des gènes ancestraux de l'α et de la β-globine. La capacité à lier O_2 par l'intermédiaire du groupe prosthétique est conservée dans chacun des trois polypeptides.

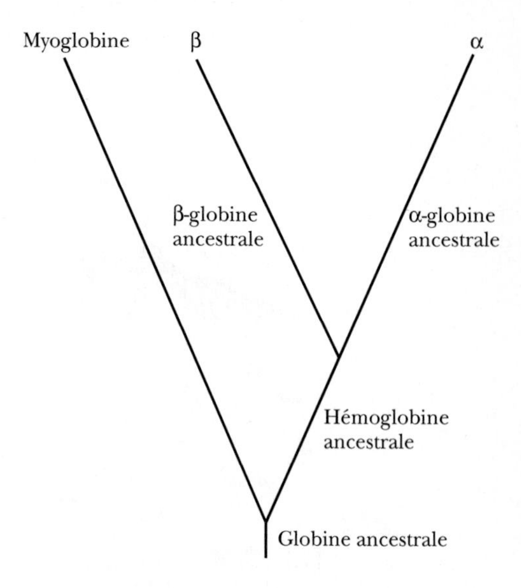

Figure 5.31 • Arbre évolutif inféré des homologies observées dans les séquences d'acides aminés des chaînes α et β de l'hémoglobine et de la chaîne polypeptidique de la myoglobine. Une duplication du gène ancestral de la globine a permis la divergence entre le gène de la myoglobine et les gènes ancestraux de l'hémoglobine. Une seconde duplication est à l'origine de la divergence des gènes des chaînes α et β. La duplication des gènes est un puissante cause d'évolution et de création d'espèces nouvelles.

Les sérine-protéases

Si les hémoprotéines sont un exemple de duplication de gène avec conservation de la fonction physiologique, il existe d'autres séries de protéines avec une forte homologie de séquence mais avec plus de divergence dans les fonctions biologiques. La trypsine, la chymotrypsine (voir Section 5.7) et l'élastase sont des membres d'une classe d'enzymes protéolytiques, **les sérine-protéases**. Ces enzymes doivent leur dénomination au rôle central joué par des résidus sérine dans leur activité catalytique. **La thrombine**, une importante enzyme de la coagulation sanguine est également une sérine-protéase. Les séquences primaires de ces enzymes ont suffisamment d'homologie pour pouvoir conclure que les gènes correspondants proviennent de l'évolution d'un gène de sérine-protéase ancestral, bien que les enzymes aient à présent des substrats différents.

Des protéines à fonctions très différentes peuvent avoir un ancêtre commun

Le lysozyme du blanc d'œuf et l'α**-lactalbumine** du lait humain sont deux exemples encore plus remarquables de relation évolutive déduite de l'homologie des séquences primaires bien que ces protéines aient des fonctions très différentes. Les séquences du lysozyme (129 résidus) et de l'α-lactalbumine (123 résidus) sont identiques pour 48 des positions. Le lysozyme hydrolyse les polyosides des parois cellulaires bactériennes alors que l'α-lactalbumine régule la synthèse du lactose (le sucre du lait) dans la glande mammaire. Les deux protéines interviennent dans des mécanismes qui impliquent des oses mais leurs fonctions n'ont pas d'autres similarités. Cependant, la similarité des structures tertiaires est frappante (Figure 5.32). D'autres protéines présentent de semblables relations. On peut concevoir que le cours de l'évolution a éliminé la plupart des preuves de leur histoire commune. Mais ce n'est pas toujours le cas. L'actine et l'hexokinase n'ont guère d'homologie de séquence des acides aminés et cependant les structures tertiaires sont très semblables alors que les rôles physiologiques et propriétés physiques sont différents. L'actine, le principal composant des fibres contractiles du muscle, se présente sous forme de polymère filamenteux ; l'hexokinase est un enzyme cytosolique (soluble) qui catalyse la première réaction du catabolisme du glucose.

Protéines mutantes

Au sein d'une vaste population d'individus, on peut trouver un grand nombre de séquences variantes. Ces variants sont la conséquence de mutations (substitutions de bases) qui se produisent naturellement dans les gènes d'une population. Ces mutations dans les gènes conduisent à des protéines mutées dans lesquelles la séquence des acides aminés est altérée à une ou plusieurs positions. Certaines de ces mutations sont « neutres » au sens où les substitutions d'acides aminés n'altèrent pas les fonctions des protéines. D'autres mutations donnent des protéines non fonctionnelles (si la perte de fonction n'est pas létale pour l'individu), ou encore, des protéines qui présenteront des aberrations de fonction plus ou moins marquées. La sévérité des effets sur la fonction dépend de la nature de l'acide aminé substitué et de celle du substituant ainsi que de son rôle dans la protéine. On connaît à ce jour plus de 300 variants de l'hémoglobine humaine. Quelques-uns de ces variants sont cités dans le Tableau 5.9.

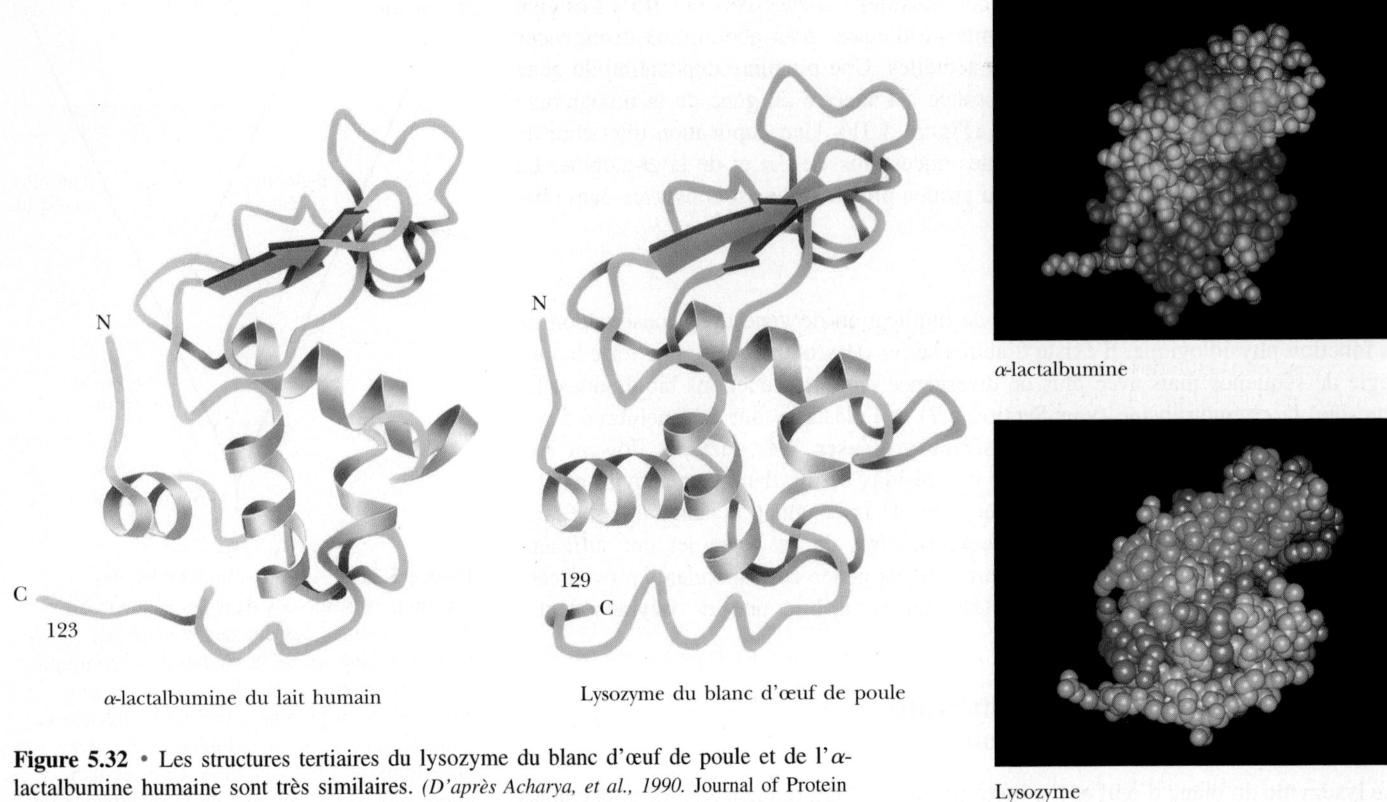

Figure 5.32 • Les structures tertiaires du lysozyme du blanc d'œuf de poule et de l'α-lactalbumine humaine sont très similaires. *(D'après Acharya, et al., 1990.* Journal of Protein Chemistry ***9*** *: 549-563 ; et Acharya, et al., 1991.* Journal of Molecular Biology ***221*** *: 571-581.)*

Tableau 5.9

Quelques variants pathologiques de l'hémoglobine humaine

Hémoglobines anormales*	Résidu normal et sa position	Substitution
Chaîne α		
Turin	Phénylalanine 43	Valine
M_{Boston}	Histidine 58	Tyrosine
Chesapeake	Arginine 92	Leucine
$G_{Géorgie}$	Proline 95	Leucine
Tarrant	Aspartate 126	Asparagine
Suresnes	Arginine 141	Histidine
Chaîne β		
S	Glutamate 6	Valine
Riverdale-Bronx	Glycocolle 24	Arginine
Genève	Leucine 28	Proline
Zurich	Histidine 63	Arginine
$M_{Milwaukee}$	Valine 67	Glutamate
$M_{Hyde\ Park}$	Histidine 92	Tyrosine
Yoshizuka	Asparagine 108	Aspartate
Hiroshima	Histidine 146	Aspartate

* Les variants de l'hémoglobine portent souvent le nom de leur origine géographique.

D'après Dickerson, R.E., et Geis, I., 1983. *Hemoglobin : Structure, Function, Evolution and Pathology.* Menlo Park, CA : Benjamin-Cummings Publishing Co.

Les mutations provoquent une série d'effets divers sur les hémoglobines variantes incluant des modifications de l'affinité pour l'oxygène, de l'affinité pour l'hème, de la stabilité, de la solubilité ou encore dans les interactions entre les chaînes polypeptidiques des α-globines et des β-globines. Certains variants ne présentent aucun changement apparent, tandis que d'autres variants, comme l'hémoglobine HbS (hémoglobine falciforme, voir Chapitre 15), provoquent de sérieuses maladies. Cette diversité des réponses aux mutations signifie que les différents résidus jouent des rôles très différents dans la fonction d'une protéine.

5.9 • Synthèse de polypeptides au laboratoire

La synthèse chimique des peptides et des polypeptides de séquence définie peut être effectuée en laboratoire. La synthèse chimique d'une liaison peptidique entre deux acides aminés n'offre pas de difficulté particulière, mais synthétiser un peptide spécifique est un autre problème. En effet, les divers groupes fonctionnels présents sur les chaînes latérales de nombreux acides aminés sont également réactifs dans les conditions de formation de la liaison peptidique. Et surtout, pour obtenir la séquence désirée, il faut que le groupe α-COOH d'un résidu x soit lié au groupe α-NH_2 du résidu voisin y par une méthode qui écarte la possibilité d'une réaction du groupe α-aminé de x avec le groupe α-carboxylique de y. Pour résoudre les problèmes techniques soulevés par la synthèse des peptides, il faut utiliser d'ingénieuses stratégies synthétiques. Fondamentalement, les groupes réactionnels qui doivent être exclus des réactions sont bloqués (protégés) avant que la réaction de couplage désiré ait lieu, et les groupes de blocage doivent pouvoir être éliminés ultérieurement dans des conditions qui ne nuisent pas à la stabilité des liaisons peptidiques. Ces impératifs exigent plusieurs étapes avant de procéder à l'addition d'un acide aminé, toutes les réactions doivent donc avoir lieu avec un rendement maximal pour que la synthèse du peptide soit acceptable. La formation d'une liaison entre un carboxyle et une amine n'est pas spontanée dans les conditions normales (voir Chapitre 4). L'un ou l'autre des deux groupes doit être activé pour faciliter la réaction. En dépit de toutes ces difficultés, la synthèse chimique de peptides et de polypeptides biologiquement actifs est réalisée en laboratoire. L'événement historique remarquable fut la synthèse de deux hormones d'origine hypothalamiques, l'ocytocine et la vasopressine (deux nonapeptides stockés dans le lobe postérieur de l'hypophyse) par du Vigneaud en 1953. Des années plus tard d'autres polypeptides furent synthétisés: la bradykinine, hormone de régulation de la pression sanguine (9 résidus), la mélanostimuline (la β-MSH 17 résidus), l'hormone adrénocorticotrope (ACTH, 39 résidus), l'insuline (21 résidus dans la chaîne A, 30 dans la chaîne B) et la ribonucléase *A* (124 résidus).

Synthèse des peptides en phase solide

Bruce Merrifield et ses collaborateurs ont trouvé une élégante solution au problème de l'isolement des produits intermédiaires au cours d'une synthèse. L'extrémité C-terminale de la chaîne polypeptidique synthétisée est fixée par une liaison covalente sur une particule insoluble, assez grosse pour être récupérée par simple filtration du mélange réactionnel. Après chaque addition d'un nouveau résidu à l'extrémité -NH_2 terminale, le produit de la réaction est récupéré par filtration et préparé pour un nouveau cycle d'élongation. La chaîne polypeptidique étant couplée à une particule de résine insoluble pendant toute la durée de la synthèse, cette méthode est appelée **synthèse sur phase solide**.

La Figure 5.33 présente les différentes étapes de la procédure. Le processus cyclique est à présent automatisé et contrôlé par ordinateur, toutes les réactions ont lieu dans un petit récipient, les réactifs étant introduits et éliminés selon un programme prévu. La ribonucléase A du pancréas bovin, de 124 résidus, fut ainsi synthétisée dans le laboratoire de Merrifield. Le produit final avait l'activité catalytique de la RNase naturelle.

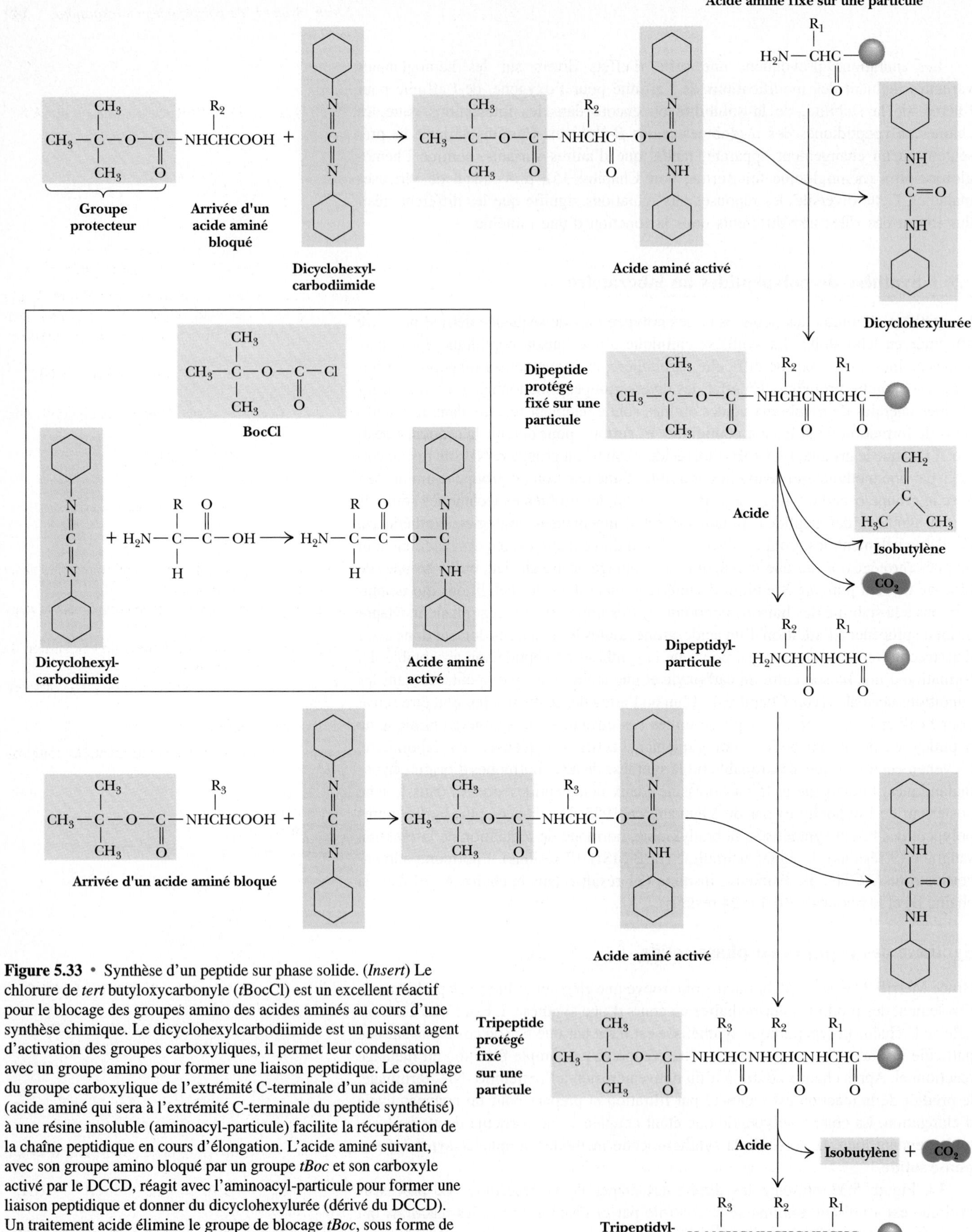

Figure 5.33 • Synthèse d'un peptide sur phase solide. (*Insert*) Le chlorure de *tert* butyloxycarbonyle (*t*BocCl) est un excellent réactif pour le blocage des groupes amino des acides aminés au cours d'une synthèse chimique. Le dicyclohexylcarbodiimide est un puissant agent d'activation des groupes carboxyliques, il permet leur condensation avec un groupe amino pour former une liaison peptidique. Le couplage du groupe carboxylique de l'extrémité C-terminale d'un acide aminé (acide aminé qui sera à l'extrémité C-terminale du peptide synthétisé) à une résine insoluble (aminoacyl-particule) facilite la récupération de la chaîne peptidique en cours d'élongation. L'acide aminé suivant, avec son groupe amino bloqué par un groupe *tBoc* et son carboxyle activé par le DCCD, réagit avec l'aminoacyl-particule pour former une liaison peptidique et donner du dicyclohexylurée (dérivé du DCCD). Un traitement acide élimine le groupe de blocage *tBoc*, sous forme de CO_2 et d'isobutylène, libérant l'extrémité N-terminale du dipeptide ; le cycle de réactions d'élongation peut reprendre. Après chaque addition cyclique d'un acide aminé, il suffit de filtrer ou de centrifuger le mélange réactionnel pour récupérer la chaîne peptidique.

EXERCICES

1. Le molybdène (masse atomique 95,95) constitue 0,08 % de la masse de la nitrate réductase. Si la masse moléculaire de l'enzyme est 240.000, que peut-on dire de sa structure quaternaire ?

2. Un oligopeptide à sept résidus est composé des acides aminés suivants :

Asp Leu Lys Met Phe Tyr

En cours d'analyse les faits suivants sont observés :

a. Un traitement trypsique n'est suivi d'aucun effet apparent.

b. La phénylthiohydantoïne (PTH) libérée au cours de la dégradation d'Edman est la suivante :

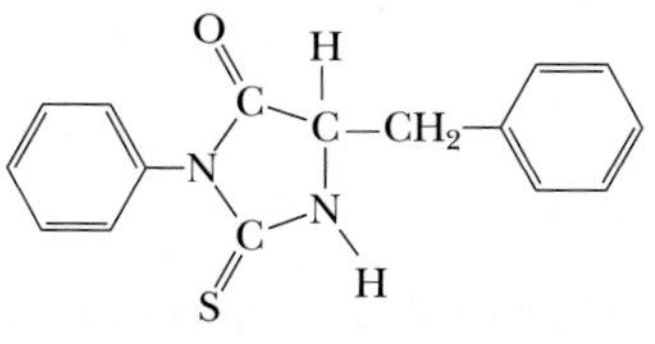

O H
C—C—CH_2—
N
C—N
S H

c. Un traitement bref par la chymotrypsine donne plusieurs produits dont un dipeptide et un tétrapeptide. Le tétrapeptide est composé de Leu, Lys, et Met.

d. Le traitement au bromure de cyanogène libère un dipeptide, un tétrapeptide et de la lysine libre.

Quelle est la séquence de l'heptapeptide ?

3. L'analyse d'un autre heptapeptide donne :

Asp Glu Leu Lys

Met Tyr Trp NH_4^+

Les faits suivants sont observés :

a. Un traitement trypsique n'est suivi d'aucun effet.

b. La phénylthiohydantoïne libérée au cours de la dégradation d'Edman est la suivante :

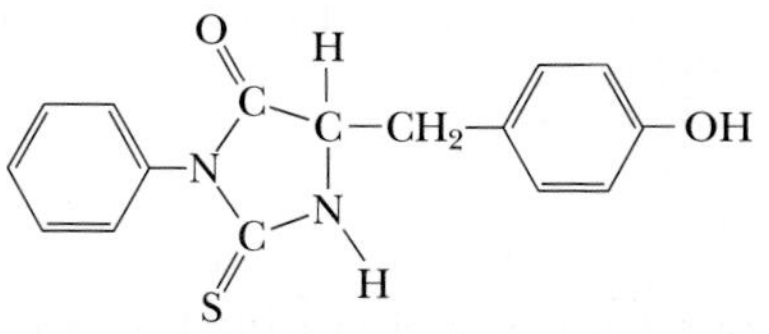

O H
C—C—CH_2— —OH
N
C—N
S H

c. Un traitement bref par la chymotrypsine donne plusieurs produits dont un dipeptide et un tétrapeptide. Le tétrapeptide est composé de Glx, Leu, Lys et Met.

d. Le traitement au bromure de cyanogène libère un tétrapeptide ayant une charge nette positive à pH 7 et un tripeptide ayant une charge nette égale à zéro à pH 7.

Quelle est la séquence des acides aminés de cet heptapeptide ?

4. L'analyse des acides aminés d'un décapeptide révèle la présence des produits suivants :

NH_4^+ Asp Glu Tyr Arg

Met Pro Lys Ser Phe

Les faits suivants sont observés :

a. Les traitements par la carboxypeptidase A ou B sont sans effet.

b. La trypsine donne deux tétrapeptides et de la lysine libre.

c. La clostripaïne libère un tétrapeptide et un hexapeptide.

d. Le traitement au bromure de cyanogène libère un octapeptide et un dipeptide dont la séquence est N–P (code à une lettre).

e. Le traitement par la chymotrypsine donne deux tripeptides et un tétrapeptide. Le peptide d'origine N-terminale produit par la digestion a une charge nette de –1 à pH neutre et une charge nette de –3 à pH 12.

f. Un premier cycle de la dégradation d'Edman donne le dérivé PTH :

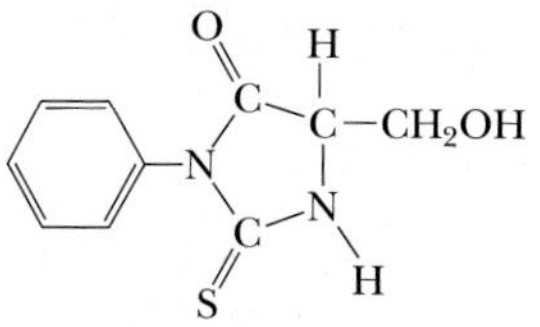

O H
C—C—CH_2OH
N
C—N
S H

Quelle est la séquence des acides aminés de ce décapeptide ?

5. L'analyse sanguine d'un supporter de club de football tombé dans un état catatonique révèle la présence de grandes quantités d'un octapeptide psychotoxique. L'analyse des acides aminés de cet oligopeptide donne comme résultat :

2 Ala 1 Arg 1 Asp 1 Met 2 Tyr 1 Val 1 NH_4^+

Les faits suivants sont observés :

a. L'hydrolyse acide partielle de l'octapeptide libère un dipeptide dont la formule est :

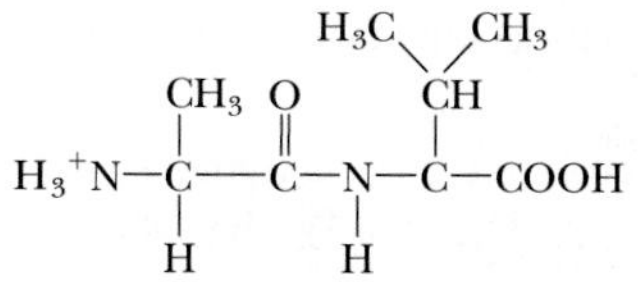

H_3C CH_3
CH_3 O CH
H_3^+N—C—C—N—C—COOH
H H

b. Le traitement de l'octapeptide par la chymotrypsine libère deux tétrapeptides contenant chacun un résidu alanine.

c. Le traitement par la trypsine de l'un des tétrapeptides donne deux dipeptides.

d. Le traitement au bromure de cyanogène d'un autre échantillon du même tétrapeptide donne un tripeptide et de la tyrosine libre.

e. L'analyse du groupe terminal du second tétrapeptide par la méthode de Sanger donne du DNP-Asp.

Quelle est la séquence de cet octapeptide ?

6. L'analyse des acides aminés d'un octapeptide révèle la composition suivante :

2 Arg 1 Gly 1 Met 1 Trp 1 Tyr 1 Phe 1 Lys

Les faits suivants furent observés :

a. La dégradation d'Edman donne :

O H
C—C—H
N
C—N
S H

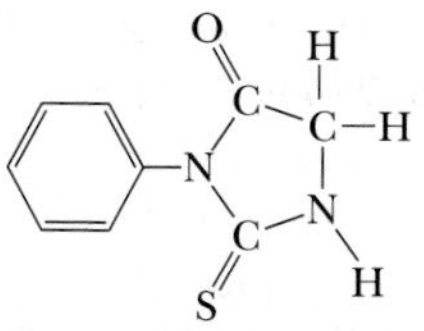

b. Le traitement au bromure de cyanogène donne un pentapeptide et un tripeptide contenant de la phénylalanine.

c. Le traitement par la chymotrypsine donne un tétrapeptide contenant un acide aminé C-terminal indolique, et deux dipeptides.

d. Le traitement par la trypsine donne un tétrapeptide, un dipeptide, et deux acides aminés libres, Lys et Phe.

e. La clostripaïne donne un pentapeptide, un dipeptide, et Phe libre.

Quelle est la séquence des acides aminés de cet octapeptide ?

7. L'analyse de la composition d'un octapeptide donne le résultat suivant :

1 Ala 1 Arg 1 Asp 1 Gly 3 Ile 1 Val 1 NH_4^+

Les faits suivants furent observés :

a. Le traitement par la trypsine donne un pentapeptide et un tripeptide.

b. Le traitement par $LiAlH_4$ (réduction de l'a-COOH libre) suivi d'une hydrolyse acide donne le 2-aminopropanol.

c. L'hydrolyse acide partielle du pentapeptide donne, avec d'autres produits, deux dipeptides, chacun contenant une isoleucine C-terminale. Un de ces dipeptides migre comme un anion lors d'une électrophorèse à pH neutre.

d. Le tripeptide provenant de la digestion trypsique est dégradé par un séquenceur automatique selon la dégradation d'Edman. On obtient d'abord le produit A, puis le produit B :

A.

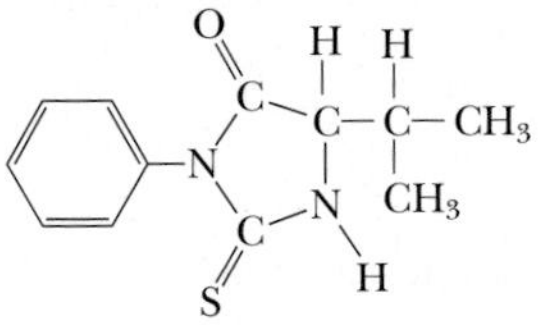

B.

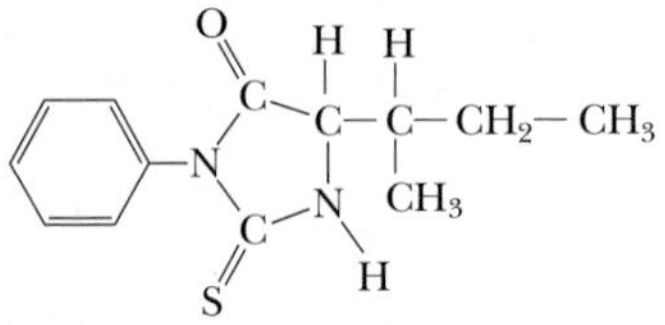

Quelle peut être la séquence de cet octapeptide ? Quatre réponses sont possibles, mais les auteurs ont une préférence pour l'une d'elles. Pourquoi ?

8. Au cours de l'analyse d'un octapeptide constitué de 2 Gly, 1 Lys, 1 Met, 1 Pro, 1 Arg, 1 Trp, et 1 Tyr, les faits suivants ont été observés :

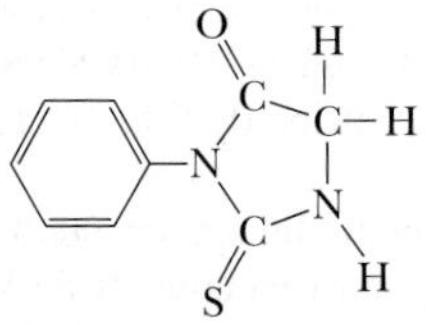

a. La dégradation d'Edman a donné ce dérivé :

b. Lors du traitement par les carboxypeptidases A, B, et C, seule la carboxypeptidase C n'a pas eu d'effet.

c. Le traitement par la trypsine a donné 2 tripeptides et un dipeptide.

d. Le traitement par la chymotrypsine a donné 2 tripeptides et un dipeptide. L'hydrolyse acide du dipeptide n'a libéré que du Gly.

e. Le traitement par le bromure de cyanogène a donné deux tétrapeptides.

f. Enfin la clostripaïne a donné un pentapeptide et un tripeptide. Quelle est la séquence des acides aminés de cet octapeptide ?

9. Le séquençage d'un oligopeptide contenant 9 résidus a montré la présence de huit acides aminés:

Arg Cys Gly Leu Met Pro Tyr Val

Les faits suivants ont été observés :

a. La carboxypeptidase A ne libère aucun acide aminé.

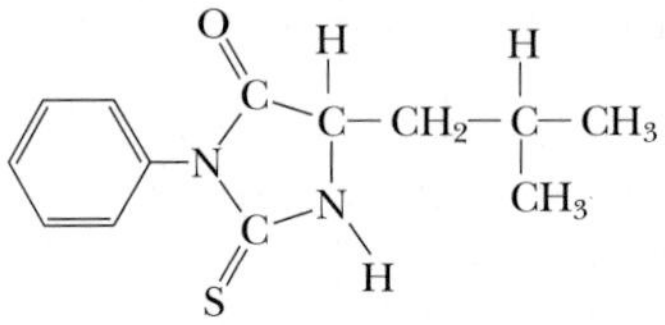

b. La dégradation d'Edman de l'oligopeptide intact libère ce dérivé:

c. Le traitement par la trypsine ou par la chymotrypsine ne libère aucun fragment. Par contre le traitement simultané par ces deux enzymes libère de l'arginine.

d. Le traitement par le bromure de cyanogène du fragment à huit résidus obtenu après l'action combinée de la trypsine et de la chymotrypsine donne un dipeptide et un fragment à six résidus contenant Cys, Gly, Pro, Tyr, et Val.

e. Le traitement du fragment à six résidus par le β-mercaptoéthanol donne deux tripeptides qui brièvement traités par la réaction d'Edman ne donnent que PTH-Cys.

Quelle est la séquence de ce nonapeptide, sachant que si les séquences des deux tripeptides sont lues à l'aide du code à une lettre, elles respectent l'ordre alphabétique ?

10. Décrivez la synthèse du dipeptide Lys-Ala par la méthode de synthèse chimique en phase solide de Merrifield. Quels pièges pouvez-vous rencontrer si vous désiriez ajouter un résidu leucine à Lys-Ala pour obtenir un tripeptide ?

LECTURES COMPLÉMENTAIRES

Creighton, T.E., 1983. *Proteins : Structure and Molecular Properties*. San Francisco : W.H. Freeman and Co., 515 pp.

Creighton, T.E., ed., 1997. *Protein Function – A Practical Approach*, 2nd ed. Oxford : IRL Press at Oxford University Press.

Dayhoff, M.O., 1972-1978. *The Atlas of Protein Sequence and Structure*, Vols. 1-5. Washington, DC : National Medical Research Foundation.

Deutscher, M.P., ed., 1990. *Guide to Protein Purification*. Vol. 182, *Methods in Enzymology*. San Diego : Academic Press, 894 pp.

Goodsell, M.P., et Olson, A.J., 1993. Soluble proteins : Size, shape and function. *Trends in Biochemical Sciences* **18** : 65-68.

Heijne, G. von, 1987. *Sequence Analysis in Molecular Biology : Treasure Trove or Trivial Pursuit ?* San Diego : Academic Press.

Hill, R.L., 1965. Hydrolysis of proteins. *Advances in Protein Chemistry* **20** : 37-107.

Hirs, C.H.W. ed., 1967. *Enzyme Structure*, Vol. XI, *Methods in Enzymology*. New York : Academic Press, 987 pp.

Hirs, C.H.W., et Timasheff, S.E., eds., 1977-1986. *Enzyme Structure*, Parties E-L. New York : Academic Press.

Hsieh, Y.L., et al., 1996. Automated analytical system for the examination of protein primary structure. *Analytical Chemistry* **68** : 455-462. An analytical system is described in which a protein is purified by affinity chromatography, digested with trypsin, and its peptide separated by HPLC and analyzed by tandem MS in order to determine its amino acid sequence.

Hunt, D.F., et al., 1987. Tandem quadrupole Fourier transform mass spectrometry of oligopeptides and small proteins. *Proceedings of the National Academy of Science, U.S.A.* **84** : 620-623.

Johnstone, R.A.W., et Rose, M.E., 1996. *Mass Spectrometry for Chemists and Biochemists*, 2nd ed. Cambridge, England : Cambridge University Press.

Karger, B.L., et Hancock, W.S., eds. 1996. *Methods in Enzymology* **271**, Section III : *Protein Structure Analysis by Mass Spectrometry*, J.R. Yates ; *Peptide Characterization by Mass Spectrometry*, B.L. Gillece-Castro et J.T. Stults. New York : Academic Press.

Mann, M., et Wilm, M., 1995. Electrospray mass spectrometry for protein characterization. *Trends in Biochemical Sciences* **20** : 219-224. A review of the basic application of mass spectrometric methods to the analysis of protein sequence and structure.

Merrifield, B., 1986. Solid phase synthesis, *Science* **232** : 341-347.

Quadroni, M., et al., 1996. Analysis of global responses by protein and peptide fingerprinting of proteins isolated by two-dimensional electrophoresis. Application to sulfate-starvation response of *Escherichia coli*. *European Journal of Biochemistry* **239** : 773-781. This paper describes the use of tandem MS in the analysis of proteins in cell extracts.

Appendice au Chapitre 5

Techniques d'analyse des protéines [1]

Chromatographie par exclusion-diffusion

La *Chromatographie par exclusion-diffusion* est également connue sous le nom *de chromatographie par filtration sur gel,* ou *par filtration sur tamis moléculaire*. Dans cette méthode, des particules sphériques (des billes) poreuses remplissent la colonne de chromatographie. Ces billes sont composées de dextranne (*Séphadex*), d'agarose (*Sépharose*) ou de polyacrylamide (*Séphacryl*, ou *Biogel P*). La taille des pores de ces billes est voisine des dimensions des macromolécules à fractionner. Le volume total du lit de gel (Figure 5A.1) introduit dans une colonne, V_t, est égal au volume extérieur aux billes poreuses, V_0, plus le volume libre à l'intérieur des billes, V_i, plus le volume réel occupé par la matière constituant les billes, V_g. Soit $V_t = V_0 + V_i + V_g$. Comme V_g est généralement inférieur à 1% du total, on peut la plupart du temps le négliger

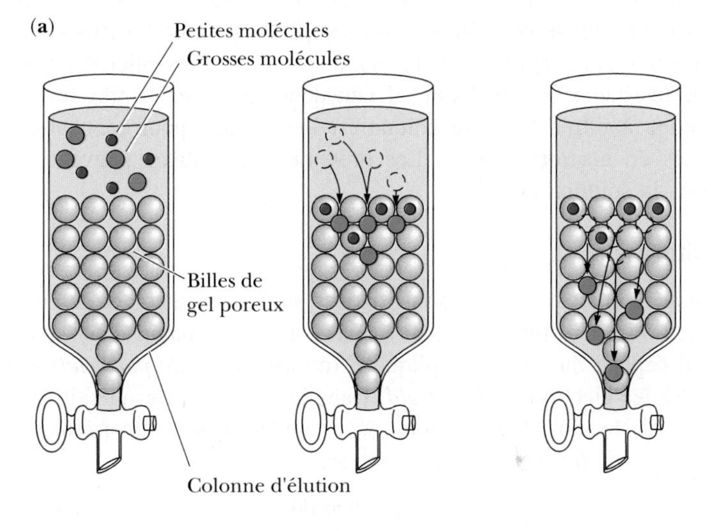

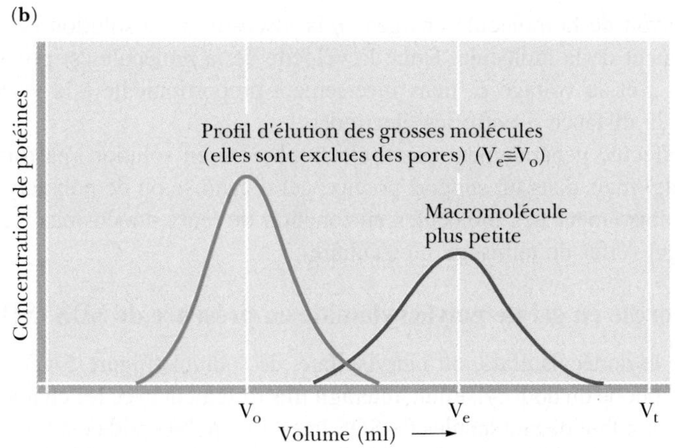

Figure 5A.1 • Chromatographie sur une colonne de gel. Les plus grosses molécules sont exclues des billes de gel et émergent de la colonne avant les molécules plus petites. La migration de ces dernières est retardée car elles pénètrent dans les billes poreuses.

[1] Bien que cet appendice soit intitulé *Techniques d'analyse des protéines*, ces méthodes sont applicables à l'analyse d'autre macromolécules, par exemple aux acides nucléiques.

Lorsqu'une solution de macromolécules passe à travers la colonne, les molécules se distribuent passivement entre V_0 et V_i en fonction de leur capacité à pénétrer dans les pores, c'est-à-dire en fonction de leur taille. Plus les molécules sont grosses, plus difficilement (plus lentement) elles pénétreront dans les pores. À la limite, si la molécule est assez grosse pour ne pas pénétrer du tout dans les pores, elle est totalement exclue de V_i et elle sera la première à émerger de la colonne, dès que le volume d'élution sera $V_e = V_0$ (Figure 5A.1). Si la molécule peut entrer dans les pores du gel, sa répartition entre la phase interne et la phase externe sera donnée par son *coefficient de distribution* K_D :

$$K_D = (V_e - V_0)/V_i$$

V_e étant le volume d'élution caractéristique de la molécule. La chromatographie est terminée dès qu'un volume de solvant d'élution égal à V_t a traversé la colonne.

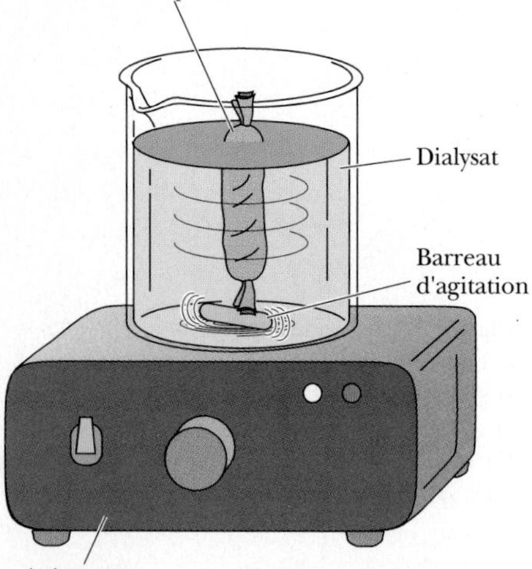

Dialyse et ultrafiltration

Si une solution de protéines est séparée d'une solution voisine ou environnante par une membrane semi-perméable, les petites molécules et les ions passeront à travers la membrane pour atteindre un équilibre entre la solution de protéines et la solution environnante, dénommée le *bain de dialyse*, ou le *dialysat* (Figure 5A.2). Cette méthode est très utile pour éliminer les petites molécules d'une solution de protéines, au besoin en renouvelant le bain de dialyse, ou pour modifier la composition saline de la solution protéique.

L'ultrafiltration est une amélioration de la technique classique de filtration et de la dialyse. On utilise des filtres ayant des pores de tailles voisines de celles des molécules biologiques pour filtrer les solutions. Ces pores microscopiques offrent une grande résistance à la filtration, il faut donc appliquer de très fortes pressions sur la solution à filtrer. Cette technique est intéressante pour concentrer des solutions diluées de macromolécules. Les protéines concentrées peuvent ensuite être diluées dans la solution choisie.

Sac semi-perméable contenant la solution de protéines
Dialysat
Barreau d'agitation
Agitateur magnétique

Figure 5A.2 • Exemple de dialyse. La solution de macromolécules à dialyser est introduite dans un sac préparé avec une membrane semi-perméable. Le sac est immergé dans une solution appropriée. Un agitateur magnétique agite doucement l'ensemble pour atteindre plus rapidement l'équilibre des solutés diffusibles entre le dialysat et la solution contenue dans le sac.

Électrophorèse

Les techniques d'électrophorèse sont fondées sur le déplacement des ions dans un champ électrique. Un ion de charge q placé dans un champ électrique subit une force F qui dépend du voltage appliqué E (ou *différence de potentiel*) et de la distance d entre les électrodes : $F = Eq/d$. Dans le vide, F provoquerait l'accélération de la vitesse de la molécule. En solution, la molécule subit un freinage provenant de la *résistance de frottement*, F_f, du solvant :

$$F_f = 6\pi r\eta v$$

r étant le rayon de la molécule chargée, η la viscosité de la solution et v la vitesse de déplacement de la molécule. Donc la vélocité de la molécule est proportionnelle à sa charge q et au voltage E, mais inversement proportionnelle à la viscosité η du milieu et à la distance d entre les électrodes.

On n'effectue généralement pas d'électrophorèse en solution (parfois dans une veine liquide) mais dans un support poreux, gel d'agarose ou de polyacrylamide qui retarde le mouvement des molécules en fonction de leurs dimensions relatives à la maille du gel (effet de tamisage moléculaire).

Électrophorèse en gel de polyacrylamide en présence de SDS (SDS-PAGE)

Le *SDS* est le dodécylsulfate, ou laurylsulfate, de sodium (Figure 5A.3). La longue queue hydrophobe du dodécylsulfate interagit très fortement avec les chaînes polypeptidiques. Le nombre des molécules de SDS liées à un polypeptide est proportionnel à la longueur de la chaîne (au nombre des résidus). Chacune des molécules de dodécylsulfate apporte deux charges négatives. Collectivement, l'ensemble de ces charges est très largement supérieur à la charge propre de la protéine. Le SDS est aussi un déter-

$$\mathrm{Na^+ \; {}^-O-\overset{\overset{\displaystyle O}{\|}}{\underset{\underset{\displaystyle O^-\;Na^+}{|}}{S}}-O-CH_2-CH_2-CH_2-CH_2-CH_2-CH_2-CH_2-CH_2-CH_2-CH_2-CH_2-CH_3}$$

Figure 5A.3 • Structure linéaire du dodécylsulfate de sodium (SDS).

gent qui rompt toutes les interactions et détruit les structures tertiaires et quaternaires des protéines. Ces électrophorèses sont classiquement effectuées en présence d'un agent réducteur, le plus souvent du *β*-mercaptoéthanol, qui réduit et clive tout pont disulfure éventuellement formé entre les chaînes des protéines. La mobilité électrophorétique des protéines en SDS-PAGE est inversement proportionnelle au logarithme de sa masse moléculaire (Figure 5A.4). Ce type d'électrophorèse est souvent utilisé pour déterminer la masse moléculaire d'une protéine ou d'une sous-unité protéique.

Électrofocalisation

L'électrofocalisation est une technique de séparation des protéines par électrophorèse, qui repose sur les différences entre leurs *points isoélectriques* (pI). On effectue d'abord une première électrophorèse d'une solution *d'ampholytes* (molécules amphotères) à travers un gel contenu en général dans un petit tube. La migration de ces molécules dans un champ électrique crée un gradient de pH au sein du gel. Puis la solution de protéines est déposée sur le gel et l'on effectue une seconde électrophorèse. Les protéines se déplacent dans le gradient de pH du gel, et migrent jusqu'à ce qu'elles arrivent à une zone correspondant à leur pI respectif. À ce pI, les protéines n'auront plus de charge nette, elles ne se déplaceront plus.

Électrophorèse « bidimensionnelle » sur gel

Cette technique de séparation résout les mélanges de protéines en combinant l'électrofocalisation dans une première dimension, à l'électrophorèse en gel de polyacrylamide dans une deuxième dimension. Pratiquement, les protéines sont d'abord séparées par électrofocalisation dans un tube rempli d'un gel de polyacrylamide et d'ampholytes. Le gel est alors prélevé et déposé sur le bord d'une plaque de gel de polyacrylamide en présence de SDS. Une électrophorèse dans une direction perpendiculaire au dépôt permet ensuite de séparer les protéines en fonction de leur taille (Figure 5A.5). La localisation finale des protéines peut être révélée par diverses méthodes de coloration. Cette technique de séparation extrêmement résolutive permet de visualiser et d'établir le catalogue de pratiquement *toutes* les protéines présentes dans tout type de cellule. Le site ExPASy du serveur de l'Université de Genève (URL : http://expasy.hcuge.ch/) ouvre l'accès à une banque de données appelée **SWISS-2DPAGE**. Cette banque contient des informations concernant les protéines repérées après ce type de chromatographie bidimensionnelle appliquée aux extraits totaux provenant de différentes cellules et de divers tissus.

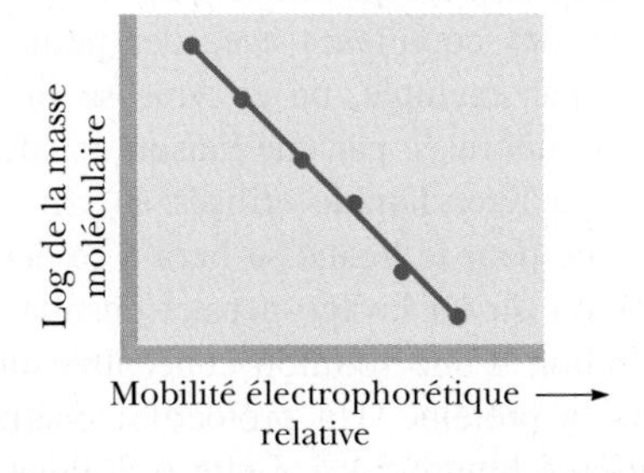

Figure 5A.4 • Graphe de la mobilité relative des protéines au cours d'une électrophorèse en SDS-PAGE, en fonction du logarithme de la masse moléculaire individuelle des protéines.

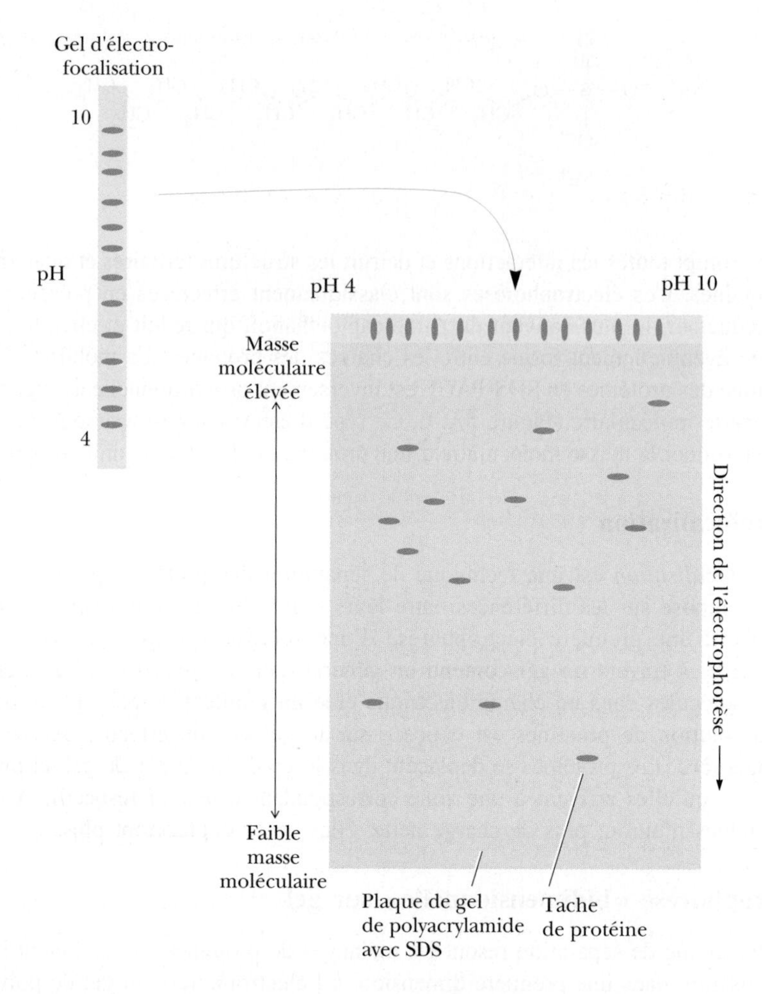

Figure 5A.5 • Une séparation par électrophorèse bidimensionnelle. Un mélange de macromolécules est d'abord séparé, selon la charge de ces molécules, par électrofocalisation dans un tube de gel. Ce gel contenant les molécules séparées est ensuite placé sur une plaque de SDS-PAGE et les molécules seront séparées selon leur taille par une deuxième électrophorèse.

La chromatographie d'affinité

Cette technique de purification des protéines par *chromatographie d'affinité*, relativement récente, utilise une propriété fondamentale des protéines, *leur fonction biologique*. Dans la plupart des cas, les protéines exercent leurs activités biologiques en formant des liaisons ou des complexes avec des petites molécules biologiques spécifiques, leurs *ligands*, par exemple, un enzyme se lie à son substrat. Si cette petite molécule peut être immobilisée par une liaison covalente sur un support insoluble comme la cellulose ou l'acrylamide utilisés en chromatographie, la protéine recherchée ayant de l'affinité pour le ligand se liera à ce dernier et sera donc immobilisée. Une simple filtration ou un lavage permet ensuite d'éliminer les protéines contaminantes. Puis l'addition d'une solution concentrée du ligand libre permet la dissociation, l'élution, de la protéine. Un protocole schématique d'une *chromatographie d'affinité* est présenté Figure 5A.6. Cette technique basée sur une propriété particulièrement spécifique de la protéine recherchée est extrêmement efficace. Une protéine peut être purifiée des milliers de fois en une unique étape.

Figure 5A.6 • Illustration d'une chromatographie d'affinité.

Une protéine est en interaction avec un métabolite. Le métabolite est alors un ligand qui se lie spécifiquement à cette protéine.

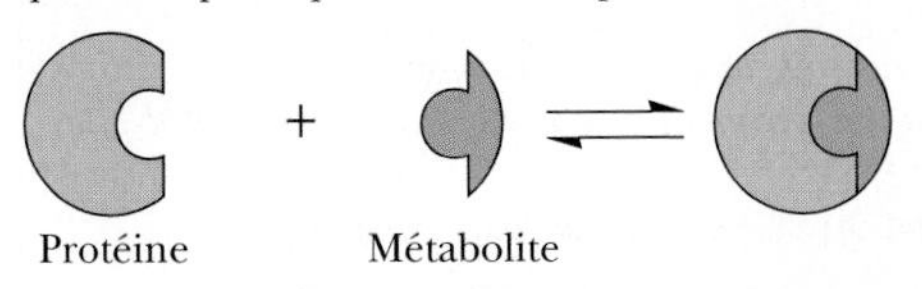

Le métabolite peut être immobilisé par fixation covalente sur un support insoluble comme l'agarose. On fait passer sur la colonne les extraits cellulaires contenant de nombreuses protéines différentes.

La protéine spécifique se fixe sur le ligand. Toutes les autres molécules non liées sont éliminées par lavage de la colonne.

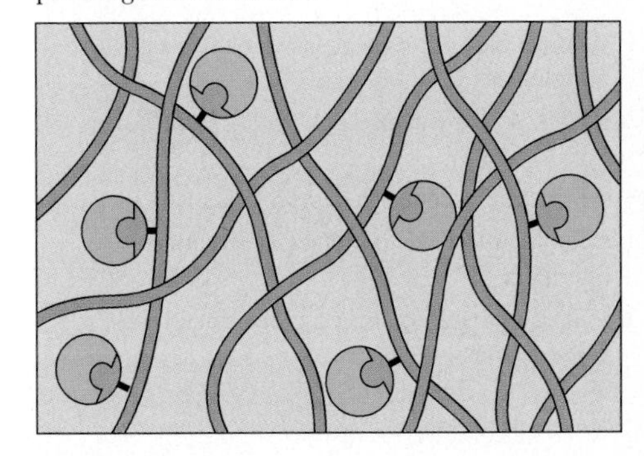

L'addition du métabolite libre, à forte concentration, dissociera la protéine du support de chromatographie par compétition. La protéine liée au métabolite libre traversera la colonne.

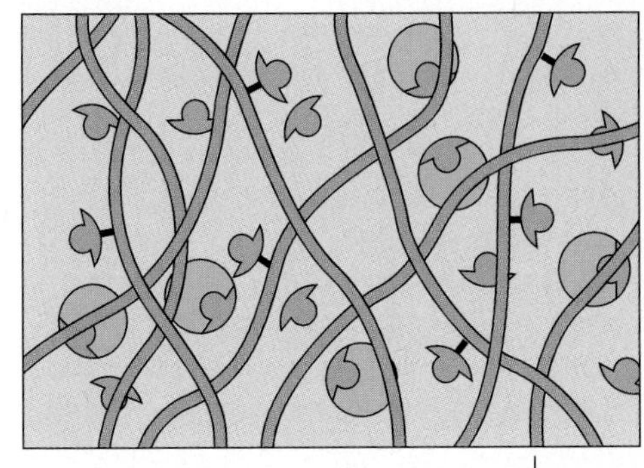

Des purifications supérieures à 1.000 sont couramment obtenues en seule étape de chromatographie d'affinité semblable à celle-ci.

La chromatographie par interactions hydrophobes

La chromatographie par interactions hydrophobes (HIC) utilise la nature hydrophobe des protéines pour les purifier. Les protéines à séparer passent sur une colonne d'un support solide auquel on a greffé par des liaisons covalentes des groupes hydrophobes. Le *phényl Sépharose*® est le principal exemple d'un support (l'agarose) sur lequel on a fixé des groupes hydrophobes (phényl). En présence d'une forte concentration saline, les protéines se lient aux groupes phényl par des interactions hydrophobes. Les protéines peuvent ensuite être successivement éluées par des solutions salines de plus en plus diluées ou par addition, à la solution d'élution, de solvants comme le polyéthylène glycol.

Chromatographie liquide à haute performance

Les principes utilisés dans la *chromatographie liquide à haute performance* (HPLC), ou à haute résolution, ou encore à haute pression, sont les mêmes que ceux qui sont utilisés dans la chromatographie sur échangeur d'ions ou la chromatographie par exclusion-diffusion. Cette technique de chromatographie sous pression peut être automatisée ; très sensible, elle donne d'excellentes séparations avec une haute résolution. *L'HPLC en phase inverse* est une technique de chromatographie utilisée pour la séparation des solutés non polaires. La solution de substances non polaires est chromatographiée sur une colonne ayant un liquide non polaire immobilisé sur une matrice inerte ; ce liquide non polaire sert de *phase stationnaire*. Un liquide plus polaire (la *phase mobile*) est ensuite versé sur la colonne ; les molécules retenues par la phase stationnaire seront alors éluées en fonction de leur solubilité dans la phase mobile.

L'ultracentrifugation

Les méthodes de centrifugation séparent les molécules en fonction de leurs densités caractéristiques. Des particules tendent naturellement à « tomber » à travers une solution si la densité de cette dernière est inférieure à celle des particules. La rapidité de la chute à travers le milieu est proportionnelle à la différence des densités. La tendance d'une particule à se mouvoir à travers une solution sous l'effet de la force centrifuge est donnée par sa constante de sédimentation, S:

$$S = (\rho_P - \rho_m)V/f$$

équation dans laquelle ρ_P est la densité de la particule ou de la macromolécule, ρ_m est la densité du milieu ou de la solution, V est le volume de la particule et f est le coefficient de friction qui correspond à :

$$f = F_f/v$$

où v est la vitesse de la particule et F_f la résistance au déplacement. Les molécules non sphériques ont des coefficients de friction importants, et donc une plus faible constante de sédimentation. Plus la particule est petite, et plus sa forme est éloignée de celle d'une sphère, plus elle sédimente lentement par centrifugation.

La centrifugation peut être une technique préparative, utilisée pour la séparation et la purification des macromolécules et des organites cellulaires, ou une technique analytique utilisée pour caractériser les propriétés hydrodynamiques des macromolécules, protéines ou acides nucléiques.

Chapitre 6

Les protéines : structures secondaires, tertiaires et quaternaires

Tout s'accroît, la taille et la complexité
Ce qui est vivant, les masses atomiques, l'ADN, les protéines
Dansent un pas de plus en plus compliqué.

Sorti du berceau pour la terre ferme
Il est là debout
Atomes conscients
Matière pleine de curiosité.

Face à la mer
Émerveillé par les merveilles
Moi
Un univers d'atomes
Un atome de l'univers

RICHARD P. FEYNMAN (1918-1988)
Traduit de *The Value of Science* dans Edward Hutchings, Jr. (éd.), *Frontiers of Science : A Survey*. New York : Basic Books, 1958.

PLAN

Comme le dieu grec de la mer, Protée, qui pouvait avoir plusieurs formes, les protéines exercent leurs fonctions en changeant de conformation. Les protéines (du grec proteios, *premier) sont les agents primaires des fonctions biologiques.* (Protée, *mosaïque de la période romaine en Thessalonique, 1er siècle de notre ère. Musée national d'archéologie, Athènes/Ancient Art and Architecture Collection Ltd./Bridgeman Art Library, Londres/New-York.)*

Presque tous les processus biologiques impliquent une ou plusieurs molécules protéiques spécialisées. Les fonctions des protéines sont des plus variées : production de nouvelles protéines, contrôle de tous les aspects du métabolisme cellulaire, régulation du transport de diverses molécules ou espèces ioniques à travers les membranes, conversion et mise en réserve de l'énergie cellulaire, sans compter de nombreuses autres activités. Pratiquement toute l'information nécessaire pour initier, conduire, et réguler chacune de ces fonctions doit être contenue dans la structure même de la protéine. Le précédent chapitre traitait des particularités de la structure primaire. Mais les protéines ne se présentent pas normalement sous la forme d'une chaîne polypeptidique déployée. Ce sont plutôt des structures reployées, compactes, et la fonction d'une protéine donnée ne dépend que rarement, pour ne pas dire jamais, de la seule séquence des acides aminés. Tout au contraire, la capacité d'une protéine à exercer sa fonction physiologique est normalement déterminée par sa forme globale tridimensionnelle, sa *conformation*. La structure native, reployée, de la protéine est imposée par plusieurs facteurs qui sont : (1) les interactions avec les molécules du solvant (généralement de l'eau), (2) le pH et la composition ionique du solvant, et surtout (3) la séquence de la protéine. Les effets des deux premiers facteurs semblent intuitivement raisonnables mais le rôle de la séquence des acides aminés peut ne pas l'être. D'une certaine façon que l'on commence tout juste à comprendre, la structure primaire facilite les interactions entre des parties de la séquence proches les unes des autres et aussi les interactions entre des parties éloignées les unes des autres. Bien que la structure finale d'une protéine puisse à première vue paraître désorganisée et provenir d'un arrangement aléatoire, elle résulte, dans presque tous les cas, d'un équilibre fragile et complexe entre les nombreuses forces qui déterminent la conformation spécifique de la protéine. Ce chapitre traite de la structure des protéines et des forces qui maintiennent ces structures.

6.1 • Forces qui influencent la structure des protéines

Différents types d'interactions non covalentes ont une importance vitale sur la structure des protéines. Les liaisons hydrogène, les interactions hydrophobes, les liaisons électrostatiques et les forces de Van der Waals, sont toutes de nature non covalente, elles ont néanmoins une influence extrêmement importante sur la conformation des protéines. Les énergies libres de stabilisation permises par chacune de ces interactions peuvent dépendre fortement de l'environnement local à l'intérieur des protéines. Cependant, il est possible de formuler quelques généralisations.

Les liaisons hydrogène

Les liaisons hydrogène s'établissent presque à chaque fois que cela est possible dans la structure d'une protéine. Dans la plupart des structures connues à ce jour, des atomes du squelette de la chaîne polypeptidique tendent à former entre eux un maximum de liaisons hydrogène. D'autre part, les chaînes latérales pouvant former des liaisons hydrogène sont normalement localisées à la surface de la protéine et forment ce type de liaison avec les molécules d'eau de la solution. La formation d'une seule liaison hydrogène ne contribue que pour 12 kJ/mol en moyenne à l'énergie de stabilisation de la structure d'une protéine mais le nombre des liaisons H dans une protéine est très élevé. Par exemple, dans les hélices α les groupes C=O et N-H de chacun des résidus participent à des liaisons H. L'importance des liaisons hydrogène dans la structure des protéines ne saurait être surestimée.

Les interactions hydrophobes

Les « liaisons » hydrophobes, ou plus précisément, les *interactions* apparaissent car les chaînes latérales non polaires des acides aminés, et d'autres solutés non polaires, tendent à se regrouper dans un environnement non polaire, plutôt que de s'intercaler entre des molécules d'un solvant polaire comme l'eau. Ces interactions hydrophobes minimisent les interactions entre les résidus non polaires et l'eau, elles sont donc énergétiquement favorables. La maximalisation de l'entropie favorise la formation des amas de molécules. Les résidus hydrophobes sont souvent tournés vers l'intérieur de la structure d'une protéine. Très peu de résidus polaires se retrouvent à l'intérieur d'une protéine ; par contre, la surface d'une protéine peut comporter à la fois des résidus polaires et non polaires.

intercaler • introduire entre

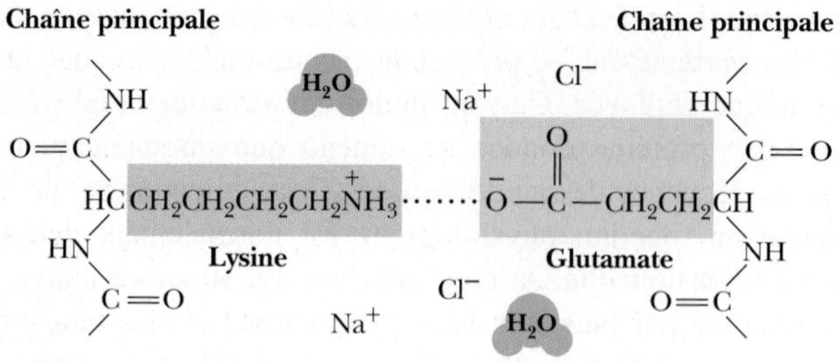

Figure 6.1 • Interaction électrostatique entre le groupe ε-amino d'un résidu lysine et le groupe γ-carboxylique d'un résidu glutamate.

Les interactions électrostatiques

Les interactions ioniques résultent de *l'attraction* électrostatique entre des charges opposées, ou de la *répulsion* de charges de même signe. Le Chapitre 4 traite de l'ionisation des acides aminés. Les chaînes latérales des acides aminés peuvent avoir des charges positives, cas de la lysine, de l'arginine et de l'histidine, ou des charges négatives, pour l'acide aspartique et l'acide glutamique. De plus, le résidu NH_2-terminal et le résidu COOH-terminal d'une chaîne polypeptidique sont normalement dans l'état ionisé, leur charge est respectivement positive ou négative. Toutes ces charges peuvent contribuer à des interactions électrostatiques dans la structure d'une protéine. Les résidus chargés sont le plus souvent à la surface de la protéine où ils sont en interaction optimale avec les molécules d'eau. La localisation d'un résidu polaire à l'intérieur du cœur hydrophobe d'une protéine est énergétiquement défavorable. Les interactions électrostatiques entre les groupements chargés à la surface d'une protéine sont souvent perturbées par la présence de sels en solution. Par exemple, la capacité d'attraction d'une lysine à charge positive sur un glutamate à charge négative peut être affaiblie par la présence de NaCl dans la solution (Figure 6.1). Comparés aux chaînes latérales des acides aminés, les ions Na^+ et Cl^- sont des unités de charge très mobiles et compactes, leur compétition pour les sites chargés sur les protéines est donc très efficace. De cette façon, les interactions entre les résidus à la surface des protéines peuvent facilement être affectées par des concentrations salines élevées. Il reste que ces interactions sont importantes pour la stabilité des protéines.

Les interactions de Van der Waals

Les interactions de Van der Waals incluent des forces de répulsion et des forces d'attraction. Les forces d'attraction proviennent des dipôles instantanés induits par les fluctuations de la distribution de la charge électronique dans des atomes voisins non liés. Ce qui conduit à des interactions de type dipôle-dipôle induit. L'énergie des interactions de Van der Waals est faible (énergie de stabilisation de 0,4 à 1,2 kJ/mol). Comme pour les liaisons hydrogène, le nombre de ces interactions dans une protéine peut être très élevé et la somme de l'énergie mise en jeu est alors substantielle. Peter Privalov et Georges Makhatadze ont montré que dans la ribonucléase A pancréatique, le lysozyme du blanc d'œuf de poule, le cytochrome *c* du cœur de cheval et la myoglobine du sperme de baleine, les interactions de van der Waals à l'intérieur de la protéine contribuent pour l'essentiel à la stabilité de la structure.

6.2 • Rôle de la séquence des acides aminés dans la structure des protéines

La première section de ce chapitre permet d'inférer que plusieurs forces coopèrent au délicat équilibre qui détermine la structure globale d'une protéine. Ces forces s'exercent à l'intérieur même de la structure et entre la protéine et l'eau de la solution où elle se trouve. Quelle est donc l'origine, la causalité d'un mode de reploiement qui impose à la protéine une structure tridimensionnelle dans laquelle ces multiples forces sont optimisées et équilibrées ? *Toute l'information nécessaire au replоiement correct d'une chaîne peptidique afin qu'elle adopte sa structure « native » est contenue dans la séquence même des acides aminés du peptide.* Au début des années 60, C.B. Anfinsen et F. White se sont rendu compte de ce principe, lors de leurs recherches sur la dénaturation chimique puis la renaturation spontanée de la ribonucléase du pancréas bovin. La ribonucléase fut d'abord dénaturée par l'action de l'urée et du mercaptoéthanol, un traitement qui clive les quatre ponts disulfure de la protéine. La protéine en solution est ensuite oxydée, par l'oxygène de l'air, ce qui a permis la formation de ponts disulfure dont la plupart n'étaient pas correctement situés. L'activité enzymatique du produit final était très faible. Cependant, son traitement par une petite quantité de mercaptoéthanol a ensuite permis une redistribution des liaisons disulfure accompagnée d'une activité enzymatique significative par rapport à celle de l'enzyme d'origine. Au cours de ces expériences, la seule carte routière dont dispose la protéine, c'est-à-dire les seules « instructions » dont elle dispose sont les indications fournies par sa structure primaire, la séquence linéaire de ses résidus d'acides aminés.

On ne comprend toujours pas bien comment les protéines reconnaissent et interprètent l'information contenue dans une séquence polypeptidique. On suppose que certains lieux de la chaîne agissent comme des centres de nucléation, ils initient le processus de reploiement qui aboutit en fin de compte à la bonne structure. Indépendamment du mode de déroulement du processus, ce dernier doit conduire à la formation de la structure native de la protéine, la seule qui soit correcte. Il ne faut pas que le reploiement soit piégé par la formation d'une structure locale, stable d'un point de vue énergétique, mais différente de l'état natif. La prédiction de la conformation d'une structure tridimensionnelle à partir de la séquence des acides aminés est un objectif encore lointain des spécialistes des structures des protéines. La complexité d'une telle prédiction et l'immensité de la tâche, seront mieux appréciées au cours de la description détaillée des structures secondaires et tertiaires. C'est peut-être la plus vaste zone mal connue qu'il reste à explorer en Biologie moléculaire.

6.3 • Structures secondaires des protéines

Toute considération sur le reploiement et la structure des protéines doit commencer par l'étude des propriétés de *la liaison peptidique*, l'unité de structure fondamentale de toutes les protéines. Nous avons vu, Chapitre 5, que la formation d'une structure hybride de résonance stabilise la liaison peptidique C–N. Cette structure impose que tous les atomes du groupe peptidique, l'oxygène, le carbone, l'azote, l'hydrogène, ainsi que les carbone-α adjacents soient dans un même plan. L'énergie de stabilisation de cette structure de résonance plane est d'environ 88 kJ/mol, la moindre rotation autour de la liaison C-N exige donc une importante quantité d'énergie. Une rotation de θ degrés requiert une énergie de torsion de 88 $\sin^2\theta$ kJ/mol.

Conséquences du plan de l'amide

La planéité de la liaison peptidique signifie que la chaîne peptidique n'a que deux possibilités de rotation (deux degrés de liberté) par résidu. La rotation n'est possible qu'autour de la liaison qui relie le carbone α au carbone de la liaison peptidique (Cα–C) et autour de la liaison qui relie l'azote de la liaison peptidique au carbone α adjacent (N–Cα). Tout carbone α est un point de jonction de deux plans définis par des liaisons peptidiques (Figure 6.2). L'angle formé autour de la liaison Cα–N est l'angle ϕ (phi) et l'angle formé autour de la liaison Cα–C_0 est l'angle ψ (psi). Pour chacun de ces angles, une valeur de 0° correspond à un plan peptidique orienté perpendiculairement au plan formé par H–Cα–R (la chaîne latérale) et à une configuration *cis* de la chaîne peptidique par rapport à la liaison autour de laquelle on observe la rotation (Figure 6.3). Le trajet complet du squelette peptidique d'une protéine est connu dès lors que tous les angles de rotation ϕ et ψ sont définis. Du fait des encombrements stériques résultants d'une trop grande proximité des atomes non liés à la chaîne principale, de nombreuses valeurs de ϕ et de ψ ne sont pas per-

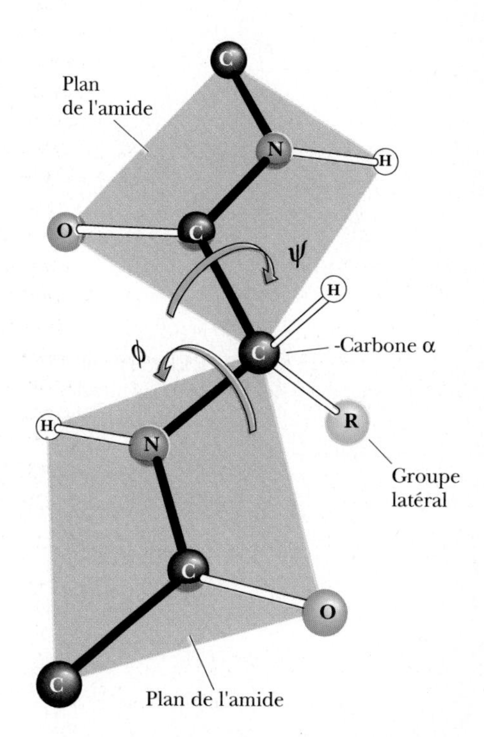

Figure 6.2 • Les plans de l'amide, ou plans de la liaison peptidique, sont reliés par des liaisons tétraédriques du carbone α. Les angles ϕ et ψ sont les paramètres des rotations. La conformation des plans de la figure correspond à ϕ = 180°, et ψ = 180°. Les valeurs positives de ϕ et de ψ correspondent à une rotation dans le sens des aiguilles d'une montre, vue du C_α. Une rotation de 180° à partir de 0° dans le sens des aiguilles d'une montre (+180°) est équivalente à une rotation de 180° dans le sens inverse (–180°).

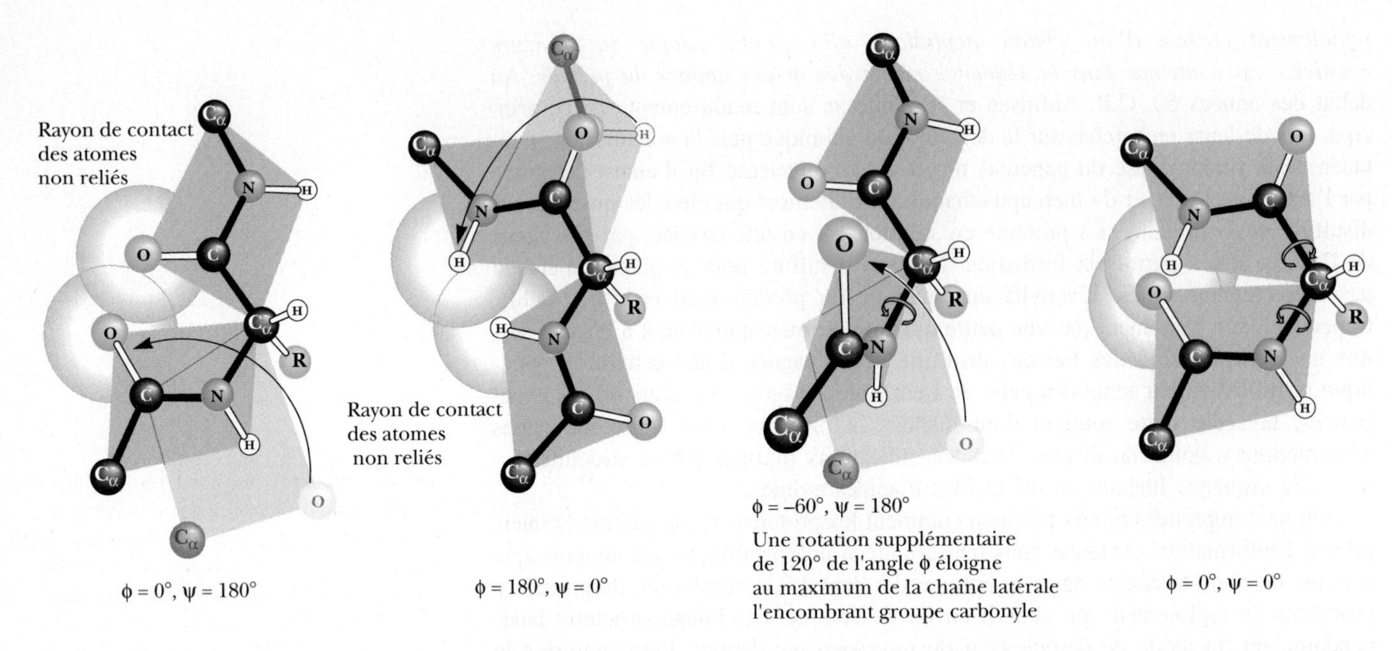

Figure 6.3 • La plupart des conformations « possibles » des deux plans peptidiques autour du Cα sont interdites du fait de l'encombrement stérique. Quelques exemples intéressants sont présentés ci-dessus.

Remarque : Nous utilisons l'atome de Cα comme point de référence pour les deux rotations, ce qui n'est pas conforme à la convention de la Commission pour la nomenclature biochimique (IUPAC-IUB) concernant la définition des angles de torsion ϕ et ψ dans une chaîne polypeptidique (*Biochemistry* **9 :** 3471-3479, 1970). Mais les résultats sont les mêmes. *(Irving Geis)*

mises. Par exemple, les valeurs de ϕ = 180° et ψ = 0° ne sont pas permises car les rayons des atomes d'hydrogène des N–H se recouvriraient (Figure 6.3 et Figure 6.4). De même, ϕ = 0° et ψ = 180° ne sont pas des valeurs permises à cause du recouvrement des atomes d'oxygène des carbonyles.

G. N. Ramachandran et ses collaborateurs, à Madras (Inde), ont démontré qu'il était intéressant de porter sur un graphe les valeurs de ϕ en fonction des valeurs de ψ pour connaître la distribution des valeurs permises dans une protéine ou dans une famille de protéines. La Figure 6.4 est un exemple caractéristique de diagramme de Ramachandran. Remarquez que les valeurs de ϕ et de ψ sont regroupées dans un petit nombre de régions du diagramme. Un très grand nombre des combinaisons de ϕ et de ψ sont interdites pour des raisons d'encombrement stérique et les régions correspondantes du diagramme ne contiennent que peu de points. Les combinaisons permises correspondent à des sous-classes de structures qui seront à présent décrites.

L'hélice α

Nous avons vu, Section 6.1, que l'oxygène du carbonyle et l'hydrogène de l'amide de la liaison peptidique peuvent participer à la formation de liaisons hydrogène soit avec les molécules d'eau du milieu, soit avec d'autres groupes de la chaîne polypeptidique pouvant former des liaisons hydrogène. Dans presque toutes les protéines, les atomes d'oxygène des carbonyles et les atomes d'hydrogène des amides d'un grand nombre des liaisons peptidiques participent à des liaisons hydrogène qui lient un groupe peptidique à un autre groupe peptidique (Figure 6.5). Ce type de structure tend à se former de façon coopérative sur d'importantes parties de la chaîne polypeptidique. Les structures résultant de ces interactions constituent les **structures secondaires** des protéines (Chapitre 5). Lorsque le nombre des liaisons hydrogène ainsi formées entre des parties de la chaîne est élevé, deux types de structures de base peuvent apparaître : les *hélices α*, ou les *feuillets β* plissés.

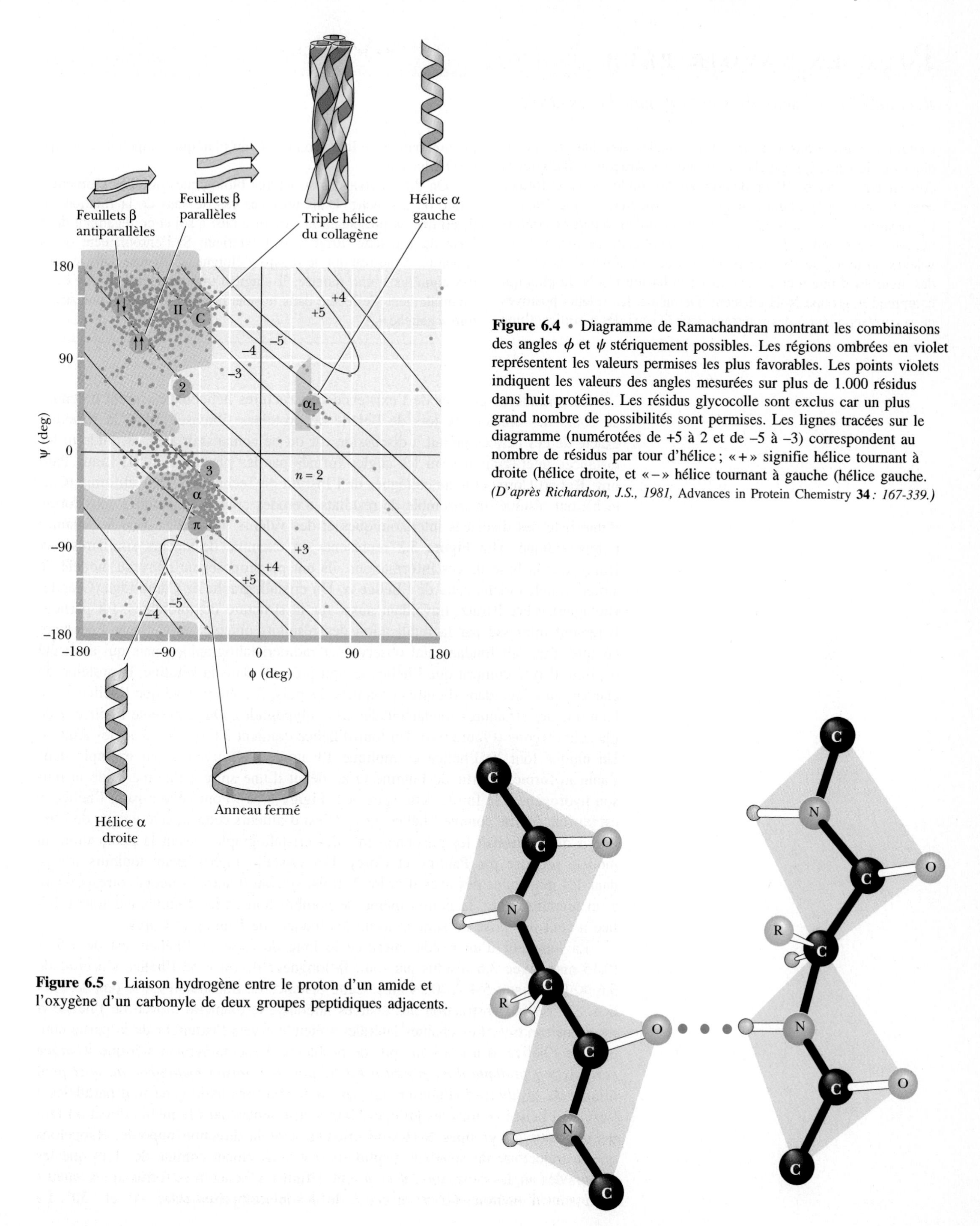

Figure 6.4 • Diagramme de Ramachandran montrant les combinaisons des angles ϕ et ψ stériquement possibles. Les régions ombrées en violet représentent les valeurs permises les plus favorables. Les points violets indiquent les valeurs des angles mesurées sur plus de 1.000 résidus dans huit protéines. Les résidus glycocolle sont exclus car un plus grand nombre de possibilités sont permises. Les lignes tracées sur le diagramme (numérotées de +5 à 2 et de –5 à –3) correspondent au nombre de résidus par tour d'hélice ; « + » signifie hélice tournant à droite (hélice droite, et « – » hélice tournant à gauche (hélice gauche. *(D'après Richardson, J.S., 1981,* Advances in Protein Chemistry **34** *: 167-339.)*

Figure 6.5 • Liaison hydrogène entre le proton d'un amide et l'oxygène d'un carbonyle de deux groupes peptidiques adjacents.

Pour en savoir plus

Reconnaître les sens de rotation, gauche ou droite

Certaines conventions concernant les angles des liaisons peptidiques et le caractère gauche ou droite des structures biologiques doivent être connues. Pour déterminer les angles ϕ et ψ formés entre les plans peptidiques, il faut se considérer comme étant le C_α regardant vers l'extérieur et imaginer qu'au départ la conformation correspond à $\phi = 0°$ $\psi = 0°$. Dans cette perspective, les valeurs positives de ϕ correspondent à des rotations dans le sens des aiguilles d'une montre, autour de la liaison C_α–N du plan qui comprend le groupe N–H adjacent. De même, les valeurs positives de ψ correspondent à des rotations dans le sens des aiguilles d'une montre, autour de la liaison C_α–C du plan qui comprend le groupe C=O adjacent.

On dit souvent des structures biologiques qu'elles tournent à droite ou à gauche. Dans tous ces cas, le sens de la rotation est déterminé en présentant la structure face à soi et en regardant dans l'axe du squelette dirigé vers l'extérieur. Si l'enroulement de la structure, à mesure que le regard s'éloigne, s'effectue dans le sens des aiguilles d'une montre, il s'agit d'une structure « droite » ; si l'enroulement s'effectue dans le sens inverse, il s'agit d'une structure « gauche ».

Les premières preuves de l'existence de structures hélicoïdales furent obtenues au cours des années 30, lors de l'étude de protéines fibreuses. Mais la structure exacte de ces hélices prêtait à discussion car on ne connaissait avec certitude ni les distances interatomiques, ni les angles formés par les plans. En 1951, Linus Pauling, Robert Corey et leurs collègues de l'Institut de Technologie de Californie (Caltech), ont résumé un ensemble de résultats d'études cristallographiques sous forme d'une liste des distances interatomiques et des valeurs des angles dans les chaînes polypeptidiques (La Figure 5.2 représente un exemple de valeurs similaires aux leurs). Sur la base de ces informations, ils ont pu proposer un nouveau modèle de structure hélicoïdale, celui de l'**hélice α.** Un cristallographe de Cambridge (Grande-Bretagne), Max Perutz, travaillant aussi sur la structure des protéines, fut particulièrement intéressé par la publication des résultats obtenus au Caltech. En tenant compte d'un fait fondamental observé par radiocristallographie, mais qui avait été négligé, Perutz comprit que l'hélice α était présente dans la kératine, la protéine du cheveu, ainsi que dans d'autres protéines. Depuis, il a été prouvé que l'hélice α est bien une des structures fondamentales des polypeptides. On représente l'hélice α de plusieurs façons (Figure 6.6). Un tour d'hélice contient 3,6 résidus d'acides aminés. Un unique tour de l'hélice α implique 13 atomes, observables par exemple dans l'anneau formé à partir de l'atome O au début d'une spire à l'atome H de la liaison hydrogène à la fin de cette spire (Cf. Figure 6.7a). Pour cette raison, l'hélice α est parfois décrite comme l'hélice $3{,}6_{13}$. C'est d'ailleurs cette caractéristique de l'hélice α qui perturbait les raisonnements des cristallographes avant la publication du modèle proposé par Pauling et Corey. Les cristallographes ayant toujours trouvé dans les molécules des axes d'ordre 2, trois, six, ou d'autres valeurs correspondant à un nombre entier, la notion même de nombre non entier d'unités par tour d'hélice n'était pas prise au sérieux avant les travaux de Pauling et Corey.

La longueur d'un résidu, mesurée le long de l'axe de l'hélice, est de 1.5 Å (0,15 nm). Avec 3,6 résidus par tour, la longueur de l'axe de l'hélice s'accroît de 3,6 × 1,5 Å, soit 5,4 Å (0,54 nm). Cette distance de translation est le **pas** de l'hélice. Si l'on fait abstraction des chaînes latérales, le diamètre moyen de l'hélice α est d'environ 6 Å. Les chaînes latérales s'étendent vers l'extérieur de la partie centrale de l'hélice, il n'y a donc pas de problème d'encombrement stérique. *Chaque carbonyle peptidique d'un résidu n est lié par une liaison hydrogène au N-H peptidique du résidu n+4* (Figure 6.6a). Toutes les liaisons hydrogène sont parallèles à l'axe de l'hélice α, tous les groupes C=O sont orientés dans la même direction tandis que tous les groupes N-H sont orientés dans la direction opposée. Rappelons que la trajectoire du squelette peptidique est entièrement connue dès lors que les valeurs des angles de rotation ϕ et ψ sont définies. L'hélice α se forme si les valeurs de ϕ sont d'environ –60° et si celles de ψ sont comprises entre –45 et –50°. La

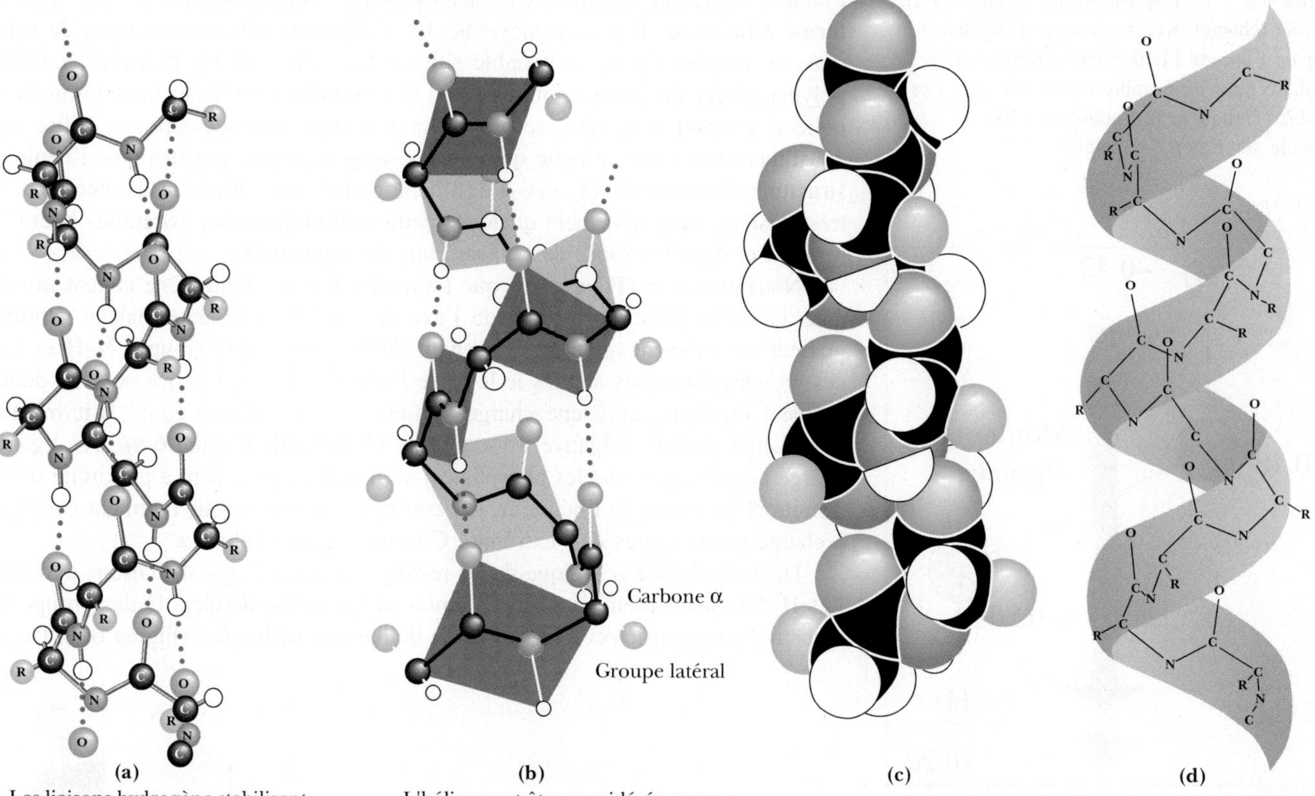

(a)
Les liaisons hydrogène stabilisent la structure de l'hélice α.

(b)
L'hélice peut être considérée comme une superposition de plans peptidiques ayant pour charnières les carbones α et approximativement parallèles à l'axe de l'hélice.

(c)

(d)

Figure 6.6 • Quatre représentations différentes de l'hélice α. (a) Telle qu'elle parut, en 1960, dans le traité de Pauling, *La nature de la liaison chimique*. (b) Montrant comment les plans peptidiques sont arrangés dans l'hélice. (c) Une représentation compacte sur un écran d'ordinateur. (d) La structure « en ruban », avec à l'intérieur la structure éclatée de la chaîne montrant comment le ruban indique la trajectoire du squelette polypeptidique. *(Irving Geis)*

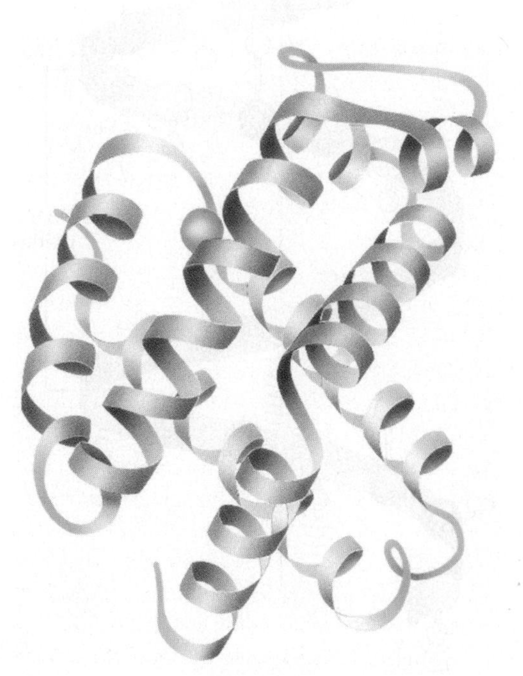

Sous-unité β de l'hémoglobine

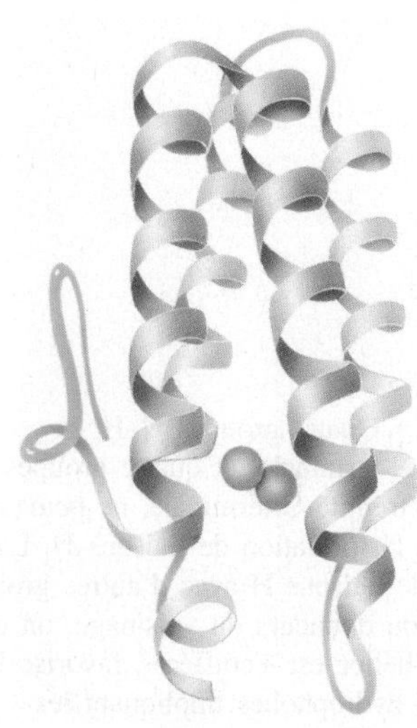

Myohémérythrine

Figure 6.7 • Structures tridimensionnelles de deux protéines contenant de nombreux segments sous forme d'hélices α. Ces hélices sont représentées par des rubans régulièrement enroulés. La myohémérythrine est une protéine à fer non héminique qui transporte l'oxygène chez certains invertébrés comme les *Sipunculides*, des vers marins. *(Jane Richardson)*

Figure 6.8 • La disposition des groupes N–H et C=O (chacun avec son moment dipolaire) le long de l'axe de l'hélice crée un moment dipolaire pour l'ensemble de la structure. Les nombres indiquent la fraction de charge présente sur l'atome considéré.

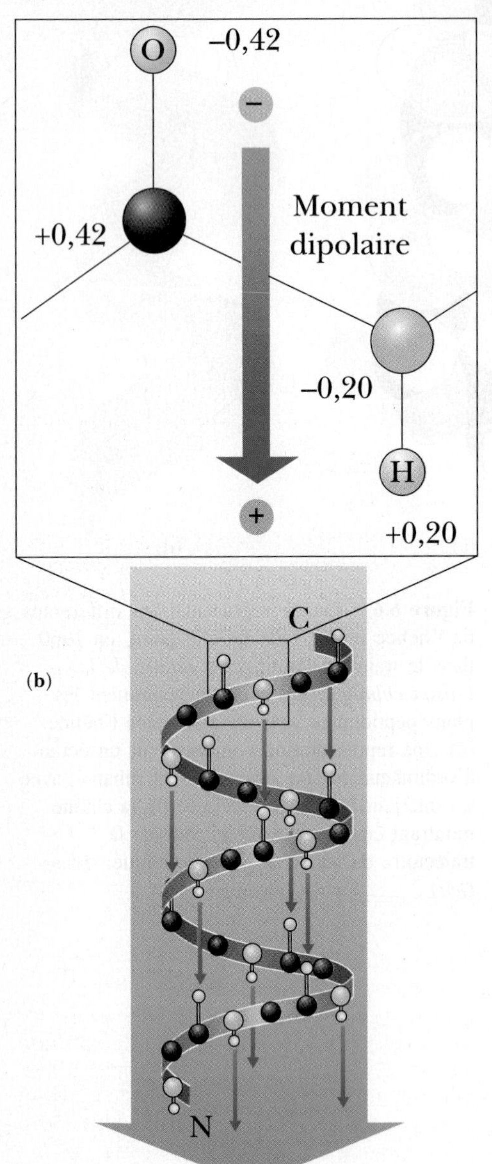

Figure 6.7 présente la structure de deux protéines contenant plusieurs segments sous forme d'hélice α. Il y a en moyenne 10 résidus par hélice (trois tours de spires), mais ce nombre est assez variable suivant les hélices et les protéines. La chaîne polypeptidique de la myoglobine, l'une des premières protéines dans lesquelles les hélices α furent observées, se reploie pour former huit segments en hélice α. Ils constituent une sorte de boite qui enferme le groupement prosthétique, l'hème. Les structures des sous-unités α et β de l'hémoglobine, une protéine tétramérique, sont très voisines, avec seulement quelques petites différences aux extrémités N et C-terminales et dans les zones de contact entre les sous-unités.

Nous avons vu (Figure 6.6) que toutes les liaisons hydrogène étaient orientées dans la même direction le long de l'axe de l'hélice α. Chaque liaison peptidique possède un moment dipolaire provenant de la polarité des groupes N–H et C=O ; ces groupes étant tous alignés le long de l'axe de l'hélice, l'hélice possède donc un moment dipolaire, avec une charge partielle positive à l'extrémité N-terminale et une charge partielle négative à l'extrémité C-terminale (Figure 6.8). Des ligands à charge négative (comme les phosphates) se fixent fréquemment à proximité de l'extrémité N-terminale de l'hélice α. Par contre, on ne trouve que rarement des ligands à charge positive près de l'extrémité C-terminale de l'hélice α.

Dans une hélice α typique de 12 résidus (n) il y a 8 (n – 4) liaisons hydrogène. Les H des quatre premiers groupes amide et les quatre derniers O des groupe C=O ne peuvent pas participer à la formation de liaisons hydrogène (Figure 6.9). De plus,

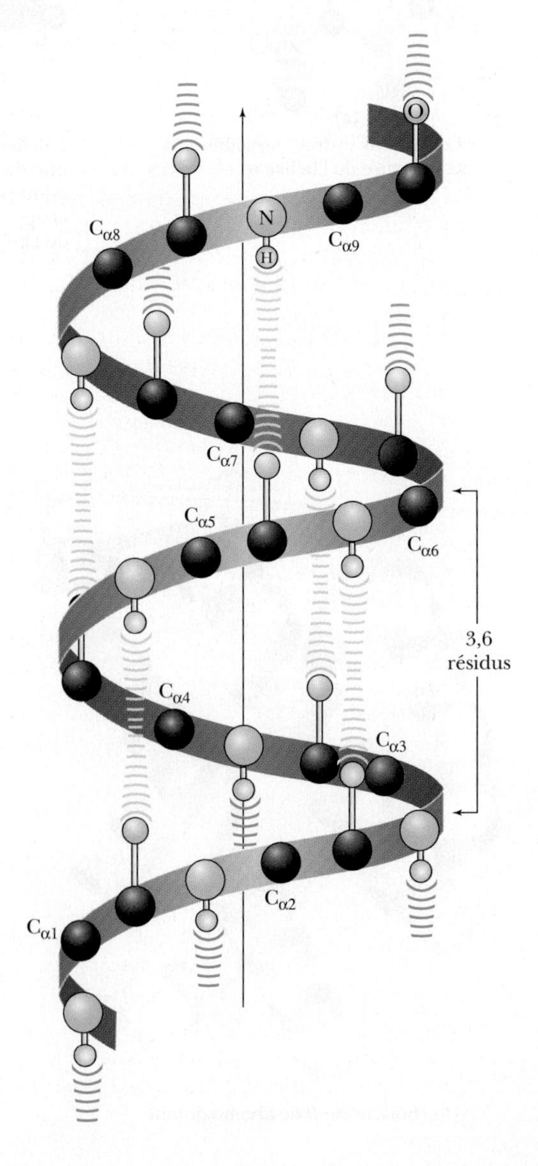

Figure 6.9 • Quatre groupes N–H, à l'extrémité N-terminale, et quatre groupes C=O, à l'extrémité C-terminale, ne peuvent participer à la formation de liaisons H. La formation de liaisons H avec d'autres groupes accepteurs ou donneurs du voisinage, on dit alors que l'hélice est « coiffée », favorise les interactions hydrophobes impliquant les extrémités de l'hélice.

des résidus polaires situés près des extrémités de l'hélice peuvent être exposés au solvant. Dans les protéines ces résidus sont fréquemment recouverts, « **coiffés** », par la présence d'autres parties de la protéine, ce qui favorise les interactions hydrophobes avec les résidus non polaires des extrémités de l'hélice.

L'étude systématique de polymères synthétiques dont tous les acides aminés sont identiques, des polyaminoacides, a montré que certains acides aminés tendaient à se trouver plus souvent dans des hélices α tandis que d'autres s'y trouvaient moins souvent. La polyleucine et la polyalanine par exemple forment facilement des structures α-hélicoïdales. À l'opposé, le polyaspartate et le polyglutamate, dont la charge négative est très forte à pH 7, ne forment que des structures aléatoires du fait de la répulsion ionique entre les chaînes latérales du polypeptide. Cependant, lorsque les radicaux sont protonés, entre pH 1,5 et 2,5, ces chaînes latérales ne sont plus chargées et les hélices α se forment alors spontanément. De la même façon, l'enroulement de la polylysine est irrégulier en dessous de pH 11, la répulsion due aux charges positives empêchant la formation de l'hélice α. Mais à pH 12, la chaîne peptidique de la polylysine est neutre et l'hélice α se forme rapidement.

DÉVELOPPEMENTS DÉCISIFS EN BIOCHIMIE

Au lit, avec un rhume, Pauling découvre l'hélice α et avance vers le prix Nobel [1]

Alors que la haute technologie transforme de plus en plus les laboratoires de Biochimie, il est intéressant de réfléchir à la façon dont Linus Pauling a découvert l'hélice α et mérité le prix Nobel. Il n'a fallu qu'un morceau de papier, un crayon, une paire de ciseaux et Linus Pauling malade, lassé par la lecture de romans policiers. Cette histoire est tirée de l'excellent livre de Horace Freeland Judson, « *Le huitième jour de la Création (The heighth day of Creation)* » :

« ... Du printemps de 1948 au printemps de 1951..., la compétition entre le laboratoire de Pauling et celui de (Sir Lawrence) Bragg au sujet des protéines était des plus chaudes, enflammée même. Le but de cette compétition était la proposition, et sa vérification, de la structure tridimensionnelle de la chaîne polypeptidique. Les travaux de Pauling avaient commencé par l'étude des structures de peptides les plus simples, puis de plus en plus complexes. En 1948, il se rendit à Oxford comme professeur associé (visiting Professor) pour donner des cours sur la liaison chimique et sur la structure moléculaire et la spécificité biologique. « À Oxford, je crois que c'était en avril, j'ai pris froid. Je me suis couché et j'ai lu toute la journée des histoires de détectives; je m'en suis lassé et je me suis demandé pourquoi je ne reviendrais pas à ce problème de la kératine α. » Alité, et songeant toujours à la chaîne polypeptidique, il demanda du papier, un crayon, une règle, et tenta de réduire le problème avec un raisonnement purement euclidien. « J'ai pris une feuille de papier – j'ai toujours cette feuille – et j'ai grossièrement tracé la chaîne polypeptidique telle que je pensais qu'elle devrait être si on la projetait sur un plan. » Une chaîne étirée en travers de la feuille avec la répétition fastidieuse de ses arêtes de poisson, aussi simplement que cela, indiquant de mémoire les longueurs et les angles des liaisons. Il savait que la liaison peptidique, du carbone à l'azote, était toujours rigide :

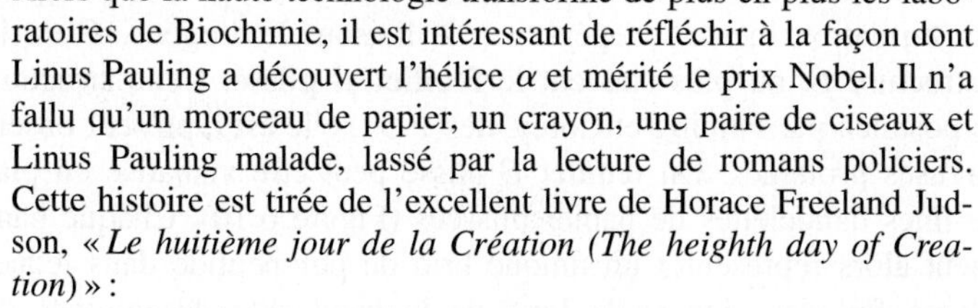

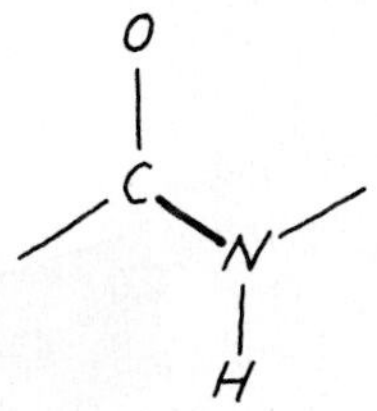

Et cela signifiait que la chaîne ne pouvait se plier que près d'un carbone α... « J'ai plié la feuille selon des plis parallèles au niveau des atomes de carbone α, de façon à pouvoir (après découpage), faire tourner les plans successifs pour que les liaisons des carbones α de la chaîne correspondent à des liaisons du carbone tétraédrique. J'ai ensuite essayé de voir si je pouvais former des liaisons hydrogène entre une partie de la chaîne et une autre. » Il a effectivement vu que s'il pliait la bandelette, qui ressemblait à une chaîne de poupées en papier découpé, de façon à former une hélice, et que s'il choisissait un pas d'hélice convenable, il pouvait imaginer la formation de liaisons hydrogène, N–H···O–C trois ou quatre articulations plus loin, liaisons qui stabiliseraient la forme de l'hélice. Après plusieurs essais, en particulier en changeant l'angle du pliage de la feuille de papier, il en a trouvé un pour lequel les liaisons hydrogène tombaient bien en place, reliant les spires par des liaisons droites et de la bonne longueur. Il tenait son modèle.

[1] La découverte de la structure de l'hélice α ne représente qu'une partie des importants travaux qui ont valu à Pauling le Prix Nobel de Chimie en 1954. La citation officielle lors de l'attribution du Prix fut : « Pour ses recherches sur la nature de la liaison chimique et son application à l'élucidation de la structure des substances complexes. »

Tableau 6.1

Comportement des acides aminés participant à la formation des hélices ou empêchant leur formation

Acide aminé		Comportement*	
A	Ala	H	(I)
C	Cys	Variable	
D	Asp	Variable	
E	Glu	H	
F	Phe	H	
G	Gly	I	(B)
H	His	H	(I)
I	Ile	H	(C)
K	Lys	Variable	
L	Leu	H	
M	Met	H	
N	Asn	C	(I)
P	Pro	B	
Q	Gln	H	(I)
R	Arg	H	(I)
S	Ser	C	(B)
T	Thr	Variable	
V	Val	Variable	
W	Trp	H	(C)
Y	Tyr	H	(C)

* H = forme des hélices ; I = indifférent ; B = déstabilisant ; C = reploiement aléatoire; ( ) = tendance secondaire.

La tendance des acides aminés à stabiliser ou à déstabiliser les hélices α est différente dans les protéines de ce qu'elle est dans les polyaminoacides. La fréquence moyenne des acides aminés présents dans les hélices α est résumée Tableau 6.1. La proline (et l'hydroxyproline) dont la chaîne latérale est liée par une liaison covalente à la chaîne principale a une structure particulière: la valeur de l'angle déterminé par les liaisons C_α–N–C est fixe. Cet acide aminé ne peut se trouver à l'intérieur d'une hélice α, on dit qu'il interrompt une hélice, ou qu'il provoque sa courbure. Une hélice peut être composée d'acides aminés L ou D, mais une hélice donnée ne peut contenir un mélange des deux configurations. Les hélices α naturelles peuvent en théorie tourner à gauche ou à droite selon la direction du pas de l'hélice, mais pour des raisons d'encombrement stérique dû aux chaînes latérales, l'hélice α est presque toujours droite. Inversement une hélice α composée d'acides aminés D serait gauche.

Autres structures hélicoïdales

On trouve dans les protéines d'autres types d'hélices, mais bien moins courantes. La plus fréquente est l'hélice 3_{10}, qui contient 3 résidus par tour (et 10 atomes dans l'anneau comprenant la liaison avec l'hydrogène trois résidus plus loin). Ces hélices sont habituellement plus courtes que les hélices α. On connaît encore une hélice 2_7 et une hélice π, ou hélice $4{,}4_{16}$ puisqu'elle contient 4,4 résidus par tour de spire et 16 atomes.

Les feuillets bêta plissés

En plus des hélices, un autre type de structure, couramment observé dans les protéines, résulte de la formation locale, coopérative, de liaisons hydrogène. C'est le feuillet plissé, ou structure β, ou plus souvent le **feuillet β plissé**. Cette structure avait également été postulée par Pauling et Corey, dès 1951, elle est à présent observée dans de nombreuses protéines. Un feuillet β plissé peut être visualisé en plaçant côte à côte de fines bandelettes de papier plissées (Figure 6.10). Chaque bandelette de papier peut alors représenter un unique brin de polypeptide dans lequel le squelette peptidique fait des zigzags le long de la bandelette, les atomes de

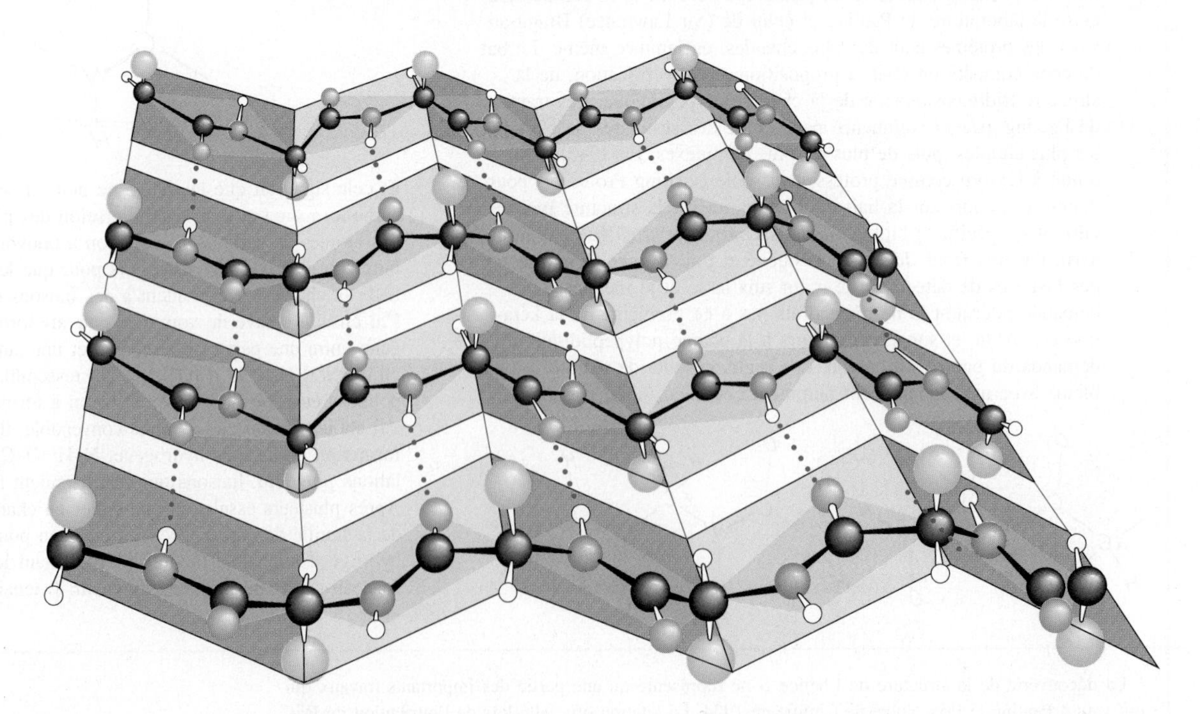

Figure 6.10 • Un « feuillet plissé » de papier sur lequel est dessiné un feuillet β antiparallèle. *(Irving Geis)*

carbone α étant à l'emplacement des plis. Les feuillets β plissés peuvent être soit parallèles soit antiparallèles. Dans les **feuillets β plissés parallèles**, les chaînes adjacentes sont dans la même direction (N → C ou C → N). Dans les **feuillets β plissés antiparallèles**, les brins adjacents sont orientés dans des directions opposées.

Chacun des brins d'une structure de feuillet β peut être considéré comme une hélice à deux résidus par tour. L'apparence plissée des plans de l'amide successifs provient de la nature tétraédrique du Cα. Une importante différence à retenir, les liaisons hydrogène dans cette structure se forment entre les brins (*interbrins*) et non pas à l'intérieur comme dans la structure hélicoïdale (*intrabrin*). Le squelette peptidique dans le feuillet β est dans la conformation la plus étirée possible (on dit parfois la **conformation ε**). Dans les feuillets plissés parallèles, du fait de la formation optimale des liaisons hydrogène, la conformation est légèrement plus courte que celle du feuillet plissé antiparallèle. Les liaisons H du feuillet β plissé parallèle sont nettement courbées (Figure 6.11). La distance entre les résidus du feuillet antiparallèle est de 0,347 nm, contre seulement 0,325 nm entre les résidus du feuillet parallèle. Enfin, dans les feuillets plissés, les chaînes latérales des résidus sont perpendiculaires au plan du feuillet, elles s'étendent vers l'extérieur, alternativement au-dessus et au-dessous du plan.

Les feuillets β parallèles tendent à être plus réguliers que les feuillets β antiparallèles. Les valeurs des angles ϕ et ψ des liaisons peptidiques des feuillets parallèles sont nettement plus faibles que celles de ces angles dans les feuillets antiparallèles. Les feuillets β parallèles ont en général une taille plus importante; ils contiennent rarement moins de cinq brins. Par contre, les feuillets antiparallèles peuvent ne contenir que deux

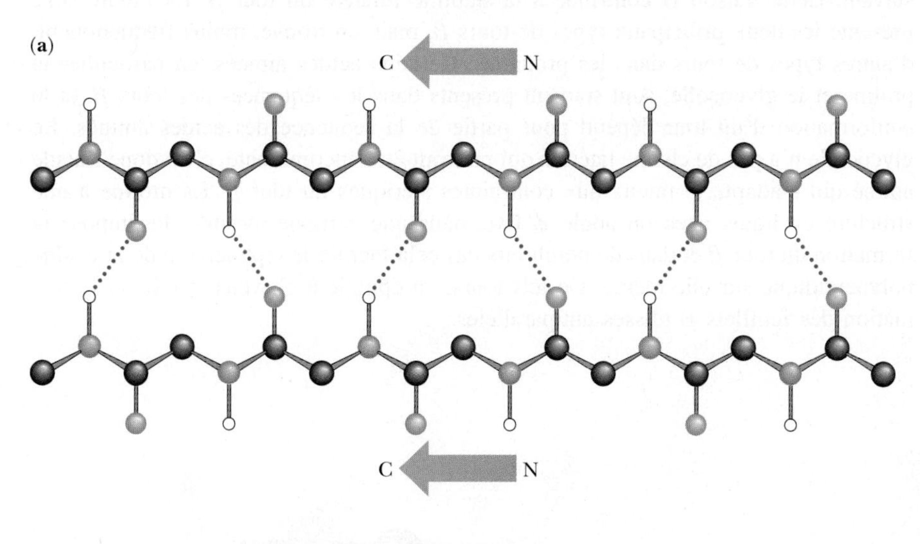

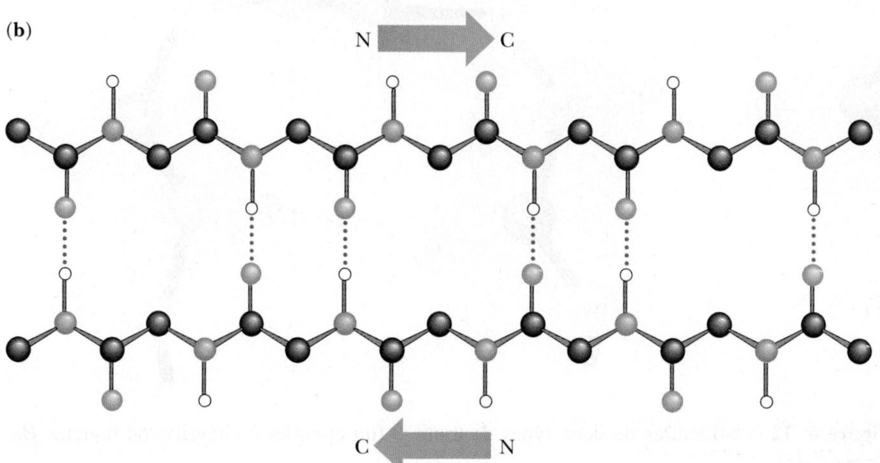

Figure 6.11 • Disposition des liaisons hydrogène dans les feuillets plissés β, (a) parallèles, (b) antiparallèles.

brins. Dans les feuillets parallèles, les chaînes latérales hydrophobes sont, de façon caractéristique, réparties des deux côtés du feuillet, tandis que dans les feuillets antiparallèles toutes les chaînes latérales des résidus hydrophobes sont plutôt d'un même côté. Cela implique que dans les feuillets β antiparallèles les résidus sont alternativement hydrophiles et hydrophobes (cf. Figure 6.10).

Les feuillets plissés antiparallèles constituent la structure fondamentale de la soie, avec les chaînes polypeptidiques orientées parallèlement aux fibres. Les fibres de soie ont donc des propriétés qui découlent de celles des feuillets β qui les constituent. Elles sont assez flexibles, mais elles ne peuvent guère être étirées. On observe des structures antiparallèles dans de nombreuses autres protéines, par exemple dans l'immunoglobuline G, la superoxyde dismutase des érythrocytes bovins et la concanavaline A. Beaucoup de protéines, par exemple l'anhydrase carbonique, le lysozyme d'œuf, la glycéraldéhyde-phosphate déshydrogénase, ont à la fois des structures d'hélices α et de feuillets β plissés dans la même chaîne polypeptidique.

Le tour bêta

La plupart des protéines ont des structures globulaires. La chaîne polypeptidique doit donc pouvoir se plier, tourner et prendre des directions différentes pour finalement aboutir à la structure compacte, globulaire. On observe dans les protéines une structure simple, le **tour β** (ou encore la boucle β, ou l'épingle à cheveux) qui permet le changement de direction de la chaîne (Figure 6.12). Dans cette structure, la chaîne polypeptidique forme une boucle serrée où l'oxygène du carbonyle d'un résidu est lié par une liaison hydrogène au proton de l'amide du deuxième résidu suivant. Cette liaison H contribue à la stabilité relative du tour β. La Figure 6.12 présente les deux principaux types de tours β, mais on trouve, moins fréquemment, d'autres types de tours dans les protéines. Certains acides aminés, en particulier la proline et le glycocolle, sont souvent présents dans les séquences des tours β, et la conformation d'un tour dépend pour partie de la séquence des acides aminés. Le glycocolle n'a pas de chaîne latérale qui pourrait être encombrante, c'est donc l'acide aminé qui s'adapte le mieux aux contraintes stériques du tour β. La proline a une structure cyclique, avec un angle ϕ fixe, dans une certaine mesure elle impose la formation du tour β et dans de nombreux cas cela facilite le reploiement de la chaîne polypeptidique sur elle-même. De tels tours, en épingle à cheveux, facilitent la formation des feuillets β plissés antiparallèles.

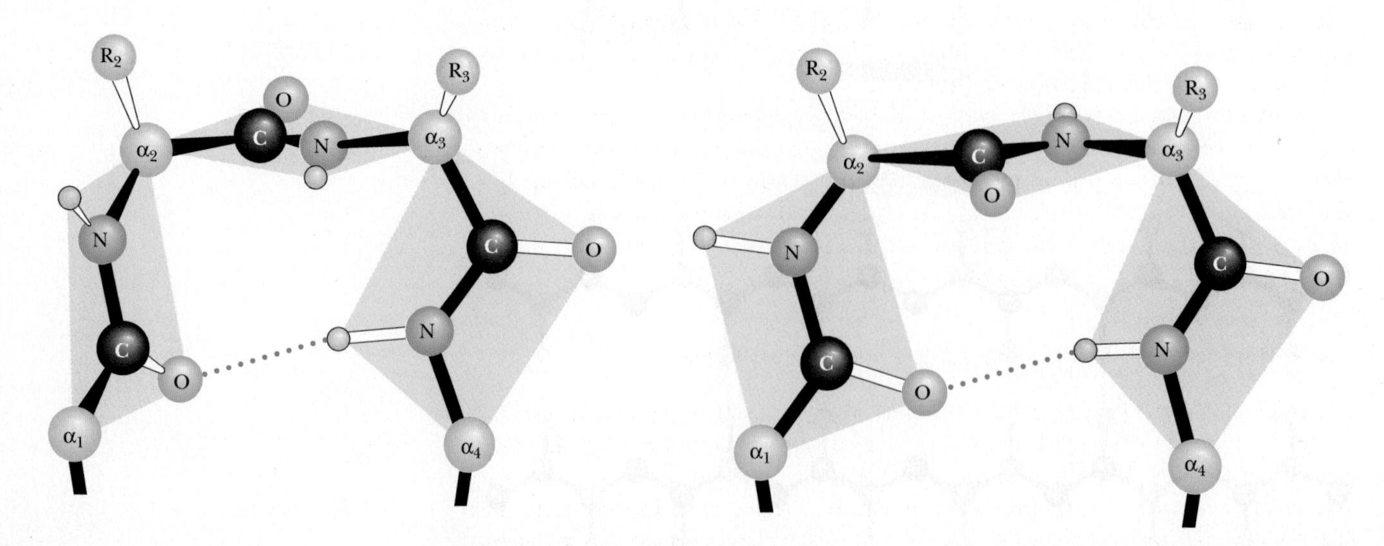

Figure 6. 12 • Structures de deux types de tours β (ou épingles à cheveux, ou boucles β). *(Irving Geis)*

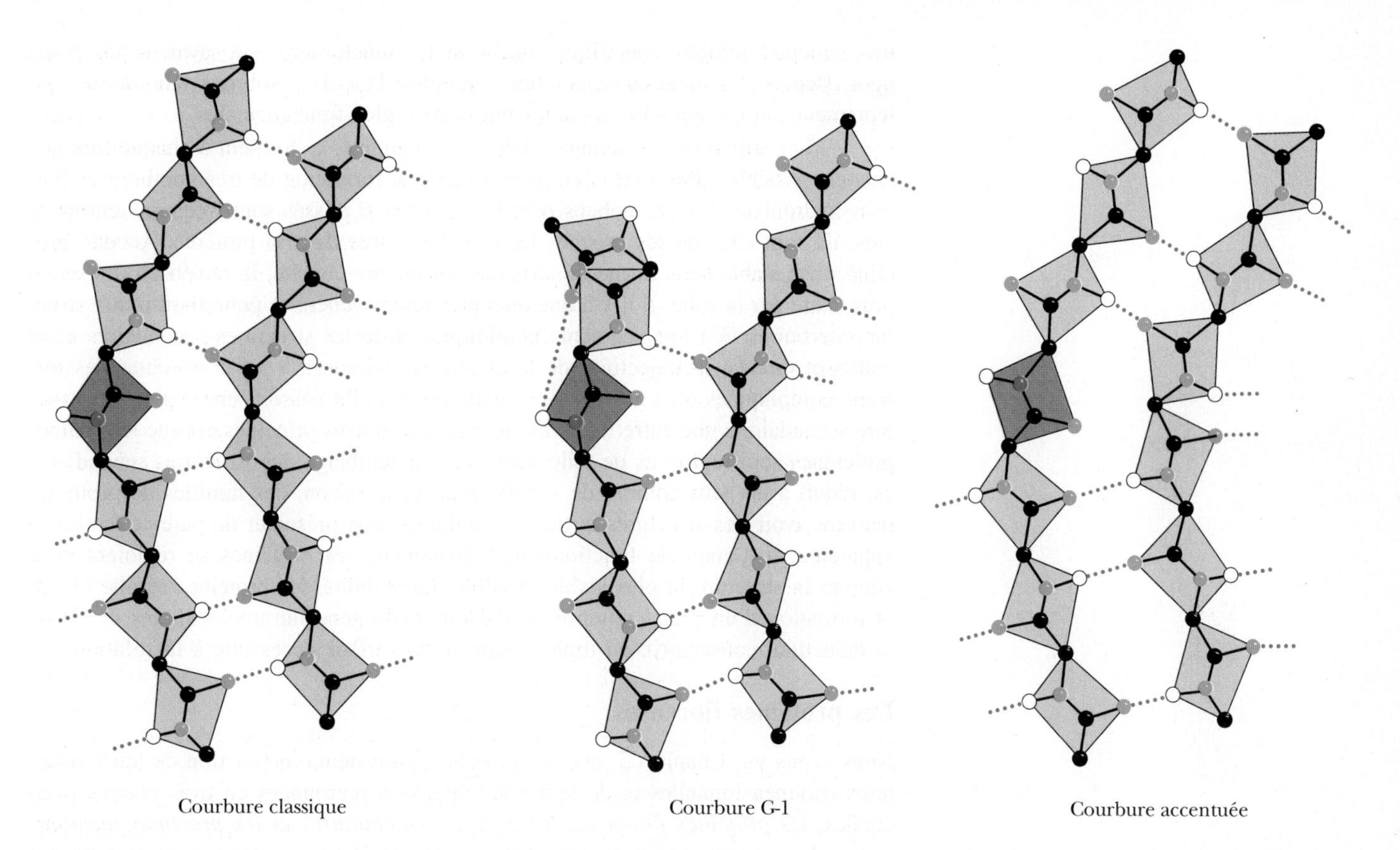

Figure 6.13 Trois différents types de courbure β impliquant deux chaînes polypeptidiques adjacentes. *(D'après Richardson J.S., 1981.* Advances in Protein Chemistry ***34**: 167-339.)*

La courbure bêta

Une dernière structure secondaire, **la courbure β**, est constituée par une petite structure non répétitive, isolée, ou le plus souvent incorporée comme une irrégularité dans un feuillet plissé antiparallèle. La courbure β s'observe entre deux liaisons hydrogène classiques d'une structure β; la courbure apparaît lorsque des liaisons H relient deux résidus vicinaux de l'un des brins à deux résidus séparés par un résidu sans liaison hydrogène sur le brin opposé. La Figure 6.13 illustre trois types de courbures β. La présence d'un résidu supplémentaire dans une des deux chaînes polypeptidiques (le squelette peptidique s'en trouve allongé) provoque la courbure du côté le plus long et une légère inclinaison du feuillet β. Les courbures introduisent donc des changements dans la direction de la chaîne polypeptidique, changements moins importants que les tours β. On connaît plus de 100 exemples de courbures β dans des structures de protéines.

Toutes les structures secondaires que nous avons décrites sont couramment présentes dans les protéines naturelles. Il est même très difficile de trouver une protéine qui ne contienne pas au moins une de ces structures. L'énergie de stabilisation (qui provient essentiellement des liaisons hydrogène) introduite par les hélices α, les feuillets plissés β et les tours β, est très importante pour les protéines, ces structures se forment donc à chaque fois que cela est possible.

6.4 • Reploiement des protéines et structure tertiaire

Le reploiement dans l'espace tridimensionnel d'une chaîne polypeptidique aboutit à ce que l'on appelle sa **structure tertiaire**. Nous avons vu, Section 6.2, que la chaîne peptidique contient dans sa structure primaire toute l'information nécessaire à ce reploiement. La structure tridimensionnelle native se forme donc spontanément. Les biochimistes de la décennie 1950 ont été très désappointés lorsque les premières structures protéiques connues n'ont rien révélé des principes gouvernant leur formation. Mais il était évident que les protéines « savaient » comment se reployer en une structure tertiaire spécifique, même si les biochimistes ne savaient pas pourquoi. Depuis, les intenses recherches conduites dans de nombreux laboratoires ont lentement fait comprendre quelques unes des règles fondamentales.

1°) Les structures secondaires, hélices et feuillets, se forment à chaque fois que cela est possible, elles sont la conséquence de la formation de très nombreuses liaisons hydrogène. 2°) Les hélices α et les feuillets β plissés sont fréquemment associés, ils sont empaquetés proches les uns des autres dans la protéine. Aucune protéine n'est stable sous forme de structure en unique couche; la raison en deviendra plus claire par la suite. Il n'y a que quelques règles générales pour aboutir aux structures tertiaires. 3°) Les segments peptidiques entre les structures secondaires étant courts et directs, la trajectoire de la chaîne peptidique n'a pas à exécuter des torsions compliquées ou à former des nœuds lorsqu'elle passe d'une région de structure secondaire à une autre. La conséquence de ces trois principes est que les chaînes protéiques sont reployées de telle sorte que l'assemblage des structures secondaires est réduit à un petit nombre de motifs. Pour cette raison, des familles de protéines peuvent avoir des structures tertiaires similaires sans présenter de parenté évolutive apparente ni d'analogie fonctionnelle. Finalement, les protéines se reploient pour adopter la structure la plus stable possible. La stabilité des protéines résulte (1) de la formation d'un grand nombre de liaisons hydrogène intramoléculaires et (2) de la réduction, consécutive au reploiement, de la surface accessible à la solution.

Les protéines fibreuses

Nous avons vu, Chapitre 5, que les protéines pouvaient, en fonction de leurs structures tridimensionnelles et de leur solubilité, être regroupées en trois classes principales: les *protéines fibreuses, les protéines globulaires et les protéines membranaires*. Les chaînes polypeptidiques des protéines fibreuses sont approximativement parallèles à un unique axe et forment de longues fibres ou de grands feuillets. Ces protéines ont une bonne résistance mécanique et sont très peu solubles dans l'eau ou les solutions salines diluées. Les protéines fibreuses ont souvent un rôle structural (cf. Chapitre 5).

La kératine α

Comme le nom le suggère, la structure **des kératines α** (aussi bien celle de type I que de type II) est essentiellement constituée par des hélices α. La séquence des sous-unités de la kératine α est composée d'une partie centrale de 311 à 314 résidus, qui formeront de très longues hélices α, flanquée de part et d'autre par les extrémités N et C-terminales, de longueur et de composition variables (Figure 6.14a). La structure du domaine central d'une sous-unité (Figure 6.14b) est constituée de quatre brins hélicoïdaux. Ces brins sont appariés deux à deux, en **câbles** qui s'enroulent l'un autour de l'autre pour former une superhélice plus épaisse la protofibrille. Le diagramme de diffraction des rayons X montre que ces structures ressemblent aux hélices α, mais avec un pas de 0,51 nm au lieu de 0,54 nm. Cela provient de l'inclinaison relative des hélices par rapport à l'axe de la fibre comme dans l'enroulement des deux hélices α figure 6.14b.

La structure primaire de la baguette centrale de la kératine α est formée par une succession quasi répétitive de segments à sept résidus du type $(a\text{-}b\text{-}c\text{-}d\text{-}e\text{-}f\text{-}g)_n$. Les résidus ne sont pas toujours identiques dans tous les segments, mais les résidus *a* et *d* sont généralement non polaires. Dans les hélices α à 3,6 résidus par tour, ces résidus non polaires sont disposés sur une bande inclinée qui tourne autour de l'axe de l'hélice. Ils déstabiliseraient très fortement la structure hélicoïdale s'ils restaient exposés à la solution environnante. L'enroulement à gauche de deux hélices associe ces bandes et enfouit efficacement les résidus hydrophobes, la structure formée est ainsi extrêmement stable (Figure 6.14). Les hélices perdent un peu de leur stabilité individuelle en s'enroulant mais cette petite perte est largement compensée par un gain en énergie de stabilisation résultant de l'empaquetage des chaînes latérales hydrophobes entre les

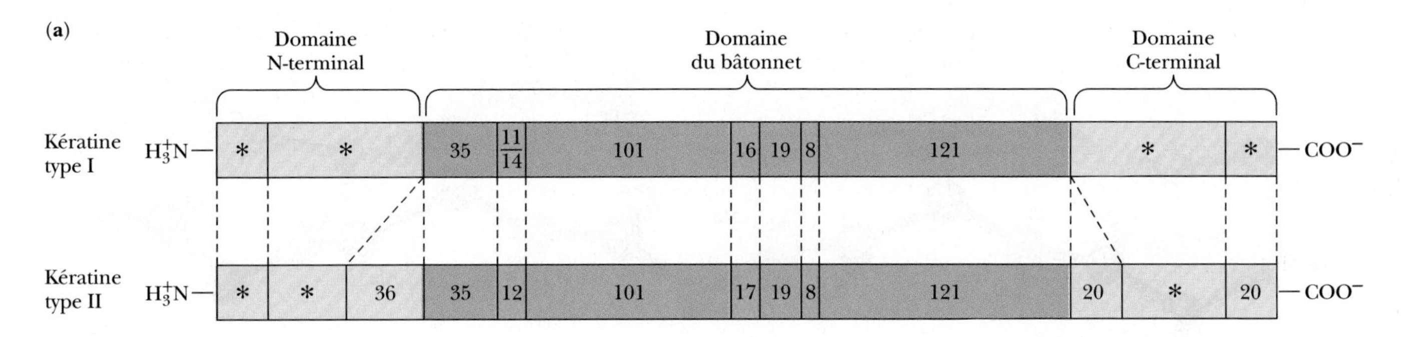

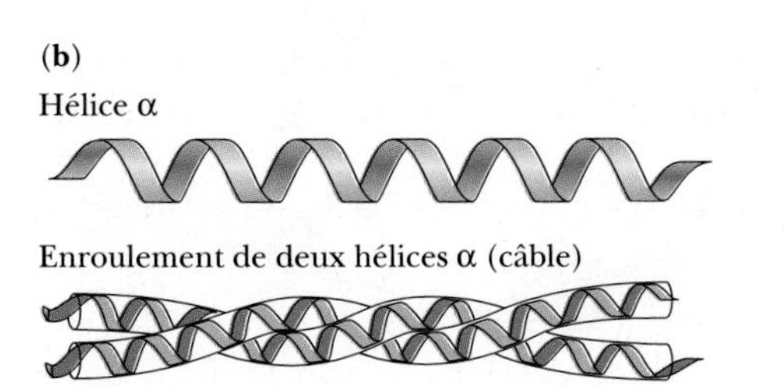

Protofibrille formée de deux paires de câbles à deux hélices α

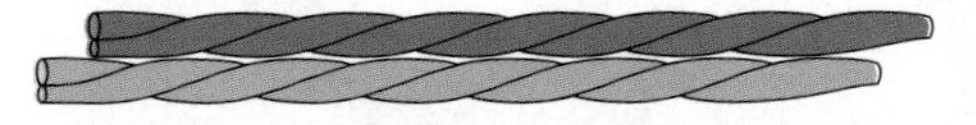

Microfibrille (quatre protofibrilles enroulées à droite)

Figure 6.14 • (a) Les molécules de kératine α des types I et II ont des séquences contenant une longue partie centrale, le domaine du « bâtonnet » et deux courtes extrémités terminales. Le nombre des résidus est porté sur chacun des domaines délimités par des traits verticaux. Un astérisque signifie que la longueur du domaine est variable. (b) Les domaines du bâtonnet formeront des superhélices, enroulements de pas gauche de deux hélices α droites. Ces superhélices s'enrouleront à leur tour, en tournant à gauche, pour donner des protofibrilles. Enfin, quatre protofibrilles s'enroulent à droite pour former un filament (ou microfibre) de kératine *(D'après Steinert, P., et Parry, D., 1985.* Annual Review of Cell Biology *1 : 41-65 ; et Cohlberg, J., 1993.* Trends in Biochemical Sciences *18 : 360-362.)*

hélices. En plus des interactions de Van der Waals, des ponts disulfure covalents entre des résidus cystéines des fibres adjacentes contribuent à la formation d'une structure finale rigide, inextensible et insoluble. Ces propriétés sont importantes pour les griffes, les ongles, les cheveux et les cornes des animaux. Quand dans un salon de coiffure, un coiffeur crée une ondulation permanente (fait une « permanente » dans le langage courant), il réduit d'abord les ponts disulfure puis, les ponts étant clivés, il réorganise l'arrangement des cheveux selon son intention, plus ou moins frisés, enfin, il les réoxyde. La permanente est par définition stable. Dans le cas d'une « ondulation » ou d'une « mise en pli », il ne provoque qu'un simple réarrangement des liaisons hydrogène entre les hélices et entre les fibres. Pour cela, il suffit de mouiller les cheveux, de les enrouler sur des bigoudis, puis de les sécher. (Les jours de pluie, ou par temps humide, les liaisons hydrogène des cheveux ondulés peuvent se réorganiser et les cheveux deviennent parfois crêpés ou au contraire flasques).

Fibroïne et kératine β : des protéines à feuillets β

La **fibroïne** des fils de soie représente un autre type de protéines fibreuses. Ces protéines sont composées d'empilements de feuillets β antiparallèles (Figure 6.15). Dans les protéines de la soie, on trouve de longues séquences dont un résidu sur deux est un glycocolle. Comme nous l'avons déjà signalé, les résidus d'un feuillet β sont alternativement situés au-dessus et au-dessous du plan du feuillet. Les résidus glycocolle sont donc tous d'un même côté du feuillet et les autres résidus (essentiellement des résidus Ser et Ala) sont sur la face opposée. Par conséquent, des paires de feuillets β peuvent s'associer fermement, face glycocolle contre face glycocolle, ou face alanine-sérine contre face alanine-sérine. Les kératines β des plumes d'oiseau sont également constituées par des empilements de feuillets β.

Le collagène : une triple hélice

Le collagène, une protéine fibreuse, rigide, inextensible, est le principal constituant des tissus conjonctifs des animaux, tendons, cartilages, os, dents, peau et des vaisseaux

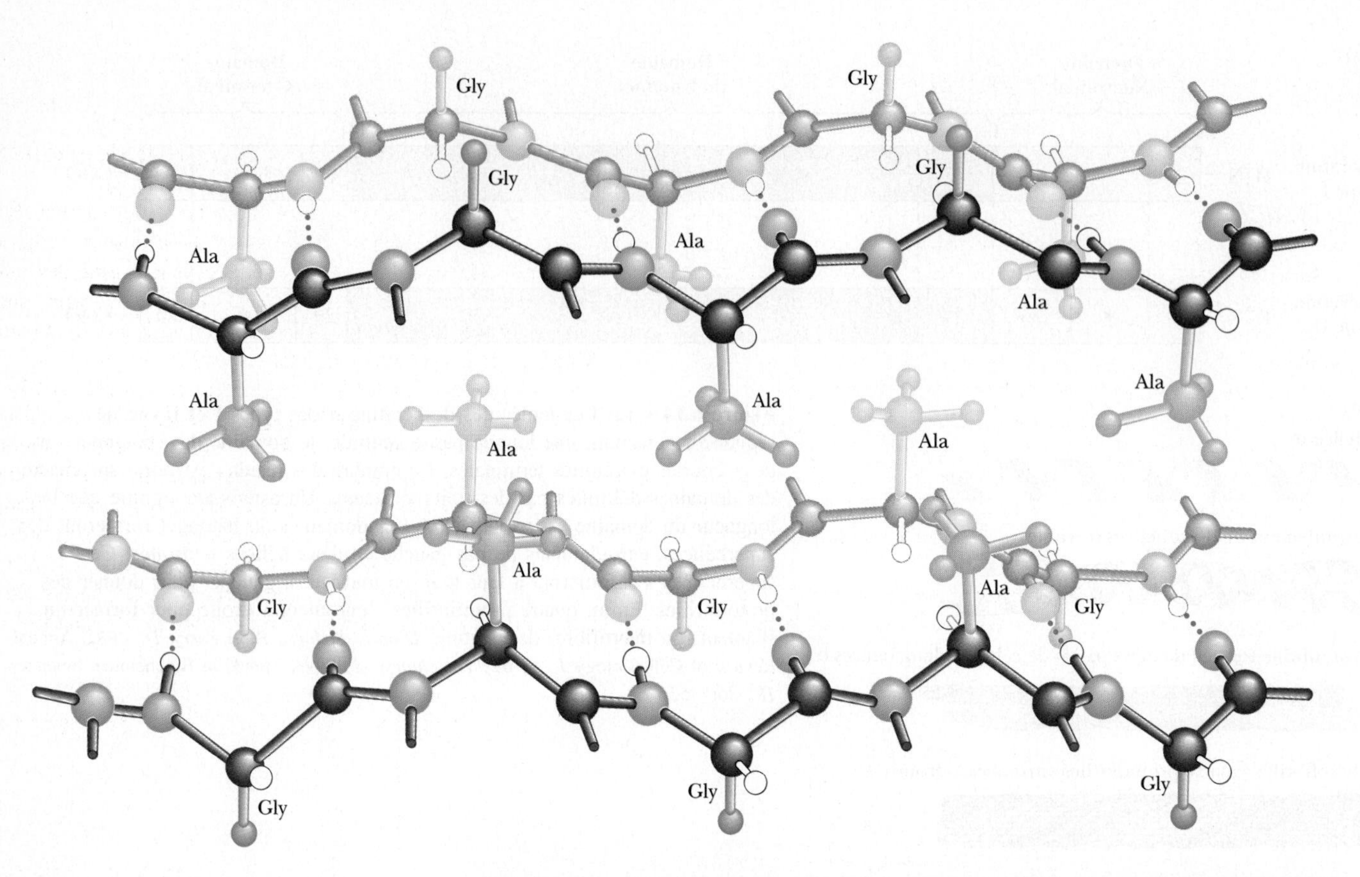

Figure 6.15 • La fibroïne de la soie est formée d'un empilement particulier de feuillets β. La structure primaire des molécules est faite de longs fragments dont un résidu sur deux de la séquence est un glycocolle, l'autre étant de la sérine ou de l'alanine. Quand les feuillets s'empilent, les résidus plus volumineux de la sérine ou de l'alanine, qui sont d'un même côté, s'intercalent entre les résidus analogues du feuillet adjacent. Les H du glycocolle sur les faces opposées s'intercalent de la même façon avec les H d'un autre feuillet, mais les espacements sont plus petits

sanguins. La forte résistance à la traction des fibres de collagène de ces tissus permet les activités animales, course, saut, qui imposent de sévères contraintes mécaniques aux articulations et au squelette. Les ruptures de tendon, les fractures d'os, les lésions cartilagineuses du genou du coude et des autres articulations proviennent de la déchirure ou de l'hyperextension de la matrice de collagène dans ces tissus.

L'unité structurale élémentaire du collagène est le **tropocollagène**, constitué de trois chaînes polypeptidiques entrelacées, chacune composée d'environ 1.000 acides aminés. Les molécules de tropocollagène, d'une masse moléculaire de 285.000, ont environ 300 nm de long et seulement 1,4 nm de diamètre. Plusieurs types de collagènes sont identifiés. Le *collagène de type I*, le plus commun, est formé de deux chaînes polypeptidiques identiques, $\alpha 1(\mathrm{I})$ et d'une chaîne différente, $\alpha 2(\mathrm{I})$. Le collagène de type I est prédominant dans les os, les tendons, et la peau. Le *collagène de type II* est celui du cartilage et *le collagène de type III* formé de trois chaînes identiques se trouve dans les vaisseaux sanguins.

La composition en acides aminés du collagène est unique, elle est cruciale pour sa structure tridimensionnelle et ses propriétés physiques caractéristiques. Près d'un résidu sur trois est un glycocolle et la teneur en proline est exceptionnellement élevée. Trois acides aminés modifiés, peu courants dans les protéines, se trouvent également dans le collagène : la 4-hydroxyproline (Hyp), la 3-hydroxyproline et la 5-hydroxylysine (Hly) (Figure 6.16). Proline et Hyp constituent ensemble près de 30 % des résidus du collagène. La formation des trois dérivés hydroxylés, à partir de la proline et de la lysine, se fait *après* la synthèse des chaînes polypeptidiques. Deux

POUR EN SAVOIR PLUS

La toile de Charlotte revisitée : le fil de suspension de l'araignée est un composite d'hélices et de feuillets

La charmante histoire de E. B. White, « La toile de Charlotte », raconte les prouesses de Charlotte, une araignée occupée à tisser sa toile. Si les motifs complexes des toiles d'araignée capturent l'œil (et les mouches), on peut aussi ajouter que la composition de la soie de la toile est encore plus remarquable. Cette soie est synthétisée dans les glandes séricigènes de l'abdomen de l'araignée. Les fils de soie produits dans ces glandes sont à la fois résistants et élastiques. Le fil d'ancrage (celui par lequel l'araignée se suspend) résiste à une traction de 140 kg/mm^2, bien plus résistant que l'acier et semblable au Kevlar, une fibre synthétique utilisée dans la fabrication des gilets pare balles ! Ce fil est aussi assez flexible pour résister à des vents violents et à d'autres forces naturelles.

Cette combinaison de résistance et de flexibilité provient de la *nature composite* de la soie d'araignée. Lorsque la kératine est extrudée de la glande séricigène, elle subit des forces de cisaillement qui cassent les liaisons hydrogène des hélices α de la kératine. La conformation de ces régions change, il se forme des rangées microcristallines de feuillets β. Ces microcristaux sont entourés de brins de kératine qui adoptent un état désordonné composé d'hélices α et de structures plus ou moins enroulées.

Les microcristaux de feuillets β donnent la solidité au fil de soie tandis que le désordre introduit par les hélices α et les enroulements de boucles lui donne sa flexibilité. Ce fil de soie ressemble ainsi aux matériaux composites modernes inventés par l'être humain. Les cordes de certaines raquettes de tennis sont en fibres de verre imprégnées de microcristaux de graphite. La fibre de verre apporte la flexibilité, les cristaux de graphite contribuent à la résistance. La technologie moderne, si développée soit elle, ne fait dans ce cas qu'imiter la nature, et en particulier la toile de Charlotte.

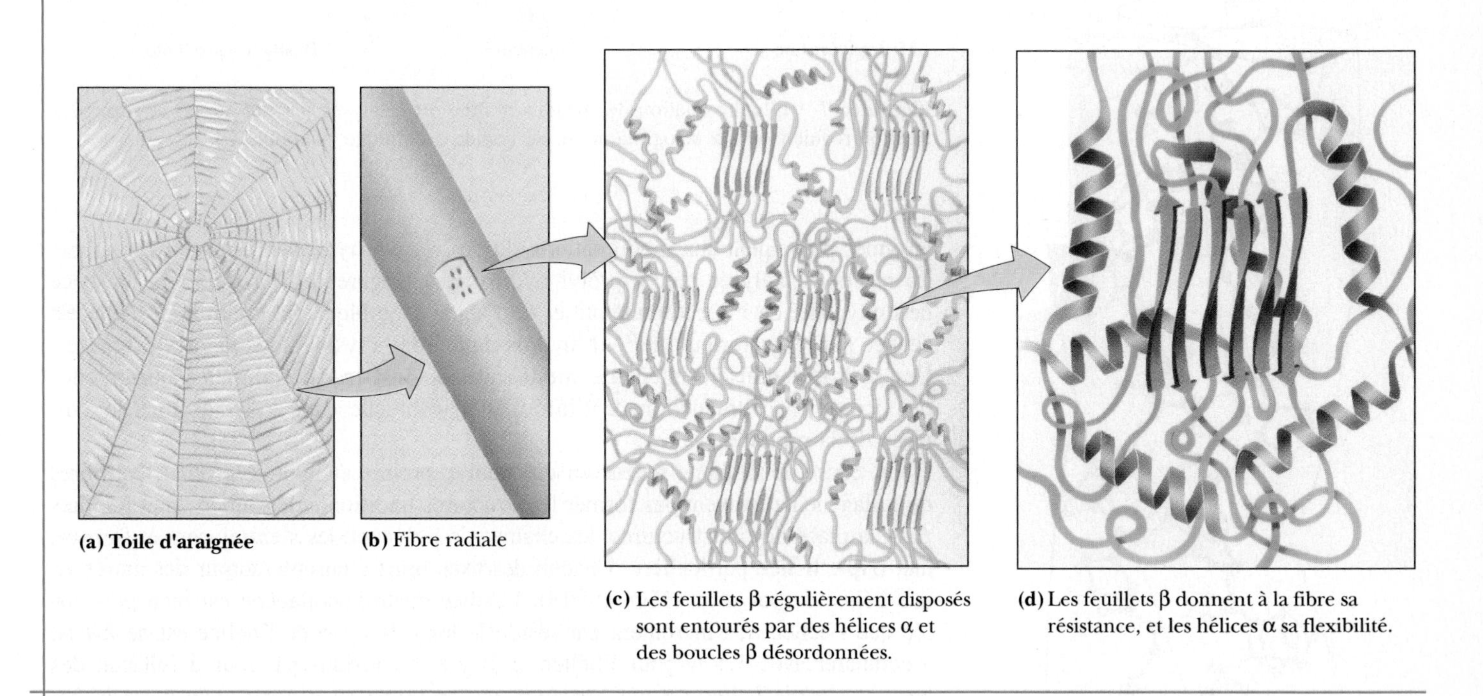

(a) Toile d'araignée

(b) Fibre radiale

(c) Les feuillets β régulièrement disposés sont entourés par des hélices α et des boucles β désordonnées.

(d) Les feuillets β donnent à la fibre sa résistance, et les hélices α sa flexibilité.

Résidu 4-hydroxyprolyl (Hyp)

Résidu 3-hydroxyprolyl

Résidu 5-hydroxylysyl (Hyl)

Figure 6.16 • Résidus hydroxylés fréquemment observés dans la collagène.

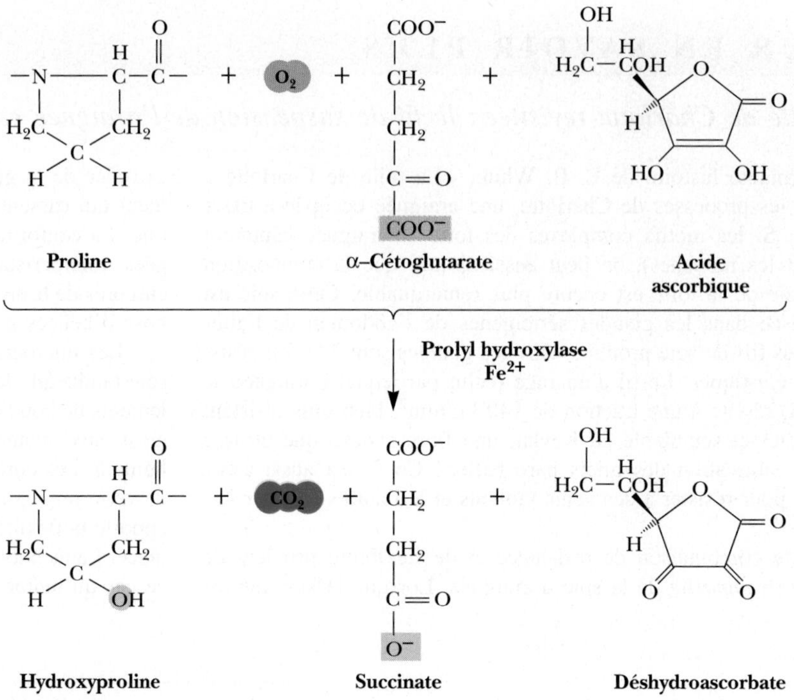

$$\text{Proline} + O_2 + \alpha\text{–Cétoglutarate} + \text{Acide ascorbique} \xrightarrow[Fe^{2+}]{\text{Prolyl hydroxylase}} \text{Hydroxyproline} + CO_2 + \text{Succinate} + \text{Déshydroascorbate}$$

Figure 6.17 • L'hydroxylation des résidus proline est catalysée par une prolyl oxydase. La réaction requiert de l'α cétoglutarate et de l'acide ascorbique (vitamine C).

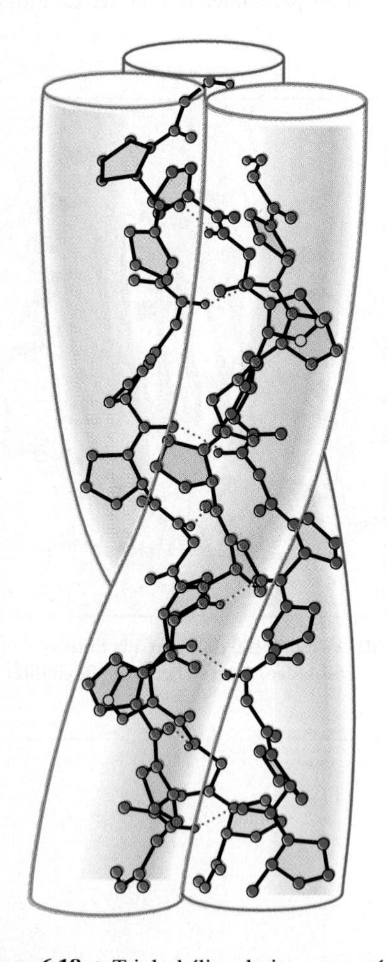

Figure 6.18 • Triple hélice droite composée de chaînes hélicoïdales gauches poly (Gly-Pro-Pro), un analogue de synthèse du collagène. *(D'après Miller, M.H., et Scheraga, H.A., 1976. Calculation of the structures of collagen models. Role of interchain interactions in determining the triple-helical coiled-coil conformation. I. Poly(glycyl-prolyl-prolyl).* Journal of Polymer Science Symposium ***54** : 171-200.)*

enzymes participent aux modifications : la *prolyl hydroxylase* et la *lysyl hydroxylase*. La réaction catalysée par la prolyl hydroxylase (Figure 6.17) requiert la présence de l'oxygène, de l'α cétoglutarate et de l'acide ascorbique (la vitamine C), elle est activée par le fer ferreux, Fe^{2+}. L'hydroxylation de la lysine a les mêmes exigences. Ces hydroxylations résultent de **modifications post-traductionnelles** puisqu'elles ont lieu après la traduction de l'information contenue dans l'ADN, après la synthèse de la protéine.

À cause de la haute teneur en glycocolle, proline et hydroxyproline, les fibres de collagène ne peuvent pas former les structures traditionnelles hélices α et feuillets β. À la place de ces structures, les chaînes de polypeptides s'entrelacent et forment une **triple hélice** particulière. Chacun des trois brins s'enroule autour des autres en une hélice de pas droit (Figure 6.18). L'hélice du tropocollagène est bien plus étirée que l'hélice α, l'incrément par résidu le long de l'axe de l'hélice est de 2,9 Å, à comparer avec 1,5 Å pour l'hélice α. Il y a 3,3 résidus par tour de chacun des brins. *La triple hélice est une structure qui se forme en réponse à la composition et à la séquence très particulières du collagène.* Le motif Gly-x-y se répète sur de longs segments de la chaîne polypeptidique; Gly est en première position, x est fréquemment Pro et y fréquemment Pro ou Hpr. Dans la triple hélice, tous les troisièmes résidus de chacune des chaînes sont face, ou au contact, du centre encombré de la structure. Ce centre est si encombré que seul Gly peut s'y adapter, ce qui explique la position de Gly dans le motif. De plus, la triple hélice est une structure à *échelons*, sur lesquels le résidu Gly d'un brin est adjacent à un résidu x d'un second brin et à un résidu y du troisième brin. Cela permet que le groupe N–H de chaque résidu Gly forme une liaison hydrogène avec un C=O du résidu x adjacent. Des liaisons H, intercaténaires, impliquant l'hydroxyproline stabilisent également la structure de la triple hélice.

Les collagènes de type I, II, et III, forment des **fibrilles** résistantes et organisées. Ces fibrilles sont constituées de rangées de molécules de tropocollagène échelonnées (Figure 6.19). La disposition périodique des triples hélices qui se succèdent tête à

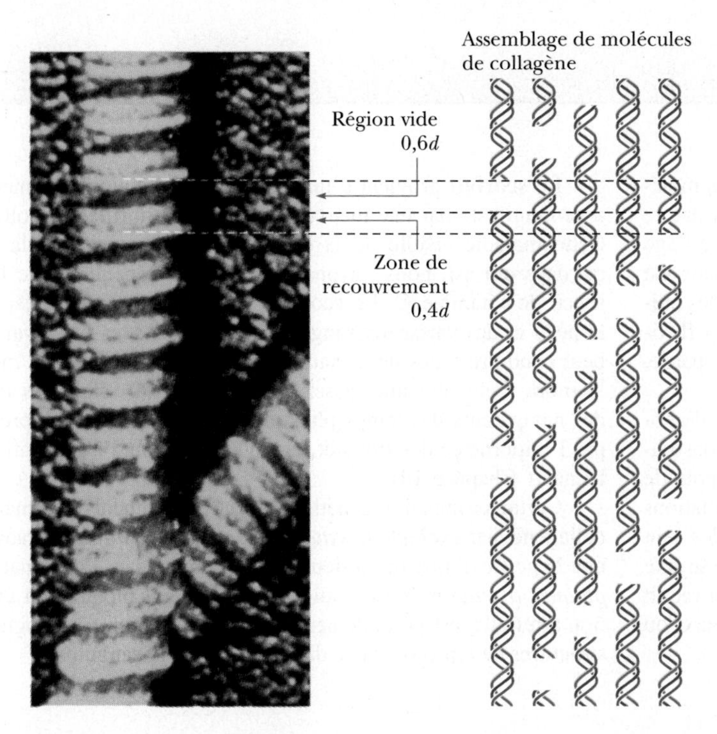

Figure 6.19 • Au microscope électronique, on voit sur les fibres de collagène une succession de bandes claires alternant avec des bandes sombre. Les bandes sombres correspondent à des espaces (ou lacunes) de 40 nm entre deux triple hélices de collagène alignée sur un même axe. La distance de répétition, *d*, des bandes claires et sombres est de 68 nm. La molécule de collagène a 300 nm de long, ce qui correspond à 4,41 *d*. Le motif répétitif comprenant cinq molécules de collagène échelonnées correspond à 5 *d*. *(J. Gross, Biozentrum/Science Photo Library)*

queue donne naissance à des bandes alternativement claires et sombres, visibles au microscope électronique. La périodicité de ces bandes (ensemble d'une région claire et d'une région sombre) est de 68 nm. Puisque les triple hélices de collagène mesurent 300 nm de long, cela signifie que les molécules de collagène qui se suivent le long de l'axe des fibrilles sont espacées de 40 nm et que le motif se répète toutes les cinq rangées (5×68 nm = 340 nm). Ces espaces constituent des *régions vides* (ou des lacunes) qui sont importantes pour au moins deux raisons. Premièrement, on trouve, dans les régions vides du collagène, des oses liés à des résidus de 5-hydroxylysine (Figure 6.20). La présence des oses dans ces régions suggère qu'ils auraient un rôle dans l'organisation de l'assemblage des fibrilles. Deuxièmement, ces régions vides semblent avoir un rôle dans l'ossification. L'os est constitué de microcristaux **d'hydroxyapatite**, $Ca_5(PO_4)_3OH$, noyés dans une matrice de collagène. Lorsque du tissu osseux se forme, les nouveaux cristaux d'hydroxyapatite apparaissent à des intervalles de 68 nm. Il se pourrait donc que les régions vides des fibrilles de collagène soient des sites de nucléation pour la minéralisation de l'os.

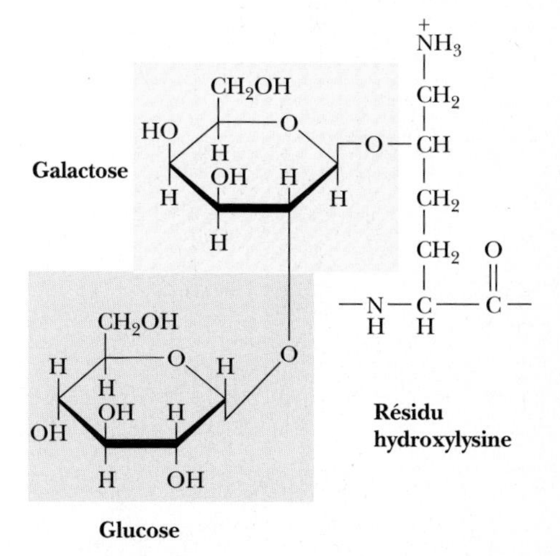

Figure 6.20 • Un diholoside du galactose et du glucose est lié de façon covalente au groupe 5-hydroxy de certains résidus hydroxylysine du collagène. Les réaction de fixation sont catalysées par la galactosyltransférase et par la glucosyltransférase.

Les fibrilles sont encore renforcées et stabilisées par des pontages *intramoléculaires* (à l'intérieur de la molécule de tropocollagène) et *intermoléculaires* (entre les molécules de tropocollagène d'une fibrille). Les liaisons intramoléculaires se forment selon une réaction particulière entre des résidus lysine de la région N-terminale (non hélicoïdale) du tropocollagène (Figure 6.21). Une lysyl oxydase activée par le cuivre, en présence d'oxygène, catalyse l'oxydation de l'extrémité de certains résidus lys avec formation d'un groupe aldéhyde et libération de NH_3. Les groupes aldéhyde de deux résidus oxydés se condensent par une réaction spontanée *d'aldolisation*. La réticulation intermoléculaire entre des molécules de tropocollagène résulte de la condensation d'un résidu lysine et de deux résidus hydroxylysine avec formation d'une structure cyclique **hydroxypyridinium** (Figure 6.22). Ce pontage

Biochimie humaine

Les maladies du collagène

Le collagène est un excellent modèle pour l'étude des bases moléculaires de la physiologie et des maladies. Par exemple, la nature et la densité des réticulations dans le collagène dépendent de l'âge et de la fonction des tissus. Le collagène des jeunes animaux est à peine réticulé et est facilement soluble. Par contre, celui des animaux âgés est très réticulé et donc insoluble. La perte de la flexibilité des articulations résulte probablement, au moins en partie, de l'augmentation du degré de réticulation du collagène.

Plusieurs maladies sérieuses, débilitantes, proviennent d'anomalies dans le collagène. Le **lathyrisme** des animaux qui consomment régulièrement les graines de *Lathyrus odoratus*, le pois de senteur, correspond à un affaiblissement des os et des articulations ainsi qu'à des anomalies des vaisseaux sanguins. Ces troubles sont provoqués par le **β-aminopropionitrile** (voir la figure) qui se fixe de façon covalente sur la lysyl oxydase et l'inactive, ce qui réduit la réticulation intramoléculaire du collagène chez les animaux, ou même les humains, atteints.

Le **scorbut** provient d'une carence en vitamine C alimentaire, il se manifeste par une mauvaise qualité des fibrilles de collagène. Cette maladie résulte de la diminution de l'activité de la prolyl oxydase qui est, nous l'avons déjà signalé, dépendante de la présence de vitamine C. Le scorbut se manifeste par des lésions de la peau et des vaisseaux sanguins ; dans les stades plus avancés, il peut conduire à des déformations grotesques du visage et même à la mort. Cette maladie, assez rare aujourd'hui, était très connue des navigateurs des temps plus anciens quand ils ne comprenaient pas l'importance des fruits et légumes frais dans l'alimentation (cf. l'Encart Chapitre 14).

Certaines maladies génétiques rares proviennent d'anomalies du collagène, par exemple le *syndrome de Ehlers-Danlos* se traduit par une hyperflexibilité des articulations et de la peau. La formation de *plaques d'athérosclérose*, qui progressivement bloquent la circulation artérielle, est partiellement due à la formation pathologique de structures de type collagène dans les vaisseaux sanguins.

$$N{\equiv}C-CH_2-CH_2-\overset{+}{N}H_3$$

Le **β-aminopropionitrile,** présent dans les pois de senteur, se fixe de façon covalente sur la lysyl oxydase et l'inactive, ce qui inhibe la réticulation intramoléculaire du collagène et provoque des anomalies dans les articulations, les os, et les vaisseaux sanguins.

$$\text{(HN)(O=C)}HC-(CH_2)_2-CH_2-CH_2-\overset{+}{N}H_3 \qquad \overset{+}{N_3}H-CH_2-CH_2-(CH_2)_2-CH\text{(NH)(C=O)}$$

Résidus lysine

↓ Lysyl oxydase

$$\text{(HN)(O=C)}HC-(CH_2)_2-CH_2-C(=O)H \qquad HC(=O)-CH_2-(CH_2)_2-CH\text{(NH)(C=O)}$$

Dérivés aldéhydes (allysine)

↓

$$\text{(HN)(O=C)}HC-(CH_2)_2-CH_2-\overset{H}{C}{=}C(-CHO)-(CH_2)_2-CH\text{(NH)(C=O)}$$

Pontage aldolique

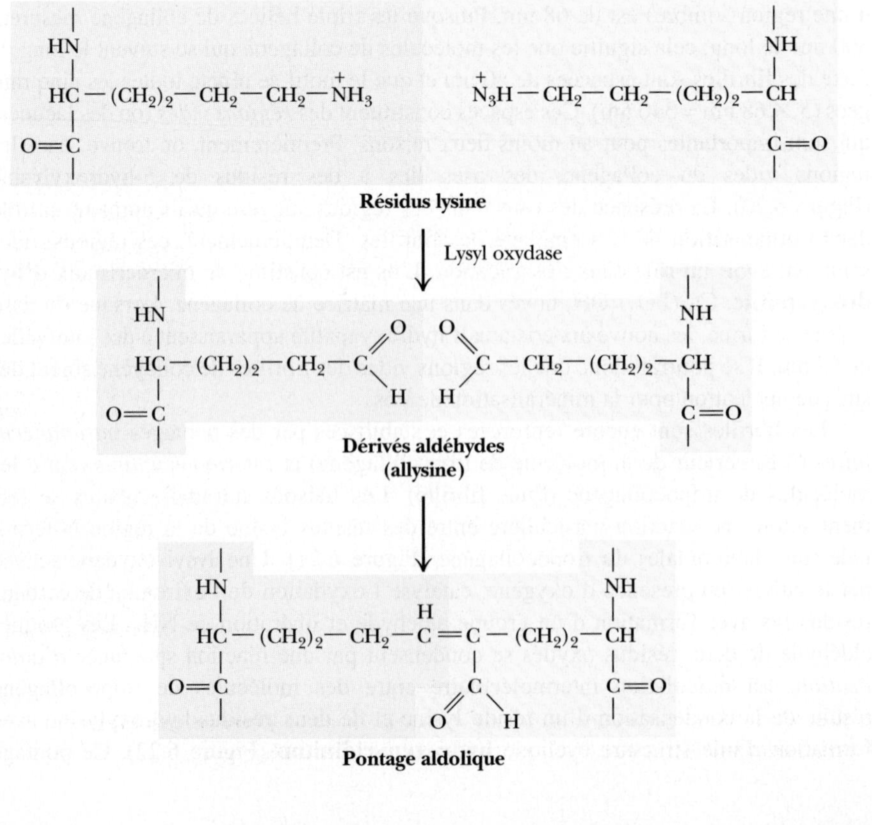

Figure 6.21 • Les fibres de collagène sont stabilisées et renforcées par des réticulations Lys-Lys. La condensation aldolique des extrémités aldéhyde formées par la lysyl oxydase est spontanée.

intermoléculaire s'effectue entre la région N-terminale d'une molécule de tropocollagène et la région C-terminale d'une molécule adjacente.

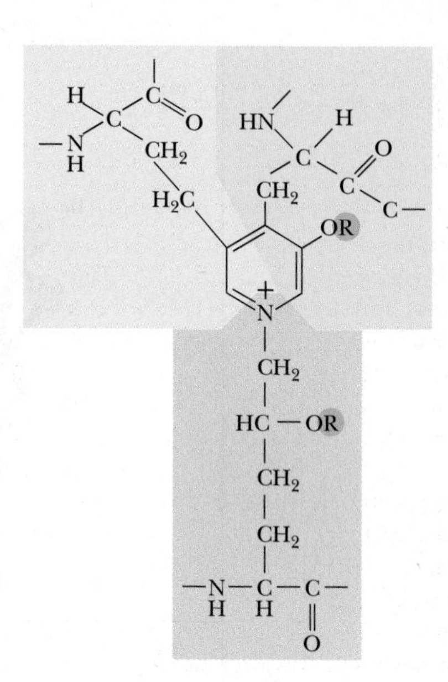

Figure 6.22 • Structure de l'hydroxypyridinium formé par un résidu lysine et deux résidus hydroxylysine lors d'une réticulation intermoléculaire.

Les protéines globulaires

Les protéines fibreuses, quoique intéressantes par leurs propriétés structurales, ne représentent qu'une petite fraction des protéines. Les **protéines globulaires**, ainsi dénommées car elles ont une forme approximativement sphérique, sont beaucoup plus nombreuses.

Hélices et feuillets dans les protéines globulaires

On trouve dans les protéines globulaires une extraordinaire variété de structures tridimensionnelles mais pratiquement toutes contiennent des hélices α et des feuillets β, ces structures secondaires qui constituent les protéines fibreuses. Par exemple, la myoglobine, la petite protéine globulaire du transport de l'oxygène dans les muscles (17 kDa, 153 résidus), contient huit segments en hélice α de 7 à 26 résidus. La disposition de ces hélices est apparemment irrégulière ; néanmoins, mais cet arrangement est invariant (cf. Figure 5.7). Tout l'espace compris entre les hélices est rempli par des chaînes latérales des acides aminés, pour la plupart hydrophobes. La grande majorité des chaînes latérales polaires sont orientées (comme dans la majorité des autres protéines globulaires) vers l'extérieur de la structure protéique, en interaction avec le milieu aqueux. La structure de la myoglobine ne constitue pas un exemple typique car les protéines globulaires ne contiennent généralement qu'un petit nombre d'hélices α. La *ribonucléase A bovine* est une petite protéine globulaire plus représentative (Figure 6.23). C'est une petite protéine (14,6 kDa, 129 résidus) dont la structure contient quelques courtes hélices, un feuillet β antiparallèle, quelques tours β et de nombreux segments peptidiques sans structure secondaire bien définie.

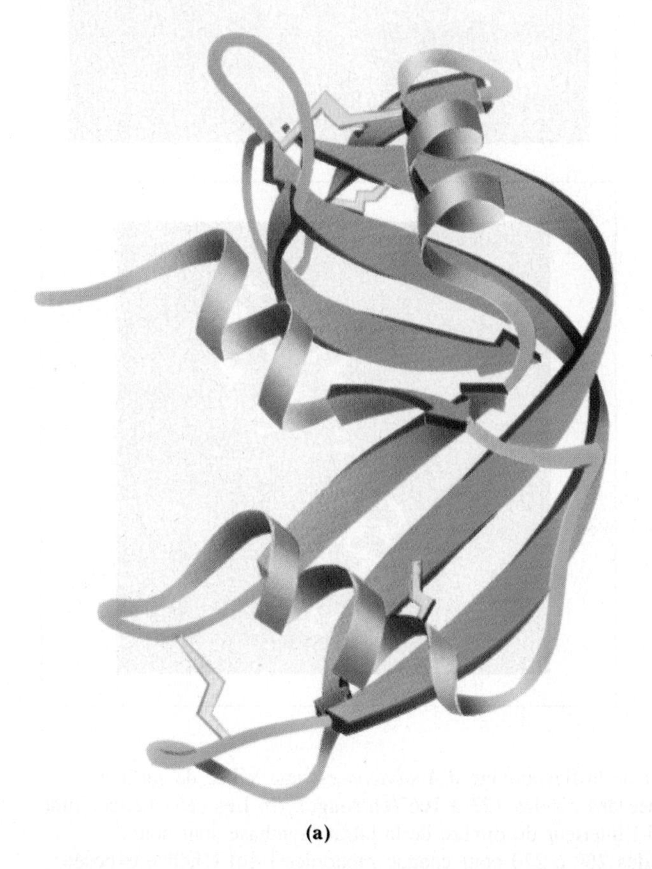

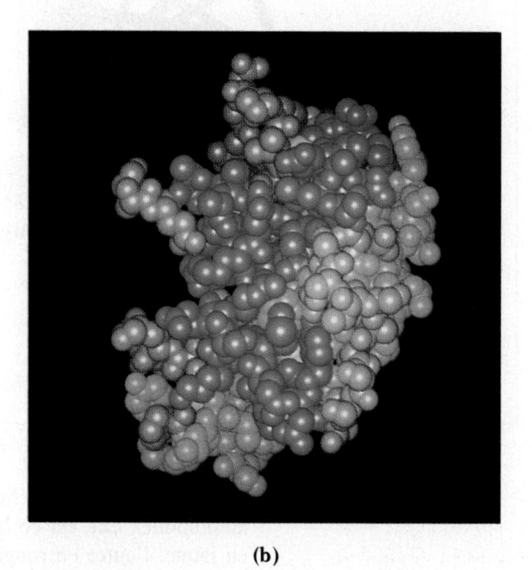

(a) (b)

Figure 6.23 • Structure tridimensionnelle de la ribonucléase A bovine. Les rubans représentent les hélices α, les flèches les feuillets β. *(Jane Richardson)*

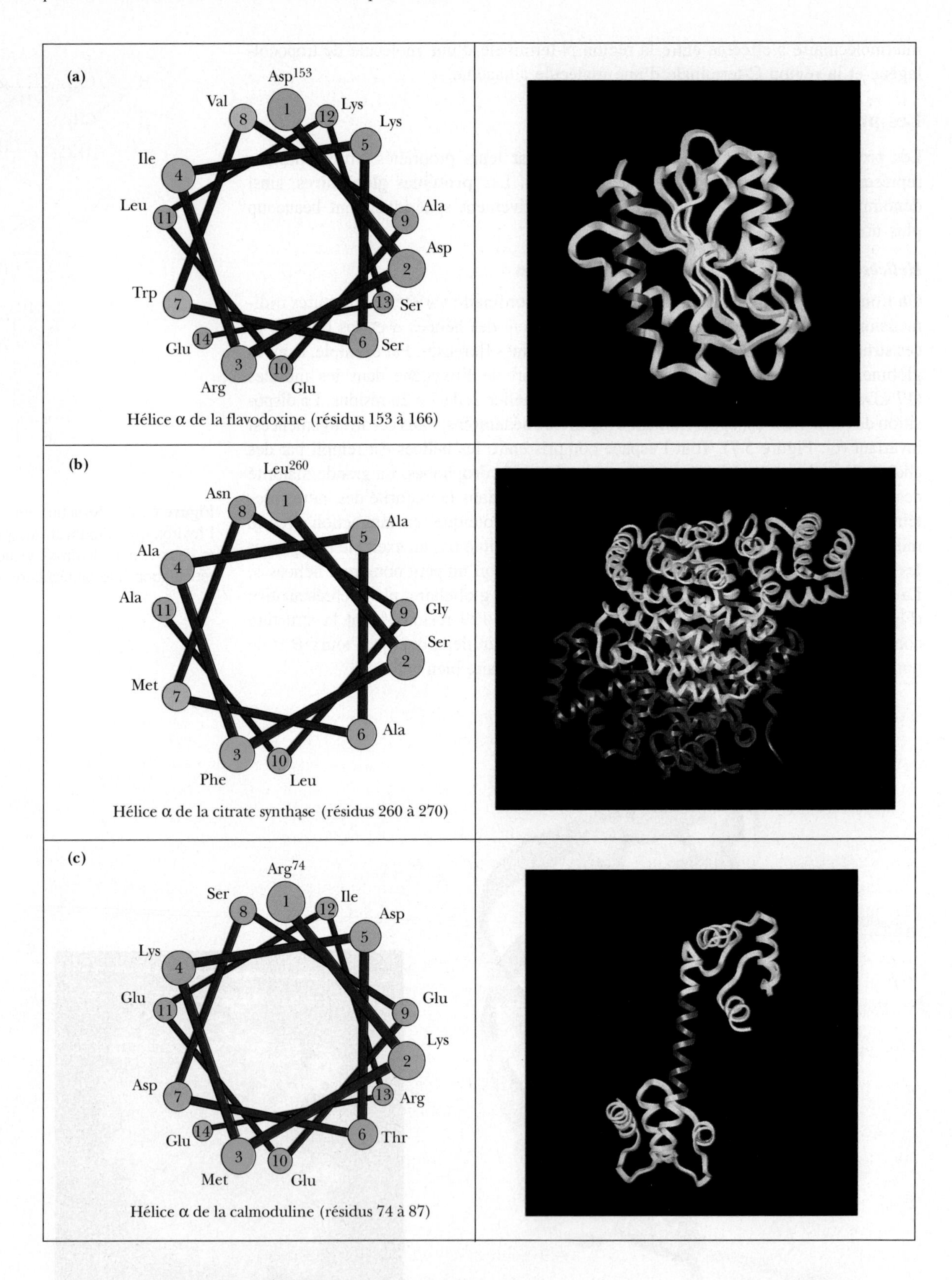

Figure 6.24 • (a) L'hélice α de la flavodoxine d'*Anabaena* est une hélice de surface amphiphile ; elle est constituée des résidus 153 à 166 (en rouge). (b) Les deux hélices (une en jaune, l'autre en rouge) à l'intérieur du dimère de la citrate synthase sont pour l'essentiel hydrophobes (résidus 260 à 270 pour chaque monomère). (c) L'hélice exposée et totalement accessible au solvant de la calmoduline contient principalement des résidus polaires et des résidus ionisés (résidus 74 à 87, en rouge).

Pourquoi le cœur de la plupart des protéines globulaires et membranaires est-il essentiellement constitué d'hélices α et de feuillets β ? Cela provient de la nécessité de neutraliser dans le cœur hydrophobe de la protéine les groupes fortement polaires du squelette peptidique, N–H et C=O. Les hélices α et les feuillets β, avec leurs très nombreuses liaisons hydrogène répondent idéalement à cette nécessité et leurs structures stabilisent efficacement les groupes polaires du squelette peptidique dans le cœur de la protéine.

Dans les structures des protéines globulaires, une face d'une hélice α est fréquemment exposée au milieu aqueux tandis que l'autre face est exposée à l'intérieur hydrophobe de la protéine. La face externe d'une telle hélice amphiphile est en grande partie constituée de résidus polaires ou porteurs d'une charge électrique, l'autre face, vers l'intérieur, contient essentiellement des résidus non polaires, hydrophobes. Un bon exemple de la surface d'une hélice est donné par les résidus 153 à 166 de la flavodoxine d'*Anabaena* (Figure 6.24). La représentation, sous forme de **roue hélicoïdale**, de l'hélice montre bien qu'une face porte quatre résidus hydrophobes alors que l'autre face est presque totalement polaire ou chargée.

Parfois, mais cela est moins commun, une hélice α peut être complètement enfouie à l'intérieur de la protéine ou au contraire complètement exposée au milieu aqueux. La **citrate synthase** est une protéine dimérique dans laquelle des segments hélicoïdaux de la chaîne polypeptidique font partie de l'interface entre les sous-unités (Figure 6.24). L'une de ces hélices (résidus 260 à 270) est fortement hydrophobe, et ne contient que deux résidus polaires, ce qui convient pour une hélice du cœur de la protéine. Par contre, dans le cas de la calmoduline (Figure 6.24), une hélice est entièrement exposée au solvant (résidus 74 à 87) ; ce segment est formé de 10 résidus chargés, 2 résidus polaires et seulement de 2 résidus non polaires.

Les problèmes d'empaquetage

Les structures secondaires et tertiaires de la myoglobine et de la ribonucléase A illustrent bien l'importance de l'empaquetage dans la structure tertiaire. Les structures secondaires s'assemblent, proches les unes des autres, mais avec des segments étirés de chaîne polypeptidique qui s'intercalent entre elles. Si la somme des volumes de Van der Waals des atomes constituant ces protéines est divisée par le volume occupé par la protéine correspondante, on s'aperçoit que la densité de l'empaquetage est comprise entre 0,72 et 0,77. Cela signifie que même si l'assemblage paraît serré, environ 25 % du volume de la protéine n'est pas occupé par des atomes de la chaîne polypeptidique. Presque tout cet espace est occupé par de toutes petites cavités. Il y a bien quelques cavités de la taille d'une molécule d'eau ou plus, mais elles n'occupent qu'une petite fraction du volume total de la protéine. Il est vraisemblable que ces cavités permettent la flexibilité des protéines et, facilitant les changements de conformation, contribuent à la dynamique des protéines (cf. plus loin).

Structures ordonnées, non répétitives

Dans toutes les structures protéiques, les segments de la chaîne polypeptidique qui ne forment pas des structures définies, comme des hélices ou des feuillets, sont appelés des *boucles*, ou des *boucles aléatoires*. Ces termes prêtent à confusion. La plupart de ces segments ne sont ni enroulés, ni aléatoires dans tous les sens de ces termes. Ces structures sont tout aussi organisées et stables que les structures secondaires bien définies. Elles sont simplement plus variables et plus difficiles à définir. Les structures des boucles sont fortement influencées par des interactions avec les chaînes latérales. On ne comprend qu'un petit nombre de ces interactions. Cependant, quelques cas intéressants ont été bien décrits. John Kendrew, au cours de ses premières études sur la structure de la myoglobine a remarqué que les groupes –OH de la sérine et de la thréonine formaient souvent des liaisons hydrogène avec des –NH du squelette peptidique au début d'une hélice α. Ce type de stabilisation d'une hélice α par une sérine existe également dans la structure tridimensionnelle de l'inhibiteur de la trypsine pancréatique (Figure 6.25). Dans cette même structure, on

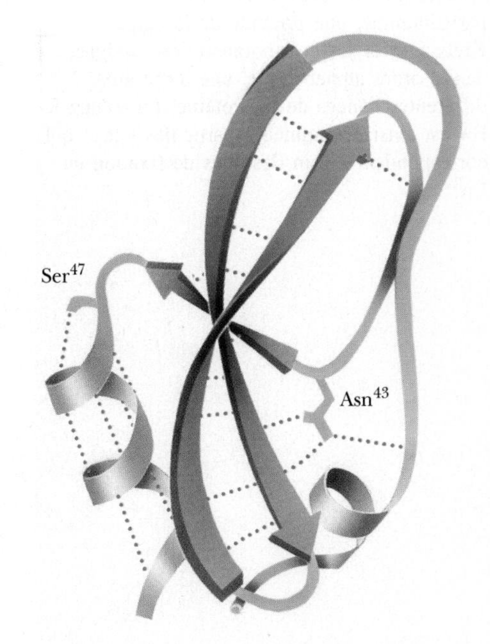

Inhibiteur de la trypsine pancréatique

Figure 6.25 • Structure tridimensionnelle de l'inhibiteur de la trypsine pancréatique bovine. Remarquez la stabilisation de l'hélice α par une liaison hydrogène avec Ser^{47}, et la stabilisation du feuillet β par des liaisons avec Asn^{43}.

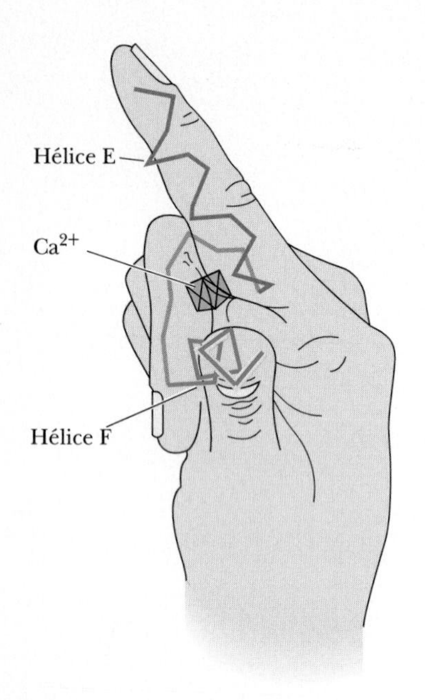

Figure 6.26 • Une représentation de la structure, dite « main E-F », qui forme le site de liaison du calcium dans diverses protéines. Les traits colorés dessinent le squelette polypeptidique du motif « main E-F ». L'hélice E s'allonge sur l'index, l'hélice F sur le pouce. La boucle, tracée sur le majeur replié, relie les deux hélices. L'ion calcium (Ca^{2+}) s'introduit dans la poche formée par les deux hélices et la boucle. Lors de leurs études sur la parvalbumine, une protéine de la carpe, Kretsinger et ses collaborateurs ont assigné, dans l'ordre alphabétique, une lettre aux différentes hélices de la protéine. La « main E-F » est ainsi dénommée à partir des lettres qui correspondent à l'un des sites de fixation du Ca^{2+}.

trouve également un résidu asparagine adjacent à un feuillet β ; ce résidu forme des liaisons hydrogène qui stabilisent le feuillet β.

Des structures de ce type, non répétitives mais bien définies, contribuent aux importantes propriétés des sites actifs des enzymes. Dans quelques cas, un arrangement particulier de la structure des « boucles », correspondant à un site fonctionnel spécifique, se retrouve dans plusieurs protéines à fonctions apparentées. La boucle peptidique qui relie les amas (groupes) ferro-soufre dans la ferrédoxine et dans les ferroprotéines à haut potentiel de la chaîne respiratoire en est un exemple. Un autre exemple est donné par la partie centrale de la boucle liant l'ion calcium dont la structure, dénommée « la main E-F », se retrouve dans plusieurs protéines ayant une forte affinité pour le calcium, la calmoduline, la parvalbumine de la carpe, la troponine C et la protéine intestinale qui lie le calcium. Cette boucle relie deux courtes hélices α (Figure 6.26). L'ion calcium se lie au fond de la poche formée par cette structure.

Segments flexibles et désordonnés

À côté des structures non répétitives mais définies, il existe, dans toutes les protéines, des segments polypeptidiques réellement désordonnés. Leurs séquences n'apparaissent pas sur les cartes de densité électronique obtenues par radiocristallographie, au mieux les densités électroniques des zones correspondantes sont diffuses ou mal définies. Ces segments sont probablement mobiles, même dans les cristaux de la protéine, ou bien ont des conformations différentes dans les différentes molécules de la protéine cristallisée. C'est un comportement normal pour les longues chaînes latérales chargées, à la surface de nombreuses protéines. Par exemple, 16 des chaînes latérales des 19 résidus lysine dans la myoglobine ont une orientation mal définie au-delà du carbone δ, et même cinq de ces résidus sont désordonnés au-delà du carbone β. Une majorité des résidus lysine sont également désordonnés dans la trypsine, la rubrédoxine, la ribonucléase et plusieurs autres protéines. Les résidus arginine sont par contre généralement bien ordonnés dans les structures protéiques. Dans les quatre protéines qui viennent d'être mentionnées, 70 % des résidus arginine sont hautement ordonnées, à comparer avec seulement 26 % des résidus lysine.

Les mouvements dans les protéines globulaires

Bien que nous ayons fait une distinction entre les segments ordonnés et les segments désordonnés d'une chaîne polypeptidique, il faut savoir que même les chaînes latérales bien ordonnées sont soumises à des mouvements dans les protéines, et ces mouvements peuvent être rapides. Ces mouvements doivent être perçus comme des oscillations momentanées, autour d'une unique conformation très stable. *Le mieux est de considérer les protéines comme des structures dynamiques*. Les mouvements permis peuvent être des mouvements d'atomes individuels, de groupes d'atomes, ou même de parties importantes de la protéine. De plus l'origine de ces mouvements peut provenir de l'énergie d'agitation thermique ou, origine plus spécifique, le changement de conformation de la protéine peut être provoqué. **Les fluctuations atomiques**, comme les vibrations, sont de type aléatoire, très rapides, et généralement s'étendent sur des distances inférieures à 0,5 Å (Tableau 6.2). Elles résultent de l'énergie cinétique interne de la protéine et dépendent de la température. Ces mouvements très rapides peuvent être modélisés par des calculs de dynamique moléculaire et étudiés par diffraction des rayons X.

Les **mouvements collectifs** constituent une classe de mouvements plus lents qui peuvent s'étendre sur de plus grandes distances. Un groupe d'atomes liés par des liaisons covalentes peut effectuer un mouvement collectif, tous les atomes se déplaçant en même temps. Ces groupes peuvent compter de quelques atomes à plusieurs centaines d'atomes. La totalité d'un domaine structural à l'intérieur d'une protéine peut être impliquée. Le cas des immunoglobulines est exemplaire : pour lier sélectivement des molécules antigéniques, les domaines liant l'antigène se déplacent autour d'une région flexible, comme des ensembles relativement rigides. Deux types sont observés : 1°) ceux qui sont rapides mais peu fréquents, comme les

Tableau 6.2

Mouvements et fluctuations dans les protéines

Type de mouvement	Distance du déplacement (Å)	Durée caractéristique (sec.)	Source de l'énergie
Vibrations atomiques	0,01-1	$10^{-15}-10^{-11}$	Énergie cinétique
Mouvements collectifs 1. Rapides : le cycle de Tyr se retourne ; rotation des groupes méthyle 2. Lents : courbure aux charnières entre les domaines	0,01-5 ou plus	$10^{-12}-10^{-3}$	Énergie cinétique
Changements de conformation provoqués	0,5-10 ou plus	$10^{-9}-10^{3}$	Interaction avec l'agent déclencheur

D'après Petsko et Ringe (1984).

retournements du cycle de la tyrosine et 2°) ceux qui sont relativement lents comme l'isomérisation *cis-trans* de la proline. Comme les fluctuations atomiques, les déplacements collectifs résultent de l'énergie thermique interne des protéines ; leur durée varie de 10^{-12} à 10^{-3} sec. Ces mouvements peuvent être étudiés par résonance magnétique nucléaire (RMN) ou par spectroscopie de fluorescence.

Les changements de conformation impliquent un mouvement de groupes d'atomes (par exemple la chaîne latérale des résidus) ou même de parties entières de la protéine. Ces mouvements s'effectuent en 10^{-9} à 10^{3} sec et les distances couvertes peuvent atteindre 1 nm. Ils sont la conséquence d'une réponse à une stimulation spécifique ou résultent des interactions spécifiques à l'intérieur de la protéine (comme la formation de liaisons hydrogène, les interactions électrostatiques ou la liaison d'un ligand). Nous reviendrons sur les changements de conformation à propos de la catalyse enzymatique et de la régulation (Chapitres 14 et 15).

Forces qui imposent le reploiement des protéines globulaires

La formation d'une structure la plus stable possible impose le reploiement d'une protéine et sa structure tertiaire. À cette fin, deux forces distinctes interviennent. La chaîne peptidique doit à la fois subir les contraintes inhérentes à sa structure et se reployer de façon à enfouir les chaînes latérales hydrophobes pour minimiser leurs contacts avec la solution aqueuse. La chaîne polypeptidique, en raison de sa nature, n'a généralement pas une direction rectiligne. Même dans les segments qui ne comportent ni hélices ni feuillets, la chaîne peptidique a toujours tendance à tourner légèrement vers la droite du simple fait qu'elle est composée d'aminoacides L. Cette tendance est apparemment à l'origine de la formation d'une variété de motifs de structures tertiaires orientés vers la droite (Figure 6.27). Les tours à droite des rangées de feuillets β et les chevauchements à droite des feuillets parallèles sont deux des principaux exemples. Les rangées de feuillets β avec des tours à droite se trouvent dans le centre de nombreuses protéines où elles forment une importante partie de la structure tertiaire : le cœur de la structure, très stable. La phosphoglycérate mutase, l'adénylate kinase, l'anhydrase carbonique, entre autres, ont une structure de feuillet plan ouvert, légèrement incurvé, ou une structure en forme de selle à cheval. Les cœurs de la triose phosphate isomérase, de l'inhibiteur trypsique du soja et le domaine 1 de la pyruvate kinase contiennent des structures dites en tonneau, formées d'éléments de structure secondaire qui se présentent comme enroulés vers la droite autour d'un cylindre.

Les liaisons entre les brins β sont de deux types : boucles très courtes en épingles à cheveux et boucles plus longues **transversales**. Les **épingles à cheveux** relient deux brins β antiparallèles adjacents (Figure 6.27). Les **boucles transversales** relient deux brins β parallèles (ou presque parallèles). Presque toutes les structures de

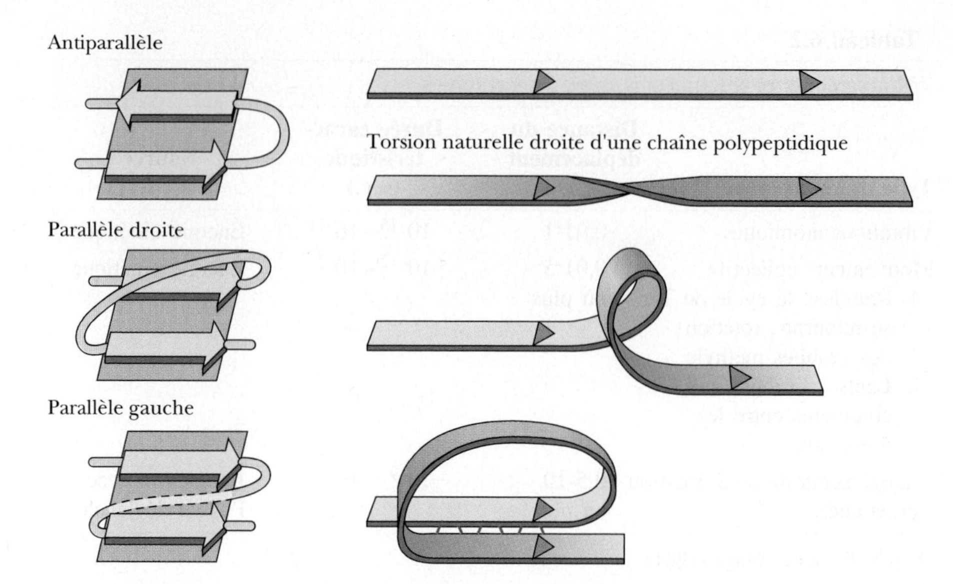

Figure 6.27 • Torsion naturelle vers la droite des chaînes polypeptidiques et structures variées résultant de cette courbure.

boucles transversales tournent vers la droite. On ne connaît de boucle transversale gauche que dans deux exceptions, dans la subtilisine et dans la glucose-phosphate isomérase. La plupart des structures de boucles transversales contiennent un segment d'hélice α. L'ensemble brin-hélice-brin constitue un motif dénommé le **motif** β**-**α**-**β. La forte tendance naturelle à la formation de boucles transversales tournant vers la droite, la fréquente présence d'une hélice α dans les boucles transversales et la torsion droite des feuillets β ont une origine commune. Cette origine est la tendance des chaînes polypeptidiques, formées par des acides aminés de la série L, à tourner naturellement vers la droite (Figure 6.27). Cette contrainte est d'origine chirale. Des chaînes polypeptidiques composées d'acides aminés de la série D auraient tendance à adopter des structures avec torsion à gauche.

La seconde force qui intervient dans le reploiement d'une chaîne polypeptidique a son origine dans le comportement de l'eau à l'égard des solutés non polaires, et donc dans la nécessité d'enfouir les résidus hydrophobes de la chaîne, à l'abri du solvant aqueux. D'un point de vue topographique, toutes les protéines globulaires ont donc un « intérieur » qui contient le cœur hydrophobe et un « extérieur » vers lequel les groupes hydrophiles sont orientés. Le regroupement des résidus hydrophobes, à l'écart de la phase aqueuse, est la force principale qui organise les structures secondaires et les segments peptidiques non répétitifs en une structure tertiaire. Les protéines globulaires pourraient être classées d'après la nature du cœur ou de la structure du squelette qui constituent la structure globulaire. L'expression *cœur hydrophobe,* telle que nous l'utilisons ici, définit une région dans laquelle les résidus hydrophobes sont rassemblés, à l'écart de la solution. Le terme *squelette* s'applique au seul squelette polypeptidique et ne comprend pas les chaînes latérales des résidus. On peut alors considérer les protéines globulaires comme formées par des « couches » de segments de squelettes polypeptidiques enveloppant des cœurs hydrophobes. Plus de la moitié des protéines globulaires dont la structure est connue ont deux couches de squelette séparées par un cœur hydrophobe. Environ un tiers des protéines globulaires sont constituées de trois couches de squelettes et de deux cœurs hydrophobes. On connaît quelques protéines dont la structure a quatre couches, et même une protéine globulaire à cinq couches de squelette. Seules quelques rares protéines globulaires n'entreraient pas dans ce type de classification. La Figure 6.28 présente des exemples de chacune de ces structures.

Classification des protéines globulaires

En plus de la classification basée sur les couches de la structure, les protéines peuvent être regroupées d'après le type et la combinaison des structures secondaires.

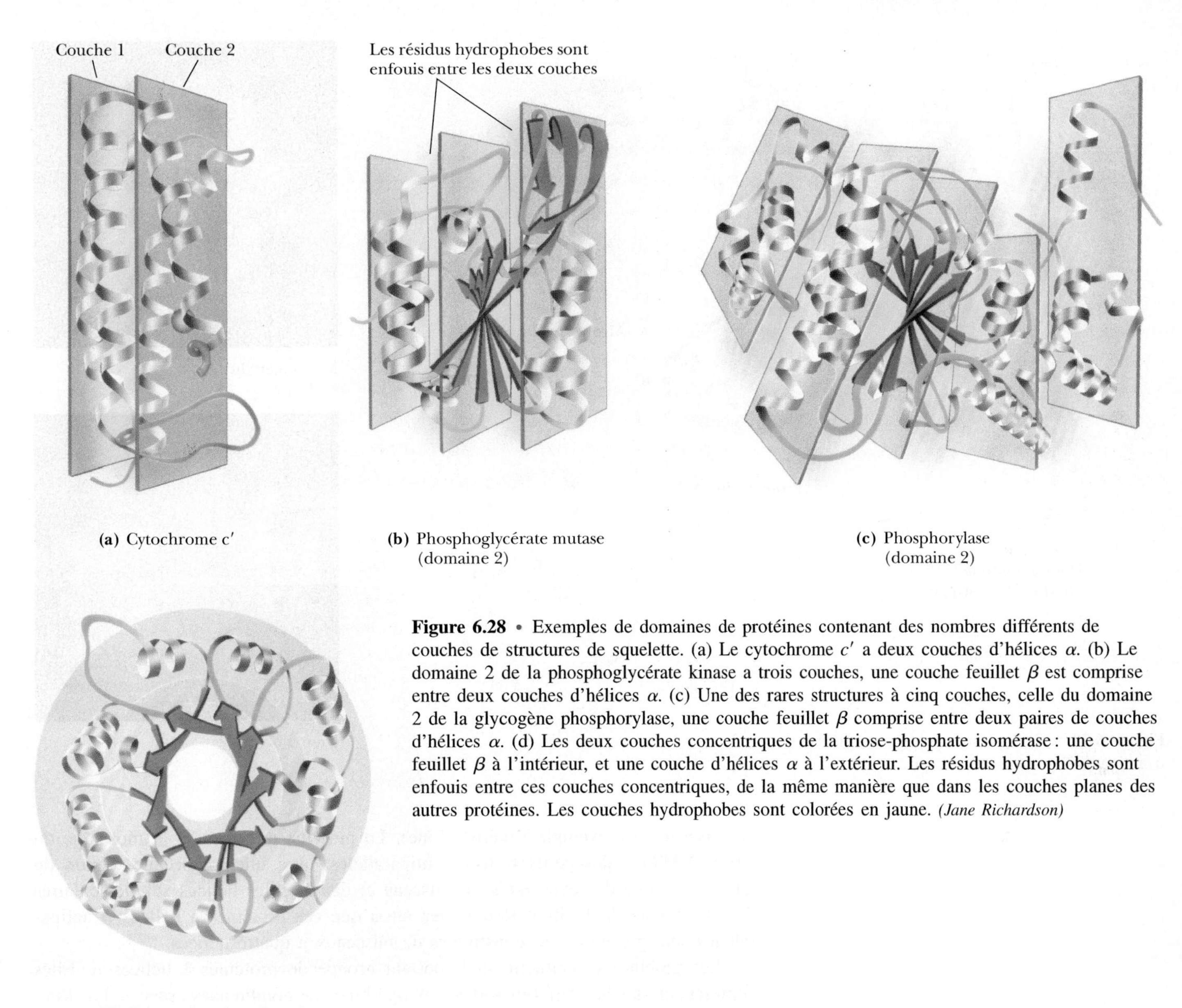

Figure 6.28 • Exemples de domaines de protéines contenant des nombres différents de couches de structures de squelette. (a) Le cytochrome *c*′ a deux couches d'hélices α. (b) Le domaine 2 de la phosphoglycérate kinase a trois couches, une couche feuillet β est comprise entre deux couches d'hélices α. (c) Une des rares structures à cinq couches, celle du domaine 2 de la glycogène phosphorylase, une couche feuillet β comprise entre deux paires de couches d'hélices α. (d) Les deux couches concentriques de la triose-phosphate isomérase : une couche feuillet β à l'intérieur, et une couche d'hélices α à l'extérieur. Les résidus hydrophobes sont enfouis entre ces couches concentriques, de la même manière que dans les couches planes des autres protéines. Les couches hydrophobes sont colorées en jaune. *(Jane Richardson)*

On distingue quatre grandes classes : les structures à hélices α antiparallèles, les structures à feuillets β parallèles, ou structures mixtes, les structures à feuillets β antiparallèles et la classe des petites protéines à métal ou riches en ponts disulfure.

Il faut signaler que les similarités de structure tertiaire dans une même classe ne reflètent pas nécessairement des similitudes fonctionnelles ni que les fonctions soient apparentées. **L'homologie fonctionnelle** dépend le plus souvent de la similarité de petites structures (domaines) à l'intérieur de la structure tertiaire.

Protéines à hélices α antiparallèles

Les protéines à hélices α antiparallèles ont une structure dans laquelle les hélices β sont prédominantes. La manière la plus simple d'empaqueter des hélices β est de les réunir de façon antiparallèle, et la plupart des protéines de cette classe sont formées par des faisceaux d'hélices antiparallèles. Ces derniers présentent généralement une légère torsion gauche (15°) de l'ensemble. La Figure 6.29 présente quelques exemples caractéristiques de protéines à hélices β antiparallèles. La plupart ont des structures régulières, uniformes, mais parfois une des hélices s'écarte

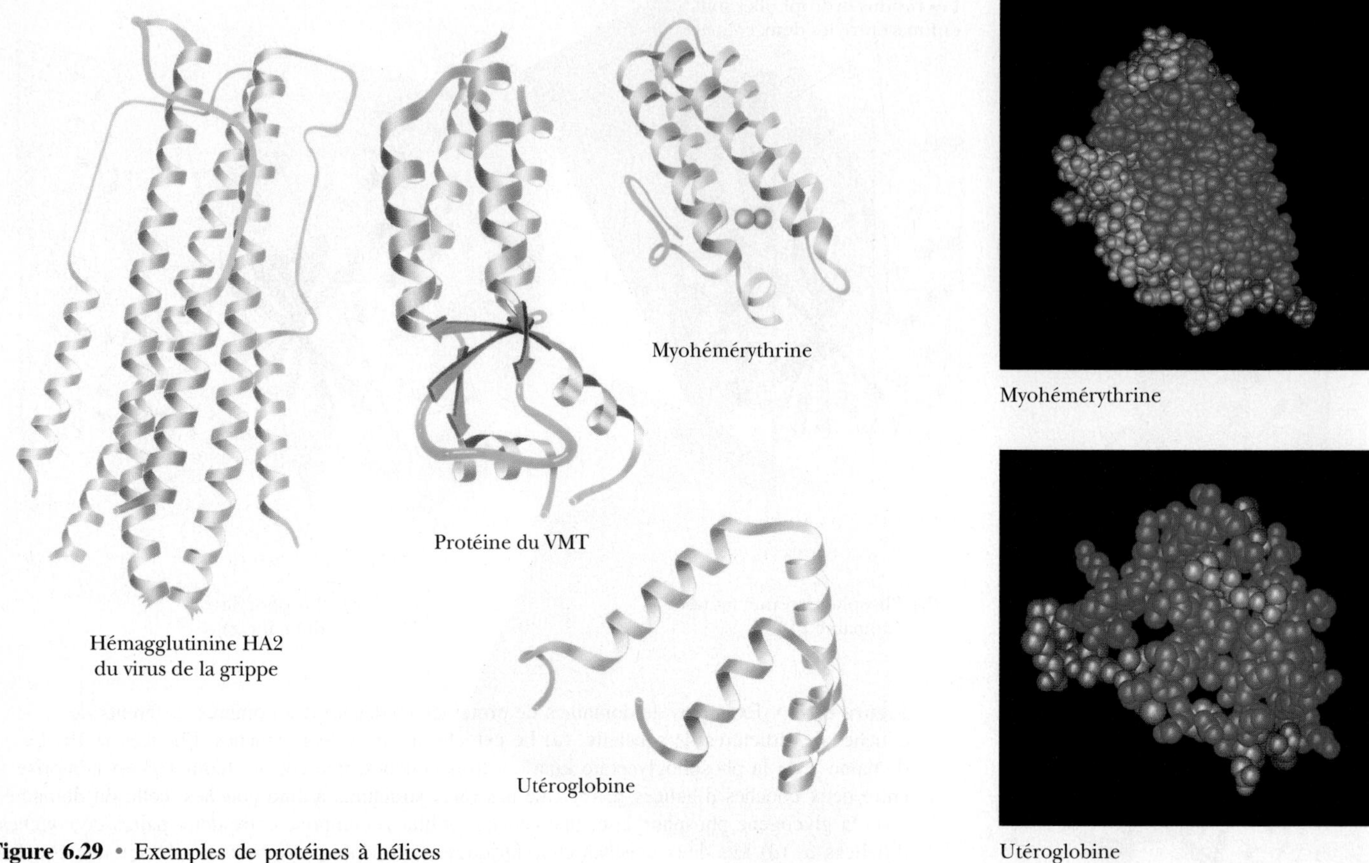

Figure 6.29 • Exemples de protéines à hélices α antiparallèles. *(Jane Richardson)*

du faisceau (par exemple l'utéroglobine). La protéine du virus de la mosaïque du tabac (VMT) a des petits brins β antiparallèles, avec une importante torsion du feuillet, à l'une des extrémités du faisceau et deux petites hélices supplémentaires de l'autre côté du feuillet. Remarquez aussi que ces protéines à hélices α antiparallèles sont généralement constituées de faisceaux à quatre hélices.

Les globines constituent un important groupe de protéines à hélices α. Elles comprennent les hémoglobines et les myoglobines de nombreuses espèces. La structure des globines peut être considérée comme résultant de la superposition de deux couches d'hélices. L'une des couches est perpendiculaire à l'autre et la chaîne peptidique qui les relie a une certaine mobilité entre les deux couches.

Protéines à feuillets β parallèles ou feuillets β mixtes

La deuxième grande classe de structure des protéines contient les structures basées sur des **feuillets β parallèles, ou feuillets β mixtes**. Comme nous l'avons déjà vu, les feuillets β parallèles ont des résidus hydrophobes répartis sur les deux faces des feuillets. Cela signifie qu'aucune de faces des feuillets parallèles ne peut être exposée à la solution environnante. Les feuillets β parallèles se retrouvent donc dans le cœur des structures des protéines, avec très peu d'accès au milieu aqueux.

Le tonneau β parallèle à huit brins représente un autre type de feuillet β. La triose-phosphate isomérase et la pyruvate kinase sont deux exemples caractéristiques (Figure 6.30). Chacun des brins β est au voisinage d'une hélice α antiparallèle. Les hélices α parallèles forment donc un cylindre plus large concentrique au tonneau β. Les deux cylindres présentent une torsion droite. Un autre type de structure β parallèle est constitué par un feuillet tors ouvert ou un feuillet β mixte, protégé sur les deux faces par des hélices ou d'autres sous-structures. Cette structure est dénommée le **feuillet β parallèle à double enroulement** car on peut imaginer que la

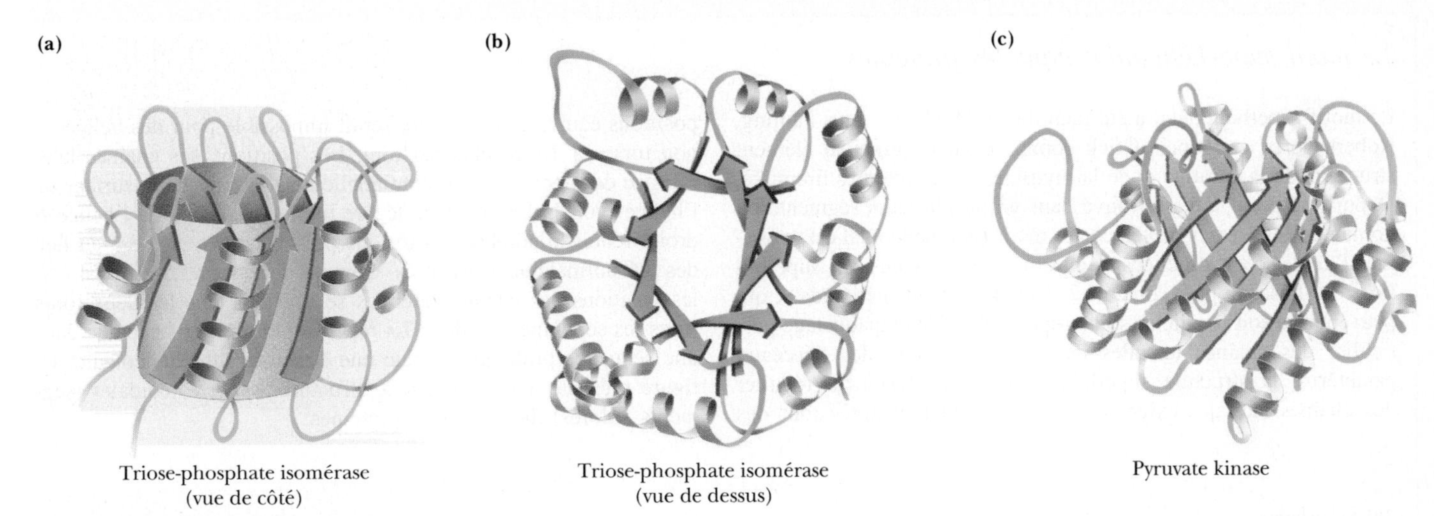

Figure 6.30 • Protéines à feuillet β parallèle. Les tonneaux β à huit brins de la triose-phosphate isomérase (a, *vu de côté*, b, *vu de dessus*) et (c) de la pyruvate kinase. *(Jane Richardson)*

structure finale est formée par retournement d'une partie des brins, à partir du milieu d'une structure β parallèle (formée par un premier enroulement, celui de la trajectoire de la chaîne polypeptidique). La Figure 6.31 présente quelques exemples de ce type de structure. Alors que les structures en tonneau ont quatre couches de squelette, les protéines à feuillet à double enroulement ont trois couches principales et ont donc deux cœurs hydrophobes distincts.

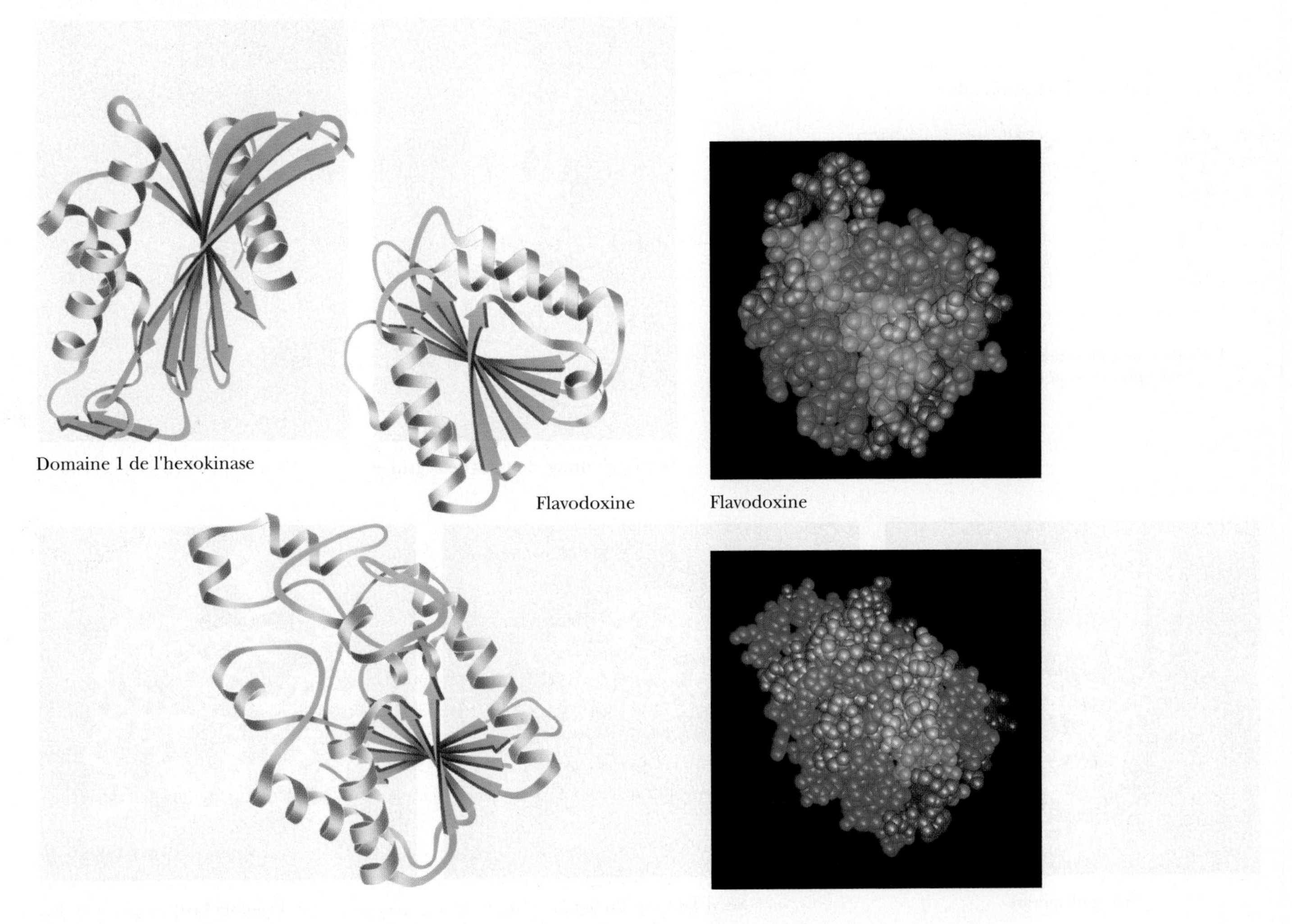

Figure 6.31 • Quelques exemples de structure α/β, à feuillet β à double enroulement. *(Jane Richardson)*

Pour en savoir plus

Le motif superhélicoïdal dans les protéines

Le motif superhélicoïdal a été identifié en 1953 par Linus Pauling, Robert Corey et Francis Crick comme étant le principal élément structural de la kératine et de la myosine, deux protéines fibreuses. Depuis, ce motif a été retrouvé dans un ou plusieurs segments ou domaines de diverses protéines. Le motif superhélicoïdal est constitué d'un faisceau d'hélices α enroulées en torsades, en superhélices. Le faisceau peut contenir 2, 3 ou 4 segments hélicoïdaux qui peuvent être soit parallèles soit antiparallèles. Un empaquetage particulier des chaînes latérales des résidus au sein des faisceaux caractérise la structure superhélicoïdale. L'engrènement régulier des chaînes latérales exige qu'elles occupent tour après tour des positions équivalentes. Ce qui serait impossible pour des hélices α non torses à 3,6 résidus par tour. Les positions des chaînes latérales se décalent, glissent, continuellement le long de la surface de l'hélice (voir la figure). Une légère torsion à gauche de l'hélice α droite réduit le nombre des résidus présents par tour à 3,5 au lieu des 3,6 normalement observés. Comme deux fois 3,5 est égal à 7, les positions des chaînes latérales se répètent tous les deux tours (tous les septièmes résidus). La répétition d'un motif heptade dans une séquence protéique signale une structure superhélicoïdale. La figure présente des exemples de structures superhélicoïdales (segments colorés) dans diverses protéines.

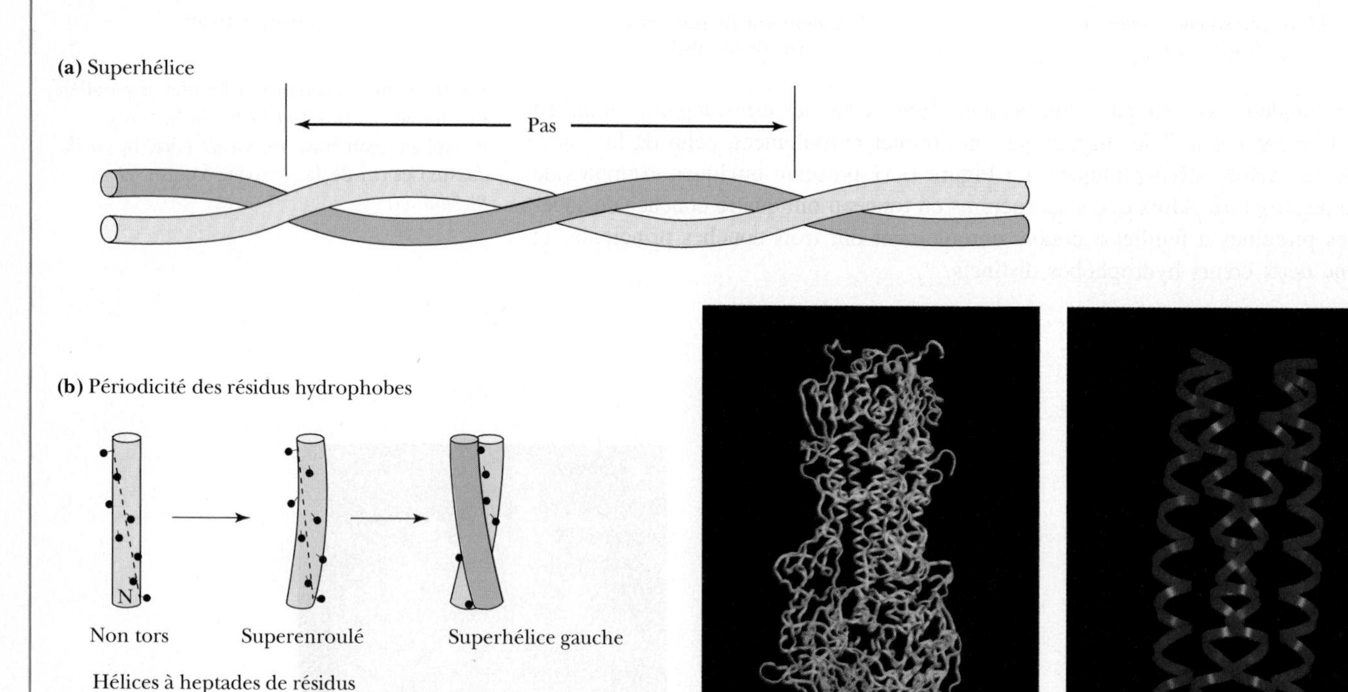

Hémagglutinine du virus de la grippe

GCN4 mutant leucine/isoleucine

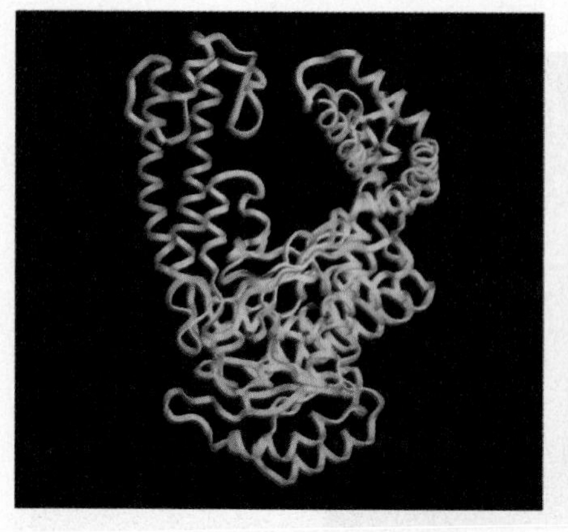

ADN polymérase

Séryl ARNt synthétase

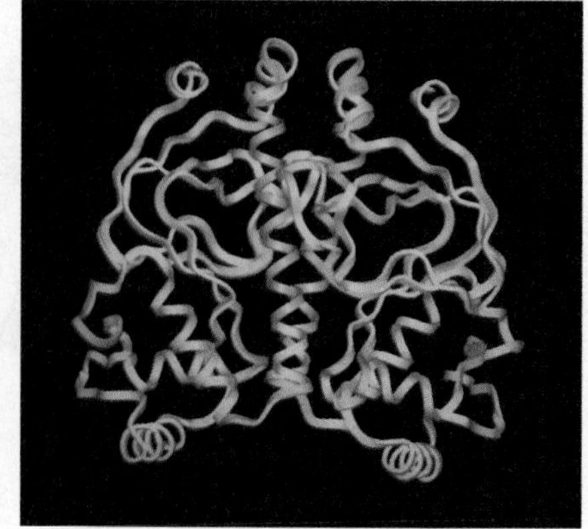

Protéine CAP

Protéines à feuillets β antiparallèles

Les protéines à **feuillets β antiparallèles** forment une troisième classe importante de structure tertiaire. Ces feuillets, dans lesquels les résidus hydrophobes sont sur une seule des faces, peuvent exister avec un côté exposé au milieu aqueux. La structure minimale pour une protéine à feuillets β antiparallèles est donc une structure à deux couches avec les faces hydrophobes juxtaposées et les faces hydrophiles exposées à la solution environnante. Ce type de domaine est constitué de brins β arrangés en forme de cylindre ou de tonneau. Ces structures sont moins symétriques que les tonneaux parallèles, à seulement un enroulement, les liaisons hydrogène se forment moins bien ; ce sont des structures qui se rencontrent plus fréquemment. Les structures en tonneau, parallèles ou antiparallèles, ont le plus souvent un nombre pair de brins β. L'inhibiteur trypsique du soja, la rubrédoxine et le domaine 2 de la papaïne (Figure 6.32) sont de bons exemples de structures antiparallèles. Les diagrammes topographiques des tonneaux β antiparallèles révèlent que la séquence polypeptidique de plusieurs de ces tonneaux suit une trajectoire qui rappelle les motifs ornementaux de certains vases grecs anciens (Figure 6.33). C'est la raison pour laquelle on dénomme cette topographie la « clé grecque ». Dans la concanavaline A et dans la γ cristalline, le motif clé grecque contient un enroulement supplémentaire (Figure 6.33). Les arrangements antiparallèles de brins β peuvent également former des feuillets tout autant que des tonneaux. La glycéraldéhyde-3-phosphate déshydrogénase, l'inhibiteur de subtilisine de *Streptomyces* et la glutathion réductase sont des exemples d'un feuillet unique dont le diagramme topographique a deux couches (Figure 6.34).

Protéines à métal, ou riches en ponts disulfure

Après les trois précédentes classes de structure, il ne reste qu'une dernière classe importante de structures tertiaires, celle des protéines riches en métal (à groupes ferro-soufre) ou riches en ponts disulfure. Ces protéines, ou fragments de protéines, contiennent en général moins de 100 résidus et leur conformation est fortement influencée par leur haute teneur en ligand métallique ou en ponts disulfure. Les structures des protéines riches en ponts disulfure sont instables si ces ponts sont clivés. L'insuline, la phospholipase A_2, la crambine (des graines de *Crambe abyssinica*), la ferrédoxine et la ferroprotéine du transfert énergétique des électrons (protéine ferro-soufre) sont représentatifs de cette classe (Figure 6.35). Les structures de certaines de ces protéines ressemblent parfois à celles des classes précédentes. Celle de la phospholipase A_2 est un amas distordu d'hélices α, alors que celle de la ferroprotéine du transport énergétique des électrons est un tonneau β distordu. D'autres structures, comme celles l'insuline et de la crambine, ne peuvent guère être apparentées aux structures typiques des grands groupes.

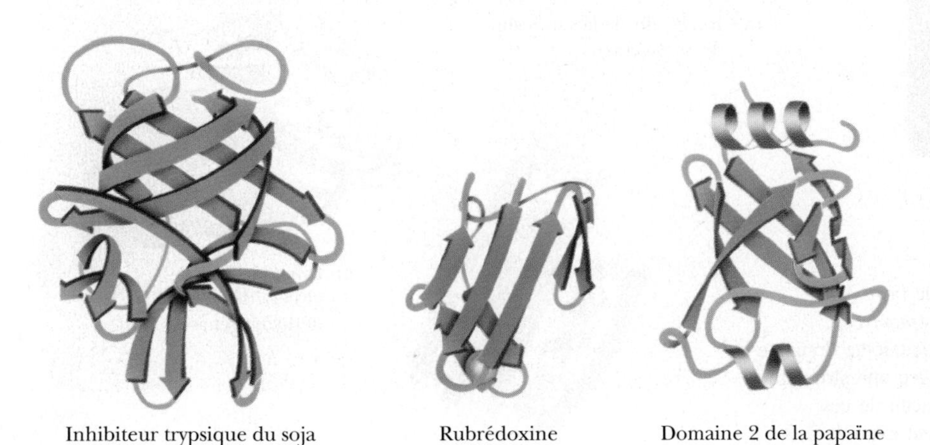

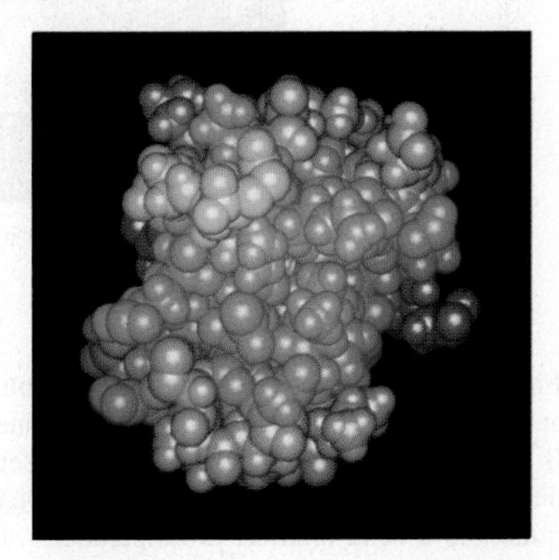

Inhibiteur trypsique du soja — Rubrédoxine — Domaine 2 de la papaïne — Rubrédoxine

Figure 6.32 • Exemples de feuillets β antiparallèles. *(Jane Richardson)*

Figure 6.33 • Exemples de motifs clé grecque dans des tonneaux β antiparallèles.

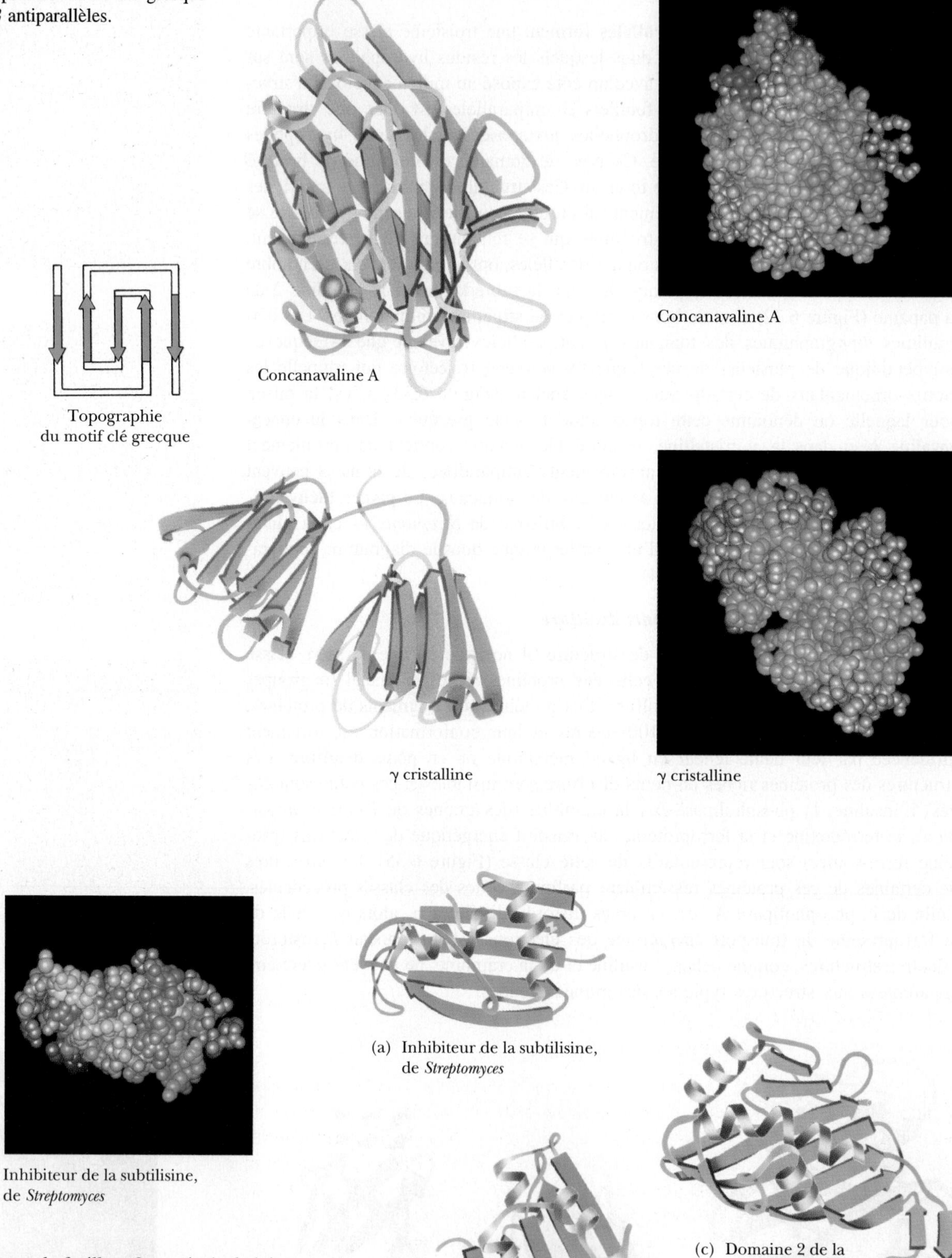

Figure 6.34 • Structures de feuillets β constitués de brins antiparallèles. (a) Inhibiteur de la subtilisine, de *Streptomyces*, (b) domaine 3 de la glutathion réductase, et (c) le deuxième domaine de la glycéraldéhyde-3-phosphate déshydrogénase avec une structure minimale à deux feuillets β antiparallèles. Dans chacun de ces exemples, une des faces du feuillet β antiparallèle est exposée à la solution aqueuse environnante, et l'autre est recouverte par des hélices ou des boucles plus ou moins serrées. *(Jane Richardson)*

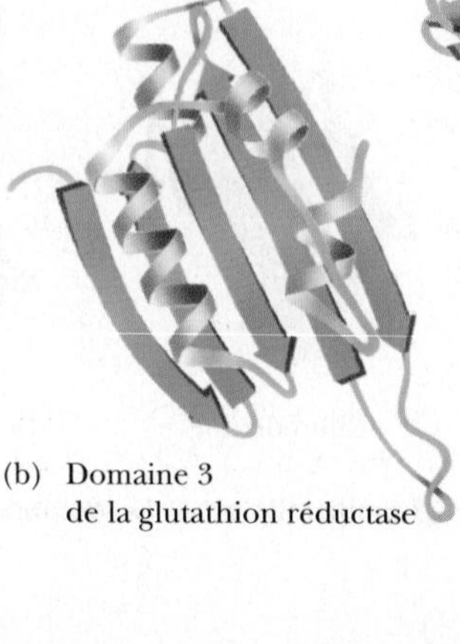

Figure 6.35 • Exemples de protéines (a) riches en ponts disulfure et (b) protéines à groupes ferro-soufre. *(Jane Richardson)*

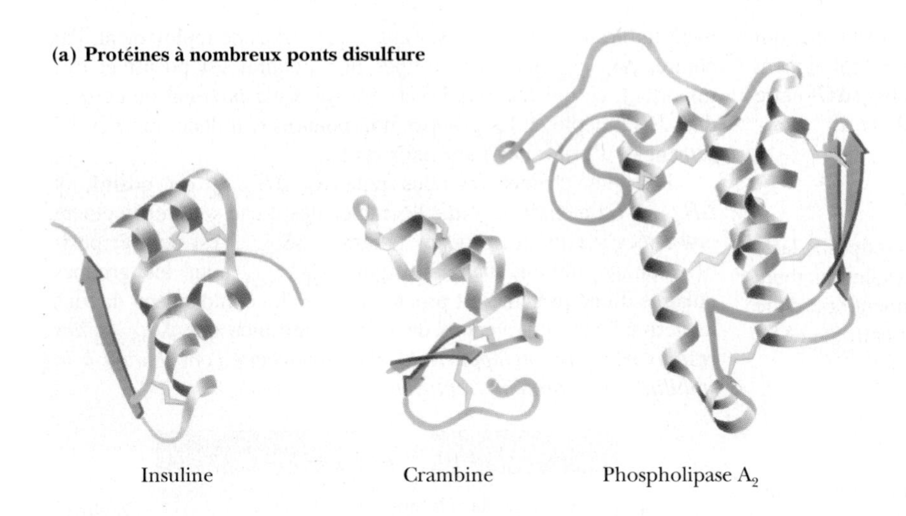

(a) Protéines à nombreux ponts disulfure

Insuline Crambine Phospholipase A_2

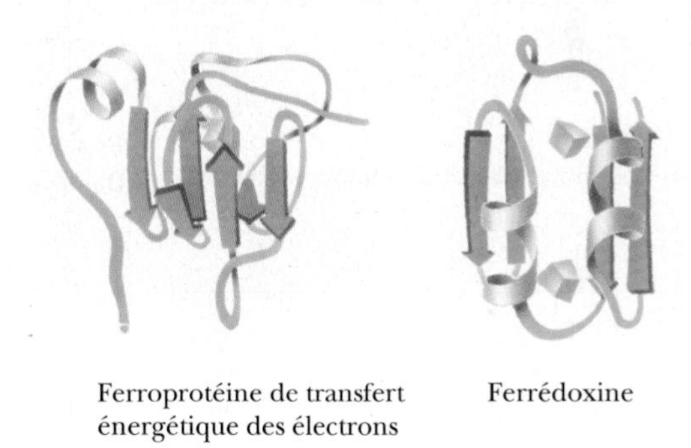

(b) Protéines contenant de nombreux ions métalliques

Ferroprotéine de transfert énergétique des électrons Ferrédoxine

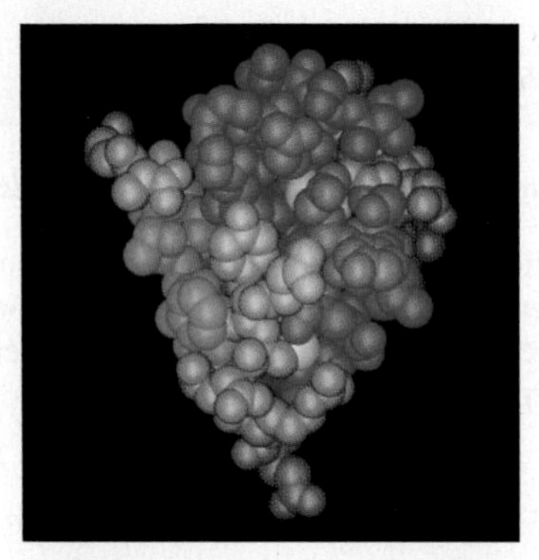

Insuline

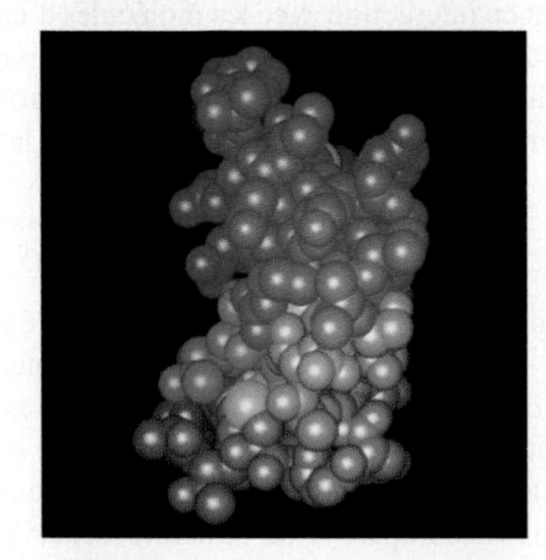

Crambine

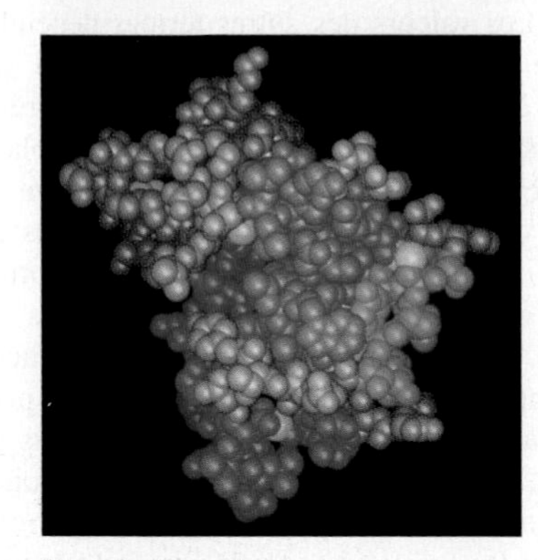

Phospholipase A_2

À l'écart de cette classification, il reste un petit nombre de structures inclassables, dont il ne sera pas question.

Les chaperonines : des protéines qui facilitent le reploiement des protéines globulaires

L'expérience historique de Christian Anfinsen sur le reploiement de la ribonucléase a clairement démontré que le reploiement *in vitro* d'une protéine dénaturée est un phénomène spontané. Il a été fait mention de l'énergie nécessaire à ce reploiement, elle provient de la petite différence entre les énergies libres G de l'état déployé et de l'état reployé. On admet communément que toute l'information nécessaire au bon reploiement d'une chaîne polypeptidique en sa structure « native » est contenue dans sa structure primaire et que ce reploiement ne requiert aucun facteur supplémentaire. Mais le reploiement des protéines dans une cellule est un autre problème. La forte concentration des protéines dans la cellule peut interférer avec le processus de reploiement et provoquer l'agrégation de la protéine déployée ou partiellement reployée. Il peut aussi être nécessaire d'accélérer certaines étapes d'un processus trop lent, de supprimer un processus non correctement engagé, ou prématuré, ou encore de revenir en arrière. Des études récentes ont permis de découvrir une nouvelle famille de protéines connues sous la dénomination de **chaperons**

DÉVELOPPEMENTS DÉCISIFS EN BIOCHIMIE

Thermodynamique du processus de reploiement des protéines globulaires

La Section 6.1 traite de l'énergie des liaisons non covalentes qui stabilisent la structure d'une protéine. Cependant, le reploiement dépend en fin de compte de la différence d'énergie libre (ΔG) entre l'état reployé (F) et l'état déployé (U) à la température T :

$$\Delta G = G_F - G_U = \Delta H - T\Delta S$$
$$= (H_F - H_U) - T(S_F - S_U)$$

Dans l'état déployé, la chaîne polypeptidique et ses groupes R latéraux sont en interaction avec les molécules d'eau de la solution, toute mesure de la variation d'énergie libre lors du reploiement doit donc inclure le variation d'enthalpie (ΔH) et la variation d'entropie (ΔS), tant pour la chaîne polypeptidique que pour la solution :

$$\Delta G_{\text{total}} = \Delta H_{\text{chaîne}} + \Delta H_{\text{solvant}} - T\Delta S_{\text{chaîne}} - T\Delta S_{\text{solvant}}$$

Si chacun des quatre termes à droite de l'équation est bien compris, la base thermodynamique du reploiement d'une protéine devrait être évidente. La figure ci-contre résume les symboles et les variations énergétiques accompagnant le reploiement d'une protéine. La structure d'une protéine reployée est hautement ordonnée si on la compare à sa structure déployée, donc dans l'équation $\Delta S_{\text{chaîne}}$ est un nombre négatif, et $-T\ \Delta S_{\text{chaîne}}$ est un nombre positif. Les valeurs des autres termes dépendent de la nature particulière de l'ensemble du groupe R. La grandeur de $\Delta H_{\text{chaîne}}$ dépend à la fois des interactions résidus–résidus, et des interactions résidus–solvant. Les groupes non polaires dans la protéine reployée sont en interaction, essentiellement par les forces faibles de Van der Waals. Dans l'état déployé, les interactions entre les groupes non polaires et l'eau sont plus fortes puisque les molécules d'eau, polaires, induisent des dipôles dans les groupes non polaires. Cette induction permet des interactions électrostatiques significatives. En conséquence, $\Delta H_{\text{chaîne}}$ est positif pour les groupes non polaires et favorise l'état déployé. Mais pour les groupes non polaires, $\Delta H_{solvant}$ est négatif et favorise l'état reployé. Cela résulte de ce que les nombreuses interactions entre les molécules d'eau sont plus favorables que les interactions entre les molécules d'eau et les groupes non polaires. La valeur de $\Delta H_{\text{chaîne}}$ est plus faible que celle de $\Delta H_{\text{solvant}}$, mais ces variations d'énergie sont relativement faibles et comptent peu dans le processus de reploiement. Par contre, $\Delta S_{\text{solvant}}$ pour les groupes non polaires est positif et très important, ce qui favorise l'état reployé. Cela provient de ce que, dans l'état déployé, les groupes non polaires entraînent un accroissement de l'ordre des molécules d'eau.

Pour les chaînes latérales polaires, $\Delta H_{\text{chaîne}}$ est positif, et $\Delta H_{\text{solvant}}$ est négatif. Comme les molécules d'eau sont relativement ordonnées autour des groupes polaires, $\Delta S_{\text{solvant}}$ est petit et positif. Comme indiqué dans la figure, ΔG_{total} pour les groupes polaires d'une protéine est proche de zéro. La comparaison de tous les termes que nous venons de voir montre bien que $\Delta S_{solvant}$ *des résidus non polaires apporte la plus importante contribution à la stabilité d'une protéine reployée.*

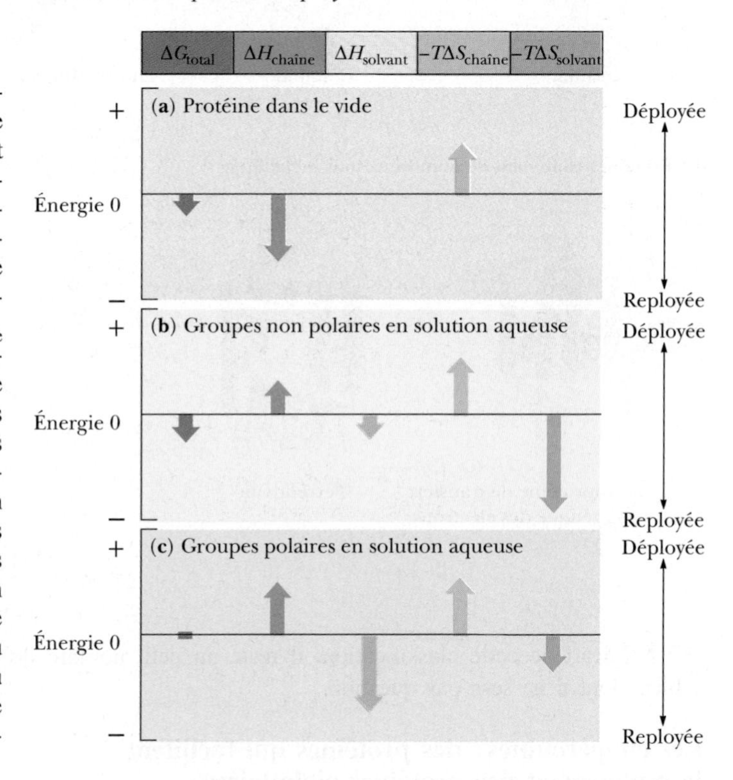

moléculaires (ou chaperonines). Ces protéines semblent indispensables *in vivo* au reploiement correct de certaines chaînes polypeptidiques, à leur assemblage dans une structure oligomérique et pour prévenir la formation de liaisons non appropriées avec d'autres protéines au cours de leur synthèse, de leur reploiement et (ou) lors de leur transport. Beaucoup de ces protéines ont d'abord été identifiées comme étant des **protéines du choc thermique**, ces protéines qui sont induites dans les cellules sous l'effet de l'élévation de la température ou d'autres chocs (stress). Les protéines les plus étudiées sont : la protéine **hsp70** (hsp pour *heat shoc protein*), une protéine de 70 kDa et les **chaperonines cpn60** (ou **hsp60**) une classe de protéines du choc thermique de 60 kDa. Une autre chaperonine hsp bien caractérisée est **GroEL**, une protéine de *E. coli* qui intervient dans le reploiement de plusieurs protéines.

On ne comprend pas bien la façon dont les chaperonines interviennent dans le reploiement des polypeptides. Ce qui *est* clair, c'est que les chaperonines se lient efficacement à régions hydrophobes exposées de structures partiellement reployées. Ces intermédiaires, partiellement reployés, sont moins compacts que la protéine native (totalement reployée). Ils contiennent encore de beaucoup de structures secondaires, un peu de structure tertiaire, et ils subissent d'importantes variations de conformation. Il est possible que les chaperonines reconnaissent des hélices exposées, ou d'autres éléments de structure sur leurs protéines cibles. Cette interaction initiale peut alors permettre le guidage ou la régulation du processus de reploiement (Figure 6.36).

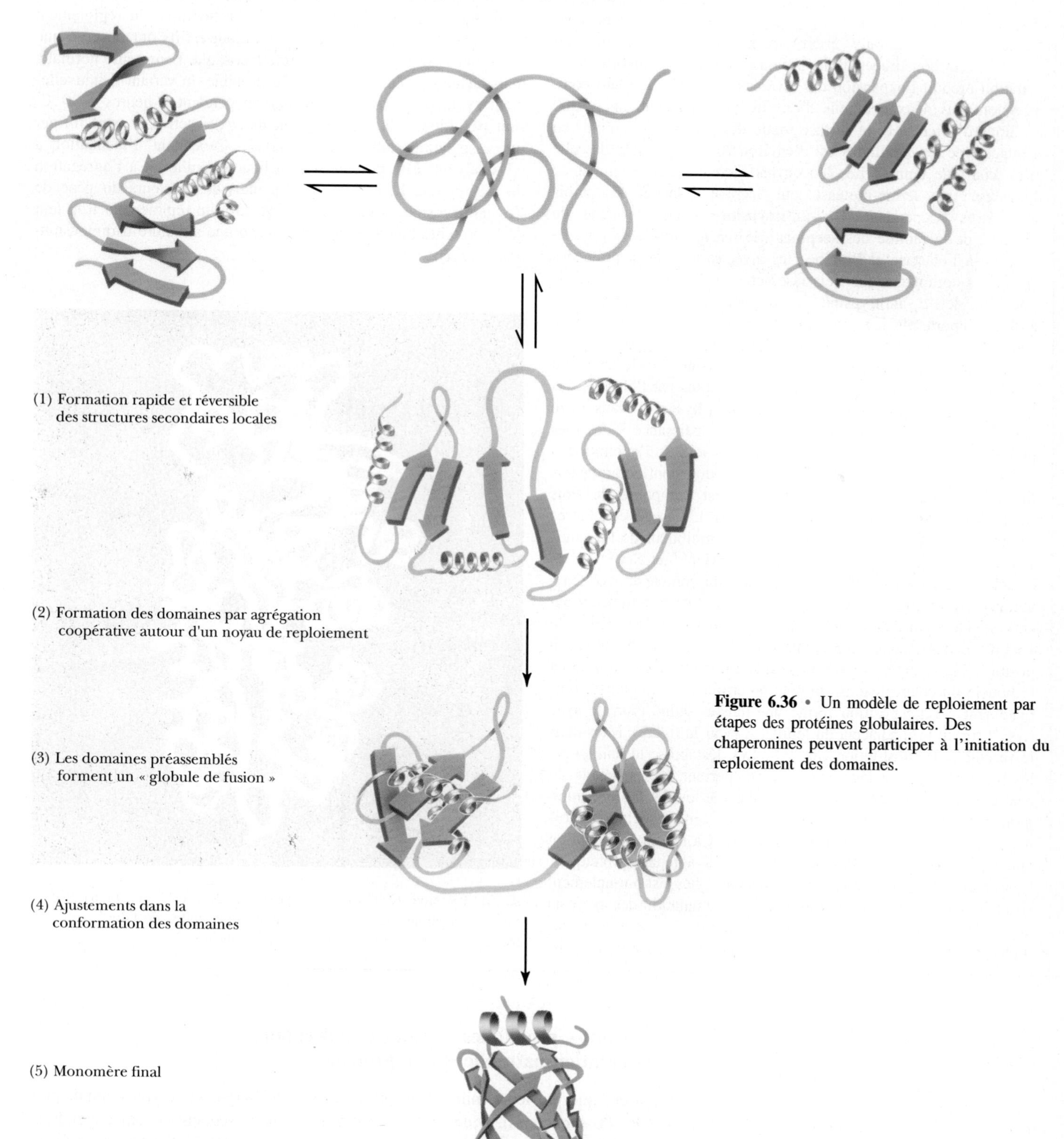
(1) Formation rapide et réversible des structures secondaires locales
(2) Formation des domaines par agrégation coopérative autour d'un noyau de reploiement
(3) Les domaines préassemblés forment un « globule de fusion »
(4) Ajustements dans la conformation des domaines
(5) Monomère final

Figure 6.36 • Un modèle de reploiement par étapes des protéines globulaires. Des chaperonines peuvent participer à l'initiation du reploiement des domaines.

BIOCHIMIE HUMAINE

Une protéine mutée qui se reploie trop lentement peut provoquer l'emphysème et endommager le foie

Au niveau des poumons, les animaux captent l'oxygène de l'air et éliminent le CO_2 produit par la respiration. Les échanges d'O_2 et de CO_2 s'effectuent dans les alvéoles pulmonaires, petits sacs dans lesquels l'air pénètre, entourées par des capillaires qui relient les veines pulmonaires aux artères pulmonaires. Les parois des alvéoles sont constituées d'une protéine élastique, **l'élastine**. L'inhalation produit l'expansion des alvéoles et l'expiration leur compression. Les deux poumons d'un être humains contiennent 300 millions d'alvéoles et la surface totale des parois des alvéoles en contact avec les capillaires est d'environ 70 m^2 – voisine de celle d'un court de tennis ! Les leucocytes sécrètent naturellement de l'élastase, une sérine-protéase, qui dégrade l'élastine les parois alvéolaires. Cependant, l'**α_1-antitrypsine** – une protéine de 52 kDa, de la famille des **serpines** (de *serine protease inhibitor*) – se lie à l'élastase et l'inhibe ; les alvéoles sont ainsi protégées contre les dommages que l'élastase active occasionnerait. Le gène structural de l'a_1-antitrypsine est extrêmement polymorphe (c'est-à-dire comporte plusieurs variants) et certaines versions de ce gène codent pour une protéine qui est difficilement sécrétée dans la circulation sanguine. Une carence en α_1-antitrypsine dans le sang peut conduire à la destruction de la paroi des alvéoles par l'élastase des leucocytes avec pour conséquence un **emphysème** ; dans cette maladie, les alvéoles sont détruites, donnant naissance à des sacs plus importants qui ne sont pas compressés lors de l'expiration.

L'α_1-antitrypsine adopte normalement une configuration tertiaire hautement ordonnée ; la structure est composée de trois feuillets β et de huit hélices (voir la figure). L'élastase et d'autres sérine-protéases sont reconnues par un site inhibiteur de l'a_1-antitrypsine impliquant deux acides aminées, Met^{358} et Ser^{359}, de la **boucle du centre réactif**. La formation d'un complexe avec l'α_1-antitrypsine inactive l'élastase. La carence la plus commune en α_1-antitrypsine résulte de la déficience d'un variant de la protéine, le **variant-Z** dans lequel une lysine est substituée au glutamate en position 342 ($Glu^{342} \rightarrow$ Lys). Le résidu 342 se trouve à la base de la boucle du centre réactif, du côté N-terminal ; le glutamate normalement à cette position forme une liaison saline cruciale avec Lys^{290} sur un brin adjacent du feuillet A (voir la figure). Mais dans le variant-Z, la substitution $Glu^{342} \rightarrow$ Lys déstabilise le feuillet A ; les brins se séparent légèrement ce qui permet que la boucle du centre réactif d'une molécule s'insère dans le feuillet *b* d'une autre molécule d'α_1-antitrypsine. La répétition de cette association anormale de molécules d'α_1-antitrypsine conduit à une polymérisation boucle-feuillet et à la formation de grands agrégats protéiques. L'α_1-antitrypsine synthétisée dans les hépatocytes, est normalement sécrétée dans la circulation sanguine. L'accumulation des agrégats du variant-Z dans le réticulum endoplasmique des cellules hépatiques provoque une carence en α_1-antitrypsine circulante. Parfois, l'accumulation de ces agrégats protéiques provoque même des troubles hépatiques.

Myeong-Hee Yu et ses collaborateurs à l'Institut des Sciences et Technologies de Corée ont étudié la cinétique du reploiement de l'a_1-antitrypsine normale et du variant-Z ; ils ont observé que le variant-Z se reploie de la même façon que la protéine normale, mais beaucoup plus lentement. La protéine du variant-Z nouvellement synthétisée, mise en incubation pendant 5 heures à 30 °C, finit par adopter la conformation native et active et peut former une association stable avec l'élastase. Cependant, l'incubation à 37 °C aboutit à la polymérisation boucle-feuillet et à l'agrégation de la protéine. L'emphysème des individus porteurs du gène de l'α_1-antitrypsine variant serait donc dû à un reploiement trop lent de la protéine plutôt qu'à l'adoption d'une structure tridimensionnelle altérée.

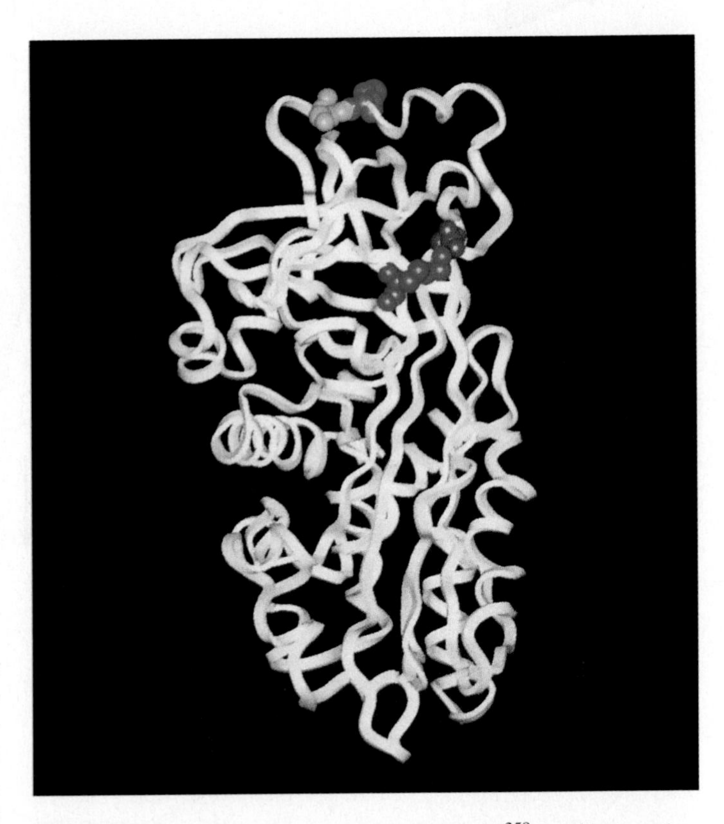

α_1-Antitrypsine. Remarquez les positions de Met^{358} (en bleu) et de Ser^{359} (en jaune) au sommet, de même que celles de Glu^{342} (en rouge) et de Lys^{292} (en bleu) en haut à droite.

Les modules protéiques : stratégie moléculaire de la création naturelle d'une protéine

À présent que plusieurs milliers de protéines ont été séquencées, (on connaît plus de 100.000 séquences), il devient évident que certaines séquences, qui engendrent des domaines structuraux différents, sont très fréquemment réutilisées, à la façon

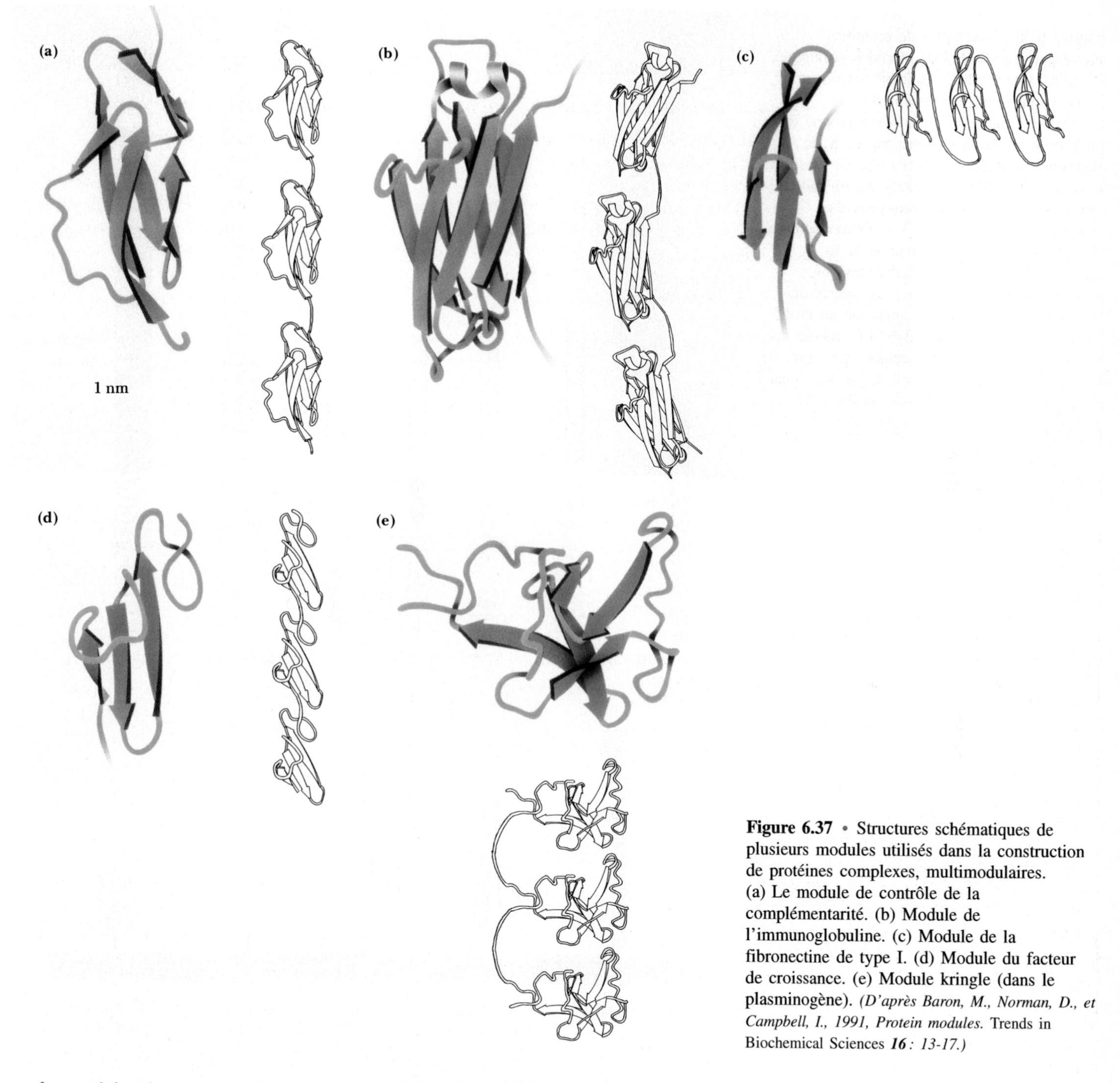

Figure 6.37 • Structures schématiques de plusieurs modules utilisés dans la construction de protéines complexes, multimodulaires. (a) Le module de contrôle de la complémentarité. (b) Module de l'immunoglobuline. (c) Module de la fibronectine de type I. (d) Module du facteur de croissance. (e) Module kringle (dans le plasminogène). *(D'après Baron, M., Norman, D., et Campbell, I., 1991, Protein modules.* Trends in Biochemical Sciences ***16*** *: 13-17.)*

des modules dans une construction. Ces **modules de protéines** se retrouvent dans un grand nombre de protéines, ils servent souvent à des fins différentes, ou encore sont répétés dans une même protéine. La Figure 6.37 présente les structures tertiaires de cinq modules de protéines et la Figure 6.38 présente quelques protéines qui contiennent des variantes de ces modules. Ces modules contiennent généralement de 40 à 100 acides aminés et adoptent souvent une structure tertiaire stable lorsqu'elles sont isolées des protéines dans lesquelles elles se trouvaient. Le **module de l'immunoglobuline** est l'un des mieux étudiés. Il se trouve non seulement dans les immunoglobulines mais aussi dans une grande variété de protéines de surface, y compris les molécules de l'adhérence cellulaire et les récepteurs des facteurs de croissance, et même dans une protéine intracellulaire du muscle, la *twitchine*. D'autres modules seront vraisemblablement découverts à l'avenir. (Le rôle des modules dans la transduction des signaux sera examiné Chapitre 34).

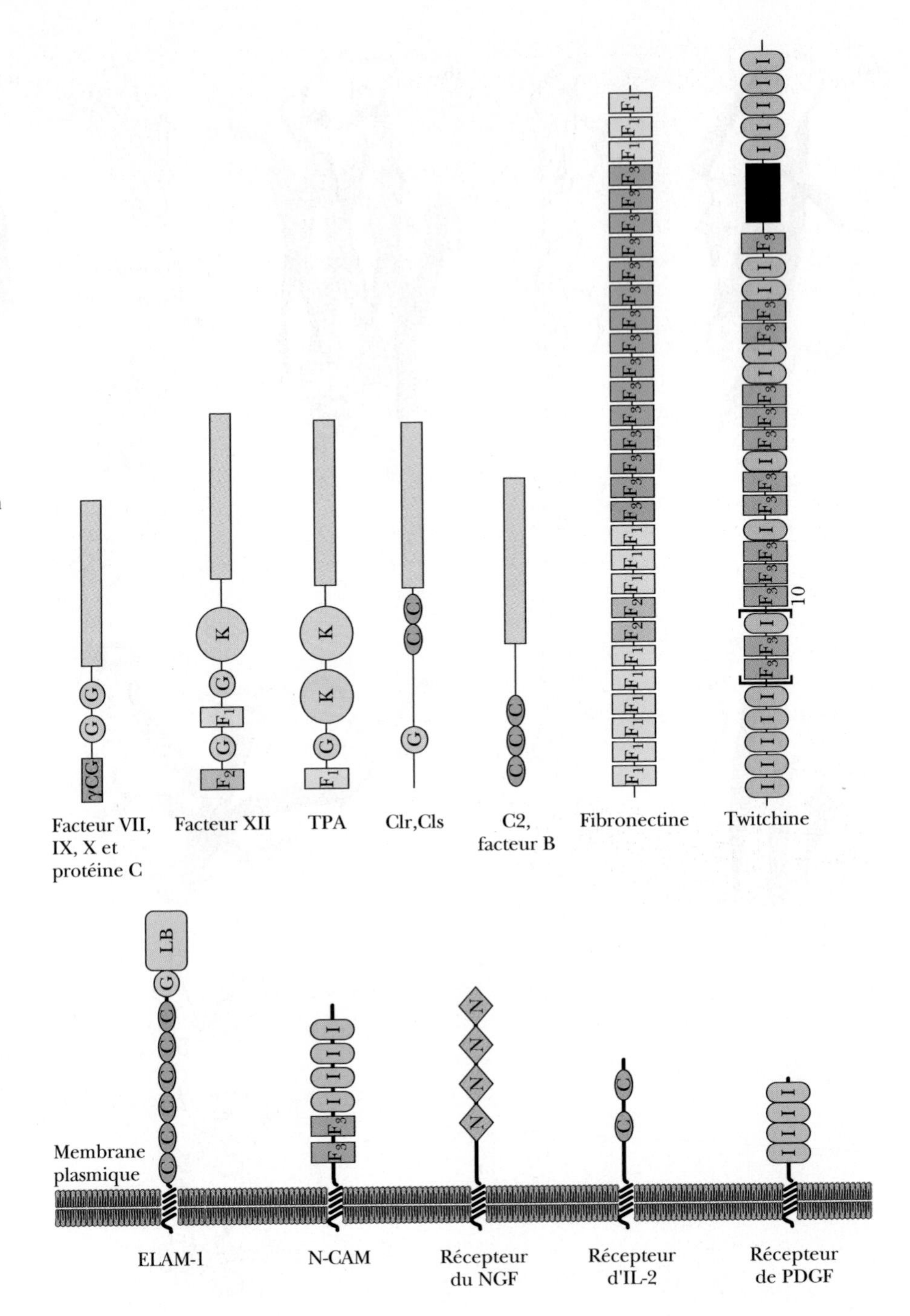

Figure 6.38 • Exemples de protéines mosaïques constituées de modules protéiques distincts. Ces modules incluent : γCG, un module contenant des résidus γ-carboxyglutamate ; G, un module proche du facteur de croissance épidermique ; K, le domaine « kringle » (du nom d'une pâtisserie danoise semblable au bretzel) ; C, un module que l'on trouve dans les protéines du complément ; F1, F2, et F3, d'abord découverts dans la fibronectine; I, domaine de la superfamille des immunoglobulines ; N, identifié dans des récepteurs du facteur de croissance ; E, un module analogue au motif liant le calcium, la main E-F ; LB, module de la lectine, retrouvé dans quelques protéines de la surface cellulaire. *(D'après Baron, M., Norman, D., et Campbell, I., 1991, Protein modules.* Trends in Biochemical Sciences ***16*** *: 13-17.)*

Comment les protéines « savent-elles » comment se reployer ?

Les expériences de Christian Anfinsen démontrent que le reploiement des protéines est réversible. Elles montrent également que les structures natives d'au moins certaines protéines globulaires sont thermodynamiquement stables. Mais comment une protéine acquiert cet état stable reste un problème particulièrement complexe. Un 1968, Cyrus Levinthal a fait remarquer que le nombre des conformations possibles pour une protéine est si élevé qu'elle n'aurait pas le temps d'atteindre la conformation la plus stable seulement en les essayant les unes après les autres. Le « paradoxe de Levinthal » est le suivant : soit une protéine de 100 acides aminés, et supposons que chaque acide aminé ne peut prendre que deux conformations possibles, il existe donc $2^{100} = 1{,}27 \times 10^{30}$ possibilités. En admettant qu'il suffit de 10^{-13} s pour tester chacune des conformations possibles au cours de la recherche de la conformation la plus stable, quel serait le temps nécessaire ?

$$(10^{-13} \text{ s}) (1{,}27 \times 10^{30}) = 1{,}27 \times 10^{17} \text{ s} = 4 \times 10^{9} \text{ ans !}$$

Face à ce paradoxe, il a fallu admettre l'hypothèse que les protéines devaient suivre des voies spécifiques pour leur reploiement ; de nombreux efforts sont consacrés à la recherche de ces voies.

S'il existe des voies spécifiques, il doit également exister des intermédiaires, des conformations d'un état partiellement reployé. La notion d'étapes intermédiaires vers la structure tertiaire permet d'envisager que des segments de la chaîne polypeptidique adoptent indépendamment les uns des autres des structures secondaires bien définies (hélices α et feuillets β). La tendance pour un segment donné à préférer une certaine structure secondaire dépendant alors de sa composition en acides aminés et de sa séquence.

L'examen de la fréquence avec laquelle les résidus apparaissent dans les hélices et dans les feuillets montre que certains résidus, alanine, glutamate, et méthionine sont plus fréquents que d'autres dans les hélices α. Au contraire, le glycocolle et la proline sont les résidus les moins fréquents dans ces hélices. Dans les feuillets β, la valine, l'isoleucine et les acides aminés aromatiques sont plus fréquents que les résidus aspartate, glutamate et proline.

Ces observations sont à l'origine de méthodes de prédiction des structures secondaires des protéines à partir de leurs séquences peptidiques. Des **algorithmes de prédictions** tiennent compte de la composition de courts segments d'un polypeptide. Si ces segments sont riches en résidus fréquemment présents dans les hélices ou dans les feuillets, on estime qu'ils adopteront la structure secondaire correspondante. L'algorithme de prédiction créé en 1974 par Peter Chou et Gerald Fasman utilise des données semblables à celles de la Figure 6.39 pour classer les 20 acides aminés en fonction de leur **propension, P_α et P_β**, à former des hélices α ou des feuillets β (Tableau 6.3). Ils distinguent les résidus à forte propension à former des hélices (H_α), les formateurs d'hélice (h_α), les formateurs faibles (I_α) ,les résidus indifférents (i_α), les résidus « casseurs », qui empêchent la formation des hélices (b_α), et enfin les « casseurs » puissants (B_α). Chou et Fasman ont également établi un classement similaire concernant la capacité à former des feuillets β. L'usage de

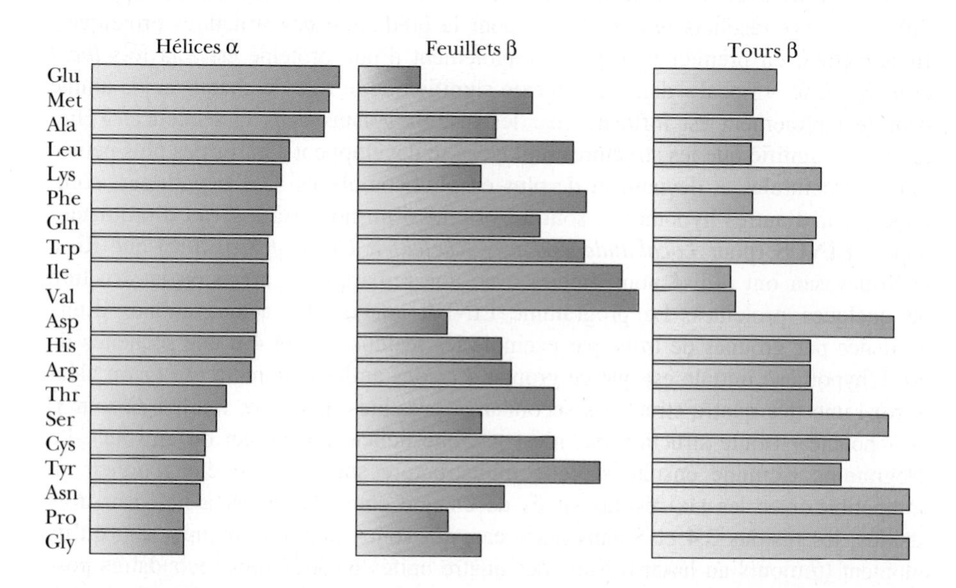

Figure 6.39 • Fréquences relatives des résidus dans les hélices α, les feuillets β et les tours β des protéines à structures connues. *(D'après Bell, J.E., et Bell, E.T., 1988,* Proteins and Enzymes, *Englewood Cliffs, NJ : Prentice-Hall.)*

Tableau 6.3

Propensions statistiques des acides aminés à former des hélices (P_α) ou des feuillets (P_β). Valeurs calculées par Chou et Fasman

Acide aminé	P_α	Type d'hélice	P_β	Type de feuillet
A Ala	1,42	H_α	0,83	i_β
C Cys	0,70	i_α	1,19	h_β
D Asp	1,01	I_α	0,54	B_β
E Glu	1,51	H_α	0,37	B_β
F Phe	1,13	h_α	1,38	h_β
G Gly	0,57	B_α	0,75	b_β
H His	1,00	I_α	0,87	h_β
I Ile	1,08	h_α	1,60	H_β
K Lys	1,16	h_α	0,74	h_β
L Leu	1,21	H_α	1,30	h_β
M Met	1,45	H_α	1,05	h_β
N Asn	0,67	b_α	0,89	i_β
P Pro	0,57	B_α	0,55	B_β
Q Gln	1,11	h_α	1,10	h_β
R Arg	0,98	i_α	0,93	i_β
S Ser	0,77	i_α	0,75	b_β
T Thr	0,83	i_α	1,19	h_β
V Val	1,06	h_α	1,70	H_β
W Trp	1,08	h_α	1,37	h_β
Y Tyr	0,69	b_α	1,47	H_β

Extrait de : Chou, P.Y. et Fasman, G.D., 1978. *Annual Review of Biochemistry* **47** : 258.

ce type d'algorithme pour la prédiction des hélices et des feuillets dans les protéines ne donne que des résultats assez modestes.

George Rose et Rajgopal Srinivasan à l'Université Johns Hopkins une approche différente, aux résultats plus probants, pour la prédiction des structures protéiques. Ils admettent en premier lieu que le reploiement d'une protéine est à la fois *local* et *hiérarchisé*. « Local » dans ce contexte signifie que le rôle de chaque acide aminé dans le reploiement est influencé par les résidus voisins dans la séquence. « Hiérarchisé » signifie que les structures reployées se développent à partir des plus petites unités structurales et deviennent de plus en plus complexes. Ces hypothèses, complétées par d'autres hypothèses, sont à l'origine d'un nouveau logiciel d'ordinateur appelé **LINUS** (pour *Local Independently Nucleated Units of Structure*) que Rose et Srinavasan ont utilisé pour prédire avec une remarquable précision la structure de quelques protéines. Le programme LINUS analyse les acides aminés d'une séquence par groupes de trois, par exemple les résidus 2, 3 et 4 d'une séquence de 50. L'hypothèse initiale est que ce groupe d'acides aminés adoptera (de façon aléatoire) l'une des quatre structures secondaires possibles, hélice α, feuillet β, tour β ou « boucle » (toute structure qui n'est pas une hélice, un feuillet ou un tour). Le programme examine ensuite si cette ministructure supposée est énergétiquement compatible avec les six résidus situés de chaque côté. Puis c'est à nouveau trois résidus, les résidus 3,4 et 5 dans notre cas, qui sont examinés en supposant qu'ils adoptent (toujours au hasard) l'une des quatre unités de structures secondaires possibles et le programme évalue les conséquences énergétiques en tenant compte des six résidus de chaque côté. L'analyse se poursuit, par paliers successifs, groupe 4, 5 et 6, puis groupe 5, 6 et 7, et ainsi de suite jusqu'à la fin de la séquence. Pour une séquence de 50 acides aminés, le programme effectue au total 5.000 fois les calculs puisque chaque groupe de trois est examiné pour toutes les possibilités de structures secondaires. À la fin, le programme examine tous les essais, à la recherche des groupes de trois acides aminés qui semblent préférer une conformation donnée dans 70 % des cas. Puis toute l'opération sur la séquence est recommencée, mais en gardant pour acquises les conformations sélectionnées et le programme évalue les préférences énergétiques en tenant compte de 12 résidus voisins (et non plus des 6 voisins comme précédemment). Aux tours suivants, il est tenu compte des 24, 32 et jusqu'à 48 résidus voisins. La Figure 6.40 présente les résultats obtenus avec le logiciel LINUS analysant les séquences plusieurs protéines dont la structure tridimensionnelle est connue.

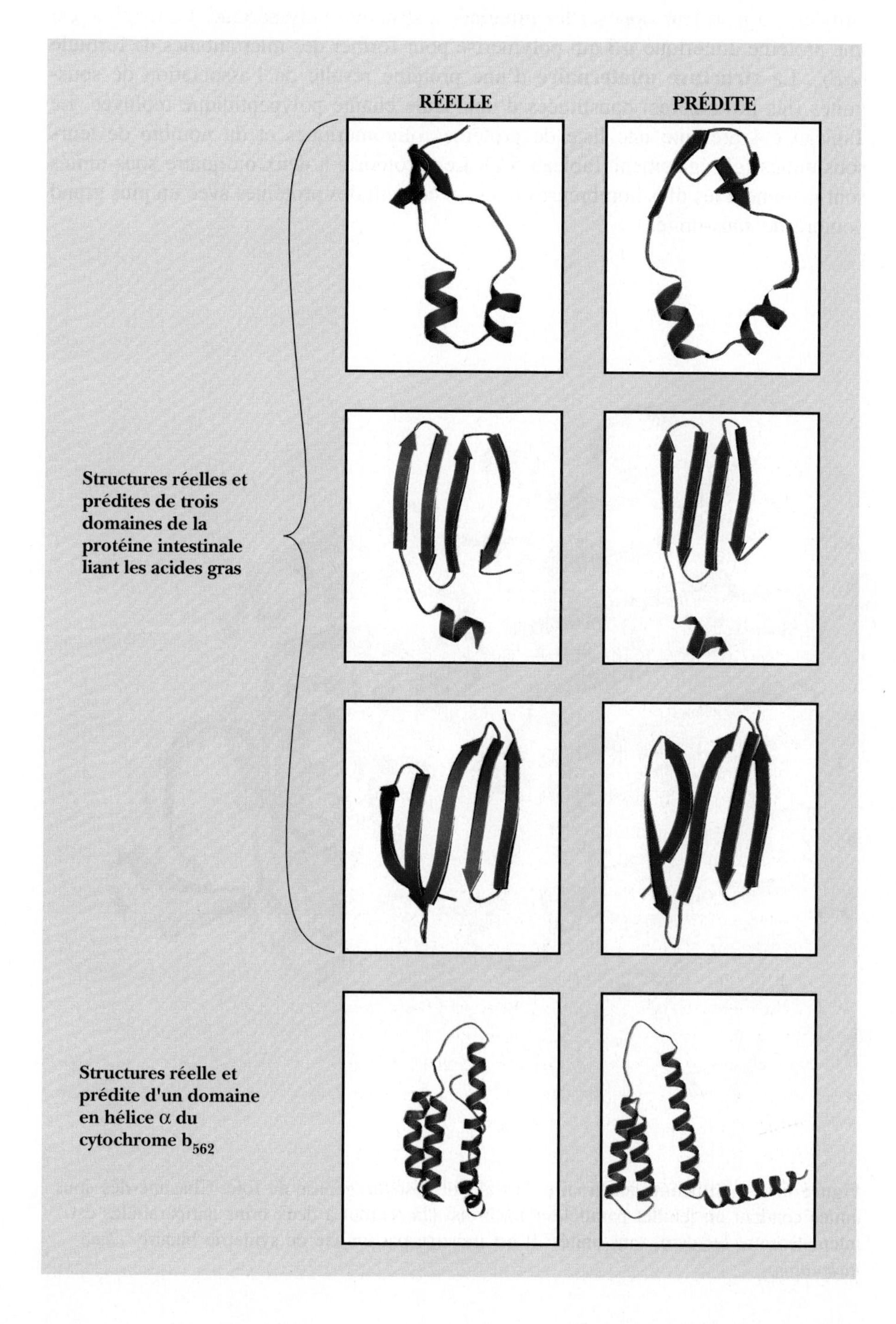

Figure 6.40 • Structures de quatre domaines protéiques comparées aux prédictions de structures par Rose et Srinivasan avec l'aide du logiciel LINUS. *(Professeur George Rose/Université Johns Hopkins)*

6.5 • Structure quaternaire et interactions entre les sous-unités

Beaucoup de protéines existent sous forme d'oligomères, complexes (souvent symétriques) composés d'assemblages non covalents de deux, ou plus, sous-unités monomériques. En fait, l'association de sous-unités est une caractéristique très fréquente de l'organisation macromoléculaire des structures fonctionnelles. La plupart des enzymes intramoléculaires sont des oligomères constitués des sous-unités identiques (*homo-oligomères*) ou de sous-unités différentes (*hétéro-oligomères*). L'exemple le plus simple est celui de l'alcool déshydrogénase du foie composé de deux sous-unités identiques (Figure 6.41). Des protéines plus complexes peuvent avoir une ou plusieurs copies de sous-unités différentes. L'hémoglobine, par exemple, un hétérotétramère, contient deux copies de deux sous-unités différentes, on dit que c'est une protéine complexe $\alpha_2\beta_2$. Ces exemples de protéines oligomériques sont relativement simples, on peut leur opposer les protéines à structure polymérique. La tubuline est une protéine dimérique $\alpha\beta$ qui polymérise pour former des microtubules de formule $(\alpha\beta)_n$. La **structure quaternaire** d'une protéine résulte de l'association de sous-unités (les protomères) constituées d'une seule chaîne polypeptidique reployée. Le Tableau 6.4 présente une liste de protéines oligomériques et du nombre de leurs sous-unités (cf. également Tableau 5.1). Les protéines à deux ou quatre sous-unités sont nettement les plus nombreuses mais on connaît des protéines avec un plus grand nombre de sous-unités.

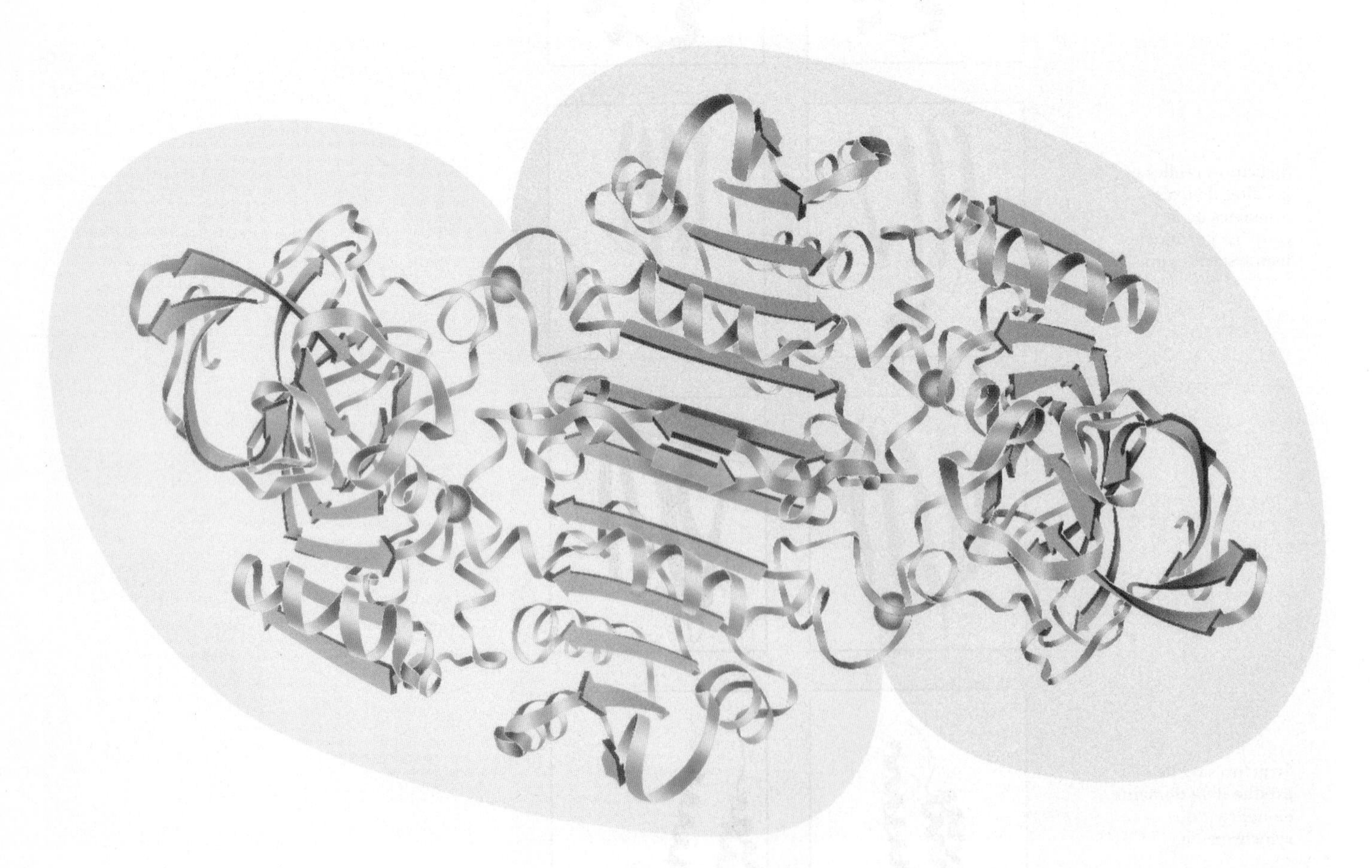

Figure 6.41 • Structure quaternaire de l'alcool déshydrogénase du foie. Chacune des sous-unités contient un feuillet parallèle à six brins. Un feuillet à deux brins antiparallèles est intercalé entre les deux sous-unités. Il est traversé par un axe de symétrie binaire. *(Jane Richardson)*

Chaque sous-unité de protéine oligomérique se reploie indépendamment pour donner une conformation globulaire qui ensuite sera en interaction avec les autres sous-unités. Les surfaces spécifiques par lesquelles les sous-unités protéiques sont en interactions sont de nature similaire aux intérieurs des sous-unités. Les interfaces sont fortement tassées et impliquent à la fois des interactions polaires et des interactions hydrophobes. Les interfaces doivent donc avoir des groupes polaires et hydrophobes complémentaires.

Deux types d'association entre les sous-unités des oligomères peuvent être distingués suivant que les sous-unités en contact sont **identiques** ou **non identiques** (différentes). Les interactions entre des sous-unités identiques peuvent être soit **isologues**, soit **hétérologues**. Dans les interactions isologues, les surfaces en contact sont identiques, il en résulte nécessairement une structure dimérique close, avec un axe de symétrie binaire (Figure 6.42). S'il faut des interactions supplémentaires pour former un trimère ou un tétramère, les surfaces en contact seront des interfaces différentes des premières. Beaucoup de protéines tétramériques, comme la concanavaline et la préalbumine, sont constituées de deux paires de sous-unités en interactions isologues ; une de ces paires est présentée Figure 6.43. De telles structures ont trois axes de symétrie binaire différents. L'association hétérologue de sous-unités utilise des interfaces qui ne sont pas identiques. Ces surfaces doivent être complémentaires, mais elles ne sont généralement pas symétriques. Les associations hétérologues sont nécessairement ouvertes (Figure 6.43). Ce type d'association peut conduire à de vastes assemblages polymériques ou à des structures cycliques fermées s'il existe des contraintes géométriques. Les structures cycliques sont les plus fréquentes, on peut citer la structure trimérique des sous-unités catalytiques de l'aspartate transcarbamylase, la structure tétramérique de la neuraminidase et de l'hémérythrine.

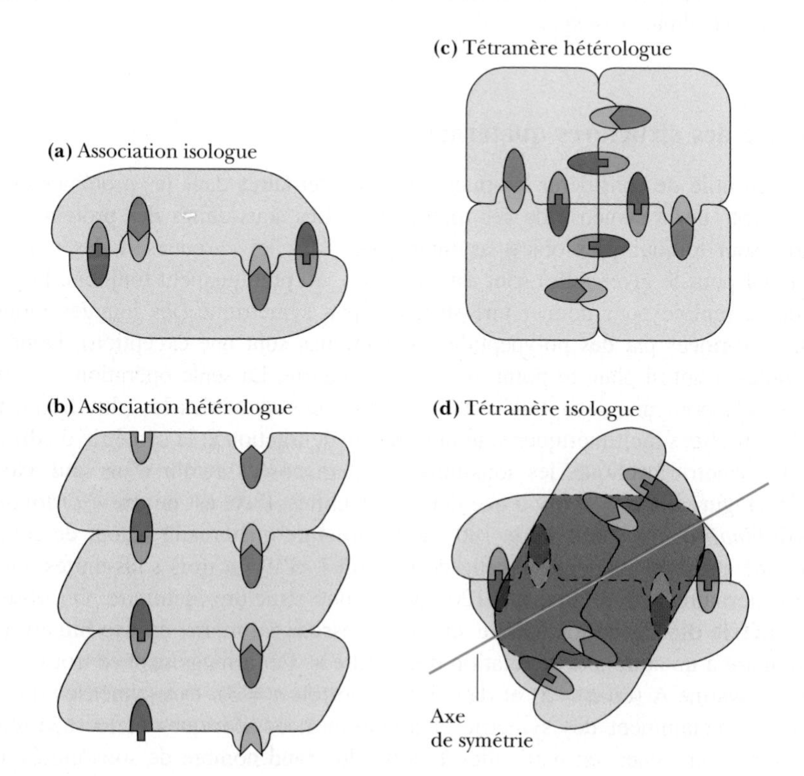

Figure 6.42 • Associations isologues et hétérologues de sous-unités protéiques. (a) Interaction isologue entre deux sous-unités, l'axe de symétrie binaire est perpendiculaire au plan de la page. (b) Interaction hétérologue qui permet la formation d'un long polymère. (c) Interaction hétérologue qui conduit à une structure fermée, ici un tétramère. (d) Tétramère constitué de deux paires de sous-unités en interactions isologues.

Tableau 6.4

Symétrie d'agrégation de protéines globulaires

Protéine	Nombre des sous-unités
Alcool déshydrogénase	2
Immunoglobuline	4
Malate déshydrogénase	2
Superoxyde dismutase	2
Triose-phosphate isomérase	2
Glycogène phosphorylase	2
Phosphatase alcaline	2
6-phosphogluconate déshydrogénase	2
Agglutinine du germe de blé	2
Glucose phosphate isomérase	2
Tyrosyl-ARNt synthétase	2
Glutathion réductase	2
Aldolase	3
Protéine de la bactériochlorophylle	3
Protéine du disque du VMT	17
Concanavaline A	4
Glycéraldéhyde-3-phosphate déshydrogénase	4
Lactate déshydrogénase	4
Préalbumine	4
Pyruvate kinase	4
Phosphoglycérate mutase	4
Hémoglobine	2 + 2
Insuline	6
Aspartate transcarbamylase	6 + 6
Glutamine synthétase	12
Apoferritine	24
Enveloppe du virus du rabougrissement buissonnant de la tomate	180

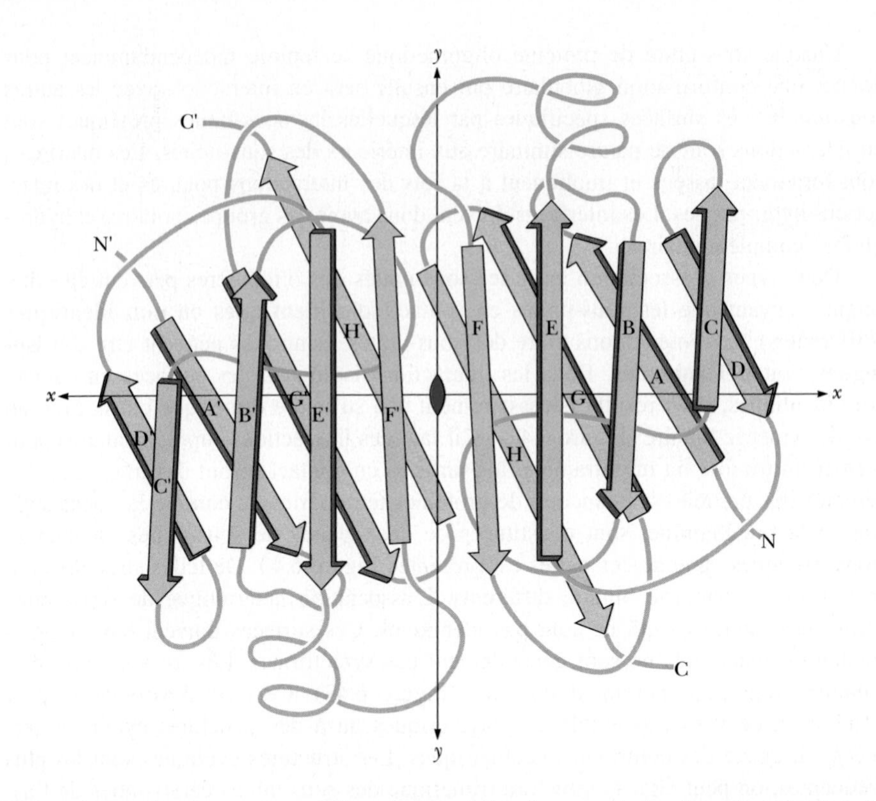

Figure 6.43 • Squelette polypeptidique de la préalbumine, un dimère. Les deux feuillets β des protomères s'associent de façon à former une continuité. La structure tétramérique se forme ensuite par des interactions isologues entre les chaînes latérales qui s'étendent vers l'extérieur des feuillets D′A′G′H′HGAD de chacun des dimères. Ces derniers s'assemblent presque à angle droit. *(Jane Richardson)*

Symétrie des structures quaternaires

Une façon utile de considérer les interactions quaternaires dans les protéines est de tenir compte de la symétrie de ces interactions. Les sous-unités des protéines globulaires sont toujours des objets asymétriques. Tous les carbones α des polypeptides (sauf pour le glycocolle) sont asymétriques, et, pratiquement toujours, le polypeptide se reploie pour donner une structure peu symétrique (les longues rangées d'hélices formées par des polypeptides synthétiques sont une exception). Donc les sous-unités n'ont ni plan, ni point, ni axe de symétrie. La seule opération de symétrie possible pour une sous-unité est la rotation. Les symétries les plus fréquentes dans les protéines multimériques sont la symétrie de rotation et la symétrie diédrique. Dans la symétrie cyclique, les sous-unités sont disposées autour d'un seul axe de rotation (Figure 6.44). S'il n'y a que deux sous-unités, l'axe est un *axe d'ordre deux* (ou axe *binaire*). Une rotation de 180° de la structure quaternaire autour de cet axe donne une structure identique à celle de l'original. S'il y a trois sous-unités autour de l'axe ternaire, une rotation de 120° donne une structure identique. On observe une **symétrie diédrique** lorsqu'une structure possède au moins un axe binaire perpendiculaire à un autre axe de rotation d'un ordre n. Cet arrangement se trouve dans la concanavaline A (où $n = 2$) et dans l'insuline (où $n = 3$). Des symétries d'ordre plus élevé, notamment des symétries tétraédriques, octaédriques et icosaédriques, sont moins communes, en particulier à cause du grand nombre de sous-unités asymétriques qui sont nécessaires pour constituer un réel arrangement tétraédrique ou d'un ordre supérieur. Il faut, par exemple, 12 protomères identiques arrangés en triangles pour former une protéine avec une réelle symétrie d'ordre quatre (Figure 6.45). Les protéines des systèmes biologiques sont le plus souvent des tétramères avec une symétrie diédrique.

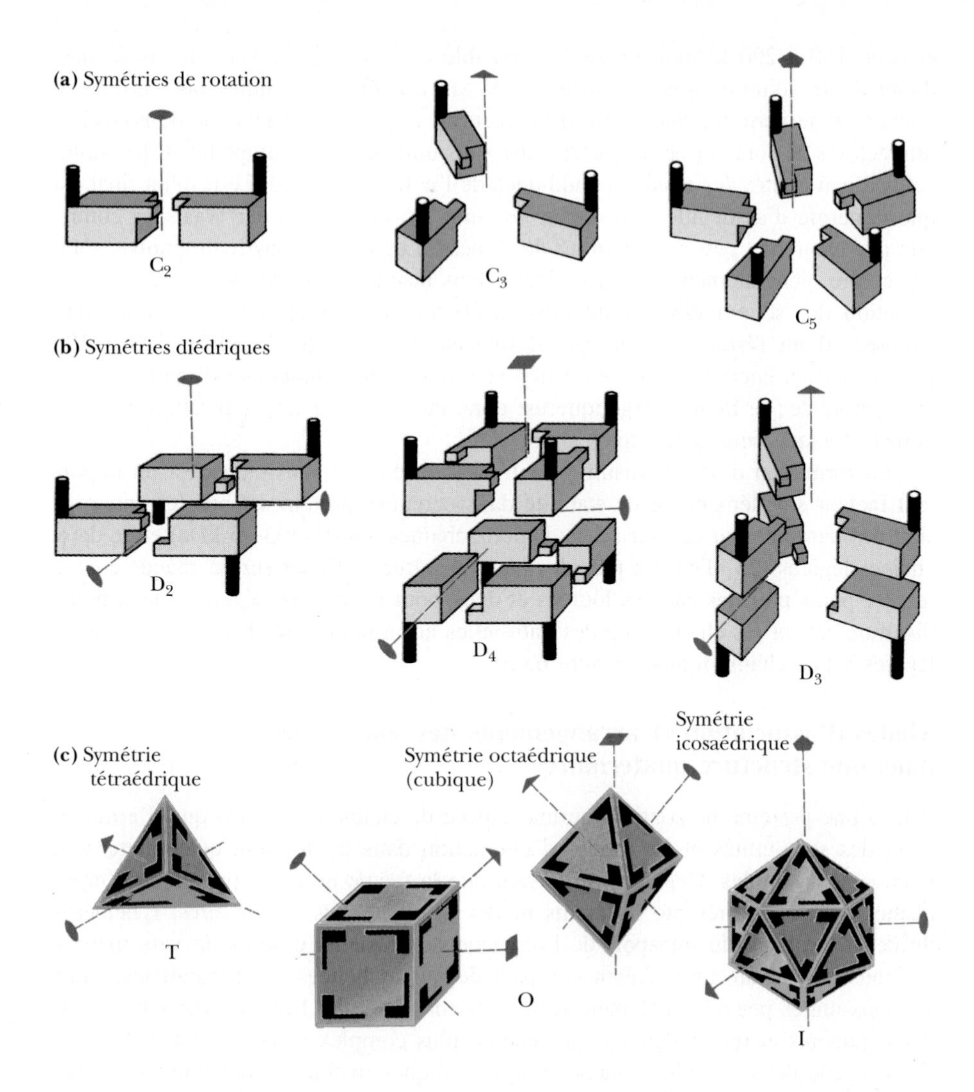

Figure 6.44 • Symétries possibles, observées à la suite de l'assemblage de sous-unités identiques : (a) symétries de rotation, (b) symétries diédriques, (c) symétries cubiques, avec des exemples de symétrie tétraédrique (T), octaédrique (O) et icosaédrique (I). (*Irving Geis*)

Forces entraînant les associations quaternaires

On a pu mesurer dans quelques protéines les forces qui stabilisent les structures quaternaires. Les constantes de dissociation des deux sous-unités d'un dimère ont des valeurs comprises entre 10^{-8} et 10^{-16} *M*. Ces valeurs correspondent à des énergies libres d'association d'environ 50 à 100 kJ/mol à 37 °C. La dimérisation des sous-unités s'accompagne de changements énergétiques qui sont à la fois favorables et défavorables. Les interactions favorables comprennent les interactions de Van der Waals, les liaisons hydrogène, les liaisons ioniques et les interactions hydrophobes. Cependant, il y a une importante perte d'entropie quand les sous-unités sont en interaction. Lorsque deux sous-unités se déplacent ensemble il y a perte de trois degrés de liberté de translation pour chacune puisqu'elles sont contraintes de se déplacer l'une avec l'autre. De plus, de nombreux résidus peptidiques de l'interface, qui avaient une liberté de mouvement à la surface du protomère, subissent une restriction de leurs mouvements du fait de l'association des sous-unités. La valeur de cette énergie défavorable à l'association est de l'ordre de 80 à 120 kJ/mol pour des températures comprises entre 25 et 37 °C. Donc pour que la dimérisation de deux sous-unités soit stable, il faut environ 130 à 220 kJ/mol d'interactions favorables [1]. Les interactions de Van der Waals aux interfaces des protéines sont très nombreuses, parfois des centaines entre deux protomères. Ces interactions correspondent à

[1] Par exemple, avec 130 kJ/mol d'interaction favorable moins 80 kJ/mol d'interaction défavorable il reste 50 kJ/mol d'énergie favorable à l'association.

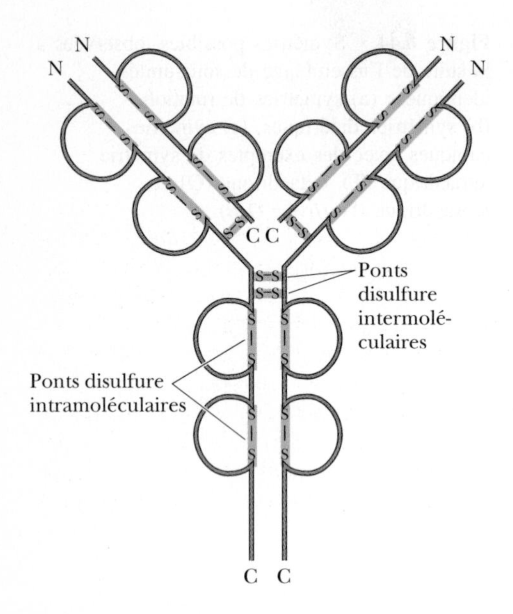

Figure 6.45 • Représentation schématique d'une molécule d'immunoglobuline avec les ponts disulfure intramoléculaires et intermoléculaires. (Voir le modèle compact de la même molécule d'immunoglobuline Figure 1.11.)

environ 150 à 200 kJ/mol d'énergie favorable à l'association. Mais, les molécules d'eau de la solution sont éliminées de la surface des sous-unités qui entrent en contact ; il se perd presque autant d'interactions de Van der Waals que de nouvelles interactions se sont formées. En fait, une sous-unité échange simplement des molécules d'eau contre des résidus peptidiques de l'autre sous-unité. Le résultat final est que l'énergie d'association provenant des interactions de Van der Waals ne contribue que pour très peu à la stabilité du dimère. Les interactions hydrophobes sont, par contre, généralement très favorables. Dans beaucoup de cas, le processus d'association des sous-unités enfouit jusqu'à 20 nm^2 de surface qui était auparavant exposée. Il en résulte une énergie d'association favorable d'environ 100 à 200 kJ/mol. Il faut encore ajouter les différentes interactions polaires à l'interface protéine–protéine ; le bilan énergétique est donc en faveur de la stabilisation de l'oligomère lorsque deux sous-unités s'associent.

La formation de ponts disulfure entre les différentes sous-unités est un important facteur supplémentaire de stabilité dans certaines protéines. Tous les anticorps sont des tétramères $\alpha_2\beta_2$ constitués de deux chaînes lourdes (53-75 kDa) et de deux chaînes légères (23 kDa). En plus des ponts disulfure à l'intérieur de chaque chaîne (quatre ponts pour les chaînes lourdes et deux pour les chaînes légères), deux ponts disulfure relient les chaînes lourdes entre elles et un pont relie chacune des chaînes légères à une chaîne lourde (Figure 6.45).

Modes d'association et arrangements des sous-unités dans une structure quaternaire

Quand une protéine ne contient qu'une espèce de chaîne polypeptidique, l'arrangement des sous-unités et les modes d'interaction dans la structure quaternaire sont relativement simples. Cependant, il arrive que la même protéine, provenant d'organismes différents, présente différents modes d'interactions quaternaires. L'hémérythrine, la protéine du transport de l'oxygène de plusieurs espèces de vers marins, est constituée d'un arrangement compact de quatre hélices α antiparallèles. Mais ses sous-unités peuvent également former des dimères, des trimères, des tétramères, des octamères et même des agrégats encore plus complexes (Figure 6.46).

Lorsque deux, ou plus, chaînes polypeptidiques distinctes sont impliquées, les interactions peuvent devenir fort complexes. Les protéines multimériques qui ont plus d'une espèce de protomère présentent souvent des affinités différentes entre les différentes paires de sous-unités. Alors que des dénaturants puissants dissocieront

(a)

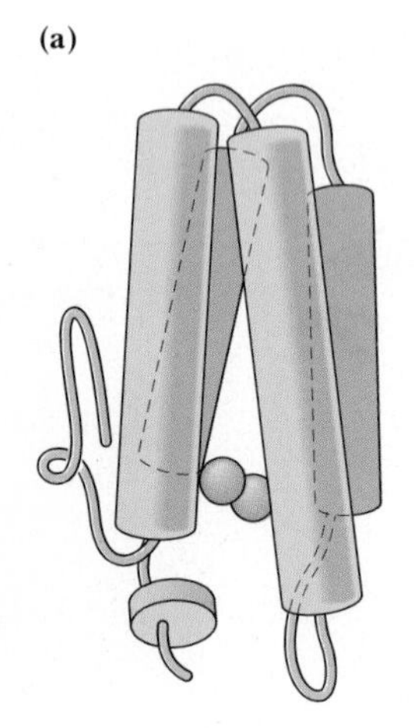

(b)

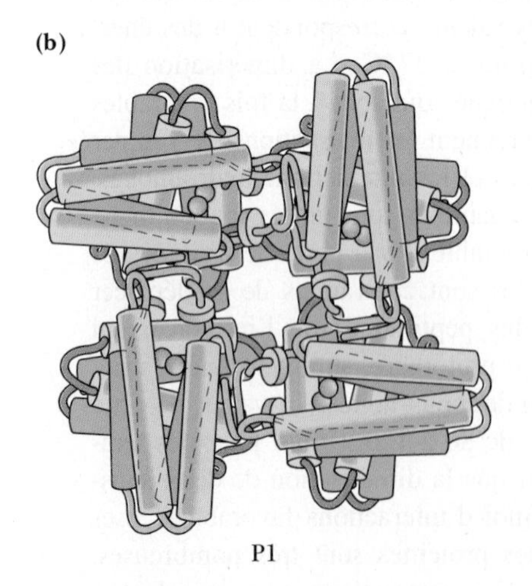

(c)

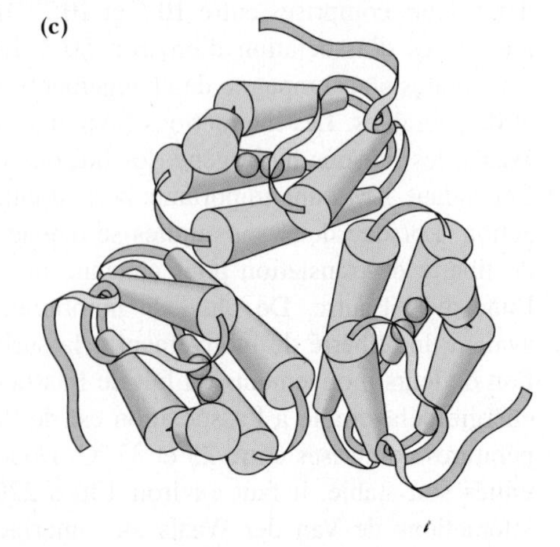

Figure 6.46 • États oligomériques de l'hémérythrine de divers vers marins
(a) Hémérythrine de *Thermiste zostericola* cristallisée sous forme de protomère ;
(b) hémérythrine octamérique cristallisée, de *Phascolopsis gouldii* ; (c) hémérythrine trimérique cristallisée, de *Siphonosoma*, pêché dans les eaux des mangroves des îles Fidji.

Pour en savoir plus

Les immunoglobulines – toutes les particularités qui caractérisent les structures des protéines sont réunies dans ces molécules

La structure des immunoglobulines représentée Figure 6.45 comporte toutes les particularités structurales que nous avons examinées dans les protéines. Comme pour toutes les protéines, la séquence primaire détermine les autres aspects de leur structure. Elles contiennent de nombreux éléments de structure, y compris des feuillets β et des coudes. Leur structure tertiaire est formée de douze domaines distincts et la structure quaternaire de la protéine est celle d'un hétérotétramère. Pour compliquer l'ensemble, des ponts disulfure intracaténaires et intercaténaires relient des domaines séparés et stabilisent l'ensemble tétramérique.

Il existe encore un niveau supplémentaire de complication. Comme nous le préciserons Chapitre 29, les séquences des acides aminés, tant des chaînes légères que des chaînes lourdes, ne sont pas constantes ! Au contraire, la séquence de ces chaînes est extrêmement variable dans les régions N-terminales (les 108 premiers résidus). L'hétérogénéité des séquences aboutit à des variations dans la conformation de ces régions variables. Cette variabilité rend compte de l'extrême diversité des anticorps qui peuvent théoriquement reconnaître et se lier à un nombre pratiquement illimité d'antigènes. (Il existera toujours au moins un anticorps pour se lier à un antigène). Ce potentiel de reconnaissance par des anticorps fait que l'organisme peut produire une réponse immunologique à tout antigène qui se présenterait.

complètement les protomères de la protéine, des conditions plus douces de dénaturation permettront de dissocier la structure oligomérique par étapes successives contrôlées. L'hémoglobine fournit un bon exemple. Les dénaturants puissants dissocient l'hémoglobine en ses protomères α et β. Par dénaturation douce, il est possible de dissocier presque toute l'hémoglobine en dimères $\alpha\beta$, avec très peu de protomères libres, et parfois sans aucun protomère libre. En ce sens, l'hémoglobine se comporte comme une protéine à deux sous-unités, chacune de ces « sous-unités » étant en fait un dimère $\alpha\beta$.

Structures quaternaires ouvertes et polymérisation

Toutes les structures quaternaires dont il a été question jusqu'à présent sont des structures **closes**, avec une capacité d'association limitée. Mais certaines protéines s'associent pour former des structures hétérologues **ouvertes**. Ces structures peuvent polymériser, presque indéfiniment, ce qui aboutit à des structures agréables à voir et fonctionnellement importantes pour les cellules ou les tissus. La **tubuline** est une de ces protéines. La tubuline est une protéine dimérique $\alpha\beta$ qui polymérise de façon à former une longue structure tubulaire, le *microtubule*, base structurale des flagelles et du cytosquelette de la matrice cellulaire. Le microtubule peut être considéré comme constitué de 13 filaments parallèles formés par l'association tête à queue de la tubuline dimérique (Figure 6.47). L'enveloppe sphérique du virus à l'origine du Sida (cf. Chapitre 16), le virus de l'immunodéficience humaine acquise, VIH (ou HIV des anglo-saxons), est composée de centaines de sous-unités ; c'est une structure quaternaire extrêmement développée.

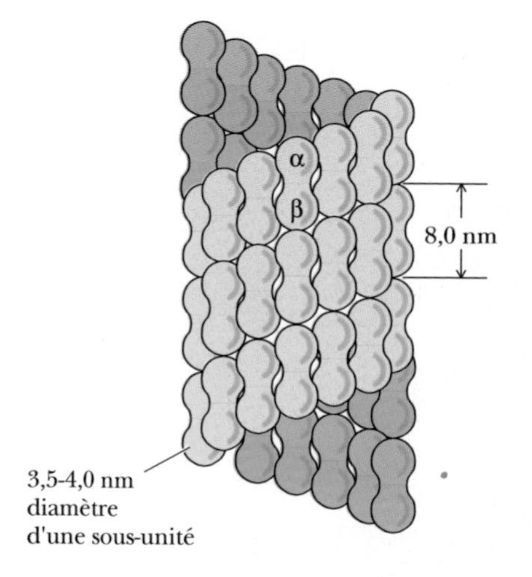

Figure 6.47 • Arrangement du dimère de la tubuline dans la structure d'un microtubule. Le dimère provient de l'association des protomères α et β.

Avantages structuraux et fonctionnels de l'association quaternaire

Il y a plusieurs raisons importantes à l'association des sous-unités protéiques en structures oligomériques

Stabilité

Un avantage général de l'association des sous-unités est la réduction du rapport de la surface au volume de la protéine. Plus le rayon d'une particule ou d'un objet quelconque devient grand, plus le rapport de la surface au volume devient petit (car la surface varie comme le carré du rayon, tandis que le volume varie comme le cube du rayon). En général, les interactions à l'intérieur de la protéine tendent à stabiliser la structure, tandis que les interactions de la surface de la protéine avec les molécules d'eau de la solution sont énergétiquement défavorables. Il est donc normal que la diminution du rapport de la surface au volume augmente la stabilité des protéines. L'association des sous-unités peut aussi protéger les résidus hydrophobes de l'eau de la solution. Les sous-unités qui s'associent, entre elles ou avec d'autres sous-unités diminuent le risque d'erreur qui résulterait d'une mauvaise traduction du message génétique car les formes mutantes se lient souvent moins bien et ne sont pas incorporées dans les structures complexes.

Économie génétique et efficacité

L'association oligomérique des protomères est, pour un organisme, économique d'un point de vue génétique. Il faut moins d'ADN pour coder pour un protomère qui s'assemble en un multimère que pour une grosse protéine de même masse moléculaire. On peut aussi dire que toute l'information génétique requise pour l'assemblage d'un oligomère et les interactions entre les sous-unités est pratiquement déjà dans le segment du génome qui code pour un protomère. Par exemple la protéase VIH (ou HIV), un enzyme dimérique constitué de deux sous-unités identiques, a une fonction catalytique homologue à celle des enzymes cellulaires de masse moléculaire double (Chapitre 16).

Rapprochement des sites nécessaires à l'activité catalytique

Beaucoup d'enzymes (cf. Chapitres 14 à 16) acquièrent au moins une partie de leur activité catalytique par l'association des protomères en oligomères. Plusieurs voies sont possibles. Les protomères peuvent ne pas avoir de site actif complet. La formation d'un oligomère réunit les groupes nécessaires à l'activité catalytique de la protéine. Par exemple, les sites actifs de la glutamine synthétase bactérienne sont formés par des paires de sous-unités adjacentes. Les protomères dissociés sont inactifs.

Les oligomères peuvent aussi catalyser des réactions différentes, mais coordonnées, sur des sous-unités différentes. La tryptophanne synthétase est un tétramère constitué de deux paires de sous-unités différentes, $\alpha_2\beta_2$. Les sous-unités α purifiées catalysent la réaction suivante :

$$\text{Indole-glycérol phosphate} \rightleftharpoons \text{Indole} + \text{glycéraldéhyde-3-phosphate}$$

et la sous-unité β catalyse cette réaction :

$$\text{Indole} + \text{L-sérine} \rightleftharpoons \text{l-Tryptophanne}$$

L'indole, produit de la réaction catalysée par les sous-unités α et substrat de la réaction catalysée par la sous-unité β ne peut pas être détecté comme un intermédiaire libre si la réaction est catalysée par l'enzyme oligomérique car il passe directement de la sous-unité α à la sous-unité β.

La coopérativité

L'association des protomères en une structure plus complexe, oligomérique, apporte un dernier avantage, extrêmement important. La régulation de l'activité catalytique des enzymes oligomériques s'effectue par l'intermédiaire des interactions entre les sous-unités. Cette régulation relève parfois d'un phénomène coopératif. Des protéines ayant plusieurs sous-unités ont généralement plusieurs sites de fixation du ligand. Si la liaison d'un premier ligand sur un site modifie l'affinité pour le ligand sur les autres sites de la protéine, la liaison devient **coopérative**. Si l'affinité sur ces autres sites augmente, la coopérativité est positive, si elle diminue, la coopérativité est négative. Les points de contact entre les sous-unités sont les seuls moyens de communication entre elles. Ce sont eux qui permettent que la fixation d'un ligand sur une sous-unité influence le comportement des autres sous-unités, le changement de leur affinité. Ce comportement coopératif (traité plus en détail Chapitre 15) est à la base du mécanisme de régulation de nombreux processus biologiques.

Biochimie humaine

Une insuline plus rapidement efficace : le génie génétique résout un problème de structure quaternaire

L'insuline est une hormone peptidique, sécrétée par le pancréas. Elle régule le métabolisme du glucose en activant des sites récepteurs du foie, des muscles et du tissu adipeux. Une insuffisance, ou une absence, de sécrétion se traduit par un désordre métabolique important, le diabète sucré. Des millions d'individus, dans le monde entier, souffrent du diabète. Ces diabétiques ont généralement une glycémie (concentration sanguine du glucose) élevée, et l'injection thérapeutique d'insuline permet de maintenir une glycémie normale.

L'insuline est constituée de deux chaînes peptidiques liées par des ponts disulfure (Figures 5.17 et 6.35). Ce « monomère » d'insuline est la forme active qui se fixe sur les récepteurs des cellules cibles. Mais en solution, l'insuline dimérise spontanément et les dimères forment ensuite des hexamères. Les surfaces de contact utilisées pour la formation des hexamères sont les mêmes que celles qui sont reconnues et se lient aux récepteurs des cellules cibles. Les hexamères de l'insuline sont donc inactifs.

L'insuline libérée par le pancréas est sous la forme monomérique, elle agit très rapidement sur les cellules cibles. Quand l'insuline est administrée, par injection, aux patients diabétiques, l'hexamère se dissocie lentement et la concentration du glucose ne baisse que lentement (pendant une période qui peut durer quelques heures).

En 1988, G. Dodson a montré qu'on pouvait obtenir une insuline qui conserverait l'état monomérique (actif). À l'aide des techniques du génie génétique (cf. Chapitre 13), Dodson et ses collègues ont synthétisé une insuline avec un résidu aspartate à la place du résidu proline à l'interface de contact entre les sous-unités. La charge négative de la chaîne latérale de l'aspartate provoque une répulsion électrostatique entre les sous-unités et accroît la constante de dissociation de l'équilibre hexamère $\rightleftarrows$ monomère. L'injection de cette protéine mutée à un animal provoque une baisse de la glycémie plus rapide que celle résultant de l'injection de l'insuline normale. La compagnie pharmaceutique danoise, Novo, effectue les essais cliniques de l'insuline mutée qui pourrait, dans certains cas, être utilisée pour le traitement des diabétiques.

Exercices

1. Le domaine central de la baguette d'une kératine contient environ 312 résidus. Quelle est la longueur, en Å, de ce domaine ? Si ce même segment avait été une hélice α, quelle aurait été sa longueur ? Quelle aurait été sa longueur si le segment du domaine de la baguette avait été reployé en feuillet β ?

2. Lors d'une poussée de croissance, la taille d'un adolescent peut augmenter de 10 cm en un an. En supposant que cet accroissement de hauteur résulte de la croissance verticale des fibres de collagène dans les os, calculez le nombre de tours d'hélices de collagène synthétisés par minute.

3. Quelles sont les contributions potentielles aux différentes interactions, hydrophobes, de Van der Waals, ioniques et formation de liaisons hydrogène, des chaînes latérales des résidus Asp, Leu, Tyr, d'une protéine ? Discutez vos réponses.

4. La proline est l'acide aminé le plus rarement présent dans les hélices α, mais on la trouve souvent dans les tours β (voir Figure 6.40). Discutez la cause de ce comportement.

5. La Figure 6.32 représente la flavodoxine. Identifiez les boucles transversales qui tournent à droite et à gauche dans le feuillet parallèle β.

6. Choisissez trois régions sur le diagramme de Ramachandran et discutez la probabilité d'observer cette combinaison d'angles ϕ et ψ dans un peptide ou une protéine. Argumentez votre réponse en utilisant des modèles moléculaires de peptides appropriés.

7. On vient de purifier une nouvelle protéine. La masse moléculaire estimée par chromatographie sur gel est de 240.000. La chromatographie en présence de chlorhydrate de guanidine 6 *M* ne donne qu'un pic correspondant à une protéine de masse apparente 60.000. La chromatographie en présence de chlorhydrate de guanidine 6 *M* et de β-mercaptoéthanol 10 m*M*, donne deux pics correspondant à des protéines de masse apparente 34.000 et 26.000. En présence de ces résultats, que peut-on dire au sujet de la structure de cette protéine ? Justifiez votre réponse.

8. Deux polypeptides A et B ont des structures tertiaires similaires, mais A est normalement sous forme d'un monomère tandis que B est sous forme d'un oligomère, B_4. Quelles différences de composition pouvez-vous envisager entre les acides aminés de A et de B ?

9. L'hémagglutinine du virus de la grippe contient une hélice α particulièrement remarquable de 53 résidus.

a. Quelle est la longueur de cette hélice (en nm) ?

b. De combien de tours est-elle constituée ?

c. Chaque résidu d'une hélice α est impliqué dans deux liaisons hydrogène. Combien de liaisons hydrogène comptez-vous dans cette hélice ?

Lectures complémentaires

Abeles, R., Frey, P., et Jencks, W., 1992. *Biochemistry.* Boston : Jones and Bartlett.

Aurora, R., Creamer, T., Srinivasan, R., et Rose, G.D., 1997. Local interactions in protein folding : Lessons from the α-helix. *The Journal of Biological Chemistry* **272** *:* 1413-1416.

Branden, C., et Tooze, J., 1991. *Introduction to Protein Structure.* New York : Garland Publishing, Inc.

Cantor, C. R., et Schimmel, P.R., 1980. *Biophysical Chemistry,* Part 1 : The Conformation of Biological Macromolecules. New York: W. H. Freeman and Co.

Chothia, C., 1984. Principles that determine the structure of proteins. *Annual Review of Biochemistry* **53** : 537-572.

Creighton, T.E, 1983. *Proteins : Structure and Molecular Properties.* New York : W.H. Freeman and Co.

Creighton, T. E., 1997. How important is the molten globule for correct protein folding ? *Trends in Biochemical Sciences* **22** : 6-11.

Dickerson, R.E., et Geis, I., 1969. *The Structure and Action of Proteins.* New York : Harper and Row.

Dill, K.A., et Chan, H.S., 1997. From Levinthal to pathways to funnels. *Nature Structural Biology* **4** : 10-19.

Englander, S.W., et Mayne, L., 1992. Protein folding studied using hydrogen exchange labeling and two-dimensional NMR. *Annual Review of Biophysics and Biomolecular Structure* **21** : 243-265.

Hardie, D. G., et Coggins, J.R., eds., 1986. *Multidomain Proteins : Structure and Evolution.* New York : Elsevier.

Harper, E., et Rose, G.D., 1993. Helix stop signals in proteins and peptides : The capping box. *Biochemistry* **32** : 7605-7609.

Judson, H.E, 1979. *The Eighth Day of Creation.* New York : Simon and Schuster.

Klotz, I.M., 1996. Equilibrium constants and free energies in unfolding of proteins in urea solutions. *Proceedings of the National Academy of Sciences* **93** : 14411-14415.

Klotz, I.M., Langerman, N. R., et Darnell, D.W., 1970. Quaternary structure of proteins. *Annual Review of Biochemistry* **39** : 25-62.

Lupas, A., 1996. Coiled coils : New structures and new functions. *Trends in Biochemical Sciences* **21** : 375-382.

Petsko, G. A., et Ringe, D., 1984. Fluctuations in protein structure from X-ray diffraction. *Annual Review of Biophysics and Bioengineering* **13** : 331-371.

Privalov, P. L., et Makhatadze, G.L, 1993. Contributions of hydration to protein folding thermodynamics. II. The entropy and Gibbs energy of hydration. *Journal of Molecular Biology* **232** : 660-679.

Raschke, T.M., et Marqusee, S., 1997. The kinetic folding intermediate of ribonuclease H resembles the acid molten globule and partially unfolded molecules detected under native conditions. *Nature Structural Biology* **4** : 298-304.

Richardson, J.S., 1981. The anatomy and taxonomy of protein structure. *Advances in Protein Chemistry* **34** : 167-339.

Richardson, J.S., et Richardson, D.G, 1988. Amino acid preferences for specific locations at the ends of α-helices. *Science* **240** : 1648-1652.

Rossman, M.G., et Argos, P., 1981. Protein folding. *Annual Review of Biochemistry* **50** : 497-532.

Salemme, F.R., 1983. Stuctural properties of protein β-sheets. *Progress in Biophysics and Molecular Biology* **42** : 95-133.

Schulze, A.J., Huber, R., Bode, W., et Engh, R.A., 1994. Structural aspects of serpin inhibition. *FEBS Letters* **344** : 117-124.

Sifers, R.M., 1995. Defective protein folding as a cause of disease. *Nature Structural Biology* **2** : 355-367.

Srinivasan, R., et Rose, G.D., 1995. LINUS : A hierarchic procedure to predict the fold of a protein. *Proteins : Structure, Function and Genetics* **22** : 81-99.

Stein, P.L, et Carrell, R.W., 1995. What do dysfunctional serpins tell us about molecular mobility and disease ? *Nature Structural Biology* **2** : 96113.

Thomas, P.,J., Qu, B.-H., et Pedersen, P.L., 1995. Defective protein folding as a basis of human disease. *Trends in Biochemical Sciences* **20** : 456-459.

Torchia, D.A., 1984. Solid state NMR studies of protein internal dynamics. *Annual Review of Biophysics and Bioengineering* **13** : 125-144.

Wagner, G., Hyberts, S., et Havel, T., 1992. NMR structure determination in solution : A critique and comparison with X-ray crystallography. *Annual Review of Biophysics and Biomolecular Structure* **21** : 167-242.

Xiong, H., Buckwalter, B., Shich, K-M., et Hecht, M.H., 1995. Periodicity of polar and nonpolar amino acids is the major determinant of secondary structure in self-assembling oligomeric peptides. *Proceedings of the National Academy of Sciences* **92** : 6349-6353.

Chapitre 7

Les glucides

« Du sucre dans la gourde et du miel
dans la corne
Jamais depuis l'heure de ma naissance
je ne fus plus heureux »

Une dinde dans la paille, 6e couplet
(chant populaire des États-Unis)

Plan

« La découverte du miel » – Piero di Cosimo (1462). (Reproduction aimablement autorisée, Worcester Art Museum)

Les glucides, ou hydrates de carbone, forment la classe qui contient le plus grand nombre de molécules organiques naturelles. On les appelle encore des sucres. Le terme hydrate de carbone provient de la formule globale (CHOH)*n* ou ($C{\cdot}H_2O$)*n*, avec *n* égal ou supérieur à 3. Les glucides forment une classe de molécules extrêmement variées. L'énergie lumineuse du soleil captée par les plantes vertes, les algues et quelques espèces bactériennes (voir Photosynthèse Chapitre 22), est mise en réserve sous forme de glucides. Ces glucides seront par la suite les précurseurs métaboliques de presque toutes les autres biomolécules du monde vivant. Le catabolisme des glucides fournit l'énergie qui permet la vie animale. Les glucides peuvent être liés par des liaisons covalentes à des molécules très variées. Liés à des lipides ils forment des **glycolipides**, constituants communs des membranes biologiques. Liés à des protéines, ils forment des **glycoprotéines**. Glycolipides et glycoprotéines, réunis sous l'appellation de **glycoconjugués**, sont d'importantes molécules présentes dans les parois cellulaires et dans les structures extracellulaires des plantes, des animaux, et des bactéries. Outre leur rôle structural, ces molécules interviennent aussi dans de nombreux processus de *reconnaissance*, reconnaissance entre des cellules ou d'une structure cellulaire par diverses molécules. Le phénomène de reconnaissance est important, aussi bien pour la croissance cellulaire normale, que pour la fertilisation, la transformation des cellules et d'autres processus.

Toutes ces fonctions sont rendues possibles par certaines caractéristiques chimiques des glucides : (1) existence d'au moins un, et souvent deux centres d'asymétrie, (2) possibilité d'adopter soit une structure linéaire, soit une structure cyclique, (3) capacité à former des polymères par des liaisons osidiques et (4) grand pouvoir de formation de nombreuses liaisons hydrogène avec l'eau ou d'autres molécules de leur environnement.

7.1 • Nomenclature des glucides

Les glucides sont généralement répartis en trois groupes, les **oses simples** (ou monosaccharides) et leurs dérivés, les **oligosides** (ou oligosaccharides) et les **polyosides** (ou polysaccharides). La formule des oses ou sucres simples est le plus souvent $(CHOH)n$. On ne peut les dégrader par des méthodes douces pour obtenir des oses plus petits. Ce sont les structures de base (les monomères) de tous les autres glucides. Les oligosides (du grec *oligo*, peu) sont des polymères constitués de 2 à 10 molécules de sucres simples. Les diholosides sont particulièrement communs dans la nature, les triholosides sont assez fréquents. Les oligosides de 4 à 6 unités osidiques sont généralement liés par des liaisons covalentes à d'autres molécules, par exemple dans les glycoprotéines. Comme leur nom le suggère, les polysosides sont des polymères d'oses simples ou de leurs dérivés. Ils peuvent être linéaires ou branchés, ils peuvent contenir des centaines et même des milliers d'unités osidiques et leur masse moléculaire peut être supérieure à un million.

7.2 • Les oses (monosaccharides)

Classification

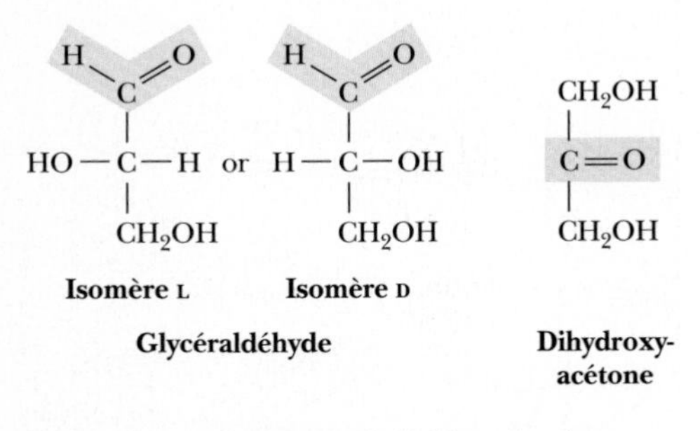

Figure 7.1 • Structure de l'aldose le plus simple (le glycéraldéhyde) et du plus simple cétose (la dihydroxyacétone).

Les oses contiennent généralement de trois à sept atomes de carbone et, selon qu'ils contiennent une fonction aldéhyde ou une fonction cétone, sont plus précisément décrits comme étant des **aldoses** ou des **cétoses**. L'aldose le plus simple est le glycéraldéhyde, le cétose le plus simple est la dihydroxyacétone (Figure 7.1). Ces deux sucres simples sont des **trioses** car ils contiennent chacun trois atomes de carbone. Les Figures 7.2 et 7.3 donnent les structures et les noms d'une famille d'aldoses et de cétoses à trois, quatre, cinq, et six atomes de carbone. Certains de ces oses sont importants dans le métabolisme. Les *hexoses* sont les sucres les plus abondants dans la nature.

Les oses, aldoses et cétoses, ont souvent un nom qui précise à la fois la nature du groupe fonctionnel caractéristique et le nombre de leurs atomes de carbone. On a ainsi des *aldotétroses* et des *cétotétroses*, des *aldopentoses*, des *aldocétoses*, des *aldohexoses*, des *cétohexoses*, etc. On peut aussi préciser qu'il s'agit d'un cétose, simplement en introduisant les lettres -ul- dans un nom : *pentulose*, *hexulose*, *heptulose*, etc. Les oses simples sont hydrosolubles, et généralement, mais pas toujours, de goût plus ou moins sucré.

Stéréochimie des oses

Les aldoses avec au moins trois atomes de carbone et les cétoses ayant au moins quatre atomes de carbone ont un ou plusieurs **centres chiraux** (Chapitre 4). La nomenclature de ces molécules doit donc spécifier la **configuration** de chacun des centres d'asymétrie, et la représentation des molécules doit être basée sur un système qui montre clairement ces configurations. Comme il a été signalé Chapitre 4,

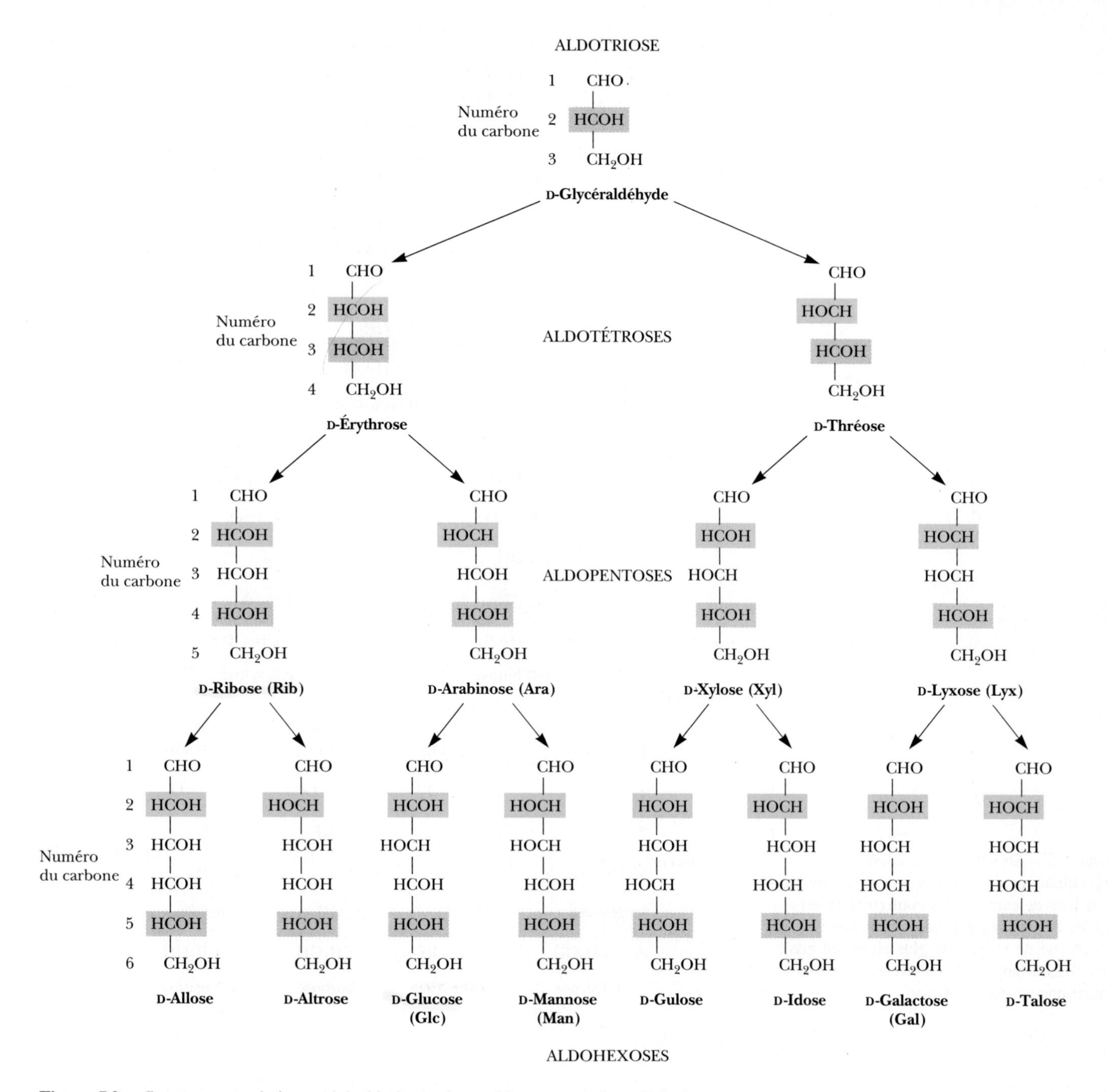

Figure 7.2 • Structures et relations stéréochimiques des D-aldoses ayant de trois à six atomes de carbone. La configuration est toujours déterminée par celle du carbone asymétrique de numéro le plus élevé (sur fond gris). Dans chaque rangée, le « nouveau » carbone asymétrique est sur fond rose.

le système de **projection de Fischer** est à cet effet universellement utilisé. Les structures représentées Figures 7.2 et 7.3 sont des projections de Fischer. Pour les oses à deux, et plus, centres d'asymétrie les préfixes D ou L font référence à la configuration du carbone asymétrique ayant la numérotation la plus élevée (ou carbone le plus éloigné de la fonction carbonyle réductrice). Un ose est D si le groupe hydroxyle du carbone asymétrique à numérotation la plus élevée est écrit à droite dans la projection selon Fischer, comme dans le D-glycéraldéhyde (Figure 7.1). L'appartenance d'un ose à une série D ou L dépend *uniquement* de sa relation avec la

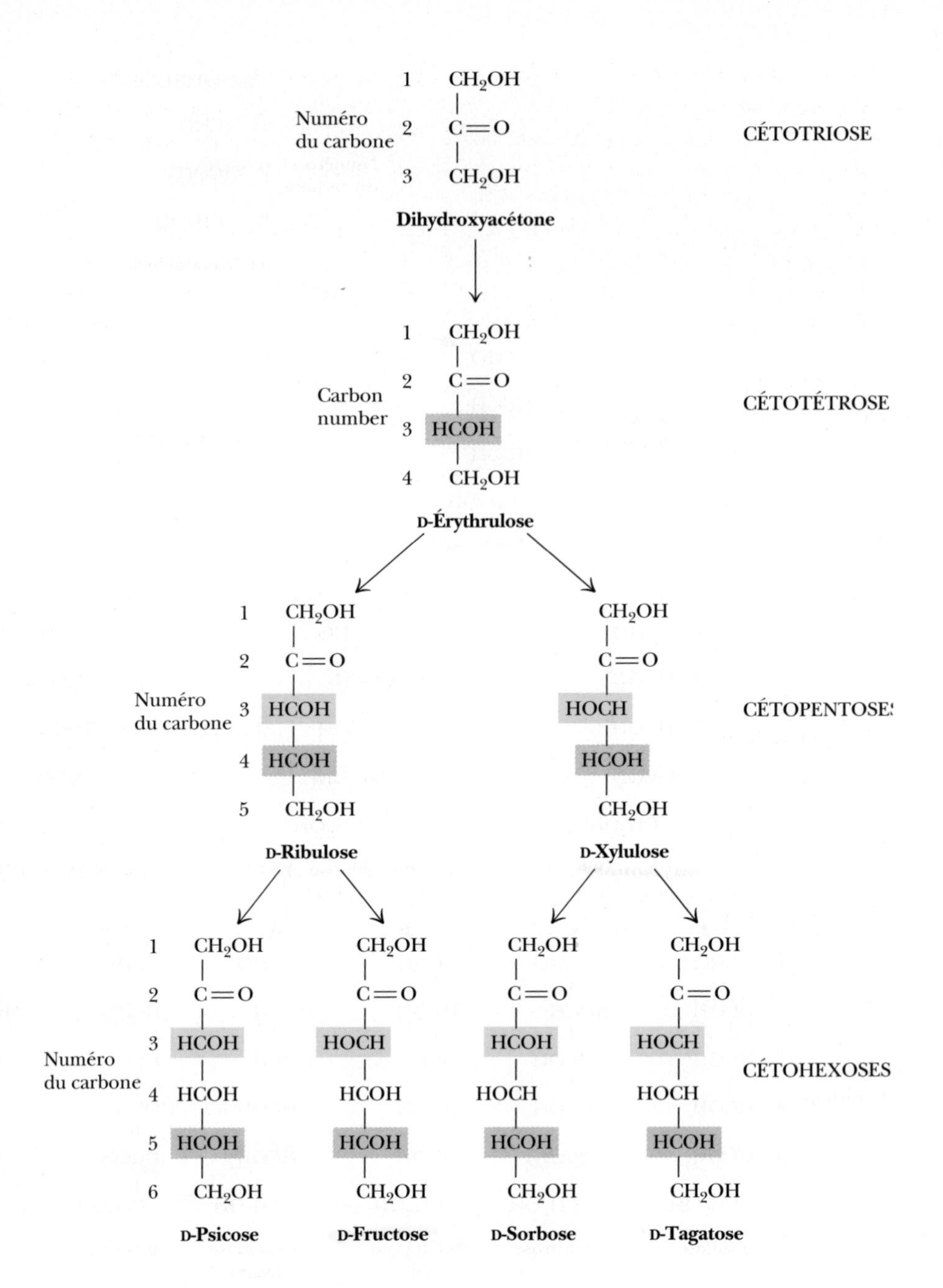

Figure 7.3 • Structures et relations stéréochimiques des D-cétoses ayant de trois à six atomes de carbone. La configuration est toujours déterminée par celle du carbone asymétrique de numéro le plus élevé (en gris). Dans chaque rangée, le « nouveau » carbone asymétrique est sur fond rose.

structure du glycéraldéhyde, elle *ne spécifie pas* le sens de la rotation du plan d'une lumière polarisée qui traverserait une solution de cet ose. S'il faut que le sens de la rotation optique soit spécifié avec le nom de l'ose, la désignation de la série D ou L selon la convention de Fischer est suivie du signe + (pour dextrogyre), ou – (pour lévogyre). Le D-glucose (Figure 7.2) est ainsi le D(+)-glucose puisqu'il est dextrogyre, et le D-fructose est le D(–)-fructose car il est lévogyre.

Toutes les structures des Figures 7.2 et 7.3 sont dans la configuration D, prédominante pour les monosaccharides naturels, alors que la conformation L est prédominante pour les acides aminés. Ces préférences, apparemment déterminées tout au début de l'évolution, se maintiennent dans la nature du fait de la stéréospécificité des enzymes qui synthétisent et métabolisent ces petites molécules. Il existe des oses L naturels, utilisés pour quelques fonctions spécialisées. Le L-galactose est un constituant de divers polyosides et le L-arabinose est un constituant des parois bactériennes.

Les conformations D et L d'un ose sont, l'une par rapport à l'autre, comme des *images dans un miroir*. La Figure 7.4 présente l'exemple du fructose. Ces stéréoisomères, qui sont des images dans un miroir, constituent une *paire d'énantiomères*, ou plus simplement des **énantiomères**. Lorsque des molécules ont plusieurs centres chiraux, elles peuvent avoir plus de deux stéréoisomères. Toutes les autres paires d'isomères de configurations spatiales opposées sur un ou plusieurs centres de chiralité, mais qui ne sont pas l'un par rapport à l'autre comme des images dans un miroir forment des *paires de diastéréoisomères*, ce sont des **diastéréoisomères**. Toutes les structures d'une même rangée de la Figure 7.2 sont des diastéréoisomères, de même pour celles de la Figure 7.3. Deux oses d'une même série D ou L, qui ne diffèrent *que par la configuration d'un seul* des centres de chiralité sont des **épimères**. Le D-mannose et le D-talose sont des épimères, le D-glucose et le D-mannose sont aussi des épimères. Mais, le D-glucose et le D-talose *ne sont pas* des épimères, ces oses ne sont que des diastéréoisomères.

CH_2OH / C=O / HO—C—H / H—C—OH / H—C—OH / CH_2OH — Énantiomères ⟷ Configurations des images dans un miroir — CH_2OH / C=O / H—C—OH / HO—C—H / HO—C—H / CH_2OH

D-Fructose **L-Fructose**

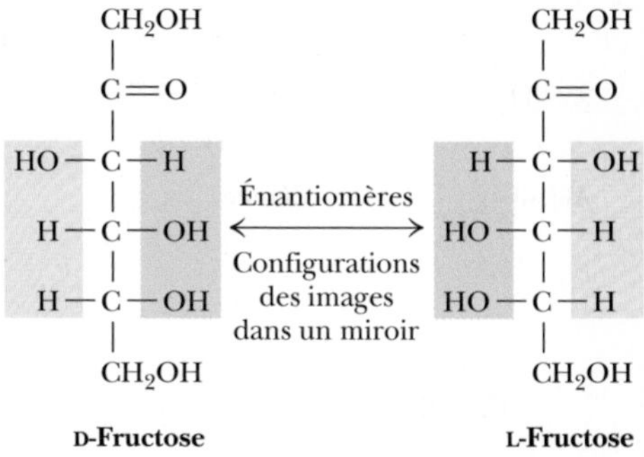

Figure 7.4 • Le D-fructose et le L-fructose forment une paire d'énantiomères. Remarquez que le changement de configuration du seul carbone 5 transformerait le D-fructose en L-sorbose.

Structures cycliques et formes anomériques

Les projections de Fischer sont très utiles pour la représentation des structures particulières des oses et de leurs stéréoisomères. Cependant ce système ignore l'un des aspects les plus intéressants de la structure des oses, *la capacité à former une structure cyclique et la création consécutive d'un centre d'asymétrie supplémentaire*. Les alcools réagissent facilement avec les aldéhydes pour donner des **hémiacétals** (Figure 7.5). Sir Norman Haworth, un chimiste britannique, a montré que la forme linéaire du glucose (et d'autres aldohexoses) subissait la même réaction *intramoléculaire* pour former un hémiacétal cyclique. Cet hétérocycle, à cinq atomes de carbone et un atome d'oxygène, est analogue à celui du *pyranne* ; les oses ainsi cyclisés sont appelés des **pyrannoses**. La réaction est catalysée en milieu acide (par H^+) ou en milieu basique (par OH^-), elle est aisément réversible.

β-D-Gluycopyranose

Figure 7.5

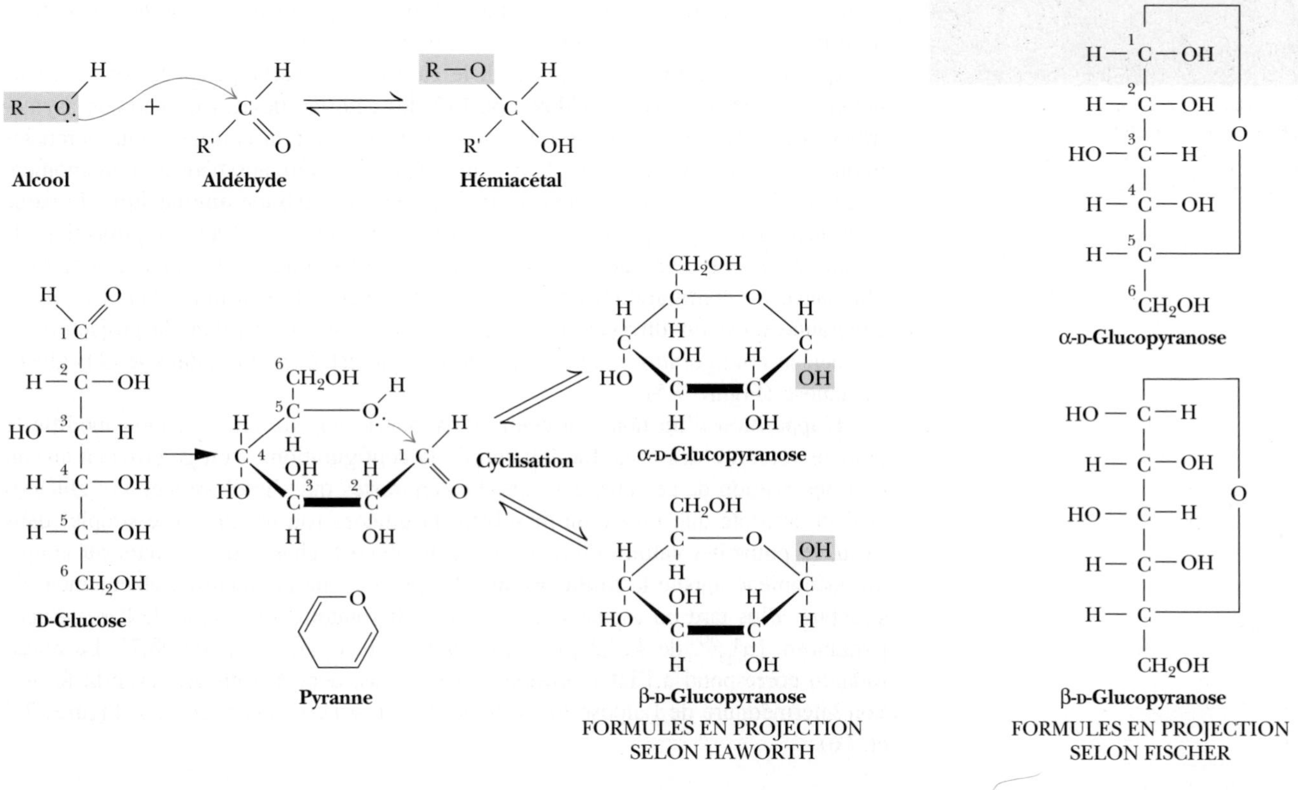

Alcool + **Aldéhyde** ⇌ **Hémiacétal**

D-Glucose → Cyclisation → **α-D-Glucopyranose** / **β-D-Glucopyranose**

Pyranne

FORMULES EN PROJECTION SELON HAWORTH

α-D-Glucopyranose

β-D-Glucopyranose

FORMULES EN PROJECTION SELON FISCHER

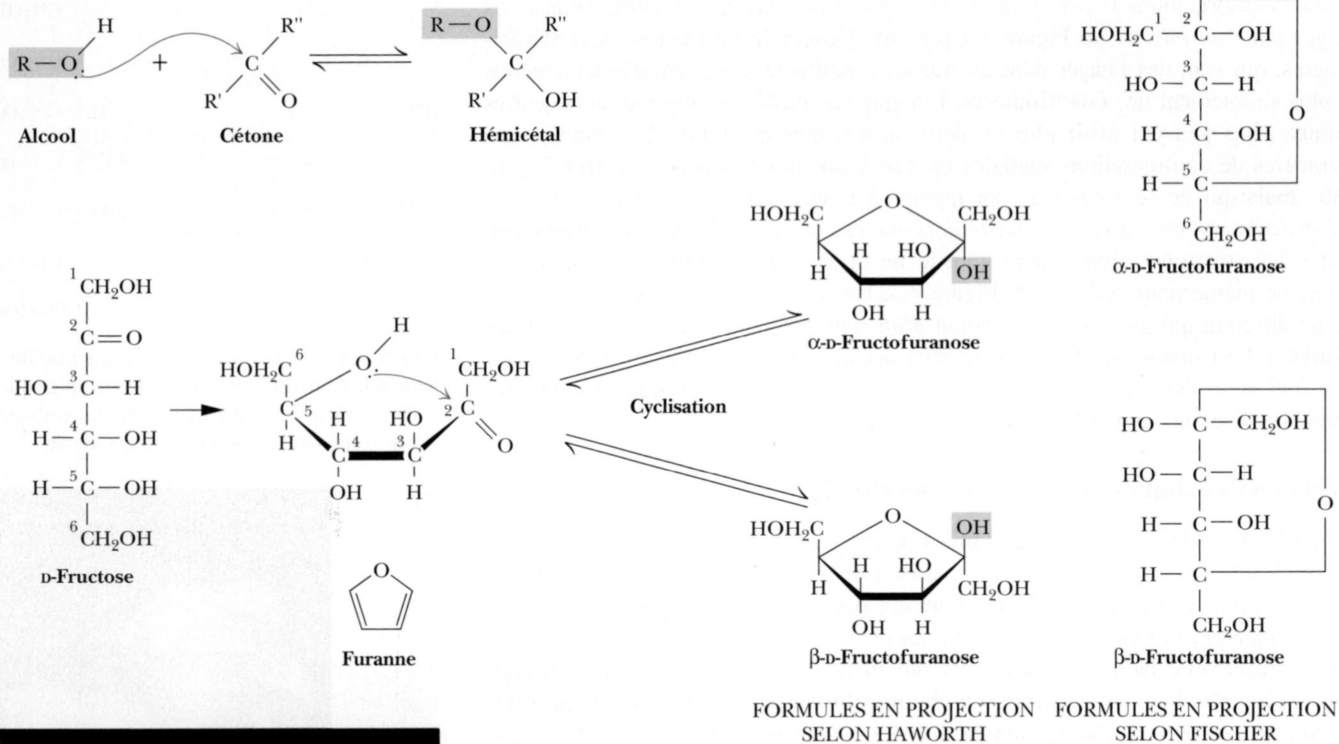

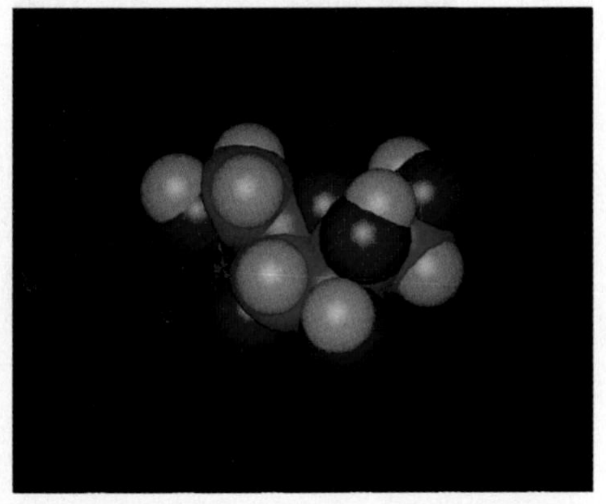

Figure 7.6

D'une manière analogue, les cétones réagissent avec les alcools pour donner des **hémiacétals**. La même réaction intramoléculaire d'un ose cétonique comme le fructose formera un **cycle hémiacétalique** (Figure 7.6). L'hétérocycle formé rappelle celui du *furanne* et les oses ainsi cyclisés sont des **furannoses**. Les structures cycliques sont les formes préférées des oses en solution aqueuse. À l'équilibre, la structure linéaire d'un aldose ou d'un cétose n'est guère qu'un composant mineur d'un mélange de structures (en général moins de 1 %).

Quand il se forme un hémiacétal, le carbone qui participait à la fonction carbonyle (le carbone C-1 des aldoses ou C-2 des cétoses) devient un carbone asymétrique. Les isomères d'un ose qui ne diffèrent que par la configuration stéréochimique de ce carbone sont appelés des **anomères**. Il y a un anomère α et un anomère β (Figure 7.5), et le carbone du carbonyle devient le **carbone anomérique**. Lorsque le groupe hydroxyle porté par le carbone anomérique est dans la projection de Fischer *du même côté* que l'atome d'oxygène du carbone asymétrique à numéro le plus élevé, la configuration du carbone anomérique est α, comme dans l'α-D-glucopyrannose. Si l'hydroxyle anomérique est du *côté opposé*, dans la projection de Fischer, la configuration du carbone anomérique est β, comme dans le β-D-glucopyrannose (Figure 7.5).

L'apparition d'un nouveau centre d'asymétrie lors de la cyclisation modifie le pouvoir rotatoire des oses. La notation de la configuration, α ou β, provient en fait de l'observation de ces changements. Les chimistes qui s'intéressaient aux glucides avaient constaté que lorsqu'on dissolvait du glucose (ou un autre ose simple) dans l'eau, le pouvoir rotatoire de la solution de glucose changeait au cours du temps, un phénomène appelé la **mutarotation**. Ce phénomène indiquait un changement de structure. Plus tard on a pu mesurer le pouvoir rotatoire spécifique de l'α-D-glucopyrannose, $[\alpha]_D^{20}$, de 112,2°, et celui du β-D-glucopyrannose, de 18,7°. La mutarotation correspond à l'interconversion des formes α et β d'un ose, avec la formation intermédiaire de l'aldose linéaire (ou du cétose) correspondant (Cf. Figures 7.5 et 7.6).

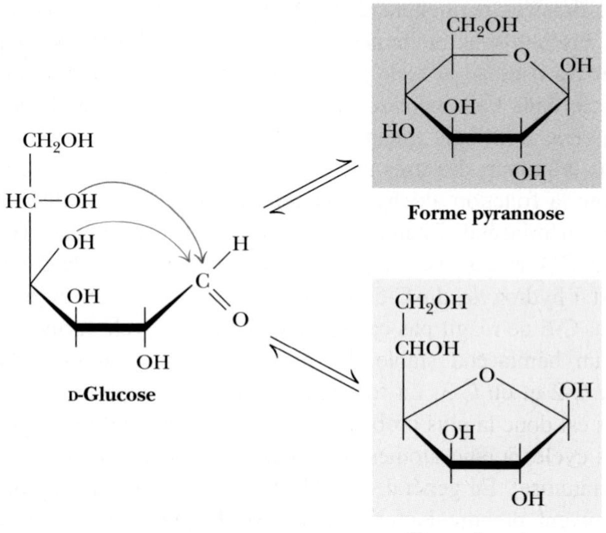

D-Glucose

Forme pyrannose

Forme furannose

Figure 7.7 • La cyclisation du D-glucose peut se faire de deux façons, donnant une structure de forme pyrannose ou furannose.

Projections de Haworth

Une des contributions historiques de Haworth est sa proposition de représenter les structures cycliques des oses sous forme de cycle hexagonal ou pentagonal. Le plan d'un cycle est perpendiculaire au plan de la page (en fait on l'incline pour plus de commodité), et le côté du cycle le plus proche du lecteur est figuré par un trait plus épais. Ces **projections de Haworth**, universellement utilisées pour la représentation de la structure des glucides (Figures 7.5 et 7.6), ont les substituants placés soit au-dessus soit au-dessous du cycle. Les substituants qui sont à gauche dans la projection de Fischer, sont au-dessus du cycle dans la projection correspondante de Haworth. Les substituants qui sont à droite dans la projection de Fischer sont au-dessous du cycle dans la projection de Haworth. Il y a quelques exceptions à cette dernière règle dans la représentation de la forme furannose des pentoses et dans la forme pyrannose et furannose des hexoses. Dans ces cas, pour écrire les structures, il faut faire effectuer à l'hydroxyle impliqué dans la formation du cycle une rotation autour du carbone afin qu'il soit orienté de façon à permettre la formation du cycle conventionnel (Figures 7.7 et 7.8). Cette modification ne concerne en rien la configuration de la molécule de l'ose, il ne s'agit que de faciliter l'illustration de sa formule.

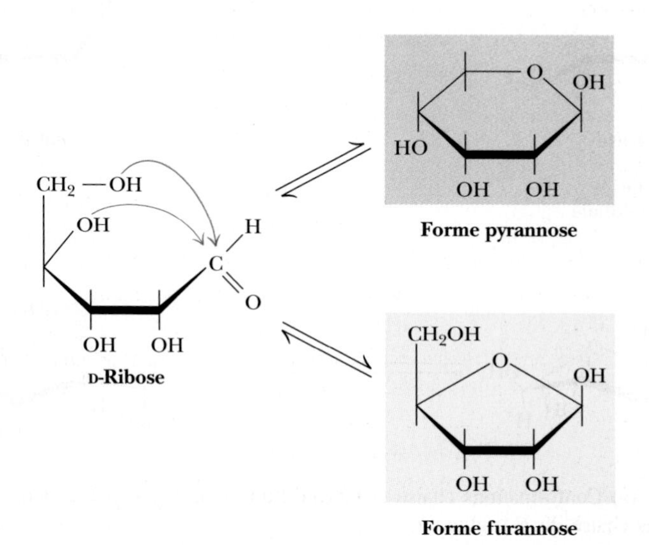

Figure 7.8 • Le D-ribose et d'autres oses à cinq atomes de carbone (pentoses) peuvent avoir une structure de la forme furannose ou de la forme pyrannose.

Les règles données permettant de représenter les configurations α et β dans la projection de Fischer sont facilement applicables aux formules en projection de Haworth. Pour les oses de la série D, le groupe hydroxyle du carbone anomérique est sous le cycle dans l'anomère α, et au-dessus du cycle dans l'anomère β. Pour les oses de la série L la règle est inversée.

Il y a dans la plupart des oses deux groupes hydroxyles (parfois plus) qui peuvent réagir avec la fonction aldéhyde ou cétone à l'autre extrémité de la molécule pour former un hémiacétal. Examinons les possibilités du glucose (Figure 7.7). Si l'hydroxyle du C-4 réagit avec la fonction aldéhyde, un cycle à cinq atomes se forme, si c'est l'hydroxyle du C-5 qui réagit, il se forme un cycle à six atomes. L'hydroxyle du C-6 ne réagit pas car la tension dans le cycle formé serait trop forte pour donner un hémiacétal stable. Le même raisonnement est valable pour les hydroxyles du C-2 et du C-3. La formation de cycles à cinq et à six atomes à partir des hexoses est donc la plus probable. Le D-ribose, un pentose (Figure 7.8), forme facilement des cycles à cinq atomes (α- ou β-D-ribofurannose) ou à six atomes (α- ou β-D-ribopyrannose). En général, les aldoses et les cétoses à cinq, ou plus, atomes de carbone peuvent prendre la forme cyclique du pyrannose *ou* du furannose, la forme la plus stable dépendant de divers facteurs structuraux. La nature des substituants sur le carbonyle et les hydroxyles ainsi que la configuration du carbone anomérique détermineront si la structure préférée d'un ose sera celle d'un pyrannose ou d'un furannose. En général, les aldohexoses adopte de préférence la forme pyrannique, mais, pour les cétoses la forme furannique est plus stable, donc préférée.

Si les projections de Haworth sont très commodes pour représenter les structures des oses, elles ne précisent pas la conformation réelle du cycle pyrannose ou du cycle furannose. Puisque la valeur des angles des liaisons C–C–C est de 109°, et que celle de l'angle formé par les liaisons C–O–C est de 111°, ni le cycle pyrannose, ni le cycle furannose ne peuvent avoir une structure réellement plane. Les forces de tension dans les cycles seraient trop importantes. Les cycles adoptent donc une conformation repliée, et dans le cas du cycle pyrannose les deux structures les plus favorisées sont la **conformation** « **chaise** » et la **conformation** « **bateau** » (Figure 7.9). Dans ces structures, les substituants dans les cycles peuvent être en position **équatoriale**, c'est-à-dire approximativement coplanaire avec le plan ou en position **axiale**, c'est-à-dire parallèle à l'axe du plan équatorial (comme tracé Figure 7.9). Deux règles générales prédisent la conformation qui sera adoptée par un ose.

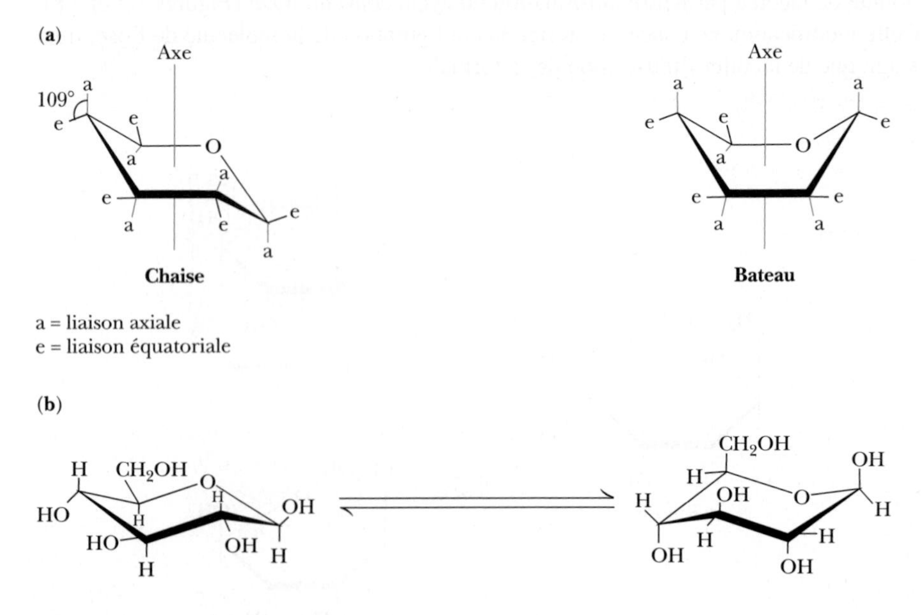

Figure 7.9 • (a) Conformations chaise et bateau d'un pyrannose. (b) Les deux conformations chaise du β-D-glucose.

Premièrement, la position équatoriale est plus stable pour des substituants volumineux que la position axiale, et deuxièmement, la conformation chaise est un peu plus stable que la conformation bateau. Un pyrannose, comme le β-D-glucose, peut avoir l'une ou l'autre des deux conformations chaise possibles (Figure 7.9). De tous les D-aldohexoses, le β-D-glucose est le seul qui puisse adopter une conformation avec tous ses substituants, même volumineux, en position équatoriale. C'est un avantage certain pour la stabilité de la structure, il n'est donc pas surprenant que le β-D-glucose soit la structure moléculaire organique la plus répandue dans la nature et le principal hexose du métabolisme des glucides.

Dérivés des oses simples

Diverses réactions chimiques et enzymatiques produisent des dérivés à partir des oses. Ces modifications sont très nombreuses, seules les plus communes seront examinées dans ce chapitre.

Dérivés acides

Les glucides avec un carbone anomérique libre sont des agents relativement réducteurs qui réduisent l'eau oxygénée, le ferricyanure, certains ions de métaux lourds (Cu^{2+} et Ag^{+}) et d'autres agents d'oxydation. Ces réactions convertissent les oses en oses acides. Par exemple, une solution alcaline de $CuSO_4$ (*la liqueur de Fehling*) en présence d'un aldose produit, à chaud, un précipité rouge d'oxyde cuivreux (Cu_2O) :

$$\underset{\textbf{Aldéhyde}}{\mathrm{R}\overset{\overset{\displaystyle O}{\|}}{\mathrm{C}}\!-\!\mathrm{H}} + 2\,\mathrm{Cu}^{2+} + 5\,\mathrm{OH}^- \longrightarrow \underset{\textbf{Carboxylate}}{\mathrm{R}\overset{\overset{\displaystyle O}{\|}}{\mathrm{C}}\!-\!\mathrm{O}^-} + \mathrm{Cu_2O}\downarrow + 3\,\mathrm{H_2O}$$

et transforme l'aldose en un acide **aldonique**, comme **l'acide gluconique** (Figure 7.10). La formation d'un précipité rouge de Cu_2O, après chauffage de la solution, est une réponse positive à la présence d'un aldose ou d'un cétose. Les glucides qui dans ces conditions réduisent $CuSO_4$ sont des **sucres** (ou **glucides**) **réducteurs**. La mesure de la quantité d'agent oxydant réduit au cours de la réaction permet une détermination quantitative de la concentration du sucre. Le diabète sucré est une maladie qui cause l'apparition d'importantes quantités de glucose dans l'urine et dans le sang ; le dosage régulier des sucres réducteurs chez les diabétiques est important pour le diagnostic et le traitement des patients. Aujourd'hui on n'utilise plus que des méthodes de dosage enzymatique et des kits permettent un dosage facile, rapide précis et spécifique du glucose par les diabétiques eux-mêmes.

L'oxydation par voie enzymatique de l'hydroxyle du C-6 conduit à la formation d'un **acide uronique**, par exemple à **l'acide D-glucuronique** et à **l'acide L-iduronique** (Figure 7.10). L'acide L-iduronique se différencie de l'acide D-glucuronique par la configuration de l'hydroxyde sur le C-5. L'oxydation des deux fonctions portées par le C-1 et le C-6, produit un **acide aldarique** (ou acide glycarique), par exemple **l'acide D-glucarique.**

Les oses alcools

Les **oses alcools**, un autre groupe de dérivés des oses, peuvent être préparés par une réduction (avec $NaBH_4$ ou d'autres réactifs) de la fonction carbonyle des aldoses et des cétoses. Les alcools dérivés des oses (**alditols**, on dit encore des **polyols**) portent le nom du radical de l'ose dont ils proviennent auquel on ajoute la terminaison *itol* (Figure 7.11). Les alditols sont des molécules linéaires qui ne peuvent pas se cycliser comme les aldoses. Certains alditols ont un goût sucré, et l'usage du **sorbitol**, du **mannitol** et du **xylitol** est largement répandu dans la fabrication des chewing-gums et des pastilles de menthe dits « sans sucre ». L'accumulation de

Figure 7.10

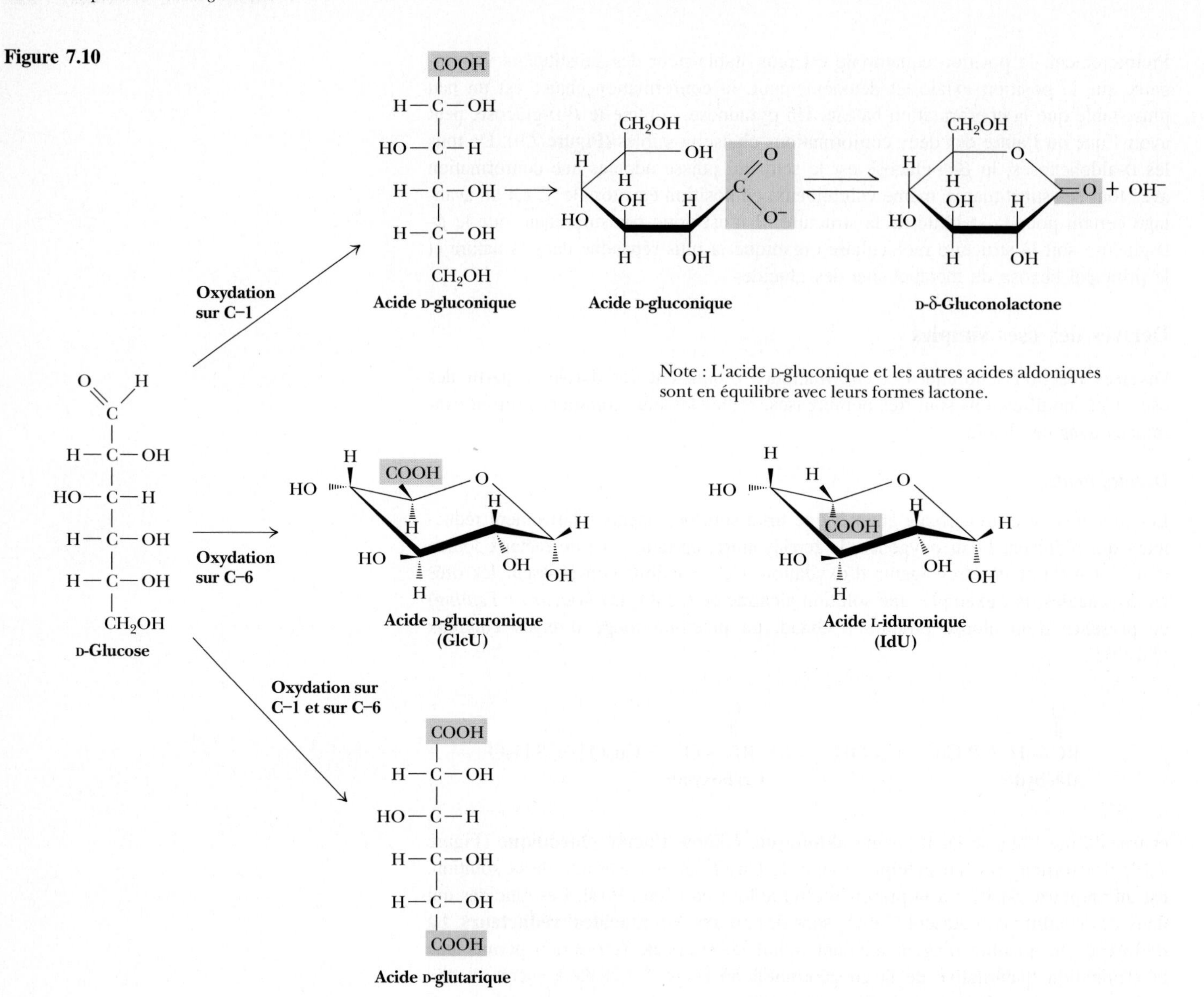

Figure 7.11 • Structures de quelques alcools dérivés des oses.

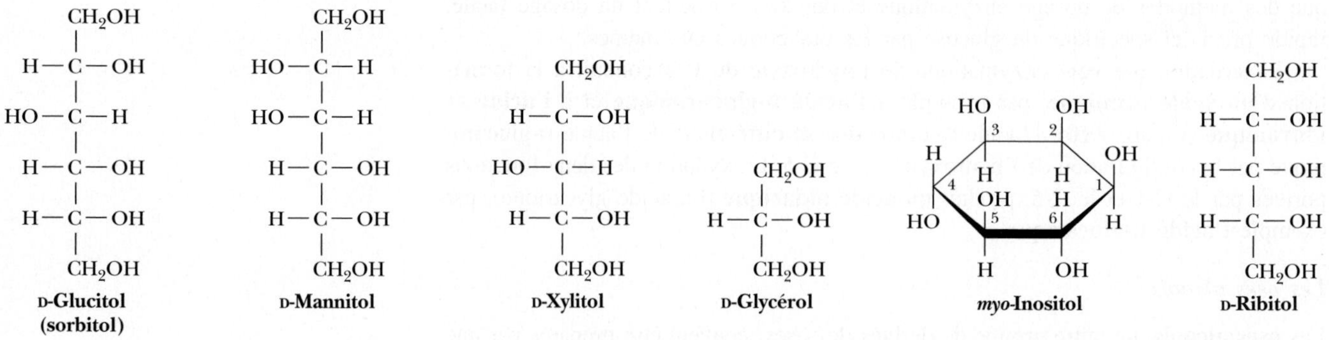

D-Glucitol (sorbitol) — D-Mannitol — D-Xylitol — D-Glycérol — *myo*-Inositol — D-Ribitol

sorbitol dans les yeux des diabétiques serait impliquée dans l'apparition de la cataracte. Le **glycérol** et le ***myo*-inositol** (un alcool cyclique) sont des constituants de lipides (voir Chapitre 8). Il y a neuf stéréoisomères différents de l'inositol ; celui de la Figure 7.11 a d'abord été isolé du muscle cardiaque, d'où le préfixe *myo* qui rappelle son origine musculaire. Le **ribitol** est un constituant des coenzymes flaviniques (voir Chapitre 20).

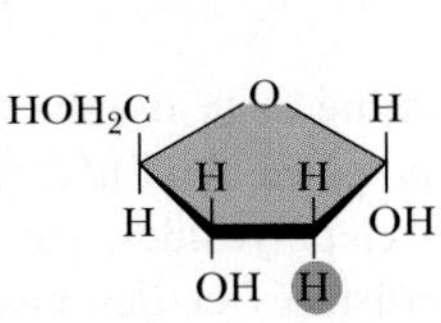

2-Désoxy-α-D-ribose 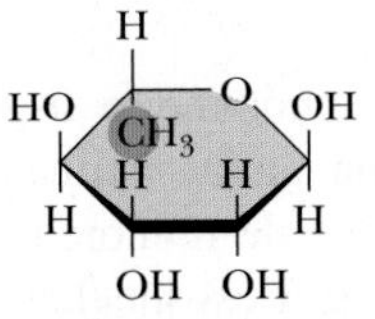 α-L-Rhamnose (Rha) 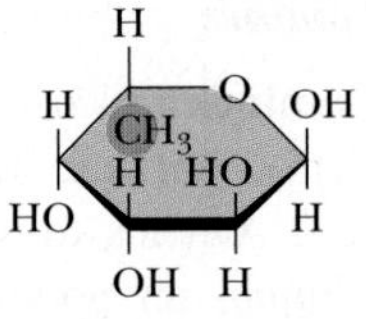 α-L-Fucose (Fuc)

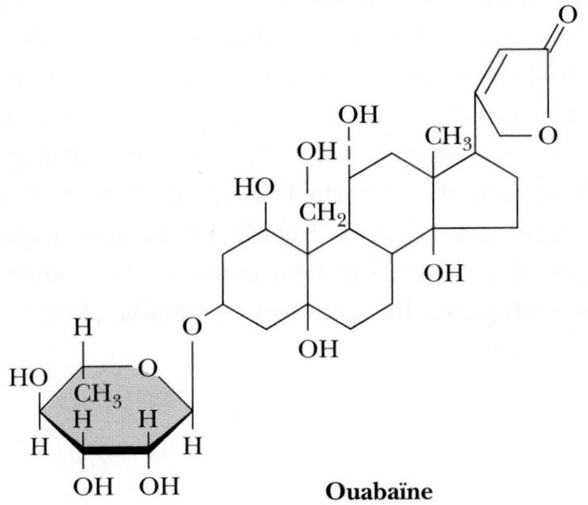

Ouabaïne

Figure 7.12 • Quelques désoxy-oses et la ouabaïne qui contient de l'α-L-rhamnose (Rha). Les atomes sur fond rouge sont sur une position « désoxy ».

Les désoxy-oses

Les **désoxy-oses** sont des oses dans lesquels un ou plusieurs groupes hydroxyles sont remplacés par des atomes d'hydrogène. Le 2-désoxy-D-ribose (Figure 7.12), dont le nom systématique est le 2-désoxy-D-érythropentose, est un constituant de l'ADN de tous les organismes vivants (voir Chapitre 11). On trouve souvent des désoxy-oses dans les glycoprotéines et dans les polyosides. Le L-fucose et le L-rhamnose, deux 6-désoxy-oses, sont des constituants de quelques parois cellulaires. Le rhamnose est un composant de la **ouabaïne**, un puissant *glycoside cardiotonique* extrait de l'écorce et de la racine d'une plante ; l'extrait est utilisé par les Somaliens pour empoisonner leurs flèches. L'ose n'est pas un constituant de la partie toxique de la molécule (cf. Chapitre 10).

Les esters d'oses

Les **esters phosphoriques** du glucose, du fructose, et d'autres oses sont d'importants métabolites intermédiaires. Le ribose contenu dans les nucléotides comme l'ATP et le GTP est phosphorylé en position 5′ (Figure 7.13).

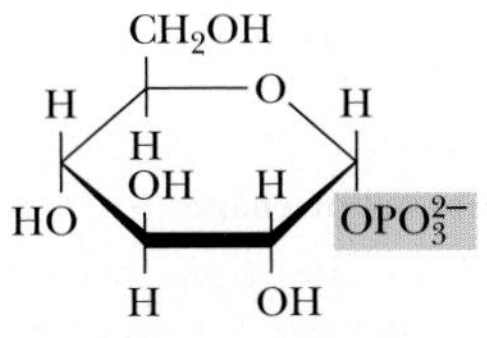

α-D-Glucose-1-phosphate 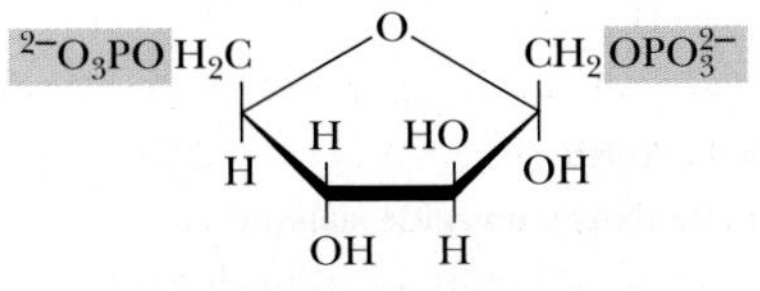 α-D-Fructose-1,6-bisphosphate 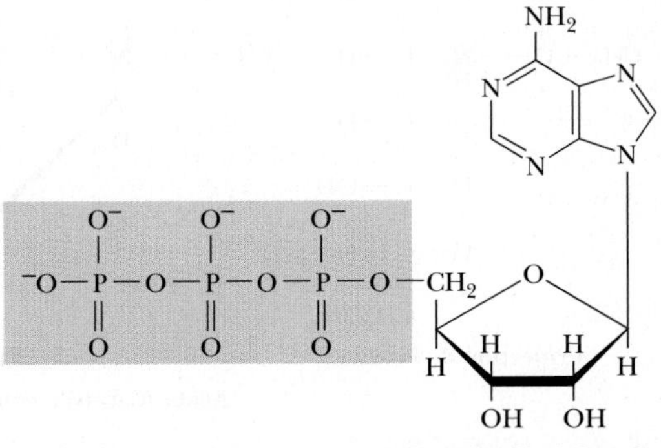 Adénosine-5'-triphosphate

Figure 7.13 • Quelques esters d'oses importants dans le métabolisme.

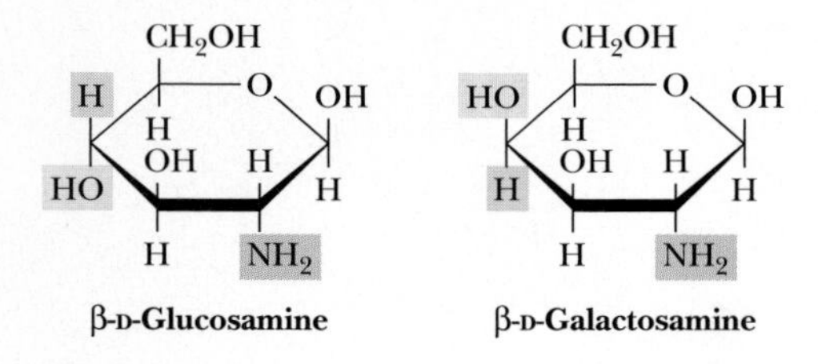

Figure 7.14 • Structures de la D-glucosamine et de la D-galactosamine.

Les oses aminés

Les **oses aminés** (ou osamines), comme la **D-glucosamine** et la **D-galactosamine** (Figure 7.14), ont une fonction amine primaire (à la place de l'hydroxyle) en position C-2. On les trouve dans de nombreux oligo- et polyosides, par exemple dans la *chitine*, un polyoside de l'exosquelette des crustacés et des insectes.

L'acide muramique et l'acide neuraminique sont des composants des membranes cellulaires des organismes supérieurs et aussi des parois bactériennes. Ce sont des glycosamines liées en position C-1 ou C-3 à des acides à trois atomes de carbone. Dans l'acide muramique, l'hydroxyle d'un acide lactique forme une liaison éther avec l'hydroxyle en position C-3 de la glucosamine. Le nom *muramique* rappelle qu'il s'agit d'une *amine* isolée des polyosides de la paroi cellulaire de bactéries (du latin *murus,* mur). L'acide neuraminique (une amine isolée du tissu neural) résulte de la formation d'une liaison C-C entre le C-1 de la N-acétylmannosamine et le C-3 de l'acide pyruvique (Figure 7.15). Les dérivés N-acétyl et N-glycolyl de l'acide neuraminique sont englobés sous la même appellation d'**acides sialiques** ; ils sont très répandus chez les bactéries et dans les structures des animaux.

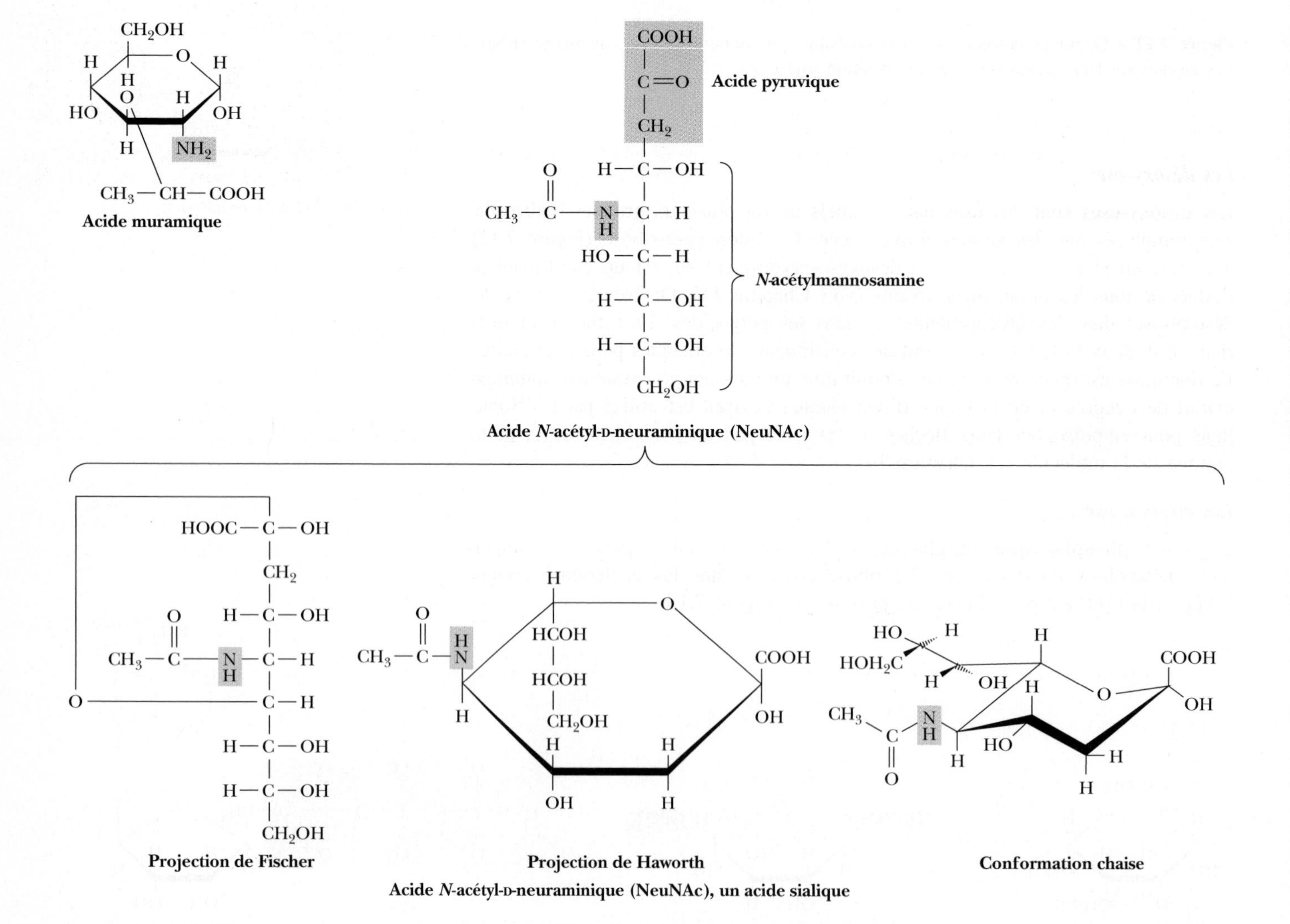

Figure 7.15 • Structures de l'acide muramique et de l'acide neuraminique, avec diverses représentations de l'acide sialique.

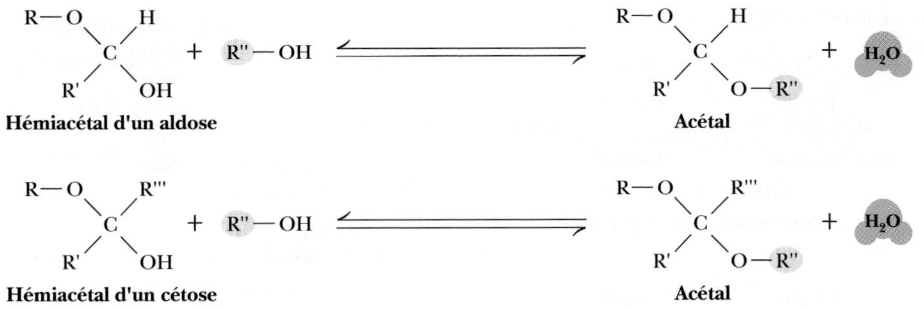

Figure 7.16 • Des acétals peuvent se former à partir des hémiacétals.

Acétals et glycosides

Les hémiacétals (formés par des aldoses ou des cétoses) peuvent réagir en milieu acide avec des alcools pour donner des **acétals** (Figure 7.16). Cette réaction est un exemple de *réaction de substitution* (ou de *synthèse par déshydratation*), analogue de ce point de vue aux réactions de condensation des acides aminés ou des nucléotides. Les formes pyranniques et furanniques des oses réagissent de la même façon avec les alcools pour former des **glycosides**, tout en conservant la configuration α ou β de l'anomère. La liaison qui s'établit entre le carbone anomérique et l'atome d'oxygène de l'alcool est appelée **liaison glycosidique** ou **liaison osidique**. Les glycosides sont nommés d'après les oses dont ils dérivent. Par exemple, le *méthyl-β-D-glucoside* (Figure 7.17) peut être considéré comme un dérivé du β-D-glucose.

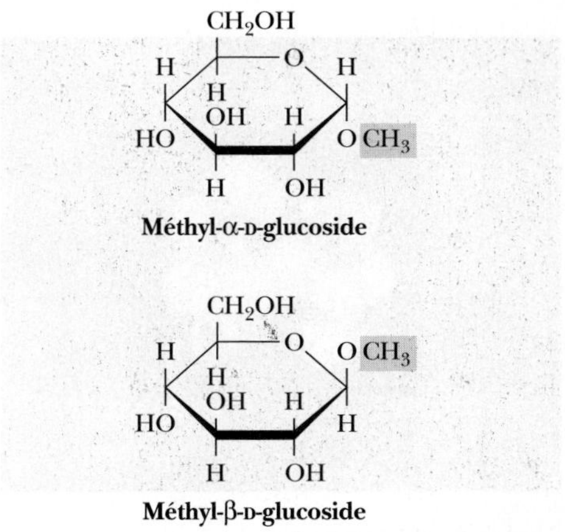

Figure 7.17 • Formes anomériques du méthyl-D-glucoside.

7.3 • Oligosides

Compte tenu de la complexité des oligosides et des polyosides, il peut être surprenant de constater que ces molécules sont formées à partir d'un très petit nombre d'unités osidiques différentes. (En ce sens, les oligosides et polyosides sont analogues aux protéines ; ces molécules forment des structures complexes à partir d'un petit nombre d'unités de construction différentes). Les unités osidiques utilisées sont des hexoses, glucose, fructose, mannose, galactose, et des pentoses, ribose et xylose.

Diholosides

Les oligosides les plus simples sont les **diholosides** (ou disaccharides), formés par deux molécules (unités) d'oses liées par une liaison osidique (ou liaison glycosidique). Comme dans les acides nucléiques et dans les protéines, chacune des unités individuelles des oligoholosides est appelée un résidu. Les diholosides de la Figure 7.18 sont très répandus dans la nature, les plus communs étant le saccharose, le maltose et le lactose. Chacune de ces molécules est un acétal mixte, un premier hydroxyle, d'origine intramoléculaire, provient du premier ose, et l'autre du deuxième ose. À l'exception du saccharose, chacun de ces diholosides contient un carbone anomérique non substitué, libre, et donc possède un pouvoir réducteur. L'extrémité de la molécule portant le carbone anomérique est **l'extrémité réductrice**, l'extrémité opposée étant **l'extrémité non réductrice**. Dans le cas du saccharose, les deux atomes de carbone anomériques sont substitués, aucun ne porte de groupe –OH libre. Les carbones anomériques substitués ne pouvant pas prendre la configuration aldéhydique ne peuvent pas participer aux réactions d'oxydoréduction caractéristiques des sucres réducteurs. Le saccharose n'est donc *pas* un sucre réducteur.

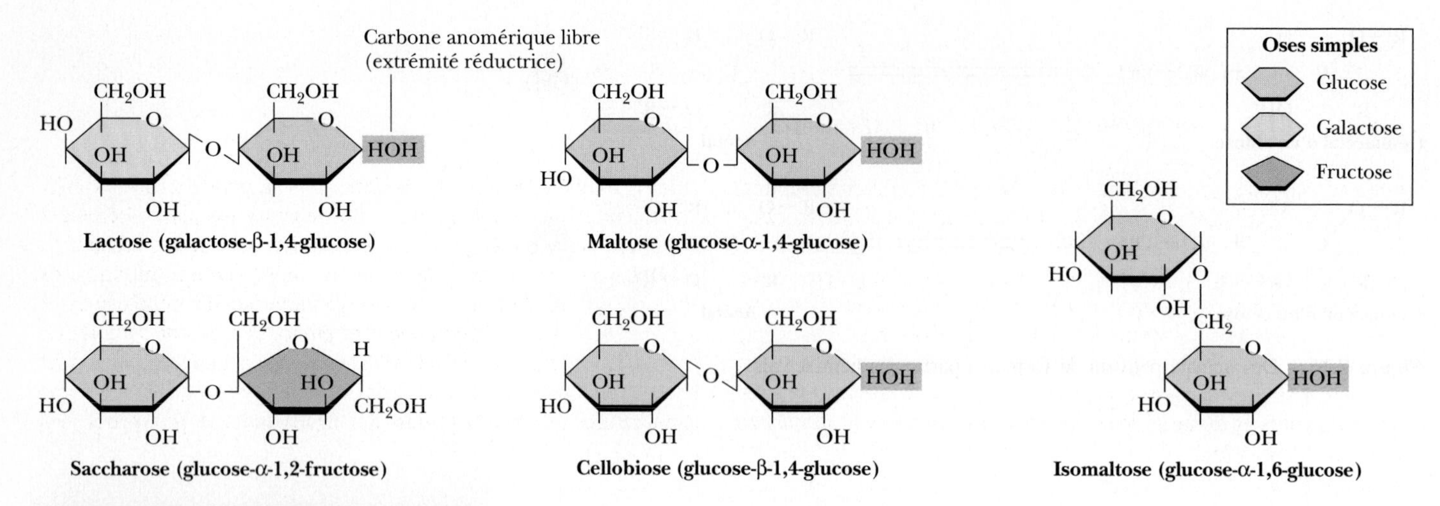

Saccharose

Figure 7.18 • Structures de quelques diholosides importants. Remarquez la notation –HOH, elle signifie que la configuration peut être soit α, soit β Si le groupe –OH est au-dessus du cycle, la configuration est β. La configuration sera α si le groupe –OH est en dessous du cycle. Remarquez que le saccharose n'a pas de carbone anomérique libre.

Le maltose, l'isomaltose et le cellobiose sont des **homodiholosides** car ils ne contiennent qu'une seule sorte d'ose, le glucose. Le **maltose** résulte de l'action d'une amylase, sur l'amidon (un polymère de l'α-D-glucose produit par les plantes). Il s'accumule dans le malt lors de l'opération de brassage qui suit la germination de l'orge (ou d'une autre céréale). L'enzyme produit au cours de la germination, une amylase historiquement appelée **diastase**, catalyse l'hydrolyse de l'amidon en maltose. Le maltose s'utilise dans la fabrication de certaines boissons (par exemple le lait maltosé), et comme il est facilement fermenté par la levure de bière, il est important pour les producteurs de bière. Dans le maltose et dans le cellobiose, les deux unités de glucose sont liées par une **liaison 1→4**, ce qui signifie que le C-1 d'un glucose est lié par une liaison osidique à l'oxygène du C-4 de l'autre glucose. La seule différence entre le maltose et le cellobiose réside dans la configuration de la liaison osidique. Le maltose est un glucoside α, tandis que le cellobiose est un glucoside β. **L'isomaltose** provient de l'hydrolyse de certains polyosides (comme le dextranne), et le **cellobiose** s'obtient par hydrolyse acide de la cellulose. L'isomaltose contient aussi deux unités de glucose, mais dans ce cas le C-1 d'un glucose est lié au C-6 de l'autre, et la configuration est de type α.

Les structures complètes de ces diholosides peuvent être décrites de façon raccourcie en utilisant l'abréviation de chaque ose, α ou β pour préciser la configuration, et les chiffres appropriés pour indiquer la nature de la liaison. Ainsi, le cellobiose s'écrit Glcβ1-4Glc, et l'isomaltose s'écrit Glcα1-6Glc. On représente souvent la liaison osidique par une flèche, le cellobiose et l'isomaltose seront respectivement décrits par Glcβ1→4Glc et par Glcα1→6Glc. Comme la liaison part toujours du C-1 du premier ose, la tendance est à l'omission de cette indication, et ces diholosides deviennent respectivement Glcβ4Glc et Glcα6Glc. On utilise aussi les noms complets. Le maltose correspond à O-α-D-glucopyrannosyl-(1→4)-D-glucopyrannose et le cellobiose à O-β-D-glucopyrannosyl-(1→4)-D-glucopyrannose puisque sa liaison osiqique est de configuration β.

Pour en savoir plus

Le tréhalose – un agent de protection naturel pour les insectes

Chez les insectes, le sang baigne directement les organes internes, le système circulatoire est ouvert ; il n'y a pas de distinction entre le sang et le liquide interstitiel, le « sang » de ces organismes est appelé **l'hémolymphe**. Ce liquide ne contient pas du glucose mais du tréhalose, un diholoside non réducteur peu commun voir la figure). Le tréhalose se trouve généralement dans des organismes qui, dans la nature, sont soumis à des variations de température et à d'autres stress environnementaux –spores bactériennes, champignons, levures et de nombreux insectes. (Les abeilles n'ont pas de tréhalose dans leur hémolymphe, probablement parce qu'elles ne vivent pas en solitaires mais en colonies. Au sein des colonies, la température est maintenue assez constante, voisine de 18°C, ce qui protège les abeilles des trop grandes variations de température).

Y a-t-il une corrélation entre la présence du tréhalose et un mode de vie soumis aux stress environnementaux ? Konrad Bloch * a proposé une hypothèse : le tréhalose agirait comme un antigel naturel. La congélation et la décongélation des tissus provoquent souvent des dommages irréversibles aux structures, ce qui détruit l'activité biologique. Les concentrations élevées de substances polyhydroxylées, comme le saccharose et le glycérol, ont un effet protecteur contre ces dommages. Le tréhalose est particulièrement approprié pour ce rôle, il se révèle supérieur aux autres substances polyhydroxylées, particulièrement à faible concentration. Les études de P. A. Attfield † sur la concentration du tréhalose chez *Saccharomyces cerevisiae* apportent un soutien à cette hypothèse. Il a montré que la concentration du tréhalose augmentait nettement lorsque la levure est exposée à des concentrations salines ou à des températures élevés, conditions qui déclenchent la production des protéines du choc thermique !

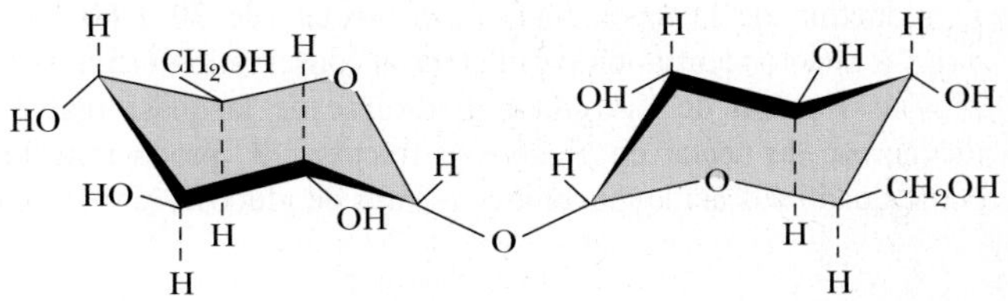

H, CH_2OH, H, O, HO, H, HO, OH, H, H, O, H, H, OH, H, OH, OH, H, O, CH_2OH, H, H

* Bloch, K., 1994. *Blondes in Venetian Paintings, the Nine-Banded Armadillo, and Other Essays in Biochemistry.* New Haven : Yale University Press.

† Attfield, P.A., 1987. Trehalose accumulates in *Saccharomyces cerevisiae* exposure to agents that induce heat shock responses. *FEBS Letters* **225** : 259.

Le ***β*-D-lactose**, O-*β*-D-galactopyranosyl-(1→4)-D-glucopyrannose (Figure 7.18) est le principal diholoside du lait et son importance nutritionnelle est essentielle au début de la vie des mammifères. Il contient un D-galactose et un D-glucose reliés par une liaison *β*(1→4). Comme il possède un carbone anomérique, la mutarotation peut s'observer lors de sa mise en solution ; c'est d'autre part un diholoside réducteur. Par un curieux effet de la nature, malgré son importance dans l'alimentation des nourrissons, il ne peut être absorbé directement dans la circulation sanguine. Il doit d'abord être hydrolysé par un enzyme intestinal, la **lactase**, en galactose et glucose. Cet enzyme existe chez les jeunes mammifères mais il n'est présent qu'en petite quantité chez les adultes. Les humains adultes ne produisent que très peu de lactase, à l'exception de quelques groupes en Afrique et en Europe du nord. Ce n'est généralement pas un problème, mais certains individus ne peuvent tolérer le lactose ; s'ils consomment du lait ils souffrent de douleurs intestinales accompagnées de diarrhées.

Le saccharose est au contraire du lactose, un diholoside toléré, et apprécié, par tout le monde. Produit par de nombreuses plantes supérieures et connu sous le nom de *sucre de table* (ou de *sucre* simplement), il est un des produits de la photosynthèse et est composé de fructose et de glucose. Le saccharose a un pouvoir rotatoire spécifique, $[\alpha]_D^{20}$, de +66,5°, mais un mélange équimoléculaire des oses qui le composent a un pouvoir rotatoire négatif ($[\alpha]_D^{20}$ est de +52,5° pour le glucose et –92° pour le fructose). Un enzyme spécifique, **l'invertase** (ou saccharase), hydrolyse le saccharose, il est ainsi appelé car son action s'accompagne d'une inversion du sens de la rotation du plan de polarisation. Le saccharose est facilement hydrolysé par les acides dilués, probablement parce que le fructose du saccharose est sous la forme furannique relativement peu stable. Bien que le saccharose et le maltose soient importants dans l'alimentation des humains, ils ne sont pas directement assimilés. Comme le lactose, ils doivent d'abord être hydrolysés par des enzymes intestinaux, respectivement la **saccharase** et la **maltase**.

Pour en savoir plus

Le miel, un régal glucidique ancestral

Le miel, la première substance sucrée connue par l'humanité, est le seul produit sucrant qui peut se conserver et s'utiliser tel qu'il est produit dans la nature. Les abeilles transforment le nectar des fleurs en un produit qui peut se conserver très longtemps à la température ambiante. Utilisé dans les cérémonies et comme agent médicinal dès les temps les plus ancien, le miel ne fut considéré comme un aliment qu'à partir des Grecs et des Romains. C'est seulement depuis les temps modernes que le sucre de canne ou de betterave sont bien plus fréquemment utilisés pour sucrer les aliments. Quelle est la nature chimique de cette substance visqueuse et magique ?

La transformation du nectar en miel résulte de plusieurs effets : 1° réduction de la teneur en eau du nectar (de 30 à 60 %) qui passe à une concentration permettant la conservation (15 à 19 %) ; 2° sous l'action de l'invertase, hydrolyse de la quasi-totalité du saccharose du nectar en glucose et fructose ; 3° production d'une petite quantité d'acide gluconique à partir de glucose, réaction catalysée par une **glucose oxydase**. Glucose et fructose constituent la majorité des glucides présents dans le produit final qui est sursaturé en ces oses. Le miel est en fait une émulsion de particules cristallines microscopiques d'hydrate de glucose et d'hydrate de fructose dans un épais sirop. Le fructose représente environ 38 % des oses présents (exprimé en poids), le glucose 31 % et le saccharose seulement 1 %.

La figure ci-dessous est un spectre RMN du ^{13}C de miel provenant de fleurs sauvages du sud-est de la Pennsylvanie. Cinq hexoses distincts dominent dans ce spectre. Curieusement, et bien que la majorité des traités représentent exclusivement le fructose sous sa forme furannose, dans le miel, la forme dominante (67 % du fructose total) est le β-D-fructopyrannose, les formes β- et α-fructofurannose ne comptant respectivement que pour 27 % et 6 %. Dans les polyosides, le fructose, prend invariablement la configuration du furannose, mais le fructose libre (et le fructose cristallisé) est surtout du β-D-fructopyrannose.

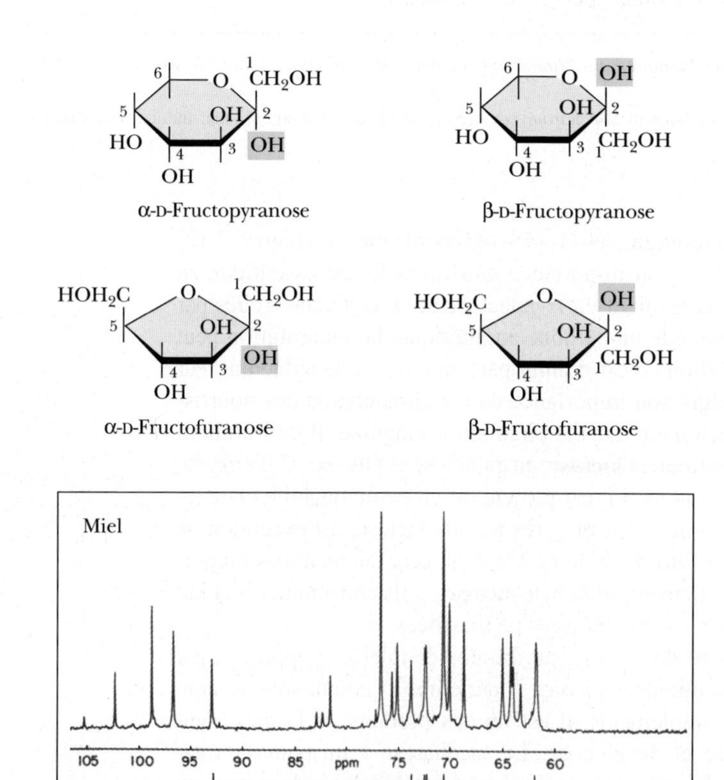

White, J.W., 1978. Honey. *Advances in Food Research* **24** : 287-374.
Prince, R.C., Gunson, D.E., Leigh, J.S., et McDonald, G.G., 1982. The predominant form of fructose is a pyranose, not a furanose ring. *Trends in Biochemical Sciences* **7** : 239-240.

Mélézitose (un constituant du miel)

Amygdaloside (se trouve dans les graines de rosacées, glycoside des amandes amères, des noyaux de cerises, de pêches et d'abricots)

Laetrile (serait une substance anticancéreuse, mais sans aucune preuve scientifique rigoureuse)

Stachyose (présent dans de nombreuses plantes, le jasmin blanc, le lupin jaune, le soja, les lentilles, etc.; il provoque des flatulences car les humains ne le digèrent pas)

Cyclohepta-amylose (un produit de la dégradation de l'amidon; utilisé en chromatographie)

Dextranne-triose (dans le saké et le melon)

Figure 7.19 • Structures de quelques oligosides intéressants.

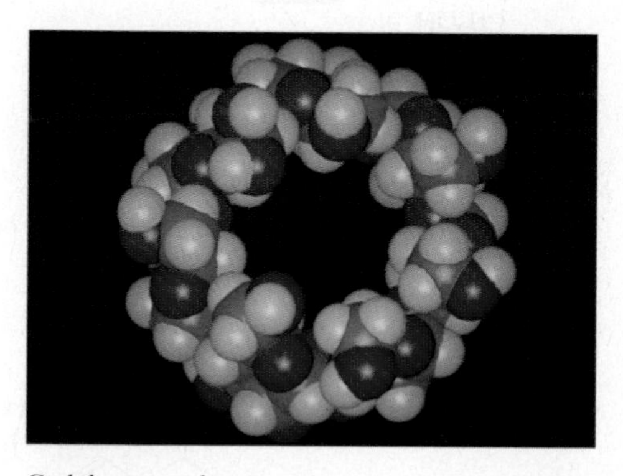

Cyclohepta-amylose

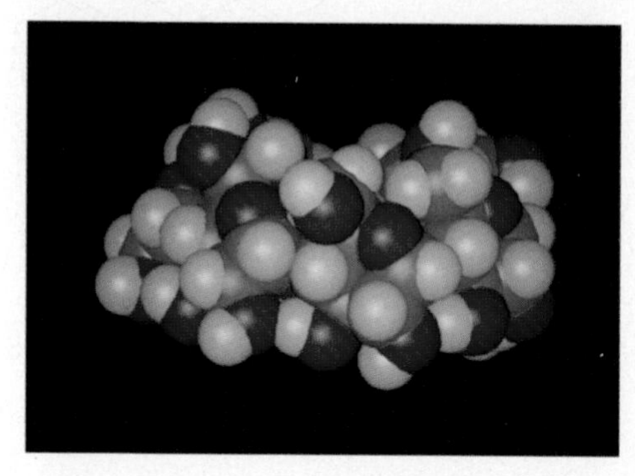

Cyclohepta-amylose (vue latérale)

Oligosides plus complexes

En plus des diholosides, les organismes procaryotes et eucaryotes contiennent d'autres oligosides, produits naturels ou résultant de l'hydrolyse de molécules plus complexes. La Figure 7.19 en présente quelques-uns, avec la description de leur origine. Certains sont des constituants du nectar ou de la sève extraite ou sécrétée par des plantes ou des arbres. Les **cycloamyloses** sont un groupe d'oligosides intéressants et utiles. En solution ces oligosides à structures cycliques forment des « cages » moléculaires dont le diamètre dépend du nombre d'unités d'oses dans le cycle. Ces « cages » sont entourées par les carbones asymétriques (chiraux) de l'oligoside et peuvent former des complexes stéréospécifiques avec des molécules chirales dont la taille correspond à celle de l'intérieur de la cage. Il est ainsi possible de résoudre des mélanges de petites molécules organiques stéréoisomères en les passant sur des colonnes de cycloamyloses, par exemple sur une colonne de **cyclohepta-amylose**.

Le **stachyose** est un des oligosides que l'on trouve en assez grande quantité dans les haricots, les pois, le son et les graines de céréales. Les enzymes du tube digestif ne les hydrolysent pas, mais les bactéries intestinales les métabolisent rapidement. C'est la raison des flatulences qui accompagnent souvent la consommation de ces aliments. On trouve à présent dans le commerce des produits qui facilitent leur digestion. Ces produits contiennent des enzymes qui hydrolysent les oligosides dans l'estomac, avant qu'ils atteignent la flore intestinale.

L'amygdaloside est un autre oligoside intéressant. Il est présent dans les amandes amères et dans les noyaux de cerise, de pêche et d'abricot. L'hydrolyse partielle de l'amygdaloside et l'oxydation d'un des produits libérés donne le **laetrile**, dont on a prétendu qu'il avait des propriétés anticancéreuses. Il n'existe aucune preuve scientifique de cette activité, et l'U.S. Food and Drug Administration, l'équivalent américain d'une Agence du médicament et de l'hygiène de l'alimentation, n'a jamais autorisé son utilisation (NdT : en France, l'Institut National de la Santé a conclu, après des investigations médicales, à l'inefficacité du laetrile.)

Des oligosides sont dans divers antibiotiques associés à d'autres groupes par des liaisons osidiques. La Figure 7.20 présente les formules de quelques antibiotiques contenant des oligosides. Certains de ces antibiotiques ont une activité antitumorale. L'un des plus importants est la **bléomycine A_2**, utilisée en clinique contre divers types de tumeurs.

Bléomycine A_2 (un antitumoral utilisé contre certaines tumeurs particulières)

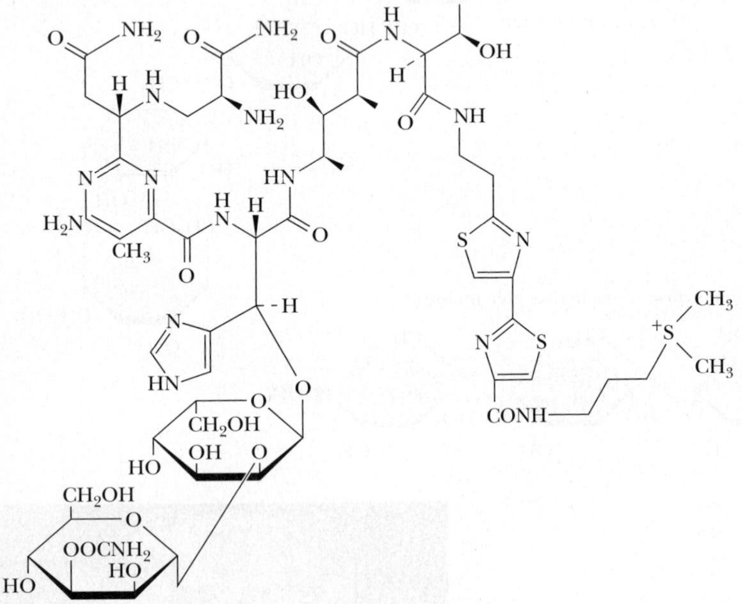

Aburamycine C (un antibiotique et antitumoral)

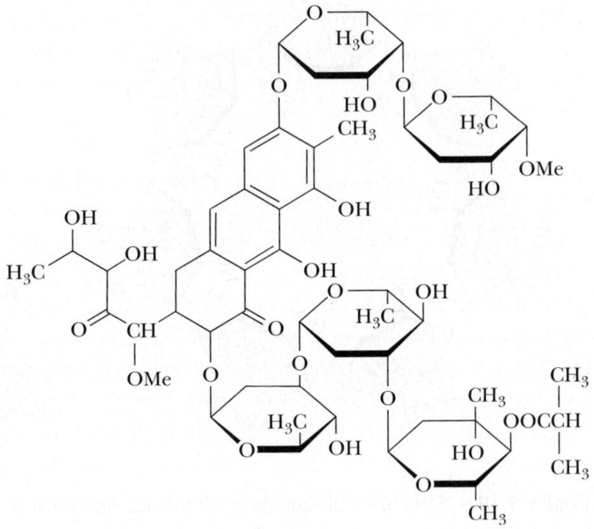

Sulfurmycine B (active contre les bactéries à Gram positif, les mycobactéries et des tumeurs)

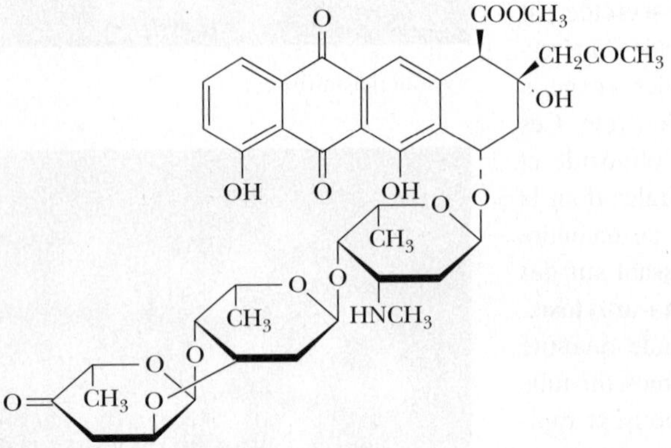

Streptomycine (antibiotique à large spectre)

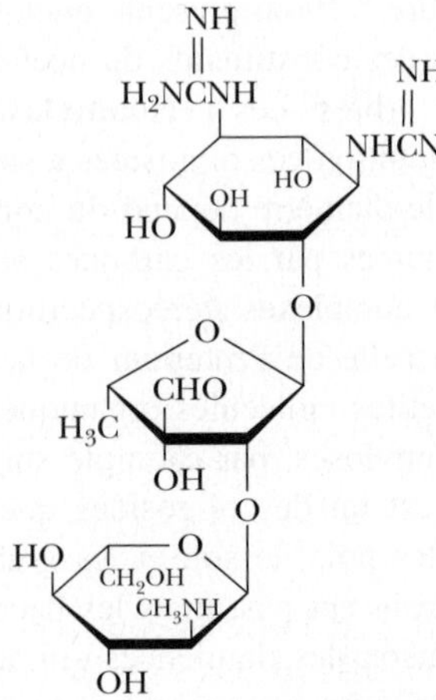

Figure 7.20 • Certains antibiotiques sont des oligosides ou contiennent des groupes oligosides (ce sont des hétérosides).

10.4 • Polyosides

Structure et nomenclature

La plus grande partie des glucides se trouve dans la nature sous forme de polyosides (homopolysaccharides et hétéropolysaccharides). Dans notre définition, les polyosides englobent non seulement les substances formées par des liaisons osidiques entre des résidus d'oses, mais également les molécules qui contiennent des polyosides liés par des liaisons covalentes à des acides aminés, des peptides, des protéines, des lipides et d'autres molécules.

Les **polyosides,** aussi appelés **glycannes**, contiennent un grand nombre de résidus d'oses ou de leurs dérivés, ce sont des polymères d'oses. Si le polyoside ne contient qu'une sorte d'ose, c'est un **homopolyoside**, ou **homoglycanne** (ou polyoside homogène), s'il contient plus d'un type d'oses, c'est un **héréropolyoside** (ou un polyoside hétérogène). Si les polyosides sont souvent des polymères du glucose, le D-fructose, le D-galactose, le L-galactose le D-mannose, le L-arabinose et le D-xylose forment également de nombreux glycannes. Les polyosides contiennent parfois des oses aminés (D-glucosamine et D-galactosamine) et leurs dérivés (l'acide *N*-acétylneuraminique et l'acide *N*-acétylmuramique), ou des oses acides (acide glucuronique et acide iduronique). Le nom commun d'un polyoside homogène est souvent formé à partir du nom de l'ose qu'il contient, **glucosanne**, **mannanne**, **fructosanne** etc. De même, il y a des *galacturonannes* et des *arabannes ;* la nature de l'unité osidique de ces polymères est évidente. Lorsque le type de liaison entre les unités osidiques est toujours le même, on peut le préciser en ajoutant la forme du cycle. Ainsi la cellulose est un *(1→4)-β-D-glucopyrananne*. Les polyosides se différencient non seulement par la nature des oses qui les forment mais encore par la longueur de leurs chaînes, et ces dernières peuvent être plus ou moins ramifiées. Un résidu osidique ne possède qu'un seul carbone anomérique, il ne peut donc former qu'une liaison osidique avec un hydroxyle d'un résidu voisin. Mais, un résidu est porteur de plusieurs hydroxyles, dont un, ou plus, peuvent être substitués par un glycosyle (Figure 7.21). Cette capacité à former des structures ramifiées distingue les polyosides des protéines et des acides nucléiques qui sont toujours des polymères linéaires.

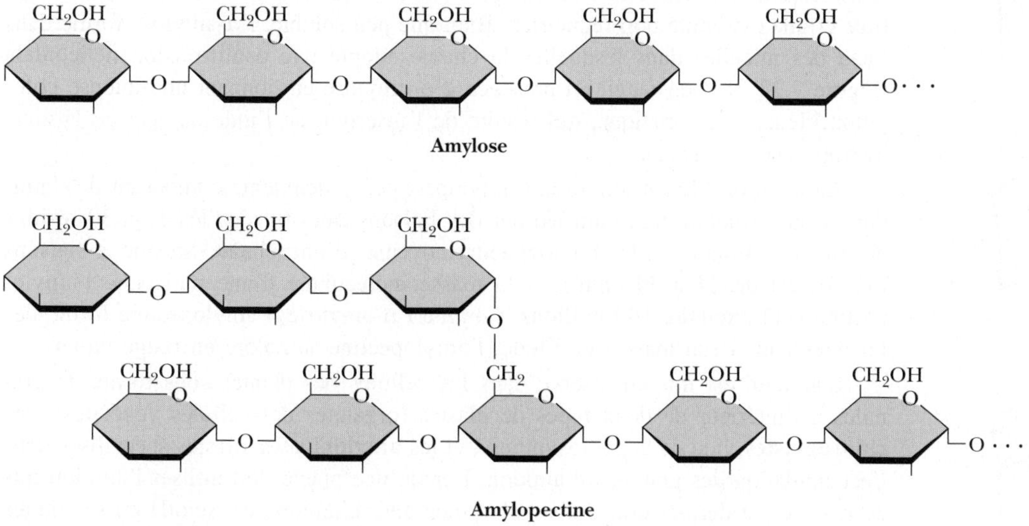

Amylose

Amylopectine

Figure 7.21 • L'amylose et l'amylopectine sont les deux formes de l'amidon. Les liaisons osidiques linéaires sont α(1→4) ; dans l'amylopectine les ramifications résultent de liaisons osidiques α(1→6). Dans d'autres types de polyosides, tout groupe hydroxyle d'un résidu peut être engagé dans une liaison osidique. L'amylopectine a une structure très ramifiée, avec un embranchement tous les 12 à 30 résidus.

Fonctions des polyosides

Les fonctions de nombreux polyosides ne peuvent pas toujours être définies avec précision, et certaines ne sont même pas connues. Traditionnellement, les traités de biochimie classent les polyosides d'après trois grandes fonctions : rôle de réserve, molécules structurales, ou substances protectrices. *L'amidon*, le *glycogène* et d'autres polyosides de réserve sont facilement métabolisables ; ce sont des réserves énergétiques des organismes. La *chitine* est un constituant de l'exosquelette des arthropodes et la *cellulose* celui de la paroi des cellules des plantes vertes. Les mucopolysaccharides, comme les *acides hyaluroniques*, forment une couche protectrice sur des cellules animales. Dans chacun de ces cas, le polyoside est soit un homopolymère d'une même unité osidique, soit un polymère hétérogène constitué de petites unités répétitives contenant deux résidus. Les recherches plus récentes montrent que des oligosides et des polyosides avec des structures plus complexes ont des fonctions beaucoup plus fines, intervenant dans la reconnaissance cellulaire et dans la communication intercellulaire.

Polyosides de réserve

Les polyosides de réserve sont une importante forme de réserve dans les plantes et chez les animaux. Il semble bien que les organismes mettent leurs réserves osidiques sous forme de polymères pour diminuer la pression osmotique de ces réserves. La pression osmotique ne dépend que du *nombre des molécules* en solution, elle est donc beaucoup plus faible avec un petit nombre de grosses molécules de polyosides qu'avec des milliers (et parfois des millions) d'unités osidiques indépendantes.

L'amidon

L'amidon est largement la forme de réserve osidique la plus commune dans les plantes. L'amidon existe sous deux formes, l'**α-amylose** et l'**amylopectine**. L'amidon contient de 10 à 30 % d'α-amylose et de 70 à 90 % d'amylopectine. L'amidon de maïs produit aux U.S.A. contient 25 % d'α-amylose et 75 % d'amylopectine. L'α-amylose est constitué de chaînes linéaires d'unités de D-glucose liées par des liaisons osidiques $\alpha(1\rightarrow4)$. Les chaînes ont des longueurs variées, avec 200 à 3.000 résidus par molécule (masses moléculaires de plusieurs milliers à demi-million). Comme on peut le constater Figure 7.21, chaque chaîne a une extrémité réductrice et une extrémité non réductrice. Bien que peu soluble, l'α-amylose forme dans l'eau des micelles dans lesquelles la chaîne adopte une conformation hélicoïdale (Figure 7.22). L'iode réagit en présence d'α-amylose en donnant une intense coloration bleue, caractéristique, qui résulte de l'insertion de l'iode au sein de la zone hydrophobe de l'hélice.

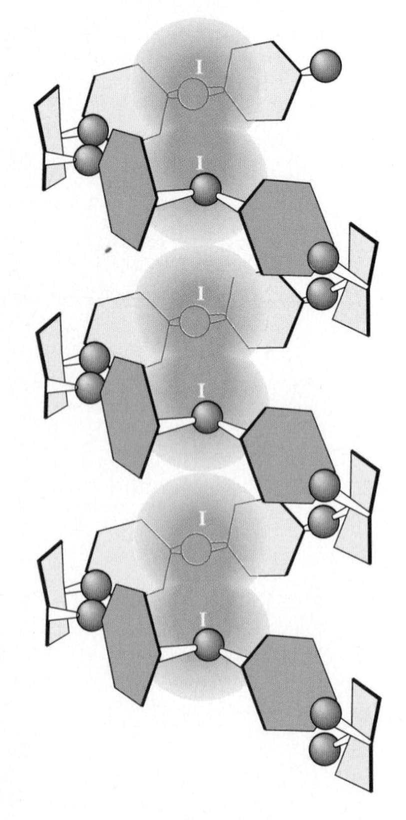

Figure 7.22 • Dans l'eau, l'amylose adopte une conformation hélicoïdale. L'iode (I_2) peut s'insérer au centre de l'hélice de l'amylose qui se colore en bleu, une réaction caractéristique utilisée pour détecter la présence de l'amidon.

Au contraire de l'α-amylose, l'amylopectine, le deuxième composant de l'amidon, a une structure très ramifiée par des liaisons $\alpha(1\rightarrow6)$ tous les 12 à 30 résidus de glucose (Figure 7.21). La longueur moyenne d'une chaîne linéaire à liaisons $\alpha(1\rightarrow4)$ est de 24 à 30 unités, et la masse moléculaire d'une molécule d'amylopectine peut atteindre 100 millions. Comme l'α-amylose, l'amylopectine forme des micelles dans l'eau mais avec l'iode, l'amylopectine se colore en rouge-violet.

L'amidon est mis en réserve dans les cellules des plantes sous forme de granules à l'intérieur de deux types de plastes (organites des cellules végétales) : les **chloroplastes**, lieu de la photosynthèse, et les **amyloplastes**, plastes spécialisés dans l'accumulation des granules d'amidon. Lorsqu'une plante doit utiliser l'amidon mis en réserve, ce dernier doit d'abord être dégradé. L'amidon est scindé en ses unités constitutives par une réaction de phosphorolyse catalysée par un enzyme spécifique, **l'amidon phosphorylase**, une $\alpha(1\rightarrow4)$ glucanne phosphorylase (Figure 7.23). Cette dernière libère à chaque étape de la dégradation une molécule de glucose-1-phosphate et une molécule d'amidon avec une unité glucose en moins. Avec l'amylose, ce processus se poursuit, de l'extrémité non réductrice jusqu'à la fin de la chaîne.

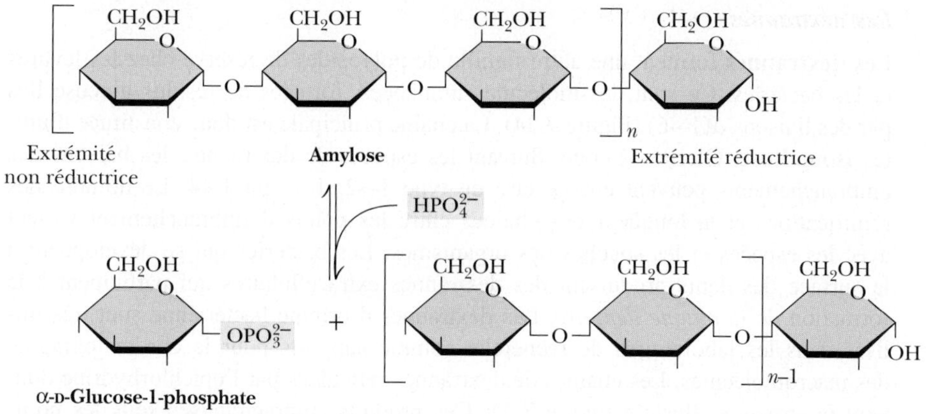

Figure 7.23 • L'amidon phosphorylase clive les résidus de l'amylose en produisant du α-D-glucose-1-phosphate.

Avec l'amylopectine, la dégradation s'arrête aux points d'embranchements $\alpha(1\rightarrow6)$ qui ne peuvent être phosphorolysés, ce qui après digestion prolongée laisse un résidu appelé *dextrine limite*. Cette dextrine limite doit être attaquée par une $\alpha(1\rightarrow6)$ glucosidase qui clive les embranchements $\alpha(1\rightarrow6)$, permettant la phosphorolyse complète des liaisons $\alpha(1\rightarrow4)$ restantes. Les cellules végétales disposent ainsi de glucose-1-phosphate qui peut être métabolisé par la voie de la glycolyse (Chapitre 19).

Chez les animaux, la digestion et l'utilisation de l'amidon débutent dès la cavité buccale, avec **l'α-amylase salivaire**, une $\alpha(1\rightarrow4)$ glucanne 4-glucanne hydrolase, principal enzyme sécrété par les glandes salivaires. Presque tout le monde animal produit et sécrète une amylase salivaire, mais quelques animaux, chats chiens, oiseaux, et chevaux, ne synthétisent pas cet enzyme. L'α-amylase salivaire est une **endoamylase** qui scinde les liaisons glycosidiques $\alpha(1\rightarrow4)$, mais uniquement à *l'intérieur* des chaînes. L'amidon cru n'est guère attaqué par l'endoamylase salivaire. Cependant lorsque les granules d'amidon sont chauffés, ils s'imprègnent d'eau et gonflent, l'intérieur devient accessible aux enzymes. C'est la raison pour laquelle l'amidon cuit est plus digestible. Parvenue dans l'estomac, l'α-amylase est inactivée par l'acidité du milieu, mais les sécrétions pancréatiques contiennent également une α-amylase. Les animaux n'ont pas de **β-amylase**, cet enzyme est par contre souvent présent chez les plantes et les microorganismes. La β-amylase scinde les chaînes d'amidon à partir de leur extrémité, en libérant successivement des unités diosidiques (du maltose), c'est une **exoamylase**. Mais pas plus que l'α-amylase salivaire, la β-amylase n'attaque les points d'embranchements $\alpha(1\rightarrow6)$, il faut donc, là encore, une $\alpha(1\rightarrow6)$-glucosidase pour permettre l'hydrolyse complète de l'amylopectine de l'amidon.

Le glycogène

Le glycogène est la forme majeure de stockage du glucose chez les animaux. Il se trouve principalement dans le foie (où il peut constituer jusqu'à 10 % du poids de l'organe) et dans les muscles du squelette (où il peut représenter de 1 à 2 % de la masse musculaire). Le glycogène hépatique forme des granules contenant des molécules encore plus ramifiées que celles de l'amylopectine, avec des embranchements $\alpha(1\rightarrow6)$, tous les 8 à 12 résidus de glucose. Comme l'amylopectine, le glycogène en présence d'iode se colore en rouge violet. Le glycogène peut être hydrolysé à la fois par une α-amylase et une β-amylase qui libèrent respectivement du glucose et du maltose. Comme l'amidon, le glycogène peut être hydrolysé par une **glycogène phosphorylase**, présente dans le foie et les tissus musculaires, qui libère du glucose-1-phosphate.

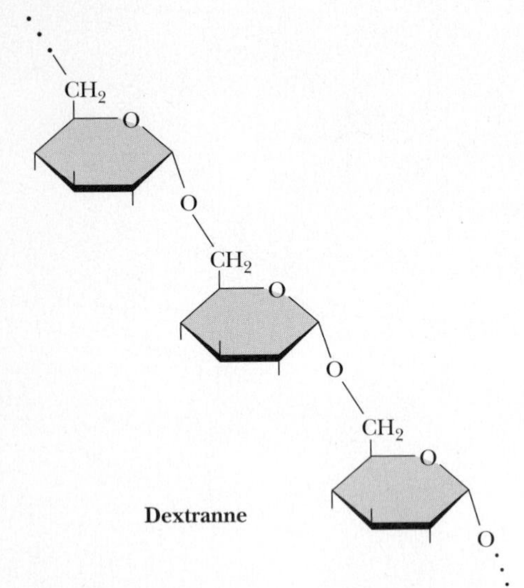

Figure 7.24 • Le dextranne est un polymère ramifié du D-glucose. Les liaisons osidiques de la chaîne principale sont de type $\alpha(1\to6)$ mais les liaisons des embranchements peuvent parfois être $1\to2$, $1\to3$, ou $1\to4$.

Les dextrannes

Les **dextrannes** forment une autre famille de polyosides de réserve chez les levures et les bactéries. Ce sont des molécules branchées, formées de résidus glucose liés par des liaisons $\alpha(1\to6)$ (Figure 7.24). La chaîne principale est donc constituée d'unités **isomaltose**, Glc$\alpha(1\to6)$-Glc. Suivant les espèces de dextrannes, les liaisons des embranchements peuvent encore être de type $1\to2$, $1\to3$ ou $1\to4$. Le nombre des ramifications et la longueur des chaînes entre les points d'embranchement varient avec les espèces et les souches des organismes. Les bactéries qui se développent à la surface des dents produisent des dextrannes extracellulaires qui participent à la formation de la *plaque dentaire*. Les dextrannes d'origine bactérienne sont très utilisés dans les laboratoires de recherche comme supports pour la chromatographie des macromolécules. Les chaînes de dextrannes réticulées par l'épichlorhydrine donnent la structure illustrée Figure 7.25. Ces produits commercialisés sous les noms de Séphadex ou de Bio-gel, sont extrêmement hydrophiles, ils gonflent en solution aqueuse pour former des gels très hydratés. Suivant le degré de la réticulation et la taille de la particule du produit, le gel formé peut contenir de 50 à 98 % d'eau. Les dextrannes peuvent être réticulés à l'aide d'autres agents de réticulation, les gels ont alors des propriétés un peu différentes.

Polyosides de structure

La cellulose

Les **polyosides de structure** ont des propriétés remarquablement différentes de celles des polyosides de réserve, bien que leur composition ne les différencie pas. La **cellulose**, un des polyosides de structure, est le polymère naturel le plus abondant de la biosphère. Présent dans les parois cellulaires de pratiquement toutes les plantes vertes, la cellulose est l'un des principaux composants qui participent à la

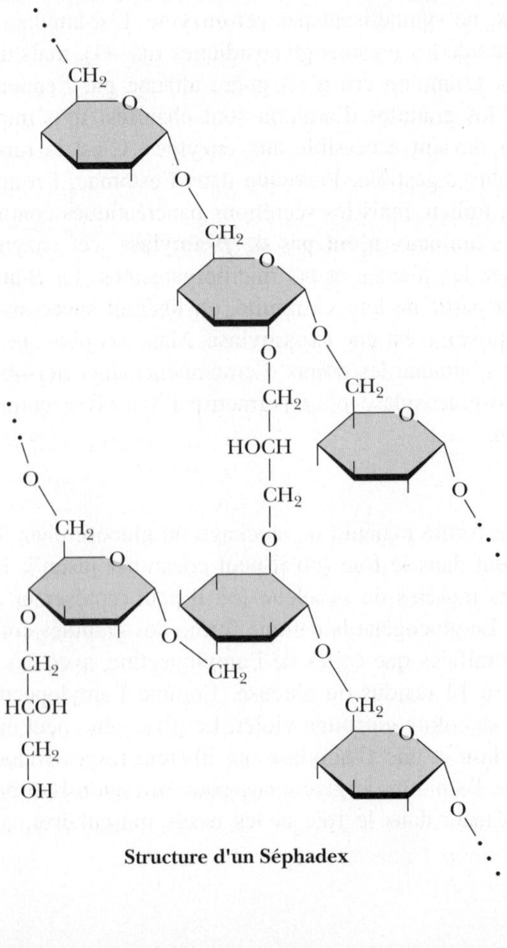

Structure d'un Séphadex

Figure 7.25 • Les Séphadex sont synthétisés à partir de dextrannes dont les chaînes sont réticulées à l'aide de l'épichlorohydrine. Le degré de réticulation détermine les propriétés chromatographiques des gels de Séphadex. Les Séphacryl sont aussi synthétisés à partir de dextrannes, mais les chaînes sont réticulées à l'aide de *N,N'*-méthylène bisacrylamide.

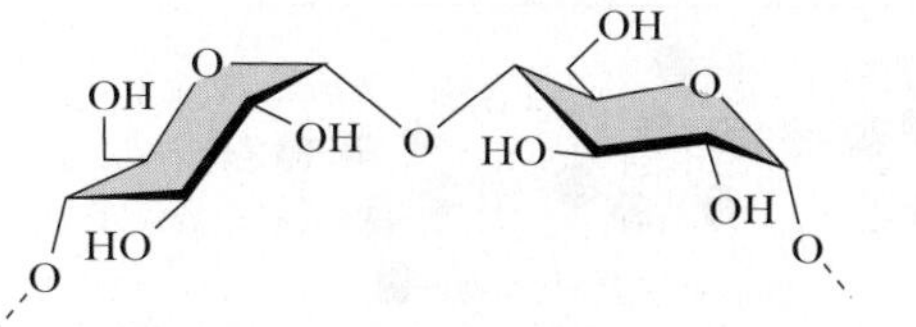

Résidus D-glucose liés par une liaison α (1 → 4)

(a)

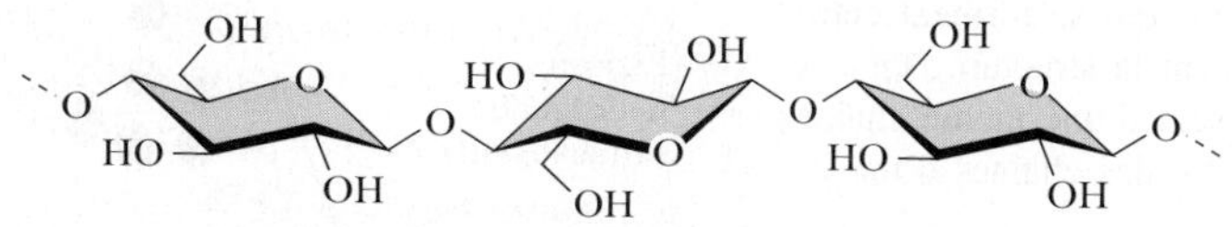

Résidus D-glucose liés par une liaison β (1 → 4)

(a)

Figure 7.26 • (a) Les liaisons $\alpha(1 \to 4)$ étant toutes légèrement courbées dans une même direction générale, l'amylose adopte une conformation hélicoïdale, tandis que (b) la cellulose avec toutes ses liaisons $\beta(1 \to 4)$ tend à adopter une conformation complètement étirée, avec un retournement alterné de 180° des unités glucose. Les multiples liaisons hydrogène qui se forment dans ces structures étirées sont à l'origine de la résistance des troncs d'arbre et des autres matières à base de cellulose.

structure physique et à la résistance des cellules végétales. Le bois et l'écorce des arbres sont insolubles, leurs polyosides de structure hautement organisés sont constitués de cellulose et de *lignine* (voir Figure 27.35). Admirant un bel arbre, on ne peut être qu'impressionné en prenant conscience de la lourde charge supportée par des structures polymériques dérivées d'oses et d'alcools. Mais la cellulose a aussi un aspect plus familier. Le *coton*, dont les fibres tissées servent à fabriquer des vêtements des plus confortables, est de la cellulose presque pure. Les dérivés synthétiques de la cellulose sont très utilisés dans notre société. Par exemple, les **acétates de cellulose**, produits par l'action de l'anhydride acétique sur la cellulose en présence d'acide sulfurique, peuvent être filés et tissés, parfois en mélange avec d'autres fibres, pour faire des étoffes ayant des propriétés particulières. Ces fibres artificielles (qu'on appelle la *rayonne*) donnent aux étoffes un aspect soyeux, un toucher doux et un lustre profond. On les utilise surtout en lingerie, et pour fabriquer des doublures. On les incorpore aussi dans les tissus destinés à la fabrication de vêtements.

La cellulose est un homopolymère exclusivement linéaire du D-glucose, tout comme l'α-amylose, mais avec une différence structurale qui modifie complètement les propriétés du polymère. Dans la cellulose, les résidus glucose sont liés par des liaisons osidiques $\beta(1 \to 4)$ alors que dans l'α-amylose les liaisons sont $\alpha(1(\to 4)$. La Figure 7.26 présente la différence de conformation entre les deux structures. La liaison osidique $\alpha(1 \to 4)$ introduit une pliure entre les résidus glucose, ce qui fait progressivement tourner la chaîne du polymère qui en fin de compte adopte une structure hélicoïdale (cf. Figure 7.22). La conformation la plus stable autour de la liaison $\beta(1 \to 4)$ impose un retournement alterné de 180° des unités osidiques tout le long de la chaîne. La chaîne adopte donc une conformation complètement étendue, on dit encore **en ruban étiré**. La juxtaposition de plusieurs de ces chaînes est ainsi possible, elle autorise la formation de nombreuses liaisons hydrogène, une des plus importantes raisons de la résistance de la cellulose.

La structure tridimensionnelle d'une cellulose, déterminée par radiocristallographie, est représentée Figure 7.27. Les chaînes de celluloses disposées côte à côte, liées par des liaisons hydrogène, forment des feuillets plats. Ces feuillets s'empilent, légèrement décalés les uns par rapport aux autres à la façon des briques dans un mur, ce qui accroît la solidité et la stabilité de la structure. La cellulose est extrêmement résistante à l'hydrolyse même acide, elle n'est pas attaquée par les amylases salivaires ou intestinales. Aucun animal, y compris l'être humain, ne peut digérer la cellulose. Les ruminants d'élevage ou sauvages comme les cerfs, les girafes et les chameaux, font exception car les bactéries de la panse et du bonnet (Figure 7.28) sécrètent des enzymes qui permettent une hydrolyse complète de la cellulose, en particulier une β-glucosidase, **la cellulase**. Le glucose libre sera ensuite assimilé et métabolisé par l'animal. L'intestin des termites contient des protozoaires qui sécrètent de la cellulase, et les vers qui rongent le bois (comme *Teredo navalis*) digèrent la cellulose grâce à leurs bactéries intestinales.

Figure 7.27 • Structure de la cellulose. En bleu, liaisons hydrogène qui se forment entre les feuillets et renforcent la structure ; en rouge, liaisons H au sein d'une même chaîne ; en vert, liaisons H entre des chaînes d'un même feuillet.

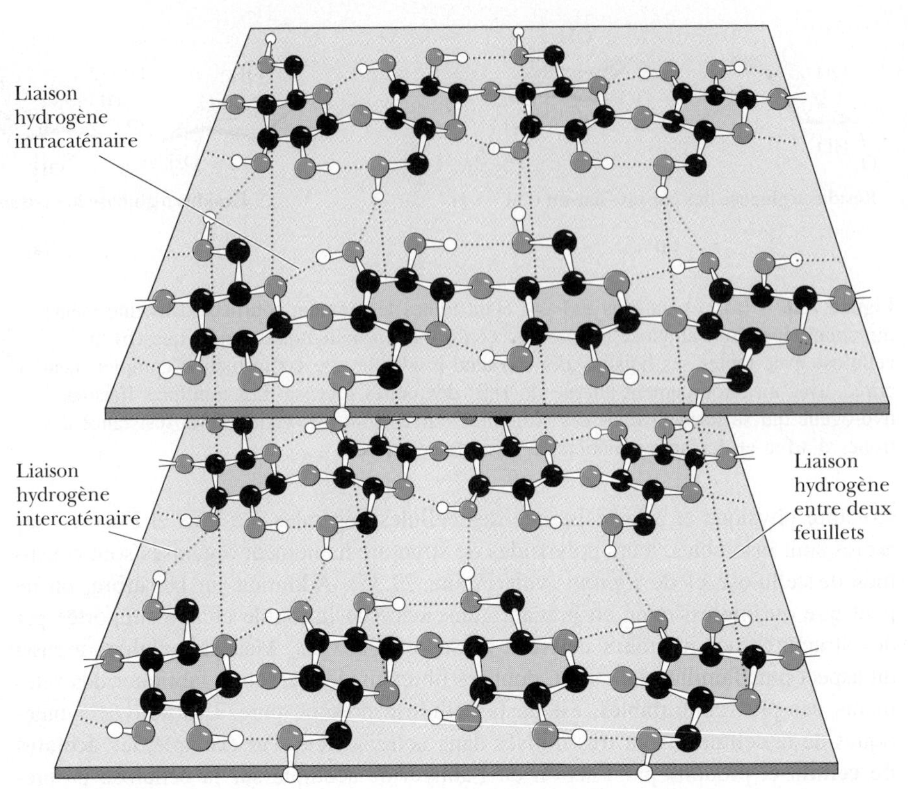

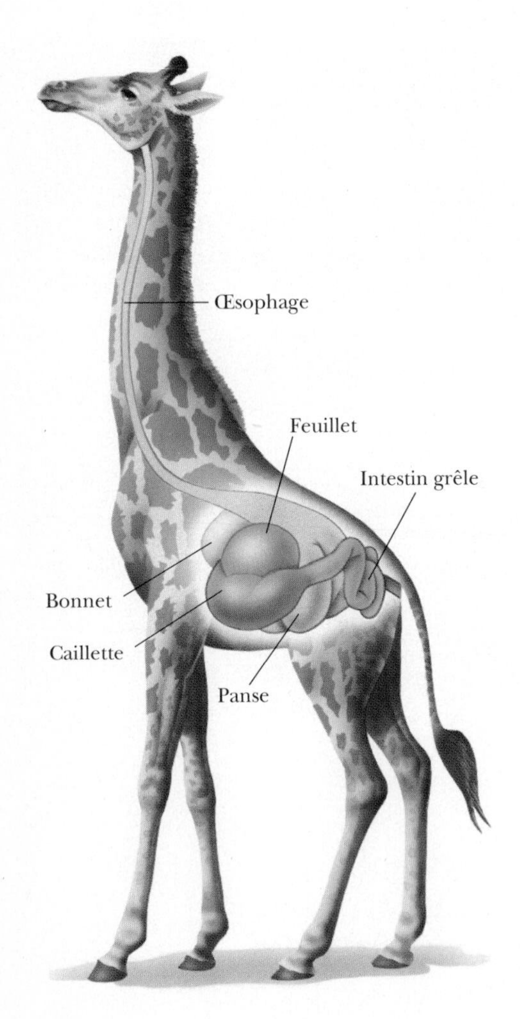

Figure 7.28 • Les girafes, le bétail, les cerfs et les chameaux sont des ruminants. Ces animaux peuvent digérer la cellulose grâce à la cellulase sécrétée par les bactéries de la panse, le premier grand compartiment de l'appareil digestif des ruminants.

La chitine

La chitine est un polyoside très analogue à la cellulose, tant par son rôle biologique que par sa structure, primaire, secondaire ou tertiaire. Elle est présente dans les parois cellulaires des moisissures et des champignons, elle est le constituant fondamental de l'exosquelette des crustacés, des insectes et des araignées. La structure de la chitine, en ruban étiré, est identique à celle de la cellulose, à l'exception du groupe –OH sur le C-2 qui est remplacé par un groupe $-NHCOCH_3$. Les unités répétitives sont donc des résidus de *N-acétyl-D-glucosamine* liés par des liaisons osidiques $\beta(1\rightarrow4)$. Comme les chaînes de la cellulose (Figure 7.27), les chaînes de la chitine forment des rubans étirés (Figure 7.29) qui s'assemblent côte à côte, reliés par des liaisons hydrogène, et constituent une structure résistante de type cristallin. Une différence importante entre la cellulose et la chitine résulte de l'arrangement des chaînes, qui peuvent être **parallèles** (toutes les extrémités réductrices sont rassemblées à une même extrémité des ensembles de chaînes et les extrémités non réductrices sont à l'autre bout) ou **antiparallèles** (les chaînes d'un feuillet sont disposées de façon opposée aux chaînes du feuillet supérieur et du feuillet inférieur). Dans la cellulose naturelle, on ne connaît que l'arrangement parallèle. Pour la chitine c'est plus compliqué, il semble qu'il existe trois formes distinctes, parfois dans un même organisme. Dans *l'α-chitine*, les chaînes sont toutes parallèles, tandis que dans la *β-chitine* l'arrangement est antiparallèle. Dans la *δ-chitine*, il semble que la structure soit constituée de paires de feuillets parallèles séparées par un unique feuillet antiparallèle.

La chitine est, après la cellulose, le polymère osidique le plus abondant de la biosphère. Sa facilité d'accès et son abondance autorisent son utilisation industrielle. Des produits à base de chitine prolongent la durée de la commercialisation de divers fruits, et l'on a montré qu'un dérivé de la chitine forme un complexe de coordination avec les atomes de fer dans la viande et ralentit les réactions à l'origine de la perte de la saveur et du rancissement. En l'absence de ce produit, le fer contenu dans la viande active l'oxygène de l'air, ce qui conduit à la formation de radicaux libres qui attaquent et oxydent les lipides insaturés, un phénomène qui aboutit à la perte de la saveur et au rancissement.

Cellulose

Chitine

Résidus *N*–acétylglucosamine

Mannanne

Résidus mannose

Poly (D-Mannuronate)

Poly (L-Guluronate)

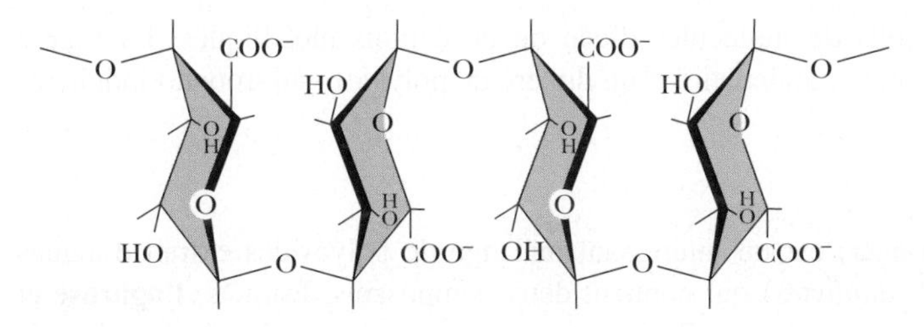

Figure 7.29 • Comme la cellulose, la chitine, le mannanne et le poly(D-mannuronate) forment des rubans étirés qui s'assemblent solidement par de multiples liaisons hydrogène.

Alginates

Les **alginates** constituent une famille de polyosides dont la structure en ruban étiré lie les ions métalliques, en particulier les ions calcium. On les trouve dans les *algues brunes* (*Phéophytes*) en bordure des côtes. Ce sont des polymères de *l'acide β-D-mannuronique*, **poly(β-D-mannuronates)**, ou des polymères de *l'acide (-L-guluronique*, **poly(α-L-guluronates)**. Dans les deux cas, la liaison entre les unités osidiques est 1→4. Ces deux homopolymères sont généralement associés dans les alginates de la plupart des algues marines, dans des rapports qui varient largement. Dans quelques cas, les chaînes contiennent les deux monomères à la fois. La conformation du poly(β-D-mannuronate) est semblable à celle de la cellulose (Figure 7.29). À l'état solide, la forme libre du polymère se présente comme celle de la cellulose. Cependant, les complexes du polymère avec des cations (comme le lithium, le sodium, le potassium et le calcium) adoptent une structure hélicoïdale à axe de symétrie ternaire, probablement pour s'adapter à la présence de ces ions. La configuration axiale-axiale de la liaison gycosidique dans le poly(α-L-guluronate) aboutit à la formation de rubans nettement gondolés (Figure 7.29) assez peu flexibles. Les interactions coopératives entre de tels rubans ne peuvent être fortes que si les

POUR EN SAVOIR PLUS

Boules de billard, dents explosives et dynamite – histoire fort colorée de la cellulose

Bien que les humains ne digèrent pas la cellulose et que peu de gens fassent la relation avec le coton des tissus et vêtements, son utilisation a connu une histoire variée et pleine de couleur. En 1838, le Français Théophile Pelouze a découvert que le papier et le coton devenaient explosifs après avoir été trempé dans l'acide nitrique concentré. En 1845, Christian Schönbein, professeur à l'Université de Bâle, a préparé du « nitrocoton » en trempant du coton dans un mélange d'acide nitrique et d'acide sulfurique, puis en lavant le produit à l'eau pour éliminer l'excès d'acide. En 1860, le major E. Schultz de l'armée prussienne a utilisé le même produit, dès lors appelé le **coton-poudre**, à la place de la poudre noire comme agent de propulsion et son emballage dans des cartouches de cuivre l'a rapidement popularisé. Le seul problème était qu'il explosait trop facilement et de façon imprévisible dans les fabriques qui le produisaient. En Angleterre, la ville de Faversham fut ainsi détruite à la suite d'une explosion. En 1868, Alfred Nobel a préparé la **nitrocellulose** en traitant du coton-poudre avec de l'éther et de l'éthanol ; il a ensuite mélangé la nitrocellulose avec de la nitroglycérine et de la sciure de bois (qui stabilise l'explosif) obtenant ainsi la **dynamite**. La fortune accumulée avec les importants revenus de la fabrication de la dynamite et du développement des champs pétrolifères de Bakou, en Russie, a par la suite permis la fondation des Prix Nobel.

En 1869, inquiets du rapide déclin de la population des éléphants en Afrique (décimés par la chasse) deux fabricants de boules de billard, Phelan et Collander ont offert une récompense de 10.000 $ pour la découverte d'un produit de substitution à l'ivoire. Les frères Isaiah et John Hyatt d'Albany (État de New York) ont obtenu ce substitut à l'ivoire en mélangeant le coton-poudre avec du camphre, mélange qu'ils ont ensuite chauffé et comprimé pour obtenir le celluloïd. Ce produit a immédiatement connu de très nombreux usages, autres que la fabrication des boules de billard car il est solide, assez souple, facile à mouler et résistant à la traction. Le celluloïd a été utilisé pour la fabrication de poupées, de peignes, d'instruments de musique, de stylos à plume, de touches de piano et d'une grande variété d'autres produits. Les frères Hyatt ont même formé l'Albany Dental Company pour faire de fausses dents avec du celluloïd. Comme le camphre était utilisé dans la fabrication, la compagnie signalait dans sa publicité que leur dents respiraient la « propreté ». Mais, comme le signalait un article du New York Times en 1875, la dent pouvait aussi inopinément exploser !

Adaptation d'un ouvrage de Burke, J., 1996. *The Pinball Effect : How Renaissance Water Gardens Made the Carburetor Possible and Other Journeys Through Knowledge.* New York : Little, Brown & Company.

interstices sont remplis de molécules d'eau ou de cations métalliques. La Figure 7.30 présente un modèle moléculaire d'un dimère de poly(α-L-guluronate) induit par des ions Ca^{2+}.

Agarose

La **gélose** (ou agar-agar) est un intéressant mélange de polyosides extrait d'algues marines rouges (*Rhodophytes*) qui contient deux composants distincts, **l'agarose** et **l'agaropectine**. L'agarose (Figure 7.31) est un polymère formé de résidus alternés de D-galactose et de 3,6-anhydro-L-galactose, avec des chaînes latérales de 6-méthyl-D-galactose. L'agaropectine a la même structure, mais contient en plus de l'acide D-glucuronique et des groupes hydroxyles sont estérifiés par de l'acide sulfurique. La structure tridimensionnelle de l'agarose est celle d'une double hélice avec un axe d'ordre trois (Figure 7.31). La cavité centrale est assez vaste pour accepter des molécules d'eau. L'agarose et l'agaropectine forment facilement des gels contenant jusqu'à 99,5 % d'eau. L'agarose, traité pour en éliminer les groupes chargés (commercialisé sous le nom de Sépharose), est très utilisé pour la purification des macromolécules par chromatographie d'exclusion-diffusion. Les chaînes, associées en double hélice, s'agrègent en faisceaux pour donner des gels stables (Figure 7.32).

Glycosaminoglycannes

Les **glycosaminoglycannes** constituent une classe homogène de polyosides qui interviennent dans un grand nombre de fonctions extracellulaires (et parfois intracellulaires). Ce sont des chaînes linéaires d'unités diosidiques répétées dont l'un des résidus est un ose aminé et l'autre est le plus souvent un acide uronique. Un des deux résidus (parfois les deux) contient au moins un groupe hydroxyle estérifié par de l'acide sulfurique. Les structures diosidiques les plus fréquemment observées dans

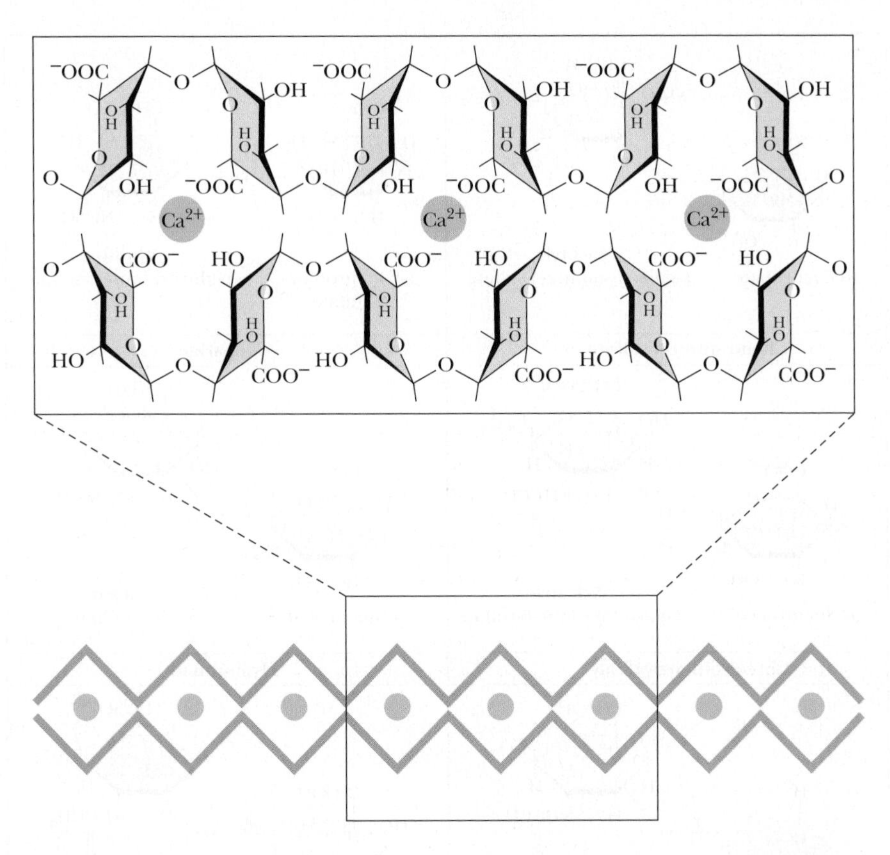

Figure 7.30 • Les chaînes de poly (α-L-guluronate) dimérisent en présence de Ca^{2+}, formant une structure rappelant les boîtes en carton qui servent à emballer les œufs.

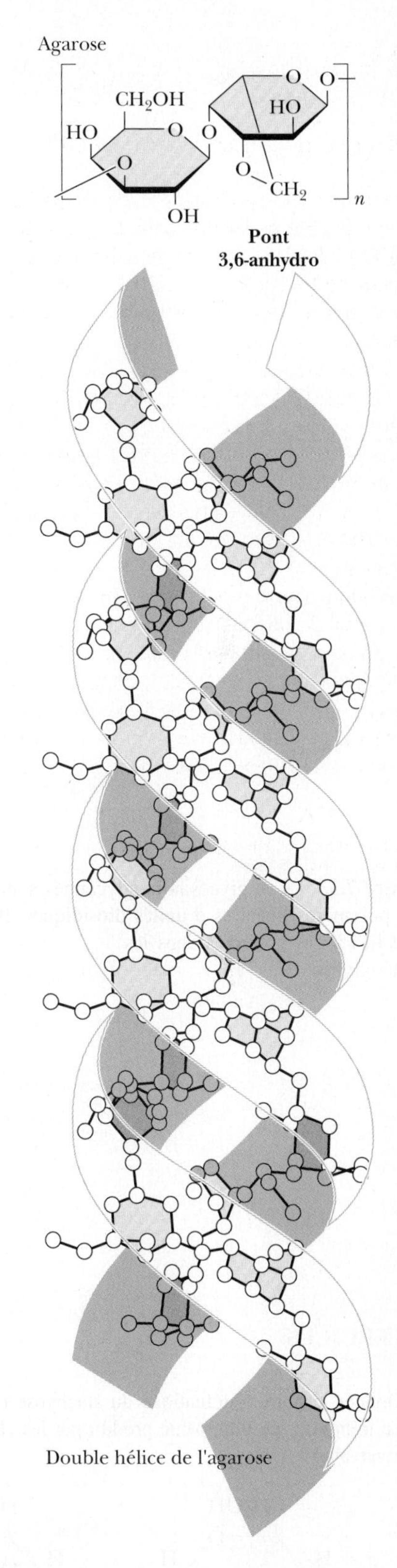

Figure 7.31 • La conformation préférée de l'agarose en solution aqueuse est celle d'une double hélice avec un axe de symétrie ternaire.

les glycosaminoglycannes sont présentées Figure 7.33. **L'héparine**, un anticoagulant naturel, contient les unités osidiques portant la plus grande charge négative. Elle se lie fortement à *l'antithrombine III* (une protéine intervenant à la fin du processus de la coagulation) et inhibe la coagulation du sang. Les **acides hyaluroniques** sont de grosses molécules pouvant avoir 25.000 unités diosidiques et des masses moléculaires de 10^7. Ce sont d'importants constituants du corps vitré de l'œil et du

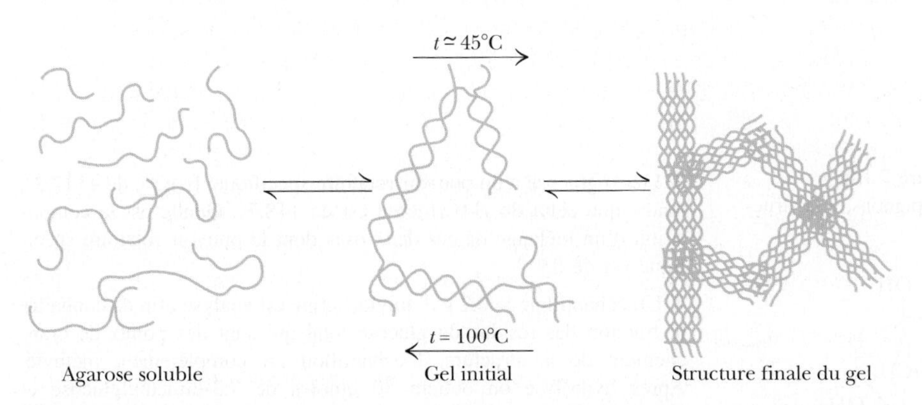

Figure 7.32 • Les chaînes d'agarose s'assemblent en des complexes de faisceaux qui forment des gels en solution aqueuse. Cette propriété fait que l'agarose est très utilisé en chromatographie d'exclusion-diffusion et en électrophorèse. Les cellules en culture peuvent être enrobées dans des « veines » de gel d'agarose afin de faciliter l'étude de leur métabolisme et de leurs propriétés physiologiques.

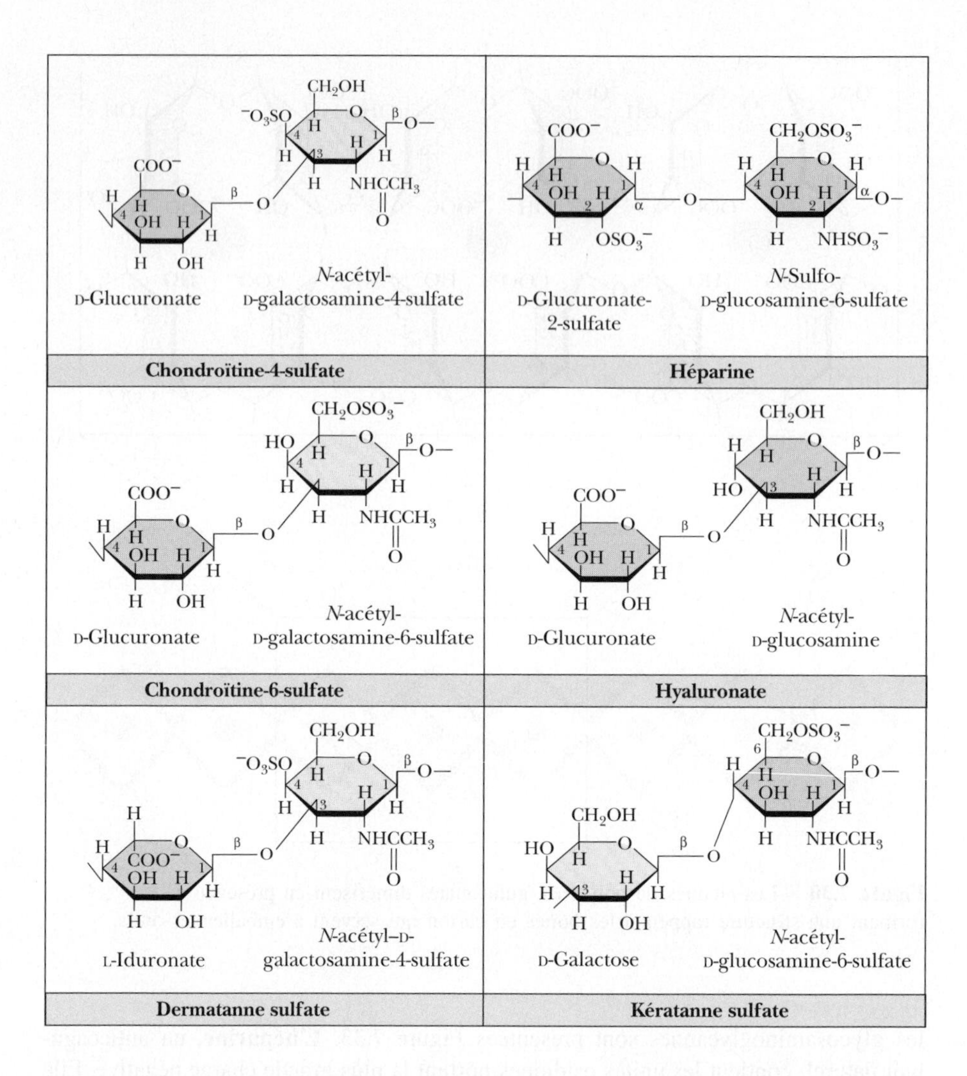

Figure 7.33 • Les glycosaminoglycannes sont des polymères linéaires d'unités diosidiques. Ils sont liés à des protéines dans les protéoglycannes.

liquide synovial, le lubrifiant des articulations. Les **chondroïtines** et le **kératanne-sulfate** se trouvent dans les tendons, le cartilage et les tissus conjonctifs, tandis que le **dermatanne-sulfate**, comme son nom l'implique, est un composant de la matrice extracellulaire de la peau. Les glycosaminoglycannes sont des constituants fondamentaux des protéoglycannes (voir Section 9.5).

EXERCICES

1. Donner le nom systématique du stachyose (Figure 7.19).

2. Le tréhalose, un diholoside produit par les champignons, a la structure suivante :

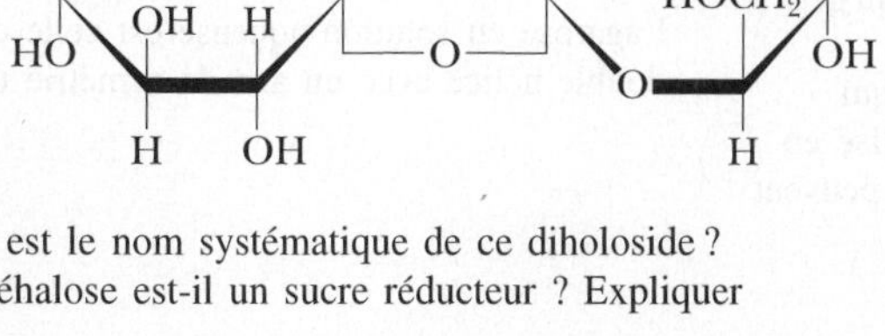

a. Quel est le nom systématique de ce diholoside ?

b. Le tréhalose est-il un sucre réducteur ? Expliquer

3. L'α-D-glucose a un pouvoir rotatoire spécifique, $[\alpha]_D^{20}$, de +112,2°, tandis que celui du β-D-glucose est de +18,7°. Quelle est la composition d'un mélange de ces deux oses dont le pouvoir rotatoire spécifique est de 83° ?

4. Un échantillon de 0,2 g d'amylopectine est analysé afin de connaître la fraction des résidus du glucose total qui sont des points de branchement de la structure. L'échantillon est complètement méthylé. Après hydrolyse on obtient 50 μmoles de 2,3-diméthylglucose et 0,4 μmole de 1,2,3,6-tétraméthylgmucose.

a. Quelle fraction des résidus totaux se trouve aux points de branchement ?

b. Combien d'extrémités réductrices contient cet amylose ?

LECTURES COMPLÉMENTAIRES

Aspinall, G.O., 1982. *The Polysacchardides*, Vols. 1 and 2. New York : Academic Press.

Collins, P.M., 1987. *Carbohydrates.* London : Chapman and Hall.

Davison, E. A., 1967. *Carbohydrate Chemistry.* New York : Holt, Rinehart and Winston.

Feeney, R.E., Burcham, T.S., et Yeh, Y., 1986. Antifreeze glycoproteins from polar fish blood. *Annual Review of Biophysical Chemistry* **15** : 59-78.

Jentoft, N., 1990. Why are proteins O-glycosylated ? *Trends in Biochemical Sciences* **155** : 291-294.

Kjellen, L., et Lindahl, U., 1991. Proteoglycans : Structures and interactions. *Annual Review of Biochemistry* **60** : 443-475.

Lennarz, W.J., 1980. *The Biochemistry of Glycoproteins and Proteoglycans.* New York : Plenum Press.

Lodish, H.F., 1991. Recognition of complex oligosaccharides by the multisubunit asialoglycoprotein receptor. *Trends in Biochemical Sciences* **16** : 374-377.

McNeil, M., Darvill, A.G., Fry, S.C, et Albersheim, P., 1984. Structure and function of the primary cell walls of plants. *Annual Review of Biochemistry* **53** : 625-664.

Pigman, W., et Horton, D., 1972. *The Carbohydrates.* New York : Academic Press.

Rademacher, T.W., Parekh, R.B., et Dwek, R.A., 1988. Glycobiology. *Annual Review of Biochemistry* **57** : 785-838.

Ruoslahti, E., 1989. Proteoglycans in cell regulation. *Journal* of *Biological Chemistry* **264** : 13369-13372.

Sharon, N., 1980. Carbohydrates. *Scientific American* **243** : 90-102.

Sharon, N., 1984. Glycoprowins. *Trends in Biochemical Sciences* **9** : 198-202.

« Un festin de viandes grasses, un festin de bons vins clarifiés. » (Le festin messianique)

ISAÏE 25 : 6

Chapitre 8

Les lipides

PLAN

« Les puissantes baleines qui nagent dans l'eau de la mer, et dont l'intérieur baigne dans une mer d'huile. » Herman Melville. « Extraits » Moby-Dick. *New York : Penguin Books, 1972.* (*Baleine (*Megaptera novaeangliae*) émergeant au large de Cape Cod, Massachusetts, USA ; photo © Steven Morello/Peter Arnet, Inc.).*

Les **lipides** constituent une classe de molécules biologiques définies par leur faible solubilité dans l'eau et leur grande solubilité dans les solvants non polaires. Ces molécules étant pour l'essentiel des hydrocarbures, les lipides représentent une forme de carbone particulièrement réduit ; leur oxydation au cours du métabolisme libère de grandes quantités d'énergie. Les lipides sont donc des molécules de choix pour la mise en réserve de l'énergie métabolique.

Les lipides des systèmes biologiques sont soit hydrophobes (ne contenant que des groupes non polaires), soit **amphipathiques**, c'est-à-dire qu'ils contiennent à la fois des groupes polaires et non polaires. La nature hydrophobe des molécules lipidiques est à l'origine de la fonction de barrière efficace qui s'oppose au passage de molécules plus polaires à travers les membranes. Ce chapitre traite des propriétés chimiques et physiques des diverses classes de molécules lipidiques. Le chapitre suivant concernera les membranes dont les propriétés dépendent fondamentalement de leurs constituants lipidiques.

8.1 • Acides gras

Un **acide gras** comporte une longue chaîne hydrocarbonée (la « queue ») terminée par un groupe carboxylique (la « tête »). Dans les conditions physiologiques, le groupe carboxylique est normalement ionisé. Les acides gras sont présents en grandes quantités dans les systèmes biologiques, mais rarement à l'état libre, non complexé. D'une façon générale, ils sont estérifiés par du glycérol ou liés à d'autres molécules. La très grande majorité des acides gras naturels ont un nombre pair d'atomes de carbone (le plus souvent de 14 à 24). Mais il existe des acides gras à nombre impair d'atomes de carbone, en particulier dans des organismes marins. Les acides gras peuvent être **saturés** (toutes les liaisons carbone-carbone sont des liaisons covalentes simples) ou **insaturés** (avec une ou plusieurs doubles liaisons, ou plus rarement triples liaisons). Un acide gras **monoinsaturé** n'a qu'une unique double liaison, par opposition aux acides gras **polyinsaturés** qui en ont plusieurs. Les acides gras peuvent être dénommés ou décrits de plusieurs façons (Tableau 8.1). Par exemple l'acide gras saturé à 18 atomes de carbone, a un nom commun (acide stéarique), un nom systématique (acide **octodécanoïque** selon la nomenclature scientifique), ou est décrit dans la nomenclature générale par une notation abrégée dans laquelle le nombre des atomes de carbone est suivi par le signe de ponctuation deux points et par le nombre de doubles liaisons dans la molécule (18:0 pour l'acide stéarique). L'acide **stéarique** (18:0) et l'acide **palmitique** (16:0) sont les acides gras naturels les plus abondants. La Figure 8.1 présente les formules et les structures de divers acides gras.

La libre rotation autour de chacune des liaisons carbone-carbone rend les molécules d'acides gras saturés extrêmement flexibles. Il subsiste néanmoins des contraintes stériques et la conformation la plus stable pour les acides gras saturés est la conformation étirée (Figure 8.1). Cependant la stabilisation de la structure n'est que relative, et, nous le verrons plus tard, les chaînes saturées des acides gras peuvent adopter des conformations très variées.

Les acides gras insaturés naturels sont un peu plus abondants que les acides gras saturés, tout particulièrement dans les plantes. L'acide insaturé dominant est

Tableau 8.1

Acides gras biologiques les plus communs

Nombre d'atomes de carbone	Nom commun	Nom systématique	Symbole	Structure
Acides gras saturés				
12	Acide laurique	Acide dodécanoïque	12:0	$CH_3(CH_2)_{10}COOH$
14	Acide myristique	Acide tétradécanoïque	14:0	$CH_3(CH_2)_{12}COOH$
16	Acide palmitique	Acide hexadécanoïque	16:0	$CH_3(CH_2)_{14}COOH$
18	Acide stéarique	Acide octadécanoïque	18:0	$CH_3(CH_2)_{16}COOH$
20	Acide arachidique	Acide eicosanoïque	20:0	$CH_3(CH_2)_{18}COOH$
22	Acide béhénique	Acide docosanoïque	22:0	$CH_3(CH_2)_{20}COOH$
24	Acide lignocérique	Acide tétracosanoïque	24:0	$CH_3(CH_2)_{22}COOH$
Acides gras insaturés (pour toutes les doubles liaisons les substituants sont en *cis*)				
16	Acide palmitoléique	Acide 9-hexadécènoïque	16:1	$CH_3(CH_2)_5CH{=}CH(CH_2)_7COOH$
18	Acide oléique	Acide 9-octadécènoïque	18:1	$CH_3(CH_2)_7CH{=}CH(CH_2)_7COOH$
18	Acide linoléique	Acide 9,12-octadécadiènoïque	18:2	$CH_3(CH_2)_4CH{=}CHCH_2)_2(CH_2)_6COOH$
18	Acide α-linolènique	Acide 9,12,15-octadécatriènoïque	18:3	$CH_3CH_2(CH{=}CHCH_2)_3(CH_2)_6COOH$
18	Acide γ-linolènique	Acide 6,9,12-octadécatriénoïque	18:3	$CH_3(CH_2)_4(CH{=}CHCH_2)_3(CH_2)_3COOH$
20	Acide arachidonique	Acide 5,8,11,14-eicosatétraènoïque	20:4	$CH_3(CH_2)_4(CH{=}CHCH_2)_4(CH_2)_2COOH$
24	Acide nervonique	Acide 15-tétracosènoïque	24:1	$CH_3(CH_2)_7CH{=}CH(CH_2)_{13}COOH$

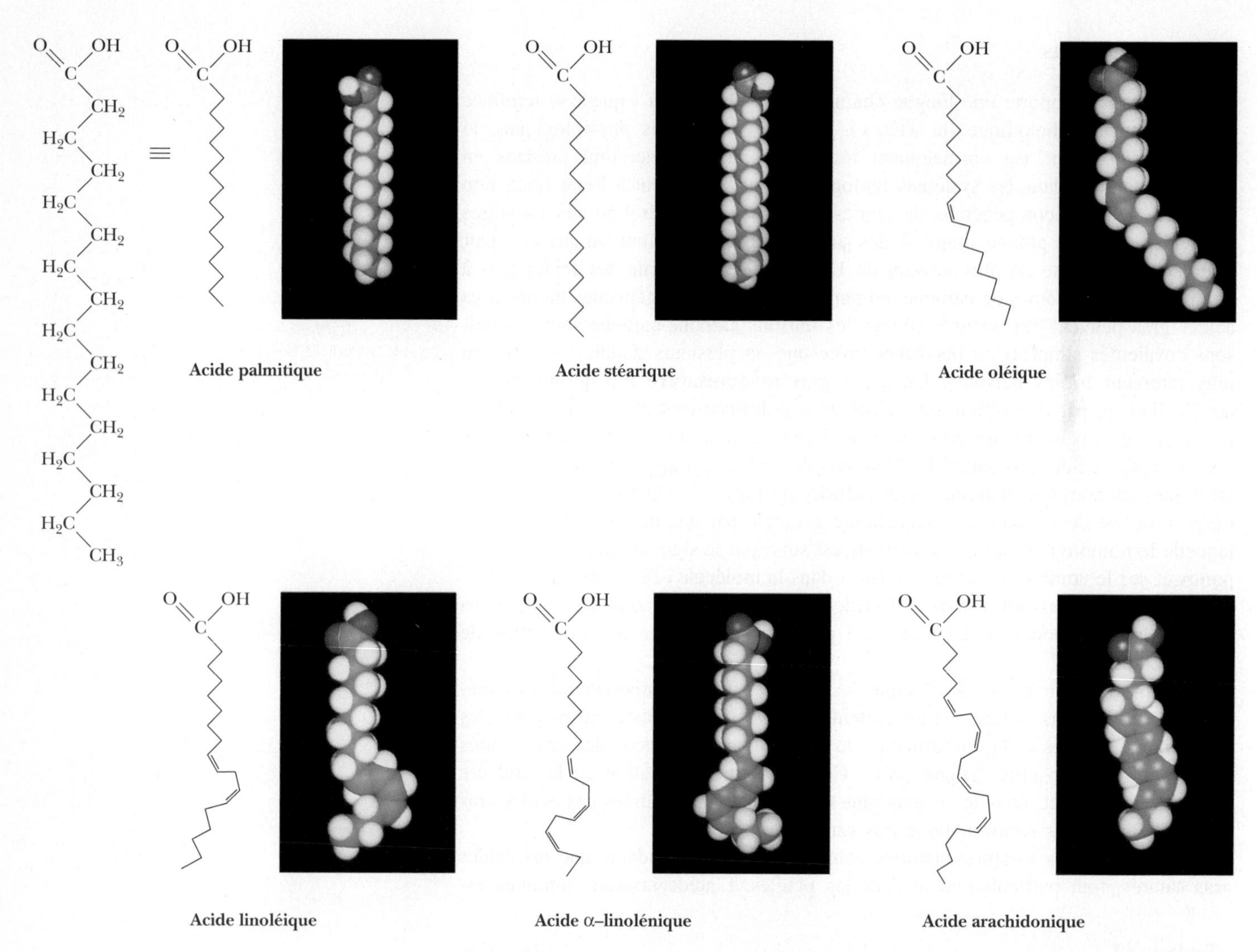

Figure 8.1 • Formules et structures de quelques acides gras typiques. Notez que la plupart des acides gras naturels ont un nombre pair d'atomes de carbone et que les doubles liaisons sont pratiquement toutes *cis* et rarement conjuguées.

l'**acide oléique**, ou 18:1(9), le nombre entre parenthèses précisant que la double liaison se situe entre le carbone 9 et le carbone 10. Il y a généralement entre 1 et 4 doubles liaisons dans un acide gras insaturé, cependant dans les acides gras des microorganismes, il est exceptionnel d'en observer plus d'une.

Les doubles liaisons sont le plus souvent dans la configuration *cis*. Cette configuration provoque dans la chaîne des acides gras une pliure, ou courbure (Figure 8.1), qui a de très importantes conséquences pour la structure des membranes biologiques. Les chaînes des acides gras saturés peuvent se rapprocher sur presque toute leur longueur et former dans certaines conditions des ensembles compacts, des rangées ordonnées et rigides. Par contre, du fait de leur courbure, les acides gras insaturés lorsqu'ils sont présents empêchent la formation de ces ensembles compacts, il se forme des agrégats plus fluides et flexibles.

Les mammifères ne synthétisent pas certains acides gras pourtant indispensables pour leur croissance normale et leur vie. Ces *acides gras essentiels* comprennent surtout l'**acide linoléique** et l'**acide γ-linolènique**. Les mammifères doivent trouver ces acides dans leur nourriture (dans les végétaux plus précisément). L'**acide arachidonique,** qui n'existe pas dans les végétaux, est synthétisé par les mammifères à partir de l'acide linoléique. Une des fonctions des acides gras essentiels est d'être les précurseurs de la synthèse des **eicosanoïdes**, par exemple des

POUR EN SAVOIR PLUS

Les acides gras dans l'alimentation : acides saturés et acides insaturés

La composition en acides gras des lipides dans l'alimentation de l'homme contemporain varie considérablement. Le tableau ci-dessous en présente un bref aperçu. La corrélation entre les troubles cardiovasculaires et une alimentation riche en acides gras saturés est bien établie. On en infère qu'une alimentation contenant une plus grande proportion d'acides gras insaturés (en particulier des acides gras polyinsaturés) pourrait réduire le risque d'infarctus ou de congestion cérébrale. L'usage de l'huile de maïs, abondante dans les États-Unis et riche en acide linoléique (polyinsaturé), relève d'un bon choix pour l'alimentation.

La *margarine*, même produite à partir d'huiles de maïs ou de tournesol, contient moins d'acides gras insaturés que le beurre du lait de vache ; elle pourrait aussi être un facteur de risques. Sa fabrication requiert en effet une hydrogénation partielle des acides gras insaturés, ce qui diminue leur concentration, mais surtout peut conduire à la formation d'acides gras insaturés à doubles liaisons *trans*. Ces derniers contribueraient également aux maladies cardiovasculaires.

La margarine fut inventée par le chimiste français H. Mège Mouriès ; il fut récompensé en 1869 par Napoléon III pour avoir inventé un substitut meilleur marché que le beurre. Bien que les huiles végétales contiennent généralement une plus grande proportion d'acides gras insaturés que les huiles et les graisses animales, certaines huiles provenant des plantes sont très riches en acides gras saturés. L'huile de palme contient peu d'acides gras polyinsaturés et beaucoup d'acide palmitique (un acide saturé extrait à l'origine d'huile de palme, d'où son nom). L'huile de noix de coco contient une grande proportion d'acides laurique et myristique (acides gras saturés), avec très peu d'acides gras insaturés.

Une certaine partie des acides gras de l'alimentation dans les pays économiquement développés (souvent de 1 à 10 g par jour) est constituée d'acides gras *trans* – acides gras avec une, ou plus, doubles liaisons en configuration *trans*. Quelques uns proviennent du beurre ou de la viande bovine, mais l'essentiel provient des huiles végétales, ou de poisson, partiellement hydrogénées. Il semble à présent acquis que les acides gras *trans* ont des effets néfastes sur la santé. De nombreuses études ont montré que les acides gras *trans* élèvent le taux plasmatique des LDL et abaissent celui des HDL ; le taux des triglycérides s'élève également. Les effets des acides gras *trans* sur le taux du LDL, du HDL et du cholestérol sont analogues à celui des acides gras saturés. Une alimentation destinée à réduire les risques de troubles de circulation cardiaque doit, à la fois, être pauvre en acides gras saturés et en acides gras *trans*.

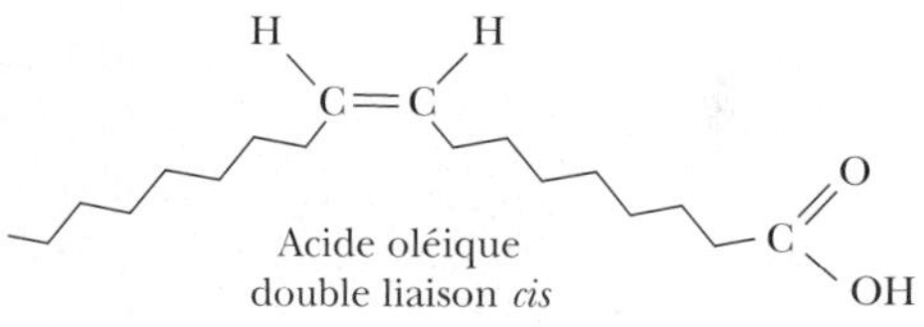

H H C=C C O OH

Acide oléique
double liaison *cis*

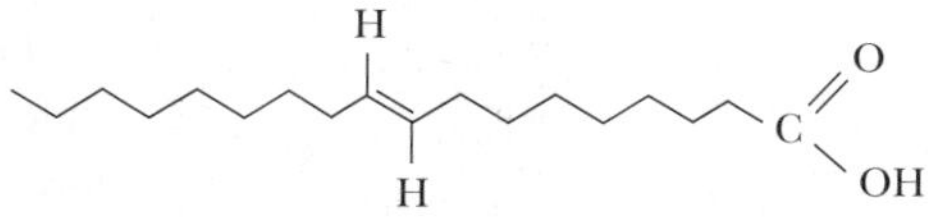

H H C O OH

Acide élaïdique
double liaison *trans*

Structure de deux acides gras *cis* et *trans*, monoinsaturés en C_{18}.

Teneur en acides gras de quelques lipides alimentaires*

Origine	Laurique et Myristique	Palmitique	Stéarique	Oléique	Linoléique
Bœuf	5	24-32	20-25	37-43	2-3
Lait		25	12	33	3
Noix de coco	74	10	2	7	–
Maïs		8-12	3-4	19-49	34-62
Olive		9	2	84	4
Palmier		39	4	40	8
Carthame		6	3	13	78
Soja		9	6	20	52
Tournesol		6	1	21	66

Valeurs extraites du *Merck Index*, 10th ed. Rahway, NJ : Merck and Co. ; et Wilson, et al., 1967, *Principles of Nutrition*, 2nd ed. New York : Wiley.

*Valeurs exprimées en pourcentage des acides gras totaux.

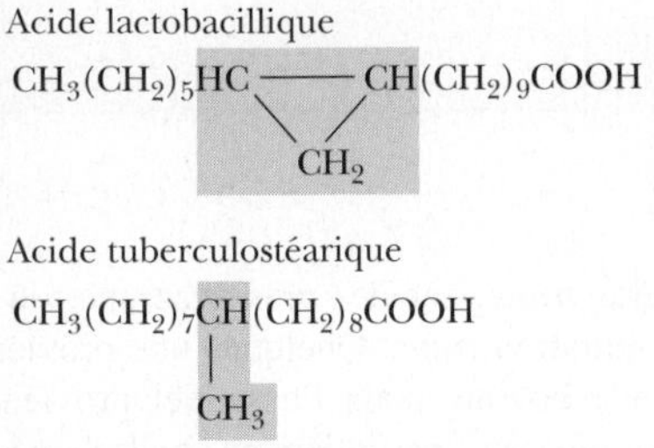

Acide lactobacillique

$CH_3(CH_2)_5HC$ —— $CH(CH_2)_9COOH$ (pont CH_2)

Acide tuberculostéarique

$CH_3(CH_2)_7CH(CH_2)_8COOH$ (ramification CH_3)

Figure 8.2 • Structures de deux acides gras peu courants : l'acide lactobacillique, un acide gras contenant un cycle propane et l'acide tuberculostéarique, un acide gras ramifié.

prostaglandines, une classe de molécules qui ont un effet de type hormonal dans divers processus physiologiques (voir Chapitre 25).

En plus des acides gras insaturés, on connaît d'autres acides gras modifiés naturels. Les microorganismes contiennent souvent des acides gras à chaîne branchée, par exemple l'acide **tuberculostéarique** dans les bacilles tuberculeux (Figure 8.2). Lorsque de tels acides gras sont incorporés dans les membranes, le groupe méthyle provoque dans la structure une perturbation locale semblable à celle de la double liaison *cis* des acides gras insaturés (voir Chapitre 9). D'autres bactéries synthétisent des acides gras contenant des structures cycliques, cyclopropane, cyclopropène et même cyclopentane.

8.2 • Triglycérides

Une grande fraction des acides gras des plantes et des animaux sont présents sous forme de **triglycérides** (ou **triacylglycérols**). Les triglycérides, ou encore graisses neutres, sont les principaux dérivés neutres du glycérol et la plus importante réserve d'énergie chez l'animal. Ces molécules résultent de l'estérification d'une molécule de glycérol par trois molécules d'acides gras (Figure 8.3). Si les trois acides gras sont identiques, le triglycéride formé est un triglycéride homogène, par exemple le **tristéatorylglycérol** (plus communément connue sous le nom de *stéarine*), ou la **trioléolylglycérol** (la *trioléine*). Les triglycérides hétérogènes contiennent deux ou trois acides gras différents. Chez les animaux, les triglycérides se trouvent principalement dans les tissus adipeux (la graisse du corps) qui servent en particulier à la mise en réserve des lipides. Il existe aussi de petites quantités de monoglycérides (monoacylglycérols) et de diglycérides (diacylglycérols). Les lipides des animaux et des plantes sont généralement des mélanges de triglycérides homogènes et hétérogènes.

Les acylglycérols peuvent être hydrolysés par chauffage en milieu alcalin ou acide, ou sous l'action des lipases. L'hydrolyse en milieu alcalin, ou **saponification**, libère le glycérol et des sels d'acides gras. C'est ainsi que l'on fabrique le **savon** traditionnel (qui est un sel alcalin des acides gras contenus dans les graisses ou dans les huiles). Une des anciennes méthodes utilisait, la *potasse* (hydroxyde de potassium) contenue dans les cendres de bois, pour hydrolyser les graisses animales (essentiellement des triglycérides). Les savons précipitent dans les eaux dures qui contiennent des ions Ca^{2+} ou Mg^{2+}, ce qui limite leur utilisation, ils sont à présent souvent remplacés par des détergents plus modernes. Si les acides gras qui

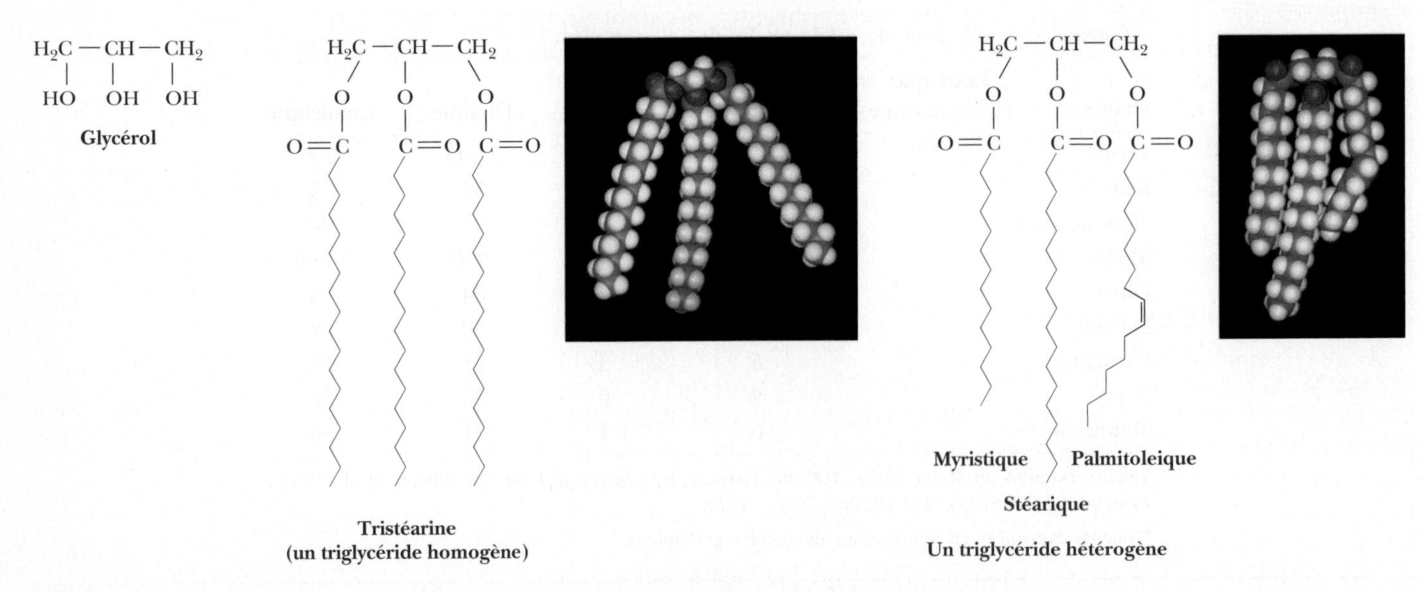

Figure 8.3 • Les triacylglycérols sont formés à partir de glycérol et d'acides gras.

Pour en savoir plus

Les ours polaires utilisent les triglycérides pour survivre pendant la longue période du jeûne hivernal

Les ours polaires sont merveilleusement adaptés à la vie dans le rude environnement arctique. Les recherches de Malcom Ramsey (à l'Université du Saskatchewan, au Canada) et d'autres auteurs, ont montré que les ours polaires ne se nourrissaient que pendant quelques semaines dans l'année, puis jeûnaient pendant huit mois et plus, sans consommer de nourriture ni même boire. S'alimentant principalement en hiver, l'ours polaire adulte se nourrit presque exclusivement de lard de phoque (dans lequel les triglycérides sont prédominants), il accumule ainsi ses propres réserves de triglycérides. Au cours de l'été arctique, l'ours polaire a une activité physique normale, il parcourt de longues distances en vivant aux dépens des réserves corporelles préalablement accumulées. Il peut alors oxyder de 1 à 1,5 kg de graisse par jour, sans uriner ni déféquer pendant de très longues périodes. Toute l'eau nécessaire pour couvrir ses besoins provient du catabolisme des triglycérides (l'oxydation des acides gras libère du gaz carbonique et de l'eau).

Curieusement, le mot *Arctic* vient des anciens Grecs qui savaient que l'extrême nord de la Terre se trouvait sous la constellation Ursa Major, la constellation de la Grande ourse. Bien que ne connaissant pas l'existence des ours polaires, ils appelaient cette région *Arktikós*, ce qui signifie *« le pays du grand ours »*.

(*Thomas D. Mangelsen/Images of Nature*)

estérifient la fonction alcool du premier et du troisième carbone du glycérol sont différents, le deuxième carbone est asymétrique. Les triglycérides sont normalement solubles dans le benzène, le chloroforme, l'éther et l'éthanol chaud. Ils sont insolubles dans l'eau ; les mono- et diglycérides forment facilement dans l'eau des structures organisées en raison de la polarité des groupes hydroxyles libres.

Les triglycérides contiennent une grande proportion de carbones réduits, ils libèrent donc beaucoup d'énergie lors des réactions d'oxydation du métabolisme. L'oxydation complète d'un gramme de triglycéride libère environ 38 kJ d'énergie, quand la même quantité de protéines ou de glucides ne libère que 17 kJ. De plus, étant hydrophobes, les réserves de lipides sont pratiquement anhydres, alors que les polyosides et les protéines sont extrêmement hydratés. Pour ces raisons, les triglycérides sont des molécules de choix pour la constitution de réserves énergétiques chez les animaux. De plus, la graisse (essentiellement des triglycérides) procure une bonne isolation. Les baleines et les animaux des cercles polaires ont besoin de ces réserves lipidiques à la fois pour les protéger du froid et comme réserves d'énergie.

8.3 • Glycérophospholipides

Un **glycérophospholipide** est un ester 3-phosphorique du 1,2-diacylglycérol (Figure 8.4). On utilise également les termes *glycérophosphatide* ou *phosphoglycéride*. Ces lipides constituent une des plus importantes classes de lipides naturels. Les phosphoglycérides sont des constituants essentiels des membranes cellulaires ; on en trouve aussi, mais relativement peu, dans les autres fractions cellulaires. Les glycérophospholipides font partie d'un groupe de lipides plus large, les **phospholipides**. Dans l'usage courant, le terme phospholipide a fréquemment le sens plus restreint de glycérophospholipide.

La numérotation et la nomenclature des glycérophospholipides présentent une difficulté car le carbone 2 du glycérol qu'ils contiennent est asymétrique. On peut

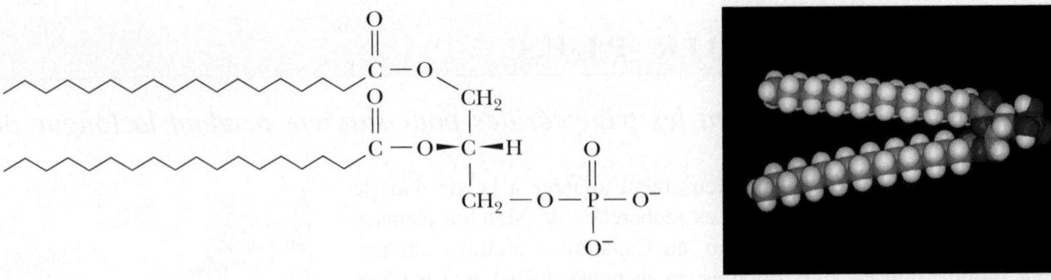

Figure 8.4 • L'acide phosphatidique, un précurseur des glycérophospholipides.

considérer ces molécules comme des dérivés du L-glycérol ou comme des dérivés du D-glycérol. Ainsi, le glycérol phosphate peut-il être décrit comme le D-glycérol-1-phosphate ou le L-3-glycérol-phosphate (Figure 8.5). Pour éviter cette difficulté, les biochimistes ont adopté la *numérotation stéréospécifique* ou système *sn*. Dans ce système, la position *pro-S* d'un atome prochiral est la *position 1*, l'atome prochiral est en *position* 2, et la numérotation peut continuer. Dans ce cas, le préfixe *sn-* précède le nom de la molécule (glycérol phosphate dans notre exemple) et distingue cette nomenclature des autres. Le glycérol phosphate des phosphoglycérides naturels devient donc le *sn*-glycérol-3-phosphate.

Glycérophospholipides communs

L'acide phosphatidique, dont on retrouve la structure dans tous les glycérophospholipides (Figure 8.4), correspond au *sn*-glycérol-3-phosphate estérifié par des acides gras sur les positions 1 et 2. Cette molécule est présente, en petite quantité, dans la plupart des organismes vivants. Elle est un important intermédiaire de la biosynthèse des glycérophospholipides (Figure 8.6). Dans ces molécules, le groupe phosphorique de l'acide phosphatidique estérifie divers groupes polaires (des

POUR EN SAVOIR PLUS

La prochiralité

Lorsque l'atome de carbone au centre tétraédrique d'une molécule a deux substituants identiques, on dit qu'il est **prochiral** car si l'un de ces substituants est remplacé par un groupe différent, le centre tétraédrique devient chiral. Examinons le glycérol, le carbone central est prochiral car par modification de l'un des deux groupes (CH_2OH le carbone central devient asymétrique (chiral). La nomenclature des centres prochiraux est fondée sur le système *(R,S)* de nomenclature de la configuration (voir Chapitre 3). Comment définir des substituants par ailleurs identiques d'un centre prochiral ? Imaginons que la priorité de l'un d'eux est légèrement augmentée (par exemple, comme dans la figure, en remplaçant un hydrogène par un deutérium), La molécule a une configuration (*S*) par rapport au carbone central à présent chiral. Le groupe qui contient le deutérium est donc le groupe *pro-S*. A titre d'exercice, vérifiez que le marquage de l'autre groupe (CH_2OH par du deutérium donne bien la configuration (*R*), et que ce dernier groupe est donc le substituant *pro-R*.

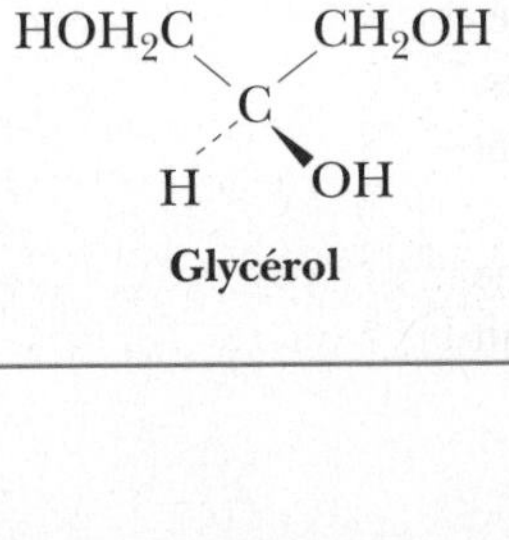

Glycérol

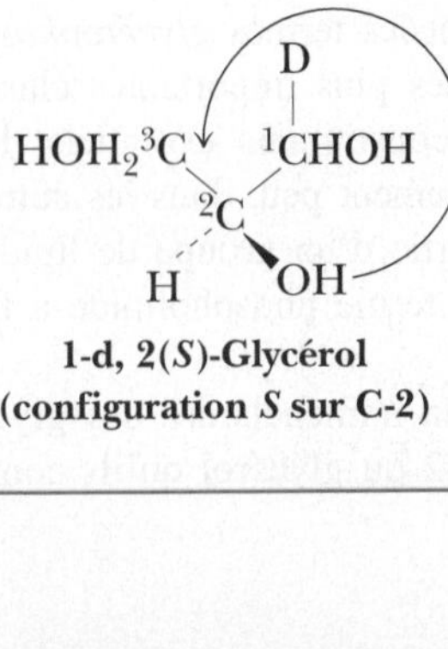

1-d, 2(*S*)-Glycérol (configuration *S* sur C-2)

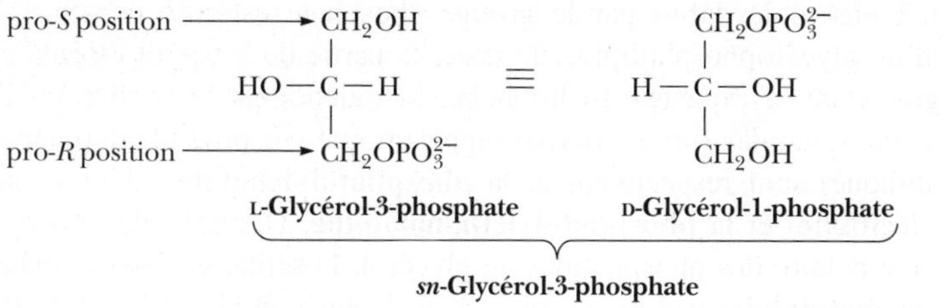

pro-*S* position → CH_2OH / $HO—C—H$ / pro-*R* position → $CH_2OPO_3^{2-}$ ≡ $CH_2OPO_3^{2-}$ / $H—C—OH$ / CH_2OH

L-Glycérol-3-phosphate **D-Glycérol-1-phosphate**

***sn*-Glycérol-3-phosphate**

Figure 8.5 • Configuration absolue du *sn*-glycérol-3-phosphate. Les positions pro-(*S*) et pro-(*R*) du glycérol d'origine sont également indiquées.

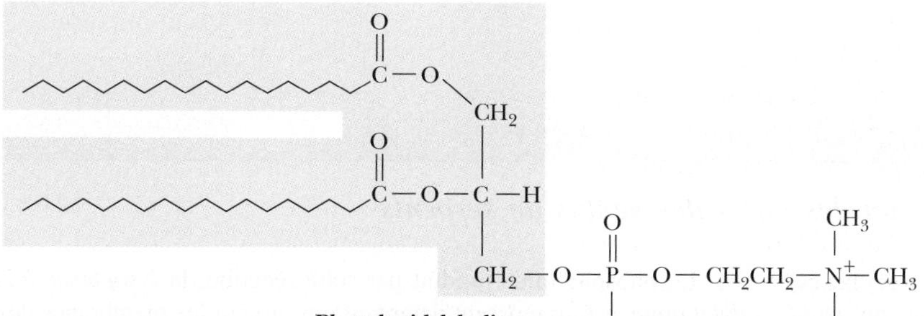

$C(=O)—O—CH_2$; $C(=O)—O—C—H$; $CH_2—O—P(=O)(O^-)—O—CH_2CH_2—N^+(CH_3)_3$

Phosphatidylcholine

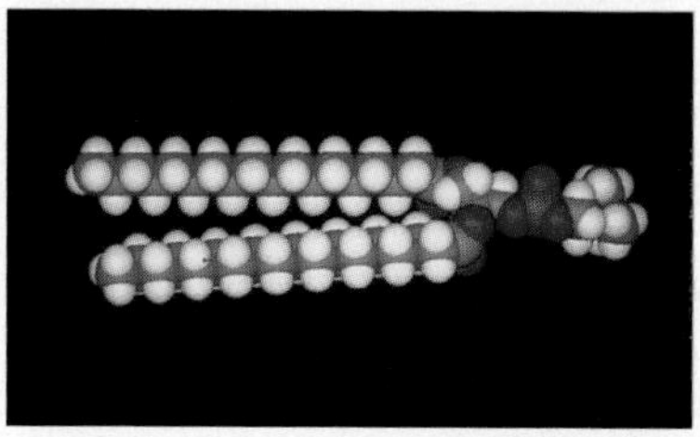

GLYCÉROLIPIDES AYANT D'AUTRES TÊTES POLAIRES :

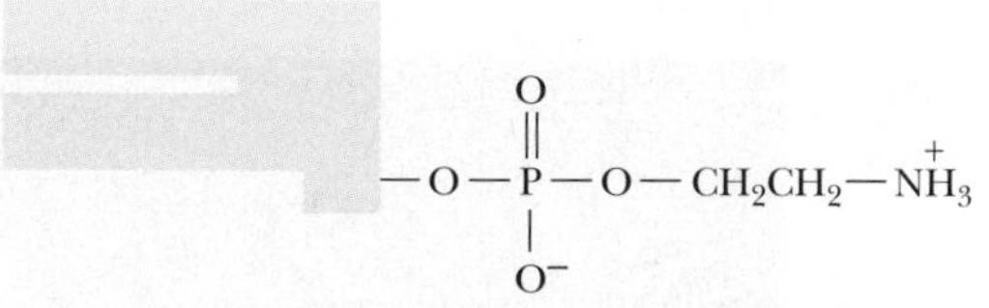

$—O—P(=O)(O^-)—O—CH_2CH_2—\overset{+}{N}H_3$

Phosphatidyléthanolamine

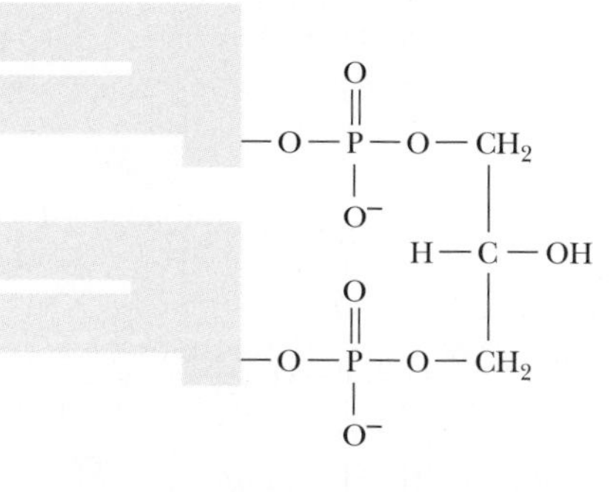

Diphosphatidylglycérol (cardiolipide)

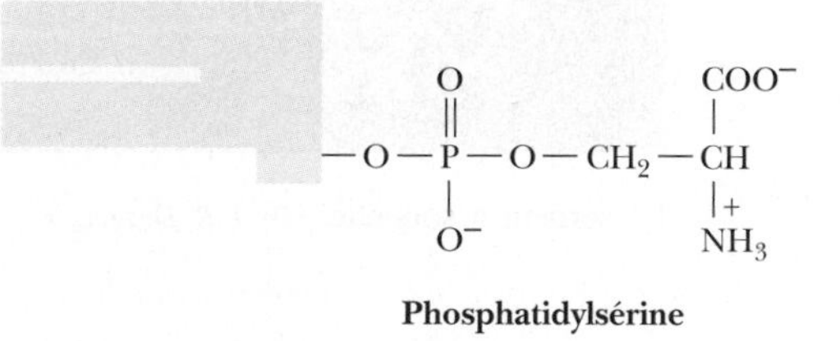

$—O—P(=O)(O^-)—O—CH_2—CH(COO^-)—\overset{+}{N}H_3$

Phosphatidylsérine

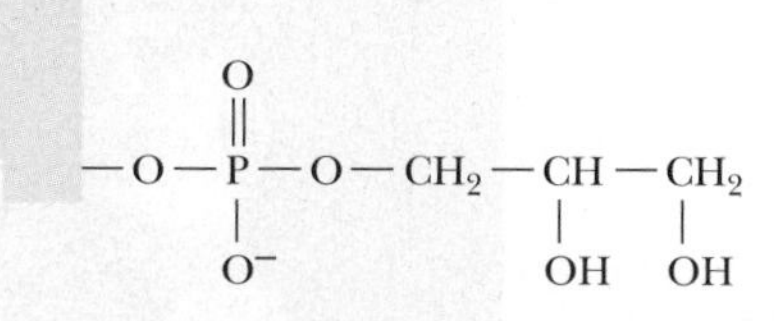

Phosphatidylglycérol

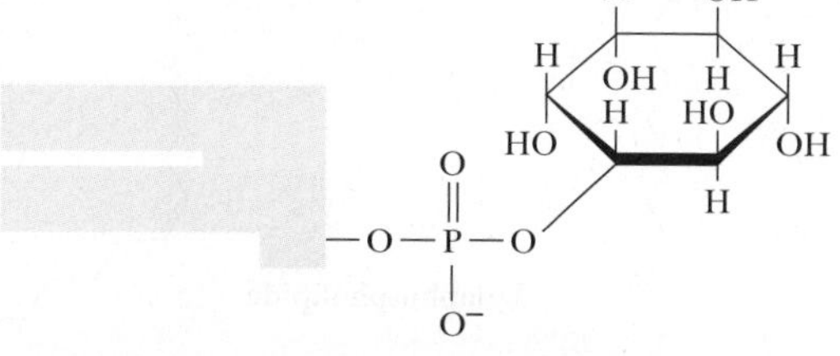

$—O—P(=O)(O^-)—O—$ inositol (H, OH, HO)

Phosphatidylinositol

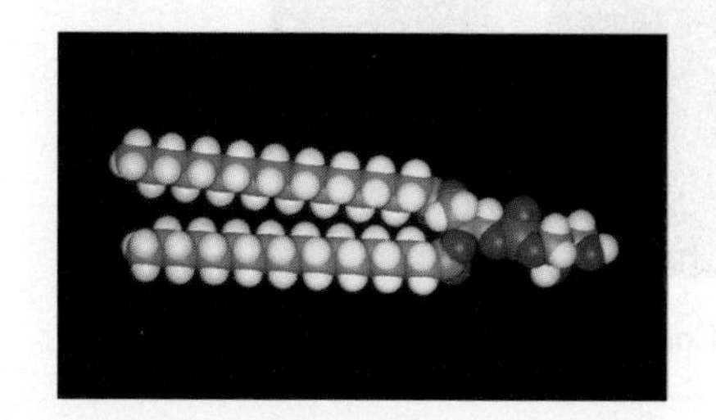

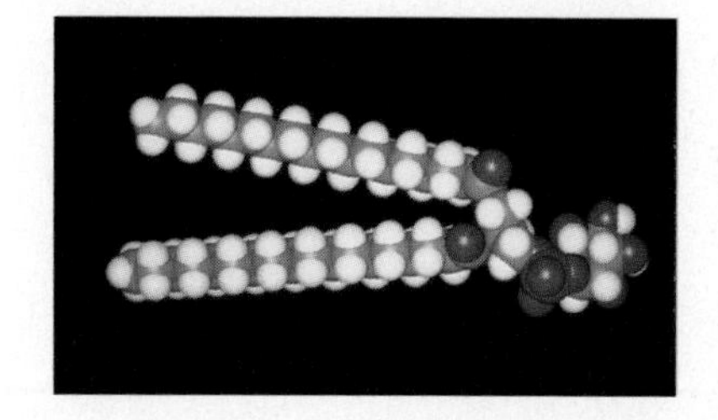

Figure 8.6 • Structures de quelques glycérophospholipides et modèles compacts du phosphatidylcholine, du phosphatidylglycérol et du phosphatidylinositol.

alcools). L'ensemble défini par le groupe phosphate estérifié constitue la « tête » polaire d'un glycérophospholipide, le reste, la partie du glycérol estérifiée par deux acides gras étant la « queue » hydrophobe. Si l'alcool est la choline ou l'éthanolamine, les phosphatides formés (terme rappelant que ces produits dérivent de l'acide phosphatidique) sont respectivement la **phosphatidylcholine** (plus connue sous le nom de **lécithine**) et la **phosphatidyléthanolamine**. D'autres alcools se retrouvent dans la tête polaire des phosphatides, le glycérol, la sérine et l'inositol (Figure 8.6). Le **diphosphatidylglycérol** est un phosphatide plus complexe retrouvé dans la plupart des tissus. Extrait à l'origine du tissu cardiaque, on l'appelle également le **cardiolipide**. Dans le cardiolipide, l'hydroxyle en C1 d'un phosphatidylglycérol est estérifié par le groupe phosphoryle d'une autre molécule d'acide phosphatidique.

Pour en savoir plus

La dégradation des glycérophospholipides : un des effets des venins de serpents

Les venins des serpents venimeux contiennent (entre autres choses) des enzymes de la classe des **phospholipases**, enzymes qui catalysent la dégradation des phospholipides. Par exemple, les venins du serpent à sonnette (*Crotalus adamanteus*) et du cobra, le serpent à lunettes de l'Inde (*Naja naja*) contiennent une phospholipase A_2 qui catalyse l'hydrolyse de la liaison ester en position C2 des glycérophospholipides.

Le phospholipide produit par cette réaction, la *lysophosphatidylcholine*, est un puissant détergent qui dissout les membranes des globules rouges du sang et provoque ainsi leur lyse. En Inde, les cobras tuent chaque année des milliers de personnes.

Le serpent à sonnette. *(Dr. E.R. Degginger)*

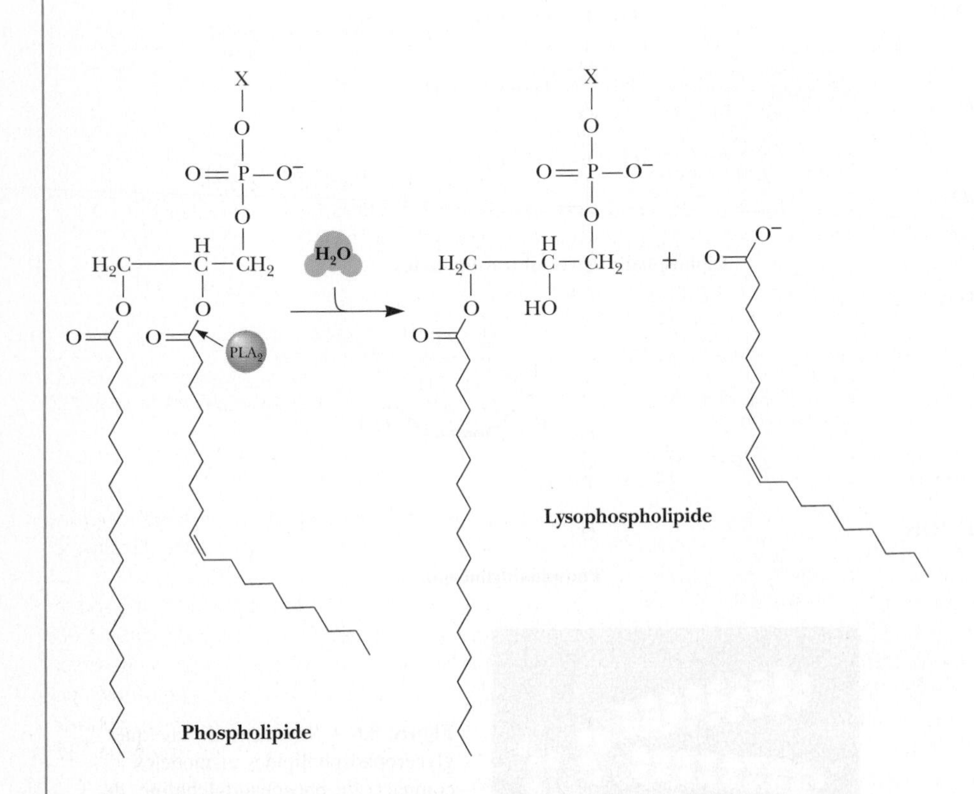

Cobra de l'Inde. *(Dr. E.R. Degginger)*

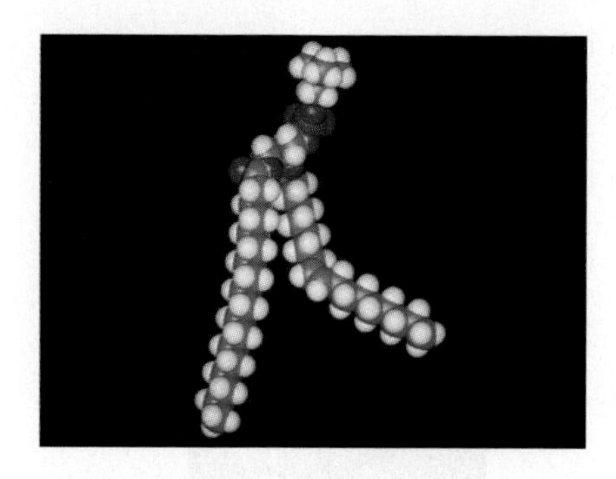

Figure 8.7 • Modèle moléculaire compact du 1-stéaroyl-2-oléyl-phosphatidylcholine.

Les phosphatides se différencient également par la nature des acides gras estérifiant le glycérol. Comme nous le verrons, ces divers acides gras peuvent avoir un effet sur les propriétés chimiques et physiques des phosphatides et des membranes qui les contiennent. Le plus souvent, dans les glycérophospholipides, l'acide gras en position 1 du glycérol est saturé, et un acide gras insaturé occupe la position 2. Par exemple, le **1-stéaroyl-2-phosphatidylcholine** (Figure 8.7) est un constituant normal des membranes d'origine animale, alors que le **1-linoléyl-2-palmitoylphosphatidylcholine** ne l'est pas.

La nature de la tête polaire et celle des acides gras présents dans les glycérophospholipides dépendent des fonctions structurales ou physiologiques de ces lipides. Le rôle structural des phospholipides dans les membranes sera décrit Chapitre 9. Certains glycérophospholipides, par exemple le phosphatidylinositol, la phosphatidylcholine, participent aux systèmes complexes de transfert des signaux. Leur rôle sera précisé Chapitre 34.

Éther-glycérophospholipides

Dans les **éther-glycérophospholipides** (ou alkyl-glycérophospholipides), une liaison éther remplace la liaison carboxyester en position C-1 du glycérol (Figure 8.8). Une des molécules signal chez les mammifères, aux propriétés des plus variées, est le **Facteur d'agrégation plaquettaire**, ou **PAF** (**P**latelet **A**ctivating **F**actor), un éther glycérophospholipide très particulier (Figure 8.9). Le groupe alkyle en C-1 est généralement une chaîne à 16 atomes de carbone et l'acyle en position C-2 est un groupe acétyle à deux atomes de carbone. Du fait de la présence de ce dernier groupe, le

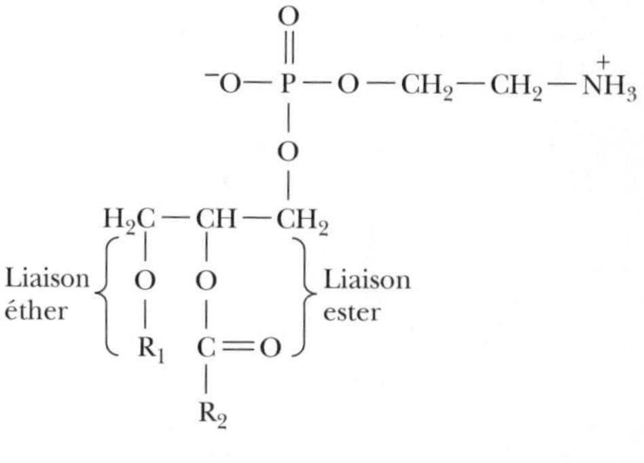

$$^{-}O-\overset{\overset{O}{\|}}{\underset{\underset{O}{|}}{P}}-O-CH_2-CH_2-\overset{+}{N}H_3$$

$H_2C-CH-CH_2$; Liaison éther : $O-R_1$; Liaison ester : $O-C(=O)-R_2$

Figure 8.8 • Un 1-alkyl-2-acyl-phosphatidyléthanolamine (un éther-glycérophospholipide).

Pour en savoir plus

Le facteur d'activation plaquettaire : un puissant médiateur

Le facteur d'activation plaquettaire, ou PAF (Platelet Activating Factor), fut d'abord identifié par sa capacité à induire, à très faible concentration, l'agrégation des plaquettes sanguines et la dilatation des vaisseaux sanguins. On sait à présent que cet éther-phosphatide est aussi un médiateur de l'inflammation et des réponses allergiques. On observe les effets du PAF à des concentrations tissulaires aussi faibles que 1×10^{-12} *M*. Le PAF provoque une inflammation dramatique des voies respiratoires et induit chez les animaux de laboratoire les symptômes caractéristiques de l'asthme. **Le syndrome du choc toxique** apparaît lorsque des fragments de bactéries détruites agissent comme des toxines et induisent la synthèse de PAF. Il s'ensuit une baisse rapide de la pression sanguine et une réduction du débit cardiaque, ce qui provoque le choc et parfois aboutit à la mort.

Le PAF n'a pas que des effets négatifs. Lors de la reproduction, le PAF sécrété par l'œuf fertilisé joue un rôle dans l'implantation de l'œuf dans la paroi utérine. Vers la fin de la gestation, le PAF est produit, en quantité relativement importante, par les poumons du fœtus. Il stimulerait la production dans le poumon fœtal d'un complexe protéolipidique tensioactif qui empêche l'affaissement des poumons du nouveau-né.

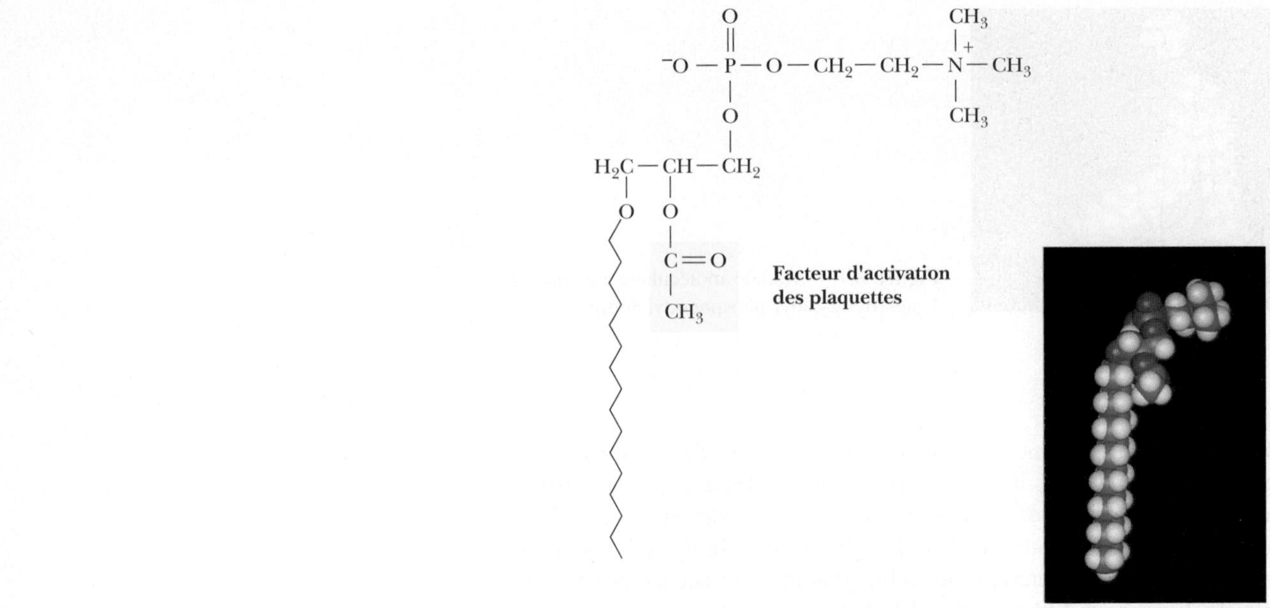

Facteur d'activation des plaquettes

Figure 8.9 • Structure du 1-alkyl-2-acétyl-phosphatidylcholine, le facteur d'activation des plaquettes (ou PAF).

PAF est plus soluble dans l'eau que les autres lipides, il peut donc avoir une fonction de messager soluble dans la transduction des signaux.

Les **plasmalogènes** sont des éther-glycérophospholipides dans lesquels la chaîne alkyle est insaturée, avec une double liaison *cis* α,β (Figure 8.10). Les têtes polaires des plasmalogènes contiennent généralement de la choline, de l'éthanolamine, ou de la sérine. Dans quelques traités on les décrit respectivement sous le nom de phosphatidal-choline, phosphatidal-éthanolamine ou phosphatidal-sérine.

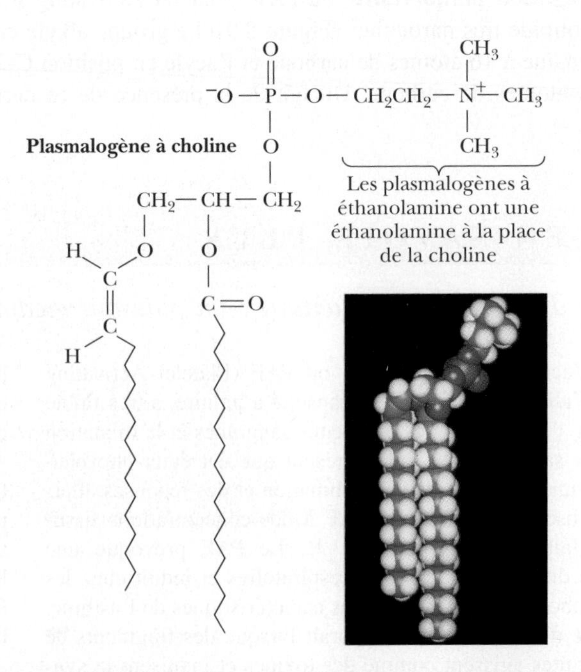
Plasmalogène à choline
Les plasmalogènes à éthanolamine ont une éthanolamine à la place de la choline

Figure 8.10 • Structure et modèle moléculaire compact d'un plasmalogène.

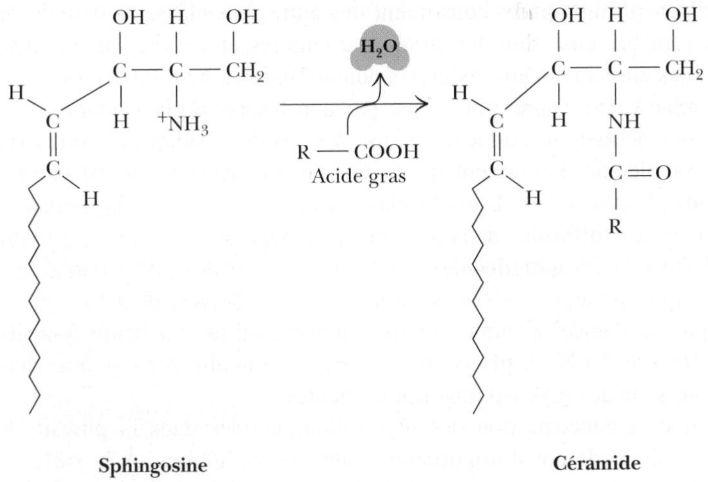

H_2O

R — COOH
Acide gras

Sphingosine **Céramide**

Figure 8.11 • La formation d'une liaison amide entre un acide gras et une sphingosine produit une céramide.

8.4 • Sphingolipides

Les sphingolipides sont une autre classe de lipides fréquemment présents dans les membranes biologiques. Le squelette carboné de ces lipides n'est plus le glycérol mais un amino alcool à 18 atomes de carbone, la **sphingosine** (ou 4-sphingénine). La liaison de la sphingosine à un acide gras par une liaison amide donne une **céramide** (Figure 8.11). Les **sphingomyélines** font partie d'une sous-classe de sphingolipides phosphorylés, elles sont particulièrement présentes dans les tissus nerveux des animaux supérieurs. Une sphingomyéline résulte de l'estérification de l'hydroxyle en C-1 de la céramide par de la phosphorylcholine ou de la phosphoryléthanolamine (Figure 8.12).

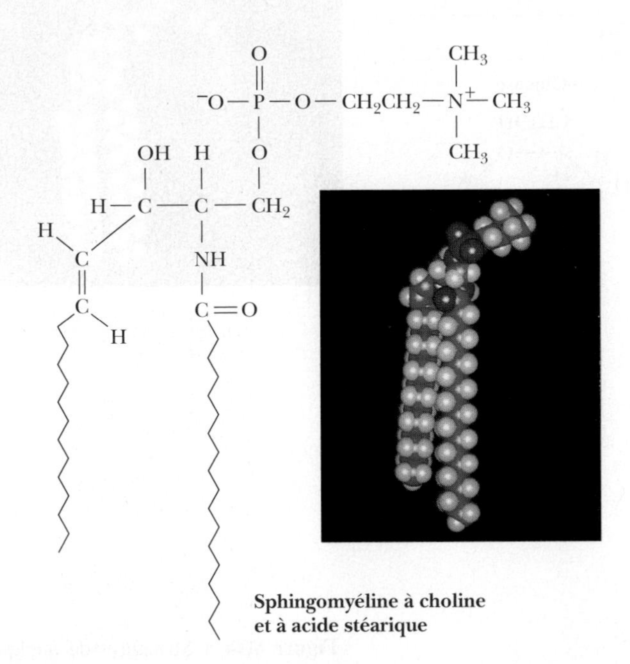

Figure 8.12 • Structure et modèle compact d'une sphingomyéline à choline et dont la céramide est amidifiée par de l'acide stéarique.

β-D-galactose

Un cérébroside

Figure 8.13 • Formule développée d'un cérébroside. Remarquer le squelette de la sphingosine.

Les **glycosphingolipides** constituent une autre sous-classe de dérivés de la céramide. Ils sont présents dans les tissus musculaires et les membranes des cellules nerveuses des animaux. Dans les glycosphingolipides, l'hydroxyle en C-1 de la céramide est relié à une chaîne glucidique par une liaison β-glycosidique. Les glycosphingolipides neutres ne contiennent que des résidus osidiques neutres (non chargés). Si la molécule ne contient qu'un unique ose, glucose ou galactose, c'est un **cérébroside** (Figure 8.13). Dans la classification des glycosphingolipides, on distingue encore les **sulfatides** dans lesquels un groupe sulfate estérifie l'hydroxyle en 3' du galactose et les **gangliosides**. Ces derniers sont des glycosphingolipides plus complexes qui contiennent trois ou plus résidus osidiques, dont l'un au moins est estérifié par de l'acide acétique comme **l'acide sialique** ou **acide *N*-acétylneuraminique** (Figure 8.14). À pH neutre les glycosphingolipides ont une charge nette négative, ce sont des glycosphingolipides acides.

Bien que la concentration des glycosphingolipides dans la plupart des membranes soit faible, ils ont d'importantes fonctions cellulaires. À la surface des cellules, ils déterminent certains aspects de la spécificité des organes et des tissus. La reconnaissance cellulaire, l'immunité tissulaire dépendent également de la présence de glycosphingolipides spécifiques. Les gangliosides sont présents dans les terminaisons nerveuses, ils ont un rôle dans la transmission de l'influx nerveux. De nombreuses maladies génétiquement transmissibles résultent de l'accumulation de glycosphingolipides en raison de l'absence des enzymes nécessaires à leur dégradation. Par exemple l'accumulation du ganglioside G_{M2} dans le cerveau des victimes de la *maladie de Tay-Sachs*. Cette maladie congénitale, assez rare et mortelle, se caractérise par la présence de taches rouges sur la rétine, la perte graduelle de la vue, la perte de poids chez les enfants, parfois dès leur plus jeune âge.

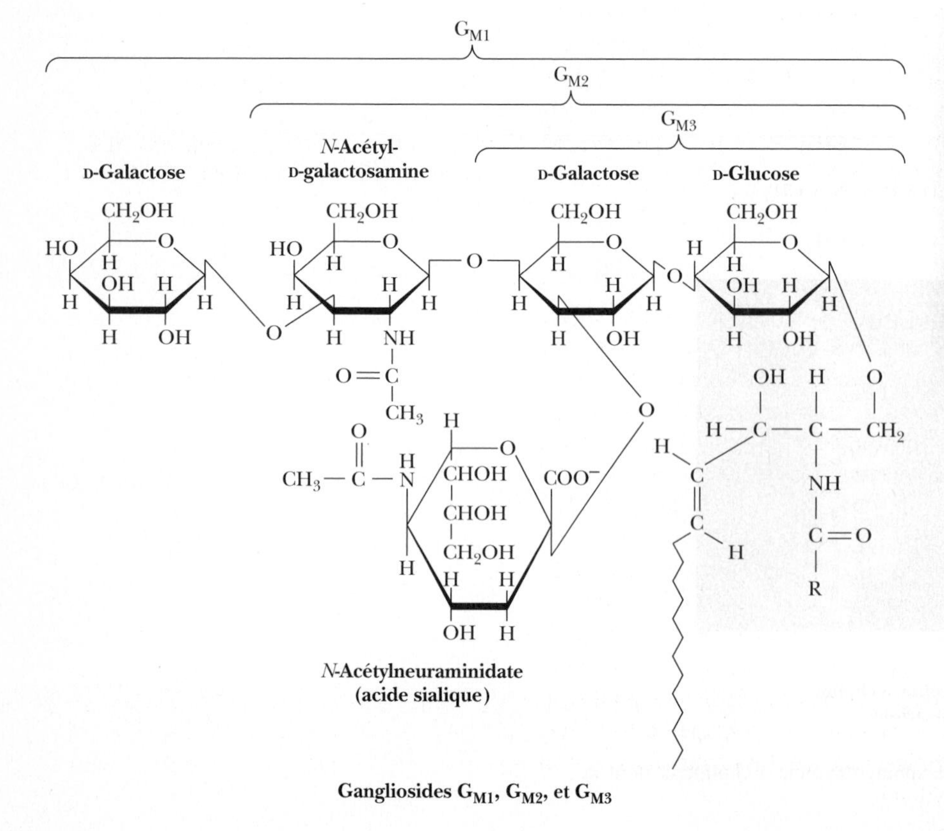

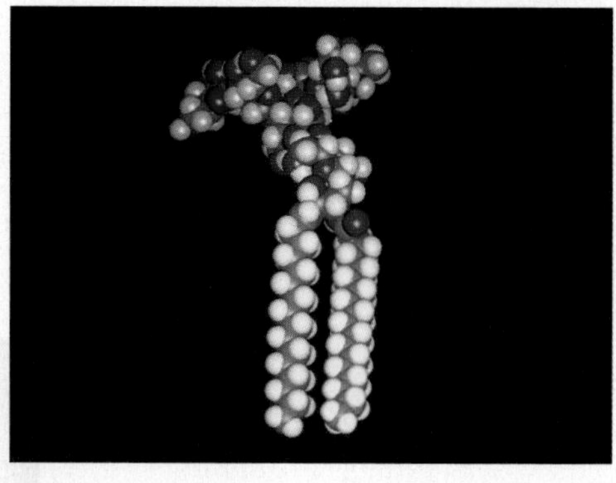

Figure 8.14 • Structures de quelques gangliosides importants et modèle moléculaire compact du ganglioside GM_1.

Pour en savoir plus

Moby-Dick et le spermacéti : une cire de valeur extraite du cachalot

Lorsque l'huile de la tête du cachalot est refroidie, une substance cireuse, le **spermacéti** (ou blanc de baleine) ayant l'aspect lustré de la nacre, cristallise. Le spermacéti qui constitue près de 11 % de l'huile de la tête du cachalot, est pour l'essentiel l'ester cétylique du palmitate :

$$CH_3(CH_2)_{14}—COO—(CH_2)_{15}CH_3$$

accompagné d'un peu d'alcool cétylique :

$$—HO—(CH_2)_{15}CH_3$$

Le spermacéti et l'ester cétylique du palmitate ont longtemps été utilisés dans la préparation des cosmétiques, des savons parfumés et des bougies.

Dans le roman, *Moby-Dick*, Herman Melville décrit, à propos du spermacéti, les impressions d'Ismael quand il songe que les cires « dégageaient toute leur opulence comme des raisins mûrs donnent leur vin ; alors que je sentais cet arôme non contaminé – littéralement et réellement à odeur de violettes de printemps ».

Melville, H., *Moby Dick*, Octopus Books, London, 1984, p. 205 (D'après *Chemistry in Moby Dick*, Waddell, T.G., et Sanderlin, R.R. (1986), *Journal of Chemical Education* **63** : 1019-1020.)

8.5 • Cérides

Les cérides sont des esters d'acides gras et d'alcools ayant tous deux des longues chaînes carbonées (Figure 8.15). Par analogie avec les glycérolipides, on peut considérer que ces molécules ont une tête faiblement polaire (la partie ester) et une longue queue non polaire (la chaîne hydrocarbonée). Les acides gras des cérides sont généralement saturés. Les alcools sont soit saturés soit insaturés, ils peuvent être des stérols comme le cholestérol (Section 8.7). Les cérides étant pratiquement insolubles dans l'eau, la tête est trop peu polaire, ils confèrent un caractère hydrophobe à la peau des animaux, aux feuilles de certaines plantes et aux plumes d'oiseaux. L'aspect brillant de quelques variétés de pommes provient de la couche superficielle de cire. La **cire de carnauba** extraite des feuilles d'un palmier du Brésil est une cire particulièrement dure encore utilisée pour fabriquer les produits destinés à faire briller les carrosseries automobiles, les sols ou les chaussures. La **lanoline**, un des constituants de la graisse de la laine (le suint), constitue souvent une base pour les produits pharmaceutiques ou cosmétiques car elle pénètre facilement dans la peau humaine.

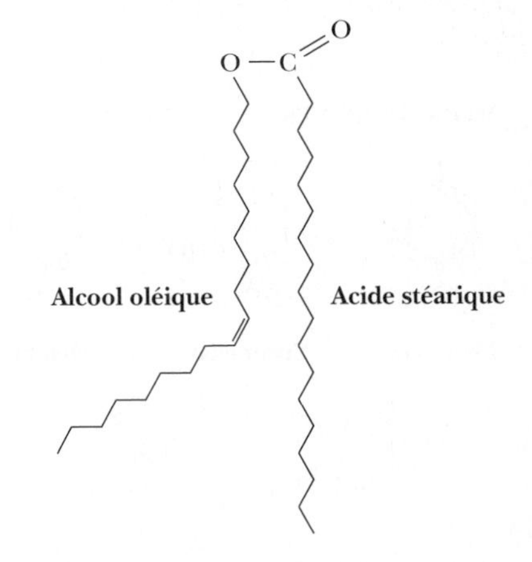

Figure 8.15 • Dans cet exemple de céride, l'alcool oléique est estérifié par l'acide stéarique.

8.6 • Terpènes

La classe des **terpènes** regroupe les lipides formés par la combinaison d'au moins deux molécules de 2-méthyl-1,3-butadiène, une molécule à 5 atomes de carbone plus connue sous le nom **d'isoprène** (l'unité isoprénique est généralement symbolisée par C_5). Le plus petit terpène, un **monoterpène**, contient deux unités isopréniques (C_{10}), un **sesquiterpène** en contient 3 (C_{15}), un **diterpène** contient 4 unités (C_{20}), etc. La condensation des unités isopréniques aboutit à des structures qui peuvent être linéaires, cycliques ou mixtes, les liaisons étant le plus souvent du type tête à queue (Figure 8.16). On trouve des monoterpènes dans toutes les plantes supérieures, la présence de sesquiterpènes et de diterpènes est moins fréquente. La Figure 8.17 présente divers exemples de terpènes. Les **triterpènes** (terpènes en C_{30}) comprennent le **squalène** et le **lanostérol**, deux précurseurs du cholestérol et d'autres molécules stéroïdes (voir Section suivante). Les tétraterpènes (C_{40}), moins communs, incluent les caroténoïdes, un groupe de pigments colorés des systèmes photosynthétiques. Le β-carotène est un précurseur de la vitamine A, alors que le lycopène, pigment rouge des tomates, analogue au β-carotène mais dont les extrémités ne sont pas cyclisées, n'est pas un précurseur de la vitamine.

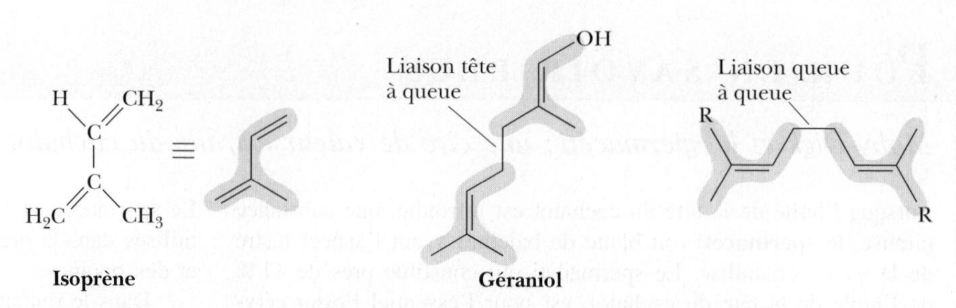

Figure 8.16 • Structure de l'isoprène (2-méthyl-1,3-butadiène) et exemples d'assemblages « tête à tête » ou « queue à queue ». L'isoprène peut être obtenu par pyrolyse et distillation du caoutchouc naturel, un polymère linéaire dont toutes les unités isopréniques sont reliées tête à queue.

Les **polyprénols** sont des molécules polyisopréniques linéaires ayant une extrémité alcool. Les **dolichols,** par exemple, contiennent de 16 à 22 unités isopréniques (Figure 8.18); sous forme de dérivés phosphorylés, les dolichol-phosphates, ces molécules participent au transfert de résidus osidiques dans la synthèse des glycoprotéines animales. Certains polyprénols participent à *l'ancrage* de protéines dans les membranes (cf. Chapitre 9).

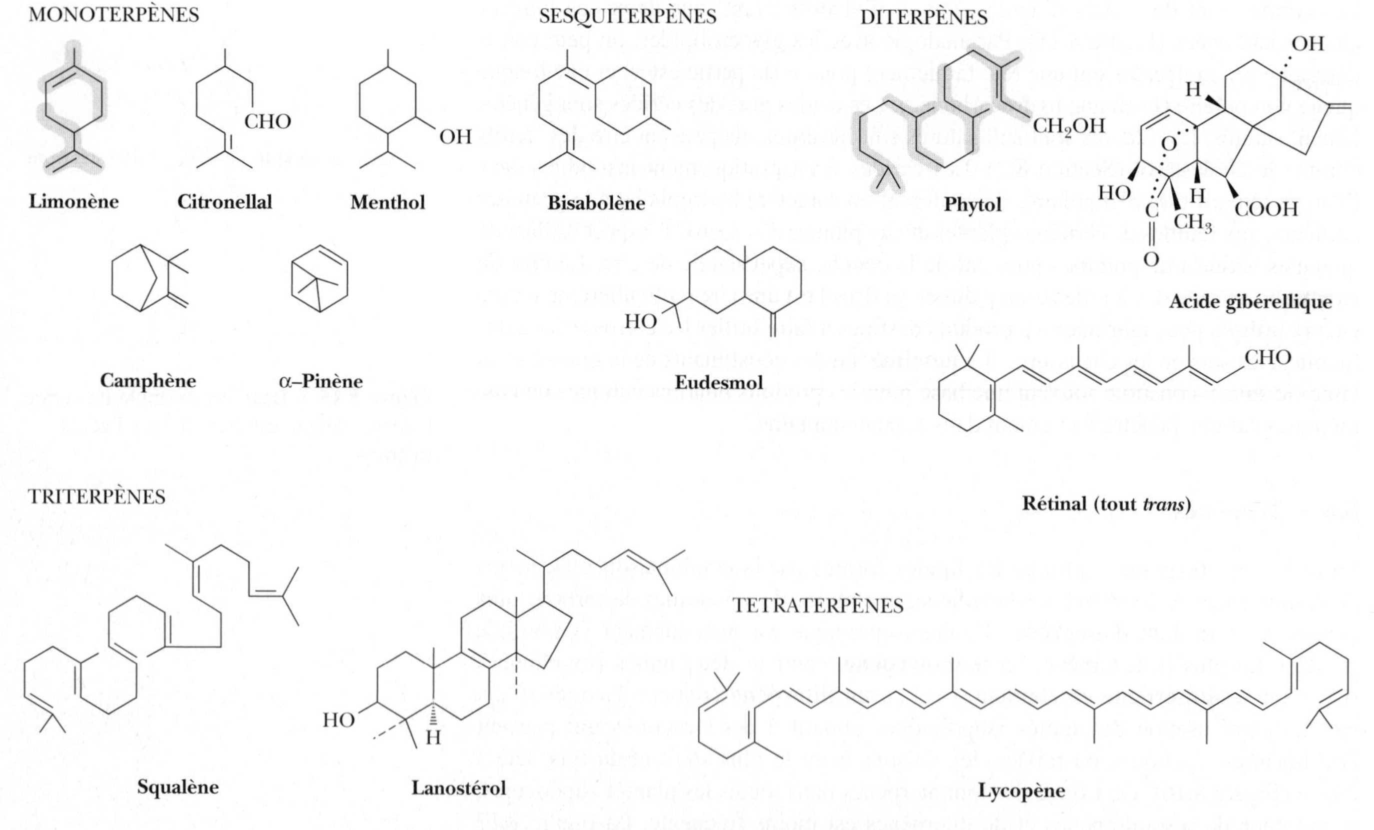

Figure 8.17 • De nombreux monoterpènes sont facilement reconnaissables par leur odeur ou leur saveur (limonène des citrons ; citronellal des roses, géraniums et de quelques parfums ; pinène dans l'essence de térébenthine ; menthol de la menthe). Les diterpènes, terpènes en C_{20}, comprennent le rétinal (la molécule qui absorbe la lumière et fait partie de la rhodopsine, le photorécepteur protéique de la rétine), le phytol (un constituant de la chlorophylle) et les gibérellines (des hormones végétales très actives). Le lanostérol est un triterpène contenu dans la graisse de la laine. Le lycopène est un caroténoïde présent dans certains fruits mûrs, plus particulièrement dans la tomate.

Dolichol phosphate

Coenzyme Q (Ubiquinone, UQ)

Vitamine E (α-tocophérol)

Vitamine K_1 (phylloquinone)

Undécaprényl (bactoprénol)

Vitamine K_2 (ménaquinone)

Figure 8.18 • Le dolichol phosphate est un important accepteur de résidus osidiques, il a un rôle essentiel dans la biosynthèse de polymères osidiques et des glycoprotéines chez les animaux. Chez les bactéries, *l'undécaprénol* (ou *bactoprénol)*, un polyisoprène composé de 11 unités isopréniques joue un rôle analogue. Les dérivés osidiques de l'undécaprénol phosphate permettent le transfert des oses du cytoplasme vers la paroi pour la synthèse des peptidoglycannes, des lipopolysaccharides et des glycoprotéines. Des polyisoprènes servent aussi de chaînes latérales à la vitamine K, aux ubiquinones, aux plastoquinones et aux tocophérols (comme la vitamine E).

Pour en savoir plus

Pourquoi les plantes émettent-elles de l'isoprène ?

La chaîne de montagnes de Virginie est appelée The Blue Ridge Mountains car elle est souvent enveloppée d'une légère brume bleue pendant l'été. Cette brume est en partie composée d'isoprène produit et émis par les plantes et les arbres de ces montagnes. La production annuelle d'isoprène par les végétaux est estimée à 3×10^{14} g. De nombreuses plantes émettent sous forme d'isoprène jusqu'à 15 % du carbone fixé par photosynthèse ; Thomas Sharkey, un botaniste de l'Université du Wisconsin, a constaté qu'une plante envahissante, le kudzu, pouvait émettre sous forme d'isoprène jusqu'à 67 % du carbone fixé lorsque la plante est carencée en eau. Pourquoi les plantes et les arbres émettent-ils de si grandes quantités d'isoprène ou d'autres hydrocarbures ? Sharkey a montré qu'une atmosphère riche en isoprène pouvait, telle une couverture, protéger les feuilles contre des dommages irréversibles induits par des températures élevées (comme celles de l'été). Selon une hypothèse de Sharkey, l'isoprène dégagé dans l'atmosphère se dissoudrait dans les membranes cellulaires des feuilles et, modifiant les interactions dans la bicouche lipidique et/ou les interactions lipides-protéines et protéines-protéines dans la membrane, augmenterait leur résistance à la chaleur.

Blue Ridge Mountains. *(Randy Wells/Tony Stone Images)*

Biochimie humaine

La coumarine, un agent de vie ou de mort

La molécule représentée dans la figure est connue sous le nom de **coumarine** ou de **warfarine**. Sous son premier nom, c'est un anticoagulant prescrit en médecine. Sous le nom de warfarine, elle entre dans la composition des raticides. Comment un même produit peut-il être utilisé à des fins si différentes ? La clé de la réponse est dans son activité antagoniste de la vitamine K dans l'organisme.

La vitamine K est un cofacteur dans la carboxylation des résidus glutamate de certaines protéines, en particulier des protéines de la cascade de la coagulation sanguine comme la **prothrombine**, les **Facteurs VII**, **IX** et **X** qui changent de conformation en présence de Ca^{2+} (ce qui modifie leur activité biologique) ainsi que la **protéine C** (C car elle intervient dans la régulation de la coagulation) et la **protéine S,** autre protéine de régulation. La carboxylation de ces protéines de la cascade de coagulation est catalysée par une carboxylase qui exige la présence de la forme réduite de la vitamine K (vitamine KH_2), de l'oxygène moléculaire et du CO_2. Au cours de la réaction, KH_2 est oxydé en époxyde de la vitamine K qui sera recyclé par la **vitamine K époxyde réductase** (1) et la **vitamine K réductase** (2,3). La coumarine inhibe la vitamine K époxyde réductase, et probablement la vitamine K réductase, d'où son action anticoagulante. En sa présence, il y a carence en vitamine KH_2 et donc diminution de l'activité de la carboxylase.

À la dose de 4 à 5 mg par jour, la coumarine prévient les effets de la formation de petits caillots sanguins dans la circulation ; elle réduit ainsi les risques d'attaque cardiaque et cérébrale chez les personnes dont les artères présentent des plaques scléreuses (athérosclérose). À plus forte dose, comme dans les raticides, la coumarine provoque des hémorragies massives et la mort.

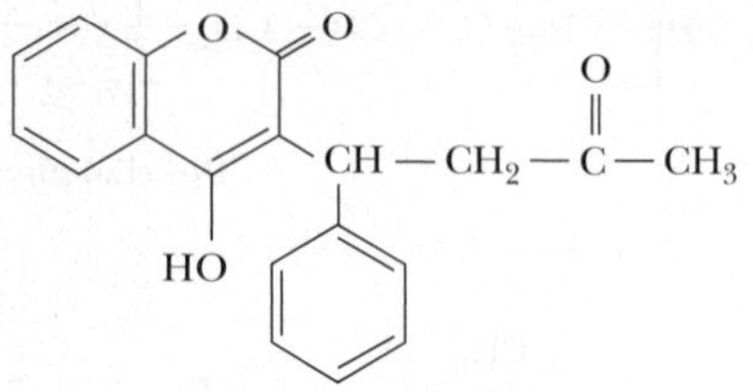

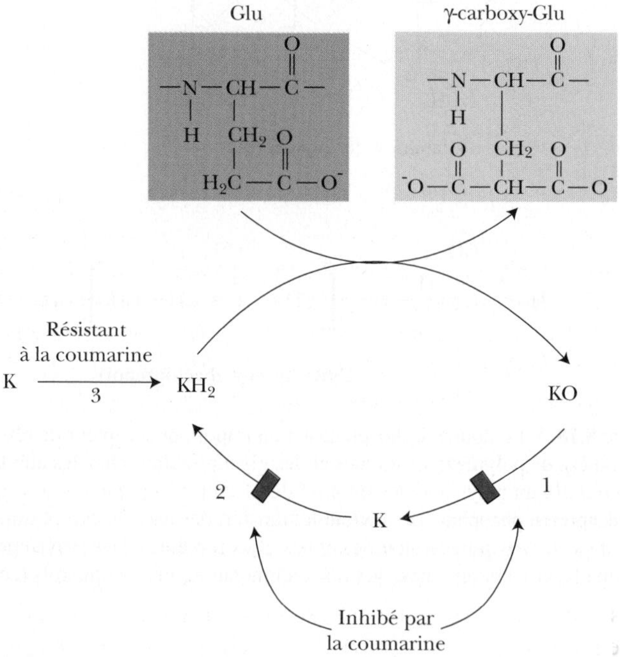

8.7 • Stéroïdes

Cholestérol

Les **stéroïdes** constituent une importante famille de lipides contenant de nombreuses molécules terpéniques qui participent à toute une série de fonctions cellulaires. Ils sont caractérisés par la présence d'un motif structural commun, trois noyaux à six atomes de carbone et un noyau à cinq atomes de carbone accolés. Le **cholestérol** (Figure 8.19) est le stéroïde le plus commun chez les animaux et le précurseur de tous les autres stéroïdes. Le système de numérotation des atomes de carbone du cholestérol s'applique à toutes ces molécules. De nombreux stéroïdes ont des groupes méthyle liés aux positions C-10 et C-13, et une chaîne latérale alkyle de 8 à 10 atomes de carbone en position C-17. La nature polyisoprénique du cholestérol est particulièrement évidente dans sa chaîne latérale. Certains stéroïdes ont un oxygène lié en C-3, soit sous forme d'un groupe hydroxyle, soit sous forme d'un groupe carbonyle. Les $-CH_3$ fixés sur les positions C-10 et C-13 ainsi que la chaîne alkyle en position C-17 sont presque toujours orientés du même côté du noyau stéroïde, dans l'orientation β. Les groupes alkyle qui sont orientés de l'autre côté du noyau sont dans l'orientation α.

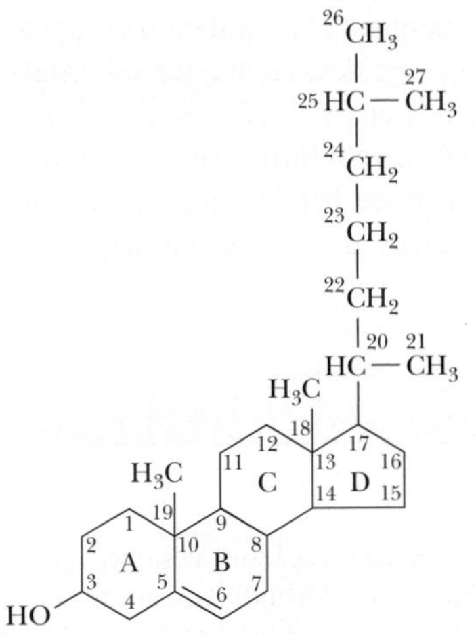

Cholestérol

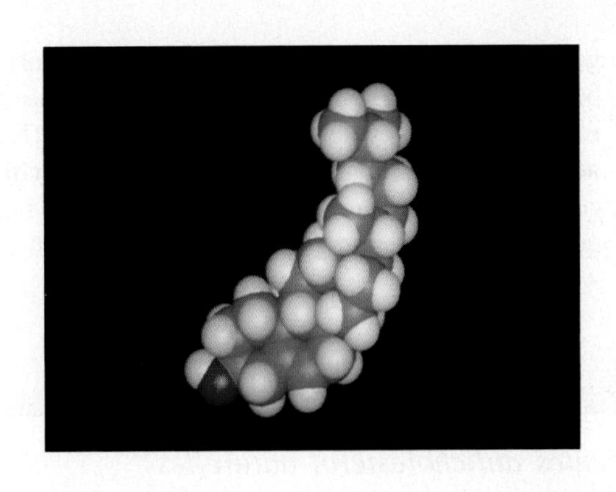

Figure 8.19 • Structure chimique du cholestérol et numérotation des atomes de carbone.

Le cholestérol est le principal constituant lipidique de la membrane plasmique de la cellule animale, sa concentration est plus faible dans les membranes des organites intracellulaires. La rigidité relative du noyau stéroïde du cholestérol et la faible polarité du groupe alcool en position C-3 ont d'importantes conséquences sur les propriétés des membranes plasmiques. Le cholestérol est aussi un constituant des *complexes lipoprotéiques* du sang et l'un des constituants des *plaques* qui se forment sur les vaisseaux sanguins dans *l'athérosclérose*.

Hormones stéroïdes

Les **stéroïdes** dérivés du cholestérol comprennent cinq familles d'hormones : les androgènes, les œstrogènes, les progestatifs, les glucocorticoïdes, les minéralocorticoïdes et les sels biliaires (Figure 8.20). Les **androgènes** (comme la **testotérone)**, et les **estrogènes** (comme **l'estradiol)** déterminent le développement des caractères sexuels secondaires et la fonction sexuelle chez les animaux. Les **progestatifs** (comme la **progestérone)** participent à la régulation du cycle menstruel et à la

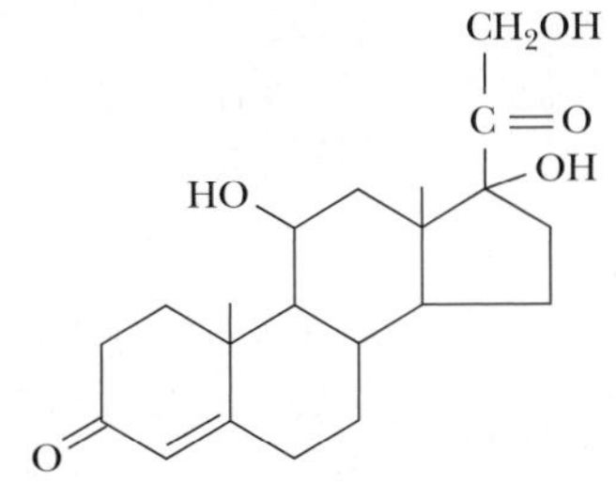

Cortisol 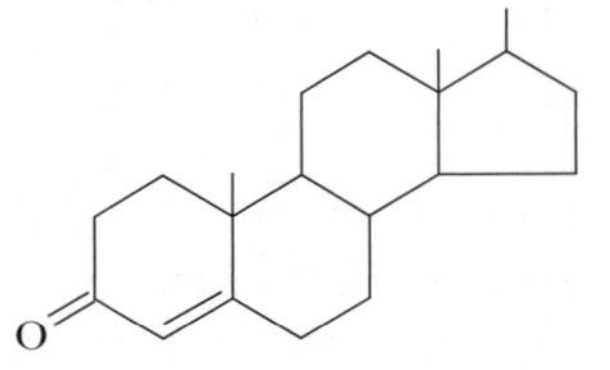 — Testostérone 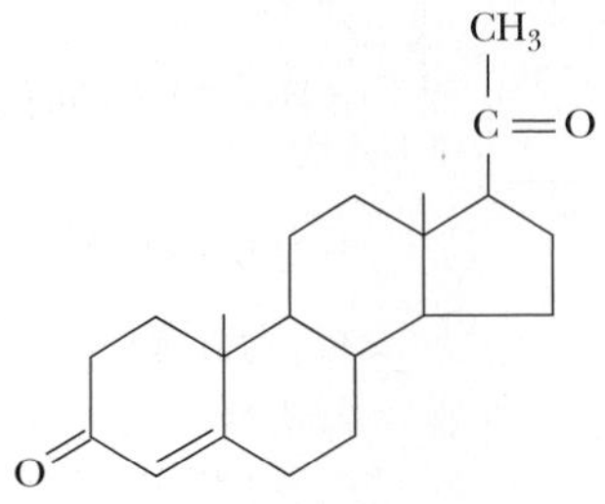 — Progestérone 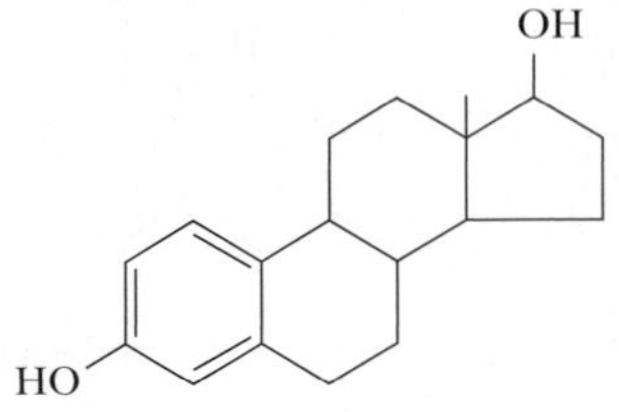 — Estradiol

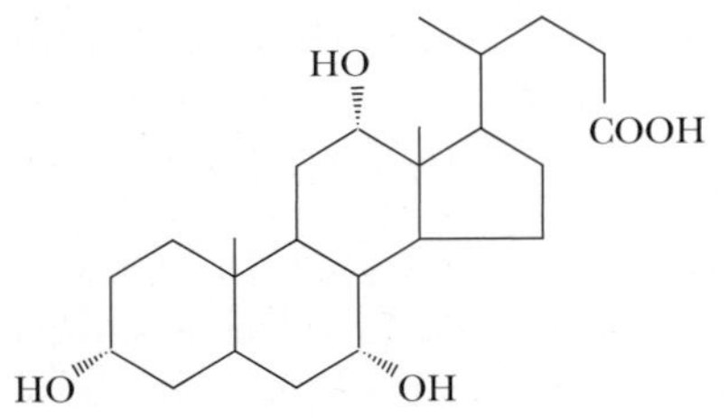

Acide cholique 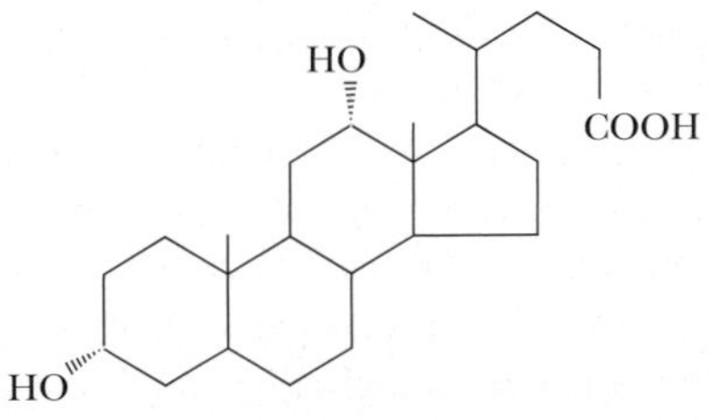 — Acide désoxycholique

Figure 8.20 • Structures de quelques stéroïdes dérivés du cholestérol.

gestation. Les **glucocorticoïdes** (dont le **cortisol**) participent à la régulation du métabolisme glucidique et aussi à celui des protéines et des lipides, tandis que les **minéralocorticoïdes** régulent les équilibres salins (Na^+, K^+, et Cl^-) dans les tissus. Les **acides biliaires** (dont **l'acide cholique** et **l'acide désoxycholique**) sont des molécules à pouvoir détergent, contenues dans la bile sécrétée par la vésicule biliaire, qui contribuent à la digestion et à l'absorption intestinale des lipides alimentaires.

Biochimie humaine

Stérols d'origine végétale – des molécules anticholestérol naturelles

Les diététiciens recommandent, pour une santé optimale, la diminution des apports exogènes de cholestérol. Une des approches pour atteindre cet objectif implique les stérols d'origine végétale sitostérol, stigmastérol, stigmastanol et campestérol (formules dans la figure). En dépit de leur similarité structurale avec le cholestérol, de petites différences d'isomérie et/ou la présence de groupes méthyle ou éthyle dans leur chaîne latérale ont pour conséquence une très faible absorption par les cellules de la muqueuse intestinale. Bien qu'ils ne soient guère absorbés, ces stérols inhibent efficacement l'absorption du cholestérol par les cellules intestinales.

La mise sur le marché de ces stérols végétaux comme agents favorisant la baisse du taux de cholestérol dépendra autant des progrès dans l'étude de leurs caractéristiques structurales que de la forme de leur administration. Par exemple, l'absorption du sitostérol, un stérol insaturé, par la muqueuse intestinale humaine est relativement faible, mais celle du sitostanol, l'analogue saturé, est pratiquement nulle. De plus, il semble que les stérols administrés sous forme de solution micellaire (voir page 261 pour une description des micelles) inhibe plus efficacement l'absorption du cholestérol que des stérols végétaux administrés sous une forme solide, cristalline.

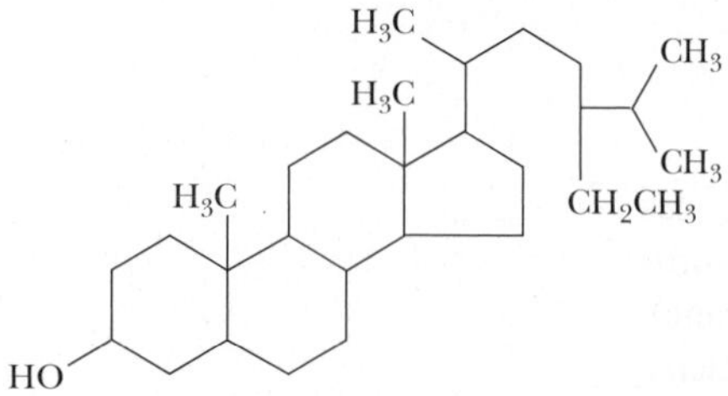

Stigmastanol

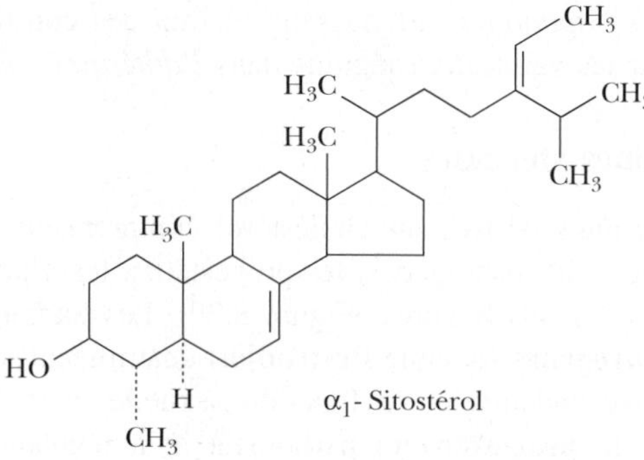

α_1- Sitostérol

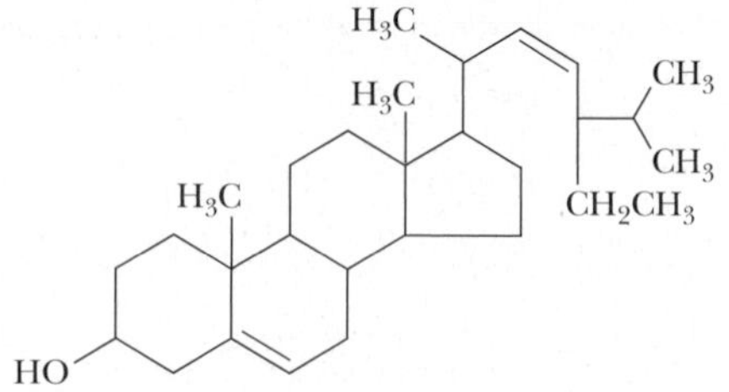

Stigmastérol

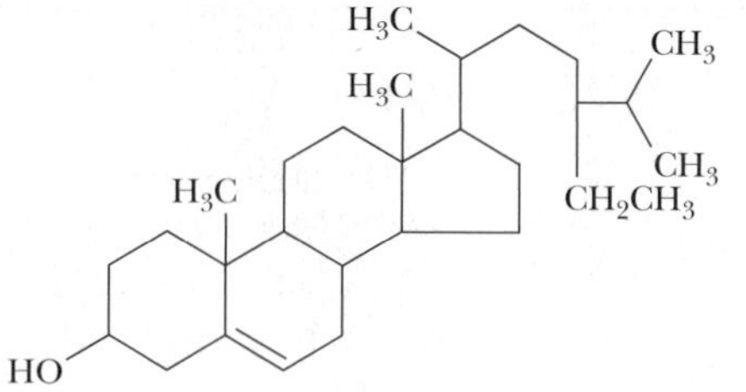

β-Sitostérol

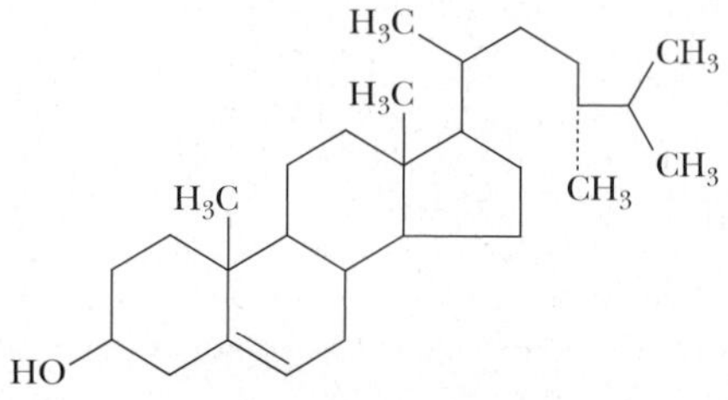

Campestérol

Biochimie humaine

Déficience en 17β-hydroxystéroïde déshydrogénase

La synthèse de la testostérone, la principale hormone sexuelle mâle à partir du cholestérol est présentée ci-dessous. La 17β-hydroxystéroïde déshydrogénase catalyse la dernière étape de la synthèse, la conversion de la 4-androstènedione en testostérone. Il existe cinq isozymes de la β-17-hydroxystéroïde déshydrogénase. Des déficiences dans la synthèse ou dans l'action de la testostérone perturbent le développement du phénotype mâle au cours de l'embryogenèse et provoquent le pseudo-hermaphrodisme mâle. Plus précisément, des mutations dans l'isozyme 3 de la 17β-hydroxystéroïde déshydrogénase du testicule fœtal empêchent la formation de testostérone et à leur naissance, les mâles génétiques ont des organes génitaux femelles avec un vagin incomplet. Ces garçons génétiques sont élevés comme des filles mais se virilisent à la puberté, par suite d'un accroissement de la testostérone dans le sérum ; en même temps la pilosité se développe, typiquement masculine. Quatorze mutations différentes de la 17β-hydroxystéroïde déshydrogénase 3 ont été identifiées, affectant 17 familles, aux États-Unis, au Moyen Orient, au Brésil et en Europe de l'Ouest. Ces 17 familles comportent 45% des patients affectés par ces troubles et recensés dans la littérature scientifique.

Choleste é — Desmolase (Mitochondries) → Prégnènolone + Aldéhyde isocaproïque

Prégnènolone — (Réticulum endoplasmique) → Progestérone

Progestérone — 17α-Hydroxylase → 17 α-Hydroxyprogestérone

17 α-Hydroxyprogestérone — 17,20-Lyase (Gonades) → 4-Androstènediol

4-Androstènediol — 17β-Hydroxystéroïde déshydrogénase → Testostérone

Exercices

1. Dessinez toutes les structures possibles des triglycérides qui peuvent être formés à partir du glycérol, de l'acide stéarique et de l'acide arachidonique.

2. Citez de mémoire

a. les glycérophospholipides porteurs d'une charge nette positive.

b. les glycérophospholipides porteurs d'une charge nette négative.

c. les glycérophospholipides dont la charge nette est de zéro.

3. Comparez deux individus dont l'un se nourrit largement de viande riche en cholestérol et l'autre dont l'alimentation est riche en stérols végétaux. Leurs risques de troubles cardiovasculaires vous paraissent-ils semblables ou différents ? Justifiez votre appréciation.

4. James G. Watt, Secrétaire à l'intérieur (1981-1983) sous le premier mandat présidentiel de Ronald Reagan, a provoqué une importante controverse en affirmant que les arbres participaient pour une grande part à la pollution de l'air. D'après ce que vous avez lu dans ce chapitre, commentez la remarque de Watt.

5. Louis L'Amour, un auteur spécialisé dans des histoires de Western, très populaires, a écrit en 1987 une nouvelle dans un genre différent, Best of Breed (Bantam Press) (*qui peut se traduire par : Le meilleur de la race*). L'avion d'un pilote militaire d'origine amérindienne est abattu au-dessus de l'Union soviétique ; il se trouve dans l'obligation d'utiliser les traditions culturelles de survie de ses ancêtres pour échapper à ses ennemis. Lors des rares occasions où il arrive à piéger et à tuer un animal pour se nourrir, il choisit de manger la graisse et non la viande. En vous basant sur ce que vous avez lu dans ce chapitre, pour quelle raison agissait-il ainsi ?

Lectures complémentaires

Anderson, S., Russell, D.W., et Wilson, J.D., 1996. 17β-Hydroxysteroid dehydrogenase 3 deficiency. *Trends in Endocrinology and Metabolism* **7** : 121-126.

Chakrin, L.W, et Bailey, D.M., 1984. *The Leukotrienes – Chemistry and Biology.* Orlando : Academic Press.

DeLuca, H.F., et Schneos, H.K., 1983. Vitamin D : recent advances. *Annual Review of Biochemistry* **52** : 411-439.

Denke, M.A., 1995. Lack of efficacy of low-dose sitostanol therapy as an adjunct to a cholesterol-lowering diet in men with moderate hypercholesterolemia. *American Journal of Clinical Nutrition* **61** : 392-396.

Dowd, P., Ham, S.-W., Naganathan, S., et Hershline, R., 1995. The mechanism of action of vitamin K. *Annual Review of Nutrition* **15** : 419-440.

Hakamori, S., 1986. Glycosphingolipids. *Scientific American* **254** : 44-53.

Hirsh, J., Dalen, J.E., Deykin, D., Poller, L., et Bussey, H., 1995. Oral anticoagulants : Mechanism of action, clinical effectiveness, and optimal therapeutic range. *Chest* **108** : 231S-246S.

Katan, M.B., Zock, P.L., et Mensink, R.P., 1995. *Trans* fatty acids and their effects on lipoproteins in humans. *Annual Review of Biochemistry* **15** : 473-493.

Keuhl, F.A., et Egan, R.W., 1980. Prostaglandins, arachidonic acid and inflammation. *Science* **210** : 978-984.

Robertson, R.N., 1983. *The Livelv Membranes.* Cambridge : Cambridge University Press.

Seachrist, L., 1996. A fragrance for cancer treatment and prevention. *The Journal of NIH Research* **8** : 43.

Sharkey, T.D., 1995. Why plants emit isoprene. *Nature* **374** : 769.

Sharkey, T.D., 1996. Emission of low molecular-mass hydrocarbons from plants. *Trends in Plant Science* **1** : 78-82.

Vance, D.E., et Vance, J.E. (eds.), 1985. *Biochemistry of Lipids and Membranes.* Menlo Park, CA : Benjamin-Cummings.

Vanhanen, H.T., Blomqvist, S., Ehnholm, G, et al., 1993. Serum cholesterol, cholesterol precursors, and plant sterols in hypercholesterolemic subjects with different apoE phenotypes during dietary sitostanol ester treatment. *Journal of Lipid Research* **34** : 1535-1544.

Chapitre 9

Membranes et surfaces cellulaires

« Les chirurgiens doivent agir avec précaution
Quand ils saisissent le bistouri
Sous leur fine incision
S'agite le coupable – la Vie ! »

EMILY DICKINSON
Poem 108, 1859

PLAN

Les membranes sont des enveloppes plus ou moins fines qui délimitent le volume des cellules, tout comme le volume de ce ballon à air chaud est délimité dans l'espace par son enveloppe vivement colorée. (Boar's Head Inn Balloon, Charlottesville, VA, par Larry Swank)

Les membranes ont des fonctions cellulaires essentielles. Elles constituent les limites des cellules et des organites intracellulaires, elles sont le site de nombreuses réactions biologiques et de processus importants. Les membranes contiennent des protéines qui assurent et régulent le transport des métabolites, des macromolécules et des ions. Diverses hormones et d'autres molécules signal ou agents régulateurs exercent leurs effets par une interaction avec des membranes. La photosynthèse, le transport des électrons, les oxydoréductions phosphorylantes, la contraction musculaire et l'activité électrique sont les conséquences d'activités biologiques qui dépendent toutes de membranes et de protéines membranaires. Trente pour cent des gènes d'au moins un organisme, *Mycoplasma genitalium* (dont la séquence totale du génome est connue), semblent coder pour des protéines membranaires.

Une organisation particulière des lipides et des protéines (ces molécules peuvent être modifiées par des résidus glucidiques) caractérise les membranes biologiques. Les **lipides** des systèmes biologiques sont souvent de nature **amphipathiques**, c'est-à-dire qu'ils contiennent à la fois des groupes polaires et non polaires. La nature hydrophobe des molécules lipidiques est à l'origine de la fonction de barrière efficace qui s'oppose au passage de molécules plus polaires à travers les membranes. Les groupes polaires des lipides amphipathiques sont le plus souvent exposés à la surface des membranes où ils sont en interaction avec l'eau du milieu. Les protéines sont en interaction avec les lipides membranaires de plusieurs manières. Certaines protéines s'associent aux membranes par des interactions électrostatiques avec les groupes polaires de leur surface tandis que d'autres protéines sont plus ou moins profondément enfouies dans la zone hydrophobe des membranes. Quelques protéines sont ancrées dans les membranes par des liaisons covalentes avec des lipides qui s'associent fortement à la zone hydrophobe au cœur des membranes.

Ce chapitre traite de la composition, de la structure et des processus dynamiques des membranes biologiques.

9.1 • Les membranes

Les cellules contiennent plusieurs types de membranes. Toutes les cellules ont une membrane cytoplasmique, ou *membrane plasmique*, dont une des fonctions est de séparer le cytoplasme de son environnement. Dans les premiers temps de la Biochimie, on n'accordait à la membrane plasmique guère d'autre fonction que celle de partition. Nous savons aujourd'hui que cette membrane est aussi active dans : 1) l'exclusion de la cellule de certains ions toxiques et de diverses molécules, 2) l'accumulation des nutriments cellulaires, 3) la transduction de l'énergie. La membrane plasmique intervient encore dans les fonctions de : 4) locomotion cellulaire, 5) reproduction, 6) de transduction des signaux et 7) dans les interactions avec des molécules ou des cellules voisines.

Même les membranes plasmiques des cellules procaryotes (bactéries) sont complexes (Figure 9.1). Ne contenant aucun organite intracellulaire pour subdiviser et répartir les séquences métaboliques et régulatrices, tous les processus énumérés

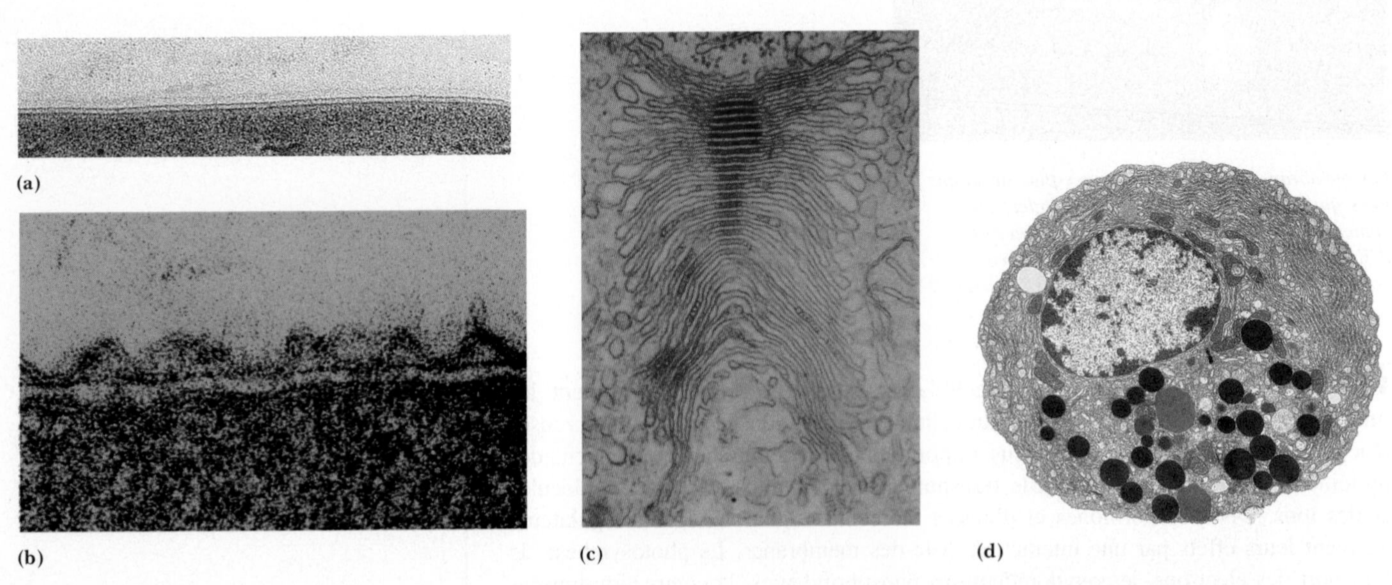

Figure 9.1 • Micrographies électroniques de quelques exemples de structures membranaires : (a) *Menodium* (un protozoaire) ; (b) Enveloppe d'une bactérie Gram négatif, *Aquaspirillum serpens* ; (c) Appareil de Golgi ; (d) cellule d'un acinus pancréatique.
(a, T. T. Beverridge/Visuals Unlimited ; b, © Cabisco/isuals Unlimited ; c, d, © D. W. Fawcett/Photo Researchers, Inc.)

ci-dessus doivent avoir lieu dans la membrane plasmique ou dans le cytoplasme lui-même. Les cellules eucaryotes disposent de nombreux organites intracellulaires qui ont des fonctions spécialisées : la synthèse des acides nucléiques s'effectue dans le noyau, le transport des électrons, la synthèse de l'ATP par les oxydations phosphorylantes, l'oxydation des acides gras et le cycle des acides tricarboxyliques se font dans les mitochondries ; la sécrétion des protéines et d'autres substances est assurée par le réticulum endoplasmique et l'appareil de Golgi. Si les membranes de ces cellules permettent cette répartition des tâches, ce n'est pas leur seul rôle. Plusieurs des processus effectués par les organites (ou par les cellules procaryotes) impliquent activement les membranes. Par exemple, certains enzymes du métabolisme des acides nucléiques sont associés à une membrane. La chaîne du transfert des électrons et le système associé de synthèse de l'ATP sont enfouis dans la membrane mitochondriale. Plusieurs enzymes de la biosynthèse des lipides se trouvent dans la membrane du réticulum endoplasmique.

Formation spontanée de structures lipidiques

Monocouches et micelles

Les lipides amphipathiques forment spontanément plusieurs types de structures quand ils sont introduits dans une solution aqueuse. Toutes ces structures tendent à minimiser les contacts entre les chaînes hydrophobes des lipides et le milieu aqueux. Par exemple, lorsqu'on ajoute une petite quantité d'un acide gras à une solution aqueuse, il se forme une monocouche à l'interface eau-air, les têtes polaires étant au contact de la surface de l'eau et les queues hydrophobes au contact avec l'air (Figure 9.2). On retrouve peu de molécules du lipide sous forme de monomère en solution.

L'addition d'une quantité supplémentaire d'acide gras aboutit à la formation de micelles. Dans les **micelles** formées par des lipides amphipathiques en phase aqueuse, les queues hydrophobes s'agrègent à l'intérieur tandis que les têtes polaires font face à l'extérieur. Les molécules amphipathiques qui forment des micelles sont caractérisées par une valeur spécifique, la **concentration micellaire critique**, ou **CMC**. Sous la CMC, les lipides sont surtout sous forme de molécules individuelles. Mais toutes les molécules ajoutées au-delà de la CMC forment spontanément des micelles. Les savons et les détergents en phase aqueuse s'agrègent de préférence sous la forme de micelles. La Figure 9. 3 donne les valeurs de la CMC de quelques détergents classiques.

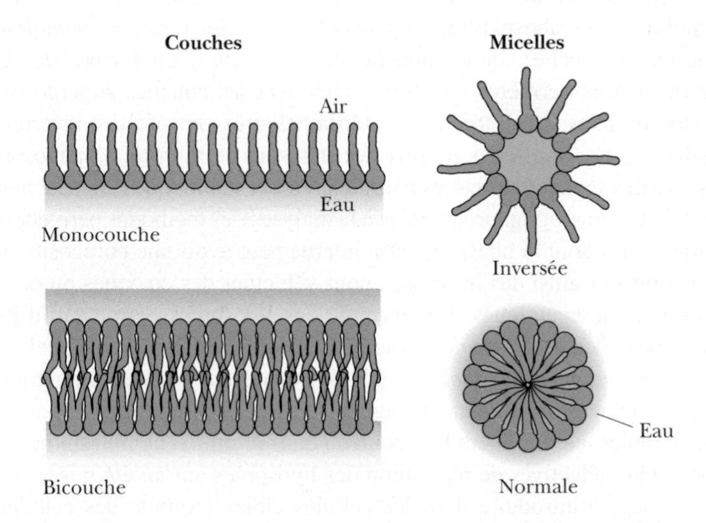

Figure 9.2 • Structures spontanément formées par les lipides.

Structure	M_r	CMC	Micelle M_r
Triton X-100 $CH_3-C(CH_3)_2-CH_2-C(CH_3)_2-C_6H_4-(OCH_2CH_2)_{10}-OH$	625	0,24 mM	90–95.000
Octyl glucoside (glucopyranose : CH_2OH, H, OH, HO) $O-(CH_2)_7-CH_3$	292	25 mM	
$C_{12}E_8$ (dodécyl octaoxyéthylène éther) $C_{12}H_{25}-(OCH_2CH_2)_8-OH$	538	0,071 mM	

Figure 9.3 • Structures et propriétés physiques de quelques détergents usuels. Les micelles formées par les détergents peuvent atteindre une assez grande taille. Le Triton X-100, par exemple, forme généralement des micelles ayant une masse moléculaire de 90 à 95 kDa. Ce qui correspond à environ 150 molécules de Triton X-100 par micelle.

Bicouche

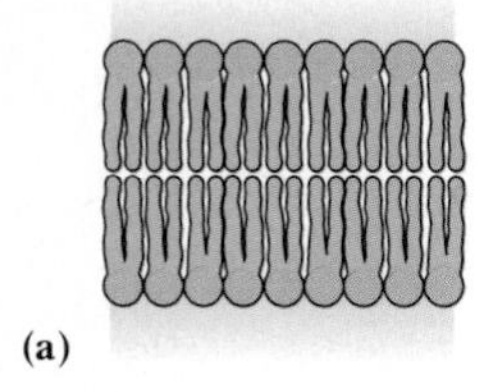

(a)

Vésicule monolamellaire

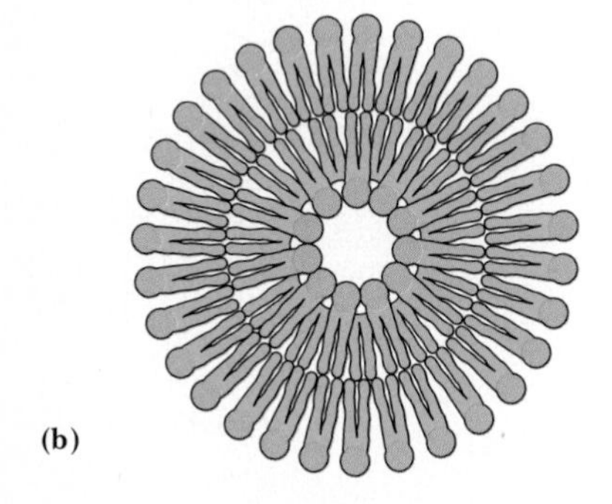

(b)

Vésicule multilamellaire

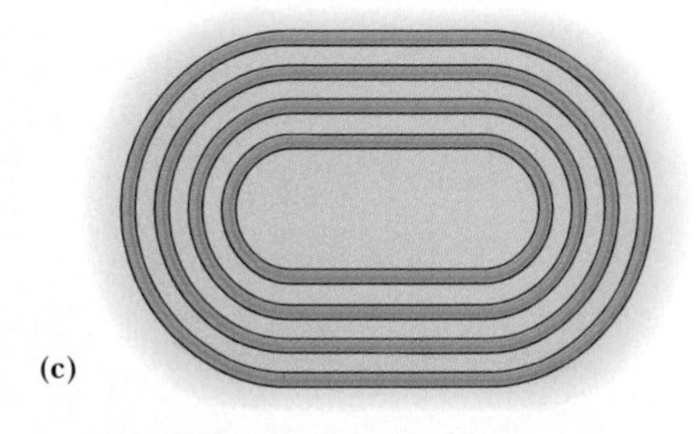

(c)

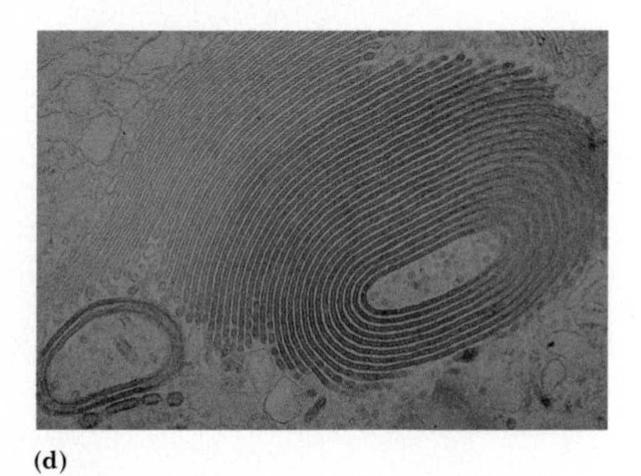

(d)

Figure 9.4 • Représentation schématique (a) d'une bicouche, (b) d'une vésicule monolamellaire, (c) d'une vésicule multilamellaire et (d) micrographie électronique de la structure de Golgi, multilamellaire (× 94.000). *(d, David Phillips/Visuals Unlimited)*

Les bicouches lipidiques

Une bicouche lipidique (ou double couche lipidique) est constituée par l'assemblage de deux monocouches, les faces hydrophobes étant au contact l'une de l'autre (Figure 9.2). En solution aqueuse, les phospholipides tendent à adopter les structures en bicouches car l'encombrement de leurs paires de chaînes d'acides gras ne permet pas facilement leur arrangement à l'intérieur d'une micelle. Les bicouches de phospholipides se forment spontanément et rapidement lorsque des phospholipides sont introduits dans des solutions aqueuses ; ces structures sont particulièrement stables. À l'inverse des micelles qui restent toujours de petite taille, ne comptant que quelques dizaines à une centaine de molécules, les bicouches peuvent couvrir de larges surfaces (10^8 nm^2 et plus). Comme l'exposition des bords d'une bicouche à la solution aqueuse est énergétiquement très défavorable, les bicouches étendues se referment sur elles-mêmes et forment des vésicules closes (Figure 9.4). La nature et la stabilité de ces structures dépendent en grande partie de leur composition lipidique. Les phospholipides peuvent former des *vésicules monolamellaires* (n'avoir qu'une bicouche), qu'on appelle des *liposomes*, ou former des *vésicules multilamellaires.* Ces dernières structures rappellent les couches superposées observées dans les oignons. Les structures multilamellaires ont été découvertes par Sir Alex Bangham, aussi sont-elles parfois décrites sous le nom de « bangosomes ».

Les **liposomes** sont des structures particulièrement stables que l'on peut manipuler ; ils résistent à la chromatographie sur gel et à la dialyse. Ces méthodes permettent de préparer des liposomes dont la phase aqueuse interne peut avoir une composition définie. On peut ainsi utiliser ainsi des liposomes pour véhiculer des enzymes ou des médicaments à des fins thérapeutiques. Par exemple, les liposomes permettent d'introduire dans un organisme des agents de contraste pour les diagnostics faisant appel à *l'imagerie par résonance magnétique nucléaire* (IRM) ou au *scanographe* (tomographie avec reconstitution d'images par ordinateur (Figure 9.5). Les liposomes peuvent aussi fusionner avec les cellules, ce qui libère leur contenu dans le milieu cytoplasmique. Lorsque des méthodes plus sélectives de répartition des liposomes auront été mises au point, il deviendra possible d'introduire dans les cellules cibles (comme des cellules cancéreuses) des substances médicamenteuses, des enzymes, ou des agents de contraste.

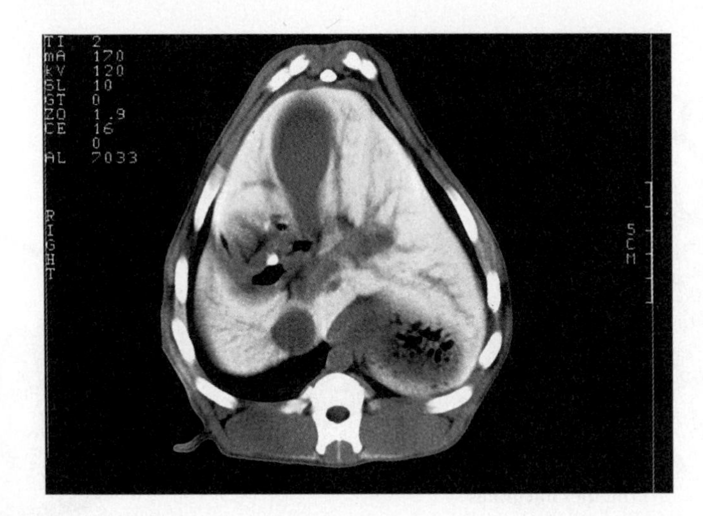

Figure 9.5 • Image reconstituée par ordinateur d'une scanographie de la partie supérieure de l'abdomen d'un chien après administration d'iode, un agent améliorant le contraste, encapsulé dans des liposomes. La partie blanche au bas de l'image représente l'épine dorsale et les autres taches blanches périphériques, les côtes. Le foie (la zone claire légèrement grisée) occupe la plus grande partie de l'espace abdominal. La vésicule biliaire (la tache bulbeuse au centre de la partie supérieure) et les vaisseaux sanguins apparaissent plus sombres sur l'image. Les liposomes contenant l'agent de contraste sont captés par les cellules de Kuppfer, réparties dans tout le foie, à l'exception des tumeurs. La masse en gris sombre, en bas à droite, est une grosse tumeur. Aucune de ces particularités anatomiques ne serait visible en l'absence des liposomes contenant un agent de contraste. *(Reproduction aimablement autorisée par Walter Perkins, The Liposome Co., Inc., Princeton, NJ, et Brigham and Women's Hospital, Boston, MA)*

La formation de vésicules et de liposomes est une conséquence du caractère amphipathique des molécules phospholipidiques. L'interaction ionique entre les groupes des têtes polaires et l'eau s'exerce au maximum, tandis que les interactions hydrophobes (cf. Chapitre 2) facilitent l'association des chaînes hydrocarbonées à l'intérieur de la bicouche. La formation spontanée des vésicules provient de l'accroissement de l'entropie de la solution car les molécules d'eau n'ont plus à se disposer de façon ordonnée autour des chaînes lipidiques. Il nous faut insister sur les propriétés physiques de la bicouche car elles sont à la base de la formation des vésicules et aussi des membranes naturelles. Les bicouches ont des surfaces polaires et une zone intérieure, un cœur, non polaire. Cette zone hydrophobe constitue un barrage efficace aux ions et aux autres substances polaires. La vitesse de leurs mouvements à travers les membranes est donc très lente. Par contre, même cette zone hydrophobe constitue un environnement favorable aux molécules non polaires et aux protéines hydrophobes. Nous verrons de nombreux cas de molécules hydrophobes qui régulent des fonctions biologiques en se liant ou en pénétrant dans les membranes.

Modèle de la mosaïque fluide

En 1972, S.J. Singer et G.L. Nicolson ont proposé **le modèle de la mosaïque fluide** pour décrire la structure des membranes, modèle qui suggère que les membranes sont des structures dynamiques composées de protéines et de phospholipides. Dans ce modèle, les phospholipides de la bicouche forment une matrice bidimensionnelle, fondamentalement *fluide*, se comportant comme un solvant des protéines membranaires. Lipides et les protéines ont une liberté de rotation et de mouvement latéral.

Singer et Nicolson ont aussi fait remarquer que des protéines pouvaient être associées à la surface des bicouches ou être plus ou moins enfouies à l'intérieur (Figure 9.6). Ils ont défini deux classes de protéines membranaires. La première classe, celles des **protéines périphériques**, (ou **protéines extrinsèques**), comprend les protéines qui ne pénètrent pas la bicouche de façon significative ; elles sont

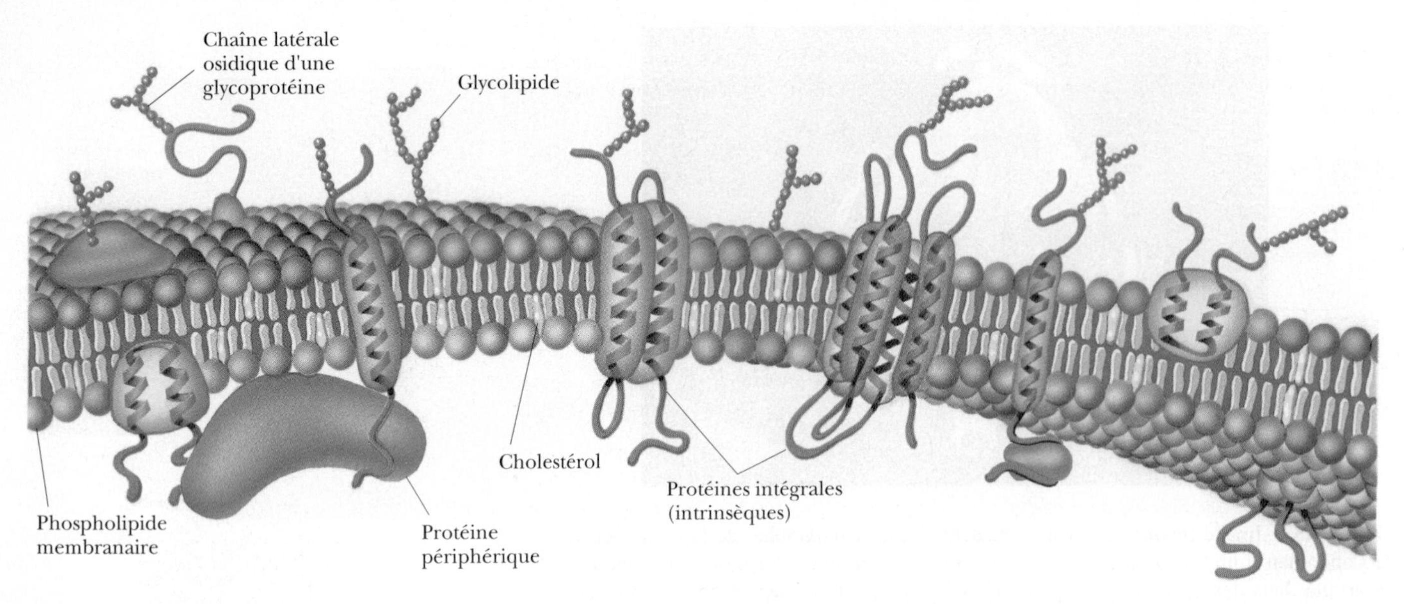

Figure 9.6 • Modèle de mosaïque fluide proposé par S.J. Singer et G.L. Nicolson pour décrire les structures membranaires. Ce modèle suppose que les lipides et les protéines sont mobiles et qu'elles peuvent rapidement diffuser dans le plan latéral de la membrane. Un mouvement transversal de ces molécules est possible, mais il est beaucoup plus lent.

associées à la membrane par des interactions ioniques ou des liaisons hydrogène entre la surface de la membrane et la surface des protéines. Les protéines périphériques peuvent être dissociées de la membrane par des traitements qui diminuent les interactions ioniques et provoquent la rupture des liaisons hydrogène (utilisation de solutions salines ou variation du pH). Les **protéines intégrales** (ou **protéines intrinsèques**) ont, au contraire, des surfaces hydrophobes qui peuvent facilement pénétrer dans la partie lipidique de la bicouche par interactions hydrophobes avec la partie non polaire des lipides. Ces protéines peuvent en même temps avoir des surfaces plus ou moins polaires, elles peuvent donc s'insérer complètement dans la membrane ou la traverser de part en part, et rester partiellement exposées aux milieux aqueux de chaque côté de la membrane (protéines transmembranaires). Singer et Nicolson ont aussi émis l'hypothèse que des lipides de la bicouche pouvaient avoir des interactions spécifiques avec les protéines intégrales et que ces interactions pouvaient être importantes pour la fonction de certaines protéines membranaires. Les lipides membranaires sont si intimement associés aux protéines intrinsèques que, pour extraire ces dernières, il faut utiliser des agents capables de détruire les interactions hydrophobes à l'intérieur même de la bicouche (détergents et solvants organiques). Le modèle de la mosaïque fluide sert aujourd'hui de support pour toutes les études de structure et de fonction des membranes.

Épaisseur de la bicouche membranaire

D'après le modèle de Singer et Nicolson, la valeur approximative de l'épaisseur de la membrane serait de 5 nm, soit l'épaisseur de la bicouche lipidique. Au début des années 1970, les études par diffraction des rayons X ont montré que de nombreuses membranes biologiques avaient environ 5 nm d'épaisseur et que la densité électronique à l'intérieur des membranes était faible. Ceci est compatible avec une disposition en bicouche des chaînes hydrocarbonées (de faible densité électronique) à l'intérieur de la membrane. La densité électronique des bords de ces membranes est par contre très élevée, en accord avec la présence des têtes polaires des lipides sur les limites extérieures des membranes.

Orientation des chaînes hydrocarbonées dans la bicouche

L'orientation, la disposition, des molécules lipidiques dans la bicouche est un aspect important de la structure membranaire. Dans les bicouches schématisées Figure 9.2 et Figure 9.4, l'axe longitudinal des molécules lipidiques est considéré comme perpendiculaire au plan de la bicouche. En fait, les chaînes hydrocarbonées des phospholipides peuvent s'incliner, se courber, adopter diverses orientations. Seule la partie des chaînes lipidiques à proximité des surfaces est pratiquement perpendiculaire au plan de la membrane et le désordre de la chaîne croît vers son extrémité (vers le milieu de la bicouche).

Mobilité des constituants membranaires de la bicouche

L'idée que les lipides et les protéines pouvaient se mouvoir rapidement dans les membranes biologiques était relativement nouvelle lorsque le modèle de la mosaïque fluide fut proposé. De nombreuses expériences effectuées pour vérifier la validité de cette hypothèse utilisent des sondes moléculaires spécialement synthétisées. En 1970, L. Frye et M. Edidin ont effectué la première expérience prouvant la mobilité latérale d'une protéine dans une membrane. Lors de cette expérience, des cellules humaines et des cellules de souris étaient fusionnées. Pour savoir si les protéines intégrales de ces deux types de cellules étaient mobiles et pouvaient se mélanger dans les cellules résultant de la fusion, Frye et Edidin ont utilisé des anticorps fluorescents. Les anticorps spécifiques des cellules humaines étaient marqués à la rhodamine, un fluorochrome rouge, et ceux qui étaient spécifiques des cellules de souris étaient marqués par la fluorescéine, un fluorochrome vert. Quand les deux types d'anticorps ont été ajoutés à la suspension de cellules fusionnées, la répartition de la fluorescence après fixation des anticorps a révélé que les protéines intégrales des deux types de cellules avaient diffusé latéralement et s'étaient dispersées sur toute la surface de la nouvelle cellule (Figure 9.7). Cette expérience démontrait clairement que les protéines intégrales membranaires ont une mobilité latérale significative.

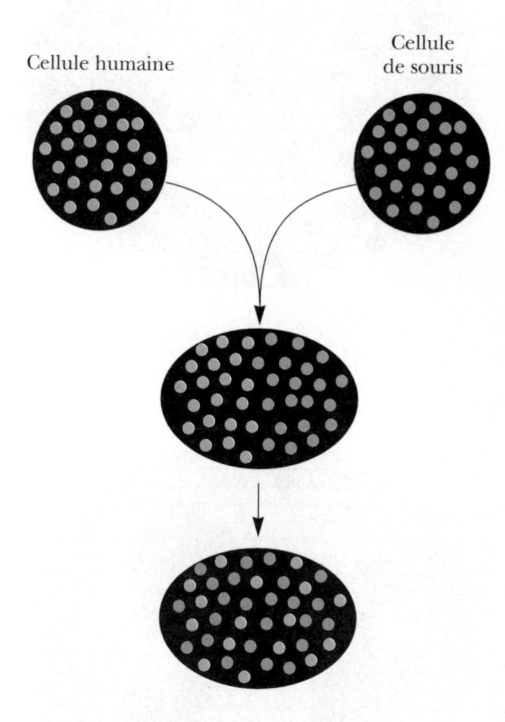

Figure 9.7 • Expérience de Frye et Edidin. Des cellules humaines ayant des antigènes reconnus par des anticorps à fluorescence rouge sont mélangées avec des cellules de souris ayant des antigènes reconnus par des anticorps à fluorescence verte. Après leur fusion, le traitement de ces cellules composites (hybrides) par les deux types d'anticorps fluorescents montre que les antigènes membranaires ont rapidement diffusé d'une cellule à l'autre. Cette expérience démontre la mobilité latérale des protéines membranaires.

Quelle peut être la rapidité de cette mobilité des protéines dans les membranes ? De nombreuses protéines membranaires peuvent se déplacer latéralement à la vitesse de quelques microns par minute ; la mobilité de certaines protéines membranaires est beaucoup plus limitée, leur vitesse de diffusion est d'environ 10 nm/s et même encore moins. Dans ce dernier cas, il s'agit souvent de protéines ancrées au *cytosquelette*, structure complexe en réseau qui maintient la forme des cellules eucaryotes et qui participe aux mouvements contrôlés intracellulaires (Chapitre 17).

La diffusion latérale des lipides est, elle aussi, très rapide. Un phospholipide peut diffuser latéralement à la vitesse linéaire de plusieurs microns par seconde. À cette vitesse, un phospholipide peut se déplacer d'une extrémité à l'autre d'une bactérie en moins d'une seconde, ou traverser une cellule animale en quelques minutes. Par contre la diffusion *transversale* des lipides (et des protéines), dans le plan perpendiculaire à la membrane est un phénomène beaucoup plus lent, et beaucoup moins fréquent. Par exemple, il faut plusieurs jours pour que la moitié des phospholipides de la bicouche d'une vésicule passe d'un côté de la bicouche à l'autre (mouvement de « flip-flop »).

Structure asymétrique des membranes

Les membranes biologiques sont des structures *asymétriques*, et il y a différentes sortes d'asymétries. Les protéines et les lipides membranaires ont des asymétries latérales et transversales. *L'asymétrie latérale* s'observe quand des lipides ou des protéines de types particuliers se rassemblent dans le plan de la membrane.

Asymétrie latérale des lipides

Les lipides des systèmes modèles s'agrègent souvent de façon asymétrique (Figure 9.8). On appelle **séparation de phase** ce comportement qui se manifeste parfois spontanément ou en réponse à une influence extérieure. La séparation de phase peut être induite dans les modèles expérimentaux par les cations bivalents, qui interagissent avec les groupes négatifs à la surface de la bicouche. Ca^{2+} par exemple, induit la séparation de phase des membranes formées avec de la phosphatidylsérine (PS) et de la phosphatidyléthanolamine (PE), ou avec de la PS, de la PE et de la phosphatidylcholine. Les ions Ca^{2+} forment des complexes avec les charges négatives des groupes carboxyliques de la sérine, ce qui provoque le rassemblement des

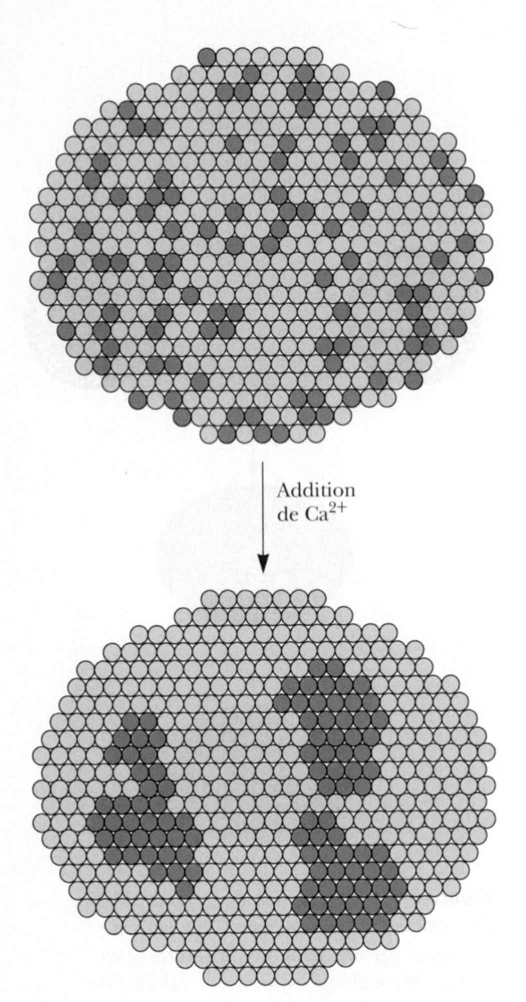

Figure 9.8 • Illustration du concept de la séparation de phase latérale dans une membrane. La séparation de phase de la phosphatidylsérine (cercles verts) peut être induite par des cations bivalents, par exemple Ca^{2+}.

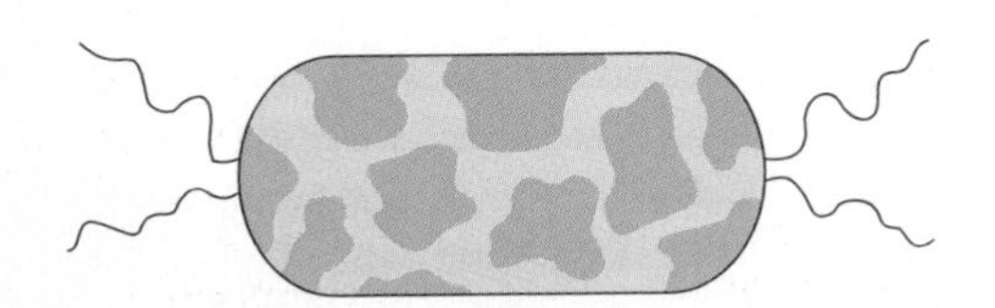

Figure 9.9 • Plages pourpres sur *Halobacterium halobium.*

PS et leur séparation des autres lipides. Ce type de séparation de phase induit par des ions métalliques se produit aussi *in vivo* et participe à la régulation de l'activité d'enzymes liées à la membrane.

Il existe d'autres moyens par lesquels la répartition latérale des lipides dans les membranes (et donc l'asymétrie) peut être perturbée. Par exemple, des molécules de cholestérol peuvent s'intercaler entre les chaînes hydrocarbonées des phospholipides, les groupes hydroxyle polaires du cholestérol étant associés aux têtes polaires. De cette façon, il peut se former des zones de cholestérol et de phospholipides dans un environnement par ailleurs homogène de phospholipides purs. Une telle asymétrie latérale peut avoir un effet sur la fonction des protéines et l'activité des enzymes membranaires. La distribution latérale des lipides dans une membrane peut enfin être influencée par des protéines membranaires. Certaines protéines intégrales s'associent de préférence avec des lipides spécifiques. Parfois la sélectivité est en faveur des acides gras insaturés plutôt que des acides gras saturés, parfois les protéines ont une plus grande affinité pour certains groupes polaires que pour d'autres.

Asymétrie latérale des protéines

De nombreuses protéines membranaires sont réparties de façon aléatoire dans toute la membrane. C'est d'ailleurs l'un des corollaires du modèle de la mosaïque fluide de Singer et Nicholson. Ce fait a été vérifié expérimentalement à l'aide du microscope électronique. Les micrographies électroniques montrent que les protéines intégrales sont souvent uniformément réparties dans la membrane, sans ordre apparent.

Cependant, les protéines membranaires peuvent parfois être réparties à la surface des membranes de façon non aléatoire. Plusieurs raisons peuvent en être la cause. Quelques protéines doivent se trouver en étroite interaction avec d'autres protéines afin de constituer un complexe comprenant plusieurs sous-unités, complexe pouvant accomplir une fonction spécifique dans la membrane. On connaît quelques exemples rares de protéines intrinsèques qui par *auto-assemblage* dans la membrane constituent de grands ensembles multimériques. Il en est ainsi pour la **bactériorhodopsine**, une pompe à proton utilisant l'énergie lumineuse, qui constitue des ensembles connus sous le nom de « taches pourpres » chez *Halobacterium halobium.* Dans ces taches pourpres, la bactériorhodopsine forme des cristaux protéiques bidimensionnels hautement ordonnés.

Asymétrie transversale des membranes

On peut s'attendre à l'asymétrie des membranes biologiques dans le sens **transversal** (d'un côté de la membrane à l'autre), quand on connaît les nombreuses propriétés de la membrane qui dépendent de sa structure à double face. Les propriétés qui découlent de l'existence de deux côtés distincts dans une membrane comprennent les systèmes de transport qui sont fonctionnels dans une seule direction, les effets des hormones à l'extérieur des cellules et les réactions immunologiques entre cellules (qui n'impliquent nécessairement que les surfaces cellulaires externes). On peut donc en inférer que l'arrangement des protéines qui interviennent dans l'une ou l'autre de ces interactions est asymétrique.

Asymétrie transversale des protéines

Des méthodes chimiques, enzymatiques et de marquage immunologique permettent de caractériser la localisation asymétrique transversale des protéines. En utilisant les propriétés chimiques de la **glycophorine**, la protéine majeure de la membrane des érythrocytes (voir Section 9.2), Mark Bretscher a, le premier, démontré la disposition asymétrique d'une protéine membranaire intrinsèque. La trypsine agit sur les érythrocytes en libérant la fraction glycosylée de la glycophorine sous forme de petits glycopeptides. Puisque la trypsine est beaucoup trop volumineuse pour pénétrer dans la membrane des érythrocytes, il faut donc que l'extrémité N-terminale de la glycophorine, sur laquelle se trouvent les oligosides, soit extérieure à la surface membranaire. Bretscher a également montré que le [^{35}S]-formylméthionine-sulfone méthyl-phosphate, mis en incubation avec des fragments de membrane d'érythrocytes, peut marquer (par le ^{35}S) l'extrémité C-terminale de la glycophorine. Le même réactif en présence d'érythrocytes intacts, dont la membrane est imperméable au réactif, ne peut pas marquer la glycophorine. Ceci montre clairement que l'extrémité C-terminale de la glycophorine est uniformément exposée sur le côté intérieur de la membrane de l'érythrocyte. Depuis cette expérience de marquage vectoriel, on a prouvé que de nombreuses protéines intrinsèques sont uniformément orientées dans les membranes.

Asymétrie transversale des lipides

La distribution des phospholipides dans les membranes est également asymétrique. Dans les érythrocytes, la phosphatidylcholine (PC) représente 30 % des phospholipides totaux. Sa répartition dans les deux feuillets de la bicouche est inégale, 76 % de la phosphatidylcholine sont dans la couche externe et 24 % dans la couche interne. Depuis cette première observation, on a constaté que la distribution des lipides entre la couche interne et la couche externe de beaucoup de membranes est asymétrique. La Figure 9.10 présente la distribution asymétrique des phospholipides dans la membrane des érythrocytes. La distribution asymétrique des lipides joue un rôle important dans les cellules pour plusieurs raisons. Par exemple, les groupes osidiques des glycolipides et des glycoprotéines sont toujours à la surface extérieure des membranes plasmiques où ils participent au phénomène de la reconnaissance cellulaire. La distribution asymétrique des lipides peut aussi avoir une grande importance pour les protéines intrinsèques qui peuvent avoir une préférence pour une classe particulière de lipides dans le feuillet interne ou externe de la bicouche. La charge totale sur les surfaces membranaires dépend en partie de la distribution des lipides. La différence des charges entre la surface intérieure et extérieure affectera le potentiel électrique transmembranaire dont on sait qu'il module l'activité de certains canaux ioniques et d'autres protéines membranaires.

Quelle peut être l'origine de la répartition asymétrique transversale des lipides dans les membranes cellulaires, et comment peut-elle se maintenir ? D'un point de vue thermodynamique, les asymétries ne peuvent résulter que d'une synthèse asymétrique des constituants de la bicouche ou d'un mécanisme de transport asymétrique nécessitant une source d'énergie. En l'absence d'au moins une de ces deux causes, tous les lipides devraient finir par être également répartis dans la bicouche membranaire. Dans les cellules eucaryotes, les phospholipides, les glycolipides et le cholestérol, sont synthétisés par des enzymes en surface ou à l'intérieur des membranes du réticulum endoplasmique (RE) ou de l'appareil de Golgi (traité Chapitre 25). Presque tous les processus de biosynthèse se déroulent de façon asymétrique dans ces membranes. Il y a aussi un flux continu de phospholipides, de glycolipides et de cholestérol, du réticulum endoplasmique et de l'appareil de Golgi vers les autres membranes cellulaires, y compris la membrane plasmique. Ce flux s'effectue par l'intermédiaire de **protéines spécifiques de transfert des lipides**. La plupart des cellules contiennent de telles protéines.

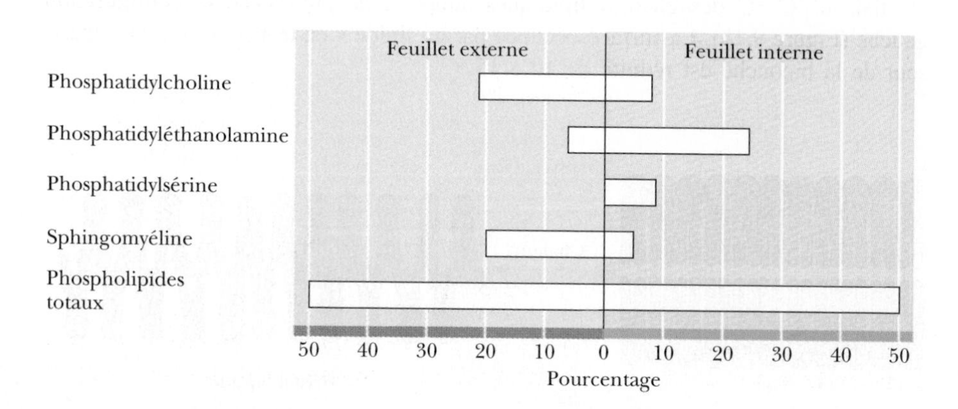

Figure 9.10 • Dans la plupart des membranes, comme dans la membrane des érythrocytes, les phospholipides sont répartis de façon asymétrique. Les valeurs représentent le pourcentage des molécules considérées par rapport au total des molécules de phospholipides. (*D'après Rothman et Lenard, 1977. Science* ***194*** *: 1744.*)

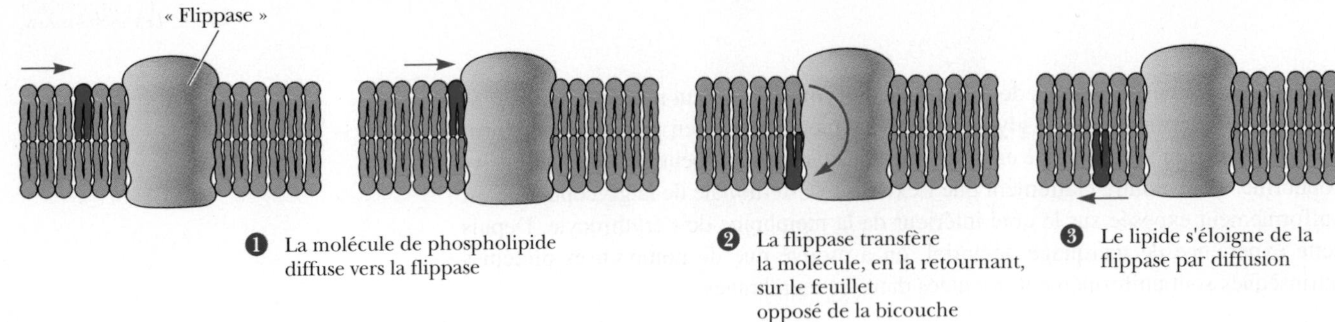
« Flippase »
❶ La molécule de phospholipide diffuse vers la flippase
❷ La flippase transfère la molécule, en la retournant, sur le feuillet opposé de la bicouche
❸ Le lipide s'éloigne de la flippase par diffusion

Figure 9.11 • La translocation avec retournement des phospholipides d'une bicouche membranaire peut être catalysée par des protéines spécifiques, les « flippases ». Quand au cours d'une diffusion normale un phospholipide rencontre une flippase, il peut être rapidement transféré dans l'autre feuillet de la bicouche.

Les flippases : des protéines qui permettent la translocation des lipides dans la membrane

Dans divers tissus, des protéines participent au transfert des phospholipides d'un côté de la bicouche à l'autre (Figure 9.11). Cette translocation implique le retournement du phospholipide (d'où le nom, dérivé du mot anglais *flip*, donné à ces protéines). Les **flippases** sont des protéines qui réduisent la durée du passage d'un phospholipide d'un côté de la membrane à l'autre, de 10 jours ou plus à moins de quelques minutes. Certains de ces transferts peuvent être passifs n'exigeant donc pas un apport d'énergie, mais un transport uniquement passif ne pourrait pas créer ni maintenir l'asymétrie transversale de la distribution des lipides membranaires. Dans les érythrocytes le mouvement rapide des phospholipides entre les feuillets de la bicouche membranaire exige effectivement la présence d'ATP. Des flippases dont l'activité dépendrait d'un apport d'énergie pourraient donc participer à la création et au maintien de l'asymétrie transversale des lipides.

Transitions de phase dans les membranes

L'état physique des lipides dans les bicouches change de façon très importante sous l'effet des variations de température ; la zone de température critique est étroite et caractéristique. Ces changements correspondent en réalité à des **transitions de phase**, et la température à laquelle ils sont observés est appelée **température de transition**, ou **température de fusion** (T_m, m de l'anglais *melting*, fusion). La transition de phase correspond à un changement dans l'organisation et la mobilité des chaînes d'acides gras à l'intérieur de la bicouche. Au-dessous de la température de transition, la bicouche se présente comme un gel compact avec les chaînes des acides gras pratiquement immobilisées, régulièrement ordonnées, et proches les unes des autres (Figure 9.12). Dans cet état, les liaisons C—C des chaînes lipidiques aliphatiques adoptent toutes la configuration anti (en position tout-trans). Les chaînes sont alors parallèles entre elles, dans la conformation la plus étirée. La surface occupée par un lipide est minimale et l'épaisseur de la bicouche est maximale. Au-dessus de la température de transition, on observe un nouvel état dans lequel la mobilité des chaînes des acides gras est intermédiaire entre celle des chaînes des alcanes solides et des alcanes liquides. Dans cet état plus fluide, appelé état de cristal liquide, les liaisons C—C des chaînes lipidiques adoptent de préférence la configuration gauche (Figure 9.13). La surface occupée par un lipide s'en trouve accrue et l'épaisseur de la bicouche est réduite de 10 à 15 %.

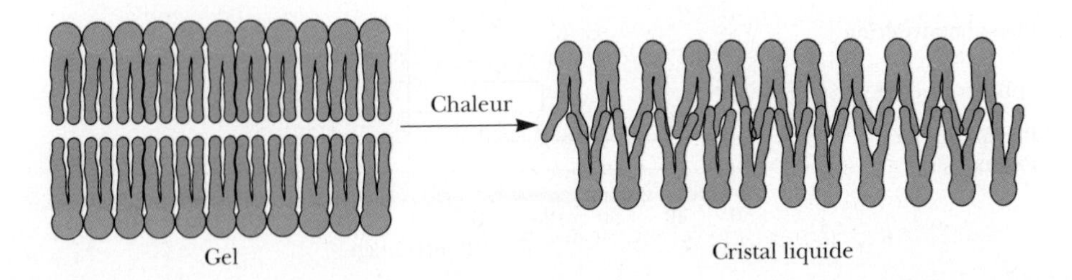
Chaleur
Gel
Cristal liquide

Figure 9.12 • Illustration de la transition d'un gel vers l'état de cristal liquide lorsque la membrane est chauffée jusqu'à sa température de transition, T_m. Notez que la surface de la membrane doit s'accroître et que son épaisseur doit diminuer au cours de la transition de phase. La mobilité des chaînes lipidiques est fortement augmentée.

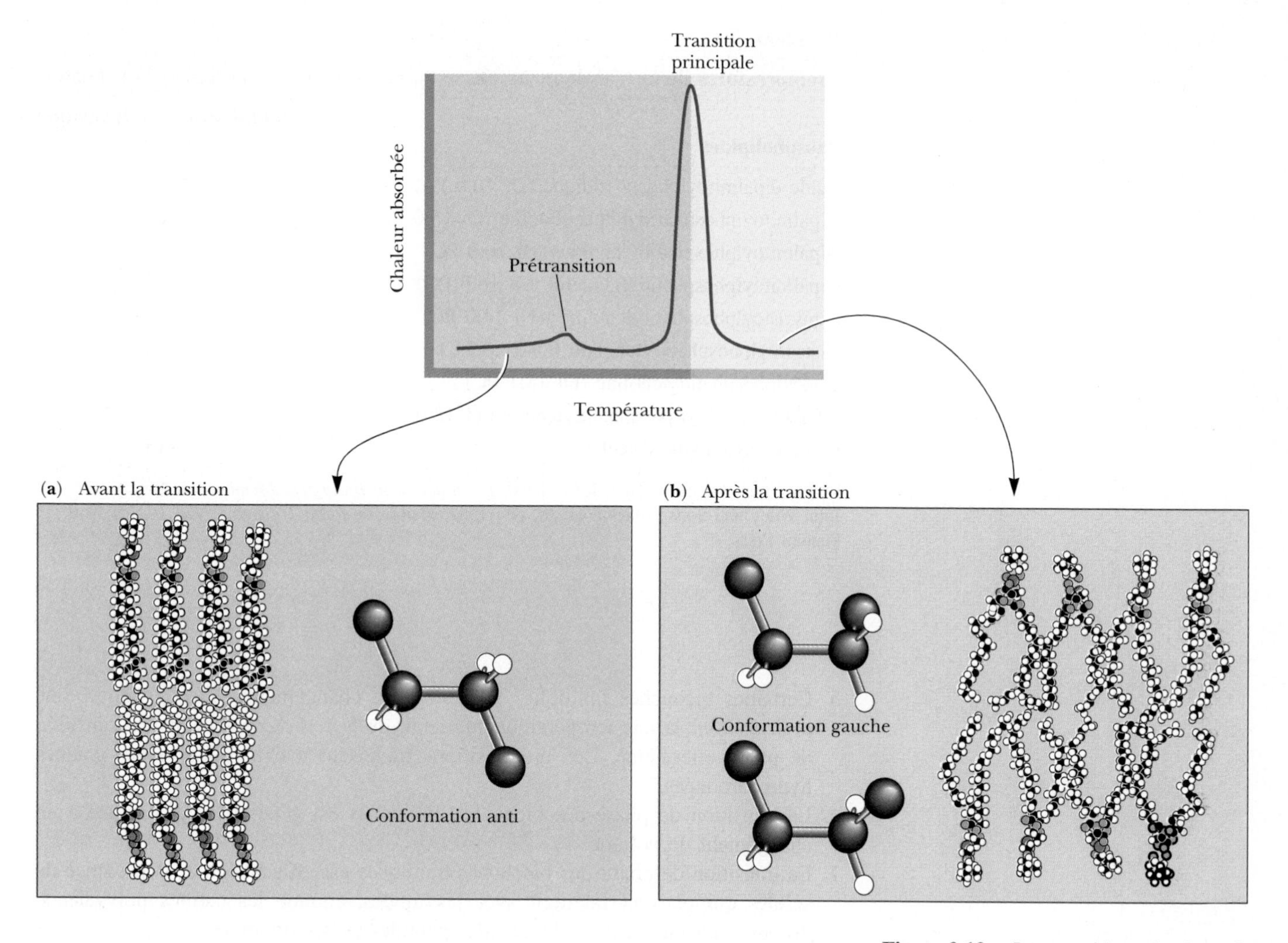

Figure 9.13 • Les transitions de phase des lipides membranaires sont mises en évidence et mesurées par la détermination de la vitesse de l'absorption de la chaleur par un échantillon de membrane placé dans un calorimètre (Cf. Chapitre 3 pour la description de la calorimétrie). Les bicouches pures et homogènes (ne contenant qu'une espèce moléculaire lipidique) donnent un pic calorimétrique très étroit. La phosphatidylcholine extraite de l'œuf contient des chaînes d'acides gras très variées, le pic calorimétrique est donc plus large. Au-dessous de la température de transition de phase, les chaînes lipidiques ont surtout la conformation anti. Au-dessus de cette température, les chaînes ont absorbé une importante quantité d'énergie. Elles peuvent donc adopter une conformation qui exige plus d'énergie, en particulier la configuration gauche représentée ci-dessus.

Dans le cas des lipides purs la transition de phase s'effectue à une température précise, ce qui indique un phénomène coopératif. Il y a coopérativité lorsque la modification des propriétés d'une ou de quelques molécules entraîne la même modification des propriétés de nombreuses molécules autour d'elles. L'étroitesse de la température de transition reflète le nombre des molécules qui agissent ensemble. Plus la transition est étroite, plus grand est le nombre des molécules qui « fondent » en même temps.

La température de transition de nombreux lipides purs ou de mélanges de lipides a été déterminée. Le Tableau 9.1 présente des températures de transition de la phosphatidylcholine suivant la nature des chaînes d'acides gras qui estérifient le squelette glycérol. Les principales caractéristiques des transitions de phase des bicouches lipidiques sont les suivantes :

1. Les transitions sont toujours endothermiques ; lors de l'élévation de la température, une partie de la chaleur est absorbée pendant toute la durée de la transition (Figure 9.13).
2. Chaque phospholipide a une température de transition caractéristique (T_m). Cette température s'accroît avec la longueur de la chaîne des acides gras, elle diminue avec leur degré d'insaturation et dépend de la nature de la tête polaire (Tableau 9.1).
3. Dans les bicouches constituées de phospholipides purs, la transition s'effectue dans une zone de température étroite. La largeur du pic correspondant à la transition de phase pour la dimyristoyllécithine est d'environ 0,2 °C.
4. Les membranes biologiques ont également des températures de transition de phase caractéristiques mais les zones de ces dernières sont larges et dépendent à la fois de la composition lipidique et protéique de la membrane.

Tableau 9.1

Températures de la transition de phase de phospholipides dispersés dans l'eau

Phospholipides	**Température de transition (T_m), °C**
Acide dipalmitoylphosphatidique (Di 16:0 PA)	67
Dipalmitoylphosphatidyléthanolamine (Di 16:0 PE)	63,8
Dipalmitoylphosphatidylcholine (Di 16:0 PC)	41,4
Dipalmitoylphosphatidylglycérol (Di 16:0 PG)	41,0
Dimyristoylphosphatitylcholine ((Di 14:0 PC)	23,6
Distéaroylphosphatidylcholine (Di 18:0 PC)	58
Dioléylphosphatidylcholine (Di 18:1 PC)	–22
1-Stéaroyl-2-oléyl-phosphatidylcholine (1-18:0, 2-18:1 PC)	3
Phosphatidylcholine d'œuf	–15

D'après Jain, M., et Wagner, R.C., 1980. *Introduction to Biological Membranes.* New York : John Wiley and Sons ; Martonosi, A., ed., 1982. *Membranes and Transport*, Vol. 1. New York : Plenum Press.

5. Certaines bicouches lipidiques présentent un changement d'état physique, une *prétransition*, à une température inférieure de 5 à 15 °C à celle de la transition de phase elle-même. Les prétransitions traduisent une inclinaison des chaînes hydrocarbonées.
6. La transition de phase des bicouches lipidiques est généralement associée à un changement de volume.
7. La transition de phase des bicouches lipidiques est influencée par la présence de solutés qui peuvent interagir avec les lipides, comme les cations polyvalents, diverses substances liposolubles, des peptides et des protéines.

Lorsque les conditions environnementales sont modifiées, les cellules ajustent la composition lipidique de leurs membranes de façon à maintenir une fluidité appropriée à leur fonction.

9.2 • Structure des protéines membranaires

La bicouche lipidique constitue l'unité structurale fondamentale de toutes les membranes biologiques. Les protéines qu'elles contiennent sont par contre les agents essentiels de toutes les activités membranaires, comme les fonctions de transport, de récepteur, etc. Ainsi que l'avaient suggéré Singer et Nicolson, la plupart des protéines membranaires sont des protéines extrinsèques (périphériques) ou des protéines intrinsèques. Les **protéines extrinsèques** sont des protéines globulaires en interaction avec les protéines de la membrane, essentiellement par des interactions électrostatiques ou par des liaisons hydrogène. Les caractéristiques et les propriétés des protéines extrinsèques ne seront pas examinées au cours de ce chapitre, cependant diverses protéines de cette classe seront décrites dans le cours de cet ouvrage. Les **protéines intrinsèques** sont fortement associées à la bicouche lipidique. Certaines de ces protéines sont plus ou moins insérées ou enfouies dans la bicouche, d'autres la traversent complètement. Une troisième classe de protéines membranaires, non prévue par Singer et Nicolson, comprend les **protéines ancrées dans les lipides**. Ces dernières ont des fonctions variées dans les divers tissus et cellules ; elles sont liées par des liaisons covalentes à des groupes lipidiques qui les ancrent dans les membranes.

Protéines intrinsèques

Malgré leur diversité, les protéines intrinsèques peuvent être réunies dans deux grands groupes. Le premier de ces groupes comprend les protéines associées ou ancrées dans la membrane par un petit segment hydrophobe. Le reste de la protéine, la plus grande partie, s'étend à l'extérieur de la membrane, dans la phase aqueuse, sur un seul ou sur les deux côtés de la membrane. Le second groupe comprend des protéines de forme plutôt globulaire et qui sont plus profondément enfouies dans la membrane, n'exposant qu'une petite partie de leur surface au milieu aqueux environnant. La partie de la structure des protéines intrinsèques qui se trouve dans le cœur non polaire de la bicouche lipidique est essentiellement composée de segments en hélices *a* ou feuillets *b* car ces structures secondaires neutralisent par formation de liaisons H les fonctions hautement polaires N–H et C=O du squelette peptidique.

Exemple de protéine n'ayant qu'un unique segment transmembranaire

Dans le cas des protéines ancrées par un petit segment de chaîne polypeptidique hydrophobe, ce dernier prend souvent la forme d'une petite hélice α. La **glycophorine** est un exemple bien connu de protéine membranaire avec une structure d'ancrage en hélice α. La plus grande partie de la glycophorine baigne dans le milieu aqueux extérieur à la surface de la cellule (Figure 9.14). Une grande variété d'oligosides sont fixés à ce domaine extracellulaire de la protéine. Ces oligosides sont les marqueurs antigéniques spécifiques des globules rouges des groupes sanguins A, B, O, et des antigènes M et N ; cette partie extracellulaire de la protéine sert aussi de récepteur au virus de la grippe. La glycophorine a une masse moléculaire d'environ 31.000, les oligosides représentant environ 60 % de cette masse et la chaîne polypeptidique seulement 40 %. La structure

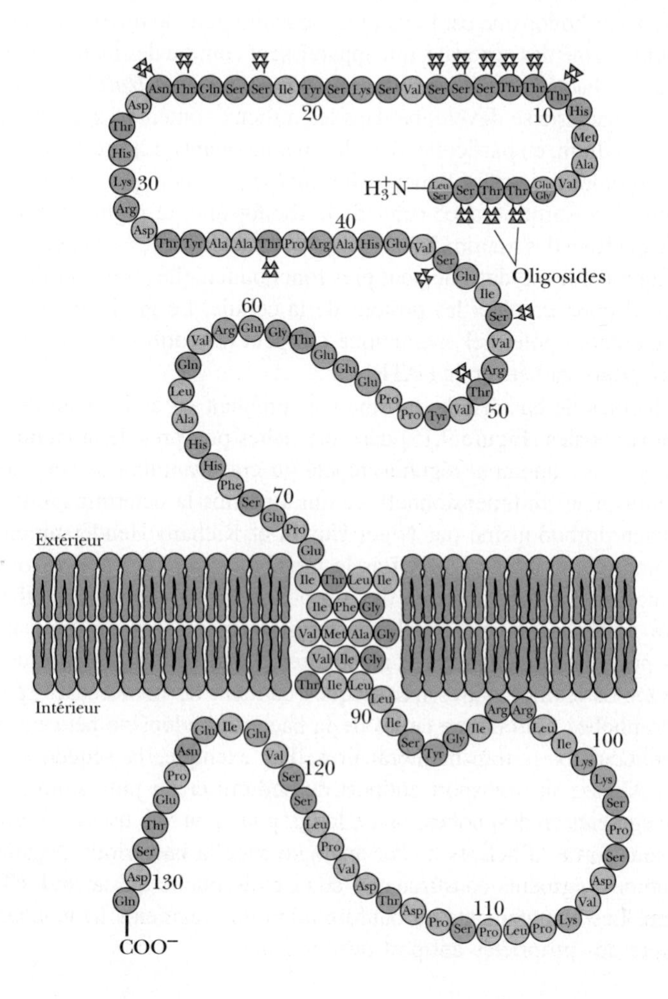

Figure 9.14 • La glycophorine A traverse la membrane de l'érythrocyte humain par un unique segment hélicoïdal α transmembranaire. L'extrémité C-terminale de la protéine est dans le cytosol et le domaine N-terminal est extracellulaire. Les oligosaccharides se lient par des liaisons covalentes aux résidus d'acides aminés indiqués sur la figure.

primaire de la glycophorine comprend un segment de 19 résidus hydrophobes séparant une courte séquence hydrophile à l'extrémité C-terminale de la chaîne et une plus longue séquence hydrophile à l'extrémité N-terminale. La séquence des 19 résidus hydrophobes est enroulée sous forme d'hélice α, cette dernière a juste la longueur correspondant à l'épaisseur de la membrane.

De nombreuses protéines membranaires sont ainsi fixées dans la membrane par une hélice α, avec des segments hydrophiles qui s'étendent soit dans l'espace extracellulaire soit dans le cytoplasme. Ces protéines ont souvent une fonction de récepteur de molécules extracellulaires ou de site de reconnaissance permettant que le système immunitaire distingue les cellules de l'hôte des virus ou des cellules étrangères à l'organisme. Les *protéines antigéniques du système HLA* (pour *human leucocytes associated*, protéines associées aux leucocytes humains) et les *protéines H2 du complexe majeur d'histocompatibilité* (CMH) de la Souris, sont des protéines de la même classe. On peut encore signaler les *immunoglobulines réceptrices de la surface* des lymphocytes B et les *protéines des spicules* de la membrane de certains virus. La fonction de ces protéines dépend principalement de leur domaine extracellulaire, le segment intracellulaire est donc souvent plus court.

La bactériorhodopsine, une protéine à 7 segments transmembranaires

Les protéines membranaires qui ont une forme plus globulaire, au lieu de la forme en bâtonnet des protéines décrites ci-dessus, sont souvent impliquées dans les systèmes transporteurs ou dans des fonctions qui exigent qu'une grande partie du polypeptide soit enfouie dans la membrane. La structure secondaire comporte souvent plusieurs hélices α transmembranaires formées par des segments de chaîne contenant des résidus d'acides aminés hydrophobes. Des petites régions charnières relient les hélices α, de sorte que la chaîne polypeptidique effectue un trajet en zigzag à travers la membrane. La bactériorhodopsine est l'exemple caractéristique le mieux connu. La **bactériorhodopsine** forme des agrégats, qui apparaissent comme des taches pourpres sur la membrane d'une bactérie *Halobacterium halobium*. Le nom *Halobacterium* provient de ce que cette bactérie se développe dans les milieux contenant une forte proportion de chlorure de sodium, en particulier dans les marais salants. La bactériorhodopsine est une pompe à protons qui utilise l'énergie lumineuse ; son nom provient de la similarité de son spectre d'absorption avec celui de la rhodopsine, le pigment des cellules en bâtonnets de la rétine des mammifères. Quand ces bactéries sont carencées en oxygène et que le métabolisme oxydatif ne peut plus fonctionner, elles utilisent l'énergie lumineuse du soleil pour expulser les protons de la cellule. Le gradient de protons ainsi généré représente un potentiel énergétique qui peut être utilisé par un autre système membranaire pour synthétiser de l'ATP.

Les molécules de bactériorhodopsine s'assemblent en constituant des structures régulières hexagonales (Figure 9.15) dans les taches pourpres de la membrane d'*Halobacterium.* Cet arrangement régulier, répété un grand nombre de fois, constitue un réseau cristallin plan (bidimensionnel), ce qui a permis la détermination de la structure de la bactériorhodopsine par Nigel Unwin et Richard Henderson en 1975. La chaîne polypeptidique traverse sept fois la membrane par sept hélices α transmembranaires, une très faible proportion de la protéine est au contact du milieu aqueux. La structure tridimensionnelle de la bactériorhodopsine est devenue la structure modèle des protéines membranaires globulaires. La structure primaire de beaucoup d'autres protéines membranaires intrinsèques contient de nombreuses séquences de résidus hydrophobes qui comme celles de la bactériorhodopsine peuvent former des segments hélicoïdaux α transmembranaires. Par exemple, la séquence des acides aminés de l'ATPase du transport antiport du sodium et du potassium contient une dizaine de segments hydrophobes, assez longs pour pouvoir traverser la membrane plasmique sous forme d'hélices α. Par analogie avec la bactériorhodopsine, on peut supposer que ces segments constituent le cœur hydrophobe qui ancre l'ATPase dans la membrane. Les changements de conformation des segments hélicoïdaux peuvent rendre compte des propriétés antiport de l'enzyme.

Traitement des allergies par action sur des récepteurs membranaires

Les allergies sont des réactions spécifiques et excessives du système immunitaire exposé à des substances étrangères appelées dans ce cas allergènes. L'inhalation d'allergènes comme le pollen, les poils des animaux ou la poussière peuvent provoquer une grande variété de réponses allergiques, inflammation des yeux, nez qui coule (rhume des foins), urticaire, asthme, etc. De nombreuses autres substances peuvent provoquer des réactions allergiques diverses : aliments, médicaments, colorants, et autres substances chimiques, naturelles ou de synthèse.

Les symptômes visibles de la réaction allergique sont provoqués par une libération massive d'histamine (voir la figure) par les mastocytes, cellules localisées dans le tissu conjonctif lâche. L'histamine dilate les vaisseaux sanguins, accroît la perméabilité des capillaires (ce qui permet le passage des anticorps dans les tissus environnants) et provoque une constriction des bronches et des bronchioles. L'histamine agit en se liant à des protéines membranaires spécialisées, les **récepteurs d'histamine H1**. Ce sont des protéines intrinsèques, à sept segments transmembranaires en hélices α avec une extrémité N-terminale extracellulaire et une extrémité C-terminale cytoplasmique. Lorsque l'histamine se lie au domaine extracellulaire du récepteur H1, le domaine cytoplasmique subit un changement de conformation qui stimule une protéine liant le GTP ; cette dernière active alors la réponse allergique de la cellule concernée.

Un grand nombre **d'antihistaminiques** efficaces sont commercialisés pour le traitement des symptômes allergiques. Ces substances se lient fortement aux récepteurs H1, sans provoquer la réponse propre à l'histamine. Elles sont appelées **antagonistes des récepteurs d'histamine H1** car elles inhibent la liaison de l'histamine aux récepteurs.

Histamine

Allerga (Hoechst)

Zyrtec (Pfizer)

Clarityne (Schering)

Formules de l'histamine et de trois antihistaminiques. ▶

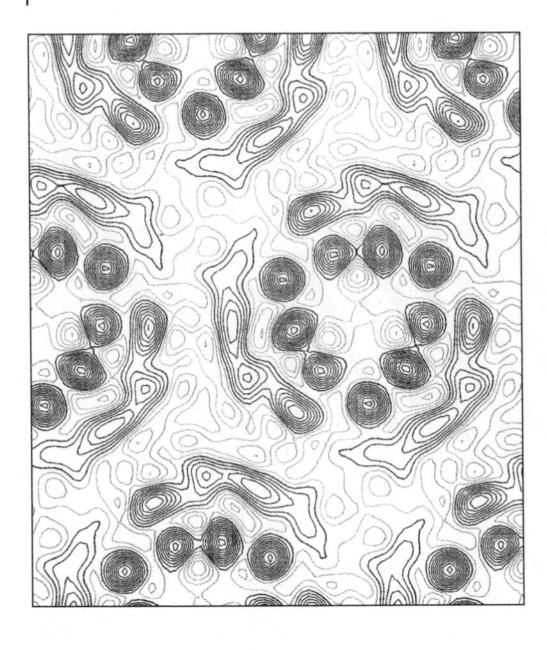

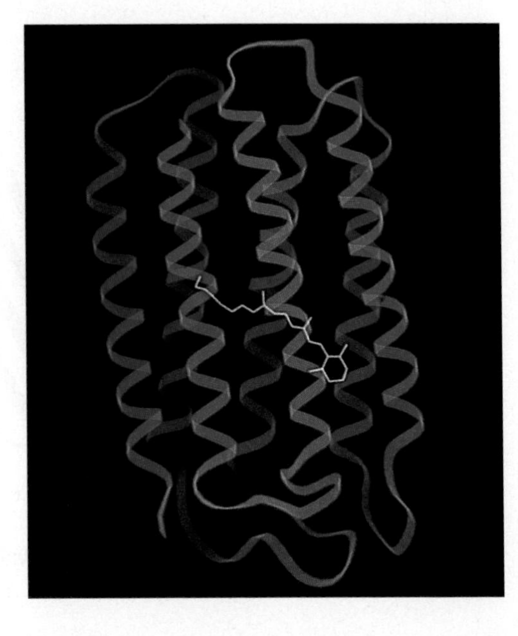

Figure 9.15 • Carte de densité électronique illustrant l'axe de symétrie ternaire des rangées de bactériorhodopsine dans la membrane pourpre de *Halobactérium halobium*, et modèle construit par ordinateur montrant les sept hélices α transmembranaires de la bactériorhodopsine. *(Carte de densité électronique extraite de Stoecknius, W., 1980. Purple membrane of Halobacteria : A new light-energy converter.* Accounts of Chemical Research ***13** : 337-344. Modèle à droite, Henderson, R., 1990. Model for the structure of bacteriorhodopsin based on high-resolution electron cryo-microscopy.* Journal of Molecular Biology ***213** : 899-929.)*

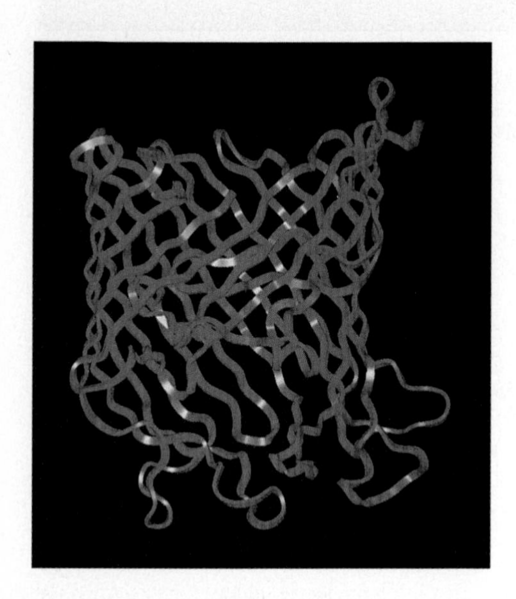

Figure 9.16 • Structure tridimensionnelle de la maltoporine d'*E. coli.*

Les porines – des protéines membranaires à feuillet β

Le feuillet β est un autre motif structural permettant la formation de nombreuses liaisons hydrogène dans des segments peptidiques transmembranaires. La structure des **porines**, protéines présentes dans la membrane externe des bactéries Gram négatif (comme *Escherichia coli*) et dans la membrane externe des mitochondries, est différente de celle des autres protéines intrinsèques : de grands feuillets β traversent ces membranes. Un bon exemple est celui de la **maltoporine** (encore connue sous le nom de **protéine LamB** ou de **récepteur lambda**) qui participe à l'entrée du maltose et des maltodextrines dans *E. coli*. La forme active des porines est un homotrimère. La structure tridimensionnelle du monomère, de 421 résidus, se présente sous l'aspect d'un élégant tonneau formé de 18 brins β (Figure 9.16), chaque brin étant relié au brin suivant par un tour β ou par une longue boucle (Figure 9.17). Les longues boucles se trouvent à l'une des extrémités du tonneau, celle exposée vers l'extérieur de la cellule ; les tours sont localisés sur la face intracellulaire du tonneau. Trois des boucles se reploient vers l'intérieur du tonneau.

Les séquences des brins β des porines, les acides aminés qui les composent sont particuliers. Les résidus polaires et non polaires alternent les long des brins β ; les résidus polaires étant orientés vers la cavité centrale du tonneau et les résidus non polaires vers la surface externe, dans le milieu hydrophobe de la membrane. Le plus petit diamètre d'un canal de la porine est d'environ 5 Å, les maltodextrines (comprenant plus de deux résidus glucose) doit donc passer dans la cavité sous une conformation fortement étirée.

Protéines membranaires ancrées dans les lipides

Certaines protéines membranaires sont liées à des lipides par des liaisons covalentes. Pour beaucoup d'entre elles l'association avec la membrane ne résulte que de cette liaison avec un lipide. La chaîne lipidique s'insère dans la bicouche membranaire, **ancrant** efficacement la protéine. Si quelques protéines liées à des lipides se comportent comme des protéines solubles en phase aqueuse, d'autres sont des protéines membranaires intrinsèques qui restent associées à la membrane même après élimination du groupe lipidique. La liaison covalente d'un groupe lipidique dans ces dernières protéines doit avoir une autre fonction que celle d'ancrage à la membrane ;

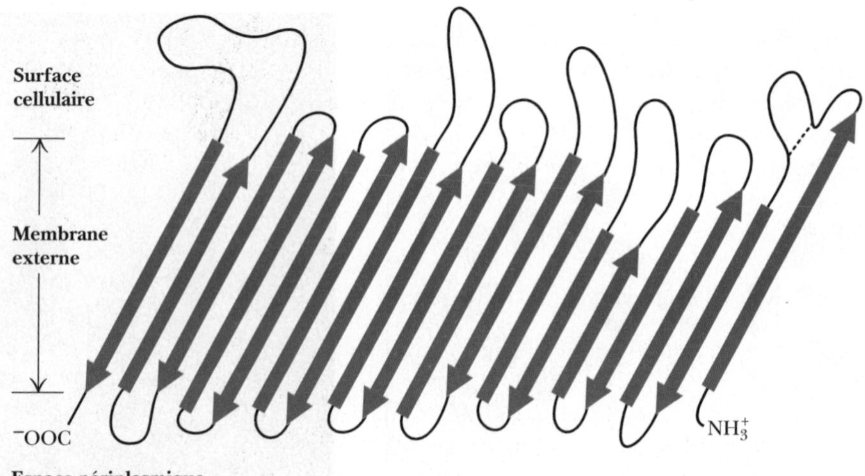

Figure 9.17 • Arrangement de la chaîne polypeptidique de la maltoporine dans la membrane externe d'*E. coli.*

Pour en savoir plus

Protéines insecticides – lutte contre les insectes nuisibles par action sur leurs membranes

La lutte contre les insectes nuisibles, moustiques, mouches, insectes rongeurs et prédateurs des végétaux comme les chenilles processionnaires s'effectue fréquemment à l'aide de protéines des membranes bactériennes. Par exemple, plusieurs variétés de *Bacillus thuringiensis* produisent des protéines qui se lient aux membranes des cellules de l'épithélium des tubes digestifs des insectes qui les consomment ; ces protéines y créent des canaux transmembranaires par où les ions s'échappent. La perte des ions Na^+, K^+ et H^+ détruit le gradient ionique crucial et interfère avec la digestion. Les insectes sensibles qui ingèrent ces toxines finissent par mourir d'inanition. Les toxines de *B. thuringiensis,* inoffensives pour les vertébrés, représentent plus de 90 % des ventes de produits biologiques pour la lutte contre les insectes nuisibles.

B. thuringiensis une bactérie du sol, sporulante, Gram positif, produit lors de la sporulation plusieurs types de protéines (généralement codées par des gènes plasmidiques) qui s'accumulent dans les spores sous forme « d'inclusions » microcristallines. Ces protéines, dénommées **δ-endotoxines**, sont directement commercialisées. La plupart des endotoxines sont des **protoxines**, inactives ; des protéases de l'intestin des insectes sensibles clivent les protoxines et libèrent la forme active. Une de ces protoxines, mortelle pour les moustiques, est une protéine de 27 kDa qui clivée dans l'intestin de l'insecte libère une toxine active, de 25 kDa. À pH neutre, la toxine est sans effet sur les membranes, mais à pH 9,5 (celui de l'intestin des moustiques) la toxine forme des canaux ioniques dans les cellules de l'épithélium intestinal.

Cette protéine de 25 kDa n'est pas toxique pour la chenille processionnaire ; par contre, une autre protéine, de 130 kDa, est clivée par une protéase intestinale de la chenille pour former une toxine active, de 55 kDa. Une souche de *B. thuringiensis*, la souche *azawai*, produit une protoxine de 130 kDa à double spécificité. Dans l'intestin de la chenille processionnaire, cette protoxine est clivée pour libérer une toxine de 55 kDa active chez la chenille ; particularité remarquable, cette même protoxine, lorsqu'elle est consommée par les moustiques ou les mouches domestiques, est clivée pour donner une protéine de 53 kDa (avec 15 résidus en moins que dans la toxine active contre les chenilles) toxique pour ces insectes. La compréhension des bases moléculaires de la toxicité et de la spécificité de ces protéines, de leur mode d'interaction avec les membranes pour former des canaux ioniques létaux, est un objectif biochimique fascinant qui par ailleurs aurait d'importantes applications en agriculture.

l'association d'une protéine à la membrane, par l'intermédiaire d'une ancre lipidique, joue souvent un rôle dans la modulation de son activité.

Un aspect intéressant de ces ancrages lipidiques est qu'ils sont transitoires. L'ancre lipidique est réversiblement liée ou détachée de la protéine. Elle agit comme un « interrupteur » modifiant l'affinité de la protéine. L'ancrage lipidique est un des facteurs qui contrôlent les voies de la transduction des signaux chez les eucaryotes (Chapitre 34).

On connaît actuellement quatre types différents d'ancres lipidiques formées par l'acide myristique (lié par une **liaison amide**), par divers acides gras (liés par une **liaison thioester**), par des terpènes, géranylgéraniol ou farnésol (liés par une **liaison thioéther**) et par des dérivés osidiques du phosphatidylinositol (liés par une **liaison amide**). Un grand nombre de protéines membranaires possèdent une ancre lipidique dont la nature dépend de la présence d'un motif structural caractéristique pour chacun d'eux.

Ancres myristoyle liées par une liaison amide

L'acide myristique peut se lier par une liaison amide au résidu glycine N-terminal de certaines protéines (Figure 9.18). La réaction de **N-myristoylation** est catalysée par la *myristoyl-CoA:protéine N-myristoyltransférase* (plus simplement, la **NMT**). Parmi les protéines ancrées par le groupe myristoyle, on peut noter la sous-unité catalytique de la *protéine kinase cAMP dépendante*, la *pp60^{src} à activité tyrosine-protéine kinase*, la *calcineurine B* (une phosphatase), la sous-unité α des *protéines G* (GTP dépendantes, impliquées dans la transduction des signaux) et les *protéines gag* de quelques rétrovirus comme le VIH-1 à l'origine du SIDA.

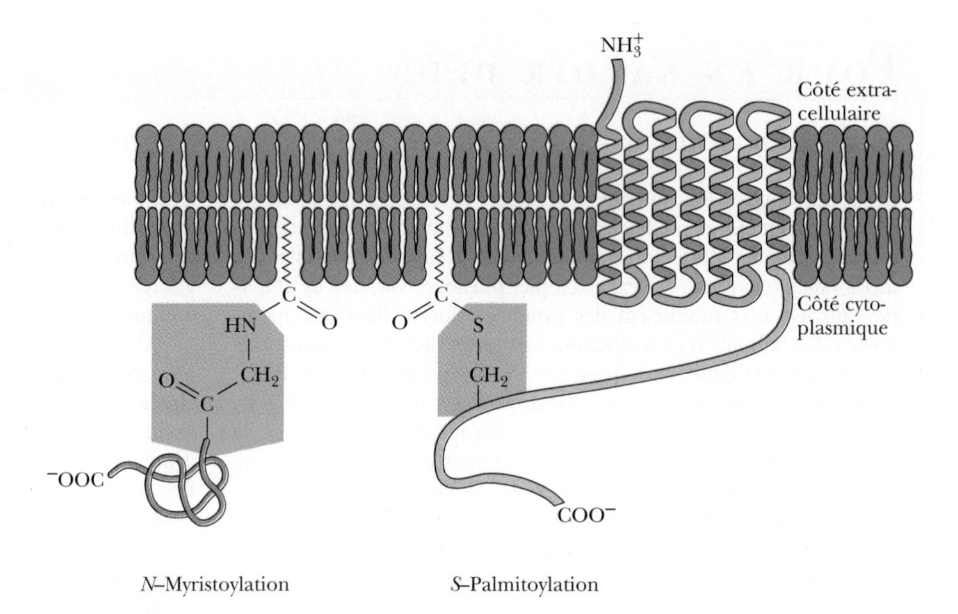

Figure 9.18 • Certaines protéines sont liées aux membranes biologiques par des ancres lipidiques. Les ancrages par les motifs *N*-myristoyle et *S*-palmitoyle présentés dans la figure sont particulièrement fréquents. La *N*-myristoylation se fait toujours sur un résidu glycocolle N-terminal, tandis que la liaison thioester avec un acide palmitique se fait toujours sur un résidu cystéine à l'intérieur de la chaîne polypeptidique. Les récepteurs couplés à des protéines G, et qui contiennent sept segments transmembranaires, peuvent avoir une ancre (et parfois deux) thioester sur un résidu cystéine proche de l'extrémité C-terminale de la chaîne.

Ancres d'acides gras liés par des liaisons thioester et ester

Diverses protéines cellulaires ou virales contiennent des acides gras liés de façon covalente par des liaisons thioester avec la chaîne latérale d'un résidu cystéine. Parfois les acides gras estérifient des résidus sérine ou thréonine à l'intérieur d'une chaîne polypeptidique (Figure 9.18). Ce type de liaison est moins spécifique que la N-myristoylation. On trouve dans ces esters aussi bien de l'acide myristique que de l'acide palmitique, stéarique ou oléique, les acides en C_{16} et C_{18} étant plus fréquents. Les protéines ancrées dans la membrane par une liaison thioester comprennent en particulier les *protéines G couplées aux récepteurs*, les *glycoprotéines de la surface* de plusieurs virus et le *récepteur de la transferrine*.

Ancres terpéniques liées par une liaison thioéther

Comme il a été précisé Chapitre 7, les groupements terpéniques (polyprényle ou plus simplement prényle) sont des chaînes plus ou moins longues polyisopréniques dérivées de l'isoprène. Deux de ces molécules se trouvent dans les protéines prénylées ancrées dans les membranes, le **farnésol** et le **géranylgéraniol** (Figure 9.19). L'addition d'un prénol s'effectue sur le résidu cystéine de la séquence carboxy-terminale CAAX de la protéine cible, C représente une cystéine, A un résidu aliphatique et X tout acide aminé. Il se forme donc un thioéther. Après la réaction de prénylation, une protéase spécifique élimine les trois résidus (AAX) de l'extrémité C-terminale puis le groupe carboxylique du résidu cystéine, devenu C-terminal, est méthylé (liaison carboxy-ester). Toutes ces modifications semblent nécessaires pour que la protéine prénylée soit finalement fonctionnelle. Les *protéines de conjugaison de la levure*, la *protéine* $p21^{ras}$ (produit de l'oncogène *ras* ; voir Chapitre 34), et les *lamines* de la lamina nucléaire (sur la face nucléoplasmique de la membrane interne du noyau) sont des protéines ancrées dans la membrane par l'intermédiaire d'un groupe prényle.

Ancrage par des glycosylphosphatidylinositol

Les **glycosylphosphatidylinositol**, ou **GPI**, sont les plus complexes des groupes qui permettent l'ancrage de protéines dans les membranes. Ils sont constitués par un phosphatidylinositol lié à un oligoside, lui même lié à un phosphoryléthanolamine (Figure 9.20). Le résidu éthanolamine des GPI se lie par une liaison amide primaire à l'extrémité carboxy-terminale de la protéine cible. L'oligoside minimum est constitué de trois résidus mannose et d'un résidu glucosamine. Il peut être modifié par

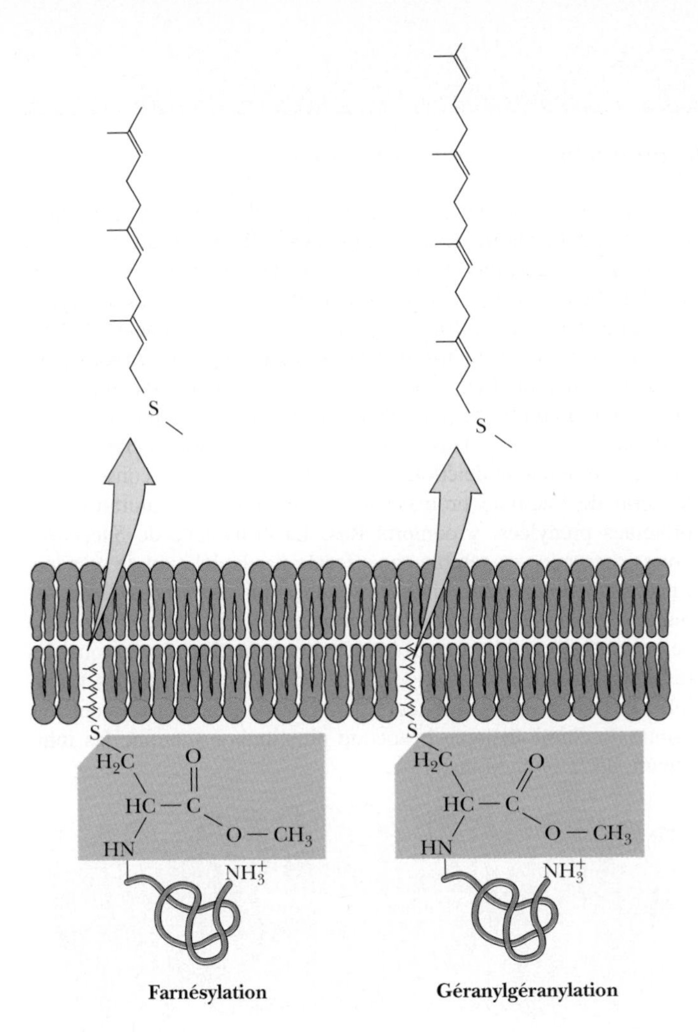

Figure 9.19 • Les protéines contenant la séquence C-terminale CAAX peuvent subir une réaction de prénylation qui lie par une liaison thioéther une chaîne farnésyle ou géranylgéranyle au soufre de la cystéine. La prénylation est suivie de l'élimination du peptide AAX et de la méthylation du groupe carboxylique du résidu cystéine devenu le résidu C-terminal.

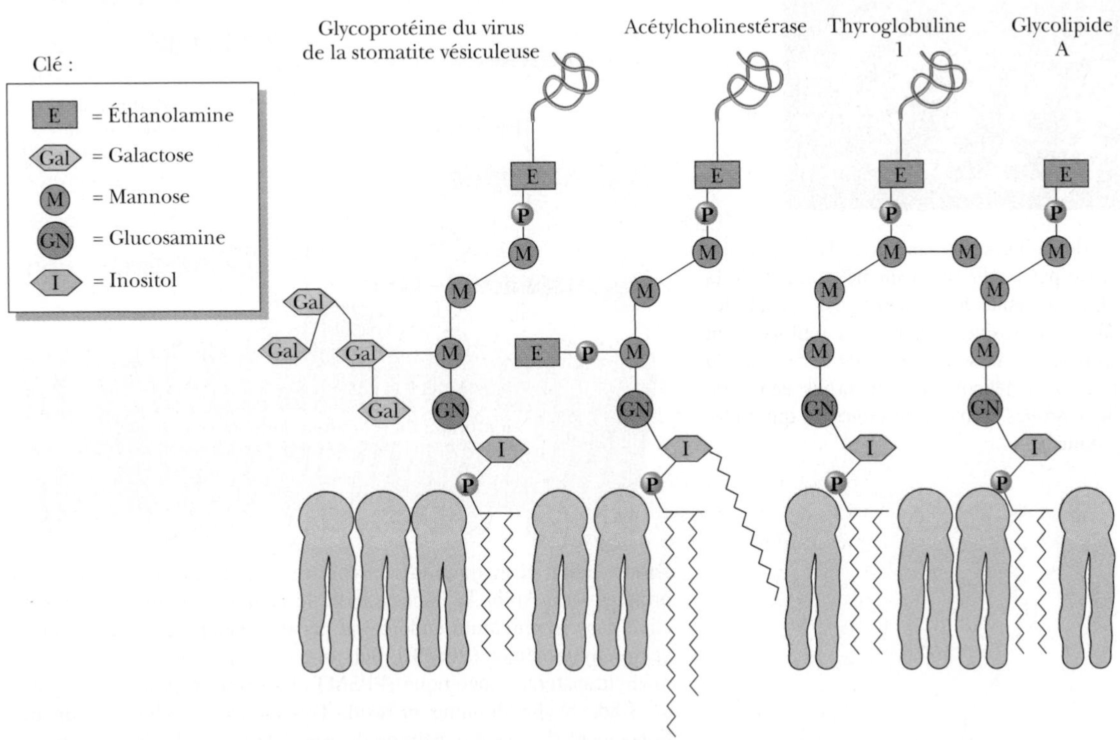

Figure 9.20 • Les glycosyl-phosphatidylinositols (GPI) sont des groupements d'ancrage lipidique complexes. Remarquez le cœur osidique à trois résidus mannose et une glucosamine. Les acides gras estérifiant le glycérol sont être de nature variable et le GPI « minimum » peut encore être acylé par divers acides gras sur les -OH de l'inositol.

Une prénylprotéine protéase est la cible d'une nouvelle approche chimiothérapeutique

La protéine p21^{ras}, ou plus simplement Ras, est une petite protéine liant le GTP (protéine G) impliquée dans la transduction des signaux qui régulent la croissance et la division cellulaires. Les formes mutantes de Ras ont pour conséquence une perte du contrôle de la croissance cellulaire, et les mutations Ras se retrouvent dans un tiers des cancers humains. Comme l'activité de Ras dans la transduction des signaux est dépendante de sa prénylation, la réaction de prénylation, la protéolyse du motif –AAX et la méthylation du résidu Cys prénylé sont considérées comme des cibles intéressantes pour le développement de nouvelles stratégies de chimiothérapie.

La farnésyltransférase des cellules de Rat est un hétérodimère constitué d'une sous-unité α de 48 kDa et d'une sous-unité β de 46 kDa. Dans la structure, représentée ci-dessous, les hélices 2 à 15 de la sous-unité α se reploient en sept courtes superhélices qui forment un croissant enveloppant partiellement la sous-unité β. Douze hélices de la sous-unité β forment un nouveau motif en tonneau qui crée le site actif de l'enzyme. Les inhibiteurs de la farnésyltransférase, la formule de l'un deux est représentée en bas de la page, sont de puissants suppresseurs de la croissance des tumeurs chez la souris, mais leur intérêt chez les humains n'est pas encore confirmé.

Les mutations qui affectent les prényltransférases entraînent une croissance anormale et la mort des cellules, ce qui conduit à se poser des questions sur l'intérêt des inhibiteurs de ces enzymes en chimiothérapie. Par contre, Victor Boyartchuk et ses collègues de l'Université de Californie à Berkeley et de la compagnie Acacia Biosciences ont montré que la protéase qui clive le motif peptidique –AAX de Ras après sa prénylation serait une meilleure cible pour la chimiothérapie. Ils ont identifié deux gènes de la prénylprotéine protéase dans la levure *Saccharomyces cerevisiae* et ont démontré que la délétion de l'un des gènes a pour conséquence la perte de l'activité protéase nécessaire pour la maturation des protéines prénylées, y compris Ras. La croissance de *Saccharomyces cerevisiae* ne semble pas affectée par la délétion de ce gène. Encore plus intéressant, chez les souches qui portent des gènes *ras* mutants et qui ont une croissance anormale, la délétion du gène de la protéase rétablit une croissance normale. Si ces remarquables résultats peuvent s'observer dans la croissance des cellules tumorales humaines, des inhibiteurs de –CAAX protéase seraient des agents de chimiothérapie beaucoup plus intéressants que les inhibiteurs de la prényltransférase.

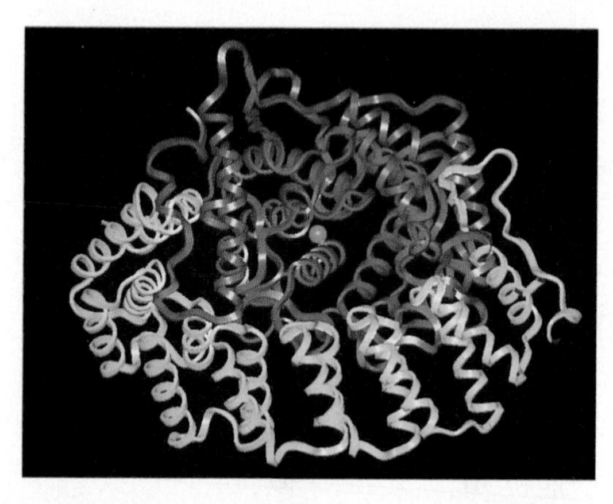

Structure de l'hétérodimère de la farnésyltransférase. Une nouvelle structure en tonneau est formée par les 12 segments hélicoïdaux de la sous-unité β (en pourpre). La sous-unité α (en jaune) est essentiellement constituée de sept paires successives d'hélices α reployées en superhélices droites antiparallèles et rassemblées sous le bas de la structure. Ces « épingles à cheveux hélicoïdales » réparties dans une double couche de superhélices droites forment un croissant qui enveloppe partiellement la sous-unité β.

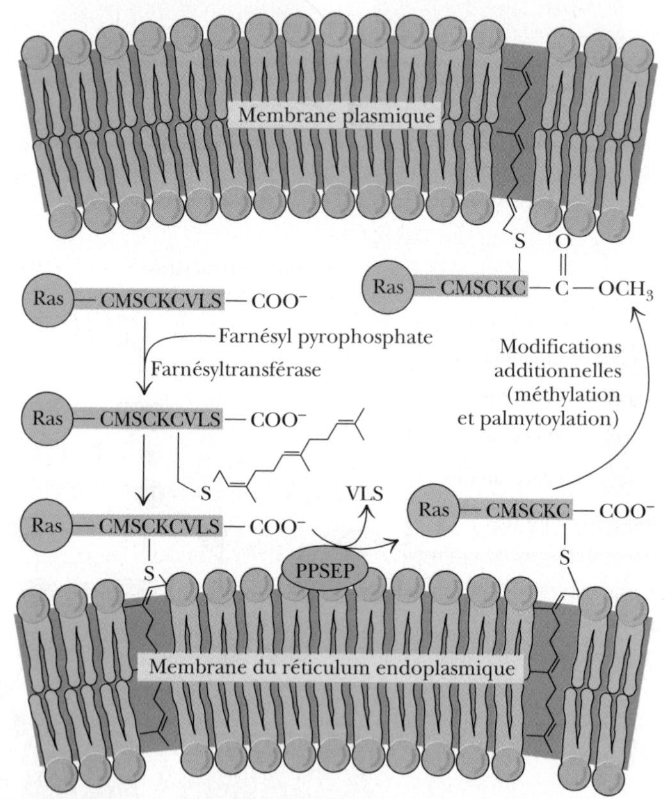

Farnésylation et maturation consécutive à la farnésylation de la protéine Ras. Après la farnésylation, le peptide C-terminal VLS est clivé dans le réticulum endothélial par une endoprotéase spécifique des prénylprotéines (PPSEP), puis une prénylprotéine méthyltransférase spécifique (PPSMT) transfert un groupe méthyle, du S-adénosylméthionine au résidu Cys farnésylé carboxy-terminal. Finalement des résidus palmitoyle sont liés à des résidus Cys au voisinage de l'extrémité C-terminale de la protéine.

HS, H_2N, H, N, O, H, N, O, OH, O, SO_2CH_3

2(*S*)-{(*S*)-[2(*R*)-amino-3-mercapto]propylamino-3(*S*)-méthyl}pentyloxy-3-phénylpropionyl-méthioninesulfone méthyl ester

Formule d'un inhibiteur de la farnésyltransférase, I-739.749, un puissant suppresseur de la croissance des tumeurs.

addition sur un mannose de chaînes galactosidiques de tailles variées, de résidus *N*-acétyl-galactose ou mannose, ou encore par des phosphoryléthanolamine supplémentaires (Figure 9.20). Le cycle de l'inositol peut également être modifié par acylation avec un acide gras de nature variable, et les acides gras liés au groupe glycérol sont eux aussi variés. Les GPI ancrent dans les membranes des organismes eucaryotes un grand nombre *d'antigènes de surface, de molécules d'adhérence cellulaire* et *d'hydrolases de la surface cellulaire*. Ce type d'ancrage n'a jamais été observé chez les procaryotes ni chez les plantes.

9.3 • Polyosides membranaires et de la surface cellulaire

Parois des cellules bactériennes

Quelques-unes des structures osidiques les plus intéressantes se trouvent dans les *parois des cellules bactériennes*. Compte tenu de la résistance et de la rigidité qu'apportent les structures polyosidiques, il n'est pas surprenant qu'elles soient présentes dans les parois des bactéries qui protègent le contenu cellulaire. Les bactéries ont normalement une pression osmotique cellulaire très élevée alors que la pression osmotique externe est très variable et souvent hypotonique. La rigidité des parois cellulaires maintient la forme et la taille de la cellule, elle empêche le gonflement (et la lyse) ou la contraction (la plasmolyse) qui viendraient inévitablement accompagner les variations de la pression osmotique du milieu.

Peptidoglycannes

Les bactéries sont réparties en deux groupes, bactéries à **Gram positif** et bactéries à **Gram négatif**, suivant qu'elles conservent ou non la coloration après la *coloration de Gram*. Les différences entre les structures variées qui enveloppent ces deux types de cellules sont nombreuses, mais toutes les parois bactériennes ont néanmoins en commun d'avoir une couche de protection constituée de **peptidoglycanne**. La paroi des bactéries à Gram positif est épaisse (environ 25 nm), elle est formée de plusieurs couches de peptidoglycanne ; elle enveloppe la membrane plasmique de la bactérie. Les parois des bactéries à Gram négatif sont au contraire bien plus minces (2 à 3 nm) et ne contiennent qu'une unique couche de peptidoglycanne en sandwich entre la bicouche de la membrane plasmique et celle de la membrane externe. Dans les deux cas, le peptidoglycanne (on dit aussi la **muréine**, du latin *murus*, mur) forme une structure réticulée continue, en fait une seule molécule, tout autour de la cellule (Figure 9.21). Le squelette est un polymère $\beta(1\rightarrow4)$ de résidus alternativement *N*-acétylglucosamine et *N*-acétylmuramique. En cela il est semblable à celle de la chitine, mais les résidus *N*-acétylmuramique sont reliés à un tétrapeptide, généralement L-Ala–D-Glu–L-Lys–D-Ala dans lequel la L-Lys est liée au γ-carboxyle du D-glutamate. Un pont D-lactate fait la liaison entre le résidu L-ala du peptide et un résidu muramique du peptidoglycanne. Enfin, chez les bactéries à Gram négatif, le groupe (-amino de la lysine est *directement amidifié* par le –COOH du résidu D-Ala d'un tétrapeptide voisin (Figure 9.22). Dans les parois des bactéries à Gram positif, un **pont à cinq résidus de glycine** est intercalé entre le groupe ε-amino de la lysine et le –COOH du résidu D-Ala.

Parois des bactéries à Gram négatif

Dans les bactéries à Gram négatif, le peptidoglycanne de la paroi est l'échafaudage rigide autour duquel se construit une structure membranaire très élaborée (Figure 9.23). La couche de peptidoglycanne enferme un *espace périplasmique* et est reliée à la membrane externe par des **protéines hydrophobes**. Ces protéines, chacune de 57 résidus d'acides aminés, sont liées par des liaisons amides entre le groupe ε-amino de la lysine C-terminale des protéines et les groupes –COOH des acides diaminopiméliques du peptidoglycanne. Un résidu diaminopimélique remplace un des résidus D-Ala

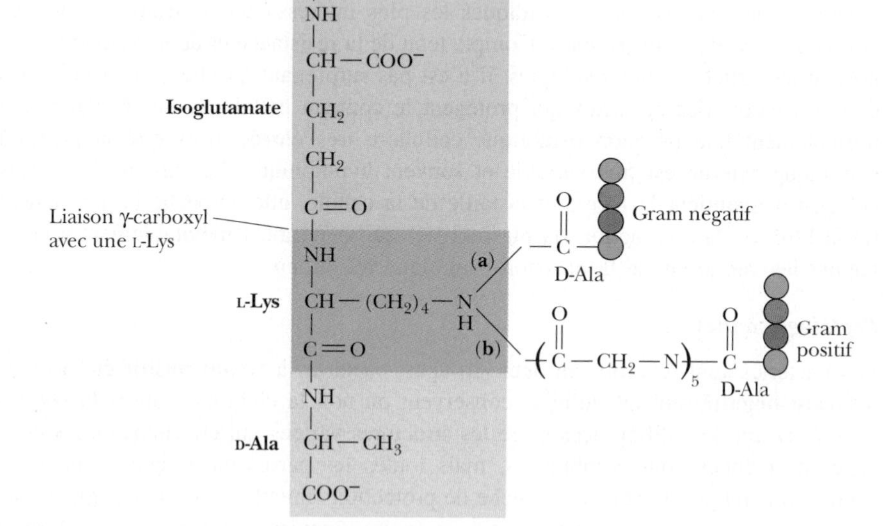

Figure 9.21 • Structure d'un peptidoglycanne. Les tétrapeptides qui relient les chaînes adjacentes contiennent une liaison γ-carboxyl- peu commune.

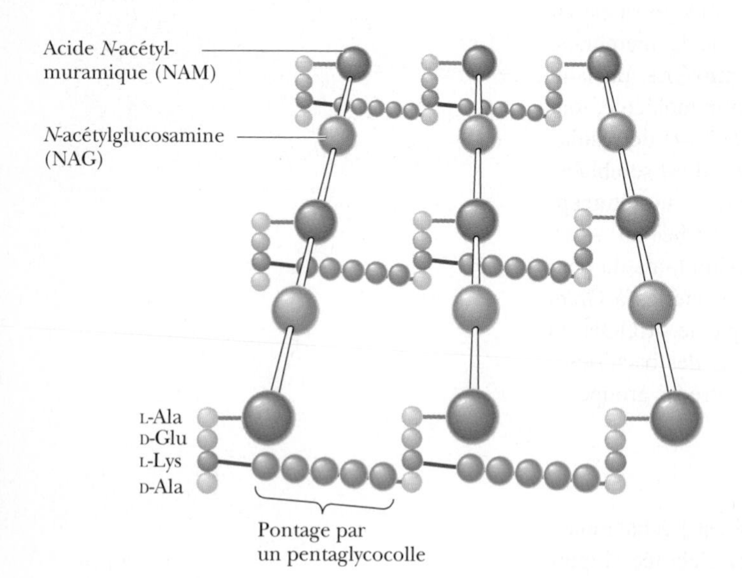

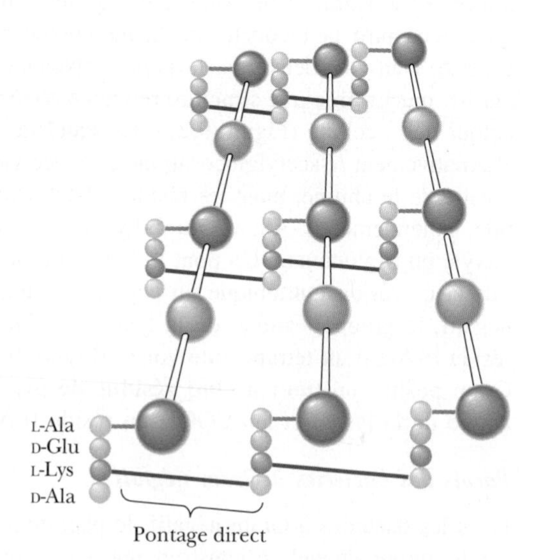

Figure 9.22 • (a) Réticulation par un pont pentaglycine dans les parois des bactéries à Gram positif. (b) Dans les parois des bactéries à Gram négatif, le pontage entre les tétrapeptides voisins des chaînes polyosidiques résulte de la formation d'une liaison amide entre la chaîne latérale de la lysine d'un tétrapeptide d'une chaîne et la D-alanine du tétrapeptide de l'autre chaîne.

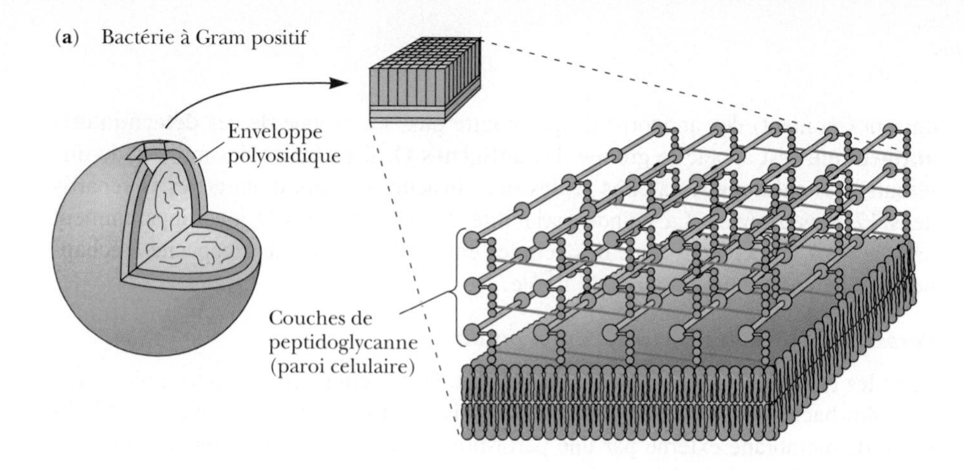

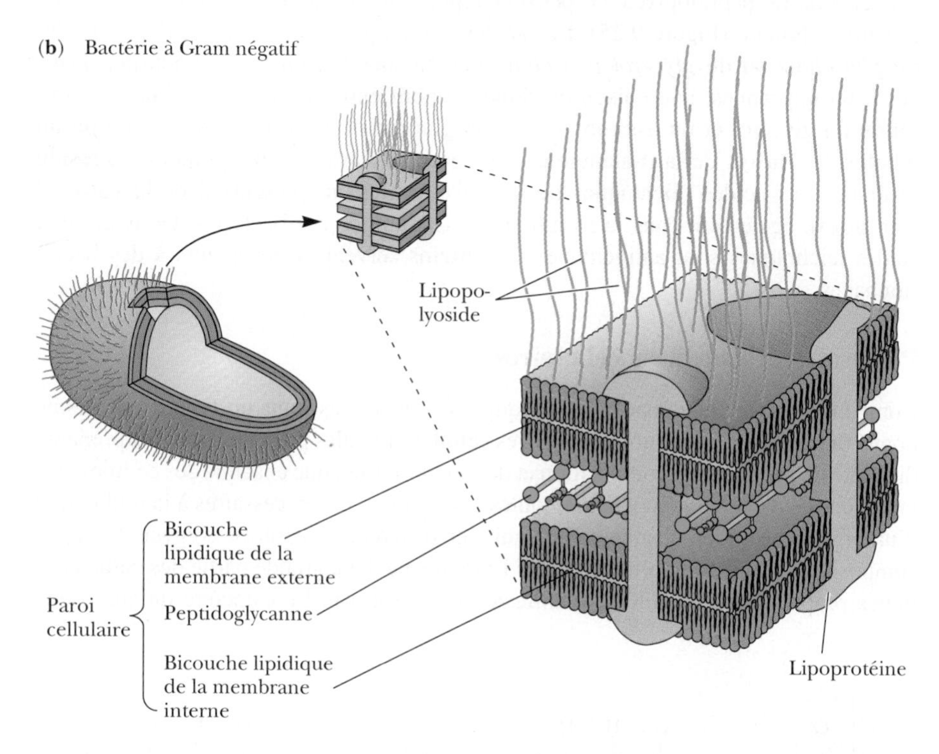

Figure 9.23 • Structures de la paroi et de la (ou des) membrane(s) de la cellule d'une bactérie à Gram positif et d'une bactérie à Gram négatif. La paroi cellulaire de la bactérie à Gram positif est plus épaisse que celle de la bactérie à Gram négatif, ce qui compense l'absence d'une seconde membrane (externe).

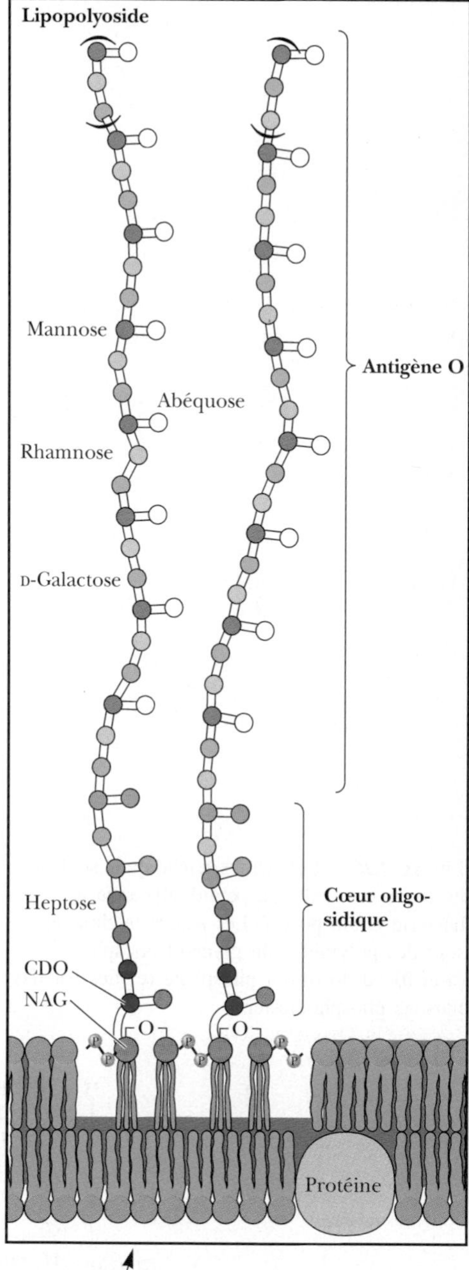

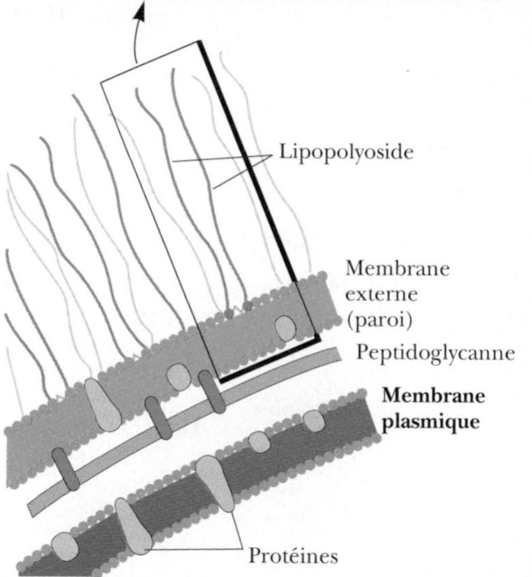

dans environ 10 % des peptides du peptidoglycanne. À l'autre extrémité de la protéine hydrophobe, le résidu Ser N-terminal forme une liaison covalente avec un lipide de la membrane externe.

La membrane externe d'une bactérie à Gram négatif est recouverte d'une couche complexe de **lipopolyosides** (Figure 9.24), constitués d'un groupe lipidique (ancré dans la membrane externe), lié à un polyoside formé de longues chaînes composées de différentes unités répétées et caractéristiques (Figure 9.24). Ces structures, uniques et caractéristiques, déterminent l'antigénicité des bactéries. Les systèmes immunitaires des animaux les reconnaissent comme étrangères à l'organisme et pro-

Figure 9.24 • Des lipopolyosides (ou LPS, du nom anglais *lipopolysaccharides*) recouvrent la membrane externe des bactéries à Gram négatif. La partie lipidique des LPS est insérée dans la membrane externe, la partie polyosidique qui lui est liée est vers l'extérieur.

duisent (montent) des anticorps dirigés contre eux. Le groupe de ces **déterminants antigéniques** est appelé le groupe des **antigènes O**, il en existe des milliers de différents. Les **salmonelles** à elles seules ont plusieurs milliers d'antigènes O répartis dans 17 sous-groupes. La grande variabilité de ces antigènes O joue apparemment un rôle dans la reconnaissance des cellules entre elles et dans leur capacité à échapper aux défenses immunitaires de l'hôte.

Parois cellulaires des bactéries Gram positif

Chez les bactéries à Gram positif, l'enveloppe de la cellule est moins complexe que celle des bactéries à Gram négatif. Les organismes à Gram positif compensent l'absence de membrane externe par une paroi plus épaisse ; des **acides teichoïques** liés à la couche de peptidoglycanne peuvent représenter jusqu'à 50 % du poids sec de la paroi cellulaire (Figure 9.25). Les acides teichoïques sont des polymères du *ribitol phosphate* ou du *glycérol phosphate* liés par des liaisons phosphodiester. Dans ces hétéroglycannes, une liaison osidique s'établit entre un hydroxyle libre du ribitol ou du glycérol et un ose (en général un glucose ou *N*-acétylglucosamine) ou un diholoside. Parfois de la D-alanine est liée par une liaison carboxylique à un résidu osidique. Les acides teichoïques ne sont pas seulement présents dans la paroi, il s'en trouve également dans la membrane plasmique de ces bactéries. De nombreux acides teichoïques sont antigéniques, et certains servent de récepteurs à des bactériophages.

Polyosides des surfaces cellulaires

Comparées aux cellules bactériennes qui sont identiques pour un type d'organisme donné (à l'exception des antigènes O), les cellules animales présentent une surprenante diversité de structure, de composition et de fonction. Bien que chacune des cellules animales contienne, dans son génome, toutes les informations nécessaires à la réplication d'un organisme entier, chaque cellule animale différenciée contrôle soigneusement sa composition et son comportement dans l'organisme. Une grande partie des caractéristiques propres à une cellule se manifeste dès sa surface. Le caractère unique d'une

Figure 9.25 • Les acides teichoïques sont liés de façon covalente au peptidoglycanne des bactérie Gram positif. Les acides teichoïques sont des polymères du glycérol phosphate (a et b) ou du ribitol phosphate (c) liés par des liaisons phosphodiester.

Glucose
H– ou D-Alanine
Glucose
H– ou D-Alanine

Acide (ribitol) teichoïque de *Bacillus subtilis*

(a) D-Alanine

(b) D-Alanine

(c) Glucose
H– ou D-Alanine

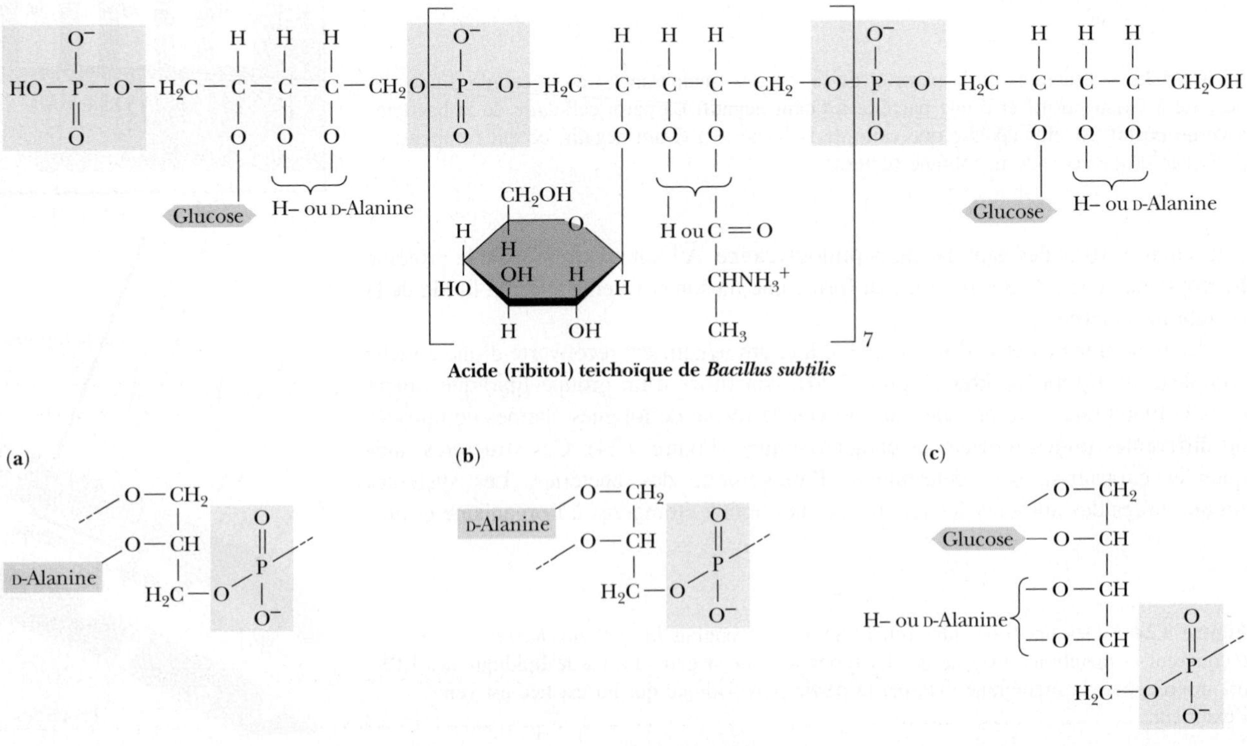

surface est critique pour chaque cellule animale puisque les cellules sont, pendant toute la durée de leur, vie en contact intime avec d'autres cellules et doivent donc communiquer entre elles. De nombreuses expériences montrent qu'effectivement les cellules communiquent entre elles. Par exemple, des cellules du muscle cardiaque (myocytes) mises en culture (dans des boites de pétri) se contractent de façon synchrone lorsqu'elles sont au contact. Si les cellules sont retirées de la culture puis séparées les unes des autres, elles perdent la synchronisation de leurs contractions, mais remises en culture, elles la retrouvent spontanément dès qu'elles sont de nouveau au contact. Des cellules rénales mises en culture avec des cellules hépatiques se recherchent et se rassemblent entre elles, en évitant le contact avec les cellules hépatiques. Des cellules mises

Biochimie humaine

Sélectines, leucocytes roulants et la réponse inflammatoire

Le corps humains est en permanence exposé à de nombreuses bactéries, à des virus et à diverses substances inflammatoires. Pour combattre ces agents infectieux ou toxiques, l'organisme a développé un système de réponse inflammatoire finement régulé. Une partie de la réponse consiste en la migration ordonnée des leucocytes vers le site d'inflammation. Les leucocytes roulent littéralement le long de la paroi vasculaire et vers le site tissulaire de l'inflammation. Des interactions réversibles entre la surface des vaisseaux sanguins et les leucocytes permettent ce type de déplacement.

Ces interactions impliquent des protéines adhésives particulières, appelées sélectines, qui se trouvent à la fois à la surface des leucocytes « roulants » et des parois vasculaires. La partie extracellulaire des sélectines possède une structure caractéristique : un domaine N-terminal du groupe des lectines, un domaine de type facteur de croissance épidermique (EGF) et une succession de deux à neuf courtes séquences consensuelles répétées (SCR pour *short consensus repeat*). Un segment transmembranaire et un court domaine cytoplasmique complètent la structure tertiaire des sélectines. Les domaines lectine, caractérisés à l'origine dans les plantes, lient les polyosides, la liaison est sélective et à forte affinité. Trois types de sélectines sont définis : **les sélectines E, L et P**. La sélectine L se trouve à la surface des leucocytes (y compris lymphocytes et neutrophiles) et se lie à des ligands osidiques de la surface des cellules endothéliales vasculaires. La présence de ces lectines est une composante nécessaire au déplacement des leucocytes roulants. Les sélectines P et E sont à la surface des cellules endothéliales et se lient aux ligands osidiques des leucocytes. Une cellule neutrophile typique possède de 10.000 à 20.000 sites de liaison de sélectine P. Les sélectines sont exprimées à la surface de leurs cellules respectives lorsque ces dernières sont exposées à des molécules signal de l'inflammation, par exemple l'histamine, l'eau oxygénée, les endotoxines bactériennes. Les sélectines P sont stockées dans des granules intracellulaires et transportées vers la membrane cellulaire quelques secondes ou minutes après exposition de la cellule à un agent signal.

Des preuves expérimentales sérieuses confortent l'hypothèse que l'interaction sélectine–ligand osidique module le roulement des leucocytes sur la paroi vasculaire. Les études, avec des leucocytes déficients en sélectine L ou P, montrent que les sélectines L diminuent l'adhérence des leucocytes sur la paroi vasculaire et facilitent un roulement plus rapide des leucocytes sur la paroi. Inversement, les sélectines P augmentent l'adhérence et ralentissent le roulement. Donc, la vitesse du roulement des leucocytes dans la réponse inflammatoire peut être modulée par une variation de l'exposition des sélectines P et des sélectines L respectivement sur les surfaces des cellules endothéliales et des leucocytes.

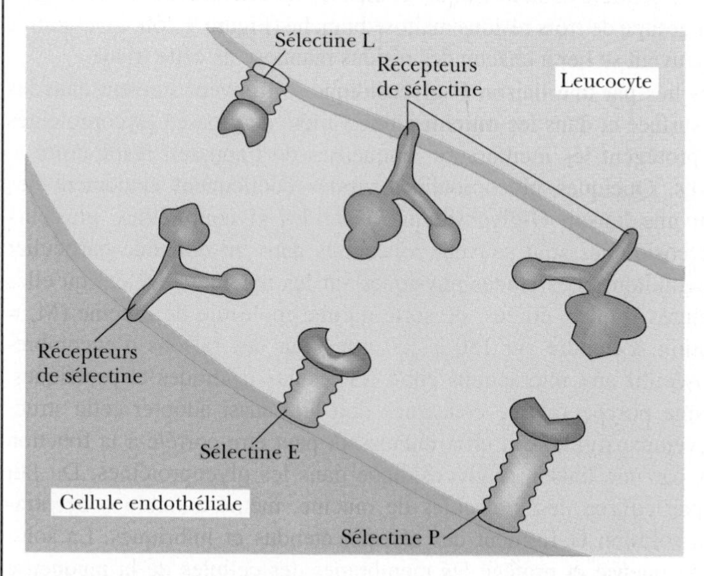

Diagramme des interactions des sélectines avec leurs récepteurs.

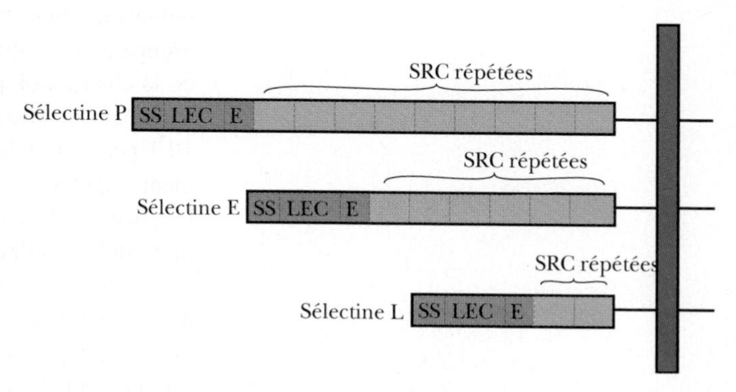

Les sélectines, une des familles de protéines adhésives.

en culture se multiplient jusqu'à ce qu'elles soient au contact les unes avec les autres, à ce moment-là elles cessent de se multiplier, un phénomène appelé **l'inhibition de contact**. Une des caractéristiques importantes des cellules cancéreuses est la perte de cette inhibition de contact.

Comme le montrent ces phénomènes, il est évident que des structures moléculaires à la surface d'une cellule sont reconnues et répondent aux molécules à la surface des cellules adjacentes ou à des molécules de la **matrice extracellulaire,** ce réseau complexe de protéines et d'autres molécules qui se trouvent à l'extérieur des cellules et dans l'espace intercellulaire. Un grand nombre de ces interactions impliquent des *glycoprotéines* de la surface cellulaire et des *protéoglycannes* de la matrice extracellulaire. Contrairement aux protéines classiques, l'« information » contenue dans ces protéines liées à des glycosides n'est pas directement encodée dans des gènes. Elle est déterminée par l'expression des enzymes appropriés qui assemblent d'une façon caractéristique les unités osidiques sur ces dernières protéines. De plus, en raison des nombreuses liaisons qui peuvent être formées avec les différents hydroxyles de chacun des monomères osidiques, ces structures peuvent contenir plus d'information que les protéines et les acides nucléiques qui ne forment que des polymères linéaires. Nous décrirons dans les sections suivantes quelques unes de ces glycoprotéines et leurs propriétés particulières si spécifiques.

9.4 • Glycoprotéines

De nombreuses protéines naturelles sont des **glycoprotéines** puisqu'elles contiennent, liés de façon covalente, des groupes oligo- ou polyosidiques. La liste non limitative des glycoprotéines connues comprend des protéines de structure, des enzymes, des récepteurs membranaires, des protéines de transport et des immunoglobulines. Dans la plupart des cas, la fonction précise de la partie osidique n'est pas connue.

Les groupements osidiques peuvent être liés aux chaînes polypeptidiques par les hydroxyles des résidus sérine, thréonine et hydroxylysine (**liaisons O-glycosidiques**). (Figure 9.26a) ou par l'azote de l'amide d'un résidu asparagine (**liaison N-glycosidique**) (Figure 9.26b). Le résidu osidique lié à une protéine par une liaison O-glycosidique est habituellement la *N*-acétylgalactosamine, mais aussi parfois un résidu mannose, galactose ou xylose (Figure 9.26a). La liaison O-glycosidique des polyosides riches en acides sialiques liés à la glycophorine (voir Figure 9.14) implique la *N*-acétylgalactosamine (cf. Figure 9.14). Les polyosides liés par une liaison *N*-glycosidique ont toujours une unité centrale caractéristique, composée de deux résidus *N*-acétylglucosamine, liée à un groupe de trois résidus maltose branché (Figure 9.26b, c). D'autres résidus osidiques peuvent se lier à chacun des résidus mannose de cette triade.

Des polyosides liés par une liaison O-glycosidique se trouvent souvent dans les glycoprotéines de surface et dans les **mucines,** une variété de grosses glycoprotéines qui recouvrent et protègent les membranes muqueuses de l'appareil respiratoire et des voies digestives. Quelques glycoprotéines virales contiennent également des polyosides liés par une liaison O-glycosidique. Dans les glycoprotéines, plusieurs groupements O-glycosidiques sont souvent concentrés dans un domaine particulier de la chaîne polypeptidique. Les études physiques sur les mucines révèlent qu'elles adoptent des structures rigides, étirées, de sorte qu'une molécule de mucine ($M_r = 10^7$) peut, en solution, s'étendre sur 150 à 200 nm. Pour des raisons d'encombrement stérique, consécutif aux interactions entre les résidus osidiques et protéiques, la partie de la chaîne polypeptidique concernée doit elle aussi adopter cette structure étirée et relativement rigide. Cet effet intéressant peut être corrélé à la fonction des oligosides liés par une liaison O-glycosidique dans les glycoprotéines. Du fait de leur structure particulière, les molécules de mucine, même à faible concentration, s'agrègent en solution et forment des réseaux étendus et imbriqués. La solution devient donc visqueuse et protège les membranes des cellules de la muqueuse de l'appareil respiratoire et du tube digestif contre la dessiccation et contre les agents nocifs ou pathogènes de l'environnement.

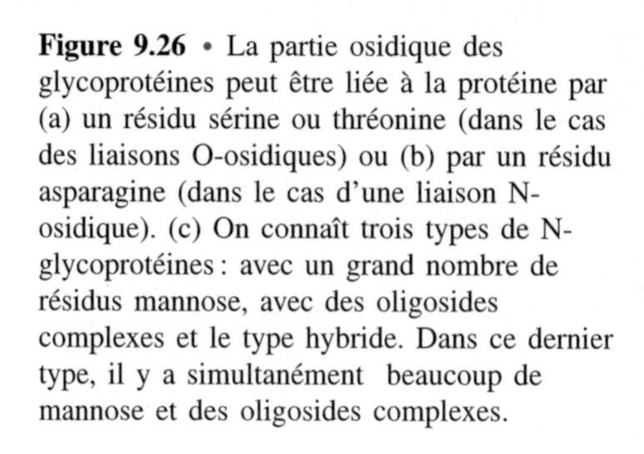

Figure 9.26 • La partie osidique des glycoprotéines peut être liée à la protéine par (a) un résidu sérine ou thréonine (dans le cas des liaisons O-osidiques) ou (b) par un résidu asparagine (dans le cas d'une liaison N-osidique). (c) On connaît trois types de N-glycoprotéines : avec un grand nombre de résidus mannose, avec des oligosides complexes et le type hybride. Dans ce dernier type, il y a simultanément beaucoup de mannose et des oligosides complexes.

(**a**) O-oligoside

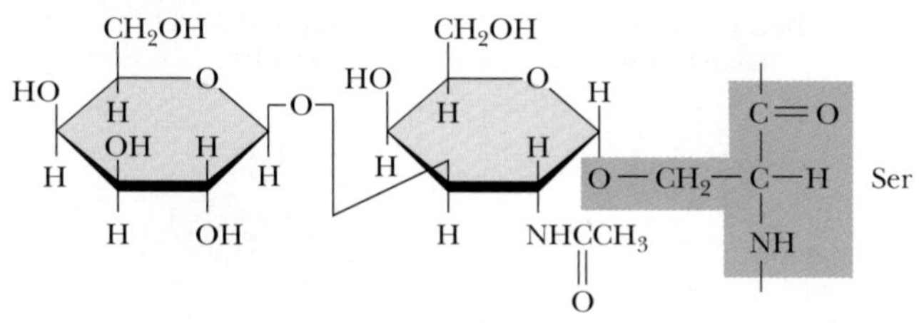

β-Galactosyl–(1,3)–α-*N*-acétylgalactosyl-sérine

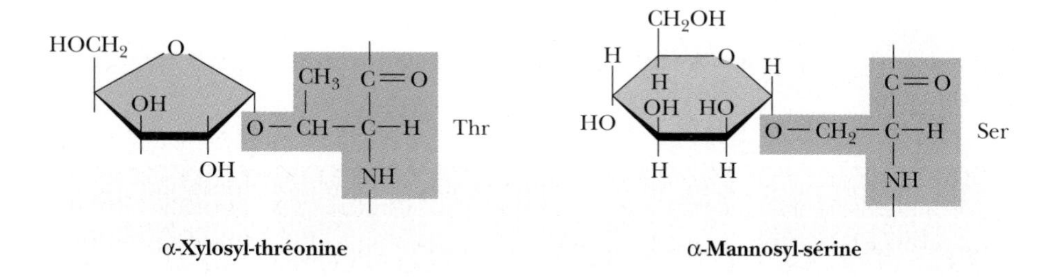

α-Xylosyl-thréonine

α-Mannosyl-sérine

(**b**) Cœur osidique des *N*-glycoprotéines

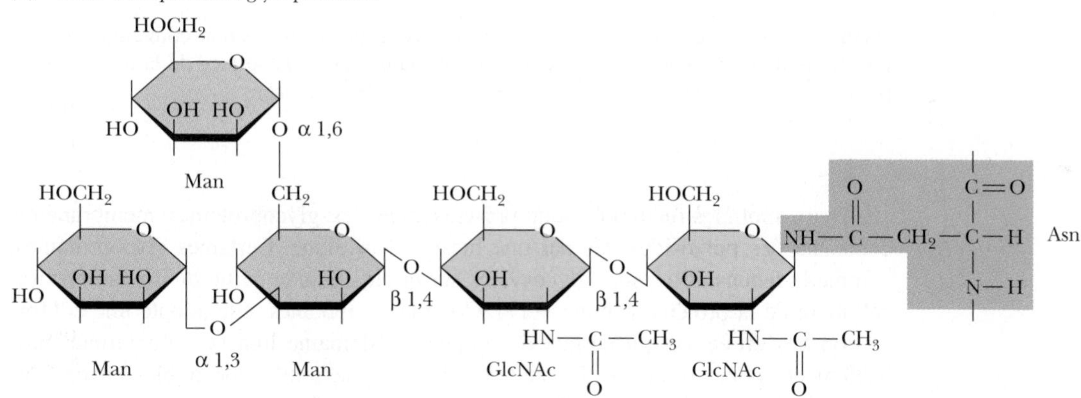

(**c**) *N*-glycoprotéines

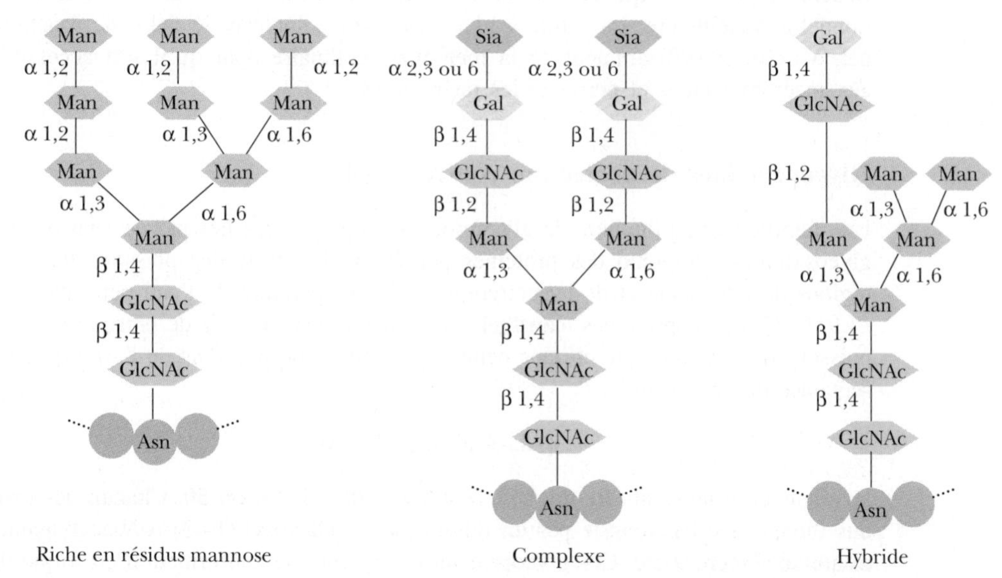

Riche en résidus mannose

Complexe

Hybride

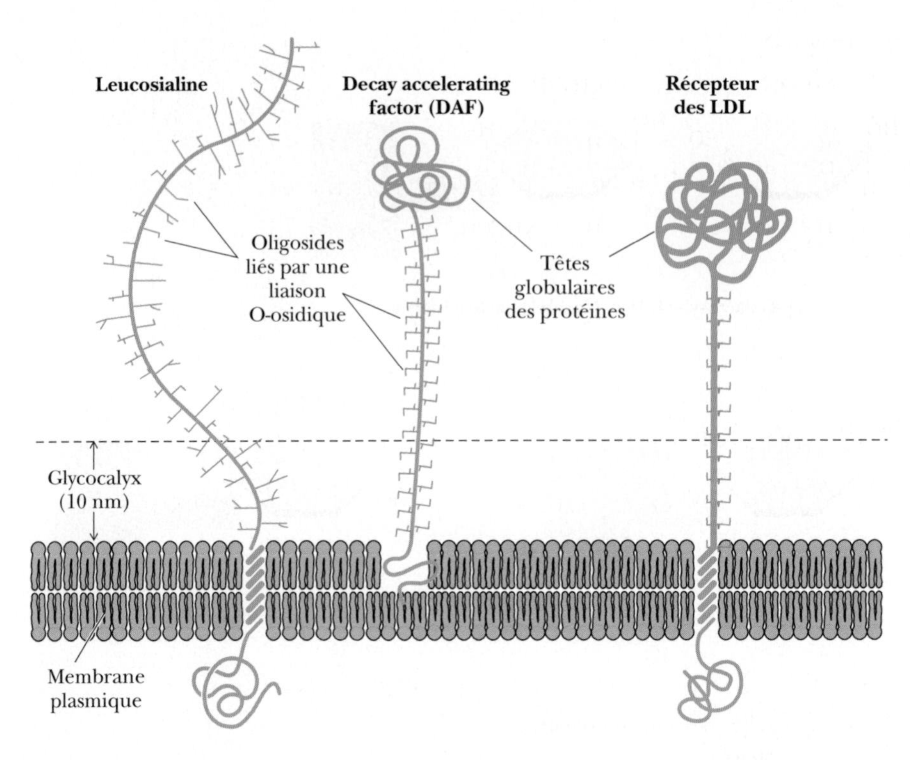

Figure 9.27 • Les *O*-glycoprotéines adoptent souvent une conformation étirée qui sert à projeter le domaine fonctionnel de ces protéines au-dessus de la surface de la membrane. *(D'après Jentoft, N., 1990,* Trends in Biochemical Sciences ***15**: 291-294.)*

Deux motifs structuraux sont présents dans les glycoprotéines membranaires contenant des polyosides liés par une liaison O-osidique. Certaines glycoprotéines, comme la **leucosialine,** sont glycosylées sur la plus grande partie du domaine extracellulaire de la protéine (Figure 9.27). Comme les mucines, elle adopte une conformation très étirée, ce qui permet de projeter ce domaine loin vers l'extérieur, probablement pour protéger la cellule des interactions indésirables avec des macromolécules ou d'autres cellules. Un second type de structure est représenté par le récepteur de lipoprotéines à faible densité (LDL, *low density lipoprotein*) et par le « decay accelerating factor » (DAF). Ces protéines contiennent un domaine « tige » richement glycosylé qui sépare un domaine transmembranaire du domaine fonctionnel extracellulaire. La « tige » glycosylée sert à soulever le domaine fonctionnel, à l'écarter suffisamment de la membrane cellulaire pour qu'il soit accessible aux macromolécules et permette les interactions.

Glycoprotéines de protection contre le gel

Une famille très particulière de glycoprotéines à polyosides liés par des liaisons O-glycosidiques comprend des protéines permettant la survie des poissons dans les régions de l'Arctique et de l'Antarctique où la température de l'eau peut atteindre –1,9 °C. Ces glycoprotéines « **antigel** » se trouvent dans le sang de presque tous les poissons de l'Antarctique et dans celui d'au moins cinq poissons de l'Arctique. La séquence de la protéine est

$$[\text{Ala-Ala-Thr}]_n\text{-Ala-Ala}$$

la valeur de *n* pouvant être de 4, 5, 6, 12, 17, 28, 35, 45, ou 50. Chacun des résidus thréonine est glycosylé par un diholoside β-galactosyl-(1→3)-α-*N*-acétylgalactosamine (Figure 9.28). Ces glycoprotéines adoptent une conformation en forme de

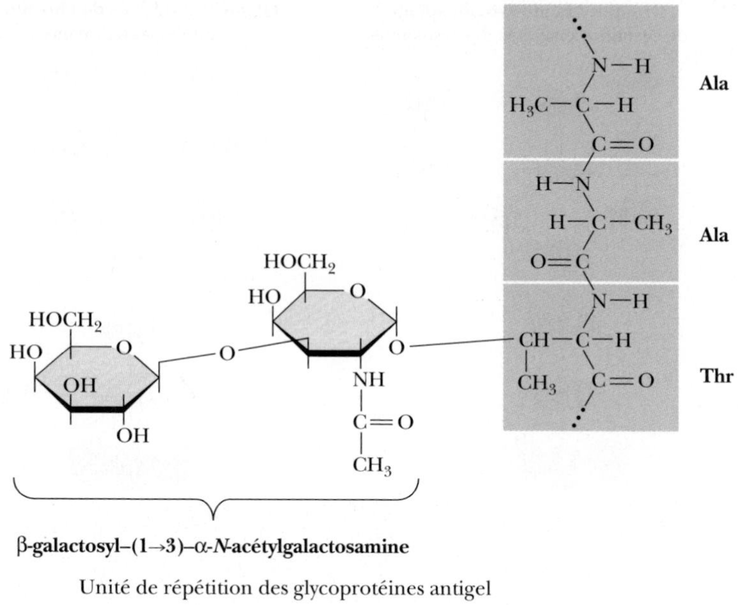

β-galactosyl-(1→3)-α-*N*-acétylgalactosamine

Unité de répétition des glycoprotéines antigel

Figure 9.28 • Structure de l'unité de répétition des glycoprotéines antigel. C'est un diholoside, le *β*-galactosyl-(1→3)-*α*-*N*-acétylgalactosamine, dont le polymère est lié à un résidu thréonine de la protéine.

bâtonnet flexible avec de courtes régions hélicoïdales gauches. Il semble que ces glycoprotéines inhibent la formation de glace dans les poissons en se liant spécifiquement aux microcristaux de glace, empêchant ainsi leur croissance.

Polyosides liés par une liaison N-glycosidique

Diverses protéines comme les immunoglobulines G et M, la ribonucléase B, l'ovalbumine et des hormones peptidiques contiennent des polyosides liés par une liaison N-glycosidique (Figure 9.29). On connaît, avec plus ou moins de certitude, le rôle de la N-glycosylation des protéines. La N-glycosylation, comme dans le cas de la O-glycosylation, peut affecter les propriétés physiques et chimiques des protéines, modifiant non seulement la masse moléculaire mais aussi la solubilité et la charge électrique. Les groupes glycosidiques stabilisent la conformation des protéines et protègent les protéines contre la protéolyse. Les organismes eucaryotes utilisent l'addition post-traductionnelle de polyosides liés par une liaison N-glycosidique pour diriger certaines protéines vers les organites cellulaires de destination.

Scission des résidus osidiques comme prélude à la dégradation des protéines

Le clivage progressif des résidus osidiques des glycoprotéines de la circulation sanguine liées à des polyosides par une liaison N-glycosidique, les prépare à la dégradation. Le foie contient des récepteurs spécifiques qui reconnaissent et fixent les glycoprotéines prêtes à être dégradées et recyclées. Les glycoprotéines sériques nouvellement synthétisées contiennent **trois chaînes oligosidiques**, à structure de type antenne semblable à celle de la Figure 9.30, avec un groupe sialique coiffant chacun des résidus galactose terminaux. Pendant que ces glycoprotéines circulent dans le sang, des sialylases de la surface des vaisseaux sanguins scindent les coiffes d'acide sialique, exposant ainsi les résidus galactose. Les **récepteurs d'asialoglycoprotéines** de la membrane plasmique des cellules hépatiques lient ces

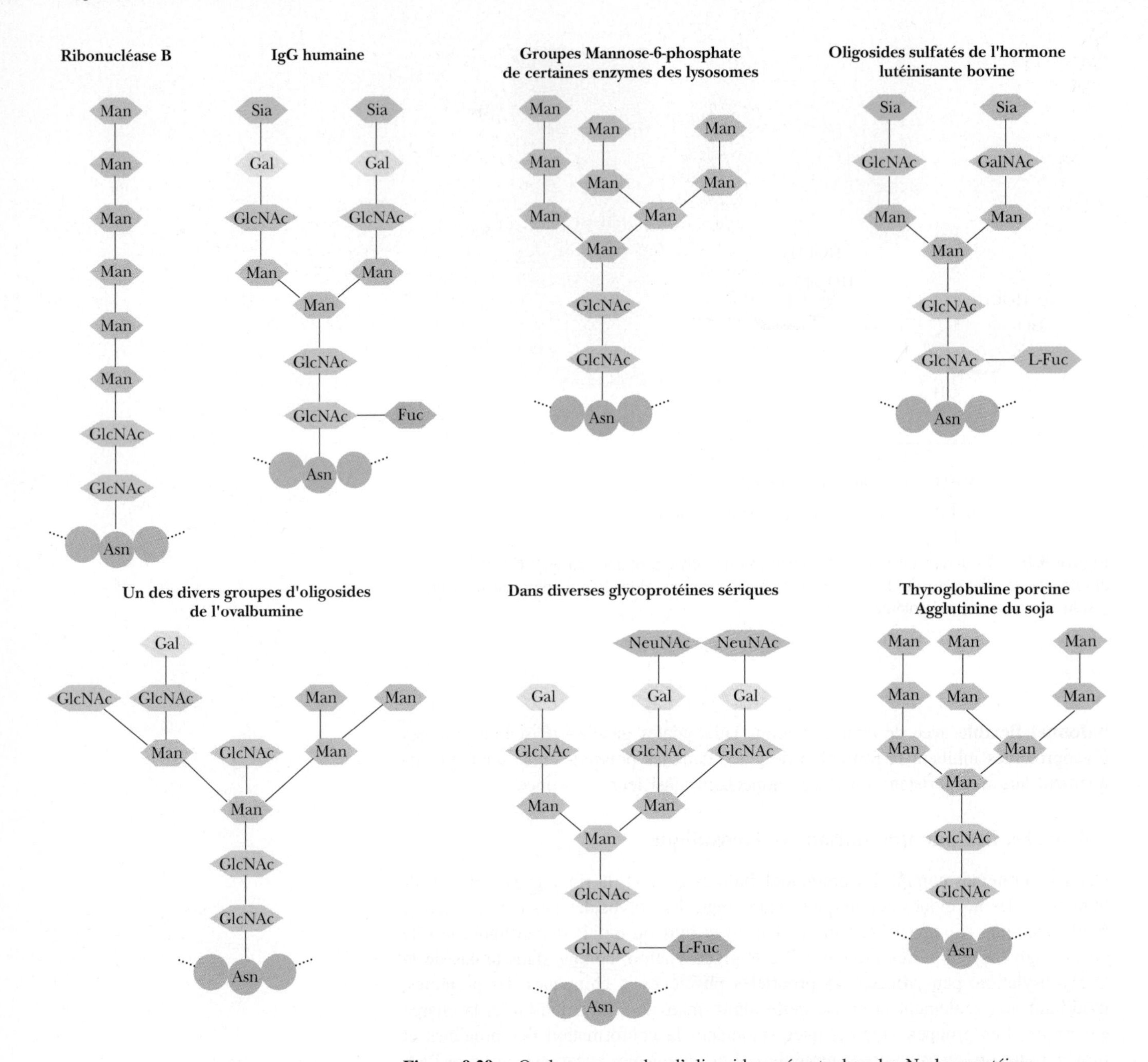

Figure 9.29 • Quelques exemples d'oligosides présents dans les N-glycoprotéines.

glycoprotéines avec une très grande affinité ($K_D = 10^{-9}$ à 10^{-8} M). Le complexe récepteur-asialoglycoprotéine est alors internalisé par **endocytose**, et la glycoprotéine est dégradée dans les lysosomes cellulaires. La présence de trois résidus galactose libres confère la plus forte affinité. Les glycoprotéines n'ayant qu'un ou deux résidus galactose libres ne se lient que faiblement. C'est une façon élégante qu'a l'organisme de contrôler la durée de la circulation des glycoprotéines dans le sang. En l'espace de quelques heures à quelques semaines, les groupements sialiques sont successivement clivés. Plus longtemps les glycoprotéines auront circulé dans le sang, plus grand sera le nombre des résidus sialiques scindés et donc plus nombreux seront les résidus galactose exposés ; en fin de compte la glycoprotéine se liera aux récepteurs hépatiques.

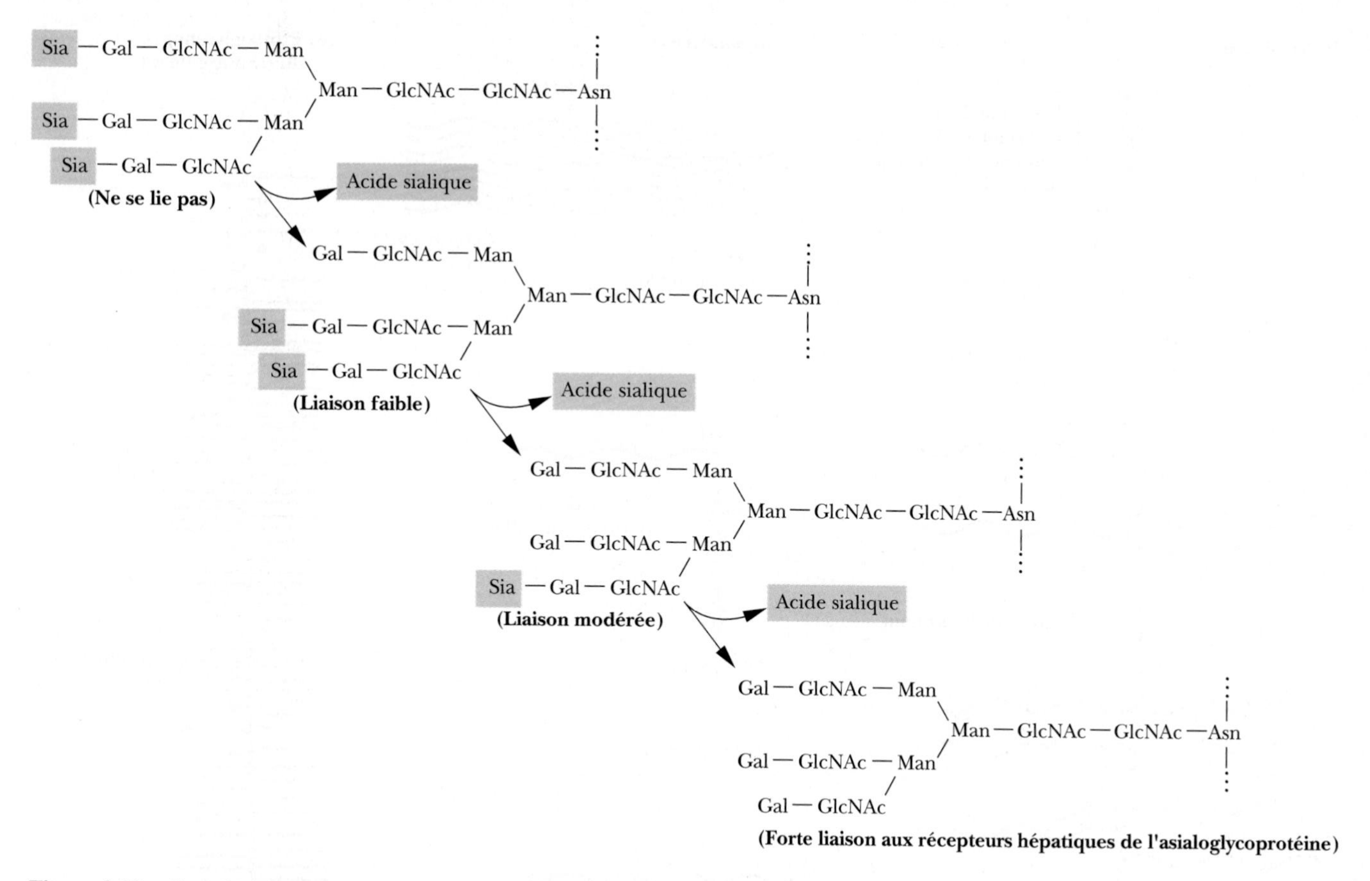

Figure 9.30 • La scission progressive des résidus d'acide sialique expose les résidus galactose. L'efficacité de la liaison aux récepteurs hépatiques de l'asialoglycoprotéine s'accroît progressivement à mesure que le nombre des résidus galactose exposés s'élève.

9.5 • Protéoglycannes

Les **protéoglycannes** constituent une famille de glycoprotéines dont les parties glycosidiques sont essentiellement des **glycosaminoglycannes**. On ne connaît la structure que de quelques protéoglycannes et déjà ce petit nombre de structures recouvre une grande diversité (Figure 9.31). Leur taille varie de 104 résidus pour la **serglycine** (10,2 kDa) à 2.409 résidus pour le **versicanne**, (265 kDa). Chacun de ces protéoglycannes contient un ou deux types de glycosaminoglycannes liés de façon covalente (Tableau 9.2). Dans les protéoglycannes connus, les unités de glycosaminoglycanne sont liées par des liaisons O-glycosidiques à des résidus Ser de séquences dipeptidiques Ser-Gly. La serglycine est ainsi dénommée car elle contient un domaine central caractéristique de 49 acides aminés composé de résidus alternés de sérine et de glycocolle. **La matrice du protéoglycanne du cartilage** contient 117 paires Ser-Gly auxquelles sont liées des unités chondroïtine-sulfate. La **décorine**, un petit protéoglycanne sécrété par les fibroblastes, et qui se trouve dans la matrice des tissus conjonctifs, ne contient que trois paires de Ser-Gly, dont une seule est normalement glycosylée. En plus des unités de glycosaminoglycanne, les protéoglycannes peuvent aussi contenir d'autres groupes oligosidiques liés par des liaisons O- ou N-glycosidiques.

Fonctions des protéoglycannes

Les protéoglycannes peuvent être *solubles* et localisés dans la matrice extracellulaire, par exemple la serglycine, le versicanne et les protéoglycannes de la matrice du cartilage, ou être des *protéines intrinsèques transmembranaires* comme le **syndécanne**. Ces deux types de protéoglycannes semblent établir des interactions avec une grande

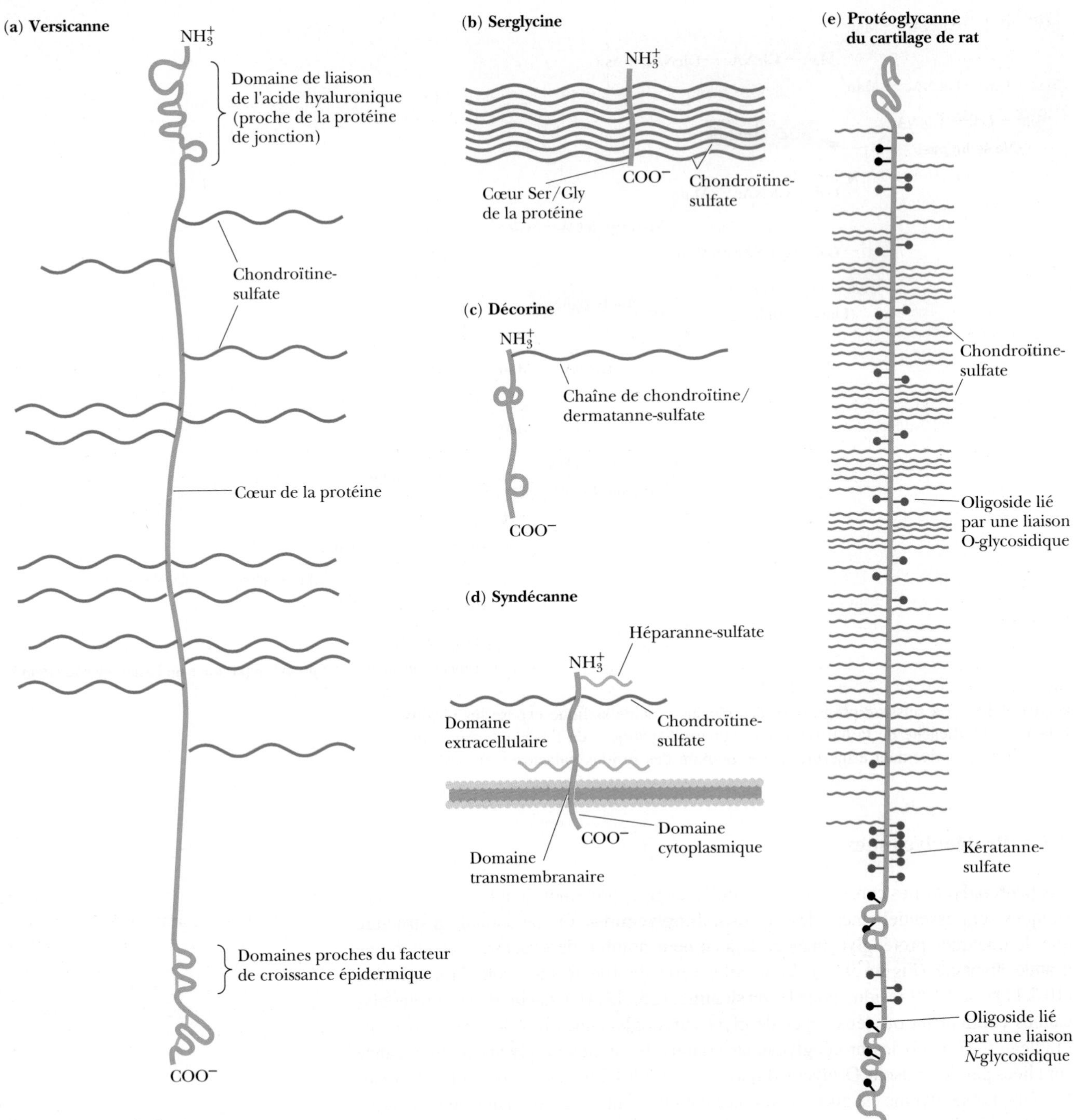

Figure 9.31 • Les protéoglycannes connus ont une grande variété de structures. Les polyosides dominants des protéoglycannes sont des glycosaminoglycannes liés par une liaison O-glycosidique à des résidus sérine. Les protéoglycannes sont aussi bien des protéines solubles que des protéines intrinsèques transmembranaires.

variété d'autres molécules, à la fois par leurs parties glycosaminoglycanne et par des domaines récepteurs spécifiques propres à leur partie protéique. Par exemple le syndécanne, (du grec *syndein*, relier), est un protéoglycanne transmembranaire qui s'associe dans l'espace intracellulaire à l'actine du cytosquelette (Chapitre 17). À l'extérieur de la cellule, le syndécanne est en interaction avec la **fibronectine**, une protéine extracellulaire elle-même liée à plusieurs protéines de la surface de la cellule et à des composants de la matrice extracellulaire. Par ses multiples interactions avec les molécules cibles, le syndécanne joue un rôle de « colle » de l'espace extracellulaire, colle qui relie les composants de la matrice extracellulaire. Elle facilite la liaison de cellules à la matrice, intervient dans la liaison des facteurs de croissance et d'autres molécules solubles à la matrice et aux surfaces cellulaires (Figure 9.32).

Tableau 9.2

Protéoglycannes de séquence connue

Protéoglycanne	Glycosamino-glycanne	Protéine M_r	Nombre de résidus d'acides aminés
Protéoglycannes sécrétés ou de la matrice extracellulaire			
Gros protéoglycannes agrégés du cartilage (agrécanne)	CS/KS*	220.952	2124
Versicanne	CS/DS	265.048	2409
Décorine	CS/DS	38.000	329
Protéoglycanne intracellulaire granuleux			
Serglycine (PG19)	CS/DS	10.190	104
Protéoglycannes intercalés dans des membranes			
Syndécanne	HS/CS	38.868	311

* CS, chondroïtine-sulfate ; DS, dermatanne-sulfate. HS, héparanne-sulfate (un analogue de l'héparine) ; KS, kératanne-sulfate. Ces glycosaminoglycannes sont des polymères d'unités diosidiques : acide glucuronique *N*-acétylgalactosamine (CS) ; acide iduronique *N*-acétylgalactosamine (DS) ; acide iduronique N-acétylglucosamine (HS et héparine) ; et galactose N-acétylglucosamine (KS). DS, HS, et l'héparine contiennent aussi quelques unités diosidiques dans lesquelles l'acide glucuronique remplace l'acide iduronique. Ces glycosaminoglycannes et CS sont généralement liés au groupe hydroxyle d'un résidu sérine pour donner la séquence osidique *n*(GlcUA-Gal)-Gal-Xyl-*O*-Ser. La région de liaison du kératanne-sulfate est différente, et il peut être lié par une liaison O- ou N-glycosidique. Les oses des unités diosidiques peuvent être sulfatés à des degrés divers. À titre de comparaison, l'acide hyaluronique est un polymère de l'acide glucuronique et de la glucosamine qui n'est pas sulfaté, et qui ne forme pas de liaison covalente avec une protéine.

Adapté de Ruoslahti, F., 1989. *Journal of Biological Chemistry* **264 :** 13369-13372.

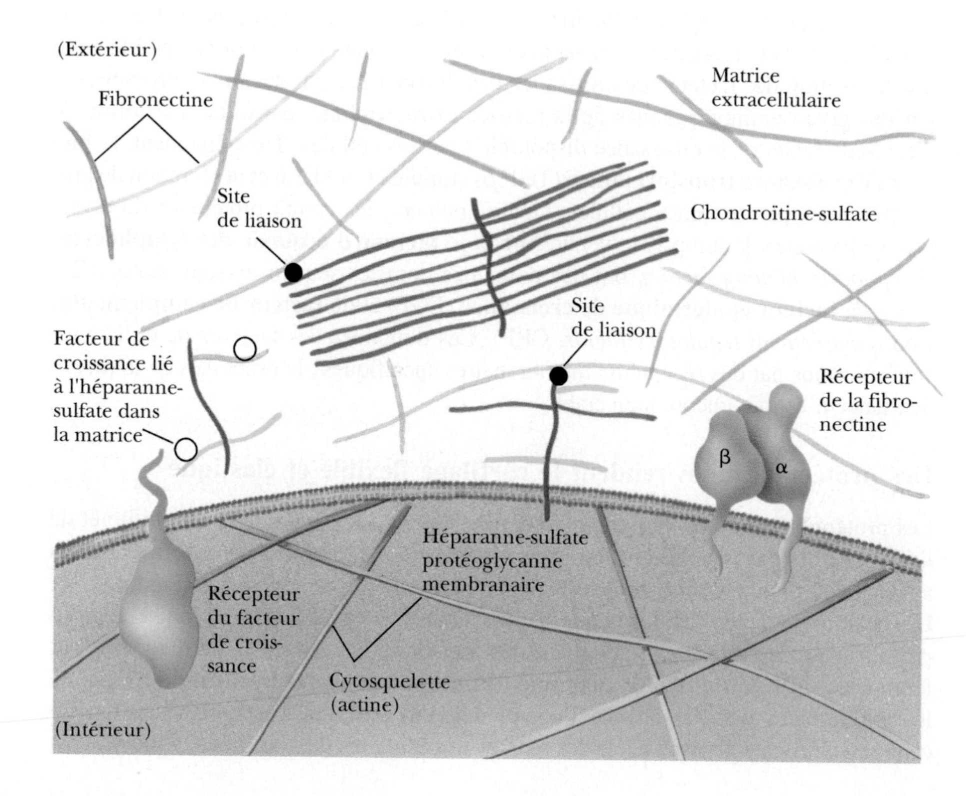

Figure 9.32 • Les protéoglycannes de la surface cytoplasmique et de la surface extracellulaire des membranes plasmiques ont des fonctions variées. Certaines de ces molécules semblent intervenir dans la liaison de protéines spécifiques à des groupes glycosaminoglycanne.

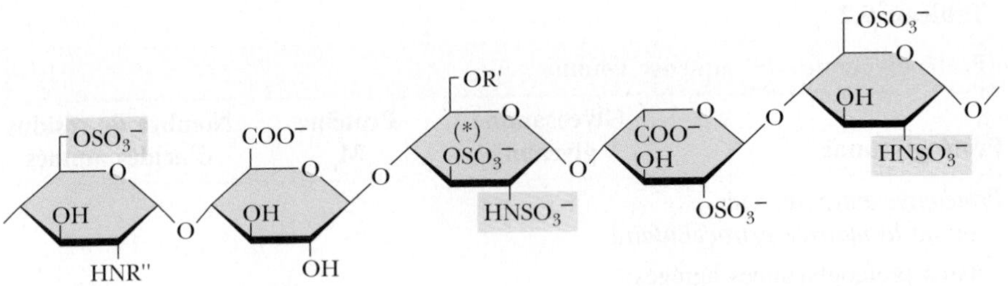

Figure 9.33 • Structure partielle de l'héparine, une molécule ayant des propriétés anticoagulantes. Elle est utilisée pour empêcher la coagulation du sang lors d'un prélèvement et pour son stockage. Elle est aussi utilisée en médecine pour prévenir la formation de caillots sanguins chez les patients ayant subi une intervention chirurgicale, ou après des blessures graves. Cette séquence d'oses sulfatés se lie avec une haute d'affinité à l'antithrombine III, d'où l'activité anticoagulante de l'héparine. Le groupe 3-O-sulfate marqué par un astérisque est indispensable à la manifestation de la haute affinité pour l'antithrombine III.

Plusieurs des fonctions des protéoglycannes impliquent la fixation de protéines spécifiques sur leurs groupes osidiques. Ces protéines spécifiques contiennent des sites de liaison riches en résidus d'acides aminés basiques. Les séquences des acides aminés BBXB et BBBXXB (B étant un acide aminé basique et X tout autre acide aminé), sont présentes à plusieurs reprises dans les domaines de liaison. Les résidus basiques, lysine et arginine, apportent la charge électrique qui neutralise les charges négatives des glycosaminoglycannes ; souvent, la liaison de protéines de la matrice extracellulaire aux glycosaminoglycannes est, en premier lieu, dépendante de la charge électrique. Par exemple, plus les glycosaminoglycannes sont sulfatés, plus ils se lient fortement à la fibronectine. Cependant, quelques-unes des interactions glycosaminoglycanne:protéine exigent une séquence polyosidique spécifique. C'est ainsi qu'une séquence particulière de cinq résidus osidiques dans l'héparine permet sa très forte fixation à l'antithrombine III (Figure 9.33), ce qui rend compte des propriétés anticoagulantes de l'héparine. L'interaction avec d'autres glycoaminoglycannes est beaucoup plus faible.

Des protéoglycannes pourraient moduler les processus de croissance

Les résultats de plusieurs expériences différentes tendent à accréditer la possibilité d'une modulation des processus de la croissance cellulaire par des protéoglycannes. Premièrement, on sait que l'héparine et l'héparanne-sulfate inhibent la prolifération cellulaire par un processus qui passe par l'internalisation de la partie glycosaminoglycanne et sa migration vers le noyau de la cellule. Deuxièmement, les **facteurs de croissance des fibroblastes** (FGF) se lient fermement à l'héparine et à d'autres glycosaminoglycannes, et le complexe héparine:facteurs de croissances protègent les facteurs de croissance de la dégradation enzymatique, ce qui prolonge leur action. Il semble aussi que la fixation des facteurs de croissance des fibroblastes, par des protéoglycannes et par des glycosaminoglycannes de la matrice extracellulaire, constitue une forme de réserve de facteurs de croissance disponible pour les cellules. Troisièmement, le **facteur de croissance transformant** $\boldsymbol{\beta}$ (TGF β) stimule la synthèse et la sécrétion de protéoglycannes par certaines cellules. Quatrièmement, les cœurs protéiques de divers protéoglycannes, y compris le versicanne et le **facteur d'écotaxie des lymphocytes** (*lymphocyte homing factor*), ont des domaines dont les séquences sont analogues à celles *du* **facteur épidermique de croissance** (EGF) et du **facteur de complémentation** (*complement regulatory factor*, CRF). Ces domaines des facteurs de croissance sont reconnus par des récepteurs membranaires spécifiques ; le processus de la reconnaissance n'est pas encore bien établi.

Des protéoglycannes rendent le cartilage flexible et élastique

Les protéoglycannes de la matrice du cartilage sont à l'origine de la flexibilité et de l'élasticité des tissus cartilagineux. Dans le cartilage, les longs filaments formés par les acides hyaluroniques sont recouverts de molécules de protéoglycannes (Figure 9.34). Les chaînes des acides hyaluroniques peuvent mesurer jusqu'à 4 µm de long et regrouper plus de cent unités de protéoglycannes. Les protéoglycannes du cartilage ont, sur leur partie -NH_2 terminale, un **domaine de liaison aux acides hyaluroniques** qui lie les hyaluronates avec l'assistance d'une **protéine de jonction**. Les agrégats protéoglycanne:hyaluronate peuvent avoir des masses moléculaires de 2 millions et plus.

Les agrégats protéoglycanne:hyaluronate sont extrêmement hydratés du fait des très fortes interactions entre des molécules d'eau et le complexe polyanionique. Lorsque le cartilage est comprimé (par exemple quand les articulations absorbent les impacts de la marche ou lors d'une course), l'eau est brièvement expulsée du tissu cartilagineux puis réabsorbée dès que la pression diminue. Cette hydratation réversible donne au cartilage articulaire sa flexibilité, sa capacité à amortir, à absorber les chocs et à protéger les articulations qui sans cela pourraient être lésées par les activités physiques.

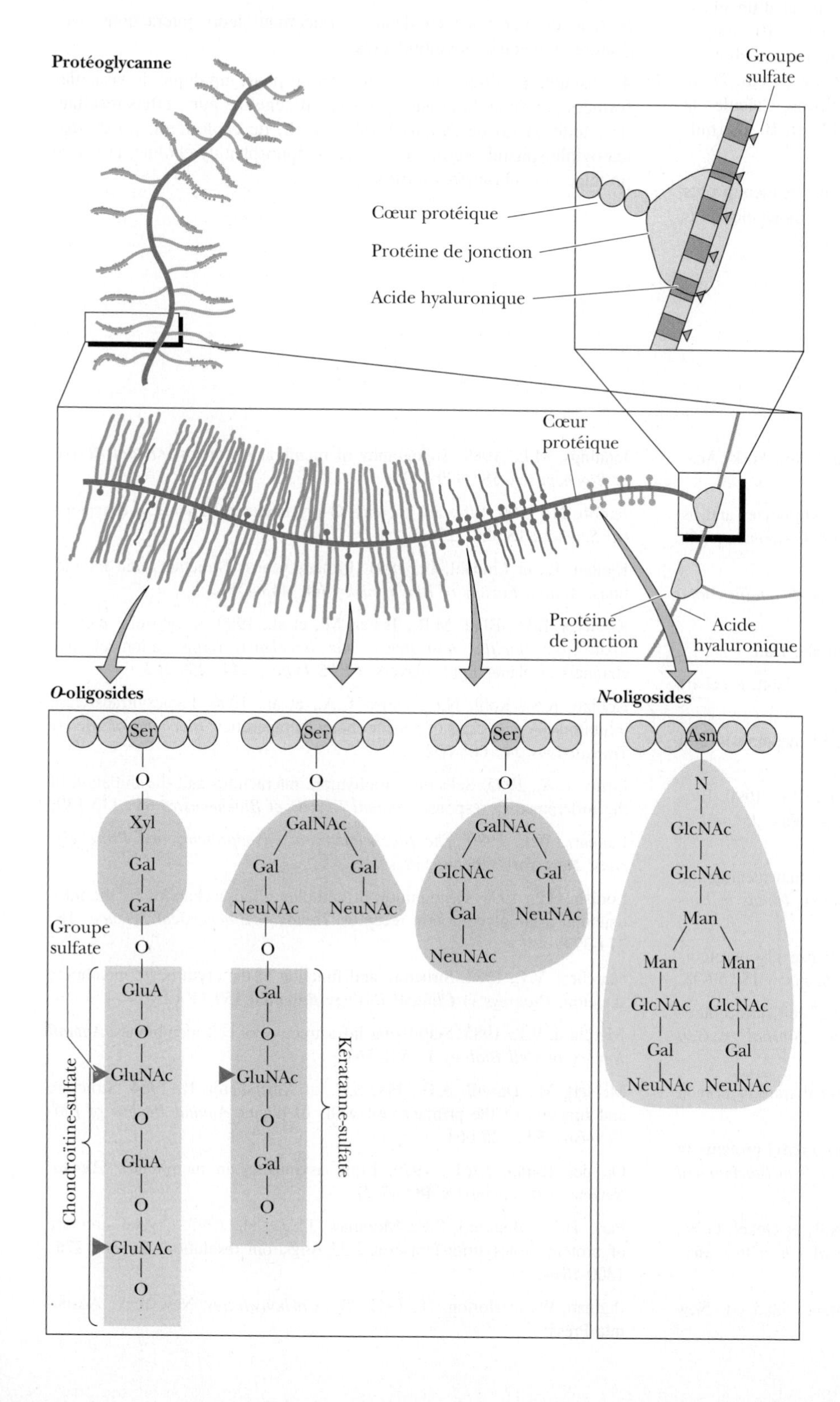

Figure 9.34 • Les hyaluronates (cf. Figure 7.33) constituent la charpente des structures des protéoglycannes du cartilage. Les sous-unités de protéoglycanne sont constituées d'un cœur protéique contenant de nombreux groupes glycosaminoglycanne liés par des liaisons O- et N-glycosidiques. Dans le cartilage ces structures fortement hydratées sont enveloppées dans un réseau de fibres de collagène. Elles libèrent de l'eau (qu'elles réabsorbent ensuite) sous l'effet d'une compression. Cette hydratation réversible donne au cartilage sa capacité à amortir les chocs.

Exercices

1. Les taches pourpres de la membrane de *Halobacterium halobium* qui contiennent la bactériorhodopsine sont approximativement constituées de 75 % de protéines et de 25 % de lipides. Si la masse moléculaire de la protéine est de 26.000 et que celle d'un phospholipide est en moyenne de 800, calculez le rapport molaire phospholipide/protéine.

2. La constante de diffusion lors du déplacement latéral d'un phospholipide dans le plan d'une membrane est d'environ 1×10^{-8} cm2/s. La distance du déplacement latéral en un temps donné est $r = (4Dt)^{1/2}$, formule dans laquelle r est la distance du déplacement en cm, D est la constante de diffusion, et t est la durée de la diffusion. Calculez la distance parcourue par une molécule de phospholipide en 10 ms (millisecondes).

3. La vitesse de la diffusion latérale d'une protéine est beaucoup plus faible que celle des lipides car les protéines sont des molécules plus grosses que les lipides. De plus, certaines protéines diffusent librement dans la membrane tandis que d'autres sont liées ou ancrées à d'autres protéines membranaires. La constante de diffusion pour la fibronectine, une protéine membranaire, est d'environ $0{,}7 \times 10^{-12}$ cm^2/s, et celle de la rhodopsine est d'environ 3×10^{-9} cm^2/s.

a. Calculez la distance parcourue par chacune de ces protéines en 10 ms.

b. Que pouvez vous en déduire concernant leurs interactions avec d'autres molécules membranaires ?

4. Discutez les effets sur la transition de phase lipidique de vésicules formées par de la dimyristoylphosphatidylcholine pure, effets résultant de l'addition (a) de cations bivalents), (b) de cholestérol, (c) de distéaroylphosphatidylsérine, (d) de dioléylphosphatidylcholine, et (e) de protéines membranaires intrinsèques.

Lectures complémentaires

Aspinall, G.O., 1982. *The Polysaccharides*, Vols. 1 and 2. New York : Academic Press.

Bennett, V., 1985. The membrane skeleton of human erythrocytes and its implications for more complex cells. *Annual Review of Biochemistry* **54** : 273-304.

Bretscher, M., 1985. The molecules of the cell membrane. *Scientific America* **253** : 100-108.

Collins, P.M., 1987. *Carbohydrate.* London : Chapman and Hall.

Davison, E.A., 1967. *Carbohydrate Chemistry*. New York : Holt, Rinehart and Winston.

Dawidowicz, E.A., 1987. Dynamics of membrane lipid metabolism and turnover. *Annual Review of Biochemistry* **56** : 43-61.

Doering, T.L., Masterson, W.J., Hart, G.W., et Englund, P.T., 1990. Biosynthesis of glycosyl phosphatidylinositol membrane anchors. *Journal of Biological Chemistry* **265** : 611-614.

Fasman, G.D., et Gilbert, W.A., 1990. The prediction of transmenmbrane protein sequences and their conformation : An evaluation. *Trends in Biochemical Sciences* **15** : 89-92.

Feeney, R.E., Burcham, T.S., et Yeh, Y., 1986. Antifreeze glycoproteins from polar fish blood. *Annual Review of Biophysical Chemistry* **15** : 59-78.

Frye, C.D., et Edidin, M., 1970. The rapid intermixing of cell surface antigens after formation of mouse-human heterokaryons. *Journal of Cell Science* **7** : 319-335.

Gelb, M.H., 1997. Protein prenylation, et cetera : Signal transduction in two dimensions. *Science* **275** : 1750-1751.

Glomset, J.A., Gelb, M.H., et Farnsworth, C.C., 1990. Prenyl proteins in eukaryotic cells : A new type of membrane anchor. *Trends in Biochemical Sciences* **15** : 139-142.

Gordon, J.I., Duronio, R.J., Rudnick, D.A., Adams, S.P., et Gokel, G.W., 1991. Protein *N*-myristoylation. *Journal of Biological Chemistry* **266** : 8647-8650.

Jain, M.K., 1988. Introduction to Biological Membranes, 2nd ed. New York : John Wiley & Sons.

Jennings, M.L., 1989. Topography of membrane proteins. *Annual Review of Biochemistry* **58** : 999-1027.

Jentoft, N., 1990. Why are proteins O-glycosylated ? *Trends in Biochemical Sciences* **15** : 291-294.

Kjellen, L., et Lindahl, U., 1991. Proteoglycans : Structures and interactions. *Annual Review of Biochemistry* **60** : 443-475.

Knowles, B.H., Blatt, M.R., Tester, M., et al., 1989. A cytosolic δ-endotoxin from *Bacillus thurigiensis var. israelensis* forms cation-selective channels in planar lipid bilayers. *FEBS Letters* **244** : 259-262.

Koblan, K.S., Kohl, N.E., Omer, C.A., et al., 1996. Farnesyltransferase inhibitors : A new class of cancer chemotheraperutics. *Biochemical Society Transactions* **24** : 688-692.

Lasky, L.A., 1995. Selectin-carbohydrate interactions and the initiation of the inflammatory response. *Annual Review of Biochemistry* **64** : 113-139.

Lennarz, W.J., 1980. *The Biochemistry of Glycoproteins and Proteoglycans.* New York : Plenum Press.

Lodish, H.F., 1991. Recognition of complex oligosaccharides by the multisubunit asialoglycoprotein receptor. *Trends in Biochemical Sciences* **16** : 374-377.

Marchesi, V.T., 1984. Structure and function of the erythrocyte membrane skeleton. *Progress in Clinical Biology Research* **159** : 1-12.

Marchesi, V.T., 1985. Stabilizing infrastructure of cell membranes. *Annual Review of Cell Biology* **1** : 531-561.

McNeil, M., Darvill, A.G., Fry, S.C., et Albersheim, P., 1984. Structure and function of the primary cell walls of plants. *Annual Review of Biochemistry* **53** : 625-664.

Op den Kamp, J.A.F., 1979. Lipid asymmetry in membranes. *Annual Review of Biochemistry* **48** : 47-71.

Park, H-W., Boduluri, S.R., Moomaw, J.F., et al., 1997. Crystal structure of protein farnesyltransferase at 2.25 Angstrom resolution. *Science* **275** : 1800-1804.

Pigman, W., et Horton, D., 1972. *The Carbohydrates.* New York : Academic Press.

Rademacher, T.W., Parekh, R.B., et Dwek, R.A., 1988. Glycobiology. *Annual Review of Biochemistry* **57** : 785-838.

Robertson, R.N., 1983. *The Lively Membranes.* Cambridge : Cambridge University Press.

Ruoslahti, E., 1989. Proteoglycans in cell regulation. *Journal of Biological Chemistry* **264** : 13369-13372.

Seelig, J., et Seelig, A., 198 1. Lipid conformation in model membranes and biological membranes. *Quarterly Review of Biophysics* **13** : 19-61.

Sefton, B., et Buss, J.E., 1987. The covalent modification of eukaryotic proteins with lipid. *Journal of Cell Biology* **104** : 1449-1453.

Sharon, N., 1980. Carbohydrates. *Scientific American* **243** : 90-102.

Sharon, N., 1984. Glycoproteins. *Trends in Biochemical Sciences* **9** : 198-202.

Singer, S.J., et Nicolson, G.L., 1972. The fluid mosaic model of the structure of cell membranes. *Science* **175** : 720-731.

Singer, S.J., et Yaffe, M.P., 1990. Embedded or not ? Hydrophobic sequences and membranes. *Trends in Biochemical Sciences* **15** : 369-373.

Tanford, C., 1980. *The Hydrophobic Effect : Formation of Micelles and Biological Membranes,* 2nd ed. New York : Wiley-Interscience.

Towler, D.A., Gordon, J.L, Adams, S.P., et Glaser, L., 1988. The biology and enzymology of eukaryotic protein acylation. *Annual Review of Biochemistry* **57** : 69-99.

Unwin, N., et Henderson, R., 1984. The structure of proteins in biological membranes. *Scientific American* **250** : 78-94.

Wirtz, K.W.A., 1991. Phospholipid transfer proteins. *Annual Review of Biochemistry* **60** : 73-99.

Il est nécessaire d'avoir une membrane pour que le désordre biologique prenne un sens. Il faut capturer de l'énergie et la conserver, mettre en réserve une quantité définie et la libérer par petites quantités. C'est ce que fait une cellule ainsi que les organites à l'intérieur... Pour rester en vie, il faut résister à l'équilibre thermodynamique, se maintenir en déséquilibre, endiguer l'entropie, et vous ne pouvez accomplir ce travail qu'à l'aide de membranes dans ce monde qui est le nôtre.

LEWIS THOMAS, « The World Biggest Membran »,
The lives of a cell (1974)

Chapitre 10

Les transports membranaires

« Le pont à bascule d'Arles avec un groupe de lavandières » (1888) Vincent Van Gogh (Rijksmuseum Kroller-Muller ; photo de Erich Lessing/Art Resource)

PLAN

Les processus d'échange entre les divers compartiments, les transports, sont vitaux pour toutes les formes de vie car toutes les cellules doivent effectuer des échanges avec leur environnement. De toute évidence, les cellules doivent avoir le moyen d'importer les molécules nutritives et de rejeter les déchets et les substances toxiques. Même les électrolytes minéraux doivent pouvoir entrer et sortir des cellules et des organites. Toutes les cellules tendent à maintenir constant un gradient de divers métabolites à travers leur membrane plasmatique comme à travers les membranes des organites qu'elles contiennent. Par leur nature même, les cellules disposent d'une importante quantité d'énergie potentielle sous forme de ces gradients. Les gradients transmembranaires des ions sodium et potassium interviennent dans la transmission de l'influx nerveux, dans le fonctionnement du cerveau, du cœur, des reins et du foie, pour ne citer que ces organes. Le stockage et la libération des ions calcium de certains compartiments cellulaires contrôlent la contraction musculaire et la réponse cellulaire aux signaux hormonaux. La digestion des aliments dans l'estomac exige une forte acidité. Un gradient d'ions H^+ très élevé est maintenu à travers les membranes plasmatiques des cellules muqueuses qui bordent l'estomac et ces cellules protègent également la paroi stomacale des effets néfastes d'une telle acidité.

Dans ce chapitre, nous présenterons les molécules et les différents mécanismes qui contribuent aux systèmes de transport. Dans presque tous les cas, les ions et les substances transportées sont hydrosolubles, cependant ils se déplacent à travers une membrane lipidique, hydrophobe, imperméable, à une vitesse suffisamment élevée pour satisfaire les besoins métaboliques et physiologiques de la cellule. Cette sérieuse difficulté pose un problème qui est dans chaque cas résolu par une protéine de transport spécifique. Le transfert des différentes espèces s'effectue soit par diffusion à travers une protéine formant un canal, soit par un transporteur protéique (L'expression canal est une image commode, en fait il s'agit surtout de changements de conformation et de charge électrique plus que d'une voie de passage matérialisée, même si cette voie est parfois présente). Toutes les protéines de transport font partie de la famille des **protéines membranaires intrinsèques** (Chapitre 9) ; leur taille varie, de celle des petits peptides à celle de grands complexes oligomériques.

Certaines protéines de transport ne sont qu'une voie de passage des espèces transportées, d'autres protéines couplent le transport avec une réaction enzymatique. Dans tous les cas, le transport dépend des interactions avec non seulement l'eau de la solution mais aussi avec le milieu lipidique de la membrane. La nature dynamique et asymétrique de la membrane et de ses composants (Chapitre 9) intervient pour une grande part dans la fonction des systèmes transporteurs.

D'un point de vue thermodynamique et cinétique, il n'existe que trois types de processus de transports membranaires : *la diffusion passive, la diffusion facilitée et le transport actif.* Pour bien comprendre le transport membranaire, il faut le considérer en termes de thermodynamique. Quelques aspects cinétiques importants seront également présentés.

10.1 • La diffusion passive

La diffusion passive est le système transporteur le plus simple. Dans la diffusion passive, l'espèce transportée se déplace à travers la membrane dans la direction favorisée par la thermodynamique, sans l'aide d'un système, ou d'une molécule, transporteur spécifique. Pour une molécule non chargée, la diffusion passive est un processus entropique dans lequel le mouvement des molécules à travers la membrane se poursuit jusqu'à ce que la concentration de la substance soit la même des deux côtés de la membrane. Pour une molécule non ionisée, la différence d'énergie libre entre les côtés 1 et 2 de la membrane (Figure 10.1) est

$$\Delta G = G_2 - G_1 = \mathrm{RT} \ln \frac{[C_2]}{[C_1]} \tag{10.1}$$

La différence des concentrations $[C_1] - [C_2]$ est le **gradient de concentration** et ΔG est ici la **différence de potentiel chimique**.

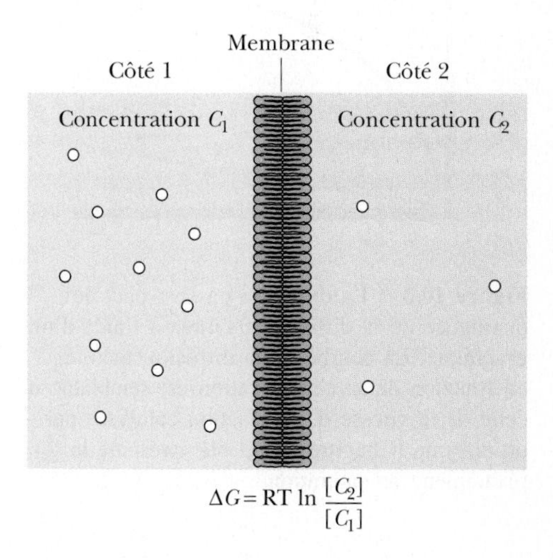

Figure 10.1 • La diffusion passive d'une espèce non chargée à travers une membrane ne dépend que de sa concentration (C_1 et C_2) des deux côtés de la membrane.

Diffusion passive des espèces chargées

Pour les espèces portant une charge électrique, la situation est un peu plus compliquée, il faut faire intervenir un terme électrique. Dans ce cas, le mouvement de la molécule ou de l'ion à travers la membrane dépend de son **potentiel électrochimique**. Ce dernier est donné par la relation

$$\Delta G = G_2 - G_1 = \mathrm{RT} \ln \frac{[C_2]}{[C_1]} + Z\mathscr{F}\Delta\psi \tag{10.2}$$

dans laquelle Z est la charge de l'espèce transportée, $\mathscr{F}$ est la constante de Faraday (la charge sur une mole d'électrons = 96.485 coulombs/mol = 96.485 joules/volt·mol, car 1 volt = 1 joule/coulomb) et $\Delta\psi$ est la différence de potentiel électrique à travers la membrane (la différence de voltage). Le second terme de l'expression à droite de l'équation rend ainsi compte du mouvement d'une charge à

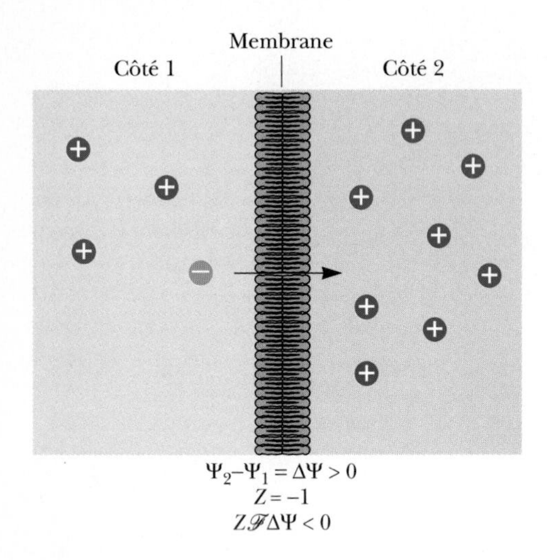

Figure 10.2 • La diffusion passive d'une espèce chargée à travers une membrane dépend de la concentration mais aussi de la charge de la particule, Z, et de la différence de potentiel transmembranaire, $\Delta\psi$.

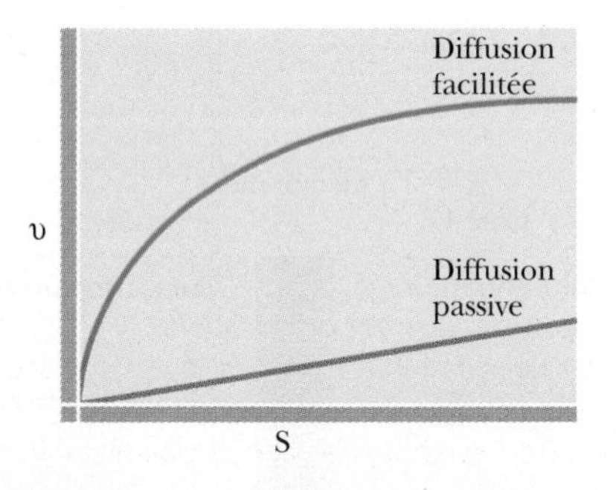

Figure 10.3 • La diffusion passive peut être distinguée de la diffusion facilitée à l'aide d'un graphique. La courbe de la diffusion facilitée en fonction de sa concentration est semblable à celle de la vitesse de la réaction catalysée par un enzyme (Chapitre 14) et elle présente le phénomène de saturation.

travers une différence de potentiel. Notez que l'effet de ce second terme sur ΔG dépend de la grandeur et du signe de Z et de $\Delta\psi$. Par exemple, Figure 10.2, si le potentiel du côté 2 est plus élevé que celui du côté 1 (de sorte que $\Delta\psi$ est positif pour un ion portant une charge négative, le terme $Z\mathcal{F}\Delta\psi$ est négatif, sa contribution à la valeur de ΔG est négative.

Autrement dit, la charge négative est spontanément attirée vers le potentiel plus positif. Dans tous les cas, si la somme des deux termes du côté droit de l'Équation 10.2 est négative, le transport de l'ion considéré s'effectuera spontanément du côté 1 vers le côté 2. La force qui entraîne le transport passif est le terme ΔG de l'espèce concernée.

10.2 • La diffusion facilitée

Pour de nombreuses substances, le transport passif à travers la bicouche lipidique de la membrane serait beaucoup trop lent pour être compatible avec les processus biologiques. Par ailleurs, la vitesse du transport de nombreux ions et petites molécules à travers une membrane biologique réelle est beaucoup plus élevée que ce qui attendu de la simple diffusion passive. La différence résulte de l'action de protéines membranaires spécifiques qui **facilitent** le transport de ces espèces à travers la membrane. De telles protéines, intervenant dans la **diffusion facilitée** de nombreux solutés, sont présentes dans pratiquement toutes les membranes naturelles. Ces protéines ont deux caractéristiques en commun : (a) elles facilitent le mouvement net des solutés seulement dans la direction thermodynamiquement favorisée (c'est-à-dire quand $\Delta G < 0$), et (b) elles ont une affinité quantifiable et une spécificité pour le soluté transporté. Par conséquent, la vitesse de la diffusion facilitée présente le **phénomène de saturation** analogue à celui qui est observé lors de la liaison d'un substrat sur un enzyme (Chapitre 14). Ce phénomène permet de distinguer par une expérience simple, la diffusion passive de la diffusion facilitée. La courbe de la vitesse du transport facilité en fonction de la concentration du soluté a la forme d'une hyperbole rectangulaire (Figure 10.3), de sorte que la vitesse maximale du transport approche d'une valeur limite, V_{max}, lorsque la concentration en soluté est suffisamment élevée. Comme la diffusion passive n'implique pas la formation préalable d'un complexe soluté:protéine spécifique, la courbe de la vitesse en fonction de la concentration est linéaire, elle n'est pas une hyperbole (Figure 10.3).

Le transport du glucose dans les érythrocytes s'effectue par diffusion facilitée

De nombreux processus de transport dans une grande variété de cellules s'effectuent par une diffusion facilitée. Le Tableau 10.1 en présente quelques-uns. Le transport du glucose dans les érythrocytes illustre les principales caractéristiques des systèmes de transport facilité. Bien que le transport du glucose s'effectue suivant les cellules par diffusion passive, par transport facilité ou par des systèmes de transport actif, dans les érythrocytes, le transport du glucose s'effectue uniquement par le **système diffusion facilitée du glucose**. La protéine du transport facilité du glucose dans les érythrocytes a une masse moléculaire d'environ 55 kDa ; après électrophorèse en gel de polyacrylamide SDS, elle se trouve dans **la bande 4.5** (Figure 10.4). Les érythrocytes contiennent environ 500.000 copies de cette protéine. La forme active de la protéine dans la membrane de l'érythrocyte est un trimère. L'analyse hydropathique de la séquence du transporteur de glucose (analyse permettant d'identifier dans une protéine les séquences qui auraient des propriétés hydrophobes comparables à celles des hélices transmembranaires) a permis la construction d'un modèle de la structure tridimensionnelle de la protéine (Figure 10.5). Dans ce modèle, la chaîne polypeptidique traverse douze fois la membrane et les extrémités N- et C-terminales se trouvent sur la face cytoplasmique. Les segments transmembranaires M7, M8 et M9 forment un canal transmembranaire hydrophile, alors que les segments M9 et M10 forment une poche relativement

Tableau 10.1

Systèmes de transport facilité

Soluté	Type de cellule	K_m (m*M*)	V_{max} (m*M*/min)
D-Glucose	Erythrocyte	4-10	100-500
Chlorure	Erythrocyte	25-30	
cAMP	Erythrocyte	0,0047	0,028
Phosphate	Erythrocyte	80	2,8
D-Glucose	Adipocytes	20	
D-Glucose	Levure	5	
Oses et acides aminés	Cellules tumorales	0,5-4	2-6
D-Glucose	Hépatocytes de Rat	30	
D-Glucose	*Neurospora crassa*	8,3	46
Choline	Synaptosomes	0,083	
L-Valine	*Arthrobotrys conoides*	0,15-0,75	

D'après Jain, M., et Wagner, R., 1980. *Introduction to Biological Membranes.* New York : Wiley.

hydrophobe adjacente au site de liaison du glucose. La cytochalasine B, un métabolite fongique (Figure 10.6), est un inhibiteur compétitif du transport du glucose. Le mécanisme du transport du glucose n'est pas clairement établi. Un des modèles avancé, mais encore controversé, propose un changement de conformation, avec le site de liaison du glucose alternativement exposé sur la face et extracellulaire de la membrane. Il existe d'autres protéines pour le transport du glucose dans le muscle, le foie et la plupart des tissus animaux ; leurs séquences sont homologues à celle du transporteur dans les érythrocytes. Chez certains diabétiques, la diminution de l'effet de stimulation du transport du glucose par l'insuline provient d'une expression réduite de la synthèse des protéines (pas de toutes) du transport du glucose.

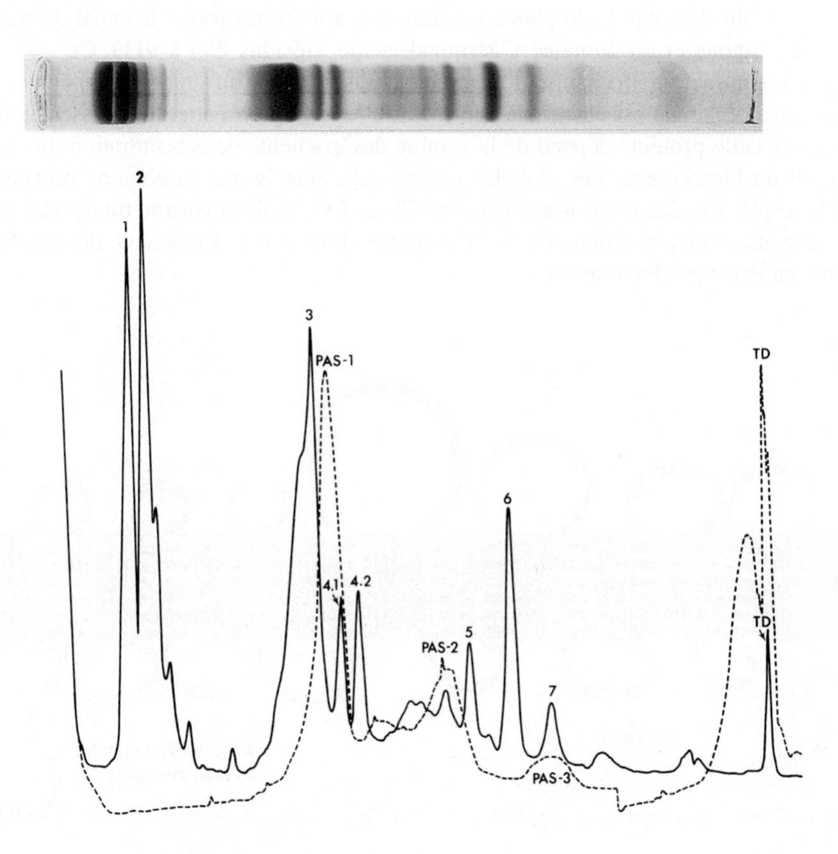

Figure 10.4 • Électrophorèse en gel de polyacrylamide SDS des protéines de membranes d'érythrocytes (*en haut*) et tracé densitométrique de ce même gel (*en bas*). La région du gel comprise entre la bande 4.2 et la bande 5 est appelée zone 4.5 ou « bande 4.5 ». Les bandes sont numérotées à partir du haut du gel (masses moléculaires les plus élevées) vers le bas (masses moléculaires les plus faibles). La bande 3 est celle du transporteur d'anions, et la bande 4.5 celle du transporteur de glucose. La courbe en traits discontinus correspond au tracé densitométrique après traitement du gel par l'acide periodique et coloration par le réactif de Schiff (réactif periodique-Schiff ou PAS), une technique qui colore en particulier les molécules osidiques. Les trois bandes « PAS » (PAS-1, PAS-2 et PAS-3) indiquent la position des glycoprotéines sur le gel. (*Reproduction aimablement autorisée par Théodore Steck, Université de Chicago*)

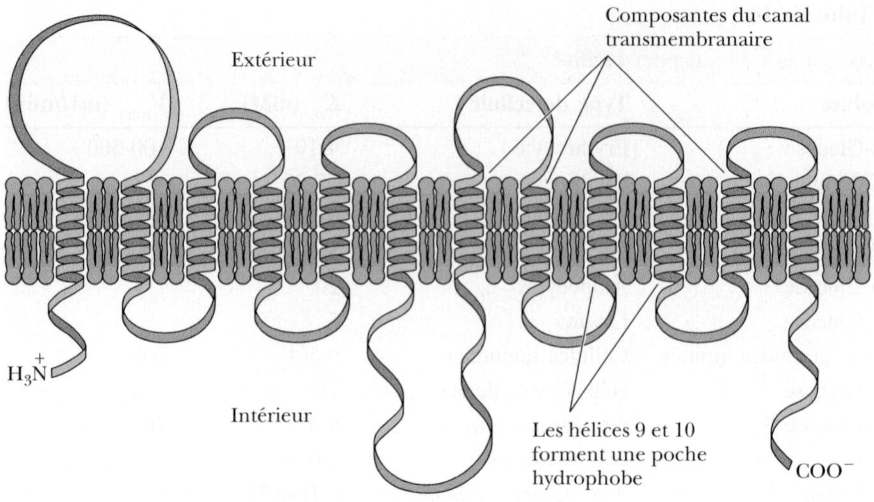

Composantes du canal transmembranaire

Extérieur

Intérieur

Les hélices 9 et 10 forment une poche hydrophobe

$H_3\overset{+}{N}$

COO^-

Figure 10.5 • Modèle de l'arrangement de la chaîne polypeptidique du transporteur de glucose dans la membrane de l'érythrocyte. L'analyse hydropathique est en faveur de la présence de 12 segments transmembranaires hélicoïdaux.

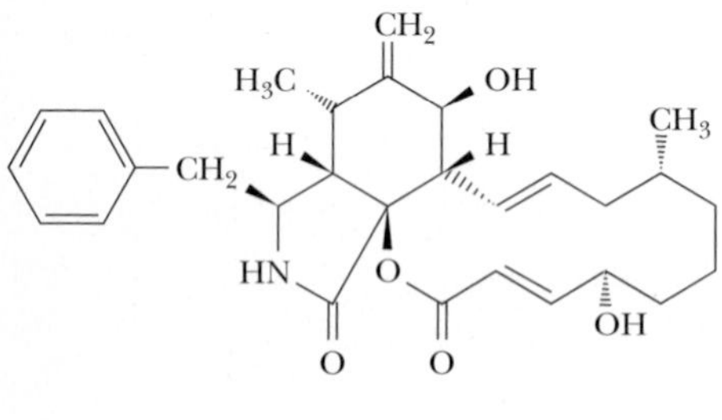

Figure 10.6 • Structure de la cytochalasine B.

Le transporteur d'anions des érythrocytes intervient également pour faciliter leur diffusion

Le **système transporteur d'anions** est un autre exemple de protéine facilitant la diffusion dans les membranes des érythrocytes. Les ions Cl^- et HCO_3^- (bicarbonate) sont échangés à travers la membrane des globules rouges par une protéine transmembranaire de 95 kDa. La protéine, abondante dans ces cellules, se trouve dans la **bande 3** dans les électrophorèses en gel de polyacrylamide SDS (Figure 10.4). Le gène du transporteur d'anions des érythrocytes humains a été séquencé ; l'analyse hydropathique a permis de construire un modèle de structure pour la protéine (Figure 10.7). Dans ce modèle, la chaîne polypeptidique a 14 segments transmembranaires. La séquence comprend 3 régions : un domaine cytoplasmique hydrophile (résidus 1 à 403) en interaction avec plusieurs protéines cytoplasmiques et membranaires, un domaine hydrophobe (résidus 404 à 882) qui forme le canal du transport des anions et un domaine C-terminal, acide, (résidus 883 à 911). Ce système transporteur facilite l'échange d'un anion chlorure pour un anion bicarbonate, de sorte que l'échange est électriquement neutre. La direction nette du flux des anions à travers cette protéine dépend de la somme des gradients de concentration du chlorure et du bicarbonate. Les globules rouges collectent le gaz carbonique provenant de la respiration des tissus (par l'échange $Cl^- \rightleftharpoons CO_3^-$), il est ensuite transporté dans le sang jusqu'aux poumons où le bicarbonate diffuse vers l'extérieur des érythrocytes en échange des ions Cl^-.

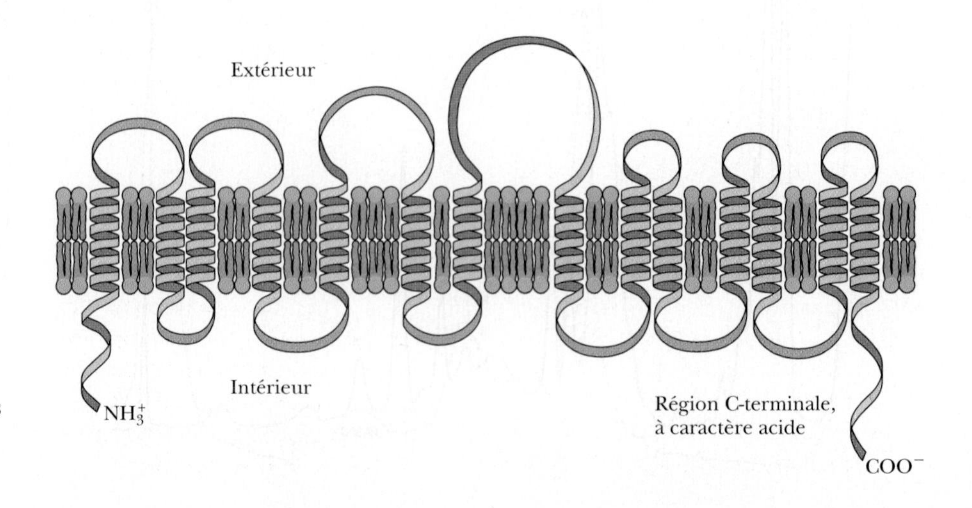

Figure 10.7 • Modèle de l'arrangement de la chaîne polypeptidique du transporteur d'anions dans la membrane construit après analyse hydropathique de la séquence.

10.3 • Transports actifs

Les systèmes de diffusion passive ou de diffusion facilitée sont relativement simples, dans la mesure ou l'espèce transportée se déplace de la zone à concentration la plus élevée vers la zone à concentration plus faible, c'est-à-dire avec une libération d'énergie. Les autres processus de transport dans les systèmes biologiques doivent être *entraînés* au sens énergétique du terme. Dans ces cas, les espèces transportées se déplacent de la zone à plus faible concentration vers la zone à concentration plus élevée, le transport exige donc un *apport d'énergie*. Pour cette raison, le déplacement est considéré comme résultant de l'activité d'un **système de transport actif**. L'apport énergétique provient le plus souvent de l'hydrolyse de l'ATP (voir Chapitre 3), l'hydrolyse étant *étroitement couplée* au transport. Il existe d'autres processus de transport actif, entraînés par *l'énergie lumineuse* ou par *l'énergie mise en réserve dans des gradients ioniques* (la différence des concentrations d'un ion, ou d'un soluté, de part et d'autre de la membrane représente un état énergisé, voir Chapitre 21). Le gradient original résulte d'un processus de **transport actif primaire**, et le transport qui utilise l'énergie du gradient ainsi formé est décrit comme un processus de **transport actif secondaire** (voir le transport des acides aminés et des oses, Sections 10.6 et 10.7). Lorsque le transport a pour conséquence un mouvement net de charges électriques à travers la membrane, il est qualifié de **transport électrogénique**. S'il n'y a pas de changement net de charge lors du transport, le processus est électriquement neutre.

Tous les systèmes de transport actif sont des systèmes de couplage énergétique

L'hydrolyse de l'ATP est essentiellement un processus chimique alors que le mouvement d'une espèce à travers une membrane est un processus mécanique. Un transport actif qui dépend de l'hydrolyse de l'ATP couple donc l'énergie libre d'une réaction chimique à l'énergie libre de la translation mécanique. La bactériorhodopsine chez *Halobacterium halobium* couple l'énergie lumineuse à l'énergie mécanique. Les oxydations phosphorylantes (Chapitre 21) impliquent un couplage entre le transport des électrons, la translocation des protons et la capture de l'énergie chimique sous forme de synthèse de l'ATP. De même, le processus global de la photosynthèse (Chapitre 22) consiste en un couplage entre l'énergie lumineuse captée, la translocation de protons et l'énergie chimique mise en réserve dans l'ATP.

10.4 • Transports entraînés par l'ATP

Transport de cations monovalents : la Na^+, K^+-ATPase

Toutes les cellules animales expulsent des ions sodium et accumulent des ions potassium. Ces deux processus sont entraînés par la **Na^+, K^+-ATPase**, une protéine intrinsèque de la membrane plasmique encore appelée la **pompe à sodium**. La plupart des cellules animales maintiennent la concentration cytosolique des ions Na^+ et K^+ à 10 m*M* et 100 m*M* respectivement. Le milieu extracellulaire contient généralement de 100 à 140 m*M* de Na^+ et 5 à 10 m*M* de K^+. Le potassium joue un rôle important dans la cellule où il active un grand nombre de processus alors que les fortes concentrations en ions sodium sont inhibitrices. Les gradients transmembranaires de Na^+ et de K^+, ainsi que les gradients de Cl^- et d'autres ions qui les accompagnent, fournissent les moyens de la communication entre les neurones (voir Chapitre 34). Ils contribuent à la régulation du volume et de la forme cellulaires. Les gradients de Na^+ et de K^+ fournissent aux cellules animales l'énergie nécessaire aux transports des acides aminés, des oses, des nucléotides et d'autres molécules. En fait, le maintien de ces gradients de Na^+ et de K^+ consomme une grande proportion de l'énergie dans les cellules animales – 20 à 40 % du total de l'énergie métabolique dans de nombreuses cellules et jusqu'à 70 % dans le tissu nerveux.

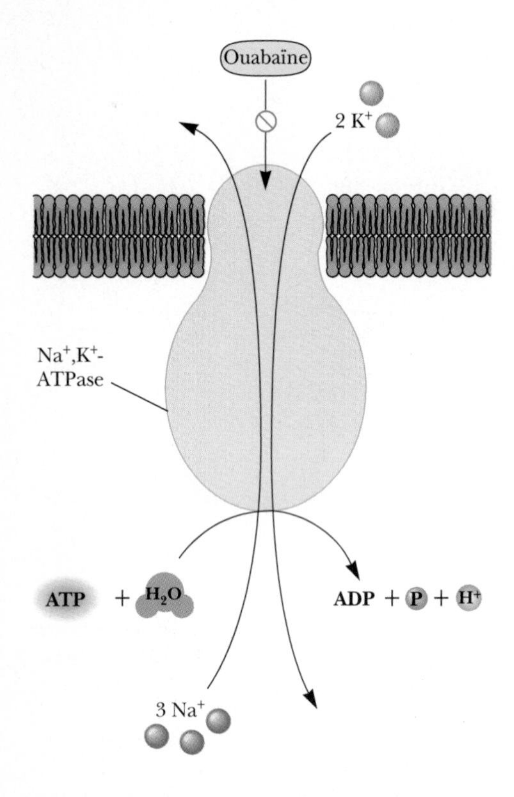

Figure 10.8 • Diagramme schématique de la Na^+, K^+-ATPase dans la membrane plasmique des mammifères. L'ATP est hydrolysé sur la face cytoplasmique de la membrane, les ions Na^+ sont transportés hors de la cellules et les ions K^+ sont transportés vers l'intérieur. La stœchiométrie est de 3 ions Na^+ exportés et 2 ions K^+ importés pour un ATP hydrolysé. La ouabaïne et d'autres glycosides tonicardiaques inhibent spécifiquement la Na^+, K^+-ATPase en se liant à la surface extracellulaire de la pompe.

La Na^+, K^+-ATPase comporte deux sous-unités une sous-unité α d'environ 120 kDa (1016 résidus) et une sous-unité β d'environ 53 kDa. La pompe à sodium fait activement sortir de la cellule trois ions Na^+ et entrer dans la cellule deux ions K^+ par ATP hydrolysé :

$$ATP^{4-} + H_2O + 3Na^+ \text{ (intérieur)} + 2K^+ \text{ (extérieur)} \rightarrow ADP^{3-} + H_2PO^{4-} + 3Na^+ \text{ (extérieur)} + 2K^+ \text{ (intérieur)} \quad (10.3)$$

L'hydrolyse de l'ATP s'effectue sur la face cytoplasmique de la membrane (Figure 10.8), et le mouvement net vers l'extérieur d'une charge positive par cycle fait que la pompe à sodium est de nature électrogénique.

L'analyse hydropathique de la séquence des sous-unités α et β, et les études par modifications chimiques ont permis l'établissement d'un modèle pour l'arrangement de l'ATPase dans la membrane (Figure 10.9). Le modèle a dix hélices α transmembranaires dans la sous-unité α et deux grands domaines cytoplasmiques. Le plus grand des deux, entre les segments transmembranaires 4 et 5, serait le domaine de liaison de l'ATP. Lors de l'hydrolyse de l'ATP, un résidu aspartate de la sous-unité α est phosphorylé. L'intermédiaire covalent E-P a été stabilisé par réduction à l'aide de borohydrure de sodium tritié et identifié (Figure 10.10).

Le mécanisme le plus simple de la Na^+, K^+-ATPase postule que la conformation de l'enzyme oscille entre deux principaux états dénotés E_1 et E_2 (Figure 10.11). E_1 a une haute l'affinité pour l'ATP et Na^+ ; après la fixation de l'ATP et du Na^+, il est rapidement phosphorylé en présence de Mg^{2+} pour former E_1-P, un état (à potentiel énergétique plus élevé) qui contient 3 Na^+ fortement fixés sur un site à l'intérieur de la protéine et qui dans cette conformation ne peuvent pas se dissocier de l'enzyme. Une transconformation donne l'état E_2-P (à potentiel énergétique moins

Figure 10.9 • Modèle de l'arrangement des chaînes polypeptidiques de la Na^+, K^+-ATPase dans la membrane plasmique. L'important domaine cytoplasmique entre les segments transmembranaires 4 et 5 contient le site de liaison de l'ATP et le résidu Asp qui est phosphorylé durant le cycle catalytique. La sous-unité β contient un unique segment transmembranaire, un domaine C-terminal glycosylé extracellulaire, et une court segment N-terminale intracellulaire.

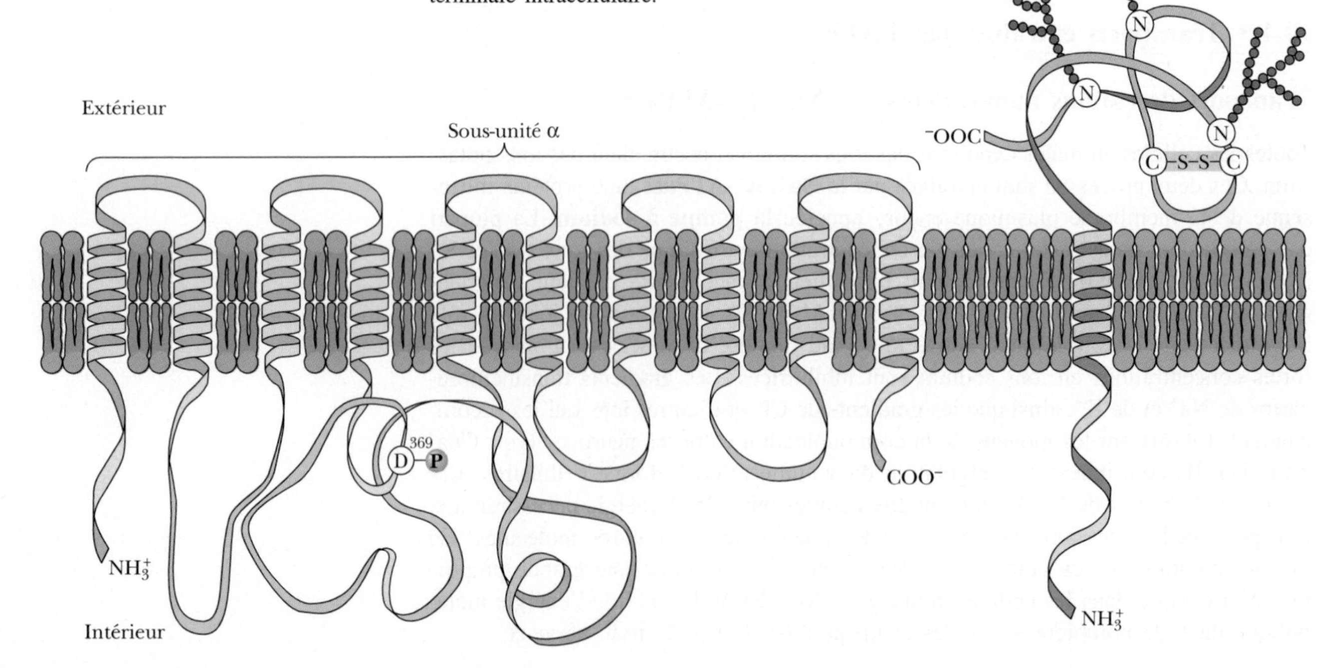

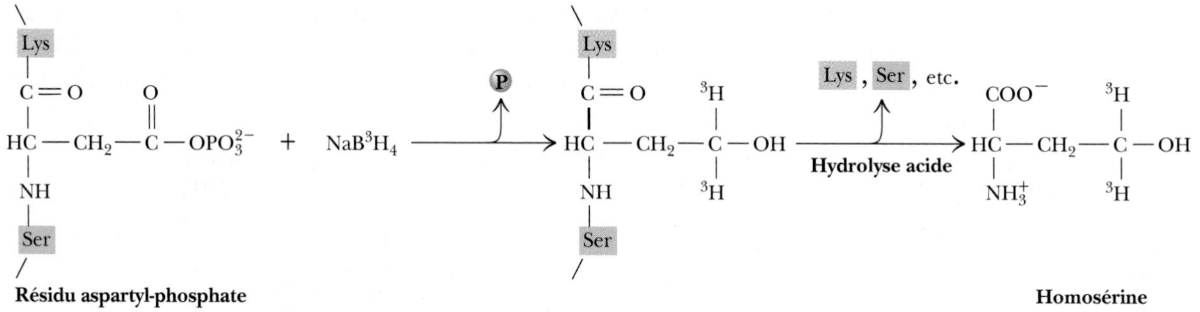

Lys, Ser, etc.

Résidu aspartyl-phosphate + NaB^3H_4 → (− P) → Hydrolyse acide → Homosérine

Résidu aspartyl-phosphate

Hydrolyse acide

Homosérine

Figure 10.10 • Réduction par le borohydrure de sodium tritié de la liaison aspartyl-phosphate au site actif de la Na^+, K^+-ATPase. Le borohydrure rompt la liaison anhydride carboxyl-phosphate et réduit le groupe carboxyle en groupe alcool ; après hydrolyse acide, l'homosérine tritiée (dérivée de l'aspartate) peut être isolée. La site de phosphorylation est la résidu Asp^{369} dans le grand domaine cytoplasmique de la sous-unité α.

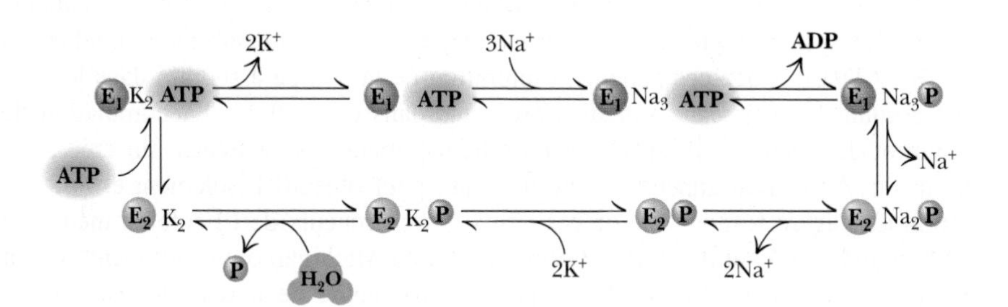

Figure 10.11 • Mécanisme réactionnel proposé pour la Na^+, K^+-ATPase. Le modèle suppose deux conformations principales, E_1 et E_2. La liaison des ions Na^+ est suivie d'une phosphorylation et formation d'ADP. Les ions Na^+ sont transférés, libérés, et les ions K^+ se lient avant que l'enzyme soit déphosphorylé. Le cycle s'achève avec le transport et la libération de K^+.

élevé) ayant une faible affinité pour Na^+, mais une haute affinité pour K^+. C'est vraisemblablement cet état qui libère les 3 ions Na^+ vers l'extérieur de la cellule et lie 2 K^+. La déphosphorylation du complexe E_2-P:2K^+ donne E_2:2K^+, forme de l'enzyme contenant à l'intérieur de la protéine le potassium qui ne peut se dissocier dans cette conformation (les ions Na^+ ou K^+ sont retenus à l'intérieur de l'ATPase par *occlusion*). Un nouveau changement de conformation qui semble favorisé par la liaison d'un ATP (avec une affinité relativement faible) libère le K^+ à l'intérieur de la cellule et l'enzyme revient à l'état E_1:ATP. Les formes de l'enzyme retenant les cations par occlusion représentent les états de l'enzyme avec des cations liés à l'intérieur d'un canal de transport. Les alternances entre les formes à forte et à faible affinité pour Na^+, K^+, et l'ATP servent au couplage rigoureux de l'hydrolyse de l'ATP à la liaison et au transport des ions.

La Na^+, K^+-ATPase est spécifiquement inhibée par les glycosides tonicardiaques

Des stéroïdes d'origine animale ou végétale, comme la *ouabaïne* (Figure 10.12), inhibent spécifiquement la Na^+, K^+-ATPase et le transport des ions. Ces substances sont traditionnellement appelées **glycosides tonicardiaques** (ou encore **stéroïdes cardiotoniques**) pour caractériser leurs puissants effets sur le muscle cardiaque. Dans toutes ces molécules la jonction entre les cycles C et D est de type *cis*, elles contiennent en position C-17 un substituant β, un cycle lactone à 5 ou 6 sommets, et un β-OH en C-14. Un ou plusieurs résidus osidiques peuvent être liés au C-3 ; ces oses n'interviennent pas dans l'activité inhibitrice de la molécule, mais ils contribuent à sa solubilité dans l'eau. Les stéroïdes cardiotoniques se lient exclusivement à la surface extracellulaire de la Na^+, K^+-ATPase quand l'enzyme est dans son état E_2-P, formant un complexe E_2-P:(glycoside tonicardiaque) très stable.

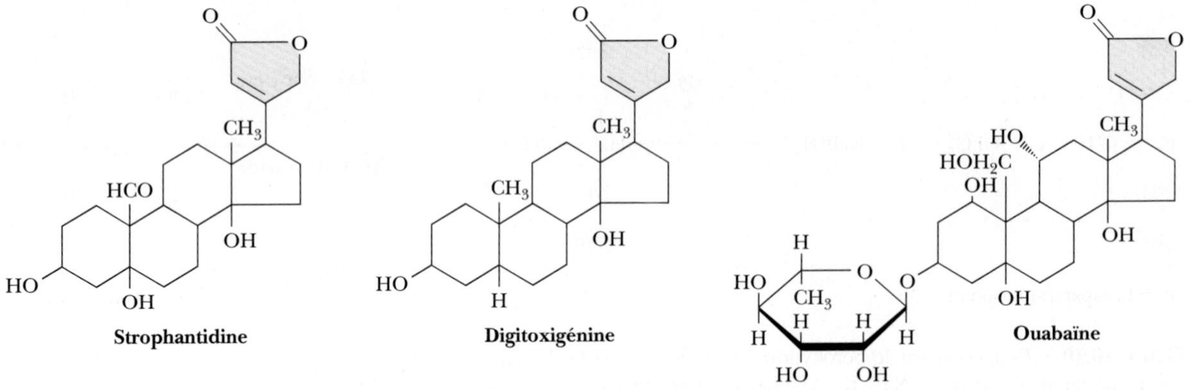

Strophantidine **Digitoxigénine** **Ouabaïne**

Figure 10.12 • Structures de quelques glycosides cardiotoniques. Le cycle lactone est en jaune.

Lors des recherches sur l'hypertension, les études ont montré que les patients présentaient systématiquement un niveau sanguin élevé d'une substance inhibant la Na^+, K^+-ATPase. Chez ces patients, l'inhibition de la pompe à sodium dans les cellules bordant les vaisseaux sanguins provoque dans ces cellules l'accumulation de sodium et de calcium ; il en résulte un rétrécissement des vaisseaux qui crée l'hypertension. Après huit années de travaux ayant pour objectif l'isolement et l'identification de l'agent responsable de ces effets, les chercheurs de l'École de médecine du Maryland (USA) et des Laboratoires Upjohn du Michigan ont récemment obtenu un résultat surprenant. Les analyses, par spectrographie de masse, des substances isolées à partir d'environ un millier de litres de plasma sanguin ont révélé que l'agent hypertenseur était la ouabaïne ou une molécule très proche !

Transport du calcium : la Ca^{2+}-ATPase

L'ion calcium, qui joue un rôle de messager secondaire dans pratiquement toutes les cellules (voir Chapitre 34), a un autre rôle, plus particulier, dans les muscles. C'est le signal qui stimule la contraction musculaire (Chapitre 17). À l'état de repos, la concentration de Ca^{2+} près des fibres musculaires est très faible (~ 0,1 μM) et presque tous les ions calcium dans les muscles sont concentrés dans un réseau complexe de vésicules, le **réticulum sarcoplasmique** (**RS**). Sous l'effet de l'influx nerveux, la membrane du réticulum sarcoplasmique libère rapidement de grandes quantités de Ca^{2+} et la concentration cytosolique atteint environ 10 μM, concentration qui stimule la contraction. La relaxation musculaire ne sera possible que si la concentration du Ca^{2+} dans le cytoplasme revient à celle de l'état de repos. Le calcium est pompé vers le réticulum sarcoplasmique par un transporteur ATP dépendant, la **Ca^{2+}-ATPase**. Cet enzyme est la protéine la plus abondante dans la membrane du RS où elle représente 70 à 80 % des protéines. La Ca^{2+}-ATPase présente de nombreuses analogies avec la Na^+, K^+-ATPase ; la taille de la sous-unité α est proche de celle de la pompe à sodium, elle forme un intermédiaire covalent E-P lors de l'hydrolyse de l'ATP, et le mécanisme de l'hydrolyse de l'ATP et du transport de l'ion est globalement le même.

La séquence des acides aminés de la sous-unité α est homologue de celle de la sous-unité α de la pompe à sodium, en particulier au voisinage du site de phosphorylation et du site de liaison de l'ATP (Figure 10.13). L'analyse hydropathique de la séquence prédit dix segments hélicoïdaux transmembranaires ainsi qu'une « tige » formée de cinq segments hélicoïdaux (Figure 10.14). Cette tige se trouve dans le cytoplasme, entre l'extrémité N-terminale de la chaîne polypeptidique et le domaine globulaire contenant le site de liaison de l'ATP et le site de phosphorylation. Comme pour la Na^+, K^+-ATPase, dans l'état E-P formé par la Ca^{2+}-ATPase du RS un résidu aspartate est phosphorylé, il s'agit dans ce dernier cas du résidu Asp^{351}.

(**a**) Domaine de la phosphorylation

	Res. no.																	
Na^+, K^+-ATPase, α	363	T	S	T	I	C	S	D	K	T	G	T	L	T	Q	N	R	M
H^+, K^+-ATPase	379	T	S	V	I	C	S	D	K	T	G	T	L	T	Q	N	R	M
Ca^{2+}-ATPase, RS	345	T	S	V	I	C	S	D	K	T	G	T	L	T	T	N	Q	M
H^+-ATPase, Levure	372	V	E	I	L	C	S	D	K	T	G	T	L	T	K	N	K	L
K^+-ATPase, *Streptococcus faecalis*	273	L	D	V	I	M	L	D	K	T	G	T	L	T	Q	G	K	F
F_1 ATPase, *E. coli*	280	Q	E	R	I	T	S	T	K	T	G	S	I	T	S	V	Q	A
F_1 ATPase, bovine	293	Q	E	R	I	T	T	T	K	K	G	S	I	T	S	V	Q	A

(**b**) Segment liant FITC, une sonde spécifique du site de l'ATP

Na^+, K^+-ATPase, α	496	P	Q	H	L	L	V	M	K	G	A	P	E	R	I	L	D	R	C	S	S
H^+, K^+-ATPase	510	P	R	H	L	L	V	M	K	G	A	P	E	R	V	L	E	R	C	S	S
Ca^{2+}-ATPase, RS	508	V	G	N	K	M	F	V	K	G	A	P	E	G	V	I	D	R	C	N	Y
Ca^{2+}-ATPase, membrane plasmique							M	Y	S	K	G	A	S	E	I	I	L	R			
H^+-ATPase, levure	467	G	E	R	I	V	C	V	K	G	A	P	L	S	A	L	K	T	V	E	E
H^+-ATPase, *Neurospora*	467	G	E	R	I	T	C	V	K	G	A	P	L	F	V	L	K	T	V	E	E

(**c**) Région liant l'ATP

Na^+, K^+-ATPase, α	543	L	G	E	R	V	—	L	G	F	C	H	L	F	L	P	D	E	Q	F	P
H^+, K^+-ATPase	613	L	K	C	R	T	—	A	G	I	R	V	I	M	V	T	G	D	H	P	I
Ca^{2+}-ATPase, RS	611	Q	L	C	R	D	—	A	G	I	R	V	I	M	I	T	G	D	N	K	G
H^+-ATPase, *Neurospora*	544	C	E	A	K	T	—	L	G	L	S	I	K	M	L	T	G	D	A	V	G
H^+-ATPase, levure	545	S	E	A	R	H	—	L	G	L	R	V	K	M	L	T	G	D	A	V	G
F_1 ATPase, bovine	243	E	Y	F	R	D	Q	E	G	Q	D	V	L	L	F	I	D	N	I	F	R
F_1ATPase, *E.coli*	267	E	Y	F	R	D	—	R	G	E	D	A	L	I	I	Y	D	D	L	S	K
ATP-ADP protéine d'échange	277	V	L	—	R	G	N	G	G	A	F	V	L	V	L	Y	D	E	I	K	K
Adénylate kinase	104	E	F	E	R	K	—	I	G	Q	P	T	L	L	L	Y	V	D	A	G	P
Phosphofructokinase	87	E	Q	L	K	K	—	H	G	I	Q	G	L	V	V	I	G	G	D	G	S

(**d**) Segments liant des sondes spécifiques du site actif de la (Na^+, $K^{+)}$ ATPase

Na^+, K^+ATPase, α	701	Q	G	A	I	V	A	V	T	G	D	G	V	N	D	S	P	A	L	K	K
H^+, K^+-ATPase	717	L	G	A	I	V	A	V	T	G	D	G	V	N	D	S	P	A	L	K	K
Ca^{2+}-ATPase, RS	694	Y	D	E	I	T	A	M	T	G	D	G	V	N	D	A	P	A	L	K	K
H^+-ATPase, *Neurospora*	625	R	G	Y	L	V	A	M	T	G	D	G	V	N	D	A	P	S	L	K	K
H^+-ATPase, levure	625	R	G	Y	L	V	A	M	T	G	D	G	V	N	D	A	P	S	L	K	K
K^+-ATPase, *Streptococcus faecalis*	467	Q	G	K	K	V	I	M	V	G	D	G	I	N	D	A	P	S	L	A	R

▲ **Figure 10.13** • Homologie des séquences dans le domaine du site de liaison de l'ATP et de la phosphorylation des pompes suivantes : Na^+, K^+-ATPase, Ca^{2+}-ATPase, et H^+, K+-ATPase de l'estomac. *(D'après Jørgensen, P.L., et Andersen, J.P., 1988. Structural basis for E_1 - E_2 conformational transitions in Na^+, K^+-pump and Ca^{2+}-pump proteins.* Journal of Membrane Biology ***103** : 95-120)*

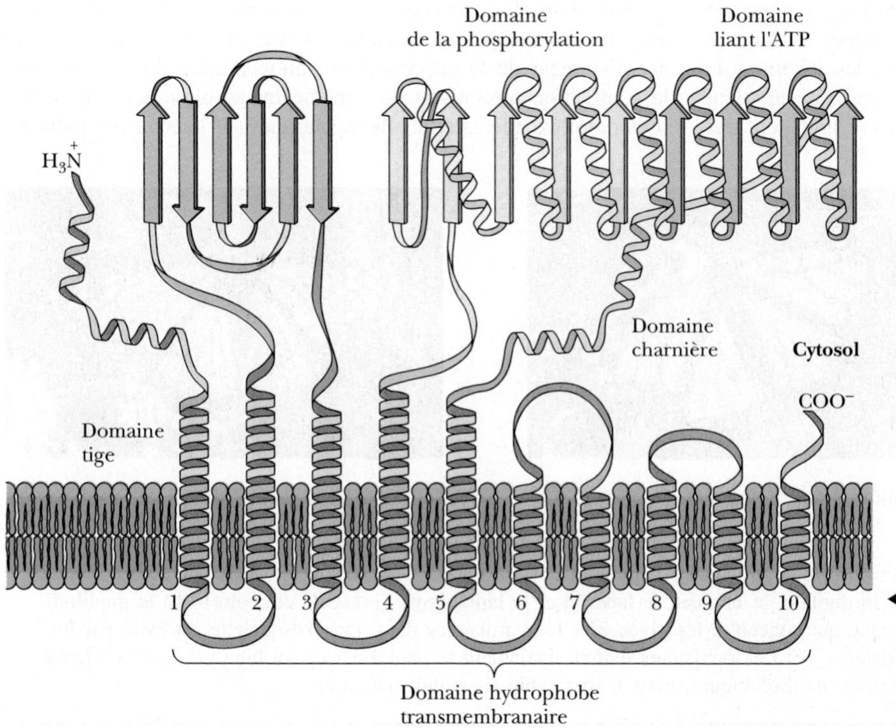

◀ **Figure 10.14** • Arrangement de la Ca^{2+}-ATPase dans la membrane du réticulum sarcoplasmique. D'après l'analyse hydropathique, la présence de 10 segments transmembranaires est envisagée.

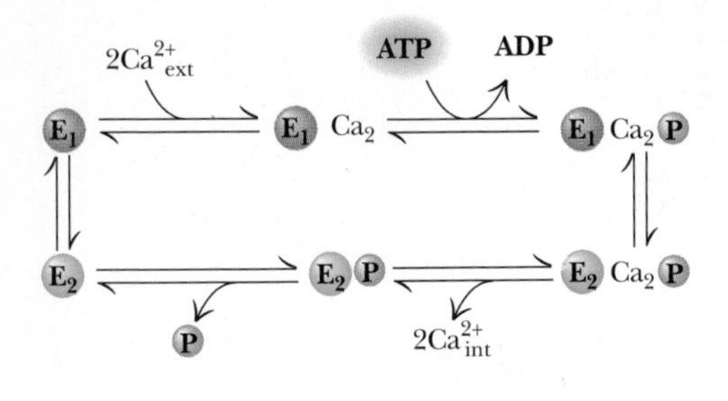

Figure 10.15 • Mécanisme réactionnel proposé pour la Ca^{2+}-ATPase du réticulum sarcoplasmique. Notez la similarité du mécanisme avec celui de la Na+, K+-ATPase (voir aussi Figure 10.11). Notez que « ext » représente ici le cytosol, et « int » la lumière du réticulum sarcoplasmique.

Deux ions Ca^{2+} sont transportés à l'intérieur du RS par ATP hydrolysé et le mécanisme (Figure 10.15) semble, comme pour le mécanisme de la Na^+, K^+-ATPase, impliquer deux conformations principales, E_1 et E_2. Dans l'état E_1-P:2 Ca^{2+}, les ions calcium sont fortement fixés sur un site à l'intérieur de la protéine et ne peuvent se dissocier de l'enzyme tant que l'enzyme ne s'est pas converti en l'état E_2-P:2 Ca^{2+} qui a beaucoup moins d'affinité pour Ca^{2+}. L'hydrolyse de E-P libère le calcium à l'intérieur du RS ; dans l'état E_1-P:2Ca^{2+}, les ions calcium sont liés à l'intérieur d'un canal.

Biochimie humaine

Les glycosides tonicardiaques : des substances actives venues des anciens temps

Les glycosides tonicardiaques ont une très ancienne histoire, très intéressante. De nombreuses espèces de plantes produisant ces substances croissent dans les régions tropicales et ont été utilisées par les populations de l'Amérique du Sud et d'Afrique pour préparer des flèches empoisonnées destinées à la chasse ou à des fins plus guerrières. Par exemple, les zoulous d'Afrique du Sud utilisaient des flèches dont l'extrémité avait trempé dans des préparations contenant des glycosides tonicardiaques. Le bulbe de la scille, commun dans le sud de l'Europe et en Afrique du Nord, était utilisé par les Romains et les Égyptiens comme stimulant cardiaque diurétique et expectorant. Aux mêmes fins, les Chinois ont longtemps utilisé un remède à base de peau de certains crapauds. Des glycosides tonicardiaques se trouvent aussi dans plusieurs espèces de plantes domestiques, par exemple la digitale pourpre, le muguet, le laurier-rose et le laiteron. En s'alimentant sur les laiterons, le papillon grand monarque acquiert ces substances qui s'accumulent dans leur exosquelette. Les glycosides cardiaques le protègent des oiseaux prédateurs qui par expérience les évitent. Le papillon vice-roi a toute l'apparence du grand monarque. Bien qu'il ne contienne pas de glycosides tonicardiaques, les oiseaux l'évitent le prenant pour un papillon monarque.

En 1785, le médecin, et botaniste, William Withering a prescrit l'usage médicinal des produits dérivés de la digitale. À notre époque, la digitaline préparée à partir de feuilles séchées de digitale (*Digitalis purpurea*) et d'autres stéroïdes cardiotoniques sont utilisés pour accroître la force contractile du muscle cardiaque, pour ralentir le rythme de ses pulsations, et rétablir le fonctionnement (régulariser) du cœur lors de la fibrillation auriculaire. L'inhibition de la pompe à sodium cardiaque accroît la concentration intracellulaire de l'ion sodium, ce qui stimule l'échange Na^+-Ca^{2+}, avec pour conséquence la sortie du Na^+ et l'entrée de Ca^{2+} ; un accroissement de la concentration intracellulaire du Ca^{2+} stimule la contraction musculaire. Les médicaments digitaliques bien utilisés ont d'excellents effets thérapeutiques sur le cœur des patients.

(a) Laurier-rose.

(b) Papillon grand monarque (*Danaus plexippus*).

(c) Papillon vice-roi (*Basilarchia archippus*).

(a) Les glycosides tonicardiaques, inhibiteurs de la Na^+, K^+-ATPase sont produits par de nombreuses plantes dont la digitale, le muguet, le laiteron et le laurier-rose (présenté ci-contre). (b) le papillon grand monarque qui concentre les glycosides tonicardiaques dans son exosquelette est évité par les oiseaux prédateurs. (c) Les prédateurs évitent également le papillon vice-roi bien qu'il ne contienne pas de glycosides cardiotoniques, mais il ressemble au grand monarque.

La H^+, K^+-ATPase gastrique

La production de protons est l'une des activités fondamentales du métabolisme cellulaire et cette production a un rôle particulier dans l'estomac. L'environnement très acide dans l'estomac est essentiel pour la digestion des aliments chez tous les animaux. Le pH du milieu gastrique est normalement compris entre 0,8 et 1. Le pH cytosolique des cellules de la muqueuse gastrique des mammifères est voisin de 7,4, ce qui représente un **gradient de pH** de 6,6 à travers la membrane cellulaire de la muqueuse ; c'est le gradient de pH le plus grand connu chez les eucaryotes. Cet énorme gradient doit être maintenu constant, afin que les aliments puissent être digérés dans l'estomac, sans que les cellules et les organes adjacents à l'estomac soient endommagés. La sécrétion de H^+ est le résultat de l'activité de la **H^+, K^+-ATPase** qui utilise l'énergie d'hydrolyse de l'ATP pour pomper H^+ vers l'extérieur de la cellule en échange d'ions K^+. Ce transport est donc électriquement neutre, et le K^+ transporté dans les cellules de la muqueuse stomacale est ensuite pompé vers l'extérieur, accompagné d'un ion Cl^-, par un second processus qui lui aussi est électriquement neutre (Figure 10.16). Le transport net effectué par ces deux systèmes est un mouvement de HCl vers la cavité gastrique. (Il suffit d'une petite quantité de K^+ puisque cet ion est constamment recyclé). La H^+, K^+-ATPase présente plusieurs analogies avec la Na^+, K^+-ATPase de la membrane plasmique et la Ca^{2+}-ATPase du réticulum sarcoplasmique. La masse moléculaire est proche, il se forme un intermédiaire E-P, et de nombreuses parties de la séquence peptidique sont homologues de celle des autres pompes (Figure 10.13).

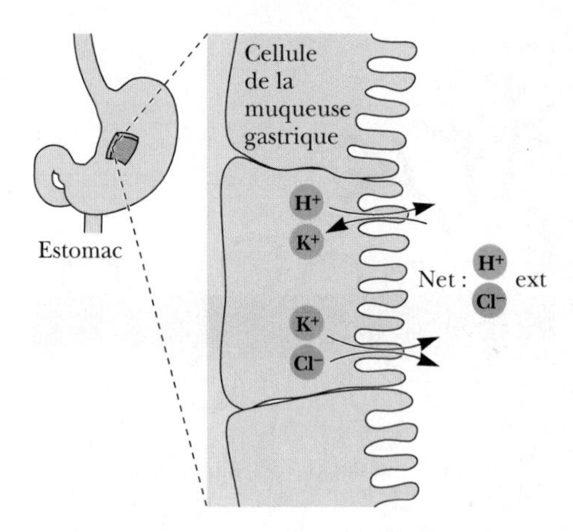

Figure 10.16 • La H^+, K^+-ATPase des cellules de la muqueuse gastrique transporte les protons vers l'estomac. Les ions potassium sont recyclés par un système de cotransport K^+/Cl^- associé. L'effet de ces deux pompes aboutit à un transfert net de H^+ et de Cl^- vers l'estomac. « Ext » représente ici la cavité stomacale.

Résorption osseuse par la pompe à protons des ostéoclastes

Il existe chez les eucaryotes et les procaryotes d'autres ATPases intervenant dans la translocation des protons. De telles ATPases se trouvent dans les membranes de diverses vacuoles, lysosomes, appareil de Golgi, puits tapissés et endosomes (**ATPases vacuolaires**). Les levures et les bactéries ont aussi des ATPases agissant comme des pompes à protons. Une ATPase joue un rôle particulier dans les **ostéoclastes** (cellules polynucléaires qui participent à la résorption de l'os lors de sa reconstitution, après fracture par exemple). Son activité fournit une source de calcium circulant pour les tissus mous comme les nerfs et les muscles. À tout moment, environ 5 % de la masse osseuse d'un corps humain sont soumis à renouvellement. Lorsque la croissance s'achève, la résorption de la matrice osseuse par les ostéoclastes équilibre la formation du nouveau tissu osseux par les **ostéoblastes**. Les ostéoclastes ont une pompe à proton (analogue aux ATPases vacuolaires) dans la partie de leur membrane plasmique qui s'attache à l'os ; cette région de la membrane est appelée la bordure plissée. L'ostéoclaste se lie à l'os à la manière d'une coupe retournée sur une soucoupe (Figure 10.17) laissant un espace libre entre la cellule et la surface de l'os. Les H^+-ATPases de la bordure plissée pompent H^+ vers la solution qui remplit cet espace et le milieu acide dissout la matrice minérale de l'os. La substance minérale de l'os est essentiellement un mélange de carbonate de calcium et d'hydroxyapatite (phosphate de calcium hydraté cristallisé). Dans cet exemple, le transport des protons hors des ostéoclastes abaisse le pH de l'espace extracellulaire au voisinage de l'os à près de 4.

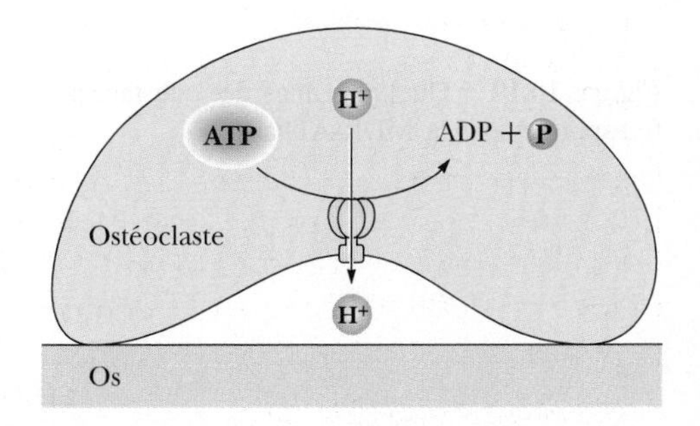

Figure 10.17 • Les pompes à proton se rassemblent sur la bordure plissée des ostéoclastes ; elles pompent les protons vers l'espace formé entre la membrane cellulaire et l'os. La forte concentration en H^+ dans cet espace dissout la matrice minérale de l'os.

ATPases transportant des petites molécules, peptides ou médicaments

D'autres espèces que les protons ions et ions minéraux sont transportées à travers la membrane par des ATPases spécialisées. La levure (*Saccharomyces cerevisiae*) présente l'un de ces systèmes. Les cellules haploïdes de la levure existent sous forme de deux types conjugants, les types **a** et ***α*** qui peuvent fusionner pour donner des cellules diploïdes. Chacun de ces types conjugants produit un facteur de conjugaison (respectivement le **facteur a** et le **facteur *α***) et répond au facteur de conjugaison de type opposé. Le facteur a est un peptide qui est inséré dans le réticulum

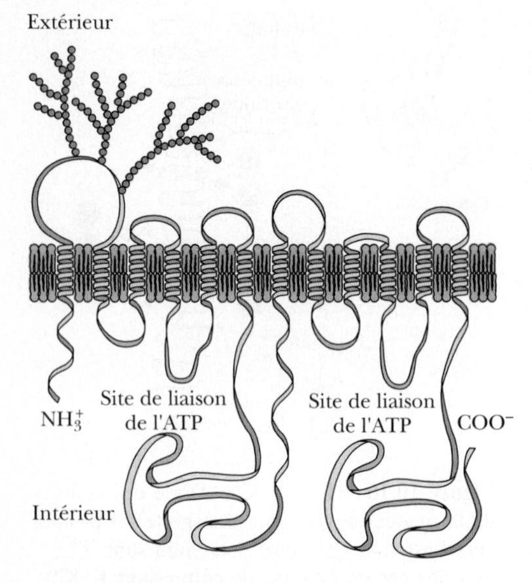

Figure 10.18 • Modèle proposé pour la structure du transporteur du facteur a dans la membrane plasmique de la levure. La duplication d'un gène a donné un gène dont le produit comprend deux moitiés identiques, chacune contenant six segments hélicoïdaux transmembranaires et un site de liaison de l'ATP. Comme la protéine du transport du facteur a, le transporteur multidrogue a douze hélices transmembranaires et deux sites de liaison de l'ATP.

endoplasmique lors de sa synthèse sur le ribosome. Le facteur a est glycosylé dans le RE puis est secrété par la cellule. Le facteur a est un dodécapeptide (12 résidus) provenant d'un précurseur un peu plus long. La translocation de ce peptide hors de la cellule est effectuée par une protéine de 1290 résidus constituée de deux parties identiques réunies – une duplication en tandem. Chaque moitié contient vraisemblablement six segments transmembranaires disposés par paires et un domaine cytoplasmique hydrophile conservé contenant une séquence consensus caractéristique des sites de liaison de l'ATP (Figure 10.18). Cette protéine utilise l'énergie d'hydrolyse de l'ATP pour exporter le facteur a hors de la cellule. Dans les souches de levure qui produisent une forme mutante de l'ATPase du transport du facteur a, ce dernier n'est pas excrété, il s'accumule dans la cellule, à une concentration très élevée.

Des protéines analogues au transporteur du facteur a de la levure ont été identifiées dans diverses cellules procaryotes et eucaryotes ; l'une de ces protéines semble responsable de l'acquisition d'une forme de **résistance multiple aux antitumoraux** utilisés dans le traitement des tumeurs cancéreuses humaines. Le traitement clinique des cancers humains implique souvent une chimiothérapie, traitement par une ou plusieurs substances chimiques qui sélectivement inhibent la croissance et la prolifération des cellules tumorales. Malheureusement, l'efficacité d'une molécule donnée décroît avec le temps par suite d'une résistance acquise. Pire, la résistance acquise à l'égard d'une substance s'étend simultanément à d'autres agents de la chimiothérapie même s'ils n'ont aucune ressemblance structurale ou fonctionnelle avec la drogue prescrite à l'origine ! Le phénomène est appelé résistance multidrogue (MDR). Cette résistance est attribuée à l'induction de l'expression d'une glycoprotéine de la membrane plasmique, la **P-glycoprotéine** (ou **MDR-ATPase**), une protéine de 170 kDa. Comme le transporteur du facteur a de la levure, la MDR-ATPase a une structure en tandem, avec dans chaque moitié une séquence hydrophobe à six segments transmembranaires et une séquence hydrophile cytoplasmique contenant la séquence consensus du site de fixation de l'ATP (Figure 10.18). La protéine utilise l'énergie d'hydrolyse de l'ATP pour transporter une grande variété de substances toxiques *hors de la cellule* (Figure 10.19). C'est vraisemblablement une conséquence inattendue du système de protection perfectionné présent dans les cellules dans

Figure 10.19 • Quelques unes des substances transportées par la MDR-ATPase.

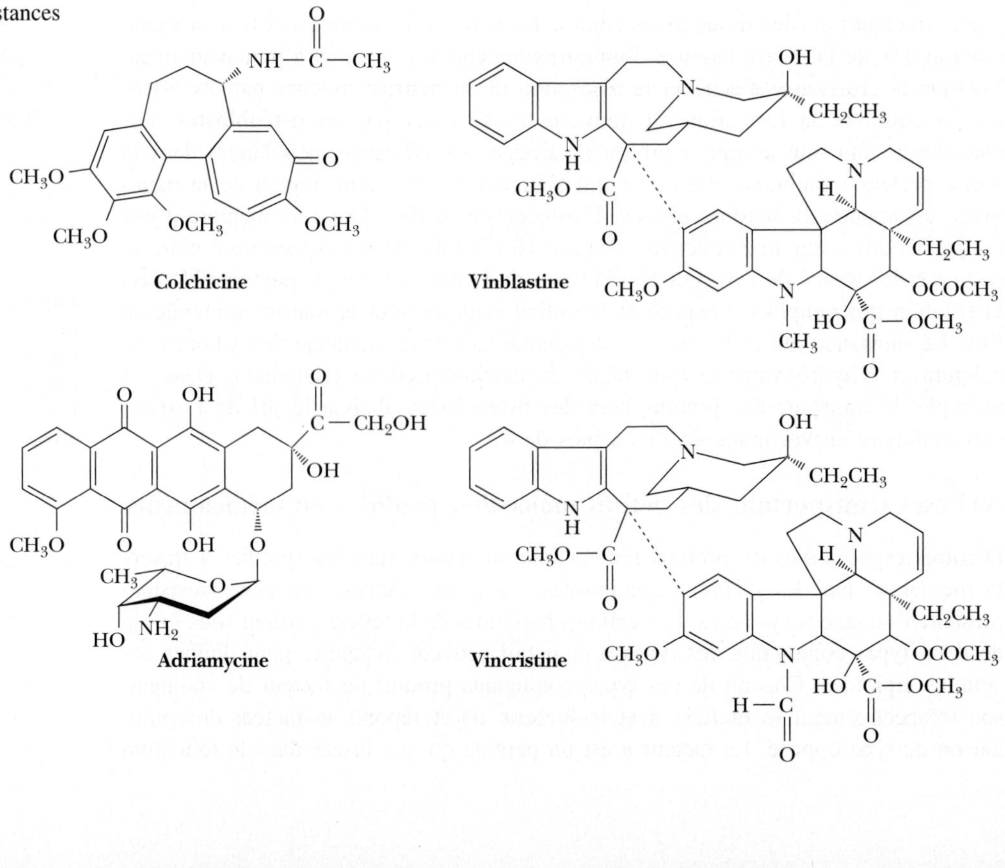

Colchicine

Vinblastine

Adriamycine

Vincristine

l'organisme. Les molécules organiques de structures très variées qui diffuseraient dans la cellule sont reconnues par cette protéine et expulsées. Les substances utilisées en chimiothérapie anticancéreuse sont reconnues par la MDR-ATPase comme des molécules étrangères et sont rapidement éliminées. Comment cette grosse protéine peut reconnaître, lier et transporter des molécules de familles si diverses reste une énigme. Mais il est reconnu que l'ATPase transporteur du facteur a de la levure et la MDR-ATPase ne sont que deux des membres d'une superfamille de protéines de transport dont les nombreuses fonctions demandent à être précisées.

10.5 • Transports entraînés par la lumière

Nous avons déjà signalé que certains processus de transport sont entraînés par l'énergie lumineuse et non par l'hydrolyse de l'ATP. Deux systèmes sont bien caractérisés chez *Halobacterium halobium* : la pompe à proton énergisée par la lumière (**bactériorhodopsine**) et la pompe à Cl^- énergisée par la lumière (**halorhodopsine**). *Halobacterium halobium* est une archaebactérie qui se développe en milieu fortement salin ; la croissance optimale s'observe à la concentration de 4,3 *M* en NaCl. Cette bactérie a particulièrement été caractérisée par Walther Stoeckenius qui l'a isolée des marais salants des exploitations de sel marin près de la Baie de San Francisco où elle prolifère. *H. halobium* respire normalement s'il y a suffisamment d'oxygène et de métabolites énergétiques. En leur absence, *H. halobium* survit en utilisant la bactériorhodopsine et la halorhodopsine pour capter l'énergie lumineuse. Dans les conditions de carence en O_2 et en métabolites énergétiques, des **taches pourpres** apparaissent à la surface de la membrane de *H. halobium* (Figure 10.20). Ces taches pourpres sont constituées, pour 75 %, de **bactériorhodopsine** (**bR**). La couleur pourpre de cette protéine provient de la présence d'une molécule de rétinal liée par l'intermédiaire d'une liaison covalente sur le groupe ε-NH_2 de Lys^{216} de chaque molécule de bactériorhodopsine, liaison caractéristique des bases de Schiff (Figure 10.21). La bactériorhodopsine est une protéine transmembranaire de 26 kDa qui s'agrège si fortement dans la membrane qu'elle forme dans le plan de la membrane une structure appelée cristal bidimensionnel. La structure de la bR élucidée par micrographie électronique affinée par l'analyse de l'image à l'ordinateur révèle sept segments hélicoïdaux transmembranaires. La molécule de rétinal est parallèle au plan du cristal, à environ 1 nm sous la surface extérieure de la membrane (voir Figure 9.15).

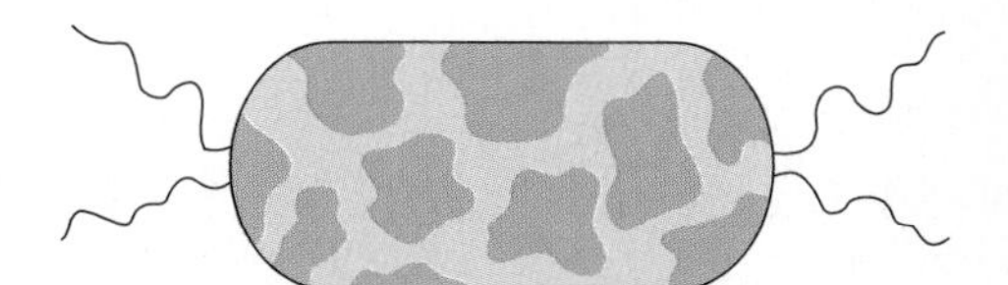

Figure 10.20 • Représentation schématique de *Halobacterium halobium*. Les taches pourpres contiennent la bactériorhodopsine.

$$R-\overset{\overset{H}{|}}{C}=\underset{\underset{H}{|}}{\overset{+}{N}}-CH_2-CH_2-CH_2-CH_2-\underset{\underset{O=C}{|}}{\overset{\overset{NH}{|}}{CH}}$$

Rétinal **Résidu lysine**

Base de Schiff protonée

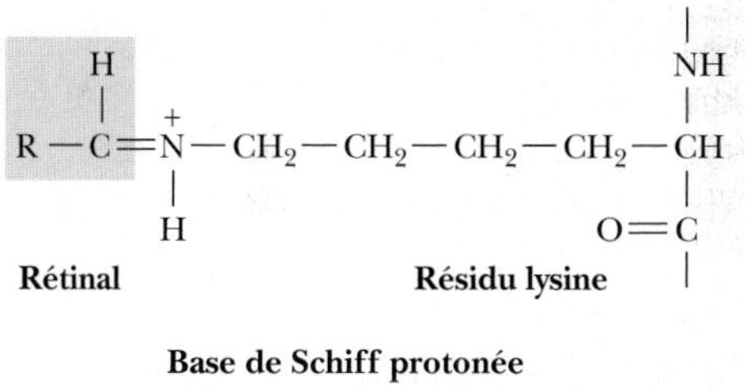

Figure 10.21 • Base de Schiff formée par la liaison du rétinal à Lys^{216}.

Modèle de transport de protons entraîné par la lumière

Le mécanisme du transport des protons par la bactériorhodopsine est complexe, cependant un modèle partiel a pu être décrit (Figure 10.22). Plusieurs états intermédiaires, dénommés d'après la longueur d'onde maximale d'absorption (en nm), ont été identifiés. L'absorption d'un photon par la forme bR_{568} (dans laquelle la base de Schiff sur Lys^{216} est protonée) convertit le rétinal de la configuration tout-*trans* en son isomère *cis*-13. Le passage par plusieurs états successifs se traduit par le transport vers l'extérieur de deux ions H^+ par photon absorbé et le retour du rétinal lié à la configuration tout-*trans*. Il semble que les protons transférés sont en fait les protons de la base de Schiff protonée. Le gradient de protons ainsi établi représente un potentiel énergétique qui peut être utilisé par *H. halobium* pour la synthèse d'ATP ou le transport de molécules à travers la membrane (voir Chapitre 21).

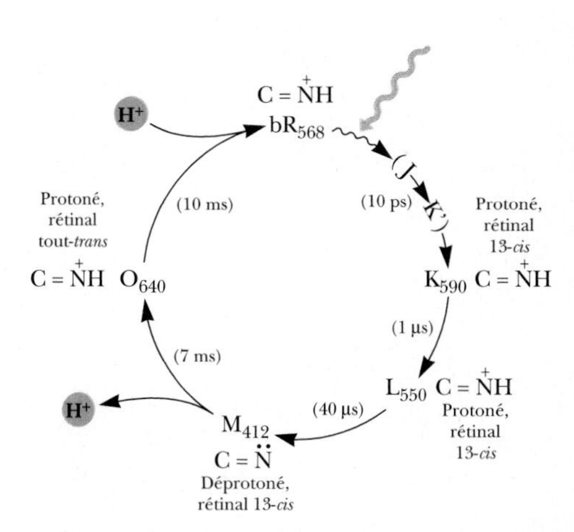

Figure 10.22 • Cycle des réactions de la bactériorhodopsine. Les étapes intermédiaires sont indiquées par des lettres avec en indice l'indication de la longueur d'onde de l'absorption maximale. L'indication de l'état de la configuration du chromophore est également donnée pour chaque état (tout-*trans* ou 13-*cis*), ainsi que l'état de protonation de la base de Schiff (C=N: ou $C=N^+H$).

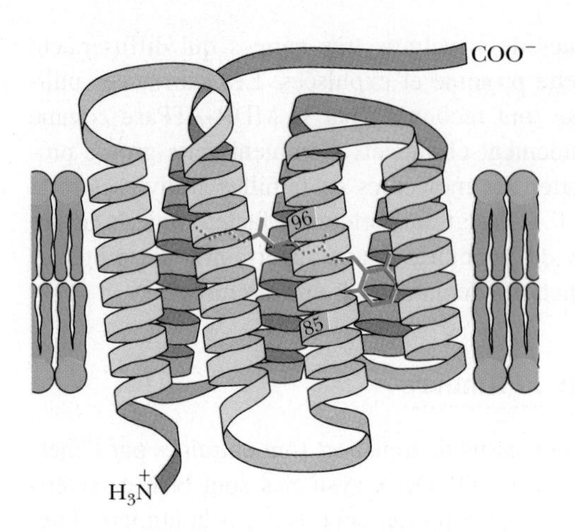

Figure 10 23 • Reploiement de la halorhodopsine. Le seul résidu lysine présent dans la structure est Lys^{242}. Le chromophore (le rétinal) se lie à cette lysine par une liaison covalente.

Transport de l'ion chlorure entraîné par la lumière chez *H. halobium*

Le transport des anions est effectué dans la membrane de *H. halobium* par une seconde pompe entraînée par la lumière. Le transport de Cl^- vers l'intérieur de la bactérie est catalysé par la *halorhodopsine*, une protéine de 27 kDa dont la structure primaire et l'arrangement dans la membrane sont très proches de la structure et de l'arrangement de la bactériorhodopsine. À la différence de cette dernière, la halorhodopsine ne se présente pas dans la membrane avec une structure cristalline bidimensionnelle, mais son chromophore, le rétinal, est aussi lié de façon covalente à un résidu Lys (Lys^{242}), le seul résidu Lys présent. La partie transmembranaire de la halorhodopsine présente 36 % d'homologie avec la bactériorhodopsine. Les résidus conservés sont concentrés dans le cœur formé dans les deux protéines par les sept hélices transmembranaires (Figure 10.24). Comme la bactériorhodopsine, la halorhodopsine subir un cycle de

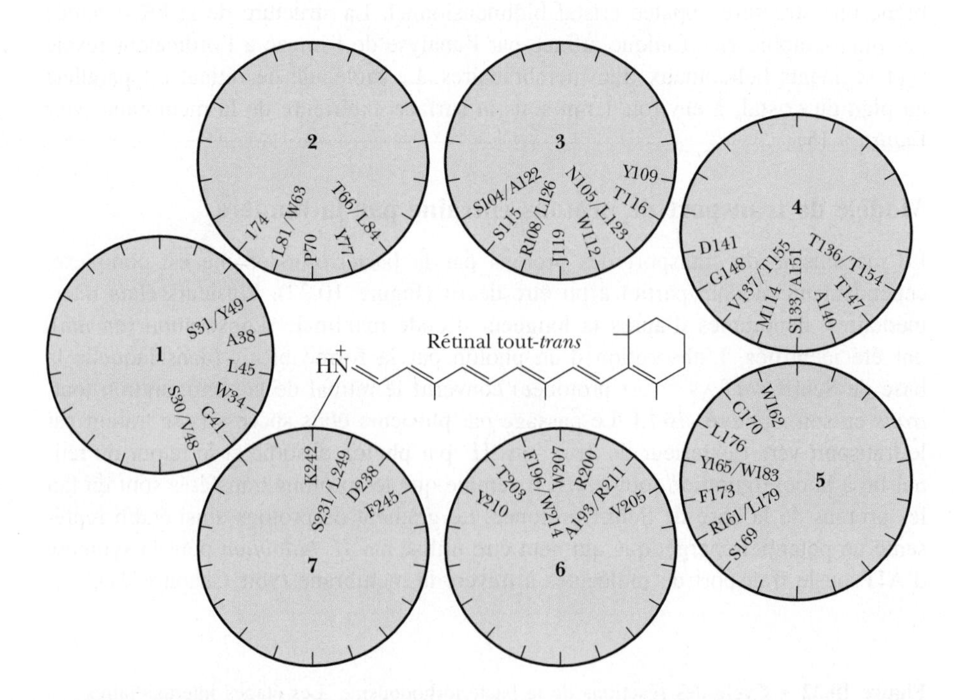

Figure 10.24 • Modèle de la roue hélicoïdale de la halorhodopsine. Seuls les acides aminés polaires faisant face au cœur hydrophile de la protéine sont représentés. Parmi ces 60 résidus, 36 sont conservés entre la halorhodopsine et la bactériorhodopsine. (*D'après Oesterhelt, D., et Tittor, J., 1989.* Trends in Biochemical Sciences ***14** : 57-61.*)

changements de conformation, cycle entraîné par l'énergie lumineuse captée, mais il n'y a pas de déprotonation de la base de Schiff pendant le cycle de la halorhodopsine. Compte tenu de la similarité de structure entre ces deux protéines, une question intéressante vient à l'esprit : pourquoi la bactériorhodopsine pompe H^+ et non Cl^-, et pourquoi la halorhodopsine pompe Cl^- et non H^+ ? Une première réponse provient des recherches de H. G. Khorana et de ses collaborateurs qui ont remplacé Asp^{85} et Asp^{96} dans la bactériorhodopsine par de l'asparagine et constaté que l'une ou l'autre de ces substitutions réduisait fortement le transport de H^+. Dieter Oesterhelt et ses collaborateurs avaient montré que les résidus Asp^{85} et Asp^{96} jouent respectivement un rôle important dans la protonation et la déprotonation de la base de Schiff dans la bactériorhodopsine. L'absence de ces deux résidus cruciaux dans la halorhodopsine expliquerait pourquoi cette dernière ne peut ni déprotoner réversiblement la base de Schiff ni pomper des protons.

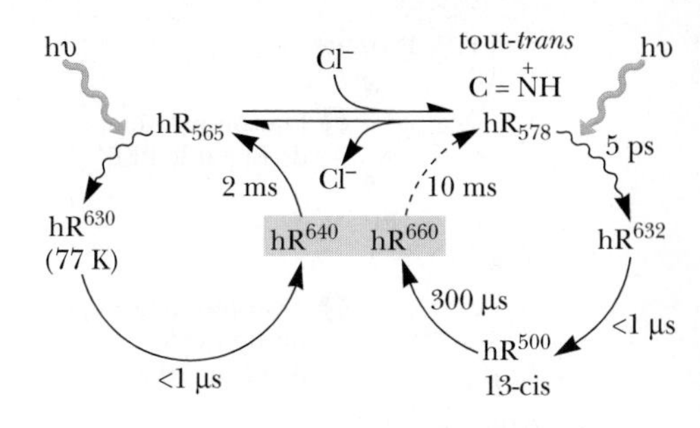

Figure 10.25 • Cycle de la halorhodopsine (hR) adaptée à la lumière, en présence et en l'absence de Cl^-. En exposant indication du pic maximum du spectre différentiel entre hR et ses intermédiaires.

10.6 • Transports entraînés par des gradients ioniques

Transport des acides aminés et des oses

Les gradient de H^+, Na^+, et d'autres cations, ou d'anions, établis par les ATPases et diverses sources d'énergie peuvent être utilisés pour un **transport actif secondaire** de divers substrats. Les systèmes les mieux connus utilisent les gradients de Na^+ ou H^+ pour transporter des acides aminés ou des oses dans certaines cellules. Ce sont souvent des systèmes **symports** dans lesquels l'ion et l'acide aminé ou l'ose sont transportés dans la même direction (vers la cellule). Dans les processus de type **antiport**, l'ion et les autres espèces simultanément transportées se déplacent dans des directions opposées (par exemple, le transport des anions Cl^- et HCO_3^- dans les érythrocytes est effectué par un système antiport). Des systèmes symports de transport des protons sont utilisés chez *E. coli* et d'autres bactéries pour accumuler le lactose, l'arabinose, le ribose et divers acides aminés ? *E. coli* possède également des systèmes antiports de transport de Na^+ pour l'accumulation du mélibiose ainsi que pour le glutamate et d'autres acides aminés.

Le Tableau 10.2 présente une liste de systèmes qui transportent les acides aminés dans les cellules de mammifères. L'accumulation des acides aminés neutres dans

Tableau 10.2

Systèmes de transport des acides aminés chez les mammifères

Désignation du système	Dépendance ionique	Acides aminés transportés	Origine du système
A	Na^+	Acides aminés neutres	
ASC	Na^+	Acides aminés neutres	
L	Na^+-indépendant	Acides aminés à chaîne ramifiée et aromatiques	Cellules d'ascite de Ehrlich Cellules ovariennes du hamster chinois Hépatocytes
N	Na^+	À chaîne latérale contenant de l'azote (Gln, Asn, His, etc.)	
y^+	Na^+-indépendant	Acides aminés cationiques	
x_{AG}^-	Na^+	Aspartate et glutamate	Hépatocytes
P	Na^+	Proline	Cellules ovariennes du hamster chinois

D'après Collarini, E.J., et Oxender, D.L., 1987. Mechanisms of transport of amino acids across membranes. *Annual Review of Nutrition* **7** : 75-90.

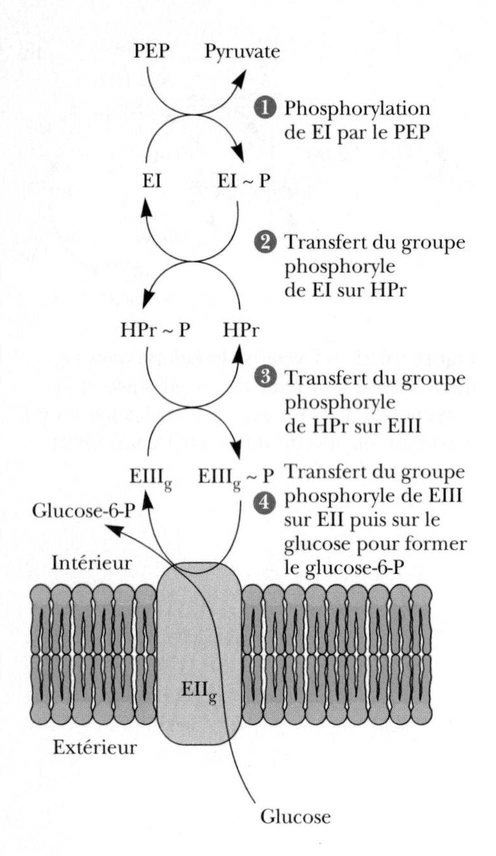

Figure 10.26 • Le transport du glucose chez E. coli est catalysé par un système phosphotransférase dépendant du PEP. Étape 1, l'enzyme I est phosphorylé par le PEP. Étapes 2 et 3, transferts successifs du groupe phosphoryle sur HPr et l'enzyme III. Enfin, étape 4, transport et phosphorylation du glucose. L'enzyme II correspond au canal de transport du glucose.

les hépatocytes par le système A représente un important processus métabolique. C'est ainsi que la vitesse du transport de l'alanine à travers la membrane de l'hépatocyte est une étape limitante du métabolisme de cet acide aminé dans le foie. Ce système est normalement exprimé à bas niveau dans les hépatocytes mais une carence en substrat ou une activation hormonale stimule l'expression du système A.

10.7 • La translocation de groupes

Certaines bactéries disposent d'un système particulier pour le transport des oses vers l'intérieur de la cellule. Dans ce processus, l'ose se trouve phosphorylé pendant son transport à travers la membrane ; le transport et la phosphorylation sont strictement couplés. Ce type de processus au cours duquel une modification chimique accompagne le transport est appelé **translocation de groupe**. Plusieurs de ces systèmes sont actuellement connus, mais le mieux compris est le système **phosphoénolpyruvate:glucose phosphate-transférase, ou plus simplement système phosphotranférase (ou PTS**, de l'anglais *phosphotransferase system*), découvert en 1964 par Saul Roseman à l'Université Johns Hopkins. L'avantage de ce système réside en ce que les oses une fois phosphorylés sont piégés dans la cellule. Les membranes sont relativement perméables aux oses, mais imperméables aux oses phosphates car ils portent une charge négative. La réaction globale de la phosphotranférase est :

$$\text{Ose}_{\text{(extérieur)}} + \text{PEP}_{\text{(intérieur)}} \longrightarrow \text{ose phosphate}_{\text{(intérieur)}} + \text{pyruvate}_{\text{(intérieur)}}$$

Les mentions en indice soulignent un fait important : le transfert du groupe phosphoryle s'effectue entièrement sur la surface interne de la membrane bactérienne.

Plusieurs caractéristiques particulières distinguent le système phosphotransférase. Premièrement, le phosphoénolpyruvate est donneur à la fois du groupe phosphoryle et de l'énergie nécessaire au transport de l'ose. Deuxièmement, quatre protéines différentes mais toutes nécessaires contribuent à ce transport. Deux de ces protéines (**Enzyme I et HPr**) sont exigées pour la phosphorylation de tous les oses transportés par le système PTS. Les deux autres protéines (**Enzyme II et enzyme III**) sont spécifiques de l'ose particulier à transporter.

La première étape du transport commence par la phosphorylation de l'enzyme I par le PEP ; il se forme un intermédiaire réactif caractérisé par le groupe phosphohistidine (Figure 10.27). Elle est suivie par le transfert du groupe phosphoryle sur un résidu His de HPr puis d'un autre transfert du groupe phosphoryle sur un nouveau résidu His de l'enzyme III. En même temps, l'ose destiné à être transporté est lié sur la surface extérieure de la membrane par l'enzyme II qui constitue le canal du transport de l'ose. Pendant que l'ose est transporté sur la face interne de la membrane, le groupe phosphoryle est transféré de l'enzyme III à l'ose, formant

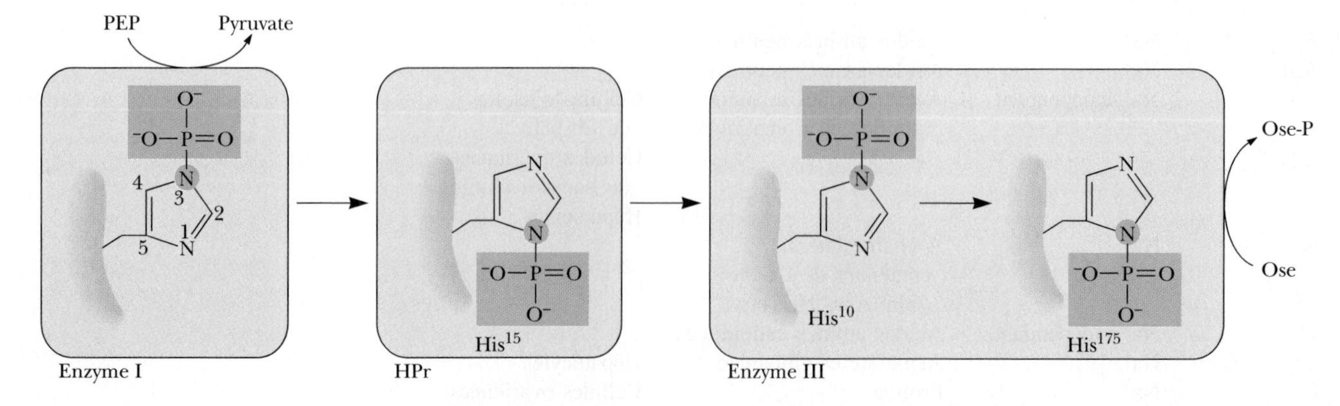

Figure 10.27 • Voie du groupe phosphoryle dans le mécanisme du système PTS. Le groupe phosphohistidine réactif des intermédiaires de l'Enzyme I, de HPr et de l'Enzyme III, transfèrent le groupe phosphoryle du PEP sur l'ose transporté.

ainsi l'ose phosphate qui sera libéré dans le cytoplasme. (Dans certains cas, par exemple pour le système mannitol chez *E. coli*, l'enzyme III n'a pu être identifié. Dans ces cas, l'extrémité C-terminale de l'enzyme II approprié, qui ressemble à une séquence de l'enzyme III, se substitue à l'enzyme III pour catalyser le transfert du groupe phosphoryle).

10.8 • Pores membranaires spécialisés

Porines des membranes de bactéries à Gram négatif

Les systèmes de transport membranaire précédemment décrits (et quelques autres similaires) sont relativement spécifiques et fonctionnent pour transporter soit un unique substrat soit un nombre très limité de substrats dans les conditions normales. Mais il existe aussi des systèmes de transport assez peu spécifiques. Une classe de ces protéines de transport non spécifiques se trouve dans les membranes externes des bactéries à Gram négatif et des mitochondries. Les nutriments de faible masse moléculaire et d'autres molécules (par exemple des antibiotiques) traversent cette membrane, mais les molécules plus volumineuses comme les protéines ne le peuvent pas. La capacité de la membrane externe à se comporter comme un tamis moléculaire provient de la présence de protéines appelées **porines** (Chapitre 9). Ces molécules ont porté d'autres noms : **protéines associées à des peptidoglycannes** ou **protéines de la matrice**. Les **porines générales** forment des pores non spécifiques à travers la membrane externe et filtrent les molécules en fonction de leur taille alors que les **porines spécifiques** contiennent des sites spécifiques pour des substrats particuliers. Des porines ont été isolées à partir de plusieurs organismes et caractérisées (Tableau 10.3). Les masses moléculaires varient généralement de 30 à 50 kDa. La plupart des porines (pas toutes) sont arrangées dans la membrane externe sous forme de trimères à sous-unités identiques. La limite de l'exclusion moléculaire dépend clairement de la taille du pore formé par la molécule de porine. Les pores formés chez *E. coli* et *S. typhimurium* sont relativement petits, mais la porine F chez *Pseudomonas aeruginosa* crée des pores de plus grande taille avec une limite d'exclusion d'environ 6 kDa. Les porines spécifiques *LamB* et *Tsx* chez *E. coli* et les porines *P* et *DI* chez *P. aeruginosa* possèdent des sites de liaison respectivement spécifiques pour le maltose, le maltotriose et d'autres polyosides apparentés (Tableau 10.4), les nucléosides, les anions et le glucose.

Tableau 10.3

Propriétés de quelques porines générales

Porine et bactérie d'origine	Diamètre du pore (nm)	Limite d'exclusion (M_r)
E. coli		
OmpF	1,2	
OmpC	1,1	600
PhoE	1,2	
S. typhimurium		
M_r 38.000	1,4	
M_r 39.000	1,4	700
M_r 40.000	1,4	
P. aeruginosa		
F	2,2	6000

D'après Benz, R., 1984. Structure and selectivity of porin channels. *Current Topics in Membrane Transport* **21** : 199-219 ; et Benz, R., 1988. Structure and function of porins from Gram-negative bacteria. *Annual Review of Microbiology* **42** : 359-393.

Tableau 10.4

Liaison et vitesse du transport de divers oses par le canal LamB

Ose	K_s (m*M*)*	*P* (s^{-1})†
Maltose	10	100
Maltotriose	0,40	66
Maltoheptaose	0,067	2,5
Lactose	56	9
Saccharose	15	2,5
D-Glucose	110	290
L-Glucose	46	–
D-Galactose	42	225
D-Fructose	600	135
D-Mannose	160	160
Stachyose	50	<1

* Constante de demi-saturation (concentration nécessaire pour saturer 50 % des sites de la protéine de transport).

† Vitesse du transport par rapport à celle du maltose. Les valeurs sont rapportées à celles du maltose prise comme égale à 100 s^{-1}. Les liposomes contenant LamB sont mis en suspension dans des solutions tamponnées contenant 40 m*M* de l'ose correspondant à l'essai.

D'après Benz, R., 1988. Structure and function of porins from Gram-negative bacteria. *Annual Review of Microbiology* **42** : 359-393.

Les séquences des porines présentent un haut degré d'homologie et de nombreuses similarités. La caractéristique la plus surprenante de la structure secondaire et tertiaire des porines est la suivante : alors que les segments transmembranaires de presque toutes les autres protéines membranaires adoptent des structures α hélicoïdales, les porines n'ont pas, ou fort peu, de domaines ou de segments ayant cette structure hélicoïdale. Les segments transmembranaires des porines, et d'autres protéines de la membrane externe, adoptent des structures en feuillets β. Dans les modèles d'insertion membranaire de plusieurs porines, les brins β sont disposés perpendiculairement au plan de la membrane (Figure 10.28). Le pore a la structure d'un tonneau β à 16 brins qui traverse la membrane comme le ferait un tube. Le tube est rétréci en son centre par des protubérances formées par des segments de la

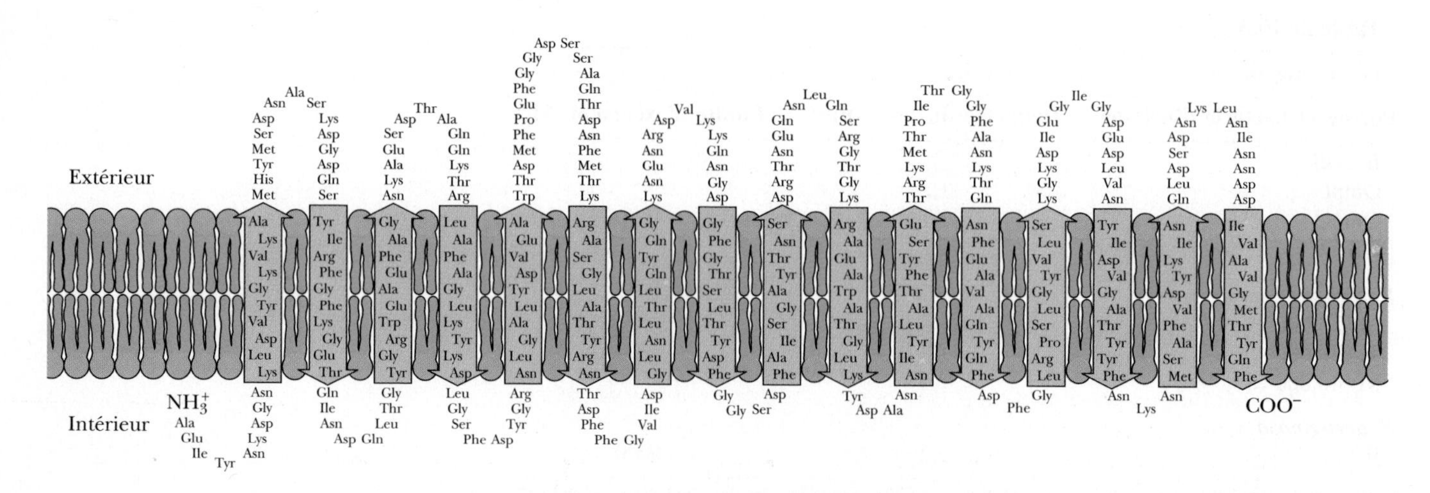

Figure 10.28 • Modèle de l'arrangement de la porine PhoE dans la membrane externe de *E. coli*. Les segments transmembranaires sont des brins du feuillet β.

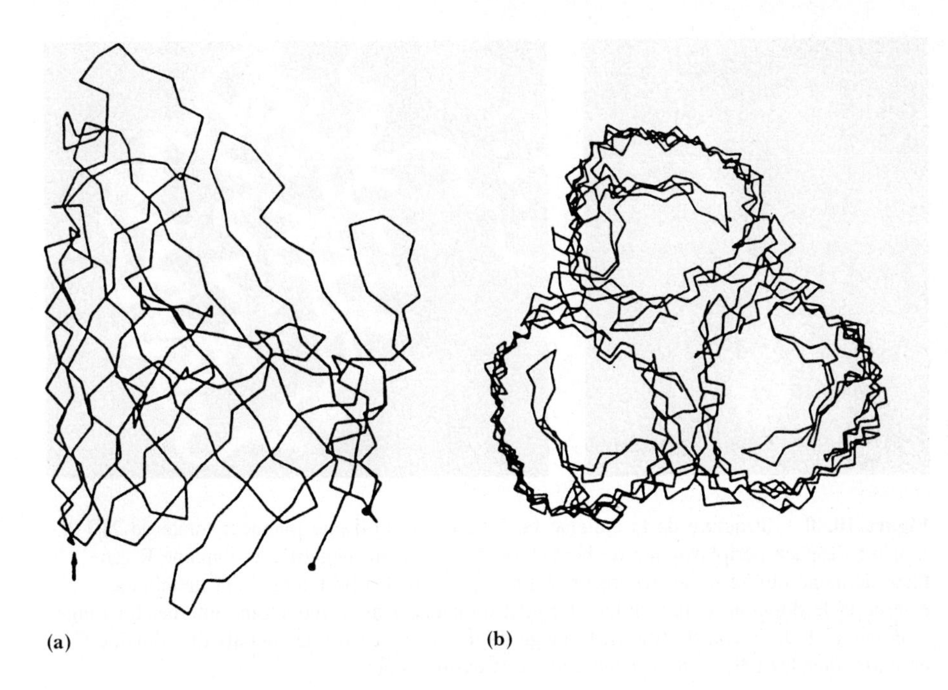

Figure 10.29 • Reconstitution tridimensionnelle de la porine de *Rhodobacter capsulatus*. (a) vue latérale d'un monomère de la porine montrant la structure en feuillet β. (b) Vue du dessus et (c) vue du dessus, un peu décalée, de la porine (un trimère).

chaîne peptidique sur la paroi interne du tonneau. Ce rétrécissement, ce goulet, d'environ 1 nm de long et 0,6 à 1 nm de diamètre déterminerait la limite d'exclusion des particules diffusant à travers le pore.

Les porines et quelques autres protéines de la membrane externe des bactéries à Gram négatif semblent être les seules protéines membranaires connues à avoir adopté une structure à brins β plutôt qu'à hélices α. Une des raisons avancées pour expliquer ce fait est qu'il y aurait un avantage génétique à l'utilisation de brins β pour traverser la membrane. Il faut de 21 à 25 résidus pour traverser une membrane biologique typique sous forme d'hélice α; un brin β n'exige que 9 à 11 résidus pour le même résultat. Donc, une quantité donnée d'informations permettrait de coder pour un plus grand nombre de segments transmembranaires en utilisant le motif brin β plutôt que le motif hélice α. De plus, les brins β peuvent avoir des groupes R hydrophiles et hydrophobes en alternance sur leur longueur, avec les groupes R hydrophobes face à la bicouche lipidique et les groupes R hydrophiles face au canal rempli d'une solution aqueuse (Chapitre 9).

Toxines formant des pores

Divers organismes produisent des molécules mortelles appelées **toxines formant des pores** qui s'insèrent spontanément dans la membrane plasmique de la cellule hôte pour y former un canal, un pore. Les pores formés par ces toxines peuvent tuer la cellule hôte en dissipant les gradients ioniques ou en facilitant l'entrée d'agents toxiques. Bien que produites par des organismes différents et dirigées vers des cibles elles aussi différentes, ces toxines ont en commun certaines caractéristiques. Les structures de ces toxines ont permis de comprendre les mécanismes de leur insertion dans la membrane et de mieux appréhender l'architecture des protéines membranaires.

Les colicines sont des protéines formant des pores, produites par certaines souches d'*E. coli*, qui tuent d'autres bactéries avec lesquelles elles sont en compétition, ou inhibent leur croissance ; parfois il s'agit d'autres souches de *E. coli* (un processus appelé *allèlopathie*). Les colicines sont libérées sous forme de monomères solubles. Lorsqu'une molécule de colicine rencontre une cellule hôte, elle traverse sa membrane externe et le périplasme puis s'insère dans la membrane interne (plasmique). Le canal

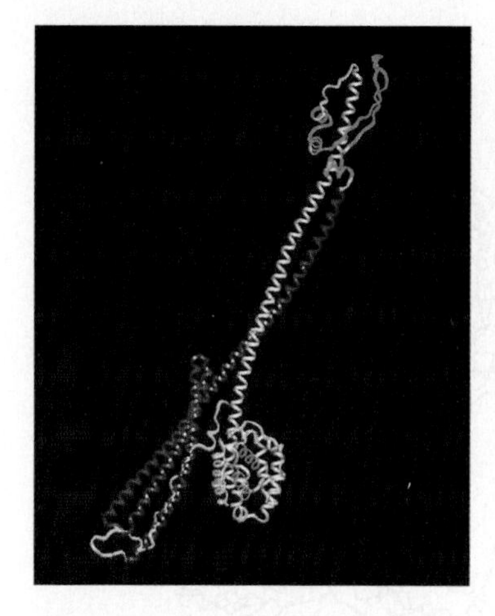
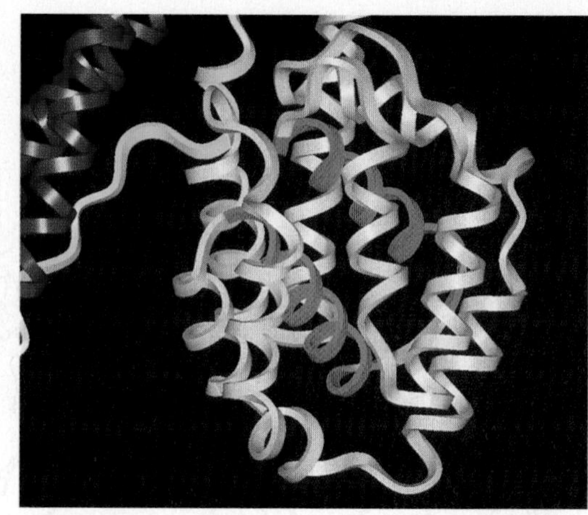

Figure 10.30 • Structure de la colicine Ia. La colicine Ia d'une longueur totale de 210 Å franchit l'espace périplasmique de la bactérie hôte (à gram négatif), le domaine R (en bleu, domaine qui se lie au récepteur) étant ancré dans les protéines de la membrane externe et le domaine C (en violet), formant un canal dans la membrane interne. En rouge, le domaine T de la translocation). L'image de droite représente les détails du domaine C, en particulier les hélices 8 et 9 (en vert), très hydrophobes.

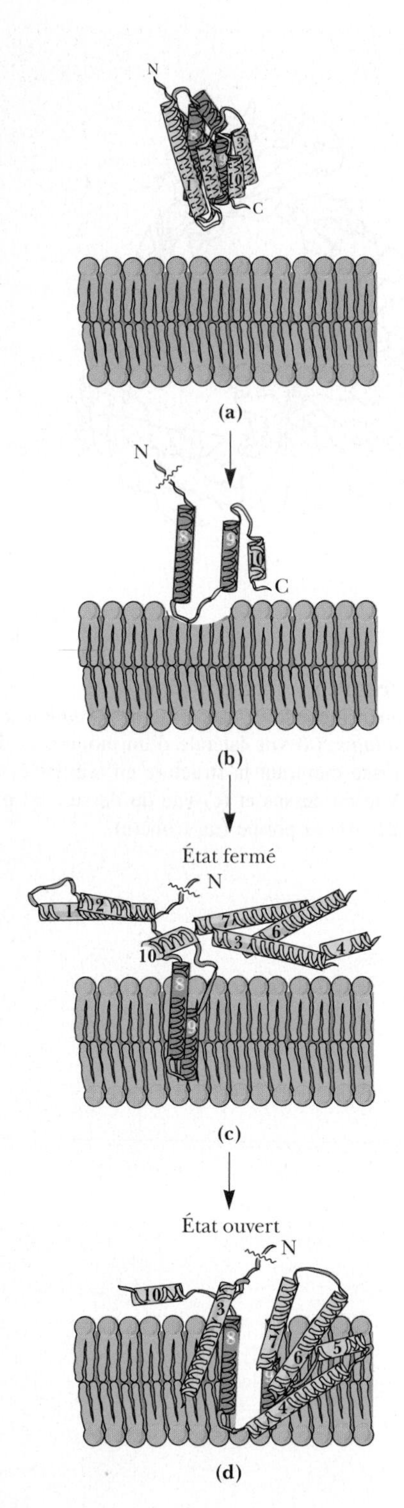

Figure 10.31 • Modèle en ombrelle de l'insertion dans la membrane d'une protéine canal. Les hélices hydrophobes s'insèrent directement dans le cœur de la membrane, les hélices amphipathiques restant étalées en surface, comme une ombrelle ouverte. Lors d'un signal déclencheur (bas voltage ou modification du gradient transmembranaire) quelques hélices amphipathiques sont attirées dans et à travers la membrane, ce qui ouvre le pore.

formé à partir d'un seul monomère de colicine peut tuer la cellule hôte. La Figure 10.30 présente la structure de la colicine Ia, une protéine de 626 résidus. Elle est constituée de trois domaines : le **domaine T** (de **translocation**), le **domaine R** (**liant le récepteur**) et le **domaine C** (**formant le canal**). Le domaine T permet la translocation à travers la membrane externe, le domaine R se lie à un récepteur de la membrane externe et le domaine C crée un canal voltage dépendant à travers la membrane interne. Les domaines T, R et C sont séparés par de longs segments (160 Å) α hélicoïdaux. Le domaine R est replié de sorte que les domaines C et T sont juxtaposés et que les deux longues hélices se trouvent disposées de façon antiparallèle, mais elles ne s'enroulent pas. La protéine est d'une longueur peu commune – 210 Å d'une extrémité à l'autre – avec les domaines T et C à une extrémité et le domaine R à l'autre extrémité. Cette longueur permet que la colicine traverse la périplasme (de 150 Å de large en moyenne) et s'insère dans la membrane interne.

La structure du domaine C renseigne sur le processus de formation du canal dans la membrane interne. Le domaine C est constitué d'un faisceau de 10 hélices, les hélices 8 et 9 formant épingle à cheveux hydrophobe, un caractère peu commun. Quand ce domaine s'insère dans la membrane interne, les hélices 8 et 9 se projettent dans le cœur lipidique de la bicouche laissant les autres hélices en arrière, à la surface de la membrane (Figure 10.31). L'application d'un potentiel transmembranaire provoque ensuite l'insertion des hélices amphipathiques dans la membrane avec leurs côtés hydrophobes vers la bicouche hydrophobe et leurs côtés polaires formant la surface du canal. Ce modèle ne représente qu'une hypothèse, mais il est en accord avec les études montrant que l'ouverture du canal implique d'importantes modifications structurales et qu'en particulier, les hélices 2 à 5 se déplacent dans la membrane lors de cette ouverture.

Il est intéressant de constater que d'autres toxines formant des pores possèdent un motif en faisceau d'hélices qui pourrait participer à la formation d'un canal d'une façon analogue à celle qui est proposée pour la colicine Ia. Par exemple, l'endotoxine δ produite par *B. thuringiensis*, toxique pour les insectes coléoptères, est composée de trois domaines comprenant un faisceau de sept hélices α, un domaine à trois feuillets β et d'une structure β en sandwich. Dans le faisceau à sept hélices, seule l'hélice 5 est hydrophobe, les autres étant amphipathiques. En solution

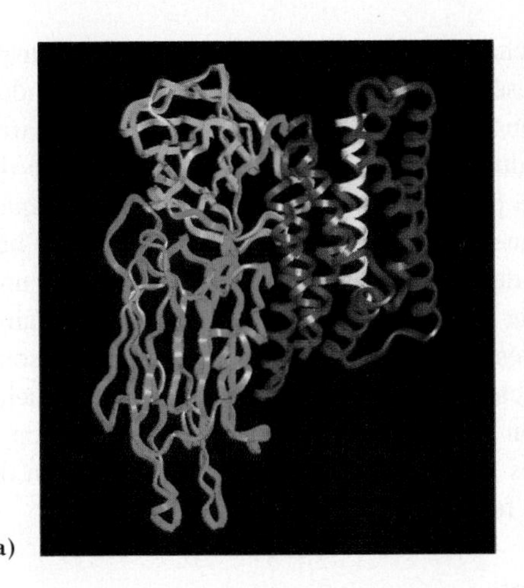

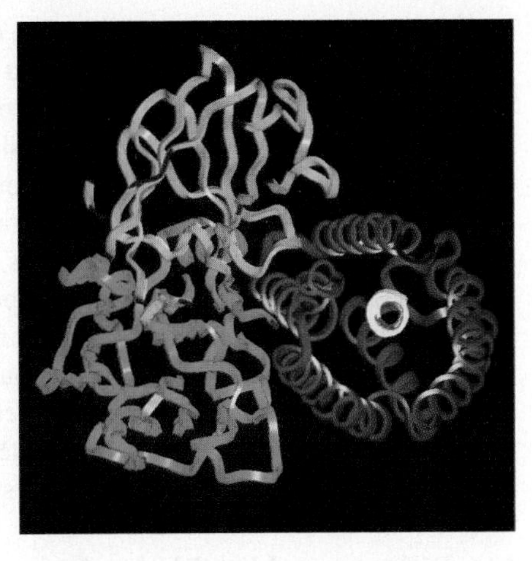

(a)

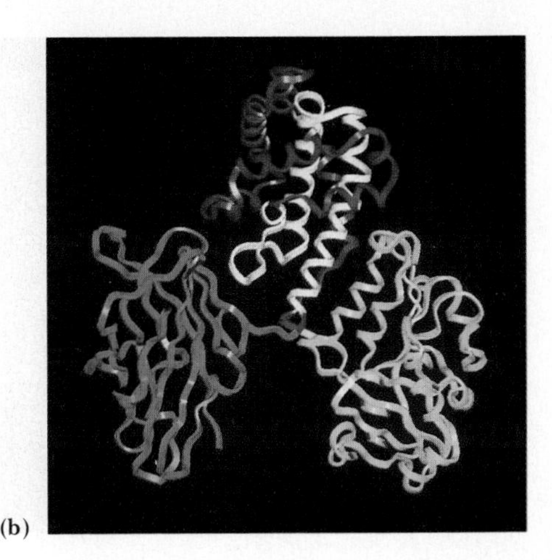

(b)

Figure 10.32 • Structures (a) de l'endotoxine δ de *Bacillus thurigiensis* (deux vues) et (b) de la toxine diphtérique de *Corynebacterium diphteriae*. Chaque de ces toxines possède un faisceau d'hélices α qui probablement forme le canal transmembranaire quand la toxine s'insère dans la membrane de la cellule hôte. Dans le faisceau à sept hélices de l'endotoxine δ, l'hélice 5 (en blanc) est entourée par six hélices (en rouge). Dans la toxine diphtérique, trois hélices hydrophobes (en blanc) sont au centre du domaine transmembranaire (en rouge).

(Figure 10.32), les six hélices amphipathiques entourent l'hélice 5 les côtés non polaires étant apposés sur l'hélice 5 et les côtés polaires faisant face au solvant. L'insertion de cette toxine dans la membrane et la formation du canal semble passer par l'insertion initiale de l'hélice 5, comme dans la Figure 10.31, suivie de l'insertion des hélices amphipathiques de sorte que les côtés non polaires sont au contact de la bicouche lipidique et les côtés polaires face au solvant.

Pour de nombreuses autres toxines, le modèle avec des hélices constituant le canal n'est pas approprié. Il en est ainsi pour l'hémolysine α de *Staphylococcus aureus* et l'aérolysine de *Aeromonas hydrophila*. Dans ces protéines, les domaines qui s'étendent dans la membrane n'ont pas de longues séries de résidus hydrophobes permettant de former des hélices α transmembranaires. Ils contiennent cependant d'importants segments peptidiques avec des résidus hydrophobes et polaires alternés. Comme dans les porines, ces segments pourraient adopter la structure des brins β, de sorte qu'un côté du brin soit hydrophobe et l'autre côté polaire. L'association oligomérique de plusieurs de ces segments donnerait le motif du tonneau β avec l'intérieur tapissé de résidus polaires et l'extérieur recouvert de résidus hydrophobes – un motif qui s'incorporerait facilement dans la bicouche lipidique, créant un canal transmembranaire et polaire.

L'hémolysine α, une protéine de 33,2 kDa, crée une structure heptamérique ayant la forme générale d'un champignon de 100 Å de long et d'un diamètre de 14 à 46 Å (Figure 10.33). Dans la structure du pore, chaque protomère apporte deux brins β en épingle à cheveux de 65 Å de long. L'intérieur de la structure en tonneau à 14 brins β est hydrophile. L'extérieur du tonneau, d'un diamètre de 28 Å, est recouvert de résidus hydrophobes. Les pores formés par l'hémolysine α dans les érythrocytes, les plaquettes et les lymphocytes humains permettent une sortie rapide du calcium avec des conséquences toxiques.

Aeromonas hydrophila est une bactérie qui provoque des diarrhées et de sérieuses infections des blessures. Ces complications sont la conséquence de la formation de pores dans les membranes des cellules sensibles par une protéine toxique secrétée par la bactérie, l'aérolysine. Cette protéine est synthétisée sous forme d'un précurseur de 52 kDa, la **proaérolysine** (Figure 10.34), qui par protéolyse libère l'aérolysine toxique. Sept protomères de l'aérolysine s'assemblent pour former un pore transmembranaire analogue à celui qui est formé par l'hémolysine α. Michael

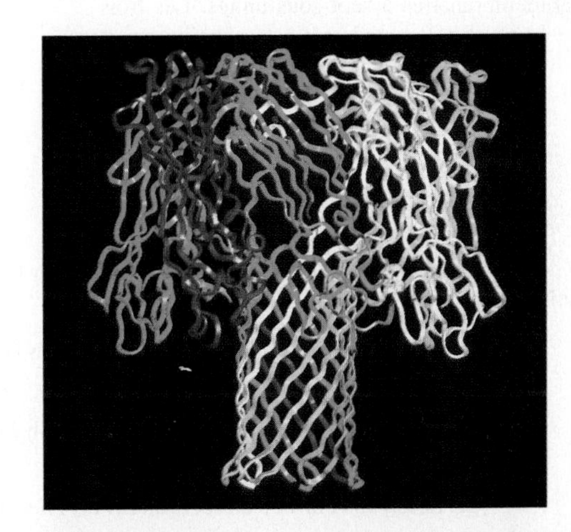

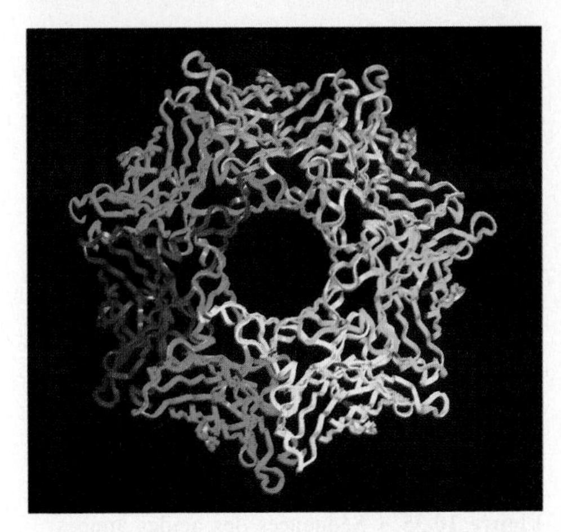

Figure 10.33 • Structure du canal heptamère formé par l'hémolysine α. Chacune des sept sous-unités apporte un feuillet β en épingle à cheveux à la constitution du canal transmembranaire.

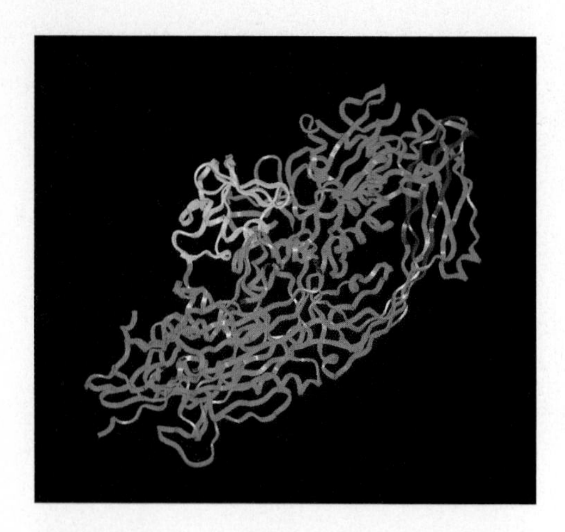

Figure 10.34 • Structure de la proaérolysine produite *Aeromonas hydrophila*. La protéolyse de ce précurseur libère la forme active, l'aérolysine, responsable des effets pathogènes de la bactérie dans les blessures profondes et dans certains troubles diarrhéiques. Comme avec l'hémolysine, les protomères d'aérolysine s'associent pour former des pores membranaires à sept sous-unités. Les trois brins β qui contribuent à la constitution du pore sont en rouge. Le domaine N-terminal (en jaune, résidus 1 à 80) forme un petit lobe, en saillie sur le reste de la protéine.

Parker et ses collaborateurs estiment que chaque protomère de l'agrégat apporte trois brins β à la structure du tonneau β. La séquence de chacun de ces brins (résidus 277 à 287, 290 à 302 et 410 à 422) est constituée de résidus hydrophobes et polaires alternés de sorte que, là encore, les résidus polaires sont sur la face intérieure du canal rempli de solution et les résidus non polaires sont face à la bicouche lipidique.

Qu'il s'agisse de traverser la membrane avec des agrégats amphipathiques d'hélices α ou de tonneaux β, les séquences de ces toxines formant des pores sont une réponse de la Nature au problème posé par la formation de canaux protéiques transmembranaires : la nécessité d'avoir des résidus permettant la formation de liaisons H entre les groupes N–H et C=O du squelette dans un environnement (la bicouche lipidique) qui n'a pas de groupe accepteur ou donateur de liaison H. La solution à ce problème est évidemment dans les très nombreuses possibilités de formation de liaisons H dans les hélices α et dans les feuillets β.

Les hélices amphipathiques forment des canaux ioniques transmembranaires

Des peptides naturels formant des canaux transmembranaires ont récemment été identifiés et caractérisés. La mellitine (Figure 10.35) est une toxine peptidique du venin d'abeille. Les cécropines sont des peptides induits chez *Halobium cecropia* (Figure 10.36) et d'autres vers à soie lors d'une infection bactérienne. Il semble que ces peptides forment des agrégats d'hélices α dans les membranes avec un canal ionique en leur centre. La caractéristique commune à ces hélices est leur nature

Alamethicin I[1] :
Ac-Aib-Pro-Aib-Ala-Aib-Ala-Gln-Aib-Val-Aib-Gly-Leu-Aib-Pro-Val-Aib-Aib-Glu-Gln-Phol*

Cécropine A :
Lys-Trp-Lys-Leu-Phe-Lys-Lys-Ile-Glu-Lys-Val-Gly-Gln-Asn-Ile-Arg-Asp-Gly-Ile-Ile-Lys-Ala-Gly-Pro-Ala-Val-Ala-Val-Val-Gly-Gln-Ala-Thr-Gln-Ile-Ala-Lys-NH_2

Melittine :
Gly-Ile-Gly-Ala-Val-Leu-Lys-Val-Leu-Thr-Thr-Gly-Leu-Pro-Ala-Leu-Ile-Ser-Trp-Ile-Lys-Arg-Lys-Arg-Gln-Gln-NH_2

Magainine 2 :
Gly-Ile-Gly-Lys-Phe-Leu-His-Ser-Ala-Lys-Lys-Phe-Gly-Lys-Ala-Phe-Val-Gly-Glu-Ile-Met-Asn-Ser-NH_2

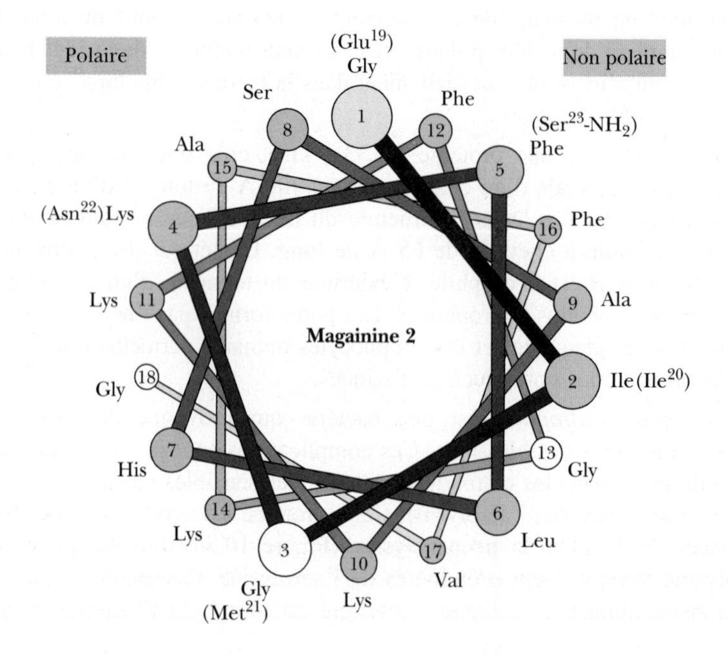

Figure 10.35 • Séquences des acides aminés de quelques antibiotiques peptidiques amphipathiques. Dans les hélices α formées par ces peptides, les résidus polaires sont sur une des face de l'hélice et les résidus non polaires sont sur l'autre face.

Figure 10.36 • Cécropia (*Hyalophora cecropia*), papillon adulte (à gauche), l'état chenille (à droite). (*À gauche, Greg neise/Visuals unlimited ; à droite, Patti Murray/Animals, Animals*)

amphipathique ; les résidus polaires sont regroupés sur un côté de l'hélice, les résidus non polaires étant ailleurs. Dans les membranes, les résidus polaires sont face au canal ionique, les autres résidus non polaires étant en interaction avec l'intérieur hydrophobe de la bicouche lipidique.

Pour en savoir plus

La mellitine – comment piquer comme une abeille

La piqûre de nombreux insectes comme les guêpes, les frelons et les bourdons provoque une douleur qui, légère au début, s'intensifie dans les 2 à 30 minutes suivantes, avec ensuite une enflure pouvant persister plusieurs jours. La piqûre d'abeille (*Apis mellifera*) provoque par contre une vive douleur en moins de 10 secondes. La douleur peut perdurer plusieurs minutes, elle est suivie du gonflement de la zone environnante et de démangeaisons qui durent plusieurs heures. La douleur intense, immédiate, est provoquée par la **mellitine**, un peptide à 26 résidus qui constitue environ la moitié des 50 µg (poids sec) du mélange injecté pendant la piqûre (un volume d'environ 0,5 µl). Comment ce peptide apparemment simple peut-il provoquer la douleur si intense qui accompagne la piqûre d'abeille ?

La douleur résulte de la formation de pores dans la membrane des récepteurs des terminaisons nerveuses qui détectent les stimuli nocifs (d'où l'appellation de **nocicepteurs**), coups violents, hautes températures, irritants chimiques. La création de pores par la mellitine dépend du potentiel membranaire des terminaisons nerveuses. En solution aqueuse, la mellitine est un tétramère. Mais la mellitine en interaction avec une membrane en l'absence de potentiel transmembranaire reste sous forme monomère et ne tend pas à former un oligomère. Lorsqu'un potentiel électrique est appliqué à travers la membrane, le tétramère de mellitine se forme et la membrane devient perméable aux anions comme l'anion chlorure. Les membranes des nocicepteurs maintiennent au repos un potentiel transmembranaire de –70 mV (le signe moins indique que le cytoplasme est plus négatif que le milieu extérieur). Lorsque la mellitine se lie à la membrane de la cellule réceptrice, le flux des anions chlorure vers l'extérieur de la cellule diminue le potentiel transmembranaire, ce qui stimule le nerf et déclenche la douleur, mais aussi provoque la dissociation du tétramère. Quand le potentiel transmembranaire s'est rétabli, les tétramères de mellitine se reforment et le cycle se répète continuellement, provoquant une stimulation prolongée des nocicepteurs et de la douleur. Avec le temps, la sensation douloureuse s'estompe, probablement par suite de la diffusion des molécules de mellitine, ce qui prévient la formation de la structure oligomérique.

Bien que la piqûre d'abeille soit désagréable, cette petite créature est cruciale pour l'économie agricole. La valeur commerciale du miel produit atteint chaque année plusieurs centaines de millions de francs, et dans les États-Unis la pollinisation des plantes par les abeilles permet de produire une récolte estimée à 20 milliards de dollars.

Jonctions intercellulaires dans les membranes des cellules de mammifères

Lorsque des cellules sont adjacentes dans les tissus animaux, elles sont souvent reliées par des structures appelées **jonctions intercellulaires** (ou jonctions communicantes, en anglais *Gap junctions*) qui permettent le flux passif de petites molécules d'une cellule à l'autre. Le rôle essentiel de ces jonctions est de relier le métabolisme des cellules, ce qui fournit un moyen de communication chimique et de transfert. Dans certains tissus qui ne sont pas innervés, comme le cœur, les jonctions intercellulaires permettent qu'un très grand nombre de cellules agissent de façon synchrone, leurs contractions sont synchronisées. Les jonctions intercellulaires sont encore un moyen de transport de nutriments aux cellules qui ne sont pas directement reliées au système circulatoire, par exemple les cellules du cristallin.

Les jonctions intercellulaires sont constituées d'une structure hexamérique formée à partir d'un seul type de sous-unité de 32 kDa. Chacune des sous-unités a la forme d'un cylindre de 7,5 nm de longueur, avec un diamètre de 2,5 nm. Les sous-unités de l'hexamère sont légèrement inclinées par rapport à un axe d'ordre 6 traversant le centre de l'hexamère (Figure 10.37). Dans cette conformation, un pore central est ouvert, d'environ 1,8 à 2 nm de diamètre, par lequel des petites molécules (jusqu'à 1 à 1,2 kDa) peuvent facilement passer, mais les protéines, les acides nucléiques et autres structures volumineuses ne peuvent pas passer. Une jonction intercellulaire complète est constituée de deux structures hexamériques, une de chaque cellule. Une torsion, un léger mouvement des sous-unités rétrécit le canal et ferme la jonction intercellulaire. La fermeture est un processus coopératif et une modification de la conformation localisée du côté cytoplasmique accompagne la fermeture des canaux. Comme la fermeture d'une communication intercellulaire ne semble pas nécessiter un important changement de conformation, la variation d'énergie libre est faible.

Si les jonctions intercellulaires permettent que les cellules communiquent (échangent des métabolites) entre elles dans les conditions normales, la possibilité de fermer ces jonctions donne aux cellules un important mécanisme de régulation

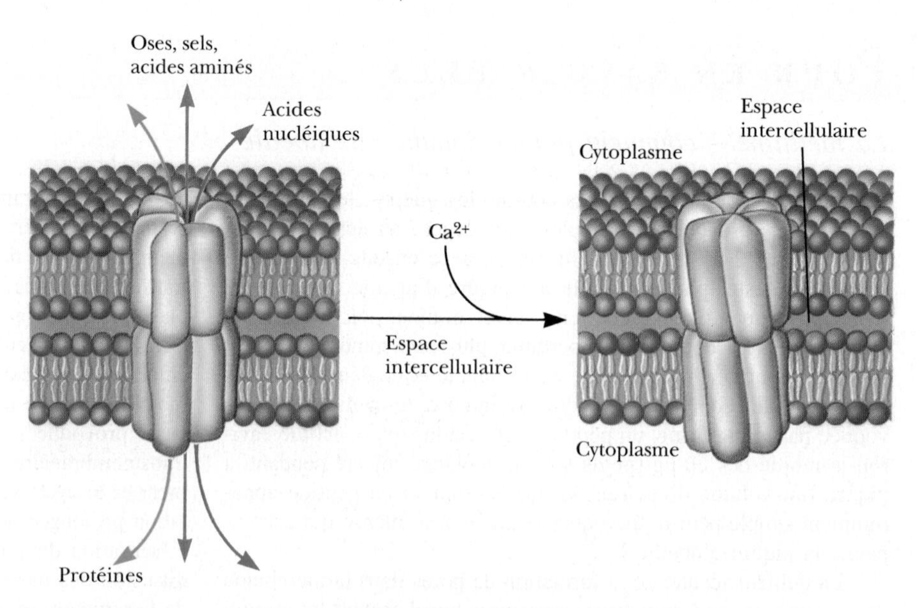

Figure 10.37 • Les jonctions intercellulaires (ou communicantes) sont, dans les membranes plasmiques, constituées d'hexamères protéiques formés de sous-unités cylindriques. Ces cylindres sont légèrement inclinés par rapport à l'axe traversant le centre de la jonction. La jonction intercellulaire complète est formée par la réunion de deux hexamères, un dans chaque membrane des cellules ; le contact entre les deux hexamères crée le pore par où les échanges de substances cellulaires peuvent avoir lieu. La fermeture des jonctions communicantes s'effectue sous l'effet d'un mouvement de torsion des sous-unités qui modifie l'inclinaison des cylindres par rapport à l'axe central. La fermeture d'une jonction intercellulaire est Ca^{2+} dépendante.

intercellulaire. Ces jonctions fournissent également le moyen de protéger les cellules adjacentes lorsque des cellules sont endommagées. Les jonctions intercellulaires sont en effet sensibles au potentiel membranaire, aux signaux hormonaux, aux variations de pH et à la concentration intracellulaire du calcium. La variation brutale du pH ou de la concentration en Ca^{2+} dans une cellule peut être le signal d'un dommage ou de la mort d'une cellule. Afin de protéger les cellules voisines de la propagation de tels effets, les jonctions intercellulaires se ferment en réponse à un abaissement du pH ou à un accroissement prolongé de la concentration en Ca^{2+} intracellulaire. Dans les conditions normales de concentration du Ca^{2+} intracellulaire ($< 10^{-7}$ *M*), les jonctions intercellulaires restent ouvertes permettant les communications intercellulaires. Quand la concentration en ion calcium s'élève à 10^{-5} *M*, ou plus, les jonctions détectent un danger, elles se ferment.

10.9 • Antibiotiques ionophores

Tous les systèmes de transport examinés jusqu'à présent sont constitués de protéines de plus ou moins grande taille. D'autres molécules, petites, généralement produites par les microorganismes facilitent le transport des ions à travers la membrane, ce sont des **antibiotiques ionophores**. Du fait de leur simplicité structurale, toute relative, les antibiotiques ionophores sont, par excellence, des modèles de **transporteur mobile**, **de pore** (ou **canal**). Les transporteurs mobiles d'ions sont des molécules qui forment des complexes avec des ions particuliers et qui diffusent librement à travers la bicouche lipidique de la membrane (Figure 10.38). Par contre, les pores, les canaux, adoptent une orientation fixe dans la membrane, ouvrant un passage qui permet la diffusion des ions. Ces pores ou canaux membranaires sont parfois formés d'une seule molécule, mais le plus souvent il s'agit de structures multimérique.

Il est possible de distinguer expérimentalement entre les transporteurs mobiles et les canaux en observant les effets de la température. Les canaux sont comparativement très peu sensibles à la transition de phase des membranes et donc la vitesse du transport n'est guère dépendante de la variation de température. Par contre, les transporteurs mobiles fonctionnent efficacement au-dessus de la température de transition de phase de la membrane mais sous cette température le transport est peu efficace. On observe souvent un très important accroissement de la vitesse du transport lorsque le système est chauffé au-delà de sa température de transition. La Figure 10.39 présente les structures de quelques-unes des molécules intéressantes. Comme il est possible de le concevoir en examinant la variété des structures, ces molécules s'associent aux membranes et facilitent les transports par des moyens différents.

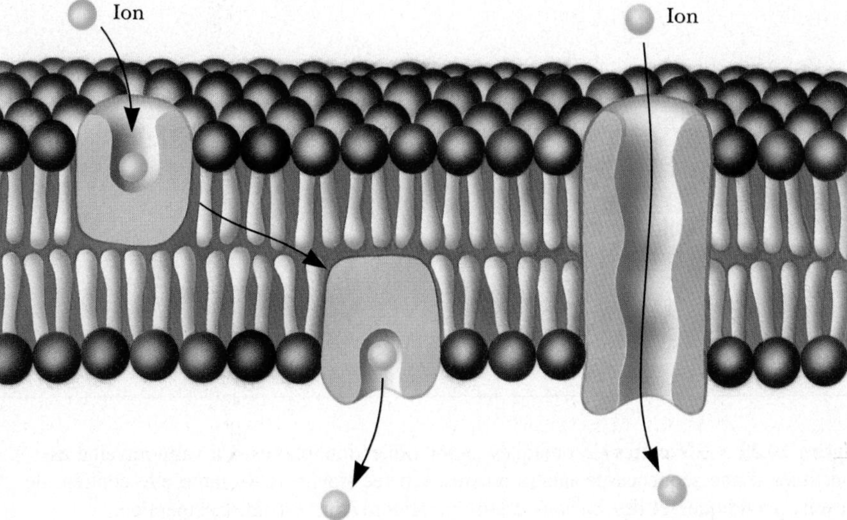

Figure 10.38 • Représentation schématique des canaux d'un transporteur mobile et d'un ionophore. Les ionophores mobiles doivent se déplacer d'un côté de la membrane à l'autre, se liant à l'espèce transportée sur une des faces membranaire et la libérant sur l'autre. Les canaux ionophores traversent la totalité de la membrane

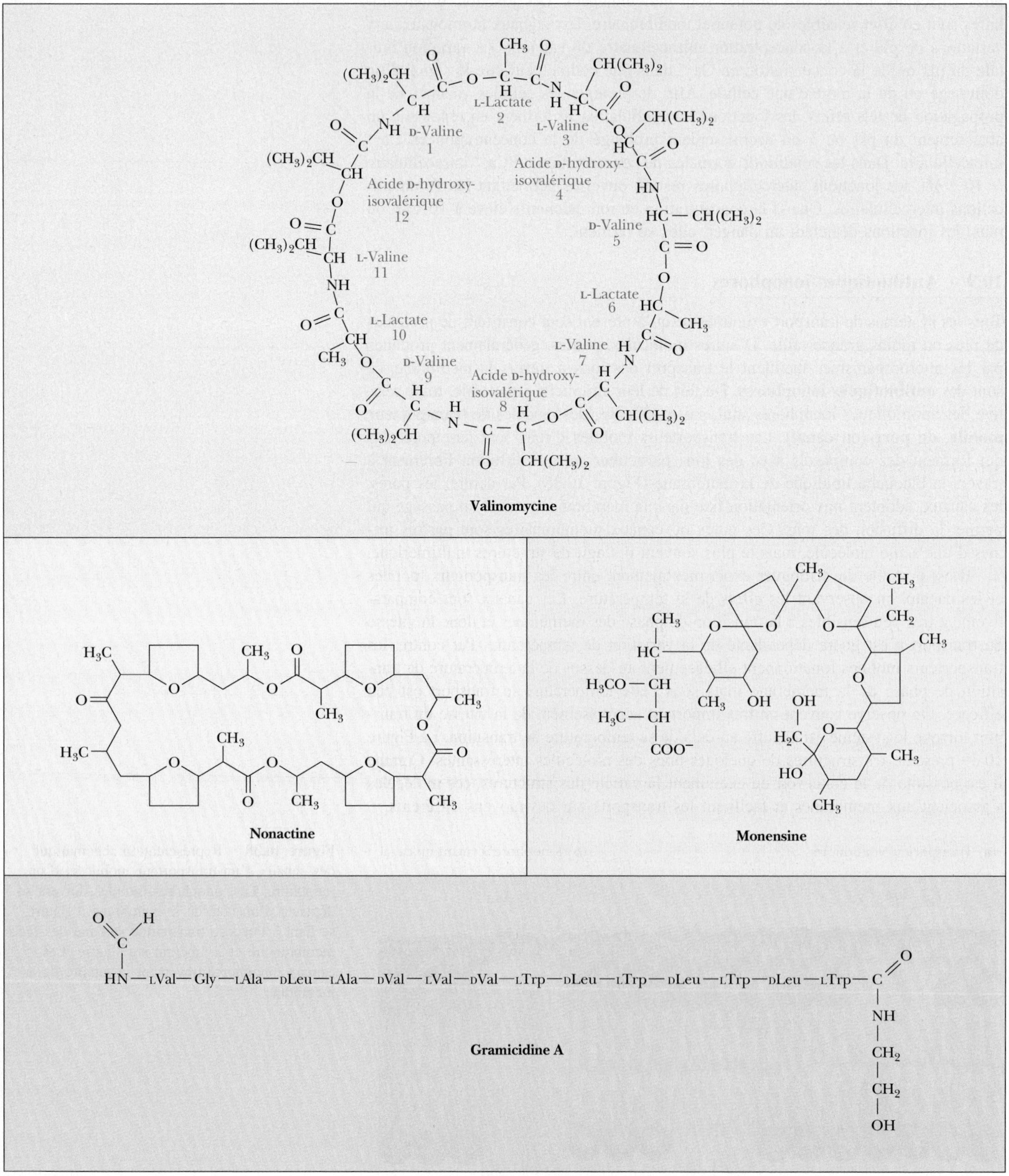

Valinomycine

Nonactine

Monensine

HN—LVal—Gly—LAla—DLeu—LAla—DVal—LVal—DVal—LTrp—DLeu—LTrp—DLeu—LTrp—DLeu—LTrp—C(=O)—NH—CH_2—CH_2—OH

Gramicidine A

Figure 10.39 • Structures de quelques antibiotiques ionophores. La valinomycine est constituée d'une séquence de quatre résidus, répétée trois fois. Comme elle contient de liaisons peptidiques et des liaisons esters la valinomycine est un depsipeptide.

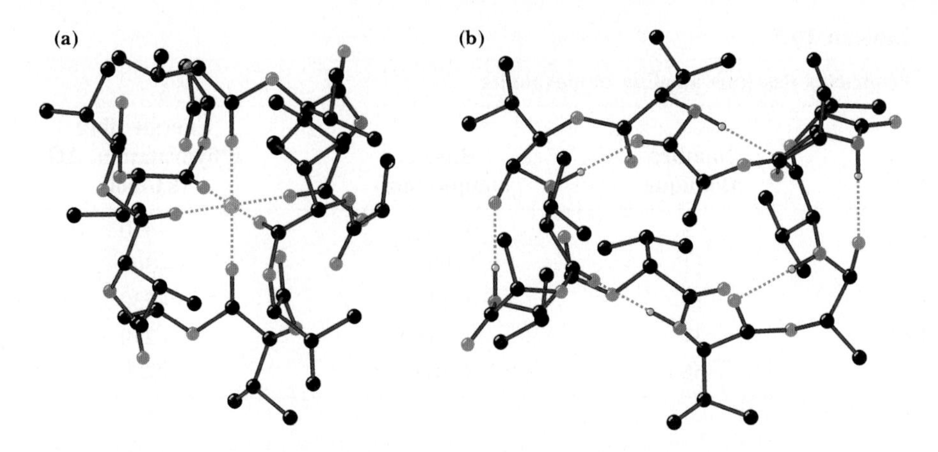

Figure 10.40 • Structures (a) du complexe valinomycine:K^+ et (b) de la valinomycine non complexée.

La valinomycine est un transporteur mobile d'ions

La **valinomycine** (isolée de *Streptomyces fulvissimus*) est un ionophore avec une structure cyclique contenant 12 unités provenant de quatre résidus différents. Deux sont des acides aminés (L-valine et D-valine) ; les deux autres sont des hydroxy-acides (L-lactate et D-hydroxypyruvate) qui sont à l'origine des liaisons ester. La valinomycine est un **depsipeptide**, c'est-à-dire une molécule contenant à la fois des liaisons peptidiques et des liaisons ester (la valinomycine ayant 12 résidus est un dodécadepsipeptide). La valinomycine a une structure cyclique (Figure 10.39) constituée de trois séquences répétées de quatre unités (D-valine, L-lactate, L-valine, D-hydroxyvalérate). Les structures de la valinomycine non complexée et du complexe valinomycine:K^+ ont été étudiées par radiocristallographie (Figure 10.40). L'ion K^+ est au centre de la structure cyclique du complexe de coordination, lié par des liaisons de coordination aux atomes d'oxygène du carbonyle des six résidus valine. Les groupes polaires de la structure sont positionnés vers le centre de l'anneau tandis que les groupes non polaires (groupes méthyle et isopropyle) sont dirigés vers l'extérieur. L'extérieur hydrophobe de la valinomycine favorise sa dissolution dans les solutions à faible constante diélectrique et son insertion dans l'intérieur hydrophobe de la membrane. Les groupes carbonyle au centre de la structure enveloppent complètement l'ion K^+, le protégeant de tout contact avec les solvants non polaires ou l'intérieur hydrophobe de la membrane. En conséquence, le complexe valinomycine:K^+ diffuse librement à travers la membrane et effectue un transport passif, rapide de K^+ (jusqu'à 10.000 K^+ par seconde) en présence de gradients de K^+.

L'affinité de la valinomycine pour les cations est très sélective. Elle lie fortement K^+ et Rb^+, mais a 1.000 fois moins d'affinité pour Na^+ ou Li^+. Le rayon des ions Na^+ et Li^+, plus petit (par comparaison avec celui de K^+ et Rb^+) est en partie responsable de cette différence d'affinité. Cependant, il existe une autre différence entre Na^+ et K^+, plus importante (Tableau 10.5). **L'énergie libre d'hydratation** d'un ion caractérise l'état de stabilité acquis par hydratation de cet ion. Le processus de déshydratation, exigence préalable à la formation du complexe ion:valinomycine, exige un apport d'énergie. Comme le montre le Tableau 10.5, il faut beaucoup plus d'énergie pour déshydrater un ion Na^+ que pour déshydrater un ion K^+. Il est donc plus facile de former le complexe valinomycine:K^+ que le complexe valinomycine:Na^+.

La *monensine* et la *nonactine* sont d'autres exemples de transporteurs mobiles d'ions (Figure 10.39). Ce qui est commun à toutes les structures de ces ionophores, c'est l'orientation vers l'intérieur des groupes polaires (pour former le complexe de coordination avec l'ion central) et l'orientation vers l'extérieur des groupes non

Tableau 10.5

Propriétés des ions alcalins monovalents

Ion	Nombre atomique	Rayon ionique (nm)	Énergie libre d'hydratation, ΔG (kJ/mol)
Li^+	3	0,06	–410
Na^+	11	0,095	–300
K^+	19	0,133	–230
Rb^+	37	0,148	–210
Cs^+	55	0,169	–200

polaires (ce qui rend les complexes librement solubles dans l'intérieur hydrophobe de la membrane).

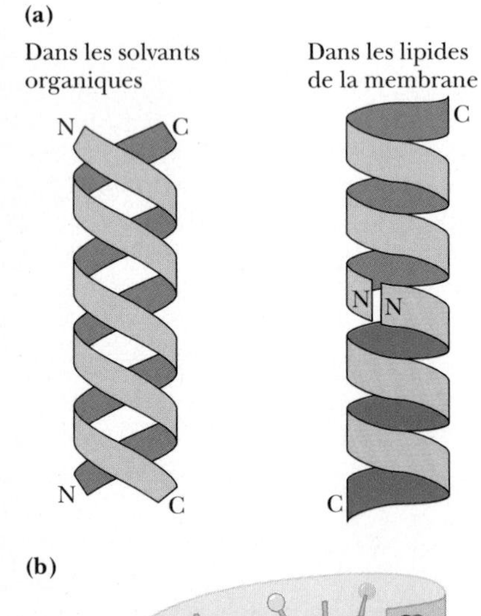

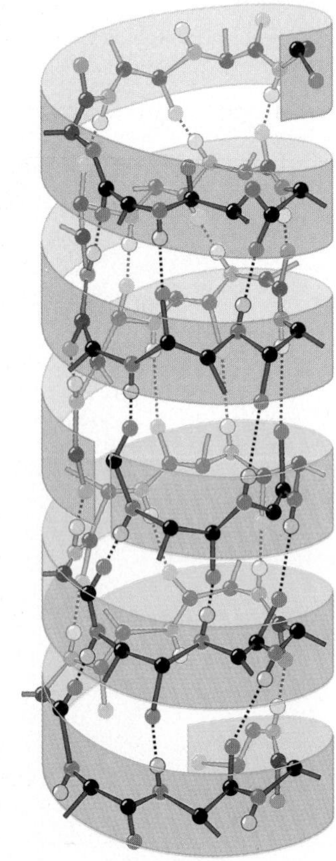

La gramicidine est un ionophore formant un canal

À la différence de la valinomycine, les systèmes polypeptidiques de transports membranaires fonctionnent par formation de canaux et non comme des transporteurs mobiles. Toutes les protéines que nous avons examinées dans ce chapitre disposent de multiples segments transmembranaires pour créer des canaux dans la membrane, canaux par lesquels les espèces sont transportées. Il est donc intéressant de considérer d'autres types de petits polypeptides **ionophores formant des pores ou des canaux**. La **gramicidine** de *Bacillus brevis* (Figure 10.41), un peptide linéaire de 15 résidus est le prototype d'ionophore par formation d'un canal. La gramicidine contient alternativement des résidus L et des résidus D, un groupe formyle bloque l'extrémité N-terminale, et une éthanolamine bloque l'extrémité C-terminale. La prédominance de résidus hydrophobes facilite l'incorporation de la gramicidine dans la bicouche lipidique, elle permet la diffusion rapide de nombreux cations différents. La gramicidine a beaucoup moins de spécificité ionique que la valinomycine, mais elle permet des vitesses de diffusion beaucoup plus élevées. Un unique canal gramicidine peut transporter jusqu'à 10 millions d'ions K^+ par seconde. Tous les cations alcalins monovalents diffusent par le canal gramicidine, mais les cations bivalents comme Ca^{2+} bloquent le canal.

La gramicidine forme deux structures hélicoïdales différentes. La structure en double hélice prédomine dans les solvants organiques (Figure 10.41), alors qu'une hélice dimérique se forme dans les lipides membranaires. (La gramicidine ne peut pas former d'hélice α car elle contient à la fois des résidus des séries L et D, l'hélice α n'a d'autre part pas d'orifice central). L'hélice dimérique est une association tête-à-tête, ou association extrémité N-terminale à extrémité N-terminale (N-à-N), de deux hélices perpendiculaires à la surface de la membrane ; les groupes formyle sont au centre de la bicouche, les groupes éthanolamine à la surface de la membrane. L'hélice est d'un type inhabituel, avec 6,3 résidus par tour et un orifice central d'environ 0,4 nm de diamètre. La disposition des liaisons H dans la structure, où les groups N-H pointent alternativement vers le haut et vers le bas le long de l'axe de l'hélice pour former des liaisons H avec les groupes carbonyle, rappelle celle des feuillets β. Pour cette raison, cette structure hélicoïdale est souvent dénommée hélice β.

Figure 10.41 • (a) La gramicidine forme une double hélice dans les solvants organiques ; dans les bicouches lipidiques, la structure est celle d'un dimère hélicoïdal, les sous-unités étant tête-à-tête ; il ne s'agit pas d'hélices α mais d'hélices gauches. Les extrémités C-terminales des deux monomères sont aux extrémités de la structure. (b) La distribution des liaisons H ressemble à celle d'un feuillet parallèle β.

EXERCICES

1. Calculez la différence d'énergie libre à 25° due à un gradient de galactose à travers une membrane, si la concentration du côté 1 est 2 m*M* et celle du côté 2 est 10 m*M*.

2. Soit une vésicule phospholipidique contenant 10 m*M* d'ions Na^+. La vésicule baigne dans une solution contenant 52 m*M* d'ions Na^+, et la différence de potentiel électrique à travers la membrane de la vésicule $\Delta\psi = \psi_{extérieur} - \psi_{intérieur} = -30$ mV. Quel est le potentiel électrochimique des ions Na^+ à 25 °C ?

3. Le transport de l'histidine à travers une membrane cellulaire a été mesuré à plusieurs concentrations en histidine :

[Histidine], μM	Transport, μmol/min
2,5	42,5
7	119
16	272
31	527
72	1220

S'agit-il d'une diffusion passive ou d'une diffusion facilitée ?

4. Du fructose 1 μ*M* est présent à l'extérieur d'une cellule. Un système de transport actif dans la membrane plasmique utilise l'énergie libre d'hydrolyse de l'ATP pour faire transporter le fructose dans cette cellule. Supposons qu'un fructose est transporté pour un ATP hydrolysé, que l'ATP est hydrolysé sur la surface intracellulaire de la membrane et que les concentrations en ATP, ADP et P_i sont respectivement 3 m*M*, 1 m*M* et 0,5 m*M*. T = 298 K. Quelle est la plus forte concentration intracellulaire de fructose qui puisse être générée par ce système ? (*Un conseil* : revoyez le Chapitre 3 pour retrouver les effets de la concentration sur la variation de l'énergie libre d'hydrolyse de l'ATP.)

5. La vitesse du transport du K^+ à travers des bicouches membranaires reconstituées avec de la dipalmitoylphosphatitylcholine (DPPC) et de la nigéricine est, à 35 °C, voisine de celle qui est observée à travers des membranes reconstituées de la même façon mais avec de la *cécropine* au lieu de la nigéricine. Pensez-vous que les vitesses du transport resteront similaires à 50 °C ? Justifiez votre réponse.

6. Au cours de ce chapitre, nous avons examiné les systèmes de transport couplés à l'hydrolyse de l'ATP, à des gradients primaires d'ions Na^+ ou H^+, ainsi que les systèmes de type phosphotransférase. Supposons que vous venez de découvrir une souche de bactérie transportant le rhamnose à travers sa membrane plasmique. Quelles expériences vous permettraient de vérifier si ce transport est lié à l'un des systèmes de transport précédents ?

LECTURES COMPLÉMENTAIRES

Benz, R., 1980. Structure and function of porins from Gram-negative bacteria. *Annual Review of Microbiology* **42** : 359-393.

Blair, H.C., et al., 1989. Osteoclastic bone resorption by a polarized vacuolar proton pump. *Science* **245** : 855-857.

Christensen, B., et al., 1988. Channel-forming properties of cecropins and related model compounds incorporated into planar lipid membranes. *Proceedings of the National Academy of Sciences U.S.A.* **85** : 5072-5076.

Choe, S., Bennett, M., Friffli, G., et al., 1992. The crystal structure of diphtheria toxin. *Nature* **357** : 216-222.

Collarini, E.J., et Oxender, D., 1987. Mechanisms of transport of amino acids across membrane. *Annual Review of Nutrition* **7** : 75-90.

Featherstone, C., 1990. An ATP-driven pump for secretion of yeast mating factor. *Trends in Biochemical Sciences* **15** : 169-170.

Garavito, R.M., et al., 1983. X-ray diffraction analysis of matrix porin, an integral membrane protein from *Escherichia coli* outer membrane. *Journal of Molecular Biology* **164** : 313-327.

Glynn, I., and Karlish, S., 1990. Occluded ions in active transport. *Annual Review of Biochemistry* **59** : 171-205.

Gould, G.W., et Bell, G.I., 1990. Facilitative glucose transporters : An expanding family. *Trends in Biochemical Sciences* **15** : 18-23.

Hughson, F., 1997. Penetrating insights into pore formation. *Nature Structural Biology* **4** : 89-92.

Inesi, G, Sumbilla, C., et Kirtley, M., 1990. Relationships of molecular structure and function in Ca^{2+}-transport ATPase. *Physiological Reviews* **70** : 749-759.

Jap, B., et Walian, P.J., 1990. Biophysics of the structure and function of porins. *Quarterly Reviews of Biophysics* **23** : 367-403.

Jay, D., et Cantley, L., 1986. Structural aspects of the red cell anion exchange protein. *Annual Review of Biochemistry* **55** : 511-538.

Jennings, M.L., 1989. Structure and function of the red blood cell anion transport protein. *Annual Review of Biophysics and Biophysical Chemistry* **18** : 397-430.

Jørgensen, P.L., 1986. Structure, function and regulation of Na^+,K^+-ATPase in the kidney. *Kidney International* **29** : 10-20.

Jørgensen, P.L., et Andersen, J.P., 1988. Structural basis for E_1-E_2 conformational transitions in Na^+,K^+-pump and Ca^{2+}-pump proteins. *Journal of Membrane Biology* **103** : 95-120.

Juranka, P.F., Zastawny, R.L., et Ling, V., 1989. P-Glycoprotein : Multidrug-resistance and a superfamily of membrane-associated transport proteins. *The FASEB Journal* **3** : 2583-2592.

Kaback, H.R., Bibi, E., et Roepe, P.D., 1990. β-Galactoside transport in *E. coli* : A functional dissection of lac permease. *Trends in Biochemical Sciences* **15** : 309-314.

Kartner, N., et Ling, V., *1989.* Multidrug resistance in cancer. *Scientific American* **260** : 44-51.

Li, H., Lee, S., et Jap, B., 1997. Molecular design of aquaporin-1 water channel as revealed by electron crystallography. *Nature Structural Biojogy* **4** : 263-265.

Li, J., Carroll, J., et Ellar, D., *1991.* Crystal structure of insecticidal δ-endotoxin from *Bacillus thuringiensis* at 2.5 Å resolution. *Nature* **353** : 815-821.

Matthew, M.K., et Balaram, A., 1983. A helix dipole model for alamethicin and related transmembrane channels. *FEBS Letters* **157** : 1-5.

Meadow, N.D., Fox, D.K., et Roseman, S., 1990. The bacterial phosphoenolpyruvate:glycose phosphotransferase system. *Annual Review of Biochemistry* **59** : 497-542.

Miller, C., 1996. A chloride channel model ? *Science* **274** : 738.

Oesterhelt, D., et Tittor, J., 1989. Two pumps, one principle : Light-driven ion transport in *Halobacteria. Trends in Biochemical Sciences* **14** : 57-61.

Parker, M., 1997. More than one way to make a hole. *Nature Structural Biology* **4** : 250-253.

Parker, M., Buckley, J., Postma, J., et al., 1994. Structure of the *Ammonas* toxin proaerolysin in its water-soluble and membrane-channel states. *Nature* **367** : 292-295.

Parker, M., Tucker, A., Tsernoglou, D., et Pattus, F., 1990. Insights into membrane insertion based on studies of colicins. *Trends in Biochemical Sciences* **15** : 126-129.

Pedersen, P.L., et Carafoli, E., 1987. Ion motive ATPases. *Trends in Biochemical Sciences* **12** : 146-150, 186-189.

Petosa, C., Collier, R., Klimpel, K., et al., 1997. Crystal structure of the anthrax toxin protective antigen. *Nature* **385** : 833-838.

Pressman, B., 1976. Biological applications of ionophores. *Annual Review of Biochemistry* **45** : 501-530.

Prince, R.C., 1990. At least one *Bacillus thuringiensis* toxin forms ion-selective pores in membranes. *Trends in Biochemical Sciences* **15** : 2-3.

Prince, R., Gunson, D., et Scarpa, A., 1985. Sting like a bee ! The ionophoric properties of melittin. *Trends in Biochemical Sciences* **10** : 99.

Schirmer, T., Keller, T.A., Wang, Y-F., et Rosenbusch, J.P., 1995. Structural basis for sugar translocation through maltoporin channels at 3.1 Å resolution. *Science* **267** : 512-514.

Song, L., Hobaugh, M., Shustak, C., et al., 1996. Structure of staphylococcal α-hemolysin, a heptameric transmembrane pore. *Science* **274** : 1859-1866.

Spudich, J.L., et Bogomolni, R.A., 1988. Sensory rhodopsins of *Halobacteria. Annual Review of Biophysics and Biophysical Chemistry* **17** : 193-215.

Wade, D., et al., 1990. All-D amino acid-containing channel-forming antibiotic peptides. *Proceedings of the National Academy of Sciences U.S.A.* **87** : 4761-4765.

Wallace, B.A., 1990. Gramicidin channels and pores. *Annual Review of Biophysics and Biophysical Chemistry* **19** : 127-157.

Walmsley, A.R., 1988. The dynamics of the glucose transporter. *Trends in Biochemical Sciences* **13** : 226-231.

Weiner, M., Freymann, D., Ghosh, P., et Stroud, R., 1997. Crystal structure of colicin Ia. *Nature* **385** : 461-464.

Wheeler, T.J., et Hinkle, P., 1985. The glucose transporter of mammalian cells. *Annual Review of Physiology* **47** : 503-517.

Chapitre 11

Nucléotides et acides nucléiques

« Nous avons découvert le secret de la vie ! »

Proclamation de Francis H. C. Crick aux clients du pub « The Eagle » (l'Aigle), à Cambridge, Angleterre (1953).

James Watson et Francis Crick présentent les principales caractéristiques de leur modèle de la structure de l'ADN. *(© A. Barrington Brown/Science Source/Photo Researchers, Inc.)*

Plan

Les **nucléotides** et les **acides nucléiques** sont des molécules biologiques dont les constituants caractéristiques sont des bases azotées hétérocycliques. Les rôles biochimiques des nucléotides sont multiples ; ils participent, comme intermédiaires essentiels, à pratiquement tous les aspects du métabolisme cellulaire. Encore plus importants, les acides nucléiques ont un rôle biologique fondamental, ce sont les éléments de l'hérédité et les agents du transfert de l'information génétique. Tout comme les protéines sont des polymères linéaires d'acides aminés, les acides nucléiques sont des polymères linéaires de nucléotides. Pour faire une analogie avec la séquence des lettres qui constituent cette phrase, l'ordre des nucléotides dans la séquence d'un acide nucléique peut correspondre à une information codée. Les deux types d'acides nucléiques sont **l'acide désoxyribonucléique (ADN)** et **l'acide ribonucléique (ARN)**. L'hydrolyse complète des acides nucléiques libère, en quantités

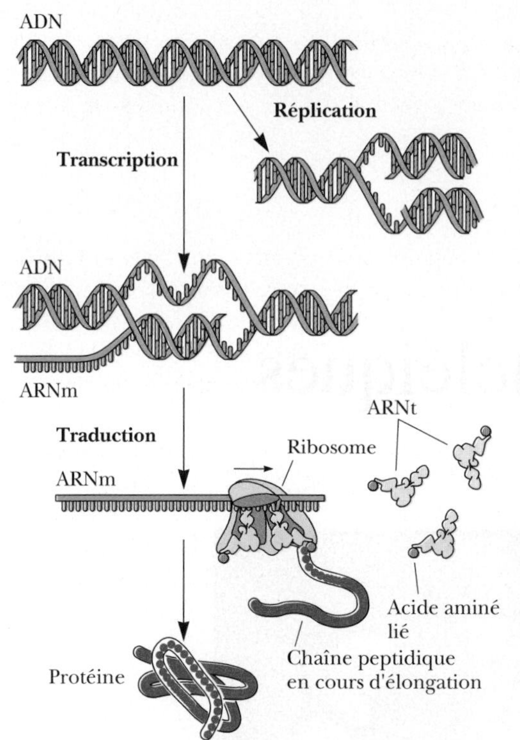

Réplication
La réplication de l'ADN aboutit à deux molécules d'ADN identiques à la molécule originale, ce qui assure, avec une exceptionnelle fidélité, la transmission des caractères héréditaires aux cellules filles.

Transcription
La séquence des bases de l'ADN transcrit est copiée sous forme d'une séquence de bases complémentaires dans une molécule constituée d'un brin unique d'ARNm.

Traduction
L'ordre des bases de l'ARNm (lues par groupes de trois bases successives correspondant à un acide aminé) impose la séquence lors de la synthèse de la protéine. Les trois bases successives, les codons, sont reconnues par les ARNt (ARN de transfert) liés aux acides aminés correspondants. Les ribosomes sont la « machinerie » de la synthèse protéique.

Figure 11.1 • Processus fondamental du transfert de l'information génétique dans les cellules. L'information codée par la séquence des nucléotides de l'ADN est transcrite dans un ARN dont la séquence est imposée par celle de l'ADN. Lorsque la séquence de l'ARN est lue (décodée) par groupes de trois nucléotides consécutifs, par la machinerie de synthèse protéique, elle est traduite par une séquence d'acides aminés dans une protéine. Ce système de transfert de l'information est résumé dans la formulation classique : ADN → ARN → protéine.

équimoléculaires, des bases azotées, un pentose et de l'acide phosphorique. Le pentose de l'ADN est le 2-désoxyribose, celui de l'ARN est le ribose. (Voir le Chapitre 7 consacré aux oses et aux dérivés osidiques). L'ADN contient toute l'information génétique d'un organisme, tandis que l'ARN sert à la transcription et à la traduction de cette information (Figure 11.1). Par exception à cette règle générale, l'information génétique de certains virus est contenue dans leur ARN.

Ce chapitre est consacré à la chimie des nucléotides et des principales classes d'acides nucléiques. Le Chapitre 12 présente les méthodes de détermination de la structure primaire des acides nucléiques (séquençage des acides nucléiques) et décrit les structures d'ordre supérieur. Le Chapitre 13 est une introduction à la biologie moléculaire de l'ADN recombinant : construction et caractérisation de nouvelles molécules d'ADN assemblées par combinaison de segments pouvant provenir de différentes molécules d'ADN.

11.1 • Les bases azotées

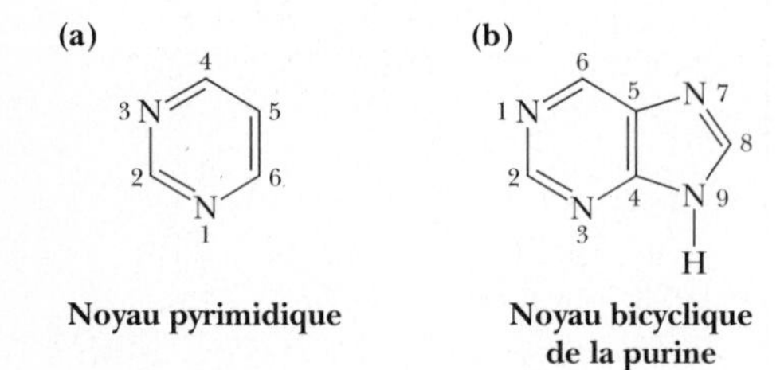

Noyau pyrimidique　**Noyau bicyclique de la purine**

Figure 11.2 • (a) Structure du cycle pyrimidique ; par convention, la numérotation des atomes est celle qui est indiquée. (b) structure du noyau de la purine et numérotation conventionnelle des atomes.

Les bases des nucléotides et des acides nucléiques dérivent soit de la **pyrimidine,** soit de la **purine**. Les pyrimidines sont des hétérocycles aromatiques à six atomes dont deux atomes d'azote (Figure 11.2a). Les atomes sont numérotés dans le sens des aiguilles d'une montre, à partir d'un hétéroatome (tout atome hormis C et H), comme indiqué dans la figure voisine. Le cycle de la purine résulte de la fusion de deux cycles, celui de la pyrimidine avec le cycle de l'imidazole à cinq atomes (Figure 11.2b). Les neuf atomes de cette structure sont numérotés selon la convention suivie sur la figure.

Tous les atomes du noyau pyrimidique sont dans un même plan, tandis que le noyau de la purine forme un léger pli entre le cycle pyrimidique et le cycle imidazole. Les deux bases sont relativement peu solubles dans l'eau conformément à leur caractère aromatique prononcé.

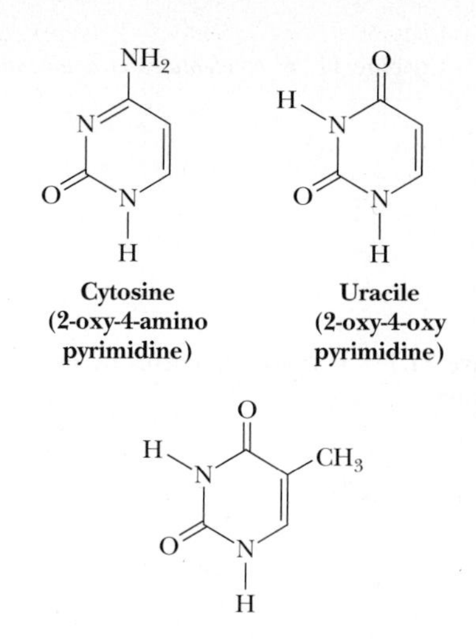

Figure 11.3 • Principales bases pyrimidiques, cytosine, uracile et thymine, sous la forme tautomère prédominante à pH 7.

Pyrimidines et purines communes

Les pyrimidines naturelles les plus communes sont la **cytosine**, **l'uracile** et la **thymine** (ou, 5-méthyluracile) (Figure 11.3). La cytosine et la thymine sont les pyrimidines classiques de l'ADN, tandis que la cytosine et l'uracile sont celles de l'ARN. On peut également dire que la thymine présente dans l'ADN est un dérivé de l'uracile, la 5-méthyluracile. Certains dérivés pyrimidiques, par exemple la dihydrouracile, sont des constituants mineurs de l'ARN.

L'adénine (6-amino purine) et la **guanine** (2-amino-6-oxy purine), les deux purines communes, se trouvent à la fois dans l'ADN et dans l'ARN (Figure 11.4). Il existe d'autres purines naturelles, l'hypoxanthine, la xanthine, et l'acide urique (Figure 11.5). L'hypoxanthine et la xanthine peuvent exceptionnellement se trouver dans les acides nucléiques. L'acide urique, l'état le plus oxydé d'une base purique n'est jamais un constituant des acides nucléiques.

Adénine (6-amino purine) **Guanine** (2-amino-6-oxy purine)

Figure 11.4 • Les bases puriques communes, adénine et guanine, sous la forme tautomère prédominante à pH 7.

Hypoxanthine

Xanthine

Acide urique

Figure 11.5 • Autres purines naturelles, l'hypoxanthine, la xanthine et l'acide urique.

Propriétés des pyrimidines et des purines

Le caractère aromatique des cycles pyrimidiques et puriques et la richesse en électrons des substituants -OH et $-NH_2$, leur donne la capacité de prendre deux formes isomères, les **tautomères énol et céto**. Les pyrimidines et les purines existent donc sous formes de paires tautomères (voir Figure 11.6 le cas de l'uracile). La forme céto du tautomère est dénommée **lactame** et la forme énol **lactime**. La forme lactame est largement prédominante à pH neutre. En d'autres termes, les valeurs de pK_a des atomes d'azote 1 et 3 de l'uracile sont supérieures à 8, par exemple, la valeur de pK_a de N-3 est de 9,5 (Tableau 11.1). Au contraire, comme on peut le supposer compte tenu de la forme prédominante de la cytosine à pH 7, la valeur de

Lactame **Lactime**

Figure 11.6 • Formes tautomères, énol (lactime) et céto (lactame), de l'uracile.

Tableau 11.1

Constantes de dissociation des protons des nucléotides (valeurs des pK_a)

Nucléotide	pK_a Base-N	pK_1 Phosphate	pK_2 Phosphate
5′-AMP	3,8 (N-1)	0,9	6,1
5′-GMP	9,4 (N-1)	0,7	6,1
	2,4 (N-7)		
5′-CMP	4,5 (N-3)	0,8	6,3
5′-UMP	9,5 (N-3)	1,0	6,4

Forme céto ⇌ Forme énol

Figure 11.7 • Formes tautomères de la guanine.

pK_a du N-3 de cette pyrimidine est de 4,5. De même les purines ont des formes tautomères, la Figure 11.7 présente l'exemple de la guanine. Dans ce cas, la valeur de pK_a pour N-1 est de 9,4, elle est inférieure à 5 pour N-3. Ces valeurs de pK_a indiquent si des atomes d'hydrogène sont associés aux atomes d'azote du cycle à pH 7. Elles sont donc importantes car elles déterminent, pour ces atomes d'azote, la possibilité de participer, comme donneur, ou comme accepteur, à des liaisons hydrogène. La formation de liaisons hydrogène entre les bases pyrimidiques et puriques est fondamentale dans la fonction biologique des acides nucléiques, elle est tout aussi fondamentale dans la formation de la structure de la double hélice de l'ADN (cf. Section 11.6). Les groupes fonctionnels qui participent à la formation des liaisons hydrogène sont les groupes amino de la cytosine, de l'adénine, et de la guanine ; les atomes d'azote du cycle en position 3 pour les pyrimidines et en position 1 pour les purines ; enfin, les atomes d'oxygène très électronégatifs liés en position 4 de l'uracile et de la thymine, en position 2 de la cytosine et en position 6 de la guanine (voir Figure 11.21).

Une autre propriété des pyrimidines et des purines est leur forte absorption de la lumière ultraviolette (UV), qui est une conséquence de l'aromaticité de la structure des hétérocycles. La Figure 11.8 présente les spectres d'absorption caractéristiques des bases communes des acides nucléiques, adénine, uracile, cytosine et guanine, dans leurs dérivés respectifs, AMP, UMP, CMP et GMP (cf. Section 11.4). Cette propriété est particulièrement utile lors de l'analyse qualitative et quantitative des nucléotides et des acides nucléiques.

11.2 • Les pentoses des nucléotides et des acides nucléiques

Les pentoses sont des oses à cinq atomes de carbone (cf. Chapitre 7). L'ARN contient un pentose, le D-ribose, tandis que l'ADN contient le 2-désoxy-D-ribose. Dans les deux cas, le pentose est sous la forme furannique, celle d'un cycle à cinq atomes, le D-ribofurannose pour l'ARN, le 2-désoxy-D-furannose pour l'ADN (Figure 11.9). Lorsque ces ribofurannoses sont dans les nucléotides, la numérotation de leurs atomes de carbone est affectée d'un accent : 1′, 2′, 3′, et ainsi de suite afin de les distinguer des atomes du cycle des bases azotées. Nous verrons que ce qui semble être une petite différence, la présence ou l'absence d'un groupe hydroxyle en position 2′, a des conséquences de grande portée sur la structure secondaire de l'ARN et de l'ADN, et lors de l'hydrolyse chimique ou enzymatique.

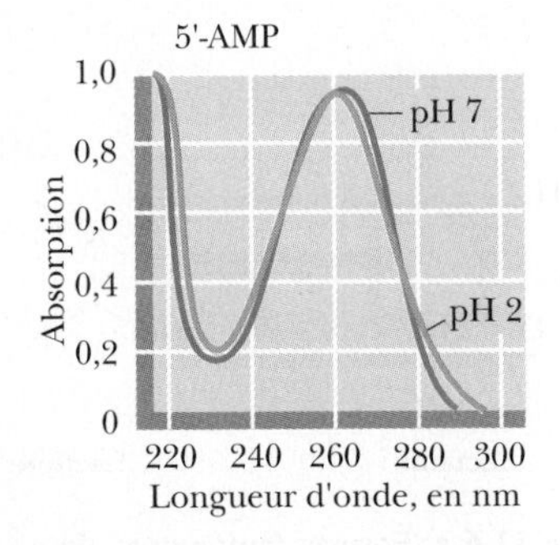

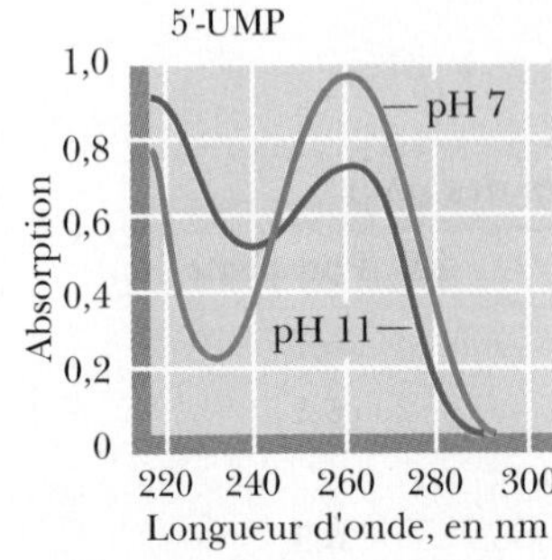

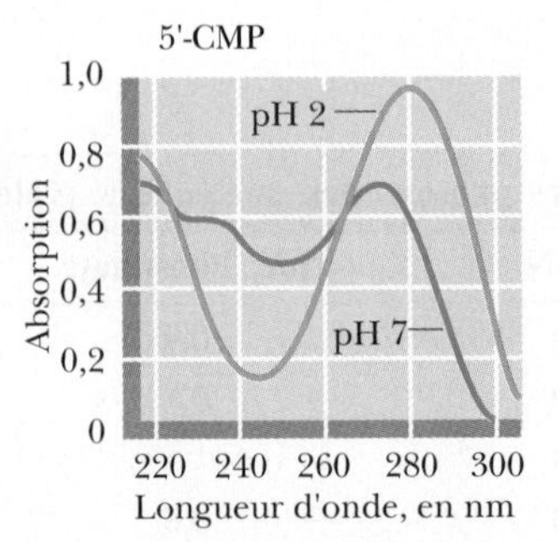

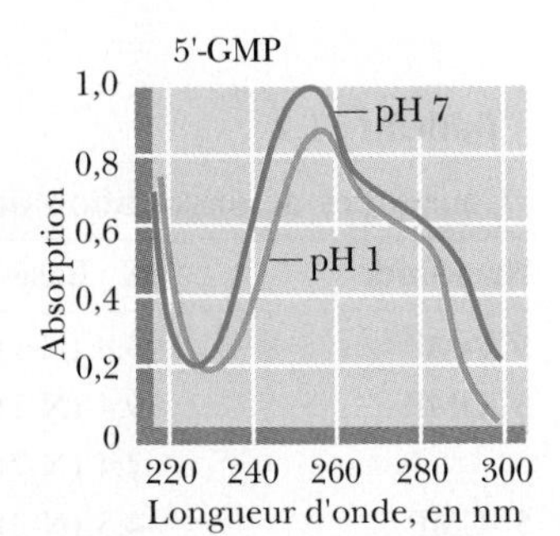

Figure 11.8 • Spectre d'absorption UV des ribonucléotides communs.

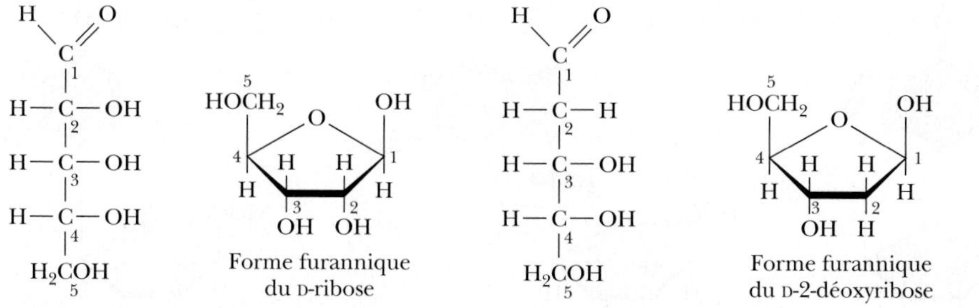

Forme furannique du D-ribose

Forme furannique du D-2-déoxyribose

D-Ribose **β-D-Ribofurannose** **D-2-Désoxyribose** **β-D-2-Désoxyribofurannose**

Figure 11.9 • Structures du ribose et du désoxyribose, deux furannoses.

11.3 • Les nucléosides sont composés d'une base azotée liée à un pentose

Les nucléosides résultent de la liaison d'une base à un pentose par une liaison osidique (Figure 11.10). Par définition, la liaison glycosidique implique l'atome de carbone du carbonyle de l'ose, celui qui est lié à l'atome d'oxygène de la structure cyclique (cf. Chapitre 7). Ce carbone est le carbone **anomérique** de l'ose. La liaison qui dans les nucléosides relie la base à l'ose est une liaison *N*-glycosidique car elle relie le C-1′ de l'ose au N-1 de la pyrimidine ou au N-9 de la purine. Les liaisons glycosidiques sont de conformation α ou β, suivant leur orientation par rapport à l'atome de carbone anomérique. Les liaisons glycosidiques des nucléosides et des nucléotides sont toujours dans la configuration β, comme sur la Figure 11.10. Le nom des nucléosides est celui de la racine de la base à laquelle on ajoute la désinence *idine* pour une pyrimidine, ou *osine* pour une purine. Les noms des nucléosides communs sont donc : **cytidine, uridine, thymidine, adénosine,** et **guanosine**. Les structures représentées Figure 11.11 sont des *ribonucléosides*. L'hypoxanthine est un ribonucléoside dont la base est **l'inosine**. Les *désoxyribonucléosides* n'ont pas le groupe 2′-OH dans le pentose.

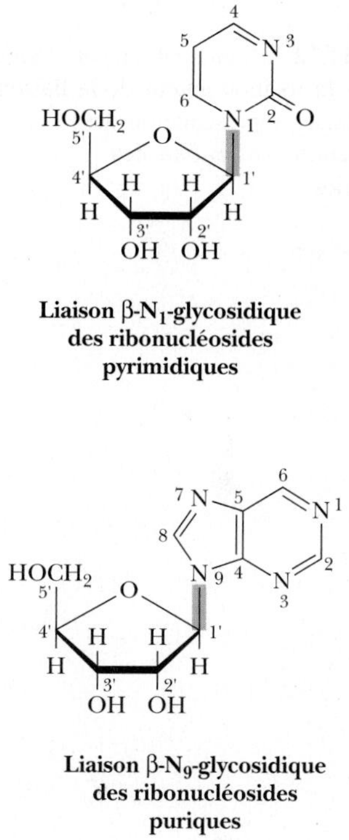

Liaison β-N$_1$-glycosidique des ribonucléosides pyrimidiques

Liaison β-N$_9$-glycosidique des ribonucléosides puriques

Figure 11.10 • Une liaison glycosidique relie une base azotée à un pentose pour donner un nucléoside.

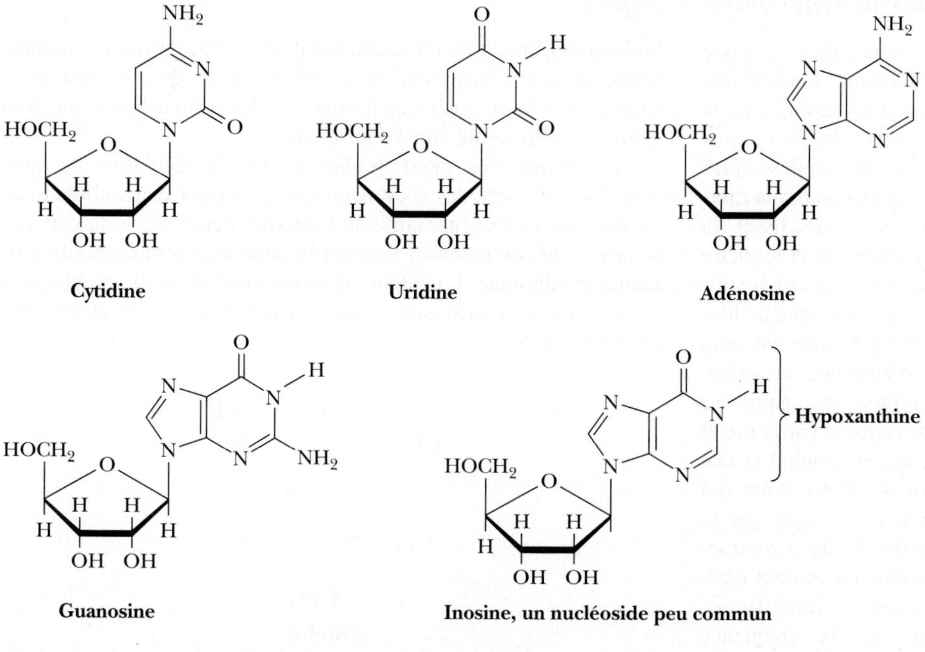

Cytidine **Uridine** **Adénosine**

Hypoxanthine

Guanosine **Inosine, un nucléoside peu commun**

Figure 11.11 • Ribonucléosides communs : cytidine, uridine, adénosine, et guanosine. L'inosine est également représentée, sous la conformation *anti.*

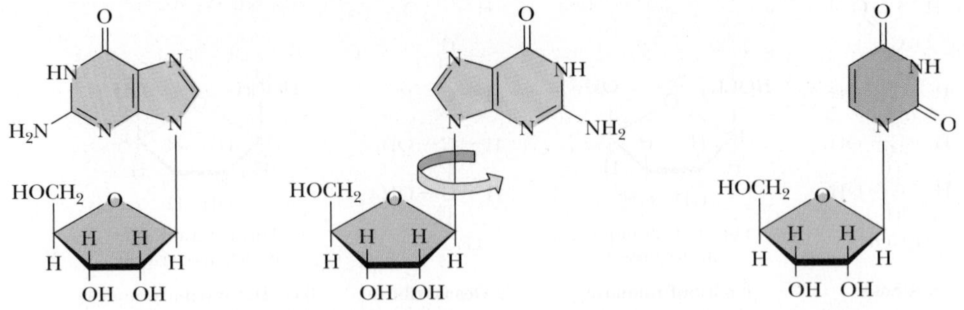

syn **Guanosine** *anti* **Guanosine** *anti* **Uridine**

Figure 11.12 • L'encombrement stérique empêche la rotation autour de la liaison glycosidique ; représentation des conformations *syn* et *anti* des nucléosides.

Conformation des nucléosides

Dans les nucléosides, la rotation de la base autour de la liaison osidique est impossible pour des raisons d'encombrement stérique, en particulier par l'atome d'hydrogène sur le C-2′ du furannose. Cet encombrement est facilement visible sur un modèle moléculaire construit avec précision ; par tradition et pour une meilleure lisibilité des structures, la longueur de la liaison glycosidique est toujours exagérée dans les figures. Les nucléosides existent donc dans deux conformations possibles, dénommées *syn* et *anti* (Figure 11.12). Dans le cas des pyrimidines, en conformation *syn* l'atome d'oxygène lié au C-2 est au-dessus et à proximité du cycle du furannose ; en conformation *anti*, il n'y a pas de problème d'encombrement. Les nucléosides pyrimidiques adoptent donc de préférence la conformation *anti*. Les nucléosides puriques peuvent adopter les deux conformations. Le cycle furannique, à peu près plan, et celui de la base ne sont pas coplanaires, ils sont approximativement perpendiculaires l'un à l'autre.

BIOCHIMIE HUMAINE

L'adénosine : un nucléoside avec des activités physiologiques

Les nucléosides n'ont pour l'essentiel aucun autre rôle biologique que celui de servir à la synthèse des nucléotides. L'adénosine constitue une exception. Chez les mammifères, l'adénosine a aussi le rôle d'une hormone (un neuromédiateur) à action locale ou plus éloignée. Circulant avec le sang, elle agit sur les cellules cibles pour influencer divers phénomènes physiologiques comme la dilatation des vaisseaux sanguins, la contraction des muscles lisses, la décharge neuronale, la libération de neurotransmetteurs et le métabolisme lipidique. Par exemple, lorsque l'activité musculaire est intense les muscles libèrent de l'adénosine, ce qui provoque la dilatation des vaisseaux environnants et donc accroît l'afflux de sang et de nutriments musculaires. Dans un rôle d'hormone autocrine, l'adénosine agit comme un régulateur du rythme cardiaque. Le rythme naturel de la contraction cardiaque est contrôlé par le nœud sinusal qui règle la fréquence de la contraction en général et des oreillettes en particulier, et par le nœud auriculo-ventriculaire qui envoie de façon cyclique une onde d'excitation électrique qui se propage jusqu'à l'extrémité des ventricules et déclenche la contraction ventriculaire. L'adénosine en bloquant le flux du courant électrique ralentit la fréquence des contractions. La *tachycardie supraventriculaire* caractérise une accélération de la fréquence cardiaque. L'injection intraveineuse d'adénosine provoque momentanément une interruption de ce cycle rapide de contractions et rétablit un rythme cardiaque normal. L'adénosine est prescrite pour traiter la tachycardie supraventriculaire.

L'adénosine est aussi impliquée dans la régulation du sommeil. Lors de périodes d'éveil prolongé, le taux extracellulaire de l'adénosine s'élève, par suite de l'activité métabolique du cerveau, favorisant la somnolence. Pendant le sommeil, la concentration en adénosine diminue. La caféine favorise l'état de veille en bloquant l'interaction de l'adénosine extracellulaire avec ses récepteurs dans les neurones.*

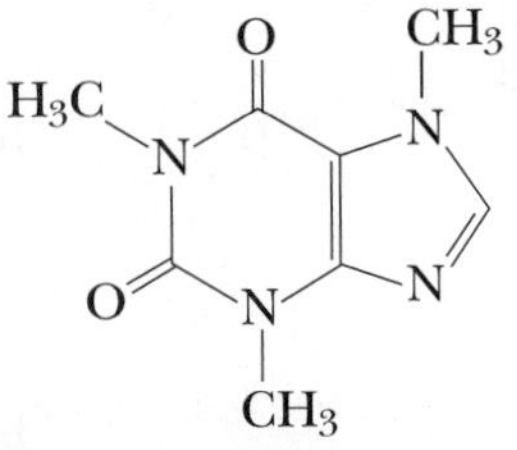

Caféine

* Porrka-Heiskanen, T., et al., 1997. Adenosine : A mediator of the sleep-inducing effects of prolonged wakefulness. *Science* **276** : 1265-1268.

Les nucléosides sont plus solubles dans l'eau que les bases libres

La présence de la partie osidique très hydrophile rend les nucléosides beaucoup plus solubles dans l'eau que les bases libres. Comme dans tous les glycosides, la liaison osidique des nucléosides est relativement stable en milieu alcalin (cf. Chapitre 7). Les nucléosides pyridimiques sont également résistants à l'hydrolyse acide alors que les nucléosides puriques sont facilement hydrolysés en milieu acide, ce qui libère la base et le pentose.

11.4 • Les nucléotides sont des nucléosides phosphorylés

Un **nucléotide** résulte de la phosphorylation d'un groupe -OH de l'ose d'un nucléoside. Le cycle du ribose d'un nucléoside a trois -OH phosphorylables, sur C-2′, C-3′ et C-5′, le cycle du 2′-désoxyribose n'en a que deux. L'immense majorité des nucléotides cellulaires sont des **ribonucléotides** phosphorylés en 5′. La Figure 11.13 présente les structures des quatre *ribonucléotides* communs. Leurs noms complets sont : **adénosine 5′-monophosphate, guanosine 5′-monophosphate, cytidine 5′-monophosphate** et **uridine 5'-monophosphate**. Mais on utilise couramment les abréviations, **5′-AMP**, **5′-GMP, 5′-CMP** et **5′-UMP**, ou encore plus simplement **AMP, GMP, CMP** et **UMP**. Les nucléosides 3′-phosphate et les nucléosides 2′-phosphate (3′-NMP et 2′-NMP, N signifiant nucléoside), n'existent pas dans la nature, ce sont des produits qui résultent de l'hydrolyse des polynucléotides ou des acides nucléiques. Nous avons vu que la valeur du pK_a de la dissociation d'un premier proton du radical phosphorique est de 1,0 ou même moins (Tableau 11.1), les nucléotides ont donc les propriétés des acides. Cette acidité est implicite dans les autres noms par lesquels on désigne les nucléotides : **acide adénylique, acide guanylique, acide cytidylique** et **acide uridylique**. La valeur du pK_a de la deuxième

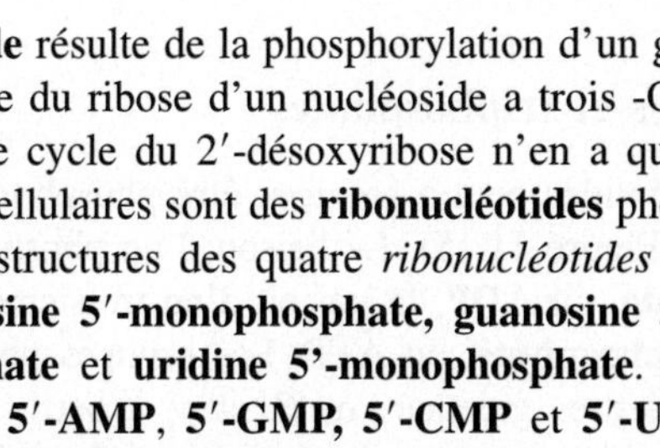

Adénosine 5'-monophosphate (ou AMP ou acide adénylique)

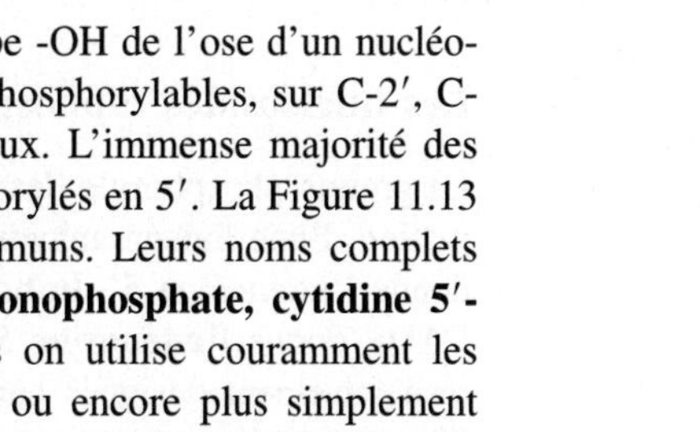

Guanosine 5'-monophosphate (ou GMP ou acide guanylique)

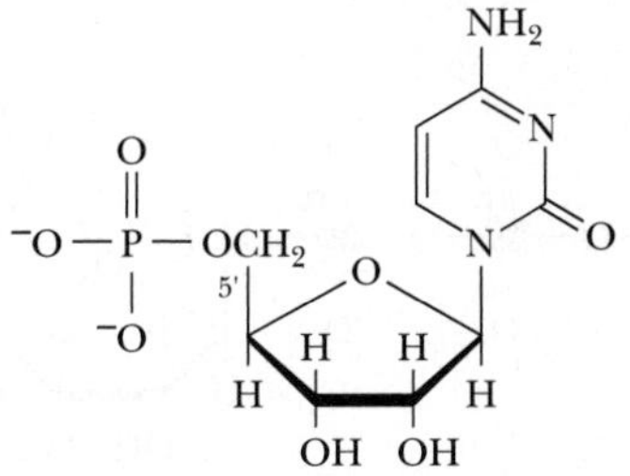

Cytidine 5'-monophosphate (ou CMP ou acide cytidylique)

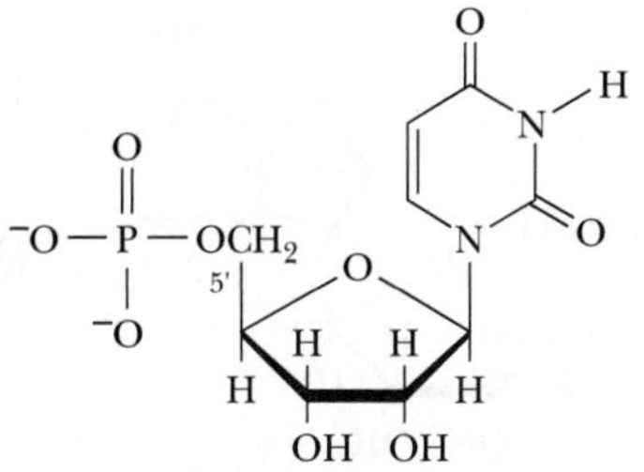

Uridine 5'-monophosphate (ou UMP ou acide uridylique)

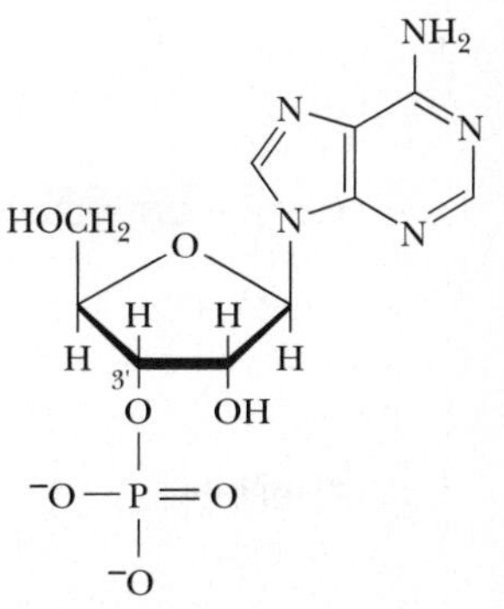

Un nucléoside 3'-monophosphate (3'-AMP)

Figure 11.13 • Structure des quatre ribonucléotides communs(AMP, GMP, CMP, et UMP (et de leurs doubles dénominations complètes, par exemple, adénosine 5′-monophosphate et acide adénylique. Le nucléoside 3′-AMP est également représenté.

dissociation pK_2 est d'environ 6,0 à pH neutre ou au-dessus, la charge nette d'un nucléoside monophosphate est de –2. Le nom des acides nucléiques, qui sont des polymères de nucléotides, provient de l'acidité de ces groupes phosphate.

Les nucléotides cycliques

On trouve dans toutes les cellules des nucléosides monophosphates dans lesquels le même acide phosphorique estérifie *deux* des groupes hydroxyle du ribose (Figure 11.14). Il en résulte une structure cyclique. **L'adénosine 3′,5′-phosphate** (**cAMP**) et son analogue guanylique, la **guanosine 3′,5′-phosphate** (**cGMP**) sont d'importants régulateurs du métabolisme cellulaire (cf. 3e Partie : Le métabolisme et sa régulation).

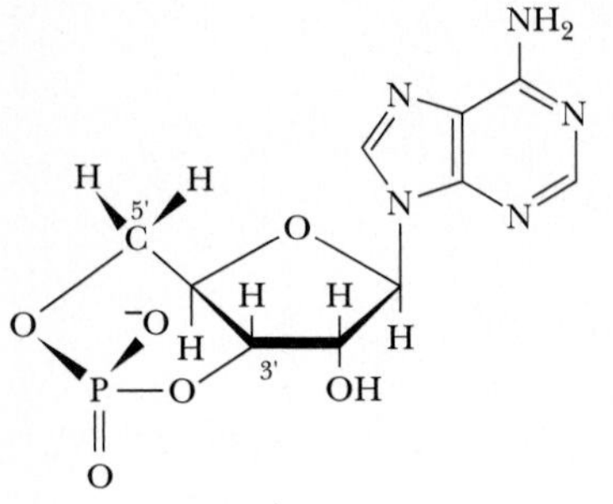

AMP 3',5'-cyclique

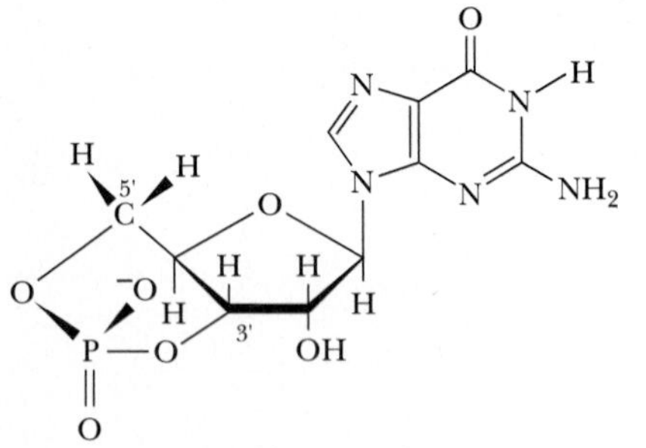

GMP 3',5'-cyclique

Figure 11.14 • Structures des nucléotides cycliques, cAMP et cGMP.

Les nucléosides diphosphates et triphosphates

Le groupe phosphoryle des nucléotides peut à son tour être phosphorylé, avec formation d'une liaison anhydride (Figure 11.15). La liaison d'un phosphate à l'AMP donne **l'adénosine 5′-diphosphate**, ou **ADP**, la liaison d'un troisième phosphate à l'ADP donne **l'adénosine 5'-triphosphate**, ou **ATP**. Les groupes phosphates sont respectivement désignés par les lettres grecques α, β, et γ, à partir du phosphate directement lié au pentose. On utilise couramment les abréviations **GTP**, **CTP** et **UTP**, pour désigner les nucléosides triphosphates correspondants. Tout comme les nucléosides 5′-monophosphates, les nucléosides 5′-diphosphates et 5′-triphosphates existent à l'état libre dans les cellules. Il en est de même pour les désoxyribonucléotides correspondants, dAMP, dADP et dATP ; dGMP, dGDP et dGTP ; dCMP, dCDP et dCTP ; dTMP, dTDP et dTTP. Dans le cas des dérivés de la thymine, on omet parfois de préciser qu'il s'agit de désoxyribosides car il ne peut guère y avoir de confusion possible.

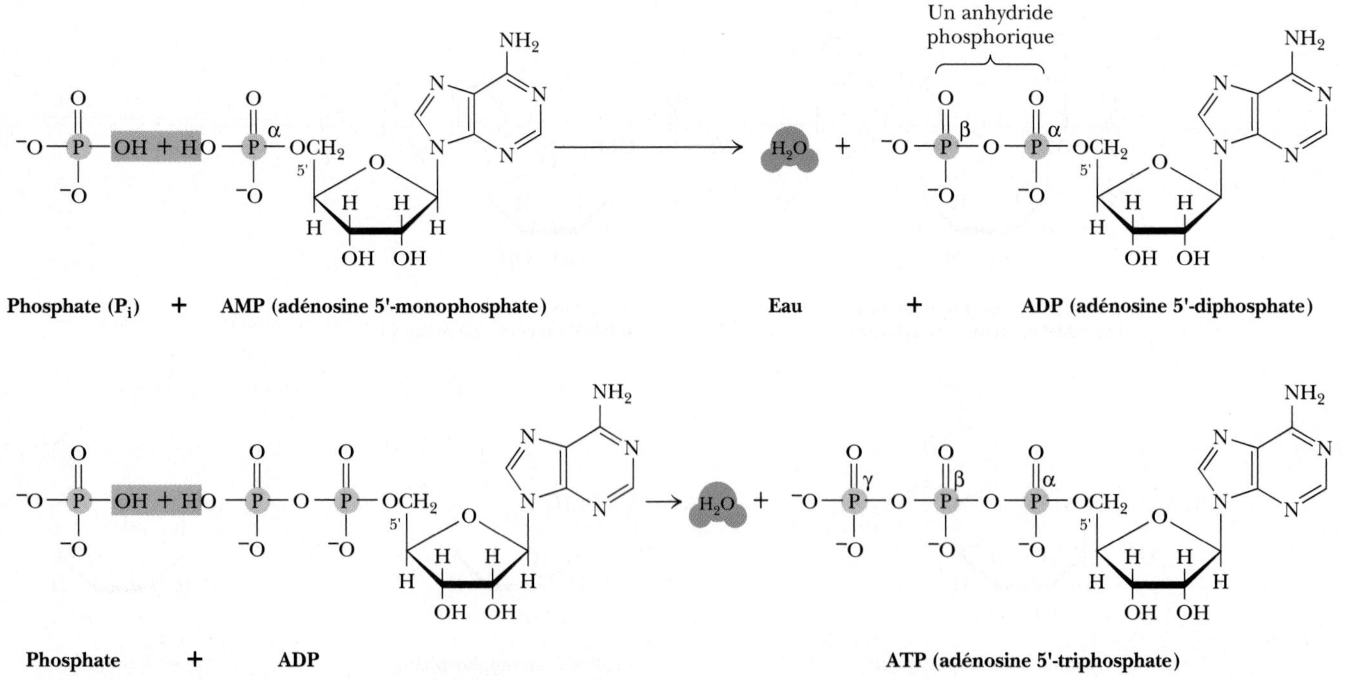

Un anhydride phosphorique

Phosphate (P_i) + AMP (adénosine 5'-monophosphate) → Eau + ADP (adénosine 5'-diphosphate)

Phosphate + ADP → H_2O + ATP (adénosine 5'-triphosphate)

Figure 11.15 • Formation de l'ADP et de l'ATP par additions successives de groupes phosphate liés par une liaison anhydride. Remarquez l'élimination de quantités équivalentes de H_2O lors de ces réactions de synthèse par déshydratation.

Les NDP et les NTP sont des acides polyprotiques

Les nucléosides 5′-diphosphates (NDP) et les nucléosides 5′-triphosphates (NTP) sont des *acides polyprotiques* relativement forts dont les groupes d'acide phosphorique se dissocient en libérant respectivement trois et quatre protons. Les anions phosphates des NDP et des NTP forment des complexes stables avec les cations bivalents comme Mg^{2+} et Ca^{2+}. Comme la concentration de Mg^{2+} intracellulaire est très élevée (5 à 10 m*M*), les NDP et les NTP sont présents surtout sous forme de complexes du Mg^{2+}. En milieu acide, les liaisons anhydrides des NDP et des NTP sont très facilement hydrolysées libérant du phosphate minéral (symbolisé par P_i, i comme inorganique) et les NMP correspondants. Pour révéler la présence des NDP et des NTP, une méthode consiste à traiter l'échantillon dans une solution d'HCl 0,1 N pendant 7 min à 100°C ; la libération de P_i est quantitative.

Les nucléosides 5′-triphosphates sont des transporteurs d'énergie

Les nucléosides 5′-triphosphates sont des agents indispensables du métabolisme car leurs liaisons anhydride sont la source première d'énergie chimique utilisable pour les fonctions biologiques. On a dit de l'ATP que c'était la monnaie des échanges énergiques cellulaires (Chapitre 3). Le GTP est la source énergétique principale de la synthèse protéique (Chapitre 33), le CTP est le métabolite énergétique de la synthèse des phospholipides (Chapitre 25) et l'UTP forme des intermédiaires énergétiques avec des oses qui sont ensuite utilisés dans la synthèse de dérivés osidiques complexes ou de polysaccharides (Chapitre 23). L'évolution a abouti à ce que l'un des NTP soit la source majeure d'énergie pour chacune des grandes voies métaboliques. Enfin, les quatre NTP et les quatre dNTP sont les substrats de la synthèse d'une dernière grande classe de molécules biologiques, les acides nucléiques.

Les bases des nucléotides sont les « unités de reconnaissance » de l'information génétique

Pratiquement toutes les réactions biochimiques des nucléotides impliquent le *transfert d'un groupe phosphate* ou *pyrophosphate*. La libération d'un groupe phosphoryle d'un NTP donne un NDP, la libération d'un groupe pyrophosphoryle donne un NMP. Inversement, un NMP, ou un NDP, peuvent accepter un groupe phosphoryle pour donner du NDP, ou du NTP (Figure 11.16). Il faut remarquer que le pentose et la base ne sont pas directement impliqués dans ces réactions chimiques. Il y a

Figure 11.16 • Transfert d'un groupe phosphoryle ou pyrophosphoryle, la principale réaction biochimique des nucléotides.

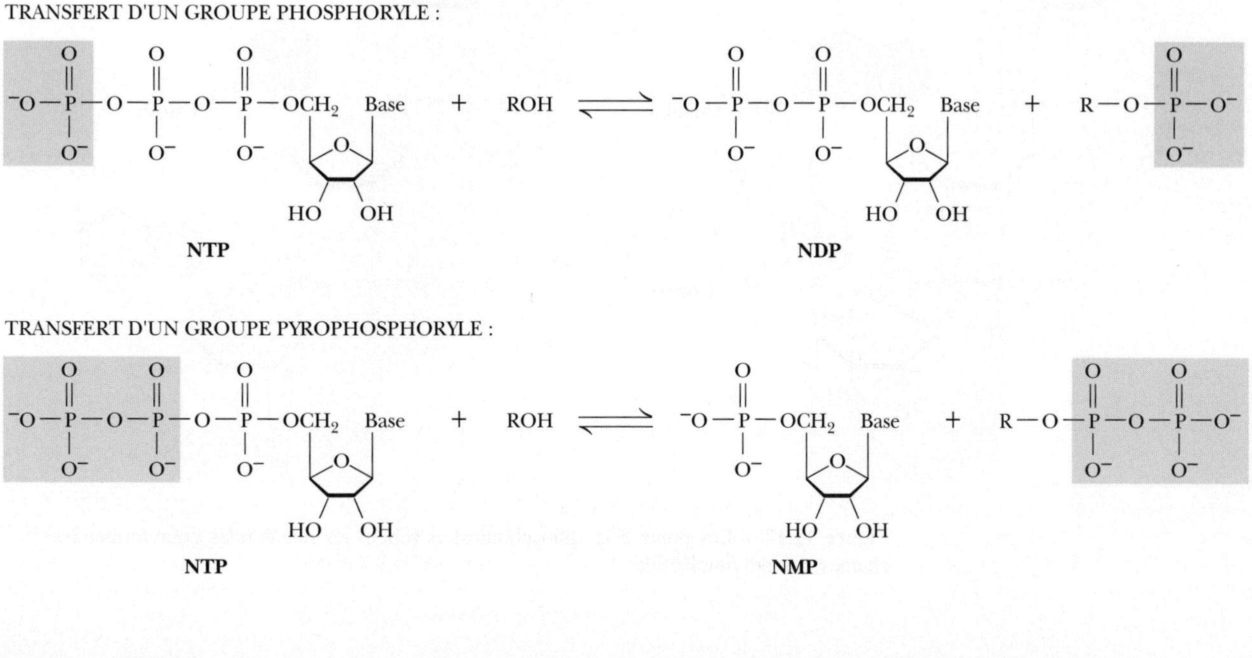

TRANSFERT D'UN GROUPE PHOSPHORYLE :

NTP + ROH ⇌ **NDP** + R—O—P

TRANSFERT D'UN GROUPE PYROPHOSPHORYLE :

NTP + ROH ⇌ **NMP** + R—O—P—O—P

toutefois une « division du travail » puisque l'ATP est le nucléotide primaire des principales séquences du métabolisme énergétique et que, par exemple, le GTP est le donateur d'énergie pour la synthèse des protéines. Donc l'utilisation d'un nucléotide dans une séquence métabolique donnée dépend de la reconnaissance spécifique de la base du nucléotide. Les bases des nucléotides sont les « *unités de reconnaissance* », à l'écart des réactions chimiques des groupes qui leur sont liés. Ce rôle d'unité de reconnaissance s'étend aux polymères des nucléotides, les acides nucléiques, où les bases servent d'unités de reconnaissance dans le codage de l'information génétique.

11.5 • Les acides nucléiques sont des polynucléotides

Les acides nucléiques sont des polymères linéaires de nucléotides reliés de 3′ en 5′ par des **ponts diester** (Figure 11.17). Ils se forment par addition successive d'un nucléoside 5′-phosphate au groupe 3′-OH du nucléotide précédent ; c'est un processus qui impose une direction au polymère. Les polymères des ribonucléotides sont des **acides ribonucléiques**, ou **ARN**. Les polymères des désoxyribonucléotides sont des **acides désoxyribonucléiques**, ou **ADN**. Puisque le C-1′ et le C-4′ des désoxyribonucléotides sont impliqués dans la formation du cycle furannique, et qu'il n'y a pas de 2′-OH, seuls les 3′ et 5′-OH peuvent être utilisés pour la formation

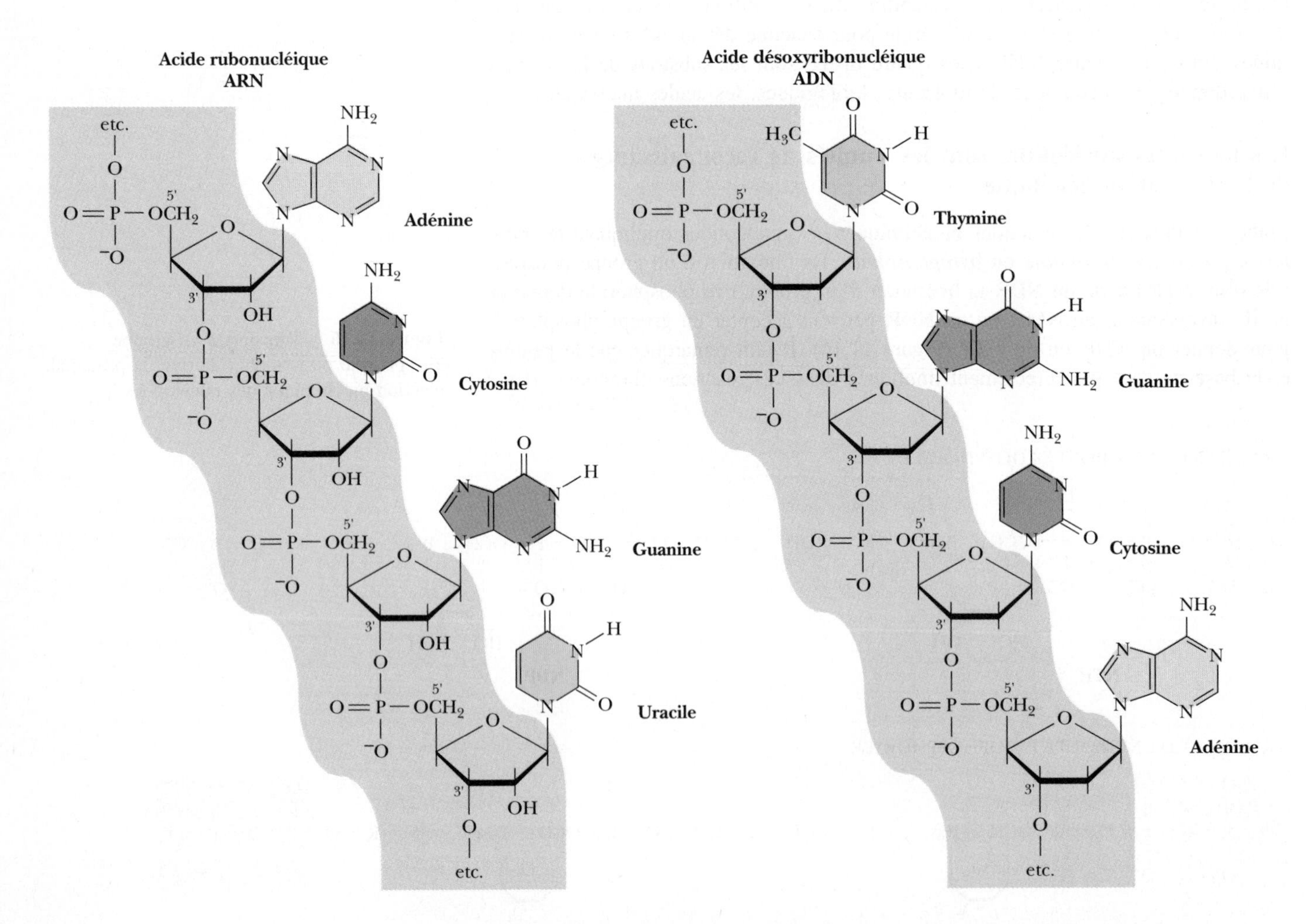

Figure 11.17 • Les ponts 3′-5′ phosphodiesters relient les nucléotides pour former les chaînes des polynucléotides.

de la liaison phosphodiester. Dans l'ADN, la chaîne peut contenir des centaines de millions d'unités nucléotidiques. Toute représentation structurale de ces molécules, même la courte séquence d'un oligonucléotide, est pénible à écrire et fastidieuse à déchiffrer.

Représentations simplifiées des structures de polynucléotides

Plusieurs conventions permettent de donner une idée de la structure des polynucléotides. La chaîne des polynucléotides présente un squelette de liaisons covalentes uniformément répétées. Ces liaisons vont de l'extrémité 5′ vers l'extrémité 3′, en passant des atomes d'un premier pentofurannose au pont diester qui le relie au pentose du nucléotide suivant et ainsi de suite. On peut donc représenter symboliquement ce squelette par des lignes verticales pour le cycle furannique et par des lignes obliques pour les liaisons diester (Figure 11.18). La ligne oblique part du milieu d'un trait vertical, le pentose, pour rejoindre le bas du trait vertical suivant, de façon à rappeler que le pont diester relie les atomes de carbone 3′ (au milieu) et 5′ (en bas) de deux furannoses voisins. La base reliée à chacun des furannoses est indiquée au-dessus du trait par la première lettre de son nom, A, C, G et U (ou T). Par convention, la structure des acides nucléique est lue de l'extrémité 5′ de la chaîne vers son extrémité 3′, la lecture passe donc par tous les ponts diester.

La séquence des bases

L'unique variation significative dans la structure chimique des acides nucléiques est celle de la nature de la base au niveau de chaque nucléotide. Ces bases ne font pas directement partie de la chaîne pentose-phosphate du squelette, mais elles ont un rôle de chaînes latérales distinctives, à la façon des groupes R liés à un squelette polypeptidique. La séquence des bases donne au polymère son identité particulière. La notation la plus simple des structures polynucléotidiques est donc d'écrire l'ordre des bases en utilisant les lettres correspondantes (en capitales) – A, C, G, U (ou T). Parfois on utilise la lettre « p » (minuscule), entre chaque nucléotide pour rappeler la liaison diester, par exemple GpApCpGpUpA. Un « p » en début de la séquence indique la présence d'un groupe phosphate à l'extrémité 5′ ; à la fin de la séquence, il indique la présence d'un groupe phosphate à l'extrémité 3′-OH ; nous aurons donc pGpApCpGpUpA et GpApCpGpUpAp.

Mais la représentation la plus courante à omettre les « p » et à n'écrire que les bases GACGGUA, puisqu'il est définitivement admis que des ponts diester relient les nucléotides successifs. S'il y a un groupe phosphate à une extrémité, il faut cependant le spécifier, par exemple GACGUAp pour un groupe phosphate à l'extrémité 3'. Pour distinguer les séquences des ARN de celles des ADN, ces dernières sont précédées de la lettre « d » (minuscule), abréviation de désoxy, on écrit ainsi d-GACGTA. À partir d'une simple rangée de lettres il est alors possible, même pour un jeune étudiant en biochimie, d'écrire la structure chimique précise d'un pentanucléotide, bien qu'il soit constitué de plus de 200 atomes.

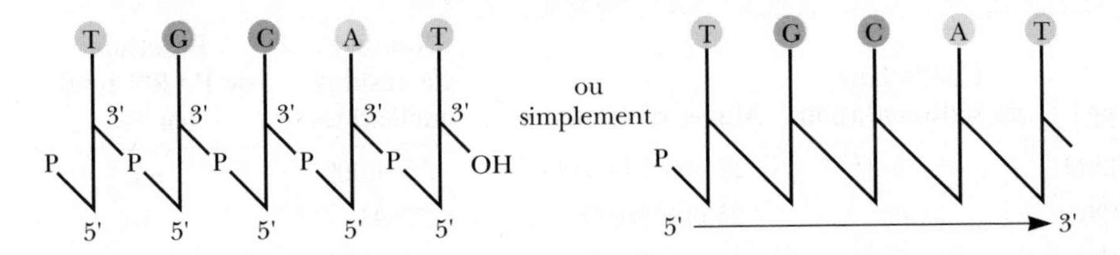

Figure 11.18 • Représentation simplifiée de la structure des acides nucléiques : les pentofurannoses sont représentés par les lignes verticales, les liaisons phosphodiesters par les lignes obliques.

1.6 • Classification des acides nucléiques

Il n'y a que deux grandes classes d'acides nucléiques, les ADN et les ARN. L'ADN n'a qu'un unique rôle biologique, mais il est fondamental. Toute l'information nécessaire pour la synthèse de toutes les macromolécules fonctionnelles de la cellule (y compris celle de l'ADN lui-même) est inscrite et préservée dans l'ADN. Cette information est accessible par l'intermédiaire de sa transcription dans des ARN. De même que l'ADN n'a qu'une fonction, il n'y a qu'une seule molécule d'ADN (ou chromosome) dans les formes de vie élémentaires, les bactéries, et dans les virus. De telles molécules doivent être assez volumineuses pour contenir toute l'information utile à la synthèse des macromolécules nécessaires pour maintenir une cellule en vie. Le chromosome d'*Escherichia coli* a une masse moléculaire de $2{,}9 \times 10^9$ daltons et contient plus de 9 millions de nucléotides. Les cellules eucaryotes ont plusieurs chromosomes et l'ADN se trouve principalement dans les noyaux, sous forme de deux copies de chromosomes dans les cellules diploïdes, mais il y en a aussi dans les mitochondries et dans les chloroplastes. Dans ces organites, l'ADN code pour un petit nombre d'ARN et de protéines qui leur sont spécifiques.

Comme par contraste, l'ARN existe sous différentes formes et en de nombreuses copies (Tableau 11.2). Les cellules contiennent jusqu'à huit fois plus d'ARN que d'ADN. L'ARN a de nombreuses fonctions biologiques sur la base desquelles les molécules d'ARN sont réparties en plusieurs catégories principales : **ARN messager**, **ARN ribosomique** et **ARN de transfert**. Les cellules eucaryotes contiennent un type d'ARN supplémentaire, les **petits ARN nucléaires**, ou **ARNpn**. Avec en mémoire ces définitions, nous pouvons examiner brièvement les structures et les propriétés chimiques de l'ADN et des divers ARN. Les méthodes de séquençage utilisées pour la détermination de la structure primaire des acides nucléiques et la description des structures secondaires et tertiaires de l'ADN et des ARN sont présentées Chapitre 12. La quatrième partie de cet ouvrage, Transfert de l'information, est consacrée à l'examen détaillé du rôle dynamique des acides nucléiques dans la biologie moléculaire de la cellule.

L'ADN

L'ADN isolé à partir des cellules ou des virus est toujours constitué de deux brins de polynucléotides enroulés, de façon caractéristique, l'un autour de l'autre pour former une longue et fine molécule hélicoïdale, la **double hélice de l'ADN**. Les brins, orientés dans des directions opposées, sont *antiparallèles*, et des *liaisons hydrogène intercaténaires* maintiennent la structure de la double hélice (Figure 11.19). Ces liaisons hydrogène relient les bases des nucléotides d'une chaîne aux bases complémentaires de l'autre chaîne pour former des **couples** de bases ; cet **appariement des bases** est une caractéristique fondamentale des acides nucléiques.

Tableau 11.2

Les diverses sortes de ARN dans une cellule de *E. coli*

Type	Coefficient de sédimentation	Masse moléculaire	Nombre de résidus nucléotides	Fraction de l'ARN total, en %
ARNm	6-25	25.000-1.000.000	75-3.000	~2
ARNt	~4	23.000-30.000	73-94	16
ARNr	5	35.000	120	82 (5, 16 et 23)
	16	550.000	1542	
	23	1.100.000	2904	

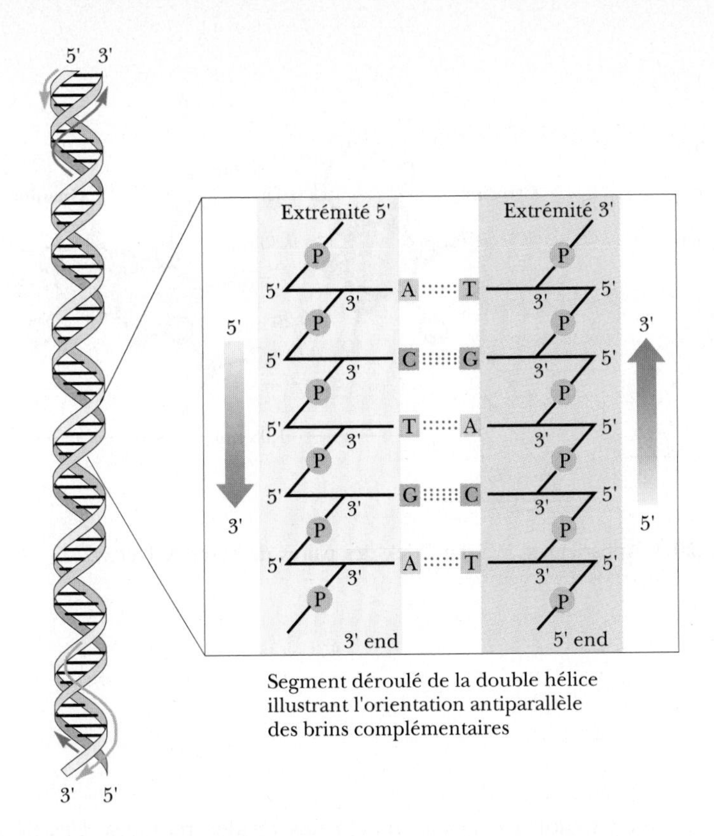

Segment déroulé de la double hélice illustrant l'orientation antiparallèle des brins complémentaires

Figure 11.19 • La double hélice antiparallèle de l'ADN.

Les règles de Chargaff

L'analyse de la composition en bases de divers ADN par Erwin Chargaff, à la fin des années 1940, a fourni la clé de la base chimique des appariements. Ses résultats ont montré que les quatre bases communément présentes dans l'ADN, A, C, G et T, ne sont pas présentes en quantités équimoléculaires, et que leurs proportions relatives varient avec les espèces (Tableau 11.3). Malgré cette variabilité, Chargaff avait remarqué que les bases de certaines paires, adénine et thymine, guanine et cytosine, étaient toujours dans un rapport de 1, et que le nombre des résidus

Tableau 11.3

Rapport des concentrations molaires des bases de l'ADN ayant conduit à la formulation des règles de Chargaff

Source	Adénine à Guanine	Thymine à Cytosine	Adénine à Thymine	Guanine à Cytosine	Purines à Pyrimidines
Bœuf	1,29	1,43	1,04	1,00	1,1
Humain	1,56	1,75	1,00	1,00	1,0
Poule	1,45	1,29	1,06	0,91	0,99
Saumon	1,43	1,43	1,02	1,02	1,02
Blé	1,22	1,18	1,00	0,97	0,99
Levure	1,67	1,92	1,03	1,20	1,0
Hemophilus influenzae	1,74	1,54	1,07	0,91	1,0
E. coli K-12	1,05	0,95	1,09	0,99	1,0
Bacille tuberculeux aviaire	0,4	0,4	1,09	1,08	1,1
Serratia marcescens	0,7	0,7	0,95	0,86	0,9
Bacillus schatz	0,7	0,6	1,12	0,89	1,0

D'après Chargaff, E., 1951. *Federation Proceedings* **10** : 654-659.

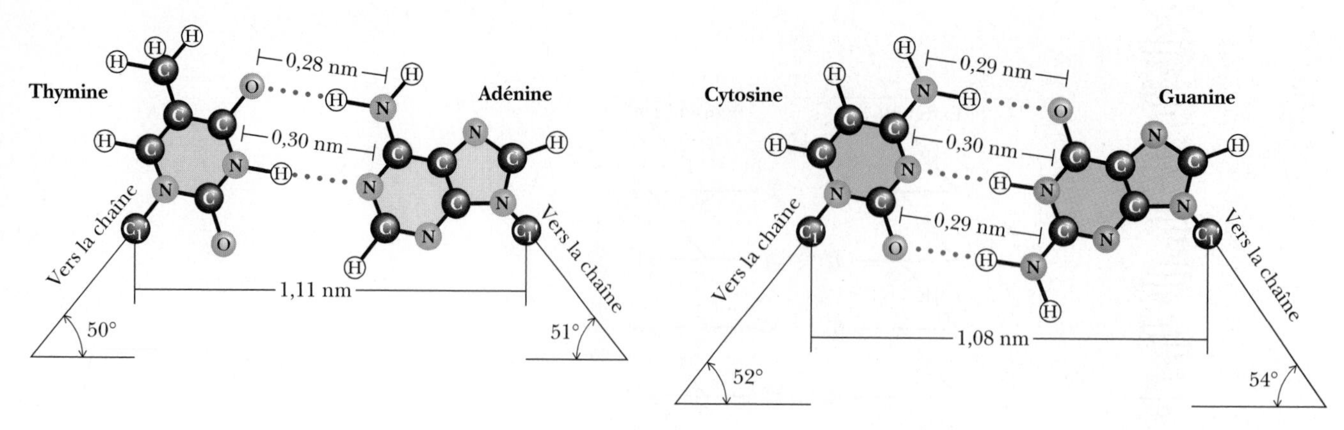

Figure 11.20 • Appariement Watson-Crick des paires de bases A:T et G:C.

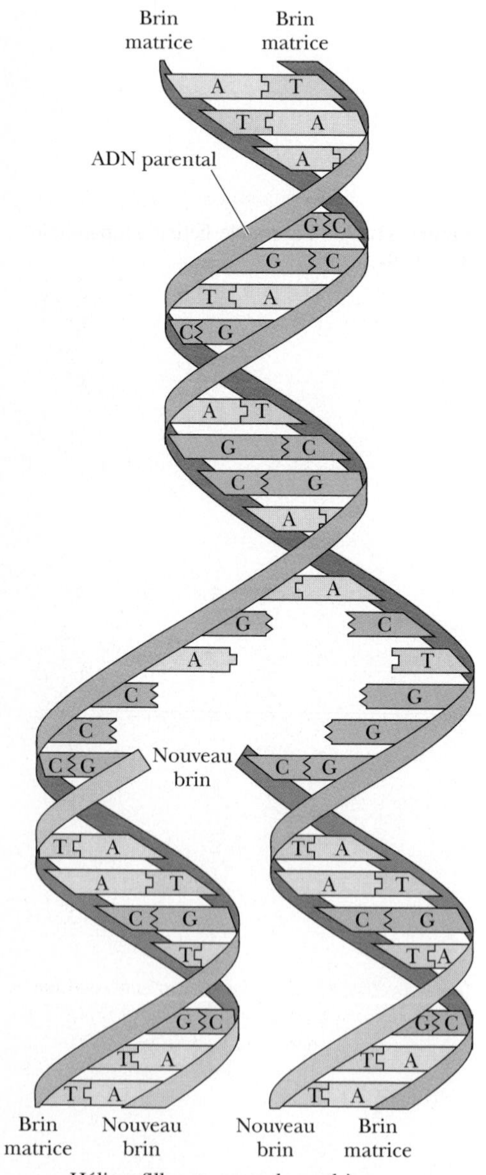

Figure 11.21 • La réplication semi-conservative de l'ADN produit des molécules filles identiques puisque l'appariement des bases est le mécanisme qui détermine la séquence des nucléotides de chacun des nouveaux brins synthétisés au cours de la réplication.

pyrimidiques était toujours égal au nombre des résidus puriques. Ces découvertes sont connues sous le nom de *règles de Chargaff:* **[A] = [T] ; [C] = [G] ; [pyrimidines] = [purines]**.

La double hélice de Watson et Crick

En 1953, James Watson et Francis Crick au laboratoire Cavendish de l'Université de Cambridge, interprètent les résultats de Chargaff et ceux des études de Rosalind Franklin et Maurice Wilkins sur la structure de l'ADN par diffraction des rayons X, pour en conclure que l'ADN avait une structure de *double hélice* dans laquelle les *brins sont complémentaires.* Les deux brins d'acide nucléique (on dit parfois le brin de Watson et le brin de Crick) sont réunis par les liaisons hydrogène qui se forment entre bases d'une même paire. Ces paires sont toujours constituées d'une base pyrimidique sur un brin et d'une base purique sur l'autre brin. L'appariement des bases est très spécifique : si la base purique est l'adénine, la base pyrimidique sera toujours la thymine. De même, la guanine s'apparie toujours à la cytosine (Figure 11.20). Donc, si l'un des brins de la double hélice comporte un A, la position complémentaire sur le brin opposé sera toujours un T, et un G imposera un C sur l'autre brin. Comme les exceptions à cet appariement exclusif de A avec T et de G avec C sont rares, les paires A:T et G:C sont considérées comme les paires canoniques.

La molécule d'ADN non seulement obéit aux règles de Chargaff, mais a également une propriété fondamentale en relation avec l'hérédité : *la séquence des bases sur l'un des brins a une relation de complémentarité avec la séquence des bases de l'autre brin.* Cela revient à dire que l'information contenue dans la séquence d'un brin est conservée dans la séquence du brin complémentaire. Pour cette raison, la séparation des deux brins et la réplication fidèle de chacun d'eux, par un processus où l'appariement des bases spécifie la séquence du nouveau brin synthétisé, conduit à la formation de deux molécules (doubles hélices) filles parfaitement identiques à la double hélice parentale (Figure 11.21). L'élucidation de la structure en double hélice de l'ADN est un des faits les plus marquants de l'histoire des sciences. Cette découverte, plus qu'aucune autre, marque le début de la biologie moléculaire. À juste raison, après avoir élucidé la structure de l'ADN, Crick a pu proclamer, dans le pub The Eagle situé en face du laboratoire Cavendish, « Nous avons découvert le secret de la vie ! »

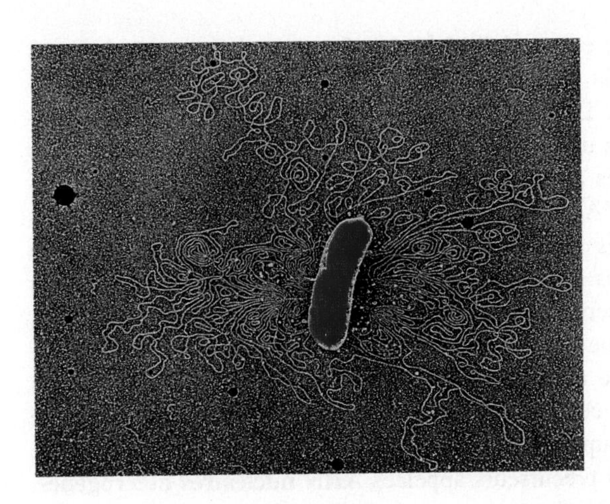

Figure 11.22 • Si la paroi cellulaire d'une bactérie comme *Escherichia coli* est partiellement digérée et si la cellule subit ensuite un choc osmotique, par dilution du milieu avec de l'eau, le contenu de la cellule est extrudé. Au microscope électronique, le composant cellulaire extrudé le plus visible est le chromosome, que l'on voit ci-dessus entourant la cellule. *(Dr Gopal Murti/CNRI/Phototake NYC)*

Taille des molécules d'ADN

Les molécules d'ADN étant des doubles hélices, leur taille peut être exprimée par le nombre des paires de bases nucléotidiques qu'elles contiennent. Par exemple, le chromosome de *E.coli* contient $4{,}64 \times 10^6$ paires de bases (abréviation pb), ou $4{,}64 \times 10^3$ kilopaires de bases (kpb). L'ADN est une molécule qui ressemble à un fil. Le diamètre de la double hélice n'est que de 2 nm, mais la longueur de la molécule du chromosome de *E.coli* est de plus de $1{,}6 \times 10^6$ nm (1,6 mm). La longueur de la cellule de *E. coli* n'étant que de 2.000 nm (0,002 mm), son chromosome doit être extrêmement replié. Les longs fils des molécules d'ADN sont très facilement rompus en fragments plus cours lors de leur purification, il est donc difficile d'obtenir des chromosomes intacts, même à partir d'une cellule pourtant simple de procaryote.

L'ADN dans les chromosomes

L'ADN se trouve sous des formes différentes dans les procaryotes et dans les eucaryotes. L'unique chromosome des procaryotes (Figure 11.22) est une molécule d'ADN circulaire. Peu de protéines sont associées à ces chromosomes. Au contraire, les molécules d'ADN des chromosomes des eucaryotes (il y a une molécule d'ADN par chromosome) sont linéaires et associées à de nombreuses protéines. Des histones, une classe de protéines riches en arginine et en lysine, sont en interactions ioniques avec les groupes phosphate, anioniques, du squelette de l'ADN. Il en résulte des structures complexes, les **nucléosomes**, structures dans lesquelles la double hélice de l'ADN s'enroule autour d'un « cœur » protéique constitué de quatre paires d'histones différentes, chaque paire étant constituée de deux histones identiques (Figure 11.23 ; voir aussi Section 12.5 du Chapitre 12). Les chromosomes contiennent encore d'autres protéines de types variés, les **protéines chromosomiques non-histones,** dont certaines sont impliquées dans la régulation du gène qui doit être transcrit à un moment donné. Une cellule diploïde de mammifère a 1.000 fois plus d'ADN qu'une cellule d'*E.coli*. Quelques cellules de plantes supérieures, les cellules polyploïdes, ont jusqu'à 50.000 fois plus d'ADN.

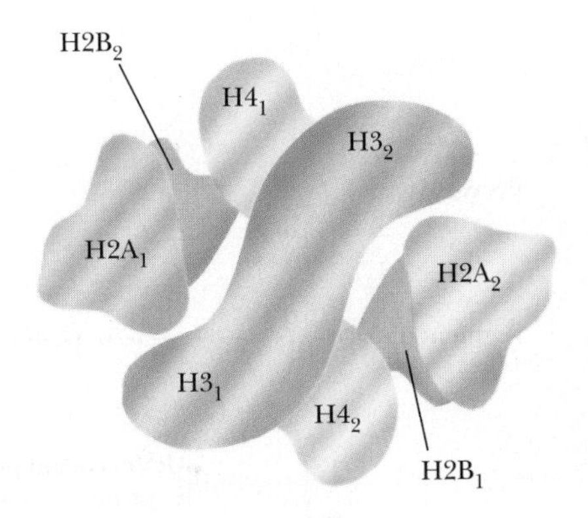

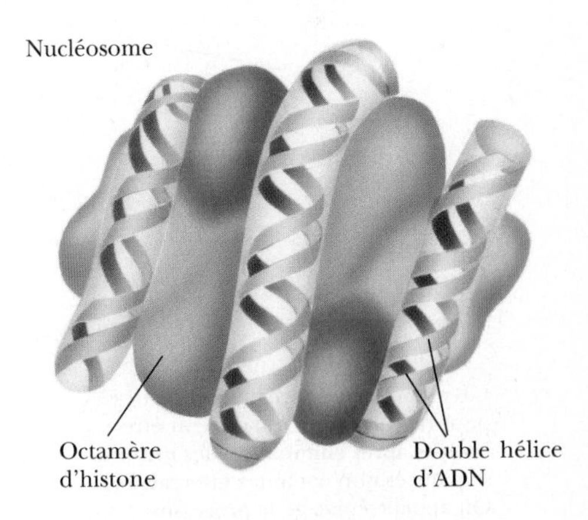

Figure 11.23 • Représentation schématique d'un octamère d'histone. Un nucléosome est constitué par deux tours d'hélice d'ADN étroitement enroulés autour de l'octamère, le cœur du nucléosome.

L'ARN

L'ARN messager

L'ARN messager (**ARNm**) sert à transporter l'information, le « message » codé dans les gènes, vers les sites de la synthèse des protéines où cette information sera traduite en une séquence polypeptidique. Comme les molécules d'ARNm sont des copies de transcription des unités génétiques constituant la majeure partie de l'ADN, l'ARNm est souvent considéré comme équivalent à l'ADN.

L'ARN messager (**ARNm**) est synthétisé lors de la transcription, un processus enzymatique au cours duquel la séquence des bases d'un segment de brin d'ADN est copiée sous forme d'ARN. L'information contenue dans la séquence nucléotidique de l'ARNm sera traduite dans le ribosome. Elle régit l'ordre dans lequel les acides aminés seront incorporés au cours de la synthèse de la protéine. Les molécules d'ARN ribosomique et d'ARNt sont, elles aussi, synthétisées lors de la transcription de certaines séquences d'ADN mais, contrairement à l'ARNm, elles ne seront pas traduites en protéines. Seules les unités génétiques de l'ADN qui codent pour des protéines seront transcrites en molécules d'ARNm. Chez les procaryotes, la séquence nucléotidique d'une unique molécule d'ARNm peut contenir l'information nécessaire à la synthèse de plusieurs protéines (Figure 11.24). Les ARNm des eucaryotes, au contraire de ceux des procaryotes, ne codent que pour une seule protéine, mais ils sont beaucoup plus complexes car ils sont synthétisés dans le noyau sous forme de molécules précurseurs appelées **ARN nucléaires hétérogènes**, ou **ARNnh**. Les molécules d'ARNnh contiennent des segments de séquences nucléotidiques qui ne codent pas pour la synthèse de protéines. Ces régions non codantes

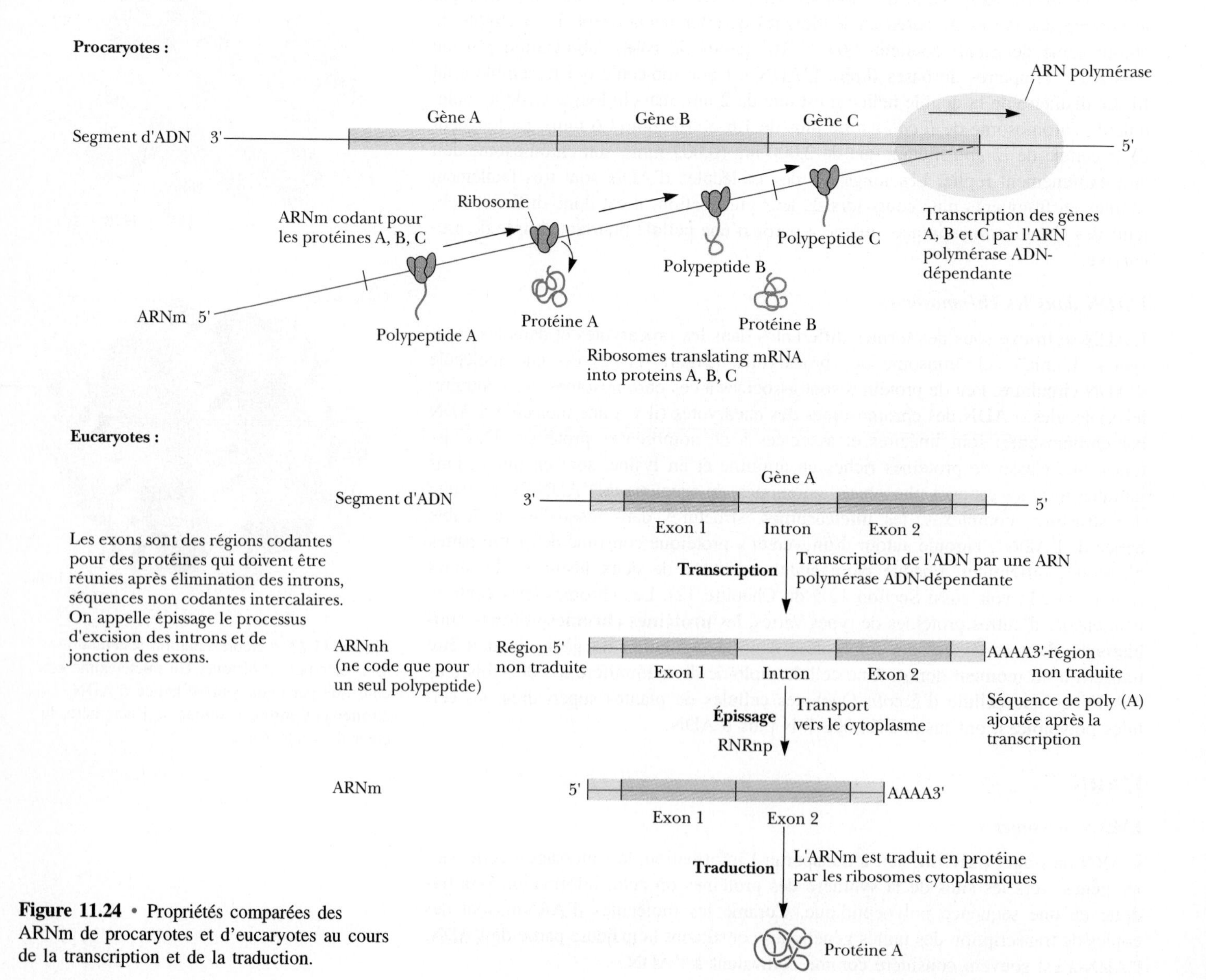

Figure 11.24 • Propriétés comparées des ARNm de procaryotes et d'eucaryotes au cours de la transcription et de la traduction.

sont appelées **séquences intercalaires**, ou **introns,** car elles sont intercalées entre les régions codantes appelées **exons**. Les introns interrompent la continuité de l'information spécifiant la séquence des acides aminés de la protéine, ils doivent être excisés avant que le message puisse être traduit. Ces molécules d'ARNnh et d'ARNm des eucaryotes ont encore une série de 100 à 200 résidus d'acide adénylique liés à leurs extrémités 3'-OH, les **queues poly-A**. Cette polyadénylation s'effectue après la fin de la synthèse de la molécule, de la transcription, il est admis qu'elle contribue à la stabilité de l'ARNm. Les propriétés comparées des ARNm des procaryotes et des eucaryotes au cours de la transcription et de la traduction sont résumées Figure 11.24.

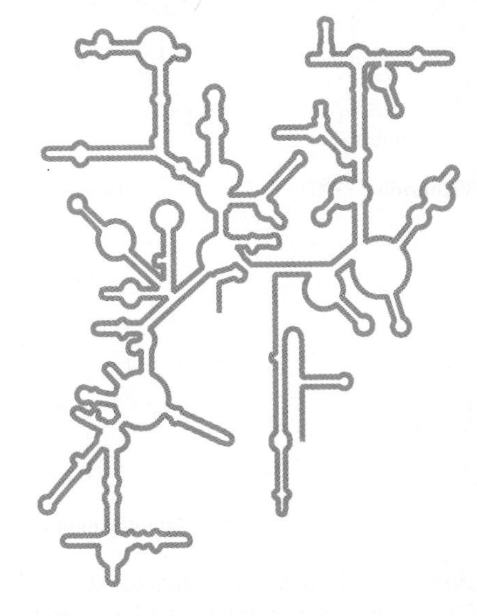

Du fait de la présence de nombreuses liaisons hydrogène intracaténaires, l'ARN ribosomique a une structure secondaire complexe.

L'ARN ribosomique

Les ribosomes sont des assemblages supramoléculaires de protéines et d'ARN sur lesquels s'effectue la synthèse des protéines. En conséquence de la formation de nombreuses liaisons H intramoléculaires, les molécules d'ARN ribosomique se reploient pour former des structures secondaires caractéristiques (voir la figure dans la marge). Les différentes espèces d'ARNm sont définies par leurs **coefficients de sédimentation** [1] (voir Appendice au Chapitre 5) qui mesure globalement leurs tailles relatives (Tableau 11.2 et Figure 11.25).

Les ribosomes sont composés de deux sous-unités de tailles différentes qui se dissocient lorsque la concentration de Mg^{2+} est inférieure à 10^{-3} *M*. Chaque

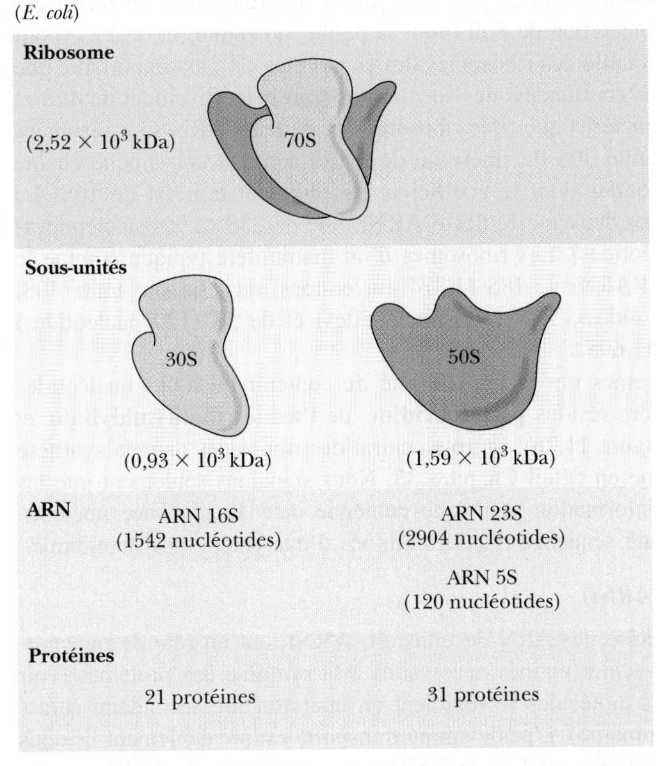

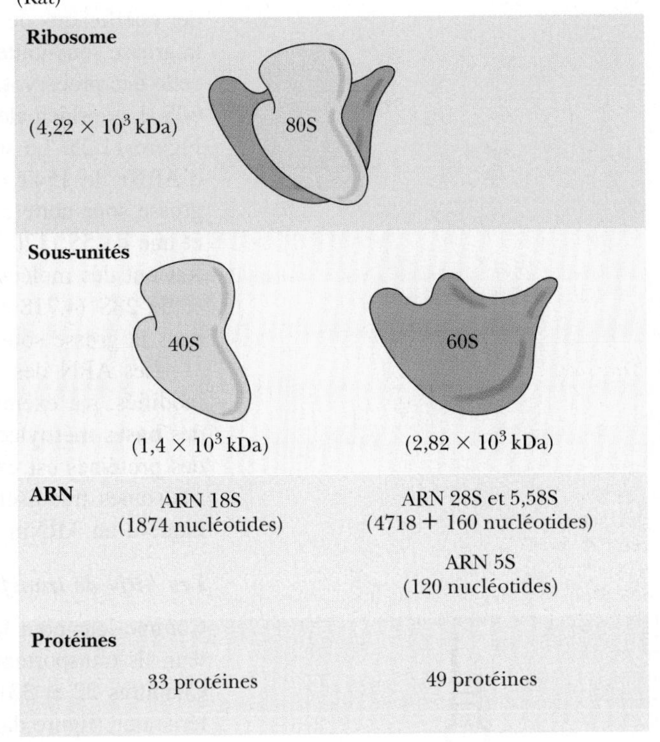

Figure 11.25 • Organisation et composition des ribosomes des procaryotes et des eucaryotes.

[1] Le coefficient de sédimentation est une mesure de la vitesse à laquelle une particule sédimente lorsqu'elle est placée dans le champ de gravitation d'une centrifugeuse. Les coefficients de sédimentation sont classiquement exprimés en unités Svedberg (symbolisées par S), en l'honneur du suédois The Svedberg qui a développé l'ultracentrifugation. L'unité S équivaut à 10^{-13} s.

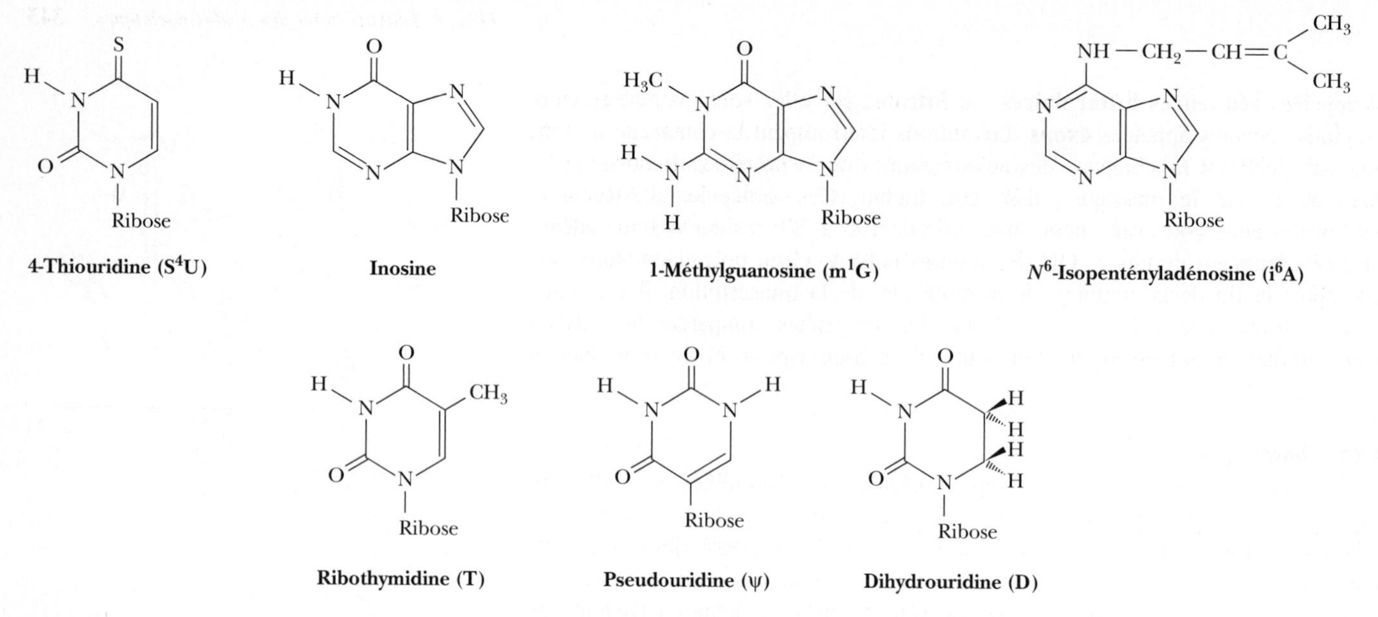

Figure 11.26 • Bases peu communes des ARN, en particulier, la pseudo uridine, l'acide ribothymidylique et des bases méthylées.

sous-unité est un assemblage supramoléculaire dont la masse est d'environ 10^6 daltons pour les plus petites sous-unités. Les sous-unités des ribosomes de *E.coli* ont des coefficients de sédimentation de 30S (pour la petite sous-unité) et de 50S (pour la grosse sous-unité). La taille des ribosomes des eucaryotes est plus importante que celle des procaryotes, les coefficients des sous-unités sont respectivement de 40S et 60S. Les principales caractéristiques des ribosomes et de leurs ARN sont résumées Figure 11.25. La sous-unité 30S du ribosome de *E.coli* contient une unique chaîne d'ARNr de 1542 nucléotides dont le coefficient de sédimentation est de 16S. La grosse sous-unité contient deux molécules d'ARNr, une de 23S (2.904 nucléotides) et une de 5S (120 nucléotides). Les ribosomes d'un mammifère typique comme le Rat ont des molécules d'ARNr de 18S (1.874 nucléotides) dans la sous-unité 40S, et de 28S (4.718 nucléotides), 5,8S (160 nucléotides) et de 5S (120 nucléotides) dans la grosse sous-unité 60S.

Les ARN des ribosomes ont la particularité de contenir quelques nucléotides modifiés, par exemple, des résidus **pseudouridine**, de **l'acide ribothymidylique** et des **bases méthylées** (Figure 11.26). Le rôle central des ribosomes dans la synthèse des protéines est examiné en détail Chapitre 33. Nous signalons seulement que les ribosomes traduisent l'information génétique contenue dans la séquence nucléotidique d'un ARNm en une séquence d'acides aminés d'une chaîne polypeptidique.

Les ARN de transfert (ARNt)

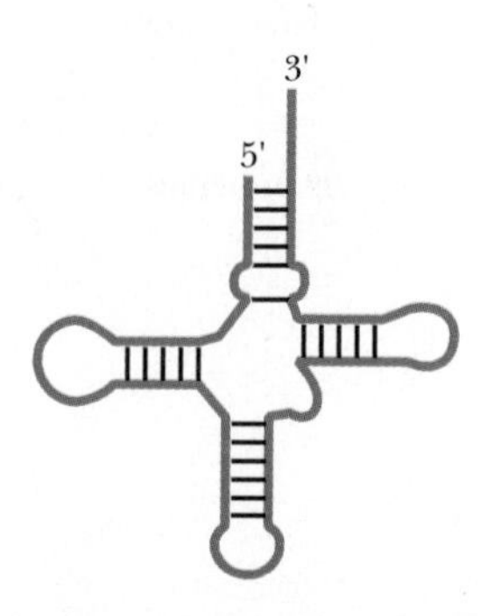

Comme les ARNr, les ARNt ont une structure secondaire complexe du fait des nombreuses liaisons H intracaténaires.

Comme leur nom le précise, les ARN de transfert, **ARNt,** ont un rôle de transporteur, ils transportent les acides aminés nécessaires à la synthèse des protéines (voir Chapitres 32 et 33). Ces molécules se reploient en une structure secondaire caractéristique (figure dans la marge). L'acide aminé transporté est préalablement lié sous forme de carboxy-ester à l'extrémité 3′ de l'ARNt. Les molécules de ARNt sont les plus petits polynucléotides naturels, de 23 à 30 kDa, contenant 73 à 94 résidus dont un grand nombre sont méthylés ou modifiés d'une façon très particulière. Chacun des 20 acides aminés dispose d'au moins une molécule particulière d'ARNt dédiée à son transport et à son insertion dans la chaîne polypeptidique en croissance. Certains acides aminés disposent de plusieurs ARNt, par exemple le transfert de la leucine dans les protéines est effectué par cinq ARNt différents. Chez les eucaryotes, il y a même des ARNt spécifiques, différents dans les différents sites de synthèse protéique, le cytoplasme et les mitochondries, et chez les plantes, même dans les chloroplastes. Les extrémités 3′-OH de toutes les molécules d'ARNt se terminent par la séquence -CCA, et l'acide aminé est transféré vers les ribosomes, lié sous forme d'un acyl-ester au 3′-OH libre du résidu A terminal ; les **aminoacyl-ARNt** ainsi formés sont les substrats de la synthèse des protéines. Lors de cette synthèse, l'acide aminé est transféré à l'extrémité carboxyle du polypeptide en cours d'élongation. La formation de la liaison peptidique est une réaction catalysée qui fait partie d'un mécanisme intrinsèque des ribosomes.

Les petits ARN nucléaires

Les petits ARN nucléaires, ou **ARNnp**, constituent une nouvelle classe d'ARN présents dans les cellules eucaryotes ; ils se trouvent principalement dans les noyaux. Bien que de même taille, ce ne sont ni des ARNt, ni de petites molécules d'ARNr. Comme ces derniers ARN, ils contiennent de 100 à 200 nucléotides, dont certains sont méthylés et d'autres modifiés. Les ARNnp ne sont jamais à l'état libre, ils sont toujours liés à des protéines spécifiques dans des complexes stables, les **petites particules ribonucléoprotéiques nucléaires**, ou **RNPnp**, d'environ 10S. Ils ne sont présents que dans les noyaux des eucaryotes et ils sont relativement abondants (de 1 à 10 % du nombre des ribosomes) ; ces deux faits ont été déterminants pour la compréhension de leur fonction biologique : les RNPnp ont un rôle important dans le processus de maturation des transcrits primaires des gènes eucaryotes (ARNnh, pour ARN nucléaire hétérogène) et du transport des ARNm vers le cytoplasme (Figure 11.24).

Conséquences des différences chimiques entre l'ADN et l'ARN

Deux différences chimiques fondamentales distinguent l'ADN de l'ARN. (1) L'ADN contient du désoxyribose au lieu du ribose, et (2) l'ADN contient de la thymine au lieu de l'uracile. Quelles peuvent être les conséquences de ces différences, ont-elles une signification commune ? On peut a priori avancer l'hypothèse que ces différences sont l'aboutissement d'une évolution qui a favorisé l'ADN, une molécule plus stable que l'ARN, et qu'elles sont en relations évidentes avec les rôles que ces macromolécules ont pu avoir dans la transmission des caractères héréditaires.

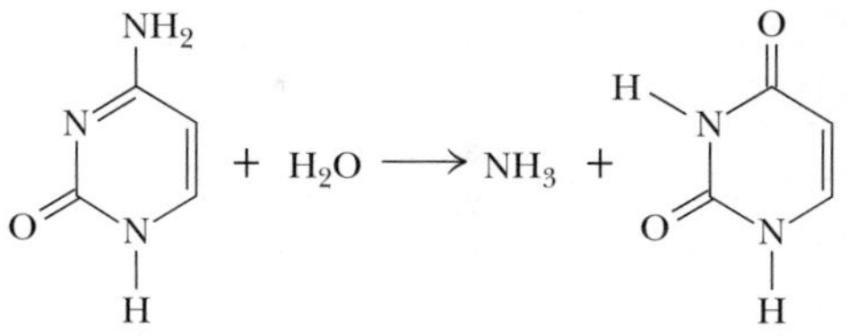

Examinons d'abord pourquoi l'ADN contient de la thymine au lieu de l'uracile. L'observation fondamentale est que, *in vivo, une fraction de la cytosine se désamine* pour donner de l'uracile (Figure 11.27). Puisque C s'apparie normalement avec G dans le brin complémentaire, alors que U s'apparierait avec A, la conversion de C en U pourrait se traduire par un changement permanent, héréditaire, de la séquence des nucléotides, c'est-à-dire par une *mutation*. Pour éviter ce changement dans la séquence, un premier mécanisme cellulaire permet de corriger les mésappariements lors de la réplication (correction sur épreuve). Lorsque provenant d'une désamination un U apparaît (paire C-G devenue paire U-G), il est considéré comme anormal et est remplacé par un C. Mais, si les ADN contenaient des U au lieu des T, le mécanisme ne pourrait pas facilement différencier les U correctement appariés, normaux, des U provenant de la désamination de C. Dans l'ADN, U est remplacé par le 5-méthyl uracile, plus connu sous l'appellation classique de thymine (Figure 11.28). Ce groupe 5-méthyle contenu dans la thymine correspondrait à un signal de reconnaissance permettant de signaler qu'il s'agit d'un « vrai » U et non pas d'une erreur à corriger.

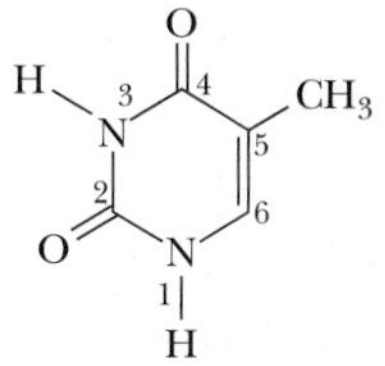

Le groupe 2′-OH du ribose est absent de l'ADN. La liaison 3′-O caractéristique de tous les squelettes des polynucléotides n'a donc pas de groupe hydroxyle vicinal dans l'ADN et sa résistance à l'hydrolyse alcaline est de ce fait considérablement modifiée (cf. Section suivante). L'ARN est moins stable à l'hydrolyse que l'ADN car le groupe 2′-OH rend la liaison 3′-phosphodiester très sensible à l'attaque nucléophile (Figure 11.29). Ne serait-ce que pour cette raison, le stockage de l'information génétique sous forme d'ADN présente un avantage sélectif.

Figure 11.27 • La désamination de la cytosine produit l'uracile.

Figure 11.28 • Le groupe 5-méthyle de la thymine signale qu'il s'agit d'un uracile particulier.

Figure 11.29 • Les groupes -OH vicinaux de l'ARN sont sensibles à l'attaque nucléophile qui aboutit à l'hydrolyse de la liaison phosphodiester et à la rupture de la chaîne du polynucléotide. L'ADN n'a pas de 2′-OH vicinal à sa liaison 3′-O-phosphodiester. L'hydrolyse alcaline de l'ARN produit un mélange de nucléosides 2′ et 3′-monophosphates.

ARN :

Un groupe nucléophile tel que OH^- peut attirer l'H du 2'-OH, il en résulte un 2'–O^- très nucléophile qui attaque l'atome de phosphore δ^+P du pont phosphodiester voisin :

Clivage du squelette pentoses phosphates

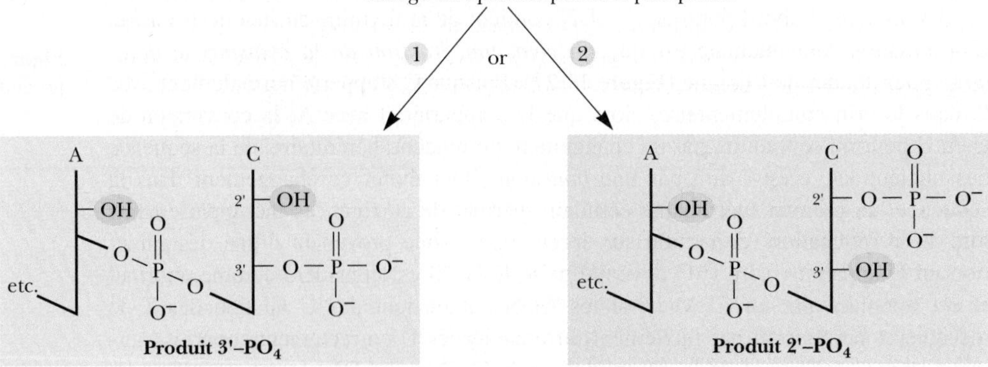

L'hydrolyse complète d'un ARN en milieu alcalin produit un mélange aléatoire de 2'-NMPs et de 3'-NMPs.

ADN : absence de 2'-OH; résistant à OH^- :

Pour en savoir plus

Les acides peptido-nucléiques (APN) sont des analogues synthétiques d'ADN et d'ARN

Il est possible de synthétiser par voie chimique des analogues de l'ADN (et de l'ARN) dans lesquels le squelette formé par les oses phosphates est remplacé par un squelette peptidique, ce qui crée un polymère appelé *acide peptido-nucléique* (APN). Le squelette peptidique des APN a été conçu de façon telle que l'espace entre les bases successives est le même que dans les ADN naturels (voir figure ci-contre). Les APN sont constitués d'unités répétées de résidus *N*-(2-aminoéthyl)-glycocolle liés par des liaisons peptidiques ; les bases sont ensuite fixées sur ce squelette par des liaisons méthylène carbonyle. Cette synthèse chimique aboutit à la formation sur le squelette de six liaisons entre les points d'attachement de deux bases successives et de trois liaisons entre le squelette et chaque base, comme dans l'ADN. Les bases d'un oligomère APN s'apparient par des liaisons H spécifiques avec les bases complémentaires d'un ADN (et d'un ARN), comme des paires complémentaires d'oligonucléotides. Les APN résistent à l'action de nucléases et sont de mauvais substrats des protéases. Les APN semblent donc avoir un grand avenir comme sondes spécifiques pour la recherche de séquences particulières dans les ADN ou les ARN. Il sera peut-être possible d'utiliser les APN comme des molécules anti-sens (voir exercice 5 à la fin de ce chapitre).

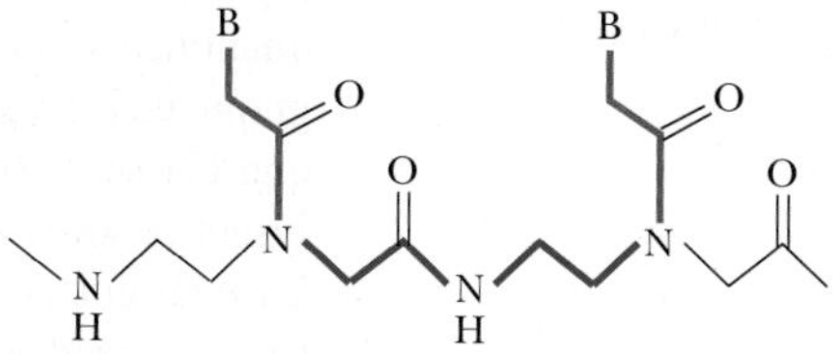

APN

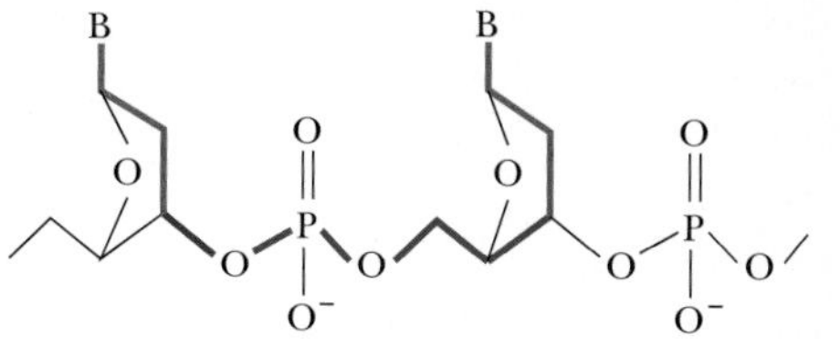

ADN

Remarquez les six liaisons (en bleu) entre les points d'attachement des bases successives, et les trois liaisons (en rouge) entre la base et ce point d'attachement sur le squelette peptidique.

Buchardt, O., et al., 1993. Peptide nucleic acids and their potential applications in biotechnology. *Trends in Biotechnology* **11** *: 384-386.*

11.7 • Hydrolyse des acides nucléiques

L'immense majorité des réactions d'hydrolyse des acides nucléiques aboutissent au clivage du squelette polynucléotidique. Ces réactions sont importantes car elles peuvent être utilisées lors de l'étude de ces molécules. Par exemple, l'hydrolyse d'un polynucléotide peut donner plusieurs fragments plus faciles à analyser.

Hydrolyse acide et hydrolyse alcaline

L'ARN est relativement résistant à l'effet d'un acide dilué ; par contre, un traitement de l'ADN par HCl 1m*M* clive sélectivement les purines par hydrolyse de la liaison glycosidique. Les liaisons glycosidiques entre les bases pyrimidiques et le 2′-désoxyribose ne sont pas touchées et le squelette pentose-phosphodiester reste intact. Le polynucléotide sans ses bases puriques est un **acide apurinique**.

L'ADN résiste à l'hydrolyse alcaline. L'ARN, au contraire est très rapidement hydrolysé par des solutions alcalines diluées. Le site de clivage des liaisons phosphodiester est aléatoire, le produit final de l'hydrolyse est un mélange de nucléosides 2′-phosphate et 3′-phosphate. La présence de ces produits a été une information intéressante pour la compréhension du mécanisme de la réaction (Figure 11.29). En milieu alcalin, l'hydrogène du 2′-OH est facilement attiré par les anions hydroxyle, ce qui laisse sur chaque nucléotide un 2′-O^- très nucléophile qui attaque l'atome de phosphore δ^+ du pont phosphodiester voisin avec pour conséquence la rupture de la liaison 5′-phosphodiester et la formation d'un nucléoside monophosphate 2′-3′ cyclique. Ce phosphodiester 2′-5′ est instable, il est rapidement hydrolysé en nucléoside 3′-monophosphate et nucléoside 2′-monophosphate. L'ADN n'ayant pas de 2′-OH est stable en milieu alcalin.

Hydrolyse enzymatique

Les enzymes qui hydrolysent les acides nucléiques sont des **nucléases**. Pratiquement toutes les cellules contiennent des nucléases variées dont la fonction, importante, est de « faire le ménage » pendant le métabolisme des acides nucléiques. Les organes qui sécrètent des sucs digestifs, comme le pancréas, sécrètent de grandes quantités de nucléases pour hydrolyser les acides nucléiques ingérés. Les champignons et les venins de serpents sont aussi de bonnes sources de nucléases. En tant que classe enzymatique, les nucléases sont des **phosphodiestérases** car elles catalysent la scission hydrolytique de liaisons phosphodiester. Puisque chaque phosphate à l'intérieur de la chaîne est impliqué dans la formation de deux liaisons diester, la scission peut avoir lieu d'un côté ou de l'autre de l'atome de phosphore (Figure 11.30). Par convention, le côté 3′ de la liaison est le côté *a*, et le côté 5′, le côté *b*. Un clivage du côté *a* laisse le groupe phosphate lié en position 5′ du nucléotide adjacent, l'hydrolyse du côté *b* laissera le phosphate lié en 3′. On caractérise les enzymes et les réactions qui hydrolysent les acides nucléiques d'après le côté *a* ou *b* qui est clivé. Une deuxième convention permet de distinguer les réactions selon que le clivage du polynucléotide est situé à l'intérieur de la chaîne (clivage *endo*) ou que le clivage libère les nucléotides à partir d'une extrémité (clivage *exo*). Une hydrolyse exo *a* commence par l'extrémité 3′ du polymère, tandis qu'une hydrolyse exo *b* commence par l'extrémité 5' (Figure 11.31).

Spécificité des nucléases

Comme la plupart des enzymes (cf. Chapitre 14), les nucléases sont sélectives, elles sont *spécifiques* des molécules qui interviennent dans les réactions qu'elles catalysent. Certaines nucléases reconnaissent spécifiquement l'ADN (les **ADNases**), d'autres l'ARN (les **ARNases**). Il en est qui ne sont pas spécifiques, on dit alors

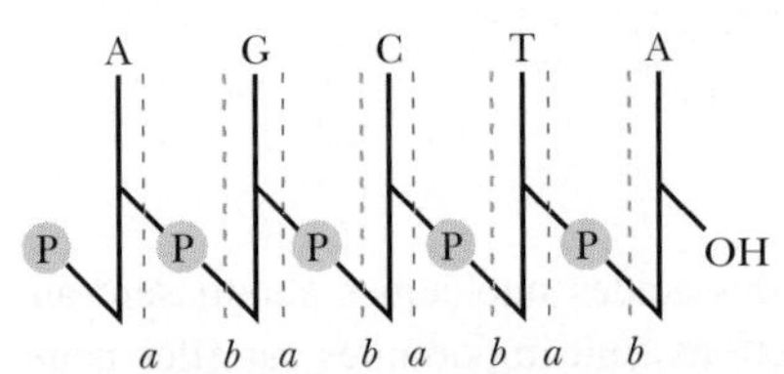

Convention : le côté 3' de chaque liaison phosphodiester est désigné par *a* ; le côté 5' est désigné par *b*.

L'hydrolyse en *a* de la liaison donne des produits 5'-PO_4 :

A G C T A
OH OH OH OH OH
P P P P P
Mélange de nucléosides 5'-phosphates (5'NMP)

L'hydrolyse en *b* de la liaison donne des produits 3'-PO_4 :

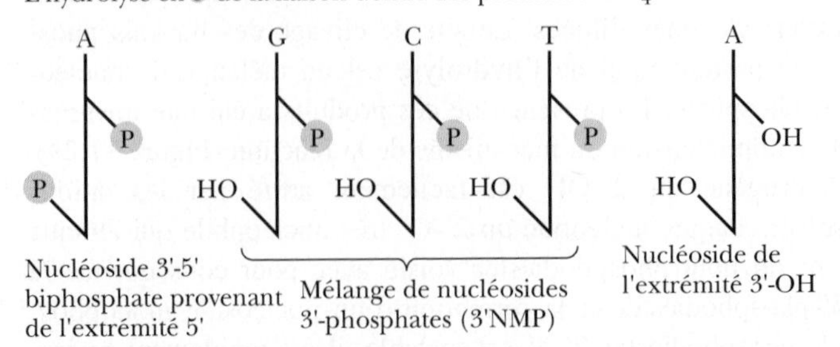

Figure 11.30 • Clivage des chaînes des polynucléotides: Le clivage en *a* donne des dérivés 5′-phosphate, le clivage en *b* donne des dérivés 3′-phosphate.

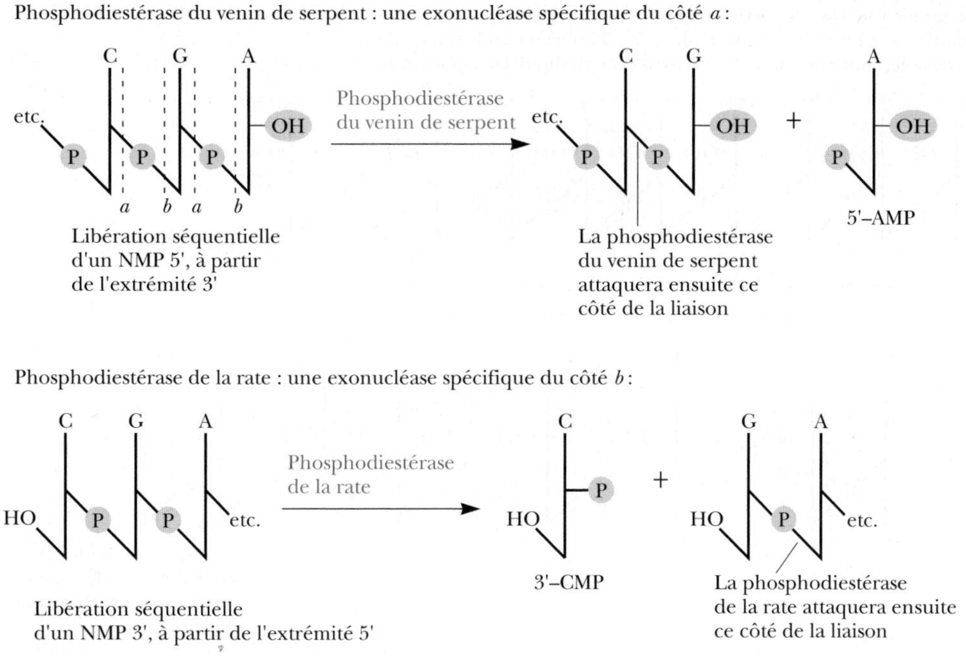

Phosphodiestérase du venin de serpent : une exonucléase spécifique du côté *a* :

Phosphodiestérase de la rate : une exonucléase spécifique du côté *b* :

Figure 11.31 • Les phosphodiestérases du venin de serpent et de la rate sont des exonucléases qui dégradent les polynucléotides en commençant par des extrémités opposées.

simplement les nucléases, comme par exemple, la *nucléase S1* (Tableau 11.4). Les nucléases peuvent aussi être spécifiques d'un acide nucléique monobrin (ou monocaténaire, ou *ss* pour *single stranded*) ou au contraire d'un double brin (ou bicaténaire, ou *ds*, pour *double stranded*). La spécificité peut encore être plus restreinte, la nucléase ne catalysant l'hydrolyse qu'au voisinage d'une certaine base dans la

Tableau 11.4

Spécificité de diverses nucléases

Enzyme	ADN, ARN, ou les deux	*a* ou *b*	Spécificité
Exonucléases			
Phosphodiestérase du venin de serpent	Les deux	*a*	Débute à l'extrémité 3′, produit des NMP-5′
Phosphodiestérase de la rate	Les deux	*b*	Débute à l'extrémité 5′, produit des NMP-3′
Endonucléases			
ARNase pancréatique	ARN	*b*	Libère des oligonucléotides à extrémité pyrimidine 3′-phosphate, et des nucléosides 3′-phosphate pyrimidiques lorsqu'une pyrimidine est du côté 3′ de la liaison diester
ARNase de *Bacillus subtilis*	ARN	*b*	Libère des oligonucléotides à extrémité purine 3′-phosphate, et des nucléosides 3′-phosphates puriques lorsqu'une purine est du côté 3′ de la liaison diester
ARNase T_1	ARN	*b*	Lorsqu'une guanine est du côté 3′ de la liaison diester
ARNase T_2	ARN	*b*	Lorsqu'une adénine est du côté 3′ de la liaison diester
ADNase I pancréatique	ADN	*a*	Coupe de préférence entre Py et Pu ; incise l'ADN bicaténaire avec formation d'extrémités 3'-OH
ADNase II (foie, thymus, *Staphylococcus aureus*)	ADN	*b*	Produit des oligonucléotides
Nucléase S1	Les deux	*a*	Clive les acides nucléiques monocaténaires, mais pas les acides nucléiques bicaténaires

L'ARNase pancréatique est un enzyme spécifique du clivage de la liaison phosphodiester lorsque une base pyrimidique est située du côté 3' de la liaison; elle agit à l'intérieur de la molécule.
Les produits finaux seront des oligonucléotides avec une extrémité pyrimidine 3'-phosphate :
A G U A C C G A A U G A
5'
3'
ARNase pancréatique
A G U
A C
C
G A A U
G A
3'
Un oligonucléotide ne contenant que des bases puriques ne peut provenir que d'une extrémité 3'

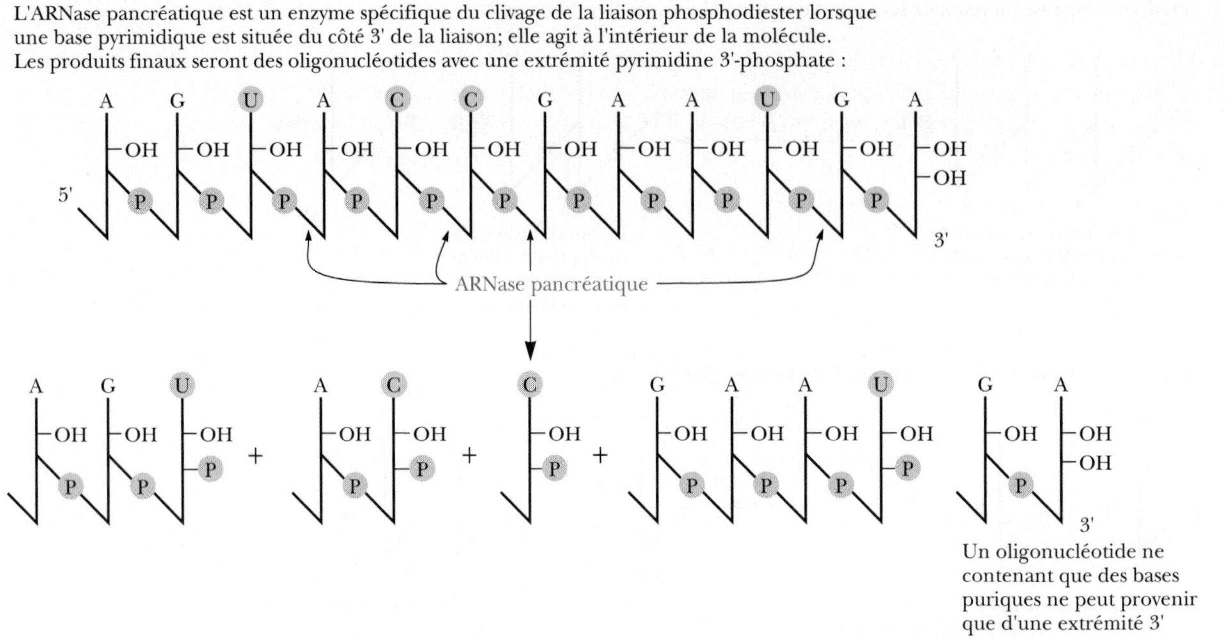

Figure 11.32 • Spécificité d'une nucléase : hydrolyse de l'ARN par l'ARNase pancréatique bovine qui clive spécifiquement en *b*, à droite des pyrimidines. Il en résulte des oligonucléotides avec une extrémité pyrimidine 3′-phosphate.

séquence (Figure 11.32) ou, pour les endonucléases appelées *enzymes de restriction,* l'enzyme exigeant la présence d'une séquence plus ou moins longue de bases, de quatre à huit en général. Le Tableau 11.4 donne une liste de diverses nucléases représentatives des différents types de spécificité. Pour les biologistes moléculaires, les nucléases sont dans les laboratoires les instruments chirurgicaux de la dissection et de la manipulation des acides nucléiques.

Les exonucléases catalysent la dégradation séquentielle des acides nucléiques en libérant les nucléotides à partir d'une des extrémités. La *phosphodiestérase du venin de serpent* et la *phosphodiestérase de la rate bovine* sont deux exonucléases d'usage courant (Figure 11.31). Comme elles reconnaissent aussi bien l'ADN que l'ARN, on utilise pour les dénommer un nom générique, ce sont des *phosphodiestérases*. Ces deux enzymes ont des spécificités complémentaires. La phosphodiestérase du venin de serpent clive la liaison *a* et son action débute à l'extrémité libre 3′OH de la chaîne d'un polynucléotide, libérant des nucléosides 5′-monophosphates. L'enzyme de la rate bovine clive, au contraire, à partir de l'extrémité 5′ d'un acide nucléique, du côté *b* de la liaison phosphodiester et libère des nucléosides 3′-monophosphates.

Enzymes de restriction

Les endonucléases de restriction sont des enzymes, généralement purifiés à partir de bactéries, qui scindent l'ADN double brin. Le terme *restriction* provient de la capacité qu'ont les procaryotes à se défendre contre une invasion par un ADN étranger, on dit que les bactéries « *restreignent* » l'expression des ADN étrangers. Les bactéries utilisent leurs enzymes de restriction pour scinder cet ADN (sur les deux brins à la fois) en fragments qui sont encore de grande taille mais qui ne sont plus infectieux. On classe les enzymes de restriction en trois types, I, II et III. Les enzymes des types I et III requièrent de l'ATP pour hydrolyser l'ADN non méthylé et peuvent catalyser la méthylation spécifique de certaines bases de l'ADN de l'hôte (le plus souvent dans la séquence de reconnaissance). Les endonucléases de restriction de type I clivent l'ADN étranger de façon aléatoire, loin des sites de reconnaissance, ceux de type III coupent l'ADN dans ces sites, ou à leur proximité.

Endonucléases de restriction de type II

Les **enzymes de restriction de type II** sont largement utilisées pour le clonage et le séquençage des molécules d'ADN. Leur activité catalytique n'exige pas d'ATP et elles ne modifient pas l'ADN par méthylation ou par d'autres moyens. Elles coupent l'ADN à l'intérieur de la séquence qu'elles reconnaissent spécifiquement, ou à son voisinage immédiat. Ces séquences de reconnaissance ont le plus souvent de quatre à huit nucléotides et un axe binaire de symétrie. *E. coli* a un enzyme de restriction, *Eco*RI, qui reconnaît la séquence suivante à six nucléotides dans chaque brin :

```
5'——N—N—N—N—G—A—A—T—T—C—N—N—N—N——3'
    :  :  :  :  :  :  :  :  :  :  :  :  :  :
3'——N—N—N—N—C—T—T—A—A—G—N—N—N—N——5'
```

Cette séquence a un axe de symétrie d'ordre deux : la séquence lue dans le sens $5' \rightarrow 3'$ est la même pour les deux brins.

Quand *Eco*RI rencontre cette séquence dans un ADN double brin, l'enzyme catalyse un clivage décalé des deux brins entre les résidus G et A :

```
                ↓
5'——N—N—N—N—G  A—A—T—T—C—N—N—N—N——3'
    :  :  :  :  :  :  :  :  :  :  :  :  :  :
3'——N—N—N—N—C—T—T—A—A  G—N—N—N—N——5'
                       ↑
```

Le clivage décalé produit des fragments dans lesquels les extrémités 5′ portent un prolongement monocaténaire :

```
5'——N—N—N—N—G                 5' A—A—T—T—C—N—N—N—N——3'
    :  :  :  :  :                            :  :  :  :  :
3'——N—N—N—N—C—T—T—A—A 5'                    G—N—N—N—N——5'
```

Les terminaisons monocaténaires des fragments produits par *Eco*RI ont des séquences complémentaires, elles peuvent donc s'apparier :

```
——N—N—N—N—G  A—A—T—T—C—N—N—N—N——
  :  :  :  :  :  :  :  :  :  :  :  :  :  :
——N—N—N—N—C—T—T—A—A  G—N—N—N—N——
```

Des fragments de restriction d'ADN ayant ainsi des extrémités « cohésives » peuvent être réunis pour créer de nouvelles séquences. Si les fragments proviennent de molécules d'origines différentes, on crée une nouvelle espèce d'ADN recombinant.

*Eco*RI engendre des terminaisons 5′ décalées. D'autres enzymes de restriction, comme *Pst*I qui reconnaît la séquence 5′-CTGCAG-3′ et clive entre A et G, engendrent des terminaisons 3′ décalées et cohésives. Un dernier groupe d'enzymes, comme *Bal*I, scindent la séquence reconnue au niveau de son axe de symétrie, ce qui produit des extrémités non cohésives, à « bouts francs ». *Bal*I reconnaît 5′-TGGCCA-3′ et clive entre G et C.

Le Tableau 11.5 présente une liste des endonucléases les plus utilisées ainsi que celle des sites reconnaissances correspondants. Tous ces sites ayant un axe de symétrie binaire, il suffit de donner la séquence de reconnaissance d'un seul brin.

Tableau 11.5

Endonucléases de restriction

Environ mille enzymes de restriction sont actuellement caractérisés. Il sont désignés par un code à trois lettres en italique ; la première, en lettre capitale, dénote le genre de l'organisme dont l'endonucléase provient, les deux lettre suivantes sont une abréviation de l'espèce particulière concernée. Comme les procaryotes contiennent souvent plus d'un enzyme de restriction, on ajoute à ces trois lettres en italique un numéro et parfois une autre lettre lors de leur identification. Ainsi *Eco*RI est le premier enzyme de restriction isolé de la souche R d'*Escherichia coli*. À l'exception de *Nci*I, tous les enzymes de restriction de type II engendrent des fragments avec des extrémités 5′-phosphate et 3′-OH.

Enzyme	Isoschizomères	Séquence reconnue	Extrémités cohésives compatibles
*Alu*I		AG↓CT	Bouts francs
*Apy*I	*Atu*I, *Eco*RII	CC↓($^{A}_{T}$)GG	
*Asu*II		TT↓CGAA	*Cla*I, *Hpa*II, *Taq*I
*Ava*I		G↓PyCGPuG	*Sal*I, *Xho*I, *Xma*I
*Avr*II		C↓CTAGG	
*Bal*I		TGG↓CCA	Bouts francs
*Bam*HI		G↓GATCC	*Bcl*I, *Bgl*II, *Mbo*I, *Sau*3A, *Xho*II
*Bcl*I		T↓GATCA	*Bam*HI, *Bgl*II, *Mbo*I, *Sau*3A,
*Xho*II			
*Bgl*II		A↓GATCT	*Bam*HI, *Bcl*I, *Mbo*I, *Sau*3A, *Xho*II
*Bst*EII		G↓GTNACC	
*Bst*XI		CCANNNNN↓NTGG	
*Cla*I		AT↓CGAT	*Acc*I, *Acy*I, *Asy*II, *Hpa*II, *Taq*I
*Dde*I		C↓TNAG	
*Eco*RI		G↓AATTC	
*Eco*RII	*Atu*I, *Apy*I	↓CC ($^{A}_{T}$)GG	
*Fnu*DII	*Tha*I	CG↓CC	Bouts francs
*Hae*I		($^{A}_{T}$)GG↓CC($^{T}_{A}$)	Bouts francs
*Hae*II		PuGCGC↓Py	
*Hae*III		GG↓CC	Bouts francs
*Hinc*II		GTPy↓PuAC	Bouts francs
*Hind*III		A↓AGCTT	
*Hpa*I		GTT↓AAC	Bouts francs
*Hpa*II		C↓CGG	*Acc*I, *Acy*I, *Asu*II, *Cla*I, *Taq*I
*Kpn*I		GGTAC↓C	*Bam*HI, *Bcl*I, *Bgl*II, *Xho*II
*Mbo*I	*Sau*3A	↓GATC	
*Msp*I		C↓CGG	
*Mst*I		TGC↓GCA	Bouts francs
*Not*I		GC↓GGCCGC	
*Pst*I		CTGCA↓G	
*Sac*I	*Sst*I	GAGCT↓C	
*Sal*I		G↓TCGAC	*Ava*I, *Xho*I
*Sau*3A		↓GATC	*Bam*HI, *Bcl*I, *Bgl*II, *Mbo*I, *Xho*II
*Sfi*I		GGCCNNNN↓NGGCC	
*Sma*I	*Xma*I	CCC↓GGG	Bouts francs
*Sph*I		GCATG↓C	
*Sst*I	*Sac*I	GAGCT↓C	
*Taq*I		T↓CGA	*Acc*I, *Acy*I, *Asu*II, *Cla*I, *Hpa*II
*Xba*I		T↓CTAGA	
*Xho*I		C↓TCGAG	*Ava*I, *Sal*I
*Xho*II		($^{A}_{G}$)↓GATC($^{T}_{C}$)	*Bam*HI, *Bcl*I, *Bgl*II, *Mbo*I, *Sas*u3A
*Xma*I	*Sma*I	C↓CCGGG	*Ava*I

ISOSCHIZOMÈRES. Il existe des enzymes de restriction qui reconnaissent et scindent des séquences identiques. Par exemple, *Mbo*I et *Sau*3A reconnaissent la même séquence de quatre nucléotides, 5′-GATC-3′. La séquence est clivée sur les deux brins à la même position, du coté 5′ de G. Ces enzymes sont dénommées des **isoschizomères**, ce qui signifie qu'ils scindent le même site. L'enzyme *Bam*HI est un isoschizomère de *Mbo*I et de *Sau*3A, mais plus spécifique car il reconnaît la séquence hexanucléotidique GGATCC. *Bam*HI clive entre les deux G, produisant des extrémités 5′ cohésives qui peuvent s'apparier avec les fragments produits par *Mbo*I et *Sau*3A.

schizo • du grec *schizein*, couper

TAILLE DES FRAGMENTS DE RESTRICTION. En supposant que la distribution des tétranucléotides dans un ADN est aléatoire et équimoléculaire, une séquence donnée d'un tétranucléotide devrait se trouver tous les 4^4 nucléotides, ou toutes les 256 bases. La longueur moyenne des fragments produits par un enzyme de restriction reconnaissant une séquence de quatre bases est donc d'environ 256 bases. Pour les enzymes reconnaissant six bases, *Eco*RI ou *Bam*HI, cette séquence se retrouvera toutes les 4.096 (4^6) bases. Les polypeptides des procaryotes contiennent au maximum 1.000 résidus d'acides aminés. Il s'ensuit que la taille des fragments produits par l'action d'un enzyme de restriction reconnaissant six bases est voisine de la taille des gènes de procaryote. Cette propriété des enzymes de restriction les rend particulièrement utiles pour la construction et la multiplication (le clonage) de molécules d'ADN recombinant à usage génétique. S'il faut procéder à la préparation de fragments de séquences encore plus longues, par exemple celles des gènes codant pour de très longs polypeptides (ou des gènes d'eucaryotes contenant de grands introns), il est possible d'effectuer des digestions partielles, ou limitées. Mais, depuis peu, on dispose d'endonucléases de restriction qui reconnaissent spécifiquement des séquences de 8 et même de 13 nucléotides, par exemple, *Not*I et *Sfi*I.

Les cartes de restriction

L'usage des enzymes de restriction pour résoudre des problèmes de biologie moléculaire sera examiné en détail Chapitre 13, mais l'une des applications mérite ici une certaine attention. Puisque les enzymes de restriction coupent les ADN à doubles brins à des sites spécifiques pour engendrer de grands fragments, elles sont d'intéressants outils permettant de dresser des cartes de molécules d'ADN de plusieurs milliers de paires de bases. La digestion d'une molécule d'ADN par ces enzymes rappelle la digestion protéolytique par une protéase comme la trypsine (cf. Chapitre 5). En effet, les endonucléases de restriction n'agissent que sur leurs sites spécifiques et produisent une série de fragments individuellement distincts. Cette action est analogue à celle de la trypsine qui ne clive qu'après les résidus Arg et Lys et produit une série de fragments caractéristiques d'une protéine donnée. Les fragments de restriction forment une collection particulière de morceaux d'ADN de différentes tailles qu'il est possible de séparer par *électrophorèse* (cf. Appendice, Chapitre 5). L'électrophorèse des molécules d'ADN sur des gels de porosité contrôlée (comme dans les gels d'agarose ou de polyacrylamide) les sépare en fonction de leur taille. Les plus grosses molécules sont retardées dans leur migration à travers les pores du gel, tandis que les plus petites ne sont guère ralenties. La Figure 11.33 représente le diagramme d'une électrophorèse hypothétique d'un ADN dont des échantillons distincts sont traités par deux enzymes de restriction différents et par le mélange des deux enzymes. De la même façon que le clivage d'une protéine par deux protéases différentes produit des fragments dont les séquences se chevauchent, ce qui permet d'établir l'ordre des peptides, les fragments de restriction peuvent être mis en ordre, ou « cartographiés », en fonction de leur taille et d'un diagramme d'électrophorèse comme celui de la Figure 11.33.

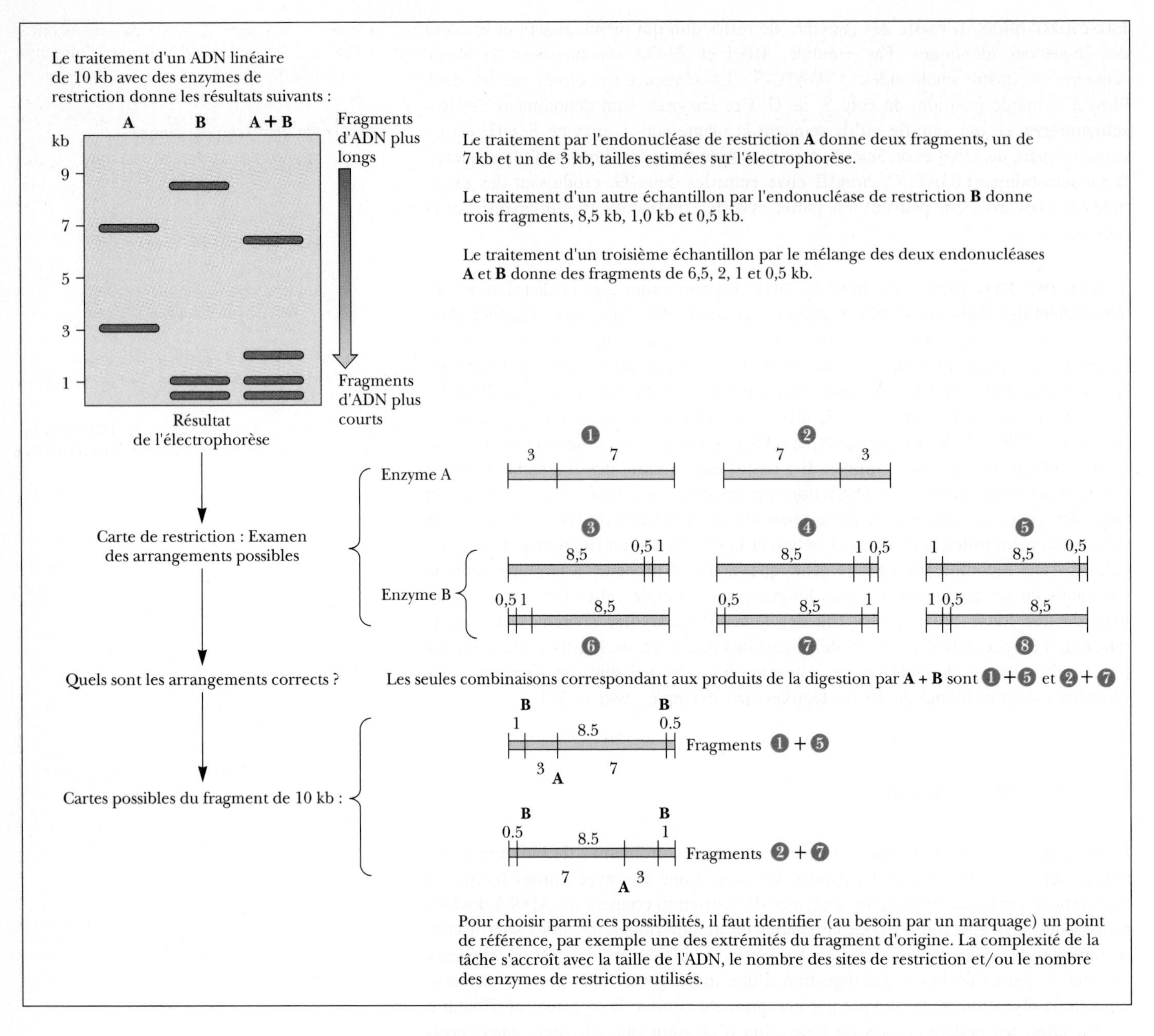

Le traitement d'un ADN linéaire
de 10 kb avec des enzymes de
restriction donne les résultats suivants :
A
B
A + B
kb
9
7
5
3
1
Fragments
d'ADN plus
longs
Fragments
d'ADN plus
courts
Résultat
de l'électrophorèse
Le traitement par l'endonucléase de restriction A donne deux fragments, un de
7 kb et un de 3 kb, tailles estimées sur l'électrophorèse.
Le traitement d'un autre échantillon par l'endonucléase de restriction B donne
trois fragments, 8,5 kb, 1,0 kb et 0,5 kb.
Le traitement d'un troisième échantillon par le mélange des deux endonucléases
A et B donne des fragments de 6,5, 2, 1 et 0,5 kb.
Enzyme A
Carte de restriction : Examen
des arrangements possibles
Enzyme B
Quels sont les arrangements corrects ?
Les seules combinaisons correspondant aux produits de la digestion par A + B sont ❶+❺ et ❷+❼
Fragments ❶+❺
Fragments ❷+❼
Cartes possibles du fragment de 10 kb :
Pour choisir parmi ces possibilités, il faut identifier (au besoin par un marquage) un point
de référence, par exemple une des extrémités du fragment d'origine. La complexité de la
tâche s'accroît avec la taille de l'ADN, le nombre des sites de restriction et/ou le nombre
des enzymes de restriction utilisés.

Figure 11.33 • Carte de restriction d'un ADN déduite de l'analyse d'une électrophorèse des fragments obtenus après digestion par des enzymes de restriction. (N'oubliez pas que les molécules d'ADN double brin ont une séquence unique et une polarité définie ; les fragments provenant d'une extrémité sont donc différents des fragments provenant de l'autre extrémité).

EXERCICES

1. Écrivez la structure chimique de pACG.

2. Les résultats de Chargaff (Tableau 11.3) donnent pour l'ADN humain des rapports molaires de 1,56 pour A/G, 1,75 pour A/T, et de 1 pour G/C. Quelles sont les fractions molaires de A, C, G et T dans l'ADN humain ?

3. En respectant la convention d'écriture des séquences de nucléotides, $5' \rightarrow 3'$, quelle est la séquence du brin d'ADN complémentaire à d-ATCGCAACTGTCACTA ?

4. Les ARNm sont synthétisés dans la direction $5' \rightarrow 3'$ par l'ARN polymérase qui lit le brin matrice d'ADN dans la direction $3' \rightarrow 5'$ (cf. Figure 11.24). Donnez la séquence ($5' \rightarrow 3'$) des nucléotides du brin d'ADN à partir duquel l'ARN messager suivant a été transcrit : 5'-UAGUGACAGUUGCGAU-3'.

5. La séquence du brin d'ADN complémentaire à celui que l'ARN polymérase a transcrit est identique à celle de l'ARN messager synthétisée (sauf que les résidus T de l'ADN sont des résidus U dans l'ARN). Ce brin d'ADN est considéré comme le brin qui a un sens, le brin matrice étant le brin anti-sens. Une intéressante stratégie de lutte contre les effets néfastes de l'activation inopportune de gènes (par exemple dans certains cancers) propose de faire produire des brins d'ARN anti-sens dans les cellules atteintes. Ces ARN anti-sens formeraient des hybrides doubles brins avec les ARNm transcrits à partir des gènes activés, ce qui empêcherait leur traduction en protéines. Supposez que la transcription d'un gène activé dans un cancer donne un ARNm dont la séquence inclut le segment suivant : 5'-UACGGUCUAAGCUGA. Quelle serait la séquence (5'→3') du brin matrice d'un ADN bicaténaire qui pourrait être introduit dans ces cellules afin qu'un ARNm anti-sens puisse résulter de sa transcription ?

6. Un fragment d'ADN de 10 kb digéré par une endonucléase de restriction, *Eco*RI, donne deux fragments, un de 4 kb et un de 6 kb. La digestion par *Bam*H1 produit des fragments de 1, 3,5, et 5,5 kb. La digestion simultanée avec les deux endonucléases donne des fragments de 0,5, 1,3, et 5,5 kb. Dessinez une carte de restriction du fragment d'origine, compatible avec ces résultats.

Lectures complémentaires

Adams, R.L.P., Knowler, J.T., et Leader, D.P., 1992. *The Biochemistry of the Nucleic Acids,* 11th ed. New York : Chapman and Hall (Methuen and Co., distrib.).

Gray, M.W., et Cedergren, R., eds., 1993. The New Age of RNA. *The FASEB Journal* **7** : 4-239. A collection of articles emphasizing the new appreciation for RNA in protein synthesis, in evolution, and as a catalyst.

Judson, H.F., 1979. *The Eighth Day of Creation.* New York : Simon and Schuster.

Maniatis, T., Frisch, E.F., et Sambrook, J., 1989. *Molecular Cloning : A Laboratory Manual,* 2nd ed. Cold Spring Harbor, NY : Cold Spring Harbor Laboratory.

Watson, J.D., Hopkins, N.H., Roberts, J.W., Steitz, J.A., et Weiner, A.M., 1987. *The Molecular Biology of the Gene*, Vol. 1, *General Principles,* 4th ed. Menlo Park, CA : Benjamin/Cummings.

« La structure de l'ADN : une mélodie pour les yeux de la raison, sans aucune note superflue. »
Horace Freeland Judson, *Le huitième jour de la création*

Chapitre 12

Structure des acides nucléiques

PLAN

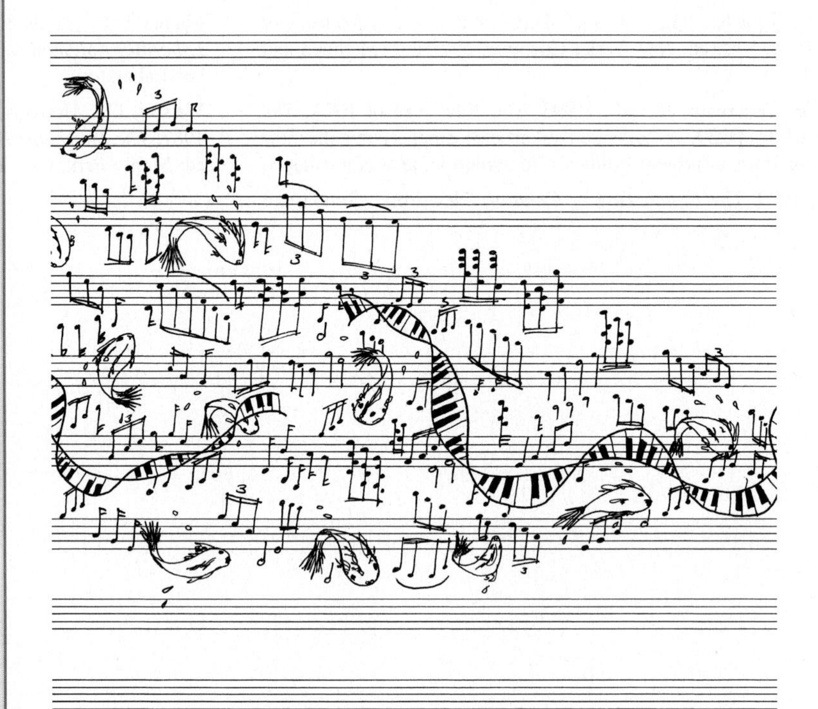

« Scherzo en D (ré) & A (la) » (détail) par David E. Rodale (1955-1985)
(NdT : Jeu de mots sur DNA)

La structure et la chimie des nucléotides, la liaison de ces unités par des ponts phosphodiester pour former les acides nucléiques, les polymères biologiques porteurs de l'information génétique ou agents transmission de cette information, ont fait l'objet du Chapitre 11. Dans ce chapitre, nous examinerons les méthodes biochimiques qui, par la détermination de l'ordre des nucléotides dans les polynucléotides, révèlent la nature de cette information. Cet ordre des nucléotides est ce qu'il est convenu d'appeler **la structure primaire** des acides nucléiques. Puis nous examinerons les structures supérieures des acides nucléiques, les structures secondaires et tertiaires. Bien que notre objectif soit, dans ce chapitre, de nous intéresser principalement aux structures et aux propriétés chimiques de ces macromolécules, il est utile de garder présent à l'esprit leurs fonctions biologiques. Les acides nucléiques matérialisent l'information génétique (voir Quatrième partie). Nous pouvons déjà admettre que les mécanismes cellulaires qui permettent d'utiliser cette information et de la reproduire avec une grande fidélité seront mieux éclairés par la connaissance des propriétés chimiques et des structures des acides nucléiques.

12.1 • Structure primaire des acides nucléiques

Jusqu'en 1975, la détermination de la structure primaire des acides nucléiques (la séquence des nucléotides) posait des problèmes autrement redoutables que le séquençage des protéines, simplement parce que les acides nucléiques ne contiennent que quatre unités monomériques distinctes alors que les protéines en ont vingt. Avec seulement quatre unités, il y a *apparemment* moins de sites de clivage spécifiques, les séquences différentes sont plus difficilement reconnaissables et la probabilité d'avoir des résultats équivoques est bien plus grande. Une difficulté supplémentaire provenait de la taille des polynucléotides qui contiennent beaucoup plus d'unités nucléotidiques que les polypeptides de résidus d'acides aminés. Deux importantes découvertes, l'une scientifique, l'autre technique ont complètement changé cette vision, et aujourd'hui, il est plus facile de séquencer des acides nucléiques que de séquencer des polypeptides. La première découverte, cruciale, est celle des *enzymes de restriction* (endonucléases) qui clivent l'ADN à des sites spécifiques, produisant des fragments distincts et de taille plus facile à manipuler (voir Chapitre 11). La deuxième découverte est celle du pouvoir de séparation des méthodes *d'électrophorèse en gel de polyacrylamide*, ces méthodes permettent de séparer des fragments dont la taille ne diffère que par un unique nucléotide.

Méthodes de détermination de la séquence des acides nucléiques

Deux méthodes de détermination de la séquence des acides nucléiques sont largement utilisées. La plus récente et la plus pratiquée est la **méthode aux didésoxynucléosides triphosphates** de F. Sanger et la seconde est **la méthode de clivage chimique spécifique des bases** mise au point par A. M. Maxam et W. Gilbert. Ces deux méthodes n'exigent que des nanogrammes d'ADN, il faut donc des techniques analytiques très sensibles pour détecter les chaînes d'ADN après leur séparation en gel de polyacrylamide. Classiquement, les molécules d'ADN sont marquées par du phosphore radioactif, ^{32}P[1], ce qui permet après électrophorèse d'obtenir par **autoradiographie** un diagramme visible de la répartition des fragments de chaînes d'ADN. Un film photographique sensible aux rayons X est posé sur le gel d'électrophorèse et la désintégration du ^{32}P radioactif crée sur le film l'image exacte de la séparation des oligonucléotides. Des techniques encore plus sensibles, utilisant des molécules fluorescentes ou chimiluminescentes, tendent actuellement à éliminer l'usage des marqueurs radioactifs pour le séquençage.

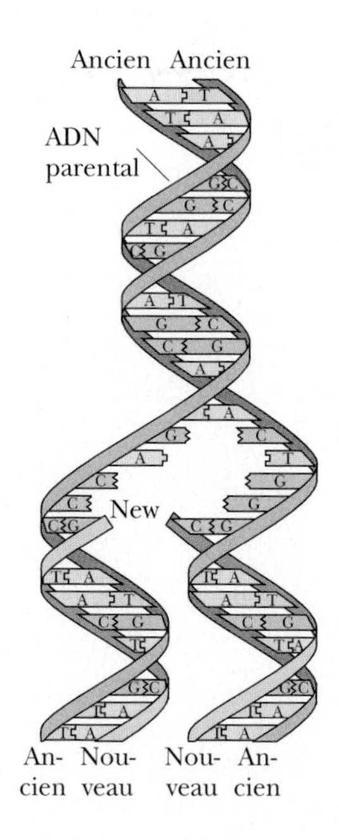

Figure 12.1 • La réplication de l'ADN donne deux molécules filles d'ADN double brin, identiques à la molécule parentale. Chacun des brins de la double hélice parentale sert de matrice et l'ADN polymérase copie la séquence des nucléotides de chacun d'eux pour former un nouveau brin complémentaire qui, au cours de sa synthèse, s'hybride avec le brin parental. Par ce processus, la biosynthèse donne naissance à deux doubles hélices d'ADN filles à partir d'une double hélice parentale.

Méthode aux didésoxynucléotides, ou méthode par interruption (terminaison) des chaînes

Pour comprendre la base rationnelle de la méthode aux didésoxynucléotides (ou méthode de Sanger, ou méthode aux didésoxys), il faut d'abord examiner brièvement la biochimie de la réplication de l'ADN. L'ADN est une molécule à deux hélices (la double hélice). Au cours de sa réplication, la séquence des nucléotides de chacun des brins est copiée par **l'ADN polymérase**, de façon complémentaire, pour former un nouveau deuxième brin. Chacun des brins de la double hélice sert donc de **matrice** pour la biosynthèse qui aboutit, à partir d'une double hélice parentale, à la formation de deux doubles hélices filles (Figure 12.1). En présence des quatre désoxyribonucléosides triphosphates, l'ADN polymérase catalyse cette réaction même *in vitro* et elle peut copier un ADN simple brin (ou monocaténaire) dans la mesure où on crée artificiellement une petite région double brin en ajoutant une **amorce**. Cette amorce est un oligonucléotide capable de s'hybrider avec l'ADN monocaténaire pour former un court segment d'ADN double brin (Figure 12.2). L'amorce doit avoir une extrémité 3′-OH

[1] L'isotope radioactif ^{35}S ayant une demi-vie plus longue et une énergie plus faible, son utilisation tend à remplacer celle du ^{32}P comme marqueur dans le séquençage par la méthode de Sanger. Il est introduit dans l'ADN à partir d'analogues ^{32}S-α-désoxyribonucléotides.

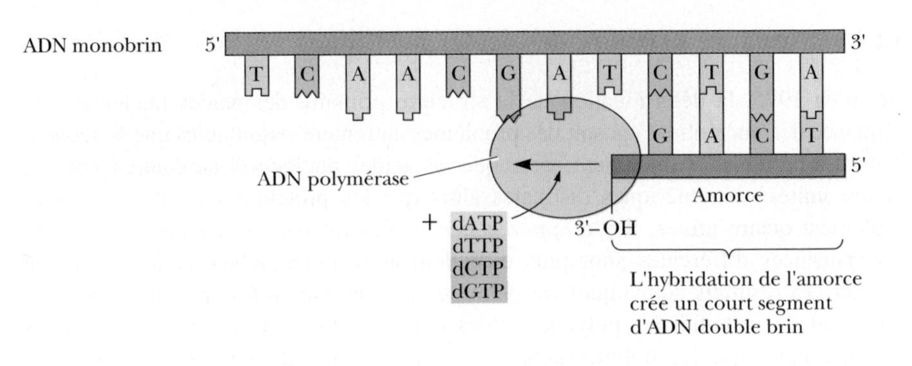

Figure 12.2 • En présence des quatre désoxyribonucléosides triphosphates, l'ADN polymérase I d'*E. coli* peut copier in vitro un ADN monobrin, si l'on crée artificiellement un double brin sur un segment de cet ADN en ajoutant une amorce. Cette amorce est un oligonucléotide, capable de s'hybrider, avec l'ADN monobrin pour former un court segment d'ADN double brin par appariement de quelques bases. L'amorce doit avoir une extrémité 3′-OH libre à partir de laquelle la nouvelle chaîne pourra s'allonger par additions successives de nucléotides.

libre à partir de laquelle la nouvelle chaîne copie (fille) pourra s'allonger. Les ADN polymérases catalysent la synthèse de nouveaux brins d'ADN par additions successives de nucléotides dans la direction $5' \rightarrow 3'$.

Protocole expérimental

Dans la méthode de Sanger, un fragment d'ADN de séquence inconnue sert de matrice dans la réaction de polymérisation catalysée par une ADN polymérase, on utilise fréquemment la *Séquanase 2*®, une ADN polymérase du bactériophage T7 modifiée et produite par les techniques du génie génétique. La *Séquanase* 2 a l'avantage d'être totalement dépourvue d'activité exonucléase qui pourrait dégrader l'ADN. L'amorce indispensable est un oligonucléotide approprié. La réaction s'effectue en parallèle dans quatre tubes ; ces tubes contiennent les quatre désoxyribonucléosides triphosphates, dATP, dGTP, dCTP, et dTTP, substrats de l'ADN polymérase (Figure 12.3). À chacun de ces quatre tubes, on ajoute un 2′,3′-**di**désoxynucléoside triphosphate différent (d'où l'un des noms de la méthode).

Les didésoxynucléotides n'ont pas de groupe 3′-OH, ils ne peuvent donc pas servir d'accepteur de nucléotide 5′-phosphate lors de la réaction de polymérisation, et l'élongation de la chaîne est interrompue dès qu'ils sont incorporés. Les concentrations des quatre désoxynucléotides et du didésoxynucléotide dans chaque tube sont ajustées afin que l'incorporation du didésoxynucléotide ne soit pas trop fréquente. L'incorporation d'une base et donc l'arrêt spécifique de l'élongation de la chaîne s'effectue au hasard, de temps à autre, et l'on obtient une population de nouveaux brins de longueurs variées. Bien que l'incorporation des didésoxynucléotides soit aléatoire, elle est, à la fin de l'incubation, effective à *toutes* les positions. Dans les quatre tubes, chacun des nouveaux brins synthétisés contient un didésoxynucléotide à son extrémité 3′, sa présence démontre que *dans la matrice*, à cette même position, se trouve la base complémentaire. Avant le début de la réaction, on introduit aussi dans chaque tube un dNTP radioactif afin de pouvoir visualiser les produits de la polymérisation.

Lecture des gels provenant du séquençage aux didésoxynucléotides

Quand les produits de la réaction ont été séparés en fonction de leur taille par électrophorèse en gel de polyacrylamide, ils sont visualisés par autoradiographie (ou par d'autres méthodes appropriées). Au cours de l'électrophorèse, les fragments migrent d'autant plus rapidement qu'ils sont plus petits et même les fragments dont les longueurs ne diffèrent que d'un seul nucléotide sont facilement séparés. L'autoradiographie du gel peut donc être lue, de bas en haut, à partir du plus petit fragment, en notant à chaque fois dans quelle rangée se trouve le fragment de la taille immédiatement supérieure. Ainsi, la lecture du gel, Figure 12.3, donnera AGCGTAGC ($5' \rightarrow 3'$). Compte tenu du mode d'action de l'ADN polymérase, la séquence observée est complémentaire de la séquence de l'ADN matrice qui est donc GCTACGCT ($5' \rightarrow 3'$).

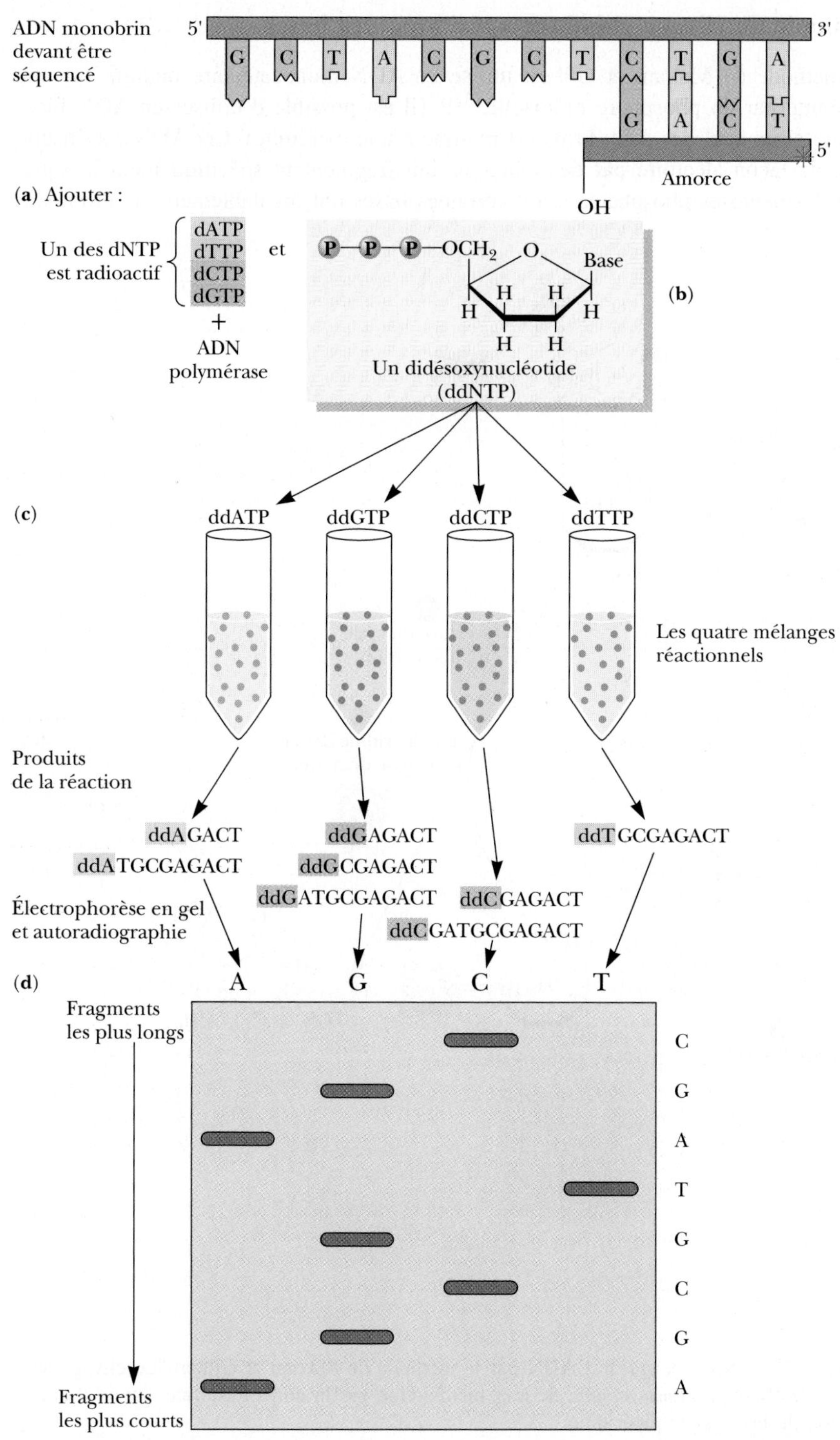

Lecture de la séquence, du bas vers le haut : –A–G–C–G–T–A–G–C–

Son complément correspond à la séquence du brin matrice
à analyser (3'→5') : –T–C–G–C–A–T–C–G–

Résultat : 5' G C T A C G C T 3'

Figure 12.3 • Séquençage de l'ADN par la méthode de Sanger aux didésoxynucléotides. (a) Réaction de polymérisation catalysée par l'ADN polymérase. (b) Structure d'un didésoxynucléotide. (c) Les quatre mélanges réactionnels contenant les déoxyribonucléosides triphosphates plus un didésoxynucléoside triphosphate. (d). Diagramme d'électrophorèse. Remarquez que la séquence des nucléotides, lue de bas en haut du gel, correspond à l'ordre des additions successives des nucléotides à l'amorce par l'ADN polymérase.

Méthode de clivage chimique spécifique des bases

La méthode de Maxam et Gilbert utilise un ADN monocaténaire marqué sur une extrémité par du phosphore radioactif, ^{32}P. (Il est possible d'utiliser un ADN bicaténaire si un seul des deux brins est marqué à une extrémité). Cet ADN est ensuite clivé de façon aléatoire par des réactions qui fragmentent spécifiquement le squelette des pentoses phosphates là où certaines bases ont préalablement été éliminées

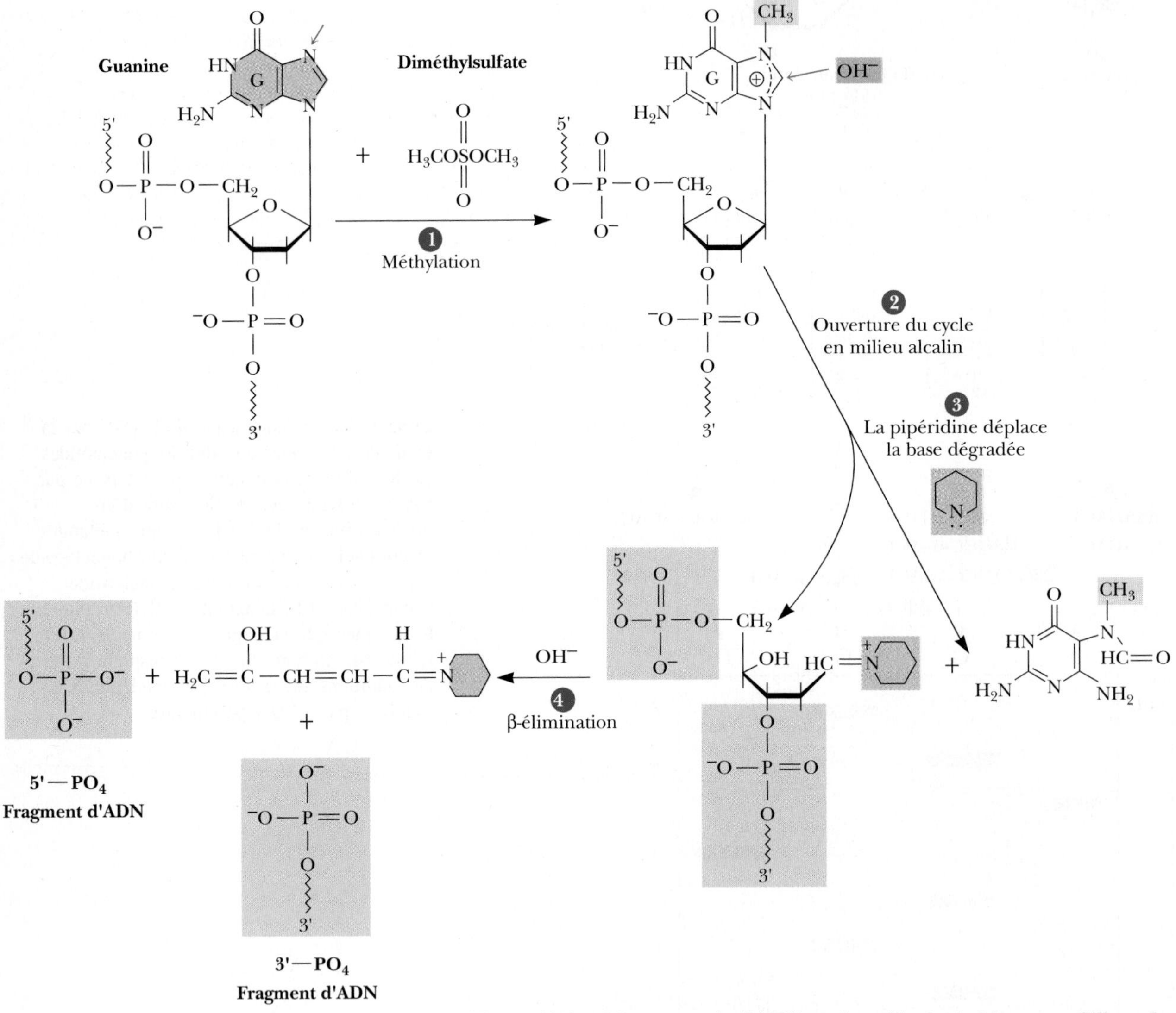

Guanine
Diméthylsulfate
1 Méthylation
2 Ouverture du cycle en milieu alcalin
3 La pipéridine déplace la base dégradée
4 β-élimination
5'—PO_4 Fragment d'ADN
3'—PO_4 Fragment d'ADN

Figure 12.4 • Séquençage de l'ADN par la méthode de Maxam et Gilbert. Le clivage au niveau des bases puriques résulte de leur méthylation par le diméthylsulfate, suivie d'une scission du brin par la pipéridine.

Clivage à G par une méthylation sur N-7, puis scission en présence de pipéridine: En milieu alcalin, le diméthylsulfate réagit avec la guanine qui se trouve méthylée en position 7 **(1).** Cette substitution labilise la liaison N-glycosidique de sorte qu'en présence de OH^- et d'une amine secondaire, la pipéridine, **(2)**, le cycle purique est dégradé et libéré. Une réaction de β-élimination facilitée par la pipéridine **(3)** provoque ensuite l'excision du désoxyribose qui n'est plus lié à une base **(4)** et donc le clivage du brin, ce qui produit deux fragments, un oligonucléotide 5′-phosphate et un oligonucléotide 3′-phosphate.

Clivage à A ou G: Si l'ADN est d'abord traité en milieu acide, le diméthylsulfate méthyle l'adénine en position 3 ainsi que la guanine, en position 7 (non représenté). Dans la réaction suivante, en milieu alcalin et en présence de pipéridine, les bases A ou G sont dégradées, puis excisées du squelette des oses phosphates ; la réaction globale est pour l'essentiel analogue à celle décrite à propos de la réaction du diméthylsulfate avec la guanine.

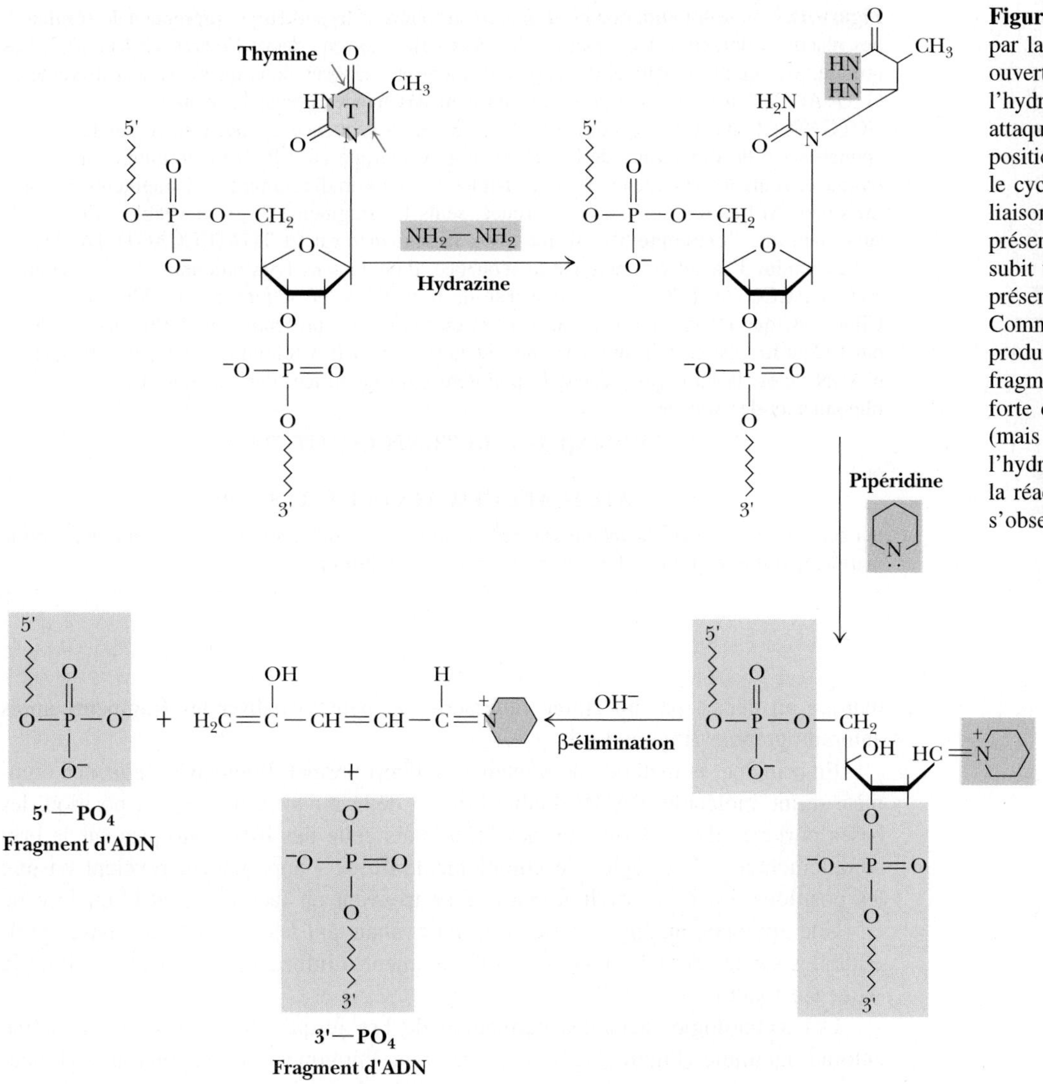

Figure 12.5 • Séquençage de l'ADN par la méthode de Maxam et Gilbert: ouverture des noyaux pyrimidiques par l'hydrazine (NH_2-NH_2). L'hydrazine attaque les atomes de carbone en positions 4 et 6 des pyrimidines et ouvre le cycle. Cette dégradation sensibilise la liaison osidique, et le désoxyribose en présence de pipéridine et d'ions OH^- subit une β-élimination. Dans le cas présent, un résidu thymine est excisé. Comme dans la Figures 1.24, les produits de la réaction sont des fragments 5′– et 3′–. La présence d'une forte concentration saline protège T (mais non C) de la réaction avec l'hydrazine. En présence de NaCl 2 M, la réaction présentée dans la figure ne s'observe que sur les résidus C.

par des méthodes chimiques. Il n'y a pas de réaction spécifique pour chacune des bases. Il y a une réaction spécifique pour G seulement et une réaction spécifique pour les purines qui élimine à la fois A et G (Figure 12.4). La différence entre ces réactions indiquera spécifiquement les positions de A. De même pour les bases pyrimidiques, il y a une réaction spécifique pour les deux pyrimidines (C+T) ; elle devient spécifique pour C quand elle est effectuée en présence de NaCl 1 ou 2 *M*. La différence entre ces deux réactions indique les positions de T dans la séquence du polynucléotide analysé.

Notez que le séquençage selon Maxam et Gilbert est basé sur la modification chimique d'une base de sorte que sa liaison à l'ose est clivée. Une réaction de β-élimination facilitée par la pipéridine provoque ensuite l'excision du désoxyribose de la chaîne du squelette. Le clivage du brin d'ADN libère un fragment 5'-phosphate et un fragment 3′-phosphate. Les conditions du clivage chimique, décrites Figures 12.4 et 12.5, sont ajustées de façon à n'obtenir statistiquement qu'une seule scission par molécule d'ADN. Comme il existe un grand nombre de molécules d'ADN dans chaque incubation, les produits finaux de la réaction sont une collection de fragments de différentes tailles. À chaque position d'une base attaquée correspond un unique couple de fragments 5′- et 3′- et le mélange des produits de la réaction contient donc des fragments dont la longueur ne diffère que par un nucléotide. Ce mélange peut être résolu par électrophorèse en gel. Si l'ADN a été

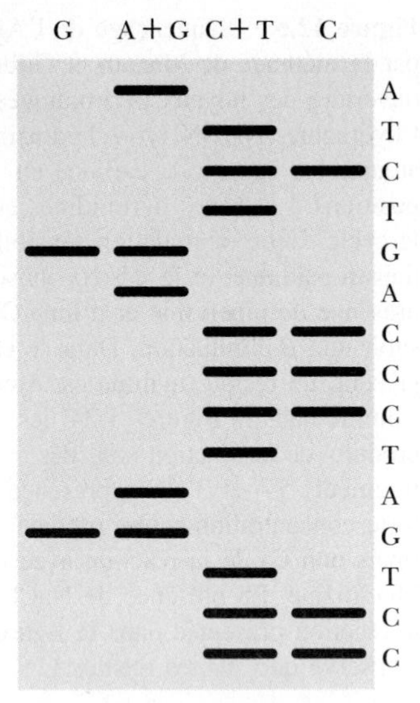

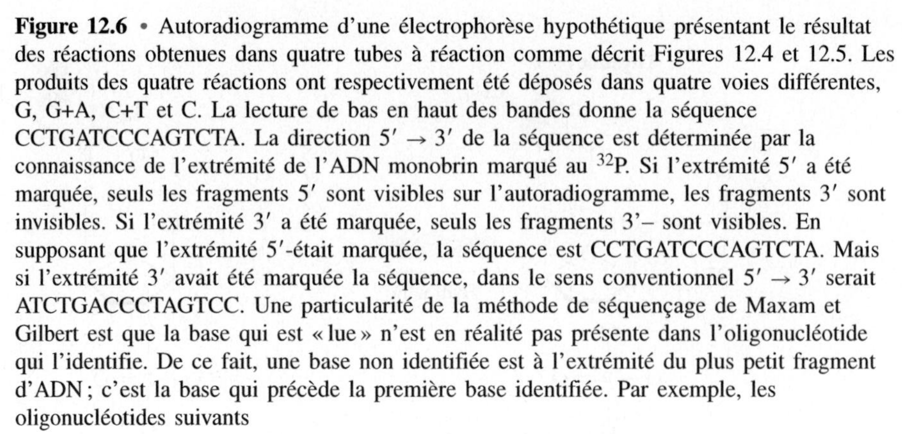
Figure 12.6 • Autoradiogramme d'une électrophorèse hypothétique présentant le résultat des réactions obtenues dans quatre tubes à réaction comme décrit Figures 12.4 et 12.5. Les produits des quatre réactions ont respectivement été déposés dans quatre voies différentes, G, G+A, C+T et C. La lecture de bas en haut des bandes donne la séquence CCTGATCCCAGTCTA. La direction 5′ → 3′ de la séquence est déterminée par la connaissance de l'extrémité de l'ADN monobrin marqué au ^{32}P. Si l'extrémité 5′ a été marquée, seuls les fragments 5′ sont visibles sur l'autoradiogramme, les fragments 3′ sont invisibles. Si l'extrémité 3′ a été marquée, seuls les fragments 3'– sont visibles. En supposant que l'extrémité 5′-était marquée, la séquence est CCTGATCCCAGTCTA. Mais si l'extrémité 3′ avait été marquée la séquence, dans le sens conventionnel 5′ → 3′ serait ATCTGACCCTAGTCC. Une particularité de la méthode de séquençage de Maxam et Gilbert est que la base qui est « lue » n'est en réalité pas présente dans l'oligonucléotide qui l'identifie. De ce fait, une base non identifiée est à l'extrémité du plus petit fragment d'ADN ; c'est la base qui précède la première base identifiée. Par exemple, les oligonucléotides suivants

^{32}P-5′-**(A,C,G,T)(CCTGATCCCAGTCTA**-3′

ou

5′-**ATCTGACCCTAGTCC(A,C,G,T)**-3′-^{32}P

donneraient exactement le même autoradiogramme. (La présence d'un T, comme nucléotide marqueur d'une extrémité dans notre exemple, est arbitraire.)

marqué au départ par un atome radioactif, on peut visualiser les fragments après autoradiographie (Figure 12.6).

En principe, la méthode de Maxam et Gilbert permet d'obtenir la séquence complète d'une molécule d'ADN double brin en déterminant seulement la position des bases puriques d'abord sur l'un des brins, puis celle des bases puriques sur le brin complémentaire. Les règles de complémentarité de l'appariement révèlent ensuite les positions des bases pyrimidiques, T se trouvant en face de A, et C en face de G. (Une approche analogue permettrait en connaissant les positions des bases pyrimidiques sur les deux brins d'avoir suffisamment d'information pour reconstituer la séquence totale).

Les technologies actuelles permettent de lire jusqu'à 400 bases sur un même autoradiogramme (Figure 12.7). Les réactions chimiques, ou enzymatiques, l'électrophorèse et l'autoradiographie sont aujourd'hui des techniques relativement simples et un technicien qualifié peut couramment séquencer 1000 paires de bases par semaine en utilisant ces méthodes manuelles. La principale difficulté dans le séquençage de l'ADN réside dans l'identification et la préparation des fragments intéressants, par exemple celle des gènes clonés.

Séquençage automatique de l'ADN

Ces dernières années, des appareils pour le séquençage automatique de l'ADN apparaissent sur le marché, ils peuvent identifier jusqu'à 10^4 bases par jour. Ils intègrent une innovation astucieuse, l'utilisation de dérivés fluorescents de plusieurs couleurs pour marquer chaque amorce d'ADN introduite dans les réactions de séquençage, par exemple un marqueur fluorescent rouge pour A, un bleu pour T, un vert pour G et un jaune pour C. À la fin de la réaction, les contenus des quatre tubes sont réunis et déposés en un même point haut du gel d'électrophorèse. À mesure que les oligonucléotides atteignent le bas du gel, ils sont illuminés par un rayon laser à argon de faible intensité. La fluorescence du colorant lié à l'amorce est automatiquement détectée, ce qui révèle

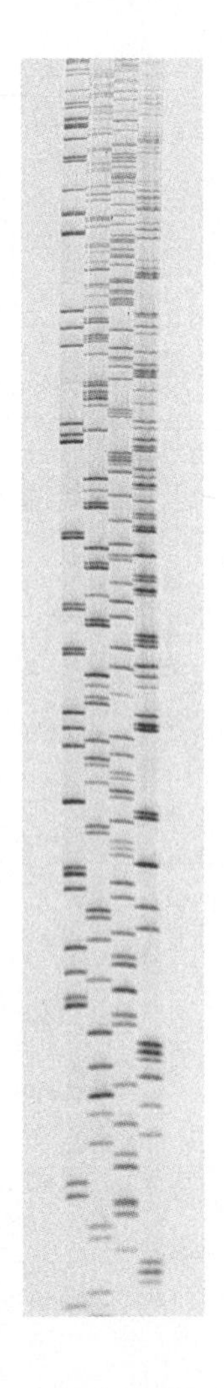

Figure 12.7 • Autoradiographie d'une électrophorèse du séquençage réel d'un fragment de la séquence du gène *nit-6*, le gène de *Neurospora* qui code pour la nitrite réductase. *(James D. Colandene, Université de Virginie)*

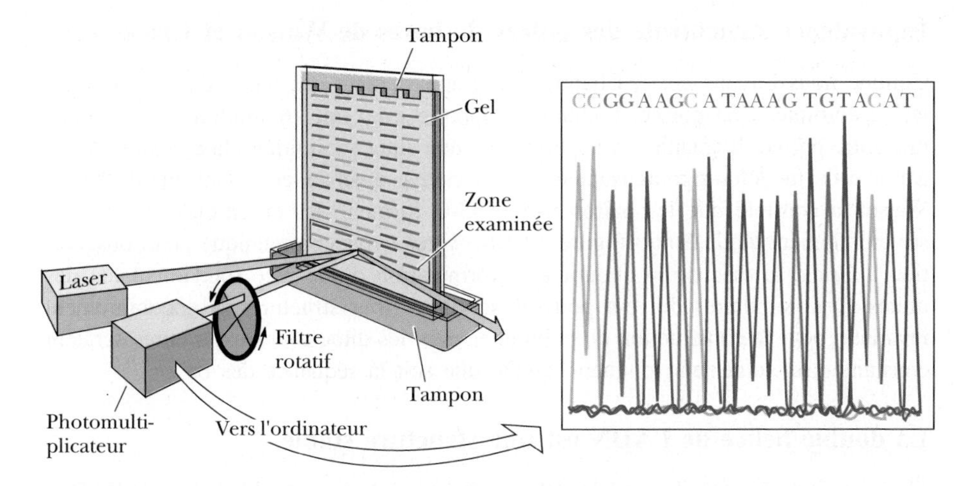

Figure 12.8 • Représentation simplifiée de la méthode de séquençage automatique qui utilise le marquage fluorescent. On prépare quatre tubes contenant le même échantillon, un pour chaque base, l'amorce ajoutée à chacun de ces tubes est marquée par un des quatre différents colorants. Ces colorants servent à coder spécifiquement la lecture de chacune des bases. Après la fin de la réaction, les contenus des tubes sont mélangés, et déposés sur un même endroit du gel d'électrophorèse. On peut ainsi déposer plusieurs expériences différentes de séquençage sur un même gel. À mesure que les oligonucléotides séparés en fonction de leur taille atteignent le bas du gel, un rayon laser excite le colorant dans la zone examinée. L'énergie lumineuse de fluorescence passe à travers un filtre rotatif et est détectée par un fluorimètre. La coloration de la lumière émise par le dérivé fluorescent identifie la base terminale des fragments. *(Applied Biosystems Inc., Foster City, Californie)*

son identité et donc la nature de la base (Figure 12.8). Le perfectionnement de ces appareils automatiques ouvre la possibilité du séquençage de la totalité du génome humain, environ 2,9 milliards de paires de bases. Il faudrait tout de même 8 ans pour que 100 machines automatiques travaillant avec une efficacité maximale viennent à bout de ce projet.

12.2 • Structures secondaires A, B et Z de l'ADN

Les molécules d'ADN double brin peuvent avoir l'une des trois conformations dénommées A, B ou Z. Fondamentalement, un ADN double brin est une structure bicaténaire régulière avec des liaisons hydrogène entre les bases opposées des deux chaînes, les bases complémentaires (voir Chapitre 11). La formation de liaisons hydrogène n'est possible que si les deux chaînes sont antiparallèles. Les squelettes polaires des pentoses phosphodiesters sont à l'extérieur. Les bases sont empilées à l'intérieur de la structure. Des nuages d'électrons (entourent ces bases ce qui donne un caractère hydrophobe aux deux faces planes des hétérocycles. Une des conformations possibles pour l'arrangement des deux brins, conformation purement hypothétique, pourrait avoir l'aspect d'une échelle (Figure 12.9) dans laquelle les paires de bases seraient séparées par une distance de 0,6 nm, distance entre deux oses adjacents dans le squelette de l'ADN. Des molécules d'eau auraient alors accès à l'espace compris entre les surfaces hydrophobes des bases ; d'un point de vue énergétique, cette conformation est défavorable. Par une simple torsion vers la droite, cette structure en échelle se transforme en double hélice. Les paires de bases sont ainsi plus rapprochées, espacées de 0,34 nm seulement, sans que la distance entre deux résidus de désoxyribose soit affectée. Comme il y a environ 10 paires de bases par tour de spire, son **pas** est de 3,4 nm. Ceci est la conformation principale de l'ADN en solution, elle est appelée conformation de l'**ADN-B**.

(a) Échelle

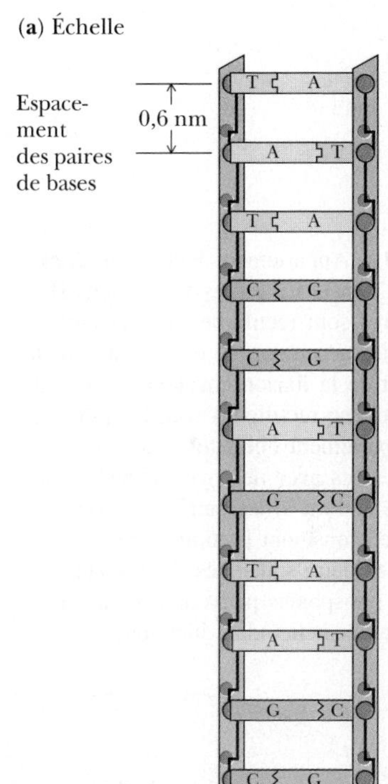

(b) Double hélice

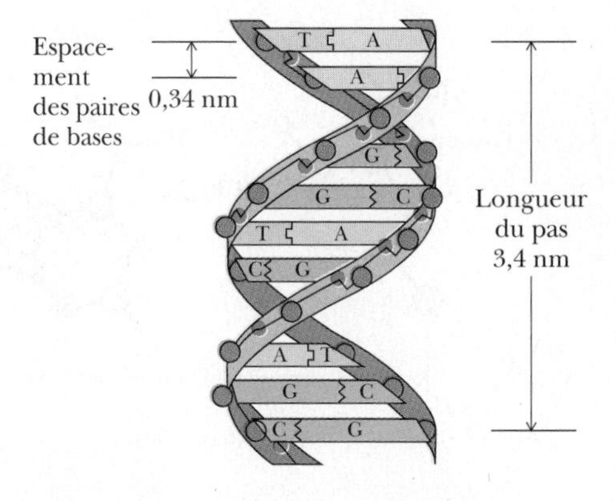

Figure 12.9 • (a) Structure imaginaire en forme d'échelle d'un ADN bicaténaire. (b) Une simple torsion vers la droite transforme l'échelle en une double hélice.

Équivalence structurale des paires de bases de Watson et Crick

Comme nous l'avons décrit Chapitre 11, l'appariement des bases dans l'ADN est très spécifique. Une purine, l'adénine s'apparie avec une pyrimidine, la thymine ; une autre purine, la guanine, s'apparie avec une autre pyrimidine, la cytosine. Ayant à l'aide de modèles rigoureusement précis essayé diverses combinaisons de bases, Watson a constaté que les paires A-T et G-C forment des ensembles, des unités, structuralement équivalents (Figure 12.10). Après avoir communiqué cette observation à Crick, la discussion aboutit à la formulation d'une idée fondamentale : des unités aussi similaires doivent pouvoir servir de sous-structures, à encombrement invariant, pour la construction de polymères dont les dimensions extérieures seraient constantes sur toute leur longueur, quelle que soit la séquence des bases.

La double hélice de l'ADN est une structure stable

Plusieurs facteurs contribuent à la stabilité de la structure en double hélice de l'ADN. Premièrement, des liaisons hydrogène internes et externes stabilisent la structure. Les liaisons H qui se forment entre les bases complémentaires maintiennent réunis les deux brins de l'ADN ; il y a deux liaisons dans la paire A-T et trois dans la paire G-C (Figure 12.10). Les atomes polaires du squelette constitué par les groupes pentoses phosphates forment, vers l'extérieur, des liaisons H avec les molécules d'eau environnantes. Deuxièmement, toutes les charges négatives des groupes phosphates sont situées sur la surface externe de l'hélice, ce qui minimise les répulsions électrostatiques réciproques mais permet leur interaction avec les cations de la solution, en particulier avec Mg^{2+}. Troisièmement, le cœur de l'hélice est formé par des paires de bases qui non seulement sont liées par des liaisons H, mais qui sont entassées ; les interactions hydrophobes et les forces de Van der Waals contribuent significativement à l'énergie totale de stabilisation.

Le mode d'appariement des paires de bases, A-T et G-C, a des conséquences stéréochimiques : les désoxypentoses des nucléotides respectifs ont des orientations opposées et donc, les squelettes des groupes phosphodiesters ont des directions opposées, les chaînes sont « antiparallèles ». De plus, les liaisons glycosidiques qui lient

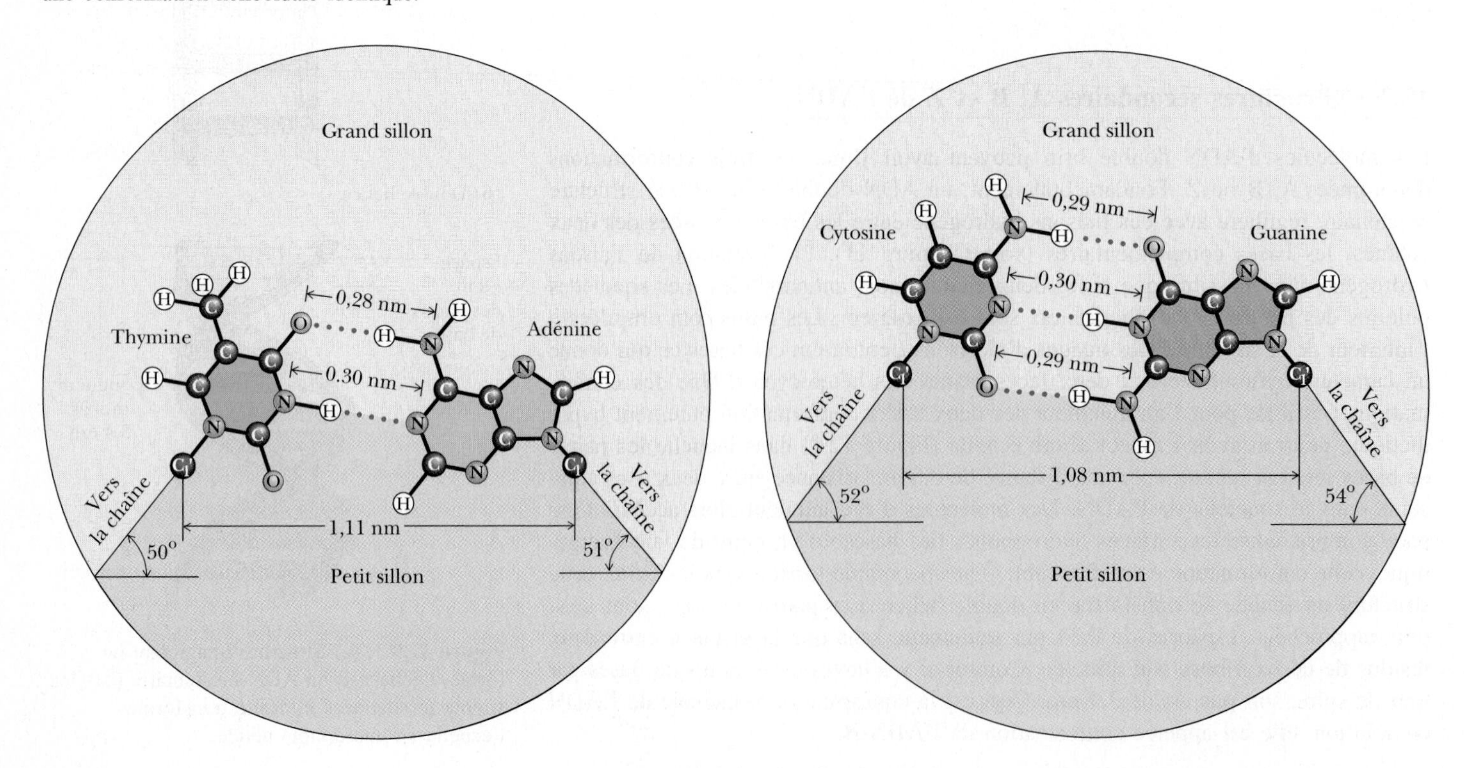

Figure 12.10 • Appariement Watson et Crick des paires A-T et G-C. Toutes les liaisons H des deux paires sont rectilignes, les liaisons vers les atomes accepteurs N et O sont dans le prolongement de la liaison covalente N–H. Les liaisons hydrogène rectilignes sont les plus stables. L'appariement obligatoire des purines plus volumineuses avec des pyrimidines moins volumineuses aboutit à des paires de bases dont les dimensions sont pratiquement identiques. Les deux squelettes de la chaîne des pentoses phosphates peuvent donc avoir une conformation hélicoïdale identique.

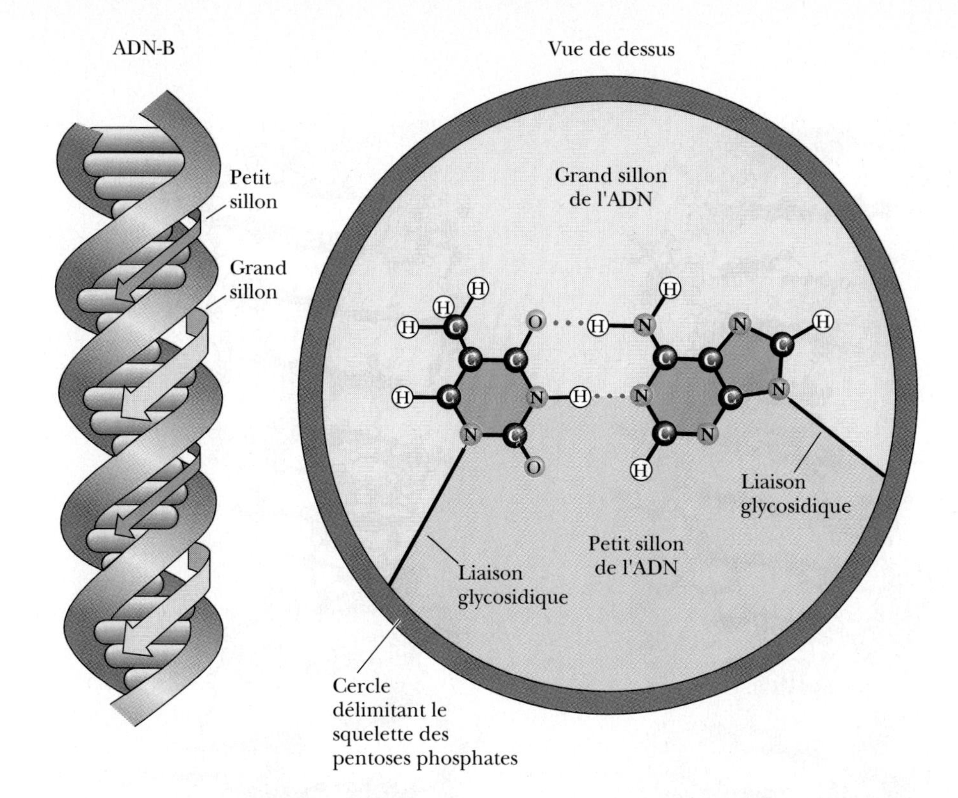

Figure 12.11 • Les bases d'une paire de bases ne sont pas placées de part et d'autre de l'axe de l'hélice sur un même diamètre, elle sont légèrement décalées. Ce décalage et les orientations relatives des liaisons glycosidiques entre les bases et les squelettes des pentoses phosphates ont une importante conséquence. Les sillons qui courent tout le long de la colonne cylindrique formée par la double hélice ne sont pas de même taille. Il y a un grand sillon et un petit sillon.

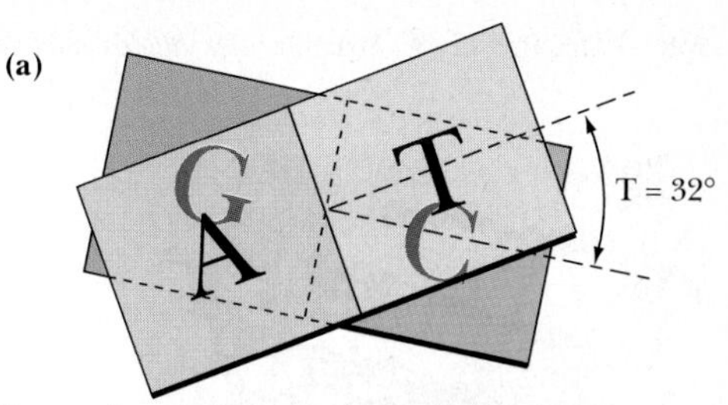

Deux paires de bases avec une torsion de 32° vers la droite de l'hélice : *les bords du petit sillon sont représentés par un trait plus gras.*

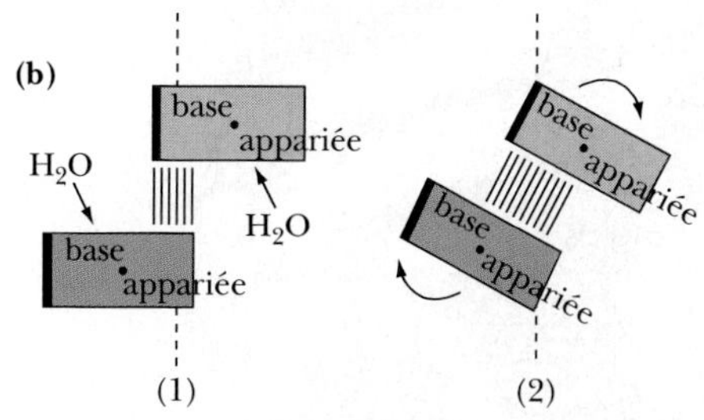

La rotation de propulsion, comme en (2), permet un plus grand recouvrement des bases à l'intérieur d'un même brin et réduit la surface de contact entre les bases et l'eau.

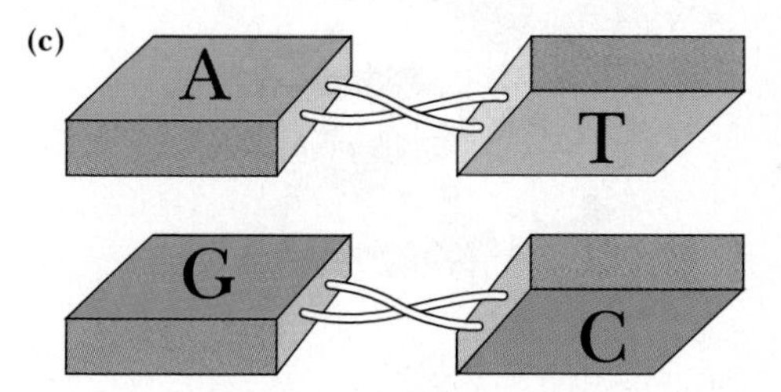

Paires de bases après une rotation de propulsion. Remarquez comment les liaisons H sont distordues par cette rotation, mais elles ne sont pas rompues. Les bords du petit sillon sont en gris.

Figure 12.12 • Torsion dans la double hélice de l'ADN et torsion dans l'hélice dite de propulsion. (a) Dans l'ADN-B, les paires de bases successives vues dans le sens de l'axe de l'hélice sont décalées, l'une par rapport à l'autre, d'environ 36°, c'est l'angle de torsion de l'hélice. (b) Une rotation dans une dimension différente – la **rotation de propulsion** – permet un meilleur recouvrement des surfaces hydrophobes des bases. Les bases successives du brin de droite de l'ADN sont ici vues de côté, comme si les bases du côté droit de l'ADN en (a) étaient vues depuis la marge de droite de cette page ; la ligne en pointillé représente la vue perpendiculaire aux liaisons glycosidiques. Une rotation dans le sens des aiguilles d'une montre (celle qui est représentée dans cette figure) a une valeur positive. (c) Les deux bases du brin du côté gauche de l'ADN dans (a) présentent également une rotation de propulsion positive (rotation dans le sens des aiguilles d'une montre des deux bases de (a) vues de la marge de gauche de cette page. *(D'après la Figure 3.4 dans Callandine, C.R., and Drew, H.R., 1992.* Understanding DNA : The Molecule and How It Works. *London : Academic Press.)*

les bases d'une même paire ne sont pas sur un même diamètre (Figure 12.11). Les squelettes des pentoses phosphates de chaque brin ne sont donc pas équidistants de l'axe de l'hélice et les sillons qui les séparent ne sont pas de même taille (Figure 12.11). L'entrelacement des chaînes crée un **grand sillon** (ou **sillon majeur**) et un **petit sillon** (ou **sillon mineur**). Les bords des paires de bases ont des relations particulières avec ces sillons. Les bords « supérieurs » des bases (au sens défini Figure 12.10) sont plus longs, ils sont au fond des grands sillons, et les bords « inférieurs », les plus proches des liaisons glycosidiques et les plus courts, forment le fond des petits sillons. Les protéines qui se lient à l'ADN en reconnaissant des séquences nucléotidiques spécifiques, « lisent », reconnaissent en fait, la distribution des atomes donneurs et receveurs de liaison hydrogène des bords des bases au fond de ces sillons. Ces interactions ADN-protéine permettent de mieux comprendre comment les cellules régulent l'expression génétique de l'information contenue dans le génome (voir Chapitre 32).

Variations conformationnelles des structures de la double hélice

En solution, l'ADN adopte normalement la structure de l'ADN-B. Il existe cependant d'autres formes naturelles de doubles hélices. L'appariement des bases est le même mais les pentoses phosphates qui constituent le squelette sont flexibles et peuvent avoir des conformations différentes. Une de ces variations de conformation (la torsion dite « de propulsion » est représentée Figure 12.12). Dans cette conformation, le recouvrement entre deux bases successives est plus important, ce qui a pour conséquence la diminution de la surface de contact entre les bases et l'eau du solvant.

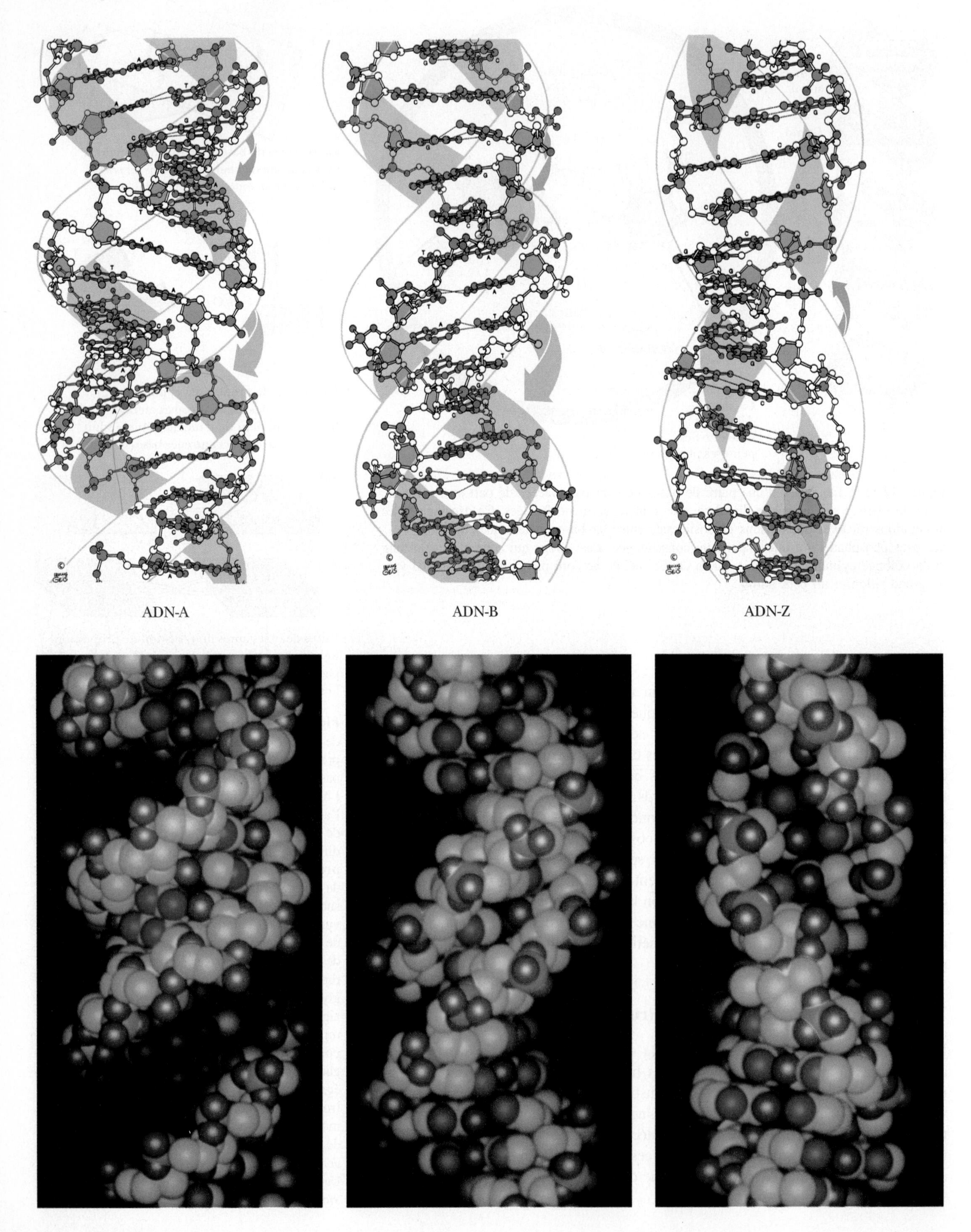

(suite page suivante)

Autres hélices droites de l'ADN

Une autre forme de double hélice, tournant à droite (de pas droit), est celle de l'ADN-A. On ne l'observe normalement qu'en présence de trop peu d'eau pour hydrater la double hélice. Plusieurs différences distinguent l'ADN-A de l'ADN-B. Le pas de l'hélice, ou distance séparant deux tours de spire, est plus petit, 2,46 nm dans l'ADN-A et 3,4 nm dans l'ADN-B. Il y a 11 paires de bases par tour de spire. Alors que dans l'ADN-B on compte, suivant la nature de la séquence locale, de 10 à 10,6 paires de bases. Dans l'ADN-A, les paires de bases ne sont plus pratiquement perpendiculaires à l'axe de l'hélice, elles sont inclinées de 19° par rapport à cet axe. Les paires de bases de l'ADN-A sont séparées par une distance de 0,23 nm le long de l'axe, au lieu de 0,332 nm. La conformation B de l'ADN est donc plus longue et plus fine que celle de l'ADN-A plus courte, plus ramassée, dont les paires de bases sont de plus déplacées par rapport à l'axe de l'hélice. La Figure 12.13 compare les principaux aspects caractéristiques des conformations A et B de l'ADN (et aussi ceux de l'ADN-Z). Les propriétés structurales des trois conformations A, B et Z de l'ADN sont résumées Tableau 12.1.

Bien qu'il soit possible de démontrer que des fibres d'ADN partiellement déshydratées peuvent adopter une configuration A dans certaines conditions physiologiques, l'existence *in vivo* de cette conformation n'est pas démontrée. Cependant, la double hélice des hybrides ADN:ARN adopte probablement une conformation proche de celle de l'ADN-A. L'encombrement stérique dû au 2′-OH du ribose

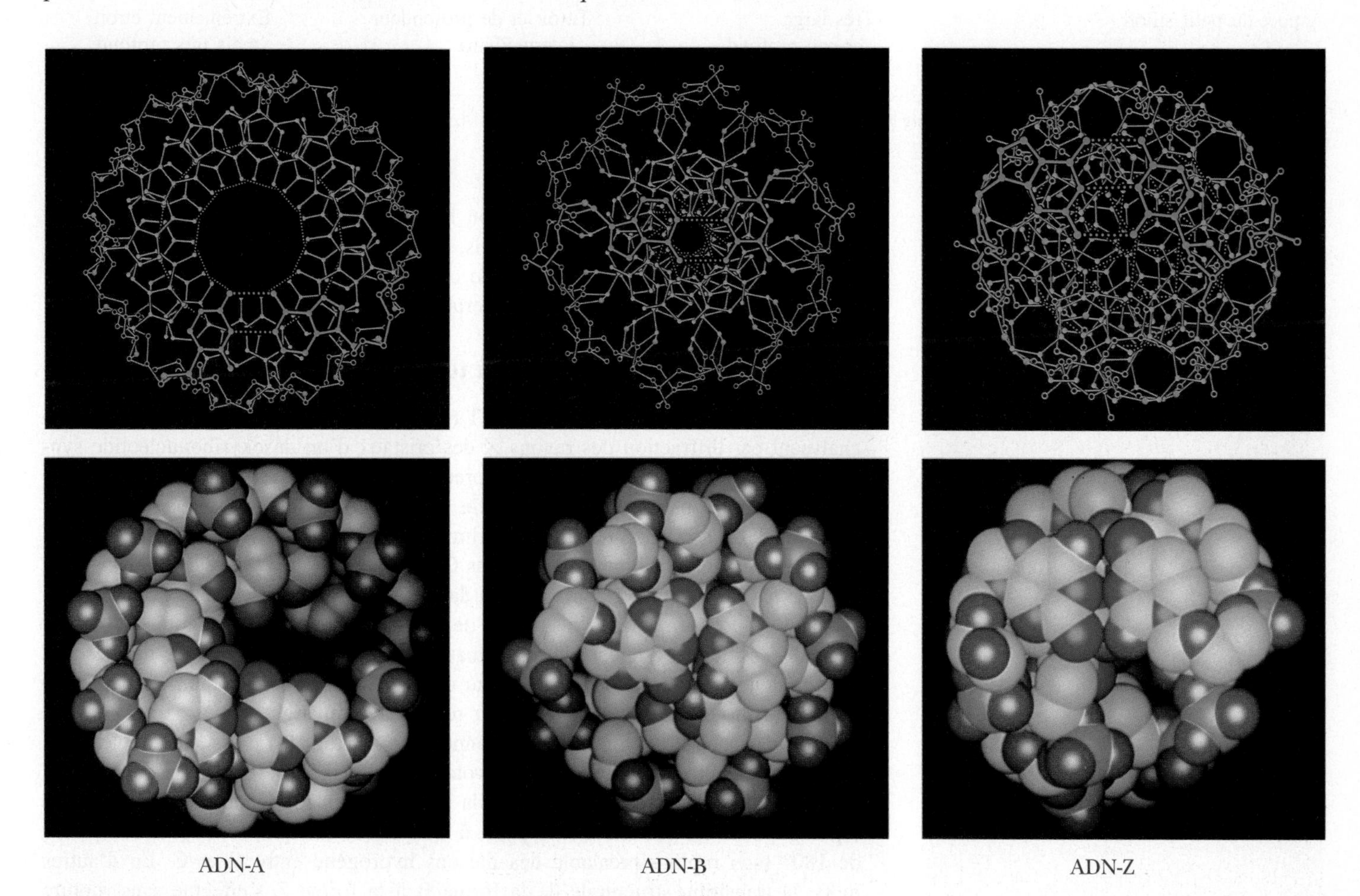

Figure 12.13 • *(sur cette page et sur la page précédente).* Principaux aspects des conformations A, B et Z de la double hélice de l'ADN. La distance entre deux tours de spire est plus courte dans l'ADN-A que dans l'ADN-B. Dans l'ADN-Z l'hélice tourne à gauche, cette structure provient de l'alternance des bases puriques et pyrimidiques *(Robert Stodola, Fox Chase Cancer Research Center, et Irving Geis)*

(suite de la page précédente)

Tableau 12.1

Comparaison des propriétés structurales des ADN A, B, et Z

	Type de double hélice		
	A	B	Z
Aspect général	Court et trapu	Plus long et plus fin	Étiré et mince
Allongement de l'axe par paire de bases	2,3 Å	2,32 Å ± 0,19 Å	3,8 Å
Diamètre de l'hélice	25,5 Å	23,7 Å	18,4 Å
Sens de la rotation de l'hélice	Vers la droite	Vers la droite	Vers la gauche
Paires de bases par « unité répétitive » de l'hélice	1	1	2
Paires de bases par tour d'hélice	~ 11	~ 10	12
Rotation moyenne de l'hélice par paire de bases adjacentes	33,6°	35,9° ± 4,2°	–60°/2
Pas par tour d'hélice	24,6 Å	33,2 Å	45,6 Å
Inclinaison des paires de bases par rapport à une perpendiculaire à l'axe	+19°	–1,2° ± 4,1°	–9°
Valeur moyenne de l'angle du dévers des paires de bases	+18°	+16° ± 7°	~ 0°
Position de l'axe de l'hélice	Dans le grand sillon	Entre les paires de bases	Dans le petit sillon
Aspect du grand sillon	Très étroit et très profond	Large et de profondeur intermédiaire	Affleurant la surface de l'hélice
Aspect du petit sillon	Très large et peu profond	Étroit et de profondeur intermédiaire	Extrêmement étroit mais très profond
Conformation de la liaison glycosidique	anti	anti	anti avec C, syn avec G

D'après Dickerson, R.L., et al., 1982. *Cold Spring Harbor Symposium on Quantitative Biology* **47 :** 14.

empêche l'adoption de la conformation hélicoïdale B dans les régions de l'ARN engagées dans des doubles hélices. Mais, et c'est plus important, les régions constituées par un ARN double brin ont une conformation proche du type A, les bases sont très inclinées par rapport à une perpendiculaire à l'axe de l'hélice.

L'ADN-Z : une double hélice qui tourne à gauche

Alexander Rich et ses collègues au MIT (Institut de Technologie du Massachusetts) analysant par diffraction des rayons X des cristaux d'un désoxyribonucléotide synthétique, dCpGpCpGpCpG, ont, les premiers, reconnu l'existence d'une double hélice de conformation inattendue, celle de **l'ADN-Z**. Ses propriétés surprenantes résultent de la séquence répétitive, pyrimidine-purine (Py-Pu) de l'oligonucléotide. Les liaisons N-glycosidiques des résidus G de ce copolymère subissent une rotation de 180° par rapport à leur conformation dans l'ADN-B, de sorte que le cycle purique est dans la conformation syn au lieu de la conformation anti (Figure 12.14). Le cycle des résidus C reste dans la conformation anti, mais la conformation des désoxyriboses doit s'adapter. Puisque le noyau de la guanosine est « retourné », le noyau de la cytosine doit en faire autant pour respecter l'appariement normal. Comme la rotation de la base par rapport au furannose ne se fait pas, c'est l'ensemble de la cytidine (base et désoxyribose) qui pivote de 180° (Figure 12.15). Le désoxyribofurannose lié à la cytosine reste dans la conformation C2′-endo. Du point de vue topologique, il est possible que G passe à la forme syn et que le nucléoside C pivote de 180° sans rupture préalable des liaisons hydrogène entre G et C. En d'autres mots, la transition structurale de la forme B à la forme Z s'effectue sans rupture des liaisons entre les atomes impliqués.

Puisque les nucléotides successifs ont des conformations différentes, l'unité de répétition d'un brin donné dans l'hélice de l'ADN-Z est un dinucléotide. Donc, pour tout nombre de bases, *n*, le long d'un brin, il faut considérer qu'il

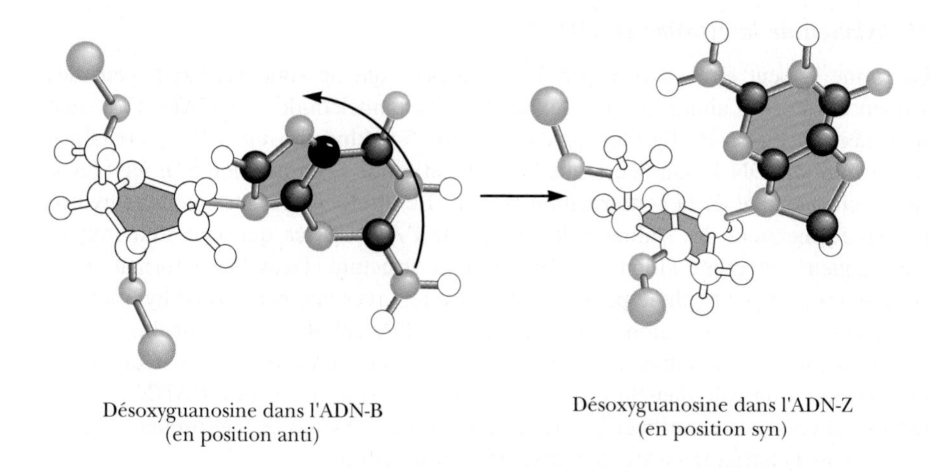

Figure 12.14 • Conformation de la désoxyguanosine dans l'ADN-B et l'ADN-Z. Dans l'ADN-B, la liaison glycosidique C1′–N-9 est toujours dans la position anti (à gauche). Au contraire, dans l'ADN-Z la liaison pivote (comme indiqué sur la Figure) pour adopter la conformation syn.

y a n – 1 dinucléotides. Par exemple, le fragment de séquence GpCpGpCp le long d'un brin est constitué de *trois* unités dinucléotidiques successives : GpC, CpG et GpC (dans l'ADN-B, la conformation des nucléotides est fondamentalement uniforme et l'unité de répétition est le mononucléotide). Il s'ensuit que la séquence CpG a une conformation distincte de celle de GpC dans la partie de la chaîne de la double hélice Z. Les modifications de conformation lors du passage de la forme B à la forme Z réalignent le squelette des oses phosphates suivant un trajet en zigzag orienté à gauche.
(Figure 12.13), d'où l'appellation ADN-Z. Il ne faut pas oublier que le groupe pentose phosphate est la principale unité structurale du squelette des acides nucléiques. Dans un segment de séquence GpCpGpC, les unités pentoses phosphates du dinucléotide GpC forment la partie horizontale « zig » du zigzag, et ceux du dinucléotide GpC forment la partie verticale « zag ». L'angle de rotation moyen décrit autour de l'axe de l'hélice est de –15° pour le pas CpG et de –45° pour le pas GpC (ce qui fait un total de –60° pour l'unité répétitive, le dinucléotide). Le signe moins signifie que la rotation autour de l'axe de l'hélice s'effectue dans le sens inverse des aiguilles d'une montre, ou plus simplement est gauche. L'ADN-Z est plus allongé et plus mince que l'ADN-B.

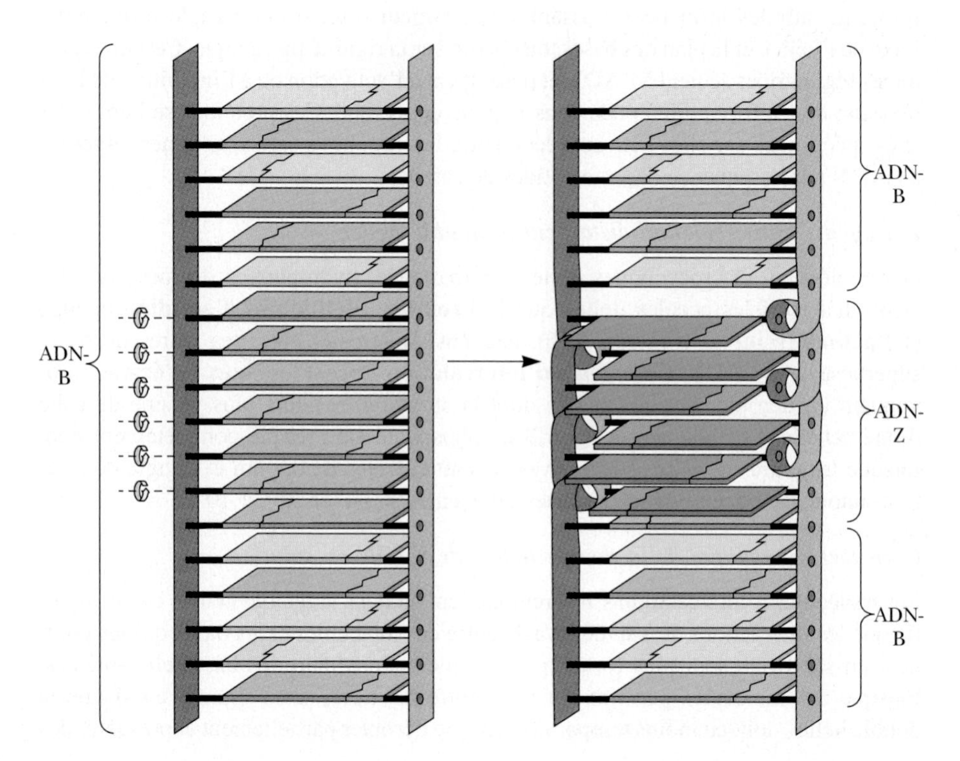

Figure 12.15 • Changement des relations topographiques des paires de bases lors du passage de la forme ADN-B à la forme ADN-Z. Un segment de six paires de bases dans un ADN-B est converti en ADN-Z par une rotation des paires de bases comme précisé par la courbure des montants de la représentation classique en échelle. Les cycles puriques (en vert) des résidus désoxyguanosine pivotent autour de leur liaison glycosidique passant de la conformation anti à la conformation syn; les cycles pyrimidiques (en bleu) pivotent par retournement de tout le nucléoside, la base *et* le désoxyribose. En conséquence de ces changements de conformation, les paires de bases dans la région de l'ADN-Z ne partagent plus les interactions π,π avec les bases adjacentes des régions contiguës d'ADN-B.

Méthylation de la cytosine et ADN-Z

La forme Z peut être adoptée par des séquences qui ne sont pas strictement des séquences Py-Pu alternées. Par exemple, l'hexanucléotide ^{m5}CGAT^{m5}CG, une séquence Py-Pu-Pu-Py-Py-Pu, contenant deux 5-méthylcytosine (^{m5}C), cristallise sous forme d'ADN-Z. On pense que la méthylation de C en position 5 *in vivo* favorise le changement de la conformation B en Z. En effet, ces groupes méthyle hydrophobes formeraient des saillies à la surface de l'ADN-B, ce qui dans l'environnement aqueux du grand sillon déstabiliserait sa structure. Dans la conformation Z, ces mêmes groupes méthyle peuvent, au contraire, créer une petite zone hydrophobe stabilisante. Certaines régions spécifiques de l'ADN cellulaire ont probablement la conformation Z, les autres étant essentiellement de conformation B. Comme la méthylation a un rôle dans la régulation de l'expression des gènes, l'ADN-Z pourrait par sa présence contribuer à la régulation de l'expression de l'information génétique. (Voir Quatrième partie, transfert de l'information).

La double hélice en solution

En solution, l'ADN-B n'a rien d'une baguette linéaire, rigide, c'est au contraire une molécule flexible, dynamique. Elle réagit aux fluctuations thermiques localisées qui distordent et déforment temporairement sa structure sur de courtes régions. Les ensembles d'atomes des bases et du squelette ont, à l'échelle de la nanoseconde, des mouvements élastiques. Dans une certaine mesure, ces effets se traduisent par des changements dans les angles de rotation des liaisons du squelette du polynucléotide. Ces changements subissent aussi l'influence des variations dans le tassement des bases superposées, variations qui dépendent de la nature des bases dans la séquence. Il en résulte une légère courbure locale de l'hélice. Mais ces effets et les conséquences s'additionnent sur toute la très grande longueur de la molécule d'ADN, et le résultat net de ces courbures locales est qu'à tout moment la double hélice a globalement une forme sphérique. On pouvait s'attendre à ce résultat pour une très longue baguette relativement souple subissant sur toute sa longueur un enroulement apparemment aléatoire. Il faut aussi savoir que la double hélice n'est pas comme une enseigne de coiffeur (NdT, il en existe encore), lisse, régulière, totalement dépourvue de particularités. Les diverses séquences de bases donnent à la molécule leurs signatures particulières sous forme de subtiles influences agissant sur la largeur d'un sillon, l'angle formé entre l'axe de l'hélice et le plan des bases, ou encore sur la rigidité mécanique. Certaines protéines régulatrices se lient à l'ADN et participent à l'activation ou à l'inhibition de l'expression de l'information codée dans la zone concernée. Ces protéines se lient à des sites spécifiques car elles peuvent reconnaître les structures caractéristiques imposées à l'ADN par la séquence des nucléotides de ces sites.

Les agents d'intercalation distordent la double hélice

Des molécules macrocycliques plates, aromatiques, hydrophobes, formées de plusieurs hétérocycles accolés, telles que le **bromure d'éthidium**, l'**acridine orange** et l'**actinomycine D** (Figure 12.16), peuvent s'intercaler entre les paires de bases superposées de l'ADN. Ces **agents d'intercalation** forcent les bases à s'écarter, provoquant un déroulement de l'hélice dont la structure est alors plus voisine de celle d'une échelle. Le squelette désoxyribose phosphate est presque complètement étiré lorsque les paires de bases successives se sont écartées de 0,7 nm et l'angle de rotation autour de l'axe entre deux bases adjacentes passe de 36° à 10°.

Caractère dynamique de la double hélice de l'ADN en solution

Les molécules d'intercalation s'insèrent facilement dans la double hélice, ce qui signifie que les interactions de Van der Waals entre ces molécules et les bases qui les prennent en sandwich sont plus fortes que ces interactions entre les bases elles-mêmes. Puisque ces molécules peuvent s'insérer entre les bases, cela signifie aussi que la double hélice doit, au moins temporairement, se dérouler partiellement et présenter des

Sar = Sarcosine = $H_3C-NH-CH_2-COOH$ (N-méthylglycocolle)

Méval = acide mévalonique = $HOCH_2-CH_2-C(CH_3)(OH)-CH_2-COOH$

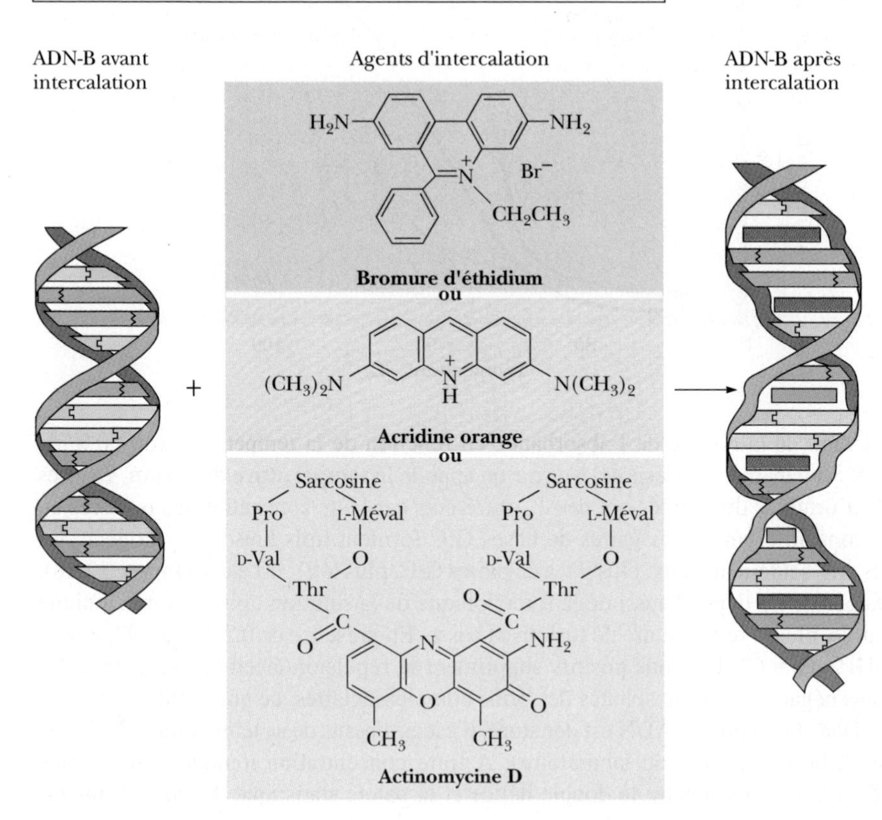

Figure 12.16 • Structures de trois agents d'intercalation, le bromure d'éthidium, l'acridine orange et l'actinomycine A, et leurs effets sur la structure de l'ADN.

espaces plus ouverts que les agents d'intercalation peuvent occuper. La double hélice de l'ADN en solution doit donc se trouver sous de très nombreuses formes métastables, différentes de la conformation B classique. Ces multiples formes constituent un ensemble de structures oscillant entre divers états.

12.3 • Dénaturation et renaturation de l'ADN

Dénaturation thermique et hyperchromicité

Dans certaines conditions de pH, de température ou de force ionique, les liaisons hydrogène qui maintiennent les bases dans les molécules d'ADN doubles brins peuvent être rompues, et les brins se séparent. La double hélice est alors **dénaturée**, les brins séparés forment individuellement des pelotes statistiques. Si la température est l'agent de dénaturation, on dit que la double hélice «*fond*». Le cours de cette dissociation peut être suivi par spectrophotométrie, car l'absorbance relative de l'ADN en solution, mesurée à 260 nm, s'accroît de près de 40 % lorsque les bases empilées se séparent. Cet accroissement de l'absorbance, **l'hyperchromicité**, provient de la diminution des interactions entre les bases. Les bases de l'ADN, à caractère aromatique, sont en interaction par leurs nuages d'électrons π lorsqu'elles sont empilées dans la double hélice. L'absorption du rayonnement ultraviolet est une conséquence de l'excitation des électrons π. Lorsque les bases sont empilées, proches les unes des autres, les électrons π ont moins de possibilités de transitions, donc un même nombre de ces bases dans un ADN double brin absorbe moins de rayonnement ultraviolet que si elles sont séparées. La suppression de l'empilement des bases supprime cet effet. L'accroissement de l'absorbance (Figure 12.17) coïncide avec la séparation des brins, et le point

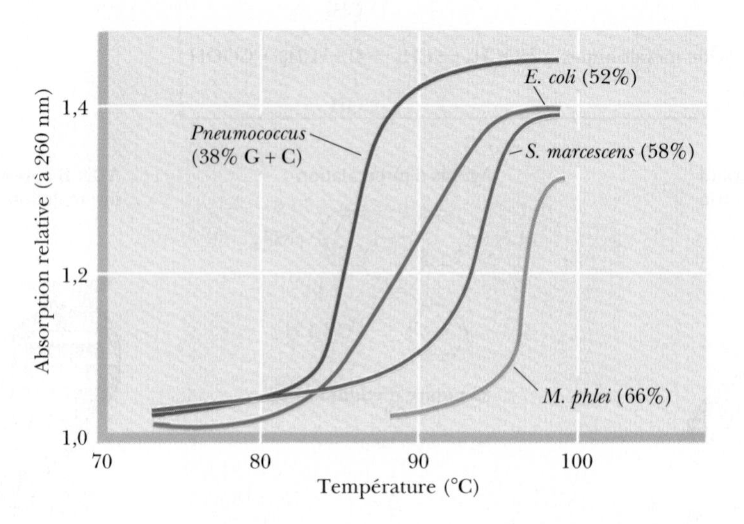

Figure 12.17 • Courbes de fusion obtenues lors de la dénaturation thermique d'ADN de diverses origines. Le point d'inflexion d'une de ces courbes définit la température de fusion, T_m *(D'après Marmur, J., 1959. Nature* ***183****: 1427-1429.)*

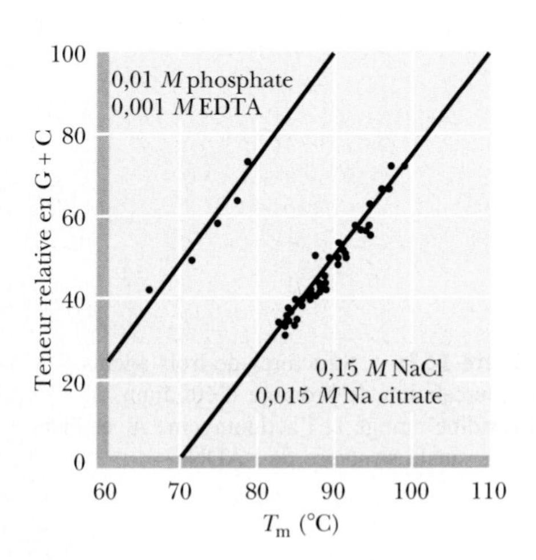

Figure 12.18 • Relation entre la teneur relative en G+C de l'ADN et la température de fusion. Notez l'accroissement de la T_m avec l'augmentation de la force ionique, à pH constant (pH 7). En présence de 0,15 M NaCl et de 0,015 M citrate de sodium, un ADN bicaténaire contenant 100 % de paires A:T fond à moins de 70 °C, alors qu'un ADN à 100 % de G:C a une température de fusion supérieure à 110 °C. *(D'après Marmur, J. et Doty, P., 1962.* Journal of Molecular Biology *5 : 120.)*

d'inflexion de la courbe de l'absorbance en fonction de la température (où 50 % de l'ADN est dénaturé) correspond à ce qu'on appelle la **température de fusion**, T_m. Les ADN d'origines différentes ont des T_m différents car leurs concentrations relatives en G+C sont différentes. Les paires de bases G:C forment trois liaisons hydrogène, les paires A:T seulement deux, plus il y a de paires G:C, plus le T_m est élevé (Figure 12.18). La valeur de T_m dépend aussi de la force ionique de la solution ; plus la force ionique est faible, plus la température de fusion est basse. En présence de 0,2 *M* Na^+, $T_m = 69{,}3 + 0{,}41(\%\ G + C)$. Les ions positifs suppriment la répulsion électrostatique entre les charges négatives des phosphates des brins complémentaires, ce qui stabilise la structure. (Dans l'eau pure, l'ADN est dénaturé, il est au-dessus de sa température de fusion même à la température du laboratoire). À forte concentration ionique, *T*m est plus élevé, et la transition entre la double hélice et la pelote statistique des monobrins est très rapide.

Les pH extrêmes et les solutés ayant une forte tendance à former des liaisons hydrogène dénaturent également l'ADN bicaténaire

À pH au-dessus de 10, les bases sont déprotonées, elles ne peuvent donc plus former de liaisons hydrogène et l'ADN est dénaturé. Inversement, à pH inférieur à 2,3, les bases sont presque totalement protonées, ce qui empêche leur appariement. On préfère utiliser les milieux alcalins pour éviter l'hydrolyse des liaisons glycosidiques du squelette des oses phosphates, liaisons très sensibles aux acides. Les molécules qui forment facilement des liaisons hydrogène dénaturent les ADN à des températures inférieures aux T_m, si leur concentration est suffisamment élevée. Dans ce cas, ces molécules, par exemple l'urée ou la formamide, sont en compétition avec les bases pour la formation des liaisons hydrogène.

Renaturation de l'ADN

L'ADN dénaturé peut être **renaturé**, peut reformer la structure en double hélice, si la condition de la dénaturation est supprimée (c'est-à-dire si la solution est refroidie, le pH ramené à la neutralité, les dénaturants dilués ou éliminés). La réassociation des brins de l'ADN, et la reconstitution de la double hélice d'origine (reannealing en langue anglaise), est un processus appelé la **renaturation**. Pour que cela soit possible, il faut que les brins s'alignent correctement avec les bases complémentaires bien en phase, et l'hélice se reforme alors très rapidement (Figure 12.19). La renaturation dépend de la concentration de l'ADN et exige du temps. La plupart des réalignements des brins sont imparfaits, les brins doivent se séparer afin de permettre un meilleur alignement puis le bon appariement. Le processus est plus rapide si la température est assez élevée pour permettre la diffusion des grosses molécules d'ADN, mais pas trop pour éviter la fusion.

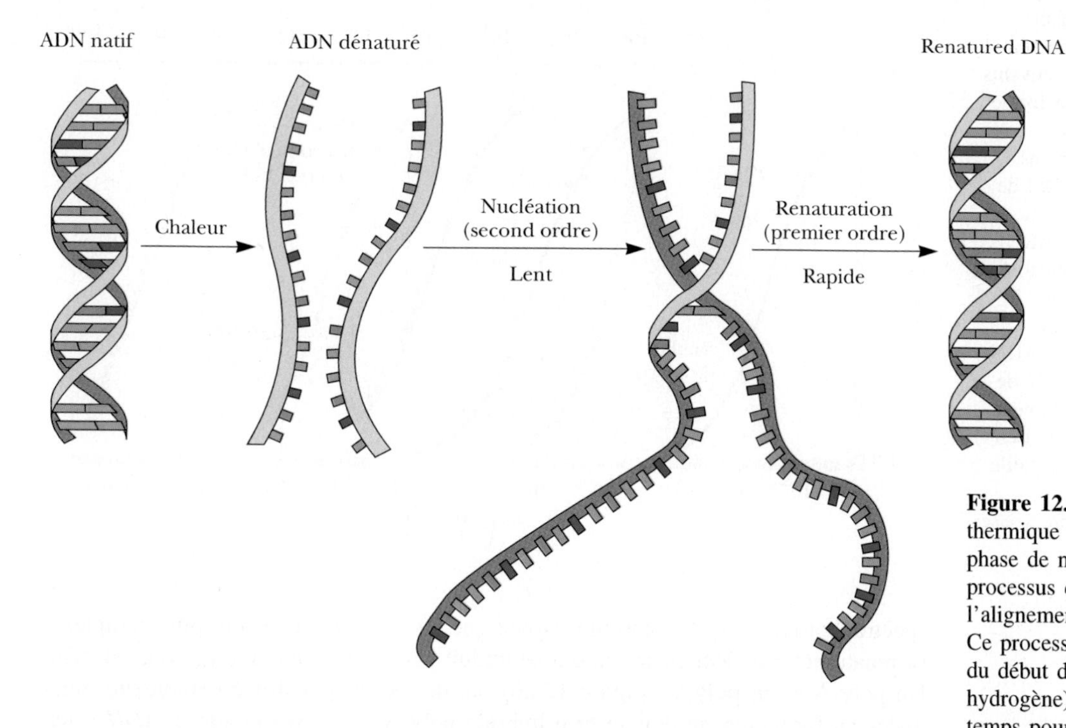

Figure 12.19 • Étapes de la dénaturation thermique et de la renaturation de l'ADN. La phase de nucléation de la réaction est un processus d'ordre deux qui dépend de l'alignement des séquences sur les deux brins. Ce processus (phase de recherche des bases et du début de la formation des liaisons hydrogène) est relativement lent car il faut du temps pour que les séquences complémentaires de l'ADN en solution se rencontrent et s'alignent correctement. Lorsque les séquences sont bien alignées, les brins se renaturent (s'hybrident) rapidement par propagation des liaisons H.

Vitesse de renaturation et complexité de la séquence de l'ADN – Courbes de c_0t

La vitesse de renaturation de l'ADN est un bon indicateur de la complexité de la séquence d'un ADN. L'ADN du bactériophage T4 contient environ 2×10^5 paires de nucléotides, celui d'*Escherichia coli* en contient $4{,}64 \times 10^6$. L'ADN d'*E. coli* est beaucoup plus complexe car il contient beaucoup plus d'information. On peut aussi dire qu'à poids égal d'ADN les séquences de l'ADN d'*E. coli* sont plus hétérogènes, elles sont plus différentes les unes des autres que celles d'un même poids d'ADN de T4. Il faut donc beaucoup plus de temps pour que les longs brins d'ADN d'*E. coli* trouvent le bon alignement des bases complémentaires et se renaturent. Il est possible de faire l'analyse quantitative de ce phénomène.

Si c est la concentration des brins monocaténaires au temps t, la cinétique de réassociation des deux brins complémentaires, une réaction d'ordre deux, est donnée par la vitesse de la diminution de c :

$$-dc/dt = k_2c^2$$

équation dans laquelle k_2 est une constante de vitesse d'ordre deux. Si au départ la concentration de l'ADN totalement dénaturée est c_0 au temps $t = 0$, la quantité restante d'ADN simple brin au temps t sera :

$$c/c_0 = 1/(1 + k_2c_0t)$$

équation dans laquelle les concentrations c et c_0 sont des concentrations molaires des nucléotides de l'ADN et t le temps en secondes. Si $t_{1/2}$ définit le temps nécessaire pour que la moitié de l'ADN soit renaturée (quand $c/c_0 = 0{,}5$) nous avons :

$$0{,}5 = 1/(1 + k_2c_0t_{1/2}) \quad \text{et donc,} \quad 1 + k_2c_0t_{1/2} = 2$$

ce qui donne :

$$c_0t_{1/2} = 1/k_2$$

Le graphe obtenu en portant la fraction de l'ADN monobrin renaturé (c/c_0) en fonction du logarithme de c_0t (Figure 12.20) est la **courbe de c_0t** (se prononce cot). La vitesse de renaturation se mesure par la diminution de l'absorbance au

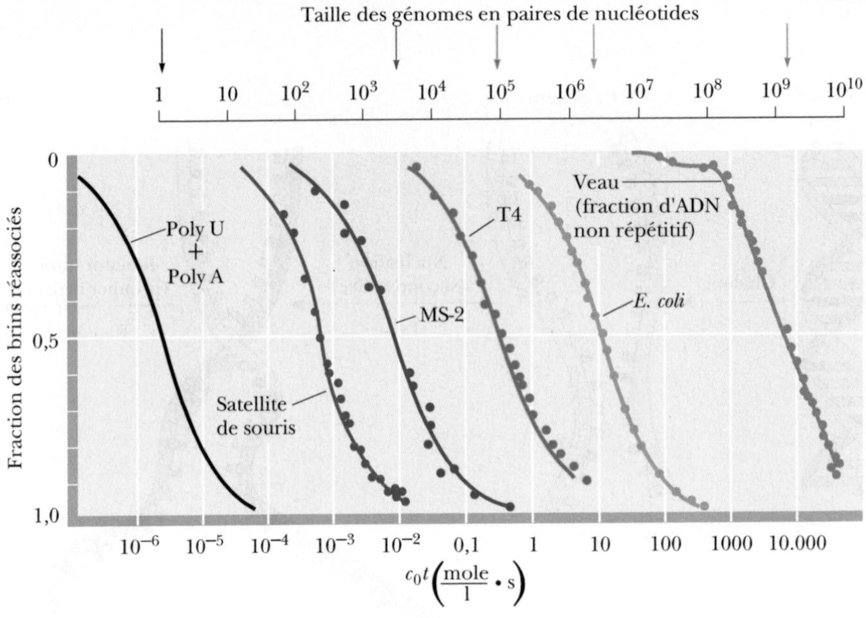

Figure 12.20 • Courbes de c_0t. Ces courbes montrent que la vitesse de réassociation des brins d'un ADN dénaturé est inversement proportionnelle à la complexité du génome. Les différents ADN examinés sont les suivants : poly A + poly U, un ADN de synthèse formé de deux brins distincts, une chaîne de nucléotides A et une chaîne de nucléotides U ; satellite de souris, une fraction d'un ADN de souris dans lequel une même séquence est répétée des milliers de fois ; MS-2, un ARN double-brin produit au cours de la réplication d'un bactériophage à ARN, relativement simple, MS-2 ; T4, ADN d'un phage plus complexe ; *E. coli*, ADN de la bactérie ; ADN de veau (fraction non répétitive), un ADN de mammifère (veau) dont la fraction hautement répétitive (ADN satellite) a été éliminée. Les flèches en haut de la figure indiquent la taille en pb des différents génomes.
(D'après Britten, R.,J., et Kohne, D.E., 1968, Science ***161** : 529-540.)*

spectrophotomètre UV, à 260 nm. Notez que les ADN relativement plus complexes se renaturent plus lentement, ce qui se traduit par des valeurs de $c_0t_{1/2}$ plus élevées. Un poly A et un poly U (Figure 12.20) ont des séquences d'une complexité minimales, la formation du double brin hybride poly A:U est très rapide. L'*ADN satellite* de la Souris est un ADN à séquences très répétitives. Son absence d'hétérogénéité se constate par la faible valeur de son $c_0t_{1/2}$. MS-2 de la Figure 12.20 est un petit bactériophage dont l'acide nucléique est un ARN ; l'ADN du thymus de veau est représentatif de l'ADN de mammifère.

Hybridation des acides nucléiques

Lorsqu'un mélange d'ADN de deux espèces différentes est dénaturé par chauffage, puis que le mélange est lentement refroidi, il peut se former des **doubles brins hybrides** artificiels si les séquences des nucléotides des deux ADN sont similaires. Le degré de l'hybridation est une mesure de l'analogie des séquences, ou de la *parenté* entre les deux espèces. Dans certaines conditions expérimentales, environ 25 % d'un ADN humain s'hybride avec de l'ADN de Souris, ce qui signifie que certaines séquences de nucléotides (des gènes) des deux espèces sont similaires. On peut *in vitro* créer des hybrides mixtes ADN:ARN en mélangeant un ADN simple brin et sa copie sous forme d'ARN, par exemple l'ARN messager résultant de la transcription d'un gène.

L'hybridation des acides nucléiques est une technique couramment utilisée en biologie moléculaire à des fins diverses. Elle permet de révéler des apparentements d'espèces. Elle est un moyen extrêmement sélectif d'identification d'un gène parmi une masse d'autres séquences sans intérêt immédiat. On prépare une **sonde,** (un oligonucléotide ou un polynucléotide) marquée de façon appropriée, dont la séquence est complémentaire de celle du gène recherché. Cette sonde s'hybride spécifiquement avec le gène recherché, ce qui permet son identification ; il est ensuite possible de l'isoler. L'intensité de l'expression d'un gène (la quantité d'ARNm synthétisé) peut se mesurer par des expériences d'hybridation.

Densité de l'ADN en solution

La mesure de la température de fusion d'un ADN n'est pas la seule méthode permettant de connaître les concentrations relatives des bases. La densité d'un ADN riche en G:C est, en solution, beaucoup plus élevée que celle d'un ADN riche en A:T. Il y a même, en fonction de leur teneur en G:C, une relation simple, linéaire, entre les densités des différents ADN en solution (Figure 12.21). La densité d'un ADN, ρ (en g/ml), en fonction de la concentration en G:C est donnée par la relation : $\rho = 1{,}660 + 0{,}098$

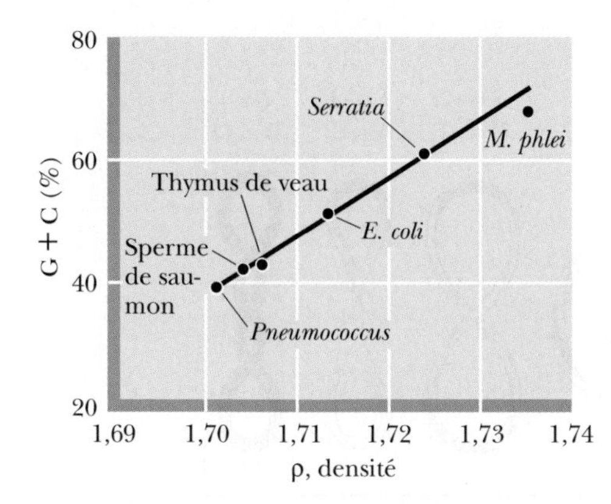

Figure 12.21 • Relation entre la densité (en g/ml) des ADN de différentes origines et leurs concentrations en G:C.
(D'après Doty P., 1961. Harvey Lectures *55 : 103.)*

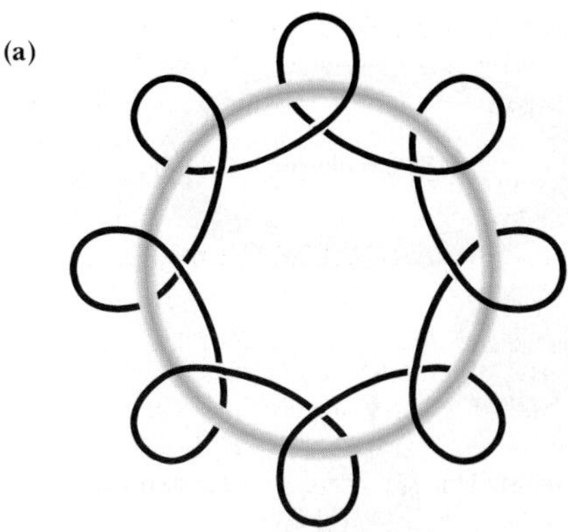

(G:C), dans laquelle (G:C) est la fraction molaire de G:C dans l'ADN. La densité relativement élevée de l'ADN permet de le séparer des autres produits cellulaires par *centrifugation isopycnique*, une méthode de centrifugation analogue à la centrifugation sur gradient de densité. (voir Appendice en fin de chapitre).

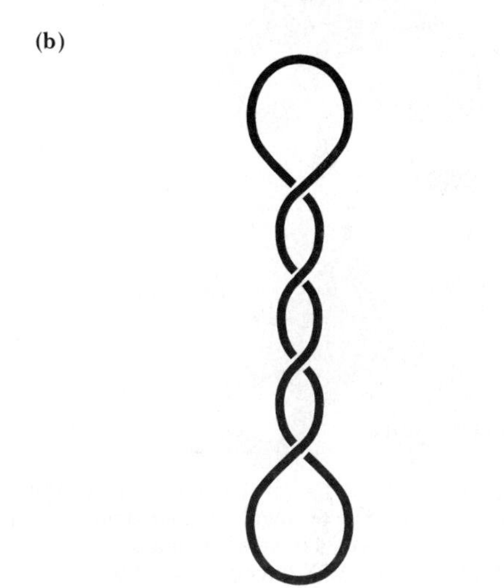

12.4 • Structures tertiaires de l'ADN : superenroulements et formes en croix

Les conformations de l'ADN dont il a été question jusqu'à présent ne sont que des variations sur une structure secondaire commune, la double hélice, dans laquelle nous avons supposé que l'ADN était toujours sous une forme régulière, linéaire. Mais l'ADN peut, de diverses façons, adopter d'autres structures régulières, d'une plus grande complexité. Par exemple, de nombreuses molécules d'ADN sont circulaires. Presque tous les chromosomes bactériens, probablement tous, sont des molécules d'ADN bicaténaire et circulaires (c'est-à-dire refermées sur elles-mêmes par des liaisons covalentes), il en est de même pour l'ADN de probablement tous les plasmides. Les **plasmides** sont des molécules d'ADN extrachromosomiques, circulaires ; naturellement présents dans les bactéries, ils se répliquent de façon autonome. Les plasmides portent en général des gènes qui donnent un avantage métabolique à la bactérie hôte. Les ADN de divers virus animaux sont également circulaires.

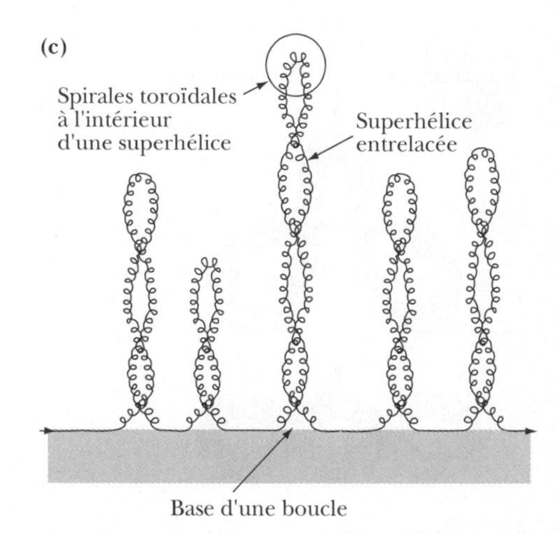

Figure 12.22 • Superenroulements de l'ADN, formes toroïdales et entrelacées. (a) L'ADN est enroulé en spirales autour d'un tore imaginaire. (b) L'ADN s'enroule sur lui-même. (c) Superhélices dans un long ADN linéaire dont les extrémités des boucles ne sont pas libres – un modèle pour l'ADN chromosomique.
(D'après les Figures 6.1 et 6.2 in Callandine C.R., and Drew, H.R., 1992. Understanding DNA : The Molecule and How it Works. *London : Academic Press.)*

Les superhélices

Dans un ADN bicaténaire, les deux brins font un tour complet l'un autour de l'autre toutes les 10 paires de bases, c'est à dire à chaque tour d'hélice. L'ADN bicaténaire circulaire (ou linéaire si la torsion des extrémités est impossible) peut former des superhélices si les brins sont sous-enroulés (*superhélices négatives*) ou surenroulés (*superhélices positives*). L'ADN sous-enroulé a un nombre de tours inférieur à celui de l'ADN normal, tandis que le surenroulé présente un plus grand nombre de tours (Figure 12.22). Le « superenroulement » de l'ADN est analogue à ce que l'on obtient en roulant ou déroulant entre ses doigts une corde à deux brins torsadés (Figure 12.22). Le superenroulement négatif introduit une contrainte de torsion qui favorise le relâchement, la séparation des brins de la double hélice de l'ADN, alors que le superenroulement positif surenroule cette hélice. Les deux formes superenroulées de l'ADN, les superhélices, sont plus compactes ; au cours d'une centrifugation, elles sédimenteront plus rapidement et au cours d'une électrophorèse, elles migreront plus rapidement que **l'ADN relâché** (non superenroulé).

L'indice de torsion

Le paramètre principal caractérisant la superhélice est son **indice de torsion,** ***L*** (de *linking number,* encore appelé nombre d'enlacement). Cet indice correspond au nombre de tours que fait un brin autour de l'autre, et, sous réserve que les liaisons

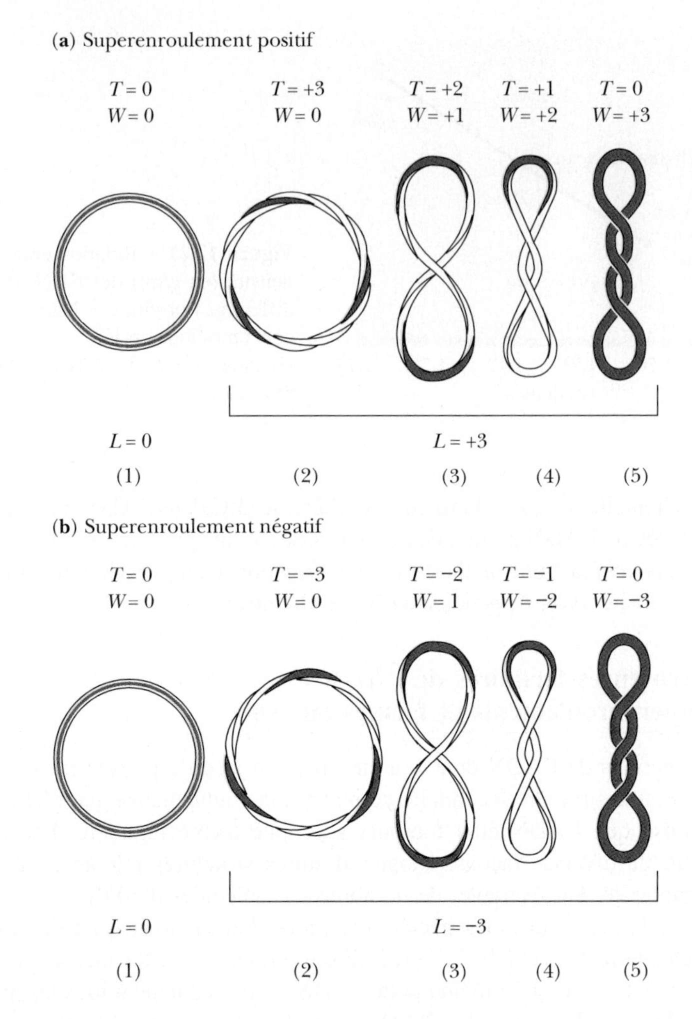

Figure 12.23 • Topologie de l'ADN superenroulé. *(D'après les Figures 6.5 et 6.6 in Callandine C.R., and Drew, H.R., 1992.* Understanding DNA : The Molecule and How it Works. *London : Academic Press.)*

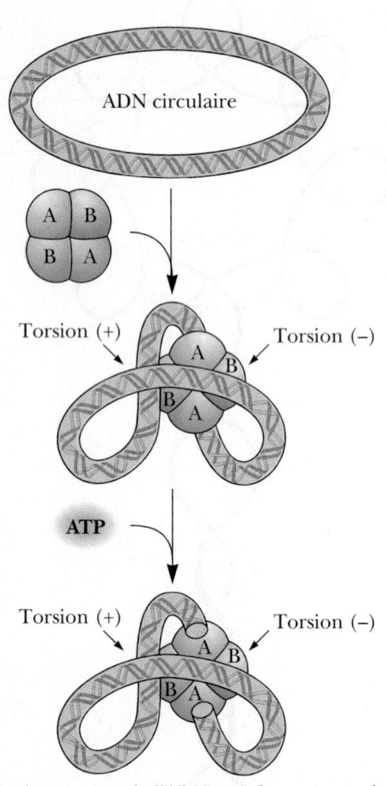

Après coupure de l'ADN, un changement de conformation de la protéine permet le passage d'un segment d'ADN intact à travers la coupure.
Puis la gyrase relie l'ADN qui est ensuite libéré.

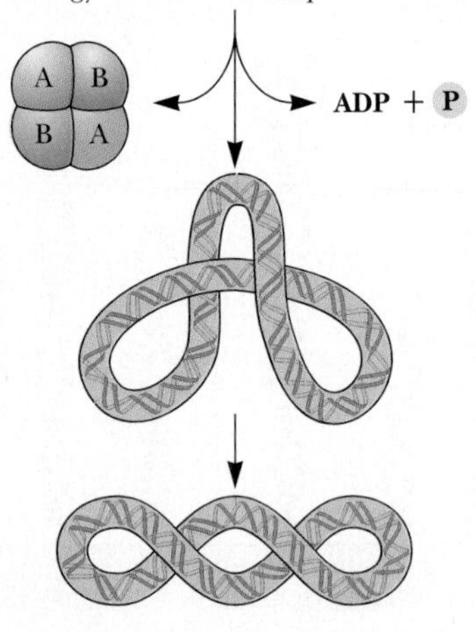

Figure 12.24 • Modèle simplifié de l'action de l'ADN gyrase bactérienne (topoisomérase II). Les sous-unités A clivent l'ADN double brin, et se maintiennent liées de façon covalente aux extrémités. L'enzyme change de conformation, une cavité se forme dans la protéine qui permet le passage d'une région continue de la double hélice. Les extrémités coupées sont alors reliées et l'hélice intacte est libérée de l'enzyme. L'ADN circulaire reconstitué contient à présent deux superenroulements négatifs.

covalentes de chacun des brins demeurent intactes, L est constant. Pour un ADN de 400 paires de bases, bicaténaire, circulaire et relâché, l'indice L a une valeur de 40 (puisqu'il y a en moyenne dix paires de bases par tour dans l'ADN-B). L'indice de torsion de l'ADN relâché est en général considéré comme l'indice de référence L_0. L est égal au nombre de tours (T, pour *twist* en anglais) et de torsions (W, pour *writhe* en anglais) dans la molécule bicaténaire :

$$L = T + W$$

La Figure 12.23a donne les valeurs de T et de W pour divers superenroulements négatifs et positifs d'ADN circulaire. Ainsi, dans une molécule d'ADN bicaténaire de 400 paires de bases, circulaire, fermée et relâchée, $W = 0$. Comme elle contient 40 tours d'hélice, $T = L = 40$. Il faut pour modifier cet indice de torsion couper l'un des brins, ou les deux, puis les dérouler ou les surenrouler, et enfin rétablir les liaisons covalentes coupées. Quelques enzymes peuvent effectuer ces réactions, les **topoisomérases**, ainsi dénommées car elles changent l'état topographique de l'ADN. Les topoisomérases sont regroupées en deux grandes classes, les classes I et II. Les topoisomérases de la classe I coupent transitoirement un seul des deux brins de l'ADN dans la double hélice ; le brin coupé passe autour du brin intact, puis les topoisomérases I relient (ressoudent) les deux extrémités reconstituant la continuité du squelette des oses phosphates. Les topoisomérases de la classe II coupent transitoirement les deux brins de la double hélice, font passer une région bicaténaire de la double hélice à travers la coupure, puis ressoudent les extrémités (Figure 12.24). Les topoisomérases jouent un rôle important dans la réplication de l'ADN (voir Chapitre 30).

L'ADN gyrase

L'ADN gyrase est une topoisomérase bactérienne qui introduit des superenroulements négatifs dans un ADN de la façon décrite Figure 12.24. Supposons que la gyrase introduise quatre superenroulements négatifs dans un ADN bicaténaire et circulaire de 400 paires de bases, nous avons alors $W = -4$, T ne change pas, et $L = 36$ (Figure12.25). Ces superenroulements négatifs introduisent des contraintes de torsion dans la molécule de sorte que T tend à diminuer. Cet effet se traduit par un léger déroulement localisé qui écarte des paires de bases. Un cas extrême serait que T diminue de 4 annulant le superenroulement ($T = 36$, $L = 36$, et $W = 0$). Dans la réalité, la situation est un compromis, la valeur négative de W est réduite, T diminue légèrement et ces modifications sont répercutées sur toute la longueur de l'ADN circulaire de sorte qu'il ne s'ensuit aucun déroulement localisé de l'hélice. D'un point de vue conceptuel, les paramètres T et W sont très utiles, mais aucun de ces paramètres ne peut actuellement être mesuré.

Densité de superhélicité

La différence entre l'indice de torsion d'un ADN et l'indice de torsion de sa forme relâchée est ΔL, et $\Delta L = L - L_0$. Dans notre exemple avec quatre superenroulements, $\Delta L = -4$. La **densité de superhélicité**, ou **différence spécifique de torsion** est définie par $\Delta L/L_0$, elle est parfois représentée par σ (sigma). Dans notre exemple, $\sigma = -4/40 = -0{,}1$. Étant une valeur proportionnelle, σ est indépendant de la longueur de l'ADN. Son signe reflète la tendance de la superhélice à se dérouler *(σ négatif)* ou à se surenrouler *(σ positif)*. En d'autres termes, la densité de la superhélice représente le nombre moyen de superenroulements par 10 paires de bases (par tour d'hélice de l'ADN-B). L'ADN circulaire isolé de sources naturelles est toujours dans l'état superhélicoïdal négatif, sous-enroulé.

Superenroulement toroïdal de l'ADN

De l'ADN à superenroulement négatif peut prendre la forme d'un tore (Figure 12.26). Dans cet état, l'ADN s'enroule autour de protéines (qu'il enveloppe), les

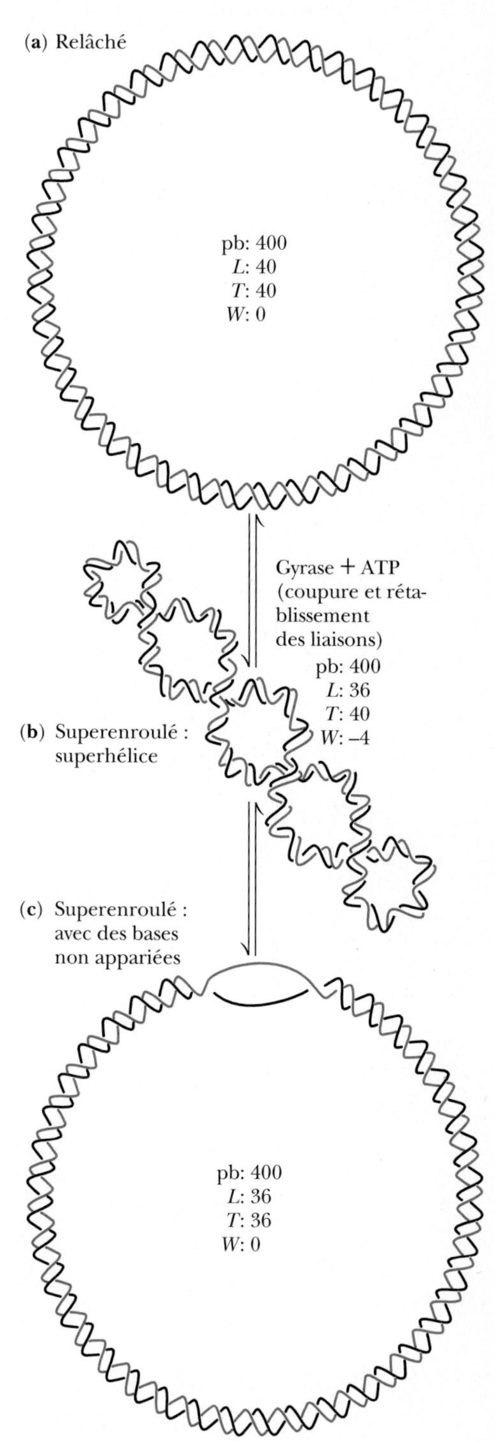

Figure 12.25 • Quelques états topographiques (topoisomères) d'un ADN circulaire de 400 pb : (a) relâché, (b) superenroulements négatifs répartis sur toute la longueur, et (c) superenroulements négatifs créant une région dans laquelle les deux brins sont séparés. Un superenroulement négatif peut provoquer un dédoublement localisé de la double hélice avec des régions à bases non appariées (ou bulles).

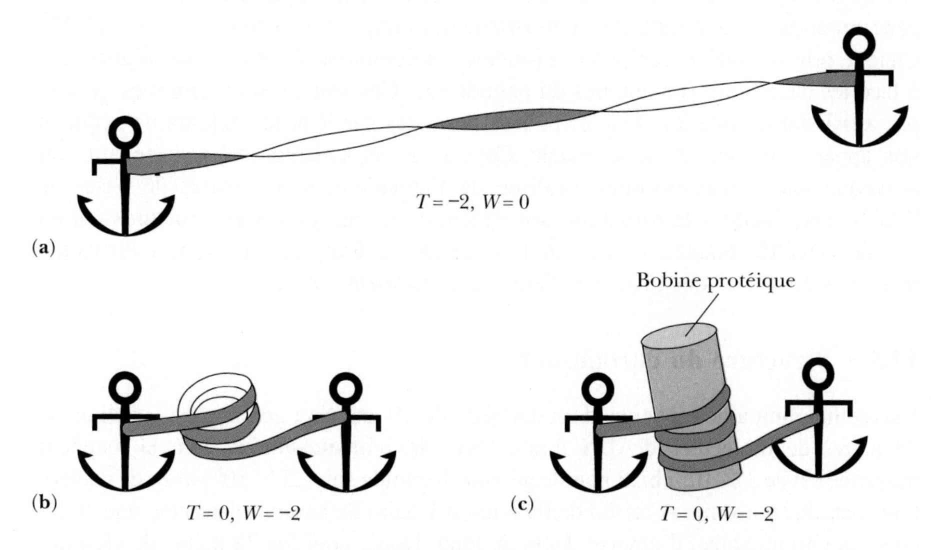

Figure 12.26 • L'ADN superhélicoïdal forme facilement une structure torique en s'enroulant autour d'une « bobine » protéique. Un segment d'ADN linéaire avec deux superenroulements négatifs (a) peut prendre facilement une conformation torique si ses extrémités sont suffisamment rapprochées (b). L'enroulement toroïdal de l'ADN autour d'une « bobine » protéique stabilise cette conformation (c). *(D'après la Figures 6.6 in Callandine C.R., and Drew, H.R., 1992.* Understanding DNA : The Molecule and How it Works. *London : Academic Press.)*

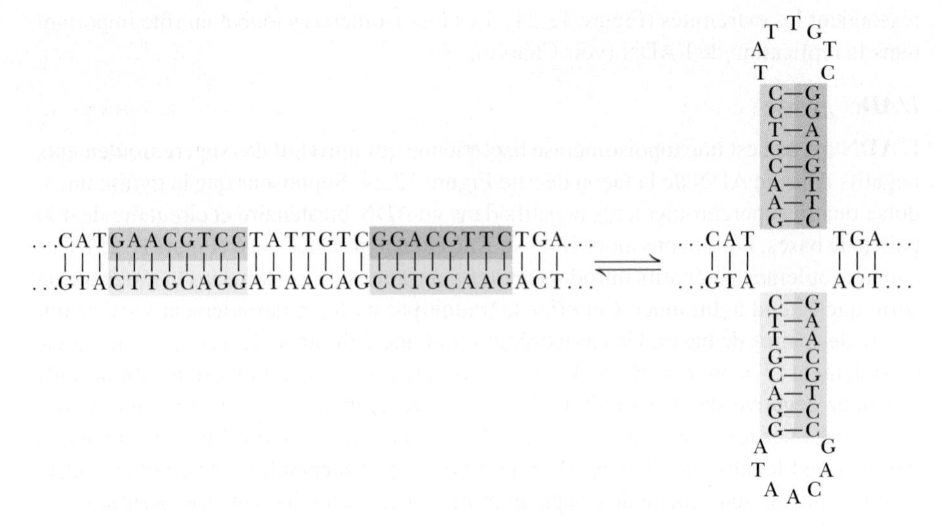

Figure 12.27 • Formation d'une structure cruciforme à partir des séquences de type palindrome sur un même brin de l'ADN. Les séquences répétées inversées autocomplémentaires établissent entre elles des liaisons hydrogène pour former des boucles et des structures cruciformes.

protéines servant de bobine au « ruban » d'ADN. La conformation toroïdale de l'ADN s'observe lors des interactions protéines:ADN qui sont à la bases de phénomènes aussi divers que la structure du chromosome (voir Figure 12.31) et l'expression des gènes.

Structures cruciformes

Les palindromes sont des mots, des phrases, que l'on peut lire de gauche à droite ou de droite à gauche, comme le mot radar. Certains segments d'ADN contiennent sur un même brin des séquences de bases qui sont autocomplémentaires, ces **séquences répétées sous une forme inversée** sont des palindromes, elles ont la possibilité d'adopter une structure tertiaire **cruciforme** dans laquelle les liaisons hydrogène intracaténaires remplacent l'appariement normal intercaténaire (Figure 12.27). Chaque brin d'ADN se replie sur lui-même, en épingle à cheveux, pour aligner face à face les bases complémentaires du palindrome. Ces structures cruciformes ne sont pas aussi stables que les doubles hélices normales car il reste toujours un segment non apparié au sommet de la boucle. Cependant, un superenroulement négatif, qui provoque une désorganisation localisée de l'appariement des paires de bases de l'ADN, peut faciliter la formation des structures cruciformes. Ces structures ont un axe de symétrie binaire, ce qui pourrait permettre l'apparition de sites distinctifs reconnaissables par des protéines liant spécifiquement l'ADN.

12.5 • Structure du chromosome

Une cellule humaine moyenne a un diamètre de 20 µm. Son génome est constitué de 23 paires de molécules d'ADN double brin, les **chromosomes**, dont la longueur moyenne est de 3×10^9 pb/23 pour le génome haploïde soit $1{,}3 \times 10^8$ paires de nucléotides par chromosome. À raison de 0,34 nm par paire de bases, cela donne une molécule, un chromosome, d'environ 5 cm de long. Donc, pour les 23 paires de chromosomes, plus de 2 m d'ADN qui doit être empaqueté dans un noyau d'environ 5 μm de diamètre ! De toute évidence, la longueur de l'ADN doit être réduite, condensée, d'un facteur supérieur à 10^5. Cette réduction résulte de l'enroulement ordonné de l'ADN autour de protéines pour former des pelotes, les **nucléosomes**, qui à leur tour sont empaquetés dans une structure d'un ordre supérieur, un filament de type solénoïde. Enfin, ce filament s'associe à des protéines de la **matrice nucléaire**.

Tableau 12.2

Propriétés des histones			
Histone	**Rapport Lys/Arg**	M_r	**Copies par nucléosome**
H1	59/3	21.200	1 (à l'extérieur du nucléosome)
H2A	13/13	14.100	2 (à l'intérieur)
H2B	20/8	13.900	2 (à l'intérieur)
H3	13/17	15.100	2 (à l'intérieur)
H4	11/14	11.400	2 (à l'intérieur)

Les nucléosomes

Pendant l'interphase de la division cellulaire, l'ADN des noyaux de cellules eucaryotes est dans un complexe nucléoprotéique particulier appelé la **chromatine**. Les protéines du complexe se divisent en deux classes : les **histones** et les **protéines chromosomiques non-histones**. Les histones sont des protéines structurales, dont le nombre des copies présentes est très élevé, tandis que les protéines non-histones ne sont représentées que par quelques copies de nombreuses protéines différentes impliquées dans la régulation génétique. Les histones sont des protéines relativement petites, riches en arginine et en lysine donc chargées positivement qui sont en interactions ioniques avec les phosphates du squelette des polynucléotides. On connaît cinq types d'histones : **H1**, **H2A**, **H2B**, **H3 et H4** (Tableau 12.2). Deux molécules de chacune des histones H2A, H2B, H3 et H4 s'assemblent pour former la structure octamérique du cœur du nucléosome autour duquel s'enroule l'ADN (voir Figure 11.23).

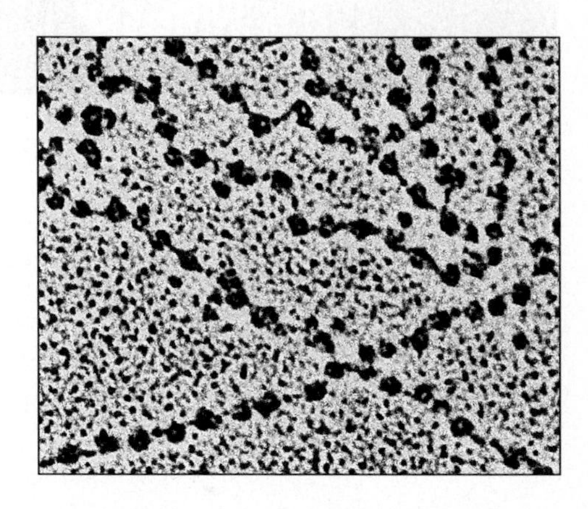

Figure 12.28 • Micrographie électronique de la chromatine de *Drosophila melanogaster*. Un traitement hypotonique préalable fait apparaître la structure en collier de perles des nucléosomes. *(Photographie due à l'amabilité d'Oscar L. Miller, Jr, de l'Université de Virginie)*

Brusquement mise en solution aqueuse (de force ionique nulle ou très basse), la chromatine gonfle, elle se déroule. Son aspect au microscope électronique est celui d'un « collier de perles » dont les perles sont les nucléosomes et le fil qui les lie un ADN double brin (Figure 12.28). La structure octamérique du cœur du nucléosome, en l'absence d'ADN, a été déterminée par radiocristallographie dans le laboratoire de Evangelos N. Moudrianakis (Figure 12.29) et celle du nucléosome

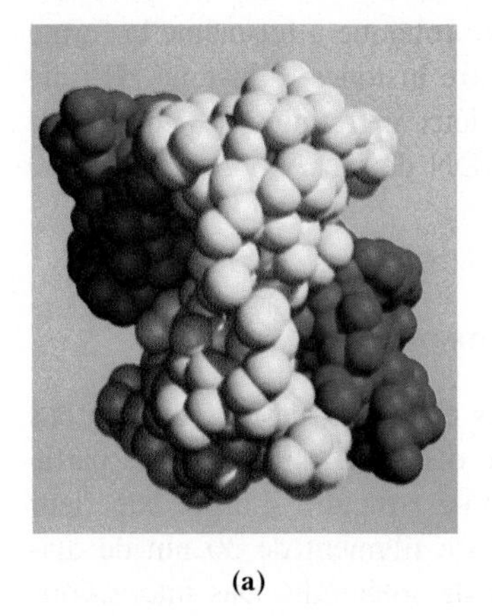

(a)

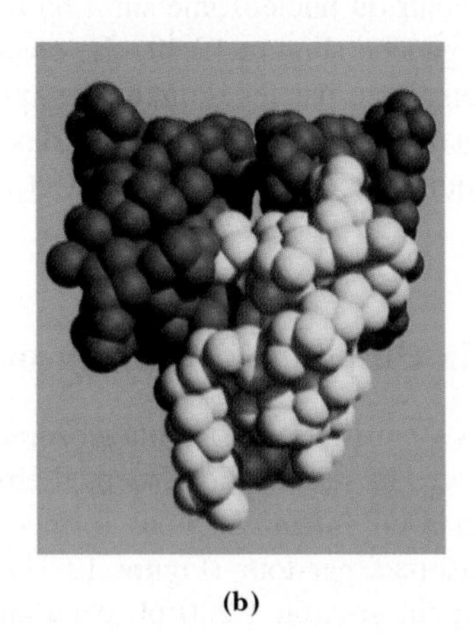

(b)

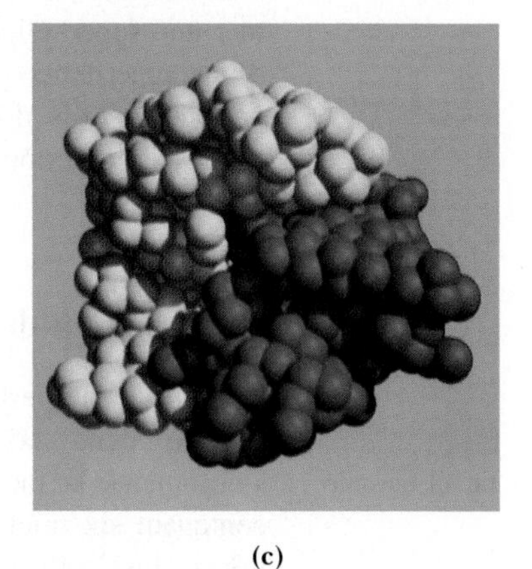

(c)

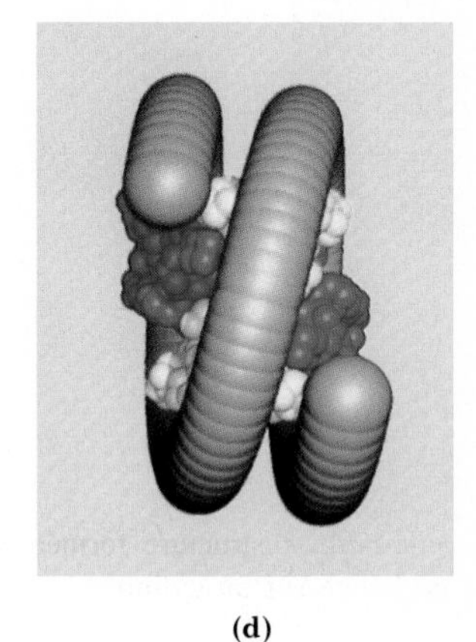

(d)

Figure 12.29 • Quatre vues orthogonales de la structure compacte d'un octamère d'histones, déterminées par cristallographie aux rayons X : (a) vue de face ; (b) vue latérale ; et (c) vue d'un le long du grand axe de la chromatine. Dans cette perspective (c), l'ADN double brin s'enroule dans le plan de la feuille et l'axe du superenroulement est perpendiculaire à ce plan. (d) représentation schématique de l'enroulement de l'ADN sur un octamère. *(Photographies aimablement communiquées par Evangelos N. Moudrianakis de l'Université John Hopkins)*

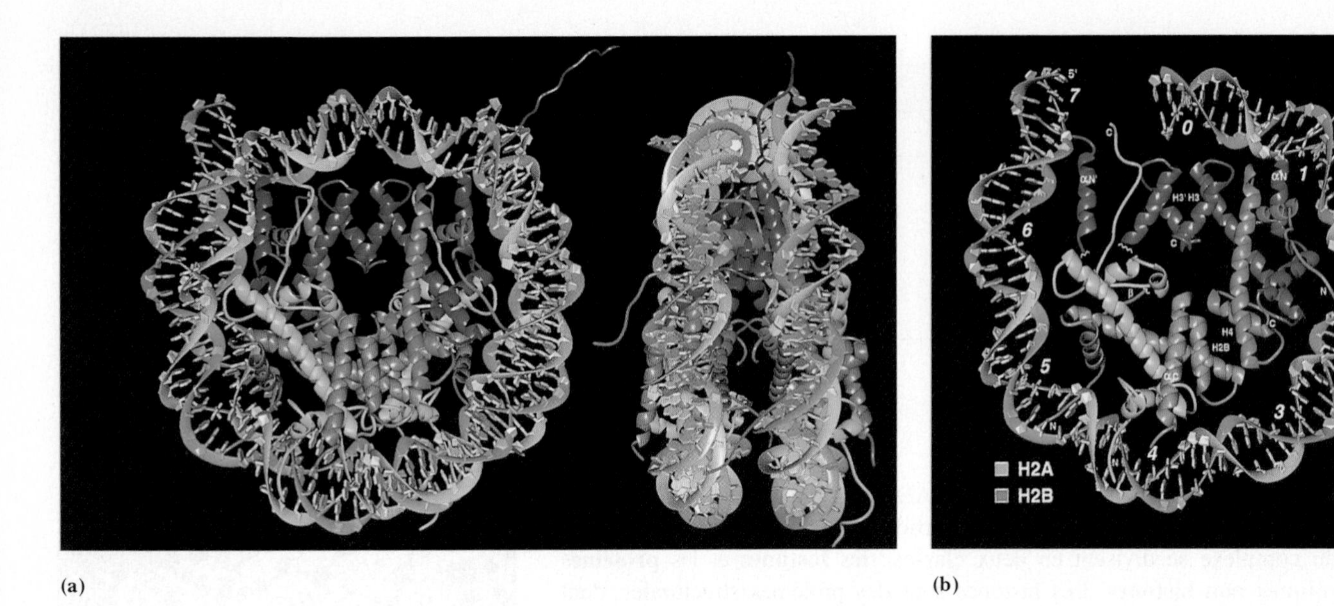

Figure 12.30 • (a) Structure schématique de la partie centrale du nucléosome enveloppée par 1,65 tour d'ADN (146 pb). L'ADN est représenté par des rubans. (*à gauche*) Vue le long de l'axe du nucléosome ; (*à droite*) vue perpendiculaire à l'axe. (b) La moitié d'un nucléosome, avec 73 pb, vue le long de l'axe du nucléosome. Notez que l'ADN ne s'enroule pas de façon uniforme autour du cœur d'histones (il ne forme pas un cercle régulier) mais suit un trajet constitués de courts segments relativement droits, séparés par des courbures. *(D'après Luger, C., et al., 1997. Crystal structure of the nucleosome core particle at 2,8 Å resolution.* Nature ***389****: 251-260. Photographies dues à l'amabilité de T.J. Richmond, ETH-Hönggerberg, Zurich, Suisse.)*

enveloppé d'ADN a été déterminée par T.J. Richmond et ses collaborateurs (Figure 12.30). En suivant des lignes de passage précises à la surface de l'octamère, l'ADN s'enroule autour du cœur du nucléosome sur 1,65 tour (146 pb d'ADN-B) pour former une superhélice gauche (Figure 12.30). Le cœur protéique a lui-même la forme d'une superhélice constituée par les dimères des quatre histones. L'histone H1, une protéine à trois domaines, s'associe à l'ADN des deux extrémités des tours et à l'ADN de jonction qui relie les nucléosomes. Cet ADN de jonction contient de 40 à 60 pb.

Organisation de la chromatine et des chromosomes

Le « collier de perles » constitué par les nucléosomes et l'ADN de jonction n'a pas dans le noyau cellulaire la structure qui vient d'être décrite. La plus grande partie s'enroule, à la façon d'un *solénoïde*, pour former une structure d'ordre supérieur contenant six nucléosomes par tour (Figure 12.31). Le filament de 30 nm de diamètre ainsi créé contient environ 1.200 pb par tour de solénoïde. Des interactions entre les histones H1 stabilisent l'ensemble de la structure. Ce long filament forme ensuite des grandes boucles d'ADN de longueurs variables contenant de 60.000 à 150.000 pb. Les micrographies électroniques semblent montrer que dans le chromosome 4 humain, 18 de ces boucles, ont une disposition radiale sur la circonférence d'un tour et constituent une **minibande, unité de la structure du chromosome**. Selon ce modèle, il y aurait lors de la mitose environ 10^6 minibandes dans chacune des deux chromatides du chromosome 4 humain (Figure 12.31).

solénoïde • structure formée par un fil enroulé en hélice sur un cylindre

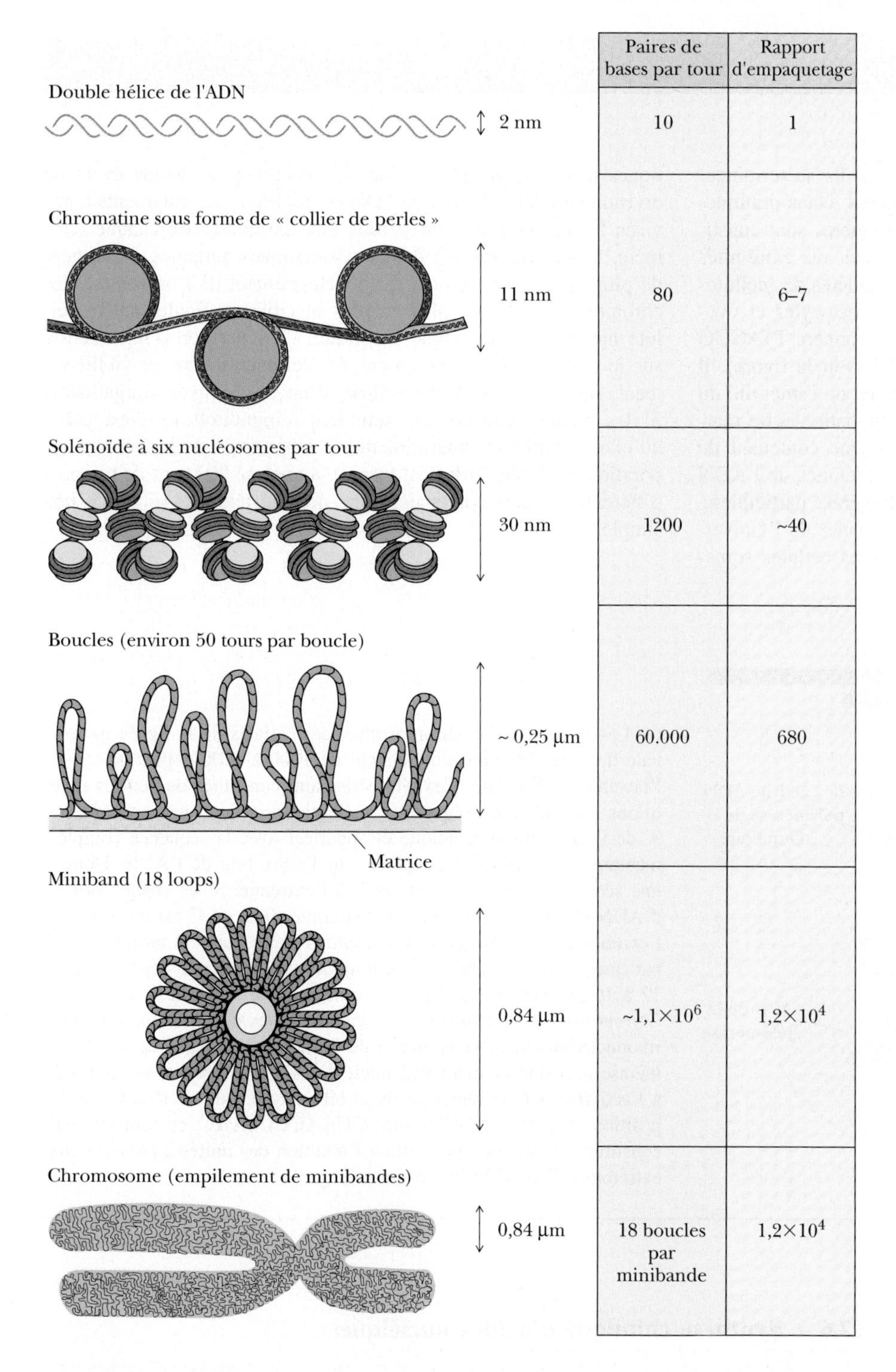

Paires de bases par tour	Rapport d'empaquetage
10	1
80	6–7
1200	~40
60.000	680
~$1{,}1\times10^{6}$	$1{,}2\times10^{4}$
18 boucles par minibande	$1{,}2\times10^{4}$

Figure 12.31 • Modèle de structure d'un chromosome humain, le chromosome 4. La double hélice de l'ADN, 2 nm de diamètre, s'enroule deux fois autour d'un octamère d'histones pour former des nucléosomes de 10 nm, contenant chacun 160 pb (80 pb par tour). Ces nucléosomes sont ensuite enroulés à la façon d'un solénoïde avec 6 nucléosomes par tour, pour former un filament de 30 nm de diamètre. Dans le modèle présenté, les filaments de 30 nm forment de longues boucles, contenant chacune environ 60.000 pb, attachées par leurs bases à la matrice nucléaire. Ces boucles, par séries de dix-huit, sont disposées radialement sur la circonférence d'un tour et forment une minibande, l'unité de structure d'un chromosome. Au moment de la mitose, on compte environ 10^{6} minibandes sur chacune des chromatides filles d'un chromosome 4 humain.

Biochimie humaine

Télomères et tumeurs

Les chromosomes des eucaryotes sont linéaires, ils se terminent par des structures spécialisées appelées **télomères**. Dans pratiquement tous les chromosomes eucaryotes, les télomères sont constitués de courtes séquences répétées en tandem liées aux extrémités de l'ADN chromosomique. Par exemple, les télomères des cellules de la lignée germinale des êtres humains (spermatocytes et ovocytes) contiennent de 1000 à 1700 copies de l'hexamère TTAGGG à l'extrémité 3′ de chacun des brins de l'ADN (voir la figure). Il semble que les télomères contribuent au maintien de l'intégrité du chromosome en protégeant l'ADN contre la dégradation et les réarrangements anormaux. La **télomérase**, un enzyme contenant de l'ARN, catalyse l'addition des télomères aux extrémités de l'ADN (Chapitre 30). La télomérase est une ADN polymérase particulière, découverte par Elizabeth Blackburn et Carol Greider de l'Université de Californie à San Francisco. La plupart des cellules somatiques n'ont pas de télomérase. Il s'ensuit qu'à chaque cycle de division cellulaire, lorsque l'ADN est répliqué, des fragments d'environ 50 nucléotides sont perdus aux extrémités de chaque télomère. Les télomères des cellules somatiques animales deviennent de plus en plus courts lors du développement de l'organisme, les chromosomes sont de plus en plus instables et finalement la cellule meurt. Ce phénomène a conduit à l'apparition d'une théorie sur le rôle du raccourcissement des télomères dans le vieillissement, qu'il s'agisse d'une cellule, d'un tissu, ou de l'organisme. Si les cellules cancéreuses semblent « immortelles » c'est parce qu'elles prolifèrent indéfiniment ; le laboratoire de la Geron Corporation, à Menlo Park (Californie), a analysé 20 types de tumeurs différentes, toutes contenaient une activité télomérase, est-ce une simple coïncidence ?

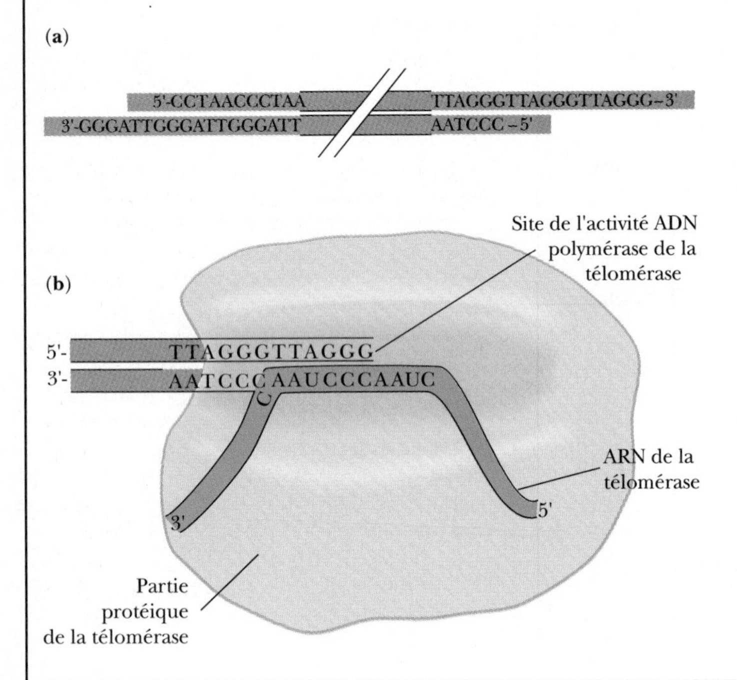

(a) Les télomères des chromosomes des cellules de la lignée germinale des êtres humains contiennent de 1000 à 1700 copies de l'hexamère TTAGGG. Ces télomères sont constitués de courtes répétitions en tandem de séquences nucléotidiques liées aux extrémités 3′ de l'ADN chromosomique et appariées avec la séquence complémentaire 3′-AATCCC-5′, répétée, sur l'autre brin de l'ADN. Donc une séquence riche en G est créée à l'extrémité 3′ de chaque brin d'ADN chromosomique, et une extrémité riche en C est créée à l'extrémité 5′ de chaque brin complémentaire. Le brin terminé en 3′ par une séquence riche en G a toujours une extrémité dépassant de 12 à 16 nucléotides sa région complémentaire riche en C. (b) Comme les autres télomérases connues, celles des humains est une ribonucléoprotéine ; la séquence de la molécule d'ARN de la télomérase humaine contient 962 nucléotides. Cet ARN sert de matrice à l'activité ADN polymérase de la télomérase. Les nucléotides en position 46 à 56 de l'ARN sont CUAA**CCCUAAC**, ce sont eux qui constituent la matrice permettant l'addition des unités TTAGGG aux extrémités 3′ de l'ADN chromosomique.

12.6 • Synthèse chimique d'acides nucléiques

La synthèse chimique de chaînes d'oligonucléotides de séquence définie présente quelques-uns des problèmes rencontrés lors de la synthèse chimique des polypeptides (voir Chapitre 5). Premièrement, les diverses fonctions chimiques présentes sur les unités monomériques (dans le cas présent les bases) sont réactives dans les conditions de la polymérisation, elles doivent donc être protégées par des agents de blocage. Deuxièmement, pour générer la séquence souhaitée, le pont phosphodiester doit lier le 3′-O d'un nucléotide (B) au 5′-O du nucléotide précédent (A) en évitant la formation du pont entre le 3′-O de A avec le 5′-O de B. Enfin, le rendement de chacune des étapes doit être élevé pour que le rendement final du processus qui comporte de nombreuses étapes soit acceptable. Comme pour la synthèse des peptides (voir Chapitre 5), on utilise des méthodes en *phase solide* pour éviter quelques une des difficultés. La synthèse des acides nucléiques est aujourd'hui automatisée, on trouve dans le commerce des **synthétiseurs d'ADN** capables de réaliser la synthèse d'oligonucléotides de plus de 150 bases.

Chimie des phosphoamidines

La méthode utilisant des dérivés phosphoamidines est actuellement la méthode la plus répandue. Le principe consiste à ajouter séquentiellement des unités nucléotidiques à un nucléoside fixé sur un support insoluble. Chaque unité nucléotidique est introduite dans la réaction sous forme de dérivé **nucléoside phosphoamidine**. Les réactifs en excès, et les produits secondaires de la réaction, sont éliminés par filtration après chaque étape. Lorsque l'élongation de la chaîne nucléotidique est terminée, tous les groupements de protection sont éliminés puis la chaîne est libérée du support solide par une hydrolyse finale. Le produit est ensuite purifié par électrophorèse. La Figure 12.32 présente les quatre étapes d'un cycle. La synthèse chimique s'effectue dans la direction $3' \rightarrow 5'$, direction inverse de celle de la synthèse biologique.

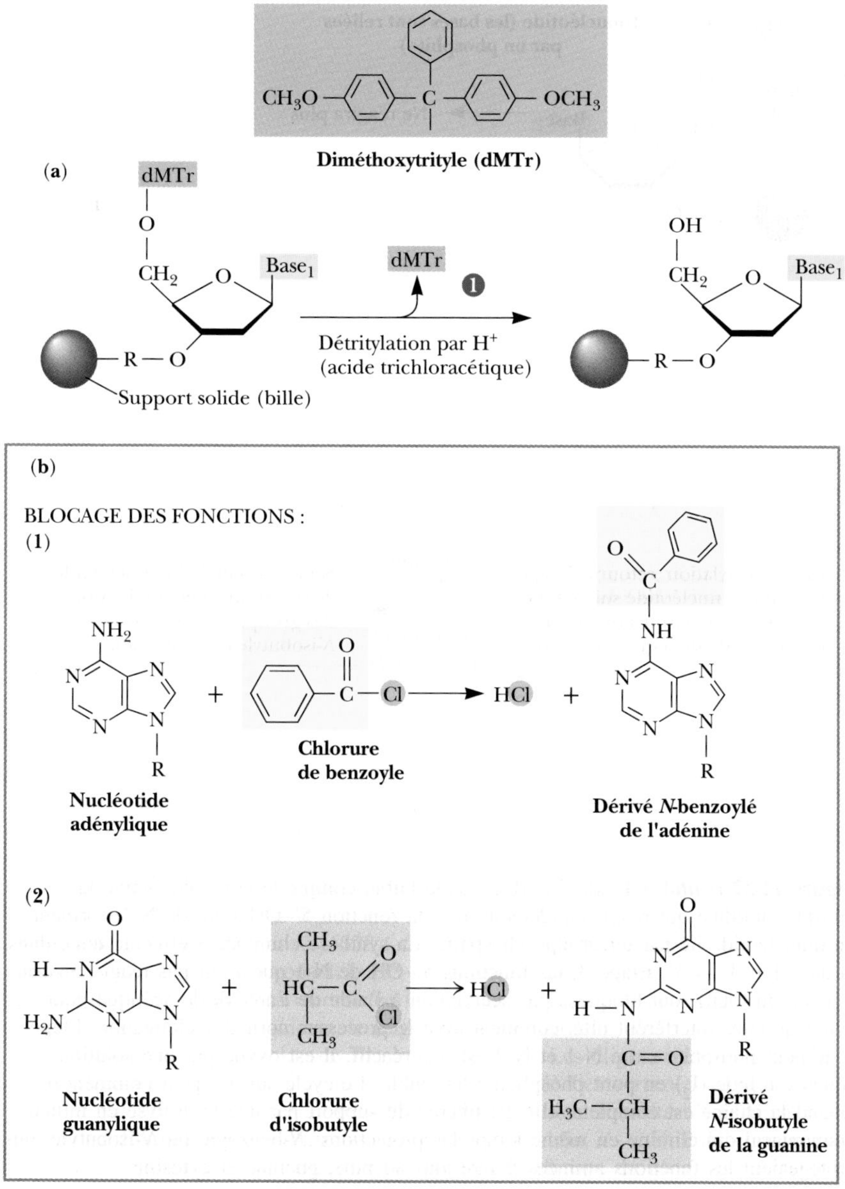

Figure 12.32 • Synthèse des désoxyoligonucléotides en phase solide. Le cycle à quatre étapes débute par la fixation de la première base (N-1), sous forme d'un nucléoside, par son groupe 3′-OH sur un support insoluble. Ce support est une résine inerte, ou matrice, le plus souvent des billes de verre (CPG) dont la taille des pores est contrôlée, ou des billes de silice. (a) Le groupe 5′-OH du nucléoside est protégé par un groupe diméthoxytrityle (dMTr). (b) Si la base contient des fonctions $-NH_2$, réactives, comme dans A, G et C, on utilise son dérivé N-benzoyle ou N-isobutyryle. Étape 1, le groupe de protection dMTr du nucléoside est d'abord éliminé par un traitement à l'acide trichloracétique. Étape 2, c'est l'étape de couplage de la deuxième base (N-2) ajoutée sous forme d'un dérivé phosphoamidine du nucléoside dont le groupe 5′–OH est protégé par un dMTr afin qu'il ne puisse pas réagir sur lui-même (c). *(La Figure continue sur la page suivante.)*

12.7 • Structures secondaires et tertiaires de l'ARN

Les molécules d'ARN sont d'une façon générale constituées d'un unique brin (voir Chapitre 11). Cependant, elles contiennent souvent à l'intérieur de la chaîne des régions sous forme de doubles brins, reliés par des **liaisons hydrogène intracaténaires**. Les brins d'ARN ne peuvent pas avoir la structure de l'ADN-B, l'encombrement stérique provoqué par le groupe 2'-OH ne la permet pas. Par contre la double hélice de l'ARN adopte une conformation voisine de celle de l'ADN-A, avec 11 paires de bases par tour fortement inclinées par rapport au plan perpendiculaire à l'axe de l'hélice (voir Figure 12.13). Les structures secondaires caractéristiques de l'ARNt et de l'ARNr ont cette conformation. On suppose que les molécules d'ARNm peuvent avoir des structures secondaires mais on ignore leur nature. (Les fonctions des ARNt, ARNr et ARNm sont examinées dans la Quatrième partie : Transfert de l'information génétique.)

L'ARN de transfert

Les molécules d'ARNt contiennent de 73 à 94 nucléotides dans une seule chaîne ; la majorité des bases sont reliées entre elles par des liaisons hydrogène. La Figure 12.34 représente la structure caractéristique commune des ARNt. Plusieurs coudes en *épingles à cheveux* mettent en contact des séquences complémentaires de la chaîne, de sorte qu'il se forme localement des segments de double hélice. En faisant apparaître un maximum de liaisons H, l'ensemble de la structure peut ainsi être représenté par une *feuille de trèfle*. Chaque feuille contient quatre parties principales distinctes, soit trois bras terminés par des boucles (**la boucle D**, **la boucle de l'anticodon**, **la boucle TψC**), et un bras terminé par les extrémités 3′ et 5′ de la molécule, **le bras (ou la tige) accepteur**.

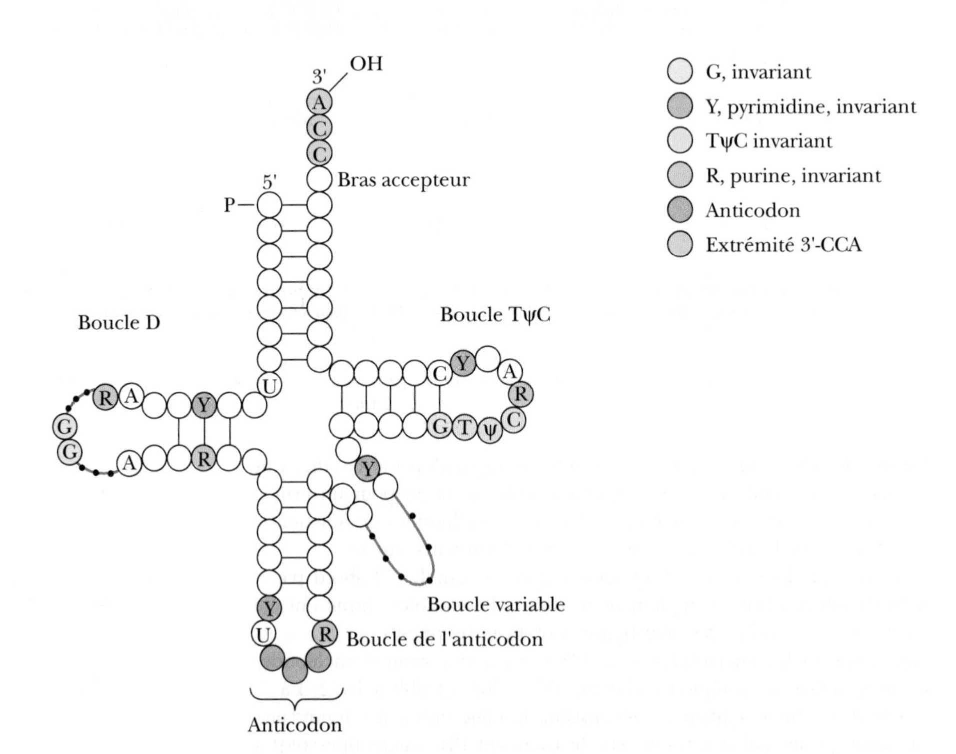

Figure 12.34 • Diagramme général de la structure en trèfle de l'ARNt. Les positions des bases invariantes et de celles qui varient rarement sont colorées. R = purine, Y = pyrimidine. Les dénominations adoptées sont celles qui sont utilisées pour l'$ARNt^{Phe}$. Les points sur les lignes dans la boucle D et dans la boucle variable signalent les sites où le nombre des nucléotides n'est pas le même dans tous les ARNt.

Structure secondaire de l'ARNt

Le bras accepteur lie l'acide aminé pour former un aminoacyl-ARNt dont la fonction physiologique est de servir de donneur d'acide aminé dans la synthèse des protéines. L'acide aminé est fixé sur le nucléotide adénylique terminal de l'extrémité 3′ (Figure 12.35). L'extrémité 3′ des ARNt est invariablement terminée par la séquence CCA-3′-OH. Cette séquence, plus un quatrième nucléotide, s'étend au-delà du segment hélicoïdal du bras accepteur. La *boucle D* contient souvent de la dihydrouridine, ou résidu D (d'où son nom). En plus de la dihydrouridine, tous les ARNt contiennent d'autres bases, non classiques, inosine, thiouridine, pseudouridine et des purines plurimethylées (voir Figure 11.26). La *boucle anticodon* contient un segment hélicoïdal et sept bases non appariées dont trois bases consécutives (un triplet) constituent **l'anticodon**. (L'anticodon est l'unité trinucléotidique qui reconnaît et s'apparie aux trois bases complémentaires d'un ARNm formant le **codon** porteur de l'information génétique). Lu dans le sens 3′→5′, le triplet de l'anticodon est invariablement précédé d'une purine (R), souvent alkylée, et suivi d'un uracile. L'appariement de l'anticodon avec un codon permet de fournir au ribosome, lieu de la synthèse des polypeptides, l'acide aminé porté par un ARNt spécifique. Il s'agit de l'événement clé de la traduction de l'information contenue dans la séquence de l'acide nucléique ; lors de cette étape, un acide aminé approprié est inséré à la bonne place dans la séquence de la protéine synthétisée. Au voisinage de la boucle anticodon, dans le sens 5′→3′, se trouve une boucle, dont le nombre des résidus varie d'ARNt à ARNt, on l'appelle pour cette raison la **boucle variable**. Toujours en suivant dans le même sens, la **boucle TψC** est la dernière boucle des ARNt ; elle contient sept bases non appariées parmi lesquelles la séquence TψC est pratiquement toujours présente (T symbolise la ribothymidine et ψ la **pseudouridine**). Les ribosomes lient les ARNt par l'intermédiaire de cette boucle. Presque tous les résidus invariants communs aux ARNt sont dans les régions dépourvues de liaisons hydrogène de la structure en feuille de trèfle (Figure 12.34). La Figure 12.36 représente la séquence complète des nucléotides de l'ARNt spécifique de l'alanine chez la levure.

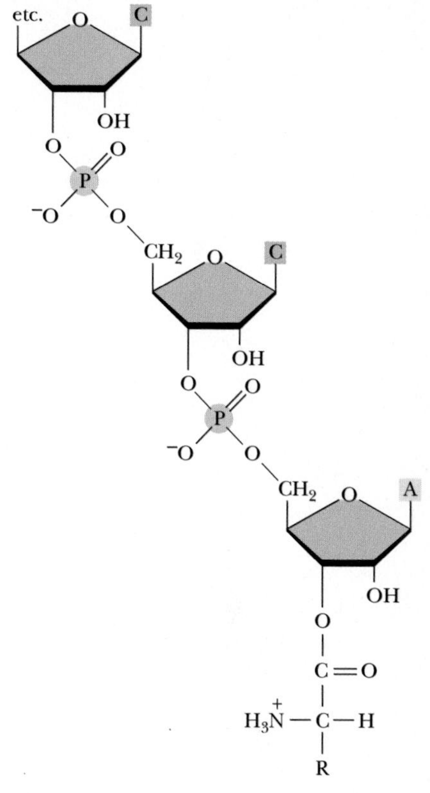

Figure 12.35 • Les acides aminés sont liés, par une liaison carboxyester, à l'extrémité 3′–OH des molécules d'ARNt. Cette liaison se forme entre la fonction α carboxylique de l'acide aminé et le 2′–OH ou le 3′–OH du ribose terminal de l'ARNt.

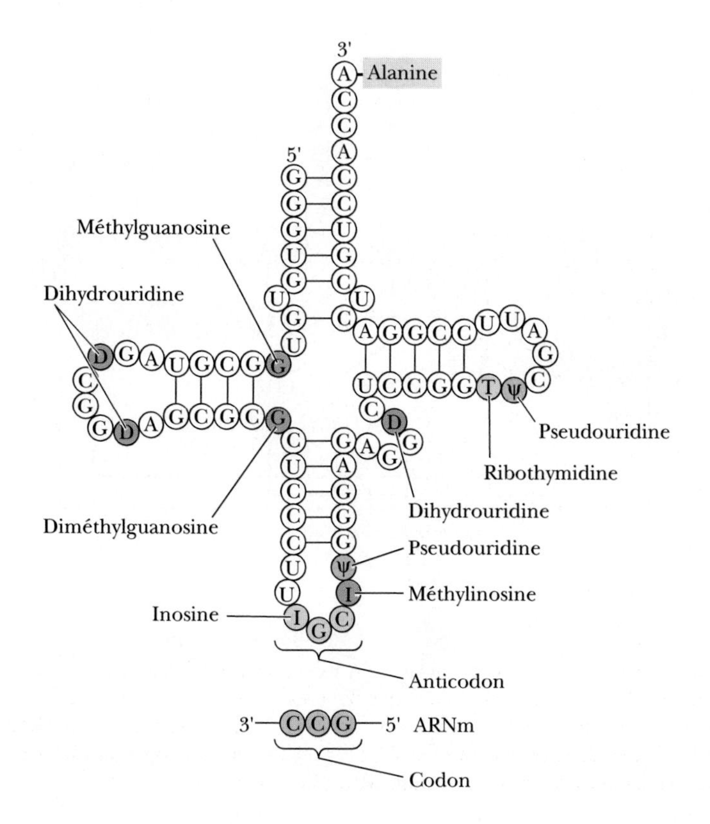

Figure 12.36 • Structure en feuille de trèfle et séquence complète des nucléotides de l'alanyl ARNt de levure.

Structure tertiaire de l'ARNt

Les liaisons hydrogène résultant des interactions entre des bases de la boucle D avec des bases de la boucle TψC et de la boucle variable sont à l'origine de la structure tertiaire des ARNt (Figure 12.37). Elles impliquent des bases invariantes ce qui prouve l'importance de la structure tertiaire pour l'ensemble des propriétés et de la fonction des ARNt. Ces liaisons H replient l'un sur l'autre les bras D et TψC créant la structure tertiaire stable, en forme de L recourbé (Figure 12.38). Plusieurs de ces liaisons impliquent des appariements qui ne sont pas les appariements A:T, G:C, canoniques (Figure 12.38). Le bras accepteur de l'acide aminé est distant d'environ 7 nm de l'anticodon situé à l'extrémité opposée du L. Les boucles D et TψC forment l'angle du L. Dans la conformation L, les bases sont orientées de façon à optimiser les interactions hydrophobes résultant de l'empilement des bases. Cet empilement, par les interactions hydrophobes qu'il permet, est l'un des deux plus importants facteurs contribuant à la stabilisation de la structure en L.

L'ARN ribosomique

Structure secondaire de l'ARNr

Les ribosomes, ces principales structures intracytoplasmiques participant à la synthèse des protéines, sont composés de deux **sous-unités**, une **grande** et une **petite**, et chacune d'elles contient des ARNr (voir Tableau 6.2). Tout brin d'ARNr contient

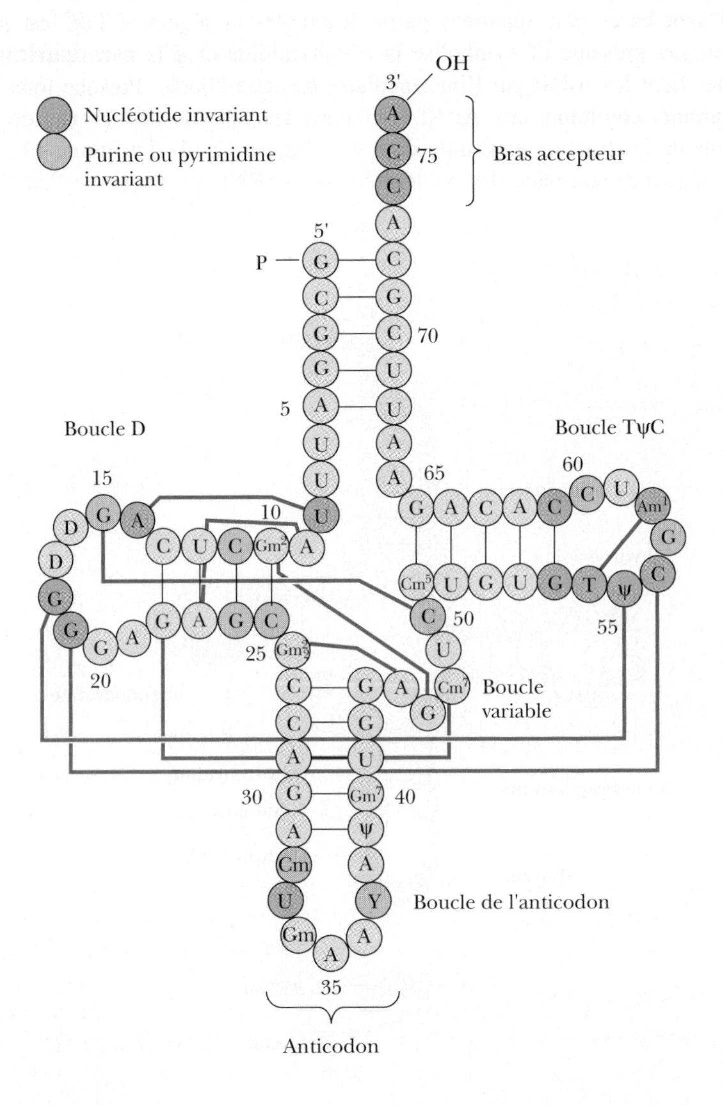

Figure 12.37 • Interactions tertiaires dans la phénylalanine ARNt de levure. La molécule est représentée par sa structure secondaire conventionnelle en feuille de trèfle générée par les liaisons hydrogène intracaténaires. Les traits pleins, en rouge, relient les bases qui établissent entre elles des liaisons hydrogène lorsque la feuille de trèfle se replie pour former la structure tertiaire caractéristique des ARNt (cf. également la Figure 12.36).

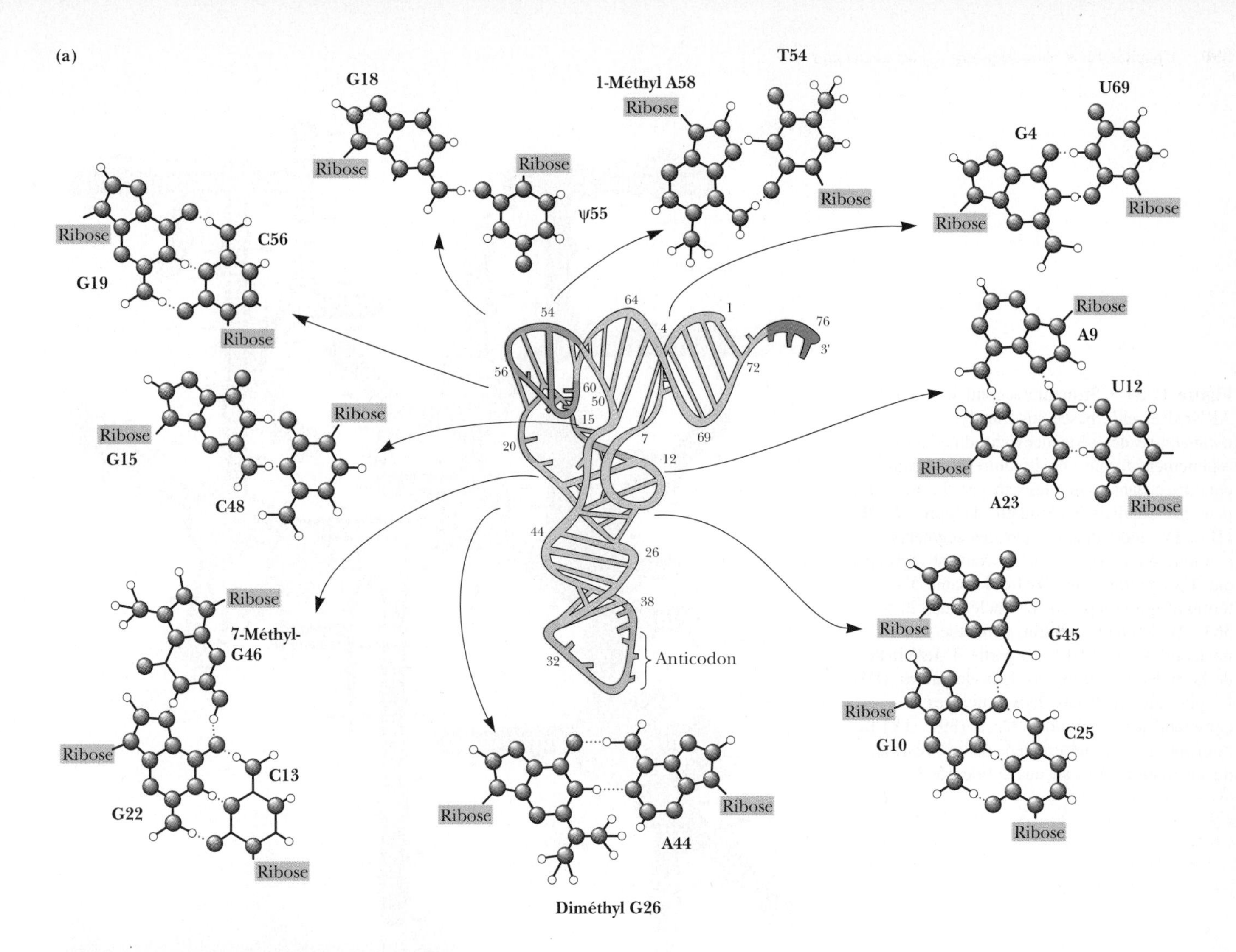

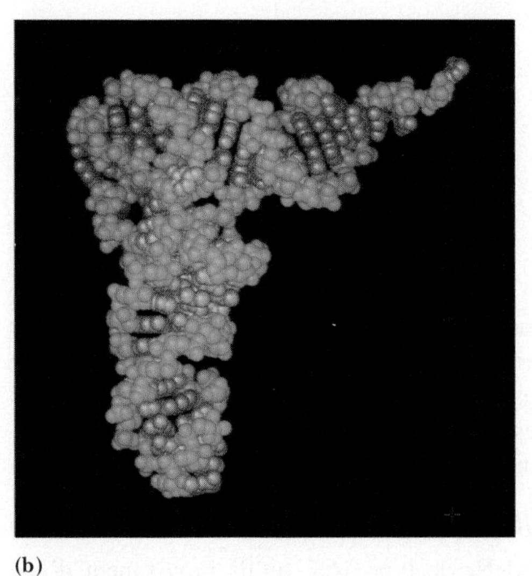

Figure 12.38 • (a) Structure tridimensionnelle de la phénylalanine ARNt de levure cristallisée, déduite des études par diffraction des rayons X. Le reploiement tertiaire est illustré au centre du diagramme, le squelette des riboses phosphates étant représenté par le ruban continu et les liaisons hydrogène par les traits transversaux. Les petites barres non reliées représentent les bases non appariées. La boucle de l'anticodon est en bas et l'extrémité CCA avec le 3′-OH accepteur est en haut a droite (en vert). Autour de la molécule au centre de la figure, divers types de liaisons H qui ne sont pas canoniques mais qui sont observées dans la structure tertiaire. Dans trois des formules éclatées, les liaisons hydrogène impliquent trois bases ; ce type d'interaction contribue à la structure tertiaire des ARNt. (b) Modèle compact de la molécule. *(D'après Kim, S.H., dans Schimmel, P., Söll, D., et Abelson, J.N., eds., 1979.* Transfer RNA : Structure, Properties, and Recognition. *New York : Cold Spring Harbor Laboratory.)*

des successions de *séquences intra-complémentaires*. Ces séquences complémentaires sont à l'origine d'un important reploiement du brin. La structure admise pour le 16S ARNr de la petite sous-unité des ribosomes d'*E. coli* (Figure 12.39) est basée sur l'alignement des séquences de nucléotides permettant un maximum de liaisons H. La validité de cet alignement est vérifiée par l'analyse comparative des structures secondaires déduites des séquences primaires des ARNr de type 16S des autres

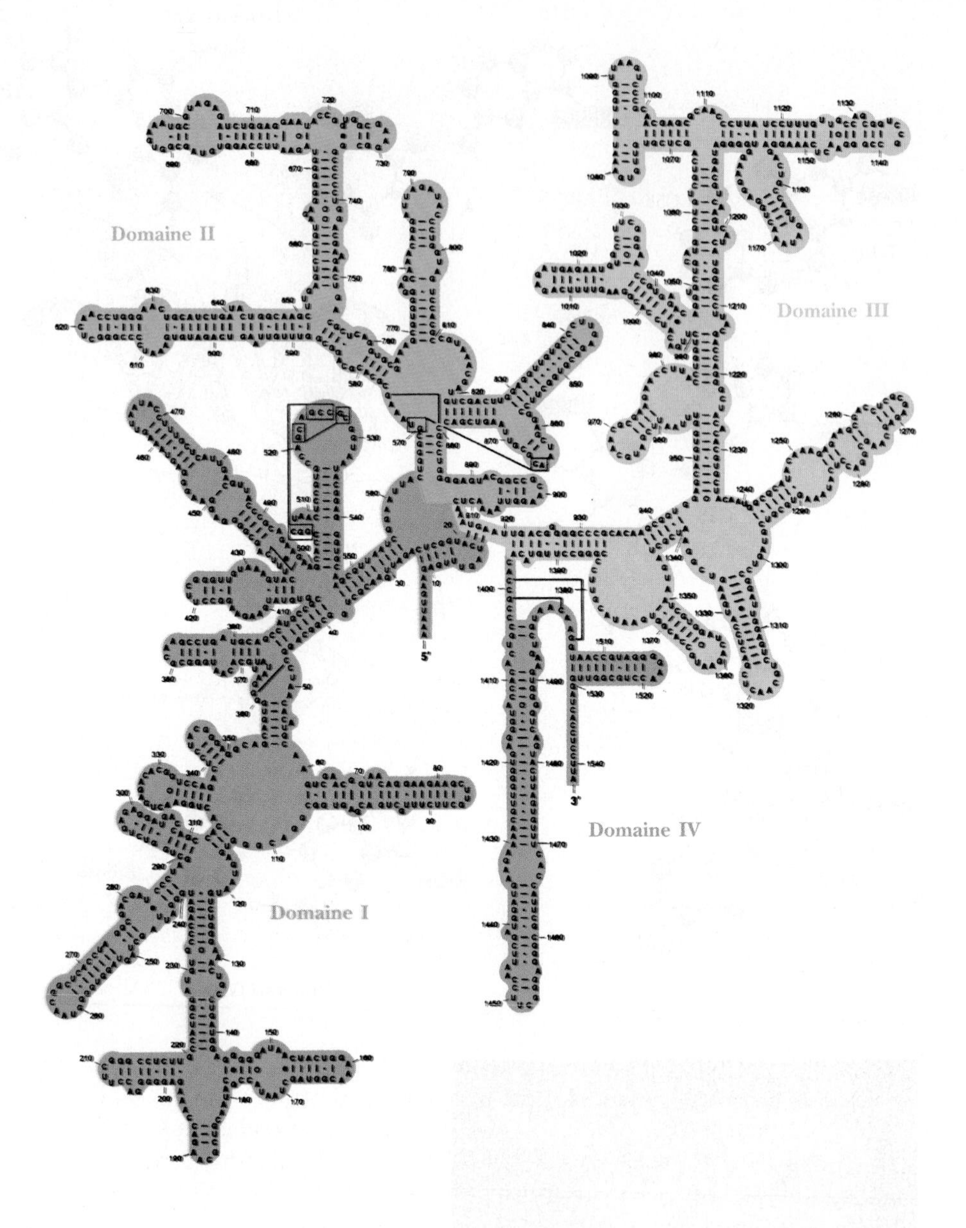

Figure 12.39 • Structure secondaire du 16S ARNr d'*E. coli*, basée sur l'analyse comparative des séquences en admettant que le reploiement forme une structure secondaire conservée dans toutes les espèces. La molécule peut être subdivisée en quatre domaines (**I**, **II**, **III** et **IV**) individualisés par des segments continus de la chaîne qui se trouvent regroupés par des appariements. (**I**) Le domaine 5'-terminal qui comprend les nucléotides 27 à 563. (**II**) Domaine central, constitué par les nucléotides 564 à 912. La partie 3'-terminale de la molécule comprend deux domaines. (**III**) Le plus important des deux domaines comprend les nucléotides 923 à 1391. (**IV**) Le domaine 3'-terminal contient peu de résidus, du nucléotide 1392 au nucléotide 1542.

espèces, et ces structures secondaires semblent bien conservées. Cette approche était fondée sur l'hypothèse que les ARN ribosomiques de toutes les origines ayant une fonction commune dans la synthèse des protéines devaient avoir des caractéristiques structurales communes. La structure est incroyablement riche en segments hélicoïdaux séparés par des boucles contenant des bases non appariées.

Comparaison des ARNr d'espèces différentes

La comparaison phylogénétique des ARNr de type 16S, qu'ils proviennent d'une archaebactérie (*Halobacterium volcanii*), d'une eubactérie (*E. coli*) ou d'un eucaryote (la levure *Saccharomyces*), montre la similitude des structures secondaires (Figure 12.40). Fait remarquable, les structures secondaires sont similaires en dépit de la faible similarité des séquences nucléotidiques de ces ARNr. Apparemment l'évolution conserve la structure secondaire des ARNr, mais non la séquence des nucléotides. Les structures secondaires des ARNr des grandes sous-unités ribosomiques, les ARNr de type 28S et de type 5S, sont elles aussi très reployées et conservées dans les espèces différentes. Une importante conclusion se dégage de la très

(a)
E. coli (une eubactérie)

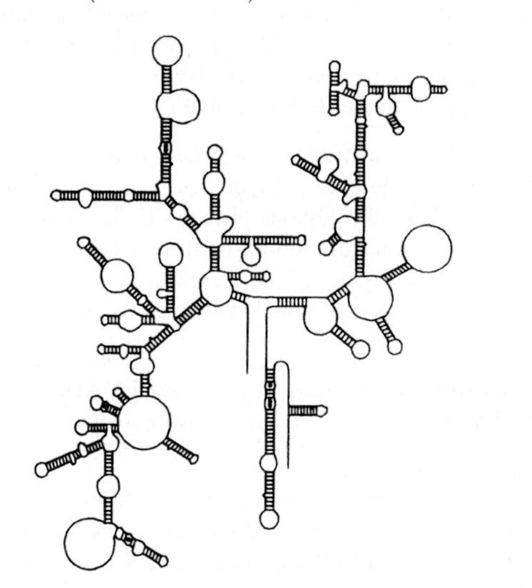

(b)
H. volcanii (une archaebactérie)

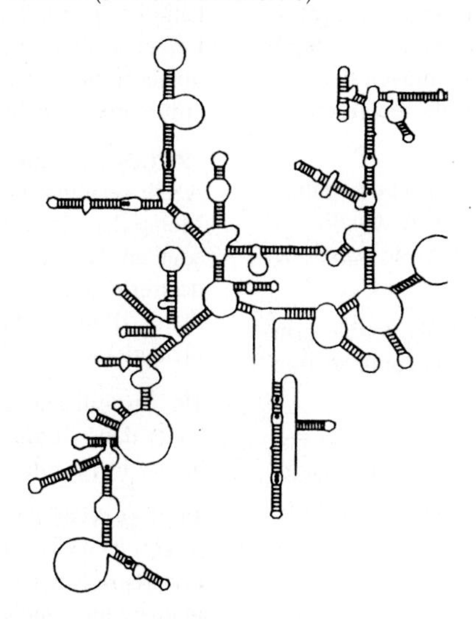

(c)
S. cerevisiae (un eucaryote inférieur, la levure)

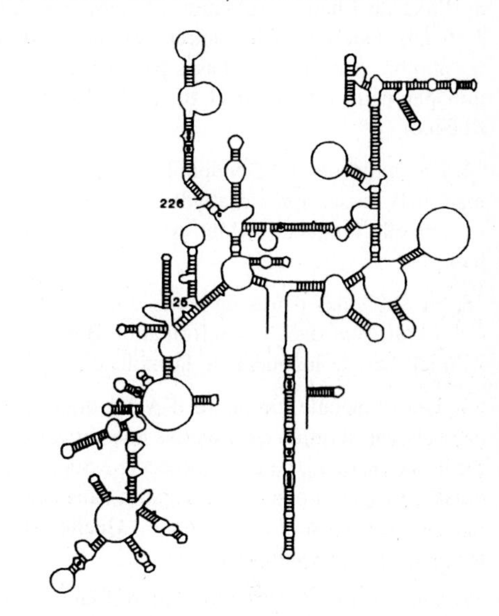

Figure 12.40 • Comparaison phylogénétique des structures secondaires des ARNr de type 16S (a) d'une eubactérie (*E. coli*), (b) d'une archaebactérie (*H. volcanii*), et (c) d'un eucaryote (la levure *S. cerevisiae*).

forte conservation de ces structures secondaires par-delà les milliers de siècles passés depuis la divergence de ces organismes : *tous les ribosomes sont construits, et fonctionnent de la même façon.*

Structure tertiaire des ARNr

En dépit d'une certaine unité dans les motifs des structures secondaires, on ne connaît guère la structure tridimensionnelle, ou structure tertiaire, des ARNr. On en connaît encore moins au sujet des interactions de type quaternaire qui s'établissent entre les protéines du ribosome et ses ARNr ou sur les interactions entre les complexes de ribonucléoprotéines, la petite sous-unité et la grande sous-unité, lorsqu'elles s'assemblent pour former le ribosome. L'attribution d'une fonction à l'une des molécules d'ARNr est encore très approximative et provisoire. (Nous reviendrons sur ce sujet Chapitre 33).

EXERCICES

1. Un oligonucléotide d-ATGCCTGACT est séquencé par la méthode aux didésoxynucléosides triphosphates de Sanger et par la méthode de clivage chimique de Maxam et Gilbert. Les produits sont analysés par électrophorèse en gel de polyacrylamide. Tracer les diagrammes respectifs de la répartition des bandes.

2. Le résultat de l'électrophorèse d'un séquençage d'oligonucléotide par la méthode de Sanger est schématisé sur le diagramme de droite.

Quelle est la séquence du nucléotide analysé ?

Un second échantillon de cet oligonucléotide est marqué au ^{32}P à son extrémité 3'–OH et séquencé par la méthode de clivage chimique de Maxam et Gilbert. Tracer le diagramme des bandes observées sur un autoradiogramme du gel de séquençage.

A	C	G	T

---------			

3. Des études par diffraction des rayons X montrent l'existence d'une nouvelle conformation de la double hélice de l'ADN. ΔZ (allongement de l'axe de l'hélice par paire des bases) = 0,32 nm et P (le pas) = 3,36 nm. Quels sont les autres paramètres de cette nouvelle hélice : (a) nombre des paires de bases par tour, (b) $\Delta\varphi$ (angle moyen de rotation par paire de bases) et (c) c (la distance réelle de répétition de l'hélice) ?

4. Une molécule d'ADN double brin de 41,5 nm de long et de conformation B passe, après déshydratation, en conformation A. Quelle est sa nouvelle longueur ? Quel est le nombre approximatif de paires de bases ?

5. Si 80 % des paires de bases d'une molécule d'ADN double brin (12,5 kpb) sont dans la conformation B et 20 % dans la conformation Z, quelle est la longueur de la molécule ?

6. Une molécule circulaire d'ADN double brin relâché (1.600 pb) est dans une solution qui favorise une structure à 10 pb par tour. Quelle est la valeur de L_0 de cette molécule ? Supposons qu'une gyrase introduise 12 superenroulements négatifs dans cette molécule. Que deviennent les valeurs de L, W, et de T ? Quelle est la densité de superhélicité, σ, de la nouvelle hélice ?

7. Supposons que la conformation d'un tour de la double hélice d'un ADN superhélicoïdal change, de B à Z. Que deviennent les valeurs de L, W, et de T ? Pourquoi supposez-vous que la transition de la forme B vers la forme Z est favorisée par un superenroulement négatif ?

8. L'ADN des eucaryotes contient 200 pb par nucléosome. Combien y a-t-il de nucléosomes dans une cellule humaine diploïde ? On peut considérer qu'un nucléosome a la forme d'un disque de 11 nm de diamètre et de 6 nm d'épaisseur. Si toutes les molécules d'ADN d'une cellule diploïde humaine sont dans la conformation B, quelle est leur longueur totale ? Si, à présent, tout cet ADN est réparti dans des nucléosomes, arrangé en un motif « collier de perles », quelle est approximativement la longueur totale de l'ensemble ?

9. Les structures secondaires caractéristiques des ARNt et des ARNr résultent de la formation de liaisons hydrogène intracaténaires. Même dans les plus petits ARNt, des régions distantes de la séquence sont en interaction quand la molécule adopte la structure en feuille de trèfle. En vous aidant de la Figure 12.34, tracez la structure primaire d'un ARNt et marquez les positions des régions autocomplémentaires.

10. En utilisant les indications du Tableau 11.3, classez les ADN suivants dans l'ordre de l'accroissement des Tm : humain, saumon, blé, levure et *E. coli*.

11. Les ADN de Souris et de Rat ont respectivement des teneurs en (G+C) de 44 et 40 %. Calculez les valeurs de Tm de ces ADN en solution dans NaCl 0,2 *M*. Si des échantillons de ces ADN étaient par inadvertance mélangés, comment pourriez-vous les séparer l'un de l'autre ? Décrivez la procédure et donnez les résultats (un conseil, lisez l'Appendice à ce chapitre).

12. Calculez la densité (ρ) de l'ADN du bacille tuberculeux aviaire à partir des valeurs du Tableau 11.3 et de l'équation ρ = 1.660 + 0,098 (GC), dans laquelle GC représente la fraction molaire de (G+C) dans l'ADN.

LECTURES COMPLÉMENTAIRES

Adams, R.L.P., Knowler, J.T., et Leader, D.P., 1992. *The Biochemistry of the Nucleic Acids*, 11th ed.. London : Chapman and Hall.

Arents, G., et al., 1991. The nucleosome core histone octamer at 3.1 Å resolution : A tripartite protein assembly and a left-hand snperhelix. *Proceedings of the National Academy of Sciences U.S.A.* **88** : 10148-10152.

Axelrod, N., 1996. Of telomeres and tumors. *Nature Medicine* **2** : 158-159.

Callandine, C.R., et Drew, H.R., 1992. *Understanding DNA : The Molecule and How It Works.* London : Academic Press.

Ferretti, L., Karnik, S.S., Khorana, H.G., Nassal, M., et Oprian, D.D., 1986. Total synthesis of a gene for bovine rhodopsin. *Proceedings of the National Academy of Sciences U.S.A.* **83** : 599-603.

Kornberg, A., et Baker, T.A., 1991. *DNA Replication*, 2nd ed. New York :

W.H. Freeman and Co.

Luger, C., et al., 1997. Crystal structure of the nucleosome core particle at 2.8 Å resolution. *Nature* **389** : 251-260.

Noller, H.F., 1984. Structure of the ribosomal RNA. *Annual Review of Biochemistry* **53** : 119-162.

Pienta, K.J., et Coffey, D.S., 1984. A structural analysis of the role of the nuclear matrix and DNA loops in the organization of the nucleus and chromosomes. In Cook, P.R., et Laskey, R.A., eds., Higher Order Structure in the Nucleus. *Journal of Cell Science* Supplement **1** : 123-135.

Rhodes, D., 1997. The nucleosome core all wrapped tip. *Nature* **389** : 231-233.

Rich, A., Nordheim, A., et Wang, A.H.-J., 1984. The chemistry and biology of left-handed Z-DNA. *Annual Review of Biochemistry* **53** : 791-846.

Wand, B.C., et al., 1994. The. octameric histone core of the nucleosome. *Journal of Molecular Biology* **236** : 179-188.

Watson, J.D., Hopkins, N.H., Roberts, J.W., Steitz, J.A., et Weiner, A.M., 1987. *The Molecular Biology of the Gene*, Vol. 1, *General Principles,* 4th ed. Menlo Park, CA : Benjamin/Cummings.

Watson, J.D., ed., 1983. Structures of DNA. *Cold Spring Harbor Symposia on Quantitative Biology*, Volume XLVII. New York : Cold Spring Harbor Laboratory.

Wu, R., 1993. Development of enzyme-based methods for DNA sequence analysis and their application in genome projects. *Methods in Enzymology* **67** : 431-468.

Appendice au Chapitre 12

Centrifugation isopycnique et densité de l'ADN en solution

La centrifugation sur gradient de densité est une variante de l'ultracentrifugation (voir Appendice au Chapitre 5). La centrifugation sur gradient de densité peut être utilisée pour isoler de l'ADN. Les densités des ADN en solution sont très voisines de celles des solutions concentrées de chlorure de césium (1,6 à 1,8 g/ml). La centrifugation de ces solutions de CsCl à très haute vitesse, lorsque la force centrifuge devient 10^5 fois plus élevée que la force d'attraction terrestre, provoque la formation d'un gradient continu de densité à l'intérieur des solutions. Ce gradient résulte d'un équilibre entre la sédimentation des ions de CsCl, vers le fond du tube, et leur diffusion vers les régions moins denses. S'il y a de l'ADN dans la solution, il tendra vers une position d'équilibre dans la zone du gradient correspondant à sa densité en solution (Figure A12.1). Pour cette raison, on dit que cette technique est une **centrifugation isopycnique**.

isopycnique • de même densité

La centrifugation en chlorure de césium est un excellent moyen de purification de l'ADN et d'élimination de l'ARN et des protéines. La densité de l'ADN est légèrement supérieure à 1,7 g/ml, et celle de l'ARN est supérieure à 1,8 g/ml. La densité des protéines est inférieure à 1,3 g/ml. Dans une solution de CsCl de densité appropriée, l'ADN se rassemble dans une bande proche du centre du tube, l'ARN forme un culot au fond et les protéines flottent près de la surface de la solution. L'ADN monobrin est plus dense que l'ADN double brin car l'irrégularité de la structure de l'ADN monobrin, enroulé en pelote statistique, permet un tassement des atomes sous l'influence des forces de Van der Waals. Le volume de la molécule est donc plus compact que celui de la double hélice où les brins ne sont associés que par des liaisons hydrogène.

Le mouvement des particules solubles dans une ultracentrifugation est le résultat de deux effets : de la diffusion (des régions plus concentrées vers les régions moins concentrées) et de la sédimentation due à la force centrifuge (orientée dans la direction opposée au centre de l'axe de rotation). Les vitesses de diffusion sont en général inversement proportionnelles à leur masse moléculaire, les plus grandes molécules diffusent plus lentement que les plus petites. Inversement, la vitesse de sédimentation croît avec l'augmentation de la masse moléculaire. Les macromolécules qui atteignent leur position dans une centrifugation isopycnique forment une bande où elles sont concentrées.

Pour la formation de cette zone de concentration, trois effets principaux influencent le mouvement des molécules : (1) la diffusion vers des régions plus diluées ; (2) la sédimentation des molécules situées juste au-dessus, dans une zone de plus faible densité du gradient de densité ; et (3), le phénomène de flottation (« sédimentation inversée ») des molécules situées juste au-dessous, dans une zone de densité plus élevée du gradient de densité. En conséquences des lois physiques qui régissent ces effets, *la largeur de la bande de concentration des macromolécules est inversement proportionnelle à la racine carrée de sa masse moléculaire.* Une population de grosses macromolécules formera une bande plus étroite qu'une population de macromolécules plus petites. La bande formée par un ADN double brin sera plus étroite que celle qui est formée par le même ADN dissocié en monobrins.

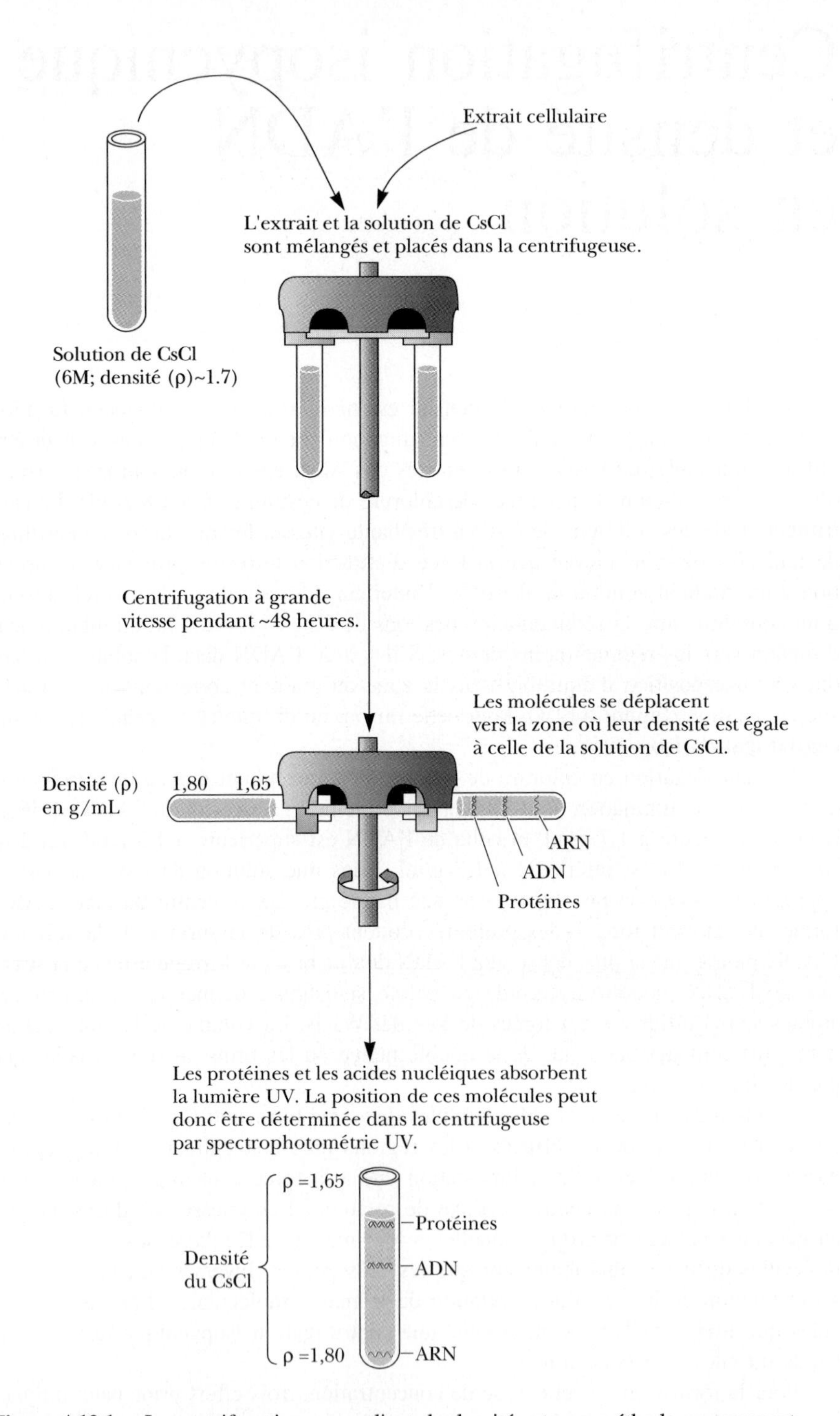

Figure A12.1 • La centrifugation en gradient de densité est une méthode couramment utilisée pour la séparation des macromolécules en solution, particulièrement pour les acides nucléiques. Un extrait cellulaire est mélangé à une solution de chlorure de césium pour obtenir un mélange d'une densité finale proche de 1,7 puis centrifugé à grande vitesse (dans les ultracentrifugeuses de laboratoire, à 40.000 tours par minute, la force centrifuge relative est voisine de 200.000 *g*). Les macromolécules de l'extrait se déplaceront pour atteindre une position d'équilibre dans le gradient correspondant à leur densité en solution (densité de flottation).

Chapitre 13

L'ADN recombinant : clonage et création de gènes chimères

« ...combien de vaines chimères avez-vous créé ?...Allez et prenez place parmi les chercheurs d'or. »

LÉONARD DE VINCI, *Mémoires* (1508-1518), Volume II, Chapitre 25

PLAN

La Chimère d'Arezzo, bronze étrusque du 5e siècle avant notre ère, trouvée près d'Arezzo en 1553 (Toscane, Italie). Les chimères étaient des monstres fabuleux qui hantaient l'imagination des Anciens. Mais la création des molécules d'ADN chimériques relève d'une technologie très réelle qui ouvre de nouveaux espaces à l'investigation scientifique (Scala/Art Resource, Chimères, Musée archéologique de Florence, Italie)

Au début des années 1970, les nouvelles techniques de manipulation des acides nucléiques ont permis la construction de molécules d'ADN composées de séquences provenant d'organismes différents. Les produits de ces innovations, des **molécules d'ADN recombinant** [1] offrent des nouvelles perspectives à l'investigation

[1] L'avènement de la Biologie moléculaire, comme celle de toute nouvelle discipline, a donné naissance à une nouvelle terminologie. L'étude d'un nouveau champ d'activité exige souvent l'acquisition d'un nouveau vocabulaire. Nous verrons bientôt que le sens de certains termes – vecteur, amplification, ou insert – a quelque peu été détourné vers une signification différente pour décrire les étonnantes possibilités de cette nouvelle biologie.

scientifique, tant en biologie moléculaire qu'en génétique, et un nouveau domaine de recherches est apparu, la **technologie de l'ADN recombinant**. Le **Génie génétique** (ou ingénierie génétique) utilise cette technologie pour l'étude des gènes. **L'amplification** de tout fragment d'ADN, quelle que soit son origine, à l'intérieur d'une cellule hôte bactérienne, a rendu possible tous ces progrès, ou, dans le langage de la technologie de l'ADN recombinant, a rendu possible le clonage de tout fragment d'ADN désiré.

amplification • production de multiples copies

13.1 • Le clonage

En biologie traditionnelle, un *clone* est une population d'organismes identiques provenant d'un unique organisme parental. Par exemple, les cellules d'une colonie bactérienne développée sur une boîte de pétri à partir d'une seule cellule sont des clones. La Biologie moléculaire emprunte ce terme pour désigner une collection de molécules ou de cellules toutes identiques à une molécule originale ou à une cellule originale. Si par exemple, la cellule sur la boîte de pétri contenait une molécule d'ADN recombinant sous la forme d'un plasmide, les plasmides contenus dans les millions de bactéries de la colonie représentent un clone de la molécule d'ADN d'origine, ces molécules peuvent ensuite être isolées puis étudiées. De plus, si la molécule d'ADN clonée est un gène (ou une partie d'un gène), c'est-à-dire qu'elle code pour une protéine fonctionnelle, il devient alors possible d'isoler et d'étudier cette protéine. Les techniques de l'ADN recombinant ouvrent réellement de nouvelles perspectives à la biochimie.

Les plasmides

Les plasmides sont des molécules circulaires d'ADN extrachromosomique naturellement présentes dans de nombreuses espèces bactériennes (voir Chapitre 12). Les souches naturelles de la bactérie intestinale, *Escherichia coli,* contiennent différents plasmides. Ces plasmides portent souvent des gènes qui codent pour des activités métaboliques avantageuses pour l'hôte bactérien. Ces activités métaboliques vont du catabolisme d'une substance organique particulière à de nouvelles fonctions métaboliques qui permettent à la cellule hôte de résister à un ou plusieurs antibiotiques, aux métaux lourds ou à un bactériophage. Les plasmides capables de se maintenir dans *E. coli*, la bactérie classique des laboratoires de génétique et de biologie moléculaire, sont devenus les grands favoris de la technologie de l'ADN recombinant. Puisque les endonucléases de restriction permettent de générer des fragments portant des extrémités cohésives, il est possible de construire des plasmides artificiels en joignant différents fragments. Ces plasmides artificiels ont été parmi les toutes premières molécules d'ADN recombinant. Aussi longtemps qu'elles possèdent un site signalant où la réplication de l'ADN peut commencer (ce qu'on appelle **l'origine de la réplication** ou la séquence *ori*), ces molécules recombinantes se répliquent de façon autonome et peuvent se propager dans une cellule hôte appropriée.

ligature • formation d'une liaison entre deux extrémités (raboutage)

Les plasmides, vecteurs de clonage

Un jour, l'idée est venue qu'une séquence d'un ADN « étranger » pourrait être insérée dans un plasmide et que cette séquence étrangère pourrait ainsi être introduite dans *E.coli* où elle se multiplierait avec le plasmide. Le plasmide servirait de **vecteur de clonage** des gènes. (Le mot *vecteur* a ici le sens de transporteur). Les plasmides utilisables pour le clonage possèdent trois caractéristiques communes : un **site de réplication**, un ou plusieurs **marqueurs de sélection** et un ou plusieurs **sites de clonage** (Figure 13.1). Le *site de réplication* est l'origine de la réplication (ou site *ori*). Le *marqueur de sélection* est classiquement un gène conférant une résistance à un antibiotique. Seules les cellules contenant le vecteur de clonage pourront se multiplier en présence de l'antibiotique. Donc la croissance sur un milieu contenant l'antibiotique *sélectionne* les cellules qui contiennent le plasmide. Le *site de*

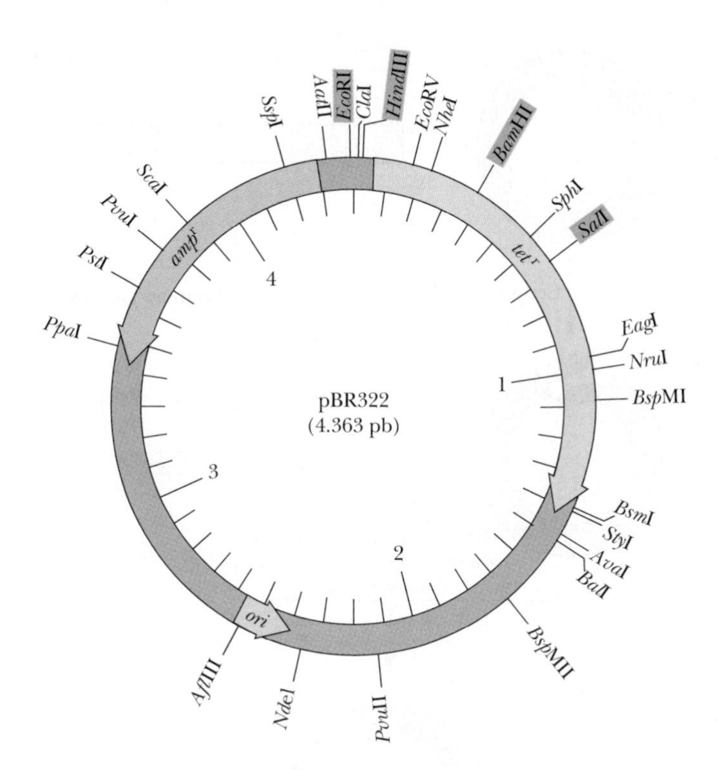

Figure 13.1 • Le plasmide *pBR322*, un des premiers vecteurs de clonage largement utilisé. Ce plasmide de 4363 pb contient une origine de réplication (*ori)* et des gènes de résistance à l'ampicilline (*amp'*) et à la tétracycline (*tet'*). Les emplacements des sites de coupure par les enzymes de restriction sont signalés.

clonage est une séquence de nucléotides pouvant être clivée par un ou plusieurs enzymes de restriction. Les sites de clonage se trouvent à un endroit de la séquence où l'introduction d'un ADN étranger ne supprime ni la capacité du plasmide à se répliquer ni n'inactive un marqueur essentiel.

En principe, toute séquence d'ADN peut être clonée

Le clivage enzymatique d'un site de restriction ouvre, *linéarise,* un plasmide circulaire de sorte qu'il devient possible d'insérer un fragment d'ADN étranger. Les extrémités du plasmide linéarisé s'associent aux extrémités du fragment étranger ce qui reconstitue le complexe bicaténaire circulaire et crée un plasmide recombinant (Figure 13.2). Des **plasmides recombinants** sont des molécules d'ADN hybrides, circulaires, contenant la séquence d'ADN des plasmides, plus un fragment d'ADN étranger inséré (appelé *l'insert*). Ces molécules hybrides sont aussi appelées des **constructions chimériques** ou **des plasmides chimères**. (*Chimère,* terme emprunté à la mythologie, c'était le nom d'un monstre qui avait la tête et le poitrail d'un lion, le corps d'une chèvre et la queue d'un dragon, et qui crachait des flammes). La présence de l'ADN étranger ne perturbe pas trop la réplication du plasmide, un plasmide chimère se propage dans les bactéries tout comme le plasmide naturel. Chaque cellule bactérienne contient souvent des centaines de copies des vecteurs de clonage habituels. Il est donc facile, à partir d'une culture de bactéries, de récupérer de grandes quantités d'ADN de la séquence clonée. L'extraordinaire pouvoir de la technologie de l'ADN recombinant provient en partie du fait que *pratiquement toute séquence d'ADN peut être sélectivement clonée et amplifiée de cette manière*. Quelques séquences résistent au clonage, celles des répétitions de séquences inversées, des origines de réplication, des centromères et des télomères. La seule limitation pratique provient de la taille du segment d'ADN étranger : la plupart des plasmides contenant des inserts d'environ 10 kpb ne peuvent pratiquement plus se répliquer.

Les bactéries peuvent contenir une ou de nombreuses copies d'un plasmide particulier ; cela dépend de la nature de l'origine de réplication. On classe les plasmides en deux groupes principaux, ceux à *grand nombre de copies* et ceux à *faible nombre de copies*. Le nombre des copies de la plupart des plasmides construits par recombinaison est généralement élevé (autour de 200), pour d'autres plasmides ce nombre est plus faible.

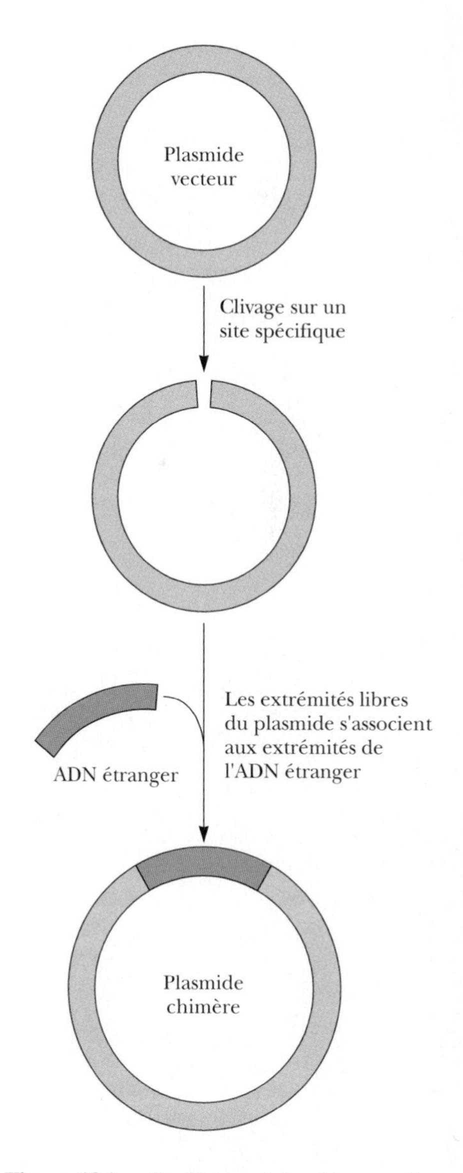

Figure 13.2 • Un fragment de séquence d'un ADN étranger est inséré dans le vecteur, après ouverture du plasmide circulaire par un enzyme de restriction. Les extrémités de l'ADN plasmidique linéarisé s'associent par hybridation à celles de l'ADN étranger, puis le cercle est refermé par ligature pour créer le plasmide chimère.

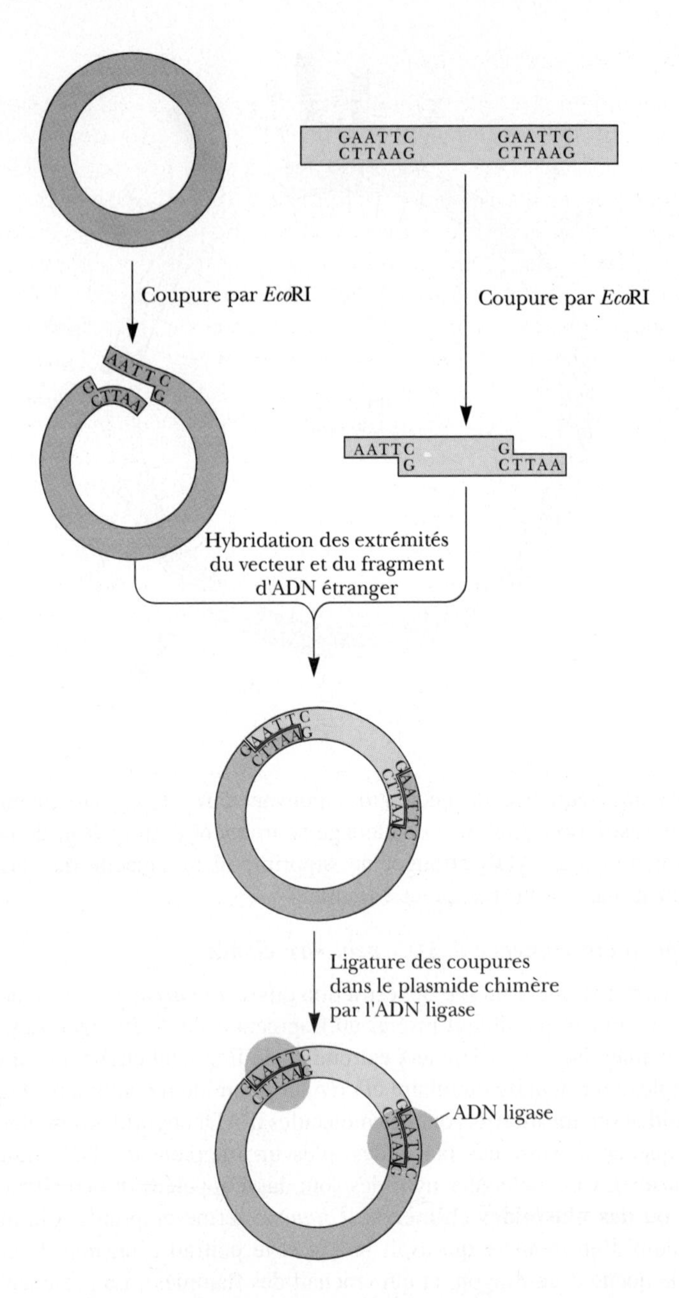

Figure 13.3 • L'endonucléase de restriction *Eco*RI clive l'ADN double brin. Le site de reconnaissance d'*Eco*RI est la séquence hexamérique GAATTC :

5′ . . . NpNpNpNp**GpApApTpTpC**pNpNpNpNp . . . 3′
3′ . . . NpNpNpNp**CpTpTpApApG**pNpNpNpNp . . . 5′

La coupure a lieu après le G sur chacun des brins, la coupure décalée donne des extrémités 5′ à bout dépassant monocaténaire (des extrémités cohésives) :

5′ . . . NpNpNpNp**G**   **pApApTpTpC**pNpNpNpNp . . . 3′
3′ . . . NpNpNpNp**CpTpTpApAp**   **G**pNpNpNpNp . . . 5′

Un fragment de restriction *Eco*RI provenant d'un ADN étranger peut être inséré dans un plasmide ayant un site de clonage *Eco*RI. (a) Le site est coupé par *Eco*RI, (b) le plasmide linéarisé est hybridé avec le fragment *Eco*RI d'ADN étranger, puis (c) les extrémités sont raboutées par l'ADN ligase.

Construction d'un plasmide chimère

La construction d'un plasmide chimère exige la ligature (par des liaisons covalentes) de l'ADN de l'insert aux extrémités du plasmide linéarisé (Figure 13.2). Cette ligature est facilitée si les extrémités de l'insert et du plasmide sont terminées par des courtes séquences monocaténaires complémentaires. Les bases de ces extrémités peuvent alors s'hybrider, ce qui permet la reconstitution d'une unique molécule circulaire. La façon la plus simple d'obtenir ces extrémités est d'utiliser des enzymes de restriction qui clivent les séquences en créant des extrémités décalées, cohésives. De très nombreux enzymes de ce type sont commercialisés (Tableau 11.5). Par exemple, si la séquence à insérer est un fragment obtenu avec *Eco*RI et si le plasmide est ouvert par *Eco*RI, les extrémités monobrins des deux ADN s'hybrideront très facilement (Figure 13.3). La ligature des squelettes oses phosphates des deux ADN s'effectue ensuite à l'aide d'une ADN ligase, elle aboutit à la formation d'un plasmide chimère circulaire, clos (fermé par des liaisons covalentes). L'ADN ligase est un enzyme qui catalyse la formation d'une liaison phosphodiester covalente entre deux groupes, 3′-OH et 5′-phosphate, adjacents. Un inconvénient de la méthode décrite est que *toute paire d'extrémités cohésives* créées par un enzyme de restriction peut s'associer et se circulariser. Le plasmide peut donc se reconstituer sans insert et les fragments se refermer sur eux-mêmes. Il est possible d'éliminer ces ADN inutiles par diverses approches de sélection qui permettent d'identifier les bactéries qui contiennent des plasmides chimères.

Il existe une autre méthode pour réunir des séquences d'ADN, celle de la *ligature de bouts francs*. Cette méthode est fondée sur la capacité de **l'ADN ligase du phage T4** de lier de façon covalente les extrémités de deux molécules d'ADN même si elles ne sont pas cohésives, plus précisément si elles n'ont pas d'extrémités 3′ ou 5′ monocaténaires complémentaires (Figure 13.4). Quelques enzymes de restriction clivent l'ADN en donnant deux extrémités avec des bouts francs (voir Tableau 11.5). Il n'y a alors aucun moyen de savoir comment les molécules d'ADN à bouts francs seront associées par la ligase de T4, il faut donc impérativement disposer de méthodes permettant d'identifier le plasmide désiré.

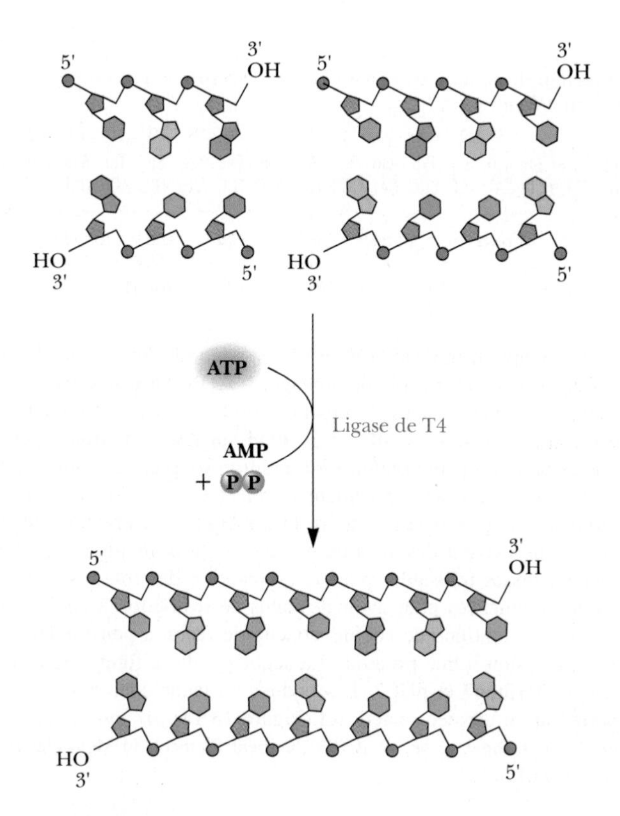

Figure 13.4 • Ligature de bouts francs par l'ADN ligase du phage T4, qui catalyse la réaction en présence d'ATP. L'énergie nécessaire à la réaction provient de l'hydrolyse de l'ATP en AMP et PP_i.

À côté de ces deux grandes méthodes de base, il existe de nombreuses variations. Dans tous les ADN on peut introduire par la méthode utilisant les bouts francs des petits oligonucléotides bicaténaires ne contenant guère que la séquence d'un site de restriction. On appelle ces petites séquences d'ADN **des *linkers***. Il devient alors possible de cliver l'ADN avec des enzymes de restriction qui donnent « sur mesure » les extrémités souhaitées (Figure 13.5). On peut encore introduire dans les vecteurs une séquence de nucléotides contenant les sites de plusieurs enzymes de restriction, on appelle ces séquences des ***polylinkers***.

Promoteurs et clonage à orientation imposée

Dans les exemples précédents, l'orientation des fragments introduits dans le plasmide hybride s'effectue au hasard. Il est parfois nécessaire d'imposer une orientation. Si l'on souhaite que l'insert (un gène par exemple) soit introduit dans le vecteur de façon à être exprimé, c'est-à-dire que le produit du gène soit synthétisé, il faut pour cela que l'insert soit introduit en aval d'un **promoteur**. Un promoteur est

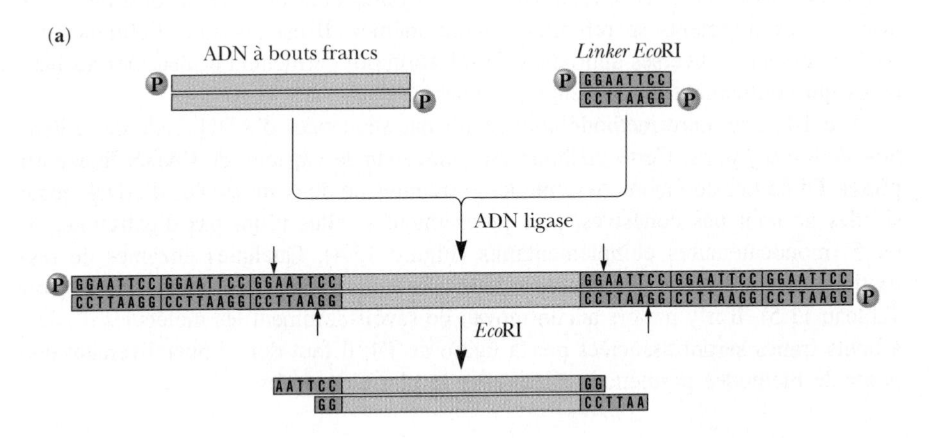

(b) Site d'un vecteur de clonage contenant un site de restriction à choix multiples (un *polylinker*).

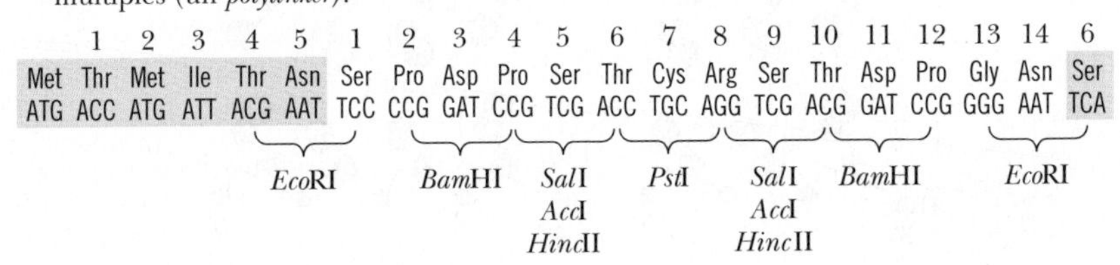

Figure 13.5 • (a) Exemple d'utilisation d'un oligonucléotide *linker* pour la création d'extrémités désirées sur les fragments de clonage. L'ADN est coupé par un enzyme de restriction qui donne des bouts francs. L'oligonucléotide de synthèse dont la séquence porte le site de reconnaissance de *Eco*RI est ligaturé sur les bouts francs par l'ADN ligase de T4. Notez que la réaction peut conduire à l'addition de plusieurs oligonucléotides aux deux extrémités de l'ADN qui peut également se refermer sur lui-même. Une digestion par *Eco*RI élimine tous les sites en excès, il ne reste plus que les extrémités cohésives. (b) Les vecteurs de clonage ont souvent des sites de clonage à choix multiples, ce qui ouvre l'éventail des endonucléases utilisables pour la préparation des fragments de « restriction ». Les oligonucléotides synthétisés pour avoir des sites de restriction à choix multiples ont également une séquence continue de codons conçue de façon à pouvoir être éventuellement traduite lors de l'expression d'une protéine. La séquence de la figure est celle des sites de clonage des vecteurs M13mp7 et pUC7. Les codons en jaune sont contigus à la séquence du gène *lacZ* porté par ce dernier vecteur (cf. Figure 13.18). *(D'après la Figure 3.16.3 pour (a) et 1.14.2 pour (b), in Ausubel, F. M., et al 1987,* Current Protocols in Molecular Biology. *New York : John Wiley & Sons.)*

une région de l'ADN en amont d'un gène qui joue un rôle dans l'expression du gène. L'ARN polymérase reconnaît spécifiquement et se lie à cette région, permettant ainsi l'initiation de la transcription des gènes adjacents, la copie de l'ADN en ARN. La meilleure façon d'introduire un insert correctement orienté, d'obtenir un **clonage directionnel**, est d'utiliser des ADN dont les extrémités cohésives ont été créées par des enzymes de restriction différents. L'hybridation de l'insert dans le vecteur ne peut avoir lieu que dans une seule orientation (Figure 13.6).

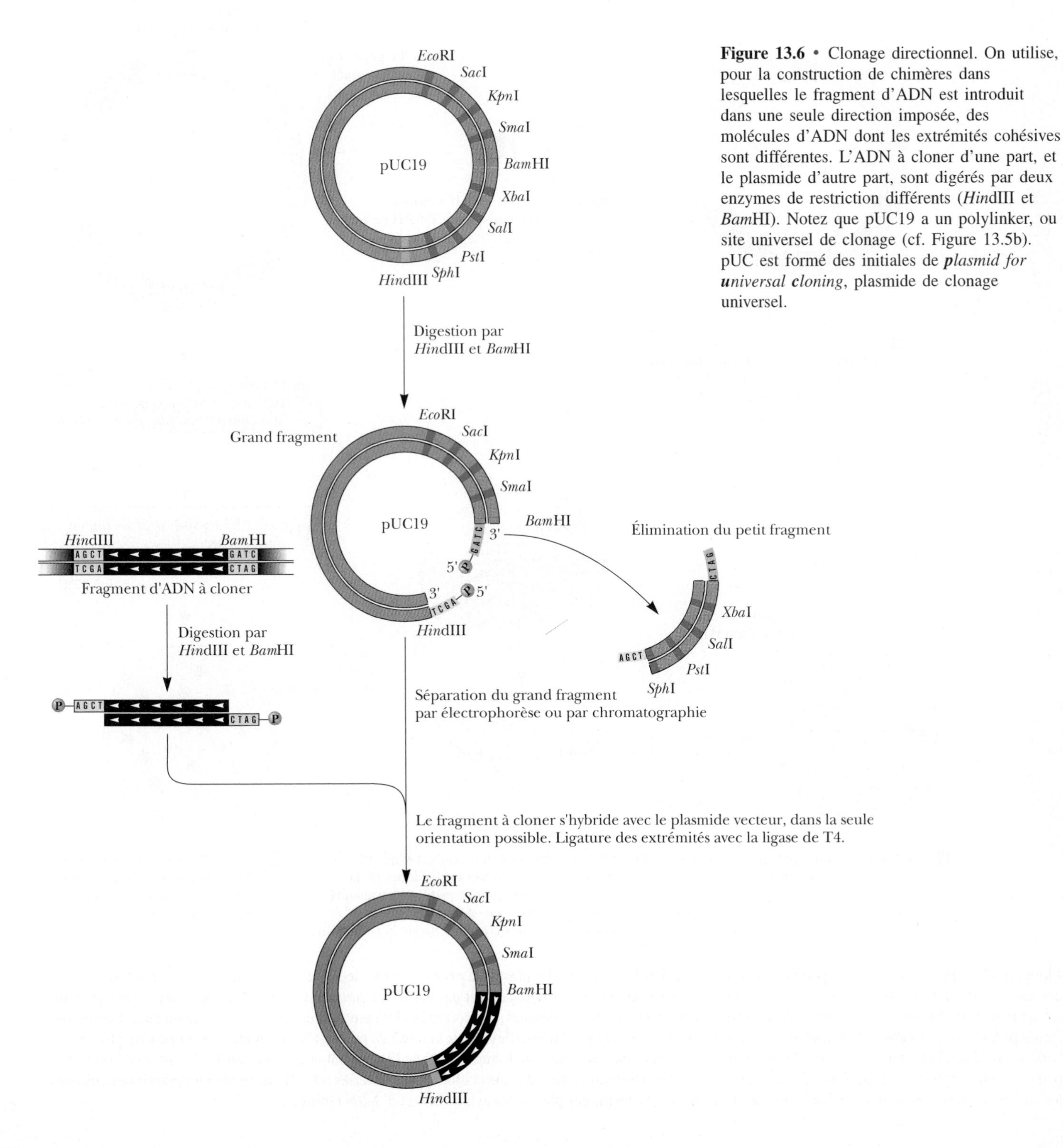

Figure 13.6 • Clonage directionnel. On utilise, pour la construction de chimères dans lesquelles le fragment d'ADN est introduit dans une seule direction imposée, des molécules d'ADN dont les extrémités cohésives sont différentes. L'ADN à cloner d'une part, et le plasmide d'autre part, sont digérés par deux enzymes de restriction différents (*Hin*dIII et *Bam*HI). Notez que pUC19 a un polylinker, ou site universel de clonage (cf. Figure 13.5b). pUC est formé des initiales de ***p**lasmid for **u**niversal **c**loning*, plasmide de clonage universel.

Propriétés biologiques des plasmides chimères

En assemblant *in vitro* des fragments provenant de plusieurs plasmides, Stanley Cohen, Annie Chang, Herbert Boyer et Robert Helling ont construit, en 1973, les premières molécules chimères biologiquement fonctionnelles. Ces plasmides ont ensuite été utilisés pour **transformer** des cellules d'*E. coli* (*transformation* signifie à la fois l'introduction d'un ADN exogène dans une cellule et les conséquences de cette introduction (Chapitre 29). Les cellules bactériennes sont préalablement « sensibilisées », rendues

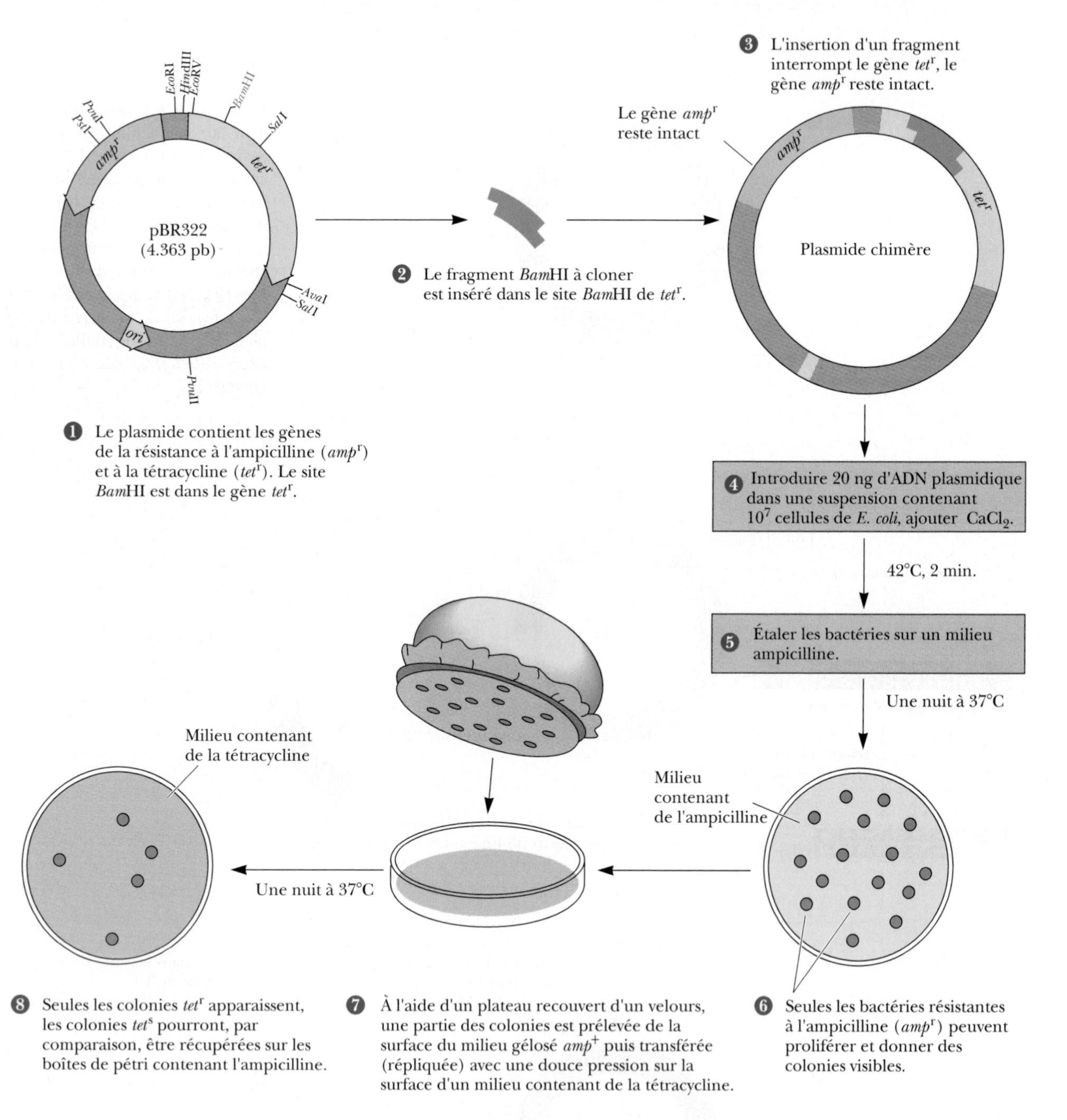
PvuI
PstI
EcoRI
HindIII
EcoRV
BamHI
SalI
ampr
tetr
pBR322
(4.363 pb)
AvaI
SalI
ori
PvuII
1 Le plasmide contient les gènes de la résistance à l'ampicilline (ampr) et à la tétracycline (tetr). Le site BamHI est dans le gène tetr.
2 Le fragment BamHI à cloner est inséré dans le site BamHI de tetr.
3 L'insertion d'un fragment interrompt le gène tetr, le gène ampr reste intact.
Le gène ampr reste intact
Plasmide chimère
4 Introduire 20 ng d'ADN plasmidique dans une suspension contenant 10^7 cellules de E. coli, ajouter CaCl2.
42°C, 2 min.
5 Étaler les bactéries sur un milieu ampicilline.
Une nuit à 37°C
Milieu contenant de l'ampicilline
Milieu contenant de la tétracycline
Une nuit à 37°C
8 Seules les colonies tetr apparaissent, les colonies tets pourront, par comparaison, être récupérées sur les boîtes de pétri contenant l'ampicilline.
7 À l'aide d'un plateau recouvert d'un velours, une partie des colonies est prélevée de la surface du milieu gélosé amp+ puis transférée (répliquée) avec une douce pression sur la surface d'un milieu contenant de la tétracycline.
6 Seules les bactéries résistantes à l'ampicilline (ampr) peuvent proliférer et donner des colonies visibles.

Figure 13.7 • Protocole d'une expérience de transformation bactérienne. Le plasmide pBR322 est ici le vecteur de clonage; (1) Coupure de pBR322 par un enzyme de restriction, *Bam*HI, puis (2) hybridation et ligature de l'insert produit par le clivage *Bam*HI d'un ADN quelconque, ce qui produit (3) un plasmide chimère. (4) Ce plasmide est utilisé pour transformer des cellules d'*E.coli* préalablement traitées par Ca^{2+} et par un choc thermique. La suspension bactérienne est ensuite étalée sur un milieu contenant de l'ampicilline, puis la boîte de pétri est mise en incubation pendant 14-16 heures, en général une nuit, à 37°. (6) Après ce temps, les colonies *amp*^{r} sont nettement visibles. (7) Les colonies sont transférées sur une boîte de pétri, le milieu contenant cette fois de la tétracycline qui permettra de différencier les colonies de bactéries *tet*^{r} (8) qui se développeront des colonies *tet*^{s} qui ne se développeront pas. Seules les bactéries *tet*^{s} contiennent des plasmides ayant l'insert d'ADN étranger.

perméables à l'ADN, par un traitement par Ca^{2+} et par un choc thermique à 42 °C de courte durée. On dit que les cellules sont devenues *compétentes*. Moins de 0,1 % des cellules traitées deviennent compétentes pour la transformation mais les bactéries transformées seront sélectionnées par leur résistance à un antibiotique (Figure 13.7). Il faut donc que les propriétés biologiques des plasmides chimères se manifestent sous au moins deux aspects : la stabilité de leur réplication dans la cellule hôte et l'expression du gène marqueur, le gène de la résistance à un antibiotique.

Les plasmides construits pour être utilisés comme vecteurs de clonage sont généralement de petite taille, de 2,5 à 10 kpb, afin que la taille de l'insert soit la plus grande possible. Ces plasmides ont une unique origine de réplication de sorte que le temps nécessaire pour un cycle complet de réplication dépend de la taille du plasmide. La pression de sélection naturelle qui s'exerce dans une culture de bactéries favorise la tendance des plasmides à perdre les « gènes » non essentiels, elle favorise donc les plasmides qui ont perdu l'insert. Cette élimination naturelle des inserts peut sérieusement affecter les résultats expérimentaux. La limite supérieure pour la taille d'un insert dans un plasmide ne dépasse pas 10 kpb, or beaucoup de gènes d'eucaryote dépassent cette taille.

L'ADN du phage λ, comme vecteur de clonage

Le génome du bactériophage λ (lambda) est une molécule d'ADN linéaire de 48,5 kpb empaquetée (encapsidée) dans la tête du phage (Figure 13.8). L'infection phagique et la réplication du phage ne dépendent pas de la présence de la partie centrale du génome, environ un tiers de sa longueur. On utilise cette particularité pour construire des vecteurs de clonage dans lesquels il est possible d'insérer de grands fragments d'ADN étranger, jusqu'à 16 kpb, sans gêner la formation de particules virales fonctionnelles. La construction du vecteur passe par l'empaquetage *in vitro* de l'ADN chimère dans des têtes de phage ; têtes et queues de phage sont ensuite assemblées pour reconstituer des particules phagiques infectieuses. Les bactéries infectées par ces phages recombinants produisent de très nombreux nouveaux phages avant d'être lysées ; il est ensuite possible de récupérer d'importantes quantités d'ADN recombinant à partir du lysat.

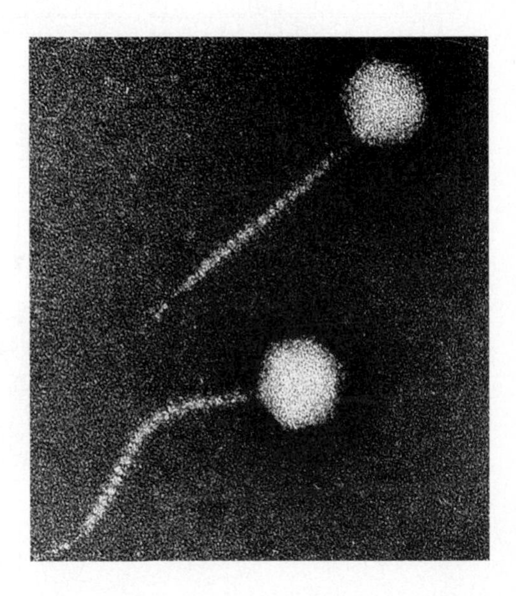

Figure 13.8 • Micrographie électronique du bactériophage λ. *(Robley C. Williams, Université de Californie/BPS)*

Les cosmides

Les exigences pour encapsider de l'ADN recombinant dans les têtes du phage λ sont assez réduites ce qui a permis l'élaboration de systèmes d'empaquetage à partir des deux extrémités du phage. Il faut que l'ADN recombinant possède une séquence *cos* de 14 pb à ses deux extrémités (*cos* vient de **co**hesive end **s**ite, site terminal cohésif). Ces séquences doivent être séparées par au moins 36 kpb et au plus par 51 kpb. Pratiquement tout ADN qui remplit ces exigences peut être encapsidé et assemblé avec les protéines de la queue pour reconstituer une particule infectieuse. Pour faciliter les manipulations et la sélection des cellules transformées, on ajoute généralement d'autres caractéristiques : un site *ori*, un ou plusieurs marqueurs de sélection et des polylinkers à proximité des séquences *cos*. On a ainsi créé des ***cosmides,*** vecteurs capables de recevoir des inserts d'environ 40 kpb, en introduisant des séquences *cos* de part et d'autre des sites de clonage de divers plasmides (Figure 13.9). Ces cosmides étant dépourvus de certains des gènes essentiels du phage se multiplient dans la bactérie hôte comme des plasmides.

Les vecteurs navettes

Les **vecteurs navettes** sont des plasmides capables de se multiplier dans deux organismes différents, en général dans un procaryote (*E. coli*) et dans un eucaryote (levure). Les vecteurs navettes contiennent une origine de réplication spécifique pour chacun de ces organismes et des marqueurs de sélection également spécifiques pour chacun des hôtes transformés (Figure 13.10). Un des avantages de ces vecteurs navettes est qu'ils permettent de cloner des gènes d'eucaryotes dans une bactérie et d'étudier l'expression de ces gènes dans un eucaryote.

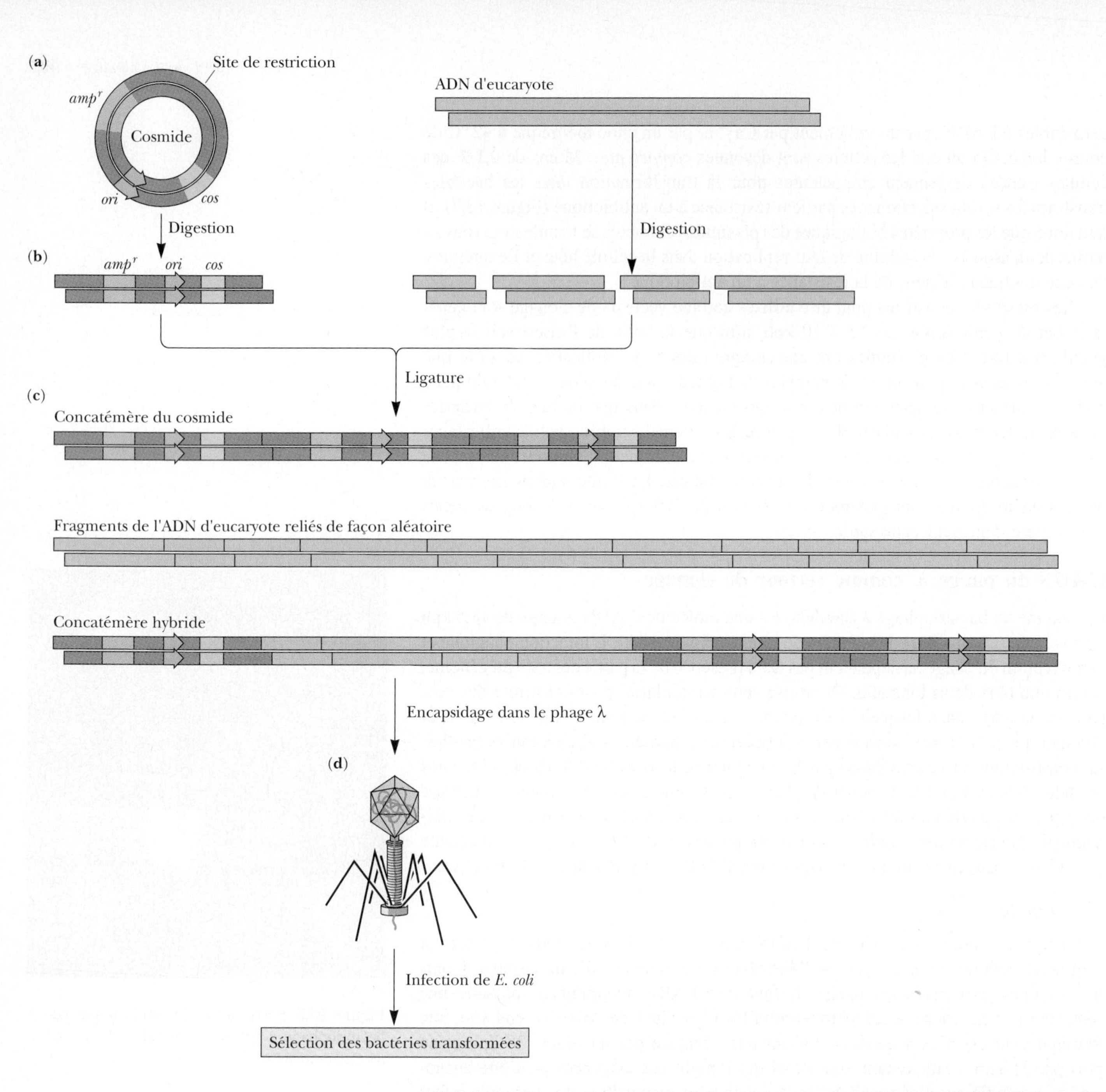

Figure 13.9 • Vecteurs cosmides pour le clonage de grands fragments d'ADN. (a) Ces vecteurs sont des plasmides qui contiennent un marqueur de sélection, par exemple *amp*^{r}, une origine de réplication (*ori*), un polylinker permettant l'insertion d'un fragment d'ADN et (b) une séquence *cos*. Le plasmide et l'ADN à cloner sont clivés par le même enzyme de restriction, puis les ADN sont ligaturés. (c) La réaction catalysée par la ligase aboutit à la formation d'hybrides concatémères, molécules dans lesquelles plusieurs exemplaires des séquences plasmidiques et de l'ADN à cloner sont reliées, sans ordre déterminé. L'extrait du phage λ qui permet l'encapsidage contient un enzyme de restriction qui reconnaît et clive les séquences *cos*. (d) Les molécules d'ADN ayant la taille appropriée (36 à 51 kpb) sont empaquetées dans les têtes de phage et la particule infectieuse se forme. (e) la séquence *cos* est la suivante :

↓
5′-TACG**GGGCGGCGACCT**CGCG-3′
3′-ATGC**CCCGCCGCTGGA**GCGC-5′
↑

L'endonucléase coupe la séquence aux endroits indiqués par les flèches, laissant des extrémités cohésives de 12 pb. (*de a à d, d'après la Figure 1.10.7, in Ausubel, F.M., et al., eds,1987,* Current Protocols in Molecular Biology. *New York : John Wiley & Sons ; e, d'après la Figure 4 in Murialdo, H., 1991.* Annual Review of Biochemistry **60** *: 136.*)

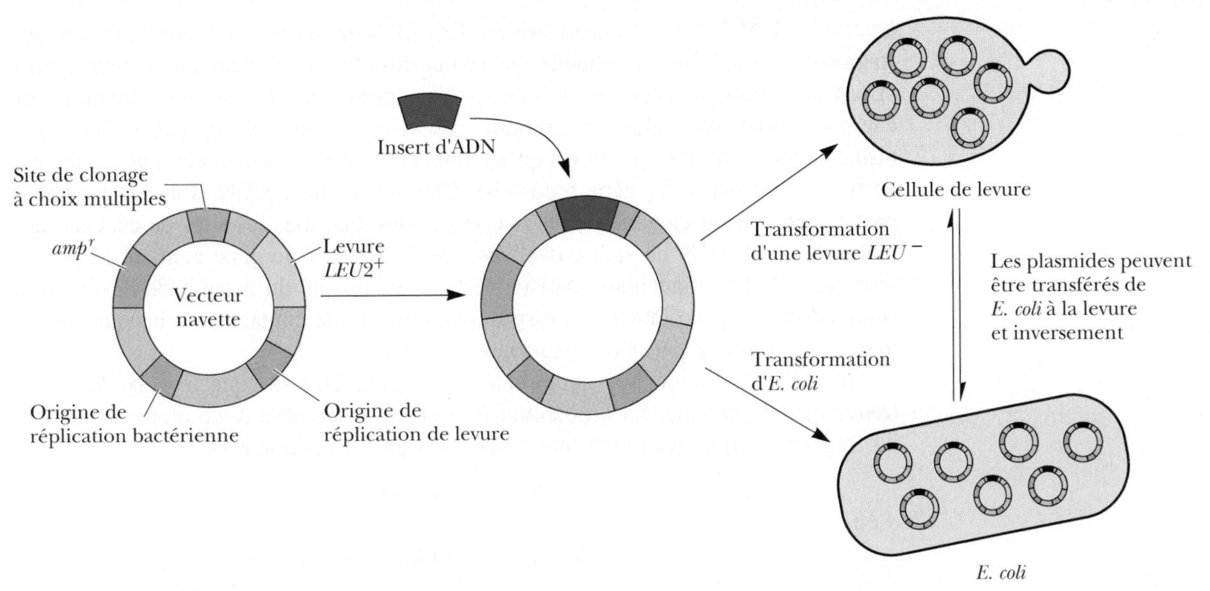

Figure 13.10 • Exemple de vecteur navette. Ce vecteur possède à la fois les origines de réplication de la bactérie et de la levure, le gène *amp*^{r} (gène de la résistance à l'ampiciline pour la sélection des bactéries transformées) et le gène *LEU2*$^{+}$, un des gènes de la synthèse de la leucine dans la levure. La levure réceptrice est *LEU2*$^{-}$ (déficiente pour la synthèse de la leucine), elle exige la présence de la leucine dans le milieu de culture pour proliférer. Des levures *LEU2*$^{-}$ transformées par ce vecteur navette pourront donc se développer sur un milieu ne contenant pas de leucine. *(D'après la Figure 19-5, in Watson J.D., et al., 1987.* The Molecular Biology of the Gene. *Menlo Park, Californie : Benjamin Cummings.)*

Les chromosomes artificiels

La création de **chromosomes artificiels de levure** (**YAC** pour ***Y****east* ***a****rtificial* ***c****hromosomes*) a permis de cloner dans la levure des fragments d'ADN de plusieurs centaines de kpb à 2 mégapaires de bases. Ces chromosomes artificiels ont pu être transférés dans des souris transgéniques ce qui permet l'analyse *in vivo* (dans l'organisme vivant) de grands gènes ou de grands segments d'ADN multigéniques. Pour que ces fragments puissent être répliqués dans la levure, ils doivent non seulement contenir une origine de réplication (dans la terminologie des spécialistes de la levures, c'est le site *ARS*, pour *Autonomously replicating sequence*), mais aussi un centromère et des télomères. Le centromère est la séquence qui permet l'attachement du chromosome au fuseau lors de la mitose et de la méiose. Les télomères sont les séquences des extrémités d'un chromosome ; ils sont nécessaires pour la réplication du chromosome.

13.2 • Les banques d'ADN

Une banque d'ADN (certains auteurs préfèrent une bibliothèque d'ADN) est un ensemble de fragments clonés qui collectivement représentent les gènes d'un organisme. Un gène particulier peut être isolé de cette banque, à l'image d'un article que l'on extrait d'une encyclopédie. La difficulté est de savoir où regarder et comment s'y prendre.

Les banques génomiques

Tout gène ne constitue qu'une petite fraction du génome d'un organisme. Si par exemple le génome d'un mammifère contient environ 10^6 kpb et que le gène considéré en contient 10 kpb, ce gène ne représente que 0,001 % de la totalité de l'ADN nucléaire. Il est très malaisé de retrouver une séquence aussi petite directement dans un ADN nucléaire isolé car elle est submergée par l'énorme masse des autres séquences. Le plus simple est de préparer en premier lieu une **banque génomique** à partir de l'ADN total d'un organisme. Cet ADN est digéré de façon à obtenir des fragments d'une taille convenable qui seront ensuite clonés dans un vecteur approprié. Cette stratégie générale de clonage est appelée le *clonage par* ***shotgun***, car elle n'a aucune sélectivité, au contraire ; elle vise à cloner tous les gènes d'un organisme en même temps. Le but est qu'au moins un des clones recombinants contienne au moins une partie du gène recherché. Classiquement, l'ADN isolé est *partiellement* digéré par un enzyme de restriction de sorte que tous les sites de chacune des molécules de l'ADN ne sont pas clivés. Ainsi, même si le gène contient le site de restriction de l'endonucléase choisie, certains fragments du produit de la digestion contiendront ce gène intact. On dispose aujourd'hui de centaines de banques génomiques préparées à partir d'organismes différents.

Il faut préparer de très nombreux clones pour être sûr que le gène désiré se trouve dans la banque. La probabilité P pour qu'un nombre N de clones contienne un fragment particulier représentant une fraction f du génome est :

$$P = 1 - (1 - f)^N$$

d'où,

$$N = \ln (1 - P)/\ln (1 - f)$$

Par exemple, si la banque et constituée de fragments de 10 kpb du génome de *E.coli* (au total 4.640 kpb), plus de 2.000 clones individuels doivent être examinés pour trouver le fragment recherché avec une probabilité de 99 % (P = 0,99). (Car f =

DÉVELOPPEMENTS DÉCISIFS EN BIOCHIMIE

Banques combinatoires

La capacité de reconnaissance spécifique et de liaison à d'autres molécules est une caractéristique qui définit clairement une protéine ou un acide nucléique. Souvent, les ligands cibles d'une protéine particulière sont inconnus, ou, un ligand spécifique d'une protéine connue peut être recherché dans l'espoir de bloquer, ou tout au moins de perturber, son activité. Les **banques combinatoires** sont les produits de nouvelles approches tendant à faciliter l'identification et la caractérisation des ligands d'une protéine. Ces méthodes sont également applicables à l'étude des acides nucléiques. À la différence des banques génomiques, les banques combinatoires sont constituées de peptides ou d'oligomères de synthèse. Des séries d'oligonucléotides synthétiques peuvent être greffées sur des support solides, minuscules, que l'on appelle des « **puces à ADN** ». Les banques combinatoires contiennent un très grand nombre de molécules synthétisées par voie chimique (peptides ou oligonucléotides) avec des séquences ou des structures aléatoires. Ces banques sont imaginées et construites dans l'espoir qu'une molécule parmi le très grand nombre des molécules présentes sera reconnue comme ligand par la protéine (ou l'acide nucléique) d'intérêt. S'il en est ainsi, il est possible que cette molécule devienne utile pour l'industrie pharmaceutique, par exemple comme médicament pour le traitement d'une maladie impliquant une protéine à laquelle elle se lie.

Un exemple de cette approche est donné par la préparation d'une banque combinatoire d'hexapeptides de synthèse. Le nombre maximum de séquences différentes pour un hexapeptide est de 20^6 soit 64.000.000. Une façon de simplifier la préparation et le criblage d'une telle banque est de préciser, d'imposer, la nature et l'ordre des deux premiers acides aminés de l'hexapeptide, les quatre derniers étant répartis de façon aléatoire. Quatre cents banques (20^2) sont donc synthétisées chacune étant unique pour ce qui concerne les acides aminés en positions 1 et 2, mais la répartition sur les quatre dernières positions est aléatoire (par exemple, AAXXXX, ACXXXX, ADXXXX, etc.), de sorte que chacune des quatre cents banques contient 20^4, soit 160.000, différentes séquences combinatoires. Le criblage de ces banques avec la protéine d'intérêt révèle éventuellement laquelle de ces banques contient un ligand ayant une haute affinité. La banque est alors systématiquement étendue, en spécifiant cette fois les 3 premiers acides aminés (les deux premiers sont déjà imposés par celle des quatre cents banques qui avait été sélectionnée). Il suffit à présent de 20 banques (une pour chacune des possibilités en troisième position), chacune contenant 20^3, soit 8.000, hexapeptides avec différentes séquences combinatoires sur les trois dernières positions. Un nouveau criblage de ces banques avec la protéine d'intérêt révèle la meilleure de ces 20 banques qui sera cette fois étendue en spécifiant la quatrième position ; nous aurons donc 20 nouvelles banques contenant 20^2 (400) hexapeptides aléatoires pour les deux dernières positions. Ce cycle de synthèses suivi de criblage et de sélection est répété jusqu'à ce que les six positions dans l'hexapeptide soient déterminées de façon optimale pour créer le meilleur ligand possible pour la protéine. Une variante de cette stratégie, utilisant des oligonucléotides synthétiques au lieu de peptides, a permis d'identifier un pentadécamère (15-mère, de séquence GGTTGGTGTGGTTGG) ayant une haute affinité (K_D = 2,7 nM) pour la thrombine, une sérine protéase de la voie de la coagulation sanguine. La thrombine est une cible majeure dans la prévention pharmacologique de la formation de caillots lors de la thrombose coronaire.

(D'après Cortese, R., 1996. Combinatorial Libraries : Synthesis, Screening and Application Potential. *Berlin : Walter de Guyter.)*

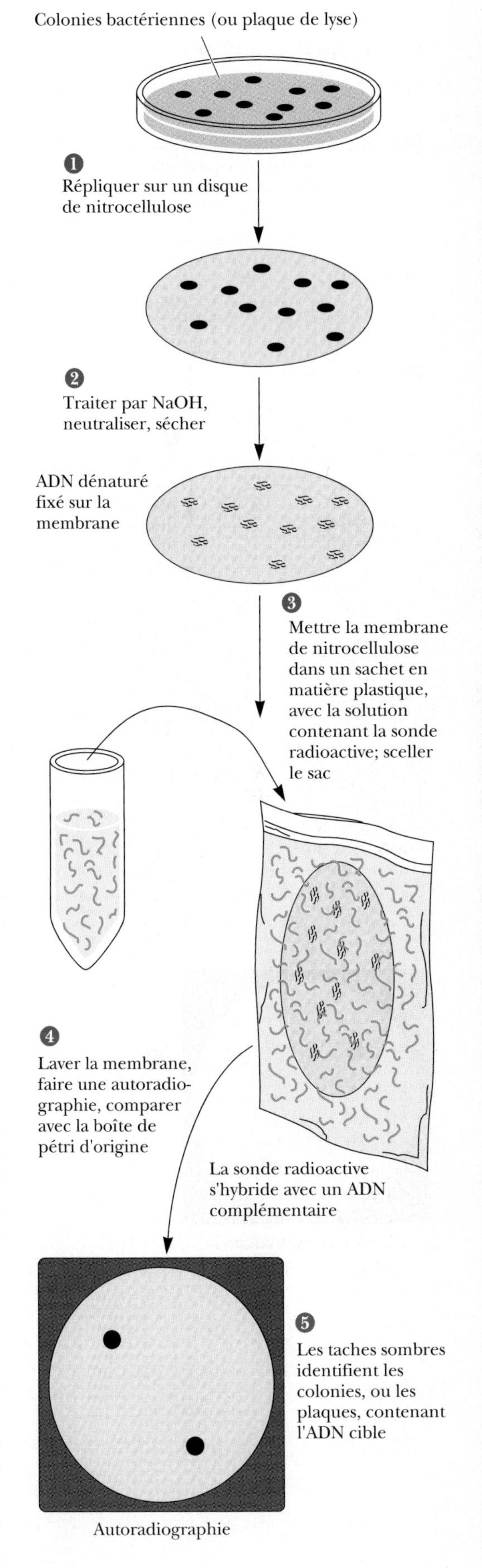

Figure 13.11 • Criblage d'une banque génomique par hybridation en colonies (ou en plaques de lyse). Les bactéries transformées par des plasmides contenant des fragments de la banque génomique, ou infectées par des bactériophages contenant ces fragments, sont étalées sur un milieu approprié dans une boîte de pétri (en fait plusieurs boîtes) et incubées, généralement pendant une nuit, pour permettre le développment des colonies ou l'apparition des plaques de lyse. On prépare des répliques de ces colonies, ou plaques, en les recouvrant d'un disque de nitrocellulose (1). La nitrocellulose fixe fortement les acides nucléiques ; les acides nucléiques monocaténaires sont plus fortement fixés que les acides nucléiques bicaténaires (Il existe des membranes de nylon avec des capacités analogues de fixation des acides nucléiques et des protéines). Lorsque la membrane de nitrocellulose a pris l'empreinte des colonies bactériennes ou des plaques de lyse, elle est retirée de la surface de la boîte qui est soigneusement mise de côté. La membrane est traitée par NaOH 2*M*, puis neutralisée et séchée (2). La soude lyse les bactéries, ou les phages des plaques de lyse, et dissocie les brins d'ADN. Lors du séchage, les chaînes d'ADN sont immobilisées sur la membrane. Le disque sec est introduit dans un sachet en matière plastique avec une solution contenant la sonde radioactive préalablement dénaturée par chauffage (ADN monocaténaire). Le sachet est alors scellé (3) et mis à incuber pour que la sonde puisse s'hybrider à l'ADN cible éventuellement présent sur la membrane de nitrocellulose. La membrane est ensuite lavée, séchée, et placée sur un film sensible aux rayons X (4). La position de toute tache sur l'autoradiogramme révélera l'emplacement de la colonie, ou de la plaque de lyse, qui contient l'ADN s'hybridant avec la sonde (5). Il est ainsi possible de récupérer sur la boîte de pétri d'origine la colonie, ou la plaque de lyse, et d'isoler le clone génomique correspondant.

10/4640 = 0,0022, avec P = 0,99, N = 2.093). Avec la même probabilité et des fragments de la même taille, pour un génome de 3×10^6 kpb (le génome humain) Il faudrait examiner environ 1,4 million de clones ! On voit bien dans ce cas l'impérative nécessité d'avoir des vecteurs de clonage capable de recevoir des inserts de très grande taille.

Criblage d'une banque génomique

Une méthode courante de criblage d'une banque génomique préparée à l'aide d'un plasmide consiste à pratiquer une **hybridation de colonie**. Le protocole est le même pour une banque préparée dans un phage, sauf que dans ce cas la méthode s'applique à des plaques de lyse. Des bactéries transformées (ou infectées) par des plasmides (ou des phages) recombinants, sont étalées sur une boîte de pétri contenant le milieu de culture approprié. Après une nuit d'incubation, les colonies (ou les plaques de lyse dans le cas des banques de phages) sont visibles (Figure 13.11). On obtient une réplique de ces colonies (ou des plaques) par transfert sur une membrane de nitrocellulose. Cette membrane est ensuite traitée en milieu alcalin pour dissocier l'ADN bicaténaire en ADN monocaténaire, puis séchée à 80° pour fixer l'ADN et introduite dans une enveloppe scellée avec une sonde radioactive (voir l'Encart sur la technique de transfert et d'hybridation de Southern page 410). Si la sonde est un ADN bicaténaire, il faut préalablement la dénaturer par chauffage à 70 °C. Les séquences complémentaires de la sonde et de la cible doivent être monocaténaires afin de pouvoir s'hybrider. Les séquences de l'ADN complémentaires de la séquence de la sonde seront révélées par autoradiographie de la membrane de nitrocellulose. Les colonies (ou les plaques) contenant les clones identifiés sur le film seront récupérées sur la boîte de pétri d'origine.

Sondes pour l'hybridation selon Southern

De toute évidence, une sonde spécifique est le réactif essentiel pour l'identification d'un gène particulier en présence d'un très grand nombre d'autres séquences d'ADN. Les sondes sont des oligonucléotides dont la séquence est complémentaire d'une partie du gène cible. Pour préparer une sonde utile, il faut disposer d'informations concernant la séquence du gène. Parfois on connaît déjà la séquence, au moins partiellement. Si le gène code pour une protéine, et si la séquence des acides aminés

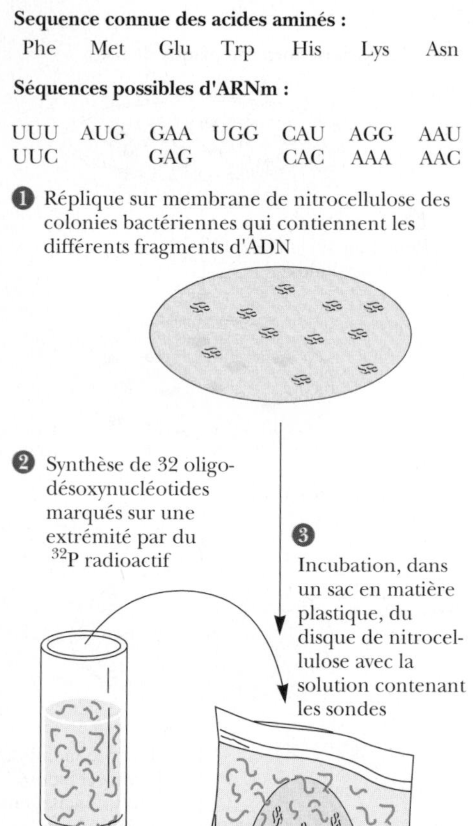

Sequence connue des acides aminés :

Phe Met Glu Trp His Lys Asn

Séquences possibles d'ARNm :

UUU AUG GAA UGG CAU AGG AAU
UUC GAG CAC AAA AAC

1 Réplique sur membrane de nitrocellulose des colonies bactériennes qui contiennent les différents fragments d'ADN

2 Synthèse de 32 oligo-désoxynucléotides marqués sur une extrémité par du ^{32}P radioactif

3 Incubation, dans un sac en matière plastique, du disque de nitrocellulose avec la solution contenant les sondes

4 Hybridation de l'oligonucléotide ayant la bonne séquence avec l'ADN de la cible

5 Détection par autoradiographie

Autoradiogramme

Figure 13.12 • Clonage d'un gène à l'aide de sondes synthétisées à partir d'une séquence connue d'acides aminés. On prépare une série d'oligonucléotides dégénérés, radioactifs, représentant toutes les séquences possibles codant pour la séquence des acides aminés. (Dans cet exemple, 2^5, soit 32 oligos). Le mélange de tous ces oligonucléotides est utilisé comme sonde pour cribler une banque génomique par hybridation en colonie (voir Figure 13.11). *(D'après la Figure 19-18, in Watson J.D., et al., 1987.* The Molecular Biology of the Gene. *Menlo Park, Californie : Benjamin Cummings.)*

de la protéine est connue, il est possible de remonter à la séquence de l'ADN (Figure 13.12). Comme un acide aminé correspond généralement à plusieurs codons (le code génétique est *dégénéré*, voir Chapitre 32), il faut synthétiser une série d'oligonucléotides dégénérés de 17 à 50 résidus. La sonde finale est en fait un mélange d'oligonucléotides de mêmes longueurs, mais de séquences variées pour tenir compte de la dégénérescence du code. Il reste ensuite à espérer que l'une des séquences s'hybridera avec la séquence du gène cible. Les sondes contiennent au moins 17 résidus car des oligonucléotides dégénérés plus courts pourraient s'hybrider avec des séquences sans rapport avec la cible recherchée.

Il est aussi possible d'utiliser comme sonde un segment d'ADN d'un gène provenant d'un organisme apparenté pour cribler une banque et détecter le gène correspondant. Ce type de sonde est appelé **sonde hétérologue** car elle ne provient pas d'un organisme homologue (semblable).

Les problèmes se multiplient si l'on envisage de cloner le gène complet d'un eucaryote ; les gènes d'eucaryotes contiennent souvent des dizaines ou des centaines de kilopaires de bases. La plupart des techniques de clonage fragmentent les gènes de cette taille. L'ADN identifié par une sonde ne représentera qu'un clone porteur d'une partie du gène désiré. Mais ces mêmes techniques de clonage sont fondées sur la digestion partielle de l'ADN du génome, elles produisent donc des séries de fragments qui se chevauchent. Les extrémités de l'ADN du clone identifié peuvent donc être utilisées comme sondes pour identifier dans la banque les clones porteurs des séquences jouxtantes. En répétant cette opération avec l'ADN des nouveaux clones, on obtient de proche en proche une série de clones dont les séquences de l'ADN se recouvrent partiellement et contiennent le gène complet.

Banques d'ADNc

Les ADNc sont des copies d'ARNm. On synthétise les ADNc à partir d'ARNm cellulaire purifié. Cet ADNc sert à préparer une banque. Les banques d'ADNc sont une intéressante alternative aux banques génomiques, en particulier quand il s'agit de cloner un gène eucaryote. Puisque la majorité des ARNm des eucaryotes ont une extrémité (ou queue) 3'-poly (A), les ARNm peuvent être sélectivement séparés d'un extrait total des ARN cellulaires par chromatographie sur oligo(dT)-cellulose (Figure 13.13). Pour synthétiser l'ADNc, il faut d'abord hybrider un petit oligo (dT) avec les extrémités poly (A) des ARNm purifiés. Ces chaînes d'oligo (dT) servent d'amorce à la transcriptase inverse qui catalyse la synthèse de l'ADN (Figure 13.14). Il est aussi possible d'utiliser comme amorces des oligonucléotides de séquences aléatoires, ce qui donne l'avantage de ne plus être dépendant d'une queue poly (A) et augmente les chances de créer des clones représentant les extrémités 5' des ARNm. **La transcriptase inverse** est un enzyme qui synthétise un brin d'ADN en utilisant une matrice d'ARN. Dans un deuxième temps, on utilise une ADN polymérase pour copier les chaînes monocaténaires d'ADN et obtenir des molécules bicaténaires. On ajoute ensuite des linkers aux extrémités de ces ADNc afin de les cloner dans un vecteur approprié. Lorsqu'on a identifié un ADNc correspondant à un gène particulier, il est possible de l'utiliser comme une sonde pour cribler une banque génomique et isoler le gène recherché.

Comme les différents types cellulaires d'un organisme eucaryote expriment des gènes particuliers, les préparations d'ARNm à partir des cellules ou tissus d'intérêt

(Le texte se poursuit page 412)

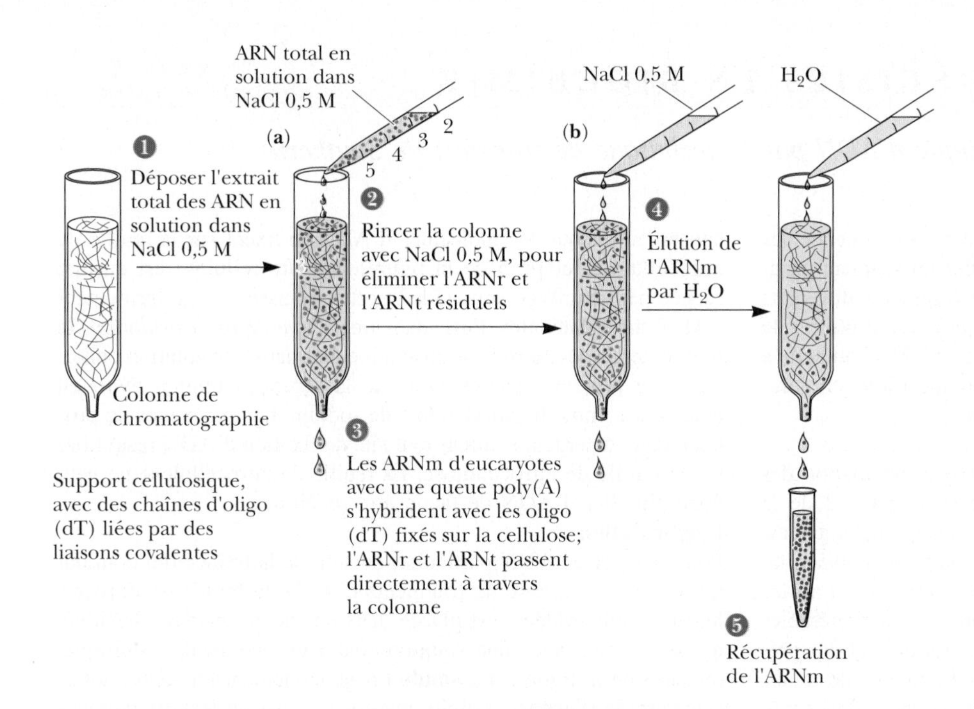

Figure 13.13 • Purification des ARNm d'eucaryotes par chromatographie sur oligo (dT)-cellulose. (a) En présence de NaCl 0,5 *M*, les queues des poly(A) des ARNm d'eucaryotes s'hybrident avec les chaînes d'oligo (dT) fixées de façon covalente sur un support insoluble, par exemple de la poudre de cellulose. Les autres ARN, comme l'ARNr (en vert) passent directement à travers la colonne de chromatographie. (b) La colonne est rincée avec un excès de solution saline pour éliminer les contaminants résiduels. (c) L'ARNm poly(A) est récupéré par élution avec de l'eau car l'appariement entre les bases de la queue poly(A) et des chaînes de l'oligo (dT) n'est pas stable à faible force ionique.

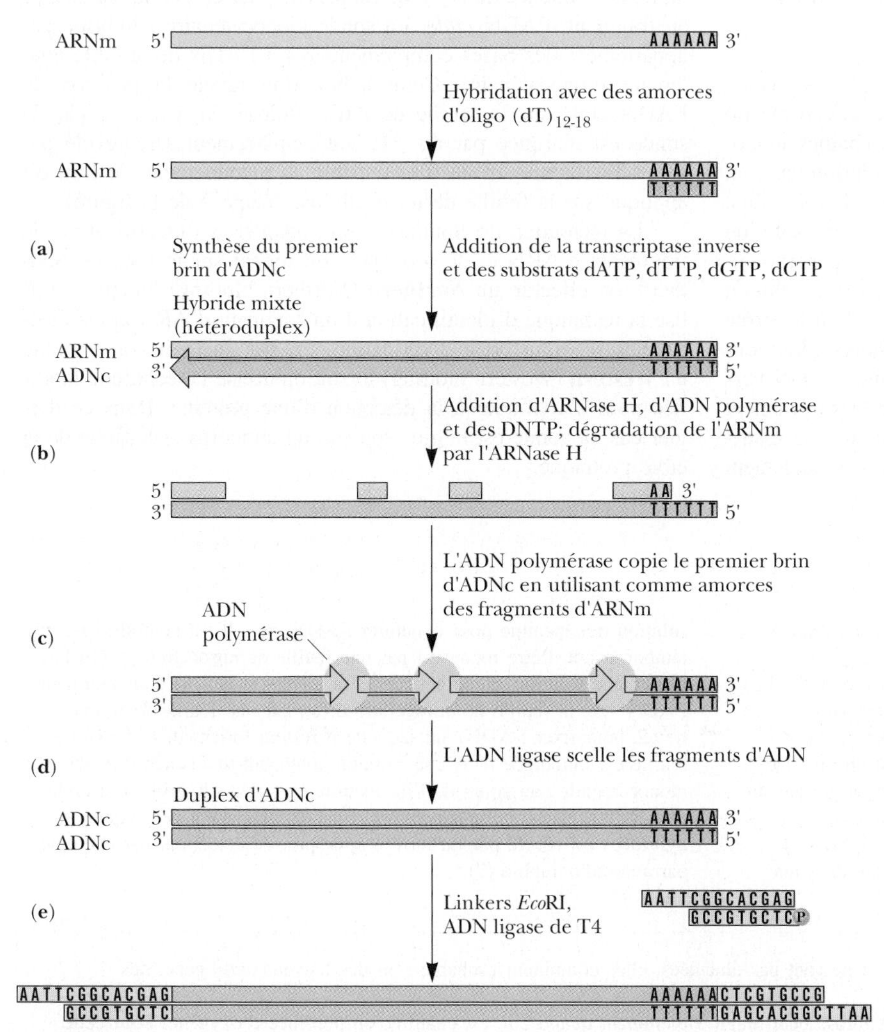

Figure 13.14 • Synthèse de l'ADNc par la transcriptase inverse. (a) Des oligo (dT) hybridées sur les queues poly (A) des ARNm purifiés servent d'amorce pour la synthèse par la transcriptase réverse d'un ADN copie de l'ARNm. (b) Lorsque la synthèse du brin d'ADN complémentaire à l'ARNm est terminée, on ajoute de l'ARNase H et de l'ADN polymérase. L'ARNase H hydrolyse spécifiquement les chaînes d'ARN des hybrides ARN:ADN. L'ADN polymérase copie le premier brin d'ADNc en utilisant comme amorce les segments d'ARN résiduels après l'action de l'ARNase H qui clive la chaîne et crée des espaces libres (c). L'ADN polymérase à une activité $5' \rightarrow 3'$ exonucléase qui élimine l'ARN résiduel au cours de la progression de la synthèse de l'ADN. (d) Les fragments d'ADN qui dans le second brin d'ADN sont séparés, sont ligaturés par une ADN ligase. On obtient finalement un ADNc bicaténaire auquel on ajoute des linkers *Eco*RI avec les bouts cohésifs. (e) La ligature des linkers est catalysée par l'ADN ligase du phage T4. L'ADNc est prêt pour une insertion dans un vecteur de clonage.

Développements décisifs en biochimie

Identification d'une séquence spécifique d'ADN par la technique de transfert de Southern (Hybridation de Southern)

Tout fragment d'ADN doit son caractère unique à sa séquence des nucléotides. La seule façon pratique d'identifier un segment particulier d'ADN parmi une vaste population de fragments différents (comme dans le cas d'une banque génomique), est d'utiliser le caractère unique de cette séquence. En 1975, E. M. Southern a décrit une technique qui permet une détection spécifique en combinant électrophorèse, transfert et hybridation.

L'électrophorèse

Southern fractionne d'abord par électrophorèse la population des fragments d'ADN en fonction de leur taille (voir étape 2 de la figure). La mobilité électrophorétique d'un acide nucléique est inversement proportionnelle à sa masse. Les gels de polyacrylamide se prêtent bien à la séparation de fragments d'acides nucléiques de 25 à 2000 pb. Les gels d'agarose sont préférables pour des fragments jusqu'à 10 fois cette taille. La plupart des préparations d'ADN génomique contiennent des fragments de toutes tailles, de moins d'un kpb à plus de 20 kpb. D'une façon générale, on n'observe pas de bandes distinctes après une électrophorèse mais une longue traînée d'ADN, de la ligne d'origine de l'électrophorèse jusqu'au front de la migration.

Le transfert

Lorsque les fragments ont été séparés par l'électrophorèse (étape 3), le gel est traité par une solution de NaOH. Le milieu alcalin dénature la double hélice de l'ADN et libère des chaînes monocaténaires. Le gel est ramené à neutralité par une solution tampon, et une feuille de nitrocellulose imprégnée d'une solution saline concentrée est fortement appliquée sur le gel (c). Une solution saline doit ensuite traverser le gel, dans une direction perpendiculaire à son plan (étape 4). Il y a trois moyens d'attirer la solution saline à travers le gel : par capillarité (effet buvard, d'où le terme de *blotting)*, par succion sous vide, ou par électrophorèse. Le mouvement de la solution saline à travers le gel entraîne l'ADN vers la feuille de nitrocellulose. La nitrocellulose lie très fortement l'ADN monocaténaire et l'immobilise sans diffusion*. La distribution des fragments d'ADN par l'électrophorèse est fidèlement conservée lorsque les molécules d'ADN se fixent sur la feuille de nitrocellulose (étape 5 de la figure). La nitrocellulose est ensuite séchée par chauffage sous vide†; cette « cuisson » fixe fermement l'ADN monocaténaire. Puis, dans une *étape de préhybridation*, la feuille de nitrocellulose est mise à incuber dans une solution contenant une protéine (par exemple de la sérum albumine) et/ou un détergent comme le laurylsulfate de sodium. Les molécules de protéine et de détergent saturent tout site de fixation d'ADN resté libre sur la feuille de nitrocellulose. La feuille de nitrocellulose ne peut donc plus lier d'ADN de façon non spécifique.

L'hybridation

Pour détecter un ADN particulier au sein de la traînée qui contient un très grand nombre de fragments d'ADN, la feuille de nitrocellulose « préhybridée » est placée dans un sac de matière plastique, qui sera scellé, avec une solution contenant une sonde spécifique, (étape 6 de la figure). La **sonde** est généralement un ADN monocaténaire de séquence définie, marqué soit par un isotope radioactif (par exemple ^{32}P), soit par tout autre marqueur facilement détectable. La séquence de la sonde est prévue pour être complémentaire au fragment d'ADN *cible*. La sonde monocaténaire s'hybride par appariement des bases complémentaires à l'ADN de la cible également monocaténaire. Cette hybridation révèle la position de l'ADN cible sur la feuille de nitrocellulose. Si, par exemple, la sonde est marquée par du ^{32}P, son emplacement sera révélé par autoradiographie sur un film sensible au rayonnement ; le film est appliqué sur la feuille de nitrocellulose (étape 7 de la figure).

La technique de Southern a été adaptée à l'identification de fragments d'ARN et de protéines. En jouant sur le nom de Southern, on effectue un **Northern** (Northern blotting) lorsqu'on utilise la technique d'identification d'un fragment d'ARN après électrophorèse, transfert et hybridation. Et, par analogie, on effectue un **Western** (Western blotting) lorsqu'on utilise la technique modifiée pour s'appliquer à la détection d'une protéine. Dans ce dernier cas, la sonde est le plus souvent un anticorps spécifique de la cible protéique.

La technique de Southern implique le transfert de fragments d'ADN préalablement séparés par électrophorèse sur une feuille de nitrocellulose, puis la détection spécifique d'une séquence d'ADN. Les fragments d'ADN [très souvent le produit d'une digestion par un enzyme de restriction (1)] sont séparés en fonction de leur taille par électrophorèse en gel (2). La répartition des bandes peut être rendue visible sous rayonnement ultraviolet, après imprégnation du gel par du bromure d'éthidium (3). Les molécules de bromure d'éthidium s'intercalent dans la zone hydrophobe entre les bases de l'ADN et deviennent fluorescentes en lumière UV. Le gel est plongé dans une solution très alcaline pour dénaturer l'ADN, puis il est neutralisé par un tampon avant d'être recouvert par une feuille de nitrocellulose. On fait passer une solution saline concentrée à travers le gel (4) pour entraîner l'ADN vers la feuille de nitrocellulose (ou sur une feuille de nylon traitée pour fixer l'ADN) sur laquelle il restera fortement fixé (5). La feuille est immergée dans une solution contenant une sonde d'ADN monocaténaire ; au cours de l'incubation, la sonde s'hybride à la cible d'ADN qui lui est complémentaire (6). L'emplacement des séquences hybridées est révélé par un moyen approprié de détection, par exemple par autoradiographie (7).

* Les causes de la fixation de l'ADN sur la nitrocellulose ne sont pas élucidées, elles combinent probablement des liaisons hydrogène, des interactions hydrophobes et des liaisons salines.

† Le chauffage sous vide est indispensable car la nitrocellulose peut réagir violemment quand elle est chauffée en présence d'oxygène. Pour cette raison, les membranes de nylon sont préférables.

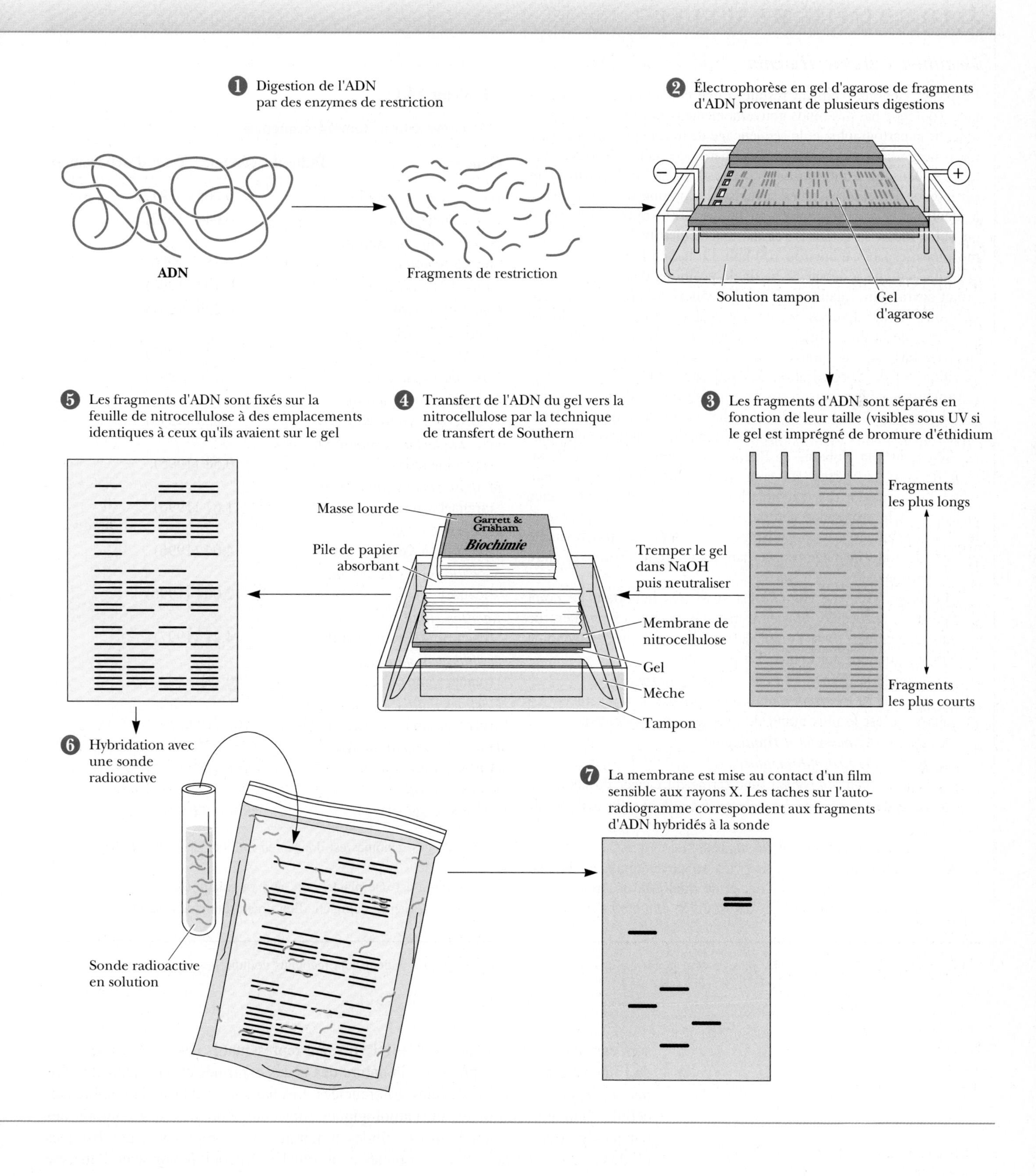
1 Digestion de l'ADN
par des enzymes de restriction
ADN
Fragments de restriction
2 Électrophorèse en gel d'agarose de fragments
d'ADN provenant de plusieurs digestions
Solution tampon
Gel
d'agarose
3 Les fragments d'ADN sont séparés en
fonction de leur taille (visibles sous UV si
le gel est imprégné de bromure d'éthidium
Fragments
les plus longs
Fragments
les plus courts
4 Transfert de l'ADN du gel vers la
nitrocellulose par la technique
de transfert de Southern
Masse lourde
Garrett & Grisham
Biochimie
Pile de papier
absorbant
Tremper le gel
dans NaOH
puis neutraliser
Membrane de
nitrocellulose
Gel
Mèche
Tampon
5 Les fragments d'ADN sont fixés sur la
feuille de nitrocellulose à des emplacements
identiques à ceux qu'ils avaient sur le gel
6 Hybridation avec
une sonde
radioactive
Sonde radioactive
en solution
7 La membrane est mise au contact d'un film
sensible aux rayons X. Les taches sur l'autoradiogramme correspondent aux fragments
d'ADN hybridés à la sonde

Biochimie humaine

Le projet Génome Humain

Le projet Génome Humain résulte d'une collaboration internationale, soutenue par des fonds gouvernementaux et privés, ayant pour objectif la cartographie et le séquençage de tout le génome humain. Ce génome comporte environ 3 milliards de paires de bases distribuées dans deux chromosomes sexuels (**X** et **Y**) et 22 **autosomes** (différents des chromosomes sexuels). La première étape consiste à identifier et à cartographier au moins 3.000 **marqueurs** (gène ou autre locus caractérisé) régulièrement distribués sur les chromosomes, espacés d'environ 100 kpb. En même temps, le séquençage du génome a débuté, à partir de positions déjà précisées. Le projet devrait être finalisé en 2005. En annexe au projet, le séquençage du génome d'autres espèces est également en cours, celui de la levure, de la drosophile, de la souris et d'*Arabidopsis thaliana* (un végétal), afin de pouvoir faire une étude comparative de la génétique et de l'organisation des séquences (Tableau 13.1). Les informations déjà acquises sur le génome entier d'un organisme sont à l'origine d'une nouvelle branche scientifique appelée Génétique fonctionnelle. La génétique fonctionnelle s'intéresse plus particulièrement à la globalité de l'expression génique, comme l'examen de *tous* les gènes qui sont activés lors d'un changement métabolique majeur (par exemple lors du passage de la croissance anaérobie à la croissance aérobie) ou pendant l'embryogenèse et le développement des organismes. La génétique fonctionnelle apporte de nouvelles idées concernant les relations évolutives entre les organismes.

Le projet Génome Humain est aussi très important du point de vue de la médecine. Plusieurs maladies humaines résultent de défauts génétiques dont l'emplacement sur la carte du génome humain est aujourd'hui connu. En particulier,

le gène de la *fibrose cystique (mucoviscidose),*

le gène de la *dystrophie musculaire de Duchenne* * (avec 2,4 mégabases, c'est le plus grand de tous les gènes connus),

le gène de la *maladie d'Huntington,*

le gène de la *neurofibromatose,*

le gène du *neuroblastome* (une forme du cancer du cerveau),

le gène de la *sclérose latérale amyotrophique* (la maladie de Lou Gehrig),

le gène du *retard mental lié au sexe* *,

et de nombreux autres gènes associés au développement du diabète, au cancer du sein, du colon, et de quelques désordres mentaux comme la *schizophrénie* et les troubles *maniaco-dépressifs.*

Tableau 13.1

Génomes complètement séquencés

Génome	Taille du génome [1] Date d'achèvement
Bactériophage ϕX174	0,0054 (1977)
Bactériophage λ	0,048 (1982)
Génome du chloroplaste de *Marchantia* [2]	0,187 (1986)
Virus de la vaccine	0,192 (1990)
Cytomégalovirus	0,229 (1991)
Génome mitochondrial de *Marchantia*	0,187 (1992)
Virus de la variole	0,186 (1993)
Hemophilus influenzae [3] (bactérie à Gram négatif)	1,830 (1995)
Mycobacterium genatalium (mycobactérie)	0,58 (1995)
Methanococcus jannaschii (archaebactérie)	1,67 (1996)
Escherichia coli (bactérie à Gram négatif)	4,64 (1996)
Saccharomyces cerevisiae (levure)	12,067 (1996)
Bacillus subtilis (bactérie à Gram positif)	4,21 (1997)
Arabidopsis thaliana (plante verte)	100 (?)
Caenorhabditis elegans (petit animal : un nématode)	100 (1998 ?)
Drosophila melanogaster (drosophile)	165 (?)
Homo sapiens (Homme actuel)	2900 (2005 ?)

[1] La taille des génomes est donnée en millions de paires de bases (mpb).

[2] *Marchantia* est une plante verte non vasculaire (bryophyte).

[3] Première séquence complète d'un organisme indépendant.

* Lié au chromosome X. En 1992, plus de cent gènes à l'origine de déficiences génétiques étaient déjà reconnus comme liés à ce chromosome.

sont enrichies en ARNm désiré. Ces ARNm sont représentatifs des gènes exprimés et de l'intensité de cette expression ; la nature des gènes exprimés et leur intensité définissent les divers types de cellules différenciées. Les banques d'ADNc de nombreuses cellules humaines normales ou pathologiques sont commercialisées, y compris des banques d'ADNc de nombreuses cellules tumorales. La comparaison des banques d'ADNc provenant de cellules normales et anormales, en conjonction avec l'analyse après électrophorèse bidimensionnelle, est une nouvelle approche prometteuse en médecine clinique pour la compréhension des mécanismes de certaines maladies.

Les vecteurs d'expression

Les **vecteurs d'expression** sont construits pour que tout insert cloné puisse être transcrit en ARN et, souvent, traduit en protéine. Les banques d'ADNc peuvent être exprimées dans des vecteurs spécialement conçus, à partir de plasmides ou du bactériophage λ. Les gènes qui dans ces différents clones codent pour des protéines sont exprimés dans une cellule hôte (une souche d'expression), et si l'on dispose d'une méthode permettant d'identifier une protéine particulière, le clone d'ADNc correspondant peut être identifié et isolé. On dispose actuellement de vecteurs construits pour la seule transcription et de vecteurs d'expression jusqu'au stade protéine.

Vecteurs d'expression de l'ARN

Il est possible de construire un vecteur pour l'expression *in vitro* d'un insert d'ADN et d'obtenir des ARN transcrits en introduisant à proximité du site de clonage un promoteur hautement efficace. La Figure 13.15 représente un tel vecteur d'expression. Le vecteur recombinant linéarisé est transcrit *in vitro* par l'ARN polymérase SP6. On obtient ainsi de grandes quantités d'ARN. Si on utilise des substrats radioactifs, les molécules d'ARN seront marquées et elles seront utilisables comme sondes.

Vecteurs d'expression des protéines

Les ADNc sont des copies des ARNm, ils sont donc des copies ininterrompues des exons des gènes exprimés. Puisque les ADNc sont dépourvus d'introns, il devient possible d'exprimer ces versions des gènes d'eucaryotes dans des cellules de procaryotes qui n'ont pas la capacité de transformer les transcrits primaires des gènes d'eucaryotes en ARNm. Pour exprimer un gène d'eucaryote codant pour une protéine dans *E. coli*, l'ADNc doit être cloné dans *un vecteur d'expression* qui contient les signaux régulateurs de la transcription et de la traduction. Il faut donc un *promoteur* à partir duquel l'ARN polymérase commencera la transcription et un *site de liaison du ribosome* pour faciliter la traduction. Les séquences correspondantes sont introduites dans le vecteur, juste en amont du site de restriction utilisé pour cloner l'ADN. Le codon d'initiation AUG (*site de démarrage de la traduction*) qui spécifie le premier acide aminé de la protéine est apporté par l'insert (Figure 13.16).

On a construit des promoteurs particulièrement efficaces qui permettent que la protéine étrangère synthétisée s'accumule jusqu'à représenter 30 %, et parfois plus, du total des protéines cellulaires *d'E. coli*. Le promoteur hybride p_{tac}, créé par fusion d'une partie du promoteur des gènes qui codent pour les protéines du métabolisme du lactose (promoteur *lac*) avec une partie du promoteur des gènes qui codent pour la biosynthèse du tryptophanne (promoteur *trp*) est un exemple de promoteur efficace (Figure 13.17). Dans les cellules qui contiennent le vecteur d'expression p_{tac} la transcription de l'ADN de l'insert ne commence pas avant d'avoir été induite par un *inducteur* qui active le promoteur. Les analogues du lactose (un β-galactoside), par exemple *l'isopropyl-β-thiogalactoside* (ou **IPTG**), sont d'excellents inducteurs de p_{tac}. Ce qui permet de contrôler facilement l'expression d'une protéine étrangère. (cf. Chapitre 31 pour un exposé plus complet sur l'induction de l'expression d'un gène). La production de protéines d'eucaryotes intéressantes d'un point de vue économique ou thérapeutique représente un des plus importants usages de la technologie de l'ADN recombinant. L'insuline humaine, utilisée pour le traitement du diabète, est à présent produite par des bactéries.

Il existe des systèmes analogues pour l'expression de gènes clonés dans des cellules eucaryotes. Ce sont des vecteurs avec des séquences de promoteurs provenant de virus de mammifères comme *le virus simien* (du singe, SV40), le *virus d'Epstein-Barr* ou encore, le *cytomégalovirus* (CMV), tous deux d'origine humaine. Un système à haut niveau d'expression qui connaît une certaine popularité utilise des cellules d'insectes infectées par un vecteur d'expression dérivé d'un *baculovirus*. **Les baculovirus** sont des virus qui infectent les lépidoptères (papillons et chenilles). Pour construire le vecteur d'expression, on introduit le gène cloné en aval du promoteur de la **polyhédrine**,

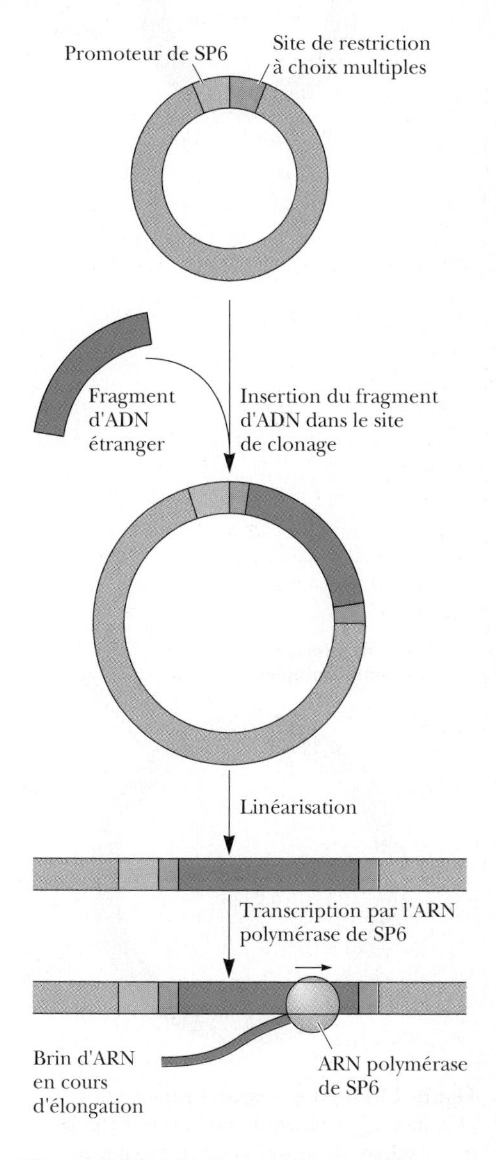

Figure 13.15 • Un vecteur d'expression contenant le promoteur reconnu par l'ARN polymérase du bactériophage SP6, est très utilisé pour la préparation *in vitro* d'ARN de transcription. L'ARN polymérase de SP6 est active *in vitro*, elle reconnaît très spécifiquement son promoteur. Ces vecteurs ont un polylinker adjacent au promoteur de SP6. La transcription répétée de l'ADN cloné aboutit à l'accumulation de multiples copies d'ARN. Avant le démarrage de la transcription, le vecteur d'expression, circulaire, est linéarisé par une unique coupure à l'extrémité terminale de l'insert, ou à son voisinage immédiat, afin que la transcription par l'ARN polymérase s'arrête à un point déterminé.

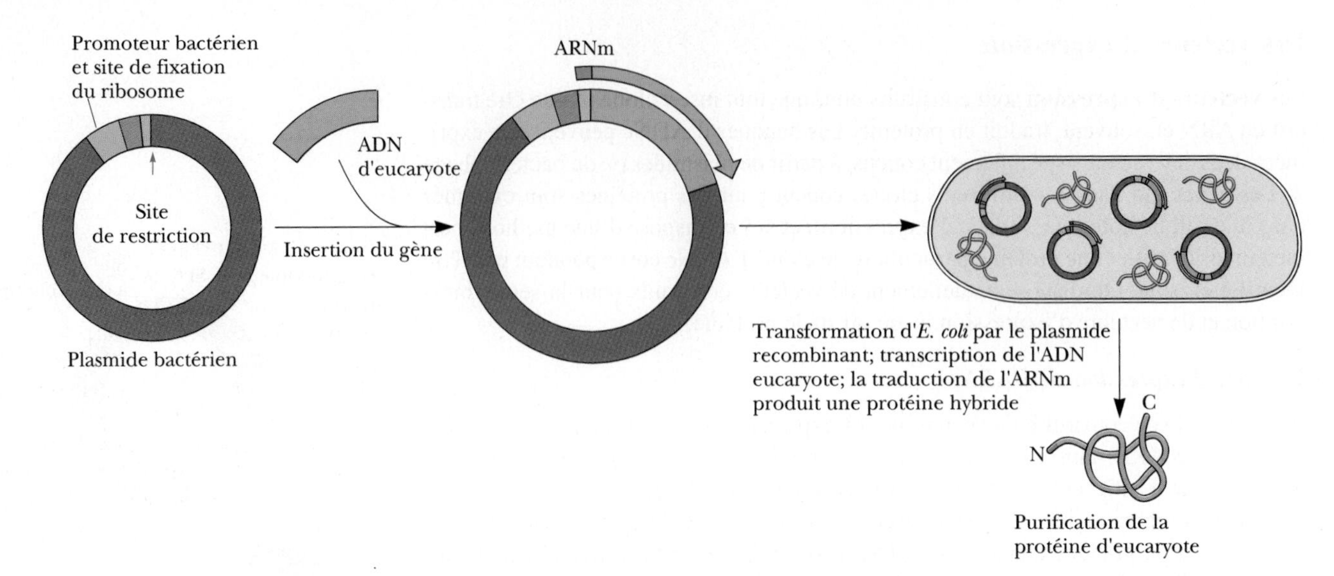

Figure 13.16 • Exemple de vecteur de clonage et d'expression. Un fragment d'ADN d'eucaryote codant pour une protéine est inséré dans le site de clonage juste en aval d'une séquence promoteur à laquelle se lie l'ARN polymérase avant d'initier la transcription. L'enzyme transcrit également une région codant pour un site de fixation du ribosome d'origine bactérienne. La présence de ce site de fixation permet que l'ARN du transcrit soit traduit en protéine par les ribosomes de la cellule hôte bactérienne.
(D'après la Figure 19-5, in The Molecular Biology of the Gene, 4ᵉ édition. Copyright *Watson J.D., 1987. Avec l'autorisation de Benjamin Cummings Publishing Co., Inc.)*

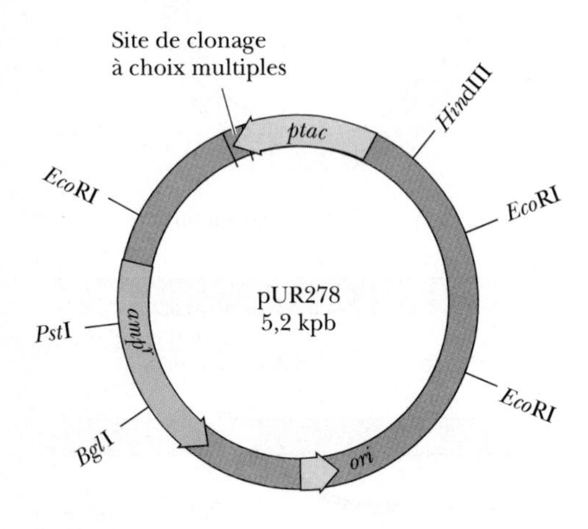

Figure 13.17 • Le vecteur d'expression des protéines p_{tac} contient le promoteur hybride p_{tac} résultant de la fusion de fragments des promoteurs *lac* et *trp*. L'expression à partir de ce promoteur est plus de dix fois plus importante qu'à partir du promoteur *lac* ou *trp*. L'isopropyl-β-thiogalactoside, ou IPTG, induit l'expression de p_{tac} tout comme celle de *lac*.

la principale protéine codée par un gène du baculovirus. Le vecteur recombinant infecte des cellules d'insectes cultivées *in vitro*. L'expression du gène régulée par le promoteur de la polyhédrine permet d'obtenir jusqu'à 500 mg de protéine par litre de culture.

Criblage immunologique des clones d'ADNc

On dispose parfois d'un anticorps spécifique de la protéine codée par le gène cloné. Dans ce cas, il est possible d'utiliser ces anticorps pour cribler les vecteurs d'expression et isoler les clones du gène codant pour la protéine. Comme dans les méthodes de criblage par hybridation en colonies, la banque d'ADNc est introduite dans les cellules hôtes qui sont ensuite étalées sur une boite. Après incubation, les colonies sont répliquées sur une membrane de nylon. Cette membrane est à son tour mise à incuber, dans des conditions qui induisent la synthèse de la protéine correspondant à l'insert d'ADNc, puis les cellules sont traitées de façon à libérer la protéine synthétisée. La protéine se fixe fermement à la membrane de nylon qui est ensuite mise en contact avec l'anticorps spécifique radioactif. La liaison spécifique de l'anticorps avec la protéine révèle la position des clones de l'ADNc qui expriment la protéine. Ces clones sont récupérés sur la boîte de pétri d'origine. Comme les autres banques, les banques d'expression peuvent également être criblées par des sondes d'oligonucléotides.

Expression de protéines de fusion

Certains vecteurs d'expression contiennent des inserts d'ADNc directement clonés dans le gène codant pour une protéine du vecteur (Figure 13.18). La traduction de la séquence recombinée aboutit à la synthèse *d'une protéine hybride* ou *protéine de fusion*. La région N-terminale de la protéine de fusion provient de la séquence codée par le gène du vecteur, le reste de la séquence de la protéine est codé par l'insert. Il faut veiller à ce que les triplets des codons de l'insert soient en phase avec les codons du vecteur pour que la synthèse de la protéine donne le produit attendu. On peut choisir une séquence N-terminale de la protéine codée par le vecteur qui se

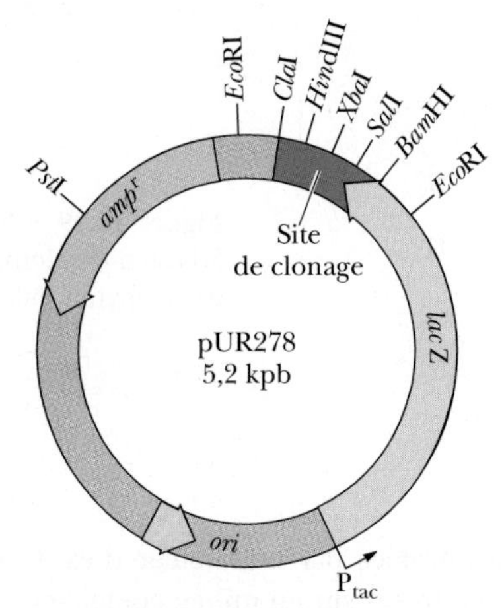

Codon : Cys Gln Lys Gly Asp Pro Ser Thr Leu Glu Ser Leu Ser Met
Site de clonage : TGT CAA AAA GGG GAT CCG TCG ACT CTA GAA AGC TTA TCG ATG
*Bam*HI *Sal*I *Xba*I *Hin*dIII *Cla*I

Figure 13.18 • Exemple de vecteur d'expression pour la synthèse d'une protéine hybride. Le site de clonage est à l'extrémité terminale de la région codant pour la β-galactosidase. L'insertion d'un segment d'ADN dans ce site conduit à la fusion de sa séquence avec celle de la β-galactosidase (le gène *lacZ*). L'IPTG induit la transcription du gène *lacZ* (et du segment d'ADN qui lui est lié) depuis son promoteur p_{lac}, ce qui entraîne l'expression de la protéine de fusion. *(D'après la Figure 1.5.4, in Ausubel, F.M., et al, 1987,* Current Protocols in Molecular Biology. *New York : John Wiley & Sons.)*

prête à ce type de construction. Il est encore possible d'introduire une séquence signal N-terminale provoquant l'exportation de la protéine, ce qui simplifie sa purification. Il existe une variété de systèmes dans les vecteurs d'expression construits pour faciliter la purification de la protéine codée par l'insert cloné. Les protocoles de purification par chromatographie d'affinité de la protéine de fusion exploitent l'affinité spécifique d'un ligand pour la partie de la protéine codée par un gène du vecteur (Tableau 13.2).

La β-galactosidase et la sélection par la couleur bleue ou blanche

Dans quelques vecteurs d'expression, le site de clonage est à l'extrémité terminale de la région codant pour une protéine à activité enzymatique, la *β-galactosidase*, de sorte que, entre autres propriétés, la protéine de fusion est liée à la β-galactosidase. La protéine de fusion peut donc être purifiée en suivant l'activité β-galactosidase. On peut aussi placer le site de clonage à l'intérieur de la région codant pour la β-galactosidase ; tout insert cloné dans ce site interrompt la séquence de la β-galactosidase, il inactive donc l'enzyme. Cette propriété est utilisée pour distinguer directement parmi les multiples clones d'une banque, ceux qui ont un insert de ceux qui n'en ont pas car la couleur des colonies est différente.

Tableau 13.2

Systèmes de fusion de gènes pour la préparation d'une protéine de fusion

Produit du gène du vecteur	Origine	Masse moléculaire (kD)	Sécrétée ? [1]	Ligand pour la chromatographie
β-Galactosidase	*E. coli*	116	Non	*p*-Aminophényl-β-D-thiogalactoside (APTG)
Protéine A	*S. aureus*	31	Oui	Immunoglobuline G (IgG)
Chloramphénicol acétyltransférase	*E. coli*	24	Oui	Chloramphénicol
Streptavidine	*Streptomyces*	13	Oui	Biotine
Glutathion-S-transférase (GST)	*E. coli*	26	Non	Glutathion
Protéine liant le maltose	*E. coli*	40	Oui	Amidon

[1] La réponse indique si le système signal de sécrétion-fusion de gène aboutit à la sécrétion de la protéine de fusion, ce qui facilite la séparation et la purification de la protéine.

(D'après Uhlen, M., et Moks, T., 1990. Gene fusions for purpose of expression : An introduction. *Methods in Enzymology* **185** : 129-143.

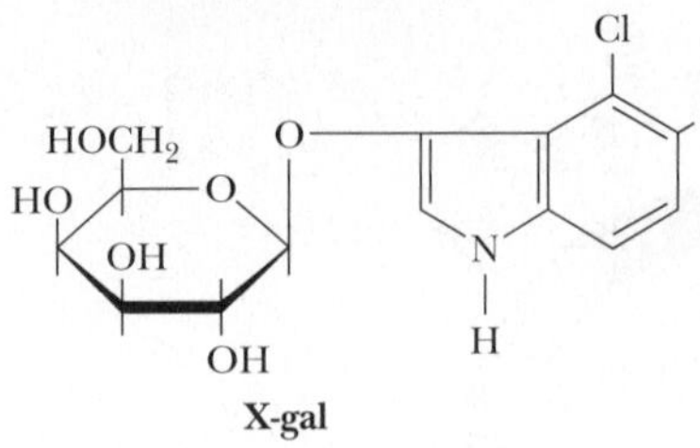

X-gal

Figure 13.19 • Formule développée du 5-bromo-4-chloro-3-indolyl-β-D-galactopyranoside, ou X-gal.

Les cellules transformées par un vecteur d'expression contenant le gène de la β-galactosidase sont cultivées sur un milieu contenant du *5-bromo-4-chloro-3-indoyl-β-D-galactopyrannoside*, ou **X-gal** (Figure 13.19). X-gal est *un substrat chromogène*, un substrat incolore qui par l'effet d'une réaction enzymatique donne un produit coloré. Après induction par l'IPTG, les colonies bactériennes expriment la β-galactosidase qui hydrolyse X-gal, libérant le 5-bromo-3-chloro-indoxyl qui dimérise donnant un produit bleu indigo. Les colonies (ou les plaques) sont alors bleues. Si la région codant pour la β-galactosidase est interrompue par un insert, la β-galactosidase n'est pas active et la colonie reste « blanche » (en fait conserve sa couleur naturelle). Lorsque l'on prépare avec ce type de vecteur d'expression une banque d'ADNc, il est facile de distinguer les clones recombinants, les colonies restent blanches, des colonies dont les vecteurs n'ont pas d'insert, elles sont bleues.

Vecteurs à gène reporter

Il est possible d'étudier les régions d'un chromosome potentiellement régulatrices de l'expression des gènes en introduisant ces régions dans des plasmides, en amont d'un gène, appelé **gène reporter**, dont le produit a une activité facilement mesurable. Ces plasmides chimères sont introduits dans une cellule appropriée (y compris dans des cellules eucaryotes) afin de mesurer l'efficacité régulatrice de l'insert. En effet, l'expression du gène reporter traduit l'efficacité de l'élément régulateur. Divers gènes sont utilisés comme reporter, en particulier le gène *lacZ*, codant pour la β-galactosidase. Un gène reporter avec d'évidents avantages inhérents est celui qui code pour la **protéine à fluorescence verte (PFV)**, protéine décrite Chapitre 4. À la différence des protéines exprimées par les autres systèmes à gène reporter, la PFV ne requiert aucun substrat pour la mesure de son activité qui de plus ne dépend d'aucun cofacteur ou groupe prosthétique. Il suffit de l'irradier avec une lumière UV proche ou dans le bleu (effet optimal à 400 nm) et la fluorescence verte émise est facilement observable à l'œil nu, mais elle peut aussi être mesurée à l'aide d'un fluorimètre, le système est donc particulièrement sensible. La Figure 13.20 illustre l'utilisation du gène de la PFV comme gène reporter.

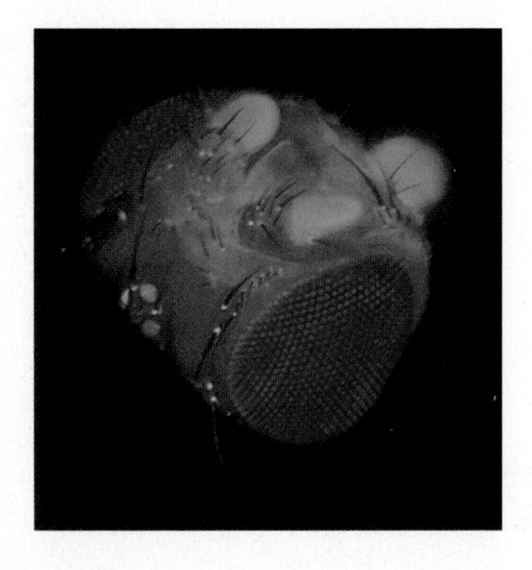

Figure 13.20 • Utilisation du gène de la protéine à fluorescence verte (PFV) comme gène reporter. Le gène *per* est introduit dans un plasmide, en amont du gène de la PFV. Le plasmide est ensuite utilisé pour transformer une drosophile. Le gène *per* code pour une protéine impliquée dans l'établissement du rythme circadien d'activité de ces mouches. La fluorescence représentée ici dans une tête isolée de drosophile indique que l'expression du gène per peut s'effectuer dans toutes les cellules de l'insecte. Cette uniformité signale que chacune des cellules a sa propre horloge indépendante. *(Image due à l'amabilité de Jeffrey D. Plautz et Steve A. Kay, Scripps Research Institute, La Jolla, Californie. Voir également Plautz, J.D., et al., 1997.* Science ***278*** *: 1632-1635.)*

POUR EN SAVOIR PLUS

Un système à deux hybrides pour l'identification de protéines impliquées dans des interactions protéine:protéine spécifiques

Les interactions spécifiques entre les protéines (les interactions protéine:protéine) sont au cœur de nombreux processus biologiques essentiels. Stanley Fields, Cheng-Ting Chien, et leurs collaborateurs ont inventé une méthode qui permet d'identifier *in vivo* les interactions spécifiques protéine:protéine. Cette méthode fait appel à l'expression d'un gène reporter dont la transcription dépend d'un activateur de la transcription, la protéine *GAL4*. La protéine *GAL4* contient deux domaines : un domaine liant l'ADN (domaine **DB**, pour *DNA binding*) et un domaine activateur de la transcription (domaine **TA**, pour *transcriptionnal activation*). Même exprimés sous forme de protéines distinctes, ces deux domaines sont actifs s'ils peuvent être rapprochés l'un de l'autre. La méthode est fondée sur la construction de deux plasmides distincts codant pour deux protéines hybrides, l'une formée du domaine DB de GAL4 fusionné avec une protéine X, l'autre formée du domaine TA de GAL4 fusionné avec une protéine Y (partie a de la figure). Si les protéines X et Y sont en interactions spécifiques, comme dans les interactions protéine:protéine, les domaines DB et TA de GAL4 seront rapprochés l'un de l'autre et la transcription d'un gène reporter sous le contrôle du promoteur *GAL4* pourra avoir lieu (partie b de la figure). La protéine X fusionnée au domaine DB de GAL4 sert « d'appât » pour la capture de la protéine « cible » Y fusionnée au domaine TA de GAL4. Cette méthode peut être utilisée pour cribler des cellules contenant des protéines « cibles » pouvant interagir spécifiquement avec une protéine « appât » particulière. À cette fin, les ADNc codant pour des protéines provenant des cellules étudiées sont insérés dans les plasmides contenant le gène de TA, de façon à créer une fusion entre les séquences codantes de l'ADNc et la séquence codante du domaine TA de *GAL4* ; après expression, une banque de protéines de fusion est alors constituée. L'identification de la « cible » d'une protéine « appât » par cette méthode donne aussi directement la version ADNc du gène codant pour la protéine « cible ».

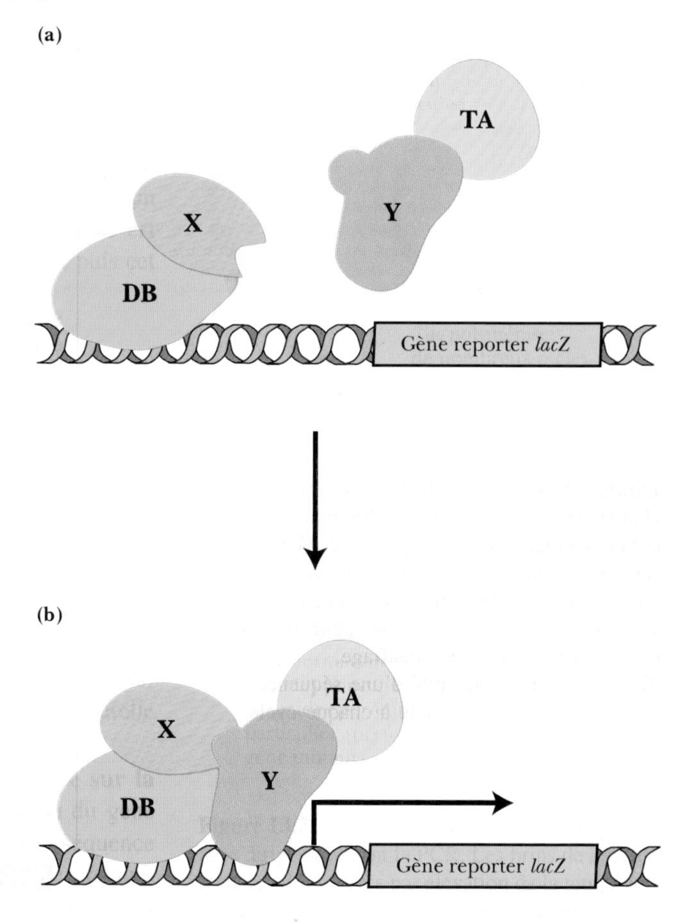

13.3 • Réaction de polymérisation en cascade (PCR)

La réaction de polymérisation en chaîne, ou **PCR** (de l'anglais ***Polymerase chain*** *reaction*), est une technique qui permet d'amplifier dans de très grandes proportions un segment d'ADN sélectionné parmi d'autres segments. Après dénaturation, les brins du segment à amplifier servent de matrice à l'ADN polymérase et deux oligomères spécifiques servent d'amorce pour la synthèse de l'ADN (comme dans la Figure 13.21). La concentration de ces amorces, complémentaires aux deux extrémités 3′ de l'ADN à amplifier, est au moins 1000 fois plus élevée que celle de l'ADN (Figure 13.21). Elles amorcent la synthèse, catalysée par l'ADN polymérase, de deux brins complémentaires à ceux du segment d'ADN à amplifier, ce qui double sa concentration dans la solution. La solution est ensuite chauffée pour dissocier les hybrides d'ADN, puis refroidie, les amorces peuvent alors se lier aux extrémités du nouvel ADN, comme aux extrémités des anciens brins. Un nouveau cycle de synthèse d'ADN s'ensuit. Depuis l'invention d'un **thermostat à variation cyclique** de la température, le protocole est automatisé ; le milieu de réaction est d'abord chauffé

Biochimie humaine

Déficiences biochimiques dans la mucoviscidose et dans l'immunodéficience sévère combinée (SCID ADA$^-$)

Le gène déficient dans la mucoviscidose code pour une protéine membranaire qui pompe les ions Cl^- vers l'extérieur de la cellule (protéine régulatrice de la conductance transmembranaire). Lorsque cette pompe à Cl^- est déficiente, les ions Cl^- restent à l'intérieur de la cellule qui alors capte l'eau du mucus environnant par simple effet d'osmose. Le mucus s'épaissit et s'accumule dans divers organes en particulier dans les bronches ou sa présence favorise les infections comme la pneumonie. En l'absence de traitement, les enfants atteints de mucoviscidose survivent rarement au-delà de cinq ans.

L'immunodéficience sévère combinée, due à une déficience de l'adénosine désaminase (ADA) , est une maladie génétique à issue fatale, En conséquence de la déficience en ADA, l'adénosine et la désoxyadénosine s'accumulent dans les lymphocytes, cellules importantes de la réponse immunitaire. Cette accumulation est toxique pour les lymphocytes, en particulier celle de la désoxyadénosine ; sa présence aboutit à l'accumulation secondaire du dATP, un substrat de la synthèse de l'ADN. Des concentrations élevées en dATP bloquent la réplication de l'ADN et la division cellulaire en inhibant la synthèse des autres désoxynucléosides triphosphates (Chapitre 27). L'accumulation du dATP a aussi pour conséquence d'abaisser la concentration intracellulaire en ATP ce qui diminue la réserve énergétique. Les enfants ADA$^-$, atteints d'immunodéficience sévère combinée, ne peuvent développer une réponse immunitaire normale et sont donc en danger d'infection fatale à moins d'être mis « sous cloche », en atmosphère dépourvue de germes pathogènes.

est de plus en plus répandue (par exemple la production de grandes quantités d'insuline humaine par la culture de cellules *d'E. coli* transformées). On cultive des plantes ayant des caractéristiques souhaitées comme une résistance accrue aux herbicides ou aux parasites. L'hormone de croissance du Rat a été clonée et transférée dans des embryons de souris ; à l'état adulte ces *souris transgéniques* ont une taille deux fois supérieure à la normale (cf. Chapitre 29). On a déjà créé, au bénéfice de l'humanité, des animaux domestiques transgéniques, des porcs, des moutons, et même des poissons. Enfin, ce qui est sans doute plus important, certains essais cliniques ont été autorisés, visant à la **substitution thérapeutique d'un gène** (ou plus simplement de *thérapie génique*), dans le but de corriger des désordres génétiques chez l'Homme.

La thérapie génique

La thérapie génique envisage de pallier une déficience génétique par l'introduction dans l'organisme humain d'une version fonctionnelle du gène déficient. Pour y parvenir, il faut que le gène normal cloné soit introduit dans l'organisme de façon à ne s'exprimer qu'au bon moment, et *seulement* dans les cellules appropriées. À l'heure actuelle, ces conditions imposent de sérieuses difficultés techniques et cliniques. Les thérapies géniques autorisées par les National Institutes of Health américains (NIH) sur des patients humains comprennent des constructions géniques élaborées pour soigner une déficience immunitaire génétique, la mucoviscidose, le neuroblastome et l'immunodéficience sévère combinée, ou pour traiter certains cancers par l'expression des gènes suppresseurs de cancer, E1A et p53.

Le problème principal de la thérapie génique consiste à incorporer un gène fonctionnel dans les cellules cibles. Le système est le plus souvent constitué de la forme ADNc du gène considéré, placé en aval d'un promoteur qui permet son expression. L'ensemble constitue ce qui appelé une **cassette d'expression**. Le vecteur porteur d'une cassette d'expression est introduit dans les cellules cibles soit *ex vivo* par transfert dans des cellules cultivées au laboratoire puis administration des cellules modifiées au patient, soit *in vivo* par incorporation directe du gène au patient. Les rétrovirus, qui peuvent transférer leur information génétique directement dans le génome des cellules hôtes, sont un des moyens utilisés permettant de modifier *ex vivo* et de façon permanente les cellules hôtes. Un mutant du virus de la leucémie murine de Maloney, déficient pour la réplication, peut servir de vecteur de cassette d'expression pour des gènes de taille inférieur à 9 kpb. La Figure 13.23 présente

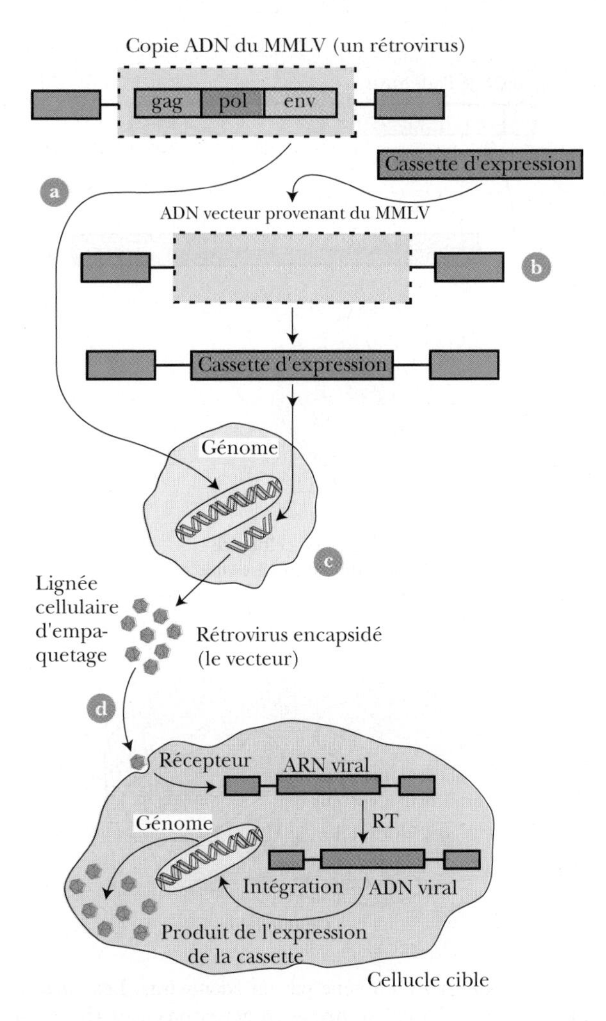

Figure 13.23 • Transfert *ex vivo* d'un gène par un rétrovirus. Les rétrovirus sont des virus à ARN ; la réplication de leur génome exige la synthèse préalable d'un ADN intermédiaire. Le virus de la leucémie murine de Maloney (MMLV) est le virus utilisé dans la thérapie génique. La délétion (a) des gènes *gag*, *pol* et *env* du MMLV le rend déficient pour la réplication (il ne peut donc se reproduire) et crée un espace pour l'insertion d'une cassette d'expression (b). Le MMLV modifié agit comme un vecteur cassette car il reste infectieux bien qu'il ne puisse se reproduire. L'infection d'une lignée cellulaire d'empaquetage porteur des gènes *gag*, *pol* et *env* intacts permet la multiplication du MMLV modifié (c), et les particules rétrovirales encapsidées sont collectées puis utilisées pour infecter un patient (d). Dans le cytosol des cellules du patient, une copie ADN du génome viral à ARN est synthétisée par une transcriptase inverse qui accompagne l'ARN viral dans les cellules. Cet ADN est ensuite intégré de façon aléatoire dans le génome de la cellule hôte où son expression aboutit à production de la molécule codée par la cassette d'expression. *(D'après la Figure 1 in Crystal, R.G., 1995. Transfer of genes to humans : Early lessons and obstacles to success.* Science ***270** : 404.)*

une des approches utilisées pour l'introduction d'un gène à l'aide d'un rétrovirus avec l'espoir que la cassette d'expression restera intégrée de façon stable dans l'ADN des cellules du patient et sera exprimée pour produire la protéine désirée. Des vecteurs dérivés d'*adénovirus,* acceptant des cassettes d'expression de 7,5 kpb, semblent permettre une autre approche *in vivo* de thérapie génique (Figure 13.24). Des adénovirus déficients pour la réplication entrent dans les cellules cibles par des récepteurs spécifiques de la surface de la cellule cible ; l'information génétique transférée est directement exprimée à partir de l'adénovirus recombinant mais n'est jamais incorporée dans le génome de la cellule hôte. Bien qu'il reste encore de nombreux problèmes à résoudre, la thérapie génique est du domaine du possible.

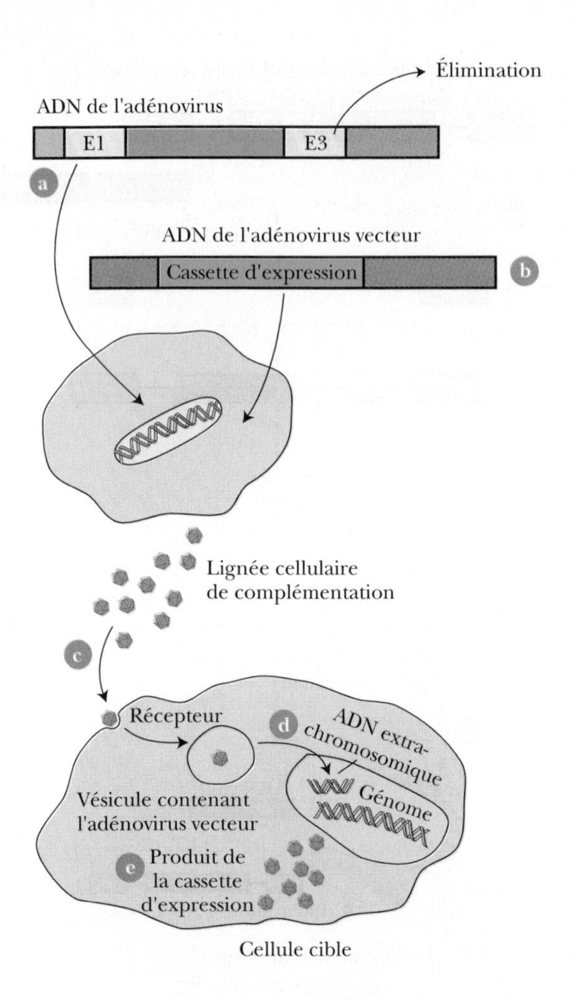

Figure 13.24 Transfert in *vivo* d'un gène par un adénovirus. Les adénovirus sont des virus à ADN. Leur génome (36 kb) se divise en gènes précoces (E1 à E4, E pour *early*) et en gènes tardifs (L1 à L5, L pour *late*) (a). Les adénovirus utilisés comme vecteurs sont générés par délétion du gène E1 (et parfois E3 s'il faut plus d'espace pour une cassette d'expression) (b) ; après la délétion de E1, l'adénovirus ne peut plus se répliquer à moins d'avoir été introduit dans une lignée cellulaire de complémentation porteur du gène E1 (c). Les particules virales produites dans une lignée cellulaire complémentaire (utilisée pour la multiplication de l'adénovirus vecteur) peuvent être utilisées pour infecter un patient. Chez le patient, le vecteur, avec sa cassette d'expression, pénètre dans les cellules par des récepteurs spécifiques (d). Son ADN linéaire et bicaténaire, se retrouve finalement dans le noyau cellulaire où il exprime le produit de la cassette sans s'incorporer dans le chromosome (e) ; il demeure extrachromosomique. *(D'après la Figure 2 in Crystal, R.G., 1995. Transfer of genes to humans : Early lessons and obstacles to success.* Science ***270** : 404.)*

EXERCICES

1. Un fragment d'ADN, isolé après la digestion partielle d'un génome par *Eco*RI, est lié à un plasmide linéarisé par *Eco*RI afin que les extrémités cohésives puissent s'hybrider. L'ADN ligase du phage T4 est ajoutée au mélange réactionnel. Donner la liste complète des différents produits de ligature qui peuvent se former.

2. La séquence des nucléotides du polylinker d'un vecteur plasmidique est la suivante :

—GAATTCCCGGGGATCCTCTAGAGTCGACCTGCAGGCATGC—

Ce polylinker contient les sites pour *Bam*HI, *Eco*RI, *Pst*I, *Sal*I, *Sph*I, et *Xba*I. Préciser les sites de restriction de cette séquence. (cf. la liste des endonucléases de restriction, Tableau 11.5).

3. Le polylinker d'un vecteur contient, dans l'ordre donné, les sites de restrictions suivants : *Hind*III, *Sac*I, *Xho*I, *Bgl*II, et *Cla*I.
a. Donner une séquence possible de nucléotides pour le polylinker.
b. Un vecteur est soumis à digestion par *Hind*III et *Cla*I. Un segment d'ADN contient un site de restriction *Hind*III 650 bases en amont d'un site *Cla*I. Ce segment est traité par *Hind*III et *Cla*I ; le fragment HindIII-ClaI est ensuite cloné de façon directionnelle dans le vecteur digéré par *Hind*III et *Cla*I. Donner la séquence des nucléotides à chacune des extrémités du vecteur et de l'insert et montrer que cet insert ne peut être cloné que dans une orientation.

4. La taille du génome de la levure (*Saccharomyces cerevisiae*) est de $1{,}21 \times 10^7$ pb. On désire prépare une banque du génome de la levure dans un vecteur dérivé du phage λ qui accepte des inserts de 16 kpb. Combien de clones distincts faudra-t-il examiner pour détecter un fragment particulier avec une probabilité de succès de 99 % ?

5. Le poisson à poumons d'Amérique du sud a un génome de $1{,}02 \times 10^{11}$ pb. Si l'on prépare une banque génomique dans un cosmide capable d'accepter un insert de 45 kpb, combien de clones distincts faudra-t-il examiner pour détecter un fragment particulier avec une probabilité de succès de 99 % ?

6. Étant donnée la courte séquence d'ADN bicaténaire suivante ($5' \rightarrow 3'$)

ATGCCGTAGTCGATCATTACGATAGCATAGCACAGGGATCCA-CATGCACACATGACATAGGACAGATAGCAT

quelles amorces de 17 nucléotides faut-il préparer pour son amplification par la réaction de polymérisation en cascade (PCR) ?

7. La Figure 13.5b présente un polylinker qui se trouve dans la région du gène *lacZ* codant pour la β-galactosidase. Ce polylinker sert de site de clonage à un vecteur d'expression dans lequel l'insert cloné sera exprimé comme protéine de fusion avec la β-galactosidase. Admettant que le vecteur est clivé dans le polylinker avec *Bam*HI et que les extrémités sont ligaturées à l'insert suivant ($5' \rightarrow 3'$) :

GATCCATTTATCCACCGGAGAGCTGGTATCCCCAAAAGACG-GCC…

quelle est la séquence des acides aminés de la protéine de fusion ? Où se trouve la jonction entre la β-galactosidase et la séquence codée par l'insert ? (Consulter la code génétique sur la face intérieure de la couverture pour traduire la séquence des acides aminés.)

8. La séquence des acides aminés d'une région de protéine est la suivante :

Asn-Ser-Gly-Met-His-Pro-Gly-Lys-Leu-Ala-Ser-Trp-Phe-Val-Gly-Asn-Ser

La séquence des nucléotides codant pour cette région de la protéine débute et se termine par un site *Eco*RI ce qui facilite son clonage en vue d'une amplification par PCR. Quelle est la séquence nucléotidique de cette région ? Supposons que vous souhaitez remplacer le résidu Ser du milieu de la séquence des acides aminés par un résidu Cys afin d'étudier les conséquences de ce changement sur l'activité de cette protéine. Quelle séquence d'oligonucléotide mutant faudrait-il utiliser pour l'amplification par PCR ?

Lectures complémentaires

Ausubel, F.M., Brent, R., Kingston, R.E., et al., eds., 1987. *Current Pro cols in Molecular Biology.* New York : John Wiley & Sons. Un manuel de clonage, très populaire.

Berger, S.L., et Kimmel, A.R., eds., 1987. *Guide to Molecular Cloning Techniques. Methods in Enzymology,* Volume 152. New York : Academic Press.

Bolivar, F., Rodriguez, R.L., Greene, P.J., et al., 1977. Construction and characterization of new cloning vehicles. II. A multipurpose cloning system. *Gene* **2** : 95-113. Article décrivant l'un des premiers plasmides de clonage.

Chalfie, M., et al., 1994. Green fluorescent protein as a marker for gene expression. *Science* **263** : 802-805.

Chien, C.-T., et al., 1991. The two-hybrid system : A method to identify and clone genes for proteins that interact with a protein of interest. *Proceedings of the National Academy of Sciences U.S.A.* **88** : 9578-9582.

Cohen, S.N., Chang, A.C.Y., Boyer, H.W., et Helling, R.B., 1973. Construction of biologically functional bacterial plasmids *in vitro. Proceedings of the National Academy of Sciences U.S.A.* **70** : 3240-3244. La publication classique sur la construction de plasmides chimères.

Cortese, R., 1996. *Combinatorial Libraries : Synthesis, Screening and Application Potential.* Berlin : Walter de Gruyter.

Crystal, R.G., 1995. Transfer of genes to humans : Early lessons and obstacles to success. *Science* **270** : 404-410.

Goeddel, D.V., ed., 1990. *Gene Expression Technology. Methods in Enzymology,* Volume 185. New York : Academic Press.

Grunstein, M., et Hogness, D.S., 1975. Colony hybridization : A specific method for the isolation of cloned DNAs that contain a specific gene. *Proceedings of the National Academy of Sciences U.S.A.* **72** : 3961-3965. Article décrivant la technique d'hybridation en colonie pour le clonage d'un gène.

Guyer, M., 1992. A comprehensive genetic linkage map for the human genome. *Science* **258** : 67-86. M. Guyer est l'auteur auquel il faut adresser toute correspondance concernant l'article. Il représente le collectif de cartographie Franco-Américain du CEPH/NIH (Centre d'Etude du Polymorphisme Humain/National Institutes of Health). L'article a été publié dans le numéro de *Science* du 2 octobre 1992 (Volume 258) il présente l'état des progrès réalisés dans le Projet Génome Humain. Voir aussi le numéro de *Science* sur le génome, Volume 270, n° 5235, 20 octobre 1995.

Jackson, D.A., Symons, R.H., et Berg, P., 1972. Biochemical method for inserting new genetic information into DNA of simian virus 40 : Circular SV40 DNA molecules containing lambda phage genes and the galactose operon of *E. coli. Proceedings of the National Academy of Sciences U.S.A.* **69** : 2904-2909.

Luckow, V.A., et Summers, M.D., 1988. Trends in the development of baculovirus expression vectors. *Biotechnology* **6** : 47-55.

Lyon, J., et Gorner, P., 1995. *Altered Fates. Gene Therapy and the Retooling of Human Life.* New York : Norton.

Maniatis, T., Hardison, R.C., Lacy, E., et al., 1978. The isolation of structural genes from libraries of eucaryotic DNA. *Cell* **15** : 687-701.

Morgan, R.A., et Anderson, W.F., 1993. Human gene therapy. *Annual Review of Biochemistry* **62** : 191-217.

Murialdo, H., 1991. Bacteriophage lambda DNA maturation and packaging. *Annual Review of Biochemistry* **60** : 125-153. Revue sur l'aspect biochimique de l'empaquetage de l'ADN dans les têtes du phage λ.

Palese, P., et Roizman, B., 1996. Genetic engineering of viruses and of virus vectors : A preface. *Proceedings of the National Academy of Sciences U.S.A.* **93** : 11287-11425. Préface à une série d'articles publiés après un colloque sur le génie génétique et les méthodes en thérapie génique.

Peterson, K.R., et al., 1997. Production of transgenic mice with yeast artificial chromosomes. *Trends in Genetics* **13** : 61-66.

Saiki, R.K., Gelfand, D.H., Stoeffel, B., et al., 1988. Primer-directed amplification of DNA with a thermostable DNA polymerase. *Science* **239** : 487-491. Discussion de la réaction de polymérisation en cascade.

Sambrook, J., Fritsch, E.F., et Maniatis, T., 1989. *Molecular Cloning,* 2nd ed. Long Island : Cold Spring Harbor Laboratory Press. Ce manuel de référence en matière de clonage est « Le Maniatis » des laboratoires qui pratiquent le clonage.

Scriver, C.R., Beaudet, A.L., Sly, W.S., et Valle, D., eds. 1995. *The Metabolic and Molecular Bases of Inherited Disease.* La septième édition de cet ouvrage classique contient des articles de plus de 300 auteurs. Ce traité en trois volumes est considéré comme la référence définitive sur les bases moléculaires des maladies héréditaires.

Southern, E.M., 1975. Detection of specific sequences among DNA fragments separated by gel electrophoresis. *Journal of Molecular Biology* **98** : 503-517. La publication classique de Southern sur l'identification de séquences d'ADN par hybridation avec des sondes spécifiques.

Southern, E.M., 1996. DNA chips : Analysing sequence by hybridization to oligonucleotides on a large scale. *Trends in Genetics* **12** : 110-115.

Timmer, W.C., et Villalobos, J.M., 1993. The polymerase chain reaction. *The Journal of Chemical Education* **70** : 273-280.

Young, R.A., et Davis, R.W., 1983. Efficient isolation of genes using antibody probes. *Proceedings of the National Academy of Sciences U.S.A.* **80** : 1194-1198. Utilisation des anticorps pour cribler une banque d'expression des protéines afin d'isoler le gène structural d'une protéine particulière.

Deuxième partie
Dynamique des protéines

La dynamique des protéines – l'action des enzymes et les moteurs moléculaires – donne la clé pour la compréhension de la biochimie de ce guépard et des herbes à travers lesquelles il court. (Frank Lane/Parfitt/Tony Stone Images)

« Maintenant! Maintenant ! » cria la Reine.
« Plus vite ! Plus vite ! Maintenant *ici*, vous voyez, il vous faut courir aussi vite que vous le pouvez, juste pour rester à la même place. Si vous désirez aller ailleurs, vous devez courir au moins deux fois plus vite que cela ! »

LEWIS CARROLL, *Alice au pays des merveilles* (1865)

Chapitre 14

Cinétique enzymatique

PLAN

La Reine de cœur face à Alice. Illustration de l'édition originale *Alice's Adventures in Wonderland.* (Mary Evans Picture Library, London)

Les organismes vivants bouillonnent d'activité métabolique. À tout moment, des milliers de réactions chimiques se déroulent très rapidement au sein de toutes les cellules vivantes. Dans pratiquement toutes ces réactions des protéines spécialisées (parfois des ARN) interviennent, elles catalysent les réactions métaboliques, ce sont les **enzymes**. Les substances transformées au cours de ces réactions sont souvent des molécules organiques qui n'ont guère tendance à réagir à l'extérieur d'une cellule. Un bon exemple est celui du glucose, un ose qui, sans précautions particulières, peut être conservé presque indéfiniment sans détérioration. La plupart des cellules oxydent rapidement le glucose, produisant du gaz carbonique et de l'eau, en libérant de l'énergie.

$$C_6H_{12}O_6 + 6\ O_2 \longrightarrow 6\ CO_2 + 6\ H_2O + 2870\ \text{kJ d'énergie}$$

(–2870 kJ/mol est la variation d'énergie libre standard [$\Delta G^{0\prime}$] produite par l'oxydation complète du glucose ; cf. Chapitre 3). En termes de chimie, 2.870kJ

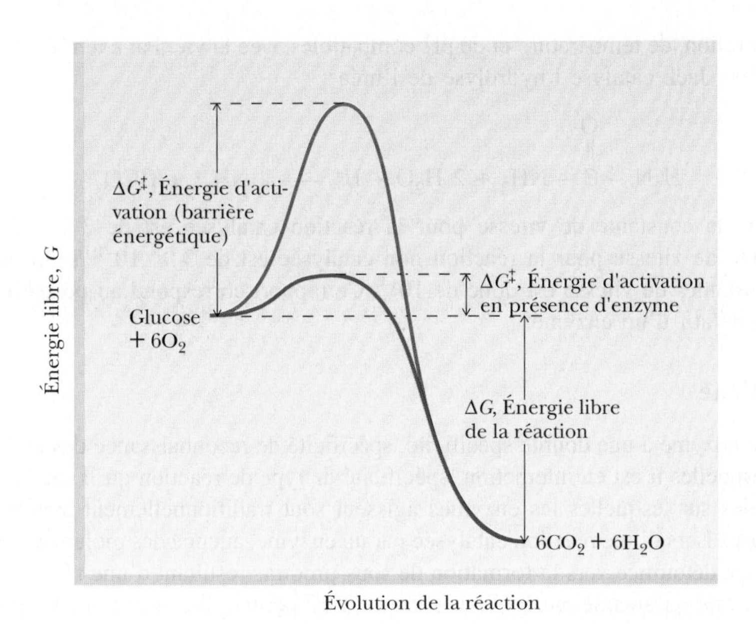

Figure 14.1 • Profil de la réaction montrant la grande variation de l'énergie libre ΔG lors de l'oxydation du glucose ; la variation de l'énergie libre est de –2.870 kJ/mol. Les catalyseurs abaissent $\Delta G^{\ddagger}$ et pour cette raison accélèrent la vitesse de la réaction.

représente une grande quantité d'énergie et le glucose peut être considéré comme un composé riche en énergie, même si à la température ambiante il ne réagit pas facilement avec l'oxygène à l'extérieur d'une cellule. Exprimé autrement, le glucose représente une **potentialité thermodynamique** : sa réaction avec l'oxygène est fortement exergonique, mais elle ne s'effectue pas dans les conditions normales. Cependant, les enzymes peuvent catalyser ces réactions thermodynamiquement favorables, de sorte qu'elles s'accomplissent avec une extrême rapidité (Figure 14.1). Lors de l'oxydation du glucose et dans un nombre très élevé d'autres réactions, les enzymes confèrent aux cellules la remarquable capacité de *contrôler la cinétique des potentialités thermodynamiques*. C'est-à-dire que les systèmes vivants utilisent des enzymes pour accélérer et contrôler la vitesse des réactions biochimiques vitales.

Les enzymes sont les agents de la fonction métabolique

Agissant en ordre séquentiel, les enzymes organisent les voies métaboliques de la dégradation des nutriments et de la synthèse d'autres molécules. La dégradation libère de l'énergie qui est convertie en des formes utilisables par le métabolisme et génère des précurseurs qui seront transformés par d'autres voies métaboliques pour créer les milliers de molécules biologiques distinctes présentes dans toute cellule vivante (Figure 14.2). Des **enzymes de régulation** interviennent aux carrefours des voies métaboliques, ils ont la capacité de réagir aux besoins métaboliques momentanés de la cellule et d'ajuster leur activité catalytique en fonction de ces besoins. Les réponses de ces enzymes assurent une intégration harmonieuse des diverses et parfois divergentes activités métaboliques des cellules de sorte que l'état vivant soit préservé et perpétué.

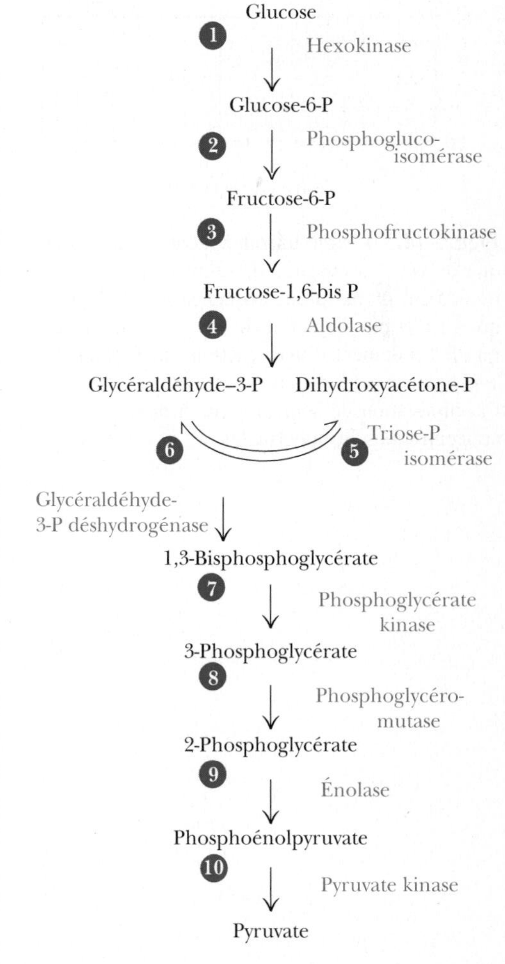

Figure 14.2 • La dégradation du glucose par la voie de la glycolyse est l'exemple type d'une voie métabolique. Dix enzymes interviennent pour catalyser les réactions de la glycolyse. L'enzyme 4, la *fructose-1,6-bisphosphate aldolase* catalyse la réaction de clivage de la liaison C–C dans cette voie.

14.1 • Enzymes – pouvoir catalytique, spécificité et régulation

Trois propriétés distinctes caractérisent les enzymes : le **pouvoir catalytique**, la **spécificité**, la **régulation**

Pouvoir catalytique

Les enzymes ont un énorme pouvoir catalytique, accélérant la vitesse des réactions jusqu'à 10^{16} fois la vitesse des réactions non catalysées, ce qui dépasse de beaucoup le pouvoir des catalyseurs synthétiques, et ceci dans des conditions de concentration, de température et de pH compatibles avec la vie. Par exemple, l'uréase de la fève Jack catalyse l'hydrolyse de l'urée :

$$H_2N-\overset{\overset{\displaystyle O}{\|}}{C}-NH_2 + 2\,H_2O + H^+ \longrightarrow 2\,NH_4^+ + HCO_3^-$$

À 20 °C la constante de vitesse pour la réaction catalysée est de 3×10^4/s ; la constante de vitesse pour la réaction non catalysée est de 3×10^{-10}/s. Le rapport des constantes de vitesse est donc de 10^{14}. Ce rapport correspond au **pouvoir catalytique** relatif d'un enzyme.

Spécificité

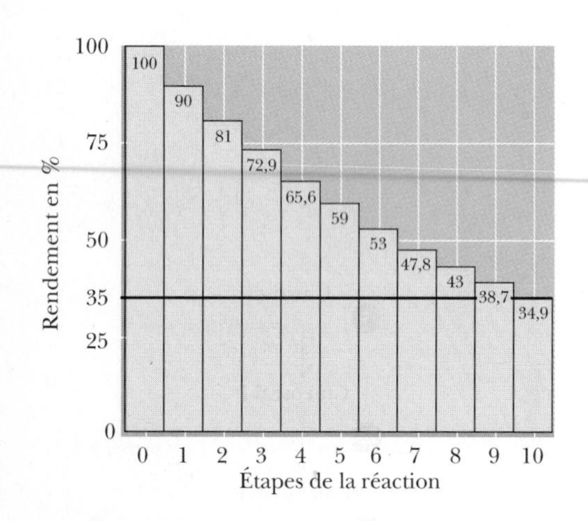

Figure 14.3 • Avec un rendement qui ne serait que de 90 % à chacune des étapes, le rendement global d'une séquence métabolique qui en compte dix serait de 35 %. Il faut donc que le rendement d'une réaction biochimique *soit beaucoup plus élevé* pour éviter l'accumulation de sous-produits à des concentrations insupportables.

Chaque enzyme a une double spécificité, spécificité de reconnaissance des molécules avec lesquelles il est en interaction, spécificité de type de réaction qu'il catalyse. Les molécules sur lesquelles les enzymes agissent sont traditionnellement appelées des **substrats**. Lors d'une réaction catalysée par un enzyme, aucune des molécules de substrat n'est détournée vers la formation de sous-produits résultant d'une réaction parasite, de sorte qu'aucune molécule de substrat n'est perdue. Il s'ensuit que les produits formés dans une réaction catalysée par un enzyme sont également très spécifiques. Ce fait est à comparer avec ce qui se passe en chimie organique où des rendements de 50, ou même de 30 %, sont considérés comme un succès (Figure 14.3). Ces qualités sélectives particulières d'un enzyme sont collectivement désignées comme sa **spécificité**. Les interactions entre un enzyme et son substrat dépendent de la reconnaissance moléculaire fondée sur la complémentarité structurale ; cette reconnaissance est à la base de la spécificité. Le site spécifique sur lequel se lie le substrat et où la catalyse a lieu est appelé **le site actif** de l'enzyme.

Régulation

Il existe différentes possibilités de régulation de l'activité enzymatique, depuis le contrôle de la quantité de protéine enzymatique synthétisée par la cellule jusqu'à la modulation, une réponse plus rapide, de l'activité par des interactions réversibles avec des métabolites inhibiteurs ou activateurs. La régulation de l'activité enzymatique est traitée Chapitre 15. Comme l'énorme majorité des enzymes sont des protéines, on peut anticiper et prévoir que les fonctions des enzymes peuvent être rapportées à la remarquable souplesse des structures des protéines.

Nomenclature des enzymes

D'une façon traditionnelle, le nom des enzymes est souvent formé en ajoutant le suffixe *-ase* au nom de la substance (le substrat) sur laquelle elle agit. *L'uréase* est le nom de l'enzyme qui hydrolyse l'urée et les *phosphatases* sont des enzymes qui hydrolysent les groupes phosphoryle des molécules organiques phosphorylées. D'autres enzymes ont des noms consacrés par l'usage, noms qui n'ont guère de rapport avec leur activité ou avec leur substrat ; par exemple, l'enzyme qui décompose l'eau oxygénée est la *catalase* et des enzymes protéolytiques (*protéases*) du tube digestif ont pour nom la *trypsine* et la *pepsine*. Ces appellations communes pouvant être une source de confusion, une Commission des Enzymes a été mise en place en 1956 par l'Union Internationale de Biochimie, pour définir la base systématique permettant d'établir la nomenclature des enzymes. Les noms communs de beaucoup d'enzymes sont encore utilisés, mais chaque enzyme est aujourd'hui répertorié, avec un numéro et un nom en relation avec la nature de la réaction qu'il catalyse.

La nomenclature reconnaît six classes de réactions (Tableau 14.1). Les classes contiennent des sous-classes elles-mêmes subdivisées en sous-sous-classes qui regroupent les enzymes ayant des propriétés communes. Classes, sous-classes, sous-sous-classes et chacun des enzymes sont numérotés, de sorte qu'une série de

Tableau 14.1

Classification systématique des enzymes selon la Commission des Enzymes

Numéro E.C.	Classes et sous-classes
1	*Oxydoréductases* (réactions d'oxydation et de réduction)
1.1	Agissant sur un groupe CH–OH du donneur d'hydrogène
1.1.1	Avec NAH ou NADP comme accepteur
1.1.3	Avec O_2 comme accepteur
1.2	Agissant sur un groupe >C=O du donneur (aldéhyde ou cétone)
1.2.3	Avec O_2 comme accepteur
1.3	Agissant sur un groupe >CH–CH< du donneur
1.3.1	Avec NAH ou NADP comme accepteur
2	*Transférases* (Transfert de groupes fonctionnels)
2.1	Transférant un groupe monocarboné
2.1.1	Méthyltransférases
2.1.2	Hydroxyméthyltransférases et formyltransférases
2.1.3	Carboxyltransférases et carbamoyltransférases
2.2	Transférant un résidu aldéhyde ou cétone
2.3	Acyltransférases
2.4	Glycosyltransférases
2.6	Transférant des groupes contenant de l'azote
2.6.1	Aminotransférases
2.7	Transférant des groupes contenant du phosphate
2.7.1	Avec un groupe alcool comme accepteur
3	*Hydrolases* (réactions d'hydrolyse)
3.1	Clivant des liaisons ester
3.1.1	Carboxylester hydrolases
3.1.3	Phosphomonoestérases
3.1.4	Phosphodiestérases
4	*Lyases* (addition d'un groupe sur une double liaison)
4.1	C=C lyases
4.1.1	Carboxylases
4.1.2	Aldéhyde lyases
4.2	C=O lyases
4.2.1	Hydratase
4.3	C=N lyases
4.3.1	Ammoniac lyases
5	*Isomérases* (réactions d'isomérisation)
5.1	Racémases et épimérases
5.1.3	Agissant sur les oses
5.2	Cis-Trans isomérases
6	*Ligases* (formation d'une liaison entre deux molécules avec coupure d'une liaison à haut potentiel énergétique)
6.1	Formation de liaisons C–O
6.1.1	Aminoacyl-ARNt ligase
6.2	Formation de liaisons C–S
6.3	Formation de liaisons C–N
6.4	Formation de liaisons C–C
6.4.1	Carboxylases

4 nombres spécifie très précisément un enzyme. À cette série de nombres s'ajoute un nom systématique, qui décrit la réaction. À titre d'illustration, considérons l'enzyme qui catalyse cette réaction :

$$\text{ATP} + \text{D-glucose} \longrightarrow \text{ADP} + \text{D-glucose-6-phosphate}$$

Un groupe phosphate est transféré de l'ATP au C-6-OH du glucose, l'enzyme est donc une *transférase*, (Classe 2, Tableau 14.1). La sous-classe 7 des *transférases* regroupe les enzymes qui catalysent le *transfert d'un groupe contenant du phosphate* et la sous-sous-classe 1 englobe les *phosphotransférases dont l'accepteur est un alcool.* L'enzyme enregistré sous le numéro 2 de cette sous-sous-classe est **l'ATP:D-glucose-6-phosphotransférase**, et son numéro complet dans la classification est **2.7.1.2.** Quand il en est fait usage, le numéro doit être précédé des lettres **E.C.** pour Commission des Enzymes (Enzyme Commission). Le premier enzyme enregistré dans la sous-sous classe, donc numéro 1, est référencé E.C. 2.7.1.1., c'est l'ATP:D-hexose-6-phosphotransférase, un enzyme qui catalyse le transfert d'un phosphate de l'ATP au 6-OH d'un D-hexose (il n'est pas spécifique d'un D-hexose particulier). Cette façon de désigner un enzyme est peu commode pour un usage courant et des appellations communes plus simples sont fréquemment employées. L'enzyme spécifique du D-glucose est ainsi la *glucokinase*, et l'enzyme non-spécifique E.C. 2.7.1.1. est connu sous le nom *d'hexokinase. Kinase* est un terme courant pour les phosphotransférases ATP-dépendantes.

Coenzymes

La fonction catalytique de beaucoup d'enzymes ne dépend que de la structure de la protéine elle-même. Mais il en est de nombreuses autres qui requièrent la présence d'autres composantes non protéiques, appelées **cofacteurs** (Tableau 14.2), ions métalliques ou molécules organiques ; dans ce dernier cas on utilise plutôt le terme de **coenzyme**. Comme les cofacteurs sont structuralement plus simples que les protéines, ils sont plus stables à chaud, leurs propriétés résistent à l'incubation dans un bain d'eau bouillante alors que les protéines sont presque toutes inactivées, dénaturées, dans ces conditions. De nombreux coenzymes sont des vitamines ou sont des dérivés de vitamines. Le plus souvent les coenzymes participent activement à la réaction catalysée par l'enzyme, servant de transporteurs intermédiaires de groupes fonctionnels au cours de la transformation des substrats en produits. Dans de nombreux cas, le coenzyme est fermement associé à son enzyme, parfois même par des liaisons covalentes, et il est difficile de les séparer. Un coenzyme aussi fortement lié à l'enzyme est appelé **groupe prosthétique** de l'enzyme. Le complexe catalytique formé par une protéine et son

Tableau 14.2

Cofacteurs enzymatiques : Ions métalliques et coenzymes, et exemples d'enzymes auxquels ils sont associés

Ions métalliques et enzymes qui exigent leur présence		**Coenzymes servant de transporteurs intermédiaire d'atomes ou de groupes fonctionnels**		**Enzymes représentatifs utilisant des coenzymes**
Ion métallique	Enzyme	Coenzyme	Entité transférée	
Fe^{2+} ou Fe^{3+}	Cytochrome oxydase	Thiamine pyrophosphate (TPP)	Aldéhydes	Pyruvate déshydrogénase
	Catalase	Flavine adénine dinucléotide (FAD)	Atomes d'hydrogène	Succinate déshydrogénase
	Peroxydase			
Cu^{2+}	Cytochrome oxydase	Nicotinamide adénine dinucléotide (NAD)	Ion hydrure (H^-)	Alcool déshydrogénase
Zn^{2+}	ADN polymérase			
	Anhydrase carbonique	Coenzyme A (CoA)	Groupes acyle	Acétyl-CoA carboxylase
	Alcool déshydrogénase	Pyridoxal phosphate (PLP)	Groupes amino	Aspartate aminotransférase
		5′-Désoxyadénosylcobalamine (vitamine B_{12})	Atomes d'H et groupes alkyle	Méthylmalonyl-CoA mutase
Mg^{2+}	Hexokinase			
	Glucose-6-phosphatase	Biotine (Biocytine)	CO_2	Propionyl-CoA carboxylase
Mn^{2+}	Arginase	Tétrahydrofolate (THF)	Autres groupes monocarbonés	Thymidylate synthase
K^+	Pyruvate kinase (requiert aussi Mg^{2+})			
Ni^{2+}	Uréase			
Mo	Nitrate réductase			
Se	Glutathion peroxydase			

groupe prosthétique constitue un **holoenzyme**. La protéine seule, dépourvue de son groupe prosthétique est un **apoenzyme** dépourvu d'activité catalytique.

14.2 • Introduction à la cinétique enzymatique

La **cinétique** est la science qui a pour objet l'étude de la vitesse des réactions chimiques. La **cinétique enzymatique** englobe le rôle biologique des catalyseurs enzymatiques et les mécanismes qui permettent leur extraordinaire activité catalytique. Avec la cinétique enzymatique nous cherchons à déterminer la vitesse maximale de la réaction que l'enzyme catalyse et à mesurer son affinité pour les substrats et les inhibiteurs. L'analyse de l'influence des conditions de la réaction sur sa vitesse, couplée à l'étude de la structure et des propriétés chimiques de l'enzyme, donne des informations sur la nature du mécanisme de l'activité catalytique. Ces informations sont essentielles pour la compréhension globale du métabolisme.

Ces informations peuvent être utilisées pour contrôler et modifier le cours des événements métaboliques. La pharmacologie se fonde sur cette stratégie. La cible des médicaments spécifiques, par exemple les antibiotiques, est souvent une séquence métabolique précise qu'il faut bloquer afin d'arrêter une infection ou pour soulager un malade. Une connaissance détaillée de la cinétique d'un enzyme est un préalable nécessaire à la création rationnelle d'un nouveau médicament et à l'intervention de la pharmacologie.

Cette connaissance peut être exploitée pour contrôler et manipuler le cours d'une séquence métabolique. La pharmacologie est une science qui se propose de tels objectifs. Les substances médicamenteuses sont fréquemment des inhibiteurs spécifiques d'un enzyme particulier qui permettent de lutter contre une infection ou de soulager une douleur. La connaissance précise de la cinétique d'un enzyme est indispensable pour la conception rationnelle d'un nouveau médicament et le succès de son action pharmacologique.

Principes de la cinétique chimique

Avant d'aborder le traitement quantitatif de la cinétique enzymatique, nous reverrons brièvement quelques principes de base de la cinétique chimique. La **cinétique chimique** est l'étude de la vitesse des réactions chimiques. Considérons une réaction dont la stœchiométrie globale est :

$$\mathrm{A} \longrightarrow \mathrm{P}$$

Bien que nous traitions cette réaction comme la conversion en une seule étape de A en P, elle résulte plus vraisemblablement d'une séquence de réactions élémentaires dont chacune provoque une réaction moléculaire simple, comme dans :

$$\mathrm{A} \longrightarrow \mathrm{I} \longrightarrow \mathrm{J} \longrightarrow \mathrm{P}$$

I et J représentant des intermédiaires dans la réaction. La description précise de toutes les réactions élémentaires dans ce processus est nécessaire pour définir le mécanisme général de la réaction A → P.

Supposons que A → P *est* effectivement une réaction élémentaire, qu'elle est spontanée, et essentiellement irréversible. On peut facilement admettre l'irréversibilité de la réaction si la vitesse de la conversion de P en A est très lente comparée à celle de A en P, *ou* si la concentration de P (exprimée par [P]) est, dans les conditions choisies, négligeable devant celle de A. La **vitesse**, v, de la réaction A → P correspond à la quantité de P formé ou de A consommé par unité de temps, t. Soit,

$$v = \frac{d[\mathrm{P}]}{dt} \quad \text{ou} \quad v = \frac{-d[\mathrm{A}]}{dt} \qquad (14.1)$$

La relation mathématique entre la vitesse de la réaction et la concentration du (ou des) réactif(s) est dans ce cas simple :

$$v = \frac{-d[\mathrm{A}]}{dt} = k[\mathrm{A}] \qquad (14.2)$$

Dans cette relation, il est évident que la vitesse est proportionnelle à la concentration de A, et k est la constante de proportionnalité, ou **constante de vitesse de la réaction**. L'unité de la constante de vitesse k de cette réaction est l'inverse de celle du temps, $(\text{temps})^{-1}$, généralement s^{-1}. La vitesse v est une fonction de [A] à la puissance 1, ou dans la terminologie de la cinétique, v est d'ordre 1 par rapport à A. Dans une réaction élémentaire, **l'ordre** de chaque réactif correspond à la valeur de son exposant dans l'équation de la vitesse de la réaction (à ne pas confondre avec le nombre des molécules qui réagissent en même temps, nombre défini comme la « **molécularité** » de la réaction). Ainsi, la réaction élémentaire simple A → P est-elle une **réaction de premier ordre**. La Figure 14.4 représente le déroulement d'une réaction de premier ordre en fonction du temps. La vitesse de la décroissance de la radioactivité d'un isotope radioactif, par exemple ^{14}C ou ^{32}P, est une réaction du premier ordre, de même qu'un réarrangement intramoléculaire tel que A → P. Dans les deux cas nous avons une **réaction monomoléculaire** (la molécularité est égale à 1).

Réactions bimoléculaires

Considérons à présent une réaction plus complexe dans laquelle deux molécules doivent réagir pour donner des produits :

$$A + B \longrightarrow P + Q$$

Supposons qu'il s'agisse d'une réaction élémentaire, sa molécularité est égale à 2 ; il s'agit donc d'une **réaction bimoléculaire**. La vitesse de cette réaction peut être déterminée à partir de la vitesse de la disparition de A ou de celle de B, ou par la vitesse de formation de P ou de Q :

$$v = \frac{-d[A]}{dt} = \frac{-d[B]}{dt} = \frac{d[P]}{dt} = \frac{d[Q]}{dt} \qquad (14.3)$$

La relation entre la vitesse de la réaction et la concentration des réactifs devient :

$$v = k[A][B] \qquad (14.4)$$

C'est-à-dire que la vitesse est proportionnelle à la fois à la concentration de A et à celle de B. Comme elle est proportionnelle au produit de deux concentrations, il s'agit **globalement d'une réaction d'ordre 2 ;** elle reste d'ordre 1 par rapport à A, et d'ordre 1 par rapport à B. (Pour la réaction 2 A → P + Q, on aurait $v = k[A]^2$, la réaction étant globalement d'ordre 2 et d'ordre 2 par rapport à A). Les constantes de vitesse d'ordre 2 s'expriment en $(\text{concentration})^{-1}$ $(\text{temps})^{-1}$, soit $M^{-1}\ s^{-1}$.

On n'observe que rarement des molécularités supérieures à 2 (et jamais de molécularité supérieure à 3). Quand la stœchiométrie globale d'une réaction est supérieure à 2 (comme dans A + B + C →, ou 2A + B →), la réaction évolue pratiquement toujours par des étapes élémentaires mono ou bimoléculaires et la vitesse globale est celle d'une réaction d'ordre 1 ou d'ordre 2.

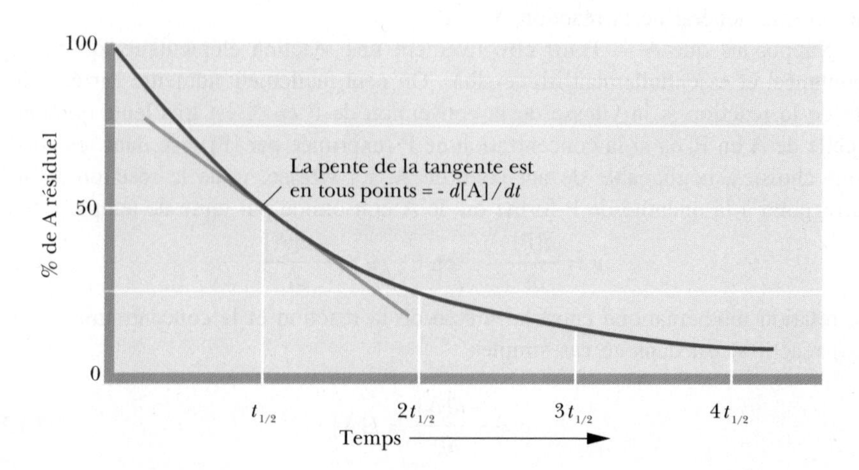

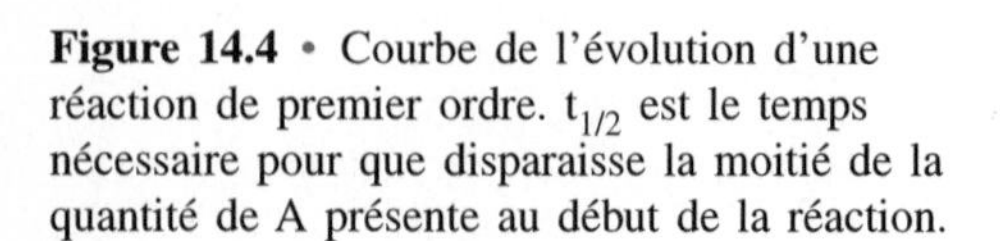

Figure 14.4 • Courbe de l'évolution d'une réaction de premier ordre. $t_{1/2}$ est le temps nécessaire pour que disparaisse la moitié de la quantité de A présente au début de la réaction.

Il est peut-être utile à présent d'avoir en mémoire une importante règle qui est le premier principe de la cinétique : *la cinétique ne peut pas prouver la valeur d'une hypothèse concernant le mécanisme d'une réaction.* Des expériences de cinétique peuvent seulement permettre d'éliminer certaines hypothèses si les résultats expérimentaux ne sont pas conformes aux prédictions. Cependant, des études cinétiques approfondies accompagnant un processus d'élimination d'hypothèses successives permettent de se rapprocher de plus en plus de la réalité.

Énergie libre d'activation et rôle des catalyseurs

Dans une réaction chimique d'ordre 1, la transformation de A en P se produit car à tout moment une fraction des molécules A dispose de l'énergie nécessaire pour être dans un état de réactivité, connu sous le nom d'**état de transition**, un état instable, intermédiaire entre A et P. Dans cet état instable, la probabilité est très grande pour que le réarrangement particulier accompagnant la transition A → P ait lieu. Sur le diagramme des relations énergétiques entre A et P, cet état de transition se trouve au sommet de la courbe du « profil énergétique » (Figure 14.5). Sur l'axe de l'évolution de la réaction, la moyenne de l'énergie libre des molécules A définit l'état initial et la moyenne de l'énergie libre des molécules P l'état final. La vitesse de toute réaction chimique est proportionnelle à la concentration des molécules du réactif (A dans notre cas) ayant le niveau énergétique de l'état de transition. Évidemment, plus ce niveau énergétique est élevé par rapport à la moyenne énergétique (cet écart constitue une la barrière énergétique), plus la fraction des molécules à l'état de transition sera petite, et plus la vitesse de la réaction sera lente. On appelle **énergie libre d'activation, $\Delta G^{\ddagger}$** la hauteur de cette barrière énergétique. Plus précisément, $\Delta G^{\ddagger}$ est l'énergie nécessaire qu'il faut fournir pour qu'une molécule de réactif atteigne l'énergie de son état de transition (à température constante). La relation entre l'énergie d'activation et la constante de vitesse de la réaction, k, est donnée par l'**équation d'Arrhénius** :

$$k = Ae^{-\Delta G^{\ddagger}/RT} \tag{14.5}$$

dans laquelle A est une constante pour une réaction donnée (à ne pas confondre avec les molécules A de notre exemple). L'équation peut être écrite sous une autre forme, $1/k = (1/A)e^{\Delta G/RT}$, qui permet de voir plus aisément que la vitesse de la réaction augmente lorsque l'énergie libre d'activation diminue. En effet, k est inversement proportionnel à $e^{\Delta G/RT}$. Donc s'il est possible de diminuer l'énergie d'activation, la vitesse de la réaction augmentera.

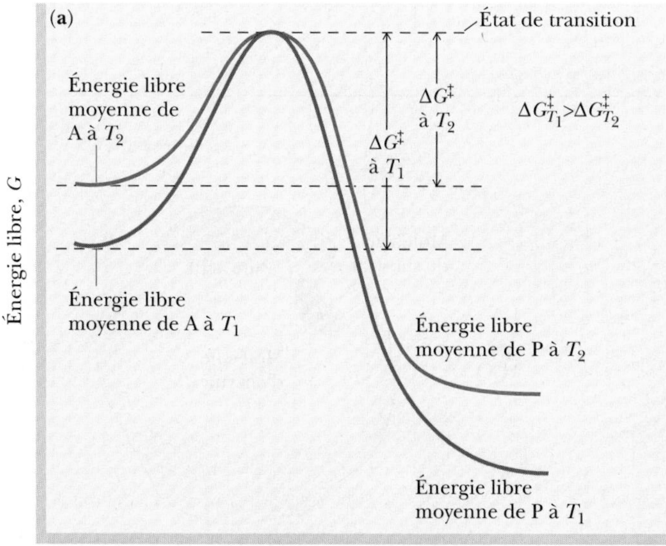

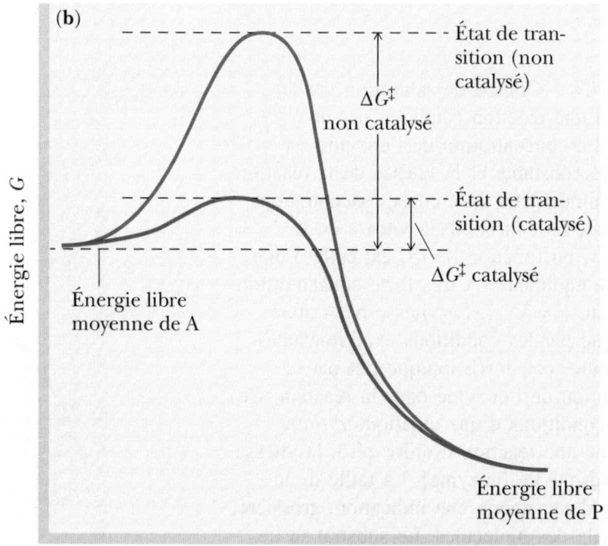

Figure 14.5 • Diagramme énergétique (ou profil énergétique) d'une réaction chimique (A → P) et effets (a) de l'augmentation de la température, de T_1 à T_2 ou (b) de l'addition d'un catalyseur. L'élévation de la température augmente l'énergie moyenne des molécules A, ce qui accroît la population des molécules A ayant une énergie égale à l'énergie d'activation de la réaction, et donc accroît la vitesse de la réaction. Au contraire, dans une réaction catalysée, la moyenne de l'énergie libre des molécules A reste la même que dans une réaction non catalysée (à température constante). Le catalyseur a pour effet d'abaisser l'énergie libre d'activation de la réaction.

La diminution de $\Delta G^{\ddagger}$ accroît la vitesse de la réaction

Les deux voies par lesquelles la vitesse des réactions chimiques peut être augmentée nous sont déjà familières. En premier lieu, elle peut l'être par l'élévation de la température. Cela accroît l'énergie moyenne des molécules des réactifs et augmente la probabilité pour qu'une molécule donnée atteigne son état de transition (Figure 14.5a). La vitesse de beaucoup de réactions chimiques double pour une élévation de 10 °C de la température. Deuxièmement, la vitesse des réactions chimiques peut aussi être accélérée par des **catalyseurs.** L'effet des catalyseurs est d'abaisser le niveau de l'énergie d'activation nécessaire plutôt que d'accroître l'énergie moyenne des molécules de la réaction (Figure 14.5b). Les catalyseurs aboutissent à ce résultat remarquable en se combinant transitoirement avec les réactifs de façon à leur permettre d'atteindre plus facilement l'état de transition, l'état de réactivité. En effet, ce qui se transforme dans une réaction catalysée, ce n'est plus A, mais le complexe catalyseur-A dont l'énergie d'activation est plus basse. Il est intéressant de se remémorer deux points concernant les catalyseurs : (a) Ils sont régénérés après chacun des cycles de la réaction (A → P), et donc peuvent en principe être indéfiniment réutilisés ; et (b), les catalyseurs n'ont aucun effet sur la variation globale d'énergie libre dans la réaction, la différence d'énergie libre entre A et P (Figure 14.5b).

14.3 • Cinétique des réactions catalysées par des enzymes

Une des premières mesures effectuées dans toute étude cinétique est la détermination de la variation de la vitesse d'une réaction en fonction de la concentration d'un réactif. Revenons à la réaction A → P, le tracé de la courbe de la vitesse de la réaction en fonction de la concentration de A est une droite de pente k (Figure 14.6). Plus il y a de A, plus la vitesse de la réaction, v, est élevée. Le même type d'analyse effectué sur une réaction catalysée par un enzyme, et n'impliquant qu'un seul substrat, donne un résultat très différent (Figure 14.7). À faible concentration en substrat S, v est bien proportionnelle à [S], comme attendu pour une réaction d'ordre 1. Mais v n'augmente plus proportionnellement quand [S] augmente, et même cesse d'augmenter. Quand la concentration en S s'élève, v devient pratiquement indépendant de [S] et tend vers une valeur limite maximale. La valeur de cette limite s'écrit V_{max}. Puisque la vitesse de la réaction n'est plus dépendante de [S] à ces fortes concentrations, la réaction catalysée par un enzyme obéit à une **cinétique d'ordre zéro**, cela veut simplement dire que la vitesse est indépendante de la concentration

Vitesse, v

Pente = k

Concentration du réactif, [A]

Figure 14.6 • La courbe de la vitesse, v, d'une réaction chimique monomoléculaire A → P en fonction de [A] est une droite dont la pente est égale à k.

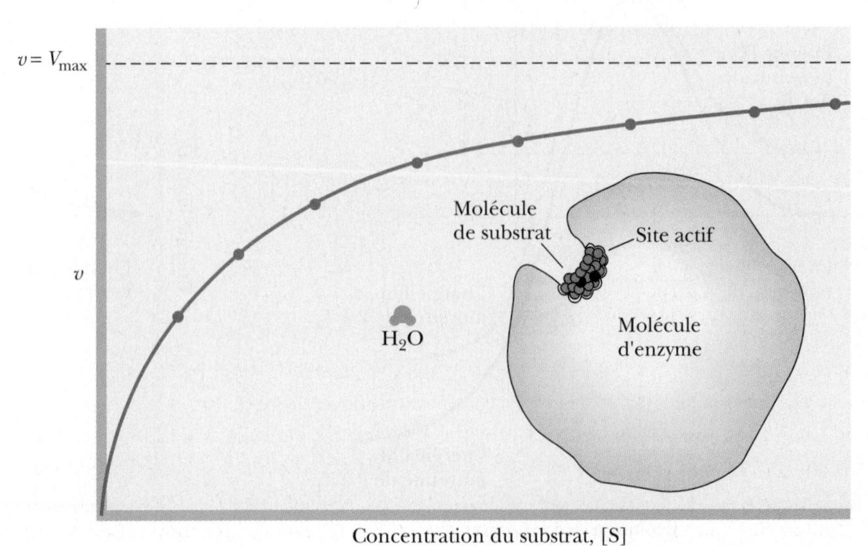

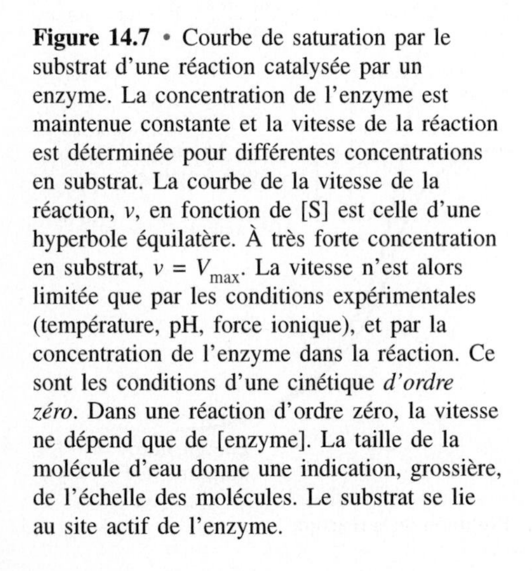

Figure 14.7 • Courbe de saturation par le substrat d'une réaction catalysée par un enzyme. La concentration de l'enzyme est maintenue constante et la vitesse de la réaction est déterminée pour différentes concentrations en substrat. La courbe de la vitesse de la réaction, v, en fonction de [S] est celle d'une hyperbole équilatère. À très forte concentration en substrat, $v = V_{max}$. La vitesse n'est alors limitée que par les conditions expérimentales (température, pH, force ionique), et par la concentration de l'enzyme dans la réaction. Ce sont les conditions d'une cinétique *d'ordre zéro*. Dans une réaction d'ordre zéro, la vitesse ne dépend que de [enzyme]. La taille de la molécule d'eau donne une indication, grossière, de l'échelle des molécules. Le substrat se lie au site actif de l'enzyme.

du réactif (du substrat). Ce comportement résulte d'un **effet de saturation** : quand v ne varie plus même si [S] augmente, le système est saturé **par le substrat**. Les graphes qui représentent ce phénomène sont des **courbes de saturation** par le substrat. L'interprétation physique est que chaque molécule d'enzyme (de catalyseur) dans le mélange réactionnel a son site de fixation du substrat occupé par S. En vérité, c'est ce type de courbe qui a donné la première indication du mode d'action d'un enzyme, par interaction directe avec son substrat.

L'équation de Michaelis et Menten

Leonor Michaelis et Maud L. Menten ont en 1913 proposé une théorie générale de l'action enzymatique compatible avec les résultats expérimentaux. À la base de leur théorie est l'idée fondamentale que l'enzyme E, et son substrat S, s'associent pour former un complexe enzyme-substrat réversible ES.

$$\mathrm{E} + \mathrm{S} \underset{k_{-1}}{\overset{k_1}{\rightleftharpoons}} \mathrm{ES} \tag{14.6}$$

Cette association/dissociation atteint rapidement l'équilibre, et K_S est la *constante de dissociation du complexe enzyme-substrat*. À l'équilibre,

$$k_{-1}[\mathrm{ES}] = k_1[\mathrm{E}]\,[\mathrm{S}] \tag{14.7}$$

et

$$K_S = \frac{[\mathrm{E}]\,[\mathrm{S}]}{[\mathrm{ES}]} = \frac{k_{-1}}{k_1} \tag{14.8}$$

Le produit P se forme dans une étape ultérieure, quand ES se décompose en E + P (cette transformation chimique n'est pas directe, ES donne d'abord EP puis EP se dissocie en E + P, mais on peut généralement négliger cette étape intermédiaire).

$$\mathrm{E} + \mathrm{S} \underset{k_{-1}}{\overset{k_1}{\rightleftharpoons}} \mathrm{ES} \xrightarrow{k_2} \mathrm{E} + \mathrm{P} \tag{14.9}$$

E peut alors s'associer à une autre molécule de S.

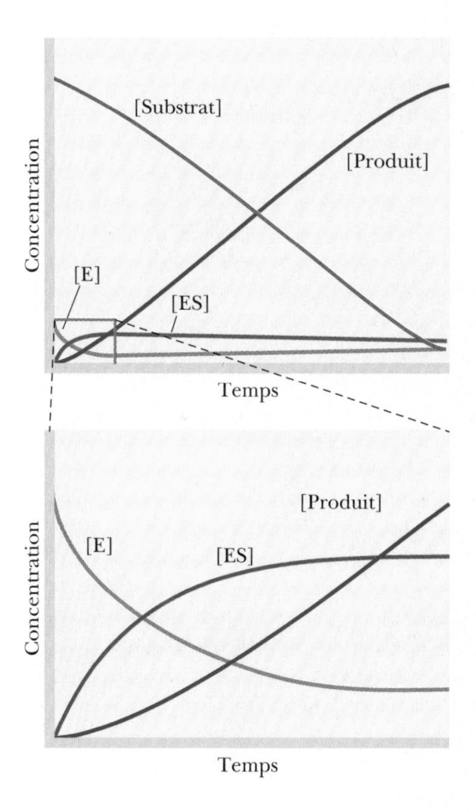

Figure 14.8 • Évolution en fonction du temps de la consommation du substrat, de la formation du produit et de l'établissement de l'état d'équilibre du complexe enzyme-substrat [ES] d'une réaction obéissant aux modèles de la cinétique enzymatique de Michaelis-Menten et Briggs-Haldane. La première partie de la courbe est représentée agrandie dans le graphe du bas.

Hypothèse de l'état stationnaire

Les interprétations de Michaelis et de Menten ont été précisées et complétées par Briggs et Haldane en 1925 qui ont supposé que, dans un tel système dynamique, la concentration en complexe enzyme-substrat, ES, atteignait rapidement sa valeur constante d'équilibre. C'est-à-dire que le complexe ES se formait à partir de E + S aussi rapidement qu'il disparaissait de deux façons possibles, soit par dissociation pour régénérer E + S, soit par réaction pour former E + P. Cette hypothèse est l'hypothèse de **l'état stationnaire** (ou état d'équilibre dynamique) exprimée sous la forme :

$$\frac{d[\mathrm{ES}]}{dt} = 0 \tag{14.10}$$

Ce qui signifie que la variation de la concentration de ES au cours du temps, t, est nulle. La Figure 14.8 illustre la formation du complexe ES en fonction du temps et l'établissement de l'état stationnaire.

Hypothèse de la vitesse initiale

Une autre simplification a des conséquences avantageuses. Puisque les enzymes accélèrent la vitesse des réactions inverses autant que celle de la réaction, il serait intéressant de pouvoir ignorer toute réaction inverse au cours de laquelle E + P pourrait donner ES (la vitesse de cette réaction inverse serait donnée par $v = k_{-2}$ [E] [P]). Si nous mesurons *la vitesse initiale* de la réaction immédiatement après avoir mélangé E et S en l'absence de P, la vitesse de la réaction inverse est négligeable puisque cette vitesse est proportionnelle à [P] et que cette dernière est pratiquement nulle. Compte tenu de cette simplification, nous pouvons à présent analyser le système définit par l'Équation (14.9), afin de décrire la vitesse initiale v en fonction de [S] et de la quantité d'enzyme.

La quantité totale d'enzyme est constante et donnée par la relation :

$$\text{Enzyme total, } [E_T] = [E] + [ES] \tag{14.11}$$

dans laquelle [E] = concentration en enzyme libre, et [ES] est la concentration de l'enzyme sous forme de complexe enzyme-substrat. D'après l'Équation (14.9), la vitesse de la formation v_f de [ES] est :

$$v_f = k_1 ([E_T] - [ES])[S]$$

relation où

$$[E_T] - [ES] = [E] \tag{14.12}$$

Revenant à l'Équation (14.9), la vitesse de la disparition v_d de [ES] est :

$$v_d = k_{-1}[ES] + k_2[ES] = (k_{-1} + k_2)[ES] \tag{14.13}$$

À l'état stationnaire, $d[ES]/dt = 0$, et donc $v_f = v_d$

Donc,

$$k_1([E_T] - [ES])[S] = (k_{-1} + k_2)[ES] \tag{14.14}$$

et par réarrangement,

$$\frac{([E_T] - [ES])[S]}{[ES]} = \frac{(k_{-1} + k_2)}{k_1} \tag{14.15}$$

La constante de Michaelis, K_m

Le rapport des constantes $(k_{-1} + k_2)/k_1$ est aussi une constante, cette dernière est définie comme la **constante de Michaelis**, K_m

$$K_m = \frac{(k_{-1} + k_2)}{k_1} \tag{14.16}$$

Il faut noter que K_m est donné, Équation 14.15, par un rapport de deux concentrations, $[E_T]$ – [ES] et [S] par rapport à [ES]), de sorte que K_m à la dimension d'une concentration et s'exprime en *molarité*. Introduisant K_m dans l'Équation (14.15), nous pouvons écrire :

$$\frac{([E_T] - [ES])[S]}{[ES]} = K_m \tag{14.17}$$

ou, en exprimant [ES] en fonction de grandeurs mesurables

$$[ES] = \frac{[E_T]\,[S]}{K_m + [S]} \tag{14.18}$$

Le paramètre le plus important de la cinétique de toute réaction est la **vitesse de la formation du produit**. Cette vitesse est donnée par :

$$v = \frac{d[P]}{dt} \tag{14.19}$$

et pour la réaction en question,

$$v = k_2[ES] \tag{14.20}$$

En remplaçant [ES] dans l'Équation (14.20) par sa valeur tirée de l'Équation (14.18), on obtient

$$v = \frac{k_2[E_T]\,[S]}{K_m + [S]} \tag{14.21}$$

Le produit $k_2[E_T]$ a une signification particulière. Quand [S] est assez grand pour saturer tout l'enzyme, la rapidité de la réaction, v, est maximale. À saturation, la quantité du complexe ES est égale à la quantité totale de l'enzyme, E_T, sa valeur maximale possible. Nous savons d'après l'Equation (14.2) que la vitesse initiale, v, est alors égale à $k_2[E_T] = V_{max}$. Donc, quand $[S] \gg [E_T]$ (et K_m), $[E_T] = [ES]$, et $v = V_{max}$, nous pouvons alors réécrire l'Équation (14.20)

$$V_{max} = k_2[E_T] \tag{14.22}$$

En substituant $k_2[E_T]$ par V_{max} dans l'Équation (14.21), on obtient **l'équation de Michaelis et Menten :**

$$v = \frac{V_{max}[S]}{K_m + [S]} \tag{14.23}$$

Cette équation dit que la vitesse d'une réaction catalysée par un enzyme, v, est à tout moment déterminée par deux constantes, V_{max} et K_m, *et* par la concentration en substrat à ce moment.

Quand $[S] = K_m$, $v = V_{max}/2$

Il est possible de définir une condition qui permette de mesurer la constante K_m. En sortant K_m, l'Équation (14.23) devient :

$$K_m = [S]\left(\frac{V_{max}}{v} - 1\right) \tag{14.24}$$

Il s'ensuit que $v = V_{max}/2$ quand $K_m = [S]$. La constante de Michaelis, K_m, est donc égale à la concentration en substrat pour laquelle la vitesse de la réaction est égale à la moitié de sa vitesse maximale. Le Tableau 14.3 donne une liste de valeurs de K_m pour quelques enzymes et leurs substrats.

Relations entre V_{max}, K_m, et l'ordre de la réaction

L'équation de Michaelis et Menten (14.23) est celle d'une courbe connue en géométrie analytique, c'est une *hyperbole équilataire* [1]. Dans ce type de courbe, v tend vers la valeur de V_{max} quand [S] augmente. La valeur approximative de V_{max} peut être obtenue expérimentalement en traçant la courbe de saturation par le substrat (Figure 14.7), et celle du K_m à partir de $V_{max}/2$. On obtient donc les valeurs des deux constantes de l'équation de Michaelis et Menten en traçant la courbe de v en fonction de [S]. Toutefois la valeur de V_{max} n'est qu'une estimation et donc celle du K_m n'est qu'approximative. En effet, selon l'Équation (14.23), pour avoir $v = 0{,}99\ V\text{max}$, il faut que [S] soit égal à 99 K_m, une concentration qu'il est souvent difficile d'obtenir.

Revenant à l'Équation (14.23), quand $[S] \gg K_m$, on a $v = V_{max}$. Dans ce cas, v ne dépend plus de [S], la réaction obéit à une cinétique d'ordre zéro. Si par contre $[S] < K_m$, alors $v \approx (V_{max}/K_m)[S]$, la vitesse v correspond à celle donnée par l'équation d'une réaction d'ordre 1, $v = k'[A]$, dans laquelle $k' = V_{max}/K_m$.

Les valeurs de K_m et de V_{max} une fois connues permettent de définir la vitesse d'une réaction catalysée par un enzyme, *sous les conditions suivantes* :

1. La réaction n'implique qu'un seul substrat, *ou*, s'il y a plusieurs substrats, la concentration d'un seul substrat varie, celle des autres substrats étant maintenue constante.
2. La réaction $ES \rightarrow E + P$ est irréversible, ou l'expérience est limitée à la mesure de la vitesse initiale alors que $[P] = 0$.
3. $[S]_0 > [E_T]$ et $[E_T]$ est maintenu constant.
4. Toutes les autres variables qui peuvent avoir une influence sur la vitesse de la réaction sont maintenues constantes (température, pH, force ionique, etc.).

[1] Naqui, A., en 1986, a prouvé que l'équation de Michaelis et Menten est bien celle d'une hyperbole équilatère. « Where are the asymptotes of Michaelis -Menten ? » *Trends in Biochemical Sciences* **1** : 64-65.

Tableau 14.3

Valeurs de K_m de quelques enzymes

Enzyme	Substrats	K_m (mM)
Anhydrase carbonique	CO_2	12
Chymotrypsine	*N*-benzoyltyrosinamide	2,5
	Acétyl-L-tryptophannamide	5
	N-formyltyrosinamide	12
	N-acétyltyrosinamide	32
	Glycyltyrosinamide	122
Hexokinase	Glucose	0,15
	Fructose	1,5
β-Galactosidase	Lactose	4
Glutamate déshydrogénase	NH_4^+	57
	Glutamate	0,12
	α-Cétoglutarate	2
	NAD^+	0,025
	NADH	0,018
Aspartate aminotransférase	Aspartate	0,9
	α-Cétoglutarate	0,1
	Oxaloacétate	0,04
	Glutamate	4
Thréonine désaminase	Thréonine	5
Arginyl-ARNt synthétase	Arginine	0,003
	$ARNt^{Arg}$	0,0004
	ATP	0,3
Pyruvate carboxylase	HCO_3^-	1,0
	Pyruvate	0,4
	ATP	0,06
Pénicillinase	Benzylpénicilline	0,05
Lysozyme	Hexa-*N*-acétylglucosamine	0,006

Unités enzymatiques

Très souvent, la quantité d'enzyme réellement présent n'est pas connue. Cette quantité peut cependant être exprimée en termes d'activité observée. La Commission internationale des Enzymes définit **l'unité internationale** enzymatique par *la quantité d'enzyme qui catalyse la formation d'une micromole de produit par minute*. (Les enzymes étant très sensibles à des facteurs comme la température, le pH et la force ionique, les conditions de l'expérience doivent être précisées). Une autre définition de l'unité d'activité enzymatique est celle du **Katal**. Un katal est la *quantité d'enzyme qui catalyse la conversion d'une mole de substrat en produit en une seconde*. Un katal est donc équivalent à 6×10^7 unités internationales.

Constante catalytique

La **constante catalytique** d'un enzyme, k_{cat}, est une mesure de son activité catalytique maximale. k_{cat} est définie par le nombre de molécules de substrat converties en produit par unité de temps quand l'enzyme est saturé par le substrat. La constante catalytique est aussi appelée **l'activité moléculaire spécifique** de l'enzyme. Dans le cas d'une réaction michaélienne (conforme à la situation décrite par l'équation de Michaelis-Menten), dans laquelle il n'y a qu'un complexe ES, dans les conditions de la mesure de la vitesse initiale, $k_2 = k_{cat}$. Si la concentration de l'enzyme,

$[E_T]$, est connue, V_{max} permet de déterminer la constante catalytique. En effet, avec [S] saturant, $v = V_{max} = k_2[E_T]$. Donc,

$$k_2 = \frac{V_{max}}{[E_T]} = k_{cat} \tag{14.25}$$

Le terme k_{cat} représente l'efficacité cinétique de l'enzyme. Le Tableau 14.4 donne une liste de constantes catalytiques de quelques enzymes représentatifs. La catalase a la plus grande constante catalytique connue ; chaque molécule de catalase dégrade 40 millions de molécules de H_2O_2 par seconde ! À l'autre extrémité de l'échelle, il faut deux secondes pour qu'une molécule de lysozyme clive une liaison glycosidique dans un glycanne substrat.

Tableau 14.4

Valeurs de k_{cat} (constante catalytique) de quelques enzymes

Enzyme	k_{cat} (sec^{-1})
Catalase	40.000.000
Anhydrase carbonique	1.000.000
Acétylcholine estérase	14.000
Pénicillinase	2.000
Lactate déshydrogénase	1.000
Chymotrypsine	100
ADN polymérase I	15
Lysozyme	0,5

k_{cat}/K_m

Dans les conditions physiologiques, [S] est rarement saturant, et k_{cat} n'a guère de sens. *In vitro*, le rapport $[S]/K_m$ est d'environ 0,01 à 1,0 de sorte que tous les sites actifs ne sont pas occupés par le substrat. Cependant, même dans ces conditions, il est possible d'obtenir une indication significative de l'efficacité des enzymes de type Michaelis-Menten en utilisant les équations suivantes. Nous avons vu que :

$$v = \frac{V_{max}[S]}{K_m + [S]}$$

si $V_{max} = k_{cat}\,[E_T]$, alors

$$v = \frac{k_{cat}[E_T]\,[S]}{K_m + [S]} \tag{14.26}$$

Quand $[S] \ll K_m$, la concentration en enzyme libre, [E], est approximativement égale à $[E_T]$, de sorte que

$$v = \left(\frac{k_{cat}}{K_m}\right)[E]\,[S] \tag{14.27}$$

C'est-à-dire que k_{cat}/K_m est une *constante de vitesse apparente d'ordre 2* de la réaction de formation d'un produit à partir de E et de S. Comme K_m est inversement proportionnelle à l'affinité de l'enzyme pour son substrat, et que k_{cat} est directement proportionnelle à l'efficacité cinétique de l'enzyme, k_{cat}/K_m représente l'efficacité catalytique d'un enzyme dans les conditions où la concentration du substrat est nettement inférieure à la concentration de saturation.

Si nous examinons le cas simple des réactions dans lesquelles $k_{cat} = k_2$, nous pouvons obtenir une autre information intéressante. Dans ce cas,

$$\frac{k_{cat}}{K_m} = \frac{k_1 k_2}{(k_{-1} + k_2)} \tag{14.28}$$

Mais k_1 doit toujours être plus grand ou égal à $k_1k_2/(k_{-1} + k_2)$. Ce qui signifie que la réaction ne peut pas être plus rapide que la vitesse à laquelle E et S se rencontrent (sous l'effet de la diffusion). Dans ces conditions, k_1 fixe la limite supérieure de k_{cat}/K_m. En d'autres mots, *l'efficacité catalytique d'un enzyme ne peut pas être plus élevée que la vitesse de la combinaison de E et S pour former ES, elle-même limitée par la vitesse de diffusion.* Dans l'eau, la constante de vitesse de cette diffusion est d'environ $10^9\ M^{-1}s^{-1}$. Les enzymes ayant les activités catalytiques les plus élevées, ont des rapports k_{cat}/K_m qui approchent cette valeur. Leur activité catalytique n'est limitée que par la vitesse à laquelle ils rencontrent S ; ces enzymes ont atteint le stade de la *perfection catalytique*. Le Tableau 14.5 donne les paramètres cinétiques de quelques enzymes de cette catégorie. Vous remarquerez que k_{cat} et K_m varient de façon importante bien que leur rapport reste autour de $10^8\ M^{-1}s^{-1}$.

Tableau 14.5

Enzymes dont la valeur de k_{cat}/K_m est proche d'une vitesse d'association avec le substrat limitée par la vitesse de la diffusion

Enzyme	Substrat	k_{cat} (s^{-1})	K_m (M)	k_{cat}/K_m ($s^{-1}\ M^{-1}$)
Acétylcholine estérase	Acétylcholine	$1{,}4 \times 10^4$	9×10^{-5}	$1{,}6 \times 10^8$
Anhydrase carbonique	CO_2	1×10^6	0,012	$8{,}3 \times 10^7$
	HCO_3^-	4×10^5	0,026	$1{,}5 \times 10^7$
Catalase	H_2O_2	4×10^7	1,1	4×10^7
Crotonase	Crotonyl-CoA	$5{,}7 \times 10^3$	2×10^{-5}	$2{,}8 \times 10^8$
Fumarase	Fumarate	800	5×10^{-6}	$1{,}6 \times 10^8$
	Malate	900	$2{,}5 \times 10^{-5}$	$3{,}6 \times 10^7$
Triose phosphate isomérase	Glycéraldéhyde-3-phosphate*	$4{,}3 \times 10^3$	$1{,}8 \times 10^{-5}$	$2{,}4 \times 10^8$
β-Lactamase	Benzylpénicilline	2×10^3	2×10^{-5}	1×10^8

* Le K_m pour le glycéraldéhyde-3-phosphate est calculé en tenant compte du fait que seulement 3,8 % du substrat en solution n'est pas hydraté et donc réagit avec l'enzyme.

D'après Fersht, A., 1985. *Enzyme Structure and Mechanisms*, 2nd ed. New York : W.H. Freeman & Co.

Représentations linéaires dérivées de l'équation de Michaelis-Menten

La forme hyperbolique de la courbe de v en fonction de [S] ne permet d'obtenir Vmax que par extrapolation de la valeur de v quand elle se rapproche de la valeur limite atteinte pour [S] croissant indéfiniment (Figure 14.7). Et Km est dérivé de la valeur de [S] pour laquelle $v = V_{max}/2$. Il existe cependant plusieurs possibilités de réarrangement de l'équation de Michaelis-Menten qui permettent de la transformer en une équation linéaire. La plus connue est la **représentation en double inverse selon Lineweaver-Burk** :

En prenant l'inverse des deux côtés de l'équation de Michaelis-Menten, Équation (14.23), nous obtenons l'égalité suivante :

$$\frac{1}{v} = \left(\frac{K_m}{V_{max}}\right)\left(\frac{1}{[S]}\right) + \frac{1}{V_{max}} \quad (14.29)$$

qui est du type $y = ax + b$ (équation d'une droite), dans laquelle $y = 1/v$; a, la pente $= K_m/V_{max}$; $x = 1/[S]$; et $b = 1/V_{max}$. En portant $1/v$ en fonction de $1/[S]$, on obtient une droite dont l'intersection avec l'axe des x donne la valeur de $-1/K_m$, l'intersection avec l'axe des y donne la valeur de $1/V_{max}$, et dont la pente est K_m/V_{max}.(Figure 14.9).

Représentation selon Hanes-Woolf

En multipliant les deux côtés de l'Équation (14.29) par [S], on obtient

$$\frac{[S]}{v} = [S]\left(\frac{K_m}{V_{max}}\right)\left(\frac{1}{[S]}\right) + \frac{[S]}{V_{max}} = \frac{K_m}{V_{max}} + \frac{[S]}{V_{max}} \quad (14.30)$$

ou

$$\frac{[S]}{v} = \left(\frac{1}{V_{max}}\right)[S] + \frac{K_m}{V_{max}} \quad (14.31)$$

En portant $[S]/v$ en fonction de [S], on obtient une droite dont la pente est $= 1/V_{max}$; l'intersection avec l'axe des $y = K_m/V_{max}$ et l'intersection avec l'axe des $x = -K_m$

POUR EN SAVOIR PLUS

Un exemple de l'effet de la substitution d'un acide aminé dans un enzyme sur K_m et k_{cat} : comparaisons entre le type sauvage et des formes mutantes de la sulfite oxydase humaine

La sulfite oxydase des mammifères est le dernier enzyme de la voie de la dégradation des acides aminés contenant du soufre. La sulfite oxydase (SO) catalyse l'oxydation du sulfite (SO_3^{2-}) en sulfate (SO_4^{2-}), en utilisant comme accepteur d'électrons le cytochrome *c*, une protéine héminique :

$$SO_3^{2-} + 2 \text{ cytochrome } c_{\text{oxydé}} + H_2O \rightleftharpoons SO_4^{2-} + 2 \text{ cytochrome } c_{\text{réduit}} + 2\, H^+$$

La déficience génétique en sulfite oxydase est une maladie rare et souvent à issue fatale chez les humains. La maladie se caractérise par de sévères anomalies neurologiques, révélées par des convulsions peu après la naissance. R. M. Garrett et K. V. Rajagopalan du Centre médical de l'Université Duke ont isolé l'ADNc de la sulfite oxydase des cellules normales (*type sauvage*) et d'individus déficients en SO. L'expression de cet ADNc dans des cellules d'*E. coli* transformées a permis la purification et l'analyse cinétique de la sulfite oxydase sauvage et de la sulfite oxydase mutante (R160Q) dans laquelle Arg^{160} est remplacée par Gln. Une version de SO créée par ingénierie génétique (R160K) dans laquelle Lys remplace Arg^{160} a également été étudiée.

Le remplacement de R^{160} par Q accroît K_m, diminue k_{cat} et diminue fortement l'efficacité catalytique (k_{cat}/K_m) de l'enzyme. L'enzyme mutant R160K a des propriétés intermédiaires, entre celles de SO sauvage et de la forme mutante R160Q. Le substrat SO_3^{2-} est fortement anionique et R^{160} est l'un des résidus Arg localisés à l'intérieur du site de liaison du substrat. La présence de résidus avec une chaîne latérale à charge positive dans le site de liaison du substrat facilite la fixation de SO_3^{2-} et l'activité catalytique, Arg est l'acide aminé optimum pour ce rôle.

Constantes cinétiques de la sulfite oxydase sauvage et des formes mutantes

Enzyme	K_m^{sulfite} (μM)	k_{cat} (sec^{-1})	k_{cat}/K_m ($10^6\ M^{-1}/sec^{-1}$)
Type sauvage	17	18	1,1
R160Q	1900	3	0,0016
R160K	360	5,5	0,015

(Figure 14.10). L'avantage commun à ces représentations linéaires est qu'elles permettent d'obtenir avec une bonne précision les valeurs de K_m et de V_{max} par extrapolation de lignes droites. Actuellement le traitement par ordinateur de l'équation de Michaelis-Menten est plus fréquent que le traitement graphique ; il suffit d'introduire les valeurs de v en fonction de [S] et le logiciel fait le reste.

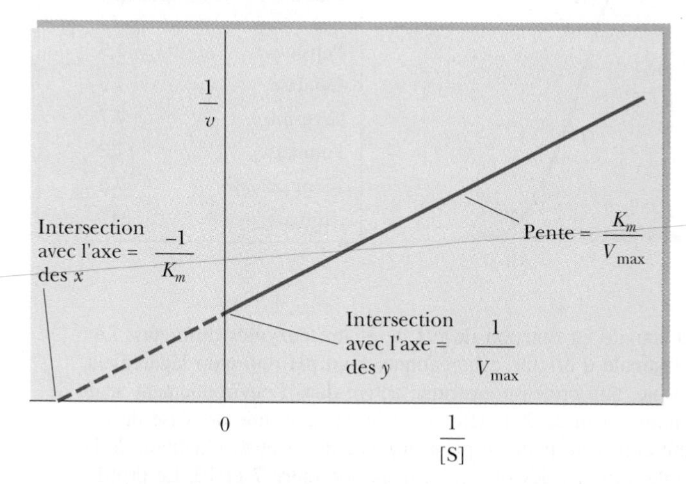

Figure 14.9 • Représentation graphique en double inverse selon Lineweaver-Burk, et détermination de la pente et des intersections par extrapolation.

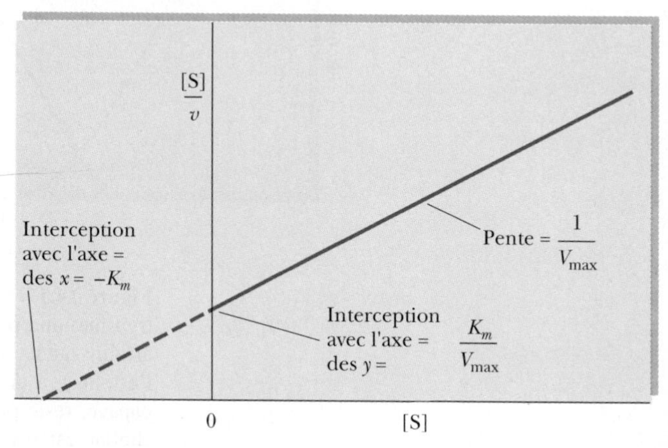

Figure 14.10 • Représentation selon Hanes-Woolf de [S]/v en fonction de [S], une autre linéarisation de l'équation de Michaelis-Menten.

Quand la courbe s'écarte de la linéarité : est-ce une indication que l'enzyme est soumis à régulation ?

Lorsque la cinétique d'une réaction n'obéit pas à l'équation de Michaelis-Menten, les représentations graphiques linéaires le signalent car la courbe tracée s'écarte de la linéarité. Nous verrons dans le prochain chapitre que ces déviations à la linéarité sont caractéristiques de la cinétique des enzymes soumis à régulation (ou enzymes de régulation) appelés **enzymes allostériques**. Ces enzymes de régulation ont un rôle important dans le contrôle global des voies métaboliques.

Effets du pH sur l'activité enzymatique

La reconnaissance enzyme-substrat et l'activité catalytique qui s'ensuit sont très dépendantes du pH. Un enzyme possède un grand nombre de chaînes latérales ionisables et parfois des groupements prosthétiques qui non seulement déterminent sa structure secondaire et tertiaire mais qui sont aussi intimement impliqués dans son site actif. De plus, le substrat a souvent des groupes ionisés, et l'une ou l'autre des formes ionisées peut préférentiellement être en interaction avec l'enzyme. Les enzymes ne sont en général actifs que dans une zone de pH limitée, et la plupart ont une activité catalytique optimale à un pH particulier. Le pH peut affecter le K_m ou la V_{max}, ou les deux à la fois. La Figure 14.11 illustre les activités relatives de quatre enzymes en fonction du pH. Bien que le pH optimum d'un enzyme reflète souvent le pH de son environnement normal, le pH optimum mesuré peut ne pas être exactement le même. Cette différence suggère que la variation de l'activité d'un enzyme en réponse à une variation de pH puisse être un facteur de la régulation intracellulaire de son activité.

Effets de la température sur l'activité enzymatique

Comme pour la plupart des réactions chimiques, la vitesse des réactions catalysées par des enzymes augmente en général avec la température. Cependant, quand la température s'élève au-dessus de 50 à 60 °C, l'activité catalytique des enzymes diminue le plus souvent (Figure 14.12). Ce phénomène résulte de deux effets opposés : (a) de l'augmentation classique de la vitesse de la réaction avec la température, et (b) de la dénaturation thermique de la structure de la protéine aux températures plus

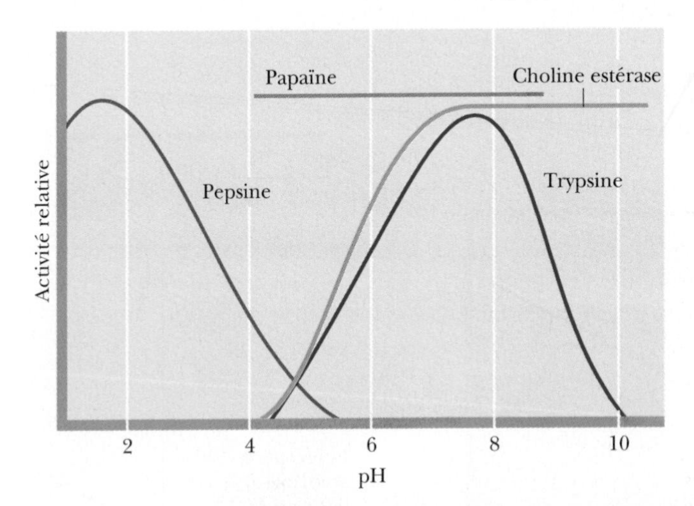

pH optimum de quelques enzymes	
Enzyme	pH optimum
Pepsine	1,5
Catalase	7,6
Trypsine	7,7
Fumarase	7,8
Ribonucléase	7,8
Arginase	9,7

Figure 14.11 • Profils d'activité en fonction du pH de quatre enzymes différents. La trypsine, une protéase intestinale d'origine pancréatique, a un pH optimum légèrement alcalin, tandis que la pepsine, une protéase gastrique active dans l'environnement acide de l'estomac, a un pH optimum voisin de 2. L'activité de la papaïne, une protéase de la papaye, reste pratiquement constante pour un pH compris entre 4 et 8. L'activité de la choline estérase est sensible à pH en dessous de 7, mais non entre 7 et 10. Le profil d'activité de la choline estérase suggère la présence dans la structure de la protéine d'un groupe ionisable de pK' voisin de 6, essentiel à son activité. Peut-être s'agit-il d'un résidu histidine à l'intérieur du site actif ?

élevées. Tant que l'enzyme est stable, la vitesse de beaucoup de réactions enzymatiques double pour une élévation de la température de 10 °C (on dit que le Q_{10} = 2, le Q_{10} étant défini comme le *rapport des vitesses de réaction à deux températures différentes séparées par 10 °C*). Quelques enzymes, en particulier ceux qui catalysent des réactions avec d'importantes énergies d'activation, ont des valeurs de Q_{10} plus élevées. Si une température plus élevée accroît la vitesse d'une réaction, cet accroissement est en fin de compte ralenti, puis la vitesse de la réaction diminue et s'annule quand l'élévation de la température déstabilise les structures d'ordre supérieur de l'enzyme et finalement l'inactive. La thermolabilité n'est pas la même pour tous les enzymes. Par exemple, les enzymes des bactéries thermophiles (*thermophile* = qui « aime la chaleur »), en particulier celles des eaux thermales, conservent toute leur activité à des températures supérieures à 85 °C.

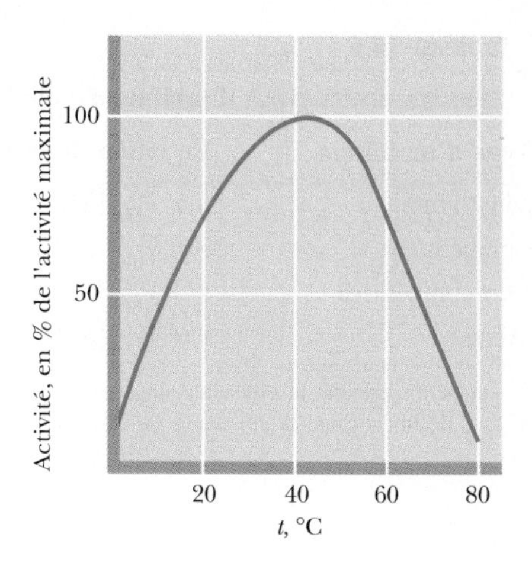

Figure 14.12 • Effets de la température sur l'activité enzymatique. Activité relative d'une réaction enzymatique en fonction de la température. La décroissance de l'activité au-dessus de 50 °C est due à la dénaturation thermique.

14.4 • Inhibition de l'activité enzymatique

Si la vitesse d'une réaction enzymatique diminue dans des conditions où l'enzyme n'est pas dénaturé, cela signifie que la cinétique de la réaction est perturbée, que l'enzyme est **inhibé**. La perturbation systématique d'une réaction est un outil fondamental de l'expérimentateur. Elle permet de mieux comprendre le fonctionnement de tout système par l'observation des effets résultant de la perturbation. De même, l'étude de l'inhibition enzymatique a significativement contribué à la compréhension des propriétés des enzymes.

Inhibition réversible et inhibition irréversible

On peut classer les inhibiteurs d'enzymes de plusieurs façons. L'effet d'un inhibiteur sur un enzyme peut être soit réversible soit irréversible. Les **inhibiteurs réversibles** interagissent avec les enzymes par des réactions d'association/dissociation sans formation de liaisons covalentes stables. Au contraire, les effets des **inhibiteurs irréversibles** se manifestent généralement par la formation de liaisons covalentes stables avec l'enzyme. L'effet net de l'inhibition correspond à une diminution de la concentration de l'enzyme actif. Nous verrons par la suite que les cinétiques observées sont en accord avec cette interprétation.

Inhibition réversible

Les inhibiteurs réversibles se répartissent en deux catégories principales, les inhibiteurs compétitifs et les inhibiteurs non compétitifs (on connaît quelques autres catégories, mais moins fréquemment observées). Les **inhibiteurs compétitifs** sont caractérisés par le fait que le substrat et l'inhibiteur sont en compétition pour le même site de fixation sur l'enzyme, site appelé **site actif**, ou **site de liaison du substrat**. Donc, l'accroissement de la concentration en substrat accroît la probabilité de la liaison de S à l'enzyme plutôt que celle de l'inhibiteur, I. Pratiquement, une concentration élevée de S annule les effets de I. L'autre type d'inhibition, l'inhibition non compétitive, ne peut pas être levée par accroissement de [S]. Ces deux types d'inhibitions peuvent être distingués par l'aspect particulier des courbes de cinétique et l'analyse des cinétiques à l'aide de représentations linéaires comme celle en double inverse de Lineweaver-Burk. Une formulation générale pour décrire l'interaction des inhibiteurs communs à l'aide de notre modèle de cinétique enzymatique simple serait :

$$\mathrm{E + I \rightleftharpoons EI} \quad \text{et/ou} \quad \mathrm{I + ES \rightleftharpoons IES} \tag{14.32}$$

Nous envisagerons donc ici les associations réversibles de l'inhibiteur avec E et/ou avec ES.

Inhibition compétitive

Examinons le système suivant :

$$\mathrm{E + S} \underset{k_{-1}}{\overset{k_1}{\rightleftharpoons}} \mathrm{ES} \overset{k_2}{\longrightarrow} \mathrm{E + P} \qquad \mathrm{E + I} \underset{k_{-3}}{\overset{k_3}{\rightleftharpoons}} \mathrm{EI} \tag{14.33}$$

Tableau 14.6

Effets de divers types d'inhibiteurs sur l'équation de Michaelis-Menten, sur le K_m apparent et sur la V_{max} apparente

Type d'inhibition	Équation de la vitesse	K_m apparent	V_{max} apparent
Sans inhibiteur	$v = V_{max}[S]/(K_m + [S])$	K_m	V_{max}
Compétitive	$v = V_{max}[S]/[S] + (K_m(1 + [I]/K_I))$	$K_m(1 + [I]/K_I)$	V_{max}
Non compétitive	$v = V_{max}[S]/(1 + [I]/K_r))/(K_m + [S])$	K_m	$V_{max}/(1 + [I]/K_I)$
Mixte	$v = V_{max}[S]/((1 + [I]/K_I)K_m + (1 + [I]/K'_I[S]))$	$K_m(1 + [I]/K_I)/(1 + [I]/K'_I)$	$V_{max}/(1 + [I]/K'_I)$

K_I est défini comme la constante de dissociation du complexe enzyme:inhibiteur. $K_I = [E]\,[I]/[EI]$ (on l'appelle également la constante d'inhibition) ; K'_I est défini comme la constante de dissociation du complexe formé par l'ensemble enzyme substrat avec l'inhibiteur, $K'_I = [ES]\,[I]/[ESI]$.

dans lequel un inhibiteur se lie de façon *réversible* à un enzyme, au même site que S. La liaison de S et celle de I sont donc des processus *compétitifs*, mutuellement exclusifs, et la formation d'un complexe ternaire, EIS, dans lequel S et I sont tous deux liés est physiquement impossible. Cette condition nous conduit à anticiper que S et I doivent avoir en commun un haut degré d'analogie structurale puisqu'ils se lient au même site de l'enzyme. Remarquez également que dans notre modèle EI ne réagit pas pour donner E + P ; c'est-à-dire que I n'est pas changé par son interaction avec l'enzyme. La vitesse de la réaction qui donne un produit est $v = k_2[ES]$.

Il est instructif de comparer l'Équation (14.23) de la vitesse d'une réaction en l'absence d'inhibiteur, l'équation de Michaelis-Menten, avec celle de la vitesse d'une réaction enzymatique en présence d'une concentration fixe d'un inhibiteur compétitif [I], Équation (14.43) de l'encart page 445,

$$v = \frac{V_{max}[S]}{[S] + K_m}$$

$$v = \frac{V_{max}[S]}{[S] + K_m\left(\dfrac{1 + [I]}{K_I}\right)}$$

(voir aussi Tableau 14.6). Dans le cas de la réaction inhibée, la valeur du K_m, au dénominateur, est accrue d'un facteur $(1 + [I]/K_I)$; donc v est, comme prévu, plus petit en présence de I. Quand [I] est nulle, les deux équations sont identiques. La Figure 14.13 présente les tracés en double inverse selon Lineweaver-Burk d'une inhibition compétitive. Certaines particularités de l'inhibition compétitive sont

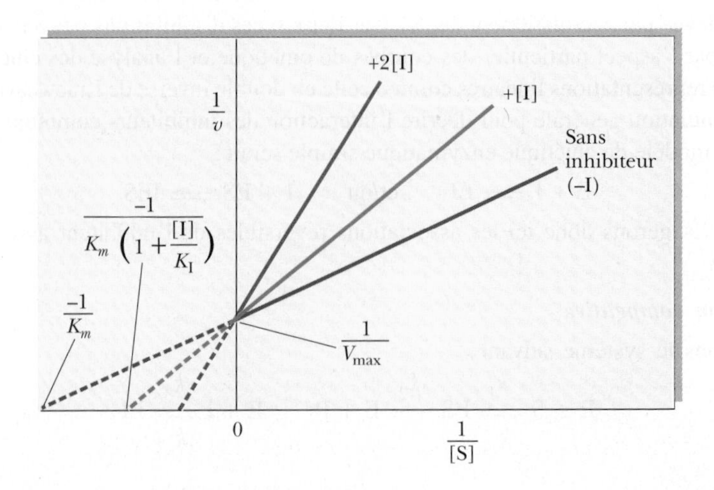

Figure 14.13 • Représentation en double inverse selon Lineweaver-Burk des cinétiques en l'absence de I, en présence de [I], et de 2[I]. Notez que si [S] est infiniment grand, $(1/[S] = 0)$, V_{max} reste le même que I soit ou non présent. En présence de I, l'intersection de la droite avec l'axe des x est $-1/K_m(1 + [I]/K_I)$.

POUR EN SAVOIR PLUS

Les équations de l'inhibition compétitive

Étant données les relations entre E, S, et I, précédemment décrites, et nous rappelant qu'à l'état d'équilibre $d[\mathrm{ES}]/dt = 0$, nous pouvons à partir des Équations (14.14) et (14.16) écrire :

$$[\mathrm{ES}] = \frac{k_1[\mathrm{E}][\mathrm{S}]}{(k_2 + k_{-1})} = \frac{[\mathrm{E}][\mathrm{S}]}{K_m} \qquad (14{,}34)$$

En supposant que l'équilibre E + I $\rightleftharpoons$ EI est rapidement atteint, la vitesse de formation de EI, $v'_f = k_3[\mathrm{E}][\mathrm{I}]$, et la vitesse de dissociation de EI, $v'_d = k_{-3}[\mathrm{EI}]$, sont égales, de sorte que :

$$k_3[\mathrm{E}][\mathrm{I}] = k_{-2}[\mathrm{EI}] \qquad (14.35)$$

Donc,

$$[\mathrm{EI}] = \left(\frac{k_3}{k_{-3}}\right)[\mathrm{E}][\mathrm{I}] \qquad (14.36)$$

Si nous définissons K_I comme k_{-3}/k_3, *une constante de dissociation du complexe enzyme:inhibiteur*, alors,

$$[\mathrm{EI}] = \frac{[\mathrm{E}][\mathrm{I}]}{K_\mathrm{I}} \qquad (14.37)$$

Sachant que $[\mathrm{E}_T] = [\mathrm{E}] + [\mathrm{ES}] + [\mathrm{EI}]$, nous pouvons écrire :

$$[\mathrm{E}_T] = [\mathrm{E}] + \frac{[\mathrm{E}][\mathrm{S}]}{K_m} + \frac{[\mathrm{E}][\mathrm{I}]}{K_\mathrm{I}} \qquad (14.38)$$

ce qui donne en sortant [E] :

$$[\mathrm{E}] = \frac{K_\mathrm{I}K_m[\mathrm{E}_T]}{(K_\mathrm{I}K_m + K_\mathrm{I}[\mathrm{S}] + K_m[\mathrm{I}])} \qquad (14.39)$$

Comme la vitesse de la formation d'un produit est donnée par $v = k_2[\mathrm{ES}]$, nous pouvons réécrire l'équation (14.34), nous aurons :

$$v = \frac{k_2[\mathrm{E}][\mathrm{S}]}{K_m} \qquad (14.40)$$

d'où en remplaçant [E] par sa valeur tirée de l'équation (14.39) :

$$v = \frac{(k_2K_\mathrm{I}[\mathrm{E}_T][\mathrm{S}]}{(K_\mathrm{I}K_m + K_\mathrm{I}[\mathrm{S}] + K_m[\mathrm{I}])} \qquad (14.41)$$

Comme $V_{\max} = k_2[\mathrm{E}_T]$,

$$v = \frac{V_{\max}[\mathrm{S}]}{K_m + [\mathrm{S}] + \frac{K_m[\mathrm{I}]}{K_\mathrm{I}}} \qquad (14.42)$$

ou

$$v = \frac{V_{\max}[\mathrm{S}]}{[\mathrm{S}] + K_m\left(1 + \frac{[\mathrm{I}]}{K_\mathrm{I}}\right)} \qquad (14.43)$$

évidentes. Premièrement, pour une concentration donnée de I, v décroît, ($1/v$ croît). Quand [S] tend vers l'infini, $v = V_{\max}$ et n'est donc pas modifiée par I puisque tout l'enzyme est sous forme de ES. Notez que la valeur de l'intersection de la droite avec l'axe des x décroît quand [I] croît. Cette valeur à l'intersection est souvent appelée le K_m *apparent* (ou $K_{m\mathrm{app}}$) car c'est le K_m apparent dans ces conditions. Le critère décisif de l'inhibition compétitive est que $V_{\max}$ n'est pas affectée par la présence de I. Toutes les droites ont une intersection commune avec l'axe des y. Ce critère est aussi la meilleure indication expérimentale de la fixation des deux substances sur un même site de l'enzyme. Les structures tertiaires d'un inhibiteur compétitif et du substrat sont semblables.

La succinate déshydrogénase, un exemple classique d'inhibition compétitive

La *succinate déshydrogénase* (SDH) est un enzyme inhibé de façon compétitive par le malonate. La Figure 14.14 présente les structures du succinate et du malonate. La similarité des structures est évidente, elle est la raison pour laquelle le malonate peut se fixer sur le centre actif de la SDH. Mais, contrairement au succinate qui est oxydé par la SDH pour donner du fumarate, le malonate ne peut perdre deux atomes d'hydrogène, il ne peut donc réagir.

Inhibition non compétitive

Les inhibiteurs non compétitifs interagissent à la fois avec E et avec ES (ou avec S et ES, mais ces cas sont rares et très particuliers). S'ils se fixent sur ES, de toute évidence ces compétiteurs non compétitifs ne se lient pas au même site que S, et l'inhibition ne peut pas être levée par un accroissement de [S]. On connaît deux types d'inhibitions non compétitives, une dite pure et l'autre mixte.

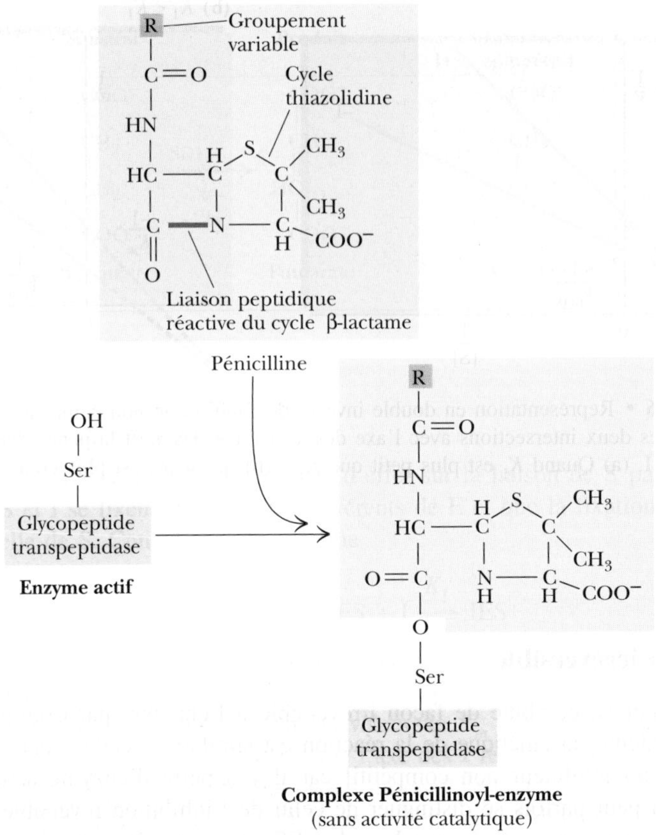

Figure 14.17 • La pénicilline est un inhibiteur irréversible de la *glycoprotéine transpeptidase*, un enzyme qui catalyse une étape essentielle dans la synthèse de la paroi de la cellule bactérienne. La pénicilline consiste en un cycle thiazolidine fusionné à un cycle β-lactame lié à un groupe R de nature variable. La liaison peptidique réactive du cycle β-lactame s'ouvre et forme une liaison covalente avec un résidu sérine du site actif de la glycoprotéine transpeptidase. (La conformation de la pénicilline autour de la liaison peptidique réactive ressemble à l'état de transition du substrat normal de la glycoprotéine transpeptidase). Le complexe pénicillinoyl-enzyme est catalytiquement inactif ; la liaison entre la pénicilline et l'enzyme est des plus stables, la liaison est donc irréversible.

14.5 • Cinétique des réactions enzymatiques à plusieurs substrats

Nous n'avons jusqu'à présent considéré que le cas simple des enzymes agissant sur un seul substrat S. Cette situation est relativement rare. Le plus souvent les enzymes catalysent des réactions à deux ou même plusieurs substrats.

Considérons le cas d'un enzyme qui catalyse une réaction impliquant deux substrats, A et B, et donnant deux produits, P et Q :

$$A + B \xrightarrow{\text{enzyme}} P + Q \qquad (14.45)$$

En général, les réactions à **deux substrats** se déroulent suivant l'une ou l'autre des voies suivantes :

1. A et B se lient à l'enzyme puis la réaction a lieu donnant P + Q :

$$E + A + B \longrightarrow AEB \longrightarrow PEQ \longrightarrow E + P + Q \qquad (14.46)$$

Ces réactions sont dites **séquentielles** (On les appelle encore **réactions par déplacement unique** car dans ces réactions de transfert, le groupe transféré ne subit qu'un seul transfert). Elles se divisent en deux classes distinctes :

a. séquentielles **aléatoires**, dans lesquelles soit A soit B se lient en premier, suivi par l'autre substrat, et

b. séquentielles **ordonnées** dans lesquelles un substrat, toujours le même, doit d'abord se lier à l'enzyme avant que le second substrat puisse se lier à son tour. La libération des produits de la réaction peut également être ordonnée.

Les deux classes de réactions séquentielles sont caractérisées par des droites qui se croisent à gauche de l'axe des x ($1/v$) dans la représentation en double inverse de Lineweaver-Burk (Figure 14.18).

2. Dans l'autre possibilité, un substrat, A, se lie à l'enzyme et réagit avec lui pour donner une forme modifiée de l'enzyme (E′) plus le produit, P. L'enzyme modifié E′ fixe ensuite le second substrat, B, et la réaction régénère E en donnant un second produit, Q.

$$E + A \longrightarrow EA \longrightarrow E'P \xrightarrow{\searrow P} E' \xrightarrow{B \nearrow} E'B \longrightarrow EQ \longrightarrow E + Q \qquad (14.47)$$

Les réactions qui suivent ce modèle sont appelées des **réactions ping-pong** (ou **réactions par double déplacement**). Les deux caractéristiques de ce modèle sont d'une part la formation obligatoire d'un enzyme intermédiaire modifié, E′, et d'autre part, dans la représentation en double inverse de Lineweaver-Burk, la série de droites parallèles obtenues en faisant varier la concentration d'un seul des deux substrats (Figure 14.19).

Réaction séquentielle aléatoire

Dans ce type de réaction, tous les complexes binaires de l'enzyme avec les substrats et avec les produits sont possibles. Dès que l'on ajoute de l'enzyme à une solution contenant A, B, P, et Q, les complexes (EA, EB, EP, EQ) réversibles se forment rapidement

$$\begin{array}{ccccc} A + E \rightleftharpoons AE & \searrow & & \nearrow & QE \rightleftharpoons Q + E \\ & & AEB \rightleftharpoons QEP & & \\ E + B \rightleftharpoons EB & \nearrow & & \searrow & EP \rightleftharpoons E + P \end{array}$$

La vitesse limitante de la réaction est celle de AEB → PEQ. Peu importe que A ou B soit le premier substrat fixé par E, ou que P ou Q soit le premier produit libéré

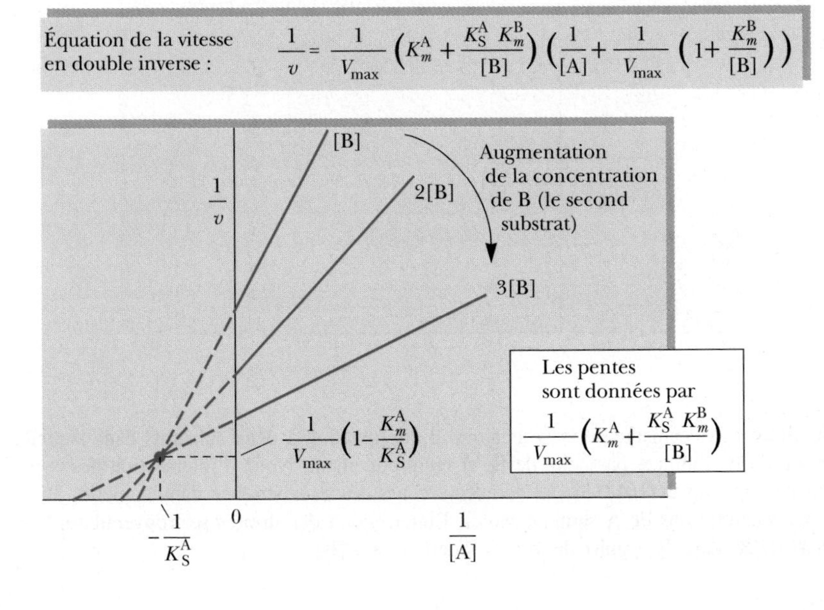

Figure 14.18 • Les réactions à deux substrats dont le mécanisme est de type séquentiel ordonné se caractérisent par des graphes selon Lineweaver-Burk dans lesquels le point commun d'intersection des droites se trouve à gauche de l'axe des y ($1/v$) quand on porte les vitesses ($1/v$) mesurées pour différentes concentrations fixes de B en fonction d'une série de concentrations de A ($1/[A]$).

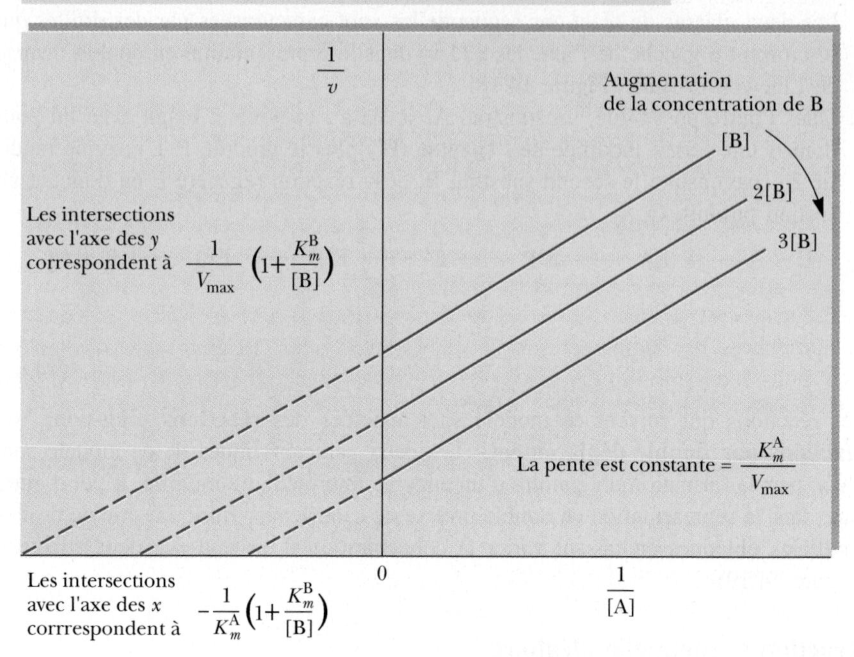

Figure 14.19 • Mécanisme ping-pong d'une réaction à deux substrats, caractérisé par des lignes parallèles sur un graphe selon Lineweaver-Burk quand on porte les vitesses ($1/v$) mesurées pour différentes concentrations fixes de B en fonction d'une série de concentrations de A ($1/[A]$).

par PEQ. Il est parfois possible de différencier les réactions séquentielles aléatoires des réactions séquentielles ordonnées, *si* A n'a *pas* d'influence sur la constante d'affinité de B (et réciproquement) ; dans ce cas le mécanisme est purement aléatoire. On observe alors dans la représentation en double inverse que les droites ont un point d'intersection commun sur l'abscisse (Figure 14.20).

La créatine kinase catalyse une réaction séquentielle aléatoire

Le mécanisme réactionnel de la *créatine kinase* offre un exemple de réaction séquentielle aléatoire. Cet enzyme catalyse la réaction de transfert d'un groupe phosphate

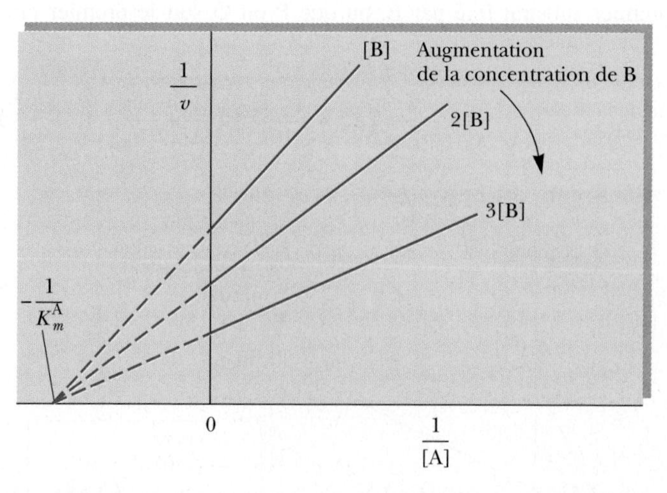

Figure 14.20 • Mécanisme de type aléatoire d'une réaction à deux substrats dans laquelle la fixation de A n'affecte pas celle de B, et réciproquement. Notez l'intersection des droites sur l'axe des x (1/A). Si [B] variait au cours d'une expérience dans laquelle diverses concentrations de A seraient fixées, l'intersection des droites se trouverait sur l'abscisse 1/[B] dans le graphe de $1/v$ en fonction de 1/[B].

de l'ATP à la créatine (Cr) accepteur pour former de la créatine phosphate (CrP). La créatine phosphate est un important réservoir de liaison phosphate à haut potentiel énergétique dans la cellule musculaire (Figure 14.21).

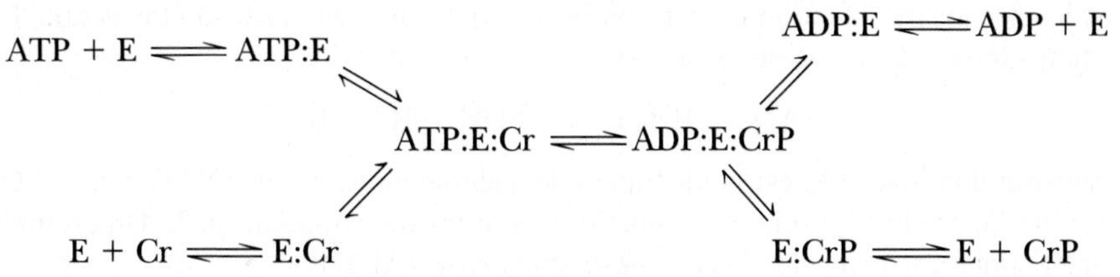

$$\mathrm{ATP + E \rightleftharpoons ATP{:}E \rightleftharpoons ATP{:}E{:}Cr \rightleftharpoons ADP{:}E{:}CrP \rightleftharpoons ADP{:}E \rightleftharpoons ADP + E}$$

$$\mathrm{E + Cr \rightleftharpoons E{:}Cr \rightleftharpoons ATP{:}E{:}Cr \rightleftharpoons ADP{:}E{:}CrP \rightleftharpoons E{:}CrP \rightleftharpoons E + CrP}$$

$H_2N(^{+}H_2N{=})C{-}N(CH_3){-}CH_2{-}COO^-$

Créatine

$^{-}O{-}P(O)(O^-){-}NH{-}C(={}^{+}NH_2){-}N(CH_3){-}CH_2{-}COO^-$

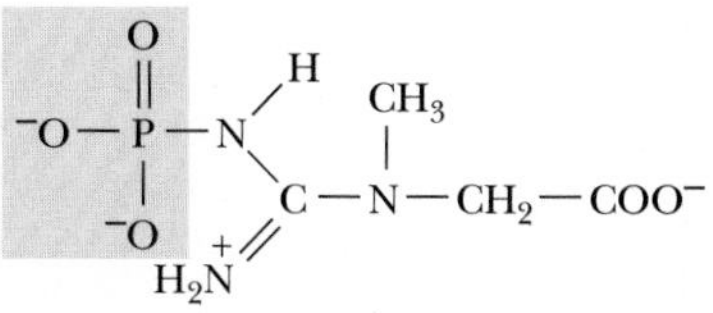

Créatine–P

Figure 14.21 • Structures de la créatine et de la créatine phosphate, deux importants composés du métabolisme énergétique musculaire.

Les concentrations relatives de l'ATP, de l'ADP, de Cr et de CrP, et la constante d'équilibre de la réaction déterminent à tout moment la direction de la réaction. On peut considérer que l'enzyme a deux sites de fixations pour les substrats (et pour les produits), un premier site pour l'ATP et l'ADP, un deuxième site pour Cr et CrP. Dans ce mécanisme, l'ATP et l'ADP sont en compétition pour leur site et Cr et CrP sont en compétition pour le leur. Notez qu'il n'apparaît pas de forme intermédiaire (E′) modifiée de l'enzyme (par exemple E-PO_4). Les deux caractéristiques de cette réaction sont : la formation rapide et réversible du complexe binaire suivie par la fixation du second substrat et le fait que l'étape limitante de la réaction a lieu à l'intérieur du complexe ternaire.

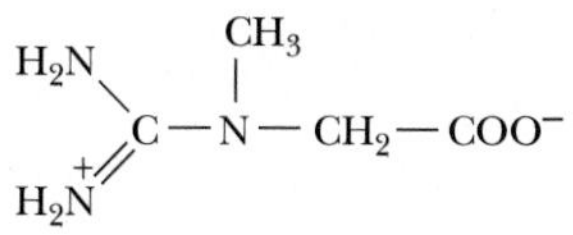

Réactions séquentielles ordonnées

Dans ces réactions, le **substrat dominant**, A (on dit aussi le substrat **obligatoire**), doit obligatoirement se fixer le premier. Le second substrat, B, peut alors se fixer. En toute rigueur, B ne peut pas se lier à l'enzyme libre en l'absence de A. La réaction entre A et B a lieu dans le complexe ternaire ; habituellement l'ordre du départ des produits P et Q est aussi imposé. Dans les schémas ci-dessous, Q est le produit de A et est libéré en dernier. W.W. Cleland a proposé la notation linéaire suivante :

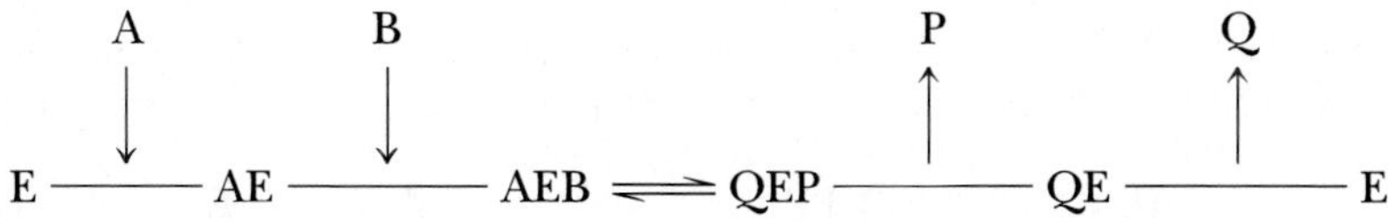

$$\mathrm{E} \xrightarrow{\;A\downarrow\;} \mathrm{AE} \xrightarrow{\;B\downarrow\;} \mathrm{AEB} \rightleftharpoons \mathrm{QEP} \xrightarrow{\;P\uparrow\;} \mathrm{QE} \xrightarrow{\;Q\uparrow\;} \mathrm{E}$$

Une autre façon de représenter le mécanisme serait la suivante :

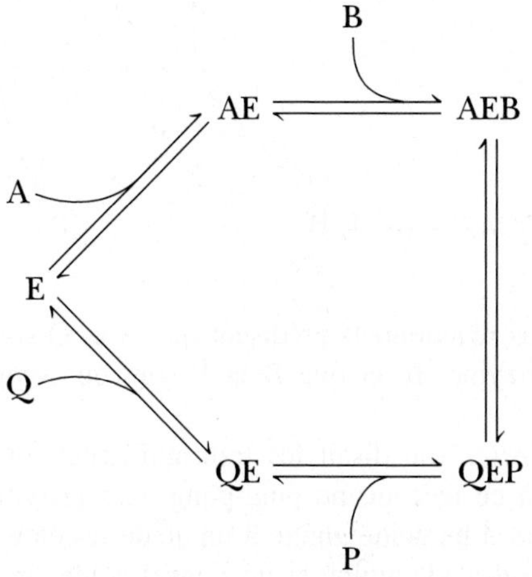

$$\mathrm{E} \underset{}{\overset{A}{\rightleftharpoons}} \mathrm{AE} \overset{B}{\rightleftharpoons} \mathrm{AEB} \rightleftharpoons \mathrm{QEP} \overset{P}{\rightleftharpoons} \mathrm{QE} \overset{Q}{\rightleftharpoons} \mathrm{E}$$

Notez que A et Q sont en compétition pour le site actif de l'enzyme de l'enzyme libre, E, mais A et B ne le sont pas (ni Q et P).

Les déshydrogénases à NAD⁺ sont des enzymes à réactions séquentielles ordonnées

Les déshydrogénases à nicotinamide adénine dinucléotide (NAD⁺) sont des enzymes dont le mécanisme réactionnel est conforme à ce qui vient juste d'être décrit. La réaction globale de ces déshydrogénases est la suivante :

$$NAD^+ + BH_2 \rightleftharpoons NADH + H^+ + B$$

Le substrat dominant (A) est la nicotinamide adénine dinucléotide (NAD^+), et NAD^+ et NADH (le produit Q) sont en compétition pour un site commun sur E. Un exemple caractéristique est celui de *l'alcool déshydrogénase* (ADH) :

$$\underset{(A)}{NAD^+} + \underset{\substack{\text{éthanol} \\ (B)}}{CH_3CH_2OH} \rightleftharpoons \underset{(Q)}{NADH} + H^+ + \underset{\substack{\text{acétaldéhyde} \\ (P)}}{CH_3CHO}$$

Il est possible de vérifier expérimentalement qu'il s'agit d'un mécanisme ordonné et non pas séquentiel en démontrant que B (l'éthanol) ne se lie pas à E en l'absence de A (NAD^+).

Réactions ping-pong

Les réactions obéissant à ce type mécanisme sont caractérisées par le fait que le produit de la réaction de l'enzyme avec un premier substrat, A, (produit appelé P dans les exemples suivants) est libéré *avant* que l'enzyme réagisse avec le second substrat, B. La conséquence de ce processus est que l'enzyme, E, est converti en une forme modifiée, E′, qui réagira avec B pour donner le second produit Q, et régénérer la forme non modifiée de l'enzyme, E :

$$E \xrightarrow{A \downarrow} AE \rightleftharpoons PE' \xrightarrow{\uparrow P} E' \xrightarrow{B \downarrow} E'B \rightleftharpoons EQ \xrightarrow{\uparrow Q} E$$

ou

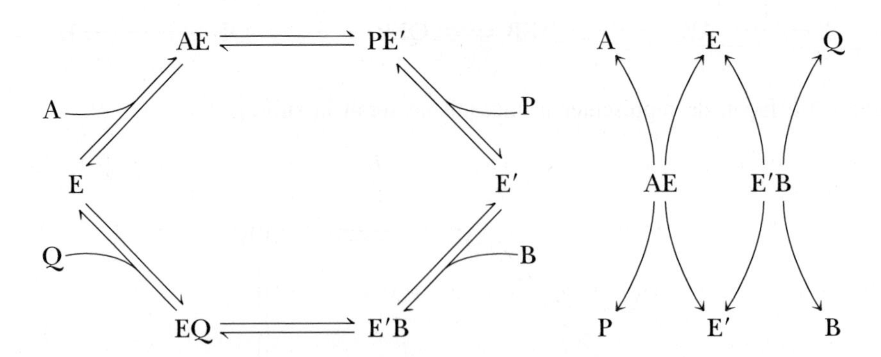

Notez que ces schémas réactionnels prédisent que A et Q sont en compétition pour la forme libre de l'enzyme, E, et que B et P sont en compétition pour la forme modifiée, E′.

Les *aminotransférases* (on disait les transaminases) forment une classe d'enzymes qui obéissent à ce mécanisme ping-pong. Ces enzymes catalysent le transfert d'un groupe amino d'un acide aminé à un acide α-cétonique, les produits de la réaction étant un nouvel acide aminé et un nouvel acide cétonique qui provient du squelette carboné de l'acide aminé donneur :

$$\text{acide aminé}_1 + \text{acide cétonique}_2 = \text{acide cétonique}_1 + \text{acide aminé}_2$$

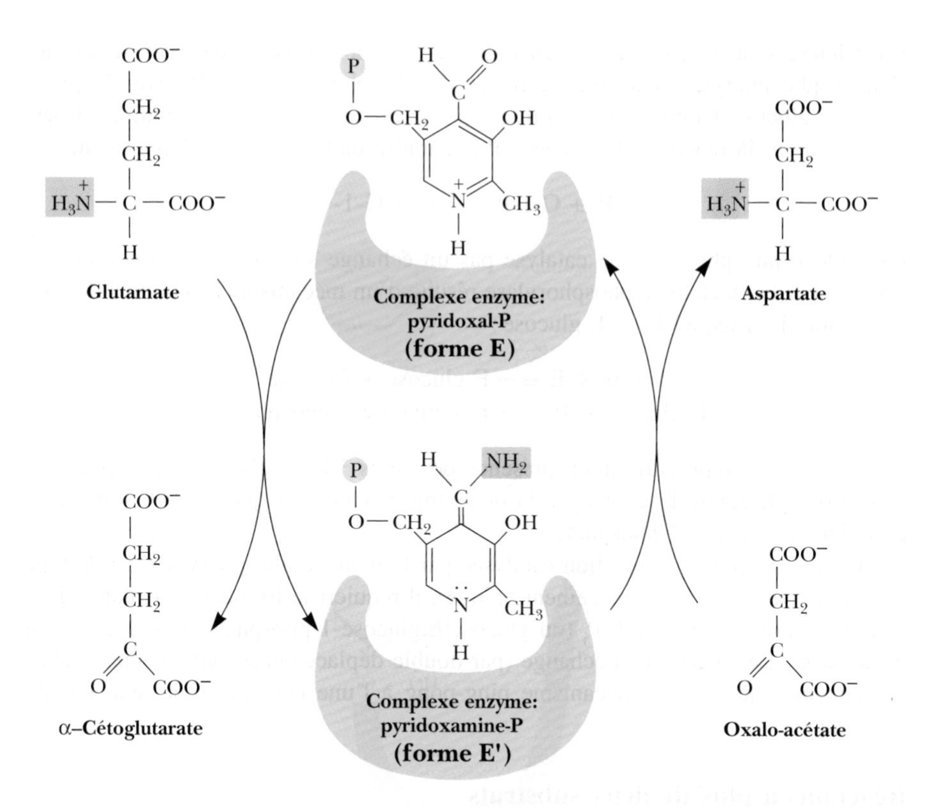

Figure 14.22 • La *glutamate:aspartate aminotransférase* est un enzyme à mécanisme réactionnel de type ping-pong. C'est un enzyme dont l'activité dépend de la présence d'un coenzyme, le pyridoxal phosphate. Le pyridoxal sert d'accepteur du $-NH_2$ provenant du glutamate et devient de la pyridoxamine. La pyridoxamine est ensuite donneur de groupe amino à l'oxalo-acétate qui devient de l'aspartate et le coenzyme est régénéré. (La forme E′ de l'enzyme est le complexe pyridoxamine-P:enzyme.)

Un enzyme caractéristique serait *la glutamate:aspartate aminotransférase*. La Figure 14.22 résume le mécanisme de la réaction qu'elle catalyse. Notez que le glutamate et l'aspartate sont en compétition pour E, et que l'oxalo-acétate et l'α-cétoglutarate sont en compétition pour E′. Un coenzyme, le *pyridoxal phosphate* (un dérivé de la vitamine B_6) lié à la glutamate:aspartate aminotransférase sert dans la réaction enzymatique d'accepteur puis de donneur du groupe amino. La forme non modifiée de l'enzyme, E, a comme coenzyme le pyridoxal phosphate, tandis que la forme modifiée de l'enzyme, E′, a comme cofacteur la pyridoxamine phosphate (Figure 14.22). Tous les enzymes à mécanisme ping-pong n'ont pas nécessairement un cofacteur pour le transfert d'un groupe chimique au cours de la réaction.

Caractérisation d'un mécanisme à deux substrats

Les spécialistes de la cinétique enzymatique disposent de plusieurs possibilités pour déterminer le type du mécanisme réactionnel d'un enzyme donné. L'une est l'analyse des graphes des cinétiques de la réaction. Par des expériences de compétition entre les substrats, il est généralement assez facile de distinguer les réactions séquentielles aléatoires des réactions ordonnées. Une autre possibilité consiste à examiner si l'enzyme catalyse une réaction d'échange. Examinons le cas de deux enzymes, la *saccharose phosphorylase* et la *maltose phosphorylase*. Ces deux enzymes catalysent la phosphorolyse d'un diholoside, et tous les deux donnent du glucose-1-phosphate et un autre hexose libre.

$$\text{saccharose} + P_i \rightleftharpoons \text{glucose-1-phosphate} + \text{fructose}$$
$$\text{maltose} + P_i \rightleftharpoons \text{glucose-1-phosphate} + \text{glucose}$$

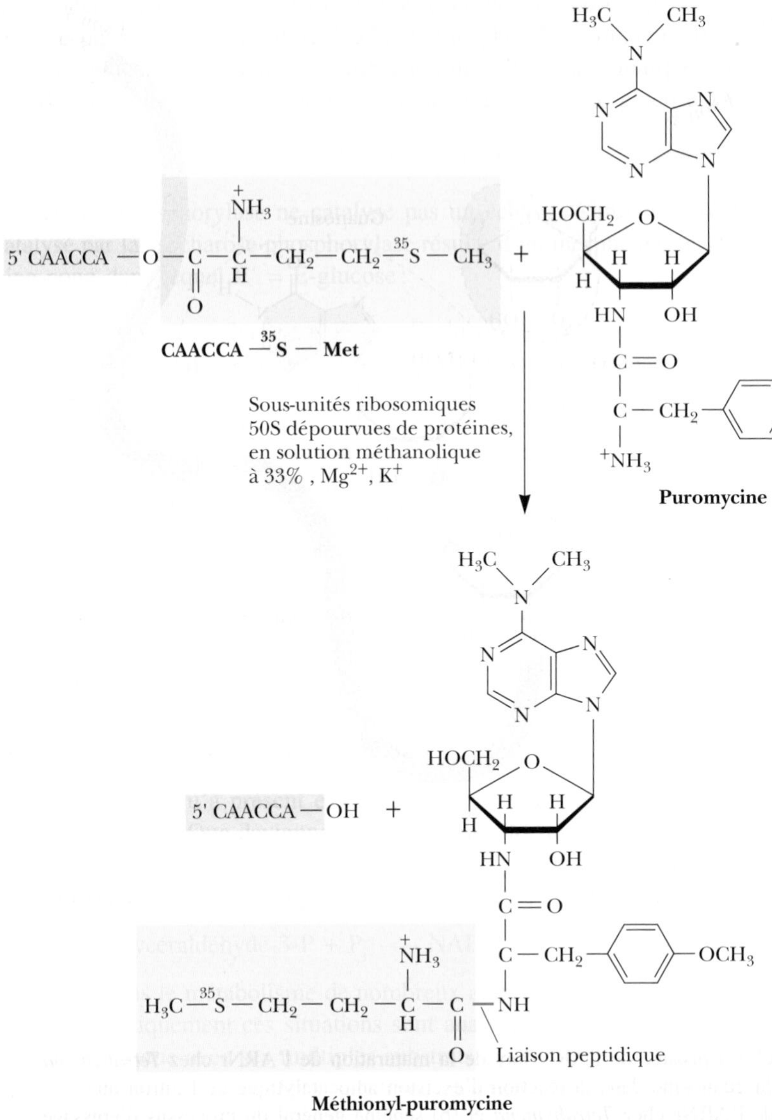

5' CAACCA — O — C(=O) — C(H)($\overset{+}{N}H_3$) — CH_2 — CH_2 — ^{35}S — CH_3 +

CAACCA — ^{35}S — Met

Puromycine

Sous-unités ribosomiques 50S dépourvues de protéines, en solution méthanolique à 33% , Mg^{2+}, K^+

5' CAACCA — OH +

Liaison peptidique

Méthionyl-puromycine

Figure 14.24 • Les sous-unités ribosomiques 50S dont les protéines ont été éliminées possèdent une activité peptidyl transférase. La peptidyltransférase est le nom de la fonction enzymatique qui catalyse la formation des liaisons peptidiques. La démonstration de cette activité dans les sous-unités 50S dépourvues de protéines utilise un essai modèle de formation d'une liaison peptidique dans lequel un analogue d'un aminoacyl-ARNt (un petit oligoribonucléotide de séquence CAACCA dont l'extrémité 3′ porte une méthionine marquée au ^{35}S) sert de donneur de résidu peptidique et la puromycine d'accepteur de ce résidu. L'activité se mesure en suivant la formation de méthionyl-puromycine radioactive.

les sous-unités ribosomiques 50S dont toutes les protéines ont pratiquement été éliminées (cf. Chapitre 12). Ces expériences impliquent que l'ARNr 23S est à lui seul capable de catalyser la formation de la liaison peptidique. De plus, les chercheurs du laboratoire de Thomas Cech ont créé un ribozyme de synthèse comportant 196 nucléotides qui a une activité catalytique peptidyltransférase.

Plusieurs particularités de ces « enzymes » à ARN, les **ribozymes**, conduisent à penser que leur efficacité biologique ne peut pas rivaliser avec celle des protéines. Premièrement, les ribozymes ne satisfont pas souvent à l'un des critères de la catalyse *in vivo* car il n'agissent qu'une seule fois dans un mécanisme intracellulaire

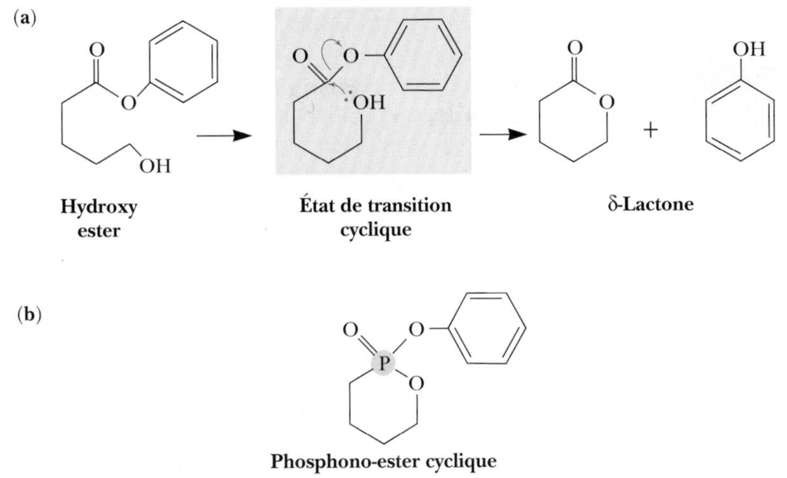

(a) Hydroxy ester → État de transition cyclique → δ-Lactone + phénol

(b) Phosphono-ester cyclique

Figure 14.25 • Les anticorps catalyseurs sont spécifiquement conçus pour se lier à la structure de transition intermédiaire d'une réaction chimique. (a) L'hydrolyse intramoléculaire d'un hydroxyester donne comme produits une δ-lactone et un phénol. Notez l'état de transition cyclique. (b) Le phosphono-ester cyclique est un analogue de la structure normale de l'état de transition cyclique . Les anticorps formés en réponse à la présence du phoshono-ester cyclique agissent comme des enzymes : ce sont des catalyseurs qui augmentent notablement la vitesse de l'hydrolyse des hydroxyesters.

comme l'autoépissage. Deuxièmement, les activités catalytiques des ribozymes, *in vivo* aussi bien qu'*in vitro*, sont significativement accrues en présence de sous-unités protéiques. Cependant, le fait que des ARN peuvent catalyser certaines réactions est un argument expérimental en faveur de l'existence d'un monde primitif dominé par des molécules d'ARN avant que l'évolution produise de l'ADN et des protéines.

Anticorps catalytiques : les abzymes

Les anticorps sont des *immunoglobulines* et, bien évidemment, ce sont des protéines. Comme les autres anticorps, les **anticorps à activité catalytique**, appelés les **abzymes**, sont synthétisés dans l'organisme en réponse à une stimulation immunologique par une molécule étrangère appelée **antigène** (cf. l'exposé des bases moléculaires de l'immunologie Chapitre 29). Dans le cas particulier des abzymes, l'antigène est intentionnellement conçu pour être un *analogue de la structure de transition* intermédiaire d'une réaction. Le raisonnement est qu'une protéine qui se lierait spécifiquement à la structure de transition intermédiaire d'une réaction favoriserait le passage de la structure normale du réactif vers la conformation d'un l'état de transition plus réactif. Ainsi, un anticorps catalytique faciliterait le changement de la conformation de son substrat vers son état de transition, et donc catalyserait la réaction. (Une des plus importantes explications du remarquable pouvoir catalytique des enzymes conventionnels est leur très grande affinité pour les états de transition intermédiaires dans les réactions qu'ils catalysent ; voir Chapitre 16).

Une des stratégies utilisées consiste à préparer des analogues des esters, en substituant un atome de phosphore à l'atome de carbone de la fonction ester (Figure 14.25). Le dérivé obtenu est un analogue de l'état de transition naturel des esters lors de leur hydrolyse et les anticorps formés en réponse à ces antigènes particuliers se comportent comme des enzymes classiques, accélérant plus de mille fois la vitesse de l'hydrolyse des esters. D'autres abzymes ont été produits qui catalysent des réactions appartenant à d'autres classes, y compris la formation de liaison C–C par condensation aldolique (l'inverse de la réaction catalysée par l'aldolase, voir Figure 14.2, réaction 4 et Chapitre 19) et la réaction aminotransférase dépendante du pyridoxal 5′-P. (Figure 14.22). Dans ce dernier cas, la N^{α}-(5′-phosphopyridoxyl)-lysine (Figure 14.26a), couplée à un support protéique, a servi d'antigène. L'anticorps monté contre cet antigène catalyse la conversion de la D-alanine et du pyridoxal 5′-P en pyruvate et pyridoxamine 5′-P (figure 14.26b). Cette technique offre réellement la possibilité de **créer des enzymes** spécialement conçus pour catalyser des processus spécifiques, même inconnus dans la nature.

(a)

Protéine support

Groupement N^{α}-(5'-Phosphopyridoxyl)-L-lysine

(b)

D-Alanine

Pyridoxal 5'-P

Abzyme

Pyruvate

Pyridoxamine 5'-P

Figure 14.26 • (a) Antigène utilisé pour créer un abzyme avec une activité aminotransférase. (b) Réaction catalysée par l'abzyme.

EXERCICES

1. Que devient la valeur de v/V_{max} quand [S] = 4 K_m ?

2. Si V_{max} = 100 µmol/ml/s et K_m = 2m*M*, quelle est la vitesse de la réaction quand [S] = 20 m*M* ?

3. Dans une réaction à cinétique de type Michaelis-Menten, $k_1 = 7 \times 10^7/M$·s, $k_{-1} = 1 \times 10^3$/s, et $k_2 = 2 \times 10^4$/s. Quelles sont les valeurs de K_S et de K_m ? La fixation du substrat atteint-elle l'équilibre, ou plutôt l'état stationnaire ?

4. Les résultats suivants sont obtenus au cours d'une réaction enzymatique, (1) en l'absence d'inhibiteur, (2) et (3) en présence de deux inhibiteurs différents à la concentration 5 mM. $[E_T]$ est le même dans chaque expérience.

[S] (mM)	**(1) *v* (µmol/ml/s)**	**(2) *v* (µmol/ml/s)**	**(3) *v* (µmol/ml/s)**
1	12	4,3	5,5
2	20	8	9
4	29	14	13
8	35	21	16
12	40	26	18

a. Déterminez V_{max} et K_m de l'enzyme

b. Déterminez le type d'inhibition et le K_I pour chaque inhibiteur.

5. L'équation générale de la vitesse d'une réaction séquentielle dans laquelle A est le substrat dominant est la suivante :

$$v = \frac{V_{max}[A][B]}{(K_S^A K_m^B + K_m^A[B] + K_m^B[A] + [A][B]}$$

Écrivez selon Lineweaver-Burk l'équation équivalente, puis à partir de celle-ci calculez l'expression algébrique de (a) la pente ; (b) l'intersection de la droite avec l'axe des *y*; et (c) les coordonnées, horizontale et verticale, du point d'intersection des droites obtenues en portant 1/*v* en fonction de 1/[B] à différentes concentrations *fixes* de A.

6. Les graphes suivants représentent des expériences de cinétique. Ils ont plusieurs interprétations possibles dépendant du type d'expérience effectué, du mécanisme de la réaction, et de la nature des paramètres variables. Donnez au moins deux de ces possibilités pour chacun des graphes.

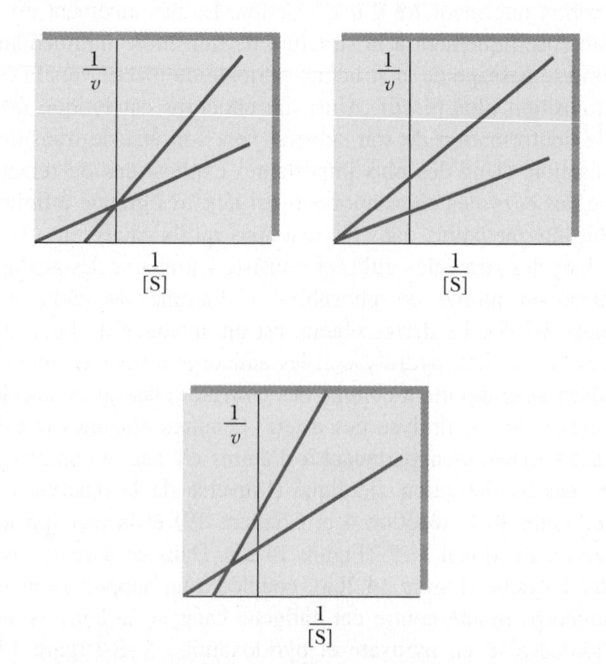

7. L'alcool déshydrogénase hépatique (LADH) n'est pas très spécifique quant à la nature de l'alcool oxydé, éthanol, méthanol, et d'autres alcools. L'oxydation du méthanol produit de l'aldéhyde formique qui est toxique, provoquant divers troubles dont la cécité. Mon chien, Clancy, qui préfère généralement le vin bon marché, a par erreur ingéré 50 ml d'un produit lave glace (une solution à 50 % de méthanol). Sachant que le méthanol serait éliminé par voie rénale si son oxydation était inhibée, et sachant que l'éthanol agit comme un inhibiteur compétitif de l'oxydation du méthanol par la LADH, j'ai décidé d'offrir du vin à Clancy. Combien de litres de sa boisson favorite (à 12 % d'éthanol) mon chien devra-t-il boire pour réduire l'activité de la LADH sur le méthanol à 5 % de son activité normale si les K_m de l'ADH pour l'éthanol et le méthanol sont respectivement 1mM et 10mM. (Le K_I de l'éthanol dans son rôle de d'inhibiteur compétitif de l'ADH est le même que son K_m). Le méthanol et l'éthanol diffusent rapidement et uniformément dans les 15 l. de fluides du corps de Clancy. On supposera que les densités de la solution de lave glace et du vin sont les mêmes, 0,9 g/ml.

LECTURES COMPLÉMENTAIRES

Bell, J.E., et Bell, E.T., 1988. *Proteins and Enzymes.* Englewood Cliffs, NJ : Prentice-Hall. This text describes the structural and functional characteristics of proteins and enzymes.

Boyer, P.D., 1970. *The Enzymes,* Vols. 1 et 11. New York : Academic Press. An edition for students seeking advanced knowledge on enzymes.

Cate, J.H., et al., 1996. Crystal structure of a group I riboyme domain : Principles of RNA packing. *Science* **273** : 1678.

Cech, T.R., et Bass, B.L., 1986. Biological catalysis by RNA. *Annual Review of Biochemistry* **55** : 599-629. A review of the early evidence that RNA can act like an enzyme.

Cech, T.R., et al., 1992. RNA catalysis by a group I ribozyme : Developing a model for transition-state stabilization. *Journal of Biological Chemistry* **267** : 17479-17482.

Dixon, M., et al., 1979. *Enzymes,* 3rd ed. New York : Academic Press. A classic work on enzyme kinetics and the properties of enzymes.

Fersht, A., 1985. *Enzyme Structure and Mechanism,* 2nd ed. Reading, PA : Freeman & Co. A monograph on the structure and action of enzymes.

Garrett, R.M., et al., 1998. Human sulfite oxidase R160Q : Identification of the mutation in a sulfite oxidase-deficient patient and expression and characterization of the mutant enzyme. *Proceedings of the National Academy of Sciences USA* **95** : 6394-6398.

Garrett, R.M., et Rajagopalan, K.V., 1996. Site-directed mutagenesis of recombinant sulfite oxidase. *Journal of Biological Chemistry* **271** : 7387-7391.

Gray, C.J., 1971. *Enzy-Catalyzed Reactions.* New York : Van Nostrand Reinhold. A monograph on quantitative aspects of enzyme kinetics.

Hsieh, L.C., Yonkovich, S., Kochersperger, L., et Schultz, P.G., 1993. Controlling chemical reactivity with antibodies. *Science* **260** : 337-339.

International Union of Biochemistry and Molecular Biology Nomenclature Committee, 1992. *Enzyme Nomenclature.* New York : Academic Press. A reference volume and glossary on the official classification and nomenclature of enzymes.

Janda, K.D., 1997. Chemical selection for catalysis in combinatorial antibody libraries. *Science* **275** : 945.

Janda, K.D., Shevlin, C.G., et Lerner, R.A., 1993. Antibody catalysis of a disfavored chemical transformation. *Science* **259** : 490-493.

Kisker, C., et al., 1997. Molecular basis of sulfite oxidase deficiency from the structure of sulfite oxidase. *Cell* **91** : 973-983.

Landry, D.W., Zhao, K, Yang, G.X., et al., 1993. Antibody-catalyzed degradation of cocaine. *Science* **259** : 1899-1901.

Napper, A.D., Benkovic, S.J., Tramantano, A., et Lerner, R.A., 1987. A stereospecific cyclization catalyzed by an antibody. *Science* **237** : 1041-1043.

Noller, H.F., Hoffarth, V., et Zimniak, L., 1992. Unusual resistance of peptidyl transferase to protein extraction procedures. *Science* **256** : 1416-1419.

Piccirilli, J.A., McConnell, T.S., Zaug, A.J., et al., 1992. Aminoacyl esterase activity of *Tetrahymena* ribozyme. *Science* **256** : 1420-1424.

Scott, W.G., et Klug, A., 1996. Ribozymes : Structure and mechanism in RNA catalysis. *Trends in Biochemical Sciences* **21** : 220-224.

Scott, W.G., et al., 1996. Capturing the structure of a catalytic RNA intermediate : The hammerhead ribozyme. *Science* **274** : 2065.

Segel, I.H., 1976. *Biochemical Calculations,* 2nd ed. New York : John Wiley & Sons. An excellent guide to solving problems in enzyme kinetics.

Silverman, R.B., 1988. *Mechanism-Based Enzyme Inactivation : Chemistry and Enzymology,* Vols. 1 et 11. Boca Raton, FL : CRC Press.

Smith, W.G., 1992. *In vivo* kinetics and the reversible Michaelis-Menten model. *Journal of Chemical Education* **12** : 981-984.

Steitz, T.A., et Steitz, J.A., 1993. A general two-metal-ion mechanism for catalytic RNA. *Proceedings of the National Academy of Sciences USA* **90** : 6498-6502.

Wagner, J., Lerner, R.A., et Barbas, C.F ., III, 1995. Efficient adolase catalytic antibodies that use the enamine mechanism of natural enzymes. *Science* **270** : 1797-1800. See also the discussion entitled « Aldolase antibody » in *Science* **270** : 1737.

Watson, J.D., ed., 1987. Evolution of catalytic function. *Cold Spring Harbor Symposium on Quantitative Biology* **52** : 1-955. Publications from a symposium on the nature and evolution of catalytic biomolecules (proteins and RNA) prompted by the discovery that RNA could act catalytically.

Wirsching, P., et al., 1995. Reactive immunization. *Science* **270** : 1775-1783. Description of reactive immunization, in which a highly reactive compound is used as antigen. Antibodies raised against such an antigen show catalytic activity for the chemical reaction that the antigen undergoes.

Zaug, A.J., et Cech, T.R., 1986. The intervening sequence RNA of *Tetrahymena is* an enzyme. *Science* **231** : 470-475.

Zhang, B., et Cech, T.R., *1997.* Peptide bond formation by *in vitro* selected ribozymes. *Nature* **390** : 96-100.

L'allostérie est le processus physico-chimique clé qui permet la régulation intracellulaire et extracellulaire : *« ...les opérations cybernétiques élémentaires sont assurées par des protéines spécialisées (allostériques) jouant le rôle de détecteurs (des signaux) et d'intégrateurs d'information chimique... Parmi ces protéines, (...) les enzymes dits allostériques (...) ont la propriété de reconnaître électivement un ou plusieurs autres composés dont l'association (stéréospécifique, non-covalente) avec la protéine a pour effet de modifier, c'est-à-dire, selon les cas, d'accroître ou d'inhiber son activité à l'égard du substrat ».*

Jacques MONOD dans *Hasard et Nécessité*

Chapitre 15

Spécificité enzymatique et régulation

PLAN

Paysage marin, *un mobile d'Alexandre Calder (1898-1976), collection du Whitney Museum of American Art, New York. Les régulations métaboliques résultent d'un effet réciproque harmonieusement équilibré entre des enzymes et des petites molécules, un processus symbolisé par le délicat équilibre des forces de ce mobile.*

La **spécificité** est l'extraordinaire capacité d'un enzyme à catalyser une réaction particulière (Chapitre 14). Cela signifie que l'enzyme n'agit que sur une substance spécifique, son substrat, et le transforme invariablement en un produit spécifique. Cela signifie que l'enzyme ne lie que certains composés, puis qu'une réaction spécifique s'ensuit. Certains enzymes ont une spécificité absolue, catalysant la transformation d'un substrat unique en donnant un produit de la réaction lui-même unique. D'autres enzymes ont une spécificité plus large, catalysant une réaction particulière, mais sur une classe de substrats. Par exemple, *l'hexokinase* (ATP:hexose-6-phosphotransférase) catalyse en présence d'ATP la phosphorylation en position 6 de divers hexoses, y compris le glucose.

15.1 • La spécificité résulte de la reconnaissance moléculaire

Une molécule d'enzyme est le plus souvent beaucoup plus grande que celle de son substrat. Son site actif ne représente qu'une petite partie de la structure globale de l'enzyme. La conformation de la molécule d'enzyme comporte une « poche » particulière, ou « gorge », qui contient le site actif dont la structure tridimensionnelle est complémentaire de celle du substrat. L'enzyme et son substrat se « reconnaissent » réciproquement par la complémentarité de leurs structures. Le substrat se lie à l'enzyme par des forces relativement faibles – liaisons hydrogène, liaisons ioniques (ou ponts ioniques) et interactions de Van der Waals entre des groupements d'atomes complémentaires dans l'espace. L'étude de la spécificité d'un enzyme comporte l'analyse des vitesses d'une réaction enzymatique en présence de divers **analogues structuraux** du substrat. En déterminant quels sont les groupes fonctionnels et structuraux du substrat qui affectent la liaison du substrat à l'enzyme ou l'activité catalytique, les enzymologistes peuvent préciser les propriétés du site actif. Quelques-unes des questions qu'ils se posent sont les suivantes : le site actif peut-il recevoir des groupes plus encombrants ? Les interactions ioniques entre S et E sont-elles importantes ? Se forme-t-il des liaisons hydrogène ?

Hypothèse de « la clé et la serrure »

Les premières études concernant la spécificité enzymatique au début de ce siècle ont conduit le célèbre chimiste organicien Emil Fischer à avancer l'idée qu'un enzyme était comme une « **serrure** » et que son substrat était la « **clé** » correspondante. Cette analogie établit bien l'essence de la spécificité de la relation qui existe entre un enzyme et son substrat, mais les enzymes contrairement aux serrures ne sont pas des structures rigides.

Hypothèse de « l'ajustement induit »

Les conformations dynamiques des molécules d'enzymes sont extrêmement flexibles, et beaucoup de leurs remarquables propriétés, y compris la liaison d'un substrat et la catalyse, résultent de cette souplesse structurale. Ayant compris l'importance de la flexibilité conformationnelle des protéines, Daniel Koshland émit l'hypothèse que la liaison d'un substrat (S) par un enzyme était un processus interactif. C'est-à-dire que la forme du site actif est effectivement modifiée par le substrat ; il s'agit d'un processus de reconnaissance dynamique entre l'enzyme et le substrat appelé avec bonheur **l'ajustement induit**. La liaison d'un substrat modifie la conformation de l'enzyme de sorte que la protéine et le substrat « s'ajustent » mieux l'un à l'autre. Le processus est réellement interactif car *la conformation du substrat change également* pour mieux s'ajuster à celle de l'enzyme.

Cette hypothèse facilite l'explication de quelques-uns des mystères qui enveloppent l'énorme pouvoir catalytique des enzymes. Dans la catalyse enzymatique, l'orientation très précise des résidus du site actif qui interviennent dans l'activité catalytique est une condition nécessaire pour que la réaction ait lieu ; les changements de conformation de la protéine induits par la fixation du substrat permettent cette orientation très précise.

« Ajustement induit » et état de transition intermédiaire

L'activité catalytique du complexe enzyme:substrat est celle d'une structure interactive dans laquelle l'enzyme impose au substrat une forme qui est semblable à celle de l'état de transition intermédiaire de la réaction. Un mauvais substrat serait un substrat qui n'aurait qu'une faible capacité à induire l'évolution du complexe enzyme:substrat vers la conformation du complexe enzyme:état de transition intermédiaire à activité optimale. On pense que cette conformation active

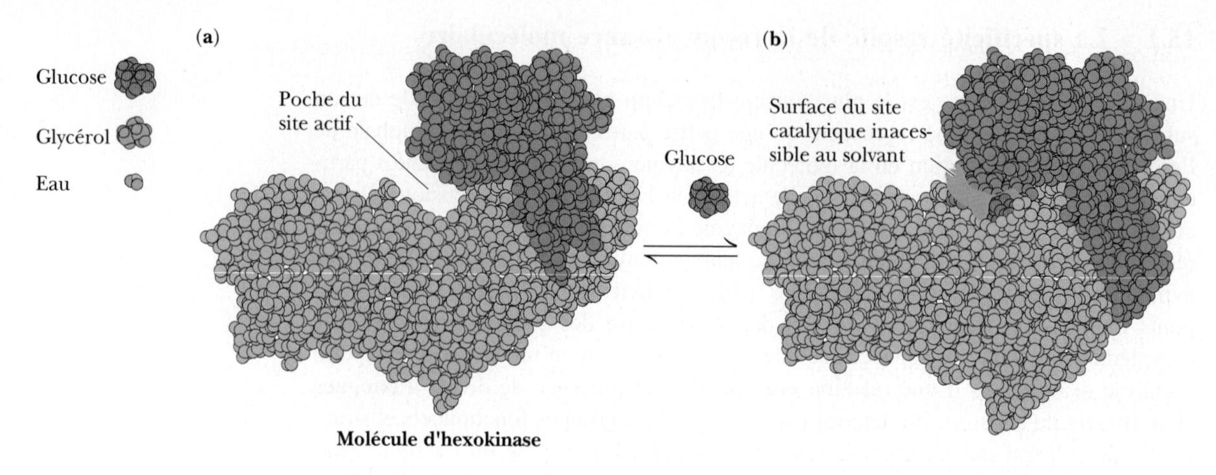

Figure 15.1 • Représentation schématique, et approximativement à l'échelle, de H_2O, du glycérol, du glucose et d'une molécule d'hexokinase idéalisée. Notez les deux domaines dans la structure de l'hexokinase entre lesquels se trouve le site actif (a). La fixation d'une molécule de glucose induit un changement de conformation de l'hexokinase. Les deux domaines se rapprochent, ce qui crée le site catalytique (b). La partie colorée en bleu-vert en (b) représente la partie du site catalytique inaccessible aux molécules du solvant après la formation du complexe ES.

de la molécule d'enzyme est relativement instable en l'absence du substrat et que l'enzyme libre reprend une conformation différente.

Spécificité et réactivité

Examinons par exemple pourquoi l'hexokinase catalyse la phosphorylation ATP-dépendante des hexoses et non celle d'autres accepteurs, pourtant plus petits, de groupe phosphoryle, comme le glycérol, l'éthanol ou même l'eau. Ces petites molécules n'ont évidemment pas d'impossibilité à approcher le site actif de l'hexokinase pour des raisons d'encombrement stérique (Figure 15.1). En effet, l'eau devrait facilement pénétrer dans le site actif et servir efficacement d'accepteur de groupe phosphoryle. En conséquence, l'hexokinase devrait avoir une haute activité ATPase. Ce n'est pas le cas, seule la fixation d'un hexose lui permet de prendre la conformation active.

Au cours du Chapitre 16 nous étudierons de façon plus détaillée les facteurs qui contribuent à la remarquable efficacité catalytique des enzymes et nous examinerons quelques exemples particuliers de mécanismes réactionnels. Dans le présent chapitre, nous nous intéresserons d'abord à une autre caractéristique essentielle des enzymes, *la régulation de leur activité.*

15.2 • Contrôles de l'activité enzymatique – considérations générales

L'activité enzymatique est soumise à une variété de facteurs, certains étant essentiels à l'intégration harmonieuse des différentes étapes du métabolisme.

1. La vitesse d'une réaction enzymatique, $v = d[P] / dt$, « ralentit » lorsque, les produits s'accumulant, la réaction approche de l'équilibre. Cette diminution *apparente* de la vitesse est due à l'accroissement de la vitesse de la formation de S par la réaction inverse à mesure que [P] augmente. Dès que $[P] / [S] = K_{éq}$, la réaction semble arrêtée. $K_{éq}$ définit la constante d'équilibre thermodynamique. Les enzymes n'ont pas d'influence sur la thermodynamique d'une réaction. L'inhibition par un produit de la réaction peut aussi influencer une cinétique. Quelques enzymes sont effectivement inhibés par les produits des réactions qu'ils catalysent.
2. La disponibilité en substrats et cofacteurs détermine la vitesse de la réaction enzymatique. Du fait de l'évolution, les enzymes ont généralement des valeurs de K_m

proches de la concentration normale de leurs substrats *in vivo*. (Il est également vrai que la concentration intracellulaire de quelques enzymes est du même ordre de grandeur que la concentration de leurs substrats, ou pas très différente.)

3. Dans les cellules, la synthèse (et la dégradation) d'un enzyme est génétiquement contrôlée. Si l'expression d'un gène qui code pour un enzyme est activée ou au contraire diminuée, l'activité enzymatique changera car il y aura plus ou moins d'enzyme. **L'induction**, ou activation de la synthèse d'un enzyme, et **la répression**, ou arrêt de la synthèse de l'enzyme, sont deux importants mécanismes de la régulation du métabolisme. Le contrôle de la quantité d'enzyme intracellulaire présent à tout moment permet d'activer ou de bloquer diverses séquences métaboliques. La réponse au contrôle génétique de la concentration en enzyme n'est pas immédiate. Elle survient au bout de quelques minutes chez les bactéries, qui se développent rapidement, ou de quelques heures (et même plus) chez les eucaryotes supérieurs.
4. L'activité enzymatique peut être régulée par des **modifications covalentes**, par la liaison covalente réversible d'un groupe chimique. Par exemple, un enzyme actif deviendra inactif par la liaison covalente d'un groupe fonctionnel comme le groupe phosphoryle (Figure 15.2). Inversement, certains enzymes sont dans un état inactif jusqu'à ce qu'ils soient spécifiquement modifiés par la fixation covalente d'un groupe chimique. Les modifications covalentes résultent de réactions catalysées par des **enzymes de modification**, ou **enzymes de conversion**, qui sont eux-mêmes soumis à régulation métabolique. Bien que la modification covalente produise un changement stable de l'enzyme, un autre enzyme de conversion peut éliminer la modification. Si donc les conditions qui ont favorisé la première modification ne sont plus réunies, le processus peut être inversé avec retour à l'état d'origine de l'enzyme avant modification. Nous verrons de nombreux exemples de modifications covalentes, en particulier lorsqu'il sera traité des carrefours de diverses séquences métaboliques. Les modifications covalentes sont extrêmement rapides puisqu'elles sont le produit de réactions enzymatiques, d'importantes réponses métaboliques peuvent ainsi être observées en quelques secondes et même moins. En 1992, Edmond Fischer et Edwin Krebs ont reçu le prix Nobel de Médecine pour leurs travaux sur la régulation cellulaire par la phosphorylation réversible des protéines.
5. L'activité enzymatique peut aussi être activée ou inhibée par des interactions non covalentes de l'enzyme avec de petites molécules (métabolites) autres que le substrat. Cette forme de contrôle est appelée la **régulation allostérique** car l'activateur, ou l'inhibiteur, se lie à l'enzyme sur un autre site (*allo* signifie autre) différent du site actif, celui du substrat. Ces régulateurs, ou **effecteurs,** allostériques ont assez souvent un encombrement stérique différent de celui des substrats. Comme cette forme de régulation ne dépend que de la liaison réversible d'un ligand régulateur à l'enzyme, la réponse cellulaire peut pratiquement être instantanée.

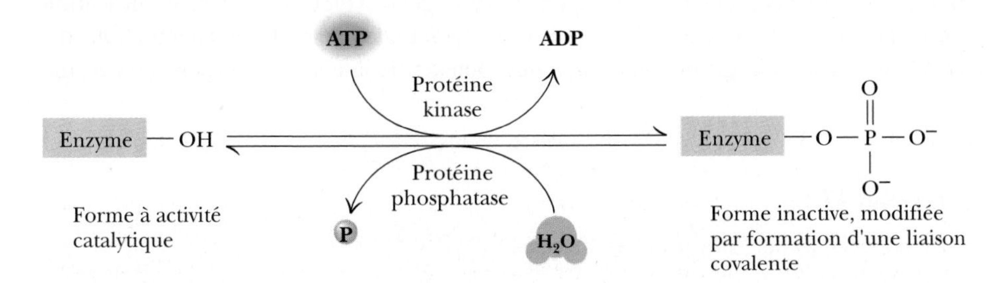

Figure 15.2 • Les enzymes régulés par des modifications covalentes sont aussi appelés enzymes **interconvertibles**. La *protéine kinase* et la *protéine phosphatase* de l'exemple ci-dessus catalysent la conversion de l'enzyme interconvertible entre ses deux formes, ce sont des enzymes d'interconversion. Dans cet exemple, la forme libre de l'enzyme est la forme active, alors que la forme phosphorylée de l'enzyme est la forme inactive. Le groupe –OH de l'enzyme interconvertible représente un groupe –OH de la chaîne latérale d'un résidu d'acide aminé spécifique de la protéine, (par exemple un résidu Ser particulier), capable d'accepter un groupe phosphoryle.

6. Contrôles spécialisés : La régulation des enzymes est très importante pour les cellules, et l'évolution a conduit à diverses autres possibilités, par exemple aux zymogènes, aux isozymes et aux protéines modulatrices.

Zymogènes

Beaucoup d'enzymes sont actifs dès la fin de leur synthèse et prennent spontanément leur structure tridimensionnelle, leur conformation native. Quelques enzymes sont cependant synthétisés sous forme de précurseurs inactifs, appelés **zymogènes** ou **proenzymes**, qui ne deviennent actifs qu'après la coupure spécifique d'une ou de plusieurs de leurs liaisons peptidiques. À la différence de la régulation allostérique ou de la modification covalente, l'activation des zymogènes par des protéolyses spécifiques est un processus irréversible. L'activation d'enzymes ou de protéines à activité physiologique par des protéolyses spécifiques est une voie fréquemment utilisée par les systèmes biologiques pour mettre en route des processus en lieu et temps appropriés. Quelques exemples à titre d'illustration :

L'INSULINE. Certaines hormones protéiques sont synthétisées sous forme de précurseurs inactifs ; l'hormone sera activée par une protéolyse spécifique. Par exemple **l'insuline**, un important régulateur métabolique provient de l'excision d'un fragment peptidique spécifique par protéolyse de la **proinsuline** (Figure 15.3).

ENZYMES PROTÉOLYTIQUES DU TUBE DIGESTIF. Les enzymes du tube digestif qui hydrolysent les protéines alimentaires sont synthétisés dans des cellules de la muqueuse gastrique et dans le pancréas sous forme de zymogènes (Tableau 15.1). Le site de reconnaissance du substrat et l'activité catalytique de ces protéases n'apparaissent qu'après la protéolyse du proenzyme. L'activation du chymotrypsinogène est un exemple particulièrement intéressant (Figure 15.4). La chaîne polypeptidique du **chymotrypsinogène** contient 245 résidus et cinq ponts disulfure intracaténaires. La trypsine, qui clive la liaison peptidique entre Arg^{15} et Ile^{16}, convertit le chymotrypsinogène en une forme active appelée la π-chymotrypsine. Cette π-chymotrypsine active agit ensuite sur d'autres molécules de π-chymotrypsine, excisant deux dipeptides, Ser^{14}-Arg^{15} et Thr^{147}-Asn^{148}. Le produit final de ce processus réactionnel est la protéase mature, **l'α-chymotrypsine**, dans laquelle trois chaînes peptidiques, A (résidus 1 à 13), B (résidus 16 à 146) et C (résidus 149 à 245), sont réunies par deux ponts disulfure. Un premier pont relie A et B, et l'autre relie B et C. Il est à remarquer que la transformation du chymotrypsinogène inactif en π-chymotrypsine active ne requiert que la coupure d'une unique liaison peptidique spécifique.

LA COAGULATION SANGUINE. La formation des caillots sanguins est le résultat d'une série d'activations protéolytiques de zymogènes (Figure 15.5). L'amplification provoquée par cette cascade d'activations enzymatiques permet une coagulation très rapide en réponse à une blessure. Sept des facteurs de la coagulation sous leur forme

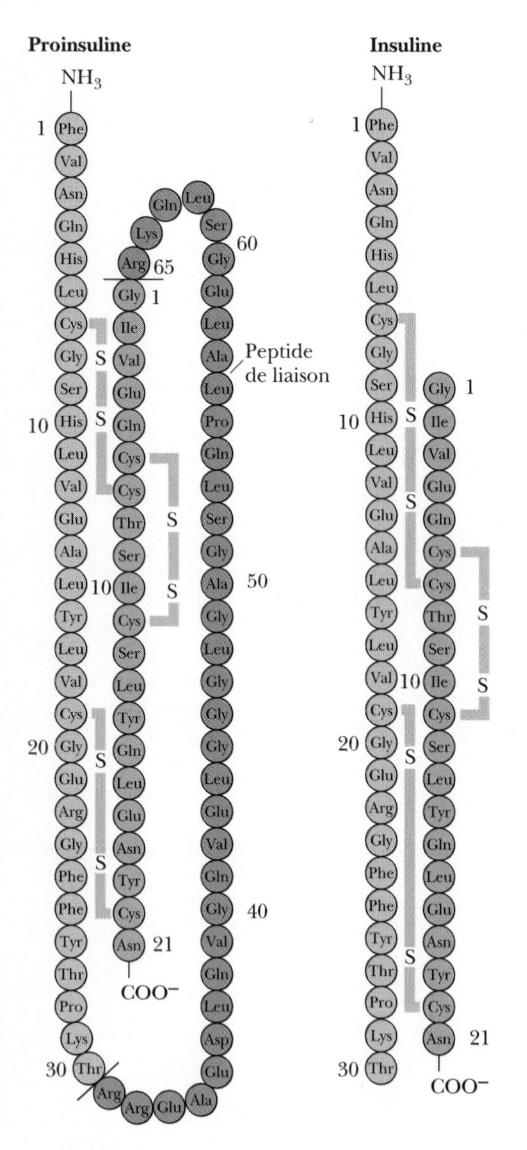

Figure 15.3 • La proinsuline est le polypeptide à 84 résidus précurseur de l'insuline (la séquence ci-dessus est celle de la proinsuline humaine).L'excision protéolytique des résidus 31 à 65 (en bleu) donne l'insuline. Les résidus 1 à 30 (de la chaîne B) restent liés aux résidus 66 à 87 (de la chaîne A) par une paire de ponts disulfure intercaténaires.

Tableau 15.1

Zymogènes pancréatiques et gastriques

Origine	Zymogène	Protéase active
Pancréas	Trypsinogène	Trypsine
Pancréas	Chymotrypsinogène	Chymotrypsine
Pancréas	Procarboxypeptidase	Carboxypeptidase
Pancréas	Proélastase	Elastase
Estomac	Pepsinogène	Pepsine

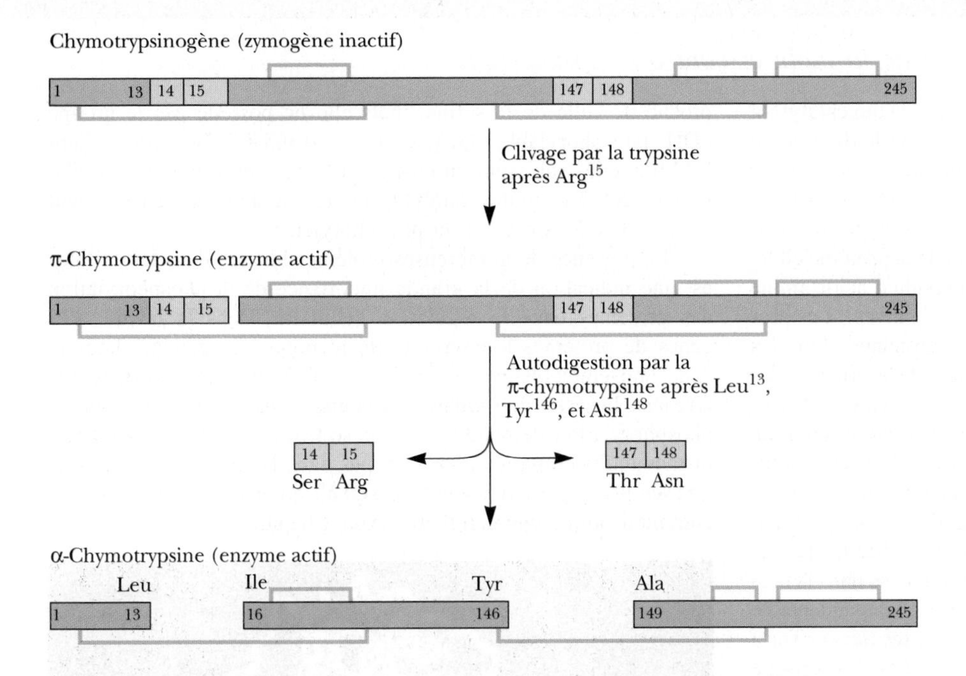

Figure 15.4 • Activation protéolytique du chymotrypsinogène.

active sont des *sérine-protéases* : **la kallikréine, les facteurs XII_a, XI_a, IX_a, VII_a, X_a** et **la thrombine** (la lettre a, en bas des chiffres romains, signifie activé). Il existe deux voies de formation d'un caillot sanguin qui se rejoignent dans la phase finale. La **voie intrinsèque** se déclenche quand le sang est au contact physique avec des surfaces anormales provoquées par une blessure (sous-endothélium des vaisseaux sanguins) ; la **voie extrinsèque** de la coagulation est initiée par des facteurs libérés par les tissus lésés. Les deux voies convergent vers le facteur X et aboutissent à la

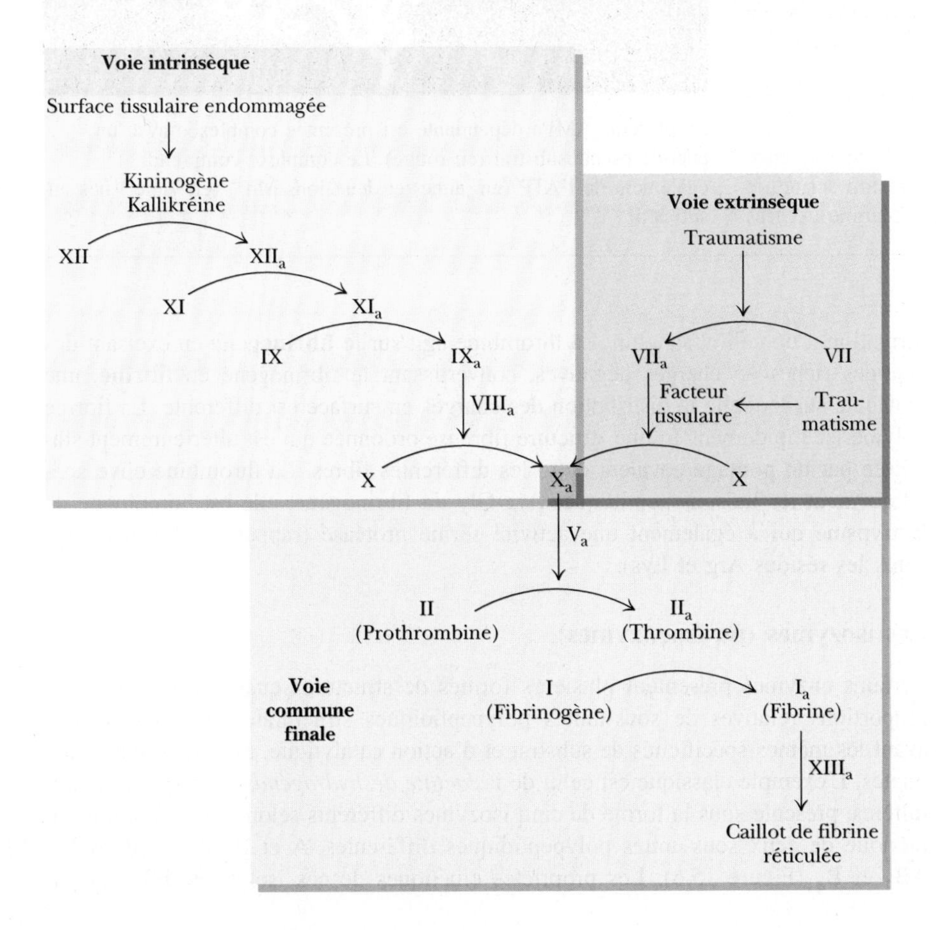

Figure 15.5 • Étapes de l'activation en cascade aboutissant à la coagulation sanguine. Les voies extrinsèque et intrinsèque convergent sur le Facteur X ; la voie commune comporte l'activation de la thrombine et son action sur le fibrinogène qu'elle convertit en fibrine. Les filaments de fibrine s'agrègent en une structure fibreuse ordonnée qui après réticulation forme le caillot.

Pour en savoir plus

Les protéines kinases : reconnaissance de la cible et contrôle intrastérique

Les protéines kinases sont des enzymes de conversion qui catalysent la phosphorylation (ATP dépendante) de la fonction hydroxyle de certains résidus Ser, Thr et/ou Tyr dans les protéines cibles (voir Tableau page 467). La phosphorylation introduit un groupement encombrant portant deux charges négatives ce qui provoque un changement de conformation qui modifie la fonction de la protéine cible. (À la différence du groupe phosphoryle, aucun résidu d'acide aminé ne peut introduire simultanément *deux* charges négatives). Les protéines kinases forment une superfamille de protéines dont les membres sont très divers, qu'il s'agisse de la taille, de la structure des sous-unités et de leur localisation subcellulaire. Cependant, toutes ont en commun un mécanisme catalytique basé sur la conservation d'un domaine porteur de l'activité kinase, d'environ 260 acides aminés (voir la figure). Les protéines kinases sont réparties en différentes classes suivant qu'elles sont spécifiques des résidus Ser/Thr ou Tyr, et en sous-classes selon l'activateur allostérique qui les contrôle *et* la séquence consensus reconnue par la kinase dans la protéine cible. Par exemple, la protéine kinase A (**PKA**) dépendante de l'AMPc phosphoryle les protéines qui ont des résidus Ser ou Thr à l'intérieur d'une séquence consensus R(R/K)X(S*/T*) ; l'astérisque * dénote le résidu qui sera phosphorylé. La PKA phosphoryle donc le résidu Ser ou Thr qui se trouve dans un segment de séquence Arg-(Arg ou Lys)-(tout acide aminé)-(Ser ou Thr).

Que les protéines kinases puissent avoir des éléments cibles d'une séquence consensus à l'intérieur d'une protéine crée une possibilité de régulation de ces kinases par un **contrôle intrastérique**. Le contrôle intrastérique s'observe lorsqu'une sous-unité régulatrice (ou un domaine d'une protéine) possède une **séquence pseudosubstrat** qui mime la séquence cible, mais ne contient pas de chaîne latérale avec un –OH à la bonne place. Par exemple, les sous-unités régulatrices de la PKA qui lient l'AMPc (les sous-unités R, Figure 15.7) possèdent une séquence pseudosubstrat RRGA*I et cette séquence se lie au site actif des sous-unités catalytiques de la PKA, bloquant ainsi leur activité. Cette séquence pseudosubstrat a un résidu alanine à la place du résidu sérine de la séquence cible dans la PKA ; la structure de l'alanine est très proche de celle de la sérine, mais elle ne possède pas le groupe –OH phosphorylable. Quand ces sous-unités régulatrices lient l'AMPc, elles subissent un changement de conformation et se dissocient des sous-unités catalytiques ; le site actif de la PKA peut alors se lier à sa cible et la phosphoryler.

La présence de nombreuses protéines kinases dans les cellules est une indication de la grande importance de la phosphorylation des protéines dans la régulation cellulaire. Dans la levure, 113 gènes de protéines kinases ont été reconnus ; le génome humain code vraisemblablement pour plus de 1000 protéines kinases différentes. Les tyrosine kinases (protéines kinases qui catalysent la phosphorylation de résidus Tyr) ne se trouvent que dans les organismes multicellulaires (il n'y en pas dans la levure). Les tyrosine kinases participent aux voies de signalisation impliquées dans les communications intercellulaires (voir Chapitre 34).

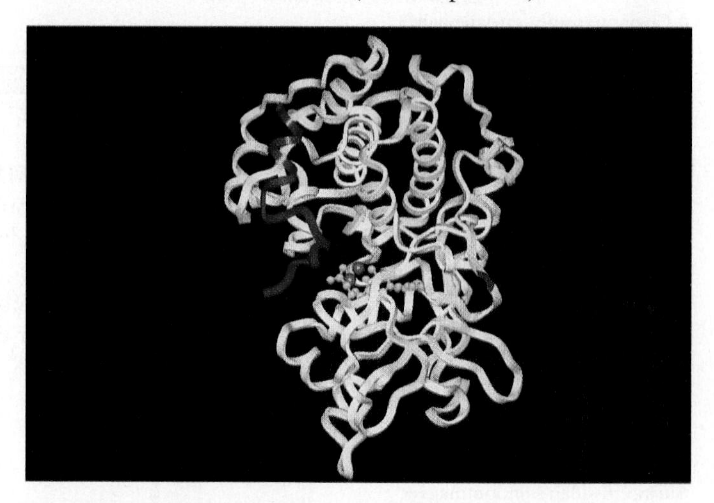

La protéine AMPc dépendante est présentée complexée avec un peptide pseudosubstrat (en rouge). Le complexe comprend également de l'ATP (en jaune) et deux ions Mn^{2+} (en violet) liés au site actif.

formation d'un caillot sanguin. La thrombine agit sur le **fibrinogène** en excisant des peptides riches en charges négatives, convertissant le fibrinogène en **fibrine**, une molécule sur laquelle la distribution des charges en surface est différente. La fibrine polymérise rapidement en une structure fibreuse ordonnée qui est ultérieurement stabilisée par un pontage covalent entre les différentes fibres. La thrombine clive spécifiquement les liaisons peptidiques Arg-Gly du fibrinogène, elle est homologue de la trypsine qui a également une activité sérine protéase (rappel, la trypsine clive après les résidus Arg et Lys).

Les isozymes (ou isoenzymes)

Certains enzymes présentent plusieurs formes de structures quaternaires, selon les proportions relatives de sous-unités polypeptidiques structuralement équivalentes, ayant les mêmes spécificités de substrat et d'action catalytique, mais d'activités distinctes. L'exemple classique est celui de la *lactate déshydrogénase* (LDH) des mammifères, présente sous la forme de cinq isozymes différents selon l'association tétramérique de deux sous-unités polypeptidiques différentes, A et B : A_4, A_3B, A_2B_2, AB_3 et B_4 (Figure 15.6). Les propriétés cinétiques de ces isozymes diffèrent par

Classification des protéines kinases

Classe de protéine kinase	Séquence cible*	Activateur
I. Ser/Thr protéines kinases		
A. Nucléotide cyclique dépendante		
dépendante de l'AMPc	–R(R/K)X(S*/T*)–	cAMP
dépendante du GMPc	–(R/K)KKX(S*/T*)–	cGMP
B. Ca^{2+} et calmoduline dépendante		
Phosphorylase kinase (PhK)	–KRKQIS*VRGL–	phosphorylation par PKA
Kinase de la chaîne légère de la myosine (MLCK)	–KKRPQRATSS*NV–	Ca^{2+}CaM
C. Protéine kinase C (PKC)		Ca^{2+}, diacylglycérol
D. Protéines kinases activées par des mitogènes (MAP kinases)	–PXX(S*/T*)P–	phosphorylation par MAPK kinase
E. Récepteurs couplés à des protéines G		
Kinase du récepteur *β*-adrénergique		
Rhodopsine kinase		
II. Ser/Thr/Tyr protéines kinases		
MAP kinase kinase (MAPK kinase)	–TEY–	phosphorylation par
III. Tyr protéines kinases		*Raf* (une protéine kinase)
A. Tyrosine kinases cytosoliques (*src*, *fgr*, *abl*, etc.)		
B. Récepteurs à activité tyrosine kinase		
Récepteurs d'hormone des membranes plasmiques comme le facteur de croissance épidermique (EGF) ou le facteur de croissance plaquettaire (PDGF)		

* X dénote tout acide aminé.

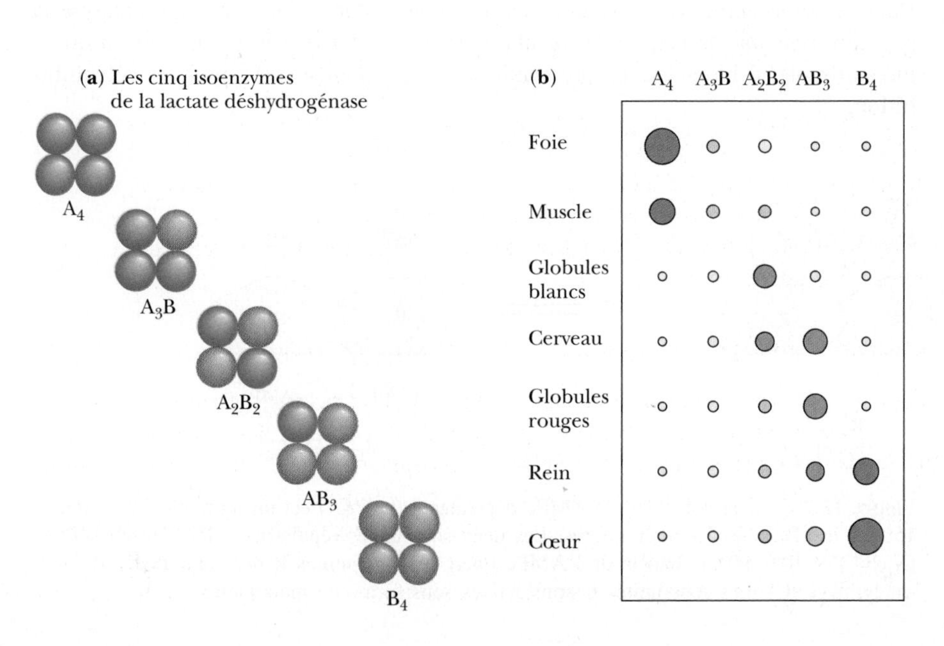

Figure 15.6 • Isozymes de la lactate déshydrogénase (LDH). Les cellules musculaires lors d'une forte activité oxydent rapidement le glucose et deviennent anaérobies; au cours de la glycolyse elles produisent du pyruvate et du NADH (Chapitre 19). Elles ont besoin de la LDH pour régénérer le NAD^+ afin que la glycolyse puisse continuer. Le lactate ainsi produit est libéré dans le sang. L'isozyme A_4 de la LDH musculaire est plus actif dans le sens de la régénération du NAD^+. L'activité des cellules du tissu cardiaque est plus régulière, ce tissu est fondamentalement aérobie. Il peut métaboliser le lactate par sa LDH et le convertir en pyruvate. Le pyruvate sera finalement utilisé dans le cycle de l'acide citrique pour fournir de l'énergie. L'isozyme B_4 de la LDH cardiaque est inhibé par un excès de pyruvate de sorte que ce dernier continue à alimenter le cycle de l'acide citrique.

leurs affinités relatives pour le substrat et surtout par leur sensibilité à l'inhibition par le produit de la réaction, l'acide pyruvique. Des tissus différents expriment des isozymes différents, selon leurs besoins métaboliques particuliers. En régulant les quantités relatives des sous-unités A et B synthétisées, les cellules des divers tissus de l'organisme contrôlent l'assemblage du type d'isozyme qui sera dominant et donc ses paramètres cinétiques.

Modulateurs protéiques

L'activité métabolique des cellules peut encore être influencée par des modulateurs protéiques. Ces **modulateurs protéiques** sont des protéines qui se lient à des enzymes et qui, par cette liaison, influencent leur activité. Par exemple, quelques enzymes comme la *protéine kinase A,* dépendante du *cAMP*, (Chapitre 23) existent sous forme d'un oligomère comprenant deux sous-unités catalytiques et deux sous-unités régulatrices. Ces sous-unités régulatrices sont des *protéines modulatrices* qui suppriment l'activité des sous-unités catalytiques. La dissociation de la sous-unité régulatrice (la protéine modulatrice) active la sous-unité catalytique ; la réassociation supprime de nouveau l'activité (Figure 15.7). **L'inhibiteur 1 de la phosphoprotéine phosphatase (PPPI-1**, pour ***p****hospho****p****rotein* ***p****hosphatase* ***i****nhibitor*-**1)** est un autre exemple de protéine modulatrice. Lorsque PPPI-1 est phosphorylé sur l'un de ses résidus sérine, il se lie à la phosphoprotéine phosphatase (Figure 15.2) et inhibe ainsi son activité. Il en résulte un accroissement de la phosphorylation de l'enzyme interconvertible, cible du cycle catalysé par la protéine kinase et la phosphoprotéine phosphatase. Nous rencontrerons plusieurs cas importants de ce type de protéines dans les chapitres traitant des processus métaboliques. Pour le moment, nous porterons notre attention sur la cinétique fascinante des enzymes allostériques.

15.3 • Régulation allostérique de l'activité enzymatique

Une régulation allostérique module l'activité des enzymes situés aux étapes carrefours des voies métaboliques. À titre d'illustration, examinons la voie suivante dans laquelle A est le précurseur d'un produit final F, formé à la suite d'une séquence de réactions catalysées par cinq enzymes :

$$A \xrightarrow{\text{enz 1}} B \xrightarrow{\text{enz 2}} C \xrightarrow{\text{enz 3}} D \xrightarrow{\text{enz 4}} E \xrightarrow{\text{enz 5}} F$$

F symbolise un métabolite essentiel, par exemple un acide aminé ou un nucléotide. Dans un tel système, F, le produit final essentiel, inhibe *l'enzyme 1* qui catalyse la *première réaction* de cette voie métabolique. Donc, lorsque F est présent en quantité suffisante, il bloque sa propre synthèse. Ce phénomène est appelé la **rétroinhibition**.

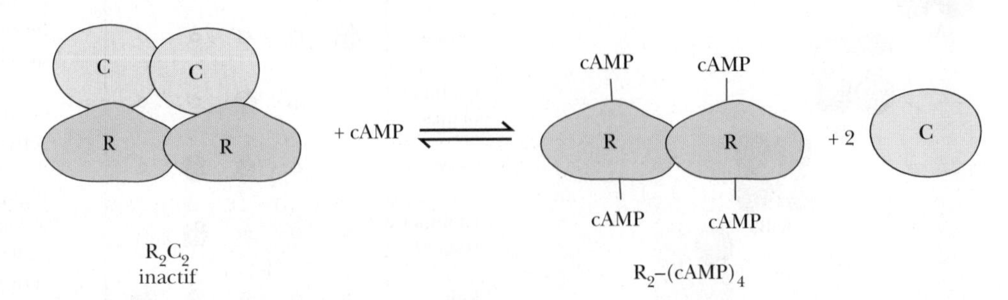

Figure 15.7 • La protéine kinase AMPc dépendante (la *PKA*) est un tétramère R_2C_2 de 150 à 170 kDa chez les mammifères. Les deux sous-unités régulatrices (R) lient l'AMPc ($K_D = 3 \times 10^{-8}$ *M*) ; la liaison de l'AMPc libère les sous-unités R des sous-unités catalytiques (C). Les sous-unités C sont actives sous forme de monomères.

Propriétés générales des enzymes soumis à régulation

Les enzymes qui, comme l'enzyme 1, sont l'objet d'une rétroinhibition, représentent une classe particulière d'enzymes, celle des **enzymes de régulation** (ou enzymes soumis à régulation). Les enzymes de cette classe ont certaines propriétés exceptionnelles :

1. Leur cinétique n'obéit pas à l'équation de Michaelis-Menten, les courbes de v en fonction de [S] sont des **sigmoïdes** (ou courbes **en forme de S**) et non pas des hyperboles équilatères (Figure 15.8). Ces courbes suggèrent une relation d'ordre 2 (ou supérieur) entre v et [S] ; c'est-à-dire que v est proportionnel à $[S]^n$, avec $n > 1$. Une description qualitative du mécanisme responsable de la forme en S de la courbe est que la liaison d'une première molécule de substrat à une molécule protéique facilite la fixation d'autres molécules de substrat sur la même protéine. Dans le jargon de l'allostérie, la liaison du substrat est dite **coopérative**
2. L'inhibition d'un enzyme de régulation par rétroinhibition ne ressemble à aucune des inhibitions normales et la molécule à l'origine de la rétroinhibition, F, n'a aucune similarité structurale avec A, le substrat de l'enzyme de régulation, l'enzyme 1 de notre exemple. F agit apparemment en se fixant sur un site distinct du site de fixation du substrat. Le terme *allostérique* est approprié puisque l'encombrement stérique de F est différent de celui du substrat et agit sur un autre site que le site du substrat. L'effet de F est appelé **inhibition allostérique**.
3. Les enzymes régulateurs ou allostériques comme que l'enzyme 1 sont parfois régulés par activation. Alors que des effecteurs comme F ont un effet inhibiteur sur l'activité enzymatique, d'autres effecteurs ont un effet stimulant, ou positif, sur l'activité.
4. Les enzymes allostériques ont une structure oligomérique. Ils sont composés de plusieurs chaînes polypeptidiques (les sous-unités) et ont plus d'un site de fixation du substrat par molécule d'enzyme.
5. L'hypothèse la plus plausible est que d'une certaine façon l'interaction d'un enzyme allostérique avec un effecteur change la distribution des possibilités de conformation ou change les interactions possibles entre les sous-unités de l'enzyme. C'est-à-dire que les effets régulateurs de l'activité enzymatique résultent des changements de conformation imposés à la protéine par sa liaison avec des métabolites effecteurs.

En plus des enzymes, diverses protéines dépourvues d'activité catalytique, à fonction plus simple, présentent certaines des mêmes propriétés. L'hémoglobine en est l'exemple le plus classique, il sera traité Section 6.

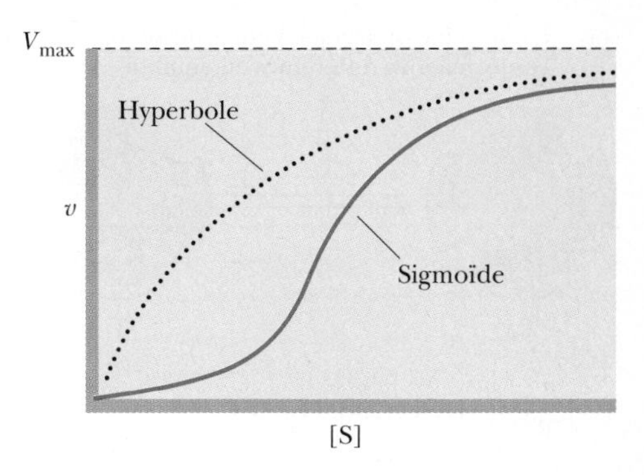

Figure 15.8 • Courbe sigmoïde de v en fonction de [S]. La ligne en pointillés représente la courbe hyperbolique caractéristique d'une cinétique normale du type Michaelis-Menten.

15.4 • Modèles du comportement allostérique de certaines protéines

Le modèle symétrique de Monod, Wyman, et Changeux

En 1965, Jacques Monod, Jeffries Wyman et Jean-Pierre Changeux élaborent un modèle théorique de la transition allostérique dont le postulat est fondé sur l'observation que les protéines allostériques sont des oligomères. Dans ce modèle, les protéines allostériques peuvent se présenter sous (au moins) deux états, appelés **R** (relaxé) et **T** (tendu) et *toutes* les sous-unités d'une molécule ont la même conformation, R ou T. La symétrie de la molécule est donc conservée. Ce modèle exclut la possibilité de molécules à conformations mixtes (ayant à la fois des sous-unités dans l'état R et T).

En l'absence de ligand, les deux états de la protéine allostérique sont en équilibre :

$$R_0 \rightleftharpoons T_0$$

(Le « 0 » en bas de R et de T signifie « en l'absence de ligand »). On appelle L la constante d'équilibre, $L = T_0/R_0$. On admet que L a une valeur très élevée, c'est-à-dire

(a) La protéine dimérique peut avoir deux conformations différentes en équilibre.

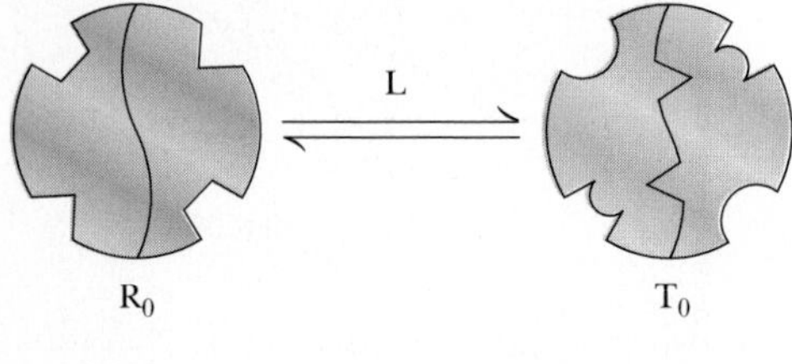

$L = \frac{T_0}{R_0}$ L est grand. ($T_0 >> R_0$)

(b) La fixation du substrat déplace l'équilibre en faveur de R.

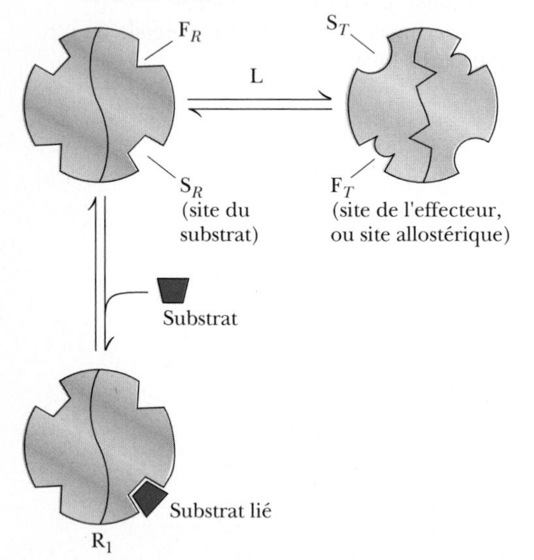

Figure 15.9 • Modèle de transitions allostériques de Monod-Wyman-Changeux. Soit une protéine dimérique qui peut avoir deux conformations, R et T. Chacune des sous-unités du dimère a un site pour le substrat S et un site pour l'effecteur allostérique, F. Les sous-unités ont, dans la structure de la protéine, une relation de symétrie et cette symétrie est conservée quelle que soit la conformation de la protéine. Les différents états de la protéine sont reliés entre eux par diverses relations d'équilibre, que les ligands soient ou ne soient pas liés. Donc la population relative des molécules de la protéine en conformation R ou T dépend de ces équilibres et de la concentration des ligands, du substrat (S) et de l'effecteur (qui se lie au site F_R ou à F_T). Lorsque [S] augmente, l'équilibre T/R se modifie, en faveur d'une plus grande proportion de conformères R dans la population totale (les molécules de protéine dans la conformation R sont plus nombreuses).

que la quantité de protéine dans la conformation T est beaucoup plus grande que celle dans la conformation R. Supposons que $L = 10^4$.

Les constantes de dissociation K_R et K_T caractérisent respectivement les affinités des deux états R et T pour leur ligand, S. Le modèle suppose que $K_T \gg K_{R}$; l'affinité de R_0 pour S est donc beaucoup plus grande que celle de T_0 pour S. Choisissons le cas extrême où $K_R/K_T = 0$ (soit K_T est infiniment plus grand que K_R). Dans ce cas, S ne se lie qu'à R. (Si K_T est infini, T ne lie pas S.).

Ces paramètres étant fixés, qu'arrive-t-il lorsqu'on ajoute S à la solution d'une protéine allostérique dont les conformations sont en équilibre (Figure 15.9)? Bien que la concentration relative de R_0 soit faible, S ne se lie qu'à R_0 pour donner R_1. La diminution de R_0 déséquilibre le rapport T_0/R_0. Pour rétablir l'équilibre des molécules de conformation T_0 subiront une transition de conformation (transconformation) vers R_0. Cette transition fait que de nouvelles molécules de R_0 sont disponibles et peuvent lier S pour donner R_1, ce qui perturbe l'équilibre, et ainsi de suite (Figure 15.9). Le rétablissement régulier de l'équilibre a pour conséquence que la liaison de S à la conformation R_0 de la protéine allostérique, qui perturbe cet équilibre, favorise la transconformation $T_0 \rightarrow R_0$.

Dans cet exemple simple, le phénomène de *coopérativité* peut être observé car chacune des sous-unités a un site de liaison du substrat et donc *chaque molécule de la protéine a plusieurs sites de liaison à S*. Un accroissement de la population des molécules de conformation R accroît progressivement le nombres des sites accessibles à S. L'importance de la coopérativité dépend du rapport T_0/R_0, et des affinités relatives de R et de T pour S. Si L est très grand, (l'équilibre est donc en largement faveur de T_0) et si $K_T \gg K_R$, comme dans notre exemple, la coopérativité est très élevée (Figure 15.10). Les ligands, tels que S dans notre exemple, qui se lient de manière coopérative de sorte que la liaison d'un équivalent accroît la liaison d'autres équivalents sur la même molécule, sont appelés des **effecteurs homotropes positifs**. (Le préfixe « homo » indique que le ligand influence la fixation de molécules qui lui sont semblables).

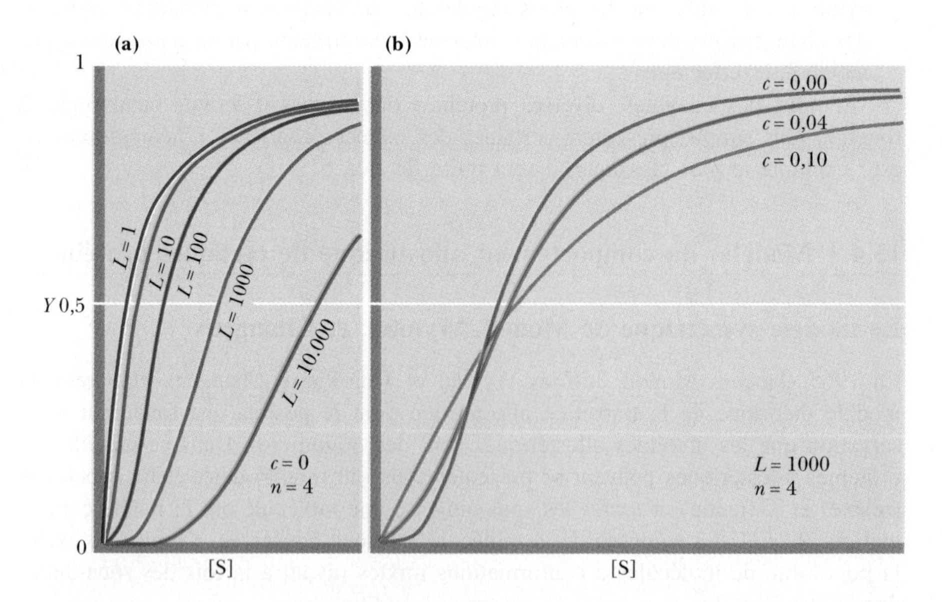

Figure 15.10 • Modèle de Monod-Wyman-Changeux. Graphes des effets allostériques sur Y, fraction de la saturation, en fonction de [S], pour un tétramère (avec $n = 4$). Y est défini comme le nombre des sites du ligand occupés par ce ligand / le nombre total des sites du ligand. (a) Y en fonction de [S] pour différentes valeurs de L. (b) Y en fonction de [S], avec différentes valeurs de c, rapport de constantes d'affinité, $c = K_R / K_T$. (Quand $c = 0$, K_T est infini.) *(D'après Monod, J., Wyman, J. et Changeux, J.-P., 1965. On the nature of allosteric transitions : A plausible model.* Journal of Molecular Biology *12 : 92.)*

Effecteurs hétérotropes

Ce système bien que simple permet d'expliquer les effets allostériques plus complexes (réponses positives ou négatives) de certains effecteurs. Les effecteurs qui influencent la liaison de molécules différentes d'eux-mêmes sont appelés des **effecteurs hétérotropes**. Les effecteurs qui facilitent la fixation de S sont des **effecteurs hétérotropes positifs,** ou **des activateurs allostériques**. Les effecteurs qui diminuent la fixation de S sont des **effecteurs hétérotropes négatifs**, ou **inhibiteurs allostériques**. Soit une protéine composée de deux sous-unités, chacune ayant deux sites de liaison, un pour le substrat, et un site pour la liaison d'un effecteur allostérique, le *site allostérique*. Supposons que le substrat se lie préférentiellement (« uniquement ») à la conformation R. Supposons également que *l'effecteur hétérotrope positif (l'activateur allostérique)*, A, ne se lie au site allostérique que lorsque la protéine est dans la conformation R et que *l'inhibiteur allostérique*, I, ne se lie au site allostérique que si la protéine est dans la conformation T. Ainsi, par rapport au site allostérique, A et I seront en compétition l'un avec l'autre.

Effecteurs positifs

Si A se lie à R_0, formant une nouvelle espèce $R_{1(A)}$, la concentration relative de R_0 diminue ce qui perturbe l'équilibre T_0/R_0 (Figure 15.11). Il y aura donc une transconformation $T_0 \rightarrow R_0$ de façon à restaurer l'équilibre. L'effet net sera d'accroître en présence de A le nombre des molécules dans la conformation R, soit plus de sites de liaisons disponibles pour S. Pour cette raison, la présence de A aboutit à une diminution de la coopérativité de la courbe de saturation par le substrat, ce qui

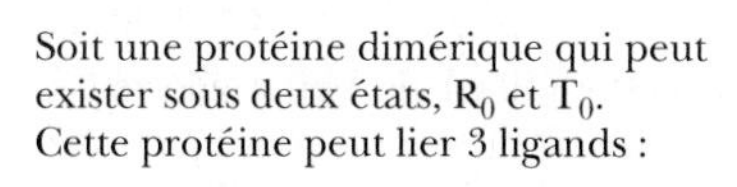

Soit une protéine dimérique qui peut
exister sous deux états, R_0 et T_0.
Cette protéine peut lier 3 ligands :

1) Le substrat (S) : Un effecteur homotrope positif qui se lie uniquement au site S de R
2) L'activateur (A) : Un effecteur hétérotrope positif qui se lie uniquement au site F de R
3) L'inhibiteur (I) : Un effecteur hétérotrope négatif qui se lie uniquement au site F de T

Substrat
Activateur
Inhibiteur
R_0
T_0
$R_{1(S)}$
$R_{1(A)}$
$T_{1(I)}$

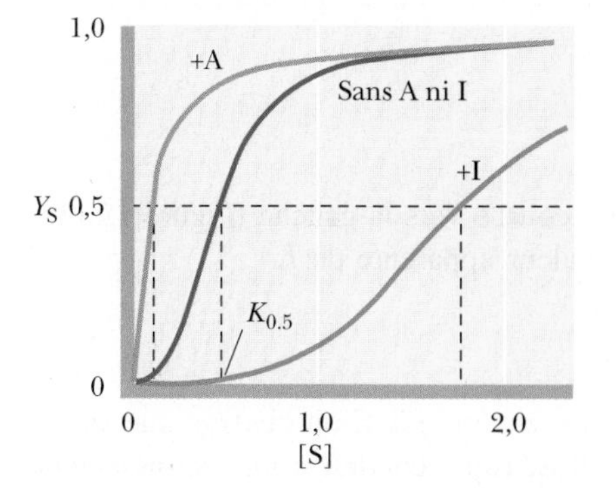

Effets de A :
$A + R_0 \rightarrow R_{1(A)}$
Accroît le nombre des conformères R (rétablissement de l'équilibre $R_0 \Delta T_0$ quand $T_0 \rightarrow R_0$)
1) Plus de sites de liaison pour le substrat sont disponibles
2) Diminution de la coopérativité de la courbe de saturation par le substrat. L'effecteur A dimine la valeur apparente de *L*.

Effets de I :
$I + T_0 \rightarrow T_{1(I)}$
Accroît le nombre des conformères T (rétablissement de l'équilibre $R_0 \Delta T_0$ quand $R_0 \rightarrow T_0$)

Donc, I inhibe la liaison de S et de A avec R en diminuant la quantité de R_0 disponible. I augmente la coopérativité de la courbe de saturation par le substrat. I élève la valeur apparente de *L*.

Figure 15.11 • Effets allostériques hétérotropes : A et I se lient respectivement sur R et T. Le rétablissement de l'équilibre aboutit au changement des quantités relatives de R et de T et donc au décalage des courbes de saturation par le substrat. Ce comportement, représenté par le graphe, définit un système allostérique « K ». Les paramètres de ce système sont les suivants : (1) S et A (ou I) ont des affinités différentes pour R et pour T, et (2) A (ou I) modifie le $K_{0,5}$ apparent pour S, en modifiant le rapport des conformations R/T.

POUR EN SAVOIR PLUS

Modèle allostérique séquentiel de Koshland, Nemethy et Filmer

Daniel Koshland a introduit et défendu la notion que les protéines étaient fondamentalement des molécules flexibles dont la conformation se modifiait quand elles se liaient à des ligands. Cette notion est au cœur de l'hypothèse de « l'ajustement induit » que nous avons déjà examinée. Puisqu'il en est ainsi, la liaison d'un ligand peut, en principe, entraîner un changement de conformation dans la protéine. Suivant la nature de ces changements de conformation, toutes sortes d'interactions allostériques sont pratiquement possibles. Plus précisément, la fixation d'un ligand peut avoir pour conséquence une transconformation qui facilite, ou au contraire qui rend plus difficile, la liaison d'autres ligands (qu'ils soient de même nature ou qu'ils soient différents). En 1966, Koshland et ses collègues ont proposé un modèle allostérique dans lequel la transconformation d'une sous-unité, induite par un ligand, provoque une transition de la sous-unité voisine vers un état de conformation dont l'affinité serait modifiée. Comme la fixation du ligand et les transitions de conformation sont des étapes distinctes d'une séquence, le modèle de Koshland-Nemethy-Filmer (ou KNF) est considéré comme le **modèle séquentiel** de la transition allostérique. La figure représente les caractéristiques essentielles de ce modèle pour une protéine dimérique hypothétique. La liaison du ligand S induit un changement dans la sous-unité à laquelle il se lie. Notez qu'il n'y a pas nécessité de conservation de la symétrie dans ce modèle ; les deux sous-unités peuvent avoir des conformations différentes (représentées par un carré et un cercle). Si les *interactions entre les sous-unités sont fortement couplées*, la fixation de S sur l'une des sous-unités peut provoquer la transconformation de l'autre (ou des autres) sous-unité(s) vers un état ayant plus ou moins d'affinité pour S (ou pour un autre ligand). Ce mécanisme s'appuie sur le fait que le changement de conformation d'une sous -unité, induit par la liaison du ligand, peut transmettre ses effets aux sous-unités voisines par la modification des interactions et de la disposition des résidus d'acides aminés à l'interface entre les sous-unités. Suivant que la nouvelle conformation de la sous-unité voisine a plus ou moins d'affinité, l'effet final sur la liaison d'un nouveau ligand peut être positif, négatif, ou neutre (figure).

(a) La liaison de S induit un changement de conformation.

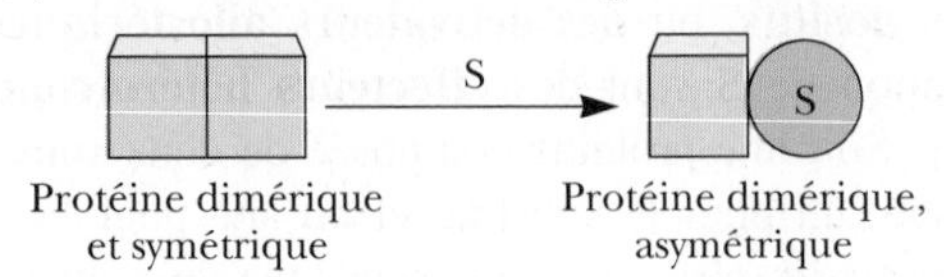

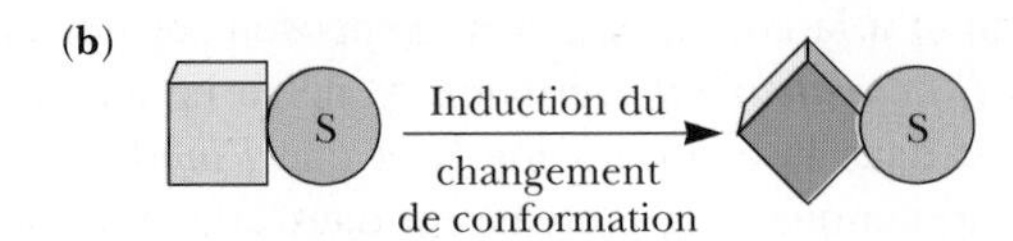

Si les affinités relatives pour S des différentes conformations sont :

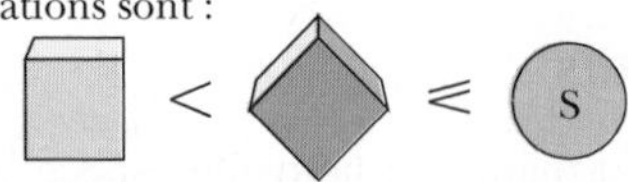

il s'ensuit des effet homotropes positifs.

Si les affinités relatives pour S des différentes conformations sont :

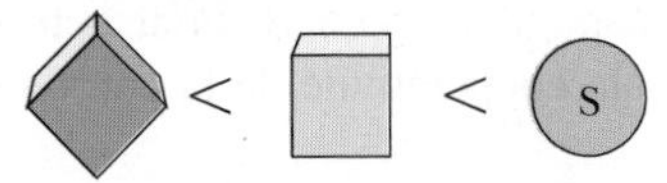

il s'ensuit des effets homotropes négatifs.

Modèle séquentiel de Koshland-Nemethy-Filmer de l'effet allostérique. (a) La liaison de S peut, par ajustement induit, provoquer une transconformation de la sous-unité à laquelle il se lie. (b) Si les interactions entre les sous-unités sont fortement couplées, la fixation de S sur une des sous-unités peut avoir pour conséquence un changement de conformation de la sous-unité voisine accompagné d'une plus grande (effet homotrope positif) ou d'une plus faible (effet homotrope négatif) affinité pour S. c'est-à-dire que le changement de conformation induit par la liaison d'un ligand sur une sous-unité affecte la sous-unité voisine. De tels effets peuvent être transmis entre des domaines peptidiques voisins par une modification dans l'alignement des résidus non liés.

peut être constaté par le déplacement de cette courbe vers la gauche (Figure 15.11). Effectivement, la présence de A diminue la valeur apparente de L.

Effecteurs négatifs

En présence de I qui se lie de préférence (« seulement ») à T, on observe une situation symétrique. La liaison de I sur le site allostérique conduit à un accroissement de la population des molécules dans la conformation T aux dépens de R_0 (Figure 15.11). La diminution de $[R_0]$ signifie que la probabilité de lier S (ou A) diminue. La présence de I augmente donc la coopérativité de la courbe de saturation par le substrat (accentue son aspect sigmoïde) comme on peut le constater par le déplacement de la courbe vers la droite (Figure 15.11). La présence de I augmente la valeur apparente de L.

Systèmes *K* et systèmes *V*

Le modèle allostérique ci-dessus est appelé un **système *K***, car la concentration en substrat pour laquelle la vitesse de la réaction est égale à la moitié de la vitesse maximale, (définie comme le $K_{0,5}$) varie en réponse à la présence des effecteurs (Figure 15.11). Notez que dans ce système, la valeur de V_{max} reste constante.

La situation allostérique dans laquelle $K_{0,5}$ reste constant mais V_{max} varie en réponse à la présence d'effecteurs, est celle d'un **système *V***. Dans un système *V*, toutes les courbes de *v* en fonction de [S] sont des hyperboles plutôt que des sigmoïdes (Figure 15.12). L'effecteur hétérotrope positif A active l'enzyme en accroissant V_{max}, alors que I, l'effecteur hétérotrope négatif, diminue V_{max}. Notez que ni A ni I, n'affectent $K_{0,5}$. On observe cette situation lorsque R et T ont la *même affinité* pour le substrat, S, mais des activités catalytiques différentes et ont des affinités différentes pour A et I. Ces deux effecteurs peuvent donc déplacer l'équilibre du rapport T/R. L'acétyl-coenzyme A carboxylase, l'enzyme qui catalyse l'étape de l'engagement de la voie de la biosynthèse des acides gras, se comporte comme un système *V* en présence de son activateur allostérique, l'acide citrique (cf. Chapitre 25).

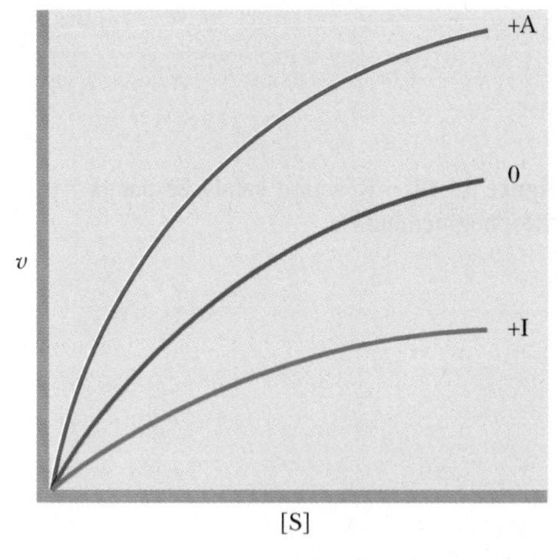

Figure 15.12 • Courbes de *v* en fonction de [S] pour un système allostérique « V ».Le système *V* répond au modèle Monod-Wyman-Changeux sous les conditions suivantes : (1) R et T ont la *même* affinité pour le substrat, S. (2) Les effecteurs A et I ont des affinités différentes pour R et pour T, ils peuvent donc déplacer la distribution relative T/R. (C'est-à-dire que A et I changent la valeur apparente de *L*.). Supposez comme dans le cas précédent que S ne se lie qu'à R et I qu'à T. (3) R et T ont des activités catalytiques différentes. On admet que R est la forme active et T la forme inactive. Comme la fixation de A perturbe l'équilibre T/R en faveur de plus de R, A augmente la valeur apparente de V_{max}. Inversement I favorise la transition vers l'état inactif T.

Les systèmes *K* et les systèmes *V* ont des rôles biologiques différents

Les caractéristiques des systèmes *K* et *V* font qu'ils manifestent leur efficacité dans des conditions physiologiques différentes. Les enzymes à « système *K* » sont adaptés aux conditions dans lesquelles la concentration en substrat est limitante, ce qui est souvent le cas *in vivo* $[S] \approx K_{0,5}$. Par contre, lorsque les conditions physiologiques sont telles que [S] est saturant pour l'enzyme de régulation en question, l'enzyme se conforme au « système V » ce qui permet une régulation efficace.

15.5 • La glycogène phosphorylase : régulation allostérique et modification covalente

Réaction catalysée par la glycogène phosphorylase

Le clivage des unités glucose à partir des extrémités non réductrices du glycogène est catalysé par la **glycogène phosphorylase**, un enzyme allostérique. La réaction enzymatique implique la phosphorolyse de la liaison entre le C-1 du glucose partant et l'oxygène de la liaison osidique pour donner du *glucose-1-phosphate* et une molécule de glycogène plus courte d'une unité glucose (Figure 15.13). Le terme

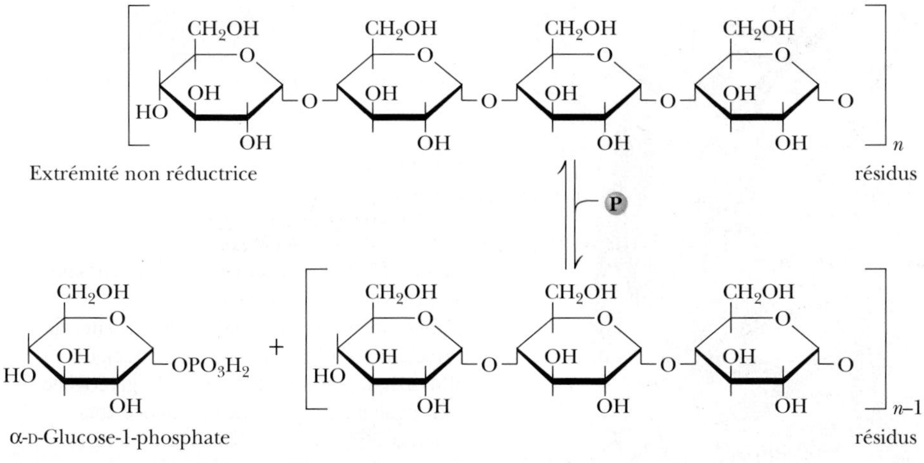

Extrémité non réductrice — *n* résidus

P

α-D-Glucose-1-phosphate + *n*–1 résidus

Figure 15.13 • Réaction catalysée par la glycogène phosphorylase.

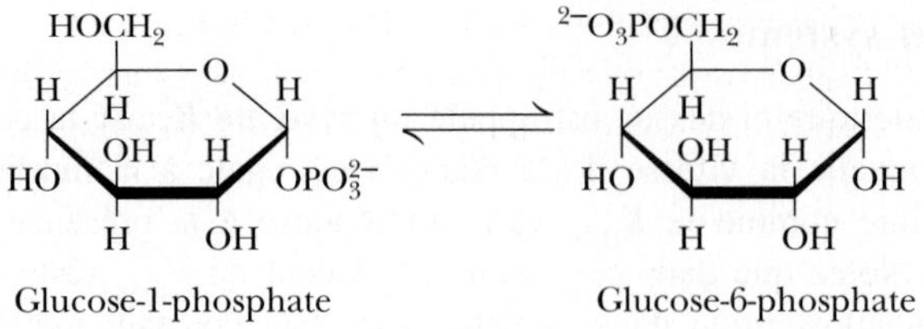

Glucose-1-phosphate ⇌ Glucose-6-phosphate

Figure 15.14 • Réaction catalysée par la phosphoglucomutase.

phosphorolyse signale que la réaction implique une attaque par un phosphate au lieu de H_2O. Cette phosphorolyse produit du glucose-1-phosphate qui sera converti en glucose-6-phosphate par la phosphoglucomutase (Figure 15.14). Dans le muscle, le glucose-6-phosphate s'engage dans la glycolyse fournissant l'énergie nécessaire pour la contraction musculaire. Dans le foie, l'hydrolyse du glucose-6-P libère du glucose qui sera exporté vers d'autres tissus par la circulation sanguine.

Structure de la glycogène phosphorylase

La glycogène phosphorylase du muscle est un dimère de deux sous-unités identiques (842 résidus, 97,44 kDa). Chacune des sous-unités contient un cofacteur, le pyridoxal-phosphate, lié au résidu Lys^{680} par une liaison covalente (base de Schiff). Chaque sous-unité possède en son centre un site actif et un site allostérique près de l'interface avec la sous-unité voisine (Figure 15.15). En plus, un site de phosphorylation (régulateur) est sur le résidu Ser^{14} de chaque sous-unité. Un autre site régulateur, site de liaison au glycogène dans chaque sous-unité, facilite l'association ultérieure de la glycogène phosphorylase avec son substrat et exerce un contrôle sur l'activité enzymatique.

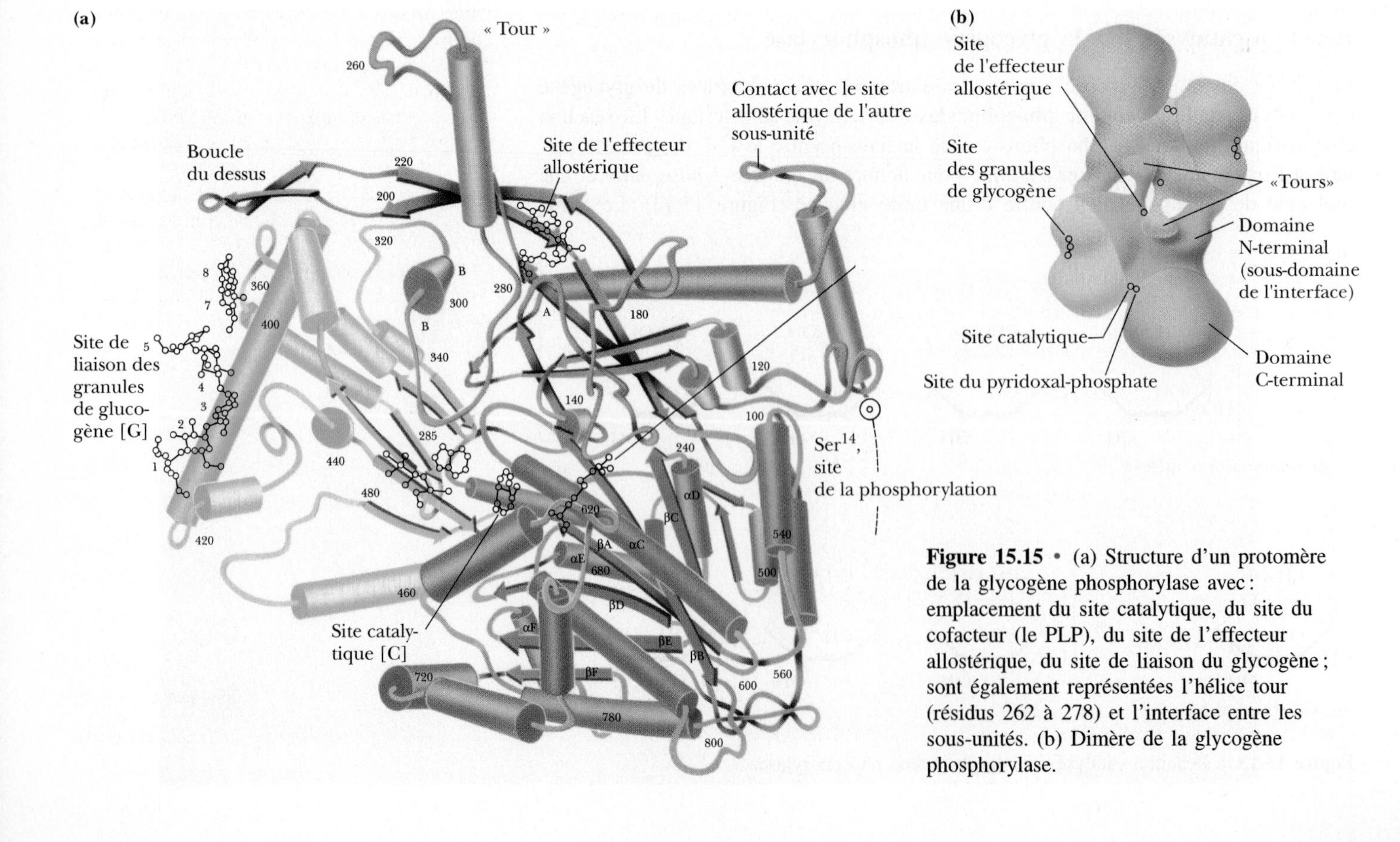

Figure 15.15 • (a) Structure d'un protomère de la glycogène phosphorylase avec : emplacement du site catalytique, du site du cofacteur (le PLP), du site de l'effecteur allostérique, du site de liaison du glycogène ; sont également représentées l'hélice tour (résidus 262 à 278) et l'interface entre les sous-unités. (b) Dimère de la glycogène phosphorylase.

À l'interface de contact entre les sous-unités, une hélice « tour » de chacune des sous-unités (résidus 262 à 278) contribue aux interactions. Dans le dimère, les hélices tours s'étendent au-delà de leurs unités respectives et s'assemblent de façon antiparallèle.

Régulation de la glycogène phosphorylase par des effecteurs allostériques

La glycogène phosphorylase musculaire présente le phénomène de coopérativité dans sa liaison avec le substrat

La liaison du *phosphate minéral* (P_i) à la glycogène phosphorylase est hautement coopérative (Figure 15.16a) ce qui permet un important accroissement d'activité dans une zone étroite de concentration du substrat. L'interaction du P_i avec la glycogène phosphorylase est celle d'un *effecteur homotrope positif.*

L'ATP et le glucose-6-P sont des inhibiteurs allostériques de la glycogène phosphorylase

L'ATP peut être considéré comme le produit « final » de l'action de la glycogène phosphorylase puisque le glucose-1-P libéré par l'enzyme est, dans le muscle, dégradé par une voie métabolique aboutissant à la production d'énergie (l'ATP). Le glucose-1-P est rapidement converti en glucose-6-P pour alimenter cette voie (dans le foie, le glucose-1-P provenant de la dégradation du glycogène est converti en glucose, il passe ensuite dans la circulation sanguine pour élever le taux du glucose sanguin). Donc la rétroinhibition de la glycogène phosphorylase par l'ATP et le glucose-6-P fournit un moyen très efficace de régulation de la dégradation du glycogène. La glucose-6-P et l'ATP diminuent l'affinité de la glycogène phosphorylase pour le P_i, un de ses substrats (Figure 15.16b). La liaison de l'ATP et celle du glucose-6-P ayant un effet négatif sur la fixation du substrat, ces substances agissent comme des *effecteurs hétérotropes négatifs*. Notez sur la Figure 15.16b que la courbe de saturation par le substrat est déplacée vers la droite en présence d'ATP ou de glucose-6-P et qu'il faut une concentration en substrat plus élevée pour obtenir la moitié de la vitesse maximale ($V_{max}/2$). Quand l'ATP ou le glucose-6-P s'accumulent à des concentrations élevées, la glycogène phosphorylase est inhibée ; quand [ATP] et [glucose-6-P] sont faibles, l'activité de la glycogène phosphorylase est régulée par la disponibilité de son substrat, P_i.

L'AMP est un activateur allostérique de la glycogène phosphorylase

L'AMP est également un signal régulateur de l'activité de la glycogène phosphorylase. Il se lie au même site que l'ATP mais il stimule l'activité de l'enzyme au lieu de l'inhiber (Figure 15.16c). L'AMP est un effecteur hétérotrope positif car il élève l'affinité de la glycogène phosphorylase pour son substrat. Si l'AMP s'accumule dans la cellule, cela signifie que le niveau de l'état énergétique cellulaire est bas et

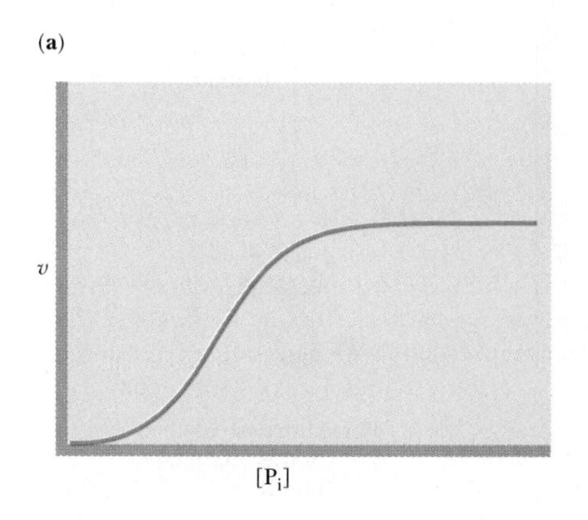

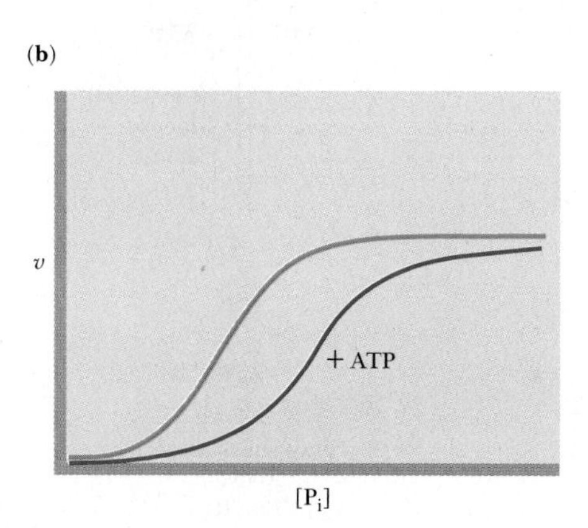

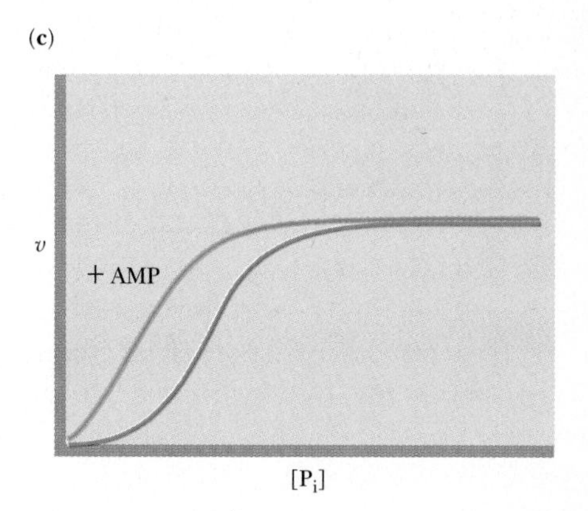

Figure 15.16 • Courbes de v en fonction de [S] de la glycogène phosphorylase. (a) La courbe sigmoïde de l'activité de la glycogène phosphorylase en fonction de la concentration en substrat phosphate (P_i) met en évidence une forte coopérativité positive. (b) L'ATP est un rétroinhibiteur qui affecte l'affinité de la glycogène phosphorylase pour ses substrats, mais n'affecte pas V_{max}. (Le glucose-6-phosphate a un effet analogue sur l'enzyme). (c) L'AMP est un effecteur hétérotrope positif. Il se lie au même site que l'ATP. L'AMP et l'ATP sont en compétition pour ce site. Comme l'ATP, l'AMP affecte l'affinité de la glycogène phosphorylase pour ses substrats, mais l'AMP n'affecte pas V_{max}.

qu'il faut produire plus d'énergie (d'ATP). Les variations réciproques de la concentration cellulaire en ATP et AMP et leur compétition pour un même site de liaison sur la glycogène phosphorylase (le *site allostérique*), avec des conséquences opposées, permettent que ces deux nucléotides exercent un *contrôle rapide et réversible* de l'activité de la glycogène phosphorylase. Cette régulation réciproque assure une production d'énergie (d'ATP) correspondant aux besoins cellulaires.

Pour résumer, la glycogène phosphorylase musculaire est activée de façon allostérique par l'AMP et inhibée par l'ATP et le glucose-6-P ; la caféine agit aussi comme un inhibiteur allostérique (Figure 15.17). Quand l'ATP et le glucose-6-P sont abondants, la dégradation du glycogène est inhibée. Quand les réserve énergétiques de la cellule sont basses ([ATP] et [glucose-6-P] faibles et [AMP] élevée), le catabolisme du glycogène est activé.

La glycogène phosphorylase est conforme au modèle de transitions allostériques de Monod-Wyman-Changeux, la forme active de l'enzyme étant représentée par l'état R et la forme inactive par l'état T (Figure 15.17). L'AMP stimule la conversion vers l'état R alors que l'ATP, le glucose-6-P et la caféine favorisent la conversion vers l'état inactif T.

Les études par diffraction des rayons X de cristaux de la phosphorylase formés en présence des effecteurs allostériques ont révélé les bases moléculaires de la transition T $\rightleftharpoons$ R. Bien que la structure du cœur des sous-unités reste la même, des différences significatives apparaissent entre les états T et R à l'interface des sous-unités. Ce changement de conformation à l'interface des sous-unités est lié à un changement de la structure du site actif ; ce changement a d'importantes conséquences pour l'activité catalytique. Dans l'état T, la charge négative du groupe carboxyle de Asp^{283} fait face au site actif, de sorte que la liaison du phosphate cosubstrat anionique est défavorisée. Lors de la conversion vers l'état R, Asp^{283} est déplacé du site actif, il y est remplacé par Arg^{569}. L'échange dans le site actif d'un aspartate à charge négative pour une arginine à charge positive introduit un environnement favorable à la fixation du phosphate. Ces régulations allostériques sont à

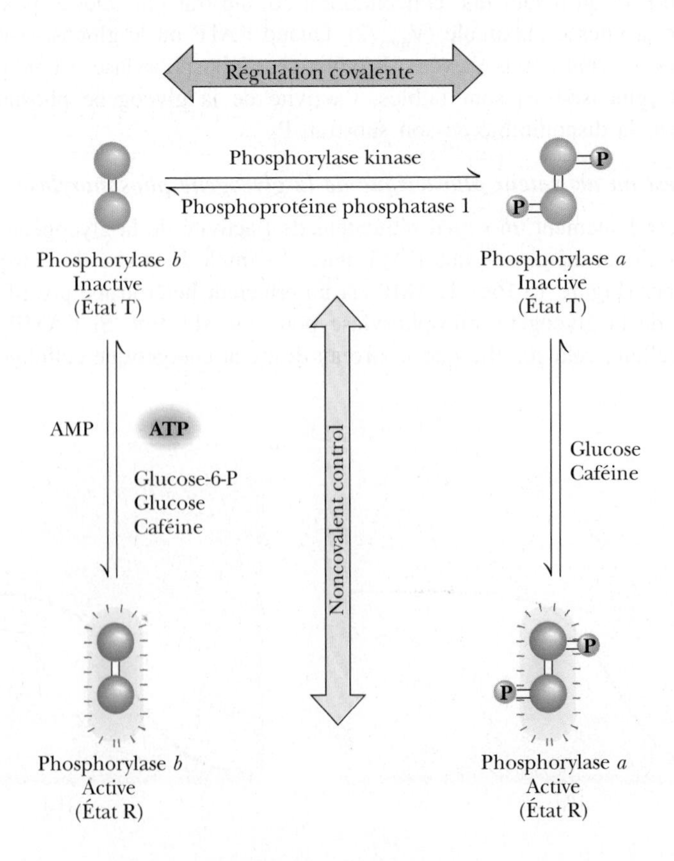

Figure 15.17 • Mécanisme de la modification covalente et de la régulation allostérique de la glycogène phosphorylase. Les états T sont en bleu, les états R sont en bleu-vert.

l'origine du mécanisme de l'ajustement de l'activité de la glycogène phosphorylase aux besoins métaboliques de la cellule. Mais, dans les situations critiques pour lesquelles une très quantité d'énergie (d'ATP) est immédiatement nécessaire, une modification covalente de la glycogène phosphorylase l'emporte sur ce type de régulation allostérique. Cette modification covalente par phosphorylation de Ser^{14} convertit l'enzyme de sa forme la moins active, et soumise à régulation allostérique (la forme *b*), en une forme plus active, non sensible à la régulation allostérique (la forme *a*). La modification covalente est comme une transition allostérique « permanente » qui devient indépendante de la concentration des effecteurs allostériques, par exemple de l'AMP.

Régulation de la glycogène phosphorylase par modification covalente

Dès 1938, on savait que la glycogène phosphorylase existait sous deux formes : une moins active, la **phosphorylase *b*,** et une plus active, la **phosphorylase *a*.** En 1956, Edwin Krebs et Edmond Fischer ont observé qu'un « enzyme de conversion » pouvait convertir la phosphorylase *b* en phosphorylase **a**. Trois ans plus tard, ils ont démontré que cette conversion résultait d'une phosphorylation de la phosphorylase *β* (Figure 15.17).

La phosphorylation de Ser^{14} provoque une très importante modification dans la conformation de la phosphorylase. En conséquence de la phosphorylation, l'extrémité N-terminale de la chaîne polypeptidique (comprenant les résidus 10 à 22) parcourt un arc de 120° et se retrouve à l'interface des sous-unités (Figure 15.18). Le résidu Ser^{14} se retrouve déplacé de plus de 3,6 nm.

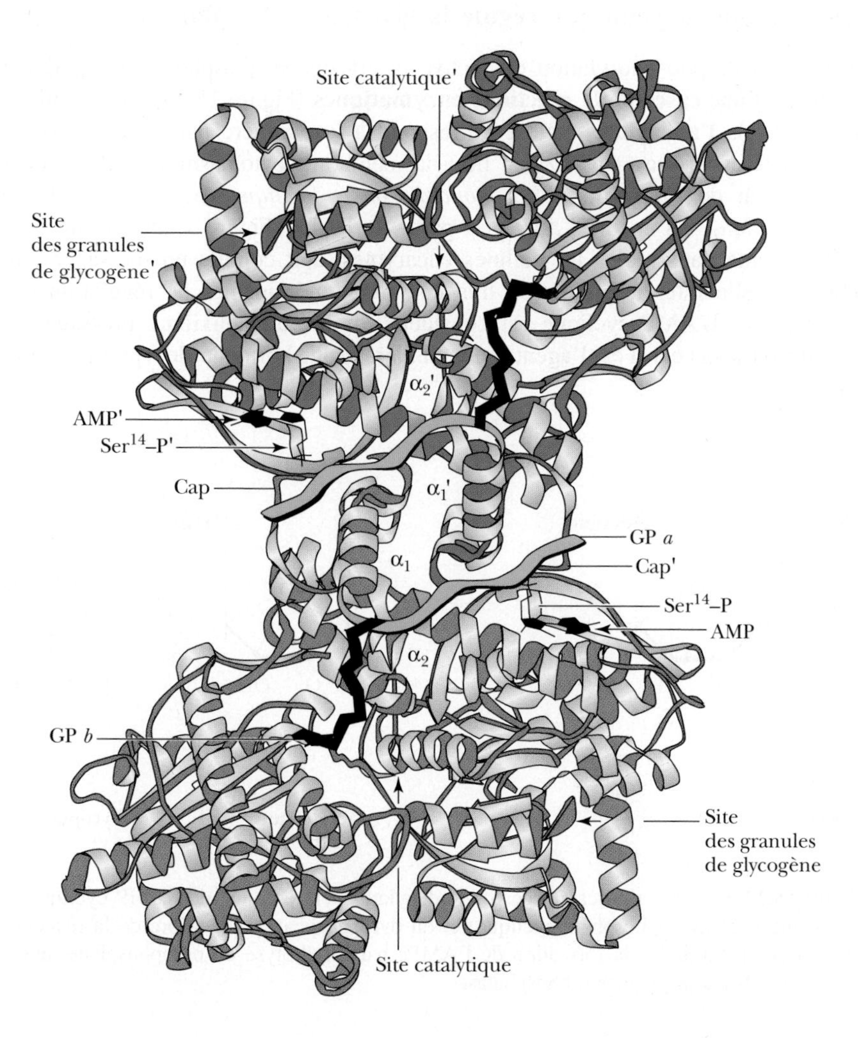

Figure 15.18 • Dans cette représentation de la molécule dimérique de glycogène phosphorylase, le site de phosphorylation (Ser^{14}) et le site allostérique (AMP) sont face au lecteur. L'accès au site catalytique s'effectue par la face opposée de la protéine. Cette représentation schématique permet de montrer les principaux changements de conformation provoqués dans les résidus N-terminaux par suite de la phosphorylation de Ser^{14}. L'épaisse ligne noire correspond à la conformation des résidus 10 à 23 dans la phosphorylase *b*, non phosphorylée. Le segment de chaîne formé par les résidus 10 à 23 change de conformation lors de la phosphorylation de Ser^{14} qui donne la glycogène phosphorylase *a* (phosphorylée), la ligne jaune représente la nouvelle position de ce segment. Notez que ces résidus se déplacent d'une zone de contact à l'intérieur des sous-unités vers une zone de contact entre les sous-unités. Les sites dans les deux sous-unités sont dénotés de la même façon mais ceux de la sous-unité en position supérieur sont accentué par un prime ('). Cap indique un segment peptidique qui recouvre le site de l'AMP. *(D'après Johnson, L.N., et Barford, D., 1993. The effects of phosphorylation on the structure and function of proteins.* Annual Review of Biophysics and Biomolecular Structure *22 : 199-232.)*

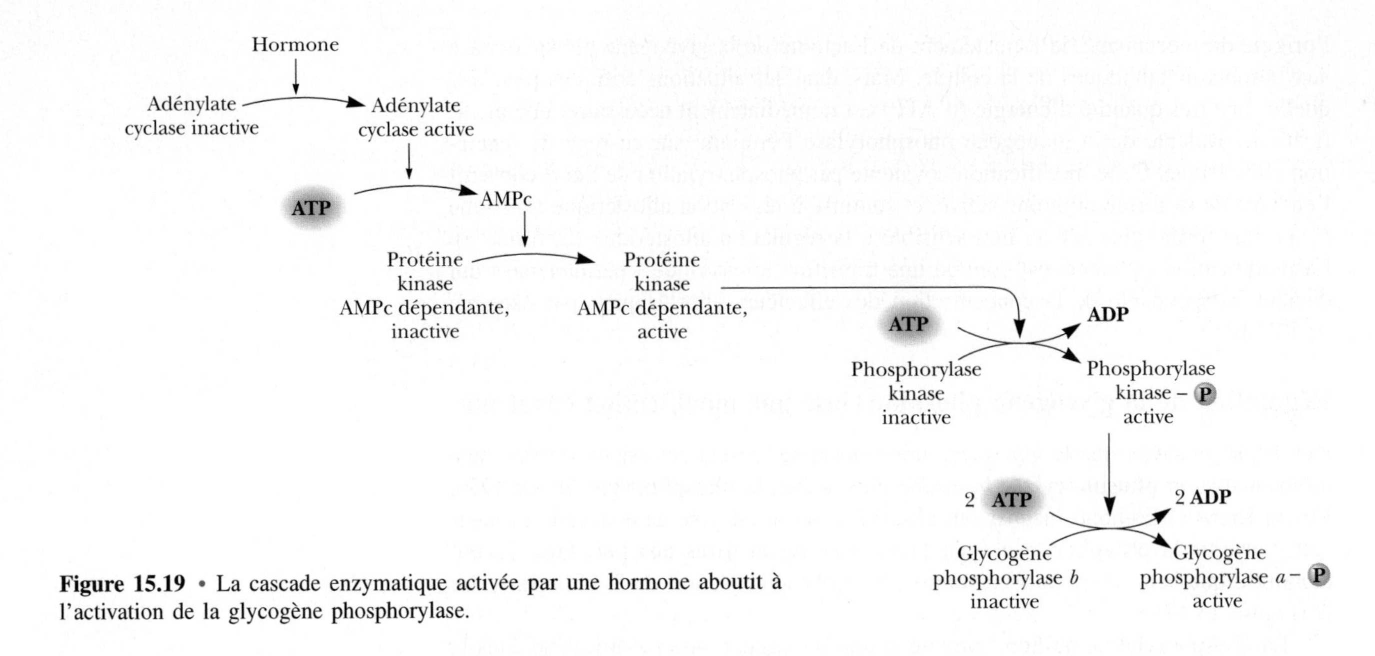

Figure 15.19 • La cascade enzymatique activée par une hormone aboutit à l'activation de la glycogène phosphorylase.

La déphosphorylation de la glycogène phosphorylase est catalysée par la **phosphoprotéine phosphatase I.** L'action de cette phosphatase I inactive la glycogène phosphorylase.

Une cascade enzymatique régule la glycogène phosphorylase

La réaction de phosphorylation qui active la glycogène phosphorylase est l'aboutissement d'une **cascade de réactions enzymatiques** (Figure 15.19). La stimulation hormonale de **l'adénylate cyclase** correspond à la première partie de la cascade. L'adénylate cyclase est un enzyme lié à la membrane cytoplasmique, elle catalyse la formation de *l'adénosine-3',5'-monophosphate cyclique* (ou plus simplement *l'AMP cyclique*, ou encore l'*AMPc*) à partir de l'ATP (Figure 15.20). Cette molécule, présente dans toutes les cellules eucaryotes, agit comme un messager intracellulaire ; elle intervient dans de très nombreux mécanismes de régulation (voir Chapitre 34). L'AMP cyclique est considéré comme un **deuxième messager** (ou second messager) car il est l'agent intracellulaire d'une hormone (le « premier » messager).

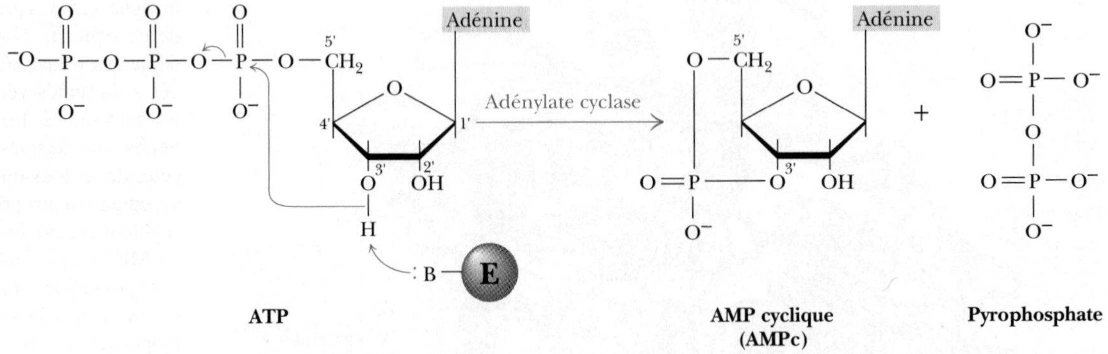

Adénine — Adénylate cyclase — Adénine — +

ATP — **AMP cyclique (AMPc)** — **Pyrophosphate**

Figure 15.20 • La réaction catalysée par l'adénylate cyclase donne de l'AMP cyclique (adénosine-3′,5′-monophosphate cyclique) et du pyrophosphate. L'équilibre de la réaction est déplacé en faveur de la formation de l'AMPc par l'hydrolyse du pyrophosphate, une réaction catalysée par une pyrophosphatase.

La stimulation hormonale de l'adénylate cyclase passe par un système de transduction membranaire du signal constitué de trois parties, toutes associées à la membrane. La fixation d'une hormone à la surface extérieure du récepteur hormonal provoque un changement de la conformation du récepteur transmembranaire, transconformation qui stimule **une protéine liant le GTP** (ou classiquement, une **protéine G)** Les protéines G sont des hétérotrimères comportant les sous-unités α (45–47 kDa), β (35 kDa) et γ (7–9 kDa). La sous-unité α lie le GTP ou le GDP, elle a une faible activité GTPase intrinsèque. À l'état inactif, une molécule de GDP est liée au site du nucléotide dans le complexe $G_{\alpha\beta\gamma}$. Quand une protéine G est stimulée par le récepteur hormonal du complexe, le GDP se dissocie du complexe, du GTP se lie à la sous-unité G_α qui à son tour se dissocie de $G_{\beta\gamma}$ pour s'associer à l'adénylate cyclase (Figure 15.21). *La liaison de G_α-GTP active l'adénylate cyclase qui catalyse la formation de l'AMP cyclique à partir de l'ATP*. Cependant, l'activité GTPase intrinsèque de G_α hydrolyse lentement le GTP en GDP, et le G_α-GDP se dissocie de l'adénylate cyclase pour se réassocier avec $G_{\beta\gamma}$ et reconstituer le complexe $G_{\alpha\beta\gamma}$ inactif. Cette cascade d'événements amplifie le signal hormonal car un unique complexe hormone-récepteur peut activer plusieurs protéines G avant que l'hormone se dissocie du récepteur, et une adénylate cyclase activée par une sous unité G_α peut catalyser la synthèse de nombreuses molécules d'AMP cyclique avant que le GTP lié soit hydrolysé en GDP par G_α. Plus de 100 récepteurs différents couplés à des protéines G sont actuellement connus ainsi qu'au moins 21 protéines G_α distinctes (Chapitre 34).

L'AMP cyclique est un activateur essentiel de la *protéine kinase dépendante de l'AMPc* (ou protéine kinase A, ou *PKA*). Cet enzyme est normalement inactif. Il est constitué de deux sous-unités catalytiques (C) fortement associées à deux sous-unités régulatrices (R) qui bloquent leur activité. La liaison de l'AMP cyclique sur les sous-unités régulatrices induit un changement de conformation qui provoque la dissociation des monomères C (Figure 15.17). Les sous-unités C libres sont actives et peuvent catalyser la phosphorylation des protéines cibles. L'une de ces protéines cibles est la *phosphorylase kinase* (Figure 15.19). La phosphorylase kinase est inactive quand elle n'est pas phosphorylée et la phosphorylation l'active. Comme son nom l'implique, la fonction de la phosphorylase kinase est de catalyser la phosphorylation de la glycogène phosphorylase (et donc de l'activer). Ainsi la stimulation de l'adénylate cyclase active la dégradation du glycogène.

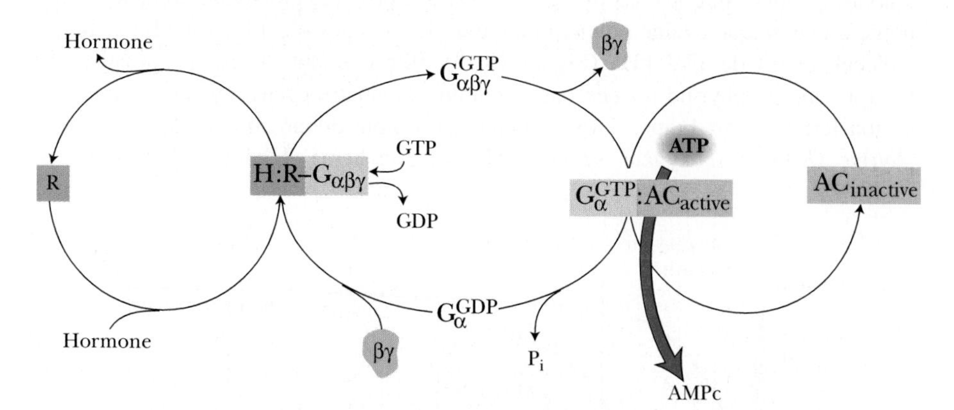

Figure 15.21 • La liaison d'une hormone (H) à son récepteur (R) crée un complexe hormone:récepteur (H:R) qui catalyse l'échange GDP-GTP sur la sous-unité α de la protéine G (un hétérotrimère $G_{\alpha\beta\gamma}$), le GTP se substituant au GDP. La sous-unité G_α, liée au GTP, se dissocie des sous-unités $\beta\gamma$ et se lie à l'adénylate cyclase (AC). AC est activée par cette association avec G_α:GTP et catalyse la formation d'AMPc à partir de l'ATP. La sous-unité G_α possède une activité GTPase intrinsèque qui hydrolyse lentement le GTP en GDP + P_i, ce qui a pour conséquence la transformation du complexe G_α:GTP en complexe G_α:GDP qui se dissocie de AC et se lie aux sous-unité $\beta\gamma$ pour reconstituer $G_{\alpha\beta\gamma}$. AC libre n'a plus d'activité catalytique. Le récepteur hormonal et AC sont des protéines intégrales de la membrane plasmique ; G_α et $G_{\beta\gamma}$ sont des protéines ancrées dans la membrane.

15.6 • Hémoglobine et myoglobine – les paradigmes de la relation structure-fonction des protéines

Les premières formes de vie sont apparues en l'absence d'oxygène et ne disposaient que d'un métabolisme anaérobie. Le temps passant, l'atmosphère terrestre a changé, de même les organismes vivants ont évolué. En fait, la production biologique d'oxygène par la photosynthèse fut le facteur le plus important dans le changement de l'atmosphère ! L'évolution vers un métabolisme capable d'utiliser l'oxygène fut particulièrement bénéfique. Le métabolisme des oses, par exemple, libère beaucoup plus d'énergie dans ce cas que par le simple processus anaérobie. Mais la solubilité de O_2 dans l'eau est très faible. Pour que les processus métaboliques ne soient pas limités par cette faible solubilité, les animaux ont acquis au cours de l'évolution deux protéines capables de fixer de l'oxygène, **l'hémoglobine (Hb)** dans le sang et la **myoglobine (Mb)** dans les muscles. L'hémoglobine et la myoglobine sont les deux molécules protéiques les plus étudiées, elles sont devenues les modèles de prédilection pour l'étude de la structure et de la fonction des protéines. De plus, l'hémoglobine est un modèle de choix pour la structure quaternaire et les états allostériques. La fixation de O_2 par l'hémoglobine et sa modulation par les protons, par CO_2 et par le 2,3-bisphosphoglycérate dépend des interactions entre les sous-unités d'une protéine tétramérique. L'étude des propriétés de l'hémoglobine, des interactions entre les sous-unités, est très révélatrice de la signification fonctionnelle des associations oligomériques et de la régulation allostérique.

Biochimie comparative de la myoglobine et de l'hémoglobine

Une comparaison des propriétés de l'hémoglobine et de la myoglobine permet de mieux percevoir le phénomène allostérique, bien que ces deux protéines ne soient *pas* des enzymes. La courbe représentant la fixation de O_2 sur l'hémoglobine est une sigmoïde (Figure 15.22). Cette forme de courbe est longtemps restée une énigme en biochimie. Elle ressemble beaucoup à celle qui est obtenue lors de la saturation d'un enzyme allostérique par son substrat (voir Figure 15.8). Par contre, l'interaction de la myoglobine avec O_2 donne une courbe semblable à celle de la courbe de saturation classique d'un enzyme de type Michaelis-Menten.

Avant d'examiner plus en détail la myoglobine et l'hémoglobine, résumons d'abord quelques notions. La myoglobine est une protéine globulaire compacte composée d'une unique chaîne polypeptidique de 153 résidus d'acides aminés ; sa masse moléculaire est de 17,2 kDa (Figure 15.23). Elle contient un groupe prosthétique **l'hème**, une porphyrine formée par la réunion de quatre cycles pyrrole complexant un ion ferreux (voir Figure 5.15). L'hème est le nom donné au complexe protoporphyrine IX:Fe^{2+}. L'oxygène se lie à Mb par son hème. L'hémoglobine (Hb) est

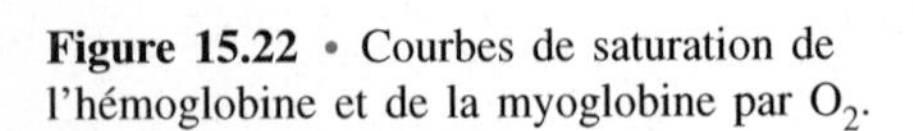
Figure 15.22 • Courbes de saturation de l'hémoglobine et de la myoglobine par O_2.

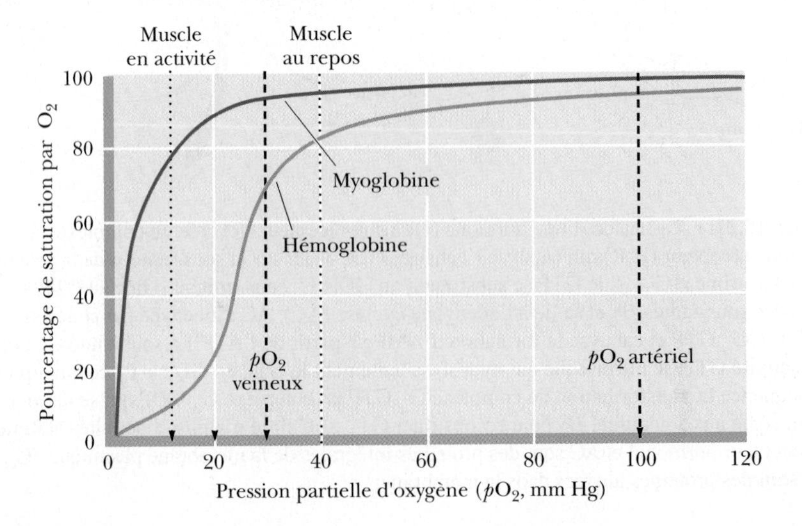

également une protéine globulaire compacte mais c'est un tétramère. Elle est constituée de quatre chaînes polypeptidiques structuralement très voisines de la chaîne polypeptidique de la myoglobine, chacune de ces chaînes contenant un hème. La molécule de Hb peut donc lier quatre molécules d'oxygène. Hb de l'adulte humain contient deux chaînes identiques de 141 résidus, les chaînes α, et deux chaînes identiques de 146 résidus, les chaînes β. La molécule Hb humaine est un tétramère du type $\alpha_2\beta_2$, d'une masse moléculaire de 64,45 kDa. La nature tétramérique de Hb est cruciale pour sa fonction biologique: *Lorsqu'une molécule de O_2 se lie à un hème de Hb, l'ion ferreux de l'hème est déplacé vers le plan de l'anneau formé par la porphyrine. Ce petit mouvement déclenche une série d'événements, un changement de conformation qui est transmis aux sous-unités adjacentes, avec pour conséquence une très forte augmentation de l'affinité de leurs hèmes pour O_2.* En résumé, la fixation de O_2 sur l'un des hèmes de Hb facilite la fixation de O_2 sur les autres hèmes de la molécule. L'hémoglobine est une machine moléculaire merveilleusement construite. Nous allons en disséquer le mécanisme, en commençant par son pendant monomérique, la molécule de myoglobine.

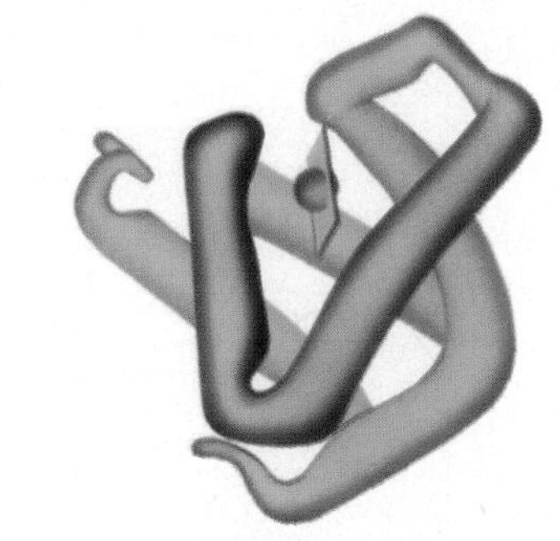

Myoglobine (Mb)

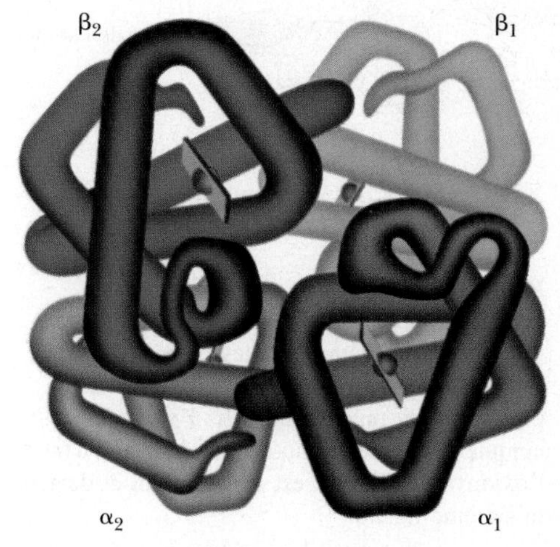

Hémoglobine (Hb)

Figure 15.23 • Molécules de myoglobine et d'hémoglobine. *Myoglobine* (du sperme de baleine) : la chaîne polypeptidique de 153 résidus (masse = 17,2 kDa) a un hème (masse 652 Da) et lie un O_2. *Hémoglobine* (humaine) : quatre chaînes polypeptidiques, deux de 141 résidus (α) et deux de 146 résidus (β) ; masse = 64,45 kDa. Chacune des chaînes a un hème; le tétramère lie quatre O_2. *(Irving Geis)*

La myoglobine

La myoglobine est la protéine de stockage de l'oxygène dans le muscle. Les muscles des mammifères marins, comme les phoques et les baleines, sont particulièrement riches en cette protéine qui sert de réserve de O_2 pendant leurs longs séjours sous l'eau. La myoglobine est aussi abondante dans les muscles du squelette et dans le muscle cardiaque des animaux, même s'ils ne plongent pas. Elle donne aux muscles leur coloration rouge caractéristique.

La chaîne polypeptidique de Mb, un « berceau » pour l'hème

La chaîne polypeptidique de la myoglobine se reploie pour former une sorte de berceau (4,4 × 4,4 × 2,5 nm), structure dans laquelle se niche le groupe prosthétique (Figure 15.24). La fixation de O_2 dépend de l'état d'oxydation de l'hème. Le fer de l'hème de la myoglobine est un ion *ferreux*, Fe^{2+}. Sous cette forme, il lie O_2. L'oxydation de l'ion ferreux en ion *ferrique* Fe^{3+} donne la **métmyoglobine** qui ne lie pas O_2. Une remarque intéressante : en solution, l'hème libre fixe également O_2, mais l'oxygène oxyde rapidement l'ion ferreux en ion ferrique. On appelle **hématine** le complexe

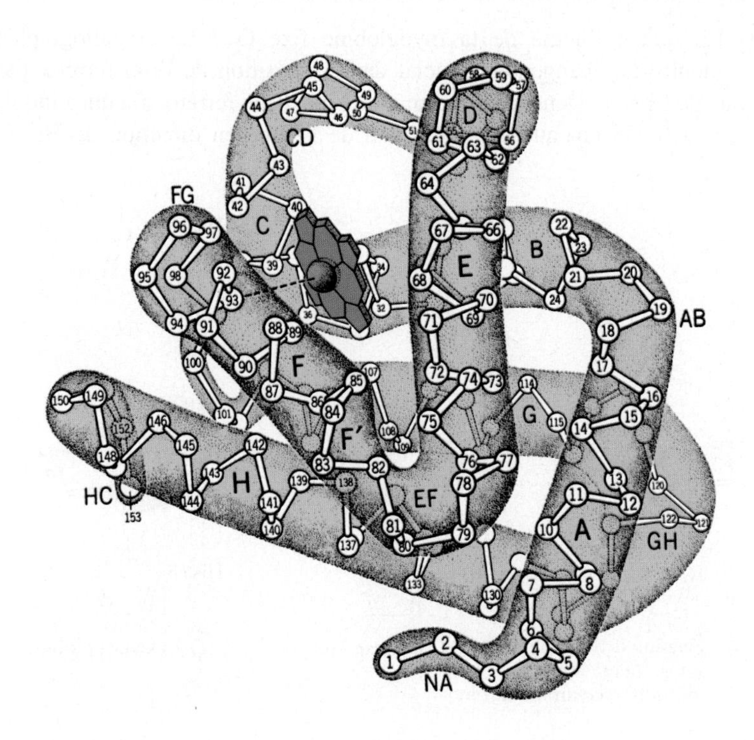

Figure 15.24 • Structure détaillée de la molécule de myoglobine. La chaîne polypeptidique se reploie en huit segments hélicoïdaux, désignés à partir de l'extrémité N-terminale par les lettres A à H. Ces hélices, de 7 à 26 résidus de long, sont reliées par de courtes régions, ou boucles, non organisées qui sont dénommées d'après les hélices qu'elles connectent, par exemple région AB et région EF. La position des acides aminés est précisée par l'indication du segment dans lequel ils se trouvent (nomenclature de Max Perutz), ainsi His F8 est le huitième résidu de l'hélice F et Phe CD1 est le premier acide aminé de la boucle comprise entre les hélices C et D. Les acides aminés sont parfois spécifié de la façon conventionnelle, par exemple Gly^{153}. L'hème se trouve dans le « berceau », le centre actif, formé par le reploiement de la chaîne polypeptidique. *(Irving Geis)*

protoporphyrine IX:Fe^{3+}. La chaîne polypeptidique de la myoglobine a donc trois fonctions essentielles. Elle se reploie pour former le « berceau » de l'hème et la cavité dans laquelle O_2 peut s'insérer, enfin elle protège l'ion ferreux de *l'oxydation* par l'oxygène.

Liaison de O_2 à la myoglobine

Les ions ferreux et ferriques ont tendance à interagir avec six ligands dont quatre sont dans un même plan. Le cinquième et le sixième ligand se situent au-dessus et au-dessous de ce plan (Figure 15.25). Dans l'hème, les quatre ligands dans un même plan sont les atomes d'azote des quatre cycles pyrrole. Le cinquième ligand provient de la chaîne latérale imidazole d'un résidu d'acide aminé, His F8. La sixième coordinance est libre dans la myoglobine non oxygénée. Quand la myoglobine lie l'oxygène, pour devenir **l'oxymyoglobine**, O_2 constitue le sixième ligand (Figure 15.25). La molécule d'oxygène se lie au fer de l'hème mais elle n'est pas perpendiculaire au plan. Elle est inclinée d'environ 60° par rapport à cette perpendiculaire. Si dans la **désoxymyoglobine** la position du sixième ligand est libre, dans la métmyoglobine une molécule d'eau prend place dans le site de O_2 et devient le sixième ligand de l'ion ferrique. Du même côté du plan de l'hème que le site de fixation de O_2 se trouve un autre résidu histidine, His E7. La fonction –NH de son noyau imidazole est trop loin pour interagir avec l'ion ferreux mais elle est assez proche pour être au contact de O_2. Le site de fixation de O_2 est donc une région protégée pour des raisons d'encombrement stérique. Cet encombrement est à l'origine de quelques importantes propriétés biologiques. Par exemple, l'affinité de l'hème libre en solution est 25.000 plus élevée pour l'oxyde de carbone (CO) que son affinité pour O_2. Par contre, l'affinité de l'hème de la myoglobine pour CO n'est que 250 fois plus élevée que son affinité pour l'oxygène car la présence du résidu His E7 impose l'inclinaison de la molécule CO alors qu'un alignement perpendiculaire au plan de l'hème est plus favorable à sa liaison avec l'ion ferreux (Figure 15.26). Cette moindre affinité de la myoglobine pour CO la protège contre les traces de CO qui pourraient être formées au cours du métabolisme et occuper tous les sites hémiques, ce qui empêcherait la fixation de O_2. Il reste que l'oxyde de carbone dans l'environnement est un puissant toxique qui provoque la mort par asphyxie.

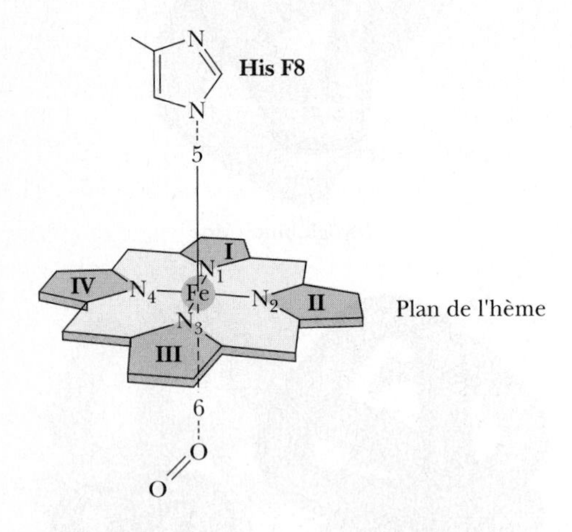

Figure 15.25 • Les six possibilités de coordination de l'ion ferreux. Quatre ligands sont dans un même plan ; les deux autres sont respectivement au-dessus et au-dessous de ce plan. Dans la myoglobine, His F8, le cinquième ligand est au-dessus du plan ; dans l'oxymyoglobine, O_2 est sous le plan et devient le sixième ligand.

La fixation de O_2 modifie la conformation de Mb

Qu'arrive-t-il quand l'hème de la myoglobine fixe O_2 ? La cristallographie aux rayons X montre un changement crucial dans la position de l'ion ferreux par rapport au plan de l'hème. Dans la désoxymyoglobine, l'ion ferreux n'a que cinq ligands et se trouve à 0,055 nm au-dessus du plan de l'hème en direction de His F8. Le

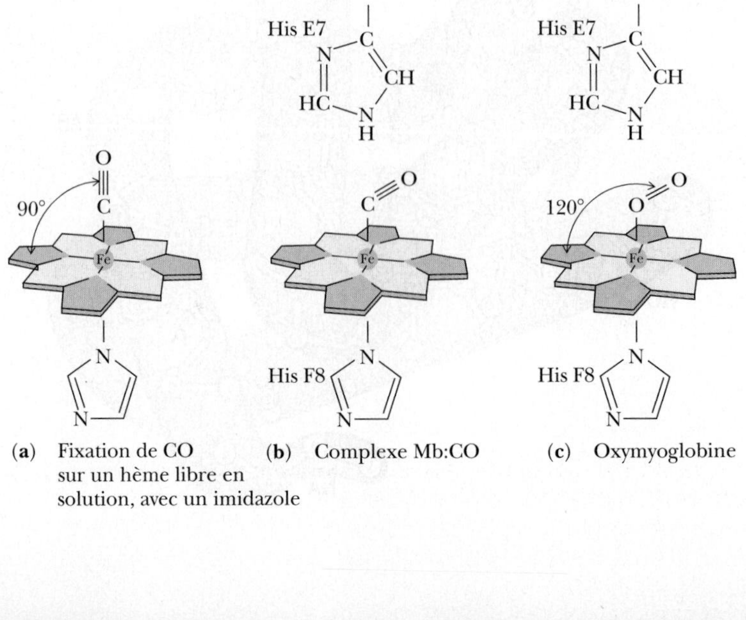

Figure 15.26 • Liaison de l'oxygène et de l'oxyde de carbone par l'hème de la myoglobine.

(**a**) Fixation de CO sur un hème libre en solution, avec un imidazole (**b**) Complexe Mb:CO (**c**) Oxymyoglobine

complexe ion ferreux:porphyrine a donc la forme d'un dôme. Quand O_2 se lie, l'ion ferreux est tiré vers le plan de la porphyrine dont il n'est alors distant que de 0,026 nm (Figure 15.27). Les conséquences de ce petit mouvement sont banales pour ce qui concerne la fonction biologique de la myoglobine. Cependant, comme nous le verrons bientôt, ce petit mouvement modifie profondément les propriétés de l'hémoglobine. Son action sur His F8 est amplifiée par des changements dans la conformation de la chaîne polypeptidique qui modifient les interactions entre les sous-unités du tétramère. Ces changements dans les relations entre les sous-unités sont la cause fondamentale des propriétés allostériques de l'hémoglobine.

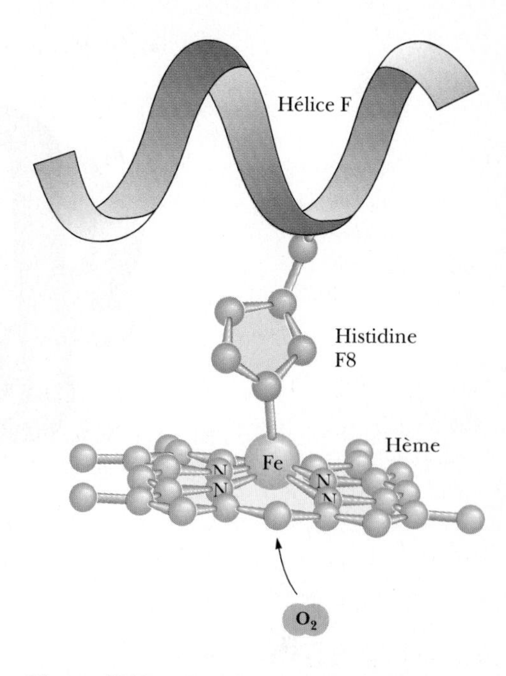

Figure 15.27 • Dans la désoxymyoglobine, l'ion ferreux de l'hème attiré par His F8 qui est à proximité s'écarte du plan du cycle de la porphyrine. Dans l'oxymyoglobine, la liaison de O_2 contrebalance en partie cet effet.

Signification physiologique de la fixation coopérative de l'oxygène par l'hémoglobine

En appendice à ce chapitre, vous trouverez les équations décrivant la fixation de l'oxygène sur la myoglobine et sur l'hémoglobine. Les affinités relatives de l'oxygène pour l'hémoglobine et la myoglobine reflète leurs rôles physiologiques respectifs (voir Figure 15.22). À toutes les pressions d'oxygène, la myoglobine, la protéine de stockage de l'oxygène, a plus d'affinité pour l'oxygène que l'hémoglobine. L'hémoglobine, la protéine de transport, se sature en oxygène dans les poumons où la pression partielle de O_2 (pO_2) est d'environ 100 torrs [1]. Dans les capillaires des tissus, pO_2 est d'environ 40 torrs et l'hémoglobine libère l'oxygène. Dans les muscles, une partie de cet oxygène peut être fixée par la myoglobine et mise en réserve pour les périodes de carence sévère en oxygène, comme pendant un exercice violent.

Structure de la molécule d'hémoglobine

L'hémoglobine est un tétramère, $\alpha_2\beta_2$, dont chacune des quatre sous-unités a une conformation pratiquement identique à celle de la myoglobine. La présence des deux types différents de sous-unités, α et β est nécessaire pour que la liaison de O_2 par Hb soit coopérative. La chaîne β, de 146 résidus, est plus courte que la chaîne de la myoglobine (153 résidus) principalement parce que le dernier segment hélicoïdal (l'hélice H) est plus court. La chaîne α (141 résidus) a également une hélice H plus courte et n'a pas d'hélice D (Figure 15.28). Max Perutz qui a consacré sa vie à l'élucidation de la structure atomique de l'hémoglobine a rapidement constaté, dès le début de ses études, que la structure de la molécule était hautement symétrique. La disposition des quatre sous-unités dans la méthémoglobine de cheval est représentée Figure 15.29. La

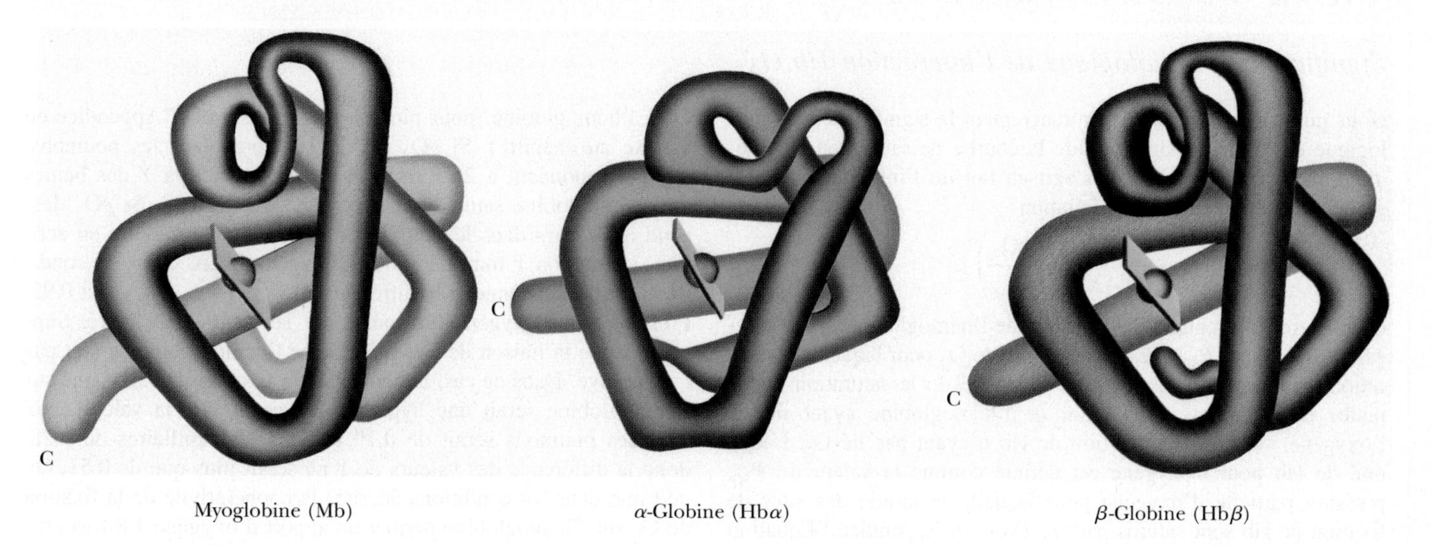

Figure 15.28 • Représentations schématiques des chaînes α et β de Hb et de la chaîne de la myoglobine. *(Irving Geis)*

[1] Le torr est une unité de pression ainsi dénommée en hommage à Torricelli l'inventeur du baromètre. Un torr correspond à 1 mm de Hg (1/760e d'une atmosphère)

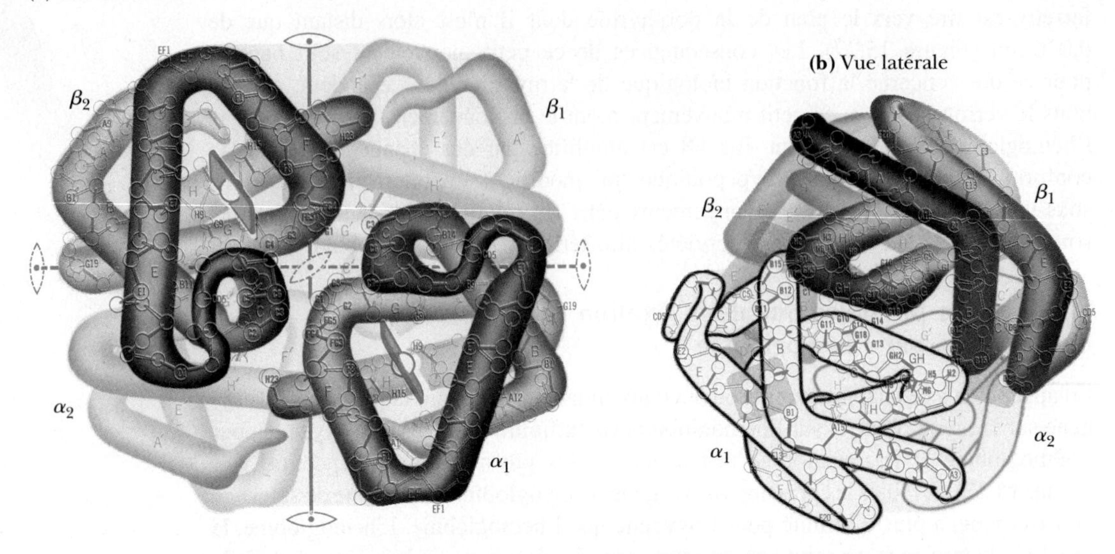

Figure 15.29 • Arrangement des sous-unités dans la méthémoglobine de cheval, la première structure d'hémoglobine déterminée par diffraction des rayons X. Le fer dans la méthémoglobine, est à l'état oxydé ferrique, Fe^{3+}. *(Irving Geis)*

structure tridimensionnelle de toutes les hémoglobines des vertébrés est essentiellement la même que cette dernière. Les sous-unités s'assemblent dans une disposition tétraédrique donnant une molécule sphéroïde de 6,4 × 5,5 × 5,0 nm. Les quatre hèmes situés dans la cavité, facilement reconnaissable, formée entre les hélices E et F de chaque polypeptide sont exposés vers la surface de la molécule. Ces hèmes sont assez loin les uns des autres, 2,5 nm séparent les ions ferreux les plus proches, ceux des hèmes α_1 et β_2, et ceux des hèmes α_2 et β_1. Les interactions les plus fortes s'établissent entre les chaînes différentes. Chacune des chaînes α est au contact des deux chaînes β et il y a peu d'interactions α-α ou β-β.

Pour en savoir plus

Signification physiologique de l'interaction Hb:O_2

Nous pouvons déterminer quantitativement la signification physiologique de la nature sigmoïde de la courbe de saturation de l'hémoglobine par l'oxygène. Il s'agit en fait de l'importance biologique de la coopérativité. L'équation

$$\frac{Y}{(1-Y)} = \left(\frac{pO_2}{P_{50}}\right)^n$$

décrit la relation entre pO_2, l'affinité de l'hémoglobine pour l'oxygène (définie par P_{50}, pression partielle de O_2 pour laquelle la saturation de Hb par O_2 est égale à la moitié de la saturation maximale) et le rapport *Y*, fraction de l'hémoglobine ayant lié de l'oxygène, sur *(1 – Y)*, fraction de Hb n'ayant pas lié O_2. L'affinité de Hb pour l'oxygène est définie comme la valeur de P_{50}, pression partielle d'oxygène pour laquelle la moitié des sites de fixation de Hb sont saturés par O_2. (Voir en Appendice l'Équation A15.16). Le coefficient *n* est le *coefficient de Hill*, un indice de la coopérativité (ou de la sigmoïcité) de la courbe de la liaison de O_2 à l'hémoglobine (pour plus de précisions, voir l'Appendice en annexe au chapitre). Si pO_2 est de 100 torrs dans les poumons, P_{50} correspondant à 26 torrs et *n* à 2,8, la fraction *Y* des hèmes de l'hémoglobine saturés par l'oxygène est de 0,98. Si pO_2 descend à 10 torrs dans les capillaires d'un tissu musculaire en activité, la fraction *Y* tombe à 0,06. L'oxygène libéré dans ces conditions est proportionnel à la différence $Y_{\text{poumons}} - Y_{\text{muscles}}$, soit 0,92. Presque tout l'oxygène transporté par Hb sera donc libéré. Supposons que la liaison de l'oxygène avec l'hémoglobine ne soit pas coopérative. Dans ce cas, la courbe de la fixation de l'oxygène sur l'hémoglobine serait une hyperbole. Avec *n* = 1, la valeur de *Y* dans les poumons serait de 0,79 et dans les capillaires de 0,28, donc la différence des valeurs de *Y* ne serait plus que de 0,51. On voit que dans les conditions décrites la coopérativité de la fixation de O_2 sur l'hémoglobine permet un apport d'oxygène 1,8 fois plus important (0,92/0,51).

L'oxygénation de l'hémoglobine modifie profondément sa structure quaternaire

Les cristaux de désoxyhémoglobine se brisent quand ils sont exposés à O_2 et les analyses radiocristallographiques révèlent que l'oxyHb et la désoxyHb ont des structures quaternaires très différentes. En particulier, certaines des interactions entre les sous-unités α et β subissent des changements. Les contacts entre α et β sont de deux types. Les contacts $\alpha_1\beta_1$ et $\alpha_2\beta_2$ impliquent les hélices B, G, et H, ainsi que la boucle GH. Ces contacts sont nombreux et importants pour l'assemblage des sous-unités, ils ne changent pas avec l'oxygénation de la désoxyhémoglobine. Les contacts $\alpha_1\beta_2$ et $\alpha_2\beta_1$, sont au contraire des **contacts « coulissants »**. Ils impliquent principalement les hélices C et G, et la boucle FG (Figure 15.30). Lorsque l'hémoglobine change de conformation en conséquence de la fixation d'un ligand sur l'hème, ces contacts sont modifiés (Figure 15.31). La conformation dynamique de la molécule d'hémoglobine résulte de l'association de deux parties dimériques, un dimère $\alpha_1\beta_1$ et un dimère $\alpha_2\beta_2$. Chacun de ces dimères se déplace comme une unité rigide, et les deux parties glissent l'une par rapport à l'autre lors de l'oxygénation de l'hème. Les deux moitiés pivotent d'environ 15° autour d'un axe imaginaire passant entre elles. Certains des atomes à l'interface des dimères $\alpha\beta$ se déplacent d'environ 0,6 nm.

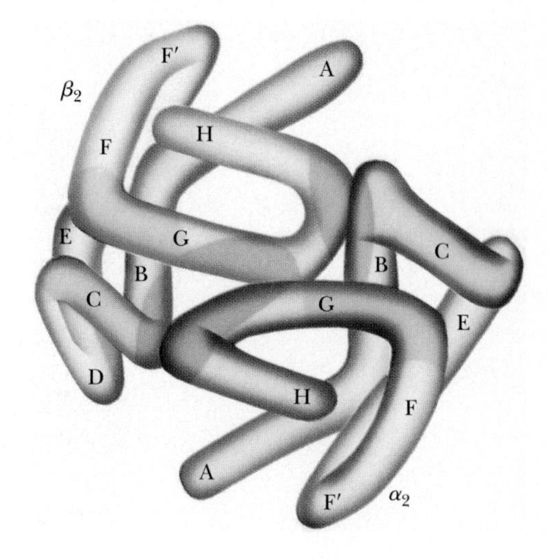

Figure 15.30 • Vue latérale de l'un des deux dimères *ab* de l'hémoglobine. En bleu les contacts intercaténaires, en jaune, les contacts coulissants avec l'autre dimère. Les changements le long de ces contacts coulissants sont représentés Figure 15.31. *(Irving Geis)*

Le mouvement du fer de l'hème, inférieur à 0,4 nm, induit le changement de conformation de l'hémoglobine

Dans l'hémoglobine non oxygénée, l'histidine F8 est un ligand du fer de l'hème ; des contraintes stériques font que la liaison Fe^{2+}:N-His est inclinée d'environ 8(par rapport à la perpendiculaire au plan de l'hème. La répulsion d'origine stérique entre His F8 et les atomes d'azote de l'anneau de la porphyrine, combinée aux répulsions électrostatiques entre les électrons de Fe^{2+} et les électrons π de la porphyrine repoussent l'ion ferreux d'environ 0,060 nm hors du plan de l'hème. L'oxygénation de l'hème diminuant l'influence du facteur stérique et des facteurs électroniques, Fe^{2+} se rapproche d'environ 0,039 nm du plan de l'hème dont il n'est plus alors distant que de 0,021 nm. Tout se passe comme si l'oxygène attirait Fe^{2+} de l'hème vers le plan de la porphyrine (Figure 15.32). Ce modeste déplacement de 0,039 nm peut sembler négligeable mais ses conséquences biologiques sont de très grande importance. En même temps que l'ion ferreux se déplace, il entraîne l'histidine F8 et l'hélice F ainsi que les boucles EF et FG qui suivent le mouvement. Ces déplacements

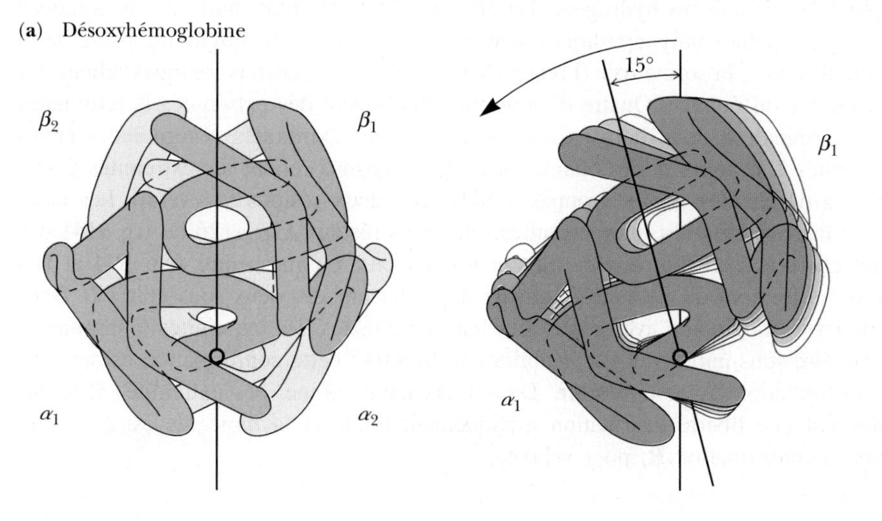

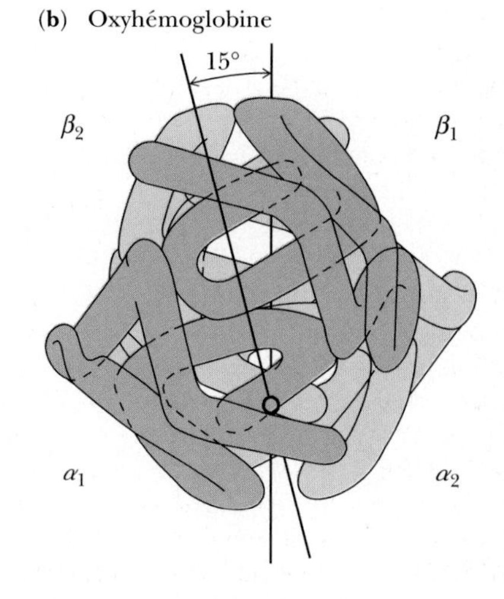

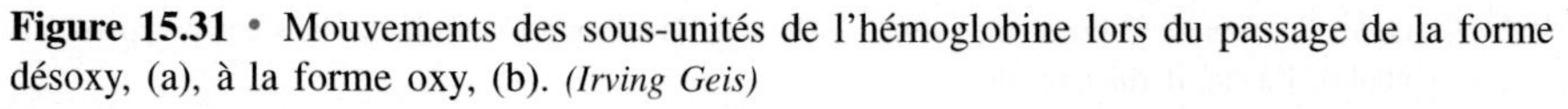
Figure 15.31 • Mouvements des sous-unités de l'hémoglobine lors du passage de la forme désoxy, (a), à la forme oxy, (b). *(Irving Geis)*

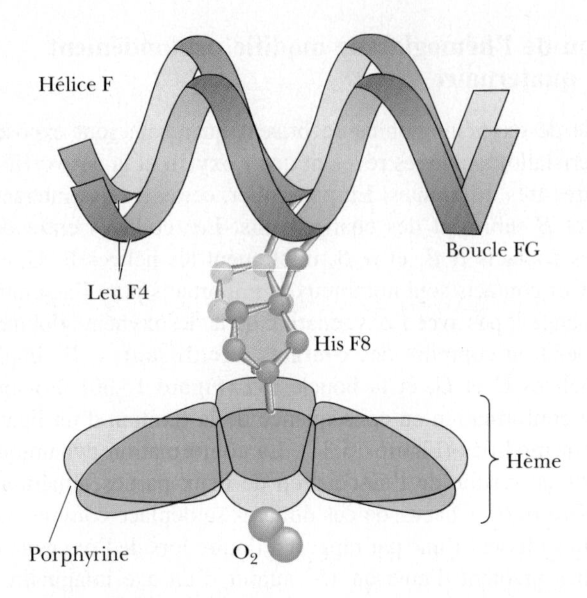

Figure 15.32 • Le changement de position de l'ion ferreux, consécutif à son oxygénation, provoque des changements de conformation dans la molécule d'hémoglobine.

sont transmis aux interfaces des sous-unités où ils déclenchent des réajustements de conformation qui rompent des liaisons ioniques intercaténaires.

Les formes oxy et désoxy de l'hémoglobine représentent deux différents états de conformation

L'hémoglobine résiste à l'oxygénation (cf. Figure 15.22) car la forme désoxy est stabilisée par des liaisons hydrogène spécifiques et des liaisons ioniques. Toutes ces interactions sont rompues dans l'oxyhémoglobine, lorsque la molécule se stabilise dans une nouvelle conformation. Une liaison hydrogène cruciale dans cette transition implique un résidu tyrosine particulier. Les deux sous-unités α et β ont un résidu Tyr en avant-dernière position de la chaîne ; il s'agit respectivement des résidus Tyr α140 (= Tyr HC2) et Tyr β145 (= Tyr HC2) [2]. Les fonctions phénoliques –OH de ces résidus forment des liaisons hydrogène intracaténaires avec les C=O peptidiques qui dans la désoxyhémoglobine proviennent de Val GF5 (respectivement Val α93 et Val β98). Le déplacement de l'hélice F dû à l'oxygénation provoque la rupture de ces liaisons hydrogène Tyr HC2:Val FG5. De plus, huit liaisons ioniques reliant les chaînes polypeptidiques sont rompues lorsque l'hémoglobine passe de la forme désoxy à la forme oxy (Figure 15.33). Six de ces liaisons ioniques relient des sous-unités différentes. Quatre d'entre elles impliquent des extrémités N-terminales ou C-terminales ; deux liaisons ioniques relient les extrémités N-terminales et les extrémités C-terminales des chaînes α et deux liaisons relient les extrémités C-terminales de chaînes β aux groupes ε-NH_3^+ des deux résidus Lys α140. Les deux autres liaisons ioniques intercaténaires relient les résidus Asp α126 et Arg α141 des deux chaînes α. Il faut encore ajouter les liaisons ioniques entre Asp β94 et His β146 qui forment un pont intracaténaire dans chacune des deux sous-unités β. Dans la désoxyhémoglobine avec toutes ces liaisons intactes, les extrémités C-terminales des quatre sous-unités ont des mobilités restreintes ; cette conformation est appelée la conformation **T**, pour **tendue**. Dans l'oxyhémoglobine, ces extrémités C-terminales ont une liberté de rotation pratiquement totale et la molécule est à présent dans sa conformation **R**, pour **relaxée**.

[2] C désigne ici l'extrémité C-terminale ; l'hélice H est à l'extrémité C-terminale dans ces polypeptides. « C2 » symbolise l'avant-dernier résidu.

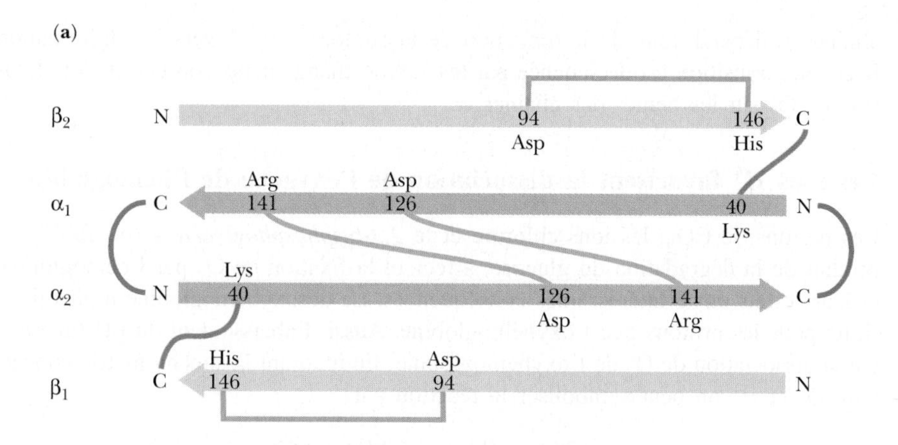

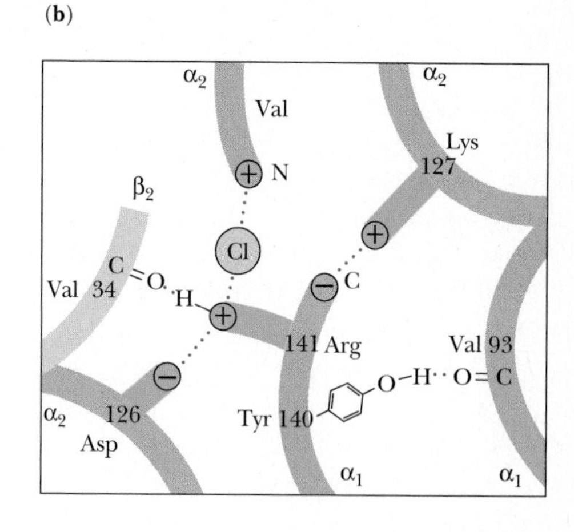

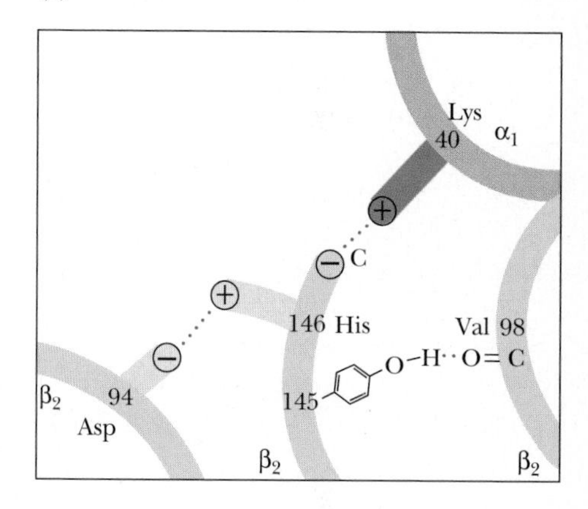

Figure 15.33 • Ponts salins entre les différentes sous-unités de l'hémoglobine. Ces interactions électrostatiques, non covalentes, sont supprimées par l'oxygénation. $\text{Arg}\alpha^{141}$ et $\text{His}\beta^{146}$ sont les extrémités C-terminales des chaînes α et β. (a) Liaisons salines inter et intracaténaires des chaînes α et β de l'hémoglobine. (b) Interactions électrostatiques et liaisons hydrogène impliquant les résidus des extrémités N-terminales et C-terminales des chaînes α. Remarquez le pont formé par l'ion Cl^- dans les interactions électrostatiques entre l'extrémité N-terminale de la chaîne α_2 et la chaîne latérale du résidu $\text{Arg}\alpha^{141}$. (c) Interactions ioniques et liaisons hydrogène qui impliquent les résidus des extrémités C-terminales des chaînes β. Toutes ces liaisons sont abolies au cours de la transition de la conformation désoxy vers la conformation oxy. *(Irving Geis)*

Modèle du comportement allostérique de l'hémoglobine

De récentes observations ont montré que l'oxygène ne pouvait accéder qu'aux hèmes des chaînes α lorsque l'hémoglobine est dans sa conformation T. Perutz avait fait remarquer que l'environnement de l'hème dans les chaînes β de la conformation T est pratiquement inaccessible du fait de l'encombrement stérique provoqué par les résidus des acides aminés de l'hélice E. Cet empêchement disparaît lors de la transition de l'hémoglobine vers sa conformation R. La fixation de O_2 aux hèmes des

Pour en savoir plus

Changements provoqués dans l'ion ferreux lors de la fixation de O_2 sur l'hème

Dans la désoxyhémoglobine, les six électrons *d* de l'ion ferreux de chacun des hèmes sont sous forme de quatre électrons non appariés et d'une paire d'électrons. Cinq liaisons de coordination relient Fe^{2+} aux quatre atomes d'azote de l'anneau porphyrine et à l'azote N_3 de l'histidine F8. Dans cette configuration électronique, l'ion ferreux est paramagnétique et a une configuration électronique *d* à **haut spin**. Quand l'hème fixe O_2, le sixième ligand, les électrons *d* se disposent en trois paires, le fer passe à l'état à **bas spin** et devient diamagnétique. Avec ce changement de l'état de spin, la liaison entre l'ion Fe^{2+} et l'histidine F8 devient perpendiculaire au plan de l'hème et plus courte. En même temps les liaisons entre les atomes d'azote de la porphyrine et l'ion ferreux sont renforcées. Il faut encore ajouter que Fe^{2+} à haut spin a un plus grand volume atomique que Fe^{2+} à bas spin car les quatre électrons non appariés occupent quatre orbitales au lieu de deux quand les électrons sont appariés dans Fe^{2+} à bas spin. Aussi le fer à bas spin subit-il moins l'encombrement stérique, il peut donc se rapprocher du plan de la porphyrine.

chaînes β dépend donc de la transition de la conformation T vers la conformation R et cette transition est déclenchée par les subtils changements consécutifs à la fixation de O_2 sur les hèmes des chaînes α.

Les ions H^+ favorisent la dissociation de l'oxygène de l'hémoglobine

Les protons, le CO_2, les ions chlorure et le *2,3-bisphosphoglycérate* (ou *BPG*), un produit de la dégradation du glucose, affectent la fixation de O_2 par l'hémoglobine et leurs effets ont d'intéressantes conséquences. La désoxyhémoglobine a plus d'affinité pour les protons que l'oxyhémoglobine. Aussi, l'abaissement du pH favorise-t-il la dissociation de O_2 de l'oxyhémoglobine. En ignorant la stœchiométrie concernant O_2 et H^+ on peut symboliser la réaction par :

$$HbO_2 + H^+ \rightleftharpoons HbH^+ + O_2$$

Exprimé autrement, H^+ est un antagoniste de la fixation de O_2 par l'hémoglobine et la courbe de saturation de Hb par O_2 est déplacée vers la droite quand l'acidité augmente (Figure 15.34). Cet effet est appelé **l'effet Bohr**, du nom de celui qui l'a découvert, le physiologiste danois Christian Bohr (le père du physicien atomiste Niels Bohr). Cet effet a une importante signification physiologique, car les tissus dont le métabolisme est actif produisent des acides et ces acides facilitent la libération de O_2 là où il est particulièrement nécessaire. Une molécule d'oxyhémoglobine lie environ deux protons. L'extrémité N-terminale des deux chaînes α et les résidus Hisβ146 sont considérés comme les principaux facteurs de l'effet Bohr. (Le pK_a du groupe amino libre à l'extrémité d'un polypeptide est d'environ 8,0, mais le pK_a du groupe imidazole d'un résidu histidine dans une protéine est d'environ 6,5). Le groupe carboxylique du résidu Aspβ94 stabilise l'état protoné du cycle imidazole du résidu Hisβ146 voisin dans la structure tertiaire de chacune des chaînes β de la désoxyhémoglobine. Inversement, l'oxygénation de l'hémoglobine provoque un changement de conformation des chaînes β qui écarte la charge négative du résidu Asp et favorise la dissociation du proton de l'imidazole.

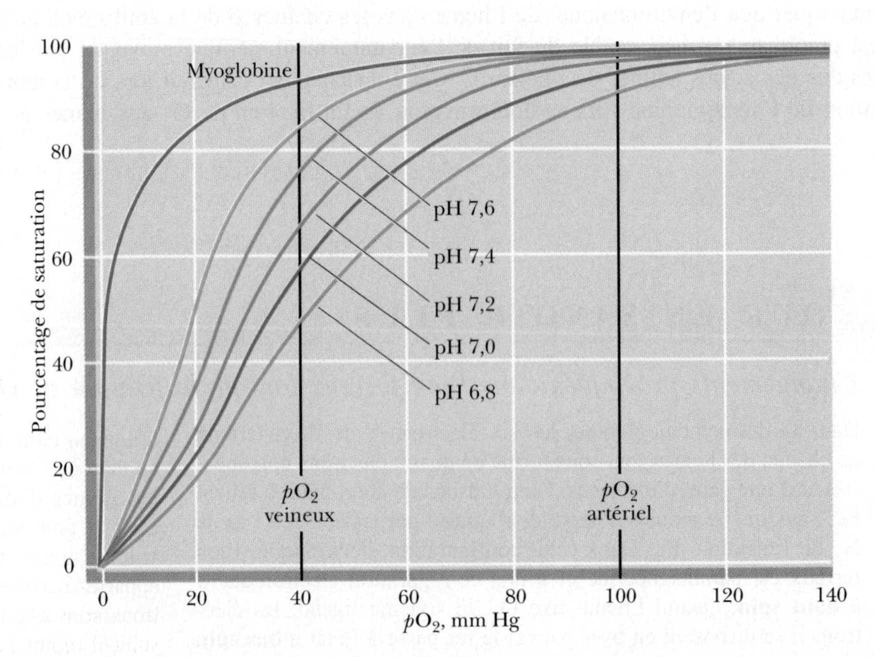

Figure 15.34 • Courbes de saturation par l'oxygène de la myoglobine et de l'hémoglobine à cinq valeurs différentes de pH: 7,6, 7,4, 7,2, 7,0, et 6,8.

CO_2 favorise également la dissociation de O_2 de l'hémoglobine

L'effet de CO_2 sur la liaison de O_2 à Hb est analogue à de celui de H^+, en partie du fait de la production de H^+ quand il se dissout dans le sang :

$$CO_2 + H_2O \xrightleftharpoons{\text{anhydrase carbonique}} \underset{\text{acide carbonique}}{H_2CO_3} \rightleftharpoons H^+ + \underset{\text{bicarbonate}}{HCO_3^-}$$

L'anhydrase carbonique catalyse l'hydratation de CO_2. Hb capte une partie de ces protons lors de la dissociation de O_2 dans les capillaires. Le sang véhicule les ions bicarbonates jusqu'aux poumons. Lorsque Hb est à nouveau oxygéné dans les poumons, il libère H^+ qui réagit avec HCO_3^- pour reformer H_2CO_3. L'acide carbonique se décompose en H_2O et CO_2 qui est exhalé sous forme de gaz.

D'autre part, une fraction du CO_2 est transportée par l'hémoglobine sous forme de *carbamate* ($-NHCOO^-$). Les groupes α-NH_2 libres de Hb réagissent de façon réversible avec CO_2 :

$$R\text{–}NH_2 + CO_2 \rightleftharpoons R\text{–}NH\text{–}COO^- + H^+$$

Cette réaction évolue vers la droite dans les tissus en présence d'une concentration élevée de CO_2 ; l'équilibre est déplacé vers la gauche au niveau des poumons où la concentration en CO_2 dissous est faible. La carbamylation des fonctions NH_2-terminales les convertit en groupes anioniques qui forment des liaisons ioniques avec les chaînes latérales cationiques des résidus Argα141, ce qui stabilise la forme désoxy, ou conformation T, de l'hémoglobine.

Outre CO^2, Cl^- et BPG se fixent mieux sur la désoxyhémoglobine que sur l'oxyhémoglobine, provoquant un déplacement de l'équilibre en faveur de la libération de O_2. Ce phénomène se traduit par un décalage des courbes de saturation de Hb par l'oxygène en présence de l'une ou de plusieurs de ces substances (Figure 15.35). Remarquez que la courbe de saturation de Hb par O_2 en présence de BPG + CO_2 coïncide presque avec celle du sang total.

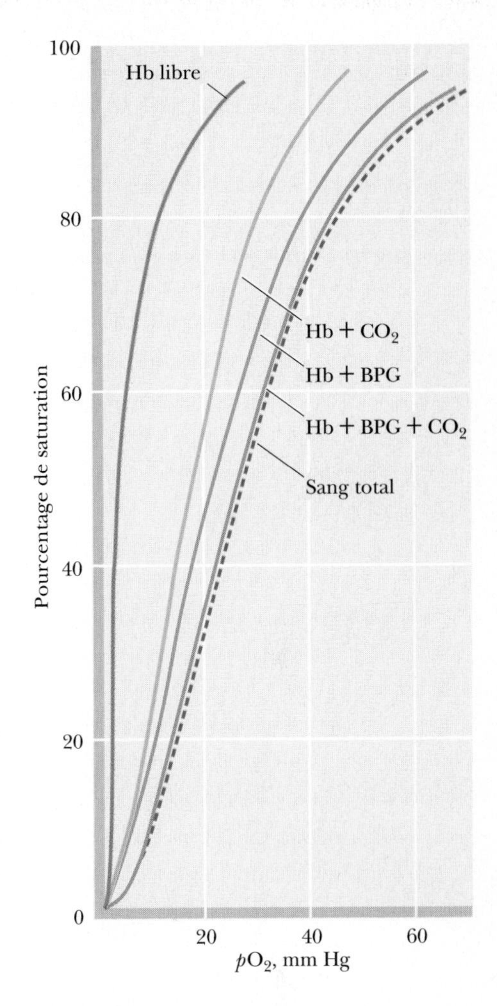

Figure 15.35 • Courbes de la fixation de l'oxygène dans le sang et sur l'hémoglobine libre en l'absence et en présence de CO_2 et de BPG. De gauche à droite, hémoglobine seule, Hb + CO_2, Hb + BPG, Hb + BPG + CO_2, et sang total.

Le 2,3-bisphosphoglycérate, un important effecteur allostérique de l'hémoglobine

La liaison du 2,3-bisphosphoglycérate (BPG) à l'hémoglobine facilite la dissociation de O_2 (Figure 15.35). Les érythrocytes (globules rouges sanguins) contiennent normalement environ 4,5 m*M* de BPG, une concentration équivalente à celle des molécules tétramériques d'hémoglobine. Cette équivalence est maintenue dans la liaison stœchiométrique Hb:BPG car les molécules tétramériques n'ont qu'un unique site de fixation du BPG. Ce site se trouve à l'intérieur de la cavité centrale formée par l'association des quatre sous-unités. La molécule de BPG fortement négative (Figure 15.36) est en interaction électrostatique avec les groupes positifs provenant de Lys β82, His β2, His β143, et du NH_3^+ terminal de chacune des chaînes β. Ces

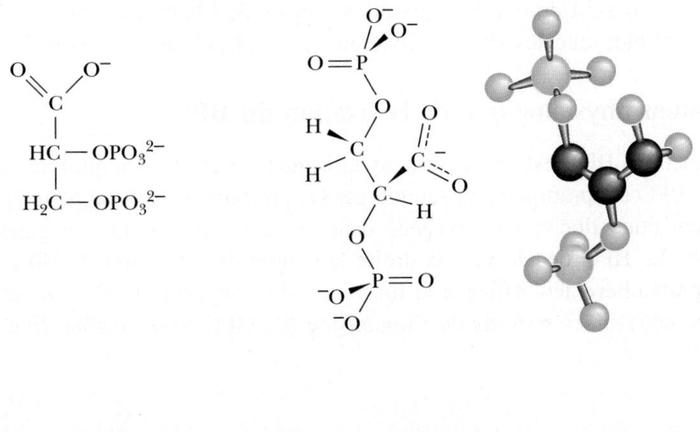

Figure 15.36 • Forme ionisée et structure du 2,3-bisphosphoglycérate, ou BPG, un important effecteur allostérique de l'hémoglobine.

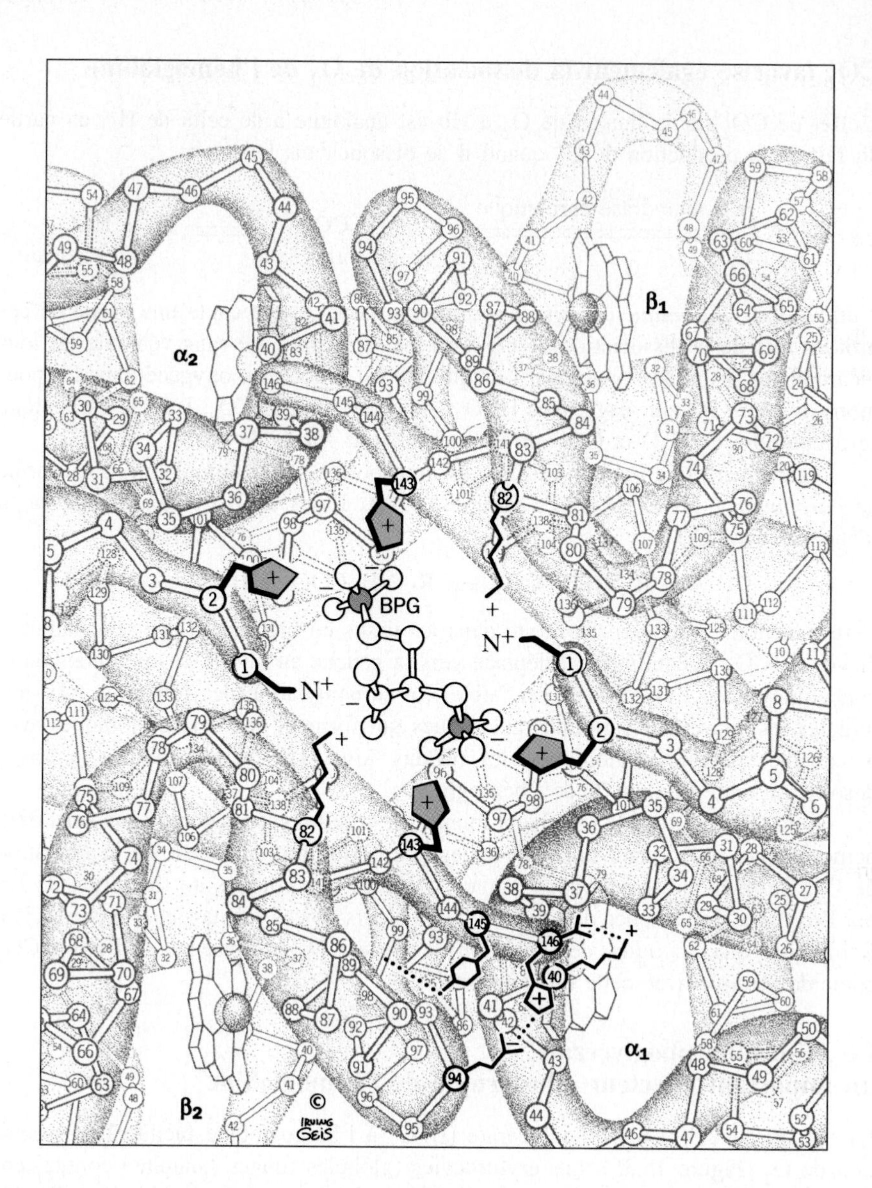

Figure 15.37 • Liaison ionique du BPG aux deux sous-unités *β* de l'hémoglobine.
(Irving Geis)

résidus à charge positive forment comme une poche électrostatique complémentaire à la conformation et à la distribution des charges négatives du BPG (Figure 15.37). Le BPG forme ainsi un pont entre les deux sous-unités *β*. Les liaisons ioniques entre le BPG et les chaînes *β* contribuent à la stabilité de la conformation de la désoxyHb, et par là favorisent la dissociation de l'oxygène. Dans l'oxyhémoglobine, cette cavité centrale est trop petite pour que le BPG puisse y pénétrer. Ou, dit autrement, le changement de conformation de l'hémoglobine qui accompagne la fixation de O_2 perturbe le site de fixation du BPG qui ne peut plus l'accueillir. En conclusion, BPG et O_2 sont deux effecteurs allostériques de l'hémoglobine qui s'excluent mutuellement bien que les sites de fixation soient physiquement distincts.

Signification physiologique de la fixation du BPG

L'importance du BPG est évidente dans la Figure 15.35. L'hémoglobine dont on a éliminé le BPG est pratiquement saturée par O_2 pour une pO_2 de seulement 20 torrs, elle ne peut donc libérer son oxygène dans les tissus où la pO_2 est généralement de 40 torrs. Le BPG décale vers la droite la courbe de saturation de Hb par O_2, ce qui rend particulièrement efficace la fourniture de l'oxygène, le système étant alors capable de couvrir les besoins de l'organisme. Le BPG joue ce rôle vital chez les humains, la plupart des primates et de nombreux autres mammifères. Cependant les hémoglobines du bétail domestique, du mouton, de la chèvre, du cerf, et d'autres animaux, ont moins d'affinité pour O_2 et ces Hb ne sont que peu affectées par la présence de BPG. Chez les poissons dont les érythrocytes contiennent des mitochondries, l'ATP et le GTP ont la même fonction régulatrice que le BPG qu'ils remplacent. Chez les reptiles et les oiseaux, on trouve un autre dérivé phosphorylé, l'inositol pentaphosphate (IPP) ou l'inositol hexaphosphate (IHP) (Figure 15.38).

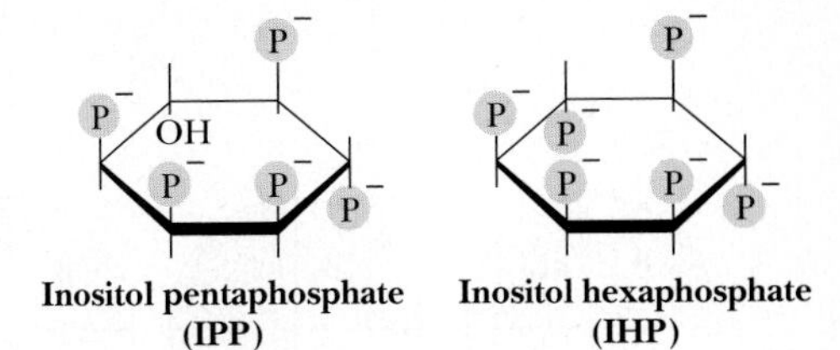

Figure 15.38 • Formules de l'inositol pentaphosphate et de l'inositol hexaphosphate, deux analogues fonctionnels du BPG chez les oiseaux et les reptiles.

L'hémoglobine fœtale a plus d'affinité pour l'oxygène car elle a peu d'affinité pour le BPG

Le fœtus dépend de sa mère pour la couverture de ses besoins en oxygène bien que son système circulatoire soit complètement indépendant. Les échanges gazeux ont lieu à travers la membrane du placenta. En première estimation, Hb du fœtus devrait mieux fixer O_2 que Hb maternelle pour qu'il y ait un transfert efficace de l'oxygène. Hb fœtale diffère de celle des adultes ; les chaînes β de l'adulte sont remplacées par des sous-unités de 146 résidus, très semblables mais non identiques, appelées chaînes γ (chaînes gamma). Hb fœtale est donc un tétramère $\alpha_2\gamma_2$. Nous avons signalé que le BPG joue son rôle par ses interactions avec les chaînes β. Le BPG se lie bien moins aux chaînes γ de Hb fœtale (on dit aussi HbF). Les chaînes γ du fœtus ont un résidu Ser au lieu de His en position 143 et donc perdent deux des charges positives de la cavité centrale où le BPG se lie par des liaisons ioniques. Le graphe de la Figure 15.39 présente la comparaison des affinités relatives de Hb de l'adulte (on dit également HbA) et de HbF pour l'oxygène dans les mêmes conditions de pH et de [BPG]. Notez que HbF fixera O_2 à une pO_2 pour laquelle la plus grande partie de l'oxygène est dissociée de HbA. La plus grande partie de cette différence d'affinité peut être attribuée à la faible capacité de HbF à lier le BPG (comparez Figures 15.35 et 15.39) ; l'affinité de HbF pour O_2 intrinsèquement plus grande, permet donc le transfert de l'oxygène de la mère au fœtus.

L'anémie falciforme

En 1904, un médecin de Chicago traitait un jeune étudiant noir qui se plaignait de maux de tête, de faiblesse et de vertiges. Le sang du patient examiné au microscope présentait les signes d'une sérieuse anémie, le nombre des globules rouges était réduit de moitié. La forme de beaucoup de ces cellules était anormale ; en fait au lieu de l'aspect discoïde classique, ces érythrocytes étaient plus allongés et en forme

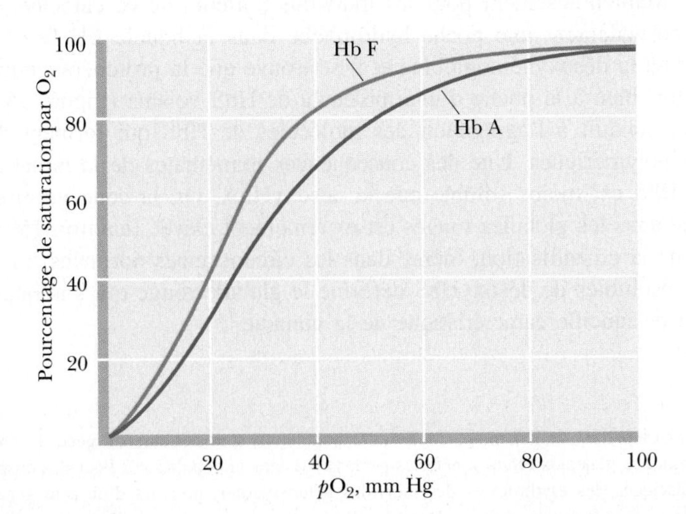

Figure 15.39 • Comparaison des courbes de saturation par l'oxygène de HbA et de HbF dans les mêmes conditions de pH et de [BPG].

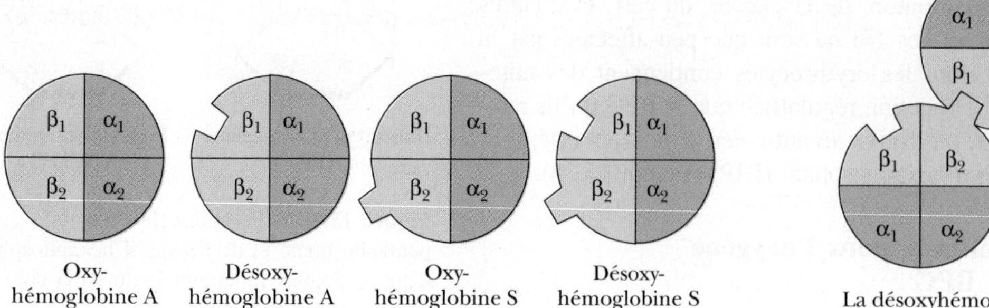

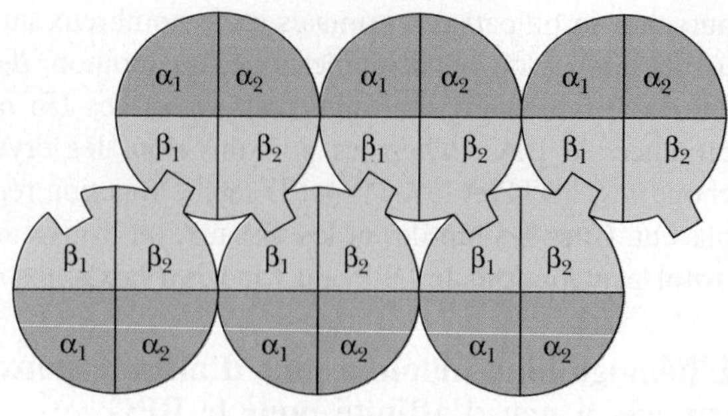

Figure 15.40 • Polymérisation de HbS par les interactions entre les chaînes latérales hydrophobes de Val en position $\beta 6$ et les poches hydrophobes des boucles EF des chaînes β de molécules Hb voisines. L'excroissance sur HbS représente la protubérance hydrophobe Val. La poche hydrophobe complémentaire de la boucle EF des chaînes β de la désoxyhémoglobine est représentée par une échancrure. Cette échancrure existe très probablement dans HbA. Seules les protubérances Val $\beta 2$ et les poches EF $\beta 1$ sont représentées. (Les protubérances Val $\beta 1$ et les poches EF $\beta 2$ bien que non représentées existent, mais elles ne participent pas à la polymérisation).

de croissant, de faucille. Cette dernière caractéristique est à l'origine du nom donné à la maladie, l'anémie à cellules falciformes, ou plus simplement **l'anémie falciforme**. Ces cellules passent difficilement dans les capillaires, ralentissent la circulation sanguine et provoquent des dommages aux tissus. D'autre part, ces cellules sont très fragiles, elles éclatent plus facilement que les globules rouges normaux, ce qui est à l'origine de l'anémie.

L'anémie falciforme est une maladie moléculaire

La substitution d'un unique résidu d'acide aminé dans les chaînes β de l'hémoglobine est la cause de cette anémie. La seule différence chimique entre HbA et l'hémoglobine de l'anémie falciforme, HbS, est le remplacement d'un résidu Glu en position 6 de la chaîne β par un résidu Val. Les résidus en position $\beta 6$ se retrouvent à la surface de la molécule d'hémoglobine. Dans HbA, la chaîne latérale ionisée des résidus Glu est adaptée à l'environnement hydrophile. La chaîne latérale aliphatique des résidus Val de HbS crée une protubérance hydrophobe là où il n'y en avait pas. Malheureusement pour les individus porteurs de ce caractère génétique, il existe normalement une poche hydrophobe dans la boucle EF de chacune des chaînes β de la désoxyhémoglobine et il se trouve que la protubérance hydrophobe s'adapte fort bien à la poche d'une molécule de HbS voisine (Figure 15.40). Cette interaction conduit à l'agrégation des molécules de HbS qui forment de longues structures polymériques. Une des conséquences immédiates de la mutation est que la désoxyHbS est moins soluble que la désoxyHbA. Or, la concentration de l'hémoglobine dans les globules rouges est extrêmement élevée (environ 150 mg/ml), à la limite de la cristallisation, même dans les circonstances normales. La formation de fibres insolubles de désoxyHbS déforme le globule rouge qui s'allonge et prend cet aspect de faucille caractéristique de la maladie [3].

[3] Dans certaines parties de l'Afrique, 20 % de la population sont porteurs du gène de l'anémie falciforme. Pourquoi ce gène aux effets si néfastes persiste-t-il dans la population ? Pour des raisons pas complètement élucidées, les érythrocytes des individus hétérozygotes, porteurs d'un seul gène muté, sont moins sensibles à la forme la plus virulente du *Plasmodium* (cause du paludisme) et ne présentent les symptômes de la maladie que dans certains cas. Il y a une bonne corrélation entre la distribution géographique du paludisme et celle du gène de l'anémie falciforme.

Biochimie humaine

Hémoglobine et monoxyde d'azote

Le monoxyde d'azote (NO·) est une petite molécule gazeuse dont toutes les remarquables fonctions physiologiques ne sont pas encore découvertes. Les rôles de NO· comme neurotransmetteur et comme second messager dans la transduction des signaux sont connus (voir Chapitre 34). De plus, l'insaisissable **facteur endothélial de relaxation** (ERF pour *e*ndothelial *r*elaxing *f*actor, ou encore EDRF pour endothelium-derived relaxing factor) une substance de type hormonal qui favorise la relaxation des muscles des parois (endothélium) des vaisseaux sanguins vient finalement d'être identifié comme étant NO·. On sait depuis longtemps que NO· est un ligand de l'hémoglobine ; il se lie à Fe^{2+} de l'hème avec une affinité 10.000 fois plus élevée que celle de O_2. Alors, pourquoi NO· dans les érythrocytes humains ne se lie-t-il pas instantanément à Hb, ce qui l'empêcherait de manifester ses propriétés vasodilatatrices ?

La raison pour laquelle Hb ne bloque pas l'action de NO· résulte d'une interaction particulière entre Cys93*b* de Hb et NO· récemment décrite par Li Jia, Celia et Joseph Bonaventura et Johnathan Stamler de l'Université Duke. NO· réagit avec le groupe –SH de Cys93*b* pour donner un dérivé S-nitroso :

$$—CH_2—S—N=O$$

Ce groupe S-nitroso est en équilibre avec d'autres dérivés S-nitroso formés par la réaction entre NO· et des petites molécules à fonction thiol comme la cystéine libre ou le glutathion (un tripeptide, l'isoglutamylcystéinylglycocolle) :

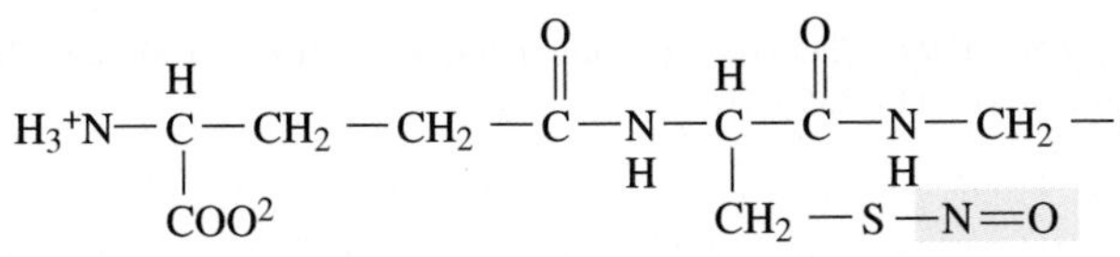

$$H_3^+N—CH(COO^2)—CH_2—CH_2—C(=O)—NH—CH(CH_2—S—N=O)—C(=O)—NH—CH_2—COO^2$$

S-nitrosoglutathion

Ces petites molécules servent à transférer NO· des érythrocytes aux récepteurs sur les cellules endothéliales où il agit pour relâcher la tension vasculaire. À l'état libre, NO· est un radical libre réactif dont la durée de demi-vie est très brève (1 à 5 s). Par contre, la S-nitrosoglutathion a une demi-vie de plusieurs heures.

Les réactions entre Hb et NO· sont complexes. En l'absence de O_2, la liaison de NO· avec Fe^{2+} de l'hème est assez stable. Cependant, en présence de O_2, NO· est oxydé en NO_3^- et le fer de l'hème est oxydé en Fe^{3+}, l'hémoglobine devient la méthémoglobine. Heureusement, l'interaction de Hb avec NO· est contrôlée par la transition allostérique de Hb entre son état R (oxyHb) et son état T (désoxyHb). Dans l'état R, Cys93*b* est plus exposé, et plus réactif, que dans l'état T, et la réaction de NO· avec Cys93*b* empêche la réaction de NO· avec le fer de l'hème. Lorsque O_2 est libéré de l'oxyHb dans les tissus, Hb passe de la conformation R à la conformation T et la fixation de NO· sur Cys93*b* n'est plus favorisée. Il s'ensuit que NO· est libéré de Cys93*b* et est transféré aux petites molécules à fonction thiol qui le transportent jusqu'aux récepteurs de l'endothélium où il provoque la vasodilatation de capillaires. Ce mécanisme explique aussi une surprenante observation : Hb libre, produit par la technologie de l'ADN recombinant comme substitut au sang total, provoque une augmentation transitoire de la pression diastolique lors de l'expérimentation clinique (de 10 à 12 mm de Hg). Le sang total utilisé lors des transfusions classiques n'a pas cet effet. L'explication du phénomène est simple : l'hémoglobine de « synthèse », qui ne contient pas de NO· lié, fixe NO· après son introduction dans la circulation et prévient ainsi sa fonction vasorégulatrice.

Au cours de l'évolution de l'hémoglobine, les seuls résidus invariants des chaînes de globine sont HisF8 (un ligand de l'hème obligatoire) et un résidu Phe qui contribue à caler l'hème dans sa poche d'accueil. Mais, chez les mammifères et les oiseaux, Cys93*b* est aussi un invariant, ce qui sans aucun doute provient de son rôle vital dans le transfert de NO·.

D'après Jia, L., et al., 1996. S-Nitrosohaemoglobin : A dynamic activity of blood involved in vascular control. *Nature* **380** : 221-226.

Exercices

1. Citez six modes généraux de contrôle de l'activité enzymatique.

2. Pourquoi supposez-vous que les enzymes protéolytiques sont souvent synthétisés sous forme de zymogène inactif ?

3. Tracez en premier lieu les courbes selon Lineweaver-Burk et selon Hanes-Woolf de l'activité d'un enzyme allostérique du système *K* dans les conditions suivantes : (1) cinétique en l'absence de tout effecteur ; (2) en présence d'un activateur allostérique A ; et (3) en présence d'un inhibiteur allostérique I. Ensuite, tracez les courbes correspondantes pour un enzyme du système *V*. La cinétique de ces enzymes est conforme au modèle de Monod-Wyman-Changeux.

4. Dans le modèle régulation allostérique de Monod-Wyman-Changeux, quelles sont les valeurs de *L* et des affinités relatives des états R et T pour A qui aboutiront à ce que l'activateur A ait un effet homotrope positif ? (C'est-à-dire, dans quelles conditions la liaison de A faciliterait la fixation d'autres molécules de A, de la même manière que la fixation de S présente une coopérativité positive ?). D'une façon analogue, quelles sont les valeurs de *L* et des affinités relatives de I pour lesquelles l'inhibiteur I provoquera des effets homotropes positifs ? (C'est-à-dire, dans quelles conditions la liaison de I faciliterait la fixation d'autres molécules de I ?).

5. L'équation $\frac{Y}{(1-Y)} = \left(\frac{pO_2}{P_{50}}\right)^n$ permet de calculer *Y* (fraction des molécules d'hémoglobine saturées par O_2) en connaissant P_{50} et *n* (Voir Encart page 484). Supposons P_{50} = 26 torrs et *n* = 2,8. Calculez *Y* dans les poumons où pO_2 = 100 torrs et Y dans les capillaires où pO_2 = 40 torrs. Quelle est l'efficacité de la fourniture de l'oxygène dans ces conditions (s'exprime par la différence $Y_{poumons} - Y_{capillaires}$) ? Refaites les calculs en utilisant $n = 1$. Comparez les valeurs de $Y_{poumons} - Y_{capillaires}$ quand $n = 2,8$ et quand $n = 1$, pour déterminer les effets de la fixation coopérative de O_2 sur la fourniture de l'oxygène par l'hémoglobine.

6. L'AMPc formé par l'adénylate cyclase (Figure 15.20) ne persiste pas dans les tissus car une 5′-phosphodiestérase, toujours présente dans les cellules, l'hydrolyse en 5′-AMP. La caféine inhibe l'activité 5'-phosphodiestérase. Décrivez les effets sur la glycogène phosphorylase résultant de l'absorption d'importantes quantités de café contenant de la caféine.

7. En l'absence des précautions nécessaires, le 2,3-bisphosphoglycérate présent dans le sang conservé est dégradé. Qu'arrivera-t-il si ce sang est utilisé lors d'une transfusion ?

8. Du fait de l'évolution, les K_m des enzymes (ou valeurs de $K_{0,5}$) sont grossièrement égales à la (aux) concentration(s) *in vivo* de leur(s) substrat(s). Supposons que la mesure de l'activité de la glycogène phosphorylase est effectuée à [Pi] $\approx K_{0,5}$, en l'absence et en présence d'AMP ou d'ATP. Estimez à partir de la Figure 15.15 l'activité de la glycogène phosphorylase (a) en l'absence d'AMP et d'ATP (b) en présence d'AMP, et (c) en présence d'ATP.

LECTURES COMPLÉMENTAIRES

Creighton, T.E., *1984. Proteins : Structure and Molecular Properties.* New York : W.H. Freeman and Co. An advanced textbook on the structure and finiction of proteins.

Dickerson, R.E., et Geis, I., 1983. *Hemoglobin : Structure, Function, Evolution and Pathology.* Menlo Park, CA : Benjamin/Cummings.

Gill, S.J., et al., 1988. New twists on an old story : Hemoglobin. *Trends in Biochemical Sciences* **13** : 465-467.

Johnson, L.N., et Barford, D., 1993. The effects of phosphorylation on the structure and function of proteins. *Annual Review of Biophysics and Biomolecular Structure* **22** : 199-232. A review of protein phosphorylation and its role in regulation of enzymatic activity, with particular emphasis on glycogen phosphorylase.

Johnson, L.N., et Barford, D., 1994. Electrostatic effects in the control of glycogen phosphorylase by phosphorylation. *Protein Science* **3** : 1726-1730. Discussion of the phosphate group's ability to deliver two negative charges to a protein, a property that no amino acid side chain can provide.

Koshland, D.E., Jr., Nemethy, G., et Filmer, D., 1966. Comparison of experimental binding data and theoretical models in proteins containing subunits. *Biochemistry* **5** : 365-385. The KNF model.

Lin, K., et al., 1996. Comparison of the activation triggers in yeast and muscle glycogen phosphorylase. *Science* **273** : 1539-1541. Despite structural and regulatory differences between yeast and muscle glyogen phosphorylases, both are activated through changes in their intersubunit interface.

Lin, K., et al., 1997. Distinct phosphorylation signals converge at the catalytic center in glycogen phosphorylases. *Structure* **5** : 1511-1523.

Monod, J., Wyman, J., et Changeux, J.-P., 1965. On the nature of allosteric transitions : A plausible model. *Journal of Molecular Biology* **12** : 88-118. The classic paper that provided the first theoretical analysis of allosteric regulation.

Rath, V.L., et al., 1996. The evolution of an allosteric site in phosphory~lase. *Structure* **4** : 463-473.

Schachman, H.K., 1990. Can a simple model account for the allosteric transition of aspartate transcarbamoylase ? *Journal of Biological Chemistry* **263** : 18583-18586. Tests of the postulates of the allosteric models through experiments on aspartate transcarbamoylase.

Weiss, J.N., 1997. The Hill equation revisited : Uses and abuses. *The FASEB Journal* **11** : 835-841.

Appendice au Chapitre 15

Courbes de saturation de la myoglobine et de l'hémoglobine par l'oxygène

La myoglobine

La fixation réversible de l'oxygène sur la myoglobine

$$MbO_2 \rightleftharpoons Mb + O_2$$

se caractérise à l'équilibre par une constante de dissociation, K.

$$K = \frac{[Mb][O_2]}{[MbO_2]} \quad (A15.1)$$

Si Y est défini comme la **fraction de la myoglobine saturée par O_2**, c'est-à-dire comme la fraction des molécules de myoglobine liées à une molécule d'oxygène, alors,

$$Y = \frac{[MbO_2]}{[MbO_2] + [Mb]} \quad (A15.2)$$

La valeur de Y varie de 0 (aucune molécule de myoglobine n'est liée à de l'oxygène) à 1 (toutes les molécules de myoglobine sont liées à de l'oxygène). En remplaçant dans l'Équation (A15.2) MbO_2 par sa valeur, $([Mb][O_2])/K$, tirée de l'Équation(A15.1), nous avons :

$$Y = \frac{\left(\frac{[Mb][O_2]}{K}\right)}{\left(\frac{[Mb][O_2]}{K} + [Mb]\right)} = \frac{\left(\frac{[O_2]}{K}\right)}{\left(\frac{[O_2]}{K} + 1\right)} = \frac{[O_2]}{[O_2] + K} \quad (A15.3)$$

et, si la concentration en oxygène est exprimée en terme de pression partielle (en torr) de l'oxygène présent dans le gaz en équilibre avec la solution de myoglobine, alors,

$$Y = \frac{pO_2}{pO_2 + K} \quad (A15.4)$$

(Sous cette forme l'unité pour exprimer la valeur de K est le torr). La courbe représentant la relation définie par l'Équation (A15.4) est une hyperbole. Cela signifie que la courbe de la saturation de la myoglobine par l'oxygène ressemble à la courbe d'activité d'un enzyme en fonction de sa saturation par un substrat. Pour la myoglobine, il suffit d'une pression partielle d'oxygène de 1 torr pour observer la moitié de la saturation (Figure A15.1). Si nous définissons P_{50} comme la pression partielle d'oxygène pour laquelle 50 % des molécules de myoglobine sont liées à l'oxygène (Y = 0,5), alors,

$$0{,}5 = \frac{pO_2}{pO_2 + P_{50}} \quad (A15.5)$$

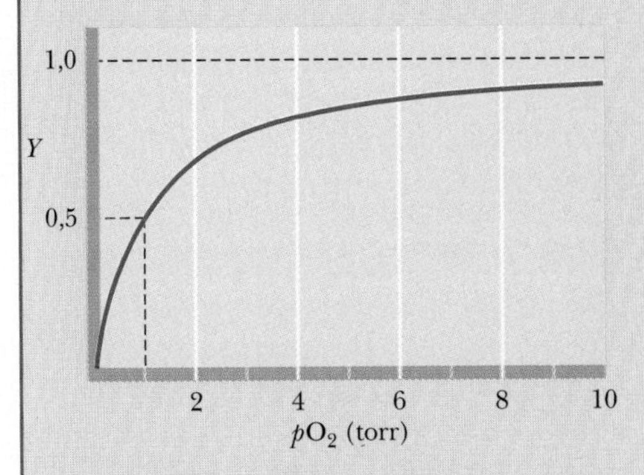

Figure A15.1 • Courbe de saturation de la myoglobine par l'oxygène obtenue en portant Y en fonction de pO_2 ; on voit que P_{50} correspond à une valeur de pO_2 de 1 torr (1 mm de Hg).

(Remarque : dans l'Équation (A15.1) lorsque $[MbO_2] = [Mb]$, $K = [O_2]$; ce qui est la même chose que dire : quand $Y = 0{,}5$, $K = P_{50}$). L'équation générale de la liaison de O_2 à Mb devient :

$$Y = \frac{pO_2}{pO_2 + P_{50}} \quad \text{(A15.6)}$$

Le rapport de la fraction de la myoglobine saturée par l'oxygène, Y, à la myoglobine libre, $1 - Y$, dépend de pO_2 et de K suivant l'équation :

$$\frac{Y}{1-Y} = \frac{pO_2}{K} \quad \text{(A15.7)}$$

ou, en prenant les logarithmes :

$$\log\left(\frac{Y}{1-Y}\right) = \log pO_2 - \log K \quad \text{(A15.8)}$$

Le graphe obtenu en portant $\log (Y/(1 - Y))$ en fonction de $\log pO_2$ est appelé **courbe de Hill** (en l'honneur de Archibald Hill, un pionnier de l'étude de la fixation de l'oxygène par l'hémoglobine). La courbe de Hill pour la myoglobine est une droite (Figure A15.2). À mi-saturation, définie par $Y = 0{,}5$, $Y/(1 - Y) = 1$, et $\log (Y/(1 - Y)) = 0$; on a également pour cette dernière valeur $pO_2 = K = P_{50}$. La pente de la courbe de Hill au point $\log (Y/(1 - Y)) = 0$, le point de la demi-saturation, est appelé le **coefficient de Hill**. Ce coefficient de Hill est de 1 pour la myoglobine, ce qui signifie que les molécules de O_2 se lient à la myoglobine indépendamment les unes des autres, une conclusion logique, dans la mesure où chaque molécule de Mb ne lie qu'une molécule de O_2.

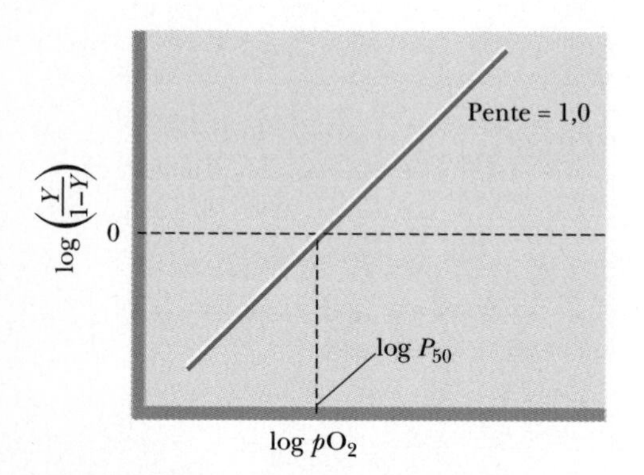

Figure A15.2 • Graphe de Hill pour la fixation de O_2 sur la myoglobine. La pente de la droite donne le **coefficient de Hill**. Pour Mb, le coefficient de Hill est de 1,0. Pour $\log (Y / (1 - Y)) = 0$, $\log pO_2 = \log P_{50}$.

L'hémoglobine

Lorsque quatre polypeptides à hème s'assemblent pour former un tétramère, de nouvelles propriétés apparaissent. La courbe de saturation de l'hémoglobine par l'oxygène est sigmoïde et non plus hyperbolique (cf. Figure 15.21), et l'Équation (A15.4) ne décrit plus cette courbe. Bien évidemment, chaque molécule d'hémoglobine ayant quatre hèmes peut lier jusqu'à quatre molécules d'oxygène. Supposons un moment que la liaison de l'oxygène à l'hémoglobine soit un phénomène de « tout ou rien », Hb serait soit libre de tout oxygène, soit lié à quatre molécules d'O_2. Cette supposition représente un cas extrême de liaison coopérative d'un ligand par une protéine ayant plusieurs sites de liaison. Dans ce cas, si un ligand se fixe sur la protéine, tous les autres sites de liaison sont immédiatement occupés par le ligand. Ou, pour le dire autrement, dans le cas qui nous intéresse, supposons que quatre molécules de O_2 se lient simultanément à Hb :

$$Hb + 4\ O_2 \rightleftharpoons Hb(O_2)_4$$

La constante de *dissociation*, K, serait :

$$K = \frac{[Hb]\,[O_2]^4}{[Hb](O_2)_4} \quad \text{(A15.9)}$$

Par analogie avec l'Équation (A15.4), l'équation donnant Y, fraction de l'hémoglobine saturée par O_2, est :

$$Y = \frac{[pO_2]^4}{[pO_2]^4 + K} \quad \text{(A15.10)}$$

La Figure A15.3 représente la courbe de Y en fonction de pO_2 correspondant à cette Équation (A15.10). C'est une sigmoïde caractéristique semblable à celle de la saturation de Hb par O_2. La demi-saturation est observée à pO_2 de 26 torrs. Notez que si $pO2$ est faible, Y, la fraction saturée, change très peu avec l'accroissement de pO_2. L'interprétation est que Hb a peu d'affinité pour O_2 aux basses pressions partielles d'oxygène. Cependant, lorsque pO_2 atteint un certain seuil et que les premières

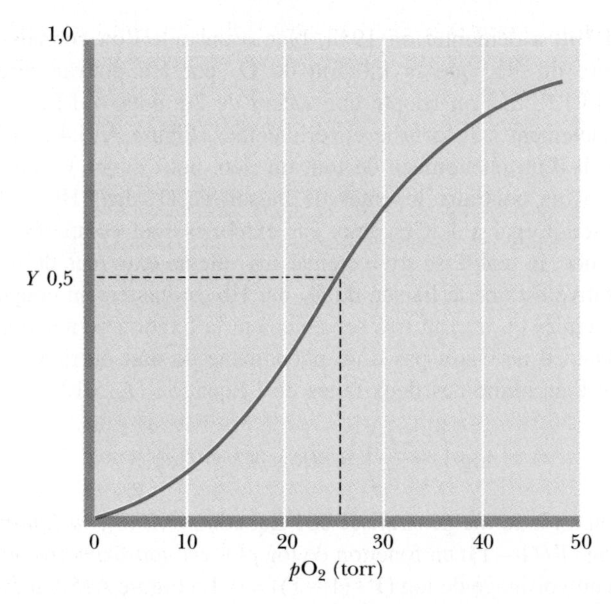

Figure A15.3 • Courbe de saturation de l'hémoglobine par l'oxygène, obtenue en portant Y en fonction de pO_2, et en supposant que $n = 4$ et que $P_{50} = 26$ torrs. La courbe a la forme sigmoïde caractéristique observée expérimentalement.

molécules de O_2 sont fixées, la valeur de Y s'accroît rapidement. La pente de la courbe est la plus prononcée dans la région où $Y = 0{,}5$. L'aspect sigmoïde de la courbe signifie que la liaison d'un O_2 sur un des sites de Hb augmente fortement la fixation de nouvelles molécules de O_2 sur les sites vacants de Hb, un phénomène appelé de façon appropriée la **coopérativité**. (Si chaque O_2 indépendamment lié n'avait aucune influence sur l'affinité de Hb pour une fixation plus importante de O_2, cette courbe serait une hyperbole).

La courbe expérimentale de la fixation de O_2 par l'hémoglobine ne se superpose pas exactement au graphe de la Figure A15.3. Si nous généralisons l'Équation (A15.9) en remplaçant l'exposant 4 par n, nous pouvons écrire :

$$Y = \frac{[pO_2]^n}{[pO_2]^n + K} \tag{A15.11}$$

Un réarrangement donne :

$$\frac{Y}{1 - Y} = \frac{[pO_2]^n}{K} \tag{A15.12}$$

Cette équation dit que le rapport des hèmes oxygénés (Y) aux hèmes n'ayant pas fixé d'oxygène ($1 - Y$) est égal à la valeur de pO_2 à la puissance n, divisée par la constante de dissociation apparente, K.

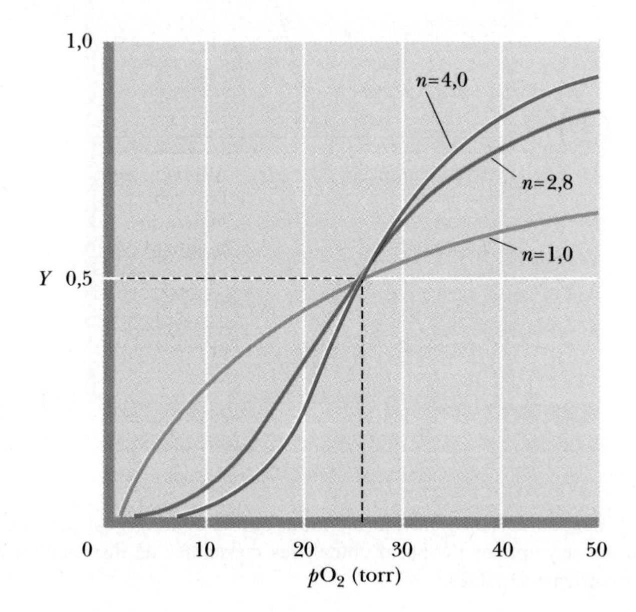

Figure A15.4 • Comparaison de la courbe expérimentale de saturation de Hb par O_2 (qui donne $n = 2{,}8$) avec la courbe hypothétique pour $n = 4$ et celle pour $n = 1$ (pas d'interaction entre les sites de fixation).

Archibald Hill a démontré en 1913, bien avant que l'on connaisse l'organisation moléculaire de Hb, que la fixation de O_2 par Hb pouvait être décrite par l'Équation (A15.12). Si l'on adopte une valeur de 2,8 pour *n*, l'Équation (A15.12) correspond exactement à la courbe expérimentale (Figure A15.4). Si la liaison de O_2 à Hb relevait d'un phénomène de tout ou rien, nous avons vu que la valeur de *n* serait de 4. Si au contraire les sites de liaison de O_2 dans Hb n'étaient pas en interaction, *n* serait égal à 1. Ces deux cas extrêmes sont comparés Figure A15.4. De toute évidence, la réalité se trouve entre les valeurs extrêmes de $n = 1$ ou 4. La réponse qualitative est que la liaison de O_2 par Hb est hautement coopérative et que la liaison du premier O_2 accroît très sensiblement la fixation de nouvelles molécules de O_2. Cependant il ne s'agit pas d'un phénomène de tout ou rien.

Prenons le logarithme des deux cotés de l'Équation (A15.12) :

$$\log\left(\frac{Y}{1-Y}\right) = n(\log pO_2) - \log K \qquad \text{(A15.13)}$$

cette expression est la forme généralisée de l'Équation (A15.8), *ou équation de Hill*, et la courbe de $\log (Y/(1 - Y))$ en fonction de $\log pO_2$ est *approximativement* une droite dans la région au voisinage de $\log (Y / (1 - Y)) = 0$. La Figure A15.5 représente sur un *graphe de Hill* les droites obtenues avec l'hémoglobine et la myoglobine.

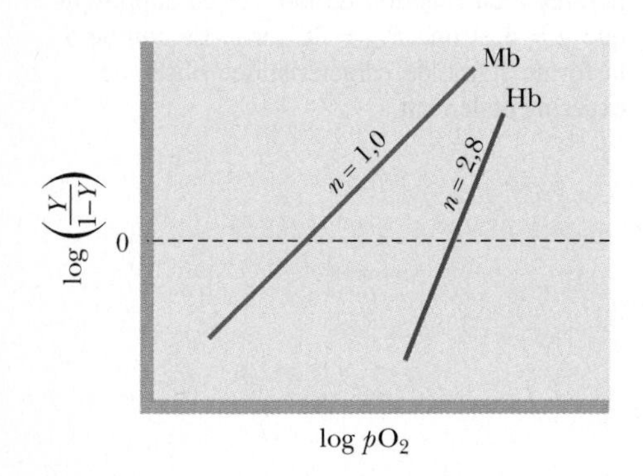

Figure A15.5 • Graphe de Hill ($\log (Y / (1 - Y))$ en fonction de $\log pO_2$ pour Mb et Hb. On peut voir que pour $\log (Y / (1 - Y)) = 0$, c'est à dire quand $Y = 1 - Y$, la valeur de la pente pour Mb est de 1,0 et pour Hb de 2,8. La courbe pour Hb n'est qu'approximativement une droite.

En réalité, la fixation de l'oxygène sur l'hémoglobine étant coopérative, la courbe de Hill est une sigmoïde (Figure A15.6). La coopérativité est la manifestation du fait que la constante de dissociation, K_1, *du premier O_2 lié,* est très différente de la constante de dissociation K_4 *des derniers O_2 liés.* La tangente à la partie la plus basse de l'asymptote de la courbe de Hill, extrapolée sur l'axe correspondant à la valeur $\log (Y/(1 - Y)) = 0$, donne la constante de dissociation, K_1, de la fixation du premier O_2 par Hb. Notez que la valeur de K_1 est assez élevée ($> 10^2$ torrs), ce qui indique la faible affinité de Hb pour ce premier O_2 (ou inversement, la facile dissociation du complexe $Hb(O_2)_1$). L'extrapolation sur le même axe de la tangente à la partie supérieure de l'asymptote donne K_4, constante de dissociation de la fixation du dernier O_2. La valeur de K_4 est inférieure à 1 torr. Le rapport K_1 / K_4 est supérieur à 100, ce qui signifie que l'affinité de Hb pour le dernier O_2 est plus de 100 fois supérieure à son affinité pour le premier O_2.

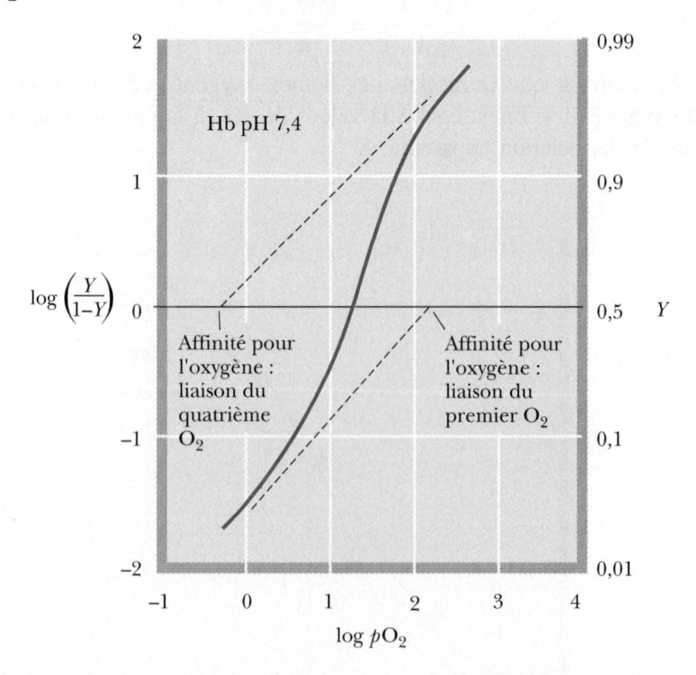

Figure A15.6 • Graphe de Hill pour Hb montrant que la courbe n'est pas une droite. L'extrapolation des asymptotes permet d'obtenir les constantes de dissociation K_1 et K_4 du premier et du quatrième O_2 fixés.

La valeur de P_{50} a été définie pour la myoglobine comme celle de pO_2 qui permet la saturation par O_2 de 50 % des sites de fixation de la protéine. Comme à 50 % de saturation $Y = (1 - Y)$, l'Équation (A15.13) peut être réécrite :

$$0 = n(\log pO_2) - \log K = n(\log P_{50}) - \log K \qquad \text{(A15.14)}$$

$$\log K = n(\log P_{50}) \textit{ ou } K = (P_{50})^n \qquad \text{(A15.15)}$$

Les propriétés de la myoglobine et de l'hémoglobine sont différentes, et donc P_{50} et K n'ont pas des valeurs égales dans le cas de la molécule d'hémoglobine à plusieurs sites de liaison. En utilisant l'Équation (A15.12), la relation entre pO_2 et P_{50} devient :

$$\frac{Y}{1-Y} = \left(\frac{pO_2}{P_{50}}\right)^n \qquad \text{(A15.16)}$$

« Aucune chose ne reste figée car toutes les choses changent.
Un fragment s'accroche à un autre fragment, et ainsi elles croissent
jusqu'à ce que nous leur donnions un nom.
Puis, petit à petit elles changent et ne sont plus les choses que nous connaissons »

LUCRÈCE (vers 94-50 avant J.C.)

Chapitre 16

Mécanismes d'action des enzymes

PLAN

Comme le mécanisme des anciennes horloges, les détails des mécanismes enzymatiques sont à la fois complexes et simples. (David Parker/Science Photo Library/Photo Research, Inc.)

Bien que les propriétés catalytiques des enzymes paraissent relever de la magie, les pouvoirs des enzymes – rupture et formation de liaisons – ne sont simplement que des réactions chimiques. Ce chapitre explorera les caractéristiques particulières de cette chimie. On connaît déjà, au moins en partie, le mécanisme réactionnel de plusieurs centaines d'enzymes. Il ne sera possible au cours de ce chapitre que d'en examiner quelques-uns ; néanmoins, les principes chimiques qui régissent les mécanismes réactionnels de ces enzymes sont universels et de nombreux autres cas seront facilement compris à la lumière des connaissances acquises à l'aide des exemples décrits.

16.1 • Principe de base – la stabilisation de l'état de transition

Dans toutes les réactions chimiques, les atomes ou les molécules participant à la réaction passent par un état dont la structure est intermédiaire entre celle du (des) réactif(s) et celle du (des) produit(s). Considérons le transfert d'un proton d'une molécule d'eau à un anion chlorure :

$$\underset{\textbf{Réactants}}{H\text{–}O\text{–}H + Cl^-} \rightleftharpoons \underset{\textbf{État de transition}}{H\text{–}O^{\delta-}\cdots H\cdots Cl^{\delta-}} \rightleftharpoons \underset{\textbf{Produits}}{HO^- + H\text{–}Cl}$$

Dans la structure intermédiaire, le proton en cours de transfert est partagé à égalité entre l'anion hydroxyle et l'anion chlorure. Cette structure représente de façon assez proche de la réalité, la transition entre les réactants et les produits, elle est appelée **l'état de transition.** [1]

Les réactions chimiques au cours desquelles un substrat (S) est converti en un produit (P) peuvent être décrites comme des réactions impliquant un état de transition (que nous représenterons dorénavant par $X^\ddagger$), une espèce dont la structure est intermédiaire entre celle de S et celle de P (Figure 16.1). Comme nous l'avons vu Chapitre 14, la fonction catalytique d'un enzyme est de réduire la barrière énergétique entre le substrat et l'état de transition. Ce résultat est la conséquence de la formation d'un **complexe enzyme-substrat** (ES). Ce complexe est ensuite converti en produit en passant par un état de transition, $EX^\ddagger$ (Figure 16.1). Sur la Figure, on voit que l'énergie de $EX^\ddagger$ est nettement plus basse que celle de $X^\ddagger$. On serait tenté de conclure que cette diminution de l'énergie explique l'accélération de la vitesse de la réaction catalysée par l'enzyme mais en réalité, la situation est plus complexe.

La barrière énergétique de la réaction non catalysée (Figure 16.1) est bien évidemment égale à la différence entre les états énergétiques de S et de $X^\ddagger$. De même, la barrière énergétique qui sera surmontée dans la réaction catalysée par un enzyme est la différence d'énergie entre les états énergétiques de ES et $EX^\ddagger$. *L'accélération de la vitesse de la réaction par un enzyme correspond simplement au fait que la barrière énergétique entre ES et $EX^\ddagger$ est inférieure à la barrière énergétique entre S et $X^\ddagger$*. En termes d'énergie libre d'activation, $\Delta G_e^\ddagger < \Delta G_u^\ddagger$.

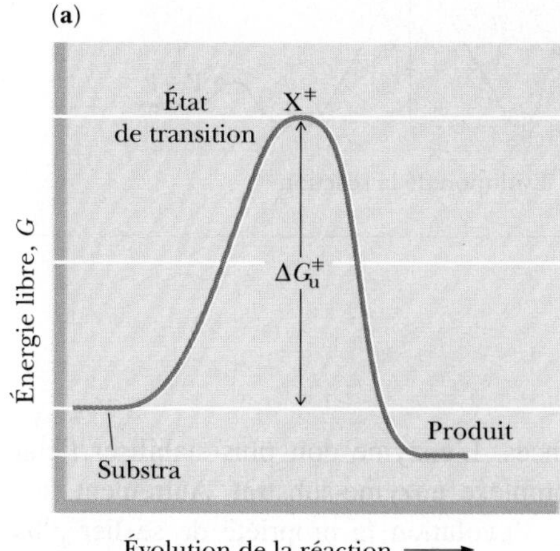

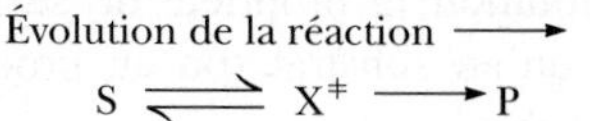

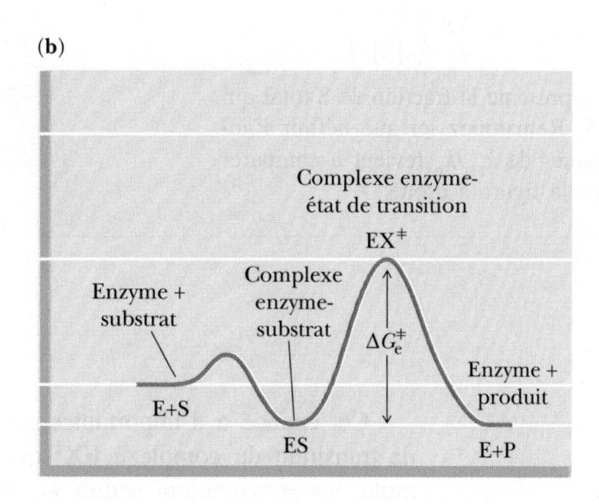

Figure 16.1 • Les enzymes catalysent les réactions en abaissant l'énergie d'activation. (a) L'énergie libre d'activation de la réaction non catalysée, $\Delta G_u^\ddagger$, est supérieure à celle de la réaction (b) catalysée par un enzyme, $\Delta G_e^\ddagger$.

[1] Il est important de distinguer entre **états de transition** et **états intermédiaires**. Un état de transition est un état dans lequel une liaison est extrêmement distordue, et donc la durée de vie d'un état de transition typique est de l'ordre de celle de la vibration d'une liaison, soit en général de 10^{-13} s. Par contre, les états intermédiaires ont des durées de vie relativement plus longues, comprises entre 10^{-13} s et 10^{-3} s.

Pour en savoir plus

Qu'est-ce que l'accroissement de la vitesse de réaction par un enzyme ?

Les énigmes abondent dans le monde de la catalyse enzymatique. L'une d'elles concerne la façon dont l'augmentation de la vitesse de réaction par un enzyme peut être exprimée. La conversion non catalysée d'un substrat S en produit P est habituellement un simple processus d'ordre un, défini par la constante k_u dans l'équation de la vitesse de réaction d'ordre un :

$$v_u = k_u[S]$$

Par contre, pour un enzyme dont la cinétique est de type Michaelis-Menten, la réaction peut être considérée comme étant d'ordre un par rapport à S tant que la concentration en S est faible et d'ordre zéro à concentration élevée (saturante) en S (voir Chapitre 14 pour ce qui concerne cette distinction).

$$v_e = \frac{k_{cat}[E_T][S]}{K_m + [S]}$$

Si l'« accroissement de la vitesse » provoqué par l'enzyme est défini comme

$$\text{accroissement de la vitesse} = v_e/v_u,$$

nous pouvons écrire :

$$\text{accroissement de la vitesse} = \frac{k_{cat}}{k_u}\left(\frac{[E_T]}{K_m + [S]}\right)$$

Suivant les valeurs relatives de K_m et de [S], il y a deux résultats possibles.

Premier cas : Quand [S] est grand comparé à K_m, l'enzyme est saturé par le substrat et la cinétique est d'ordre zéro par rapport à S.

$$\text{accroissement de la vitesse} = \frac{k_{cat}}{k_u}\left(\frac{[E_T]}{[S]}\right)$$

équation dans laquelle $[E_T]/[S]$ représente la fraction de S total qui se trouve dans le complexe ES. Remarquez ici que définir l'accroissement de la vitesse en termes de k_{cat}/k_u revient à comparer les quantités $\Delta G_e^{\ddagger}$ et $\Delta G_u^{\ddagger}$ dans la figure à droite.

Deuxième cas : Quand [S] est petit comparé à K_m, toutes les molécules d'enzyme n'ont pas lié S, et la cinétique est d'ordre un par rapport à S.

$$\text{accroissement de la vitesse} = \frac{k_{cat}}{k_u}\left(\frac{[E_T]}{K_m}\right)$$

Cette fois, définir l'accroissement de la vitesse en termes de $\frac{k_{cat}}{k_u K_m}$ revient à comparer les quantités $\Delta G_{e'}^{\ddagger}$ et $\Delta G_u^{\ddagger}$ dans la figure ci-dessous. De plus, dans la mesure où K_m peut être assimilé à K_S (voir Équation 16.1), l'accroissement de la vitesse peut être réécrit :

$$\text{accroissement de la vitesse} = \frac{[E_T]}{K_T}$$

où K_T est la constante de dissociation du complexe $EX^{\ddagger}$ (voir Équation 16.2).

Ainsi considérée, la meilleure définition de l'« accroissement de la vitesse » dépend de la relation entre la concentration de l'enzyme, la concentration en substrat et les paramètres de la cinétique enzymatique.

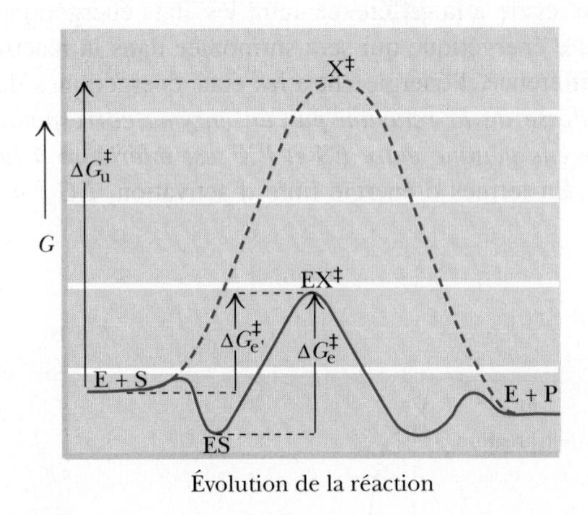

Évolution de la réaction

Cet énoncé a d'importantes conséquences. L'enzyme doit plus stabiliser l'état de transition du complexe $EX^{\ddagger}$ que le complexe enzyme-substrat. Autrement formulé, les enzymes ont acquis au cours de l'évolution la propriété de se lier plus fortement à la structure de l'état de transition qu'au substrat (ou au produit). La constante de dissociation du complexe enzyme-substrat est :

$$K_S = \frac{[E][S]}{[ES]} \tag{16.1}$$

et la constante de dissociation du complexe enzyme-état de transition correspondant est :

$$K_T = \frac{[E][X^{\ddagger}]}{[EX^{\ddagger}]} \tag{16.2}$$

Il faut $K_T < K_S$ pour qu'il y ait catalyse enzymatique. D'après la **théorie de l'état de transition** (voir les références en fin de chapitre), les constantes de vitesse pour la réaction catalysée par l'enzyme (k_e) et pour la réaction non catalysée (k_u) peuvent être reliées à K_S et à K_T par :

$$k_e/k_u \cong K_S/K_T \tag{16.3}$$

On peut donc dire que l'accélération de la vitesse de la réaction catalysée par un enzyme est approximativement égale au rapport de la constante de dissociation du complexe enzyme-substrat à la constante de dissociation du complexe enzyme-état de transition, au moins quand E est saturé par S.

16.2 • Les enzymes accélèrent énormément les vitesses des réactions

Les enzymes sont de puissants catalyseurs. Les réactions catalysées par des enzymes sont d'une façon générale 10^7 à 10^{14} fois plus rapides que lorsqu'elles ne sont pas catalysées (Tableau 16.1). On a même publié que la réaction d'hydrolyse du méthylphosphate catalysée par la phosphatase alcaline est au moins 10^{16} fois plus rapide que l'hydrolyse non catalysée!

Ces très fortes accélérations de la vitesse des réactions correspondent à d'importants changements dans l'énergie libre des réactions concernées. Par exemple, la réaction catalysée par l'uréase,

$$H_2N{-}\overset{\overset{\displaystyle O}{\|}}{C}{-}NH_2 + 2\,H_2O + H^+ \longrightarrow 2\,NH_4^+ + HCO_3^-$$

a une énergie d'activation inférieure d'environ 84 kJ/mol à celle de la réaction correspondante non catalysée. Pour bien comprendre une réaction enzymatique, il est important de rendre compte de l'accélération de la vitesse en termes de structure de l'enzyme et de mécanisme de son action. Il n'y a qu'un nombre limité de mécanismes catalytiques ou de facteurs qui contribuent à la remarquable performance des enzymes.

Tableau 16.1

Comparaison entre les vitesses de réactions catalysées et celles des mêmes réactions non catalysées

Réaction		Vitesse sans catalyse, v_u (s^{-1})	Vitesse avec catalyse, v_e (s^{-1})	v_e/v_u
$CH_3{-}O{-}PO_3^{2-} + H_2O \longrightarrow CH_3OH + HPO_4^{2-}$	Phosphatase alcaline	1×10^{-15}	14	$1{,}4 \times 10^{16}$
$H_2N{-}\overset{\overset{O}{\|}}{C}{-}NH_2 + 2\,H_2O + H^+ \longrightarrow 2\,NH_4^+ + HCO_3^-$	Uréase	3×10^{-10}	3×10^4	1×10^{14}
$R{-}\overset{\overset{O}{\|}}{C}{-}O{-}CH_2CH_3 + 2\,H_2O \longrightarrow RCOOH + HOCH_2CH_3$	Chymotrypsine	1×10^{-10}	1×10^2	1×10^{12}
Glycogène (n) + $P_i \longrightarrow$ Glycogène ($n - 1$) + Glucose-1-P	Glycogène phosphorylase	$<5 \times 10^{-15}$	$1{,}6 \times 10^{-3}$	$>3{,}2 \times 10^{11}$
Glucose + ATP $\longrightarrow$ Glucose-6-P + ADP	Hexokinase	$<1 \times 10^{-13}$	$1{,}3 \times 10^{-3}$	$>1{,}3 \times 10^{10}$
$CH_3CH_2OH + NAD^+ \longrightarrow CH_3\overset{\overset{O}{\|}}{C}H + NADH + H^+$	Alcool déshydrogénase	$<6 \times 10^{-12}$	$2{,}7 \times 10^{-5}$	$>4{,}5 \times 10^6$
$CO_2 + H_2O \longrightarrow HCO_3^- + H^+$	Anhydrase carbonique	10^{-2}	10^5	1×10^7
Créatine + ATP $\longrightarrow$ Cr-P + ADP	Créatine kinase	$<3 \times 10^{-9}$	4×10^{-5}	$>1{,}33 \times 10^4$

D'après Koshland, D., 1956. *Journal of Cellular Comparative Physiology*, Supp. 1, **47** : 217.

Ce sont les suivants :

1. La perte d'entropie lors de la formation de ES
2. La déstabilisation de ES due aux tensions, à la désolvatation (élimination des molécules d'eau de l'environnement immédiat du substrat) ou aux effets électrostatiques
3. La catalyse covalente
4. La catalyse acide ou basique générale
5. La catalyse par les ions métalliques
6. La proximité et l'orientation

Chacun de ces mécanismes, ou leur combinaison, peut contribuer à l'accélération de la vitesse de la réaction en comparaison avec la vitesse de la réaction non catalysée. Pour comprendre toute action enzymatique, il faudrait donc pouvoir connaître la contribution de chacun (ou le plus souvent de plusieurs) de ces mécanismes à l'accélération observée. Chacun d'entre eux sera examiné en détail au cours de ce chapitre, mais il est d'abord très utile de se rendre compte pourquoi et comment la formation du complexe enzyme-substrat (ES) rend possible tous ces mécanismes.

16.3 • L'énergie de liaison de ES est cruciale pour la catalyse

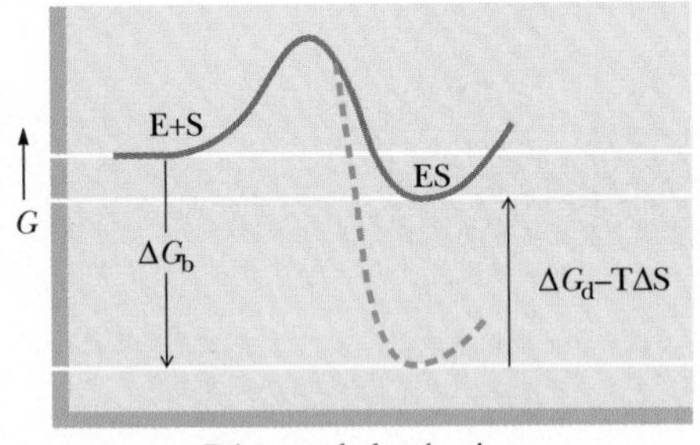

Figure 16.2 • L'énergie intrinsèque de liaison du complexe enzyme-substrat (ΔG_b) est en partie compensée par la perte d'entropie due à la liaison de S à E (TΔS) et par la déstabilisation de ES (ΔG_d) due aux tensions, à la distorsion, à la désolvatation et à d'autres effets ayant des conséquences similaires. Si ΔG_b n'était pas compensé par TΔS et par ΔG_d, la formation de ES suivrait la ligne du trait discontinu.

Comment se fait-il que le site actif stabilise plus $X^‡$ que S ? Pour comprendre cela, nous devons disséquer et analyser la formation du complexe ES. Il y a plusieurs facteurs qui contribuent à la différence d'énergie libre entre le substrat et l'enzyme non complexés (E + S) et le complexe ES (Figure 16.2). Les interactions favorables entre le substrat et les résidus des acides aminés de l'enzyme sont à l'origine de **l'énergie intrinsèque de liaison, ΔG_b**. Mais si cette énergie intrinsèque de liaison n'était pas compensée, elle augmenterait inutilement l'énergie d'activation de la réaction et gaspillerait en fin de compte une partie du pouvoir catalytique de l'enzyme. Comparez les deux cas Figure 16.3. La vitesse d'une réaction enzymatique est déterminée par la différence entre les énergies de ES et de $EX^‡$, plus la différence est

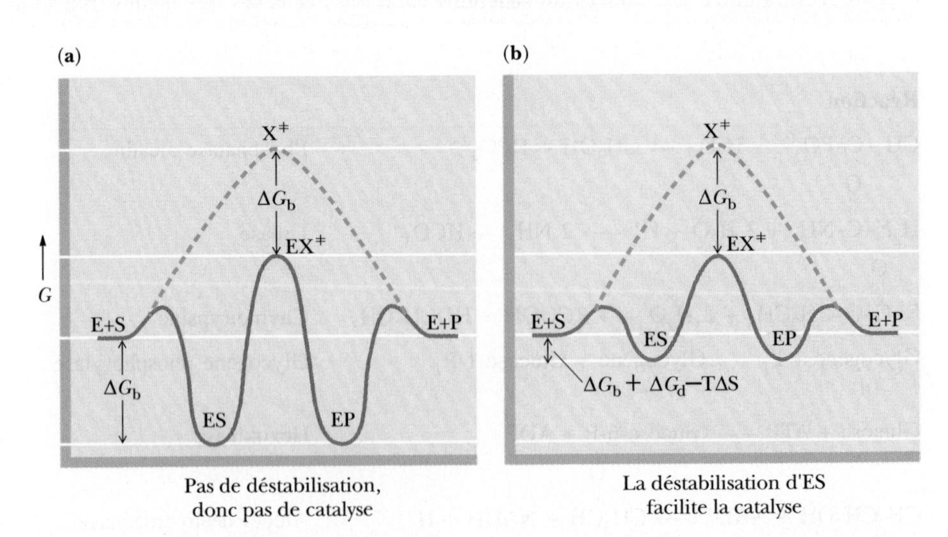

Figure 16.3 • (a) Il n'y a pas catalyse si le complexe ES et l'état de transition de la réaction sont stabilisés par une même quantité d'énergie. (b) Il *y aura* catalyse si l'état de transition est plus stabilisé que le complexe ES ; la perte d'entropie, ΔTS, et la déstabilisation du complexe ES, ΔG_d, font que tel est bien le cas.

faible, plus rapide sera la réaction catalysée par l'enzyme. Une forte liaison du substrat accroît la dépression énergétique du complexe ES et diminue effectivement la vitesse de la réaction.

16.4 • Perte d'entropie et déstabilisation du complexe ES

Le message transmis par la Figure 16.3 est que l'augmentation de l'énergie libre de ES accélèrera la vitesse de la réaction catalysée par l'enzyme. Cette augmentation de l'énergie résulte de deux effets : (a) **d'une perte d'entropie** due à la liaison de S à E et (b) à la **déstabilisation de ES** par une tension des liaisons ou par des effets électrostatiques. La perte d'entropie provient du fait que le complexe ES (Figure 16.4) est une entité hautement organisée (à faible entropie) comparée à E + S en solution (dans une situation plus désordonnée, l'entropie est plus grande). L'entrée du substrat dans le site actif rassemble tous les groupements réactifs et les résidus de coordination de l'enzyme et du substrat dans la position appropriée à la réaction, ce qui se traduit par une perte nette d'entropie. Le substrat et l'enzyme ont tous deux une **entropie de translation** (liberté de se déplacer dans les trois dimensions), et une **entropie de rotation** (liberté de rotation ou de mouvement autour de tout axe). Une fraction de ces deux types d'entropies est perdue lorsque les deux molécules (E et S) sont en interaction et n'en forment plus qu'une (le complexe ES). Puisque dans ce processus ΔS est négatif, le terme $-T\Delta S$ est une quantité positive, et *donc l'énergie intrinsèque de liaison de ES est, dans une certaine mesure, compensée par la perte d'entropie résultant de la formation du complexe.*

La déstabilisation du complexe peut provenir des **tensions structurales, de la désolvatation ou des effets électrostatiques**. La déstabilisation par des tensions, ou par distorsion, n'est habituellement que la conséquence du fait (déjà signalé) que *l'enzyme lie plus fortement l'état de transition que le substrat.* Quand le substrat se lie, la nature imparfaite de « l'ajustement » provoque des tensions (et une distorsion) dans le substrat, dans l'enzyme ou dans les deux à la fois. En effet, les résidus au site actif de l'enzyme sont orientés de façon à obtenir une coordination parfaite avec la structure de l'état de transition, leur interaction avec le substrat ou avec le produit est donc moins efficace.

La déstabilisation peut aussi résulter de la désolvatation des groupes chargés du substrat lorsqu'il se fixe sur le site actif. Les groupes chargés en solution dans l'eau sont hautement stabilisés par des molécules de H_2O environnantes. Par exemple, le transfert de Na^+ et de Cl^- d'une phase gazeuse à une solution aqueuse se

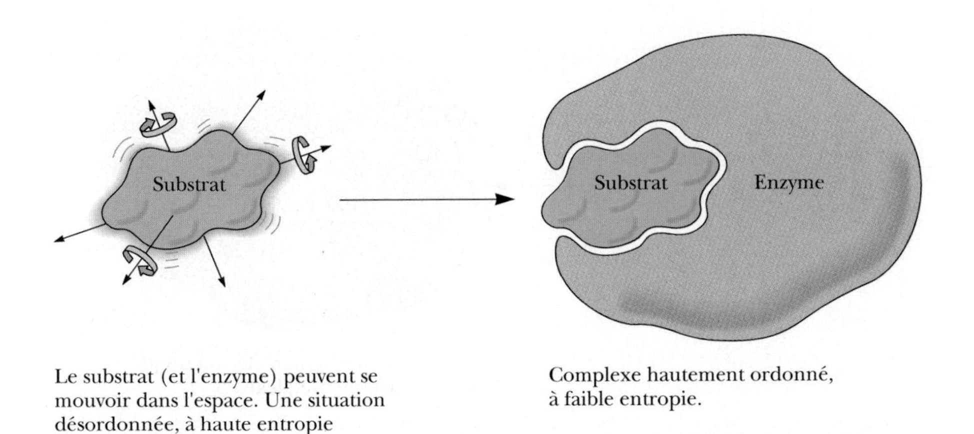
Substrat
Substrat
Enzyme
Le substrat (et l'enzyme) peuvent se mouvoir dans l'espace. Une situation désordonnée, à haute entropie
Complexe hautement ordonné, à faible entropie.

Figure 16.4 • La formation du complexe ES s'accompagne d'une perte d'entropie. Avant de se lier, E et S ont une liberté de mouvement, de translation et de rotation. Par comparaison, le complexe ES est plus hautement ordonné, il contient moins d'entropie.

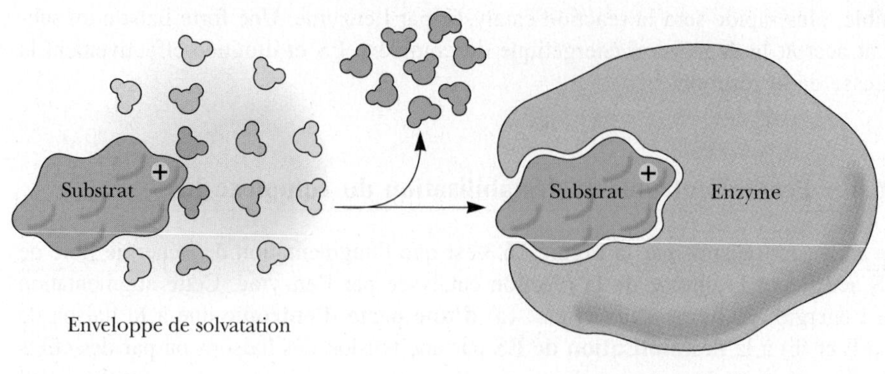

Figure 16.5 • D'une façon générale les substrats perdent leur eau d'hydratation lors de la formation du complexe ES. Cette désolvatation augmente l'énergie du complexe ES, et le rend plus réactif.

caractérise par une **enthalpie de solvatation,** ΔH_{solv}, de –775 kJ/mol. (Il y a libération d'énergie et les ions sont plus stables). Lorsqu'un substrat passe de la solution au site actif (Figure 16.5), ses groupements chargés sont souvent plus ou moins désolvatés, il devient moins stable et donc plus réactif.

Quand un substrat entre dans le site actif, les groupes chargés peuvent encore se trouver en interaction (défavorable) avec des groupes de même charge, il en résulte une **déstabilisation électrostatique** (Figure 16.6). La séquence réactionnelle tend à éliminer cette tension. Si cette charge électrique diminue ou se perd au cours de la réaction, la déstabilisation électrostatique peut contribuer à accélérer la vitesse de la réaction.

Que ce soit par des tensions, par la désolvatation ou par des effets électrostatiques, la déstabilisation élève l'énergie du complexe ES, et cet accroissement d'énergie est représenté par le terme ΔG_d, énergie libre de déstabilisation. Ainsi que nous l'avons signalé Figure 16.2, la différence nette d'énergie entre E + S et le complexe ES est donnée par la somme de l'énergie intrinsèque de liaison, ΔG_b, de la perte d'entropie résultant de la liaison, $-T\Delta S$, et de l'énergie de distorsion, ΔG_d. ES est déstabilisé (son énergie a augmenté) d'une quantité $\Delta G_d - \Delta TS$. L'état de transition ne subit pas une telle déstabilisation et la différence entre les énergies de $X^{\ddagger}$ et $EX^{\ddagger}$ est essentiellement égale à ΔG_b, soit la totalité de l'énergie intrinsèque de liaison.

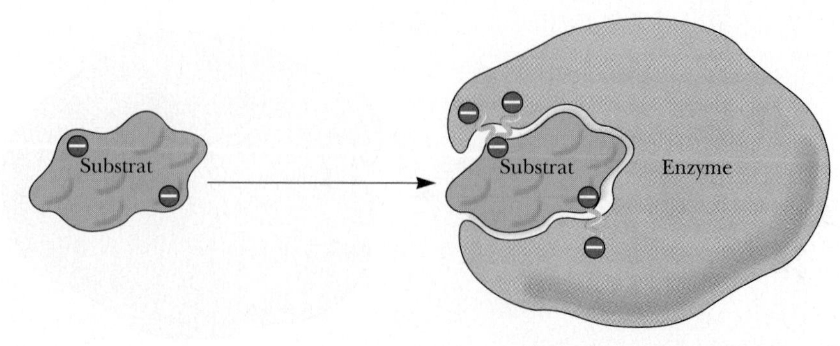

Figure 16.6 • La déstabilisation électrostatique d'un substrat peut être la conséquence de la proximité de charges de mêmes signes dans le site actif. Si cette répulsion électrostatique est éliminée au cours de la réaction, la déstabilisation électrostatique peut accroître la vitesse de la réaction.

16.5 • Les analogues de l'état de transition se lient très fortement au site actif

Bien que cela ne soit pas immédiatement apparent, l'Équation 16.3 a d'autres implications. Examinons d'abord les grandeurs de K_S et de K_T. Comme nous l'avons déjà signalé, le rapport k_e/k_u peut être supérieur à 10^{16}. Pour un rapport assez commun de 10^{12} et un K_S classique de 10^{-3} *M*, la valeur de K_T devrait être 10^{-15} *M* ! C'est effectivement la valeur de la constante de dissociation du complexe enzyme-état de transition et cette valeur extrêmement faible correspond à la très forte liaison entre l'état de transition et l'enzyme.

Il est peu probable que l'on puisse un jour mesurer expérimentalement une aussi forte liaison dans un complexe entre l'enzyme et l'état de transition car l'état de transition lui-même est une cible très « mobile ». Il n'existe que pendant 10^{-14} à 10^{-13} s, soit moins que le temps nécessaire pour la vibration d'une liaison. La nature évanescente de l'état de transition peut cependant être explorée à l'aide d'**analogues de l'état de transition,** molécules stables qui sont chimiquement et structuralement similaires à l'état de transition. Ces molécules devraient se lier plus fortement que les substrats et plus fortement que les inhibiteurs compétitifs qui n'ont guère de similitude avec l'état de transition. On a effectivement décrit des centaines de fois un tel comportement. Par exemple, Robert Abeles a étudié une série d'inhibiteurs de la **proline racémase** (Figure 16.7) et a trouvé que le *pyrrole-2-carboxylate* se liait 160 fois plus fortement à l'enzyme que la L-proline, le substrat naturel. Cet analogue se lie si fortement car sa structure est plane et similaire à la structure plane de l'état de transition de la racémisation de la proline. Deux autres exemples d'analogues de l'état de transition sont présentés Figure 16.8. Le *phosphoglycolohydroxamate* se lie 40.000 fois plus fortement à l'aldolase de la levure que son substrat, la dihydroxyacétone phosphate. Encore plus remarquable, on estime que le *1,6-hydrate de la purine ribonucléoside* se lie à l'adénosine désaminase avec un K_i de 3×10^{-13} *M* !

Il faut ajouter qu'un analogue de l'état de transition n'est pas l'état de transition lui-même, bien qu'il en soit proche, et qu'il ne se liera probablement jamais aussi fortement que l'état de transition. Les analogues ne sont jamais que des molécules stables, on ne peut donc pas s'attendre à ce qu'ils ressemblent parfaitement à l'état de transition réel.

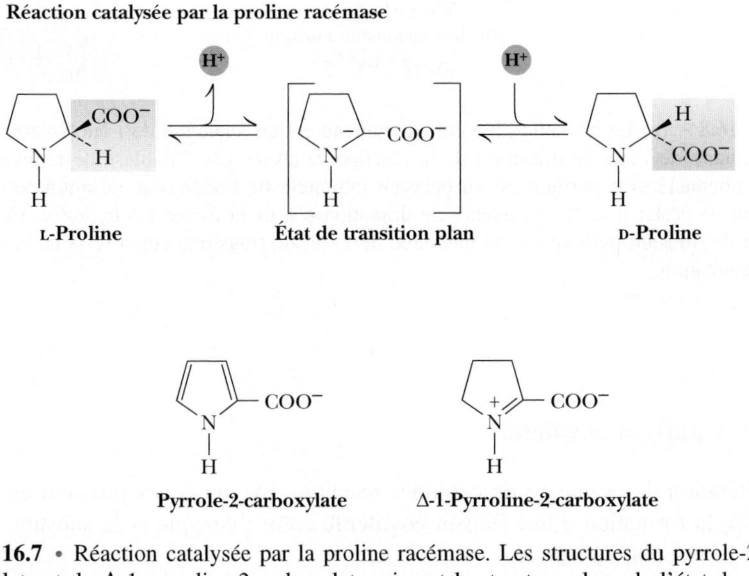

Réaction catalysée par la proline racémase

L-Proline — État de transition plan — D-Proline

Pyrrole-2-carboxylate — Δ-1-Pyrroline-2-carboxylate

Figure 16.7 • Réaction catalysée par la proline racémase. Les structures du pyrrole-2-carboxylate et du Δ-1-pyrroline-2-carboxylate miment la structure plane de l'état de transition de la réaction.

(a) Réaction catalysée par l'aldolase de levure

$CH_2OPO_3^{2-}$ — O=C — HO—CH_2 ⇌ Zn^{2+}, ^{-}O, $CH_2OPO_3^{2-}$, C, C, HO, H ⇌ (Glycéraldéhyde-3-phosphate) $CH_2OPO_3^{2-}$ — C=O — HO—C—H — H—C—OH — H—C—OH — $CH_2OPO_3^{2-}$

$K_m = 4 \times 10^{-4} M$

Ènediolate
(État de transition intermédiaire)

Fructose-1,6-bisphosphate

^{-}O, $CH_2OPO_3^{2-}$, C, N, HO

Phosphoglycolohydroxamate

$K_i = 1 \times 10^{-8} M$

$\frac{K_m}{K_i} = 4 \times 10^4$

(b) Réaction catalysée par l'adénosine désaminase de l'intestin de veau

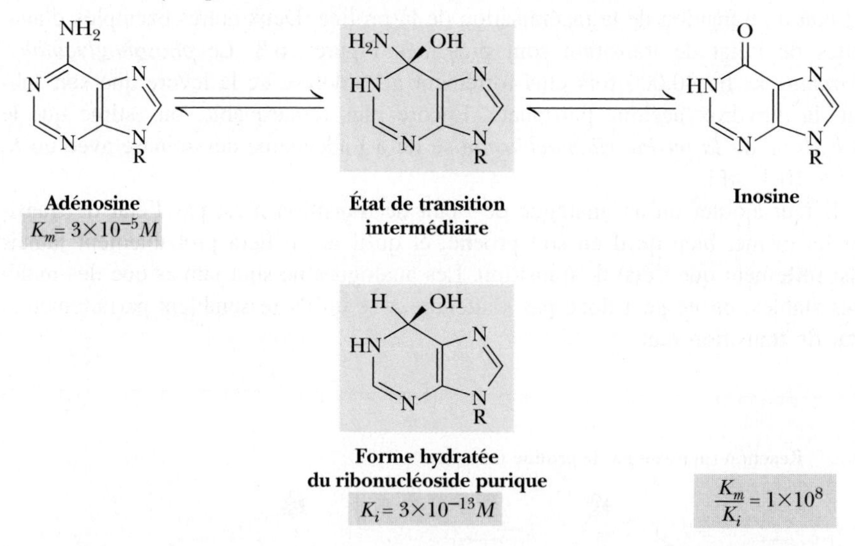

Figure 16.8 • (a) Le phospho-glycolohydroxamate est un analogue de l'ènediolate, un intermédiaire de l'état de transition de la réaction catalysée par l'aldolase de la levure. (b) Le ribonucléoside purique est un puissant inhibiteur de l'adénosine désaminase de l'intestin de veau ; il se lie à l'adénosine désaminase sous la forme 1,6-hydratée. Cet hydrate de riboside purique est un analogue de l'état de transition supposé pour la réaction de désamination.

16.6 • Catalyse covalente

L'accélération de la vitesse de certaines réactions enzymatiques provient en grande partie de la formation d'une **liaison covalente** entre l'enzyme et le substrat. Considérons la réaction suivante :

$$BX + Y \longrightarrow BY + X$$

et la version catalysée de cette réaction impliquant la formation d'un **intermédiaire avec une liaison covalente**

$$BX + Enz \longrightarrow E:B + X + Y \longrightarrow Enz + BY$$

Pour que la réaction catalysée par un enzyme soit plus rapide que celle qui n'est pas catalysée, il faut que l'attaque par le groupe accepteur de l'enzyme soit plus efficace que par celle de Y, et que la liaison de ce groupe accepteur avec B soit moins stable que la liaison B-Y. La plupart des enzymes qui participent à une catalyse covalente ont un mécanisme cinétique ping-pong.

Dans les protéines, les chaînes latérales des acides aminés offrent une variété de centres **nucléophiles,** groupes amine, carboxylique, hydroxyle aromatique ou aliphatique, imidazole et thiol. Ces groupes attaquent facilement les centres électrophiles des substrats, avec formation d'intermédiaires covalents enzyme-substrat. Le groupe phosphoryle, le groupe acyle et le groupe glycosyle sont dans les substrats des centres électrophiles typiques (Figure 16.9). Ces intermédiaires covalents sont attaqués dans une étape suivante par une molécule d'eau ou un deuxième substrat, pour finalement donner le produit de la réaction. On observe également une catalyse **électrophile covalente**, mais elle implique généralement la présence de coenzymes qui génèrent les centres électrophiles. On connaît à présent plus de 100 enzymes qui forment des intermédiaires covalents au cours de la catalyse. Le Tableau 16.2 en donne quelques exemples, y compris celui de la glycéraldéhyde-3-phosphate déshydrogénase qui catalyse la réaction :

$$\text{Glycéraldéhyde-3-P} + NAD^+ + P_i \longrightarrow \text{1,3-Bisphosphoglycérate} + NADH + H^+$$

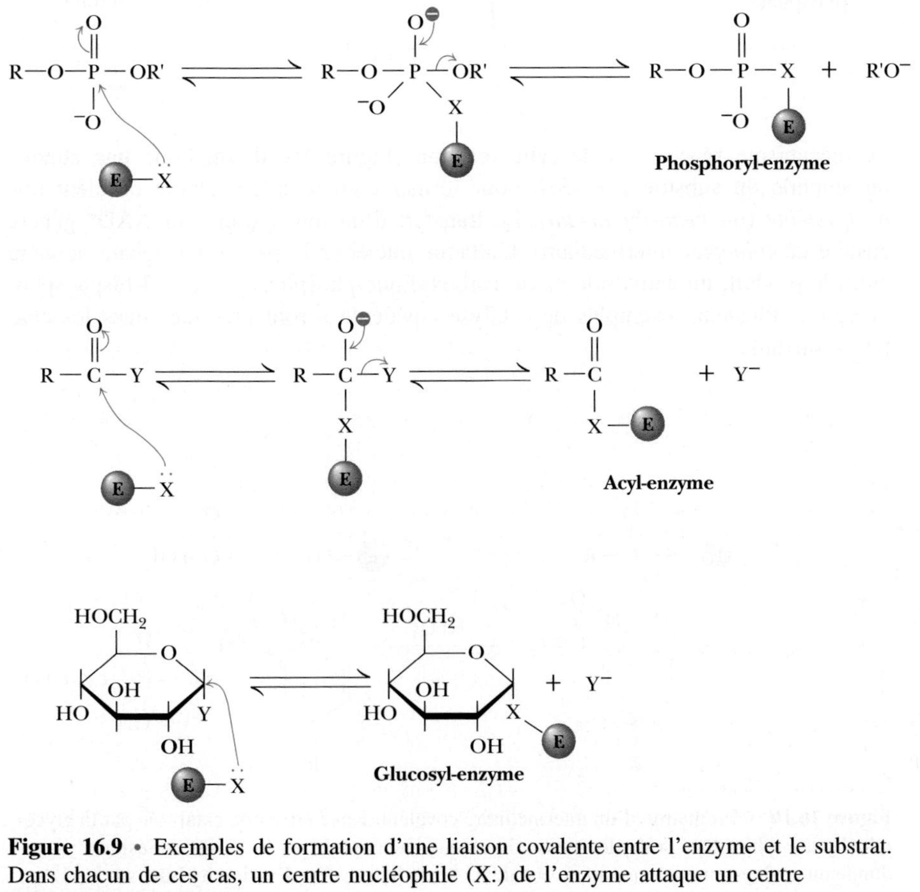

Figure 16.9 • Exemples de formation d'une liaison covalente entre l'enzyme et le substrat. Dans chacun de ces cas, un centre nucléophile (X:) de l'enzyme attaque un centre électrophile du substrat.

Tableau 16.2

Enzymes qui forment des intermédiaires covalents

Enzymes	Groupe réactif	Intermédiaire covalent
1. Chymotrypsine Elastase Estérases Subtilisine Thrombine Trypsine	$CH(CH_2OH)$ (Ser)	$CH(CH_2-O-C(=O)-R)$ (Acyl-Ser)
2. Glycéraldéhyde-3-phosphate déshydrogénase Papaïne	$CH(CH_2SH)$ (Cys)	$CH(CH_2-S-C(=O)-R)$ (Acyl-Cys)
3. Phosphatase alcaline Phosphoglucomutase	$CH(CH_2OH)$ (Ser)	$CH(CH_2-O-PO_3^{2-})$ (Phosphosérine)
4. Phosphoglycérate mutase Succinyl-CoA synthétase	$-CH_2$–imidazole (HN, N) (His)	$-CH_2$–imidazole–N–$P(=O)(O^-)-O^-$ (Phosphohistidine)
5. Aldolase Décarboxylases Enzymes à pyridoxal phosphate	$R-NH_3^+$ (Amino)	$R-N=C<$ (Base de Schiff)

Le mécanisme réactionnel de cette réaction (Figure 16.10) implique une attaque nucléophile du substrat par –SH, pour former comme intermédiaire covalent une *acylcystéine* (ou *hémi-thioacétal*). Le transfert d'un ion hydrure sur NAD^+ génère ensuite un *thioester* intermédiaire. L'attaque nucléophile par un phosphate donnera enfin le produit, un anhydride mixte carboxylique-phosphorique, le 1,3-bisphosphoglycérate. Plusieurs exemples de catalyse covalente seront présentés dans les chapitres suivants.

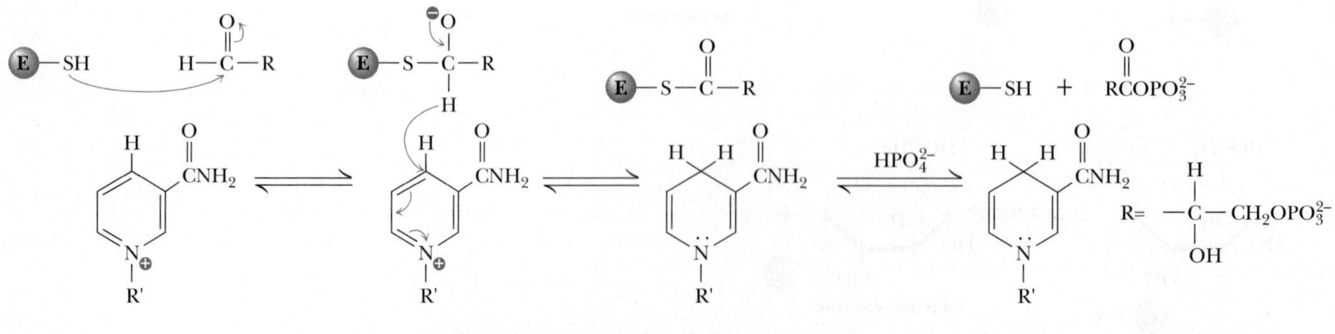

Figure 16.10 • Formation d'un intermédiaire covalent dans la réaction catalysée par la glycéraldéhyde-3-phosphate déshydrogénase. L'attaque nucléophile par le –SH d'un résidu Cys donne un acylcystéine intermédiaire covalent. Après le transfert d'un ion hydrure sur NAD^+, une attaque nucléophile par un phosphate donne le produit, le 1,3-bisphosphoglycérate.

16.7 • La catalyse « acide-base » générale

Presque toutes les réactions enzymatiques impliquent, au moins partiellement, une catalyse « acide-base ». Il y a deux types de catalyses acide-base : (a) la **catalyse acide** ou **basique spécifique**, dans laquelle H^+ ou OH^- accélère la réaction, et (b) la **catalyse acide ou basique générale** dans laquelle un acide ou une base selon Lewis, différent de H^+ ou OH^-, accélère la réaction. Pour les réactions les plus communes, les deux cas peuvent être distingués à l'aide d'expériences relativement simples. Dans la catalyse acide-base spécifique, la concentration du tampon dans la solution n'a pas d'effet sur le résultat (Figure 16.11). Dans le cas de la catalyse acide-base générale, le tampon peut donner un proton à l'état de transition, ou l'accepter, et donc influer sur la vitesse de la réaction. *Par définition, la catalyse acide base générale est une catalyse au cours de laquelle il y a transfert d'un proton dans l'état de transition.* Considérons l'hydrolyse du *p*-nitrophénylacétate en présence d'imidazole comme base générale (Figure 16.12). Apparemment, le transfert de proton stabilise l'état de transition. L'eau est rendue plus nucléophile sans qu'il ait été nécessaire d'élever la concentration de l'ion OH^-, ou sans la formation d'une espèce instable à haute énergie. Ce type de catalyse peut accroître la vitesse des réactions de 10 à 100 fois. Dans un enzyme, les groupes ionisables de la protéine fournissent le proton transféré à l'état de transition. Un groupe ionisable est d'autant plus efficace comme agent de transfert d'un proton que le pH est voisin de son pK_a. Comme le pK_a de la chaîne latérale de l'histidine est voisin de 7, l'histidine est souvent l'acide ou la base la plus efficace. Nous examinerons à présent plusieurs cas de catalyse acide ou basique générale en présence d'enzymes.

(a)

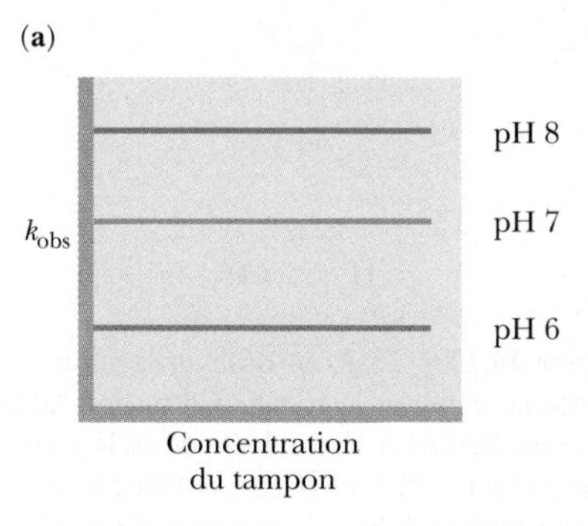

(b)

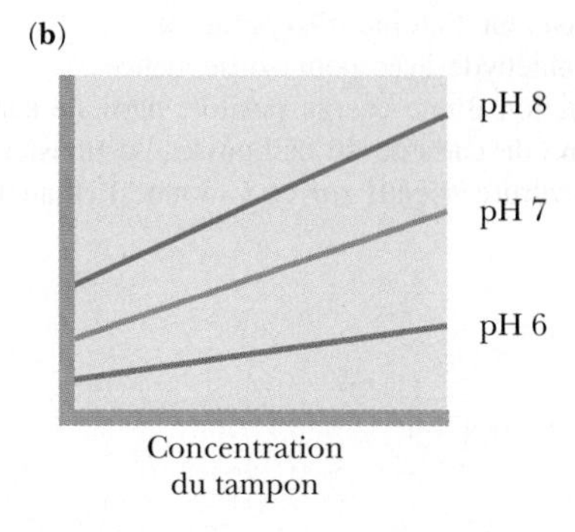

Figure 16.11 • La nature spécifique ou générale d'une catalyse acide-base en solution peut être précisée en déterminant le devenir de leurs constantes de vitesse (k_{obs}) en fonction du pH et de la concentration du tampon. (a) Dans la catalyse acide-base spécifique, la concentration des ions H^+ et OH^- affecte la vitesse de la réaction, k_{obs}, dépend du pH mais les tampons (qui acceptent ou donnent H^+ ou OH^-) n'ont pas d'effet. (b) Dans la catalyse acide-base générale, le tampon peut transférer un proton à l'état de transition, k_{obs} dépend de la concentration du tampon.

16.8 • Catalyse par les ions métalliques

Beaucoup d'enzymes requièrent la présence d'ions métalliques pour manifester leur activité maximale. Si l'enzyme lie très fortement l'ion métallique ou exige sa présence pour conserver sa stabilité, le maintenir dans son état natif, on dit que c'est un **métalloenzyme**. Si l'enzyme lie plus faiblement un ion métallique et peut-être seulement pendant le cycle catalytique, on dit qu'il est **activé par un métal**. Un des rôles des ions métalliques, dans les deux cas, est d'agir comme un catalyseur électrophile ; ils stabilisent l'accroissement de la densité électronique ou de la charge négative qui peuvent apparaître au cours de la réaction. L'alcool déshydrogénase est

Réaction

$$CH_3C(=O){-}O{-}C_6H_4{-}NO_2 + H_2O \rightleftharpoons CH_3C(=O){-}O^- + HO{-}C_6H_4{-}NO_2 + H^+$$

Mécanisme

$$CH_3C(=O){-}O{-}C_6H_4{-}NO_2 \longrightarrow CH_3{-}C(O^-)(OH){-}O(H^+){-}C_6H_4{-}NO_2 \longrightarrow CH_3C(=O){-}O^- + HO{-}C_6H_4{-}NO_2 + H^+$$

Figure 16.12 • Catalyse de l'hydrolyse du *p*-nitrophénylacétate par l'imidazole, un exemple de catalyse acide-base générale. Le transfert du proton à l'imidazole dans l'état de transition facilite l'attaque du carbone du carbonyle par l'hydroxyle.

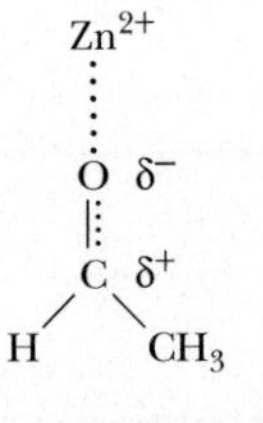

Figure 16.13 • L'alcool déshydrogénase hépatique catalyse le transfert d'un ion hydrure ($H{:}^-$) du NADH à l'acétaldéhyde (CH_3CHO) pour former l'éthanol (CH_3CH_2OH). L'ion zinc du site actif stabilise l'apparition d'une charge négative sur l'atome d'oxygène de l'acétaldéhyde avec pour conséquence l'induction d'une charge positive partielle sur l'atome de carbone du carbonyle. Le transfert de l'hydrure négatif sur ce C donne l'éthanol.

un des enzymes qui fonctionnent de cette manière (Figure 16.13). Une autre fonction potentielle des ions métalliques provient de leur capacité à former des groupes fortement nucléophiles à pH neutre. La liaison par coordination à un ion métallique accroît l'acidité d'un groupe nucléophile possédant un proton ionisable :

$$M^{2+} + NuCH \rightleftharpoons M^{2+}(NuCH) \rightleftharpoons M^{2+}(NuC^-) + H^+$$

La réactivité d'un groupe nucléophile déprotoné lié par liaison de coordination est en général intermédiaire entre celles de la forme non ionisée et de la forme ionisée du nucléophile. La carboxypeptidase (voir Chapitre 5) contient au site actif un Zn^{2+} qui facilite de cette façon la déprotonation d'une molécule d'eau.

16.9 • Rôle de la proximité

La *proximité* des réactifs favorise la rapidité des réactions chimiques. En solution, ou en phase gazeuse cela signifie que l'accroissement des concentrations des réactants, qui augmente la fréquence des collisions, provoque une augmentation de la vitesse des réactions. Les enzymes qui ont des sites de liaison spécifiques pour les molécules réactives concentrent les réactants sur ces sites et les maintiennent proches les uns des autres. On dit que cette proximité des réactants élève leur concentration « effective » au-dessus de celle des substrats en solution, ce qui accroît la vitesse de la réaction. Pour mesurer cet effet de proximité dans les réactions enzymatiques, les enzymologistes étudient des modèles qui permettent de comparer la vitesse d'une réaction intermoléculaire avec celle de la réaction intramoléculaire correspondante ou similaire. L'hydrolyse du *p*-nitrophénylacétate catalysée par l'imidazole est un exemple classique (Figure 16.14a). Dans certaines conditions, la constante de vitesse de cette réaction bimoléculaire est de 35 $M^{-1}min^{-1}$. Par comparaison, la constante de vitesse de la réaction d'ordre un pour une réaction analogue, mais intramoléculaire, est de 839 min^{-1} (Figure 16.14b). Le rapport de ces deux constantes de vitesse

$$(839\ min^{-1})/(35\ M^{-1}\ min^{-1}) = 23{,}97\ M$$

a les unités d'une concentration et l'on peut le considérer comme la concentration effective de l'imidazole dans la réaction intramoléculaire. On peut encore dire qu'il faudrait que la concentration de l'imidazole soit de 23,9 *M* pour que la réaction intermoléculaire soit aussi rapide que la réaction intramoléculaire.

L'effet de proximité est cependant plus complexe. Les enzymes ne font pas que rapprocher les réactifs et les groupes catalytiques, ils les *orientent* aussi, de façon à favoriser la catalyse. La comparaison des vitesses de réactions intramoléculaires des molécules présentées Figure 16.15 montre bien que l'encombrement stérique

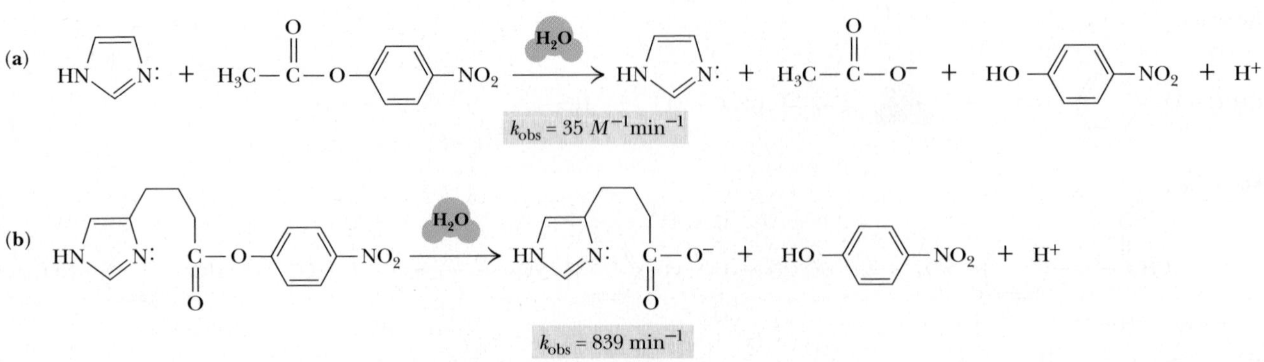

(a) $k_{obs} = 35\ M^{-1}min^{-1}$

(b) $k_{obs} = 839\ min^{-1}$

Figure 16.14 • Exemple d'effet de proximité dans la catalyse. (a) La catalyse de l'hydrolyse du *p*-nitrophénylacétate par l'imidazole est lente mais (b), la réaction intramoléculaire correspondante est 24 fois plus rapide (en supposant que [imidazole] = 1 *M* dans le premier cas).

Réaction	Const. de vitesse ($M^{-1}s^{-1}$)	Rapport
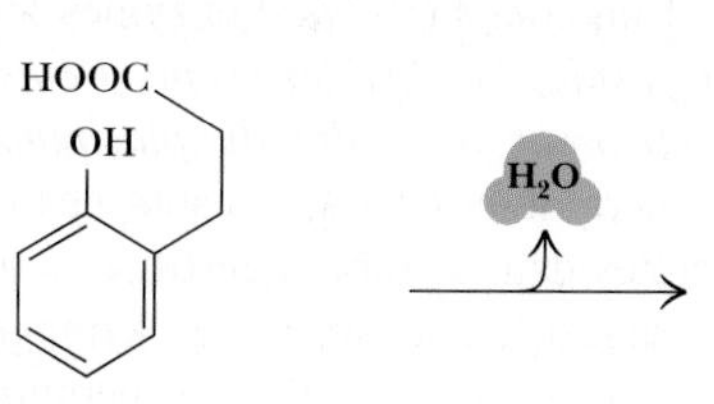 HOOC, OH → (H_2O) O, O	5,9x10^{-6}	
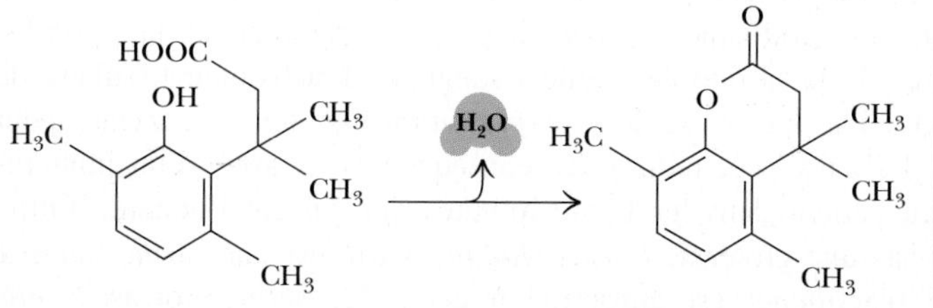 HOOC, OH, H_3C, CH_3, CH_3, CH_3 → (H_2O) O, O, H_3C, CH_3, CH_3, CH_3	1,5x10^{6}	2,5x10^{11}

Figure 16.15 • Les effets de l'orientation dans les réactions intramoléculaires peuvent être spectaculaires. L'encombrement stérique dû à la présence des groupes méthyle provoque une accélération de la vitesse de la réaction. La vitesse de la réaction du bas de la Figure est 2,5 $\times$ 10^{11} fois plus rapide que celle de la réaction du haut. (*D'après Milstein, S. et Cohen, L.A., 1972. Stereopopulation control I. Rate enhancements in the lactonization of o-hydroxyhydrocinnamic acid.* Journal of the American Chemical Society ***94** : 9158-9165.)*

créé par les volumineux radicaux méthyliques impose au groupe carboxylique aliphatique et au groupe hydroxyle aromatique une orientation qui les rend 250 milliards de fois plus aptes à réagir. Les enzymes fonctionnent d'une façon analogue, en positionnant les groupements fonctionnels catalytiques (provenant des chaînes latérales de la protéine ou d'un autre substrat) de manière à favoriser la réaction avec le substrat.

Visiblement, la proximité et l'orientation jouent un rôle dans la catalyse enzymatique, mais chacune des comparaisons précédentes pose un problème. Il est en effet impossible, dans les deux cas, de séparer les effets résultant réellement de la proximité et de l'orientation des effets consécutifs à la perte d'entropie lorsque deux molécules sont réunies (cf. Section 16.4). Les augmentations de vitesse consécutives à la proximité, Figure 16.14, et aux effets de l'orientation, Figure 16.15, sont vraisemblablement beaucoup plus petites que les valeurs données. Des théories fondées sur des probabilités et des modèles de plus proche voisin prédisent que les effets de proximité n'augmentent les vitesses de réaction que de 5 à 10 fois. Pour toute étude de catalyse enzymatique, il demeure néanmoins nécessaire de ne pas oublier que les effets de proximité et d'orientation peuvent être significatifs.

16.10 • Mécanismes enzymatiques typiques

Le reste de ce chapitre sera consacré à la description de quelques mécanismes enzymatiques classiques et représentatifs. Ces cas particuliers sont bien compris car les structures tridimensionnelles des enzymes liés à leurs substrats sont connues dans les moindres détails (à la résolution atomique) et que de nombreux efforts ont été consacrés à l'étude de leurs cinétiques et aux mécanismes réactionnels. Ils sont importants car ils représentent les réactions types que l'on retrouve régulièrement dans les systèmes vivants et parce qu'ils permettent de décrire plusieurs des principes catalytiques qui viennent d'être cités. Les enzymes sont des machines catalytiques qui entretiennent la vie et ce qui suit donne une idée du fonctionnement intime de la machinerie.

16.11 • Les sérine-protéases

La famille des sérine-protéases (protéases dans lesquelles un résidu sérine particulier est impliqué dans la catalyse covalente) est l'une des familles d'enzymes les mieux caractérisées. Cette famille comprend *la trypsine, la chymotrypsine, l'élastase, la thrombine, la subtilisine, la plasmine, l'activateur tissulaire du plasminogène* et d'autres enzymes apparentés. Les trois premiers de ces enzymes sont des enzymes digestifs synthétisés dans le pancréas et sécrétés dans le tube digestif sous forme de **proenzymes**, ou **zymogènes**. Dans le tube digestif, chacun de ces zymogènes est converti en une forme active par clivage d'une partie de la chaîne peptidique. La thrombine est un enzyme crucial de la cascade de réactions qui conduit à la coagulation sanguine, la subtilisine est une protéase bactérienne et la plasmine dégrade les polymères de la fibrine des caillots sanguins. L'activateur tissulaire du plasminogène (TPA) clive spécifiquement le *plasminogène*, un proenzyme, pour donner la plasmine. Le TPA peut réduire les conséquentes néfastes d'un infarctus s'il est administré au patient dans les trente minutes qui suivent l'attaque. Enfin, bien qu'elle ne soit pas une protéase, *l'acétylcholinestérase* est une *sérine-estérase* dont le mécanisme réactionnel est apparenté à celui des sérine-protéases ; elle dégrade l'acétylcholine, un neurotransmetteur libéré dans la fente synaptique entre les neurones.

Les sérine-protéases digestives

La trypsine, la chymotrypsine et l'élastase, catalysent une même réaction – le clivage d'une chaîne peptidique – et, bien que leurs structures et leurs mécanismes soient très similaires, ces enzymes ont des spécificités différentes. La trypsine clive

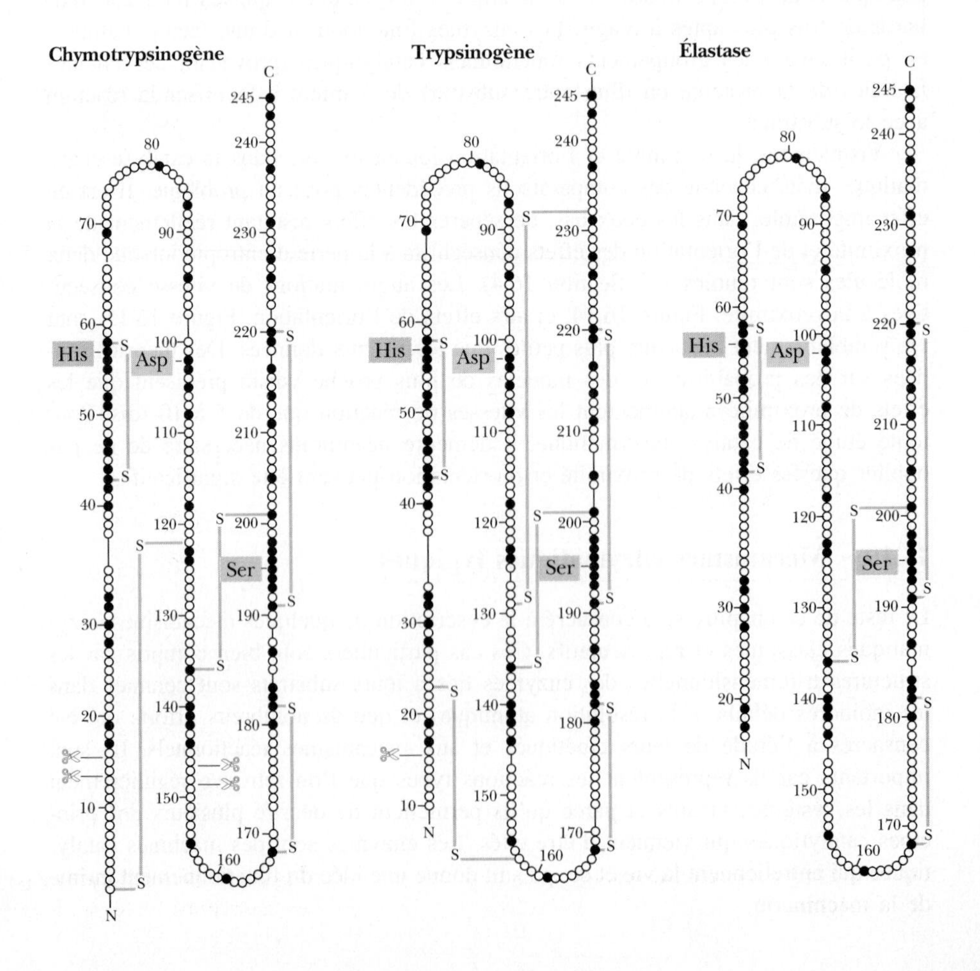

Figure 16.16 • Séquences des acides aminés du chymotrypsinogène, du trypsinogène et de l'élastase. Chaque cercle représente un résidu. La numérotation est établie d'après celle du chymotrypsinogène. Les cercles pleins indiquent les résidus qui sont identiques dans les trois protéines. Les ponts disulfure sont en jaune. Les positions des trois résidus importants du site catalytique (la triade catalytique, His[57], Asp[102] et Ser1[95]) sont indiquées.

les polypeptides du côté du carbonyle des acides aminés basiques, arginine et lysine (cf. Tableau 5.6). La chymotrypsine clive, de préférence, du côté du carbonyle des acides aminés aromatiques, phénylalanine et tyrosine. L'élastase n'est pas aussi spécifique que ces deux derniers enzymes ; elle clive du côté du carbonyle essentiellement des petits résidus neutres. Ces trois enzymes ont des masses moléculaires d'environ 25.000, leurs séquences (Figure 16.16) et structures tridimensionnelles sont similaires. La structure de la chymotrypsine est typique (Figure 16.17). La molécule a une forme ellipsoïdale, elle contient une hélice α à l'extrémité C-terminale (résidus 230 à 245) et deux domaines de type feuillet β antiparallèle. La plupart des résidus aromatiques et hydrophobes sont enfouis à l'intérieur de la protéine et la plupart des résidus chargés ou hydrophiles sont à la surface de la molécule. Trois résidus polaires – His^{57}, Asp^{102} et Ser^{195} – forment ce qu'on appelle la **triade catalytique** du site actif (Figure 16.18). Ces trois résidus sont conservés dans la trypsine et dans l'élastase. Le site actif est en fait une dépression à la surface de l'enzyme, dépression qui forme une petite poche plus ou moins importante appelée **poche de spécificité**. Les chaînes latérales de certains résidus au fond de la poche donnent sa spécificité à l'enzyme (Figure 16.19). Par exemple, la chymotrypsine a une poche de spécificité entourée de résidus hydrophobes et elle est assez grande pour y loger la chaîne latérale d'un acide aminé aromatique. Au fond de la poche de spécificité de la trypsine un résidu porteur d'une charge négative (Asp^{189}) facilite la liaison avec la chaîne latérale positive de Arg et de Lys. Par contre, l'élastase a une poche peu profonde, à l'entrée rétrécie par des résidus Val et Thr encombrants, où seuls les plus petits résidus peuvent entrer. Le squelette polypeptidique du substrat est lié de façon antiparallèle à l'enzyme par des liaisons hydrogène avec les résidus 215 à 219. Ces liaisons hydrogène provoquent une courbure du squelette de sorte que la liaison peptidique qui doit être clivée se trouve à proximité de His^{57} et de Ser^{195}.

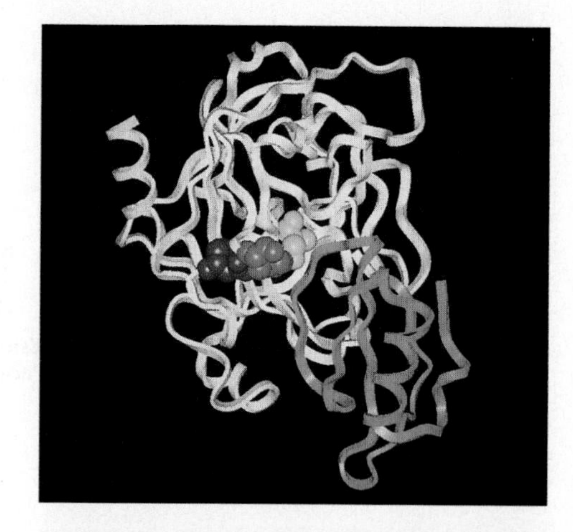

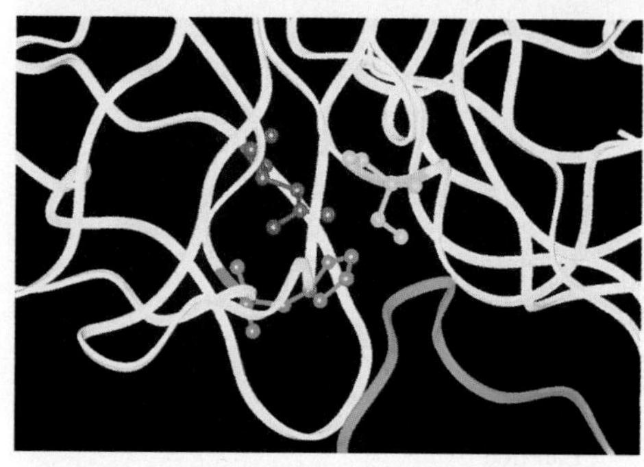

Figure 16.17 • Structure de la chymotrypsine en blanc) complexée à l'égline (le ruban bleu) une protéine cible. Les résidus de la triade catalytique (His^{57}, Asp^{102} et Ser^{195}) sont mis en évidence. His^{57} (en bleu) est encadré à gauche par Asp^{102} (en rouge) et à droite par Ser^{195} (en jaune). Le site catalytique est rempli par un segment peptidique de l'égline. Notez combien Ser^{195} est proche de la liaison peptidique qui sera clivée par la réaction catalysée par la chymotrypsine.

Cinétique et mécanisme de la chymotrypsine

La plus grande partie des connaissances concernant le mécanisme réactionnel de la chymotrypsine provient de l'étude de l'hydrolyse de substrats artificiels, des petits esters organiques comme le *p*-nitrophénylacétate ou les esters méthyliques d'analogues d'acides aminés, comme ceux de la formylphénylalanine et de l'acétylphénylalanine

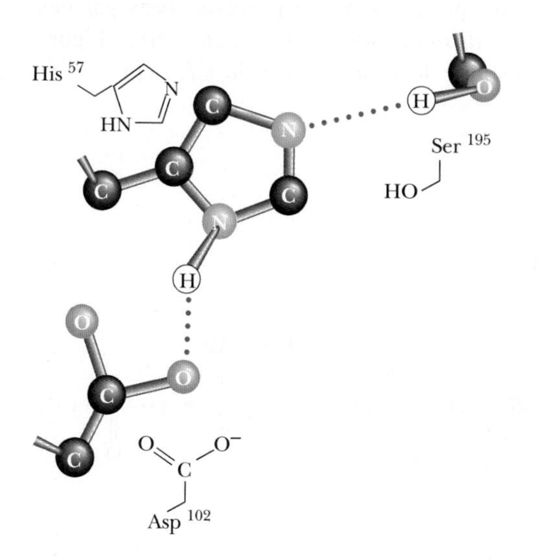

Figure 16.18 • La triade catalytique de la chymotrypsine.

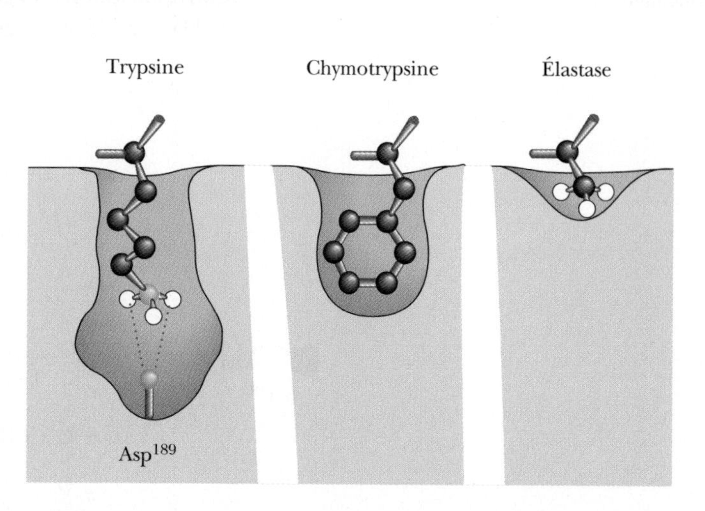

Figure 16.19 • Poches de fixation du substrat dans la trypsine, la chymotrypsine et l'élastase. *(Irving Geis)*

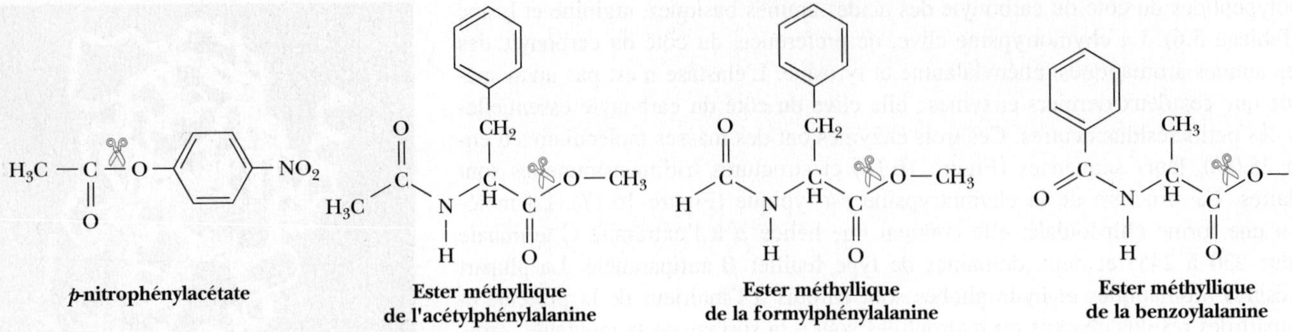

p-nitrophénylacétate — Ester méthyllique de l'acétylphénylalanine — Ester méthyllique de la formylphénylalanine — Ester méthyllique de la benzoylalanine

Figure 16.20 • Substrats synthétiques utilisés dans les études du mécanisme de la chymotrypsine.

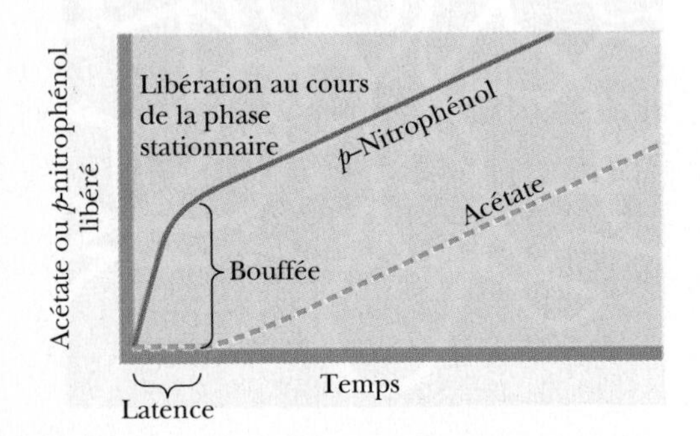

Figure 16.21 • Cinétique observée dans la réaction catalysée par la chymotrypsine. La très rapide mais brève production de nitrophénol est suivie d'une production plus lente correspondant à l'état stationnaire. Après un temps de latence initial, on observe l'apparition d'acétate dans la solution. Ce comportement cinétique est compatible avec la formation rapide d'un acyl-enzyme intermédiaire (et la rapide production initiale de nitrophénol). La production plus lente des produits libérés à l'état stationnaire correspond à la vitesse limitante de l'hydrolyse de l'acyl-enzyme intermédiaire.

(Figure 16.20). Le *p*-nitrophénylacétate est un substrat modèle particulièrement utile car le produit de la réaction, le nitrophénol, a une forte absorption à 400 nm en milieu alcalin. Quand de grandes quantités de chymotrypsine sont utilisées pour étudier la cinétique de la réaction, on observe avec ce substrat une **rapide et brève production initiale** de *p*-nitrophénol (en quantité approximativement égale à celle de l'enzyme), suivie par une libération plus lente, et à vitesse constante, de *p*-nitrophénol (Figure 16.21). L'observation d'une production rapide de nitrophénol (la bouffée), suivie d'une libération plus lente du produit, est en faveur d'un mécanisme réactionnel à plusieurs étapes avec une première étape rapide et une seconde étape plus lente.

Le *p*-nitrophénylacétate se combine d'abord avec la chymotrypsine pour donner le complexe ES. Il s'ensuit très rapidement une réaction qui produit un **acyl-enzyme intermédiaire**, avec un groupe acétyle lié de façon covalente au résidu très réactif, $Ser1^{195}$. Le groupe nitrophényle est libéré sous forme *p*-nitrophénol ; cette étape correspond à la bouffée initiale (Figure 16.22). Dans l'étape plus lente qui suit, l'attaque de l'acyl-enzyme intermédiaire par une molécule d'eau libère le second produit de la réaction, l'acétate. L'enzyme peut à présent lier une nouvelle molécule de *p*-nitrophénylacétate, et la vitesse de la production du *p*-nitrophénol à partir de ce moment correspond à la vitesse de production plus lente constatée dans la partie supérieure droite de la Figure 16.21, celle de l'état stationnaire. Dans ce mécanisme, la libération de l'acétate est **l'étape limitante**, elle rend compte de la **bouffée cinétique.**

La chymotrypsine et les autres sérine-protéases peuvent être inhibées par des **fluorophosphates organiques** comme le *diisopropylfluorophosphate* (DIFP, Figure 16.23). Le DIFP réagit très rapidement avec le résidu sérine du site actif, Ser^{195}

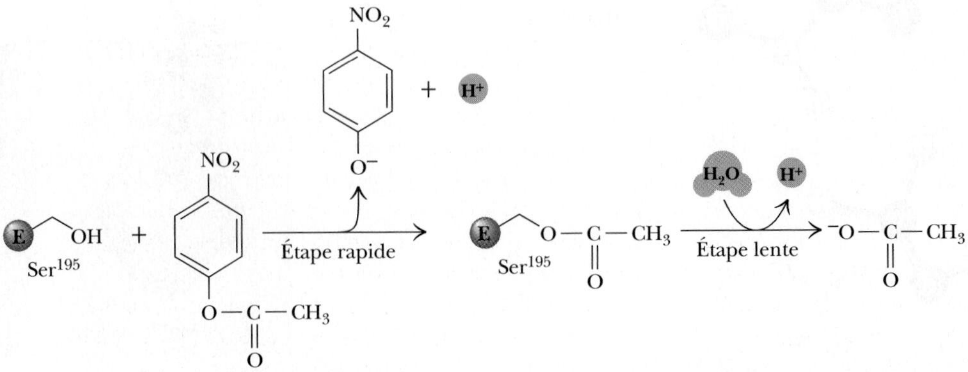

Étape rapide — Étape lente

Figure 16.22 • La rapide formation de l'acyl-enzyme intermédiaire est suivie d'une plus lente libération du produit.

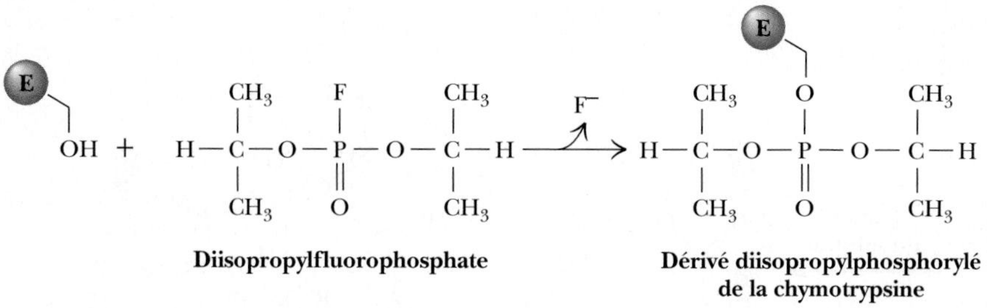

Diisopropylfluorophosphate **Dérivé diisopropylphosphorylé de la chymotrypsine**

Figure 16.23 • Le diisopropylfluorophosphate (DIFP) réagit avec le résidu Ser actif du site actif d'une sérine-protéase et provoque son inactivation définitive.

dans la chymotrypsine, (mais aucun autre résidu sérine des sérine-protéases) pour former un DIP-enzyme. Ce complexe covalent est extrêmement stable et la chymotrypsine est inhibée de façon permanente, irréversible, par le DIFP.

Détails du mécanisme des sérine-protéases : les événements sur le site actif

La Figure 16.24 présente le mécanisme probable de l'hydrolyse du substrat. Lorsque le squelette polypeptidique du substrat se lie à l'enzyme, en position adjacente à la triade catalytique, une chaîne latérale de ce substrat s'introduit dans la poche de spécificité (la structure de la chaîne latérale doit être complémentaire de celle de la poche). Asp^{102} de la triade catalytique immobilise His^{57} par une liaison hydrogène et le maintient dans la bonne position. Dans la première étape de la réaction, His^{57} agit comme une base générale et accepte un proton venant de Ser^{195}, ce qui facilite l'attaque nucléophile par Ser^{195} du carbone du carbonyle de la liaison peptidique à cliver. Il s'agit très probablement d'une *réaction concertée* car le transfert du proton, préalable à l'attaque nucléophile par Ser^{195}, laisse une charge négative relativement instable sur l'oxygène de la sérine. Au cours de l'étape suivante, His^{57} donne un proton à l'azote de l'amide de la liaison peptidique. Cela crée une amine protonée dans la structure tétraédrique de l'intermédiaire covalent et facilite le clivage ultérieur de la liaison et la dissociation du produit aminé. La charge négative sur l'oxygène est instable ; la durée de vie de l'intermédiaire tétraédrique est brève et la liaison se rompt rapidement avec élimination du produit aminé. L'acyl-enzyme intermédiaire qui résulte de cette première partie de la réaction est assez stable. Il peut être isolé si l'on utilise des analogues de substrat qui ne permettent pas la poursuite de la réaction. Mais avec les substrats naturels, une attaque nucléophile de l'atome de carbone du carbonyle par H_2O (en fait OH^-) génère un nouvel intermédiaire tétraédrique transitoire (Figure 16.24). His^{57} agit encore dans cette étape comme une base générale acceptant un proton de la molécule d'eau. Mais ensuite, et de façon concertée, His^{57} donne un proton à l'oxygène de la sérine, ce qui met fin à l'existence de l'intermédiaire tétraédrique. Le groupe carboxyle perd son proton et le deuxième produit quitte le site actif, le cycle réactionnel est terminé.

Pendant longtemps, le rôle catalytique de Asp^{102} était simplement supposé du fait de sa proximité avec His^{57} dans les structures cristallines examinées aux rayons X. Ce rôle n'avait jamais été démontré par des études physiques ou chimiques. Comme on peut le constater Figure 16.17, Asp^{102} est enfoui dans le site actif, il est normalement inaccessible aux agents de modification chimique. En 1987, Charles Craik, William Rutter et leurs collègues ont préparé par mutagenèse dirigée une trypsine mutée (cf. Chapitre 13) dans laquelle Asp^{102} est remplacé par une asparagine. L'activité hydrolytique de cette trypsine modifiée, mesurée à l'aide de substrats synthétiques, est 10.000 fois inférieure à celle de la trypsine naturelle. Cette expérience démontre que Asp^{102} est effectivement essentiel pour la catalyse et que sa capacité à immobiliser et à orienter correctement His^{57} est cruciale pour la fonction de la triade catalytique.

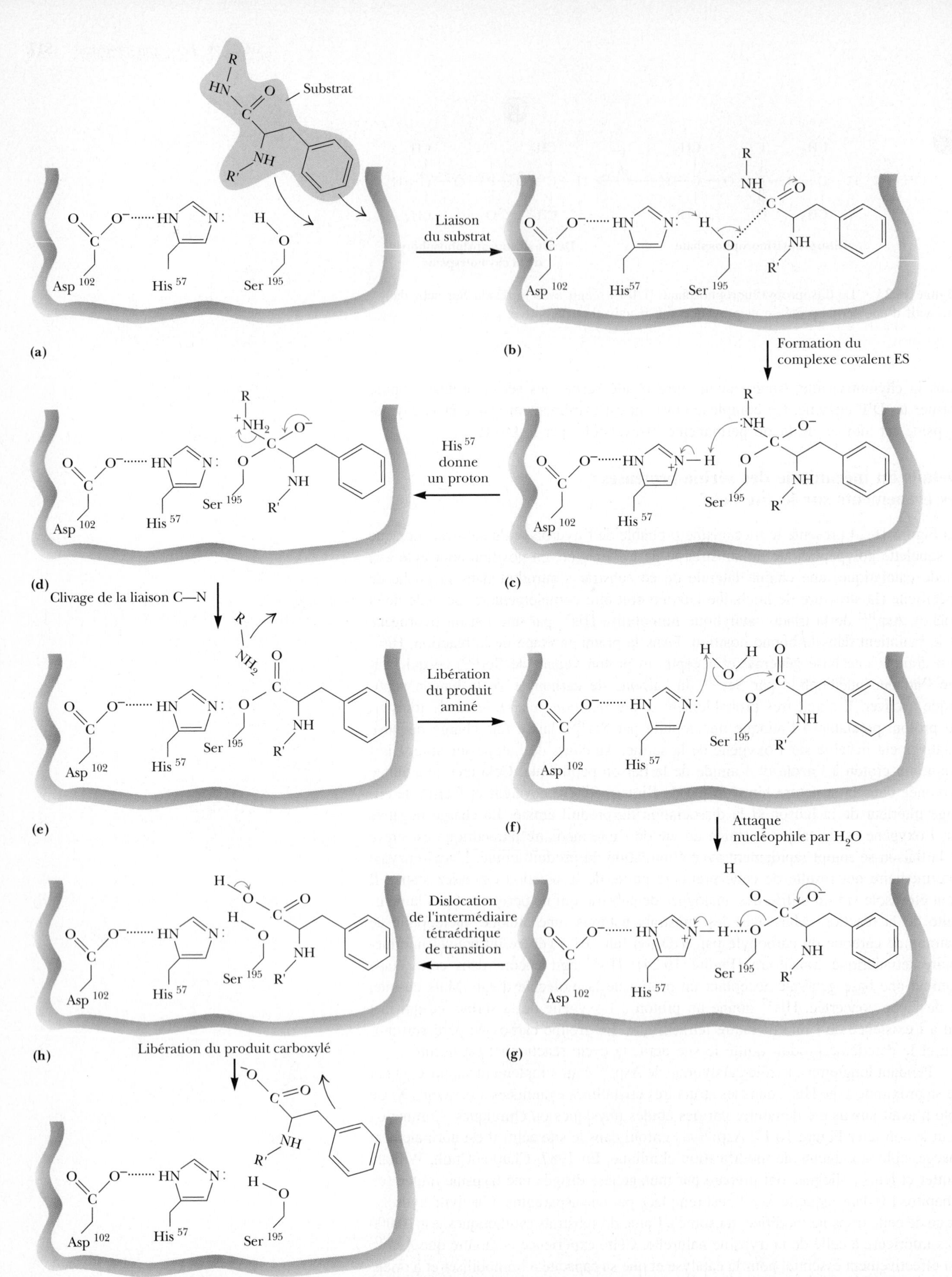

Figure 16.24 • Mécanisme détaillé de l'action de la chymotrypsine sur son substrat.

Développements décisifs en biochimie

Stabilisation des états de transition dans les sérine-protéases

Les études par diffraction des rayons X des cristaux de complexes de sérine-protéases avec des analogues de l'état de transition ont montré comment la chymotrypsine stabilise au cours de la réaction les **oxyanions des états de transition tétraédriques** (structures (c) et (g) de la Figure 16.24). Les atomes d'azote des groupes amides de Ser^{195} et de Gly^{193} forment dans le site actif une cavité, ou poche, la « poche de l'oxyanion ». Dans cette poche, l'oxygène du carbonyle du substrat (celui de la liaison peptidique clivée) se lie par des liaisons hydrogène à ces atomes d'azote.

La formation de l'état tétraédrique transitoire accroît les interactions de l'oxygène du carbonyle du substrat avec les –NH des amides de Ser^{195} et de Gly^{193} de deux façons. La conversion dans la structure tétraédrique de la double liaison du carbonyle en liaison simple, *plus longue*, rapproche l'atome d'oxygène des atomes d'hydrogène des amides et une liaison hydrogène entre un oxygène chargé et l'atome d'hydrogène est significativement plus forte qu'une liaison hydrogène avec l'oxygène non chargé d'un carbonyle.

La stabilisation de l'état de transition dans la chymotrypsine implique aussi des chaînes latérales du substrat. La formation de l'intermédiaire tétraédrique renforce les interactions de la chaîne latérale du produit partant aminé avec l'enzyme. Après la rupture de la structure tétraédrique (Figure 16.24d et e), la répulsion, d'origine stérique, entre le produit partant aminé et le groupe carbonyle de l'acyl-enzyme intermédiaire aboutit au départ du premier produit de la réaction.

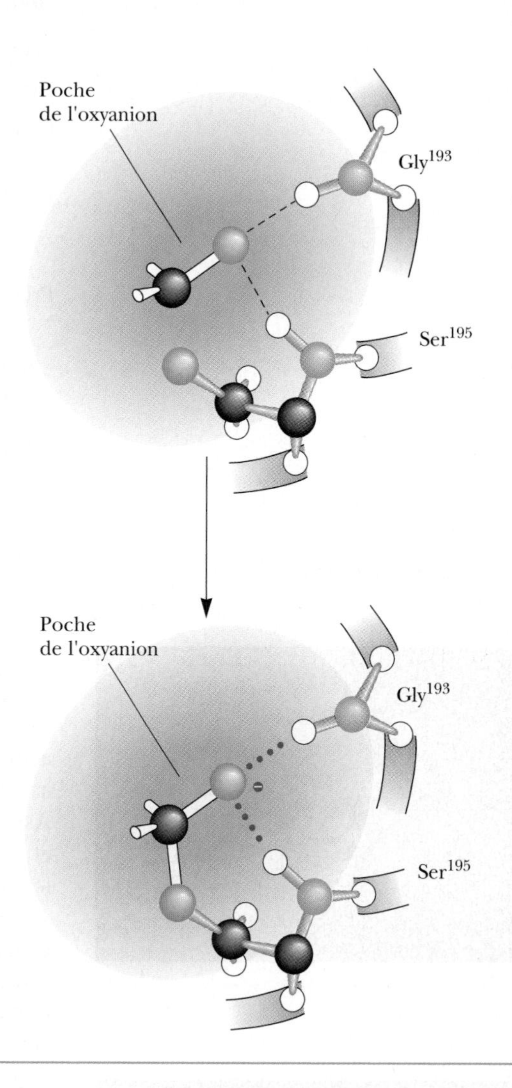

La « poche de l'oxyanion » de la chymotrypsine stabilise l'oxyanion tétraédrique des états de transition du mécanisme réactionnel décrit Figure 16.24.

16.12 • Les aspartate-protéases

Les mammifères, les champignons et les plantes supérieures produisent une famille de protéases particulières, les **aspartate-protéases**. Ces enzymes sont actifs à pH acide (et parfois neutre). Chacun d'eux a, dans son site actif, deux résidus Asp caractéristiques. Les aspartate-protéases ont une grande diversité de fonctions (Tableau 16.3). Elles interviennent dans la digestion (*pepsine* et *chymosine*), la dégradation lysosomique des protéines (*cathepsines* D et E), la régulation de la pression sanguine (la *rénine* est une aspartate-protéase impliquée dans la production de l'angiotensine, une hormone qui stimule la contraction des muscles lisses et réduit l'excrétion des sels et des fluides). La spécificité des aspartate-protéases n'est pas particulièrement restreinte cependant elles sont normalement plus actives dans le clivage des liaisons peptidiques entre deux résidus hydrophobes. Par exemple, la pepsine clivera plus activement les liaisons peptidiques entre deux résidus aromatiques.

Les chaînes polypeptidiques de la plupart de ces protéases ont de 323 à 340 résidus, et leurs masses moléculaires sont voisines de 35.000. Elles se reploient pour former une structure tertiaire à deux domaines homologues répartis en deux lobes,

Tableau 16.3

Quelques aspartate-protéases représentatives

Nom	Source	Fonction
Pepsine*	Estomac des animaux	Digestion des protéines alimentaires
Chymosine†	Estomac des animaux	Digestion des protéines alimentaires
Cathepsine D	Rate, foie et de nombreux autres tissus animaux	Digestion des protéines par les lysosomes
Rénine‡	Rein	Conversion de l'angiotensinogène en angiotensine I ; régulation de la pression sanguine
Protéase HIV§	Virus du SIDA	Maturation des protéines du virus HIV-1

* Second enzyme à avoir été cristallisé (par John Northrup en 1930). Encore plus que par l'étude antérieure de l'uréase, les travaux de Northrup à l'aide de la pepsine ont démontré que l'activité enzymatique provenait d'une protéine.
† Aussi connue sous le nom de rennine. Principal enzyme du suc gastrique des fœtus, du nourrisson et des nouveaux-nés animaux, c'est un enzyme de type pepsine.
‡ Une chute de la pression sanguine provoque la libération de rénine par les reins, ce qui permet la conversion d'une plus grande quantité d'angiotensinogène en angiotensine.
§ Un dimère à sous-unités identiques, homologue de la pepsine.

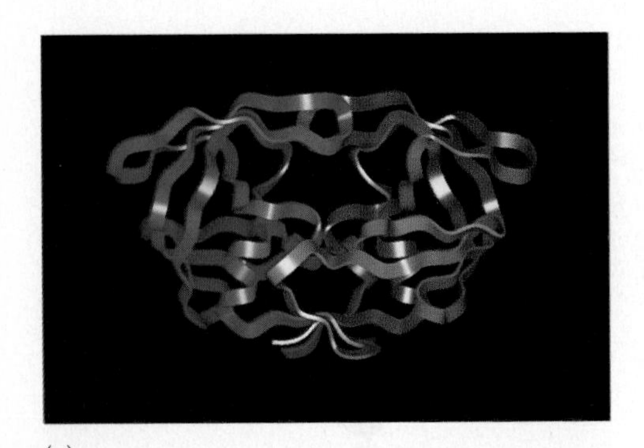

(a)

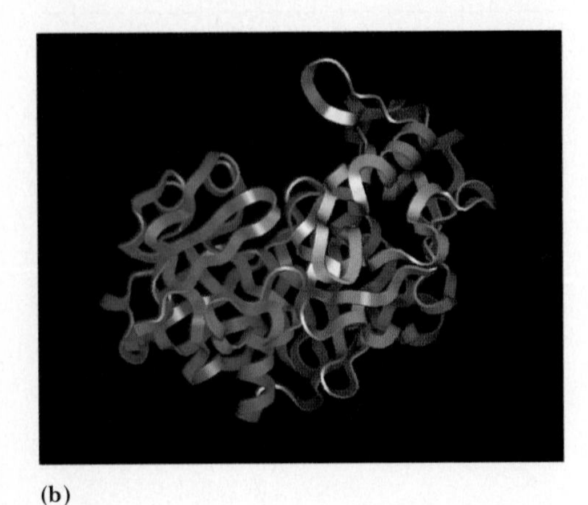

(b)

Figure 16.25 • (a) Structure de la protéase de VIH-1, un dimère; (b) Structure de la pepsine, un monomère. Le domaine N-terminale de la pepsine est en rouge, celui de l'extrémité C-terminale en bleu.

avec une symétrie approximativement binaire (Figure 16.25). Chacun de ces domaines (ou lobes) est constitué de deux feuillets β et de deux courtes hélices α. Les deux domaines sont reliés par un feuillet β à six brins antiparallèles. Le site actif est une longue et profonde crevasse située entre les deux domaines, crevasse assez grande pour accepter environ sept des résidus du substrat. Les deux résidus Asp catalytiques, Asp^{32} et Asp^{215} pour la pepsine de porc, sont au fond du site actif et disposés en son centre. Le domaine N-terminal forme un « rabat » qui recouvre le site actif, il pourrait contribuer à immobiliser le substrat dans ce site.

En tenant compte du mécanisme connu des sérine-protéases, une des hypothèses était que le mécanisme des aspartate-protéases pourrait inclure des complexes enzyme-substrat covalents intermédiaires impliquant les résidus Asp du site actif. Deux possibilités étaient avancées, la formation d'un acyl-enzyme intermédiaire avec une liaison anhydride, ou celle d'un amino-enzyme intermédiaire avec une liaison amide (peptidique) (Figure 16.26). Toutes les tentatives pour isoler, ou mettre en évidence, ces intermédiaires ont échoué. Un autre mécanisme réactionnel est actuellement suggéré (voir paragraphe suivant). Selon cette dernière hypothèse, il n'y aurait pas formation de liaison covalente dans les complexes intermédiaires enzyme-substrat et la catalyse par les aspartate-protéases serait du type catalyse acide-base générale.

Mécanisme d'action des aspartate-protéases

La donnée expérimentale la plus marquante en faveur du modèle de catalyse acide-base générale est l'effet du pH sur l'activité de ces protéases (cf. Encart, page 525, *Effets du pH sur les aspartate-protéases et sur la protéase de VIH-1)*. L'hypothèse des enzymologistes est que les groupes carboxyliques des résidus Asp fonctionnent alternativement comme un acide général et comme une base générale. Ce modèle exige qu'un carbonyle soit protoné et l'autre déprotoné lors de la fixation du substrat. Les études radiocristallographiques des aspartate-protéases montrent que la structure du site actif au voisinage des deux résidus Asp est hautement symétrique. Les deux résidus paraissent former une « diade catalytique » analogue à la triade catalytique des sérine-protéases. Le proton de la diade pourrait alors être lié à l'un ou l'autre des résidus Asp de l'enzyme libre ou du complexe enzyme-substrat. Par exemple, dans la pepsine, Asp^{32} pourrait être déprotoné et Asp^{215} protoné, ou inversement.

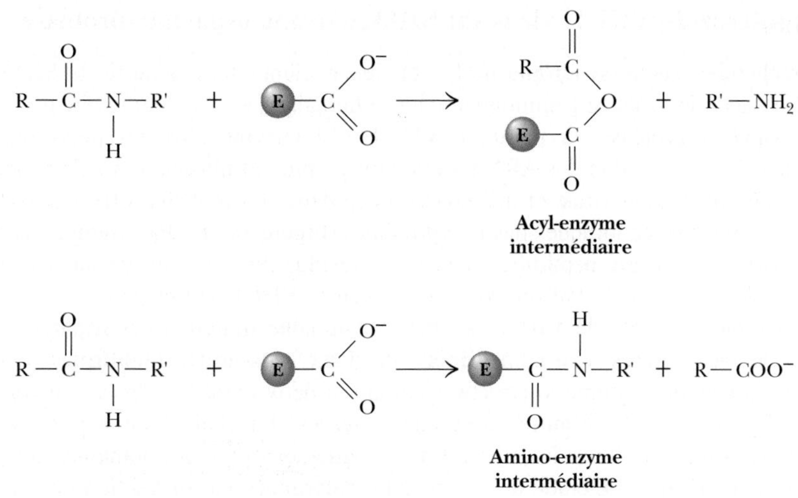

Acyl-enzyme intermédiaire

Amino-enzyme intermédiaire

Figure 16.26 • Acyl-enzyme et amino-enzyme intermédiaires proposés à l'origine pour les aspartate-protéases, par analogie avec l'acyl-enzyme intermédiaire des sérine protéases.

Dans le modèle le plus généralement accepté (Figure 16.27), la liaison du substrat est suivie d'une étape au cours de laquelle le transfert concerté de deux protons facilite l'attaque, par une molécule d'eau, du carbone du carbonyle du substrat (il s'agit toujours du carbonyle de la liaison peptidique qui sera clivée). Dans le mécanisme décrit Figure 16.27, Asp^{32} se comporte comme une base générale, acceptant un proton d'une molécule d'eau du site actif, pendant que Asp^{215} se comporte comme un acide général en donnant un proton à l'atome d'oxygène du carbonyle peptidique. *Du fait de ces deux transferts de protons, l'attaque nucléophile se produit sans qu'il y ait formellement formation d'un ion OH^- dans le site actif.* L'intermédiaire résultant de ces transferts est un **dihydrate d'amide**. Notez que l'état de protonation des deux résidus Asp est à présent inversé par rapport à celui de l'état dans l'enzyme libre (Figure 16.27).

La libération des produits de la réaction s'effectue par un mécanisme analogue à celui de la formation du dihydrate d'amide. Le carboxyle ionisé de l'aspartate (Asp^{32} dans la Figure 16.27) se comporte comme une base générale et accepte un proton de l'un des deux groupes hydroxyle du dihydrate d'amide. Dans le même temps, le carboxyle protoné de l'autre résidu Asp (Asp^{215} dans notre exemple) se comporte comme un acide général et donne un proton à l'atome d'azote de l'un des deux produits de la réaction.

(a) (b) (c) (d)

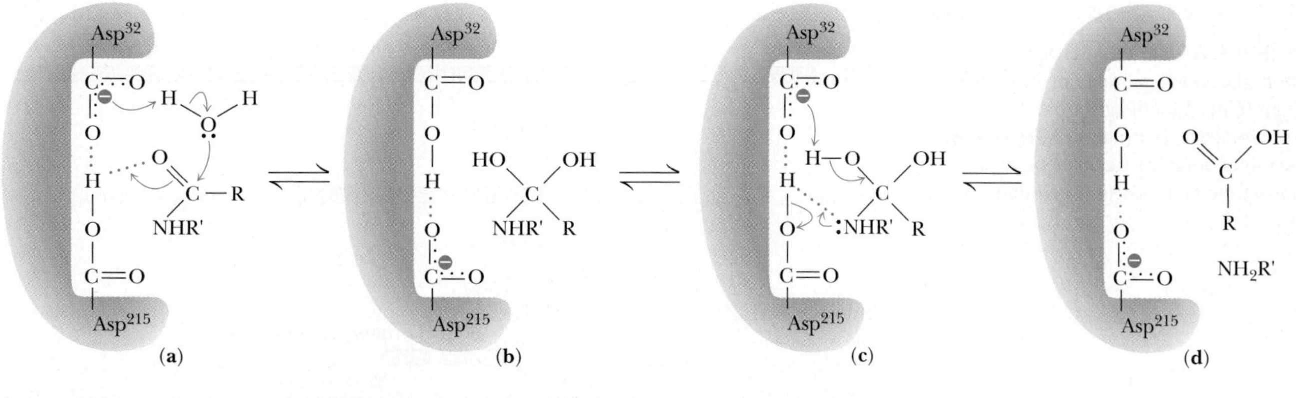

Figure 16.27 • Mécanisme proposé pour les aspartate-protéases. Dans une première étape, deux transferts concertés de proton facilitent l'attaque nucléophile du carbone du carbonyle du substrat par de l'eau. Dans la troisième étape, un résidu aspartate (Asp^{32} dans la pepsine) accepte un proton de l'un des deux groupes hydroxyle de l'amide dihydraté de la liaison peptidique et l'autre aspartate (Asp^{215}) donne un proton à l'azote de l'extrémité amine libérée.

La protéase de VIH-1, virus du SIDA, est une aspartate-protéase

Les recherches sur le syndrome de la déficience immunitaire acquise, le SIDA, et sur son agent, le virus de l'immunodéficience humaine (VIH-1), ont révélé une nouvelle aspartate-protéase, **la protéase VIH-1**. Cet enzyme clive les polyprotéines résultant de la traduction des ARNm et ce clivage produit plusieurs protéines nécessaires à la maturation virale et à l'infection cellulaire. La protéase VIH-1 clive plusieurs des liaisons peptidiques des polyprotéines (Figure 16.28). Par exemple, la protéase clive la liaison peptidique entre les résidus Pro et Tyr de la séquence Ser-Gln-Asn-Tyr-Pro-Ile-Val qui joint les protéines VIH-1 p17 et p24.

La protéase virale de VIH-1 est une remarquable imitation des aspartate-protéases de mammifères. C'est un **dimère de deux sous-unités identiques** dont la structure quaternaire mime la structure tertiaire à deux domaines de la structure de la pepsine et de celle d'autres aspartate-protéases. La chaîne polypeptidique de chaque sous-unité a 99 résidus, elle est homologue de chacun des domaines des protéases monomériques. L'étude de la structure, déterminée par diffraction des rayons X, révèle que le site actif de la protéase de VIH-1 est à l'interface des sous-unités, il contient deux résidus Asp, les résidus Asp^{25} et $Asp^{25'}$, chacun d'eux appartenant à une sous-unité différente (Figure 16.29). Dans l'homodimère, le site actif est couvert par deux « rabats » (chaque sous-unité en fournit un), une différence avec les protéases monomériques qui n'ont qu'un unique rabat au-dessus du site actif.

Les études cinétiques effectuées par Thomas Meek et ses collaborateurs, de la société pharmaceutique SmithKline Beecham, ont montré que le mécanisme de la protéase VIH-1 est semblable à celui des autres aspartate-protéases (Figure 16.30). Les transferts concertés de deux protons par les groupes carboxyliques des résidus Asp facilitent l'attaque nucléophile du carbone du carbonyle de la liaison peptidique du substrat par H_2O. Si le complexe protéase-substrat est mis en incubation avec $H_2{}^{18}O$, on peut observer une incorporation de ^{18}O dans le carbonyle peptidique. *Donc, non seulement la formation du dihydrate d'amide est réversible, et les deux groupes hydroxyle sont équivalents, mais les états de protonation des deux groupes carboxyliques du site actif sont interchangeables* (Figure 16.30). Le modèle le plus simple, représenté Figure 16.30, implique un échange direct de proton au sein de la diade Asp-Asp. La symétrie des résidus aspartate du site actif est compatible avec la notion d'un échange rapide de proton entre ces résidus.

L'accumulation dans le substrat de ^{18}O, provenant de $H_2{}^{18}O$, signifie également que la réversibilité de la formation du dihydrate d'amide doit être plus rapide que la libération des produits de la réaction. Les études cinétiques de Meek et de ses

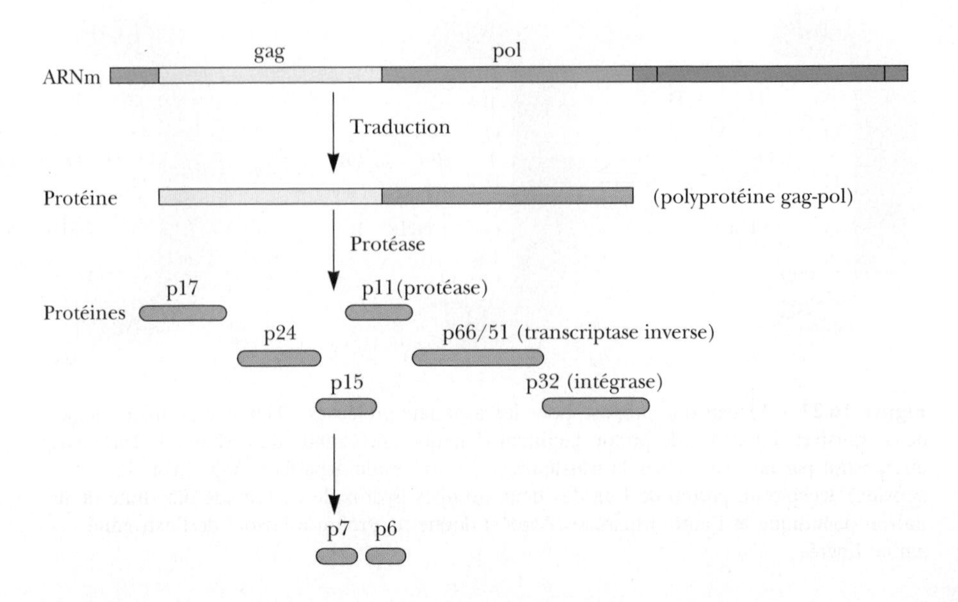

Figure 16.28 • L'ARNm de VIH apporte l'information nécessaire permettant la synthèse d'une polyprotéine. Le clivage protéolytique de cette polyprotéine par la protéase VIH produit les protéines individuelles requises pour la prolifération virale et l'infection cellulaire.

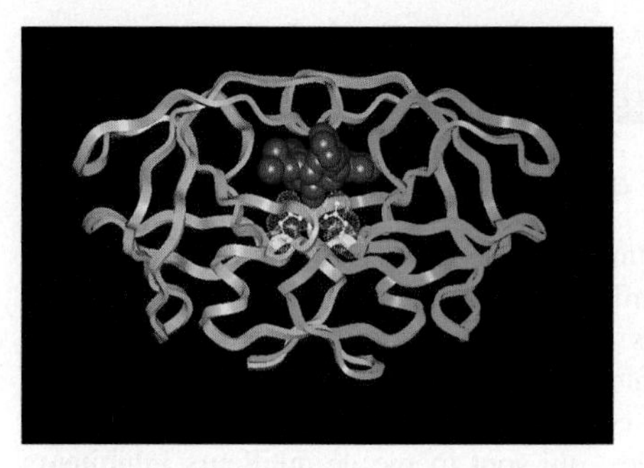

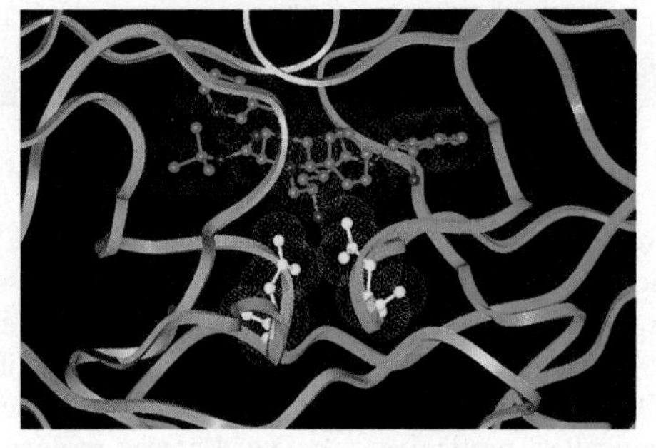

Figure 16.29 • *(à gauche)* Protéase VIH-1 complexée à l'acétyl-pepstatine (en vert), l'un de ses inhibiteurs. Les résidus Asp du site actif sont en blanc. (à droite) Vue rapprochée du site actif montrant l'interaction du Crixivan® avec les groupes carboxyliques essentiels des résidus Asp.

collaborateurs sont compatibles avec un modèle dans lequel la dégradation du dihydrate intermédiaire constitue l'étape limitant la vitesse de la réaction catalysée par la protéase. Ces études montrent aussi que l'état de transition de cette étape exige deux transferts de proton : un aspartate se comporte comme un acide général et donne un proton à la proline du fragment partant, l'autre aspartate se comporte comme une base générale et accepte un proton de l'un des groupes hydroxyle, facilitant la transformation du dihydrate en groupe carboxylique. Remarquez que ces derniers événements sont simplement la réaction inverse de celle qui a formé l'intermédiaire.

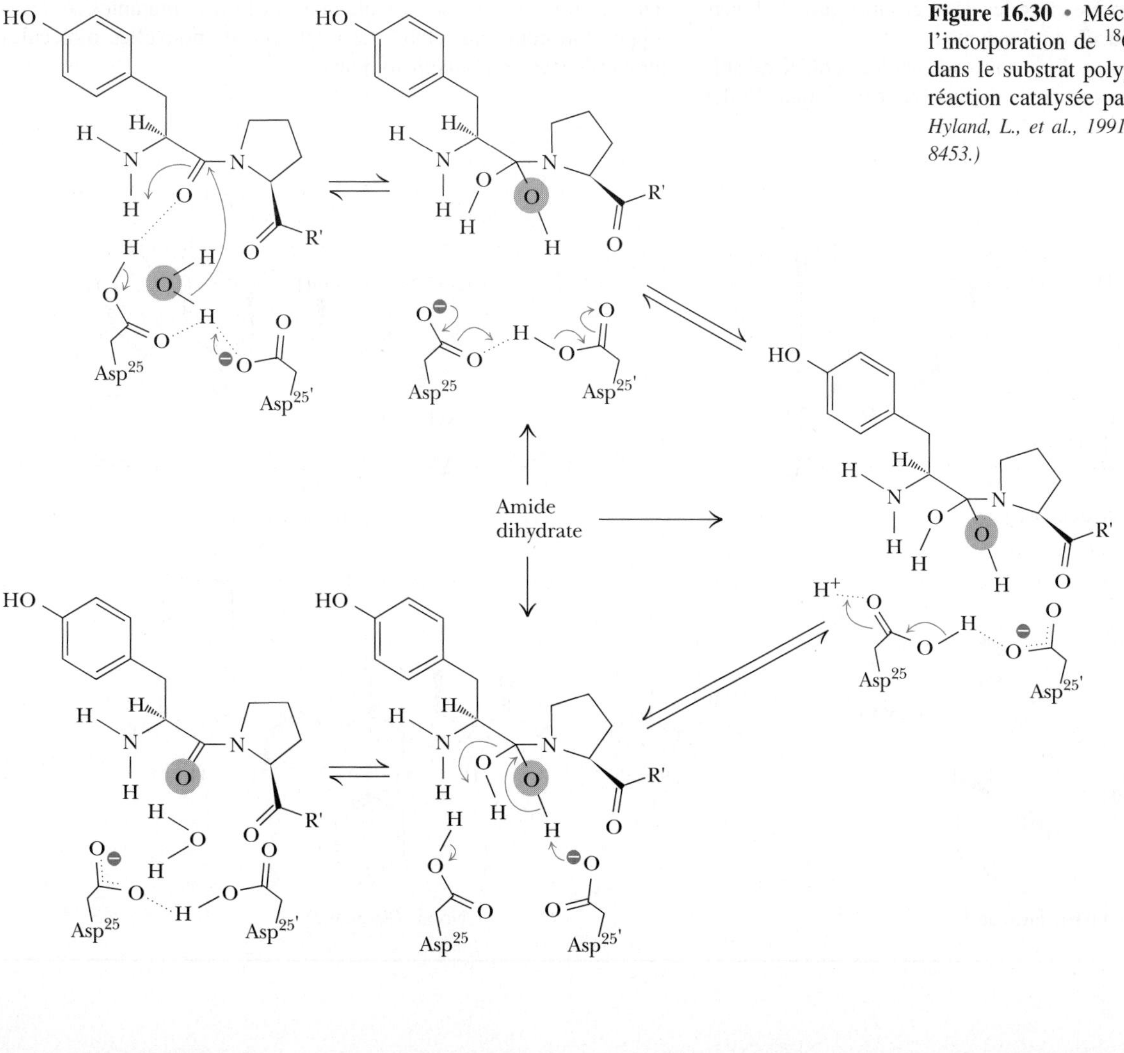

Amide
dihydrate

Figure 16.30 • Mécanisme proposé pour l'incorporation de ^{18}O, provenant de $H_2{}^{18}O$, dans le substrat polypeptidique au cours de la réaction catalysée par la protéase VIH. *(D'après Hyland, L., et al., 1991.* Biochemistry ***30** : 8441-8453.)*

Biochimie humaine

Des inhibiteurs de la protéase VIH-1 redonnent vie aux patients atteints du Sida

L'infection par le VIH a longtemps été considérée comme un arrêt de mort. L'émergence d'une nouvelle famille de médicaments, les inhibiteurs de protéase, permet d'améliorer la santé générale de nombreux malades et de prolonger leur durée de vie. Ces médicaments sont tous spécifiques de la protéase VIH. L'inhibition de la protéase prévient le développement de nouvelles particules virales dans les cellules infectées du patient. Les essais cliniques ont montré qu'une combinaison de médicaments – comprenant un inhibiteur de la protéase et un inhibiteur de la transcriptase inverse comme l'AZT – pouvait chez environ 40 à 50 % des malades réduire le taux du virus de l'immunodéficience humaine à des valeurs indétectables par les méthodes actuelles. Les patients qui répondent favorablement à l'administration de cette combinaison de médicaments ressentent une spectaculaire amélioration de leur état de santé et leur espérance de vie est nettement prolongée.

Les structures de quatre inhibiteurs de protéase dont la prescription est actuellement autorisée par la FDA américaine sont présentées ci-dessous. Il s'agit du Crixivan® produit par Marck, de l'Invirase® produit par Hoffman-La Roche, du Norvir® produit par Abbott et du Viracept® produit par Agouron. Ces médicaments ont tous été développés en tenant compte de la structure de la protéase du VIH : les molécules ont été conçues de façon à se lier fortement au site actif de la protéase. Le groupe –OH du squelette de toutes ces substances s'insère entre les deux groupes carboxyliques des résidus Asp du site actif de l'enzyme.

Lors du développement d'un nouveau médicament, il ne suffit pas de montrer que la substance étudiée peut provoquer l'effet biochimique désiré. Il faut aussi démontrer qu'elle peut réellement atteindre, en quantité suffisante, le(s) site(s) d'action (sa cible) dans l'organisme, et que les effets secondaires ne soient pas rédhibitoires, restent compatibles avec les avantages qu'elle procure. Les inhibiteurs de protéase commercialisés répondent à ces critères. Il existe d'autres molécules, qui sont même de meilleurs inhibiteurs de la protéase HIV dans des cellules en culture, mais la plupart ne répondent pas favorablement au critère de la biodisponibilité, la possibilité d'atteindre en quantité suffisante la cible dans l'organisme.

Les médicaments inhibiteurs de protéase doivent aussi être relativement spécifiques de la protéase VIH. Il existe de nombreuses autres aspartate-protéases dans l'organisme humain, et certaines sont indispensables à toute une série de fonctions physiologiques, comme la digestion et la maturation de certaines hormones peptidiques. Le médicament idéal inhiberait fortement la protéase VIH, se concentrerait essentiellement dans les lymphocytes où la protéase doit être bloquée, et enfin n'aurait pas d'effet défavorable sur l'activité des aspartate-protéases humaines.

Un dernier point, mais des plus importants, reste à considérer : la mutation du virus. Certaines souches mutantes du VIH sont résistantes à l'une ou l'autre des inhibiteurs de protéase et, même chez les patient qui au début répondent positivement aux inhibiteurs de protéase, il est possible que des formes mutantes se développent au cours du temps. La recherche de nouvelles molécules plus efficaces se poursuit toujours.

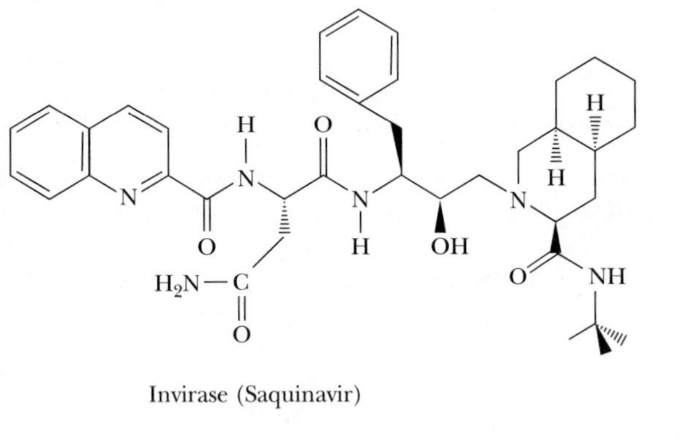

Invirase (Saquinavir)

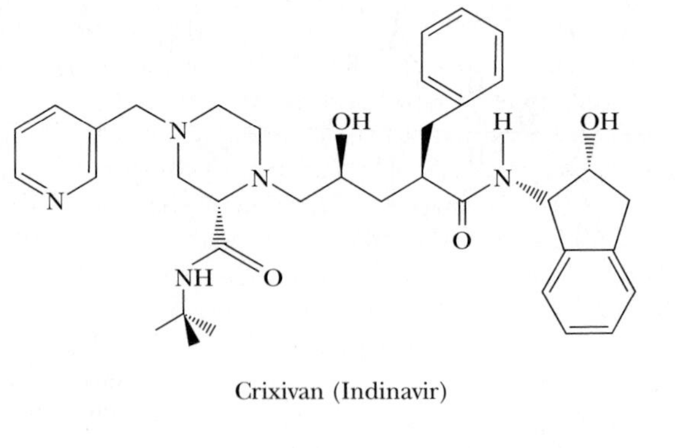

Crixivan (Indinavir)

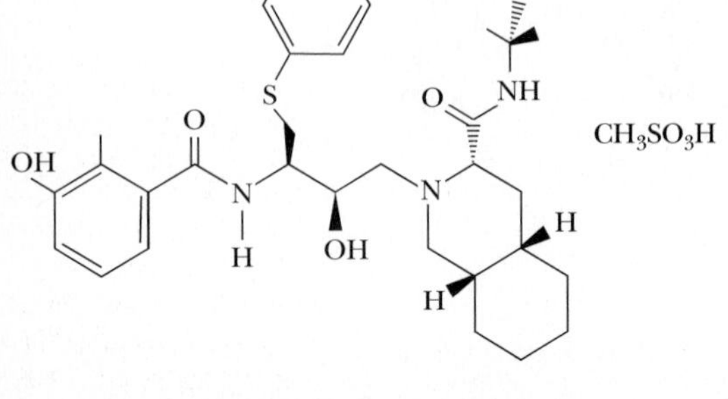

CH_3SO_3H

Viracept (Nelfinavir mesylate)

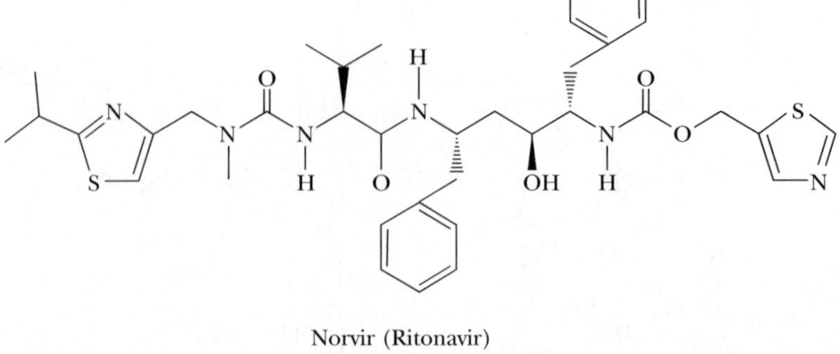

Norvir (Ritonavir)

DÉVELOPPEMENTS DÉCISIFS EN BIOCHIMIE

Influence du pH sur l'activité des aspartate-protéases et de la protéase VIH-1

Les études concernant l'influence du pH sur l'activité catalytique des aspartate-protéases ont donné les premières indications sur le rôle éventuel de deux groupes carboxyliques du site actif, l'un étant protoné et l'autre ionisé. Lorsqu'un groupe ionisable du site actif d'un enzyme joue un rôle essentiel dans l'activité, la courbe de cette activité en fonction du pH peut avoir l'aspect de l'un des graphes représentés à droite.

Si l'activité s'accroît de façon importante en réponse à une élévation du pH, la catalyse peut dépendre d'un groupe déprotoné. Ce dernier se comporte comme une base générale, acceptant un proton provenant du substrat ou d'une molécule d'eau, par exemple graphe (a). Si par suite de l'abaissement du pH ce groupe est protoné, il ne pourra pas accepter le proton provenant du substrat ou de l'eau.

Si par contre l'activité décroît rapidement en réponse à une élévation du pH, l'activité peut dépendre d'un groupe protoné. Ce dernier se comporte comme un acide général, cédant un proton au substrat ou à une molécule d'eau lors de la catalyse, exemple graphe (b). À pH élevé, le groupe est déprotoné, il n'y a donc pas de proton disponible pour la catalyse.

La courbe en cloche (graphe c) combine les deux types de comportement. Lors de l'élévation graduelle du pH, l'activité augmente puis elle diminue. Ceci est compatible avec l'existence de deux groupes ionisables – un premier groupe à bas pK_a, qui agit comme une base au-dessus de ce pK_a, un second groupe à pK_a plus élevé, qui agit comme un acide lorsque le pH est inférieur à ce pK_a

Les études cinétiques avec la pepsine et divers substrats peptidiques donnent des courbes en cloche ; voir graphe (a) ci-dessous.

L'analyse des résultats expérimentaux permet d'évaluer les constantes de dissociation des groupes ionisables du site actif. Pour la pepsine, la base générale a un pK_a voisin de 1,4 et l'acide général un pK_a voisin de 4,3. La valeur du pK_a du groupe carboxylique de la chaîne latérale de l'aspartate est, dans une protéine, de 4,2 à 4, 6. Le pK_a du groupe acide de la pepsine correspond bien à celui du groupe aspartique agissant comme un acide, mais la valeur du pK_a du groupe agissant comme une base générale est particulièrement basse.

L'activité de la protéase VIH dépend elle aussi du pH. Cette dépendance a été estimée en déterminant la constante d'inhibition apparente par un analogue synthétique du substrat, voir graphe (b) ci-dessous. Les résultats sont compatibles avec la participation dans l'activité catalytique de deux groupes ionisables dont les pK_a seraient 3,3 et 5,3. L'activité enzymatique maximale s'observe à des pH compris entre ces deux valeurs. Compte tenu des cinétiques de réactions observées et des résultats des études structurales sur la protéase VIH, les valeurs de pK_a déterminées se rapporteraient à celles des groupes carboxyliques de deux résidus Asp du site actif. Il faut cependant noter que la valeur 3,3 est assez basse pour un résidu aspartate d'une protéine, et que la valeur 5,3 est plutôt élevée.

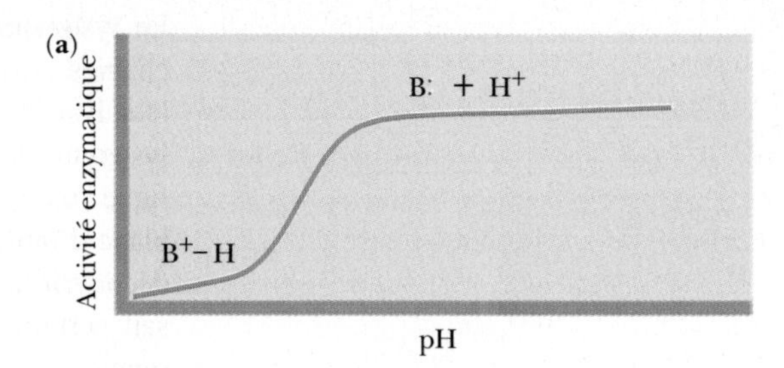

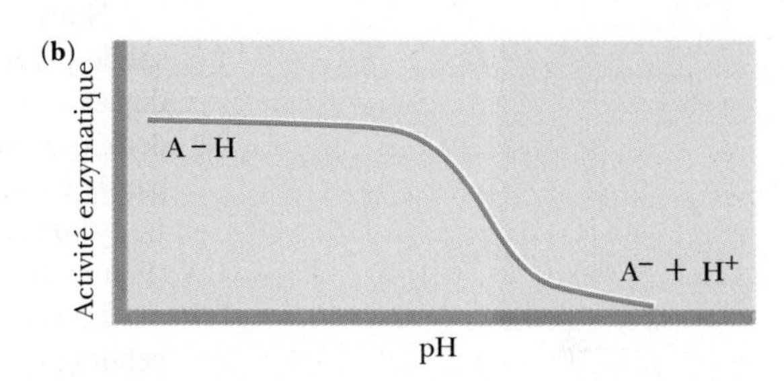

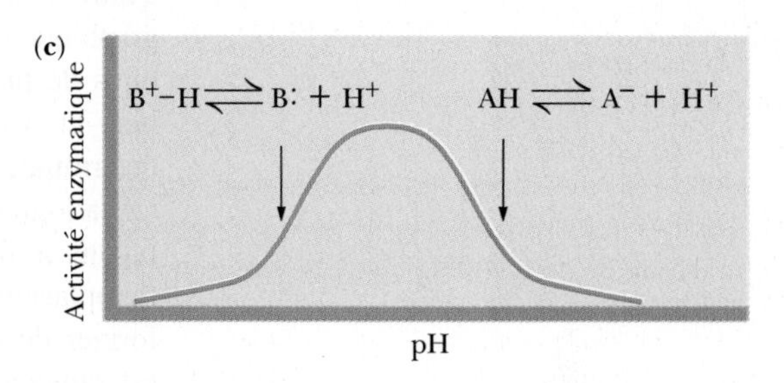

La courbe en cloche décrivant l'activité en fonction du pH provient de la présence dans le site actif de deux groupes ionisables séparés. (a) L'activité enzymatique croît avec la déprotonation de B$^+$-H. (b) L'activité enzymatique décroît avec la déprotonation de A-H. (c) L'activité enzymatique est maximale dans la zone de pH où l'un des groupes ionisables est déprotoné (sous forme de B:) et l'autre groupe est protoné (sous la forme AH).

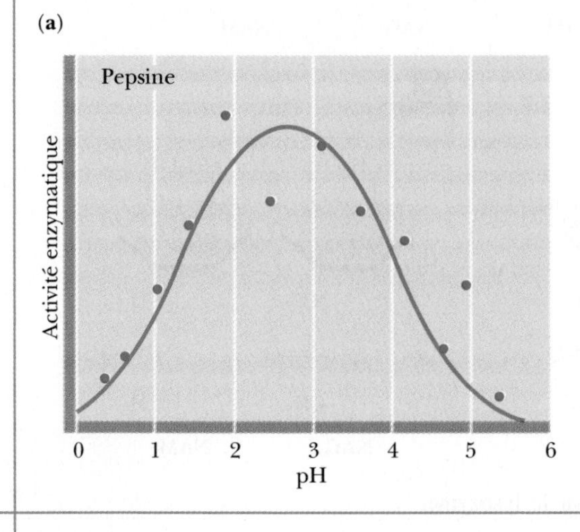

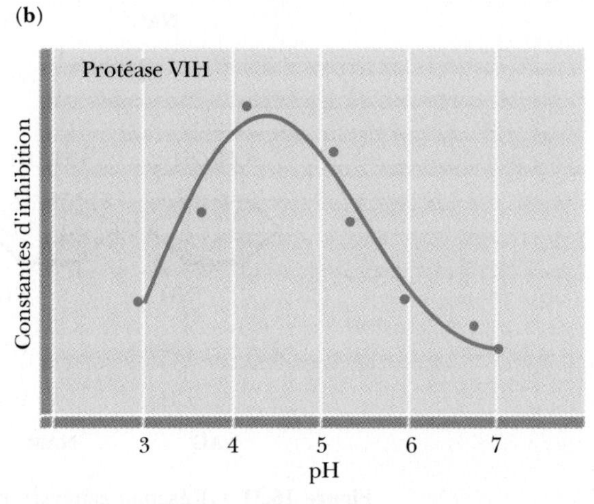

Activité en fonction du pH pour (a) la pepsine, et (b) la protéase VIH. *(D'après Denburg, J., et al., 1968.* Journal of the American Chemical Society ***90*** *: 479-486, et Hyland, J., et al., 1991.* Biochemistry ***30*** *: 8454-8463.)*

16.13 • Le lysozyme

Le **lysozyme** est un enzyme qui hydrolyse des chaînes de polyosides. Il clive les chaînes polyosidiques des parois cellulaires de certaines bactéries, ce qui provoque leur lyse. Le lysozyme se trouve dans plusieurs des fluides de l'organisme, mais le lysozyme le plus étudié est celui du blanc d'œuf de poule. Dès 1909, un scientifique russe, P. Laschtchenko a décrit les propriétés bactériolytiques du lysozyme du blanc d'œuf. En 1922, Alexandre Fleming, le bactériologiste londonien qui plus tard découvrit la pénicilline, a appelé *lysozyme* l'agent du mucus et des larmes qui détruisait certaines bactéries car il s'agissait d'un en*zyme* qui provoquait la *lyse* bactérienne.

Nous avons vu Chapitre 9 que les cellules bactériennes sont entourées par une solide paroi rigide de peptidoglycanne, un copolymère constitué de deux unités osidiques, l'acide N-acétylmuramique (NAM) et la N-acétylglucosamine (NAG). Ces deux oses sont des dérivés acétylés de la glucosamine qui, dans les polyosides des parois bactériennes, sont liés par des liaisons osidiques $\beta(1\rightarrow4)$ (cf. Figure 10.31). Le lysozyme hydrolyse la liaison osidique entre le C-1 de NAM et le C-4 de NAG (Figure 16.31), mais il n'hydrolyse pas les liaisons $\beta(1\rightarrow4)$ entre NAG et NAM.

Le lysozyme est une petite protéine globulaire formée d'une unique chaîne polypeptidique de 129 acides aminés (14 kDa). Elle contient huit résidus Cys reliés par quatre ponts disulfure. En 1965, Davis Phillips a déterminé la structure cristallographique de cette protéine particulièrement stable (Figure 16.32). Si d'autres structures de protéines avaient déjà été déterminées par radiocristallographie (hémoglobine et myoglobine), le lysozyme est le premier enzyme dont la structure a été déterminée, par quelque méthode que ce soit. L'emplacement du site actif par l'étude cristallographique de l'enzyme seul n'était pas clairement défini, mais l'examen aux rayons X des cristaux du complexe lysozyme-inhibiteur révéla bientôt la nature et l'emplacement de ce site actif. Comme le lysozyme est un enzyme, il ne peut pas former de complexes ES stables permettant des études structurales car le substrat est rapidement transformé en produits. Par contre, plusieurs analogues de substrat sont de bons inhibiteurs compétitifs formant des complexes assez stables avec

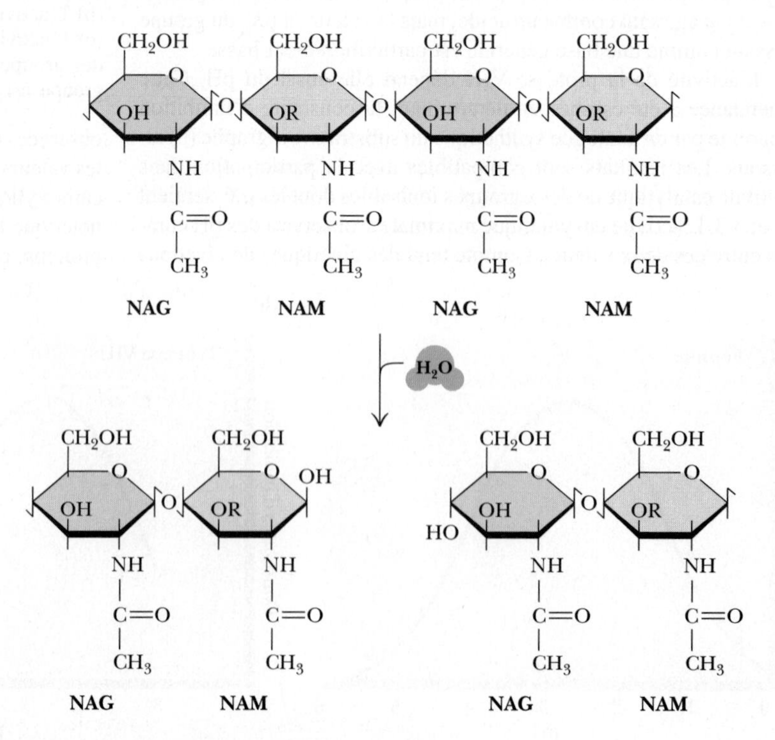

Figure 16.31 • Réaction catalysée par le lysozyme.

l'enzyme. Ces complexes ont pu être étudiés par diverses méthodes physiques et leurs cristaux ont été examinés aux rayons X. L'un des meilleurs analogues est un trimère de la N-acétylglucosamine, $(NAG)_3$, (Figure 16.33). Ce substrat est hydrolysé par le lysozyme, mais 60.000 fois moins rapidement que le substrat natif (Tableau 16.4). $(NAG)_3$ se lie à des résidus du site actif de l'enzyme par cinq liaisons hydrogène. Ces résidus sont localisés dans une même moitié de la crevasse, ou dépression, qui traverse la surface de l'enzyme (Figure 16.34). Les quelques résidus hydrophobes de la surface de l'enzyme sont dans cette dépression, ils peuvent donc participer aux interactions hydrophobes et de Van der Waals entre l'enzyme et $(NAG)_3$ ou le substrat normal. L'absence de groupes chargés dans $(NAG)_3$ écarte la possibilité d'interactions électrostatiques avec l'enzyme. La comparaison entre la structure cristalline du lysozyme natif et celle du complexe lysozyme-$(NAG)_3$ révèle des différences dans la position de certains résidus du site actif. En particulier, pour permettre la formation d'une liaison hydrogène avec un groupe hydroxyméthyle, Trp^{62} se déplace d'environ 0,75 Å lors de la fixation de l'inhibiteur (Figure 16.35).

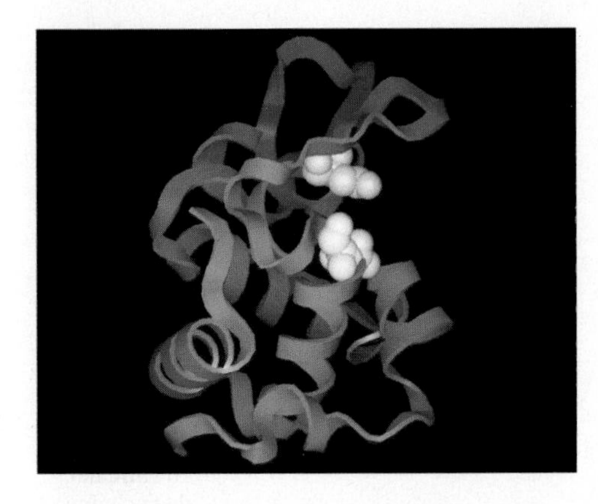

Figure 16.32 • Structure du lysozyme. Les résidus Glu^{35} et Asp^{52} sont en blanc.

L'étude de complexes modèles formés avec des substrats synthétiques révèle que des tensions induisent une déstabilisation du substrat lié à l'enzyme

L'une des assertions au début de l'élaboration de complexes modèles était que le substrat natif devait occuper toute la longueur de la crevasse s'étirant en travers de la surface du lysozyme. Il y a en effet de la place pour trois résidus osidiques supplémentaires et, de fait, l'hexamère $(NAG)_6$ est un bon substrat du lysozyme (Tableau 16.4). Dans le modèle construit avec $(NAG)_6$, les six sous-sites de liaison des six résidus osidiques dans la crevasse sont désignés par les lettres A à F. Les sous-sites A, B et C sont aussi ceux que l'inhibiteur $(NAG)_3$ peut occuper (Figure 16.35). Les études montrent que les résidus NAG se fixent facilement dans les sous-sites A, B, C, E et F, mais que la fixation de l'un des résidus de $(NAG)_6$ dans le sous-site D exige une importante distorsion de la conformation chaise du résidu. Cette distorsion permet d'éviter le recouvrement et l'encombrement stérique, de C-6 et O-6 de l'ose avec Ile^{98} sur le site D de l'enzyme. Le résidu osidique distordu est adjacent à la liaison osidique qui sera hydrolysée (entre les sous-sites D et E), d'où l'inférence que cette distorsion, ou tension, rapproche la structure du substrat de celle de l'état de transition. C'est un bon exemple de la déstabilisation induite par des tensions dans un substrat dont la liaison avec l'enzyme est par ailleurs énergétiquement favorable (Section 16.4). Globalement les interactions résultant de la liaison du reste du substrat favoriseraient la stabilité du complexe enzyme-substrat ($\Delta G < 0$) mais la distorsion du cycle osidique au site D utilise une partie de cette énergie de liaison pour rapprocher le substrat de l'état de transition préalable à l'hydrolyse. *C'est un bon exemple de stabilisation d'un état de transition (par rapport au complexe enzyme-substrat)*. La distorsion est l'un des mécanismes moléculaires qui permettent la stabilisation de l'état de transition (cf. Section 16.4).

Tableau 16.4

Constantes des vitesses d'hydrolyse par le lysozyme d'oligosides modèles

Oligosides	Constante de vitesse, $k_{cat}(s^{-1})$
$(NAG\text{-}NAM)_3$	0,5
$(NAG)_6$	0,25
$(NAG)_5$	0,033
$(NAG)_4$	7×10^{-5}
$(NAG)_3$	8×10^{-6}
$(NAG)_2$	$2,5 \times 10^{-8}$

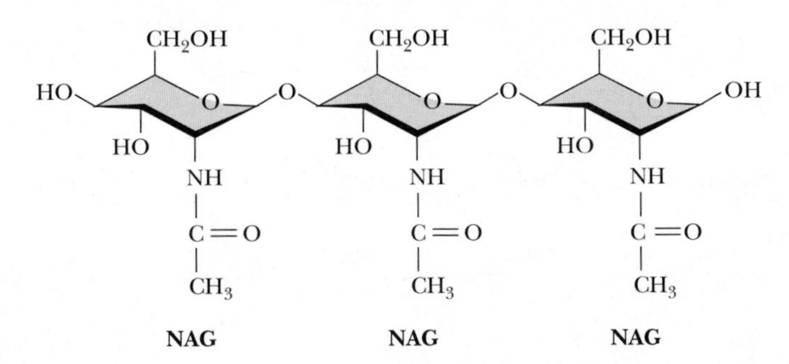

Figure 16.33 • $(NAG)_3$, un analogue du substrat formant des complexes stables avec le lysozyme.

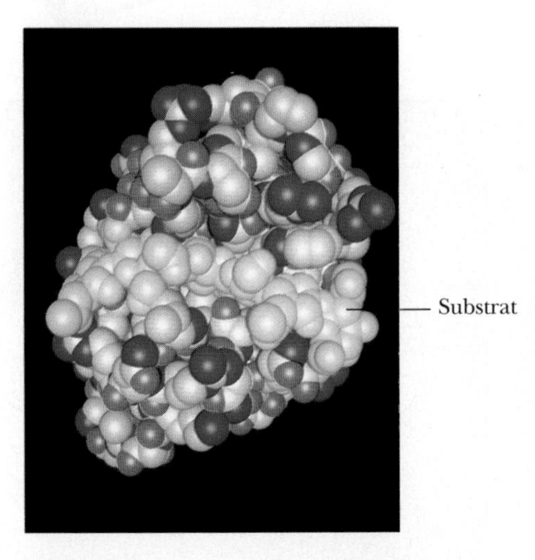

Figure 16.34 • Complexe enzyme-substrat du lysozyme. *(Photo aimablement communiquée par John Rupley de l'Université de l'Arizona)*

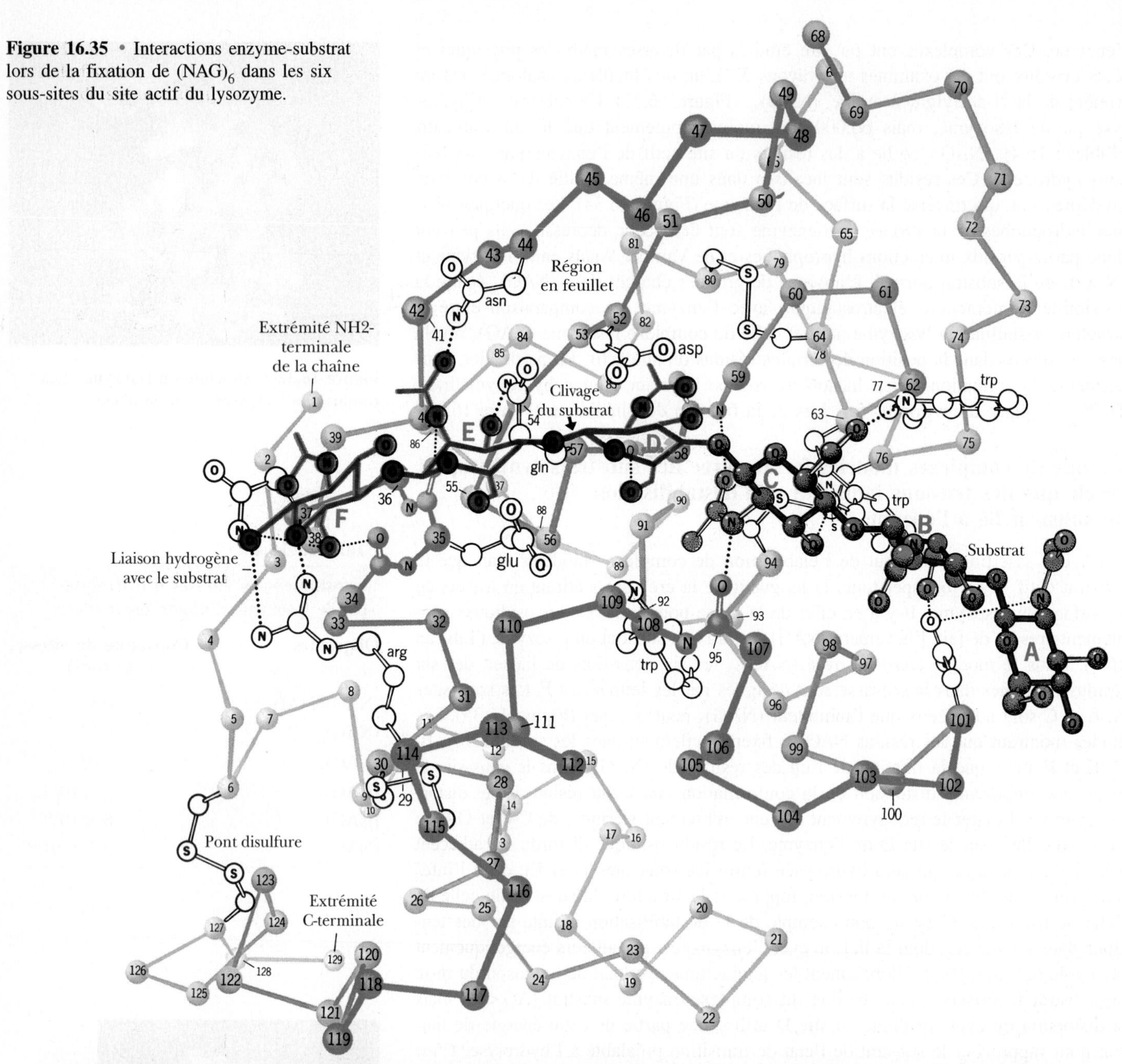

Figure 16.35 • Interactions enzyme-substrat lors de la fixation de $(NAG)_6$ dans les six sous-sites du site actif du lysozyme.

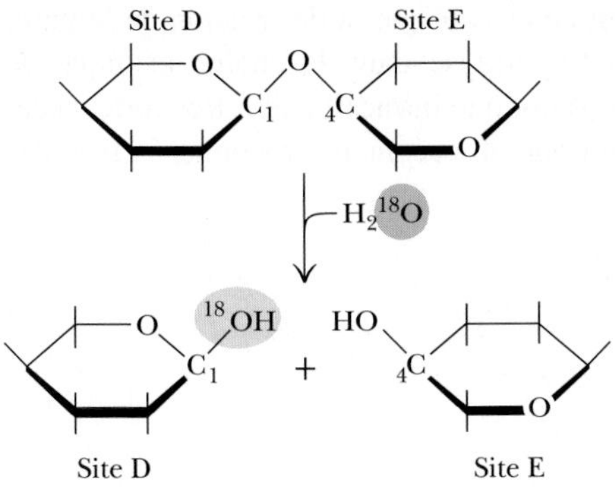

Figure 16.36 • Le lysozyme catalyse l'hydrolyse de la liaison C_1-O, pas celle de la liaison O-C_4. ^{18}O provenant de $H_2{}^{18}O$ se retrouve donc lié au C_1.

Le mécanisme d'action du lysozyme implique une catalyse acide-base générale

Le mécanisme de la réaction catalysée par le lysozyme est représenté Figures 16.36 et 16.37. Les études à l'aide d'eau enrichie en ^{18}O montrent que la liaison C_1-O du substrat, située entre les sous-sites D et E, est clivée. À la suite de l'hydrolyse, ^{18}O se retrouve lié au C_1 du résidu osidique sur le site D mais pas au C_4 du résidu au site E (Figure 16.36). Les études de modélisation situent la liaison rompue approximativement entre Glu^{35} et Asp^{52} de la chaîne polypeptidique. Le résidu Glu^{35} se trouve dans une région non polaire, ou hydrophobe, de la protéine, tandis que Asp^{52} est dans un environnement beaucoup plus polaire. Glu^{35} est protoné mais Asp^{52} est ionisé (Figure 16.37). Glu^{35} agirait comme un acide général, cédant un proton à l'atome d'oxygène de la liaison osidique accélérant ainsi la vitesse de la réaction, tandis que Asp^{52} stabiliserait l'ion carbonium intermédiaire formé au site D lors du clivage de la liaison. La formation de l'ion carbonium serait aussi facilitée par la tension dans le cycle de l'ose au site D. Après la rupture de la liaison, le produit libéré sur le site E diffuserait et l'ion carbonium pourrait alors réagir avec H_2O de la solution. Glu^{35} agirait dans cette étape comme une base générale acceptant un proton de la molécule d'eau. Le tétramère $(NAG)_4$ fixé sur les sites A à D serait ensuite libéré.

Selon le raisonnement suivi ci-dessus, l'accélération de la vitesse de la réaction par le lysozyme proviendrait (a) de la catalyse acide générale par Glu^{35}, (b) de la distorsion du cycle osidique au site D, ce qui peut stabiliser l'ion carbonium (*et l'état de transition*) et (c) de la stabilisation électrostatique de l'ion carbonium par Asp^{52}. La valeur de k_{cat} (activité moléculaire spécifique) du lysozyme est d'environ 0,5 s^{-1}, une valeur particulièrement faible en comparaison avec celle des autres

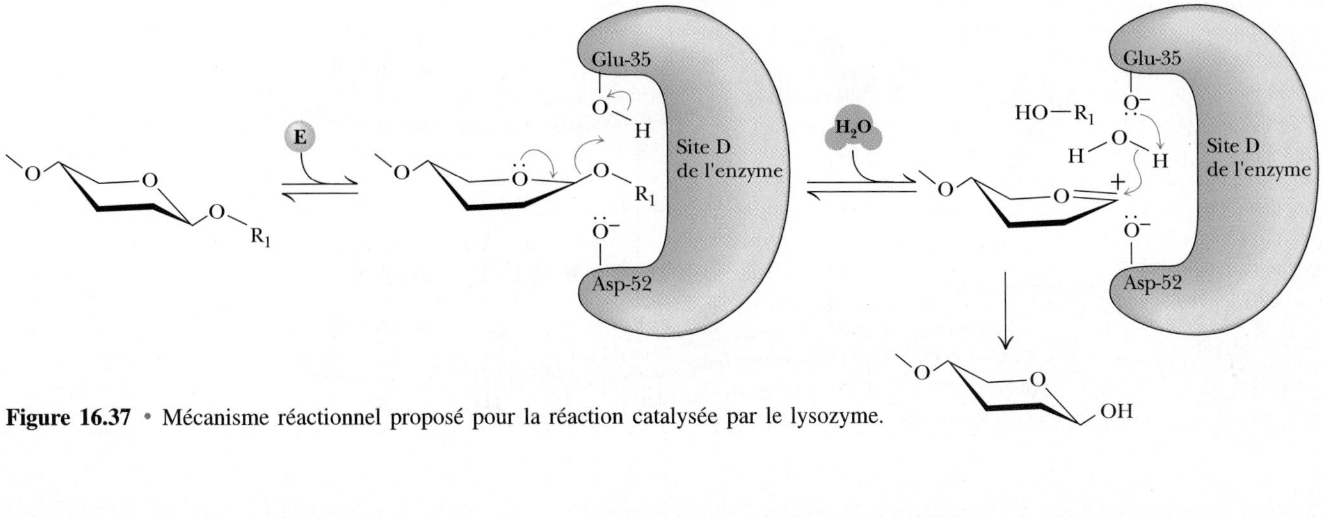

Figure 16.37 • Mécanisme réactionnel proposé pour la réaction catalysée par le lysozyme.

enzymes (Tableau 11.4). On peut cependant concevoir que la destruction de la paroi des cellules bactériennes survienne après l'hydrolyse dans la chaîne osidique de quelques liaisons seulement car la pression osmotique intracellulaire, très forte, accélère la lyse de la cellule. Le lysozyme peut donc efficacement provoquer la lyse des bactéries sans avoir un k_{cat} élevé.

EXERCICES

1. La tosyl-L-phénylalanine chlorométhylcétone (TPCC) inhibe spécifiquement la chymotrypsine en se liant à His[57].

$$CH_3-C_6H_4-SO_2-NH-CH(CH_2C_6H_5)-CO-CH_2Cl$$

Tosyl-l-phénylalanine chlorométhylcétone (TPCC)

a. Proposez un mécanisme pour la réaction d'inactivation et donner la structure du (des) produit(s).
b. Précisez pourquoi cet inhibiteur est spécifique de la chymotrypsine.
c. À partir de la structure du TPCC, proposez un réactif qui pourrait être un bon inhibiteur de la trypsine.

2. Nous avons examiné dans ce chapitre l'expérience au cours de laquelle Craik et Rutter ont remplacé dans la trypsine Asp[102] par Asn (ce qui réduit l'activité au dix millième).

a. Compte tenu de ce que vous connaissez de la structure de la triade catalytique dans la trypsine, quelle peut être la structure de la triade Asn-His-Ser « non catalytique » d'un mutant de la trypsine?

b. Pourquoi la structure que vous proposez expliquerait-elle une activité enzymatique réduite dans la trypsine mutée ?

c. Lisez les articles originaux pour connaître la réponse de Craik et Rutter à cette question (Sprang, et al., 1987. *Science* **237 :** 905-909, et Craik, et al., 1987. *Science* **237 :** 909-913).

3. La pepstatine (voir page 531) est un puissant inhibiteur des aspartate-protéases monomériques, avec des valeurs de K_i inférieures à 1 n*M*.

a. D'après la structure de la pepstatine, proposez une explication du fort pouvoir inhibiteur de ce peptide.

b. Pensez-vous que la pepstatine puisse inhiber la protéase VIH1 ? Justifiez votre réponse.

4. Le k_{cat} de la phosphatase alcaline lors de l'hydrolyse du méthylphosphate est d'environ 14 s^{-1} à pH 8 et à 25 °C. La constante de vitesse pour la réaction d'hydrolyse non catalysée du méthylphosphate dans les mêmes conditions est d'environ 1×10^{-15} s^{-1}. Quelle est la différence entre les énergies libres d'activation de ces deux réactions ?

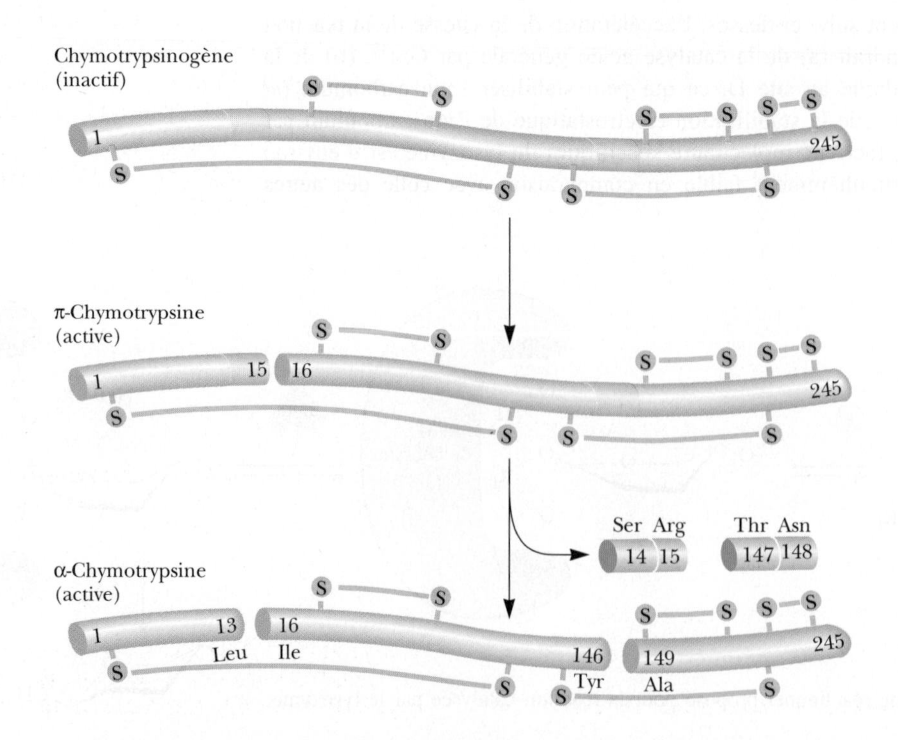

5. L'α-chymotrypsine active est produite à partir de son précurseur inactif, le chymotrypsinogène (figure page 530).

Le premier intermédiaire, la π-chymotrypsine, a déjà une activité chymotrypsine. Quels sont les autres enzymes protéolytiques qui pourraient catalyser efficacement ces réactions de clivage ?

6. Écrivez les expressions correspondant au schéma réactionnel ci-dessous et donnant k_e/k_u, rapport des constantes de vitesse, respectivement de la réaction catalysée et de la réaction non catalysée, en termes d'énergie libre d'activation de la réaction catalysée ($\Delta G_e^{\ddagger}$) et de la réaction non catalysée ($\Delta G_u^{\ddagger}$).

$$\begin{array}{ccccc} & S & \underset{}{\overset{K_u}{\rightleftharpoons}} & X^{\ddagger} & \xrightarrow{k_u'} & P & \\ E \rightarrow & \Big\Updownarrow K_S & & & & \Big\Updownarrow & \rightarrow E \\ & ES & \overset{K_e}{\rightleftharpoons} & EX^{\ddagger} & \xrightarrow{k_e'} & EP & \end{array}$$

$$\begin{array}{l} CH_2\text{—}CONH\text{—}CH\text{—}CONH\text{—}CH\text{—}CONH\text{—}CH(CH_2CH(CH_3)_2)\text{—}CH(OH)\text{—}CH_2\text{—}CONH\text{—}CH(CH_3)\text{—}CONH\text{—}CH(CH_2CH(CH_3)_2)\text{—}CH(OH)\text{—}CH_2\text{—}COOH \end{array}$$

Iva — Val — Val — Sta — Ala — Sta

Pepstatine

Lectures complémentaires

Sujets généraux

Cannon, W.R., Singleton, S.F., et Benkovic, S.J., 1997. A perspective on biological catalysis. *Nature Structural Biology* **3** : 821-833.

Eigen, M., 1964. Proton transfer, acid-base catalysis, and enzymatic hydrolysis. *Angewandte Chemie, Int. Ed.* **3** : 1-72.

Fersht, A., 1985. *Enzyme Structure and Mechanism,* 2nd ed. New York : W.H. Freeman and Company.

Gerlt, J.A., Kreevoy, M.M., Cleland, W.W., et Frey, P.A., 1997. Understanding enzymic catalysis : The importance of short, strong hydrogen bonds. *Chemistry and Biology* **4** : 259-267.

Jencks, W.P., 1969. *Catalysis in Chemistry and Enzymology.* New York : McGraw-Hill.

Jencks, W., 1997. From chemistry to biochemistry to catalysis to movement. *Annual Review of Biochemistry* **66** : 1-18.

Page, M.I., et Willianis, A., eds., 1987. *Enzyme Mechanisms.* London, England : Royal Society of London.

Radzicka, A., et Wolfenden, R., 1995. A proficient enzyme. *Science* **267** : 90-93.

Simopoulos, T.T., et Jencks, W.P., 1994. Alkaline phosphatase is an almost perfect enzyme. *Biochemistry* **33** : 10375-10380.

Smithrud, D.B., et Benkovic, S.J., 1997. The state of antibody catalysis. *Current Opinions in Biotechnology* **8** : 459-466.

Walsh, C., 1979. *Enzymatic Reaction Mechanisms.* San Francisco : W.H. Freeman and Company.

Stabilisation de l'état de transition et analogues de l'état de transition

Bearne, S.L., et Wolfenden, R., 1997. Mandelate racemase in pieces : Effective concentrations of enzyme functional groups in the transition state. *Biochemistry* **36** : 1646-1656.

Kraut, J., 1988. How do enzymes work ? *Science* **242** : 533-540.

Kreevoy, M., et Truhlar, D.G., 1986. Transition-state theory. Chapter 1 in *Investigations of Rates and Mechanisms of Reactions,* Vol. 6, Part 1, edited by C.F. Bernasconi. New York : John Wiley & Sons.

Lolis, E., et Petsko, G., 1990. Transition-state analogues in protein crystallography : Probes of the structural source of enzyme catalysis. *Annual Review of Biochemistry* **59** : 597-630.

Radzicka, A., et Wolfenden, R., 1995. Transition state and multisubstrate analog inhibitors. *Methods in Enzymology* **249** : 284-312.

Wolfenden, R., 1972. Analogue approaches to the structure of the transition state in enzyme reactions. *Accounts of Chemical Research* **5** : 10-18.

Wolfenden, R., et Frick, L., 1987. Transition state affinity and the design of enzyme inhibitors. Chapter 7 in *Enzyme Mechanisms,* édité par M.I. Page et A. Williams. London, England : Royal Society of London.

Wolfenden, R., et Kati, W.M., 1991. Testing the limits of protein-ligand binding discrimination with transition-state analogue inhibitors. *Accounts of Chemical Research* **24** : 209-215.

Sérine protéases

Cassidy, C.S., Lin, J., et Frey, P.A., 1997. A new concept for the mechanism of action of chymotrypsin : The role of the low-barrier hydrogen bond. *Biochemistry* **36** : 4576-4584.

Craik, C.S., et al., 1987. The catalytic role of the active site aspartic acid in serine proteases. *Science* **237** : 909-919.

Lesk, A.M., et Fordham, W.D., 1996. Conservation and variability in the structures of serine proteinases of the chymotrypsin family. *Journal of Molecular Biology* **258** : 501-537.

Plotnick, M.L, Mayne, L., Schechter, N.M., et Rubin, H., 1996. Distortion of the active site of chymotrypsin complexed with a serpin. *Biochemistry* **35** : 7586-7590.

Renatus, M., Engh, R.A., Stubbs, M.T., et al., 1997. Lysine-156 promotes the anomalous proenzyme activity of tPA : X-ray crystal structure of singlechain human tPA. *EMBO Journal* **16** : 4797-4805.

Sprang, S., et al., 1987. The three-dimensional structure of Asn^{102} mutant of trypsin : Role of Asp^{102} in serine protease catalysis. *Science* **237** : 905-909.

Stavridi, E.S., O'Malley, K, Lukacs, C.M., et al., 1996. Structural change in α-chymotrypsin induced by complexation with α1-antitrypsin as seen by enhanced sensitivity to proteolysis. *Biochemistry* **35** : 10608-10615.

Steitz, T., et Shulman, R., 1982. Crystallographic and NMR studies of the serine proteases. *Annual Review of Biophysics and Bioengineering* **11** : 419-444.

Tsukada, H., et Blow, D., 1985. Structure of α-chymotrypsin refined at 1.68 Å resolution. *Journal of Molecular Biology* **184** : 703-711.

Aspartate protéases

Fruton, J., 1976. The mechanism of the catalytic action of pepsin and related acid proteinases. *Advances in Enzymology* **44** : 1-36.

Oldziej, S., et Ciarkowski, J., 1996. Mechanism of action of aspartic proteinases : Application of transition-state analogue theory. *Journal of Computer-Aided Molecular Design* **10** : 583-588.

Polgar, L., 1987. The mechanism of action of aspartic proteases involves « push-pull » catalysis. *FEBS Letters* **219** : 1-4.

Protéase VIH-1

Bardij. S., Luque, I., et Friere, E., 1997. Structure-based thermodynamic analysis of HIV-1 protease inhibitors. *Biochemistry* **36** : 6588-6596.

Beaulieu, P.L., Wernic, D., Abraham, A., et al., 1997. Potent HIV protease inhibitors containing a novel (hydroxyethyl)amide isostere. *Journal of Medicinal Chemistry* **40** : 2164-2176.

Blundell, T., et al., 1990. The 3-D structure of HIV-1 proteinase and the design of antiviral agents for the treatment of AIDS. *Trends in Biochemical Sciences* **15** : 425-430.

Carr, A., et Cooper, D.A., 1996. HIV protease inhibitors. *AIDS* **10** : S151-S157.

Chen, Z., Li, Y, Chen, E., et al., 1994. Crystal structure at 1.9-Å resolution of human immunodeficiency virus (HIV) II protease complexed with L-735,524, an orally bioavailable inhibitor of the HIV proteases. *Journal of Biological Chemistry* **269** : 26344-26348.

Chen, Z., Li, V, Schock, H.B., et al., 1995. Three-dimensional structure of a mutant HIV-1 protease displaying cross-resistance to all protease inhibitors in clinical trials. *Journal of Biological Chemistry* **270** : 21433-21436.

Hyland, L., et al., 1991. Human immunodeficiency virus-1 protease 1 : Initial velocity studies and kinetic characterization of reaction intermediates by 180 isotope exchange. *Biochemistry* **30** : 8441-8453.

Hyland, L., Tomaszek, T., and Meek, T., 1991. Human immunodeficiency virus-1 protease 2 : Use of pH rate studies and solvent isotope effects to elucidate details of chemical mechanism. *Biochemistry* **30** : 8454-8463.

Korant, B., Lu, Z., Strack, R, et Rizzo, G, 1996. HIV protease mutations leading to reduced inhibitor susceptibility. *Advances in Exprimental Medicine and Biology* **389** : 241-245.

Rose, R.B., Craik, C.S., Douglas, N.L., et Stroud, R.M., 1996. Three-dimensional structures of HIV-1 and SIV protease product complexes. *Biochemistry* **35** : 12933-12944.

Vondrasek, J., et Wlodawer, A., 1997. Database of HIV proteinase structures. *Trends in Biochemical Sciences* **22** : 183.

Wang, Y.X., Freedberg, D.I., Yamazaki, T., et al., 1997. Solution NMR evidence that the HIVA protease catalytic aspartyl groups have different ionization states in the complex formed with the asymmetric drug KNI-272. *Biochemistry* **35** : 9945-9950.

Lysozyme

Chipman, D., et Sharon, N., 1969. Mechanism of lysozyme action. *Science* **165** : 454-465.

Ford, L., et al., 1974. Crystal structure of a lysozyme-tetrasaccharide lactone complex. *Journal of Molecular Biology* **88** : 349-371.

Kirby, A., 1987. Mechanism and stereoelectronic effects in the lysozyme reaction. CRC *Critical Review in Biochemistry* **22** : 283-315.

Phillips, D., 1966. The three-dimensional structure of an enzyme molecule. *Scientific American* **215** : 75-80.

Chapitre 17

Moteurs moléculaires

Sous la vaste ramure du marronnier,
Se trouve la forge du village ;
Quel homme puissant ce forgeron,
Avec ses grandes mains aux nerfs saillants.
Et les articulations de ses bras musclés
Sont aussi résistants que des liens d'acier

HENRY WADSWORHTH LONGFELLOW.
« Le forgeron du village »

PLAN

Le « David » de Michel-Ange résume toute la musculature de l'homme (Académie de Florence/Photo par Stéphanie Colasanti/Corbis)

Les mouvements sont une propriété intrinsèque de toutes les formes vivantes. Dans les cellules, les molécules participent à des mouvements coordonnés et organisés et les cellules elles-mêmes se déplacent dans l'espace délimité par une surface. En ce qui concerne les tissus, la contraction musculaire permet dans les organismes supérieurs d'effectuer et de contrôler des fonctions internes aussi cruciales que le péristaltisme intestinal et les battements du cœur. Grâce à la contraction musculaire, les animaux peuvent aussi effectuer des mouvements très élaborés comme la marche, la course, le vol, la natation.

17.1 • Les moteurs moléculaires

Les **protéines de la motricité**, encore appelées les **moteurs moléculaires**, utilisent l'énergie chimique (de l'ATP) pour orchestrer tous ces mouvements, elles transforment l'énergie de l'ATP en énergie mécanique de mouvement. L'hydrolyse de l'ATP entraîne et contrôle les changements de conformation de protéines qui se traduisent finalement par un glissement, un déplacement d'une molécule par rapport à une autre. Pour faire effectuer des mouvements coordonnés, les moteurs moléculaires doivent pouvoir s'associer et se dissocier de façon réversible avec des rangées de protéines polymériques à la surface d'une cellule ou dans une sous-structure cellulaire. L'hydrolyse de l'ATP fournit l'énergie au processus d'encliquetage par lequel la protéine motrice entraîne le mouvement des protéines polymériques. Cela paraît aujourd'hui assez évident, mais l'élucidation du processus, fondamentalement simple, a pendant longtemps été un défi pour les biochimistes ; un grand nombre de laboratoires ont participé à cette quête et il a fallu avoir recours à de nombreuses techniques physiques et chimiques. Ce chapitre décrit les structures et les fonctions chimiques des moteurs moléculaires et certaines des expériences qui ont permis de comprendre leur fonctionnement.

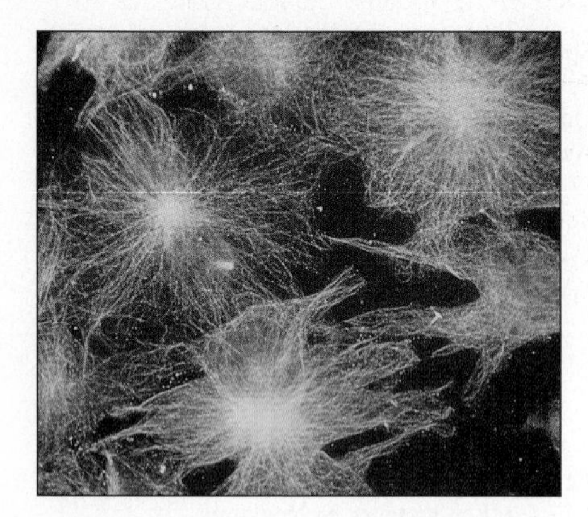

(a)

17.2 • Les microtubules et leurs moteurs

Le *microtubule* est l'une des structures les plus simples résultant d'un autoassemblage de chaînes polypeptidiques ; c'est l'un des composants fondamentaux du cytosquelette des eucaryotes et le principal élément structural des cils et des flagelles (Figure 17.1). Les **microtubules** sont des structures creuses, cylindriques, d'environ 30 nm de diamètre, constitués de **tubuline**, une protéine dimérique formée de deux sous-unités globulaires similaires de 55 kDa, dénommées *tubuline* α et *tubuline* β. Eva Nogales, Sharon Wolf et Kenneth Downing ont déterminé la structure du dimère $\alpha\beta$ de la tubuline avec une résolution de 3,7 Å (Figure 17.2a). Les dimères de tubuline polymérisent pour former des microtubules (Figure 17.2b) ; les parois des microtubules qui ont essentiellement une structure hélicoïdale, résultent de l'arrangement de 13 « résidus » de tubuline monomérique par tour. Les microtubules formés *in vitro* sont des structures dynamiques dont les éléments sont constamment en état d'association et de

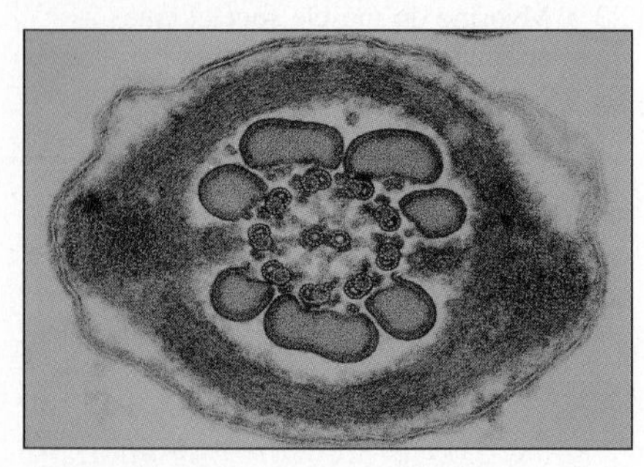

(b)

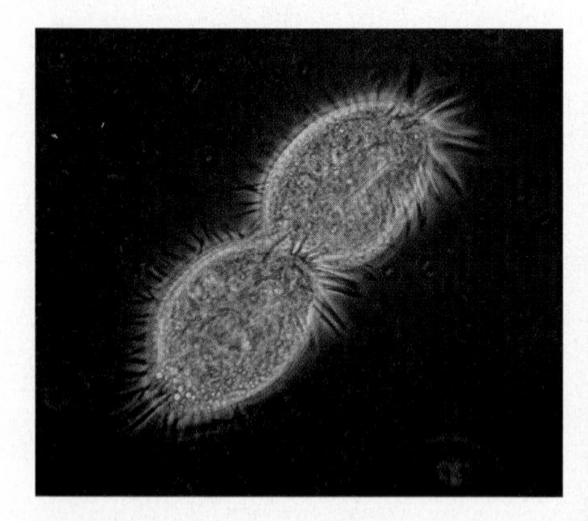

(c)

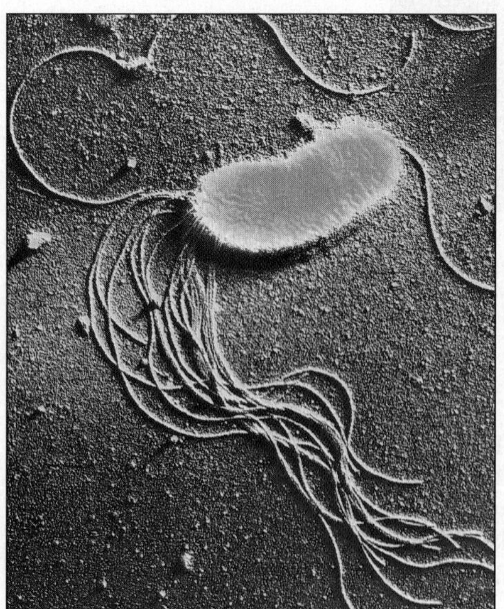

(e)

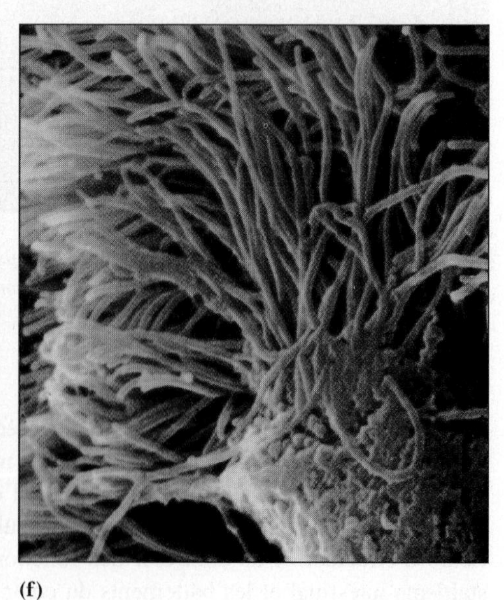

(f)

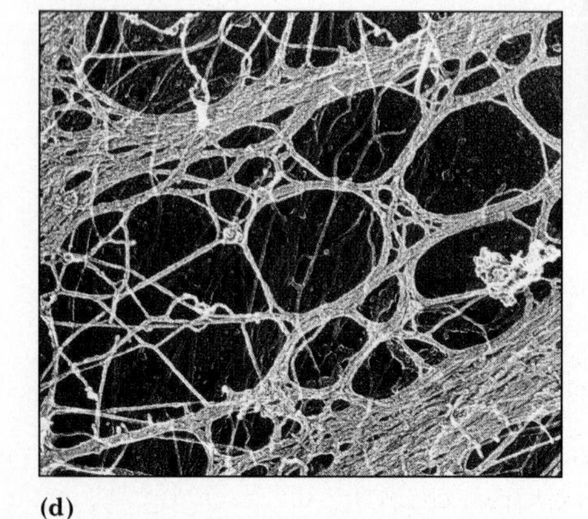

(d)

Figure 17.1 • Micrographies photoniques et électroniques des éléments du cytosquelette, cils et flagelles : (a) microtubules, (b) microtubules de la queue du sperme de rat (section transversale), (c) *Stylonychia*, un protozoaire cilié en cours de division, (d) cytosquelette d'une cellule eucaryote, (e) flagelles d'une bactérie aérobie du sol, *Pseudomonas fluorescens*, (f) cils de la muqueuse nasale. *(a, K.G. Murti/Visuals Unlimited ; b, David Phillips/Visuals Unlimited ; c, Eric Grave/Phototake ; d, Fawcett and Heuser/Photo Researchers, Inc. ; e, Dr. Tony Brain/Custom Medical Stock ; f, Veronika Burmeister, Visuals Unlimited)*

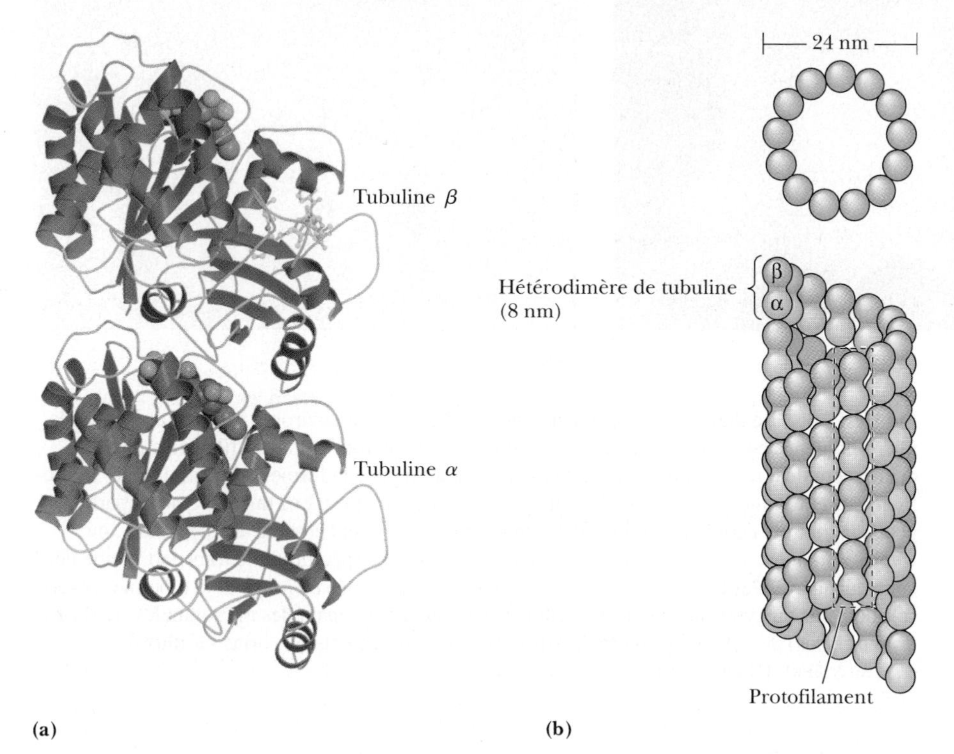

Figure 17.2 • (a) Structure de l'hétérodimère $\alpha\beta$ de la tubuline. (b) Les microtubules peuvent être considérés comme formés de 13 protofilaments parallèles et décalés, protofilaments constitués de sous-unités alternées de tubuline α et de tubuline β. Les séquences des sous-unités de tubuline α et β sont homologues. Les dimères sont assez stables en présence de Ca^{2+}. Les dimères ne sont dénaturés que par des agents dénaturants puissants.

dissociation. Comme tous les dimères dans un microtubule sont orientés dans la même direction, les microtubules sont des structures ayant une polarité. L'extrémité du tubule par laquelle il s'allonge est l'**extrémité plus** (ou **extrémité +**), l'autre étant l'**extrémité moins** (ou **extrémité –**). *In vitro*, l'élongation des microtubules est un processus qui dépend de la présence du GTP et s'effectue selon un mécanisme qui rappelle le **tapis roulant** : pour une certaine concentration en tubulines α et β, la longueur des filaments reste constante, les dimères de tubuline s'ajoutent régulièrement à l'extrémité + à la même vitesse qu'ils sont éliminés de l'extrémité – (Figure 17.3).

Les microtubules sont des constituants du cytosquelette

Bien que composés de sous-unités de tubulines de seulement 55 kDa, les microtubules peuvent s'allonger suffisamment pour s'étendre sur toute la longueur d'une cellule eucaryote ou pour former des structures aussi développées que des cils ou des flagelles. À l'intérieur des cellules, un réseau de microtubules intervient dans de nombreuses fonctions, y compris la formation du fuseau mitotique qui sépare les chromosomes lors de la division cellulaire, les déplacements des divers organites et structures vésiculaires à travers la cellule ainsi que la variation ou le maintien de la forme de la cellule. Les microtubules constituent en fait une importante partie du **cytosquelette**, une sorte d'échafaudage intracellulaire composé de microtubules, de *filaments intermédiaires* et de *microfilaments* (Figure 17.4). Dans la plupart des cellules, les microtubules sont orientés, avec leurs extrémités – vers le centrosome et leurs extrémités + vers la périphérie cellulaire. La permanence de cette orientation est importante pour les mécanismes de transport intracellulaire.

Les microtubules sont les unités structurales fondamentales des cils et des flagelles

Nous avons déjà signalé que les microtubules sont aussi les éléments fondamentaux de la formation des cils et des flagelles. Les **cils** sont de courtes projections cylindriques, ressemblant à des poils, à la surface des cellules de nombreux animaux et des plantes inférieures. Les battements de ces cils ont pour fonction de faciliter le déplacement des cellules ou de favoriser le mouvement des fluides extracellulaires à la surface des

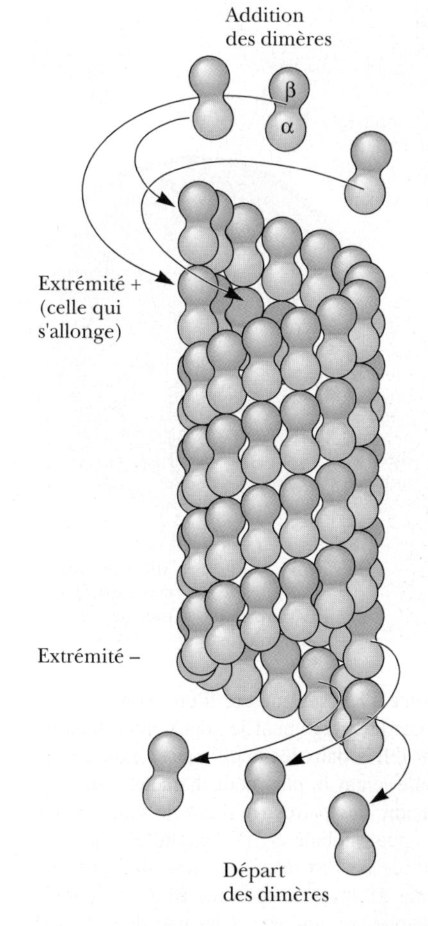

Figure 17.3 • Modèle de processus « tapis roulant » dépendant du GTP. Les tubulines α et β ont chacune deux sites distincts de fixation du GTP. La polymérisation de la tubuline en microtubule utilise l'énergie d'hydrolyse du GTP ; le mécanisme n'est pas encore complètement élucidé.

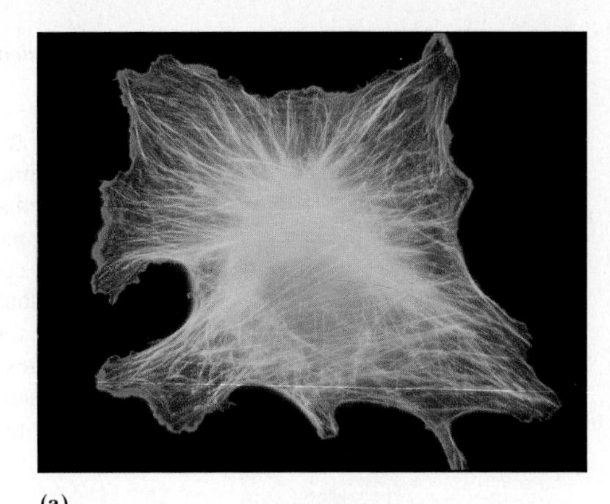

(a)

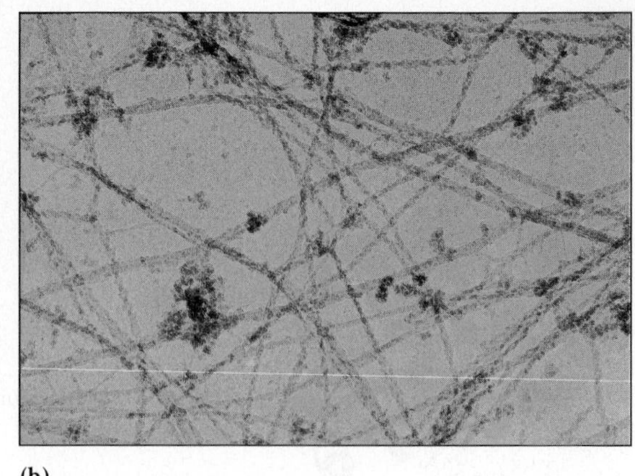

(b)

Figure 17.4 • Le diamètre des filaments intermédiaires est d'environ 7 à 12 nm alors que les microfilaments, constitués d'actine, ont un diamètre d'environ 7 nm. Les filaments intermédiaires semblent n'avoir qu'un rôle structural (le maintien de la forme de la cellule) ; les microfilaments et les microtubules ont des fonctions plus dynamiques. Les microfilaments participent à la motilité cellulaire tandis que les microtubules agissent comme des « guides », ou « voies » filamenteuses, qui permettent par des mécanismes spécifiques le transport rapide de constituants cellulaires. (a) Cytosquelette avec l'actine marquée en rouge et la tubuline en vert. (b) Éléments du cytosquelette d'une cellule eucaryote, comprenant des microtubules (les brins les plus épais) des filaments intermédiaires et des microfilaments (les brins les plus fins).
(a, b, M. Schliwa/Visuals Unlimited)

cellules. Les **flagelles** sont des structures beaucoup plus longues qui se trouvent, soit isolément soit regroupés en petit nombre, sur certaines cellules (par exemple les spermatozoïdes). Ils propulsent les cellules à travers les fluides ce sont des organes locomoteurs. Les cils et les flagelles ont une architecture interne commune appelée **axonème** (Figure 17.5). L'axonème est un faisceau complexe de microtubules comprenant deux microtubules centraux distincts reliés par des ponts et enveloppés par une structure fibreuse, la *gaine*, l'ensemble étant entouré de neuf paires de microtubules (chaque paire est formée d'un doublet de microtubules). L'axonème est limité par une membrane plasmique, une extension de la membrane plasmique cellulaire. L'élimination de la membrane plasmique par des détergents puis le traitement des axonèmes dépouillés de leur membrane par une solution saline concentrée libère des molécules de **dynéine** (Figure 17.6). La dynéine est une protéine accessoire qui constitue les bras de dynéine disposés à intervalles régulier le long du tubule A (Figure 17.5).

Mécanisme du mouvement des cils

Les mouvements des cils résultent du glissement des dynéines le long d'un microtubule alors qu'elles restent immobilisées sur un microtubule adjacent. L'énergie nécessaire provient de l'hydrolyse de l'ATP. Les tiges flexibles des dynéines restent en permanence attachées au tubule A (Figure 17.6). Les projections issues des têtes globulaires s'attachent transitoirement aux tubules B. La fixation d'ATP sur la chaîne lourde de la dynéine provoque la dissociation de la liaison des projections aux tubules B. Ces projections s'attachent ensuite aux tubules B, mais en une position plus proche de l'extrémité moins. La répétition de ce processus provoque le glissement des tubules A par rapport aux tubules B. La structure réticulée de l'axonème (présence de pontages entre les microtubules) impose un glissement asymétrique, d'où une courbure de l'axonème comme représentée Figure 17.7.

Les microtubules sont aussi les médiateurs du mouvement des organites et des vésicules intracellulaires

La capacité des dynéines à effectuer le **couplage chimio-mécanique** – c'est-à-dire le couplage d'un mouvement avec une réaction chimique – est également vitale à l'intérieur des cellules eucaryotes qui contiennent un réseau de microtubules faisant

Protofilaments
Tubule B
Tubule A
Bras interne de dynéine
Bras externe de dynéine
Bras radiaire
Nexine
Tête du rayon
Membrane plasmique
Microtubules centraux reliés par un pont

Figure 17.5 • Structure d'un axonème. Remarquez comment les deux microtubules sont reliés dans les neufs paires externes. Le tubule ayant le plus petit diamètre dans chacune des paires (il s'agit de vrais cylindres) est appelé tubule A ; il est relié à la gaine centrale de l'axonème par une structure, en forme de rayon d'une roue (bras radiaire), terminée par une tête. Chacune des paires de tubules externes est reliée aux paires adjacentes par un pont de nexine. Le tubule A de chaque paire externe possède sur sa surface un bras de dynéine orienté vers l'extérieur et un bras un bras de dynéine orienté vers l'intérieur. Le tubule ayant le plus grand diamètre dans chacune des paires est le tubule B.

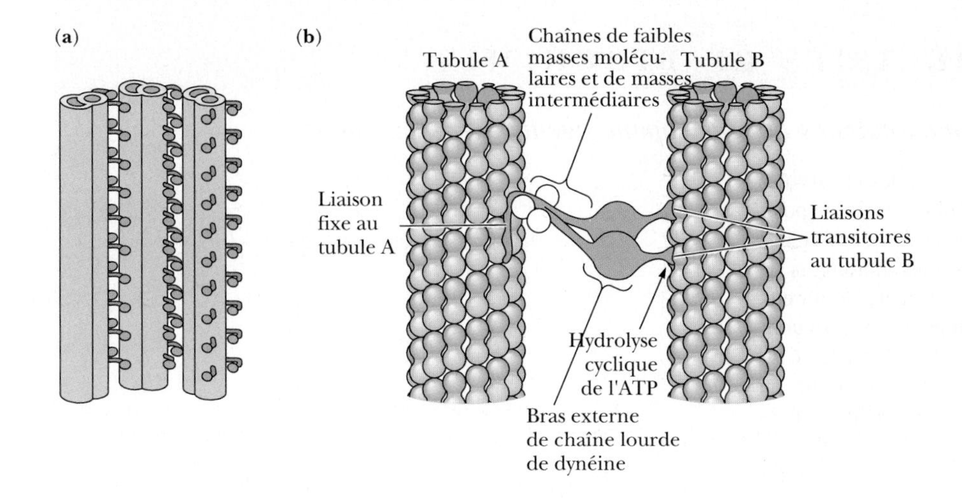

Figure 17.6 • (a) Diagramme représentant les interactions de la dynéine entre les paires de microtubules adjacents. (b) Vue détaillée des ponts de dynéine entre le tubule A d'une paire de tubules et le tubule B d'une paire adjacente. (Pour la clarté de la représentation, le tubule B de la première paire et le tubule A de la deuxième paire ont été omis). Les dynéines purifiées à partir des axonèmes ont une activité ATPase ; elles sont constituées de deux ou trois « chaîne lourdes » (de 400 à 500 kDa), les dynéines α, β et le cas échéant γ, ainsi que de plusieurs chaînes polypeptidiques de masses intermédiaires (40 à 120 kDa) et de chaînes à faibles masses (15 à 25 kDa). Chacun des bras externes des chaînes lourdes est formé d'un domaine globulaire avec une tige flexible à l'une de ses extrémités, et à l'autre extrémité une projection plus courte en position angulaire par rapport à la tige. Dans un bras de dynéine, plusieurs tiges flexibles provenant de différentes chaînes lourdes sont réunies sur une base commune où se trouvent les protéines de masses moléculaires intermédiaires ou de faibles masses moléculaires.

partie du cytosquelette. Les mécanismes du transport intracellulaire des organites et des vésicules dépendant des microtubules furent d'abord élucidés par les études sur les **axones**, ces longues projections des neurones qui s'étendent sur de grandes distances, loin du corps cellulaire. Dans les neurones (et dans les axones), les organites subcellulaires et les vésicules se déplacent sur toute la longueur et dans les deux directions, à des vitesses surprenantes, jusqu'à 2 à 5 μm/s. La compréhension du mécanisme de ce transport si rapide a posé de sérieux problèmes biochimiques. Les premières observations reliant ces mouvements à l'association des organites avec des protéines spécialisées sur les microtubules furent accueillies avec réticence, et cela pour deux raisons. Premièrement, la notion qu'un réseau de microtubules pouvait participer au transport était nouvelle, et, comme toutes les nouvelles idées, était difficile à accepter. Deuxièmement, les premiers essais de purification des dynéines à partir de tissus nerveux ont échoué et les protéines de type dynéines isolées de la fraction cytosolique furent considérées comme des contaminations provenant des axonèmes. Cependant, les choses changèrent brutalement en 1985 lorsque Michael Sheetz et ses collaborateurs purifièrent une nouvelle protéine qui se contractait en utilisant l'énergie libérée par l'hydrolyse de l'ATP et était différente de la myosine et de la dynéine ; ils appelèrent cette protéine la *kinésine*. Puis, en 1987, Richard McIntosh et Mary Porter ont décrit la purification d'une *dynéine cytosolique* à partir de *Caenorhabditis elegans*, un nématode qui à aucune des étapes de son développement ne possède d'axonèmes mobiles. Des kinésines ont à présent été isolées à partir de nombreux types de cellules eucaryotes et des dynéines cytosoliques analogues ont été retrouvées chez la drosophile, les amibes et des champignons filamenteux, de même que dans le cerveau et les testicules des vertébrés et dans les cellules HeLa (une lignée de cellules humaines provenant d'un carcinome du col utérin).

Les dynéines déplacent les organites dans la direction plus vers moins ; les kinésines les déplacent dans la direction moins vers plus

Les dynéines cytosoliques présentent de nombreuses similarités avec la dynéine de l'axonème. La protéine isolée de *C. elegans* comporte une « chaîne lourde » de masse moléculaire voisine de 400 kDa, ainsi que des polypeptides plus petits dont les masses moléculaires varient de 53 à 74 kDa. La protéine possède une forte activité ATPase latente, stimulée par les microtubules ; lorsqu'elle est adsorbée sur une surface de verre, la protéine en présence d'ATP se lie à des microtubules et les déplace dans la solution. Dans les cellules, les dynéines cytosoliques déplacent spécifiquement les organites et les vésicules dans la direction qui va de l'extrémité + des

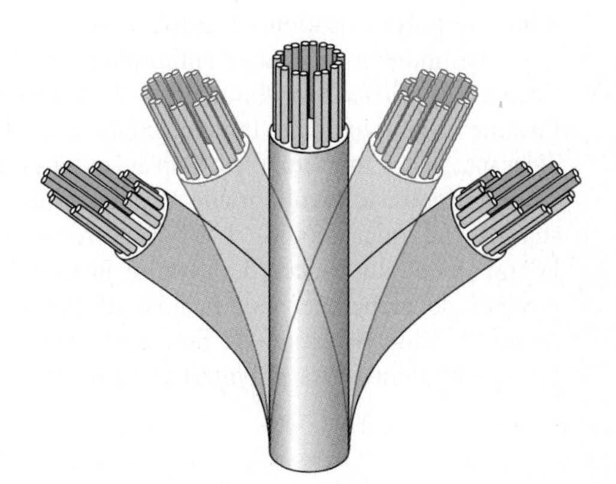

Figure 17.7 • Mécanisme proposé pour le mouvement des cils. Le glissement des dynéines sur un microtubule alors qu'ils sont reliés à un point fixe sur un microtubule adjacent provoque la courbure de l'axonème.

DÉVELOPPEMENTS DÉCISIFS EN BIOCHIMIE

Effecteurs de la polymérisation des microtubules utilisés comme agents thérapeutiques

Les microtubules ont un rôle important dans les cellules eucaryotes où ils maintiennent et modulent la forme cellulaire et la disposition des éléments intracellulaires pendant le cycle de la croissance et de la mitose. Il n'est donc pas surprenant que les inhibiteurs de la polymérisation des microtubules puissent bloquer de nombreux processus physiologiques cellulaires. La **colchicine** (voir la figure), un alcaloïde des tiges souterraines charnues de la colchique (*Colchicum autumnalis*) inhibe la polymérisation de la tubuline en microtubules. Cet effet bloque le cycle mitotique des cellules végétales et animales. La colchicine inhibe également la motilité cellulaire et le transport intracellulaire des vésicules et des organites (ce qui a pour conséquence l'arrêt des processus sécrétoires). Depuis des centaines d'années, la colchicine est utilisée pour soulager les douleurs aiguës des crises de goutte et des rhumatismes. Dans la goutte, les lysosomes des leucocytes entourent et phagocytent les petits cristaux d'acide urique ce qui provoque leur rupture. La rupture des lysosomes et la lyse consécutive des leucocytes provoque une réponse inflammatoire cause de la vive douleur. Le mécanisme par lequel la colchicine soulage la douleur n'est pas connu avec certitude, mais la colchicine semble inhiber le mouvement des leucocytes dans les tissus. Un autre usage intéressant de la colchicine résulte de sa capacité à inhiber la mitose ; cet effet lui confère un rôle important en agriculture pour le développement de nouvelles variétés de plantes de culture ou ornementales. Lorsque la mitose est bloquée, les cellules traitées peuvent ensuite se multiplier avec des jeux de chromosomes supplémentaires. Ces plantes polyploïdes sont généralement plus grandes et plus vigoureuses que les plantes normales. Les fleurs peuvent avoir un nombre de pétales doublé et les fruits sont parfois plus sucrés.

Une autre classe d'alcaloïdes comprend les alcaloïdes extraits de *Vinca rosea*, la pervenche de Madagascar, qui se lient aussi à la tubuline et inhibe la formation des microtubules. La **vinblastine** et la **vincristine** sont des agents très actifs utilisés dans la chimiothérapie anticancéreuse du fait de leur action inhibitrice sur la croissance des cellules tumorales à prolifération rapide. Pour des raisons non élucidées, la colchicine n'est pas intéressante en chimiothérapie bien que, comme les alcaloïdes de la pervenche, elle inhibe la polymérisation de la tubuline.

Une nouvelle substance antitumorale, le **taxol**, a été isolée de l'écorce de *Taxus brevifolia*, un if du Pacifique. Comme la vinblastine et la colchicine, le taxol inhibe la réplication cellulaire en agissant sur les microtubules. Cependant, à la différence des autres antimitotiques, le taxol stimule la polymérisation de la tubuline et stabilise les microtubules. L'efficacité remarquable du taxol dans le traitement du cancer de l'ovaire justifie les efforts de divers groupes de recherche pour la mise au point d'une synthèse chimique et l'identification de nouvelles substances qui, comme le taxol, stimuleraient la polymérisation de la tubuline.

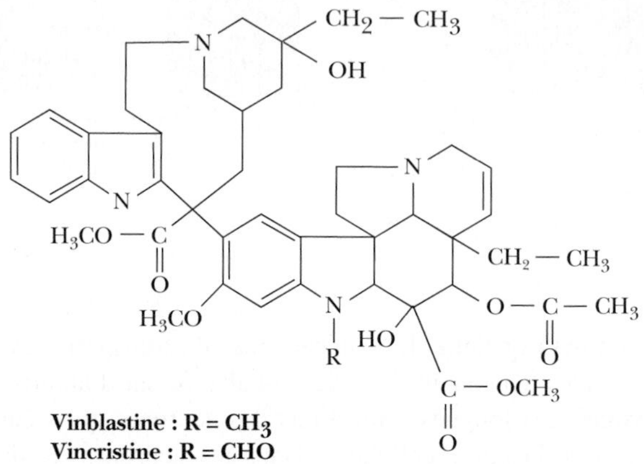

Vinblastine : R = CH_3
Vincristine : R = CHO

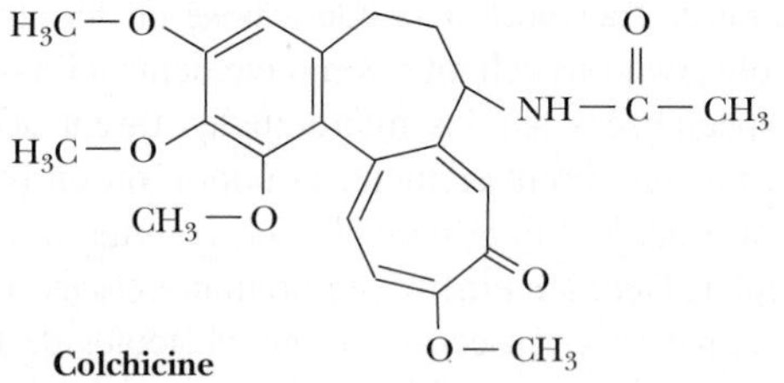

Colchicine

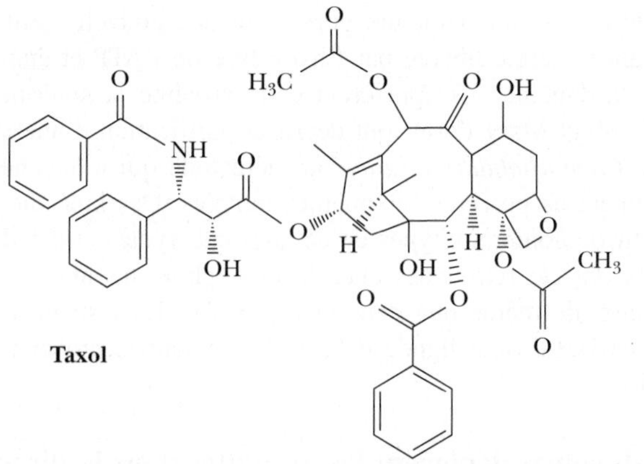

Taxol

Structures de la vinblastine, de la vincristine, de la colchicine et du taxol.

microtubules vers l'extrémité –. Ainsi, les dynéines déplacent les vésicules et les organites de la périphérie cellulaires vers le centrosome ou, dans les axones, de l'extrémité synaptique vers le corps de la cellule (Figure 17.8). Par contre, les kinésines concourent au déplacement des vésicules et des organites de l'extrémité – vers

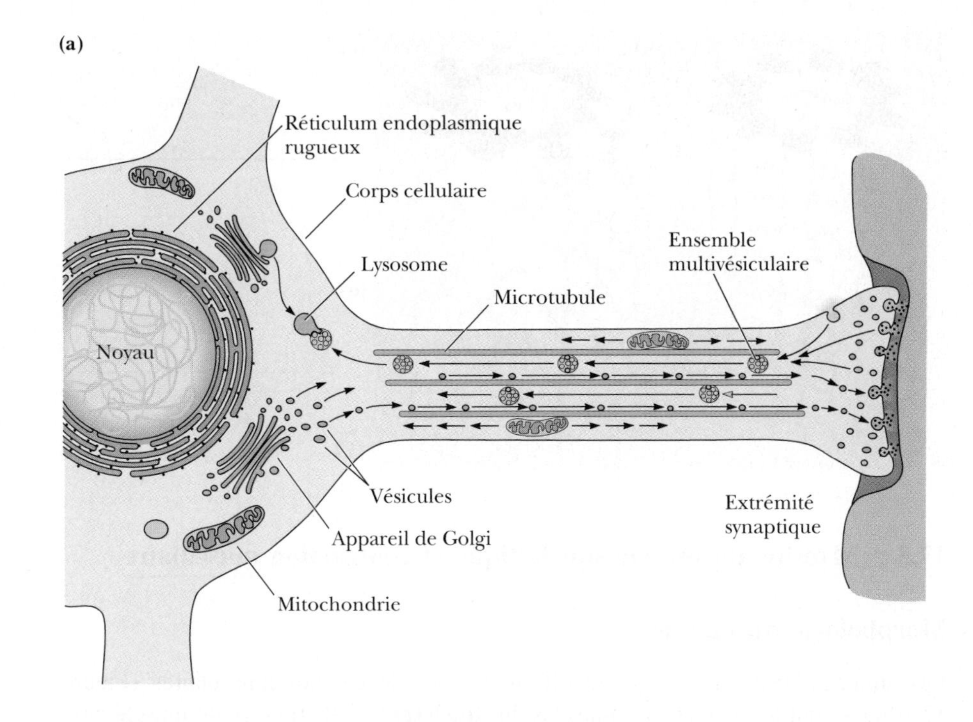

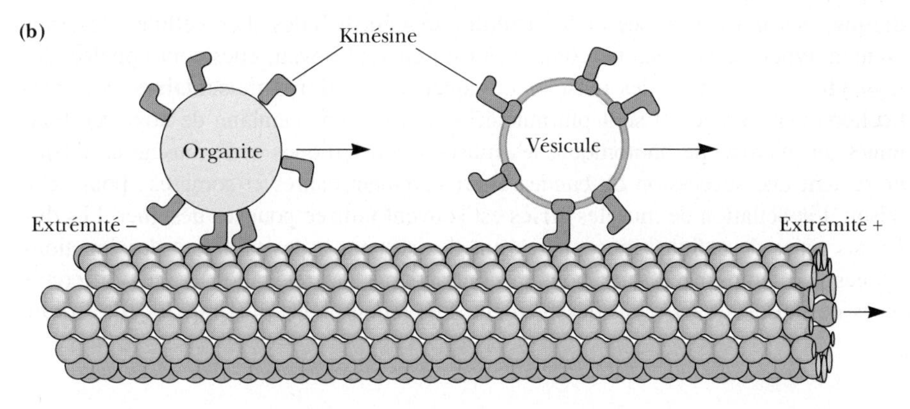

Figure 17.8 • (a) Le transport le long des microtubules de l'axone permet l'échange rapide de matériel entre l'extrémité synaptique et le corps de la cellule nerveuse. (b) Les vésicules simples, les ensembles multivésiculaires et les mitochondries sont transportés le long de l'axone par ce mécanisme. *(D'après un dessin de Ronald Vale)*

l'extrémité + des microtubules. Il s'ensuit un mouvement des organites et des vésicules orienté vers l'extérieur. Les kinésines sont analogues aux dynéines cytosoliques mais sont plus petites (360 kDa) et contiennent des sous-unités de 110, 65 et 70 kDa. Leur longueur est de 100 nm. Comme les dynéines, les kinésines ont une activité ATPasique localisée dans les têtes globulaires ; l'hydrolyse de l'ATP fournit l'énergie nécessaire au déplacement des vésicules et des organites le long des microtubules.

Le domaine N-terminal de la chaîne lourde de la kinésine contient les sites de liaison de l'ATP et du microtubule, c'est le domaine responsable du mouvement. La microscopie électronique et l'analyse des images par ordinateur révèlent la structure des complexes tubuline-kinésine (Figure 17.9). Le domaine de la tête de la kinésine est compact ; son contact avec une sous-unité de tubuline à la surface d'un microtubule induit un changement de conformation dans la sous-unité de tubuline. Les expériences de piégeage optique (voir page 554) démontrent que les têtes de kinésine se déplacent par pas de 8 nm (80 Å) le long de l'axe du microtubule. Kenneth Johnson et ses collaborateurs ont montré que la capacité d'un unique tétramère de kinésine à se déplacer dans une même direction sur de longues distances dépend des interactions coopératives entre les deux domaines chimiomécaniques de la tête de la protéine.

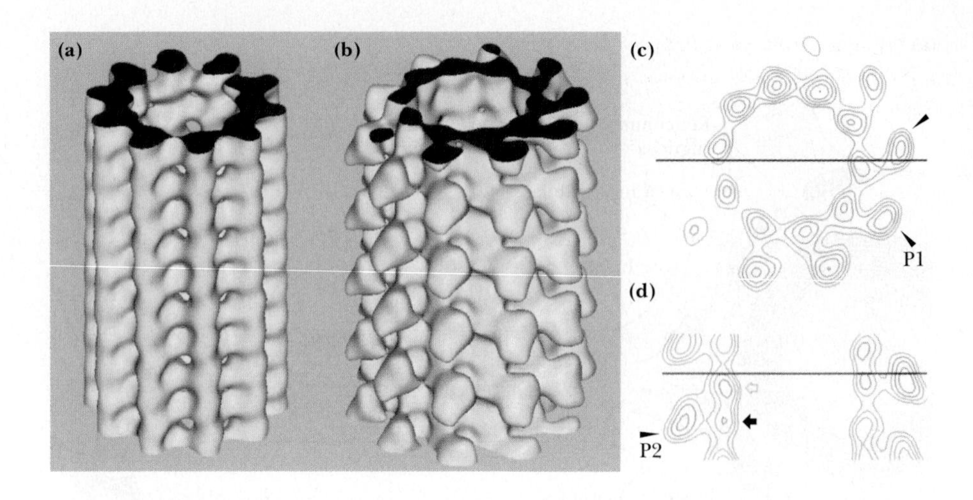

Figure 17.9 • Structure du complexe tubuline-kinésine obtenue par analyse de micrographies électroniques après cryodécapage. (a) Structure tridimensionnelle d'un microtubule déterminée par ordinateur, (b) domaine globulaire de la tête de la kinésine dans le complexe avec la tubuline, (c) contour d'une section horizontale du complexe tubuline-kinésine et (d) contour d'une section verticale du même complexe. *(D'après Kikkawa et al., 1995.* Nature *376 :274-277. Photo aimablement communiquée par Nobutaka Hirokawa).*

17.3 • Myosine du muscle squelettique et contraction musculaire

Morphologie du muscle

Les animaux disposent de quatre différent types de cellules musculaires (Figure 17.10). Ce sont les cellules des muscles du **squelette** (squelettiques), du muscle **cardiaque**, des muscles **lisses** et les **cellules myoépithéliales**. Les cellules des trois derniers types de muscles ne contiennent qu'un seul noyau, elles sont appelées les **myocytes**. Les cellules des muscles du squelette, ou **fibres musculaires**, sont particulièrement longues et sont plurinucléées (environ une centaine de noyaux). Examinés au microscope photonique, les muscles squelettiques et le muscle cardiaque présentent une succession de bandes alternativement claires et sombres ; pour cette raison, l'appellation de muscles **striés** est souvent utilisée pour les désigner. Les différents types de cellules musculaires ont des structures des tailles et des fonctions variées. Le temps nécessaire pour la contraction et la relaxation de ces différents types de muscles varie considérablement. Les réponses les plus rapides (de l'ordre

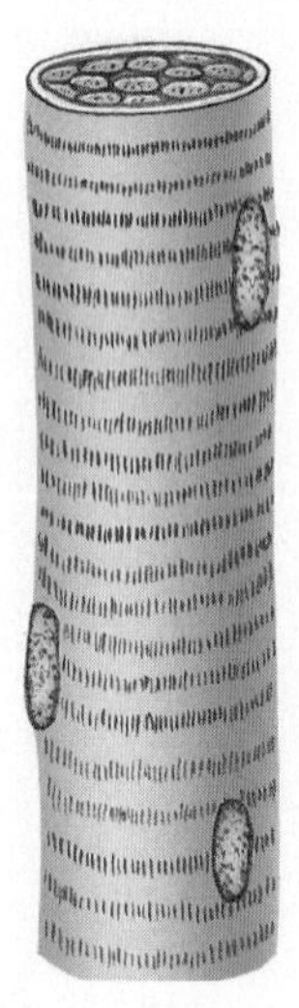

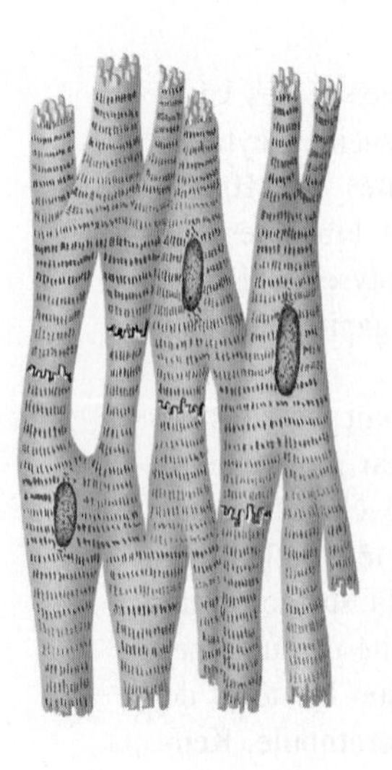

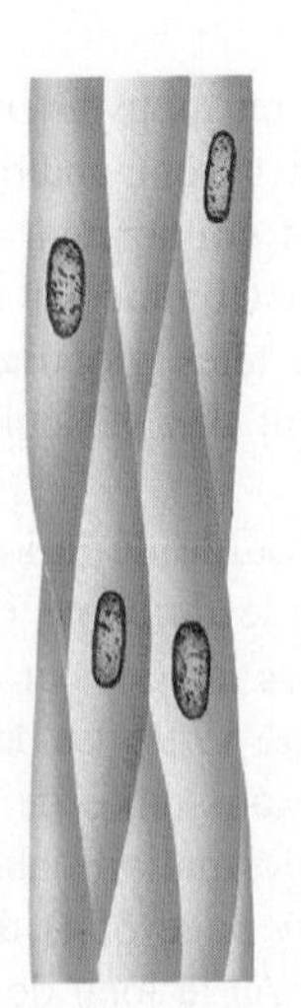

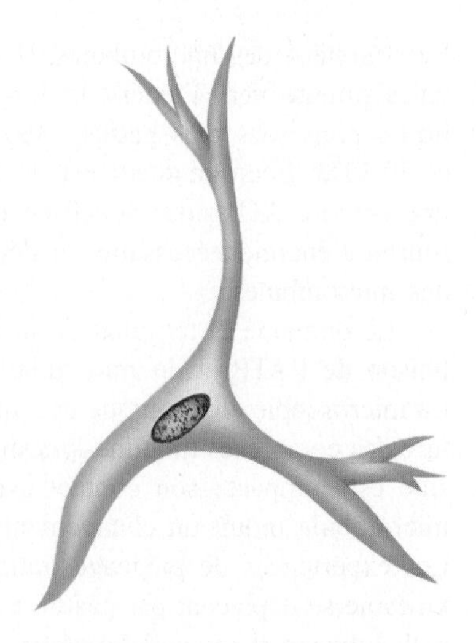

Figure 17.10 • Les quatre classes de cellules musculaires chez les mammifères. Les cellules des muscles du squelette et les cellules musculaires du cœur sont striées. Les cellules du cœur, des muscles lisses et myoépithéliales sont mononucléées alors que les cellules des muscles du squelette sont multinucléées.

de quelques millisecondes) s'observent dans les muscles squelettiques à contractions rapides répétées, les réponses les plus lentes (de l'ordre de la seconde) s'observent dans les muscles lisses. Certains muscles squelettiques, à contraction plus lente, ont des temps de réponse intermédiaires.

Caractéristiques structurales des muscles squelettiques

Les muscles squelettiques des animaux supérieurs sont constitués de **faisceaux de fibres** de 100 μm de diamètre, certains étant aussi longs que le muscle lui-même. Chacune de ces fibres musculaires contient des centaines de **myofibrilles** (Figure 17.11) ayant de 1 à 2 μm de diamètre et qui ont la longueur de la fibre. Chaque myofibrille est constituée d'un l'arrangement linéaire de **sarcomères,** espaces qui délimitent les unités contractiles de la myofibrille. Les extrémités des sarcomères sont enveloppées par un système membranaire qui est en fait une extension de la membrane plasmique de la fibre musculaire, le **sarcolemme**. Ces extensions du sarcolemme, appelées **tubules transverses** ou **tubules T** permettent de mettre en relation le sarcolemme avec les extrémités de chacune des fibrilles de la fibre musculaire (Figure 17.11). Cette caractéristique topologique est cruciale pour l'initiation des contractions. Entre les tubules T, le sarcomère est recouvert par un réticulum endoplasmique spécialisé, le **réticulum sarcoplasmique** (ou **RS**). Les vésicules de ce RS contiennent de fortes concentrations de Ca^{2+} ; la libération du Ca^{2+} du RS et son interaction avec des protéines à l'intérieur des sarcomères déclenche la contraction musculaire. Le RS comporte deux sous-structures distinctes : les **tubules longitudinaux** qui se développent sur la longueur du sarcomère et les **citernes terminales** qui coiffent les extrémités des sarcomères (Figure 17.11). La structure à l'extrémité de chaque sarcomère est appelée **triade du réticulum** car elle est constituée d'un tubule T et de deux citernes terminales juxtaposées ; dans ces triades, des espaces d'environ 15 nm (les **jonctions des triades**) séparent les citernes du tubule T. La partie des citernes terminales qui fait face au tubule T est reliée à ce tubule T par une structure (*Foot structure*) comportant des protubérances, appelées « **pieds** ». Les contractions du muscle squelettique sont initiées par une stimulation nerveuse qui agit directement sur le muscle. L'influx nerveux produit

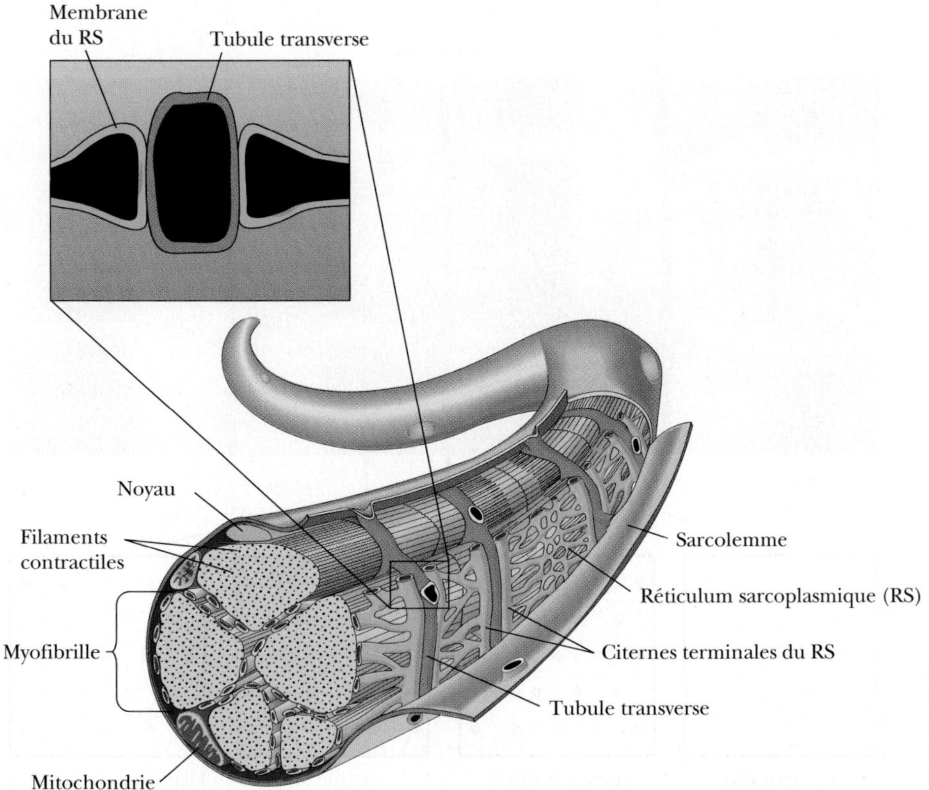

Figure 17.11 • Structure d'un muscle du squelette montrant comment, par l'intermédiaire des tubules T, le sarcolemme est au contact des extrémités de chacune des myofibrilles de la fibre musculaire.

un signal électrochimique (voir Chapitre 34), appelé potentiel d'action, qui se répand dans la membrane sarcoplasmique et dans les fibres par l'intermédiaire du réseau de tubules T. Ce signal passe les jonctions des triades et induit la libération d'ions Ca^{2+} à partir des vésicules du RS. Ces ions Ca^{2+} se lient aux fibres musculaires et induisent finalement la contraction.

Structure moléculaire du muscle squelettique

L'observation des myofibrilles au microscope électronique révèle une structure striée formée par une succession de bandes. Ces bandes sont traditionnellement identifiées par des lettres (Figure 17.12). Les régions à haute densité électronique, appelées **bandes A**, alternent avec des régions à faible densité électronique, appelées **bandes I**. Les petites lignes sombres, les **lignes Z**, au centre des bandes I marquent les limites des sarcomères. Chacune des bandes A possède une région centrale de densité électronique légèrement plus faible, appelée **zone H**, parcourue par une ligne centrale, la **ligne M** (ou le **disque M**). Les micrographies électroniques des sections transversales dès ces différentes régions révèlent quelques détails moléculaires. La zone H présente une disposition hexagonale régulière de **filaments épais** (15 nm de diamètre), alors que la bande I présente une disposition hexagonale régulière de **filaments fins** (7 nm de diamètre). Dans les régions sombres aux extrémités des bandes A, les filaments fins et épais sont intercalés (Figure 17.12). Les filaments fins sont principalement composés de trois protéines, l'**actine**, la **troponine** et la **tropomyosine**. Les filaments épais sont pour l'essentiel composés d'une autre protéine, la **myosine**. Les filaments fins et épais sont reliés entre eux par des **ponts** régulièrement espacés. Ces ponts sont formés par des extensions des molécules de myosine et la contraction musculaire est produite par le glissement des ponts sur le long des filaments fins, un mouvement mécanique entraîné par l'énergie d'hydrolyse de l'ATP.

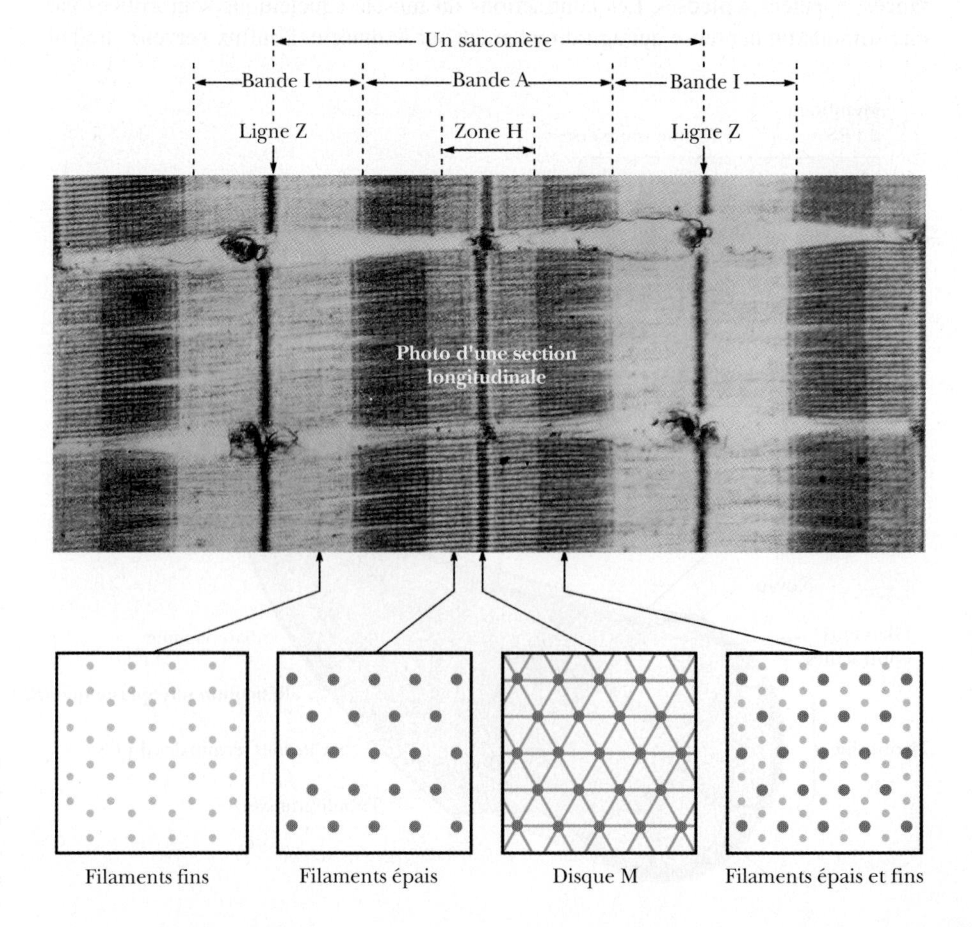

Figure 17.12 • Micrographie électronique d'une myofibrille de muscle squelettique (section longitudinale). La longueur d'un sarcomère est précisée, de même que sont indiquées les bandes A et I, la zone H, le disque M et les lignes Z. Sur une section transversale de la zone H on peut voir la disposition hexagonale des filaments épais et sur une section transversale de la bande I la disposition hexagonale des filaments fins. *(Photo aimablement communiquée par Hugh Huxley, Université Brandeis)*

Composition et structure des filaments fins

L'actine constituant majeur des filaments fins peut être isolée sous deux formes. En solution à faible force ionique, l'actine est une protéine globulaire de 42 kDa, c'est l'**actine G** (G pour globulaire). Sa structure contient deux domaines, ou lobes, principaux (Figure 17.13). Dans les conditions plus physiologiques (à force ionique plus élevée), l'actine G polymérise en une forme fibreuse, appelée **actine F**. Cette actine F a une structure hélicoïdale ; l'hélice tourne à droite et son pas est d'environ 72 nm. L'hélice d'actine F constitue le cœur du filament fin sur lequel s'ajoute la *tropomyosine* et le **complexe troponine**. La tropomyosine est un hétérodimère de sous-unités homologues de 33 kDa. Ces deux sous-unités forment de longues hélices entrelacées en torsades de 38 à 40 nm de long qui s'associent tête à queue pour former de longs bâtonnets. Ces bâtonnets se lient à l'hélice d'actine F en position presque parallèle à l'axe de l'hélice (Figure 17.15a-c). Chaque hétérodimère de tropomyosine est en interaction avec environ sept sous-unités d'actine. Le complexe troponine comporte trois protéines différentes : la **troponine T**, ou **TnT** (37 kDa), la **troponine I**, ou **TnI** (24 kDa) et la **troponine C**, ou **TnC** (18 kDa). La TnT se lie à la tropomyosine, spécifiquement aux jonctions tête à queue des dimères. La TnI se lie à la fois à la tropomyosine et à l'actine. La troponine C, une protéine fixant Ca^{2+}, se lie à la TnI. La séquence de la TnC présente 70 % d'homologie avec celle de la calmoduline, une protéine signal liant le calcium (voir Chapitre 34). La libération du Ca^{2+} du RS, qui a pour conséquence la contraction musculaire, élève la concentration cytosolique en Ca^{2+}, suffisamment pour saturer les sites Ca^{2+} de la TnC. La liaison du calcium à la troponine C induit une transconformation dans le domaine N-terminal de la TnC qui provoque un réarrangement du complexe troponine et de la tropomyosine par rapport à la fibre d'actine.

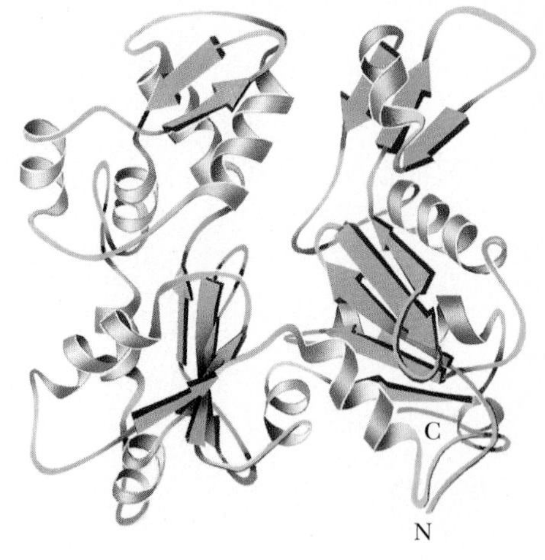

Figure 17.13 • Représentation schématique de la structure tridimensionnelle d'un monomère d'actine du muscle squelettique ; cette vue montre les deux domaines de l'actine *(à gauche et à droite).*

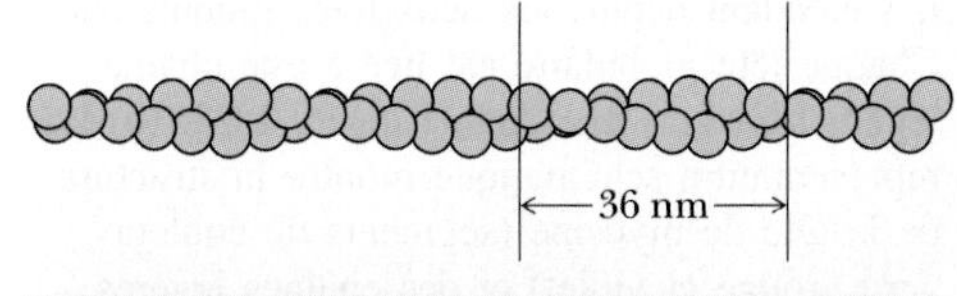

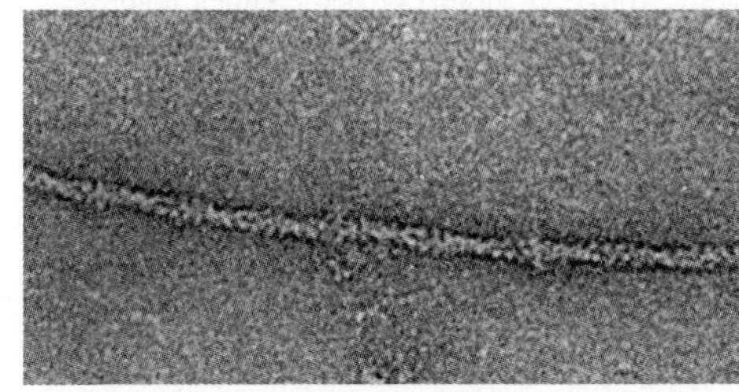

Figure 17.14 • Arrangement hélicoïdal des monomères d'actine dans l'actine F. L'hélice de l'actine F a un pas de 72 nm et une distance de répétition de 36 nm. *(Micrographie électronique aimablement communiquée par Hugh Huxley, Université Brandeis)*

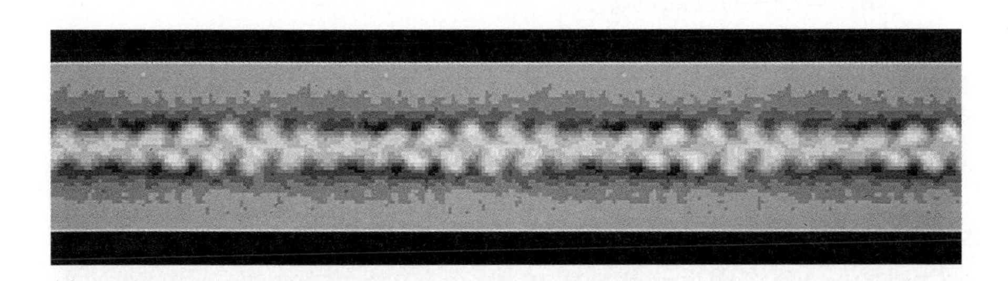

(a)

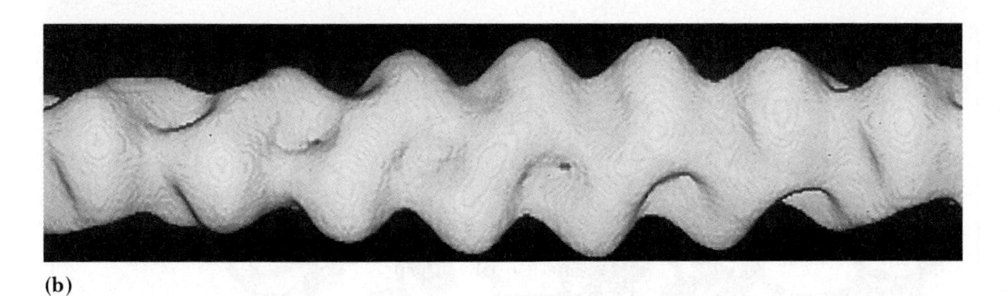

(b)

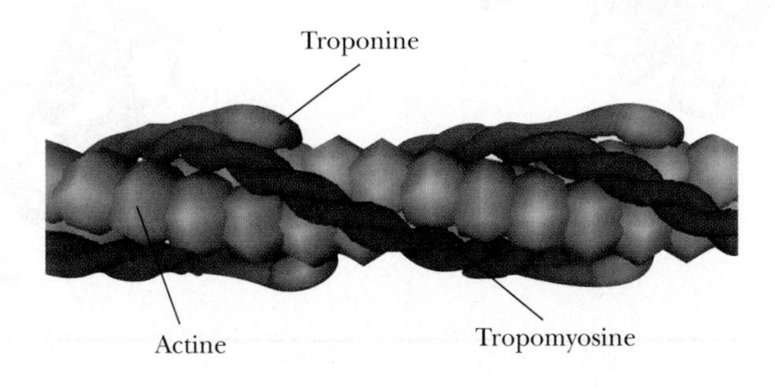

(c)

Figure 17.15 • (a) Micrographie électronique d'un filament fin, (b) image correspondante reconstruite par ordinateur, et (c) représentation schématique basée sur les images (a) et (b). La torsade de tropomyosine s'enroule autour de l'hélice de l'actine, chaque dimère de tropomyosine étant en interaction avec sept monomères consécutifs d'actine. La troponine T se lie à la tropomyosine aux points de jonction tête à queue. *(a et b, aimablement communiqués par Linda Rost et David DeRosier, Université Brandeis ; c, aimablement communiqué par George Phillips, Université Rice)*

Composition et structure des filaments épais

La myosine est le constituant majeur des filaments épais. C'est une grosse protéine constituée de six chaînes polypeptidiques, l'ensemble ayant une masse moléculaire d'environ 540 kDa (Figure 17.16). Les six peptides comprennent deux **chaînes lourdes** de 230 kDa et deux paires de **chaînes légères** différentes, de 20 kDa, **LC1** et **LC2**. La structure des chaînes lourdes se caractérise par la présence de domaines globulaires N-terminaux, les **têtes de la myosine**, et de longs segments α-hélicoïdaux, les **queues**. Ces queues sont entrelacées pour former une torsade gauche, d'environ 2 nm de diamètre et de 130 à 150 nm de long. Chacune des têtes dans cette structure dimérique est associée avec une LC1 et une LC2. Les têtes de myosine ont une **activité ATPase** et c'est l'hydrolyse de l'ATP par les têtes de myosine qui fournit l'énergie nécessaire pour la contraction musculaire. La chaîne LC1 est aussi appelée la **chaîne légère essentielle** et la chaîne LC2 la **chaîne légère régulatrice**. Ces deux chaînes sont homologues à la calmoduline et à la troponine C. La dissociation de LC1 des têtes de myosine par les cations alcalins provoque la perte de l'activité ATPasique de la myosine.

Environ 500 des 820 résidus de la tête de la myosine sont hautement conservés chez des espèces différentes. Une des régions conservées, située approximativement

(a)

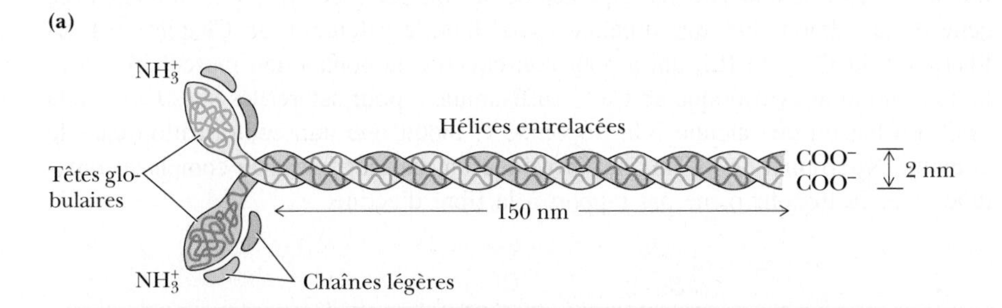

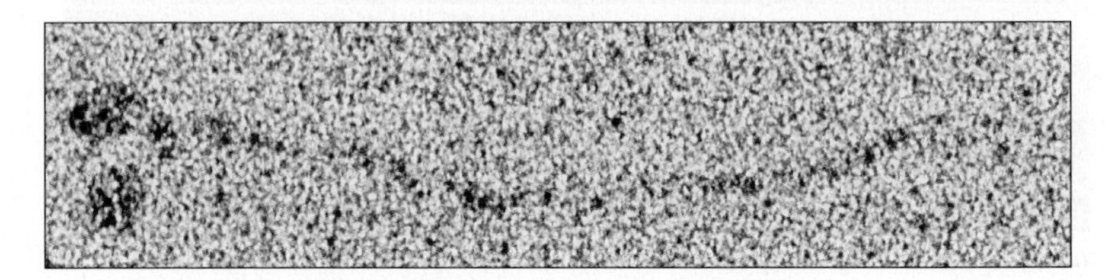

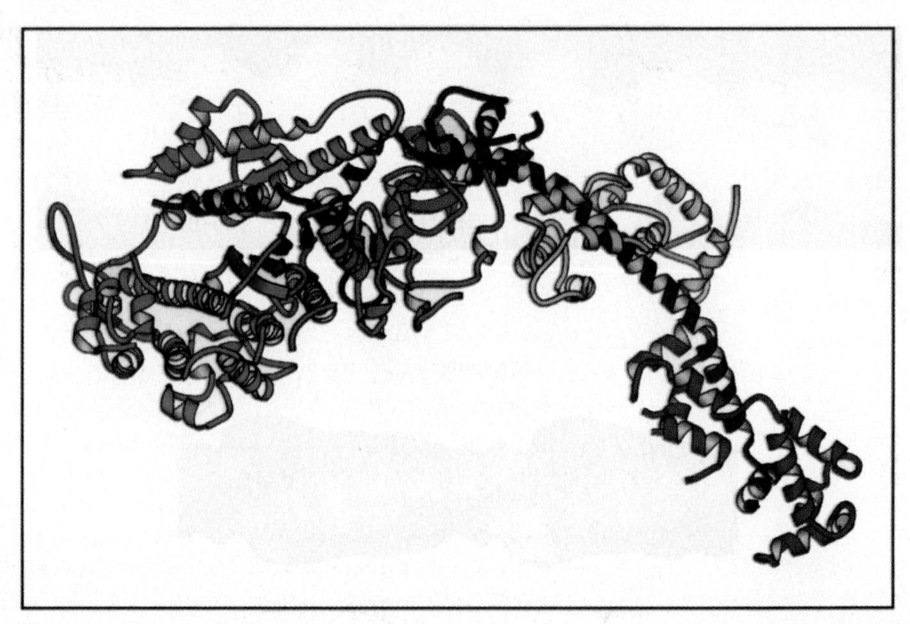

(b)

Figure 17.16 • (a) Micrographie électronique d'une molécule de myosine et illustration correspondante. La queue est formée par l'enroulement l'un sur l'autre de deux hélices α s'étendant depuis les deux têtes globulaires. Chaque tête globulaire est liée à une chaîne légère LC1 et à une chaîne légère LC2. (b) La représentation schématique montre la structure de la tête de myosine (segments de couleur verte, rouge et violet) et des chaînes légères associées, la chaîne essentielle (jaune) et la chaîne régulatrice (magenta). *(a, Micrographie électronique aimablement communiquée par Henry Slayter, Harvard Medical School ; (b) avec l'aimable autorisation de Ivan Rayment et Hazel M. Holden, Université du Wisconsin, Madison)*

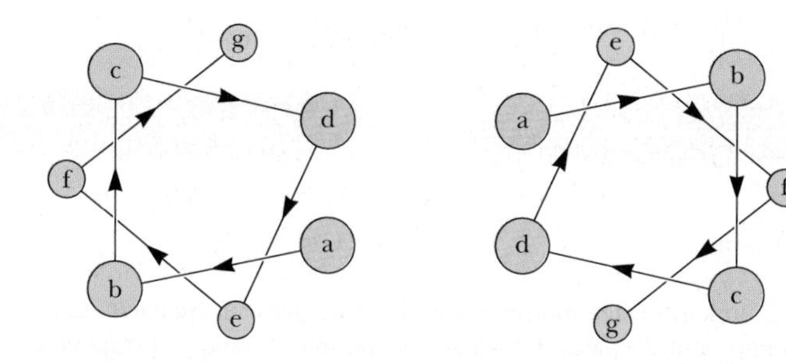

Figure 17.17 • Vue axiale schématique des deux hélices α entrelacées de la queue d'une myosine. Les résidus a et d de la séquence répétitive de sept résidus sont alignées et forment le cœur hydrophobe. Les résidus b, c et f sur la face externe de la torsade sont des acides aminés ionisables.

entre les résidus 170 à 214, constitue une partie du site de liaison de l'ATP. Alors que de nombreuses protéines et les enzymes liant l'ATP ont dans leurs structures un motif feuillet β-hélice α-feuillet β, la région équivalente dans la myosine forme une structure α-β-α apparentée, commençant avec un résidu Arg vers le résidu 192. Le feuillet β de cette région comporte dans toutes les myosines connues la séquence

Gly-Glu-Ser-Gly-Ala-Gly-Lys-Thr

La séquence Gly-X-X-Gly-X-Gly observée dans ce segment se retrouve dans de nombreux enzymes liant l'ATP ou des nucléotides. Il semble que le résidu Lys de ce segment est en interaction avec le phosphate α de l'ATP lié.

Des éléments structuraux répétés sont à l'origine de la structure en torsade de la myosine

Les séquence des queues de la myosine ont moins d'homologies que celles des têtes, mais plusieurs caractéristiques clés sont responsables de la torsade de type hélice α formée par les queues de la myosine. Plusieurs classes de structures répétitives se trouvent dans toutes les queues de la myosine, en particulier des unités répétitives de 7, 28 et 196 résidus. De longs segments du domaine de la queue sont composés d'unités répétitives à 7 résidus. Les chaînes latérales du premier résidu et du quatrième résidu de ces unités sont généralement petites et hydrophobes tandis que le deuxième, le troisième et le sixième résidus sont le plus souvent chargés. La Figure 17.17 présente les conséquences de cet arrangement. Sept résidus correspondent à deux tours d'hélice α et, dans la structure hélicoïdale des queues de la myosine, le premier et le quatrième résidu se retrouvent face à l'intérieur, dans la région de contact entre les hélices. Les résidus b, c et f (2, 3 et 6) de l'unité répétitive sont face à la périphérie où les résidus chargés peuvent être en interaction avec les molécules d'eau de la solution. Des groupes de quatre unités à sept résidus avec une distribution caractéristique de chaînes latérales chargées alternées forment des unités répétitives de 28 résidus qui créent des régions alternativement à charge positive ou négative à la surface de la torsade de la myosine. Ces régions portant des charges alternées sont en interaction avec des régions similaires dans les queues des molécules de myosine adjacentes, ce qui contribue à la stabilité du filament épais.

À un niveau d'organisation encore plus élevé, des ensembles comprenant sept de ces unités à 28 résidus – donc un total de 196 résidus – forment également un motif répétitif et ce motif répétitif de grande taille contribue à l'assemblage des molécules de myosine dans le filament épais. Les molécules de myosine dans le filament épais sont décalées d'environ 14 nm (Figure 17.18), une distance qui correspond à 98 résidus de la torsade soit exactement la moitié de la longueur de l'unité répétitive de 196 résidus. Ainsi, plusieurs niveaux de structures répétitives jouent un rôle dans la formation et la stabilisation d'une torsade de la myosine et dans le filament épais formé de plusieurs torsades.

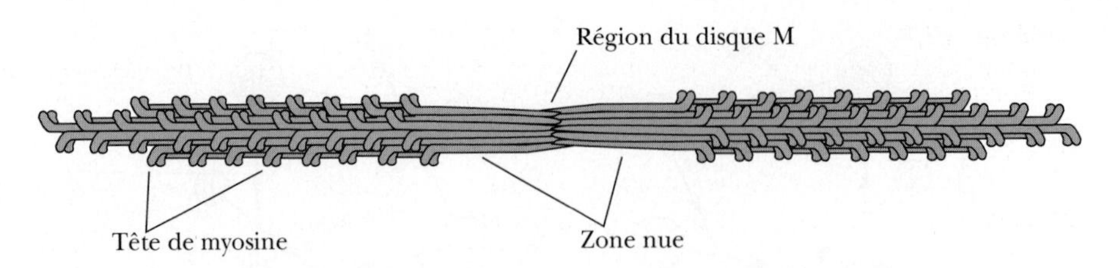

Figure 17.18 • Empilement des molécules de myosine dans un filament épais. Les molécules adjacentes sont décalées d'environ 14 nm, une distance correspondant à 98 résidus dans la torsade.

Protéines associées dans le muscle strié

En plus des protéines majeures du muscle strié (myosine, actine, tropomyosine et troponines), de nombreuses autres protéines participent de façon importante au maintien de la structure du muscle et à la régulation de la contraction musculaire. La myosine et l'actine représentent environ 65 % de la masse totale des protéines musculaires, la tropomyosine et les troponines en représentent 5 % (Tableau 17.1). L'ensemble des autres protéines régulatrices ou structurales constitue donc environ 25 % des protéines des myofibrilles. Les protéines régulatrices se partagent en **protéines associées à la myosine** et en **protéines associées à l'actine**.

Les protéines associées à la myosine comprennent trois protéines des disques M. Ces disques M sont principalement constitués de **protéine M** (165 kDa), de **myomésine** (185 kDa) et de **créatine kinase** (un dimère à sous-unités de 42 kDa). L'association de ces trois protéines dans le disque M maintient l'intégrité structurale des filaments de myosine. La créatine kinase catalyse la régénération rapide de l'ATP consommé lors de la contraction musculaire. D'autres protéines associées à la myosine ont été identifiées, parmi lesquelles la **protéine C** (135 kDa), la **protéine F** (121 kDa), la **protéine H** (74 kDa) et la **protéine I** (50 kDa). La protéine C se trouve en plusieurs endroits régulièrement espacés dans la bande A ; elle inhibe l'activité ATPase de la myosine à faible force ionique, mais à la concentration ionique physiologique elle stimule cette activité. Les fonctions des protéines F, H et I ne sont pas élucidés.

Les protéines associées à l'actine (autre que la tropomyosine et les troponines) comprennent **l'actinine α** (un homodimère à sous-unités de 95 kDa), **l'actinine β** (un hétérodimère à sous-unités de 37 et 34 kDa), **l'actinine γ** (un monomère de 35 kDa) et la **paratropomyosine** (un homodimère à sous-unités de 34 kDa). L'actinine α, une protéine des lignes Z, active la contraction de l'actomyosine. Elle semble avoir un rôle dans la fixation de l'actine aux lignes Z. La structure de l'actinine α comporte trois domaines : un domaine N-terminal, celui qui se lie à l'actine, un domaine central formé par quatre répétitions d'une séquence de 122 résidus et un domaine C-terminal qui contient deux motifs liant le calcium, de type main EF (Figure 19.17). Les séquences répétées de l'actinine α sont hautement homologues des séquences répétées de la **spectrine** (séquences de 106 résidus), la protéine structurale majeure du cytosquelette des érythrocytes. Il semble que les segments répétés dans l'actinine α et dans la spectrine forment des paquets successifs de quatre hélices α (Figure 17.20). L'actinine β est une protéine coiffe se liant spécifiquement à l'extrémité de l'extrémité libre de l'actine. L'actinine γ inhibe la polymérisation de l'actine ; sa localisation dans les filaments fins n'est pas connue avec certitude. La paratropomyosine est analogue à la tropomyosine mais elle semble ne se trouver qu'à la jonction des bandes A et I.

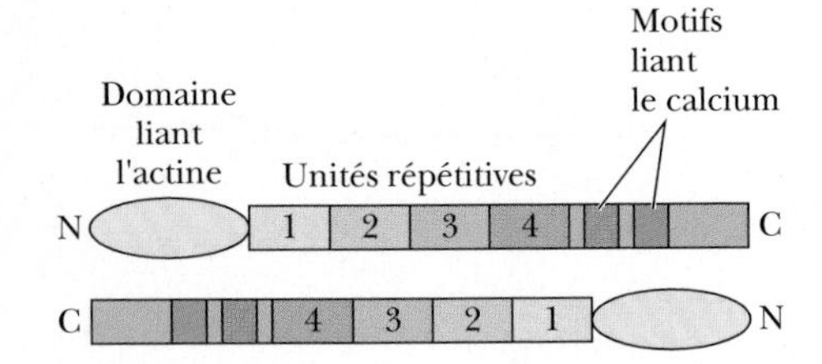

Figure 17.19 • Illustration de la structure primaire de l'actinine α, un homodimère à sous-unités antiparallèles. L'extrémité N-terminale, liant l'actine, et l'extrémité C-terminale (domaines à motifs main EF) sont séparées par un domaine central formé par quatre répétitions d'une séquence de 122 résidus.

Deux protéines du cytosquelette, la **titine** (encore appelée la **connectine**) et la **nébuline** représentent 15 % de la masse totale des protéines de la myofibrille. Ces protéines forment un réseau filamenteux flexible qui enveloppe les myofibrilles. La titine est une protéine élastique qui s'étire lorsqu'elle est soumise à une tension. Sa découverte et son identification a mis fin à une controverse séculaire sur l'existence d'une composante élastique dans le muscle.

Tableau 17.1

Protéines structurales des myofibrilles du muscle squelettique de Lapin

Protéine	Masse moléculaire (kDa)	Teneur (masse%)	Localisation	Fonction
Protéines contractiles				
Myosine	520	43	Bande A	Se contracte avec l'actine
Actine	42	22	Bande I	Se contracte avec la myosine
Protéines régulatrices				
Majeures				
Tropomyosine	33 × 2	5	Bande I	Se lie à l'actine et site de fixation de la troponine
Troponine	70	5	Bande I	Régulation du calcium
Troponine C	18			Liaison du calcium
Troponine I	21			Inhibe l'interaction actine-myosine
Troponine T	31			Se lie à la tropomyosine
Mineures				
Protéine M	165	2	Ligne M	Se lie à la myosine
Myomésine	185	<1	Ligne M	Se lie à la myosine
Créatine kinase	42	<1	Ligne M	Se lie à la myosine
Protéine C	135	2	Bande A	Se lie à la myosine
Protéine F	121	<1	Bande A	Se lie à la myosine
Protéine H	74	<1	Proche de la ligne M	Se lie à la myosine
Protéine I	50	<1	Bande A	Inhibe l'interaction actine-myosine
Actinine α	95 × 2	2	Ligne Z	Forme un gel avec les filaments d'actine
Actinine β	37 + 34	<1	Extrémité libre du filament d'actine	Coiffe les filaments d'actine
Actinine γ	35	<1	?	Inhibe la polymérisation de l'actine
Actinine eu	42	<1	Ligne Z	Se lie à l'actine
ABP (filamine)	240 × 2	<1	Ligne Z	Forme un gel avec les filaments d'actine
Paratropomyosine	34 × 2	<1	Jonction A-I	Inhibe l'interaction actine-myosine
Protéines du cytosquelette				
Titine1	2800	10	A-I	Lie le filament de myosine à la ligne Z
Titine 2	2100			
Nébuline	800	5	Ligne N_2*	
Vinculine	130	<1	Sous le sarcolemme	
Desmine (squelettine)	53	<1	Périphérie de la ligne Z	Filament intermédiaire
Vimentine	55	<1	Périphérie de la ligne Z	Filament intermédiaire
Synémine	220	<1	Ligne Z	
Protéine Z	50	<1	Ligne Z	Forme la structure en treillis
Nine-Z	400	<1	Ligne Z	

* Une structure à l'intérieur de la bande I.

D'après Ohtsuki, I., Maruyama, K., et Ebashi, S., 1986. Regulatory and cytoskeletal proteins of vertebrate skeletal muscle. *Advances in Protein Chemistry* **38** : 1-67.

Biochimie humaine

La dystrophie musculaire (myopathie) de Duchenne provient de mutations dans le gène codant pour une protéine liant l'actine à la membrane plasmique

La découverte d'une nouvelle protéine voisine de l'actinine et de la spectrine a permis de mieux comprendre la base moléculaire d'au moins une des formes de dystrophie musculaire. La dystrophie musculaire de Duchenne est une maladie dégénérative du muscle, à issue fatale, affectant environ 1 garçon sur 3.500. Les victimes de la dystrophie de Duchenne ont, dès leur plus jeune enfance, des difficultés à marcher et à courir. À l'age de cinq ans, les victimes ne peuvent plus courir et la station debout ne peut être maintenue ; vers 10 ans, même la marche devient difficile ou impossible. La perte de la fonction musculaire progresse vers le haut du corps, atteignant ensuite les bras et le diaphragme. Il s'ensuit des problèmes respiratoires, des infections, qui le plus souvent aboutissent au décès vers l'âge de trente ans par insuffisances respiratoire et cardiaque. Louis Kunkel et ses collaborateurs ont identifié le gène de la dystrophie musculaire en 1986. Ce gène code pour une protéine, la **dystrophine**, hautement analogue à l'actinine α et à la spectrine. Une mutation dans le gène de la dystrophine est responsable de la dégénérescence musculaire de Duchenne.

La dystrophine se trouve sur la face cytoplasmique de la membrane plasmique, liée à cette membrane par une glycoprotéine membranaire intégrale. La dystrophine a une masse moléculaire élevée (427 kDa) mais représente moins de 0,01 % de la masse totale des protéines musculaires. Sa chaîne polypeptidique se reploie en quatre domaines principaux (partie a de la figure) dont un domaine N-terminal analogue au domaine liant l'actine dans l'actinine et la spectrine, un domaine riche en cystéine, formé par un long segment constitué d'unités répétitives. Le domaine C-terminal est propre à la dystrophine. Le domaine N-terminal est constitué de 24 unités répétitives d'environ 109 résidus par unité. Au début et à la fin de ce domaine, se trouvent intercalées des séquences riches en proline, différentes de celle des unités répétitives. D'autres segments sont intercalés entre les unités répétitives 3 et 4 et les unités 19 et 20. La richesse en proline de ces différents segments intercalés fait penser qu'ils constituent des domaines charnières. Ces segments intercalés sont sensibles à l'action des protéases ce qui indique qu'ils se trouvent dans les régions les plus exposées de la molécule.

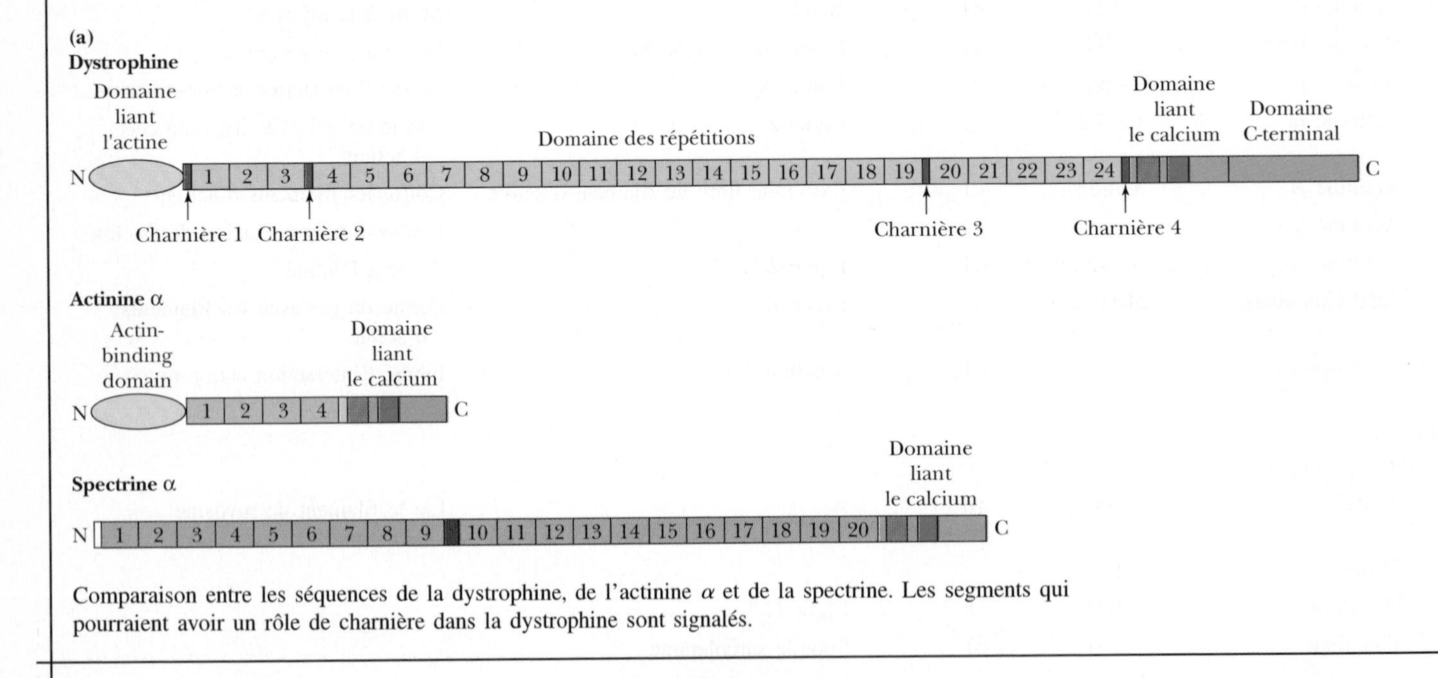

Comparaison entre les séquences de la dystrophine, de l'actinine α et de la spectrine. Les segments qui pourraient avoir un rôle de charnière dans la dystrophine sont signalés.

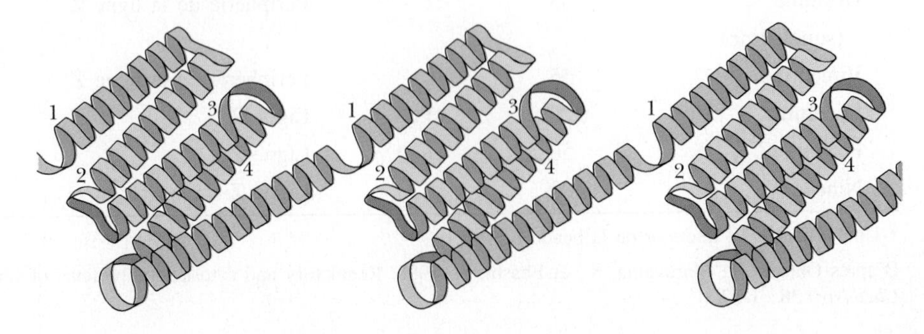

Figure 17.20 • Illustration schématique des groupes successifs de quatre hélices dans l'actinine α et dans la spectrine. L'hélice 1 est la plus longue, on considère qu'elle est la plus inclinée par rapport à l'axe longitudinal du domaine de répétition.

La dystrophine fait partie d'un complexe de protéines et de glycoprotéines qui forment un pont (voir la figure) entre le cytosquelette (filaments d'actine) et la matrice extracellulaire (par l'intermédiaire d'une protéine de la matrice, la laminine). On sait aujourd'hui que des mutations dans l'une ou l'autre des protéines de ce complexe sont à l'origine d'autres formes de dystrophie musculaires. Le complexe glycoprotéique est composé de deux sous-complexes, le complexe dystroglycanne et le complexe sarcoglycanne. Le complexe dystroglycanne est constitué de dystroglycanne α, une protéine extracellulaire qui se lie à la mérosine, sous-unité d'une des laminines de la matrice extracellulaire (la membrane basale), et de dystroglycanne β une protéine transmembranaire qui se lie au domaine C-terminal de la dystrophine intracellulaire (voir la figure). Le complexe sarcoglycanne est constitué des trois glycoprotéines transmembranaires, les sarcoglycannes α, β et γ. Des altérations dans les sarcoglycannes sont liées à la myopathie des ceintures et à la dystrophie musculaire autosomique récessive. Des mutations dans le gène de la mérosine, protéine qui se lie à la dystroglycanne α, provoquent la dystrophie congénitale sévère.

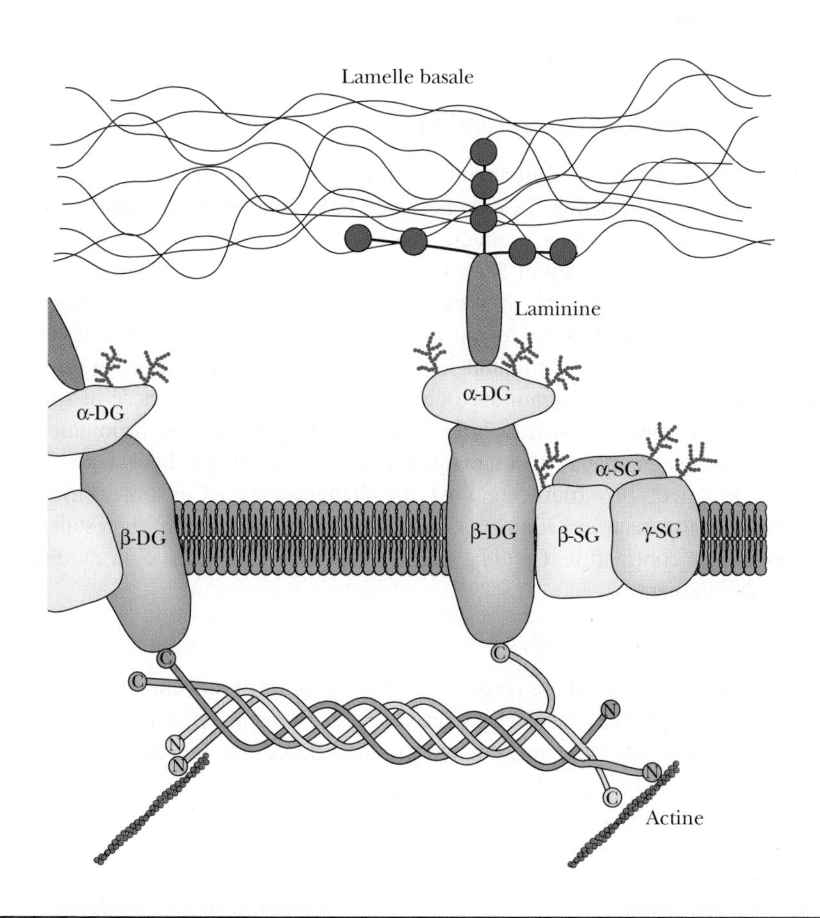

Modèle du complexe actine-dystrophine-glycoprotéine dans le muscle squelettique. On suppose que la dystrophine est un tétramère constituées de quatre sous-unités antiparallèles qui lient l'actine par leurs extrémités N-terminales et qui lient par leurs extrémités C-terminales une famille de glycoprotéines associées à la dystrophine. Ce complexe ancré dans la membrane semble stabiliser le sarcolemme pendant les cycles de contraction-décontraction, lier la force contractile générée dans la fibre cellulaire à l'environnement extracellulaire, ou encore maintenir l'organisation locale de certaines protéines membranaires. Les protéines membranaires associées à la dystrophine (dystroglycannes et sarcoglycannes) ont des masses moléculaires de 25 à 154 kDa. *(D'après Ahn, A.H. et Kunkel, L.M., 1993.* Nature Genetics *3:283-291, et Worton, R., 1995.* Science ***270****: 755-756.)*

La titine est la plus grande protéine connue, avec une masse moléculaire de 2.993 kDa et près de 27.000 résidus. Le séquençage de la titine a été réalisé par Siegfried Labeit et Bernhard Kolmerer en 1995. (Pour réussir cet exploit, ils ont dû reconstituer la séquence totale de 50 fragments d'ADNc qui se chevauchaient !). La séquence de la titine est pour l'essentiel (90 %) constituée de 244 séquences répétées des domaines de l'immunoglobuline (Ig) et de la fibronectine 3 (FN3). Au centre de la molécule de titine, se trouve un nouveau motif de protéine (inconnu dans les autres protéines) formé de la répétition de la séquence **PEVK** (proline-glutamatevaline lysine). Les motifs PEVK semblent agir comme un ressort en ramenant les muscles qui ont été étirés à leur forme originale ; ils auraient également un rôle dans la régulation dans la fermeté et l'élasticité des fibres musculaires. Dans les muscles relativement fermes, comme le muscle cardiaque, la région PEVK ne contient que 163 résidus, alors que dans les muscles squelettiques plus élastiques, le domaine PEVK comporte plus de 2000 résidus.

La titine forme dans les fibres musculaires de longs filaments minces et flexibles. Un unique filament de titine dans son état relâché mesure 1000 nm et mis sous tension peut atteindre une longueur de plus de 3000 nm ! Les filaments de titine dans le muscle partent de la périphérie de la bande M et s'étendent le long des filaments de myosine jusqu'à la ligne Z (Figure 17.21). Leur fonction serait de lier les filaments de myosine aux lignes Z et d'agir comme une matrice pour régulariser l'assemblage des filaments de myosine et l'espacement des monomères de myosine dans ces filaments. Quand les myofibrilles sont étirées au-delà de la zone de recouvrement des filaments fins et épais, les filaments de titine génèrent passivement une tension. Cette tension est fournie par un nombre de molécules de titine relativement petit. Le rapport du nombre de filaments de myosine à celui de la titine est d'environ 24 à 1. Pour 300 molécules de myosine par filament épais, il n'y a qu'environ 6 filaments de titine dans chaque moitié d'un filament épais de myosine.

Mécanisme de la contraction musculaire

Quand les fibres musculaires se contractent, les filaments épais de myosine glissent le long des filaments fins d'actine. Les éléments de base du **modèle de glissement du filament** furent décrits pour la première fois en 1954 par deux groupes différents de chercheurs, Hugh Huxley et Jean Hanson d'une part et les physiologistes Andrew Huxley et Ralph Niedergerke d'autre part. Plusieurs découvertes clés avaient ouvert la voie à ce modèle. Les études au microscope électronique avaient révélé que la longueur des sarcomères diminuait lors de la contraction et que cette diminution résultait de la diminution simultanée de la largeur de la bande I et de la zone H (Figure 17.22). En même temps, la largeur de la bande A (qui est la longueur des filaments épais) et la distance des disques Z à la zone H qui lui est proche (c'est-à-dire la longueur des filaments fins) ne changeait pas. Ces observations démontraient que la longueur des filaments épais et celle des filaments fins restaient constantes pendant la contraction. Cette conclusion était compatible avec un modèle de glissement du filament.

Modèle du glissement des filaments

Le raccourcissement d'un sarcomère (Figure 17.22) impose des mouvements de glissement de directions opposées aux deux extrémités du filament épais de myosine. Un glissement net dans une direction donnée provient de ce que les filaments fins

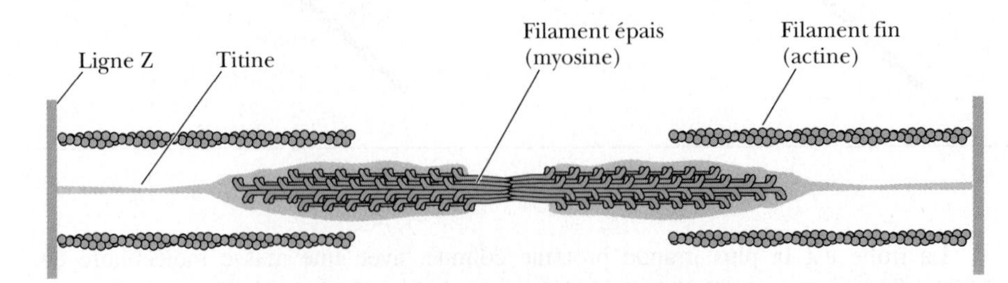

Figure 17.21 • Représentation schématique de l'arrangement de la titine, une protéine élastique, dans le sarcomère du muscle squelettique. Les filaments de titine partent de la périphérie des bandes M et s'étendent le long des filaments de myosine jusqu'aux lignes Z. Ces filaments de titine produisent la tension passive présente dans les myofibrilles qui ont été étirées au point que les filaments fins et épais ne se recouvrent plus et ne peuvent plus avoir d'interaction. (*D'après Ohtsuki, I., Maruyama, K., et Ebashi, S., 1986.* Advances in Protein Chemistry ***38*** *: 1-67.)*

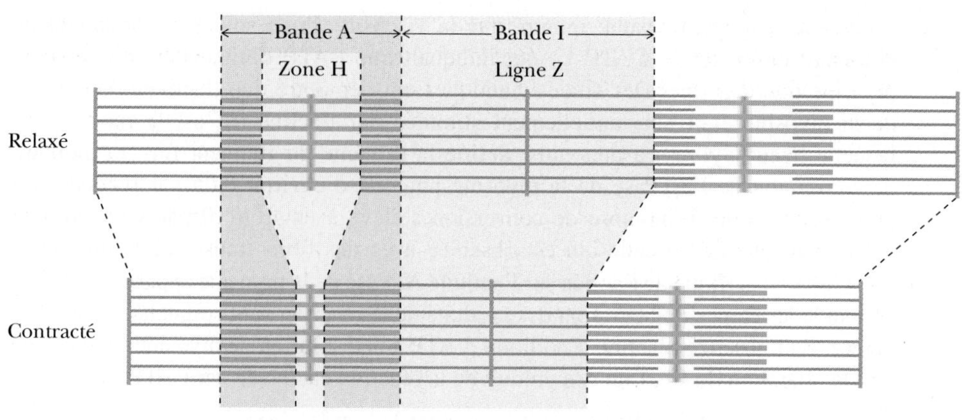

Figure 17.22 • Modèle du glissement des filaments dans la contraction des muscles squelettiques. La diminution de la longueur des sarcomères provient de la diminution de la largeur de la bande I et de la zone H, sans modification la largeur de la bande A. Ces observations signifient que la longueur des filaments fins et épais ne varie pas pendant la contraction. Les filaments fins et épais glissent les uns sur les autres.

et les filaments épais sont **orientés**. L'organisation des filaments fins et épais dans le sarcomère tire partie de cette propriété. Les filaments d'actine s'étendent toujours et uniformément à partir de la ligne Z. Il existe donc entre deux lignes Z quelconques deux ensembles de filaments d'actine orientés de façon opposés. D'autre part, les filaments épais de myosine s'assemblent également de façon orientée. L'orientation des filaments épais s'inverse au niveau des disques M. Les raisons de cette inversion ne sont pas bien comprises ; l'inversion résulterait probablement de contraintes provenant des autres protéines du disque M, comme la protéine M et la myomésine. L'inversion de l'orientation au niveau des disques M signifie que les filaments d'actine des deux côtés du disque M sont tirés vers ces disques pendant la contraction par le glissement des têtes de myosine ce qui provoque le raccourcissement du sarcomères.

Découverte des effets de l'actine sur la myosine par Albert Szent-Györgyi

L'activité ATPase de la myosine fournit l'énergie nécessaire à la contraction. La plus grande partie de nos connaissances actuelles sur la nature de cette activité et sa dépendance de l'actine provient de plusieurs découvertes clés effectuées par Albert Szent-Györgyi lorsqu'il était à l'Université de Szeged en Hongrie au début des années 1940. Szent-Györgyi a montré que la viscosité de la solution augmentait très fortement lorsque des solutions de myosine et d'actine étaient mélangées. L'augmentation de la viscosité est une manifestation de la formation du complexe **actomyosine**.

Pour en savoir plus

La viscosité des solutions, reflet des interactions moléculaires sur de longues distances

La haute viscosité de substances en solution aqueuse est un signe d'interactions moléculaires sur de longues distances, c'est-à-dire d'interactions qui se manifestent sur tout le long des molécules et qui relient plusieurs molécules. Les solutions concentrées de polyosides (par exemple les mélasses) sont visqueuses du fait du réseau dense de liaisons H établies entre les multiples groupes –OH des molécules d'oses. Les solutions d'ADN sont extrêmement visqueuses car les fibres individuelles d'ADN sont très longues (souvent de l'ordre du millimètre) et hautement hydratées. Ainsi que l'a découvert Szent-Györgyi, les complexes de myosine et d'actine donnent des solutions extrêmement visqueuses.

Szent-Györgyi a ensuite montré que la viscosité d'une solution d'actomyosine diminuait en présence d'ATP, ce qui indiquait que l'ATP diminuait l'affinité de la myosine pour l'actine. Des études cinétiques ont démontré que l'activité ATPasique de la myosine était substantiellement stimulée par l'actine. (C'est la raison pour laquelle Szent-Györgyi a dénommé **actine** la protéine du filament fin). Le nombre de conversion de l'ATPase de la myosine pure est d'environ 0,05 par seconde. En présence d'actine, le nombre de conversion s'élève à environ 10 par seconde, une valeur plus proche de celle qui est observée avec des fibres musculaires intactes.

L'effet spécifique de l'actine sur l'activité ATPase de la myosine apparaît plus clairement si les étapes de libération des produits de la réaction sont soigneusement comparées. En l'absence d'actine, l'addition d'ATP à une solution de myosine produit une rapide libération de H^+, l'un des produit de la réaction catalysée par l'ATPase :

$$ATP^{4-} + H_2O \longrightarrow ADP^{3-} + P_i^{2-} + H^+$$

Cependant, la libération de l'ADP et du P_i est beaucoup plus lente. L'actine stimule l'activité ATPase en favorisant la libération de P_i puis celle de l'ADP. La libération des produits de la réaction est suivie de la fixation d'une nouvelle molécule d'ATP sur le complexe actomyosine ce qui provoque la dissociation de ce complexe en actine libre et myosine. Le cycle de l'hydrolyse de l'ATP peut se répéter (Figure 17.23a). Le point crucial de ce modèle est que *l'hydrolyse de l'ATP est couplée à l'association et à la dissociation de l'actine et de la myosine*. C'est ce couplage qui permet que l'énergie d'hydrolyse de l'ATP soit utilisée pour la contraction musculaire.

Mécanisme du couplage : l'énergie d'hydrolyse de l'ATP entraîne une transconformation dans les têtes de myosine

Il manque encore une pièce au puzzle : comment le couplage de l'hydrolyse de l'ATP et de la formation du complexe actine-myosine provoque-t-il le raccourcissement des myofibrilles ? Dit autrement, comment établir un rapport entre le modèle de l'hydrolyse de l'ATP et le modèle du glissement du filament. La Figure 17.23b présente la réponse à cette interrogation. L'énergie libérée par l'hydrolyse de l'ATP est transférée dans le changement de conformation de la tête de la myosine ; il s'ensuit que la dissociation de la myosine et de l'actine, l'hydrolyse de l'ATP et la réassociation de l'actine et de la myosine s'effectuent avec un déplacement de la tête de la myosine (du sous-fragment 1 de la myosine, ou S1) le long du filament d'actine.

Dans le muscle au repos, les têtes de myosine – liées aux produits d'hydrolyse, P_i et ADP – sont pour la plupart dissociées du filament d'actine (Figure 17.23a). Quand le signal de contraction est reçu (voir plus loin), les têtes de myosine s'écartent du filament épais pour se lier à l'actine du filament fin (Étape 1). La liaison à l'actine stimule la libération du P_i et cela est suivi d'une transconformation cruciale de la tête de la myosine – **le temps moteur** – et de la libération de l'ADP. Au cours de cette étape (Étape 2), le filament épais *se déplace* le long du filament fin alors que les têtes de myosine se relâchent, prenant une conformation moins énergétique. Lors du temps moteur, les têtes de myosine s'inclinent d'environ 45° et l'énergie de conformation diminue d'environ 29 kJ/mole. Cela fait glisser le filament épais d'environ 10 nm sur le filament fin (Étape 3). La fixation ultérieure d'ATP (Étape 4) et l'hydrolyse de cet ATP (Étape 5) provoque la dissociation des têtes de myosine et des filaments fins. En même temps, les têtes de myosine reprennent leur conformation à haute énergie avec le retour de l'axe longitudinal des têtes à la perpendiculaire de l'axe longitudinal des filaments épais. Les têtes de myosine peuvent alors recommencer un autre cycle en se liant aux filaments d'actine. Dans un muscle squelettique, ce cycle de contraction se répète environ 5 fois par seconde. Les changements de conformation des têtes de myosine sont au cœur du couplage énergétique qui fait que la liaison de l'ATP et son hydrolyse permettent la contraction musculaire.

La transconformation lors du temps moteur a été étudiée de deux façons : (1) la microscopie électronique après cryodécapage couplée à l'analyse des images par ordinateur a donné des images à faible résolution d'actine décorée par S1 en

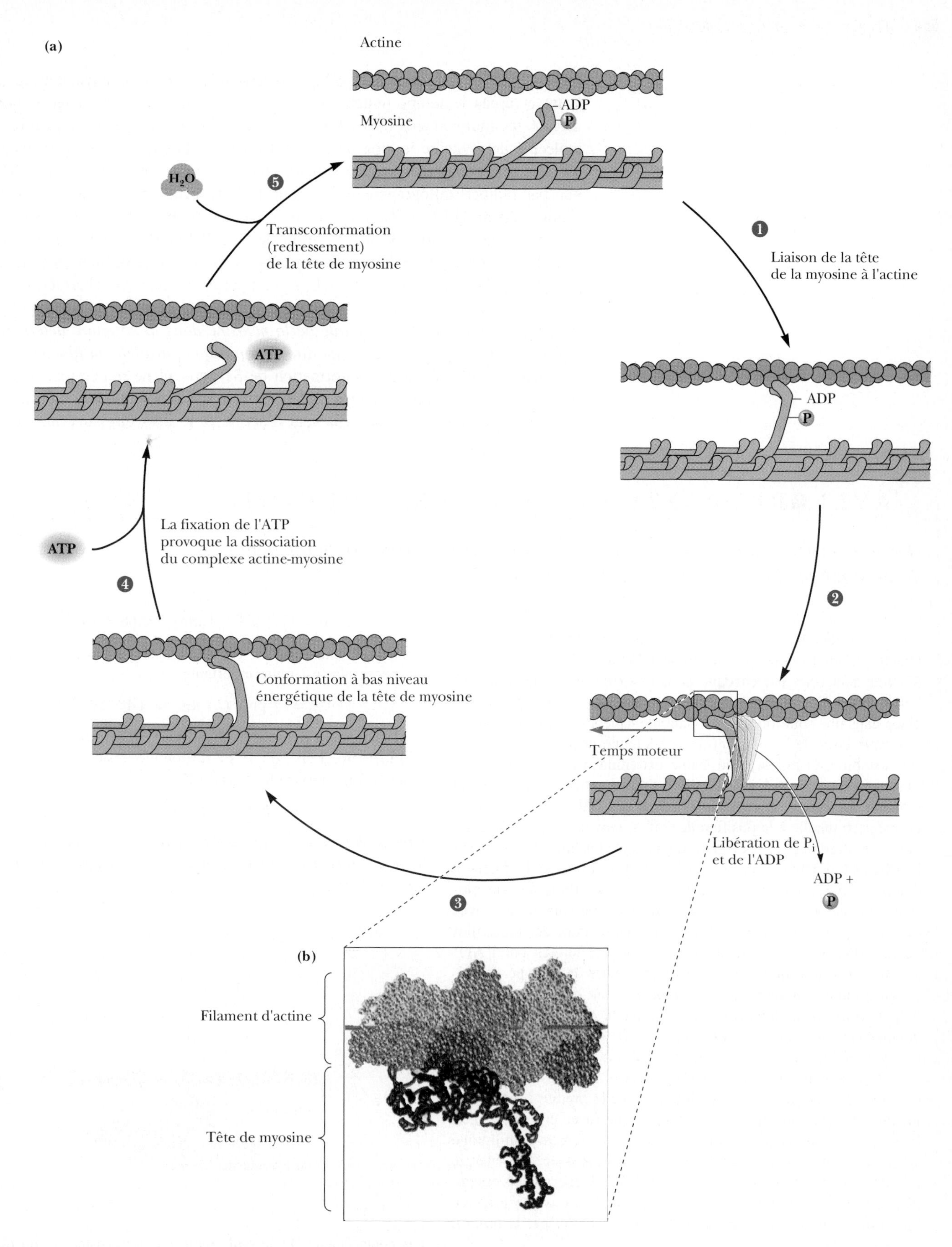

Figure 17.23 • Mécanisme de la contraction du muscle squelettique. L'hydrolyse de l'ATP fournit l'énergie qui permet la transconformation de la tête de myosine ; il s'ensuit un mouvement net des têtes de myosine le long du filament d'actine. (*Insert*) Représentation compacte de l'interaction actine-myosine. *(Image du sous-fragment S1 de la myosine aimablement communiquée par Ivan Rayment et Hazel M. Holden, Université du Wisconsin, Madison.)*

présence ou en l'absence d'ADPMg (correspondant approximativement aux étapes avant et après le temps moteur) et (2), des expériences de piégeage optique ont mesuré les mouvements et les forces exercées lors d'un unique cycle d'une seule molécule de myosine le long du filament d'actine. Les images de la myosine lorsqu'elles sont comparées avec la structure du sous-fragment de la myosine, S1, obtenue par radiocristallographie montre que la longue hélice α de S1 qui se lie aux chaînes légères (ELC et RLC) agit comme un bras de levier et que ce bras se déplace sur un arc de 23° lors de la libération de l'ADP (un résidu Gly en position 770 dans le fragment S1 de la tête de myosine se trouve à l'extrémité N-terminale de cette hélice bras de levier et semble se comporter comme une charnière). *Le mouvement du bras de levier a pour conséquence un déplacement de 3,5 nm (35 Å) du dernier résidu de la chaîne lourde de la myosine dans la structure déterminée par diffraction des rayons X, dans une direction presque parallèle au filament d'actine.* Ces deux instantanés de la conformation de S1 peuvent ne représenter qu'une partie de la durée d'action du temps moteur dans le cycle de contraction et le parcours de la tête de myosine sur son filament d'actine peut alors être supérieur à 3,5 nm.

DÉVELOPPEMENTS DÉCISIFS EN BIOCHIMIE

Des « pincettes » moléculaires formées par des rayons lumineux permettent de mesurer la force des fibres musculaires

Les expériences de piégeage optique exigent que les molécules de myosine soient liées à des billes de silice immobilisées sur une lamelle de microscope (voir la figure). D'autre part, des filaments d'actine sont fixés par chacune de leurs extrémités à des billes de polystyrène. Ces billes peuvent être « saisies » et maintenues en place dans une solution par une paire de « pièges optiques » – deux faisceaux laser de lumière infrarouge à haute intensité, l'un centré sur une bille de polystyrène à une extrémité d'un filament d'actine, le second, centré sur la bille à l'autre extrémité du filament d'actine. La force agissant sur chacune des billes de polystyrène est proportionnelle à la position des billes dans le « piège » de sorte que le déplacement et les forces agissant sur les billes (et donc sur le filament d'actine) peuvent être mesurés. Lorsque le filament d'actine « piégé » se rapproche de la bille de silice, une ou plusieurs molécules de myosine peuvent avoir des interactions avec les sites correspondants sur l'actine ; les interactions des molécules de myosine avec le filament d'actine piégé, induites par l'ATP, peuvent ainsi être quantifiées. Des expériences de ce type de piégeage optique ont montré *qu'un unique cycle d'une seule molécule de myosine se déplaçant sur un filament d'actine implique un déplacement moyen de 4 à 11 nm (40 à 110 Å) et génère une force moyenne de 1,7 à 4 × 10^{-12} newtons (1,7 à 4 piconewtons, pN).*

La grandeur des mouvements observés dans les expériences de piégeage optique est compatible avec celle prédite à partir des images obtenues au microscope électronique (avec cryodécapage). Est-il possible de relier les mouvements et les forces d'un unique cycle de contraction, mesurés par piégeage optique, à l'énergie d'hydrolyse d'une unique molécule d'ATP ? L'énergie nécessaire pour un cycle de contraction est définie par le « travail » effectué lors d'une contraction et le « travail » (w) est défini par le produit de la force (F) et de la distance (d)

$$w = F \cdot d$$

Pour un déplacement de 4 nm contre une force de 1,7 pN, nous avons

$$w = (1{,}7 \text{ pN}) \cdot (4 \text{ nm}) = 0{,}68 \times 10^{-20} \text{ J}$$

Pour un déplacement de 11 nm contre une force de 4 pN, l'énergie nécessaire est plus importante

$$w = (4 \text{ pN}) \cdot (11 \text{ nm}) = 4{,}4 \times 10^{-20} \text{ J}$$

Si l'énergie d'hydrolyse de l'ATP dans une cellule est de –50 kJ/mole, l'énergie libre disponible résultant de l'hydrolyse d'une unique molécule d'ATP est

$$\Delta G = (-50 \text{ kJ/mol})/6{,}02 \times 10^{23} \text{ molécules/mol} = 8{,}3 \times 10^{-20} \text{ J}$$

Donc, *l'énergie libre d'hydrolyse d'une seule molécule d'ATP suffit pour entraîner les mouvements observés contre les forces qui ont été mesurées.*

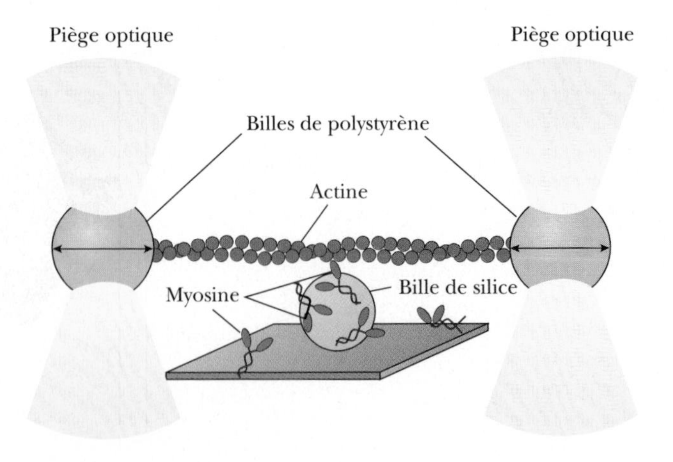

Les déplacements d'une seule molécule de myosine sur un filament d'actine peuvent être mesurés à l'aide d'un piège optique formés par des faisceaux de laser dirigés sur des billes de polystyrène fixées aux extrémités de molécules d'actine. *(D'après Finer et al., 1994.* Nature *368 : 113-119. Voir aussi Block, 1995.* Nature *378 : 132-133.)*

Contrôle du cycle contraction-relaxation par les canaux et les pompes calciques

Un *accroissement de la concentration en Ca^{2+} au voisinage des fibres musculaires* déclenche toutes les contractions musculaires, qu'il s'agisse du muscle squelettique ou des myocytes du muscle cardiaque ou des muscles lisses. Dans tous ces cas, l'accroissement de la concentration en Ca^{2+} provient d'un flux de Ca^{2+} à travers des **canaux calciques** (Figure 17.24). La contraction musculaire cesse quand la concentration en Ca^{2+} est réduite par une pompe à calcium spécifique (comme la Ca^{2+}-ATPase du réticulum sarcoplasmique, Chapitre 10). Les tubules T du réticulum sarcoplasmique et le sarcolemme contiennent des canaux calciques. Nous verrons que le fonctionnement des canaux calciques du RS est couplé à celui des canaux des tubules T.

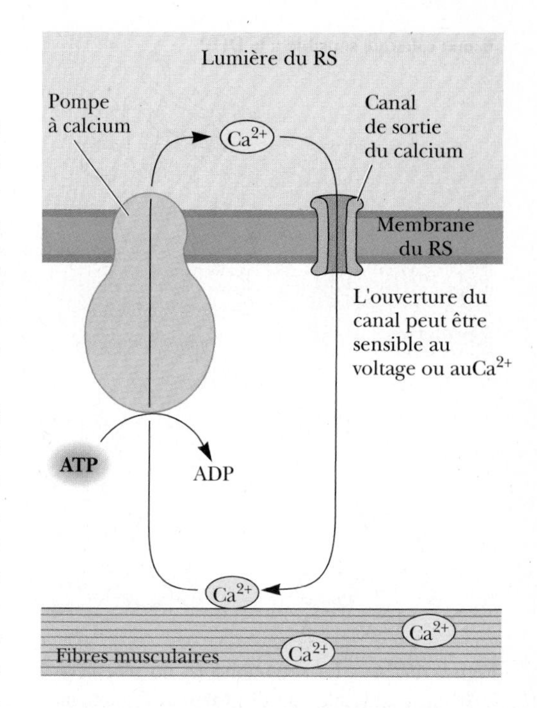

Figure 17.24 • Ca^{2+} est le signal déclenchant la contraction musculaire. La sortie de Ca^{2+} par les canaux calciques sensibles aux variations de voltage ou de la concentration en Ca^{2+} activent la contraction. Les pompes à calcium induisent la relaxation en réduisant la concentration de Ca^{2+} dans les fibres musculaires.

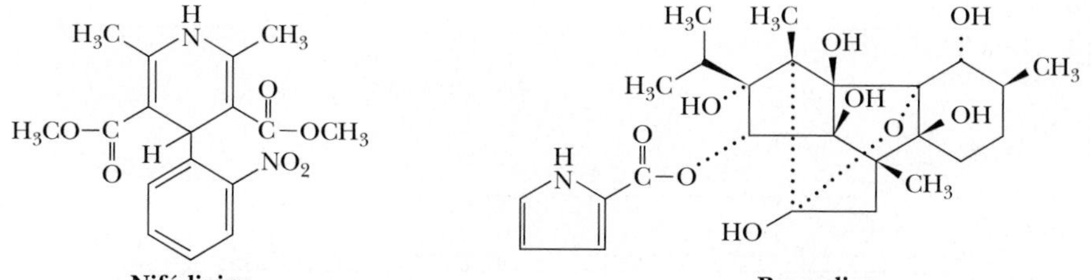

La libération de Ca^{2+} dans le muscle squelettique et le muscle cardiaque a été caractérisée grâce à l'utilisation d'antagonistes spécifiques qui inhibent l'activité des canaux calciques. Par exemple, les **récepteurs dihydropyridine** (**DHP**) des tubules T sont bloqués par les dérivés de la dihydropyridine comme la **nifédipine**, Figure 17.25. Des récepteur DHP, purifiés à partir du muscle cardiaque, ont une activité canal calcique après incorporation dans des membranes de liposome. Le canal est dépendant du voltage et spécifique pour les ions bivalents. *Donc, le récepteur DHP du muscle cardiaque est un canal calcique voltage-dépendant.* D'autres preuves suggèrent que le récepteur DHP du muscle squelettique est une protéine sensible à la différence de potentiel ; elle subit vraisemblablement une transconformation dépendant du voltage.

Le récepteur DHP des tubules est constitué de cinq polypeptides différents, α_1 (150 à 173 kDa), α_2 (120 à 150 kDa), β (50 à 65 kDa), γ (30 à 35 kDa) et δ (22 à 27 kDa). Les sous-unités α_2 et δ sont reliées par un pont disulfure. Toutes les sous-unités sont représentées par un unique exemplaire dans l'oligomère. La sous-unité α_2 est glycosylée, mais pas la sous-unité α_1. La sous-unité α_1 est homologue de la sous-unité α du canal sodique dépendant du voltage (Chapitre 34). La séquence de α_1 contient quatre séquences internes répétitives, chacune formant six hélices transmembranaires dont l'une a globalement une charge positive et semble constituer le détecteur du voltage (Figure 17.26). La boucle entre les hélices 5 et 6 forme le pore. Les séquences de ces hélices présentent de nombreuses similarités avec les séquences correspondantes du canal sodique. La sous-unité α_1 du récepteur DHP du muscle cardiaque est impliquée dans la formation du canal et dans son ouverture (ou fermeture) en fonction du voltage.

Le canal de sortie par lequel le Ca^{2+} est libéré à partir de la citerne terminale du réticulum sarcoplasmique a été identifié en utilisant sa très haute affinité pour un alcaloïde toxique d'origine végétale, la **ryanodine** (Figure 17.25), d'où sa dénomination de récepteur ryanodine. Le récepteur purifié est constitué d'oligomères contenant au moins quatre sous-unités formées par un même polypeptide de grande taille (565 kDa). L'examen au microscope électronique révèle que le récepteur ryanodine purifié correspond en fait aux « pieds » observés dans le tissu musculaire (voir Figure 17.11). L'image reconstruite par ordinateur révèle que le récepteur a une structure de forme

Nifédipine **Ryanodine**

Figure 17.25 • Structures de la nifédipine et de la ryanodine. La nifédipine se fixe avec une haute affinité aux canaux calciques de sortie des tubules T. La ryanodine se fixe avec une haute affinité aux canaux calciques des citernes terminales du RS.

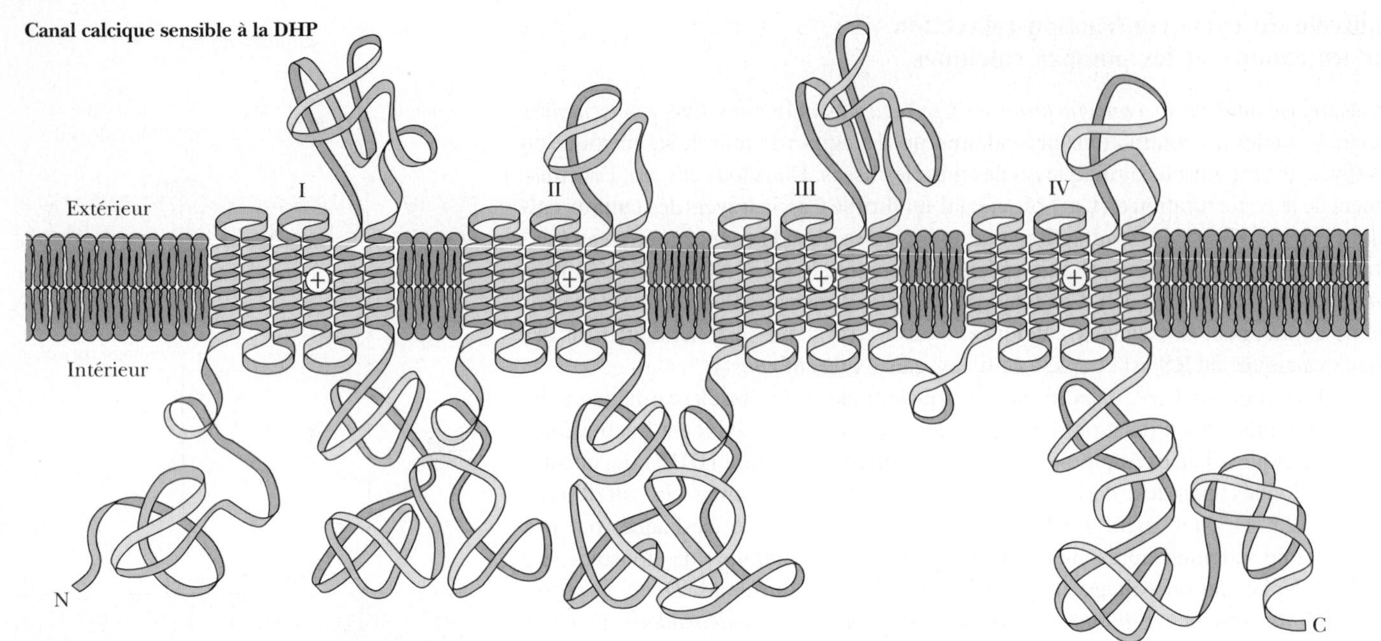

Figure 17.26 • La sous-unité α_1 du récepteur DHP du canal calcique des tubules T contient six segments peptidiques qui semblent s'associer pour former le canal calcique. Ce canal calcique est homologue au canal sodique voltage dépendant du tissu neuronal.

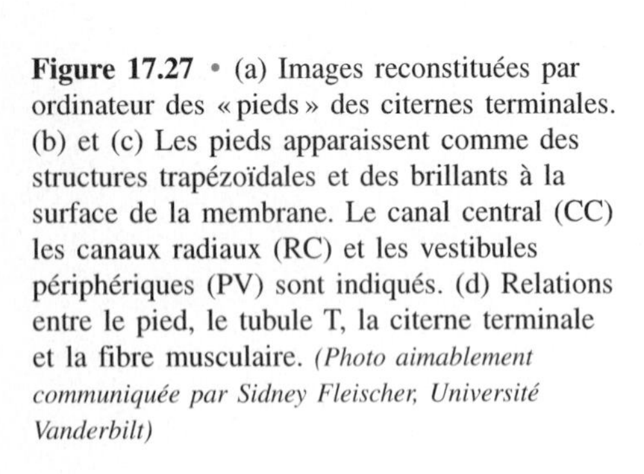

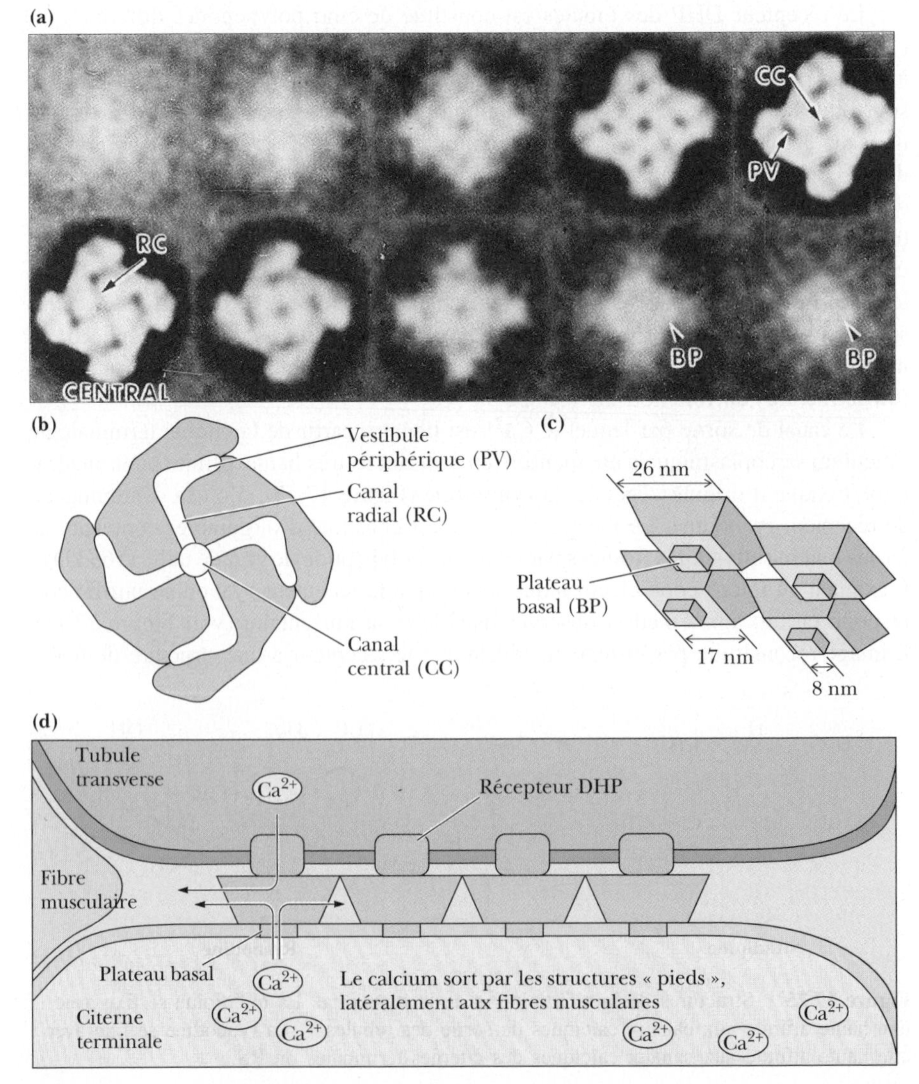

Figure 17.27 • (a) Images reconstituées par ordinateur des « pieds » des citernes terminales. (b) et (c) Les pieds apparaissent comme des structures trapézoïdales et des brillants à la surface de la membrane. Le canal central (CC) les canaux radiaux (RC) et les vestibules périphériques (PV) sont indiqués. (d) Relations entre le pied, le tubule T, la citerne terminale et la fibre musculaire. *(Photo aimablement communiquée par Sidney Fleischer, Université Vanderbilt)*

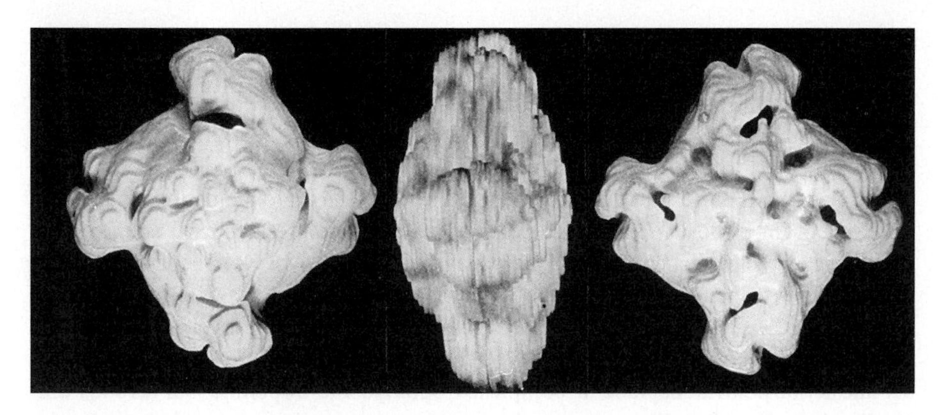

Figure 17.28 • Image reconstituée par ordinateur du complexe formant le canal de jonction d'une structure « pied ». *(Photo publiée avec l'aimable autorisation de Sidney Fleischer, Université Vanderbilt)*

carrée, avec une symétrie d'ordre quatre, contenant un pore central et quatre canaux radiaux s'étendant vers l'extérieur (Figure 17.28). Ces canaux radiaux s'étendent dans la périphérie de la structure où leur ouverture débouche dans le myoplasme.

Comment les « pieds » permettent-ils la sortie du Ca^{2+} des citernes terminales du RS ? Les pieds qui joignent les tubules T et les citernes terminales du RS ont environ 16 nm d'épaisseur. Ils semblent réagir soit à la transconformation dépendante du voltage des tubules T (muscle squelettique), soit au transport de Ca^{2+} par le canal calcique sensible au voltage des tubules T (muscle cardiaque) et facilitent alors la sortie à travers leur structure de grandes quantités de Ca^{2+} en provenance du RS. L'image reconstruite par ordinateur (Figure 17.28) de la structure du pied suggère une voie possible pour la sortie du calcium, de la lumière du RS au myoplasme, par l'intermédiaire du récepteur ryanodine. Un changement de conformation dépendant du voltage ou de Ca^{2+} pourrait ouvrir le canal central du pied. Entrés dans le canal central, les ions calcium se déplacent vers l'extérieur, passant par les canaux radiaux vers la région externe des vestibules périphériques puis enfin dans le myoplasme par les triades de jonction ; parvenus dans le myoplasme, les ions Ca^{2+} se fixent les fibres musculaires ce qui induit la contraction.

Régulation de la contraction par Ca^{2+}

Dès le début de ce Chapitre, nous avons signalé l'importance des ions Ca^{2+} dans le déclenchement de la contraction musculaire. Ca^{2+} est le signal intermédiaire qui permet la réponse du muscle strié aux impulsions des nerfs moteurs (Figure 17.24). Dès le début des années 1940, l'importance de Ca^{2+} dans la contraction musculaire était reconnue, mais il revint à Setsuro Ebashi, un pionnier de la recherche sur le fonctionnement des muscles, de montrer que le signal délivré par Ca^{2+} n'était correctement interprété par le muscle qu'en présence de la tropomyosine et des troponines. Plus précisément, l'actomyosine préparée à partir de myosine et d'actine pures (donc ne contenant ni tropomyosine ni troponines) mise en présence d'ATP se contractait, même en l'absence d'ions Ca^{2+}. Cependant, l'actomyosine préparée directement à partir du muscle entier ne se contractait en présence d'ATP que lorsque des ions Ca^{2+} étaient ajoutés à la solution. Il était évident que l'actomyosine préparée directement à partir de muscle contenait un facteur qui conférait une sensibilité physiologique aux ions Ca^{2+}. Ce facteur s'est révélé être le complexe tropomyosine-troponine.

Les fins filaments d'actine sont formés d'actine, de tropomyosine et des troponines dans un rapport molaire de 7:1:1 (voir Figure 17.15). Chaque molécule de tropomyosine s'étend sur sept molécules d'actine, allongée dans le sillon du filament fin entre les paires de monomères d'actine. Comme dans la représentation schématique d'une coupe transversale du filament fin et du filament épais d'un muscle squelettique (Figure 17.29), il semble qu'en l'absence de Ca^{2+} la troponine I est directement en

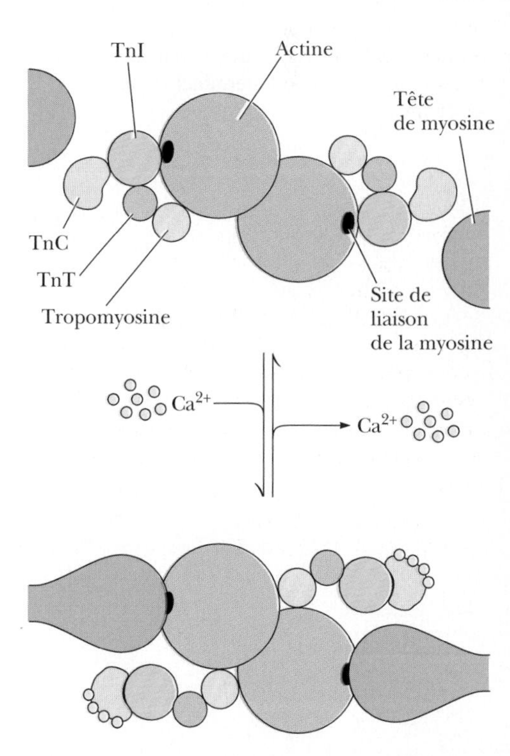

Figure 17.29 • Représentation schématique d'une section transversale de filaments fins et épais montrant les changements hypothétiques consécutifs à la fixation de Ca^{2+} sur la troponine C.

interaction avec l'actine afin d'empêcher une interaction de l'actine avec le sous-fragment S1 de la tête de myosine. La troponine I et la troponine T sont en interaction avec la tropomyosine ce qui écarte cette dernière du sillon formé entre les monomères d'actine. Cependant, la fixation de Ca^{2+} sur la troponine C semble accroître la liaison de la troponine C à la troponine et simultanément de diminuer l'interaction de la troponine I avec l'actine. Il en résulte que la tropomyosine s'insère profondément dans le sillon du filament fin, exposant les sites de liaison à la myosine présents sur l'actine ce qui déclenche le cycle de la contraction musculaire (Figure 17.23). Comme les complexes de troponines ne peuvent être en interaction qu'avec seulement le septième monomère d'actine dans le filament fin, les transconformations qui exposent les sites de liaison de l'actine à la myosine semblent être de type coopératif. La liaison d'une tête de myosine sur une actine pourrait déplacer le complexe tropomyosine-troponines sur les sous-unités d'actine adjacentes, libérant ainsi de nouveaux sites de liaison avec la myosine.

Interaction de Ca^{2+} avec la troponine C

Il y a sur la troponine C (TnC) quatre sites de liaison du Ca^{2+}—deux sites à haute affinité à l'extrémité C-terminale (marqués III et IV, Figure 17.30) et deux sites à plus faible affinité à l'extrémité N-terminale (marqués I et II). La fixation de Ca^{2+} sur les sites III et IV est suffisamment forte ($K_D = 0,1\ \mu M$) pour que ces sites soient très probablement saturés même dans les conditions du muscle au repos. Par contre dans ces conditions, les sites à plus faible affinité (K_D voisin de 10 μM) ne sont pas occupés. Lorsque le signal de contraction parvient au muscle, l'élévation de la concentration en Ca^{2+} aboutit à la saturation des sites I et II ce qui provoque un changement de conformation dans le domaine N-terminal de TnC. Cette transconformation facilite apparemment une liaison plus forte de TnI à TnC, interaction qui implique l'hélice C et peut

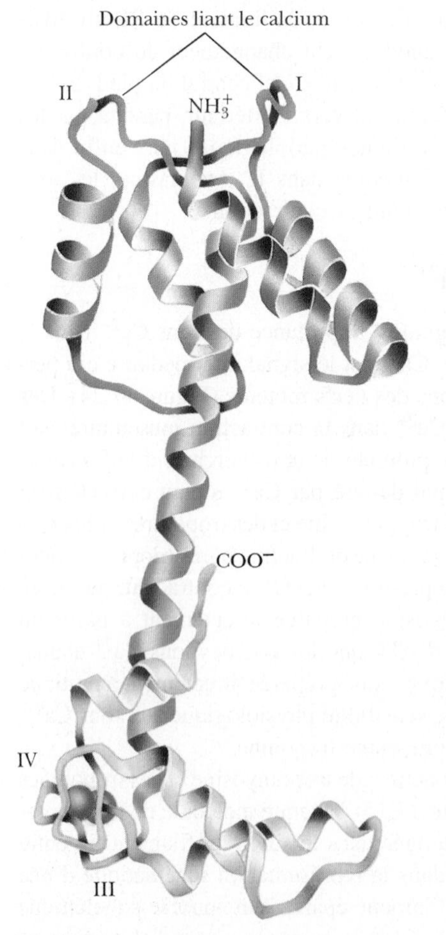

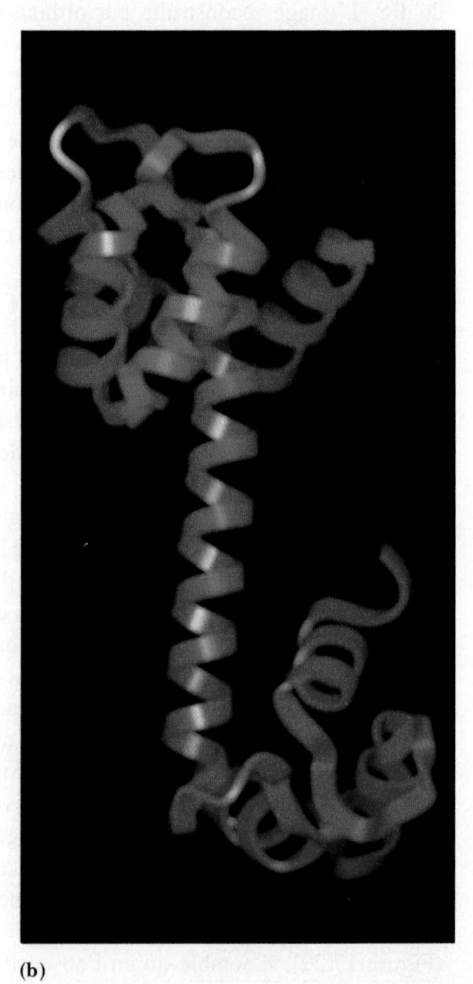

Figure 17.30 • (a) et (b) Représentations schématiques de deux vues légèrement différentes de la structure de la troponine C. Remarquez la longue hélice α reliant le lobe N-terminal et le lobe C-terminal de la molécule.

être l'hélice E de TnC. La plus forte interaction entre TnI et TnC a pour conséquence une diminution de l'interaction entre TnI et l'actine.

Structure du muscle cardiaque et du muscle lisse

La structure des myocytes cardiaques est différente de celle des fibres des muscles squelettiques. Les myocytes cardiaques mesurent de 50 à 100 μm de long et 10 à 20 μm de diamètre. Les tubules T des tissus cardiaques ont un diamètre cinq fois plus grand que ceux des fibres des muscles squelettiques. Le nombre des tubules T du muscle cardiaque varie d'espèce à espèce. Les citernes du muscle cardiaque des mammifères peuvent s'associer à d'autres éléments cellulaires pour constituer des **dyades** aussi bien que des triades. L'association de la citerne terminale avec la membrane du réticulum sarcoplasmique forme une dyade appelée **couplage périphérique**. La citerne terminale peut aussi former des structures de type dyade avec les tubules T appelées **couplages internes** (Figure 17.31). Comme dans les muscles squelettiques, les « pieds » de structure forment les connections entre les citernes terminales et les membranes des tubules T.

Chez les animaux supérieurs, une grande partie des citernes terminales du muscle cardiaque n'est pas associée à des tubules T. La sortie du Ca^{2+} du RS doit donc s'effectuer par un mécanisme différent de celui qui est présent dans le muscle squelettique. Dans ce cas, il semble que la fuite physiologique du Ca^{2+} à travers les canaux calciques du sarcolemme puisse déclencher une sortie encore plus massive de Ca^{2+} du RS. Ce dernier processus est dénommé **sortie de Ca^{2+} induite par le Ca^{2+}**.

Structure des myocytes du muscle lisse

Les myocytes du muscle lisse ont de 100 à 500 μm de long et un diamètre de 2 à 6 μm. Le muscle lisse contient très peu de tubules T et le réticulum sarcoplasmique est moins développé que dans le muscle squelettique. Les ions Ca^{2+} qui stimulent la contraction des muscles lissent sont en grande partie d'origine extracellulaire. Ce Ca^{2+} entre dans les cellules par des canaux calciques de la membrane du réticulum sarcoplasmique, canaux qui peuvent s'ouvrir par une stimulation électrique ou par liaison avec des hormones ou des médicaments. Le temps de réponse de la contraction du muscle lisse est très long relativement à celui du muscle cardiaque et surtout du muscle squelettique.

Mécanisme de la contraction du muscle lisse

Les organismes vertébrés utilisent les myocytes du muscle lisse pour les contractions lentes, de longue durée et involontaires de divers organes par exemple, les gros vaisseaux sanguins, les parois intestinales et chez les femelles l'utérus. Les muscles lisses ne contiennent pas de complexes troponines ; les filaments fins sont formés seulement d'actine et de tropomyosine. En dépit de l'absence de troponines, la contraction des muscles lisses *est* dépendante du Ca^{2+}. L'ion Ca^{2+} active la **kinase de la chaîne légère de la myosine** (**MLC kinase**, pour ***myosin light chain kinase***), un enzyme qui phosphoryle LC2, la chaîne légère régulatrice de la myosine. La contraction du muscle lisse est stimulée par la phosphorylation de LC2 et la déphosphorylation provoque sa relaxation.

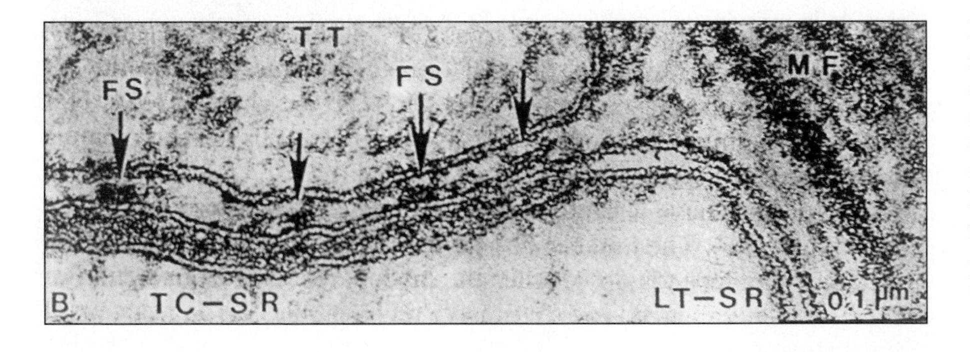

Figure 17.31 • Micrographie électronique d'un fragment de muscle cardiaque du chien. La citerne terminale du RS (TC-SR) est associée au tubule T (TT) par l'intermédiaire de la structure « pied » (FS), l'ensemble constituant une dyade de jonction. MF indique l'emplacement des myofilaments. LT-SR indique un tubule longitudinal du RS. *(D'après Fleischer, S., et Inui, M., 1989.* Annual Review of Biophysics and Biophysical Chemistry ***18** : 333-364.)*

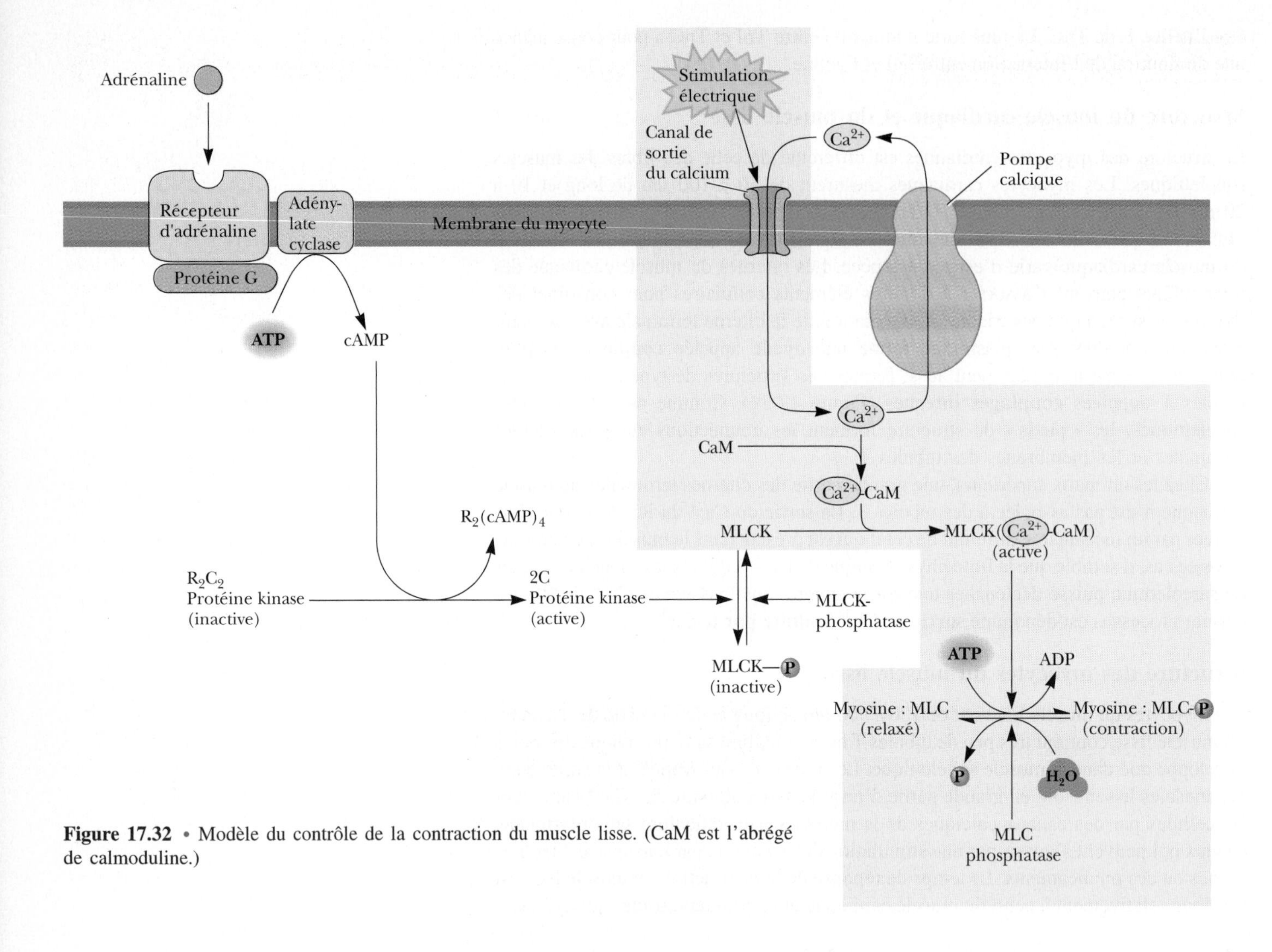

Figure 17.32 • Modèle du contrôle de la contraction du muscle lisse. (CaM est l'abrégé de calmoduline.)

Le mécanisme de ce processus est représenté Figure 17.32. Les myocytes du muscle lisse ont au repos une concentration en Ca^{2+} d'environ 0,1 μM. Une stimulation électrique (par le système nerveux autonome) ouvre les canaux calciques de la membrane sarcoplasmique, ce qui élève la concentration en $Ca2^{+}$ aux environs de 10 μM, une concentration à laquelle Ca^{2+} se lie rapidement à la **calmoduline** (voir Chapitre 34). La liaison du complexe calmoduline-Ca^{2+} à la MLC kinase active la fonction kinase, et la phosphorylation de LC2 qui s'ensuit stimule la contraction du muscle lisse. L'exportation du Ca^{2+} par la Ca^{2+}-ATPase fait revenir la concentration de l'ion calcium à celle de l'état de repos ce qui désactive la MLC kinase. La relaxation musculaire survient alors sous l'action de la **phosphatase de la chaîne légère de la myosine** qui déphosphoryle LC2. Cette réaction est relativement lente, les contractions des muscles lisses sont donc de plus longue durée et la relaxation est plus lente que celle des muscles striés.

Les contractions des muscles lisses sont soumises aux actions des hormones. La fixation de **l'adrénaline** à des récepteurs spécifiques des muscles lisses active une **adénylate kinase** intracellulaire qui produit de l'AMP cyclique (AMPc). Cet AMPc active une protéine kinase qui phosphoryle la kinase de la chaîne légère de la myosine. La MLC kinase phosphorylée a moins d'affinité pour le complexe calmoduline-Ca^{2+} et donc est physiologiquement inactive. La levée de cette inactivation s'effectue sous l'action de la **MLC kinase phosphatase**.

Biochimie humaine

Les effecteurs des muscles lisses sont des médicaments très utiles

L'action de l'adrénaline (ou épinéphrine) et de substances apparentées sont à la base du contrôle thérapeutique de la contraction du muscle lisse. Les troubles respiratoires, y compris l'asthme et diverses allergies respiratoires, proviennent parfois d'une trop forte contraction des muscles lisses bronchiques. L'administration d'adrénaline, soit par voie orale soit par inhalation buccale d'aérosol, inhibe la MLC kinase et provoque la relaxation de la musculature bronchique. D'autres bronchodilatateurs, comme l'albutérol (voir figure), agissent plus spécifiquement au niveau pulmonaire et évitent les effets indésirables de l'adrénaline sur le cœur. L'albutérol est également utilisé pour son action utérorelaxante, il prévient ainsi un accouchement prématuré. À l'inverse, l'ocytocine stimule la contraction du muscle lisse utérin. Cette hormone secrétée par l'hypophyse est souvent administrée pour induire les phénomènes physiologiques qui favorisent l'accouchement (le travail).

$$HO-C_6H_3(CH_2OH)-CH(OH)-CH_2-NH-C(CH_3)_3$$

Albutérol

$$H_3\overset{+}{N}-Gly-Leu-Pro-Cys-Asn-Gln-Ile-Tyr-Cys-COO^-$$

(pont disulfure S—S entre les deux Cys)

Ocytocine

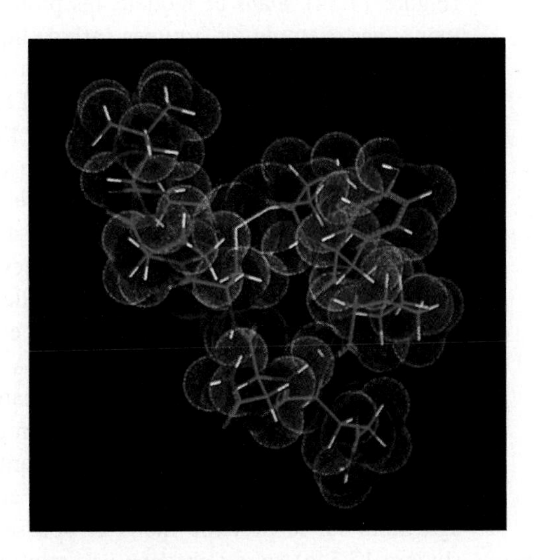

Structure tertiaire de l'ocytocine.

17.4 • Un gradient de protons entraîne la rotation des flagelles bactériens

La « nage » et la motilité des cellules bactériennes dépendent de la rotation des flagelles. Les flagelles d'*Escherichia coli* sont des filaments hélicoïdaux à enroulements serrés, d'environ 10 μm de long et 15 nm de diamètre. Le sens de la rotation des flagelles détermine les déplacements de la cellule. Lorsque la demi-douzaine de flagelles présents à la surface de la bactérie tournent dans le sens inverse des aiguilles d'une montre, ils s'enroulent les uns autour des autres, ondulent et tournent de façon concertée, propulsant la cellule à travers le milieu de suspension. Par contre, si la rotation s'effectue dans le sens des aiguilles d'une montre, les flagelles ne peuvent pas s'enrouler les uns autour des autres ; dans ces conditions, la cellule fait essentiellement des culbutes et les mouvements sont erratiques.

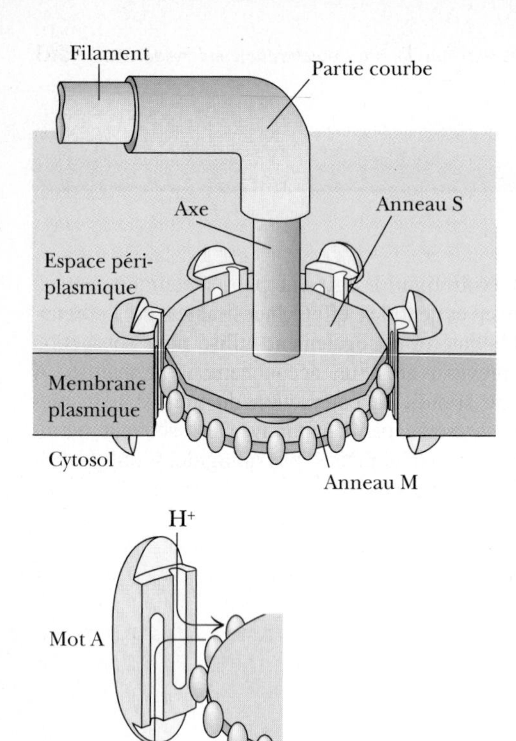

Figure 17.33 • Modèle de l'assemblage du moteur du flagelle chez *E. coli.* L'anneau M comporte à sa périphérie une rangée d'environ 100 protéines motB. Ces molécules se juxtaposent aux protéines motA dans le complexe qui entoure l'anneau. Le déplacement des protons à travers les complexes motA/motB entraîne la rotation des anneaux et de l'axe associé ainsi que du filament hélicoïdal.

Les rotations des flagelles bactériens sont le résultat de la rotation de complexes protéiques moteurs ancrés dans la membrane plasmique de la bactérie. Le « moteur » du flagelle est constitué d'un « rotor » formé par au moins deux anneaux (l'anneau M et l'anneau S) d'environ 25 nm de diamètre assemblés autour d'un axe auquel ils sont fermement fixés, axe lui-même attaché au filament hélicoïdal (Figure 17.33). Les anneaux sont entourés par une rangée circulaire de protéines membranaires. Au total, au moins 40 gènes codent pour les protéines de ce merveilleux assemblage. L'une de ces protéines, la protéine motB, se trouve sur le bord de l'anneau M où elle est en interaction avec la protéine motA ; motA se trouve dans la rangée circulaire de protéines face à l'anneau M.

L'énergie nécessaire a une origine différente de celle des autres protéines moteurs décrites dans ce chapitre : c'est un gradient de protons et non l'hydrolyse de l'ATP qui entraîne la rotation du moteur du flagelle. La concentration extracellulaire des protons, [H^+], est normalement plus élevée qu'à l'intérieur de la cellule. Il y a donc une tendance thermodynamique à ce que les protons se déplacent vers l'intérieur de la cellule. Les protéines motA et motB forment, ensemble, une sorte de navette à protons qui est couplée à la rotation des disques du moteur. Le déplacement des protons vers l'intérieur de la cellule à travers ce complexe protéique (ou canal à protons) entraîne la rotation du moteur des flagelles. Un modèle du couplage énergie-mouvement a été proposé par Howard Berg et ses collaborateurs (Figure 17.34). Dans ce modèle, les protéines motB ont des sites d'échange de protons – par exemple les groupes carboxyliques des résidus Asp ou Glu, ou le groupe imidazole de l'histidine. D'autre part, la structure des protéines motA est traversée par deux « demi-canaux », un demi-canal faisant face à l'espace intracellulaire (canal interne) et l'autre demi-canal ouvert sur l'extérieur (canal interne). Selon le modèle de Berg, les bords externes du canal ne peuvent pas se déplacer au-delà d'un site d'échange de proton de motB lorsque ce site est occupé par un proton et le centre du canal ne peut pas se déplacer au-delà d'un site d'échange lorsque ce dernier n'est pas occupé par un proton. Ces contraintes aboutissent au couplage entre la translocation du proton et la rotation du flagelle. Supposons (Figure 17.34) qu'un proton pénètre dans le canal externe de motA et se fixe sur une site d'échange de motB (Figure 17.34a). Une oscillation de motA, qui est relié à la paroi cellulaire par liaison élastique, peut alors positionner le canal interne au-dessus du proton fixé sur le site d'échange (Figure 17.34b) ; le proton peut à présent passer dans le canal interne puis dans l'intérieur de la cellule pendant qu'un nouveau proton remonte le canal externe et se fixe sur un site d'échange adjacent au premier. La force de rétraction agit alors sur la protéine motA et pousse le complexe motA/motB vers la gauche (Figure 17.34c) ce qui entraîne une rotation du disque, de l'axe et du filament hélicoïdal dans le sens inverse des aiguilles d'une montre. Toute l'énergie nécessaire au moteur du flagelle provient directement du gradient de protons. L'inversion du gradient de protons (par exemple après alcalinisation du milieu dans lequel les bactérie baignent) entraînera donc une rotation des filaments flagellaires dans le sens des aiguilles d'une montre. Étendant à toute la rangée de protéines du disque moteur ce

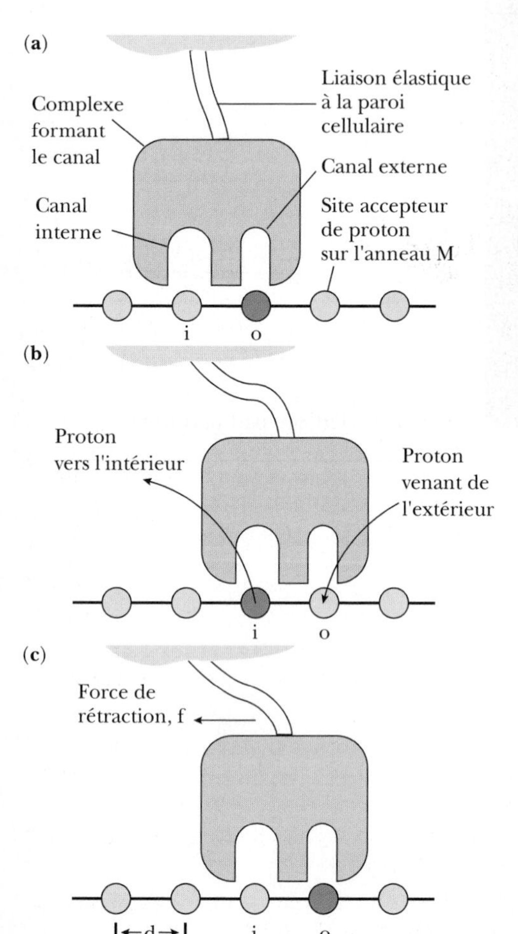

Figure 17.34 • Modèle de Howard Berg pour le couplage du flux transmembranaire de protons à la rotation du moteur du flagelle. Un proton passe dans le canal externe et se fixe sur un site d'échange sur l'anneau M. Quand la protéine canal glisse d'un cran autour de l'anneau, le proton est libéré dans le canal interne d'où il gagne l'espace intracellulaire, pendant qu'un autre proton pénètre dans le canal externe et de lie sur un site d'échange adjacent au précédent. Quand la protéine canal motA revient à sa position d'origine sous l'action de la force élastique de rétraction, la protéine associée, motB, se déplace avec elle , provoquant la rotation dans le sens inverse des aiguilles d'une montre de l'anneau, de l'axe et du filament hélicoïdal.

modèle décrit pour un unique complexe motA/motB, nous pouvons imaginer le torrent de protons qui passe à travers l'assemblage du moteur et entraîne la rotation des flagelles à une vitesse typique de 100 rotations par seconde. Berg estime que l'anneau M porte une centaine de sites d'échange de protons et différents modèles prédisent que de 800 à 1200 protons doivent passer à travers le complexe pour une seule rotation d'un filament flagellaire !

EXERCICES

1. Le guépard est considéré comme le mammifère le plus rapide mais l'antilope à cornes fourchues des plaines du Wyoming est un autre athlète du monde animal, presque aussi rapide à la course que le guépard. Alors que le guépard ne peut maintenir que pendant quelques secondes sa vitesse maximale de 110 km/heure, l'antilope peut courir à 95 km/heure pendant environ une heure ! (On pense que la rapidité de la course de l'antilope a augmenté au cours de l'évolution car les plus rapides échappaient à l'ancêtre, aujourd'hui éteint, du guépard qui vivait en Amérique du Nord). Quelles différences vous attendez-vous à trouver dans la structure des muscles et l'anatomie des antilopes qui rendrait compte de leur remarquable vitesse et de leur endurance ?

2. Un analogue de l'ATP, le β-γ-méthylène-ATP, dans lequel un maillon $-CH_2-$ remplace l'atome d'oxygène présent entre les atomes de phosphore β et γ, est un puissant inhibiteur de la contraction musculaire. À quelle étape du cycle de contraction pensez-vous que l'analogue agisse pour inhiber la contraction ?

3. La réserve d'ATP musculaire est complémentée par une réserve de créatine phosphate. Pendant les périodes de contraction musculaire, la créatine phosphate est hydrolysée pour permettre la synthèse de l'ATP. La réaction catalysée par la créatine kinase est la suivante :

$$\text{Créatine phosphate + ADP} \rightleftharpoons \text{créatine + ATP}$$

Les cellules musculaires contiennent deux isozymes de la créatine kinase, l'un dans les mitochondries, l'autre dans le sarcoplasme. Expliquez pourquoi.

4. La rigidité musculaire caractérise l'état dans lequel se trouvent les muscles dont les fibres musculaires ont complètement épuisé leurs réserves d'ATP et de créatine phosphate. Dans cet état, les muscles sont particulièrement rigides et ne peuvent que difficilement être étirés. (Après la mort cet état est appelé rigidité cadavérique). En fonction de ce que vous avez appris concernant la contraction musculaire, expliquez la rigidité musculaire en termes moléculaires.

5. Le muscle squelettique peut développer une tension, ou une force, de 3 à 4 kg par cm^2 de surface d'une section transversale d'un muscle. Cette valeur est globalement la même pour tous les mammifères. Comme de nombreux muscles humains ont une surface transversale assez importante, la force que ces muscles peuvent (et doivent) développer est prodigieuse. Le grand fessier (muscle sur lequel vous êtes probablement assis pendant que vous lisez ce texte) peut générer une tension de 1200 kg ! Estimez la surface transversale totale de vos muscles squelettiques et la force totale qu'ils pourraient générer s'ils se contractaient tous en même temps.

LECTURES COMPLÉMENTAIRES

Ahn, A.H., et Kunkel, L.M., 1993. The structural and functional diversity of dystrophin. *Nature Genetics* **3** : 283-291.

Allen, B., et Walsh, M., 1994. The biochemical basis of the regulation of smooth-muscle contraction. *Trends in Biochemical Sciences* **19** : 362-368.

Amos, L., 1985. Structure of muscle filaments studied by electron microscopy. *Annual Review of Biophysics and Biophysical Chemistry* **14** : 291-313.

Astumian, R.D., et Bier, M., 1996. Mechanochemical coupling of the motion of molecular motors to ATP hydrolysis. *Biophysical Journal* **70** : 637-653.

Berliner, E., Young, E., Anderson, K, et al., 1995. Failure of a single-headed kinesin to track parallel to microtubule protofilaments. *Nature* **373** : 718-721.

Blake, D., Tinsley, J., Davies, K., et al., 1995. Coiled-coil regions in the carboxy-terminal domains of dystrophin and related proteins : Potentials for protein-protein interactions. *Trends in Biochemical Sciences* **20** : 133-135.

Blanchard, A., Ohanian, V., et Critchley, D., 1989. The structure and function of α-actinin. *Journal of Muscle Research and Cell Motility* **10** : 280-289.

Block, S.M., 1998. Kinesin : What gives ? *Cell* **93** : 5-8.

Bork, R., et Sudol, M., 1994. The WW domain : A signaling site in dystrophin. *Trends in Biochemical Sciences* **19** : 531-533.

Boyer, P.D., 1997. The ATP synthase – A splendid molecular machine. *Annual Review of Biochemistry* **66** : 717-749.

Cooke, R., 1995. The actomyosin engine. *The FASEB Journal* **9** : 636-642.

Cooke, R., 1986. The mechanism of muscle contraction. *CRC Critical Review in Biochemistry* **21** : 53-118.

Coppin, C.M., Finer, J.T., Spudich, J.A., et Vale, R.D., 1996. Detection of sub-8-nm movements of kinesin by high-resolution optical-trap microscopy. *Proceedings of the National Academy of Sciences* **93** : 1913-1917.

Davison, M., et Critchley, D., 1988. α-Actinin and the DMD protein contain spectrin-like repeats. *Cell* **52** : 159-160.

Davison, M., et al., 1989. Structural analysis of homologous repeated domains in α-actinin and spectrin. *International Journal of Biological Macromolecules* **11** : 81-90.

DeRosier, D.J., 1998. The turn of the screw : The bacterial flagellar motor. *Cell* **93** : 17-20.

Eden, D., Luu, B. Q, Zapata, D.J., et al., *1995*. Solution structure of two molecular motor domains : Nonclaret disjunctional and kinesin. *Biophysical Journal* **68** : 59S-64S.

Engel, A., 1997. A closer look at a molecular motor by atomic force microscopy. *Biophysical Journal* **72** : 988.

Farah, C., et Reinach, F., 1995. The troponin complex and regulation of muscle contraction. *The FASEB Journal* **9** : 755-767.

Finer, J.T., Simmons, R.M., et Spudich, J.A., 1994. Single myosin molecule mechanics : Piconewton forces and nanometer steps. *Nature* **368** : 113-119.

Fisher, A., Smith, C., Thoden, J., et al., 1995. Structural studies of myosin:nucleotide complexes : A revised model for the molecular basis of muscle contraction. *Biophysical Journal* **68** : 19S-26S.

Fisher, A., Smith, C., Thoden, J., et al., 1995. X-ray structures of the myosin motor domain of *Dictyostelium discoideum* complexed with MgADP·BeF$_x$ and MgADP·A1F$_4^-$. *Biochemistry* **34** : 8960-8972.

Fleischer, S., et Inui, M., 1989. Biochemistry and biophysics of excitation-contraction coupling. *Annual Review of Biophysics and Biophysical Chemistry* **18** : 333-364.

Funatsu, T., Harada, Y, Tokunaga, M., et al., 1995. Imaging of single fluorescent molecules and individual ATP turnovers by single myosin molecules in aqueous solution. *Nature* **374** : 555-559.

Gilbert, S., Webb, M., Brune, M., et Johnson, K., 1995. Pathway of processive ATP hydrolysis by kinesin. *Nature* **373** : 671-676.

Goldman, Y.E., 1998. Wag the tail : Structural dynamics of actomyosin. *Cell* **93** : 1-4.

Gopal, D., Pavlov, D.I., Levitsky, D.I., et al., 1996. Chemomechanical transduction in the actomyosin molecular motor by 2',3'-dideoxydidehydro-ATP and characterization of its interaction with myosin subfragment 1 in the presence and absence of actin. *Biochemistry* **35** : 10149-10157.

Henningsen, U., et Schliwa, M., 1997. Reversal in the direction of movement of a molecular motor. *Nature* **389** : 93-96.

Hirose, K., Lockhart, A., Cross, R., et Amos, L., 1995. Nucleotide-dependent angular change in kinesin motor domain bound to tubulin. *Nature* **376** : 277-279.

Hoenger, A., Sablin, E., Vale, R., et al., 1995. Three-dimensional structure of a tubulin-motor-protein complex. *Nature* **376** : 271-274.

Howard, J., 1996. The movement of kinesin along microtubules. *Annual Review of Physiology* **58** : 703-729.

Kabsch, W., et Holmes, K., 1995. The actin fold. *The FASEB Journal* **9** : 167-174.

Kabsch, W., et al., 1990. Atomic structure of the actin:DNase 1 complex. *Nature* **347** : 37-43.

Kikkawa, J., Ishikawa, T., Wakabayashi, T., et Hirokawa, N., 1995. Three-dimensional structure of the kinesin head-microtubule complex. *Nature* **376** : 274-277.

Kinosita, K., Jr., Yasuda, R., Noffi, H., et al., 1998. F$_1$-ATPase : A rotary motor made of a single molecule. *Cell* **93** : 21-24.

Koenig, M., et Kunkel, L., 1990. Detailed analysis of the repeat domain of dystrophin reveals four potential hinge segments that may confer flexibility. *Journal of Biological Chemistry* **265** : 4560-4566.

Kull, F.J., Sablin, E.P., Lau, R., et al., 1996. Crystal structure of the kinesin motor domain reveals a structural similarity to myosin. *Nature* **380** : 550-555.

Labeit, S., et Kolmerer, B., 1995. Titins : Giant proteins in charge of muscle ultrastructure and elasticity. *Science* **270** : 293-296.

Lohman, T.M., Thorn, K., et Vale, R.D., 1998. Staying on track : Common features of DNA helicases and microtubule motors. *Cell* **93** : 9-12.

Löwe, J., et Amos, L, 1998. Crystal structure of the bacterial cell-division protein FtsZ. *Nature* **391** : 203-206.

Macnab, R.M., et Parkinson, J.S., 1991. Genetic analysis of the bacterial flagellum. *Trends in Genetics* **7** : 196-200.

McLachlan, A., 1984. Structural implications of the myosin amino acid sequence. *Annual Review of Biophysics and Bioengineering* **13** : 167-189.

Meister, M., Caplan, S.R., et Berg, H., 1989. Dynamics of a tightly coupled mechanism for flagellar rotation. *Biophysical Journal* **55** : 905-914.

Meyhofer, E, et Howard, J., 1995. The force generated by a single kinesin molecule against an elastic load. *Proceedings of the National Academy of Sciences* **92** : 574-578.

Molloy, J., Burns, J., Kendrick-Jones, J., et al., 1995. Movement and force produced by a single myosin head. *Nature* **378** : 209-213.

Nogales, L, Wolf, S., et Downing, K.H., 1998. Structure of the $\alpha\beta$ tubulin dimer by electron crystallography. *Nature* **391** : 199-203.

Ohtsuki, I., Maruyama, K., et Ebashi, S., 1986. Regulatory and cytoskeletal proteins of vertebrate skeletal muscle. *Advances in Protein Chemistry* **38** : 1-67.

Rayment, I., 1996. Kinesin and myosin : Molecular motors with similar engines. *Structure* **4** : 501-504.

Rayment, I., et Holden, H., 1994. The three-dimensional structure of a molecular motor. *Trends in Biochemical Sciences* **19** : 129-134.

Saito, A., et al., 1988. Ultrastructure of the calcium release channel of sarcoplasmic reticulum. *Journal of Cell Biology* **107** : 211-219.

Smith, C., et Rayment, I., 1995. X-ray structure of the magnesium(II)-pyrophosphate complex of the truncated head in *Dictyostelium discoideum* myosin to 2.7 Å resolution. *Biochemistry* **34** : 8973-8981.

Spudich, J., *1994.* How molecular motors work. *Nature* **372** : 515-518.

Svoboda, K., Schmidt, C., Schnapp, B., et Block, S., 1993. Direct observation of kinesin stepping by optical trapping interferometry. *Nature* **365** : 721-727.

Thomas, D., 1987. Spectroscopic probes of muscle crossbridge rotation. *Annual Review of Physiology* **49** : 691-709.

Trinick, J., 1994. Titin and nebulin : Protein rulers in muscles ? *Trends in Biochemical Sciences* **19** : 405-409.

Vallee, R., et Shpetner, H., 1990. Motor proteins of cytoplasmic microtubules. *Annual Review of Biochemistry* **59** : 909-932.

Wagenknecht, T., et al., 1989. Three-dimensional architecture of the calcium channel/foot structure of sarcoplasmic reticulum. *Nature* **338** : 167-170.

Walker, R., et Sheetz, M., 1993. Cytoplasmic microtubule-associated motors. *Annual Review of Biochemistry* **62** : 429-451.

Whittaker, M., Wilso-Kubalek, E., Smith, jr., et al., *1*995. A 35 Å movement of smooth muscle myosin on ADP release. *Nature* **378** : 748-753.

Wilson, L., et Jordan, M.A., *1995.* Microtubule dynamics : Taking aim at a moving target. *Chemistry and Biology* **2** : 569-573.

Worton, R., *1995.* Muscular dystrophies : Diseases of the dystrophin-glycoprotein complex. *Science* **270** : 755-756.

Troisième partie

Le métabolisme et sa régulation

Le métabolisme accomplit, entre autres choses, la conversion de l'énergie des aliments en énergie mécanique de mobilité. La régulation du métabolisme permet la brusque transition de l'état de repos à la puissance et à la grâce de la compétition athlétique. (*Champions européens par Paul J. Sutton/Duomo ; tracé superposé par J/B Woolsey Associates*)

« Tout est mouvement, rien ne reste immobile. Rien ne persiste que le changement. »

HÉRACLITE (vers 540-480 av. J. C.)

PLAN

Chapitre 18

Le métabolisme – vue d'ensemble

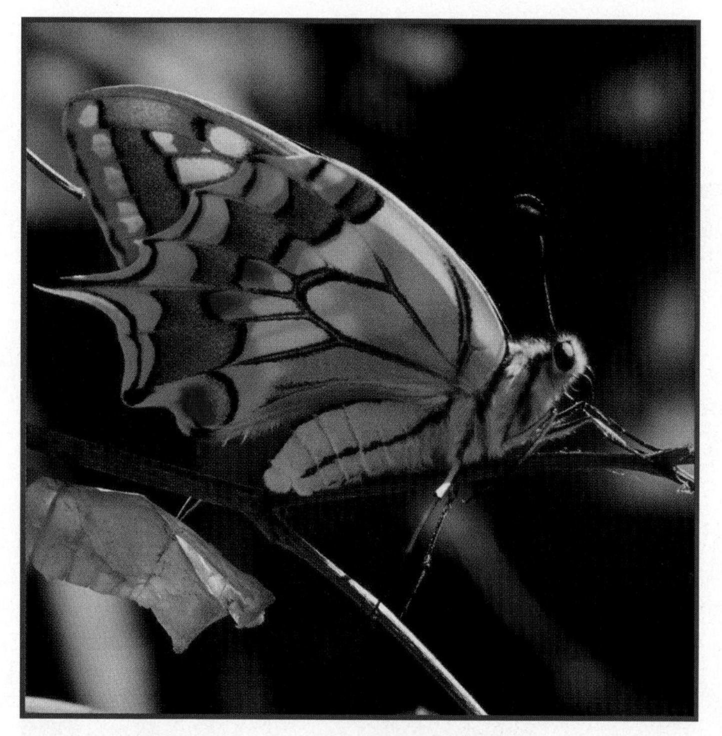

Papillon à queue d'hirondelle de l'anis (Papilio zelican) *et sa dernière enveloppe pupale. La métamorphose des papillons est un exemple frappant de changement de métabolisme.*

Le mot *métabolisme* provient du grec *metabole*, changement. Le **métabolisme** représente la somme des changements chimiques qui convertissent **les nutriments** (les aliments), les « matériaux bruts » nécessaires au développement des organismes vivants, en énergie et en produits finis chimiquement complexes. Le métabolisme se compose de plusieurs centaines de réactions enzymatiques organisées en séquences distinctes. Ces séquences se déroulent par étapes successives, transformant les substrats en produits terminaux à l'aide de nombreux **intermédiaires** chimiques spécifiques. Pour sensibiliser à cet aspect du processus métabolique, l'expression **métabolisme intermédiaire** est souvent utilisée. Les cartes métaboliques

Figure 18.1 • Carte métabolique indiquant les réactions du métabolisme intermédiaire et les enzymes qui les catalysent. Plus de cinq cents intermédiaires chimiquement différents, les **métabolites**, et un nombre d'enzymes encore plus grand, sont ici représentés.
(© 1997 20ᵉ édition, conçu, réalisé par (et reproduit avec l'aimable autorisation de) D.E. Nicholson, Université de Leeds, Royaume-Uni, et Sigma Chemical Co.)

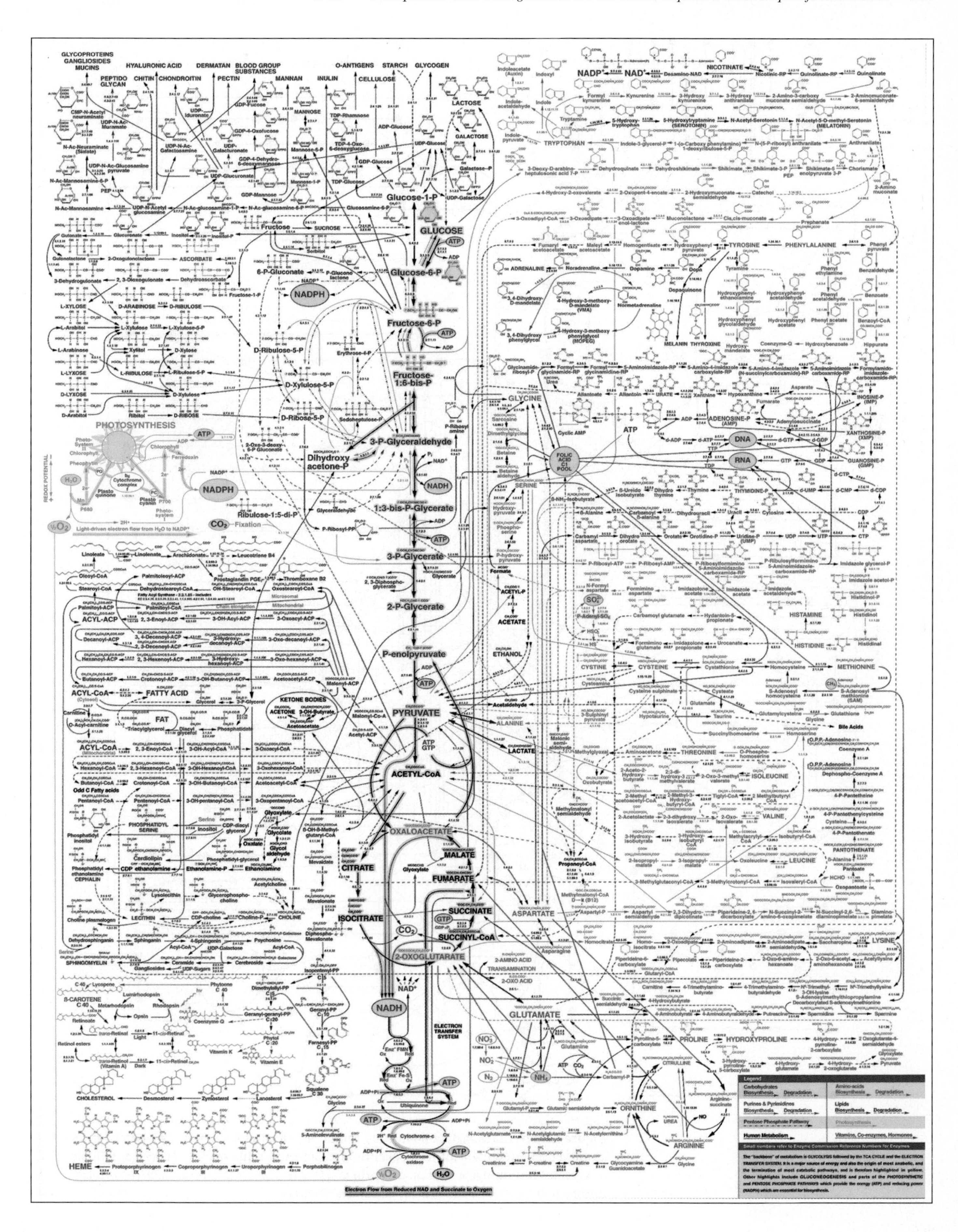
GLYCOPROTEINS
GANGLIOSIDES
MUCINS
HYALURONIC ACID
DERMATAN
BLOOD GROUP SUBSTANCES
O-ANTIGENS
STARCH
GLYCOGEN
PEPTIDO GLYCAN
CHITIN
CHONDROITIN
PECTIN
MANNAN
INULIN
CELLULOSE
LACTOSE
GALACTOSE
Glucose-1-P
GLUCOSE
ATP
ADP
Glucose-6-P
NADPH
Fructose-6-P
Fructose-1:6-bis-P
D-Ribulose-5-P
D-Xylulose-5-P
D-Ribose-5-P
PHOTOSYNTHESIS
3-P-Glyceraldehyde
Dihydroxy acetone-P
NADH
Ribulose-1:5-di-P
1:3-bis-P-Glycerate
CO_2 Fixation
3-P-Glycerate
2-P-Glycerate
P-enolpyruvate
PYRUVATE
ACETYL-CoA
OXALOACETATE
MALATE
CITRATE
FUMARATE
ISOCITRATE
SUCCINATE
GTP
SUCCINYL-CoA
CO_2
2-OXOGLUTARATE
NAD+
ELECTRON TRANSFER SYSTEM
Ubiquinone
Cytochrome-c
H_2O
Electron Flow from Reduced NAD and Succinate to Oxygen
ACYL-ACP
ACYL-CoA
FATTY ACID
FAT
KETONE BODIES
ACETONE
CHOLESTEROL
HEME
ß-CAROTENE
Vitamin K
Vitamin E
TRYPTOPHAN
NADP+
NAD+
NICOTINATE
TYROSINE
PHENYLALANINE
ADRENALINE
MELANIN
THYROXINE
GLYCINE
SERINE
FOLIC ACID C1 POOL
DNA
RNA
ADENOSINE-P (AMP)
URATE
ATP
Cyclic AMP
HISTAMINE
HISTIDINE
METHIONINE
CYSTEINE
CYSTINE
ALANINE
LACTATE
THREONINE
ISOLEUCINE
VALINE
LEUCINE
PANTOTHENATE
Coenzyme A
ASPARTATE
LYSINE
GLUTAMATE
PROLINE
HYDROXYPROLINE
CITRULLINE
ORNITHINE
ARGININE
UREA
ETHANOL
ACETATE
Legend
Carbohydrates Biosynthesis Degradation
Amino-acids Biosynthesis Degradation
Purines & Pyrimidines Biosynthesis Degradation
Lipids Biosynthesis Degradation
Pentose Phosphate Pathway
Photosynthesis
Human Metabolism
Vitamins, Co-enzymes, Hormones
Small numbers refer to Enzyme Commission Reference Numbers for Enzymes.

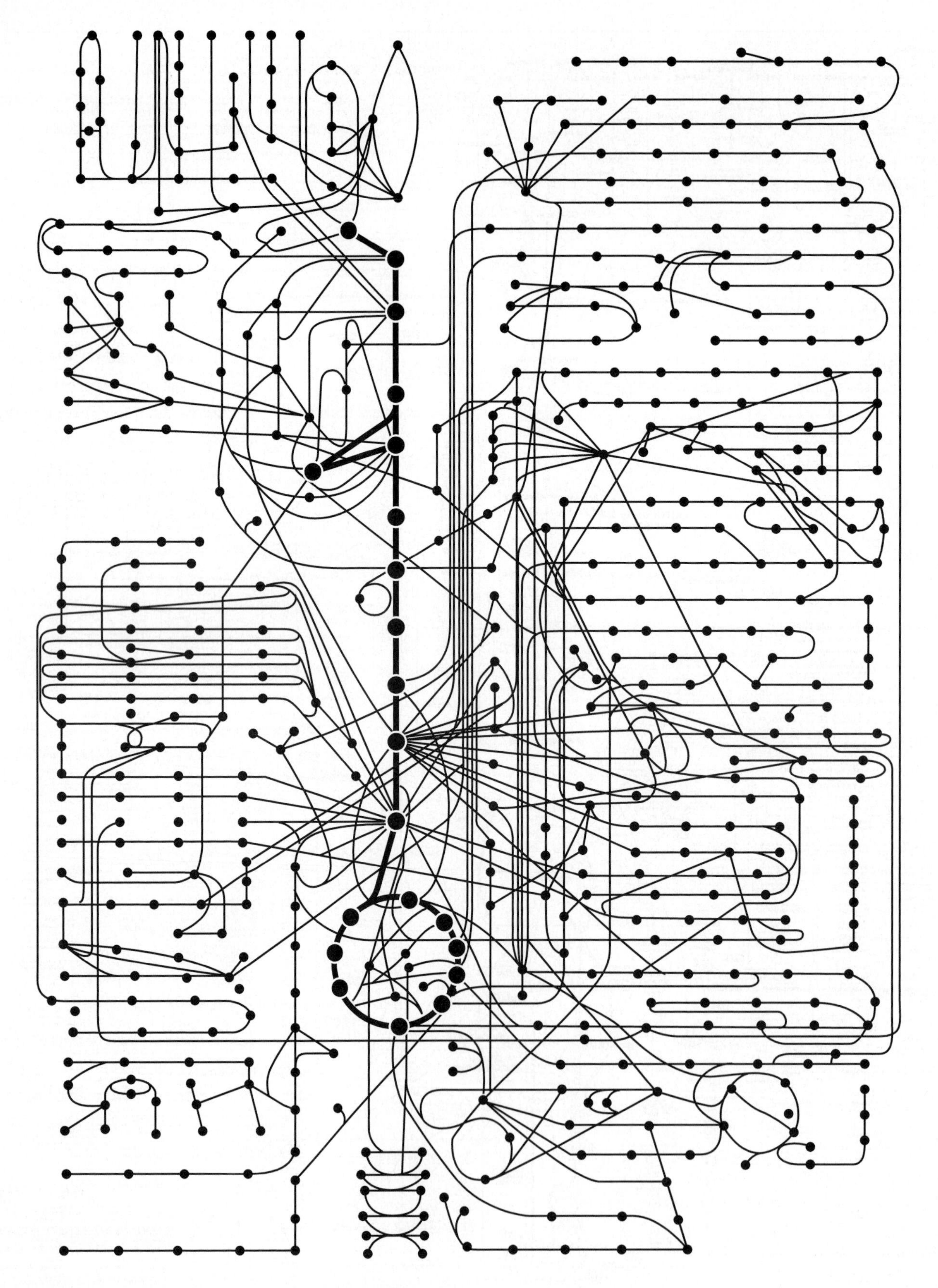

Figure 18.2 • Carte métabolique sous forme de points et de lignes. Les points et les lignes en gras représentent les séquences fondamentales libérant de l'énergie, séquences de la glycolyse et du cycle de l'acide citrique. *(D'après Alberts, M., et al., 1989.* Molecular Biology of the Cell, *2nd ed. New York : Garland Publishing Co.)*

(Figure 18.1) représentent pratiquement toutes les principales réactions du métabolisme intermédiaire des glucides, des lipides, des acides aminés, des nucléotides et de leurs dérivés. Ces cartes sont à première vue très complexes et il semble très difficile de pouvoir apprendre leur contenu. En dépit de leur apparence, ces cartes deviennent faciles à suivre dès que les principales voies métaboliques sont connues et que leurs fonctions sont comprises. L'organisation sous-jacente du métabolisme et les interrelations réciproques entre les différentes séquences apparaissent alors comme des motifs assez simples sur un fond apparemment complexe.

La carte métabolique sous forme de points et de lignes

Une des simplifications intéressantes de la carte du métabolisme intermédiaire consiste à représenter chacun des intermédiaires sous forme d'un point et chacun des enzymes sous forme d'une ligne (Figure 18.2). Ainsi l'ensemble des différents substrats et des enzymes, plus d'un millier de substances, peuvent-ils être représenté par seulement deux symboles. Cette carte contient environ 520 points (métabolites intermédiaires). Le Tableau 18.1 donne la liste des points en fonction du nombre de lignes (les enzymes) qui leur sont associées. Donc ce tableau classe les métabolites intermédiaires en fonction du nombre d'enzymes qui agissent sur eux. Un point qui n'est relié qu'à une ligne ne peut représenter qu'un substrat d'origine alimentaire, une molécule de réserve, un produit final du métabolisme ou un produit d'excrétion. Puisque la plupart des séquences métaboliques ne se déroulent que dans une direction (c'est-à-dire qu'elles sont essentiellement irréversibles dans les conditions physiologiques), un point qui n'est relié qu'à deux lignes est probablement un produit intermédiaire dans une unique séquence et n'a qu'une seule destinée métabolique. Si trois lignes sont reliées à un point, ce dernier métabolite a au moins deux destinées (ou origines) métaboliques possibles ; avec quatre lignes, il aurait au moins trois destinées possibles, et ainsi de suite. Remarquez qu'environ 80 % des points sont reliés à une ou deux lignes, ces métabolites n'ont donc qu'un usage, ou sort, limité dans la cellule. Cependant, de nombreux intermédiaires peuvent intervenir dans plusieurs séquences différentes. Dans ce cas, la séquence suivie relève d'un choix régulateur. En effet, le choix de l'orientation de tout substrat vers une séquence donnée résulte d'une réponse régulatrice aux exigences momentanées de la cellule (ou de l'organisme), exigences énergétiques ou synthèses de molécules devenues nécessaires. La régulation du métabolisme est un sujet particulièrement intéressant sur lequel nous reviendrons souvent.

Tableau 18.1

Nombre des points (les intermédiaires) dans la carte métabolique de la Figure 18.2 et nombre des lignes (les enzymes) associées à ces points

Lignes	Points
1 ou 2	410
3	71
4	20
5	11
6 ou plus	8

18.1 • Pratiquement tous les organismes ont les mêmes séquences métaboliques fondamentales

Un des grands principes unificateurs de la biologie moderne est que les organismes présentent de remarquables similarités dans les principales séquences métaboliques. Compte tenu du nombre presque illimité des possibilités en Chimie organique, cette unicité paraît invraisemblable. Elle est cependant réelle et c'est une preuve supplémentaire qui conforte l'hypothèse selon laquelle tous les organismes actuellement vivants ont pour origine un ancêtre commun. Toutes les formes de nutrition et presque toutes les séquences métaboliques sont apparues dans les procaryotes qui existaient avant l'apparition des eucaryotes il y a un milliard d'années. Par exemple, la **glycolyse**, la séquence métabolique qui permet la libération d'une partie de l'énergie accumulée dans le glucose et sa mise en réserve dans l'ATP dans les conditions de l'anaérobiose, est commune à presque toutes les cellules. Étant apparue avant qu'il y ait de l'oxygène en abondance sur notre planète, il semble que la glycolyse est la plus ancienne des séquences métaboliques. Tous les organismes, y compris ceux qui sont capables de synthétiser leur glucose, peuvent dégrader le glucose et synthétiser de l'ATP par la voie de la glycolyse. Les autres séquences principales sont également présentes dans presque tous les organismes.

Diversité métabolique

Si la plupart des cellules ont le même ensemble de voies métaboliques principales, des cellules différentes (et par extension des organismes différents) se caractérisent aussi par des séquences métaboliques qui leur sont propres. Ces nouvelles voies offrent une grande diversité de possibilités métaboliques. C'est ainsi que les organismes sont souvent classés selon les séquences métaboliques principales qu'ils utilisent comme source de carbone et d'énergie. La classification, fondée sur les exigences en carbone, définit deux grands groupes, les autotrophes et les hétérotrophes. Les **autotrophes** sont des organismes capables d'utiliser le gaz carbonique comme seule source de carbone. Les **hétérotrophes** exigent une source de carbone organique, telle que le glucose, pour synthétiser les autres substances organiques essentielles.

Une classification fondée sur la source d'énergie définit également deux grands groupes, les phototrophes et les chimiotrophes. Les **phototrophes** sont des *organismes photosynthétiques*, ils utilisent la lumière comme source d'énergie. Les **chimiotrophes** utilisent des substances organiques comme le glucose, ou, parfois, oxydent des substances minérales telles que Fe^{2+}, NO_2^-, NH_4^+, ou encore du soufre élémentaire, comme seule source d'énergie. D'une façon générale, des réactions d'oxydoréduction permettent d'extraire l'énergie nécessaire. À partir de ces quatre caractéristiques, les organismes sont classés en quatre catégories (Tableau 18.2).

Diversité métabolique dans les cinq règnes

Les procaryotes (règne des Monères ou bactéries) ont une plus grande diversité métabolique que l'ensemble des quatre autres règnes eucaryotes (Protistes, Mycètes, Végétaux et Animaux). Les procaryotes sont, suivant les espèces, chimiohétérotrophes, photoautotrophes, photohétérotrophes, ou chimioautotrophes. Aucun protiste n'est chimioautotrophe ; les champignons et les animaux sont exclusivement chimiohétérotrophes et les plantes sont, de façon caractéristique, photoautotrophes bien que quelques-unes soient hétérotrophes dans leur mode d'acquisition du carbone.

Rôle de O_2 dans le métabolisme

Une différence métabolique supplémentaire partage les organismes selon qu'ils utilisent ou non l'oxygène comme accepteur d'électrons dans les réactions terminales des voies productrices d'énergie. Ceux qui utilisent l'oxygène sont des **aérobies**, ou *organismes aérobies* ; les autres, les **anaérobies**, peuvent vivre en l'absence d'oxygène. Les organismes qui exigent la présence de l'oxygène pour vivre sont des **aérobies stricts** ; les humains en sont un exemple. Quelques espèces, appelées **anaérobies facultatives**, peuvent s'adapter à l'anaérobiose en utilisant, dans les réactions

Tableau 18.2

Classification des organismes selon les origines de leurs sources de carbone et d'énergie

Classification	Source de carbone	Source d'énergie	Donneurs d'électrons	Exemples
Photoautotrophes	CO_2	Lumière	H_2O, H_2S, S, autres substances minérales	Plantes vertes, algues, cyanobactéries, bactéries photosynthétiques
Photohétérotrophes	Substances organiques	Lumière	Substances organiques	Athiorhodobactéries
Chimioautotrophes	CO_2	Réactions d'oxydoréduction	Substances minérales	Bactéries de la nitrification ; sulfobactéries, hydrogénobactéries, ferrobactéries
Chimiohétérotrophes	Substances organiques	Réactions d'oxydoréduction	Substances organiques, glucose par ex.	Tous les animaux, la plupart des microorganismes, tissus non photosynthétiques tels que les racines, cellules photosynthétiques des plantes à l'obscurité

Pour en savoir plus

Le carbonate de calcium – un piège biologique à CO_2

Un très important piège biologique à gaz carbonique, souvent négligé, est constitué par le carbonate de calcium des squelettes de coraux, des carapaces de crustacés et des coquilles de mollusques. Dans ces animaux invertébrés, un dépôt de $CaCO_3$ se forme qui constituera un exosquelette protecteur. Dans quelques invertébrés, comme les *Cnidaires* (coraux) des mers tropicales, des dinoflagellés photosynthétiques (des Protistes) connus sous le nom de *zooxanthellae* vivent en symbiose avec les cellules animales (ce sont des **endosymbiontes**). Ces dinoflagellés phototrophes utilisent l'énergie lumineuse pour synthétiser des molécules organiques à partir du CO_2 libéré (sous forme d'ions bicarbonate) par l'activité métabolique de la cellule animale. En présence de Ca^{2+}, la fixation photosynthétique du gaz carbonique favorise la précipitation de $CaCO_3$, selon les réactions couplées suivantes :

$$Ca^{2+} + 2\ HCO_3^- \rightleftharpoons CaCO_{3(s)}\downarrow + H_2CO_3$$
$$H_2CO_3 \rightleftharpoons H_2O + CO_2$$
$$H_2O + CO_2 \longrightarrow \text{glucide} + O_2$$

terminales des voies productrices d'énergie, d'autres accepteurs d'électrons que l'oxygène ; *Escherichia coli* est un exemple d'organisme anaérobie facultatif. Certains organismes sont incapables d'utiliser l'oxygène, ils sont même empoisonnés par sa présence ; ce sont des **anaérobies stricts**. *Clostridium botulinum*, la bactérie qui produit la toxine botulique est un exemple d'organisme anaérobie strict.

Le flux de l'énergie dans la biosphère et les cycles du carbone et de l'oxygène sont intimement liés

La source primaire de l'énergie nécessaire à la vie est le soleil. Les photoautotrophes utilisent l'énergie lumineuse pour effectuer la synthèse des molécules organiques par exemple les glucides, à partir de gaz carbonique et de l'eau. (Figure 18.3). Les cellules hétérotrophes peuvent ensuite utiliser les molécules organiques produites dans les cellules photosynthétiques, à la fois comme source d'énergie et comme éléments de construction, ou de précurseurs pour la synthèse des molécules biologiques qui leur sont propres. Le gaz carbonique est le produit final du métabolisme hétérotrophe des substances organiques et ce CO_2 retourne dans l'atmosphère où il peut de nouveau être utilisé par les photoautotrophes. En somme l'énergie solaire est convertie par les photoautotrophes en énergie chimique sous forme de molécules organiques et les hétérotrophes récupèrent cette énergie en métabolisant les substances organiques. Le flux énergétique de la biosphère est ainsi transféré par le cycle du carbone et la force d'impulsion de ce cycle est l'énergie lumineuse.

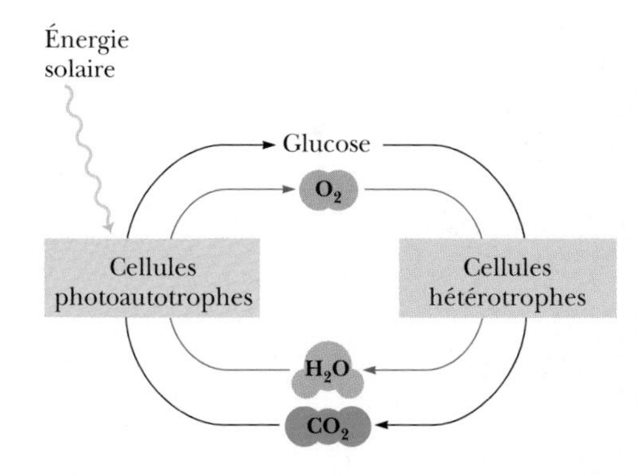

Figure 18.3 • Le flux énergétique dans la biosphère est principalement couplé aux cycles du carbone et de l'oxygène.

18.2 • Le métabolisme comprend le catabolisme (séquences de dégradation) et l'anabolisme (séquences de biosynthèse)

Le métabolisme a deux rôles fondamentalement différents : la génération de l'énergie nécessaire aux fonctions vitales et la synthèse des molécules biologiques. À ces fins, le métabolisme est principalement constitué de deux types de processus, les processus cataboliques (le catabolisme) et anaboliques (l'anabolisme). *D'une façon caractéristique, et simplifiée, les séquences cataboliques fournissent de l'énergie, les séquences anaboliques exigent de l'énergie*. Le **catabolisme** dégrade et oxyde les nutriments complexes (glucides, lipides et protéines) obtenus à partir de l'environnement (par l'alimentation) ou à partir des réserves cellulaires. La dégradation de ces molécules par le catabolisme aboutit à la formation de molécules plus simples, comme l'acide lactique, l'éthanol, le gaz carbonique, l'ammoniaque. Les réactions cataboliques sont généralement exergoniques et l'énergie libérée est souvent captée sous forme d'ATP (Chapitre 3). Comme le catabolisme est aussi fréquemment oxydatif, une partie de l'énergie chimique peut être conservée sous forme d'électrons à haut potentiel énergétique transférés à deux coenzymes, le NAD^+ et le $NADP^+$. Ces deux coenzymes réduits ont des rôles métaboliques très différents : *la réduction du NAD^+ fait essentiellement partie du catabolisme, tandis que l'oxydation du NADPH est un important aspect de l'anabolisme.* L'énergie libérée lors de l'oxydation du NADH dans les cellules aérobies est couplée à la formation d'ATP ; le NAD^+ régénéré peut de nouveau servir d'accepteur d'électrons et permettre la formation de plus d'ATP. Le NADPH est la source du pouvoir réducteur indispensable aux réactions biosynthétiques réductrices.

Les considérations thermodynamiques exigent que l'énergie nécessaire à la synthèse de toute substance soit supérieure à l'énergie libérée lors de sa dégradation. S'il n'en était pas ainsi, les organismes pourraient créer le mouvement perpétuel : quelques molécules de substrat dont le catabolisme produirait plus de molécules d'ATP qu'il n'en faut pour leur resynthèse donneraient à la cellule la possibilité de recycler ces molécules et de disposer d'une source illimitée d'énergie.

L'anabolisme est l'ensemble des biosynthèses

L'anabolisme est l'ensemble des processus qui permettent la synthèse des molécules biologiques complexes (protéines, acides nucléiques, polysaccharides et lipides) à partir de précurseurs relativement simples. Ces biosynthèses impliquent la formation de nouvelles liaisons covalentes et un apport d'énergie chimique est nécessaire pour permettre ces processus endergoniques. L'ATP formé au cours du catabolisme fournit cette énergie. Par ailleurs, le NADPH est un excellent donneur d'électrons à haut potentiel énergétique pour les réactions de réduction de l'anabolisme. Malgré leurs rôles divergents anabolisme et catabolisme sont en interrelation, les produits de l'un sont les substrats de l'autre (Figure 18.4).

Anabolisme et catabolisme ne s'excluent pas mutuellement

Anabolisme et catabolisme se déroulent simultanément dans une même cellule. Les exigences de cette concomitance sont gérées de deux façons par les cellules. Premièrement, la cellule régule strictement et séparément le catabolisme et l'anabolisme, de sorte que les besoins sont satisfaits de façon immédiate et ordonnée. Deuxièmement, les séquences métaboliques qui pourraient être en compétition sont souvent localisées dans différents compartiments cellulaires. L'isolement d'activités

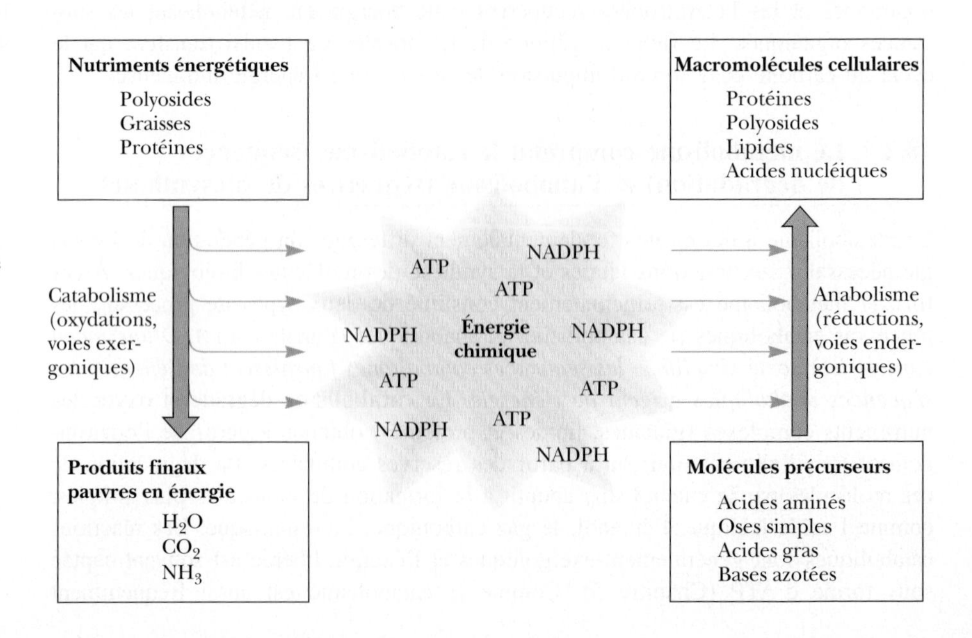

Figure 18.4 • Relations énergétiques entre les voies du catabolisme et de l'anabolisme. Les réactions d'oxydation, exergoniques, du catabolisme produisent de l'énergie libre et du pouvoir réducteur qui sont respectivement captés sous forme d'ATP et de NADPH. Les processus anaboliques sont endergoniques, ils consomment l'énergie fournie par l'ATP et utilisent pour les réductions le NADPH, source d'électrons à haut potentiel énergétique.

opposées dans des compartiments distincts, comme les organites, évite les interférences. Par exemple, les enzymes du catabolisme des acides gras, *la voie de l'oxydation des acides gras*, sont dans les mitochondries. Par contre, *la synthèse des acides gras* a lieu dans le cytosol. Nous verrons dans des chapitres ultérieurs que les interactions moléculaires responsables de la régulation du métabolisme sont importantes pour la compréhension et l'appréciation de la biochimie métabolique.

Modes d'organisation des enzymes dans les voies métaboliques

Les voies individuelles de l'anabolisme et du catabolisme sont constituées de réactions enzymatiques séquentielles (Figure 18.5). Plusieurs types d'organisation coexistent. Les enzymes de quelques séquences multienzymatiques peuvent être physiquement séparés, ce sont des entités solubles dont les produits intermédiaires diffusent (Figure 18.5a). Parfois, les enzymes d'une voie métabolique sont réunis et forment un *complexe multienzymatique* distinct où le substrat est séquentiellement modifié en passant d'un enzyme à l'autre, toujours lié par une liaison covalente (Figure 18.5b). Cette organisation présente un avantage : les intermédiaires ne peuvent pas se perdre par dilution ou diffusion. Dans un troisième type d'organisation, les enzymes d'une même voie métabolique sont réunis dans un *système lié à la membrane* (Figure 18.5c). Dans ce dernier cas, les enzymes impliqués (et parfois leurs substrats) peuvent avoir la possibilité de diffuser dans l'espace bidimensionnel de la membrane.

Avec les progrès de la recherche sur l'organisation ultrastructurale des cellules, de plus en plus de systèmes, que l'on croyait composés d'enzymes solubles distincts, se révèlent être des complexes fonctionnels unissant physiquement ces enzymes. Ainsi, dans de très nombreuses séquences métaboliques, des enzymes sont associés en un système multienzymatique stable que l'on appelle parfois un **métabolon**, un mot qui signifie « unité métabolique ».

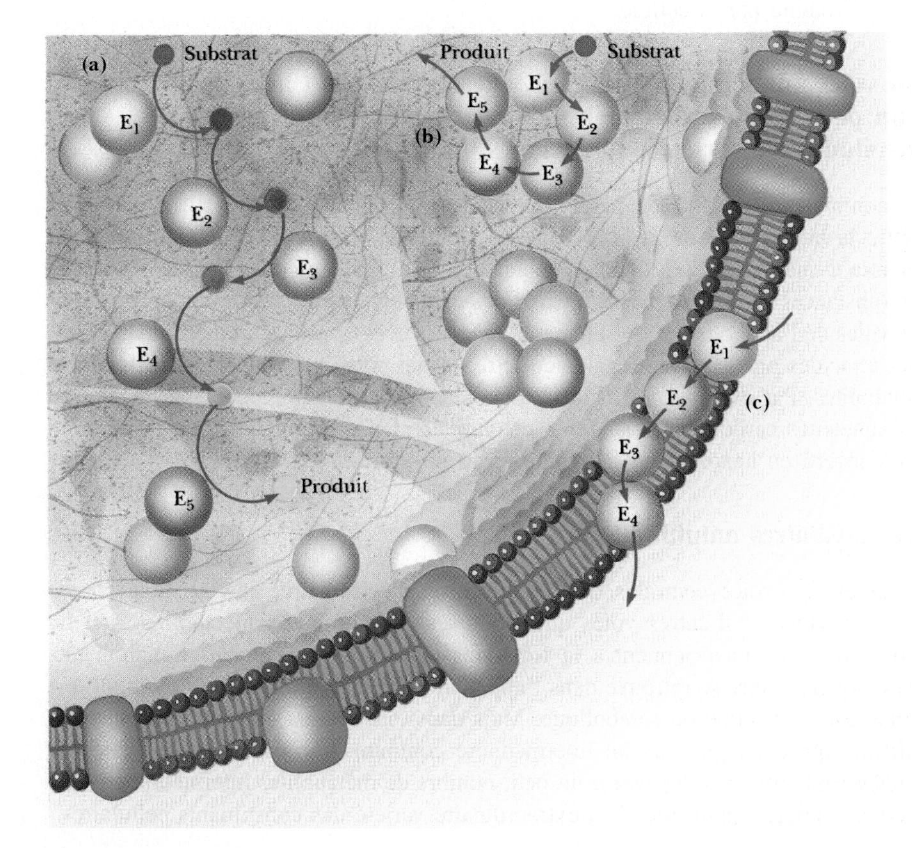

Figure 18.5 • Représentation schématique de quelques systèmes multienzymatiques participant à une voie métabolique. (a) Enzymes solubles, physiquement séparés, les produits intermédiaires diffusent librement. (b) Un complexe multienzymatique. Le substrat se fixe sur le complexe, puis il se lie par une liaison covalente ; il est ensuite séquentiellement modifié par les enzymes E_1 à E_5, avant que le produit final soit libéré. Aucun des produits intermédiaires ne peut diffuser. (c) Système multienzymatique lié à la membrane.

Les voies du catabolisme convergent vers un petit nombre de produits

Si nous examinons le catabolisme des principaux nutriments énergétiques (polyosides, lipides, protéines), dans une cellule hétérotrophe typique, nous voyons que la dégradation de ces substances implique une succession de réactions enzymatiques. En présence d'oxygène (*catabolisme aérobie*), ces molécules sont finalement dégradées en CO_2, eau et NH_3. Le catabolisme aérobie est constitué de trois grandes étapes distinctes. Au cours de la **première étape**, les nutriments macromoléculaires sont dégradés pour donner leurs éléments de construction respectifs. Compte tenu de la diversité des macromolécules, ces éléments de construction ne représentent qu'un nombre assez limité de produits. Les protéines libèrent jusque 20 acides aminés, les polyosides donnent des oses simples qui seront convertis en glucose et les lipides sont dégradés en glycérol et acides gras (Figure 18.6).

Dans **l'étape 2**, les éléments de construction générés au cours de l'étape 1 sont à leur tour dégradés pour donner un nombre encore plus restreint d'intermédiaires métaboliques plus simples. La désamination des acides aminés donne le squelette carboné d'un α-cétoacide. Plusieurs de ces acides α-cétoniques sont des intermédiaires du cycle de l'acide citrique et passent ainsi directement à l'étape 3 du catabolisme. Les autres sont convertis, soit en *pyruvate*, un acide α-cétonique à trois atomes de carbone, soit en groupe acétyle de *l'acétyl-coenzyme A* (acétyl-CoA). Le glucose et le glycérol provenant des lipides donnent également du pyruvate alors que les acides gras sont dégradés en unités à deux atomes de carbone qui apparaissent sous forme *d'acétyl-CoA*. Puisque l'oxydation du pyruvate génère aussi de l'acétyl-CoA, nous voyons que la dégradation des nutriments macromoléculaires converge vers un produit commun, l'acétyl-CoA (Figure 18.6).

L'oxydation totale du groupe acétyle de l'acétyl-CoA par le *cycle de l'acide citrique* et les *oxydations phosphorylantes,* qui produisent du CO_2 et de l'eau, font partie de **l'étape 3** du catabolisme. Ces produits sont les ultimes produits de déchet du catabolisme aérobie. Nous verrons, Chapitre 20, que l'oxydation de l'acétyl-CoA au cours de l'étape 3 du catabolisme génère la plus grande partie de l'énergie utilisable produite par la cellule.

Les voies anaboliques divergent, elles synthétisent à partir d'un petit nombre d'éléments de construction une étonnante variété de molécules biologiques

Un nombre plutôt limité de petites molécules précurseurs simples suffit pour permettre la biosynthèse de presque tous les éléments constitutifs d'une cellule, qu'il s'agisse d'une protéine, d'un acide nucléique, d'un lipide, ou d'un polyoside. Toutes ces substances sont synthétisées à partir des éléments de construction appropriés par des voies de l'anabolisme. Ces éléments de construction (acides aminés, nucléotides, oses et acides gras) peuvent également être formés dans la cellule à partir de divers métabolites. Par exemple, les acides aminés peuvent être synthétisés par amination des squelettes carbonés des acides α-cétoniques correspondants et le pyruvate peut être converti en hexose pour la synthèse des polyosides.

Intermédiaires amphiboliques

Certaines des voies centrales du métabolisme intermédiaire, comme le cycle de l'acide citrique et d'autres voies qui produisent de nombreux métabolites, ont un double rôle : ils interviennent à la fois dans le catabolisme et dans l'anabolisme. Cette double nature se retrouve dans l'appellation de voie **amphibolique**, plutôt que seulement anabolique ou catabolique. Mais dans tous les cas, au contraire du catabolisme (qui converge vers un intermédiaire commun, l'acétyl-CoA), les voies de l'anabolisme divergent à partir d'un petit nombre de métabolites intermédiaires relativement simples, pour générer l'extraordinaire variété des constituants cellulaires.

amphi • du grec *amphi*, les deux côtés

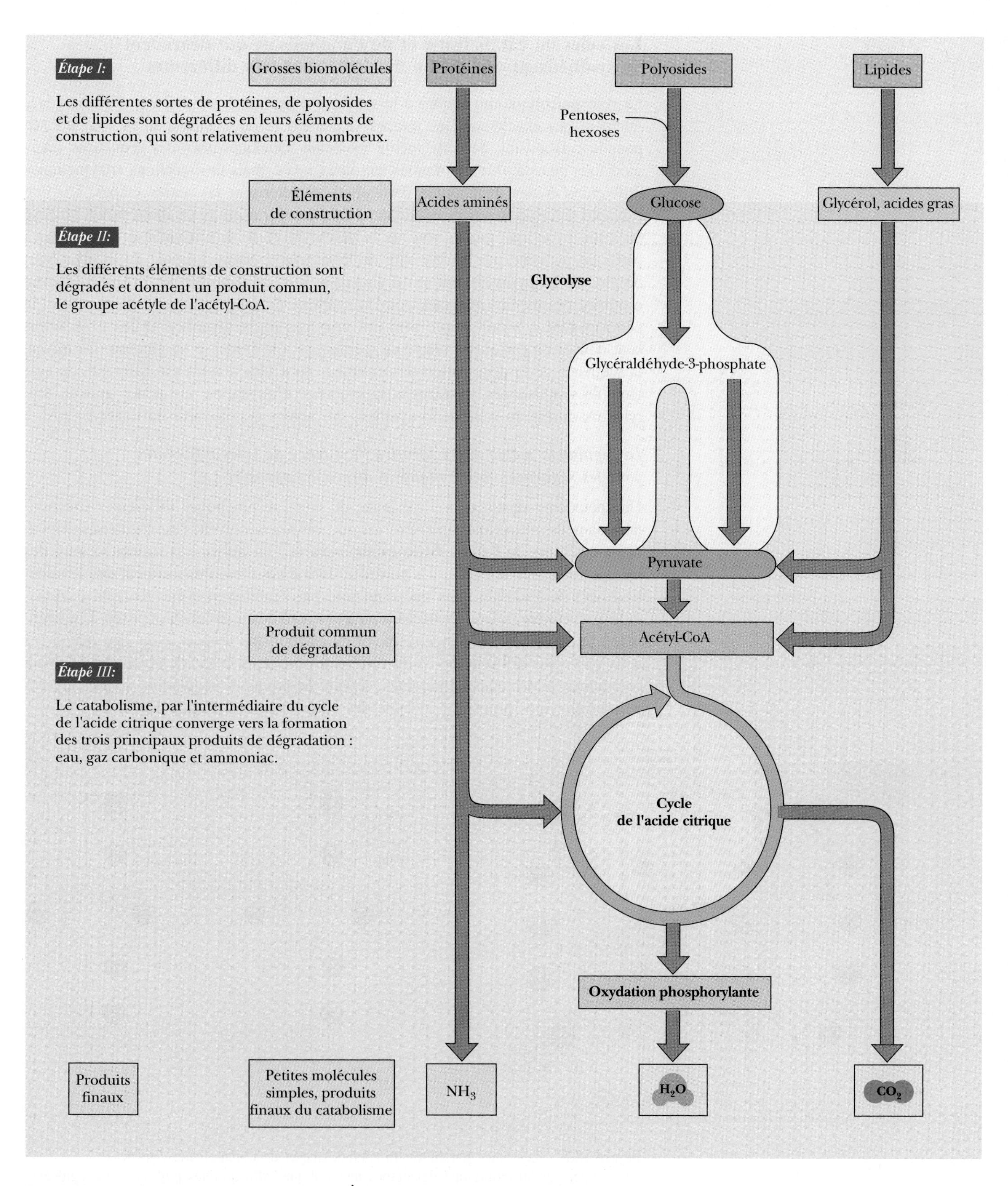

Figure 18.6 • Les trois étapes du catabolisme. **Étape I :** les protéines, les polyosides et les lipides sont dégradés en leurs éléments de construction, relativement peu nombreux. **Étape II :** les différents éléments de construction des macromolécules sont dégradés en donnant un produit commun, le groupe acétyle de l'acétyl-CoA. **Étape III :** le catabolisme converge vers trois produits terminaux principaux, l'eau, le gaz carbonique et NH_3.

Les voies du catabolisme et de l'anabolisme qui dégradent ou synthétisent une même molécule sont très différentes

La voie anabolique qui aboutit à la synthèse d'une molécule donnée, n'utilise généralement pas exactement les mêmes séquences réactionnelles que la voie utilisée pour le catabolisme de cette même molécule. Quelques-unes des séquences intermédiaires peuvent être communes aux deux voies, mais des réactions enzymatiques différentes et des métabolites particuliers caractérisent les autres étapes. Un bon exemple de ces différences est donné par la comparaison du catabolisme du glucose en acide pyruvique par la voie de la glycolyse et de la biosynthèse du glucose à partir du pyruvate par la voie dite de la *néoglucogénèse*. La voie de la glycolyse, du glucose au pyruvate, utilise 10 enzymes. Bien qu'il puisse paraître plus efficace d'utiliser ces mêmes enzymes pour la synthèse du glucose à partir du pyruvate, la néoglucogénèse n'utilise que sept des enzymes de la glycolyse et les trois autres sont remplacés par quatre enzymes spécifiques à la synthèse du glucose. De même, la séquence de la dégradation des protéines en acides aminés est différente du système de synthèse des protéines et la séquence d'oxydation des acides gras en acétyl-CoA diffère de celle de la synthèse des acides gras à partir de l'acétyl-CoA.

La régulation métabolique favorise l'existence de voies différentes pour les séquences métaboliques à directions opposées

Une deuxième raison pour l'existence de voies métaboliques différentes fonctionnant dans des directions opposées est que ces voies doivent être régulées indépendamment l'une de l'autre. Si le catabolisme et l'anabolisme passaient le long des mêmes voies métaboliques, des considérations d'équilibre imposeraient que le ralentissement de l'activité dans une direction, par l'inhibition d'une réaction enzymatique particulière, ralentisse nécessairement l'activité en direction opposée. Une régulation indépendante de l'anabolisme et du catabolisme ne peut avoir lieu que si ces deux processus utilisent des voies différentes *ou*, dans le cas de voies partiellement communes, si des étapes limitantes, servant de points de régulation, sont catalysées par des enzymes propres à chacune des voies opposées (Figure 18.7).

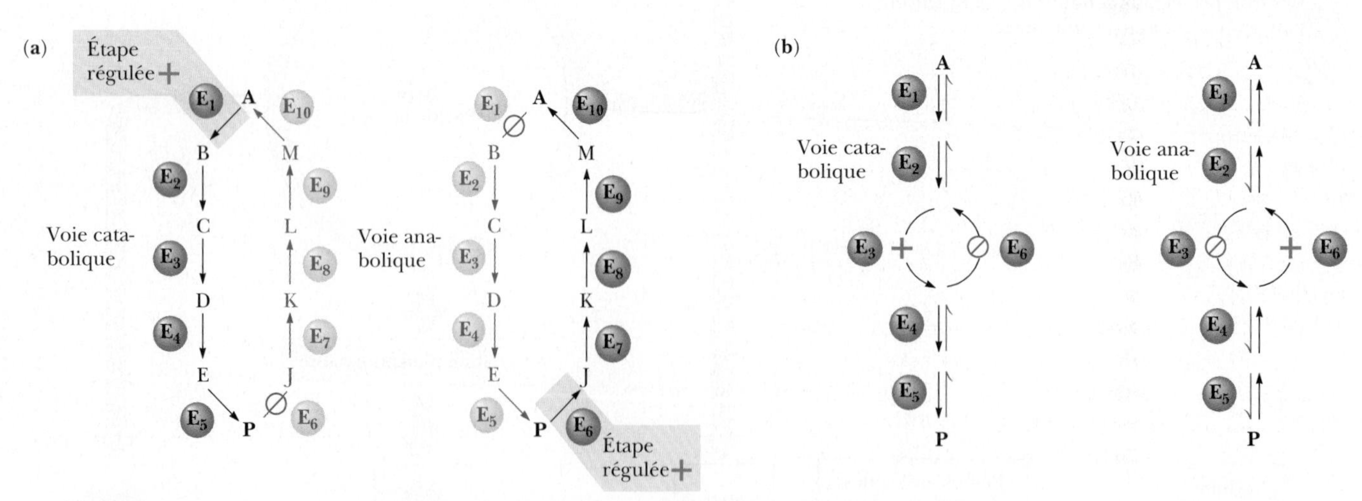

Figure 18.7 • Les voies parallèles du catabolisme et de l'anabolisme doivent se différencier par au moins une des étapes métaboliques afin qu'elles puissent être régulées indépendamment. La Figure présente deux arrangements possibles d'une séquence anabolique opposée à une séquence catabolique, entre les molécules A et P. Dans (a), les séquences parallèles empruntent des voies indépendantes. En (b), une seule des réactions utilise deux enzymes différents, un enzyme catabolique (E_3) dans une direction et un enzyme anabolique (E_6) dans l'autre. Ces enzymes peuvent être soumis à régulation.

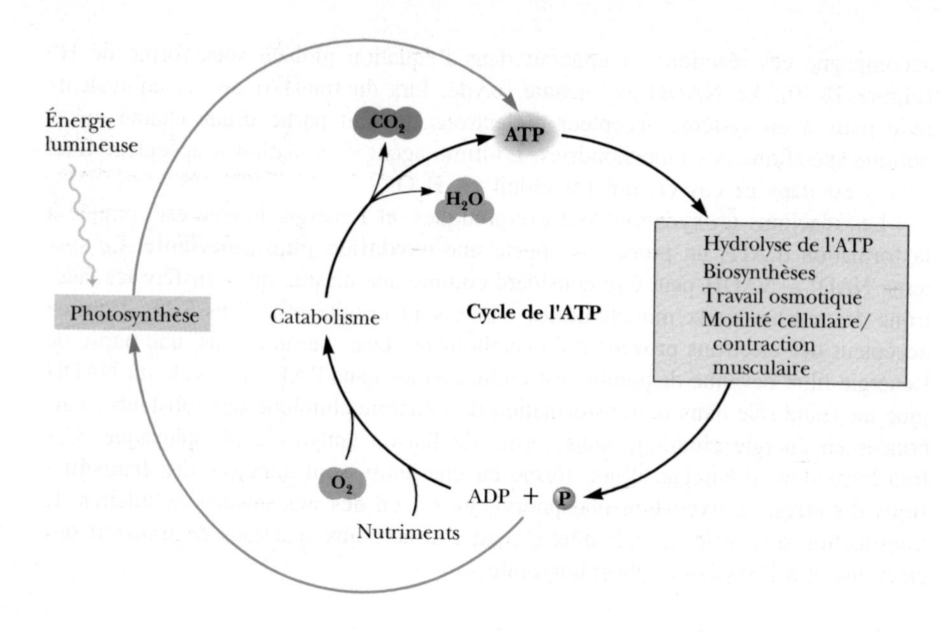

Figure 18.8 • Cycle cellulaire de l'ATP. L'ATP se forme par photosynthèse dans les cellules phototrophes ou pendant le catabolisme dans les cellules hétérotrophes. Les activités cellulaires qui exigent de l'énergie sont rendues possibles par l'hydrolyse de l'ATP qui libère de l'ADP et du P_i.

Le cycle de l'ATP

Nous avons vu Chapitre 3 que l'ATP est la « monnaie » énergétique des cellules. Chez les phototrophes, l'ATP est l'un des deux produits primaires à haut potentiel énergétique résultant de la transformation de l'énergie lumineuse en énergie chimique. (L'autre est le NADPH ; voir paragraphe suivant). Chez les hétérotrophes, l'activité catabolique a pour conséquence principale une libération d'énergie qui peut être captée pour la synthèse de l'ATP, sous forme de liaison anhydride phosphorique à haut potentiel énergétique. De son côté, l'ATP fournit l'énergie nécessaire aux multiples activités de toutes les cellules vivantes, qu'il s'agisse de la synthèse de molécules complexes, du travail osmotique impliqué dans le transport des substances dans les cellules, du travail correspondant à la motilité ou à la contraction musculaire. Ces diverses activités sont toutes dépendantes de l'énergie libérée par l'hydrolyse de l'ATP en ADP et P_i. Il y a donc dans les cellules, un cycle de l'énergie où l'ATP sert de navette transportant l'énergie de la photosynthèse ou du catabolisme vers des processus endergoniques spécifiques aux organismes vivants (Figure 18.8).

Le NAD$^+$ accepte les électrons libérés lors du catabolisme

Les substrats du catabolisme – protéines, polyosides et lipides – sont de bonnes sources d'énergie chimique car les atomes de carbone de ces molécules sont dans un état relativement réduit (Figure 18.9). Lors des réactions d'oxydation du catabolisme des équivalents réducteurs sont souvent produits sous forme **d'ions hydrures** (un proton couplé à deux électrons, H^-). Le transfert de ces ions, des substrats à des molécules de NAD$^+$ lors de réactions catalysées par des **déshydrogénases**, provoque la réduction de l'accepteur en NADH. Un second proton

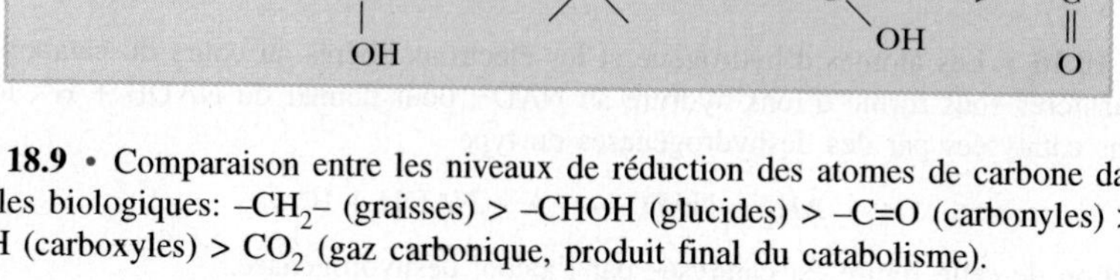

$$-CH_2- \;>\; -\underset{OH}{\overset{H}{C}}- \;>\; \overset{O}{\overset{\|}{C}} \;>\; -C\!\begin{smallmatrix}/\!\!/O \\ \backslash OH\end{smallmatrix} \;>\; O{=}C{=}O$$

Figure 18.9 • Comparaison entre les niveaux de réduction des atomes de carbone dans les molécules biologiques: $-CH_2-$ (graisses) > –CHOH (glucides) > –C=O (carbonyles) > –COOH (carboxyles) > CO_2 (gaz carbonique, produit final du catabolisme).

accompagne ces réactions, il apparaît dans l'équation globale sous forme de H^+ (Figure 18.10). Le NADH est ensuite oxydé, lors du transfert de ses équivalents réducteurs à un système accepteur d'électrons qui fait partie d'une chaîne métabolique spécifique des mitochondries. L'ultime agent d'oxydation (l'accepteur final de e^-) est dans ce cas O_2 qui est réduit en H_2O.

Les réactions d'oxydation sont exergoniques, et l'énergie libérée est couplée à la formation d'ATP, un processus appelé une **oxydation phosphorylante**. Le système NAD^+ – NADH peut être considéré comme une navette qui transfère les électrons des substrats aux mitochondries où ils sont ensuite transférés à O_2, l'ultime accepteur des électrons provenant du catabolisme. Dans ce processus, une partie de l'énergie libre devenue disponible est emmagasinée dans l'ATP. Le cycle du NADH joue un grand rôle dans la transformation de l'énergie chimique des substances carbonées en énergie chimique sous forme de liaison anhydride phosphorique. Ces transformations d'énergie, d'une forme en une autre, sont appelées des **transductions d'énergie**. L'oxydation phosphorylante est un des mécanismes cellulaires de transduction d'énergie. Le Chapitre 21 est consacré aux réactions de transfert des électrons et à l'oxydation phosphorylante.

Le NADPH fournit le pouvoir réducteur nécessaire aux processus anaboliques

Si le catabolisme est fondamentalement un processus oxydatif, l'anabolisme est, par contraste, un processus essentiellement réducteur. La biosynthèse des constituants cellulaires complexes commence au niveau des métabolites intermédiaires provenant des différentes voies cataboliques. À un niveau plus élémentaire, moins commun, la biosynthèse commence avec des substances oxydées telles que CO_2, disponibles dans l'environnement inanimé. Lors de l'assemblage des chaînes hydrocarbonées des acides gras à partir de l'acétyl-CoA, il faut des atomes d'hydrogène activés pour réduire le carbonyle (C=O) de l'acétyl-CoA en $-CH_2-$, à toutes les deuxièmes positions le long de la chaîne (à l'exception de la dernière). Pour synthétiser du glucose par photosynthèse, à partir de CO_2, il faut du pouvoir réducteur. Ce dernier est

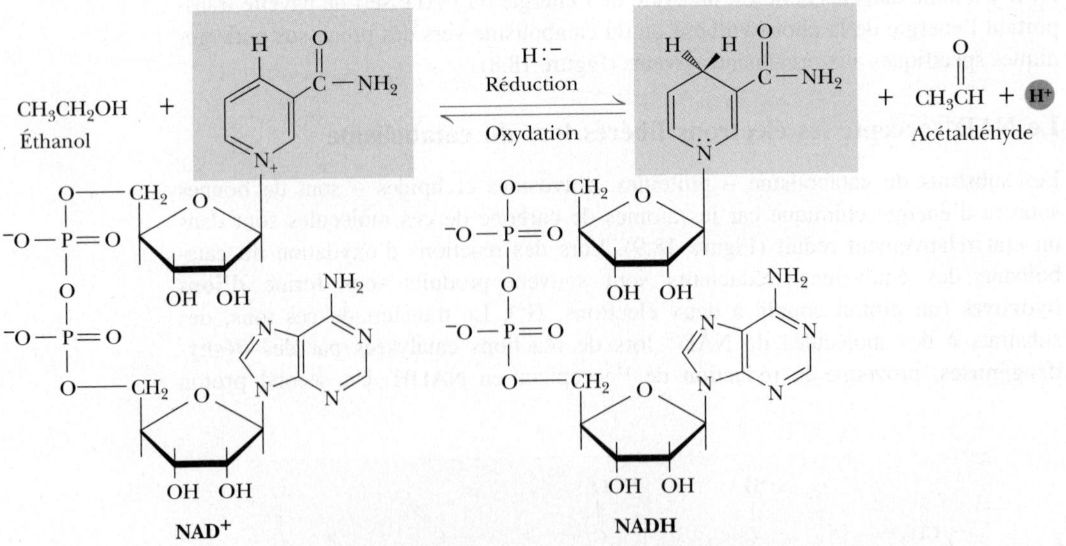

CH_3CH_2OH (Éthanol) + NAD^+ ⇌ (Réduction $H:^-$ / Oxydation) NADH + CH_3CHO (Acétaldéhyde) + H^+

Figure 18.10 • Les atomes d'hydrogène et les électrons libérés au cours du catabolisme sont transférés sous forme d'ions hydrure au NAD^+, pour donner du NADH + H^+, lors de réactions catalysées par des déshydrogénases du type

$$AH_2 + NAD^+ \longrightarrow A + NADH + H^+$$

La réaction de cette figure est catalysée par l'alcool déshydrogénase.

fourni par NADPH, la source la plus commune d'hydrogène à haut potentiel énergétique lors des biosynthèses avec réduction. Cet NADPH provient de la réduction de $NADP^+$ par des électrons présents sous forme d'ions hydrure. Dans les organismes hétérotrophes, ces électrons proviennent des substrats oxydés en présence de déshydrogénases spécifiques dont le cofacteur est le $NADP^+$. On peut donc considérer dans ce cas que le NADPH est le transporteur des électrons entre les réactions cataboliques et les réactions anaboliques (Figure 18.11). Dans les organismes photosynthétiques, l'énergie lumineuse est utilisée pour extraire ces électrons de l'eau et les transférer à $NADP^+$, O_2 n'étant qu'un produit accessoire du processus.

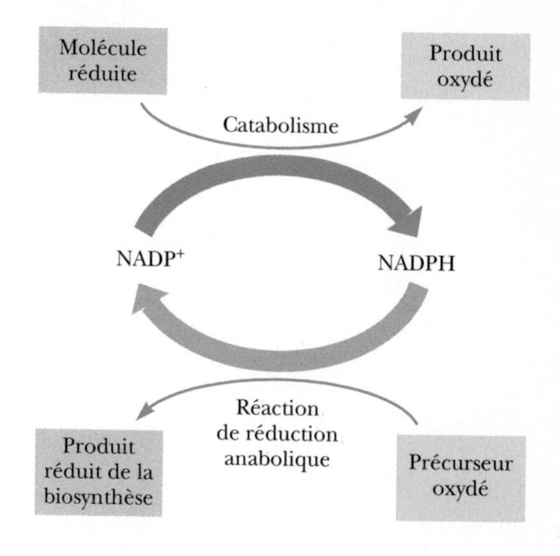

Figure 18.11 • Transfert des équivalents réducteurs du catabolisme à l'anabolisme par le cycle du NADPH.

18.3 • Méthodes expérimentales de mise en évidence des séquences métaboliques

Sachant à présent que le métabolisme est organisé en séquences distinctes de réactions successives, nous pouvons mieux comprendre les techniques utilisées par les précurseurs de la Biochimie pour les identifier. Une étape fondamentale fut franchie à la fin du 19e siècle par Eduard Buchner qui démontra qu'un extrait de cellules de levure broyées, filtré pour être dépourvu de tout organisme vivant, pouvait fermenter le glucose pour donner de l'éthanol et du gaz carbonique. Jusqu'à cette découverte, le métabolisme semblait être une propriété vitale, liée à l'intégrité des organismes vivants. Même Louis Pasteur qui a tant contribué à notre compréhension de la fermentation et créé la microbiologie était un *vitaliste*, un de ceux qui croyaient que les réactions au sein des organismes vivants transcendaient les lois de la Physique et de la Chimie. Après la découverte de Buchner, les biochimistes ont recherché les intermédiaires de la transformation du glucose (« la » fermentation) ; ils ont rapidement découvert que le phosphate minéral était indispensable à sa dégradation. Cette première observation a progressivement débouché sur la découverte d'une série de substances organiques phosphorylées qui apparaissaient comme intermédiaires au cours de la fermentation.

Les *inhibiteurs métaboliques* ont été de très intéressants outils permettant l'identification des étapes individuelles de la fermentation. L'addition d'un inhibiteur d'enzyme à un extrait acellulaire provoquait l'accumulation des métabolites intermédiaires précédant le point d'inhibition (Figure 18.12). Chaque inhibiteur était spécifique d'un enzyme particulier de la séquence métabolique. Avec l'extension du nombre des inhibiteurs, les étapes individuelles du métabolisme furent rapidement connues.

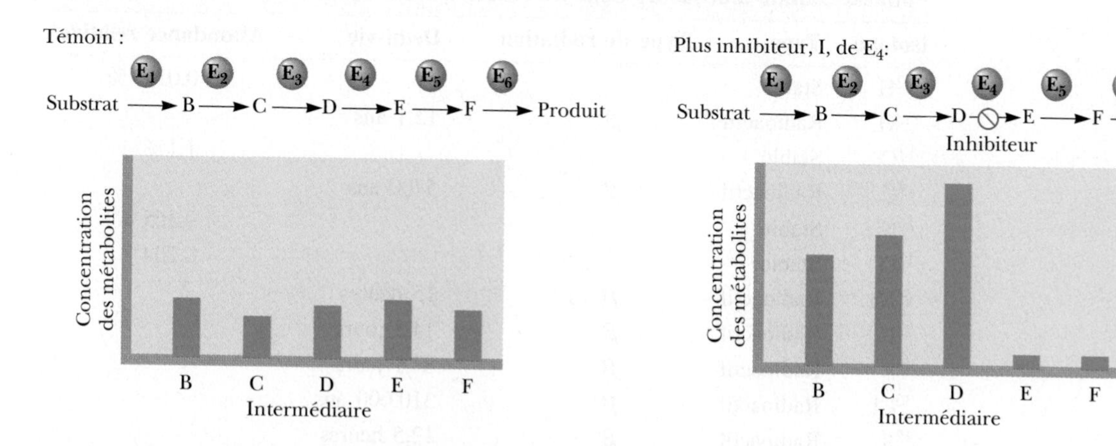

Figure 18.12 • Utilisation d'inhibiteurs pour révéler la séquence des réactions d'une voie métabolique. (a) **Témoin :** dans les conditions normales, les concentrations des intermédiaires à l'état d'équilibre stationnaire dépendent des activités relatives des enzymes de la séquence. (b) **Avec un inhibiteur :** en présence d'un inhibiteur (dans notre cas un inhibiteur de *l'enzyme 4*), les intermédiaires en amont du point de blocage métabolique (B, C et D) s'accumulent révélant de ce fait qu'ils sont des intermédiaires dans la séquence. La concentration des intermédiaires en aval du point de blocage (E et F) s'effondre.

Les mutations créent des blocages métaboliques spécifiques

La génétique offre une approche de l'identification des étapes intermédiaires du métabolisme en quelque sorte analogue à l'utilisation des inhibiteurs. La mutation d'un gène qui code pour un enzyme a souvent pour conséquence la synthèse d'une protéine dépourvue d'activité. Le défaut se traduit par le blocage de la séquence métabolique au point d'action de l'enzyme et le substrat de cet enzyme s'accumule. Ce défaut génétique est létal si le produit final de la séquence métabolique interrompue est essentiel pour la survie ou si les produits intermédiaires accumulés ont des effets toxiques. Cependant, dans le cas des microorganismes, il est souvent possible de modifier le milieu de culture de sorte que la cellule portant la mutation y trouve le produit indispensable pour sa prolifération. Il est ainsi possible d'étudier les conséquences biochimiques de la mutation. Les recherches sur les conséquences biochimiques des mutations de gènes chez un champignon filamenteux, *Neurospora crassa*, ont conduit G.W. Beadle et E.L. Tatum à proposer en 1941 l'hypothèse selon laquelle les gènes sont les unités héréditaires qui codent pour les enzymes (hypothèse résumée par l'expression un gène = un enzyme).

Les marqueurs isotopiques comme sondes métaboliques

Une autre approche largement répandue, permettant d'élucider les séquences métaboliques, consiste à fournir aux cellules un substrat ou un intermédiaire métabolique (un traceur) marqué par une forme appropriée d'un isotope permettant de « pister » son devenir. Deux sortes d'isotopes sont utilisables à cet effet : les isotopes radioactifs, comme ^{14}C, et les isotopes stables, lourds, comme ^{18}O ou ^{15}N (Tableau 18.3). Puisque le comportement chimique des substances marquées par des isotopes peut rarement être distingué de celui de leurs équivalents non marqués, les isotopes représentent des « étiquettes » fiables pour l'observation des transformations métaboliques. Le devenir métabolique d'une molécule marquée par un isotope radioactif peut être suivi en déterminant la présence et la position de l'atome radioactif dans les intermédiaires dérivés de la substance marquée (Figure 18.13).

Tableau 18.3

Propriétés des isotopes radioactifs et stables, « lourds », utilisés comme marqueurs dans les études métaboliques.

Isotope	Type	Type de radiation	Demi-vie	Abondance relative*
^{2}H	Stable			0,0154 %
^{3}H	Radioactif	β^-	12,1 ans	
^{13}C	Stable			1,1 %
^{14}C	Radioactif	β^-	5700 ans	
^{15}N	Stable			0,365 %
^{18}O	Stable			0,204 %
^{24}Na	Radioactif	β^-, γ	15 heures	
^{32}P	Radioactif	β^-	14,3 jours	
^{35}S	Radioactif	β^-	87,1 jours	
^{36}Cl	Radioactif	β^-	310.000 ans	
^{42}K	Radioactif	β^-	12,5 heures	
^{45}Ca	Radioactif	β^-	152 jours	
^{59}Fe	Radioactif	β^-, γ	45 jours	
^{131}I	Radioactif	β^-, γ	8 jours	

* L'abondance relative naturelle d'un isotope stable doit être connue car dans les études à l'aide d'un isotope stable, la quantité de cet isotope est exprimée en termes de pourcentage des atomes en excès par rapport à l'abondance naturelle de l'isotope.

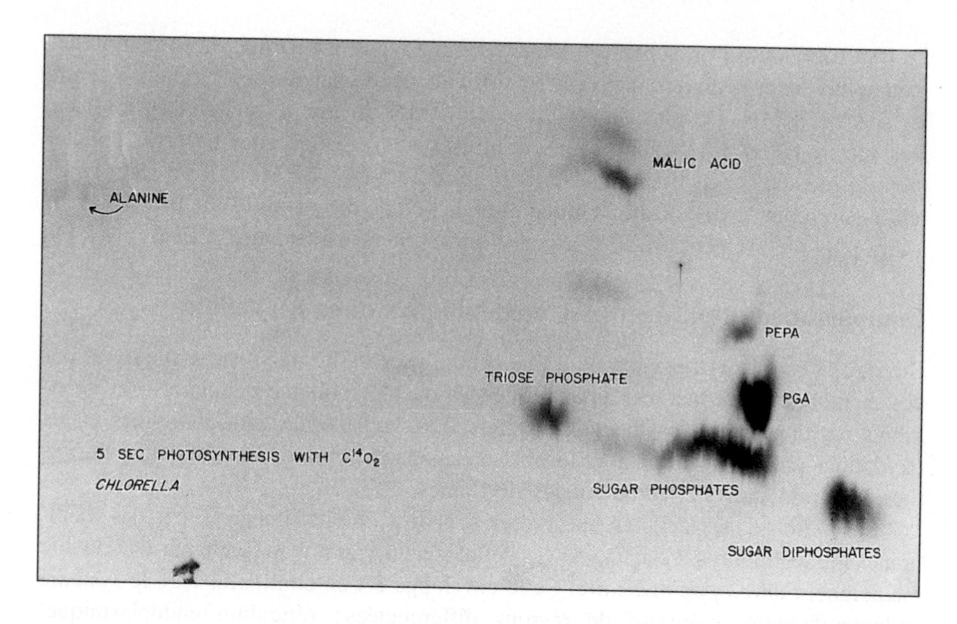

Figure 18.13 • Une des premières expériences utilisant un isotope radioactif pour marquer les métabolites. Des chlorelles, du genre *Chlorella* (algues vertes), synthétisant des polyosides, furent brièvement exposées (5 s) à du gaz carbonique marqué au ^{14}C. Les produits formés, ayant incorporé $^{14}CO_2$ furent rapidement extraits des cellules et séparés par chromatographie bidimensionnelle sur papier. Après autoradiographie, différentes taches sont visibles sur l'autoradiogramme. De telles expériences ont permis d'identifier le 3-phosphoglycérate radioactif (PGA) comme étant le premier produit formé lors de la fixation de CO_2. Le 3-phosphoglycérate est marqué en position 1 (le groupe carboxyle). Les autres produits radioactifs visibles, provenant de la transformation du 3-phosphoglycérate en d'autres métabolites intermédiaires sont : le phosphoénolpyruvate (PEP), l'acide malique, un triose phosphate, l'alanine et des oses monophosphates et diphosphates. *(Photographie reproduite avec l'aimable autorisation du Professeur Melvin Calvin, Lawrence Berkeley Laboratory, Université de Californie, Berkeley.)*

Les isotopes lourds

Les isotopes lourds confèrent aux molécules qui les contiennent une masse légèrement plus élevée que celle des mêmes molécules non marquées. Ces produits peuvent être séparés des autres et quantitativement dosés par spectrographie de masse (ou, s'il s'agit de macromolécules, par centrifugation sur un gradient de densité). Par exemple, ^{18}O a été utilisé dans des expériences séparées pour suivre le sort des atomes d'oxygène de l'eau et du gaz carbonique et déterminer si l'oxygène gazeux produit par la photosynthèse provient de H_2O ou de CO_2, ou des deux :

$$CO_2 + H_2O \longrightarrow (CH_2O) + O_2$$

Si des plantes vertes illuminées (donc avec une photosynthèse active) sont mises en présence de CO_2 marqué par ^{18}O, l'oxygène dégagé ne contient pas de ^{18}O. Mais, curieusement, cet atome marqué se retrouve dans $H_2{}^{18}O$. Si par contre, les plantes fixant du CO_2 sont équilibrées avec $H_2{}^{18}O$, l'oxygène qui se dégage contient ^{18}O. Ces expériences de marquage ont démontré que la meilleure description de la photosynthèse correspondait à l'équation :

$$C^{16}O_2 + 2\ H_2{}^{18}O \longrightarrow (CH_2{}^{16}O) + {}^{18}O_2 + H_2{}^{16}O$$

ce qui revient à dire que lors de la photosynthèse les deux atomes retrouvés dans O_2 proviennent de deux molécules d'eau. Un des deux atomes d'oxygène de CO_2 se retrouve dans une molécule H_2O, l'autre atome d'oxygène reste dans le glucide formé $(CHOH)_n$. Deux des quatre atomes d'hydrogène se retrouvent dans (CHOH) et les deux autres réduisent l'atome O provenant de CO_2 pour donner H_2O.

Utilisation de la RMN dans l'étude du métabolisme

La **spectroscopie de résonance magnétique nucléaire (RMN)** est une technique des plus performantes qui donne des résultats analogues à ceux des marqueurs isotopiques. Le noyau de certains isotopes, comme celui de l'isotope naturel du phosphore, ^{31}P, ont des moments magnétiques dont la fréquence de résonance est sous l'influence de l'environnement chimique proche ; le signal RMN du noyau de ces isotopes est influencé de façon identifiable par la nature chimique des atomes voisins présents dans la molécule. À bien des égards, ces noyaux sont des marqueurs idéaux car leurs signaux contiennent un grand nombre d'informations sur la structure de l'environnement de l'atome et donc la nature de la molécule qui le contient.

La transformation d'un substrat marqué par un noyau magnétique, la formation des métabolites intermédiaires, peuvent être suivies par l'examen des différences entre les spectres RMN. De plus, la spectroscopie RMN est une technique non invasive. Des spectromètres RMN sont à présent utilisés en médecine pour observer directement le métabolisme de sujets vivants (Figure 18.14). La RMN est un outil révolutionnaire pour le diagnostic clinique et pour l'étude du métabolisme *in situ* (c'est-à-dire plus précisément, là où il a lieu et au moment même où il a lieu).

Compartimentation des voies métaboliques dans les cellules

Bien que l'espace cytoplasmique d'une cellule procaryote ne soit pas subdivisé par des membranes internes, certaines séquences du métabolisme cellulaire sont néanmoins regroupées en des lieux particuliers. La synthèse des phospholipides et les oxydations phosphorylantes sont localisées dans la membrane plasmatique et la synthèse des protéines s'effectue sur les ribosomes.

En contraste, les cellules eucaryotes sont très compartimentées par des membranes intracellulaires. Chacune de ces cellules a un vrai noyau limité par une double membrane, *l'enveloppe nucléaire*. Cette enveloppe est en continuité avec le système endomembranaire composé de régions différenciées : réticulum endoplasmique, appareil de Golgi, diverses membranes limitant des vésicules (lysosomes, vacuoles, et microcorpuscules) ; en fin de compte, la membrane plasmique elle-même fait partie de ce système. Les cellules eucaryotes contiennent également des mitochondries et, pour celles qui sont photosynthétiques, des chloroplastes. La rupture de la membrane cellulaire et le fractionnement du contenu cellulaire en ses divers organites permettent l'analyse de leurs fonctions respectives (Figure 18.15). Chaque compartiment a des fonctions métaboliques spécialisées et les enzymes contribuant à ces fonctions sont confinés dans ces organites. Assez souvent, les enzymes participant à une séquence métabolique sont réunis dans la membrane d'un organite. *Ce type d'organisation intracellulaire assure la ségrégation chimique et spatiale du flux des métabolites intermédiaires*. Par exemple, les 10 enzymes de la glycolyse sont dans

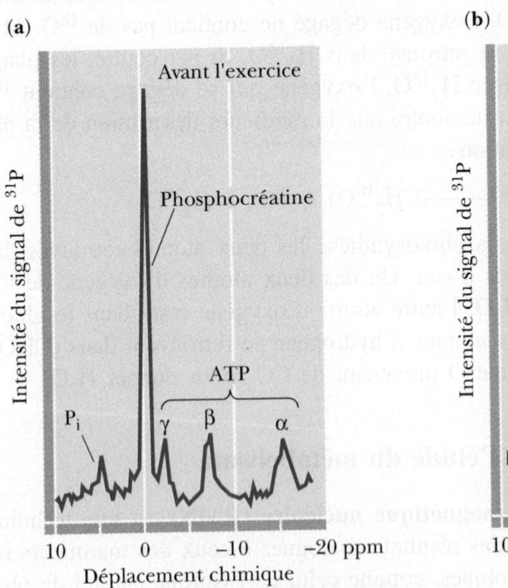

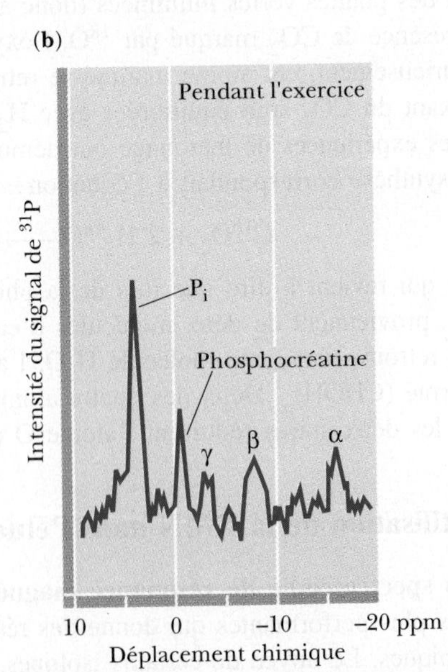

Figure 18.14 • La spectroscopie RNM permet d'observer en temps réel, le métabolisme d'un organisme ou d'un matériel biologique vivant. Ces spectres RMN montrent les changements de concentration de l'ATP, de la créatine phosphate (phosphocréatine) et de P_i dans le muscle de l'avant-bras humain soumis à 19 minutes d'exercices. Notez que les trois atomes de P (α, β et γ) ont des déplacements chimiques différents, une conséquence de leurs environnements chimiques différents.

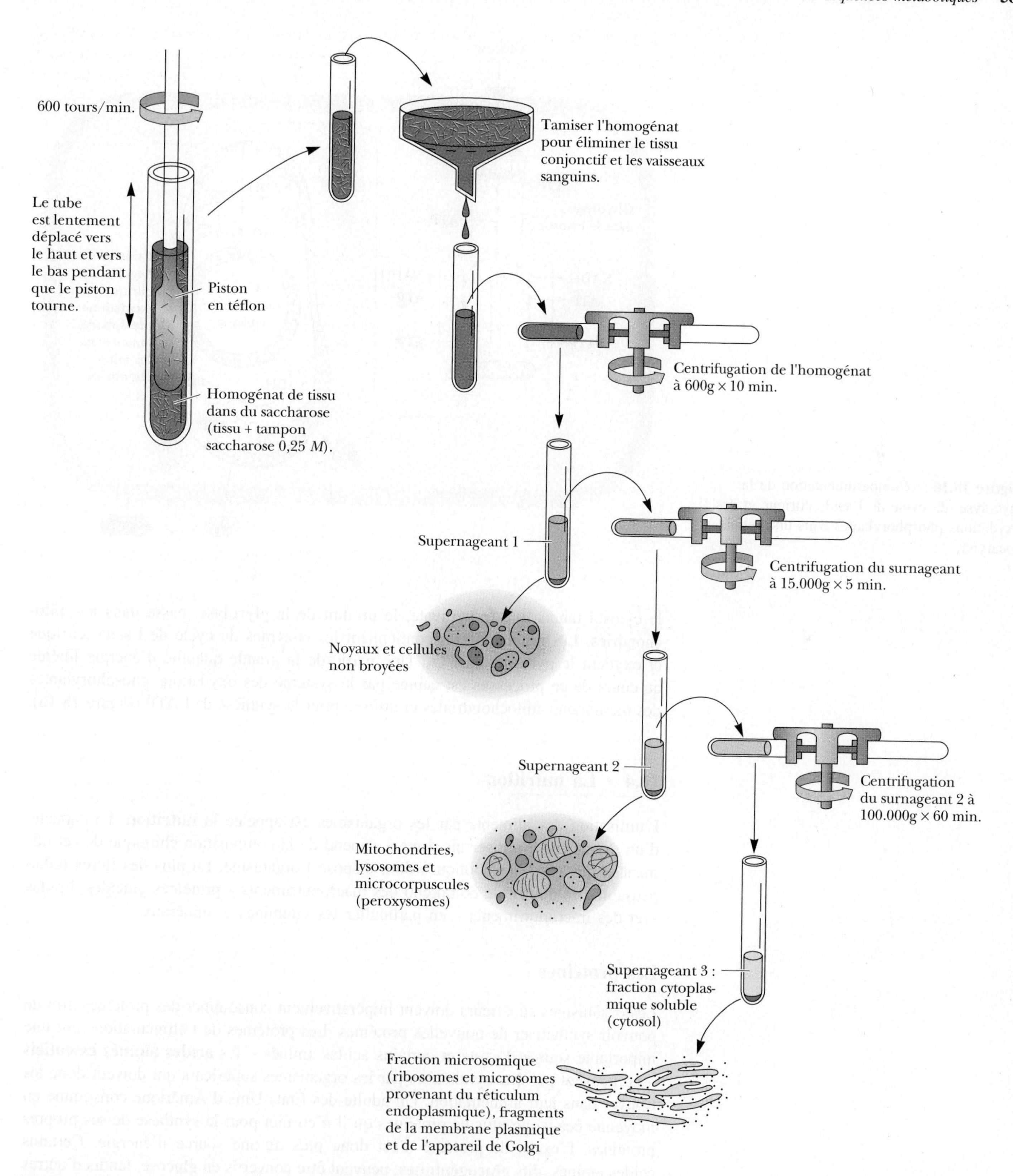
600 tours/min.
Tamiser l'homogénat pour éliminer le tissu conjonctif et les vaisseaux sanguins.
Le tube est lentement déplacé vers le haut et vers le bas pendant que le piston tourne.
Piston en téflon
Homogénat de tissu dans du saccharose (tissu + tampon saccharose 0,25 M).
Centrifugation de l'homogénat à 600g × 10 min.
Supernageant 1
Centrifugation du surnageant à 15.000g × 5 min.
Noyaux et cellules non broyées
Supernageant 2
Centrifugation du surnageant 2 à 100.000g × 60 min.
Mitochondries, lysosomes et microcorpuscules (peroxysomes)
Supernageant 3 : fraction cytoplasmique soluble (cytosol)
Fraction microsomique (ribosomes et microsomes provenant du réticulum endoplasmique), fragments de la membrane plasmique et de l'appareil de Golgi

Figure 18.15 • Fractionnement d'un extrait cellulaire par centrifugation différentielle. Il est possible de séparer les organites et les particules subcellulaires par centrifugation car dans le champ de gravitation d'une centrifugeuse des particules de tailles et de densités différentes ont des vitesses de sédimentation différentes. Les noyaux déposent en premier, sous l'influence d'un champ relativement faible. Pour les mitochondries il faut un champ plus élevé, et un champ beaucoup plus fort encore pour que les ribosomes et les fragments des systèmes membranaires déposent à leur tour.

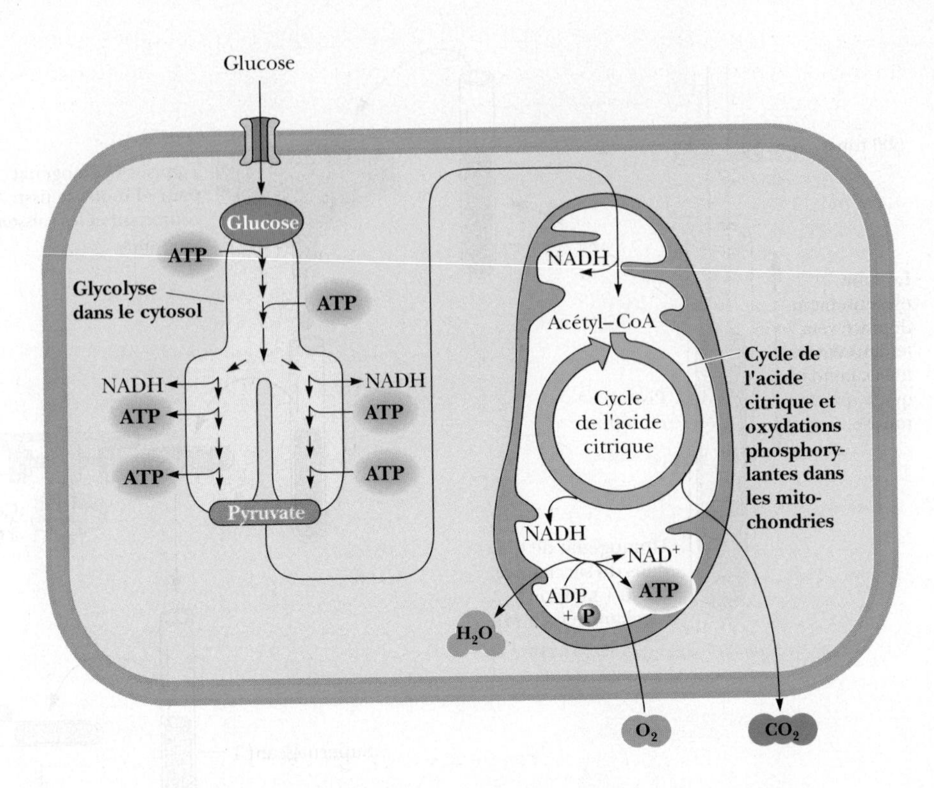

Figure 18.16 • Compartimentation de la glycolyse, du cycle de l'acide citrique et des oxydations phosphorylantes dans une cellule eucaryote.

le cytosol tandis que le pyruvate, le produit de la glycolyse, passe dans les mitochondries. Les mitochondries contiennent les enzymes du cycle de l'acide citrique et oxydent le pyruvate en CO_2. Une partie de la grande quantité d'énergie libérée au cours de ce processus est captée par le système des oxydations phosphorylantes des membranes mitochondriales et utilisée pour la synthèse de l'ATP (Figure 18.16).

18.4 • La nutrition

L'utilisation des aliments par les organismes est appelée **la nutrition**. La capacité d'un organisme à utiliser un aliment dépend de la composition chimique de cet aliment et des voies métaboliques dont dispose l'organisme. En plus des fibres indispensables, la nourriture comprend des macronutriments – protéines glucides, lipides – et des micronutriments – en particulier les vitamines et minéraux.

Les protéines

Les organismes supérieurs doivent impérativement consommer des protéines afin de pouvoir synthétiser de nouvelles protéines. Les protéines de l'alimentation sont une importante source d'azote et certains acides aminés – les **acides aminés essentiels** – ne peuvent pas être synthétisés par les organismes supérieurs qui doivent donc les trouver dans leur alimentation. Un adulte des États-Unis d'Amérique consomme en moyenne beaucoup plus de protéines qu'il n'en faut pour la synthèse de ses propres protéines. L'excès de protéine n'est donc plus qu'une source d'énergie. Certains acides aminés, dits **glucogéniques**, peuvent être convertis en glucose, tandis d'autres acides aminés, dits **cétogéniques**, peuvent seulement être convertis en acides gras et/ou en acides cétoniques. Si les besoins énergétiques de l'organisme sont déjà couverts par des apports de glucides et de graisses, les deux types d'acides aminés sont convertis en triglycérides et mis en réserve dans les adipocytes.

Une certaine fraction des protéines de l'organisme est constamment soumise à un processus de dégradation et de resynthèse (soumise à renouvellement). Ces protéines recyclées et celles d'origine alimentaire participe à **l'équilibre azoté (équilibre nutritionnel** ou encore **balance azotée).** Lorsque l'alimentation ne contient pas suffisamment de protéines riches en acides aminés essentiels, en particulier au cours de la croissance, l'équilibre nutritionnel n'est pas assuré et la croissance est compromise.

Les glucides

La principale finalité des glucides alimentaires est la production d'énergie métabolique. Les oses simples sont métabolisés par la voie de la glycolyse (voir Chapitre 19). Les glucides plus complexes sont d'abord dégradés en oses simples qui rejoignent la voie glycolytique. Les oses sont des composants essentiels des nucléotides, des acides nucléiques, des glycoprotéines et des glycolipides. Le métabolisme humain peut s'adapter à des niveaux très variés de glucides dans l'alimentation mais le cerveau exige un apport continu de glucose pour son fonctionnement normal. Lorsque la consommation des glucides dépasse ce qui est nécessaire pour couvrir les besoins énergétiques de l'organisme, l'excès de glucides est converti en triglycérides et en glycogène, sources d'énergie pour les besoins énergétiques à plus ou moins long terme. Par contre, si la quantité de glucides consommés est trop faible, des corps cétoniques se forment à partir des unités acétate afin de fournir un substrat utilisable par le cerveau.

Les lipides

Les acides gras et les triglycérides peuvent être utilisés comme source d'énergie par de nombreux tissus du corps humain et les phospholipides sont des constituants essentiels de toutes les membranes biologiques. Bien que le corps humain puisse tolérer des niveaux très variés de lipides alimentaires, les niveaux extrêmes, très faible ou très élevé, présentent des inconvénients. L'excès de lipides ingérés est mis en réserve sous forme de triglycérides qui se déposent dans le tissu adipeux, mais il y a aussi un accroissement du risque d'athérosclérose et de troubles cardiaques. De plus, l'ingestion d'un excès de lipides est corrélée avec une augmentation des risques de cancers du colon, du sein et de la prostate. Si la consommation des lipides est trop faible, il y a risque de carence en acides gras essentiels. Comme nous le verrons Chapitre 24, le corps humain ne peut pas synthétiser l'acide linoléique ni l'acide linolènique de sorte qu'il faut qu'ils soient apportés par l'alimentation. De plus l'acide arachidonique ne

Pour en savoir plus

Un régime alimentaire à la mode – pauvre en glucides, riche en protéines et en lipides

La consommation excessive de nourriture est probablement le problème alimentaire le plus sérieux aux États-Unis et de nombreuses personnes ont suivi les régimes vantés par la publicité dans l'espoir de perdre un peu de poids. Un des régimes parmi les plus populaires était riche en protéines et en lipides (pauvre en glucides). Le principe de base de ces régimes est en apparence très intéressant : puisque le cycle de l'acide citrique (voir Chapitre 20) est la principale voie du catabolisme des graisses et comme il faut du glucose pour régénérer les intermédiaires du cycle, si l'apport glucidique alimentaire est réduit, les lipides devraient être essentiellement convertis en corps cétoniques et excrétés. Ce prétendu « régime » semble au premier abord donner des résultats car une alimentation pauvre en glucides a pour première conséquence une diminution de la rétention hydrique et donc une perte de poids. Cela résulte de l'appauvrissement des réserves de glycogène et du fait que pour chaque gramme de glycogène en moins, il faut trois grammes d'eau d'hydratation en moins.

Cependant, les résultats à plus long terme de ce type d'alimentation est décevant pour plusieurs raisons. Premièrement, l'excrétion des corps cétoniques n'excède normalement pas 20 grammes (400 kJ) par jour. Deuxièmement de nombreux acides aminés sont des donateurs de maillons carbonés permettant la régénération des intermédiaires du cycle de l'acide citrique, le régime pauvre en glucides n'a donc aucune pertinence. Troisièmement, le coût très élevé de ces régimes riches en protéines et en lipides ; pauvres en glucides, n'est pas compensé par leur qualités gustatives, ils sont d'autant plus difficiles à poursuivre. Finalement, un régime alimentaire riche en lipides est un facteur de risque supplémentaire d'athérosclérose et d'atteinte des artères coronaires.

peut être synthétisé dans l'organisme humain qu'à partir d'acide linoléique, aussi est-il classé avec les acides gras essentiels. Les acides gras essentiels sont des constituants clés des membranes biologiques et l'acide arachidonique est le précurseur des prostaglandines qui sont les médiateurs de nombreuses fonctions physiologiques.

Les fibres

La fraction des aliments qui ne peuvent être dégradés par les enzymes digestifs porte le nom collectif de **fibres alimentaires**. Il existe plusieurs sortes de fibres alimentaires, chacune définie par sa composition chimique et par ses propriétés physiologiques. La cellulose et les hémicelluloses sont des fibres insolubles qui stimulent les fonctions normales du colon ; elles réduiraient le risque de cancer du colon. Les lignines constituent une autre classe de fibres insolubles qui adsorbent les molécules organiques dans le système digestif. Les lignines adsorbent le cholestérol, diminuent sa concentration dans le tube digestif et par là, diminueraient les risques de problèmes cardiaques. Les pectines et les gommes sont des fibres solubles dans l'eau qui forment des suspensions visqueuses ce qui ralentit la vitesse de l'absorption intestinale de nombreux nutriments, y compris des oses, et abaisserait dans certains cas le taux du cholestérol sanguin. Les fibres insolubles sont particulièrement abondantes dans les graines de céréales. Les fibres hydrosolubles se trouvent dans les fruits, les légumes, l'avoine et ses produits dérivés (flocons, galettes).

18.5 • Les vitamines

Les vitamines sont des nutriments essentiels dont l'organisme est incapable de faire la synthèse et qui doivent donc être apportés par l'alimentation où elles se trouvent, généralement en petites quantités. Les exigences en vitamines varient avec l'organisme considéré. Tous les organismes n'ont pas les mêmes besoins. Le Tableau 18.4 donne la liste des vitamines dont la présence dans l'alimentation humaine est indispensable. Ces substances sont traditionnellement subdivisées en vitamines hydrosolubles et vitamines liposolubles. À l'exception de la vitamine C (acide ascorbique), toutes les vitamines hydrosolubles sont, soit directement soit après transformation métabolique, d'importants constituants des systèmes enzymatiques appelés **coenzymes**. Les coenzymes sont des molécules de faible masse moléculaires qui donnent une spécificité chimique à certaines réactions enzymatiques. Ils peuvent aussi avoir un rôle *transporteur* d'un groupe fonctionnel spécifique, par exemple de groupe méthyle ou acétyle. La réactivité chimique des chaînes latérales des acides aminés communs dans les molécules biologiques est assez limitée. Les coenzymes agissant de concert avec les enzymes appropriés accroissent la variété des réactions métaboliques. Les coenzymes sont généralement modifiés par ces réactions puis retrouvent leur état original sous l'action d'autres enzymes (ou parfois du même enzyme) ; constamment recyclés, ils ne sont présents qu'en très petite quantité. Le Tableau 18.4 présente la liste des coenzymes dérivés des vitamines hydrosolubles. Au cours de ce chapitre, nous examinerons la structure et les propriétés biologiques de chacun de ces coenzymes. Les vitamines liposolubles ne sont pas directement apparentées aux coenzymes, mais elles ont néanmoins un rôle essentiel dans plusieurs processus physiologiques fondamentaux comme la vision, la formation et le maintien de la structure osseuse, la coagulation sanguine. Les mécanismes d'action des vitamines liposolubles ne sont pas aussi bien compris que ceux des vitamines hydrosolubles, cependant les recherches en cours réduisent progressivement les zones d'ombre.

Vitamine B1 : thiamine et thiamine pyrophosphate

La **thiamine** (ou encore **l'aneurine**) est composée d'un cycle *thiazole* substitué relié par un pont méthylène à une pyrimidine substituée (Figure 18.17). Elle est le précurseur de la **thiamine pyrophosphate (TPP)**, un coenzyme impliqué dans le

Tableau 18.4

Vitamines et coenzymes

Vitamine	Coenzyme dérivé
Hydrosolubles	
Thiamine (vitamine B_1)	Thiamine pyrophosphate
Acide nicotinique (vitamine PP)	Nicotinamide adénine dinucléotide (NAD^+)
	Nicotinamide adénine dinucléotide phosphate ($NADP^+$)
Riboflavine (Vitamine B_2)	Flavine adénine dinucléotide (FAD)
	Flavine mononucléotide (FMN)
Acide pantothénique	Coenzyme A
Pyridoxal, pyridoxine, pyridoxamine (vitamine B_6)	Pyridoxal phosphate
Cobalamine (vitamine B_{12})	5′-désoxyadénosylcobalamine
	Méthylcobalamine
Biotine	Complexes biotine-lysine (biocytine)
Acide lipoïque	Complexes lipoyl-lysine (lipoamide)
Acide folique	Tétrahydrofolate
Liposolubles	
Rétinol (vitamine A)	
Ergocalciférol (vitamine D_2)	
Cholécalciférol (vitamine D_3)	
α-Tocophérol (vitamine E)	
Vitamine K	

métabolisme des oses, lors des réactions au cours desquelles une liaison avec un carbonyle (aldéhyde ou cétone) est formée ou rompue. En particulier, la TPP est le coenzyme *des réactions de décarboxylation des acides α-cétoniques et de formation ou de rupture des α-hydroxycétoses*. Ces réactions sont illustrées Figure 18.18. La décarboxylation de l'acide pyruvique par la **pyruvate décarboxylase de levure** (Figure 18.18a) donne du gaz carbonique et de l'acétaldéhyde. La condensation de deux molécules de pyruvate par **l'acéto-lactate synthase** (Figure 18.18b), est un exemple de formation d'une α-hydroxycétone. Les réactions d'interconversion des oses dans la voie des pentoses phosphates utilisent une **transcétolase** (Chapitres 22 et 23) qui catalyse des réactions de **transfert d'un groupe α-cétol**.

Thiamine (vitamine B_1) + ATP —TPP-synthétase→ Thiamine pyrophosphate (TPP) + AMP

Proton acide

Figure 18.17 • La synthèse de la thiamine pyrophosphate (TPP), forme active de la vitamine B_1, est catalysée par la TPP-synthétase en présence d'ATP.

(a) **Décarboxylation d'un acide α-cétonique**

$$CH_3-\overset{O}{\overset{\|}{C}}-COO^- \xrightarrow[\text{décarboxylase}]{\text{Pyruvate}} CH_3-\overset{O}{\overset{\|}{C}}-H + CO_2$$

(b) **Condensation d'un acide α-cétonique**

$$CH_3-\overset{O}{\overset{\|}{C}}-COO^- + CH_3-\overset{O}{\overset{\|}{C}}-COO^- \xrightarrow[\text{synthase}]{\text{Acéto-lactate}} CH_3-\overset{O}{\overset{\|}{C}}-\underset{CH_3}{\overset{OH}{C}}-COO^- + CO_2$$

Figure 18.18 • La thiamine pyrophosphate participe à la décarboxylation des acides α-cétoniques (a) et à la formation et à la formation et au clivage des α-hydroxycétones (b).

Coenzymes contenant des adénine nucléotides

Plusieurs vitamines sont des précurseurs de coenzymes dont les structures contiennent un nucléotide adénylique. Ces coenzymes comprennent la flavine dinucléotide (FAD), les nicotinamide adénine dinucléotides (NAD^+ et $NADP^+$) et le coenzyme A. La partie adénine nucléotide de ces coenzymes ne participe pas activement aux réactions mais elle contribue à la reconnaissance du coenzyme par l'enzyme. Plus précisément, l'adénine nucléotide accroît fortement *l'affinité* et la *spécificité* du coenzyme pour son site dans l'enzyme. Cela est rendu possible par les nombreuses possibilités de formation de liaisons hydrogène et par les interactions hydrophobes et électrostatiques que le nucléotide apporte à la structure du coenzyme.

Acide nicotinique et coenzymes à nicotinamide

La nicotinamide est une partie essentielle de deux coenzymes, **la nicotinamide adénine dinucléotide (NAD^+)** et **la nicotinamide adénine dinucléotide phosphate ($NADP^+$)** (Figure 18.19). Les formes réduites de ces coenzymes sont respectivement le NADH et le NADPH. *Les coenzymes à nicotinamide (ou pyridine nucléotides) sont des* **transporteurs d'électrons**. Ils ont un rôle fondamental dans un grand nombre de réactions d'oxydation ou de réduction catalysées par des enzymes. NAD^+ est un accepteur d'électrons dans les séquences d'oxydation du métabolisme (catabolisme) et NADPH est un donneur d'électrons dans les séquences réductrices des biosynthèses (anabolisme). Ces réactions impliquent le transfert direct de l'ion hydrure du substrat vers $NAD(P)^+$ ou à partir de NAD(P)H vers le substrat (l'ion

BIOCHIMIE HUMAINE

Thiamine et béribéri

La thiamine, ou vitamine B_1 (Figure 18.17), est essentielle pour la prévention du béribéri, une affection du système nerveux qui fut, pendant des siècles, très fréquente en Extrême-Orient. La carence en vitamine B_1 conduit à une asthénie générale, accompagnée de nombreux troubles et à la mort. (Jusqu'en 1958, elle était encore la quatrième cause de mortalité dans les Philippines). En 1882, le directeur général du département de la marine japonaise montra qu'il était possible de prévenir la carence par une modification des habitudes alimentaires. Dix ans plus tard, Christiaan Eijkman, un Hollandais effectuant des recherches médicales dans l'île de Java, a montré qu'il y avait une substance « anti-béribéri » dans polissures (le son) de riz. Des poulets nourris par du riz poli présentaient des symptômes, paralysie et rétraction du cou, qui s'estompaient si la nourriture des volatiles était enrichie avec les couches externes et l'embryon du riz éliminés lors du polissage du riz. En 1911, Casimir Funck a isolé du son de riz, puis cristallisé, la substance qui guérissait les oiseaux du béribéri. Il a appelé ce produit **vitamine du béribéri** car il le considérait comme une « amine vitale ». Il est donc le créateur du mot vitamine. En 1935 le biochimiste américain R. R. Williams et ses collaborateurs ont déterminé la structure de la vitamine B_1 et mis au point une méthode de synthèse.

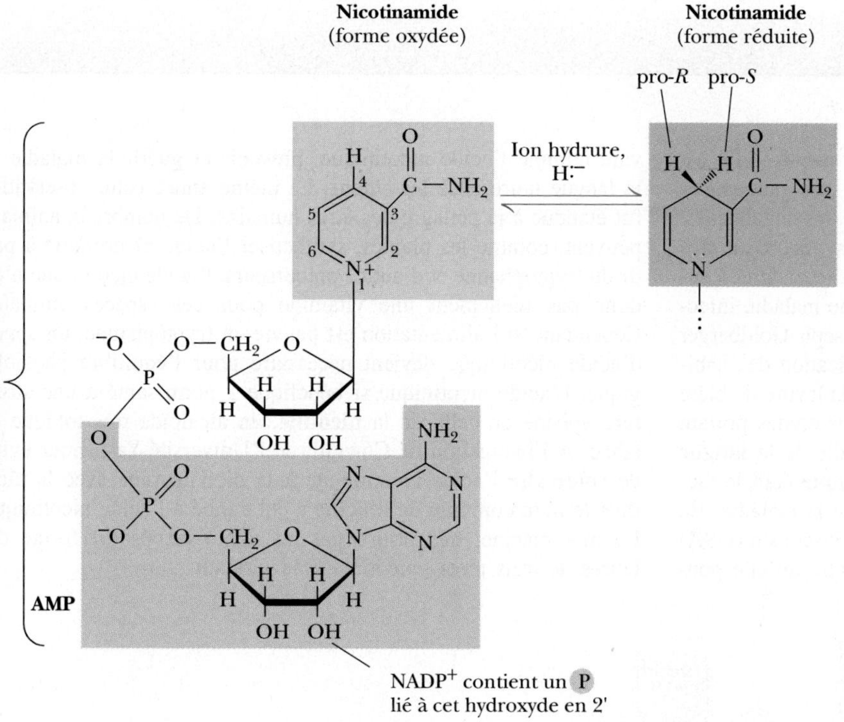

Figure 18.19 • Structures des coenzymes à nicotinamide, forme oxydée et forme réduite. L'ion hydrure (H:$^-$, un proton avec deux électrons supplémentaires) se fixe sur NAD$^+$ pour donner NADH.

hydrure n'est jamais présent à l'état libre). Les enzymes qui catalysent ces transferts sont des **déshydrogénases**. Les ions hydrure contiennent deux électrons, et donc NAD$^+$ et NADH sont exclusivement des **transporteurs d'une paire d'électrons**. Le C-4 du noyau pyridine peut accepter ou donner l'ion hydrure, c'est l'atome réactif du NAD$^+$ et du NADH. L'azote quaternaire de la nicotinamide (positif) fonctionne comme un puits à électron, ce qui facilite le transfert de l'hydrure vers NAD$^+$ (Figure 18.20). La partie adénylique de la molécule ne participe pas directement aux processus d'oxydoréduction.

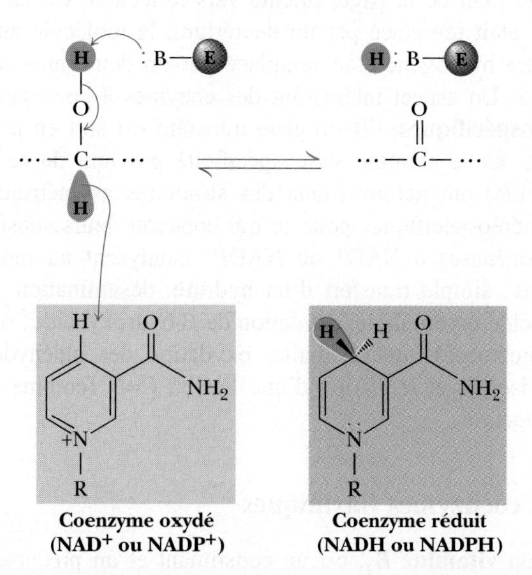

Figure 18.20 • Le NAD$^+$ et le NADP$^+$ participent exclusivement à des réactions de transfert de deux électrons. Par exemple, les alcools peuvent être oxydés en cétones ou en aldéhydes par le transfert d'un ion hydrure sur NAD(P)$^+$.

Biochimie humaine

Acide nicotinique et pellagre

La **pellagre** est une maladie connue depuis des siècles ; elle est caractérisée par une dermite, une inflammation des muqueuses digestives accompagnée de diarrhée et des troubles psychiatriques. Elle était répandue dans le sud des États-Unis et est encore un problème dans certaines parties de l'Espagne, de l'Italie et de la Roumanie. On a longtemps pensé qu'il s'agissait d'une maladie infectieuse, jusqu'à ce que, au début de ce siècle, Joseph Goldberger montre qu'elle pouvait être guérie par une modification des habitudes alimentaires. Peu après, on a découvert que la levure de bière pouvait prévenir la pellagre chez les humains. Les études portant sur une maladie voisine chez les chiens, la maladie de la **langue noire**, ont permis de montrer que **l'acide nicotinique** était le facteur alimentaire dont l'absence était à l'origine de la maladie. En 1937, Elvehjem et ses collègues à l'Université du Wisconsin (USA) ont isolé la **nicotinamide** à partir du foie et montré qu'elle pouvait, comme l'acide nicotinique, prévenir et guérir la maladie de la langue noire chez les chiens. La même année cette observation fut étendue à la pellagre des êtres humains. De nombreux animaux peuvent, comme les plantes, synthétiser l'acide nicotinique à partir du tryptophanne et d'autres précurseurs, l'acide nicotinique n'est donc pas réellement une vitamine pour ces espèces animales. Cependant, si l'alimentation est pauvre en tryptophanne, un apport d'acide nicotinique devient nécessaire pour l'équilibre physiologique. L'acide nicotinique si bénéfique à notre santé a une structure voisine de celle de la **nicotine**, un alcaloïde très toxique du tabac. À l'instigation de Cowgill, de l'Université Yale, pour éviter de confondre l'acide nicotinique et la nicotinamide avec la nicotine, le nom commun de **niacine** a été donné à l'acide nicotinique. Le mot niacine, très utilisé par les anglo-saxons est formé des lettres de trois mots– *ni*cotinic *ac*id vitam*in*.

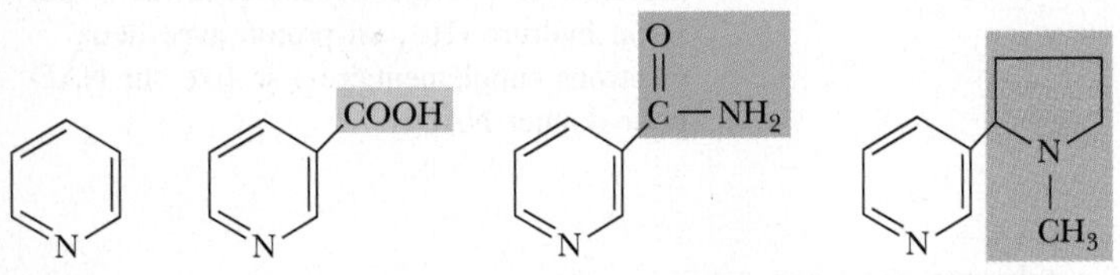

Pyridine | Acide nicotinique (COOH) | Nicotinamide ($C(=O)-NH_2$) | Nicotine ($N-CH_3$)

Structures de la pyridine, de l'acide nicotinique, de la nicotinamide et de la nicotine.

L'examen de la structure du NADH et du NADPH révèle que le C-4 du cycle de la nicotinamide est **prochiral**, ce qui signifie qu'il n'est pas chiral, mais qu'il le deviendrait si l'un des atomes d'hydrogène qui lui sont liés était remplacé par un atome, ou un groupe, différent. Sur la Figure 18.20, on peut constater que l'hydrogène au-dessus du plan de la page, orienté vers le lecteur, est un hydrogène « pro-*R* ». En effet s'il était remplacé par un deutérium, la molécule aurait une configuration *R*. Si l'autre hydrogène était remplacé par un deutérium, la molécule aurait la configuration *S*. Un aspect intéressant des enzymes à coenzyme pyridinique est qu'ils sont **stéréospécifiques**, l'hydrogène transféré est soit en position pro-*R*, soit en position pro-*S*. Cette extrême stéréospécificité provient de ce que les enzymes (et leurs sites actifs) ont naturellement des structures asymétriques. Ces enzymes sont également stéréospécifiques pour ce qui concerne leurs substrats.

Les déshydrogénases à NAD^+ ou $NADP^+$ catalysent au moins six différents types de réactions : simple transfert d'un hydrure, désamination d'un acide aminé pour donner un acide α-cétonique, oxydation de β-hydroxyacides suivie d'une décarboxylation du β-cétoacide intermédiaire, oxydation des aldéhydes, réduction des doubles liaisons isolées et réduction d'une liaison C=N (comme dans le cas de la dihydrofolate réductase).

Riboflavine et coenzymes flaviniques

La **riboflavine**, ou **vitamine B_2**, est un constituant et un précurseur de la **riboflavine 5′-phosphate**, encore appelée **flavine mononucléotide (FMN)**, et de la **flavine adénine dinucléotide (FAD)**. Le nom *riboflavine* est formé à partir de celui des deux constituants de la molécule, le **ribitol** et la **flavine** (une isoalloxazine).

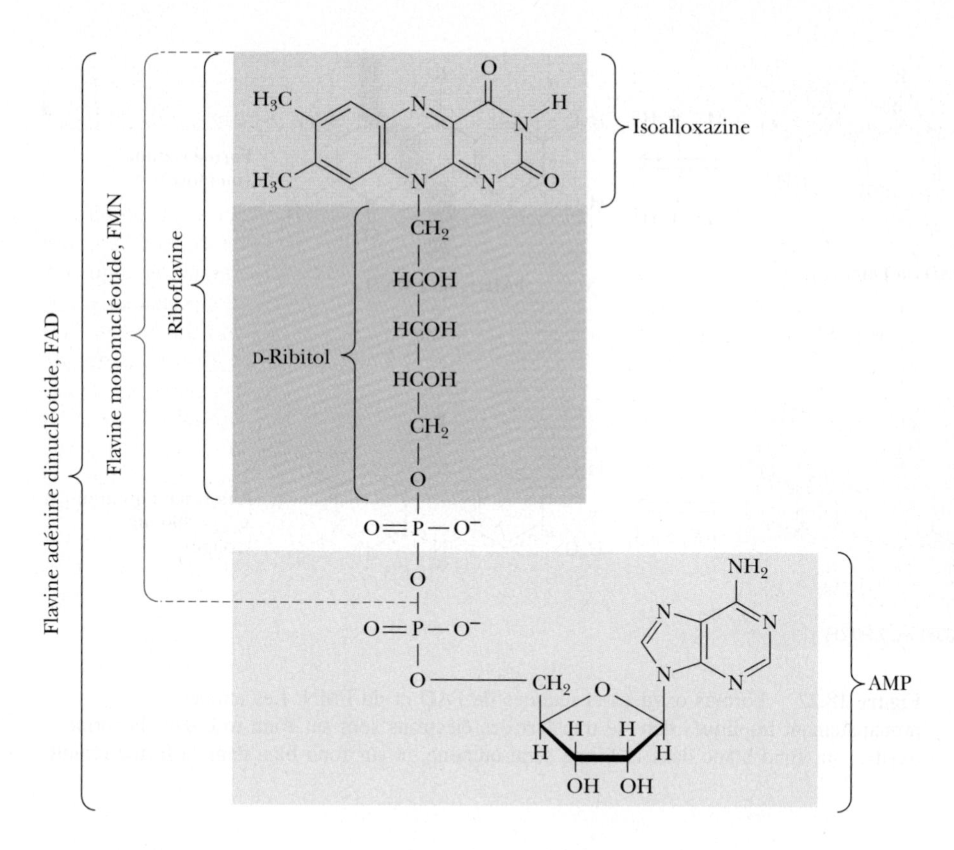

Figure 18.21 • Structures de la riboflavine, de la flavine mononucléotide (FMN) et de la flavine adénine dinucléotide (FAD). Les coenzymes flaviniques sont fortement liés aux enzymes correspondants (et parfois la liaison est de type covalent). La constante de dissociation a généralement une valeur comprise entre 10^{-8} et 10^{-11} *M*, de sorte que la concentration intracellulaire des coenzymes flaviniques peut être très faible dans la plupart des cellules. Même dans les organismes qui utilisent surtout des enzymes à coenzymes pyridiniques ($NAD(P)^+$ et NAD(P)H) pour leurs cycles d'oxydoréduction, les coenzymes flaviniques ont des rôles essentiels. Les flavines sont des agents d'oxydation plus puissants que le NAD^+ et le $NADP^+$. Ils peuvent être réduits par des réactions de transfert d'un électron ou d'une paire d'électrons et certains peuvent facilement être réoxydés par l'oxygène moléculaire. Les enzymes à cofacteur flavinique (flavoenzymes ou enzymes flaviniques) participent à de multiples réactions d'oxydoréduction.

L'isoalloxazine constitue le cœur de la structure du FMN et du FAD (Figure 18.21). Comme le ribitol n'est pas un pentose (mais un alcool dérivé d'un ose) et qu'il n'est pas relié à la flavine par une liaison osidique, la molécule n'est pas réellement un « nucléotide », et les termes *flavine mononucléotide* et *dinucléotide* sont impropres. L'usage de ces appellations est néanmoins si répandu en Biochimie que la nomenclature persiste. Les flavines ont une couleur jaune caractéristique et leur nom vient du Latin *flavius*, jaune. La forme oxydée de l'isoalloxazine absorbe la lumière vers 450 nm (dans la région visible) et également entre 350 et 380 nm (Figure 18.22). Lorsque la molécule est réduite, la coloration disparaît. De même, les enzymes qui lient les flavines (les **flavoenzymes**) sont colorés. Cette coloration peut être jaune, rouge ou verte dans leur état oxydé. Cependant, ces enzymes perdent également leur coloration lors de la réduction du groupe flavinique qui leur est lié.

Les coenzymes flaviniques peuvent exister sous trois états redox. Une flavine complètement oxydée peut être convertie en **semi-quinone** par le transfert d'un électron (Figure 18.22). À pH physiologique, une semi-quinone est neutre, de couleur bleue, avec un pic d'absorption à 570 nm. Son pK_a est d'environ 8,4. À pH élevé, elle perd un proton et devient un anion radicalaire de couleur rouge, avec un maximum d'absorption à 490 nm. Le radical semi-quinone est particulièrement stable du fait de l'extrême délocalisation de l'électron non apparié dans les orbitales moléculaires π de l'isoalloxazine. Le transfert d'un second électron convertit la semi-quinone en dihydroflavine, forme totalement réduite (18.22).

La possibilité d'avoir trois états redox différents permet la participation des coenzymes flaviniques aux réactions *de transfert d'un électron ou d'une paire d'électrons*. En partie pour cette raison, les flavoprotéines catalysent différentes réactions biologiques en association avec une grande variété de donneurs et d'accepteurs d'électrons. Ces derniers comprennent des accepteurs/donneurs de paires d'électrons (NAD^+/NADH et $NADP^+$/NADPH), des transporteurs d'électrons comme les quinones et divers accepteurs/donneurs d'un électron comme les cytochromes. De

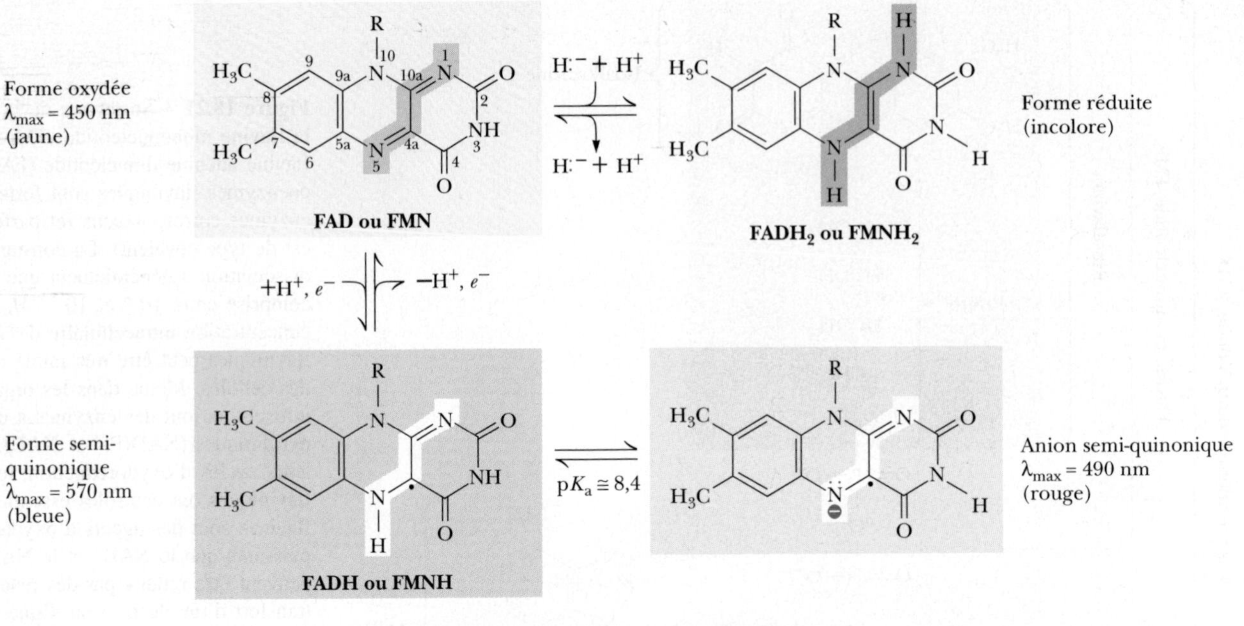

Figure 18.22 • Formes oxydées et réduites de FAD et du FMN. Les atomes principalement impliqués dans le transfert des électrons sont sur fond rose dans la forme oxydée, sur fond blanc dans la forme semi-quinone, et sur fond bleu dans la forme réduite.

nombreuses molécules participant au système transporteur d'électrons (ou chaîne respiratoire) sont des accepteurs/donneurs d'un électron. La stabilité de l'état semi-quinone de la flavine permet que les flavoprotéines fonctionnent efficacement comme des transporteurs d'électrons dans le processus respiratoire (Chapitre 21).

POUR EN SAVOIR PLUS

La riboflavine et l'ancien ferment jaune

La riboflavine fut d'abord isolée du petit-lait par Blyth en 1879, et sa structure fut déterminée par Kuhn et ses collaborateurs en 1933. Pour la détermination de la structure, ce groupe de chercheurs a d'abord isolé 30 mg de riboflavine pure à partir du blanc d'environ 10.000 œufs. La découverte du rôle de la riboflavine dans les systèmes biologiques revient à Otto Warburg, en Allemagne, et à Hugo Theorell, en Suède, qui ont tous deux identifié des substances jaunes dans l'enzyme de la levure qui catalyse l'oxydation des pyridine nucléotides. Theorell a montré que la riboflavine 5′-phosphate donnait sa coloration jaune à cet *ancien « enzyme jaune »*. En 1938, Warburg a montré que le FAD, le deuxième dérivé de la riboflavine, était le coenzyme de la D-aminoacide oxydase, une autre protéine jaune. La déficience en riboflavine est assez rare. L'organisme humain ne requiert qu'un apport de 2 mg par jour, et la vitamine se trouve dans de nombreux aliments. Elle est extrêmement sensible à la lumière et se dégrade rapidement dans les aliments (le lait par exemple) exposés au soleil.

La mouture et le blutage du blé, du riz et des autres céréales, provoquent la perte de la plus grande partie de la riboflavine et des autres vitamines hydrosolubles. Afin de prévenir les carences alimentaires, le Comité des aliments et de la nutrition du Conseil National de la Recherche américain a dès les années 1940 commencé à recommander l'enrichissement des produits à base de céréales vendus dans les États-Unis. La thiamine, la riboflavine, l'acide nicotinique et le fer furent les premières substances recommandées. Depuis cette époque, des générations d'enfants américains sont accoutumés à lire (sur les boîtes de céréales et sur le papier qui enveloppe le pain) que leurs aliments contiennent un certain pourcentage de la ration quotidienne recommandée de divers minéraux et de vitamines.

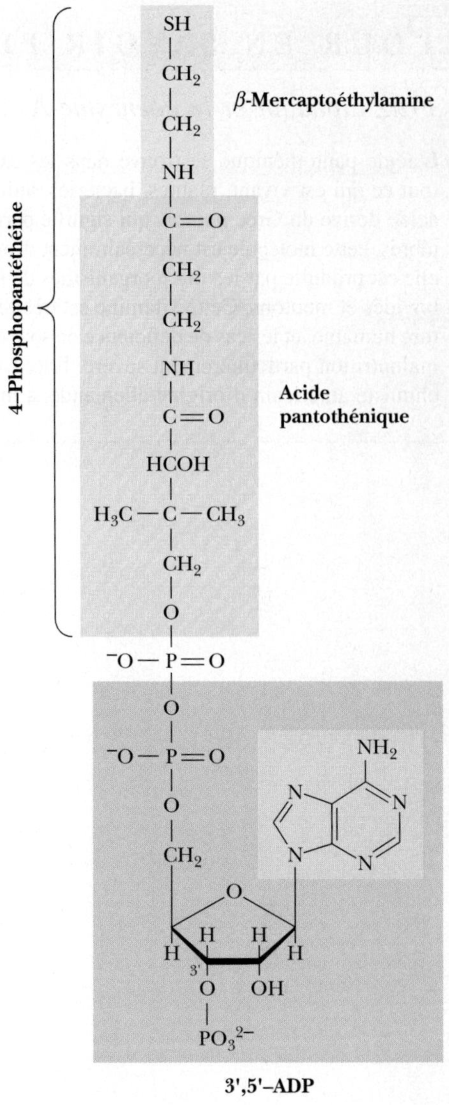

Figure 18.23 • Structure du Coenzyme A. Le carboxyle des acides carboxyliques forme une liaison thioester avec le –SH de l'extrémité de la partie β-mercaptoéthylamine.

Acide pantothénique et coenzyme A

L'acide pantothénique (parfois appelé vitamine B_3), est un des constituants d'un coenzyme complexe, le **coenzyme A (ou CoA)** (Figure 18.23). C'est également un constituant des **protéines de transport des radicaux acyle** (en anglais *acyl carrier proteins*, ou **ACP**). La structure du CoA est de type dinucléotide, avec un 3′,5′-ADP relié au 4-phosphopantéthéine par une liaison phosphoanhydride. Dans la phosphopantéthéine l'acide pantothénique phosphorylé est lié à la β-mercaptoéthylamine (ou cystéamine) par une liaison amide. Comme pour les coenzymes à nicotinamide et pour la FAD, la partie adénine nucléotide du CoA accroît l'affinité et la spécificité de la liaison avec le site actif de l'enzyme.

Les deux principales fonctions du CoA sont :

(a) *l'activation par une attaque nucléophile du groupe acyle à transférer* et,

(b) *l'activation d'un atome d'hydrogène en α du groupe carbonyle, atome qui sera cédé sous forme de proton.*

Le groupe –SH du CoA, très réactif, intervient dans ces deux fonctions en formant une liaison **thioester** avec un groupe acyle.

L'intérêt biologique de l'activation d'un groupe acyle, par le CoA, préalablement à son transfert peut-être apprécié en comparant l'hydrolyse d'une liaison thioester à celle d'une liaison ester classique :

$$\text{Acétate d'éthyle} + H_2O \longrightarrow \text{acétate} + \text{éthanol} + H^+ \qquad \Delta G^{0\prime} = -20 \text{ kJ/mol}$$

$$\text{Acétyl-CoA} + H_2O \longrightarrow \text{acétate} + \text{CoA} + H^+ \qquad \Delta G^{0\prime} = -31{,}5 \text{ kJ/mol}$$

L'hydrolyse d'un thioester est énergétiquement plus favorable que celle des esters, probablement parce que la liaison C–S a le caractère partiel d'une double liaison moins affirmé que celui de la liaison C–O correspondante. Cela signifie que le transfert du groupe acétyle, de l'acétyl-CoA vers un accepteur nucléophile (Figure 18.24) se fera plus facilement (plus spontanément) que celui du groupe acyle d'un ester. On dit pour cette raison que l'acétyl-CoA a un plus haut potentiel de transfert.

Le groupe 4-phosphopantéthéine du CoA est aussi présent dans les protéines de transport des radicaux acides (où il joue essentiellement le même rôle). Ces protéines de transport, ou **ACP**, sont impliquées dans la synthèse des acides gras (voir Chapitre 25). Dans les ACP, la 4-phosphopantéthéine est liée par une liaison phosphoester au groupe hydroxyle d'un résidu sérine. L'acide pantothénique est un facteur essentiel du métabolisme des lipides, des protéines et des glucides ; sous forme de coenzyme A, il intervient en particulier dans la première étape du cycle des acides tricarboxyliques. Compte tenu de son importance universelle dans le métabolisme, il est surprenant de constater que la déficience en acide pantothénique n'est normalement pas un problème pour les humains ; en effet, cette vitamine est abondante dans presque tous les aliments de sorte que les carences sont rarement observées.

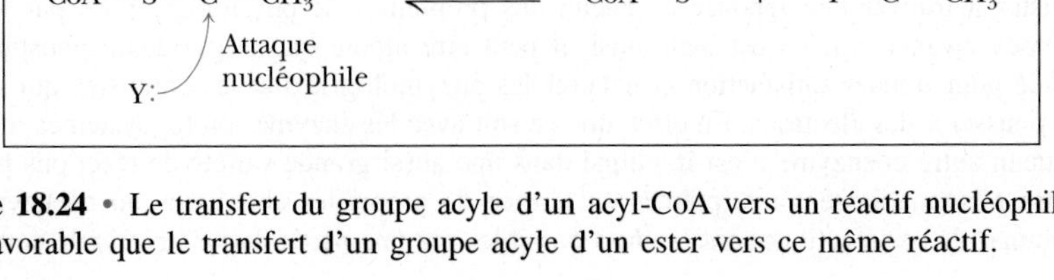

$$\text{CoA—S—C(=O)—CH}_3 \rightleftharpoons \text{CoA—S}^- + \text{Y—C(=O)—CH}_3$$

Y: Attaque nucléophile

Figure 18.24 • Le transfert du groupe acyle d'un acyl-CoA vers un réactif nucléophile est plus favorable que le transfert d'un groupe acyle d'un ester vers ce même réactif.

Pour en savoir plus

Fritz Lipmann et le coenzyme A

L'acide pantothénique se trouve dans les extraits de pratiquement tout ce qui est vivant, plantes, bactéries, animaux, et le nom de cet acide dérive du Grec *pantos*, qui signifie partout. Pour tous les vertébrés, cette molécule est nécessairement d'origine alimentaire mais elle est produite par les microorganismes de la panse des ruminants, bovidés et moutons. Cette vitamine est très répandue dans la nourriture humaine, et les cas de déficience ne sont observés que lors d'une malnutrition particulièrement sévère. Fritz Lipmann, l'éminent biochimiste américain d'origine allemande, a montré qu'un coenzyme particulier était nécessaire pour faciliter les réactions biologiques d'acétylation. (Le « A » du coenzyme A signifie *acétylation*). En étudiant l'acétylation de l'acide sulfanilique (un substrat facilement dosable par colorimétrie) par des extraits de foie, Lipmann a constaté que la présence d'un cofacteur thermostable était indispensable. Par la suite, il a isolé et purifié ce cofacteur – le coenzyme A – à partir du foie et de la levure. Fritz Lipmann a reçu le prix Nobel de Médecine en 1953 pour avoir initié les recherches et élucidé le rôle de cet important coenzyme.

Vitamine B_6 : pyridoxine et pyridoxal phosphate

Le dérivé biologiquement actif de la vitamine B_6 est le **pyridoxal-5-phosphate (PLP)**, un coenzyme présent, dans les conditions physiologiques, sous deux formes tautomères (Figure 18.25). Le PLP participe à la catalyse des réactions impliquant des acides aminés : transaminations, α- et β-décarboxylations, β- et γ-élimination, racémisations et réactions d'aldolisation (Figure 18.26). Dans ces réactions, toute liaison du carbone α peut être rompue, de même que plusieurs des liaisons de la chaîne latérale des acides aminés. Cette remarquable multiplicité des potentialités chimiques du PLP est due à sa capacité à :

(a) *former des bases de Schiff stables (aldimines) avec les groupes α-aminés des* acides *aminés* et

(b) *agir comme un attracteur d'électrons (un puits à électrons) efficace pour stabiliser les intermédiaires de* la *réaction.*

La base de Schiff et son rôle attracteur d'électrons sont illustrés Figure 18.27. En l'absence du substrat, et dans presque tous les enzymes à PLP, le coenzyme forme une base de Schiff en se liant avec le groupe ε-amino d'une lysine du site actif. Le transfert du PLP vers le substrat donne, par **transaldimination**, une nouvelle base de Schiff qui reste liée au site actif par des liaisons non covalentes. La protonation de la base de Schiff est une étape importante de la chimie du PLP. Elle est stabilisée par la formation d'une liaison hydrogène avec le groupe –OH du pyridoxal qui renforce l'acidité du proton sur le C_α du substrat (stade 3 de la Figure 18.27). Le carbanion formé par la perte de ce dernier proton, capté par un groupe basique de l'enzyme, est stabilisé par la délocalisation des électrons sur le noyau pyridinium, l'azote positif (très électrophile) du cycle attirant un électron. Un autre intermédiaire important se forme par la protonation du carbone de la fonction aldéhyde du PLP. Cette protonation permet la formation d'une nouvelle base de Schiff qui joue un rôle dans la réaction de transamination et accroît l'acidité du proton en $C_{(}$, une propriété qui facilite les réactions de γ-élimination.

La multiplicité des réactions chimiques du pyridoxal phosphate offre à ceux qui étudient les mécanismes réactionnels un vaste champ d'expérimentation. William Jencks écrit dans son ouvrage classique, *Catalysis in Chemistry and Enzymology* (*La Catalyse en Chimie et en Enzymologie*) :

> Il a été dit que Dieu créa un organisme spécialement adapté destiné à aider les biologistes à trouver une réponse à chacun des problèmes de physiologie posé par les systèmes vivants. S'il en est bien ainsi, il peut être ajouté que le pyridoxal phosphate fut créé pour donner satisfaction et éclairer les enzymologistes et les chimistes qui adorent « pousser » des électrons. En effet, que ce soit avec les enzymes ou les systèmes modèles, aucun autre coenzyme n'est impliqué dans une aussi grande variété de réactions pouvant être raisonnablement interprétées en termes de propriétés chimiques du coenzyme. La plupart de ces réactions sont rendues possibles par une particularité structurale commune.

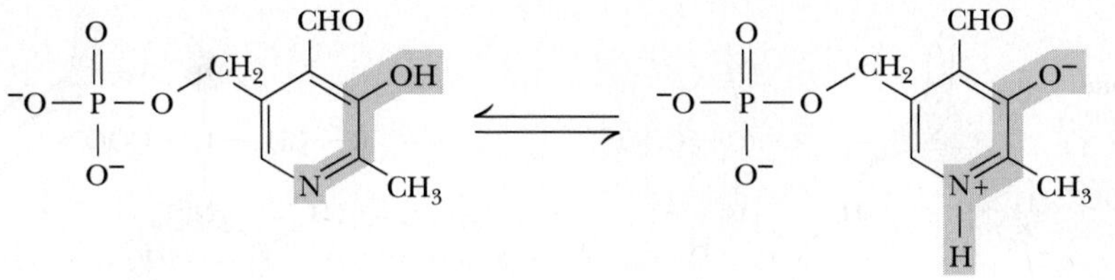

Figure 18.25 • Formes tautomériques du pyridoxal-5-phosphate (PLP).

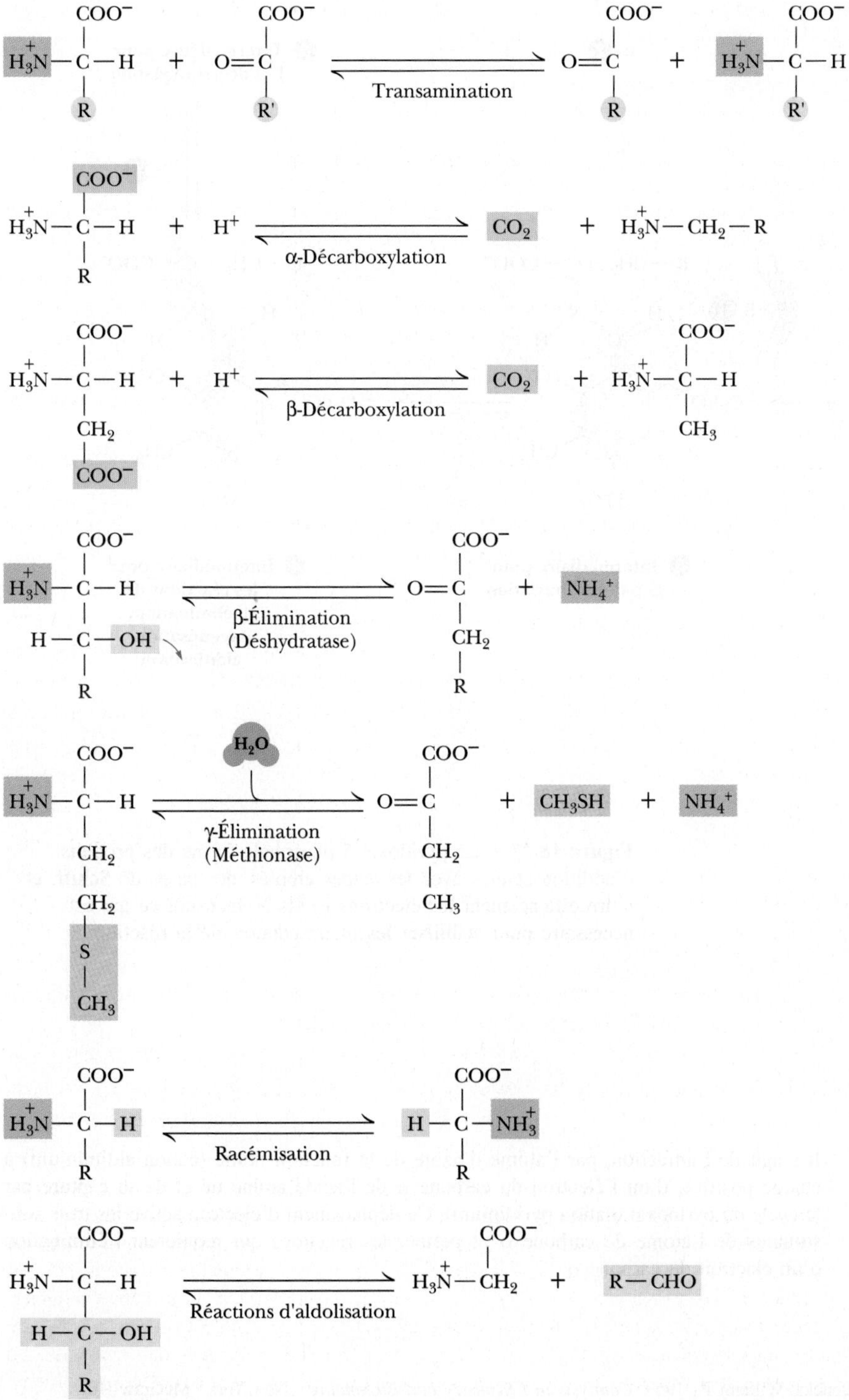

$$H_3\overset{+}{N}-CH(R)-COO^- + O=C(R')-COO^- \rightleftharpoons O=C(R)-COO^- + H_3\overset{+}{N}-CH(R')-COO^-$$

Transamination

$$H_3\overset{+}{N}-CH(R)-COO^- + H^+ \rightleftharpoons CO_2 + H_3\overset{+}{N}-CH_2-R$$

α-Décarboxylation

$$H_3\overset{+}{N}-CH(CH_2-COO^-)-COO^- + H^+ \rightleftharpoons CO_2 + H_3\overset{+}{N}-CH(CH_3)-COO^-$$

β-Décarboxylation

$$H_3\overset{+}{N}-CH(CH(OH)-R)-COO^- \rightleftharpoons O=C(CH_2-R)-COO^- + NH_4^+$$

β-Élimination (Déshydratase)

$$H_3\overset{+}{N}-CH(CH_2-CH_2-S-CH_3)-COO^- + H_2O \rightleftharpoons O=C(CH_2-CH_3)-COO^- + CH_3SH + NH_4^+$$

γ-Élimination (Méthionase)

$$H_3\overset{+}{N}-C(H)(R)-COO^- \rightleftharpoons H-C(\overset{+}{N}H_3)(R)-COO^-$$

Racémisation

$$H_3\overset{+}{N}-CH(CH(OH)-R)-COO^- \rightleftharpoons H_3\overset{+}{N}-CH_2-COO^- + R-CHO$$

Réactions d'aldolisation

Figure 18.26 • Les sept classes de réactions catalysées par les enzymes à pyridoxal-5-phosphate.

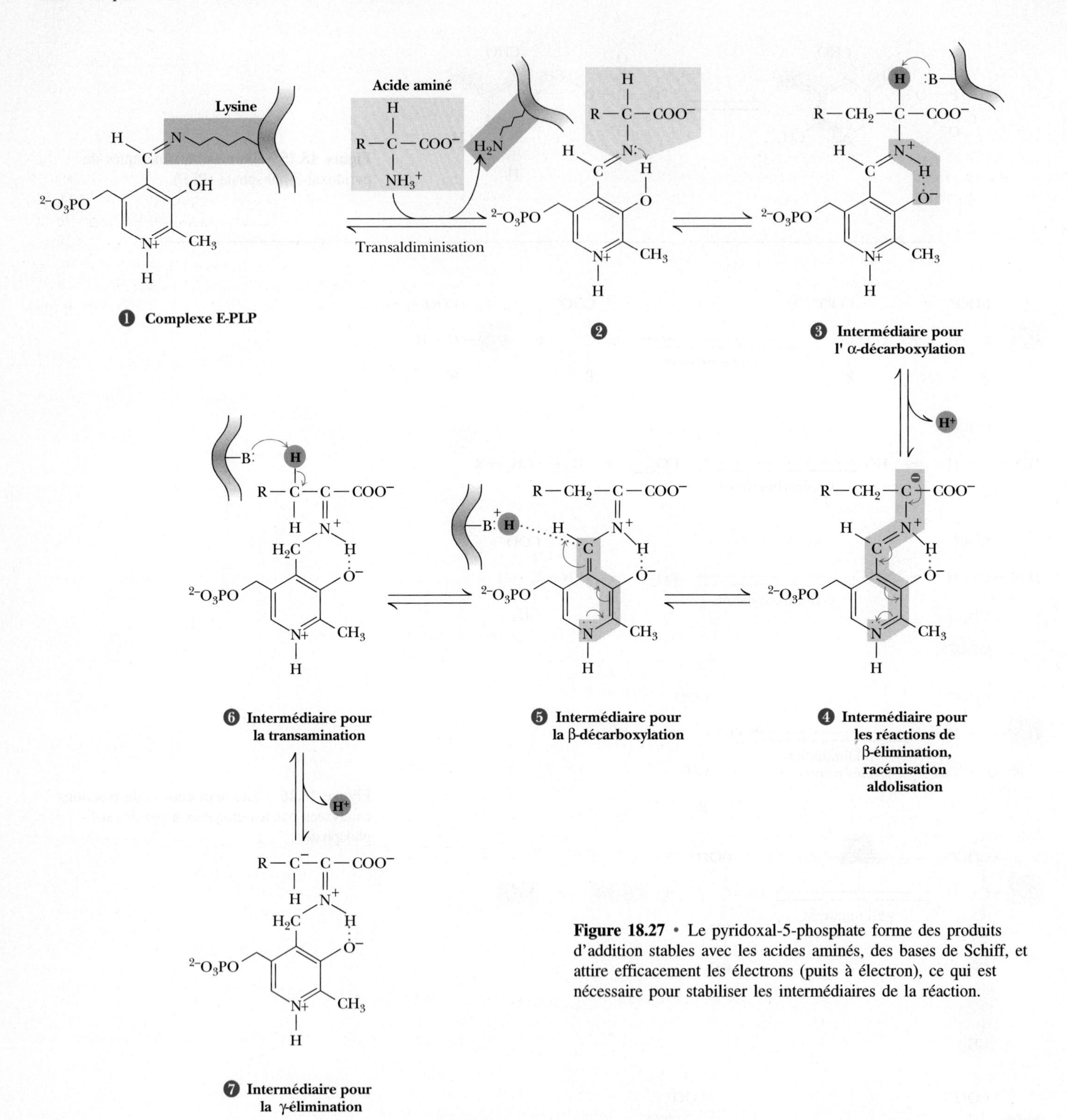

Figure 18.27 • Le pyridoxal-5-phosphate forme des produits d'addition stables avec les acides aminés, des bases de Schiff, et attire efficacement les électrons (puits à électron), ce qui est nécessaire pour stabiliser les intermédiaires de la réaction.

Il s'agit de l'attraction, par l'atome d'azote de la fonction imine (cation aldiminium) à charge positive, d'un l'électron du carbone α de l'acide aminé lié et de sa capture par le cycle du pyridoxal (cation pyridinium). Ce déplacement d'électron active les trois substituants de l'atome de carbone α et permet les réactions qui requièrent l'élimination d'un électron du carbone α.[1]

[1] Jencks, William P., 1969. *Catalysis in Chemistry and Enzymology*. New York : McGraw-Hill.

POUR EN SAVOIR PLUS

La vitamine B_6

Goldberger et Lillie ont montré en 1926 que des rats alimentés avec une nourriture déficiente en certaines substances souffraient d'une **dermatite** caractérisée par un œdème et des lésions dans les oreilles, les pattes, le nez et la queue. Par la suite, Szent-Györgyi trouva qu'un facteur qu'il avait déjà isolé prévenait ces troubles cutanés chez le rat. Il proposa le nom de **vitamine B_6** pour son facteur. La **pyridoxine** est la forme sous laquelle cette vitamine se trouve dans les plantes (et la forme commerciale de la B_6). Elle a été isolée en 1938 par trois groupes de chercheurs travaillant indépendamment. **Pyridoxal et pyridoxamine**, les formes dominantes chez les animaux, ont été identifiés en 1945. Le rôle métabolique du pyridoxal a été postulé par Esmond Snell qui avait observé que lorsque du pyridoxal est chauffé en présence de glutamate (en l'absence d'enzyme), le groupe aminé du glutamate est transféré au pyridoxal et que l'on obtenait de la pyridoxamine. Snell a donc postulé, à juste titre, que le pyridoxal devait être un précurseur du coenzyme nécessaire dans les réactions de transamination, réactions par lesquelles le groupe α-aminé d'un acide aminé est transféré sur le carbone α d'un acide α-cétonique.

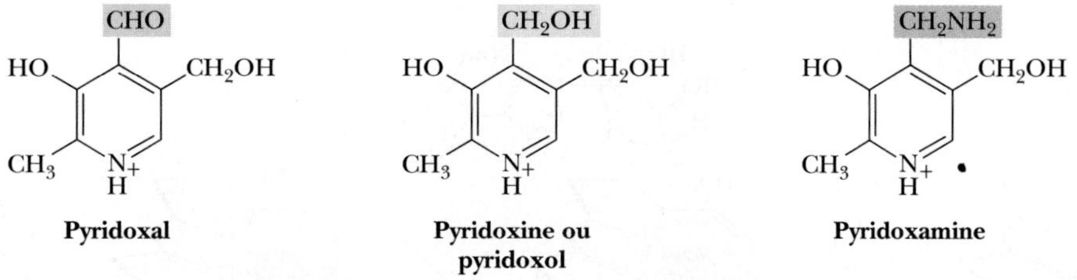

CHO
HO CH$_2$OH
CH$_3$ N+ H
Pyridoxal

CH$_2$OH
HO CH$_2$OH
CH$_3$ N+ H
Pyridoxine ou pyridoxol

CH$_2$NH$_2$
HO CH$_2$OH
CH$_3$ N+ H
Pyridoxamine

Les structures de pyridoxal, pyridoxine et pyridoxamine.

Vitamine B_{12} : la cyanocobalamine

La **vitamine B_{12}**, ou **cyanocobalamine**, est convertie dans l'organisme en deux coenzymes. Le coenzyme prédominant est la **5′-désoxyadénosylcobalamine** (Figure 18.28) mais de petites quantités de **méthylcobalamine** sont également présentes, par exemple dans le foie. La structure cristalline de la 5′-désoxyadénosylcobalamine a été déterminée par radiocristallographie en 1961, par Dorothy Hodgkin et ses collaborateurs en Angleterre. La structure est celle de l'*anneau corinne*, avec au centre un *ion cobalt*. L'anneau corinne avec quatre *noyaux pyrroliques* est assez semblable à l'anneau porphyrine de l'hème. Comme dans la porphyrine, des ponts méthylène relient les noyaux pyrroliques, à l'exception de deux des noyaux qui sont directement reliés entre eux. Le cobalt est lié par des liaisons de coordinance, en position équatoriale, aux quatre atomes d'azote des noyaux pyrrole (plans). Un des ligands en position axiale, est l'atome d'azote d'un groupement diméthylbenzimidazole. L'autre ligand axial, le dernier et sixième ligand, peut être –CN, $-CH_3$, –OH, ou le carbone 5′ d'un groupe 5′-désoxyadénosyle, suivant la forme de coenzyme examinée. La particularité la plus remarquable de la structure de la 5′-désoxyadénosylcobalamine, résolue par Hodgkin, est la longueur de la liaison carbone-cobalt, 0,205 nm. Cette liaison a *le caractère d'une liaison covalente* et la structure est en fait celle d'un **alkyl cobalt**. Jusqu'aux travaux de Hodgkin, on croyait que ces alkyl-cobalt étaient extrêmement instables. L'angle formé par les liaisons Co–carbone–carbone est de 130°, ce qui indique un caractère ionique partiel.

Les coenzymes dérivés de la vitamine B_{12} participent à trois types de réactions (Figure 18.29) :

1. *Réarrangements intramoléculaires*
2. *Réduction des ribonucléotides en désoxyribonucléotides* (chez certaines bactéries)
3. *Transferts de groupe méthyle.*

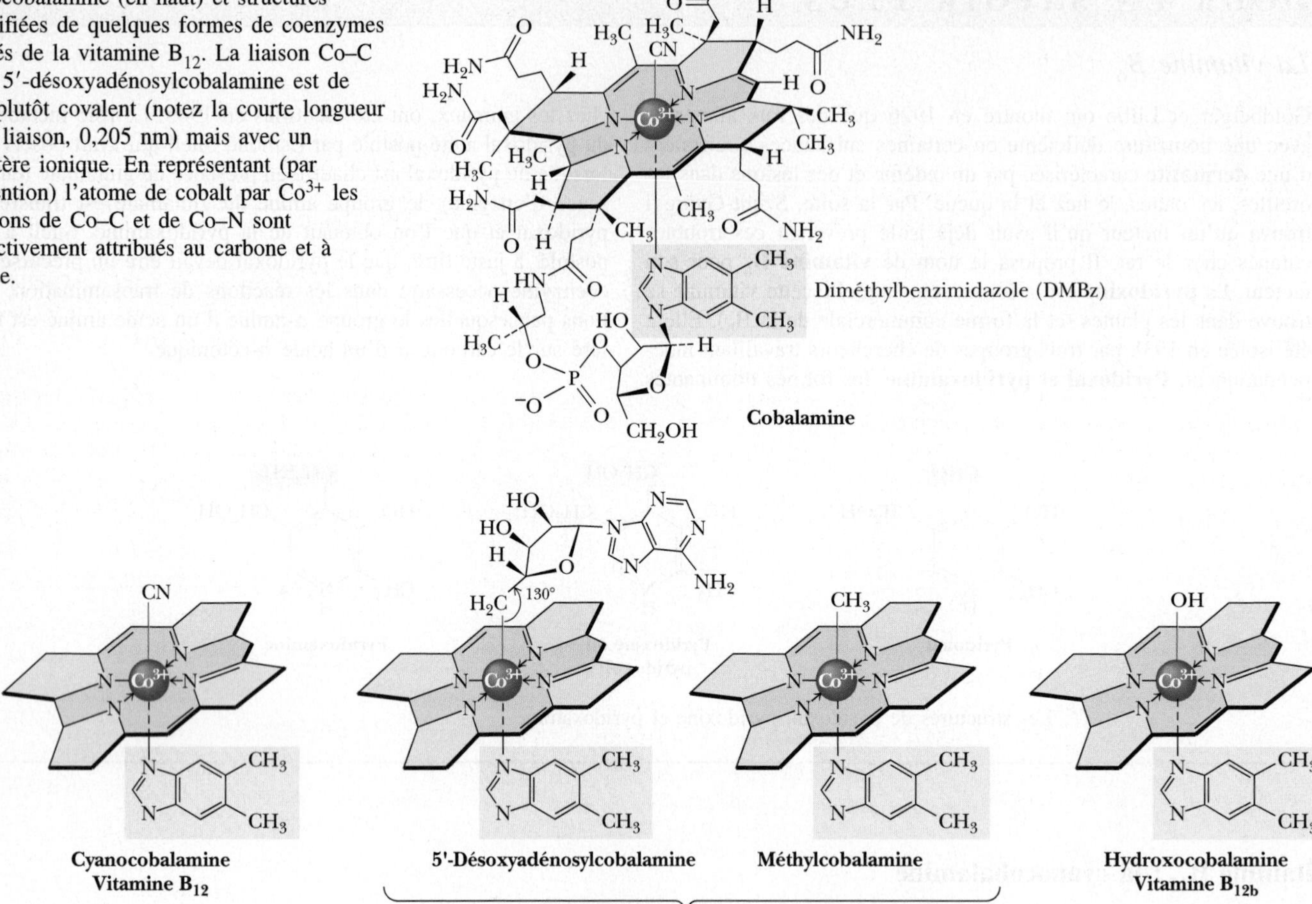

Figure 18.28 • Structure de la cyanocobalamine (en haut) et structures simplifiées de quelques formes de coenzymes dérivés de la vitamine B_{12}. La liaison Co–C de la 5′-désoxyadénosylcobalamine est de type plutôt covalent (notez la courte longueur de la liaison, 0,205 nm) mais avec un caractère ionique. En représentant (par convention) l'atome de cobalt par Co^{3+} les électrons de Co–C et de Co–N sont respectivement attribués au carbone et à l'azote.

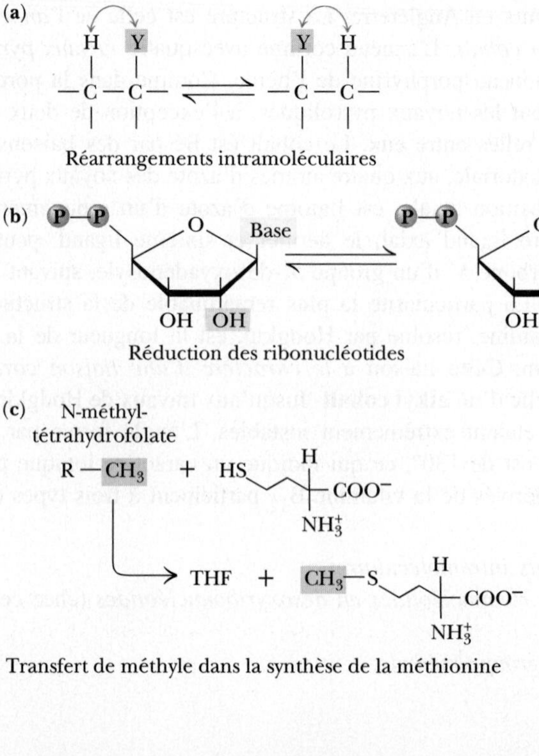

(a)

Réarrangements intramoléculaires

(b)

Réduction des ribonucléotides

(c) N-méthyl-tétrahydrofolate

$$R-CH_3 + HS-CH_2CH_2-CH(NH_3^+)-COO^- \longrightarrow THF + CH_3-S-CH_2CH_2-CH(NH_3^+)-COO^-$$

Transfert de méthyle dans la synthèse de la méthionine

Figure 18.29 • Les coenzymes dérivés de la vitamine B_{12} interviennent dans les réarrangements intramoléculaires, la réduction des ribonucléotides et les transferts du groupe méthyle.

Biochimie humaine

Vitamine B_{12} et anémie pernicieuse

La vitamine la plus active connue (c'est-à-dire celle dont les besoins pour l'organisme sont les plus faibles) fut la dernière vitamine découverte. La vitamine B_{12} est surtout connue comme la vitamine qui prévient **l'anémie pernicieuse** (anémie de Biermer). En 1926, Minot et Murphy ont montré que l'ingestion de grandes quantités de foies permettait de traiter avec succès cette maladie. L'agent actif, présent dans le foie, ne fut identifié que plus tard, en 1948, par Rickes et ses collaborateurs (aux États-Unis) et par Smith (en Angleterre) qui tous deux isolèrent la vitamine B_{12}. West a ensuite montré que des patients souffrant d'anémie pernicieuse étaient guéris par des injections de vitamine B_{12}. Par la suite, deux formes de vitamines B_{12} ont été cristallisées. La première, la cyanocobalamine semblait être la vraie vitamine. La seconde, **l'hydroxycobalamine**, avait la même activité biologique, mais son spectre était différent, elle a été appelée **vitamine B_{12b}**. On a par la suite reconnu que le groupe cyanure de la cyanocobalamine n'était qu'un artefact technique, il provenait du charbon de bois utilisé dans le processus de purification !

La vitamine B_{12} n'est synthétisée ni par les plantes ni par les animaux. Seules quelques espèces bactériennes synthétisent cette molécule complexe. Les animaux carnivores obtiennent aisément la B_{12} par la viande de leur alimentation ; chez les herbivores, elle est synthétisée par leur flore intestinale. Cette synthèse est parfois insuffisante, et certains animaux, y compris les lapins, mangent leurs matières fécales pour accumuler les quantités nécessaires de B_{12}.

Les exigences nutritionnelles en B_{12} sont très faibles. Un adulte humain n'a besoin que de 3 μg par jour, une quantité facilement obtenue par une alimentation normale. Mais comme les plantes ne synthétisent pas de vitamine B_{12}, des symptômes d'anémie pernicieuse sont parfois observés chez les végétariens les plus stricts.

Les deux premières réactions utilisent la 5′-désoxyadénosylcobalamine, tandis que les transferts de groupe méthyle utilisent la méthylcobalamine. Le mécanisme de la réaction catalysée par la ribonucléotide réductase sera examiné Chapitre 27. Le transfert de groupes méthyle par un autre coenzyme, le *tétrahydrofolate*, sera traité plus avant dans ce chapitre.

Vitamine C : l'acide ascorbique

L'acide L-ascorbique, plus connu sous le nom de **vitamine C,** a la structure la plus simple de toutes les vitamines (Figure 18.30). Elle est largement répandue dans le règne végétal et animal, et seuls quelques vertébrés sont incapables d'en faire la synthèse (l'Homme et d'autres primates, le cobaye, les chauves-souris fructivores, certains oiseaux et divers poissons comme la carpe, la truite arc-en-ciel et une variété de saumon). Tous les organismes incapables de synthétiser la vitamine C sont dépourvus d'un enzyme hépatique, la L-gulono-γ-lactone déshydrogénase.

L'acide ascorbique est un réducteur assez puissant. Les fonctions biologiques et physiologiques de cette vitamine proviennent vraisemblablement de ce pouvoir réducteur. L'acide ascorbique a comme fonction le transport d'un électron. La perte d'un électron par interaction avec l'oxygène ou un ion métallique donne un **semi-déshydroascorbate**, un radical libre très réactif (Figure 18.30), qui, dans les plantes et les animaux, peut être réduit en acide ascorbique par plusieurs enzymes. Une des réactions caractéristiques de l'acide ascorbique est son oxydation en acide *déshydro-L-ascorbique*. Acide ascorbique et acide déshydroascorbique forment un système redox efficace.

En plus de son rôle dans la prévention du scorbut (voir l'encart page 600 : L'acide ascorbique et le scorbut), l'acide ascorbique a plusieurs fonctions dans le cerveau et le système nerveux central (métabolisme de la L-tyrosine). L'acide ascorbique joue aussi un rôle dans la mobilisation du fer splénique (mais non dans celle du fer hépatique), la prévention de l'anémie et également dans l'amélioration de la réponse allergique et la stimulation du système immunitaire.

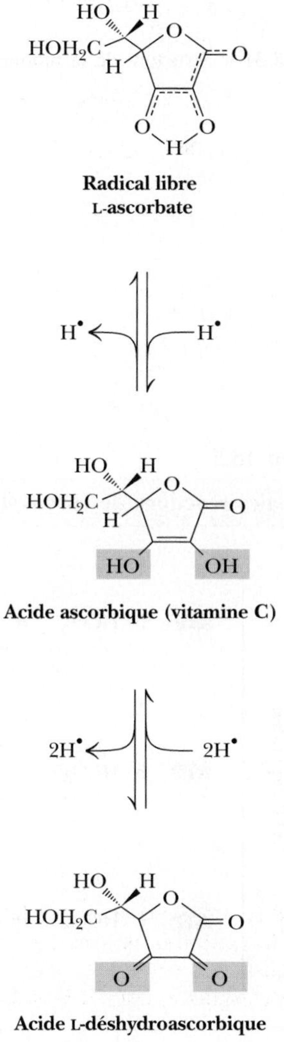

Radical libre L-ascorbate

Acide ascorbique (vitamine C)

Acide L-déshydroascorbique

Figure 18.30 • Les effets physiologiques de l'acide ascorbique (vitamine C) résultent de son pouvoir réducteur. L'oxydation de l'acide ascorbique, avec départ de deux électrons, donne l'acide déshydro-L-ascorbique.

BIOCHIMIE HUMAINE

Acide ascorbique et scorbut

L'acide ascorbique est efficace dans la prévention et le traitement du **scorbut**. Cette maladie, qui peut être mortelle, se caractérise par une anémie, une fragilisation de la structure du collagène des os, des cartilages, des dents et des tissus conjonctifs (voir Chapitre 6). On observe également une altération du métabolisme protéique. L'alimentation du monde occidental est aujourd'hui si riche en vitamine C qu'il est facile d'oublier que le scorbut sévissait dans la population de l'ancienne Égypte, de Rome et de la Grèce antique. Encore au Moyen Âge, il était endémique pendant l'hiver en Europe du Nord quand les légumes et les fruits frais manquaient. L'acide ascorbique est une vitamine qui a souvent modifié le cours de l'Histoire, mettant fin aux grands voyages à travers les océans et aux campagnes militaires : quand les aliments avaient perdu leur vitamine C, le scorbut apparaissait.

Albert Szent-Györgyi a isolé l'acide ascorbique en 1928 et l'a dénommé *acide hexuronique*. Sa structure a été déterminée par Hirst et Haworth en 1933 et simultanément Reichstein en a publié la synthèse. Haworth et Szent-Györgyi ont proposé changer son appellation en celle d'acide L-ascorbique pour rappeler son activité **antiscorbutique** (anti scorbut). Tous deux ont eu le prix Nobel en 1937 pour leurs recherches sur la vitamine C.

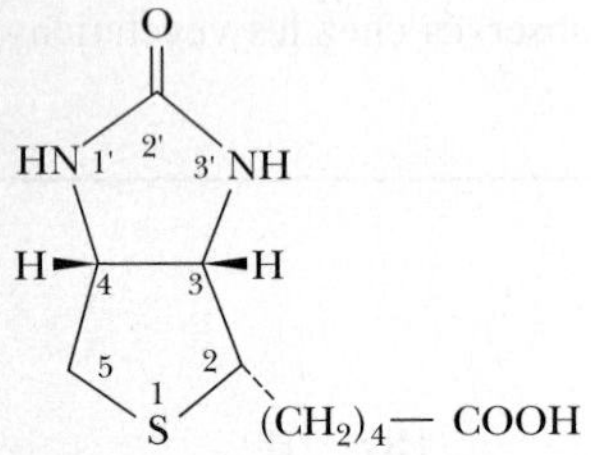

Biotine

La biotine (Figure 18.31) agit comme le **transporteur mobile d'un groupe carboxyle** dans les enzymes catalysant de nombreuses réactions de carboxylation. Elle est toujours liée à l'enzyme, sous forme de groupe prosthétique, par une liaison amide covalente avec le groupe ε-aminé d'un résidu lysine (Figure 18.32). L'ensemble du groupement biotine-lysine est **appelé résidu biocytine**. La chaîne latérale de la biotine à cinq atomes de carbone fait que *le système cyclique de la biotine est rattaché au squelette de la protéine par une longue chaîne flexible*. Dix atomes séparent le cycle de la biotine du carbone α de la lysine, soit environ 1,5 nm. Cette longueur permet que la biotine accepte le groupe carboxyle à l'un des sous-sites du site actif de l'enzyme et le transfère au substrat accepteur fixé sur un autre sous-site.

La plupart des réactions de carboxylation catalysées par des enzymes à biotine (Tableau 18.5) utilisent comme agent de carboxylation l'ion *bicarbonate* et transfèrent le groupe carboxyle sur un *carbanion substrat*. Le bicarbonate est abondant dans tous les fluides biologiques mais son carbone est très peu électrophile, il doit être « activé » avant d'être attaqué par un carbanion substrat. L'hydrolyse d'un ATP fournit l'énergie nécessaire à l'activation. L'intermédiaire formé, le **carboxyl-phosphate**, est un anhydride mixte de l'acide carbonique et de l'acide phosphorique.

HN 1' 2' 3' NH, O, H 4 3 H, 5 2, S 1, $(CH_2)_4$— COOH

Figure 18.31 • Structure de la biotine.

Tableau 18.5

Principales réactions de carboxylation catalysées par des enzymes à biotine

ATP dépendant :

$$\text{ATP} + HCO_3^- + H_3C{-}CO{-}COO^- \longrightarrow {}^-OOC{-}CH_2{-}CO{-}COO^- + \text{ADP} + \text{P}$$

Pyruvate → **Oxalo-acétate**

$$\text{ATP} + HCO_3^- + H_3C{-}CO{-}SCoA \longrightarrow {}^-OOC{-}CH_2{-}CO{-}SCoA + \text{ADP} + \text{P}$$

Acétyl-CoA → **Malonyl-CoA**

$$\text{ATP} + HCO_3^- + H_3C{-}CH_2{-}CO{-}SCoA \longrightarrow H_3C{-}CH(COO^-){-}CO{-}SCoA + \text{ADP} + \text{P}$$

Propionyl-CoA → **Méthylmalonyl-CoA**

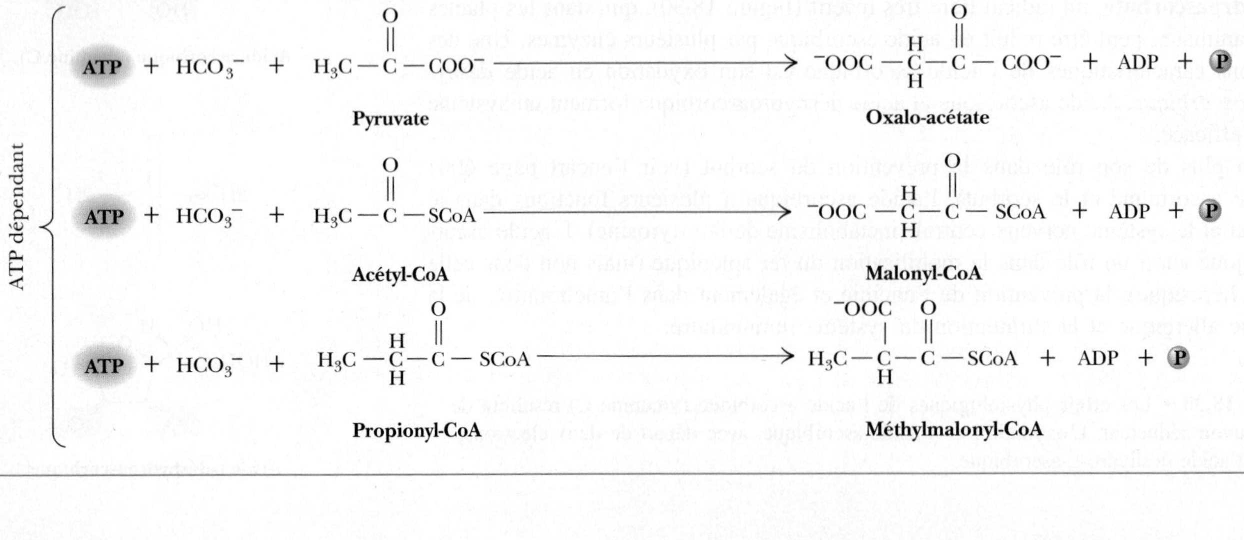

POUR EN SAVOIR PLUS

La biotine

Au début des années 1900, on a remarqué que certaines souches de levure exigeaient pour leur croissance un produit appelé **bios**. Plus tard, on a identifié dans le bios quatre substances différentes, le myoinositol, la β-alanine, l'acide pantothénique et ce qui est la *biotine*. Kögl et Tönnis, en 1936, ont d'abord isolé la biotine à partir du jaune d'œuf. Boas, en 1927, et Szent-Györgyi, en 1931, ont trouvé dans le foie des substances qui pouvaient guérir et prévenir un ensemble de symptômes, dermatite, perte des poils et paralysie, observés chez le rat alimenté avec de grandes quantités de blancs d'œuf (troubles rassemblés sous le nom de *maladie du blanc d'œuf*). Le « facteur de protection X » de Boas et la *vitamine H* de Szent-Györgyi (H pour *haut*, la peau en allemand) se révélèrent rapidement identiques à la biotine. Il est aujourd'hui connu que le blanc d'œuf contient une protéine basique, **l'avidine**, qui a une affinité extrêmement forte pour la biotine ($K_D = 10^{-15}$ *M*). La capture de la biotine par l'avidine est à l'origine de la maladie du blanc d'œuf.

Kögl en Europe et du Vigneaud aux États-Unis ont, au début des années 1940, déterminé la structure de la biotine. La molécule contient trois atomes de carbone asymétriques. La biotine peut donc avoir huit formes stéréoisomères. Seule l'une d'entre elles a une activité biologique.

Acide lipoïque

L'acide lipoïque existe sous deux formes moléculaires : une structure cyclique, formée par un pont disulfure (forme oxydée de l'acide lipoïque), et une structure ouverte résultant de la réduction du pont disulfure (Figure 18.33). Un cycle d'oxydoréduction réalise l'interconversion des deux formes. Comme pour la biotine, l'acide lipoïque ne se trouve que très rarement à l'état libre ; dans la nature, il est lié de façon covalente par une liaison amide à un résidu lysine de l'enzyme. L'enzyme qui catalyse la formation de la liaison *lipoamide* requiert de l'ATP et produit un lipoyl-enzyme, de l'AMP et du pyrophosphate.

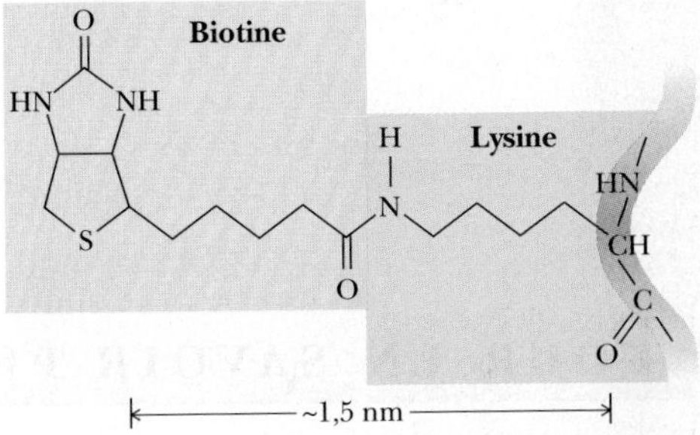

L'acide lipoïque est un **transporteur de groupe acyle**. Il se trouve dans la *pyruvate déshydrogénase* et dans *l'α-cétoglutarate déshydrogénase*, deux complexes multienzymatiques du métabolisme glucidique (Figure 18.34). *L'acide lipoïque intervient en couplant le transfert d'un groupe acyle et d'un électron lors de l'oxydation et de la décarboxylation des acides α-cétoniques.*

Les propriétés particulières de l'acide lipoïque résultent de l'extrême tension du cycle de la forme oxydée. L'énergie de la forme cyclique est plus élevée que celle de la forme réduite, d'environ 20 kJ, ce qui lui confère un fort potentiel réducteur, d'environ –0,30 V. La forme cyclique oxyde rapidement les cyanures en isothiocyanates et les groupes sulfhydryle en disulfures mixtes.

Biotine
Lysine
~1,5 nm

Figure 18.32 • La biotine est liée par une liaison amide covalente au groupe *e*-amino d'un résidu lysine de l'enzyme. Le cycle de la biotine est ainsi relié à la protéine par une longue chaîne de 10 atomes. Ce long « bras » permet le transfert d'un groupe carboxylique entre des sites éloignés sur les enzymes à biotine.

POUR EN SAVOIR PLUS

L'acide lipoïque

L'acide lipoïque (acide 6,8-dithiooctanoïque) a été isolé et caractérisé en 1951 comme étant un facteur nécessaire à la croissance de certaines bactéries et protozoaires. Cette identification est l'un des résultats les plus impressionnants d'une époque de l'histoire de la biochimie. Les laboratoires Eli Lilly & Co, en coopération avec Lester J. Reed à l'Université du Texas et de I.C. Gunsalus à l'Université de l'Illinois, ont obtenu 30 mg d'acide lipoïque à partir d'environ 10 tonnes de foie ! Il n'existe pas de preuve expérimentale de la nécessité d'un apport d'origine alimentaire et la molécule n'est pas considérée comme une vitamine. L'acide lipoïque est cependant un constituant essentiel de plusieurs enzymes du métabolisme intermédiaire, il est présent, en petite quantité, dans les tissus de l'organisme.

(a) Acide lipoïque, forme oxydée

(b) Forme réduite

(c) Acide lipoïque — Lysine

Liaison amide du lipoyl-enzyme

Figure 18.33 • Forme oxydée et forme réduite de l'acide lipoïque et structure du conjugué acide lipoïque-lysine (liaison lipoyl-enzyme).

Acide folique

Les dérivés de cette vitamine, les folates, permettent le transfert d'unités monocarbonées, quel que soit leur niveau d'oxydation, à l'exception de CO_2 (transféré par un autre cofacteur, la biotine). Le coenzyme actif dérivé de l'acide folique est le **tétrahydrofolate (THF)**, une molécule formée par deux réductions successives catalysées par la dihydrofolate réductase (Figure 18.35). Des unités monocarbonées, de trois nombres (ou étages) d'oxydation différents, peuvent être liés aux atomes d'azote N^5 et/ou N^{10} du tétrahydrofolate Tableau 18.6). Les états d'oxydation des unités monocarbonées transportées par le THF sont les mêmes que ceux du méthanol, du formaldéhyde et du formate (nombre d'oxydation respectif de l'atome de carbone, –2, 0 et 2).

Pour en savoir plus

Acide folique, ptérines et ailes des insectes

L'acide folique est une des substances du complexe vitaminique B isolable de la levure, du foie, des épinards, et encore d'autres sources. Le nom de l'acide folique vient du Latin *folium*, feuille. Celui de ptérine vient du Grec *pteros*, aile, car les ptérines ont d'abord été identifiées dans les ailes des insectes. Deux de ces ptérines sont connues de toute personne qui a vu, et probablement chassé, les papillons jaunes ou ceux, blancs, du chou. La *xanthoptérine* et la *leucoptérine* sont respectivement les pigments des ailes de ces papillons. Les organismes mammifères ne synthétisent pas les ptérines ; ils obtiennent les dérivés folates à partir de leurs aliments ou des organismes bactériens de la flore intestinale.

Acide folique

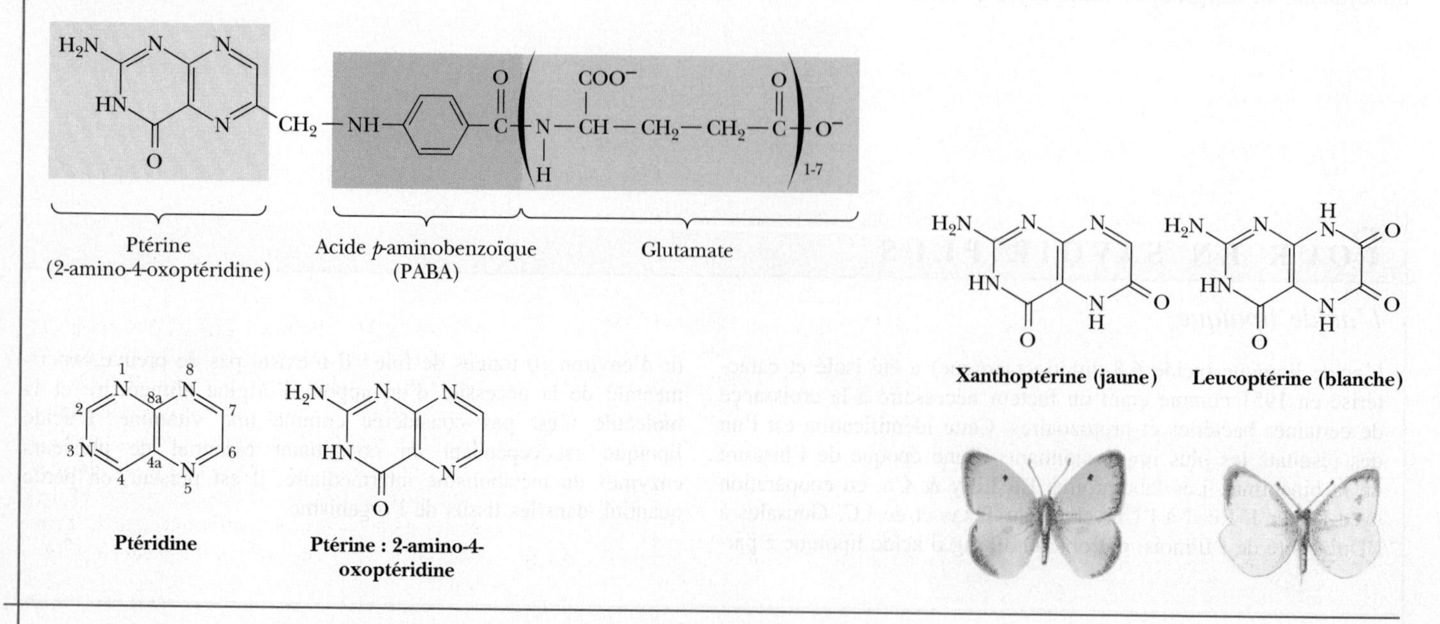

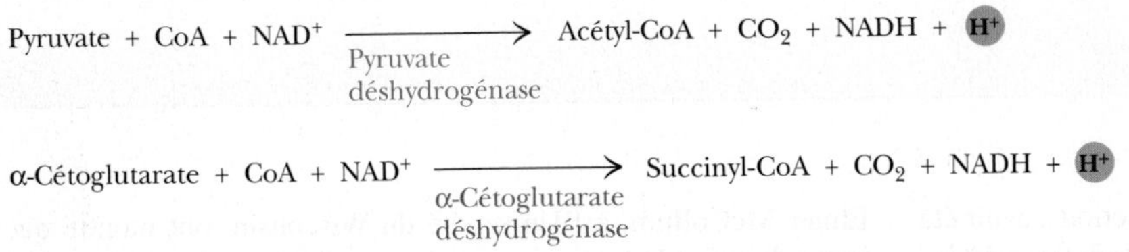

Pyruvate + CoA + NAD^+ —Pyruvate déshydrogénase→ Acétyl-CoA + CO_2 + NADH + H^+

α-Cétoglutarate + CoA + NAD^+ —α-Cétoglutarate déshydrogénase→ Succinyl-CoA + CO_2 + NADH + H^+

Figure 18.34 • Réactions catalysées par des enzymes à acide lipoïque.

Les voies de la biosynthèse de la méthionine et de l'homocystéine (Chapitre 26), des purines (Chapitre 27) et de la thymine, une pyrimidine (Chapitre 27), dépendent de l'incorporation d'unités monocarbonées apportées par des dérivés du tétrahydrofolate.

Le groupe des vitamines A

La **vitamine A**, ou **rétinol** (Figure 18.36), est souvent présente sous forme d'esters dans les **esters du rétinol**. La forme aldéhydique correspondante est le **rétinal**. Comme toutes les vitamines liposolubles, le rétinol est une molécule *isoprénique*, elle est synthétisée à partir d'unités isoprène (Chapitre 8). Le rétinol dans l'organisme animal provient soit de l'alimentation soit de sa biosynthèse à partir des β-carotènes d'origine végétale. L'absorption des vitamines liposolubles par la muqueuse intestinale suit un mécanisme différent de celui des vitamines hydrosolubles. Après ingestion des aliments, la vitamine A ou le β-carotène et leurs analogues sont libérés de leur association avec les protéines par les enzymes protéolytiques de l'estomac et de l'intestin grêle. Les caroténoïdes et les esters du rétinol s'associent aux lipides des globules lipidiques qui passent dans le duodénum. L'effet détergent des sels biliaires disperse ces globules en microglobules qui sont ensuite hydrolysés par la lipase pancréatique ; des estérases hydrolysent les esters du cholestérol et du rétinol. Les produits résultant de l'action de ces enzymes forment des *micelles mixtes* (voir Chapitre 8) contenant le rétinol, les caroténoïdes et d'autres lipides et substances liposolubles ; ces micelles sont absorbées par les cellules de la muqueuse intestinale des premiers segments de l'intestin grêle. Le rétinol est alors estérifié (en général par de l'acide palmitique) puis passe dans les vaisseaux chylifères et finalement est transporté vers le foie sous forme de complexes lipoprotéiques.

Le rétinol qui arrive ainsi transporté dans la rétine s'accumule dans les cellules en forme de **cône** et de **bâtonnet**. Dans les cellules en cônes (elles sont mieux caractérisées que les autres), le rétinol est oxydé par une **rétinol déshydrogénase** pour

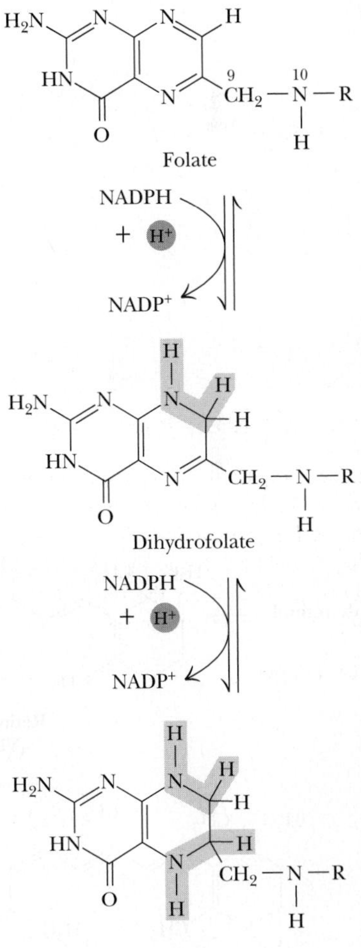

Tableau 18.6

Nombre d'oxydation du carbone dans les unités monocarbonées transportées par le tétrahydrofolate

Nombre d'oxydation*	Molécule correspondante	Groupe monocarbonée†	Dérivé tétrahydrofolate
–2	Méthanol (le plus réduit)	$-CH_3$	N^5-Méthyl-THF
0	Formaldéhyde	$-CH_2-$	N^5,N^{10}-Méthylène-THF
2	Formate (le plus oxydé)	–CH=O	N^5-Formyl-THF
		–CH=O	N^{10}-Formyl-THF
		–CH=NH	N^5-Formimino-THF
		–CH=	N^5,N^{10}-Méthényl-THF

* Valeur calculée en attribuant les électrons de liaison à l'atome le plus électronégatif et en comptant alors la charge sur l'ion fictif. Un carbone auquel on attribuerait les quatre électrons de valence aurait un nombre d'oxydation égal à zéro. Le carbone de l'unité méthyle du N^5-méthyl-THF auquel on attribue les six électrons des trois liaisons C–H a donc un nombre d'oxydation égal à –2.

† Note : Les liaisons ouvertes (libres) de ces structures sont en fait formées avec des atomes plus électronégatifs que C.

Folate

NADPH + H^+ → $NADP^+$

Dihydrofolate

NADPH + H^+ → $NADP^+$

Tétrahydrofolate

Figure 18.35 • Formation du THF à partir de l'acide folique, une réaction catalysée par la dihydrofolate réductase. Le groupe R lié à l'acide folique et à ses dérivés symbolise les 1 à 7 résidus de glutamate (et parfois plus).Les résidus Glu sont liés entre eux par des liaisons γ-carboxyle amide (voir l'encart ci-contre). Les unités monocarbonées transportées par le THF sont liées à N^5, ou à N^{10}, ou à la fois à N^5 et à N^{10}.

Pour en savoir plus

Le β-carotène et la vision

La cécité crépusculaire est peut-être la première affection à avoir été attribuée à une carence d'origine alimentaire. Des inscriptions datées de 1.500 ans avant notre ère établissent que les Égyptiens recommandaient l'application locale de l'extrait de foie cuit pour guérir de la cécité crépusculaire. Cette méthode pourrait même avoir été connue plus tôt. Frederick Gowland Hopkins, en Angleterre, au début des années 1900, a montré que des extraits alcooliques de lait contenaient un facteur stimulant la croissance. Marguerite Davis et Elmer McCollum, à l'Université du Wisconsin, ont montré que le jaune d'œuf et le beurre contenaient un lipide analogue à ce facteur stimulant la croissance, ils l'ont appelé, en 1915, le « facteur liposoluble A ». Par la suite, Moore, en Angleterre a montré que le ***β*-carotène** pouvait être converti en la forme incolore de la vitamine extraite du foie. Enfin, en 1935, George Wald, à Harvard, a prouvé que le *rétinène* isolé à partir des pigments visuels était identique au *rétinal*, un dérivé de la vitamine A.

donner le tout-*trans*-rétinal qui sera ensuite isomérisé en 11-*cis*-rétinal par la **rétinal isomérase** (Figure 18.36). La fonction aldéhyde du rétinal forme une base de Schiff avec un résidu lysine d'une protéine, **l'opsine ;** le produit final, la **rhodopsine** constitue le pigment visuel sensible à la lumière.

Le groupe des vitamines D

Les deux plus importantes molécules du groupe des **vitamines D** sont **l'ergocalciférol** (ou vitamine D_2) et le **cholécalciférol** (ou vitamine D_3). Le cholécalciférol est produit dans la peau des animaux sous l'action des rayonnements U.V. (de la lumière solaire généralement) sur le 7-déshydrocholestérol, le précurseur du cholestérol (Figure 18.37). L'absorption de l'énergie lumineuse induit une photoisomérisation par l'intermédiaire d'un état excité qui conduit à la rupture de la liaison entre les atomes de carbone C9 et C10 et à la formation de la **prévitamine D_3**. L'isomérisation spontanée de la prévitamine donne la vitamine D_3, ou cholécalciférol. L'ergocalciférol, dont la structure ne diffère de celle du cholécalciférol que par la présence d'une double liaison dans la chaîne latérale, est produit de la même façon par

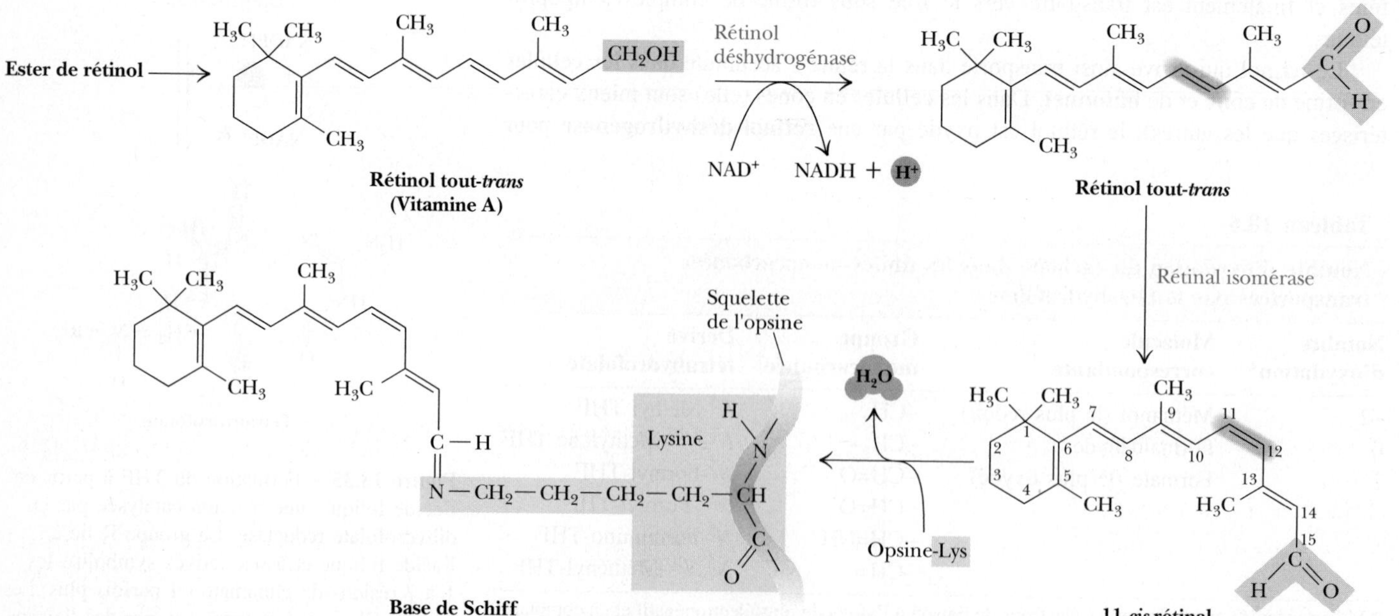

Figure 18.36 • L'incorporation du rétinal dans la rhodopsine, le pigment sensible à la lumière, passe par plusieurs étapes. Le rétinol tout-*trans* est oxydé par la rétinol déshydrogénase et le produit de la réaction est isomérisé par une isomérase en 11-*cis*-rétinal qui forme ensuite une base de Schiff avec l'opsine pour donner le pourpre rétinien, la rhodopsine.

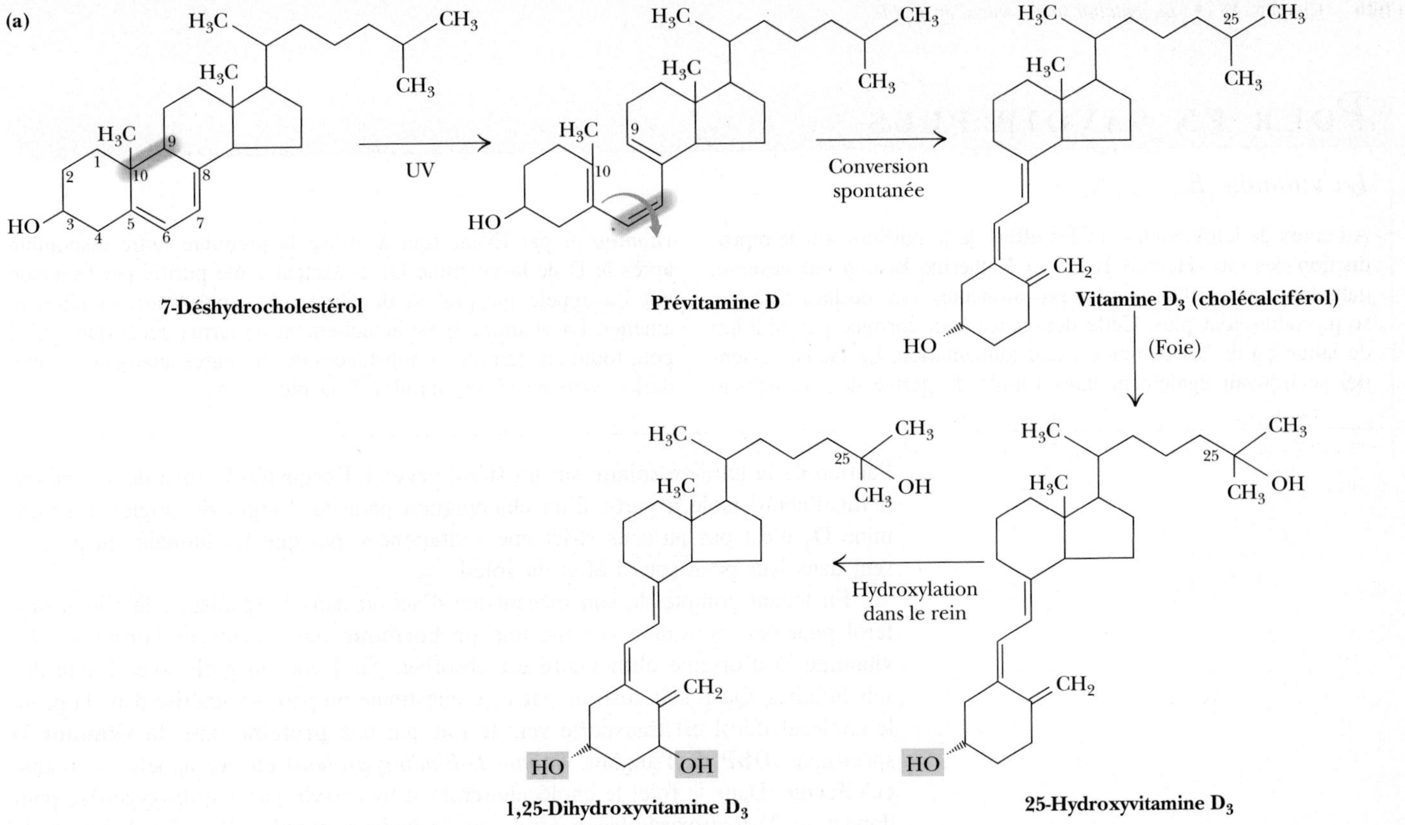

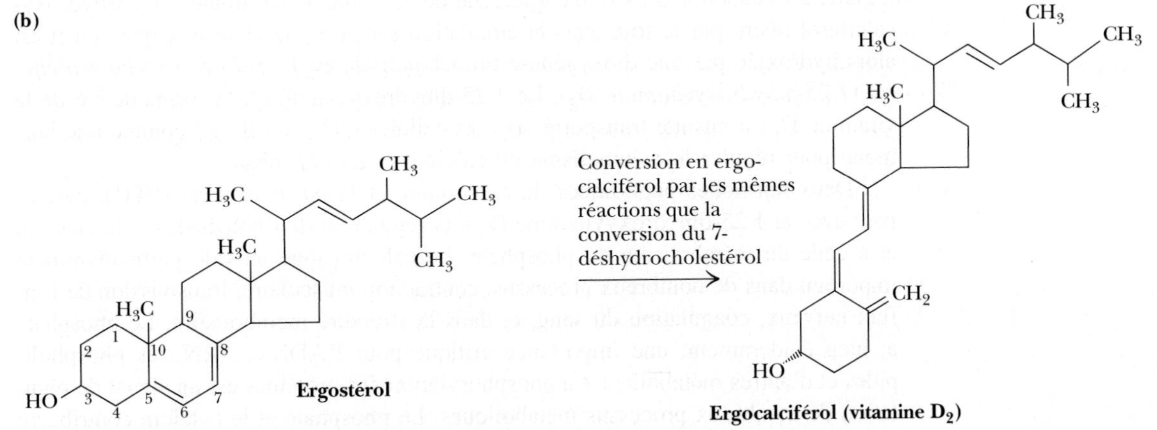

(a)

7-Déshydrocholestérol → UV → **Prévitamine D** → Conversion spontanée → **Vitamine D_3 (cholécalciférol)** → (Foie) → **25-Hydroxyvitamine D_3** → Hydroxylation dans le rein → **1,25-Dihydroxyvitamine D_3**

(b)

Ergostérol → Conversion en ergocalciférol par les mêmes réactions que la conversion du 7-déshydrocholestérol → **Ergocalciférol (vitamine D_2)**

Figure 18.37 • (a) La vitamine D_3 (cholécalciférol) est produite dans la peau sous l'effet de la lumière solaire sur le 7-déshydrocholestérol. Deux réactions successives, catalysées par des hydroxylases à fonction mixte (dioxygénases), dans le foie puis dans le rein, produisent la forme active de la vitamine D, la 1,25-dihydroxyvitamine D_3. (b) L'ergocalciférol se forme de la même façon, mais à partir de l'ergostérol.

Biochimie humaine

Vitamine D et rachitisme

La vitamine D est une famille de molécules très voisines qui sont actives dans la prévention du **rachitisme**, une maladie observée au cours de la croissance. Cette maladie se caractérise par une mauvaise absorption intestinale du calcium et une mauvaise réabsorption du calcium et du phosphate par les reins. La persistance de ce trouble aboutit à une déminéralisation des os. Les symptômes du rachitisme sont la courbure des jambes, les genoux cagneux, la déformation de la colonne vertébrale, et des déformations de la ceinture pelvienne et de la cage thoracique. Tous ces symptômes sont la conséquence de la pression mécanique normale exercée sur des os déminéralisés. La carence en vitamine D chez les adultes conduit à un ramollissement des os et du cartilage, une affection connue sous le nom **d'ostéomalacie**.

POUR EN SAVOIR PLUS

La vitamine E

Au cours de leurs études sur les effets de la nutrition sur la reproduction des rats, Herbert Evans et Katherine Bishop ont observé, dans les années 1920, que les rats alimentés avec du lard rance ne se reproduisaient plus. Cette déficience était corrigée par addition de laitue ou de blé complet à leur alimentation. Le facteur essentiel se trouvait également dans l'huile de germe de blé. Appelé *vitamine E* par Evans (qui a utilisé la première lettre disponible après le D de la vitamine D), le facteur a été purifié par Emerson qui l'a appelé *tocophérol*, du Grec *tokos*, naissance, et *pherein*, amener. La vitamine E est actuellement un terme générique utilisé pour toute une famille de substances de structures analogues à celle de l'*α-tocophérol,* la vitamine E la plus active.

l'action de la lumière solaire sur un stérol végétal, **l'ergostérol** (ainsi dénommé car il fut d'abord isolé à partir d'un champignon parasite, l'ergot de seigle). La vitamine D_3 n'est pas au sens strict une « vitamine », puisque les humains la produisent dans leur peau sous l'effet du soleil.

En tenant compte de son mécanisme d'action dans l'organisme, le cholécalciférol peut être considéré comme une **prohormone** (un précurseur hormonal). La vitamine D d'origine alimentaire est absorbée par l'intestin grêle avec l'aide des sels biliaires. Qu'il soit absorbé par voie intestinale ou photosynthétisé dans la peau, le cholécalciférol est transporté vers le foie par une **protéine liant la vitamine D** spécifique (**DBP** de l'anglais *vitamin* ***D-binding*** *protein*) encore appelée la **transcalciférine**. Dans le foie, le cholécalciférol est hydroxylé par une dioxygénase pour donner le *25-hydroxycholécalciférol* (ou *25-hydroxyvitamine* D_3). Ce dérivé de la vitamine D est la forme dominante circulant dans l'organisme, mais son activité biologique est beaucoup plus faible que celle de la forme active finale. Le 25-hydroxycalciférol libéré par le foie dans la circulation sanguine parvient aux reins où il est alors hydroxylé par une dioxygénase mitochondriale en *1,25-dihydroxycholécalciférol* (*1,25-dihydroxyvitamine* D_3). Le 1,25-dihydroxycalciférol, la forme active de la vitamine D, est ensuite transporté vers les cellules cibles où il agit comme une hormone pour réguler le métabolisme du calcium et du phosphate.

Deux hormones peptidiques, la *calcitonine* et la *parathormone* (PTH), participent avec la 1,25-dihydroxyvitamine D_3 à la régulation de l'homéostasie du calcium et à celle du métabolisme du phosphate. Le calcium joue un rôle particulièrement important dans de nombreux processus, contraction musculaire, transmission de l'influx nerveux, coagulation du sang, et dans la structure membranaire. Le phosphate a, bien évidemment, une importance critique pour l'ADN, l'ARN, les phospholipides et d'autres métabolites. La phosphorylation des protéines est un signal de régulation de nombreux processus métaboliques. Le phosphate et le calcium contribuent à la formation des os. Toute perturbation de la concentration normale du calcium et du phosphate dans le sang a des conséquences sur la structure du tissu osseux comme dans le rachitisme. Le mécanisme de l'homéostasie du calcium implique une coordination précise de plusieurs paramètres : (a) son absorption par l'intestin, (b) son dépôt dans les os et (c) son excrétion par les reins. Si la concentration du calcium dans le sérum sanguin baisse, la vitamine D est hydroxylée en sa forme active qui agit sur les cellules de la muqueuse intestinale pour accroître l'absorption du calcium. La PTH, sécrétée par les parathyroïdes, et la dihydroxyvitamine D agissent sur les os pour favoriser la fixation du calcium et la PTH agit au niveau rénal pour stimuler la réabsorption du calcium. Si, inversement, la concentration du calcium devient trop élevée, la calcitonine, sécrétée par la thyroïde, induit l'excrétion du calcium par les reins, inhibe la décalcification des os et inhibe le métabolisme de la vitamine D et la sécrétion de la PTH.

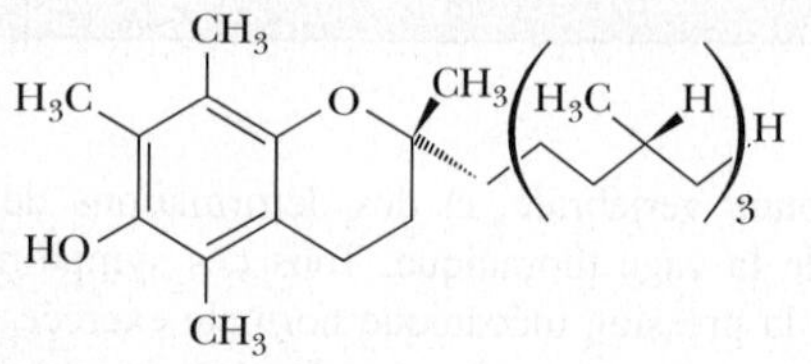

Vitamine E (α-tocophérol)

Figure 18.38 • Structure de la vitamine E (α-tocophérol).

Vitamine E : le tocophérol

L'***α*-tocophérol** est la forme la plus active de la **vitamine E** (Figure 18.38). L'α-tocophérol est un puissant antioxydant et sa fonction dans l'organisme des animaux

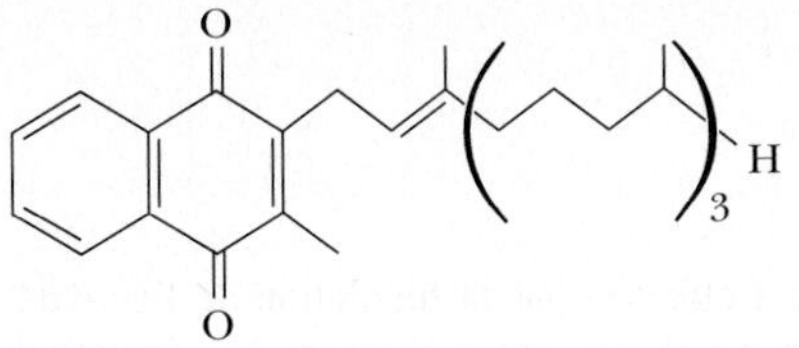

Vitamine K_1
(phylloquinone)

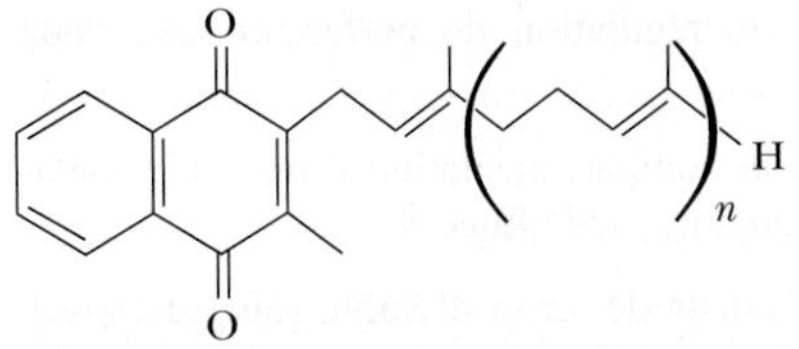

Vitamine K_2
(ensemble des ménaquinones)

Figure 18.39 • Structures des vitamines K.

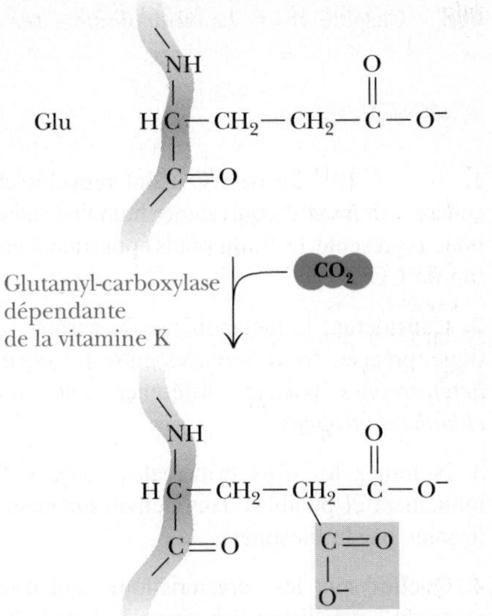

Glu

Glutamyl-carboxylase dépendante de la vitamine K

CO_2

Résidu γ-carboxyglutamyl dans une protéine

Figure 18.40 • L'activité de la glutamyl-carboxylase dépend de la vitamine K. Cet enzyme catalyse la formation des résidus γ-carboxyglutamyle dans plusieurs des protéines de la cascade de la coagulation sanguine (Figure 15.5), ce qui explique le rôle de la vitamine K dans la coagulation.

et des humains est souvent rapportée à cette capacité. Cependant, les bases moléculaires de sa fonction sont totalement inconnues. Un des rôles possibles de la vitamine E serait de protéger les acides gras insaturés des structures membranaires, acides gras particulièrement sensibles à l'oxydation. Les globules rouges sont d'autant plus sensibles à l'hémolyse que la concentration plasmatique de l'α-tocophérol est basse. Les bébés, et en particulier les prématurés, sont déficients en vitamine E. Lorsque des nouveaux-nés sont placés sous oxygène dans une couveuse pour éviter les problèmes respiratoires, le risque de voir apparaître des lésions de la rétine induites par l'oxygène est assez grand. Ce risque est réduit par un apport de vitamine E. Le mécanisme d'action de la vitamine E demeure encore bien obscur.

Vitamine K : la naphtoquinone

La fonction de la **vitamine** K (Figure 18.39) dans la coagulation sanguine n'est élucidée que depuis le début des années 1970, époque au cours de laquelle on s'aperçut que des animaux et des personnes traités par des anticoagulants coumariniques avaient dans leur sang une forme inactive de **prothrombine** (une des protéines de la cascade de la coagulation). Peu après, il fut observé qu'une modification post-traductionnelle de la prothrombine était essentielle pour qu'elle acquière sa structure active. Lors de cette modification, dix résidus Glu de l'extrémité N-terminale de la prothrombine sont carboxylés pour former des résidus γ-carboxyglutamyle. Ces résidus sont importants pour la coordination de Ca^{2+}, préalable indispensable au processus de coagulation du sang. La γ-glutamyl carboxylase qui catalyse cette modification est une protéine du réticulum endoplasmique hépatique, elle a pour cofacteur la vitamine K (Figure 18.40). Outre la prothrombine (appelée facteur II dans la voie de la coagulation), d'autres facteurs de la coagulation, les facteurs VII, IX, et X, et plusieurs protéines plasmatiques, les protéines C, M, S, et Z, contiennent aussi des résidus γ-carboxyglutamyle formés à la suite des mêmes modifications post-traductionnelles. Par ailleurs, des résidus γ-carboxyglutamyle ont été observés d'autres protéines.

BIOCHIMIE HUMAINE

Vitamine K et coagulation sanguine

Au cours de ses recherches effectuées au Danemark pendant les années 1920, Henrik Dam, a remarqué que des poulets élevés avec une alimentation préalablement traitée par des solvants non polaires présentaient des symptômes hémorragiques. De plus, le sang prélevé sur ces animaux coagulait lentement. Les études complémentaires de Dam l'ont conduit à conclure, en 1935, que le facteur antihémorragique était une nouvelle vitamine liposoluble, qu'il a appelé *vitamine K* (du danois *Koagulering*, coagulation). Dam et Karrar, de Zurich, ont isolé à partir de l'alfa la vitamine pure sous forme d'huile. Une autre forme, cristalline à la température ambiante, fut ensuite isolée à partir de poisson. Les deux produits ont été appelés *vitamine K_1 et vitamine K_2*. En fait, la vitamine K_2 correspond à une famille de structures qui diffèrent par la longueur de la chaîne isoprénique liée au C-3.

Exercices

1. Si 3×10^{14} kg de CO^2 sont recyclés chaque année dans la biosphère, combien d'équivalents humains (adultes de 70 kg dont le carbone représente 18 % du poids) pourraient être produits par cette quantité de CO^2 ?

2. Considérant le métabolisme du carbone et le métabolisme énergétique, précisez les différences entre les *photoautotrophes* et les *photohétérotrophes*, puis les différences entre les *chimiautotrophes* et les *chimihétérotrophes*.

3. Nommez les trois principales sources d'atomes d'oxygène communément disponibles dans l'environnement minéral et facilement utilisables par la biosphère.

4. Quelles sont les caractéristiques qui distinguent généralement les voies du catabolisme des voies de l'anabolisme ?

5 Quels sont les trois principaux modes d'organisation des enzymes dans les voies métaboliques ?

6. Pourquoi les séquences métaboliques comprennent-elles autant d'étapes distinctes ?

7. Pourquoi la voie de la synthèse d'une molécule est-elle au moins partiellement différente de la voie de son catabolisme ?

8. Quels sont les rôles métaboliques de l'ATP, du NAD^+ et du NADPH ?

9. La régulation métabolique s'effectue par la régulation de l'activité des enzymes. Trois types de régulation interviennent : la régulation allostérique, la régulation par modification covalente, la régulation par synthèse et dégradation de l'enzyme. Quel est le mode de régulation qui donnera la réponse la plus rapide, la plus lente ? Pour chacun de ces mécanismes régulatoires donnez les conditions pour lesquelles les cellules utiliseront ce mode de régulation de préférence aux deux autres.

10. Quels avantages procure la compartimentation d'une voie métabolique particulière dans un organite spécifique ?

11. La maladie des urines à odeur de sirop d'érable (ou leucinose), est une maladie génétique autosomique récessive caractérisée par un dysfonctionnement neurologique progressif et par des urines qui sentent le sucre brûlé, ou le sirop d'érable. Les cellules et les fluides des individus affectés contiennent des quantités très élevées d'acides aminés ramifiés (leucine, isoleucine et valine) et les acides α-cétoniques ramifiés correspondants. Le gène muté est celui de la déshydrogénase mitochondriale de ces acides cétoniques ramifiés. Les individus porteurs de ce gène muté ont néanmoins un enzyme muté dont l'activité n'est pas différente de celle de la déshydrogénase normale. Cependant, le traitement des patients atteints de leucinose par des doses élevées de thiamine pallie la maladie. Donnez une explication pour les symptômes décrits et pour le rôle de la thiamine dans l'amélioration de l'état des patients.

Lectures recommandées

Atkinson, D.E., 1977. *Cellular Energy Metabolism and Its Regulation.* New York : Academic Press. A monograph on energy metabolism that is filled with novel insights regarding the ability of cells to generate energy in a carefully regulated fashion while contending with the thermodynamic realitics of life.

Boyer, P.D., 1970. *The Enzymes,* 3rd ed. New York : Academic Press. A good reference source for the mechanisms of action of vitamins and coenzymes.

Boyer, P.D., 1970. *The Enzymes,* Vol. 6. New York : Academic Press. See discussion of carboxylation and decarboxylation involving TPP, PLP, lipoic acid, and biotin ; B_{12}-dependent mutases.

Boyer, P.D., 1972. *The Enzymes,* Vol. 7. New York : Academic Press. See especially elimination reactions involving PLP.

Boyer, P.D., 1974. *The Enzymes,* Vol. 10. New York : Academic Press. See discussion of pyridine nucleotide-dependent enzymes.

Boyer, P.D., 1976. *The Enzymes,* Vol. 13. New York : Academic Press. See discussion of flavin-dependent enzymes.

Cooper, T.G, 1977. *The Tools of Biochemistry.* New York : Wiley-Interscience. Chapter 3, « Radiochemistry », discusses techniques for using radioisotopes in biochemistry.

DeLuca, H., et Schnoes, H., 1983. Vitamin D : Recent advances. *Annual Review of Biochemistry* **52** : 411-439.

Jencks, W.P., 1969. *Catalysis in Chemistry and Enzymology.* New York : McGraw-Hill.

Knowles, J.R., 1989. The mechanism of biotin-dependent enzymes. *Annual Review of Biochemistry* **58** : 195-221.

Page, M.I., et Williams, A., eds., 1987. *Enzyme Mechanisms.* London : Royal Society of London.

Reed, L., 1974. Multienzyme complexes. *Accounts of Chemical Research* **7** : 40-46.

Srere, P.A., 1987. Complexes of sequential metabolic enzymes. *Annual Review of Biochemistry* **56** : 89-124. A review of how enzymes in some metabolic pathways are organized into complexes.

Walsh, C.T., 1979. *Enzymatic Reaction Mechanisms.* San Francisco : W.H. Freeman.

Chapitre 19

La glycolyse

« Les organismes vivants, comme les machines, obéissent à la loi de la conservation de l'énergie et doivent pour toutes leurs activités payer dans la monnaie du catabolisme. »

ERNEST BALDWIN, *Dynamic Aspects of Biochemistry* (1952)

Louis Pasteur dans son laboratoire. Les recherches scientifiques de Pasteur sur la fermentation des sucres furent subventionnées par l'industrie vinicole française. *(Albert Edelfelt, Musée d'Orsay, Paris ; Giraudon/Art Resource, New York)*

PLAN

Presque toutes les cellules vivantes ont la même voie catabolique de dégradation progressive du glucose (et d'autres oses simples facilement convertis en glucose, ou dérivés du glucose), la **glycolyse**. La glycolyse est le modèle type des grandes voies métaboliques. Elle a lieu dans le cytosol ; il s'agit fondamentalement d'un processus *anaérobie* dont les réactions se déroulent sans exiger d'oxygène. Les organismes vivants sont apparus dans un environnement dépourvu d'oxygène et la glycolyse fut très probablement la plus importante des voies permettant d'obtenir de l'énergie utilisable à partir de nutriments organiques. Elle a joué un rôle central dans les processus métaboliques anaérobies pendant les deux premiers milliards d'années de l'évolution biologique sur la Terre. Les organismes modernes utilisent toujours la glycolyse pour obtenir les précurseurs des voies cataboliques aérobies (par exemple, le cycle de l'acide citrique) et comme source d'énergie temporaire quand l'oxygène est limitant.

Glycolyse • du grec *glykus*, doux et *lysis*, décomposition

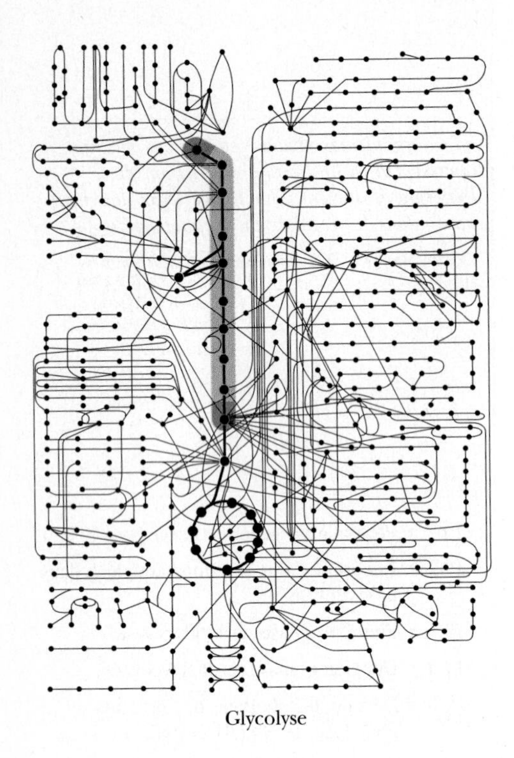

Glycolyse

19.1 • Présentation générale de la glycolyse

La Figure 19.1 donne un aperçu général de la glycolyse. La plupart des réactions de cette voie (la première des voies métaboliques à être élucidée) ont été étudiées dans la première partie du 20e siècle par des biochimistes allemands, Otto Warburg, G. Embden et O. Meyerhof. En fait la séquence des réactions de la Figure 19.1 est souvent appelée la **voie d'Embden-Meyerhof**.

La glycolyse se subdivise en deux phases. Au cours de la première phase, qui comprend une série de cinq réactions, une molécule de glucose est dégradée en deux molécules de glycéraldéhyde-3-phosphate. Dans la seconde phase, les cinq réactions suivantes convertissent les deux molécules de glycéraldéhyde-3-phosphate en deux molécules de pyruvate. La première phase consomme deux molécules d'ATP (Figure 19.2). Les dernières réactions de la glycolyse produisent quatre molécules d'ATP. Le bilan net est la production de 4 – 2 = 2 molécules d'ATP par molécule de glucose dégradé.

Les vitesses de la glycolyse et son mode de régulation varient suivant les espèces

Les microorganismes, les plantes et les animaux, y compris les humains, effectuent globalement les 10 réactions de la glycolyse de la même façon, cependant les vitesses des réactions individuelles et les moyens utilisés pour leur régulation varient d'une espèce à l'autre. Mais, et surtout, la différence la plus significative entre les espèces est la façon dont elles utilisent le pyruvate. Les trois voies possibles d'utilisation sont représentées Figure 19.1. Chez les organismes aérobies, le pyruvate est oxydé avec perte du groupe carbonyle sous forme de CO_2 et les deux autres atomes de carbone deviennent le groupe acétyle de l'acétyl-coenzyme A. Ce groupe acétyle est ensuite métabolisé et complètement oxydé par la voie du cycle de l'acide citrique, avec formation de CO_2. Les électrons transférés au cours des réactions d'oxydation passent finalement sur la chaîne de transport des électrons des mitochondries et permettent, par leur oxydation phosphorylante, la formation de molécules d'ATP. Ces dernières contiennent une grande fraction de l'énergie métabolique contenue à l'origine dans la molécule de glucose.

19.2 • Importances des réactions couplées dans la glycolyse

La glycolyse permet la conversion d'une partie seulement de l'énergie métabolique du glucose en ATP. La variation de l'énergie libre lors de la conversion du glucose en deux molécules de lactate (voie en anaérobiose de la Figure 19.1) est de –183,6 kJ/mol.

$$C_6H_{12}O_6 \longrightarrow 2H_3C\text{–}CHOH\text{–}COO^- + 2H^+ \quad \Delta G^{\circ\prime} = -183{,}6 \text{ kJ/mol} \tag{19.1}$$

Cette conversion s'effectue sans variation nette du niveau d'oxydation ou de réduction. Bien que certaines des étapes impliquent une oxydation ou une réduction, ces étapes se compensent exactement. Ainsi, la conversion de la molécule de glucose en deux molécules de lactate n'implique simplement que le réarrangement de liaisons covalentes, sans perte ni gain d'électrons. L'énergie libérée par ce réarrangement en une forme plus stable (de plus faible énergie) est relativement petite par rapport à l'énergie totale qui peut être obtenue à partir du glucose.

La production, au cours de la glycolyse, de deux molécules d'ATP est un processus qui nécessite un apport d'énergie :

$$2ADP + 2P_i \longrightarrow 2ATP + 2H_2O \quad \Delta G^{\circ\prime} = 2 \times 30{,}5 \text{ kJ/mol} = 61{,}0 \text{ kJ/mol} \tag{19.2}$$

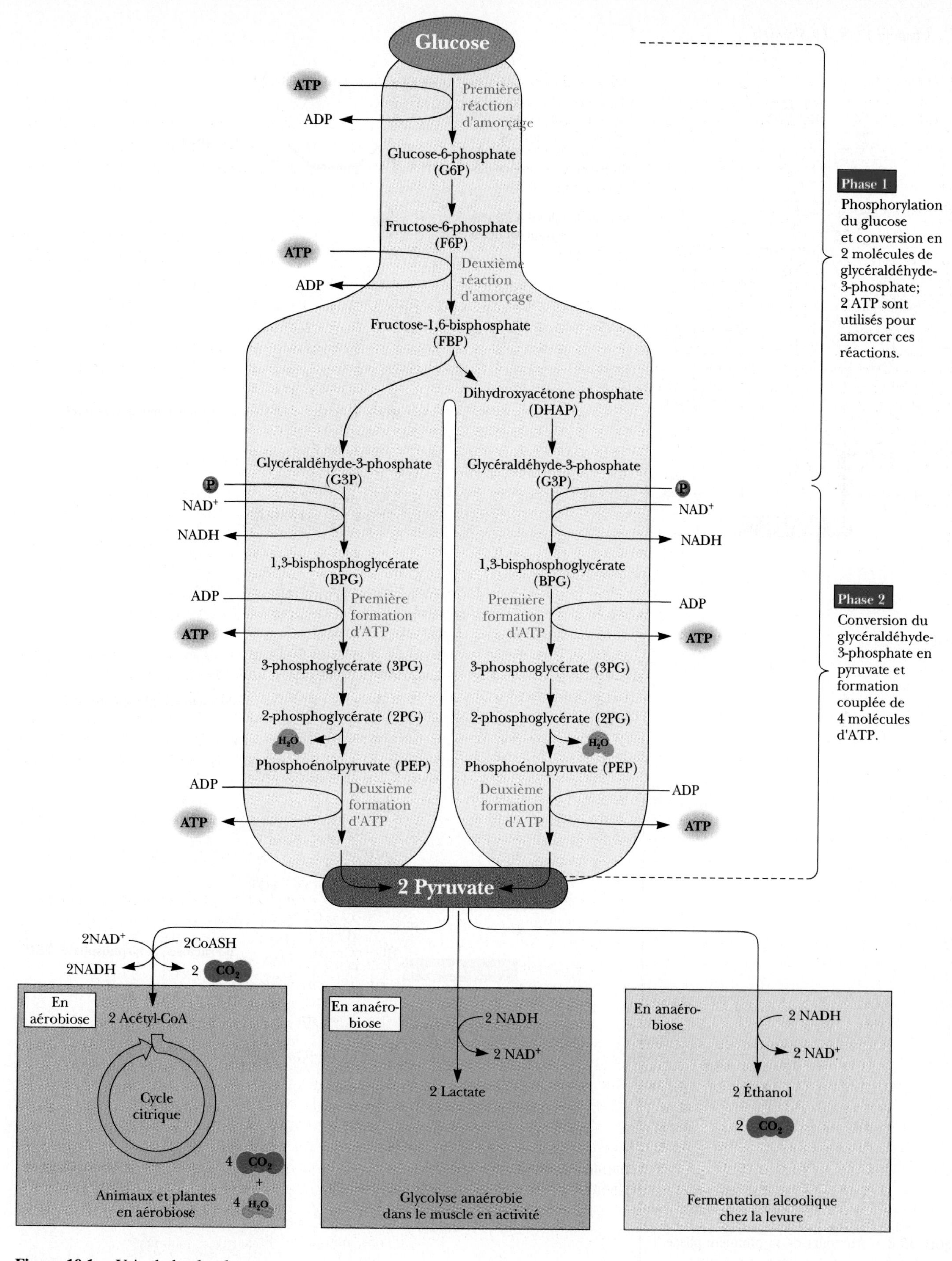

Figure 19.1 • Voie de la glycolyse.

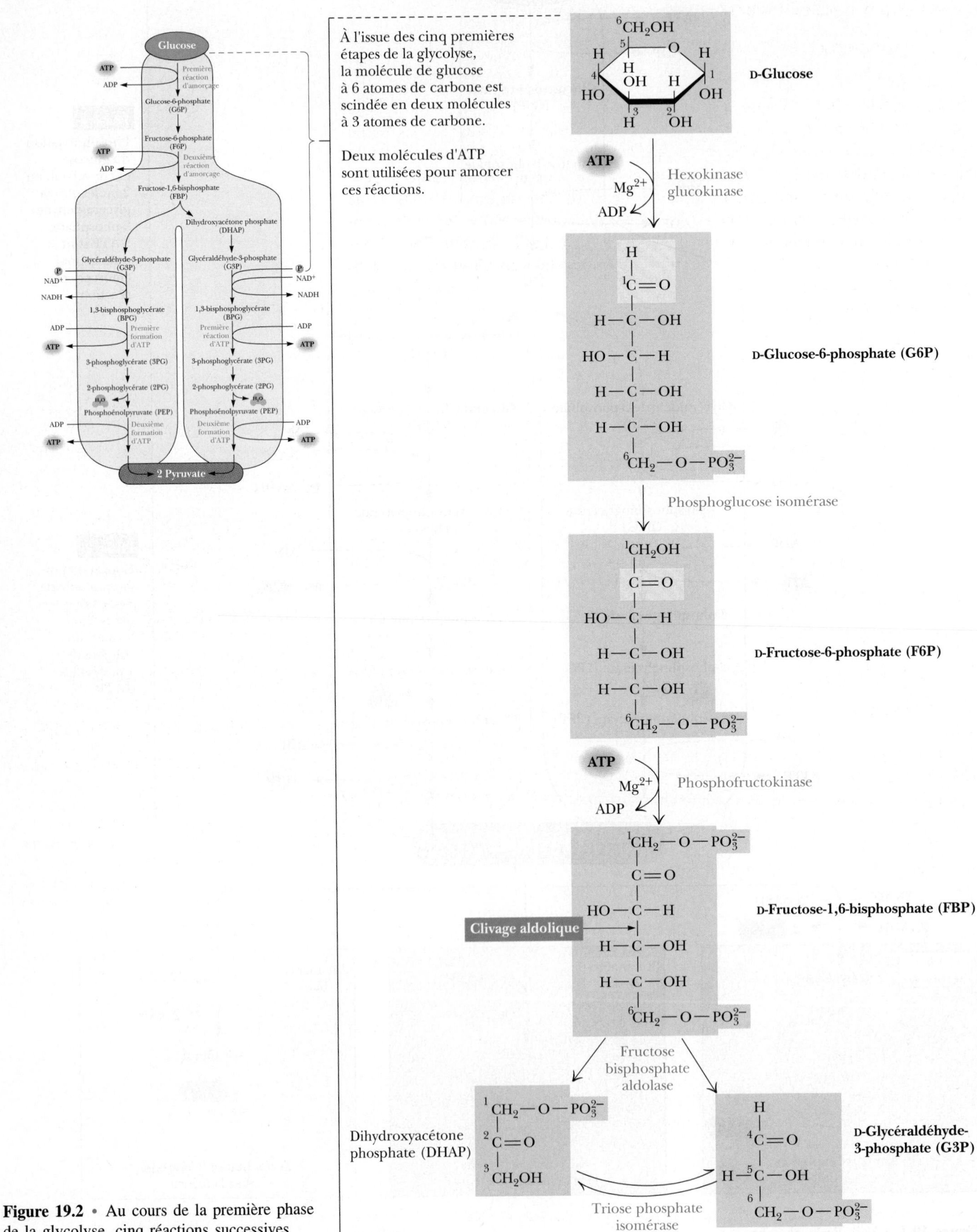

Figure 19.2 • Au cours de la première phase de la glycolyse, cinq réactions successives convertissent une molécule de glucose en deux molécules de glycéraldéhyde-3-phosphate.

La glycolyse réalise le couplage des deux réactions suivantes :

$$\text{Glucose} + 2\text{ADP} + 2\text{P}_i \longrightarrow 2\ \text{lactate} + 2\text{ATP} + 2\text{H}^+ + 2\text{H}_2\text{O} \quad (19.3)$$
$$\Delta G^{\circ\prime} = 183{,}6 + 61 = 122{,}6\ \text{kJ/mol}$$

Donc, à la suite de ces réactions, et dans les conditions de l'état standard, un tiers (33 %) de l'énergie libre disponible, (61/183,6) × 100, est conservé sous forme d'ATP. Mais nous avons vu, Chapitre 3, que les conditions de la solution (le pH, la concentration des réactifs, la force ionique et la présence d'ions métalliques) peuvent substantiellement modifier la variation d'énergie libre de ces réactions. Dans les conditions réelles du milieu cellulaire, le ΔG de la synthèse de l'ATP (Équation 19.2) est bien plus important, et environ la moitié (50 %) de l'énergie libre disponible est convertie en ATP. Il y a de toute façon suffisamment d'énergie libre produite lors de la conversion du glucose en lactate pour permettre la synthèse de deux molécules d'ATP.

19.3 • Première phase de la glycolyse

Une première possibilité de synthèse de l'ATP utilisant l'énergie libre contenue dans la molécule de glucose serait offerte par la conversion du glucose en un (ou plusieurs) dérivé(s) à haut potentiel énergétique ayant une variation d'énergie libre d'hydrolyse standard plus élevée que celle de l'ATP (voir Tableau 3.3). Ces molécules qui peuvent être facilement synthétisées à partir du glucose sont le phosphoénolpyruvate, le 1,3-bisphosphoglycérate et l'acétyl-phosphate. En fait, dans la première phase de la glycolyse, le glucose est converti en deux molécules de glycéraldéhyde-3-phosphate. Ce n'est qu'au cours de la deuxième phase que cette molécule très énergétique est utilisée pour la synthèse de l'ATP.

Figure 19.3 • De même qu'il faut amorcer la pompe à eau avec de l'eau afin de pouvoir la faire fonctionner et tirer l'eau nécessaire, la voie glycolytique doit être amorcée avec de l'ATP, dans les réactions 1 et 3, afin d'obtenir une production nette d'ATP dans la seconde phase de la séquence.

Réaction 1 : réaction d'amorçage. Phosphorylation du glucose par l'hexokinase ou la glucokinase

La première réaction de la voie de la glycolyse implique une phosphorylation du glucose sur le C-6, phosphorylation catalysée par l'hexokinase ou la glucokinase. La formation de cet ester phosphorique est thermodynamiquement défavorable (endergonique), elle requiert donc un apport d'énergie (Chapitre 3). L'énergie provient de l'ATP, une exigence apparemment peu compatible avec l'objectif. La glycolyse a pour objet essentiel la *production* d'ATP, et non sa consommation. En fait, la réaction catalysée par l'hexokinase, ou la glucokinase (Figure 19.2), est l'une des deux **réactions d'amorçage** de la glycolyse. De même que la bonne vieille pompe à eau manuelle (Figure 19.3) avait besoin d'être amorcée avec un peu d'eau avant de pouvoir fonctionner et fournir l'eau nécessaire pour étancher la soif de celui qui l'activait, la voie de glycolyse requiert deux molécules d'ATP pour amorcer la séquence des réactions qui finalement permet la synthèse de quatre molécules d'ATP.

La réaction complète de la première étape de la glycolyse est la suivante :

$$\alpha\text{-D-Glucose} + \text{ATP}^{4-} \longrightarrow \alpha\text{-D-glucose-6-phosphate}^{2-} + \text{ADP}^{3-} + \text{H}^+ \quad (19.4)$$
$$\Delta G^{\circ\prime} = -16{,}7\ \text{kJ/mol}$$

L'hydrolyse de l'ATP fournit 30,5 kJ/mol et la phosphorylation « coûte » 13,8 kJ/mol (voir Tableau 19.1) dans les conditions de l'état standard (concentrations 1 M) ; la réaction libère donc 16,7 kJ/mol et l'équilibre de la réaction est largement déplacé vers la droite, c'est-à-dire en faveur de la synthèse du glucose-6-phosphate (K_{eq} = 850 à 25 °C, voir Tableau 19.1).

Dans les conditions cellulaires, cette première réaction de la glycolyse est encore plus en faveur de la formation du glucose-6-phosphate que dans les conditions de l'état standard. Rappelons que les variations d'énergie libre de toute réaction dépendent de la concentration des réactifs et de celle des produits formés (voir Chapitres 15 et 16).

Tableau 19.1

Réactions et thermodynamique de la glycolyse

Réaction	Enzyme
α-D-Glucose + ATP^{4-} $\rightleftharpoons$ glucose-6-phosphate^{2-} + ADP^{3-} + H^+	Hexokinase Glucokinase
Glucose-6-phosphate^{2-} $\rightleftharpoons$ fructose-6-phosphate^{2-}	Phosphoglucose isomérase
Fructose-6-phosphate^{2-} + ATP^{4-} $\rightleftharpoons$ fructose-1,6-biphosphate^{4-} + ADP^{3-} + H^+	Phosphofructokinase
Fructose-1,6-biphosphate^{4-} $\rightleftharpoons$ dihydroxyacétone-P^{2-} + glycéraldéhyde-3-P^{2-}	Fructose bisphosphate aldolase
Dihydroxyacétone-P^{2-} $\rightleftharpoons$ glycéraldéhyde-3-P^{2-}	Triose phosphate isomérase
Glycéraldéhyde-3-P^{2-} + P_i^{2-} + NAD^+ $\rightleftharpoons$ 1,3-bisphosphoglycérate^{4-} + NADH + H^+	Glycéraldéhyde-3P déshydrogénase
1,3-bisphosphoglycérate^{4-} + ADP^{3-} $\rightleftharpoons$ 3-phosphoglycérate^{3-} + ATP^{4-}	Phosphoglycérate kinase
3-phosphoglycérate^{3-} $\rightleftharpoons$ 2-phosphoglycérate^{3-}	Phosphoglycérate mutase
2-phosphoglycérate^{3-} $\rightleftharpoons$ phosphoénolpyruvate^{3-} + H_2O	Enolase
Phosphoénolpyruvate^{3-} + ADP^{3-} + H^+ $\rightleftharpoons$ pyruvate$^-$ + ATP^{4-}	Pyruvate kinase
Pyruvate$^-$ + NADH + H^+ $\rightleftharpoons$ lactate$^-$ + NAD^+	Lactate déshydrogénase

à suivre

Tableau 19.2

Concentrations dans les érythrocytes, des métabolites de la glycolyse à l'état d'équilibre

Métabolite	m*M*
Glucose	5,0
Glucose-6-phosphate	0,083
Fructose-6-phosphate	0,014
Fructose-1,6-biphosphate	0,031
Dihydroxyacétone phosphate	0,14
Glycéraldéhyde-3-phosphate	0,019
1,3-Bisphosphoglycérate	0,001
2,3-Bisphosphoglycérate	4,0
3-Phosphoglycérate	0,12
2-Phosphoglycérate	0,030
Phosphoénolpyruvate	0,023
Pyruvate	0,051
Lactate	2,9
ATP	1,85
ADP	0,14
P_i	1,0

D'après Minakami, S., et Yoshikawa, H., 1965. *Biochemical and Biophysical Research Communications* **18** : 345.

L'Équation 3.12 du Chapitre 3 et les valeurs portées dans le Tableau 19.2 permettent de calculer la valeur de ΔG pour la réaction catalysée par l'hexokinase dans les érythrocytes :

$$\Delta G = \Delta G^{\circ\prime} + RT \ln \left(\frac{[\text{G-6-P}]\,[\text{ADP}]}{[\text{Glu}]\,[\text{ATP}]} \right) \tag{19.5}$$

$$\Delta G = 16{,}7 \text{ kJ/mol} + (8{,}314 \text{ J/mol}\cdot\text{K})(310 \text{ K}) \ln \left(\frac{[0{,}083]\,[0{,}14]}{[5{,}0]\,[1{,}85]} \right)$$

$$\Delta G = -33{,}9 \text{ kJ/mol}$$

Nous voyons que *ΔG est plus favorable dans les conditions cellulaires que dans celles de l'état standard.* Nous verrons au cours de ce chapitre que la réaction catalysée par l'hexokinase (ou la glucokinase) est une des réactions qui entraînent la glycolyse.

Avantages de la phosphorylation du glucose

La phosphorylation du glucose, favorable d'un point de vue thermodynamique, est importante pour plusieurs raisons. En premier lieu, la phosphorylation maintient le substrat dans la cellule. Le glucose est une molécule électriquement neutre qui diffuserait facilement à travers la membrane cellulaire ; sa phosphorylation lui confère une charge négative et la membrane plasmatique devient alors imperméable au glucose-6-phosphate (Figure 19.4). De plus, la conversion rapide du glucose en glucose-6-phosphate fait que la concentration *intracellulaire* du glucose est faible, ce qui favorise la diffusion du glucose *vers* la cellule. Enfin, comme les mécanismes de régulation ne peuvent s'appliquer qu'à des réactions qui ne sont pas à l'équilibre, la thermodynamique favorable de la première réaction en fait une importante étape soumise à régulation.

L'hexokinase

Chez la plupart des animaux, des plantes et des microorganismes, l'enzyme qui catalyse la phosphorylation du glucose est **l'hexokinase**. La réaction exige la présence d'ions Mg^{2+}, comme pour les autres kinases de la glycolyse. Le vrai cosubstrat de la réaction est le sel de magnésium de l'ATP, l'$ATPMg^{2-}$. L'enzyme des muscles

Tableau 19.1

Suite

Source	Masse moléculaire d'une sous-unité (Da)	Composition oligomérique	$\Delta G°'$ (kJ/mol)	K_{eq} à 25 °C	ΔG (kJ/mol)
Mammifères	100.000	Monomère	–16,7	850	–33,9*
Levure	55.000	Dimère			
Foie de mammifère	50.000	Monomère			
Humain	65.000	Dimère	+1,67	0,51	–2,92
Muscle de lapin	78.000	Tétramère	–14,2	310	–18,8
Muscle de lapin	40.000	Tétramère	+23,9	$6{,}43 \times 10^{-5}$	–0,23
Muscle de poulet	27.000	Dimère	+7,56	0,0472	+2,41
Muscle de lapin	37.000	Tétramère	+6,30	0,0786	–1,29
Muscle de lapin	64.000	Monomère	–18,9	2060	+0,1
Muscle de lapin	27.000	Dimère	+4,4	0,169	+0,83
Muscle de lapin	41.000	Dimère	+1,8	0,483	+1,1
Muscle de lapin	57.000	Tétramère	–31,7	$3{,}63 \times 10^{5}$	–23,0
Muscle de lapin	35.000	Tétramère	–25,2	$2{,}63 \times 10^{4}$	–14,8

* Valeurs de ΔG calculées pour une température de 37 °C (310 K), en utilisant les valeurs du Tableau 19.2 pour la concentration des métabolites dans les érythrocytes. Les valeurs de $\Delta G°'$ sont considérées comme constantes entre 25 °C et 37 °C.

squelettiques des animaux a un K_m apparent pour le glucose d'environ 0,1 m*M*, l'enzyme est donc très actif à la concentration normale glucose sanguin voisine de 4 m*M*. Les divers tissus du corps humain ont des isozymes de l'hexokinase distincts avec des propriétés cinétiques un peu différentes les unes des autres. L'enzyme des animaux subit une inhibition allostérique par le produit de la réaction, le glucose-6-phosphate. Une concentration élevée de glucose-6-phosphate inhibe l'activité de l'hexokinase, jusqu'à ce que sa consommation par la glycolyse soit suffisamment abaissée. La réaction catalysée par l'hexokinase est l'une des trois réactions *régulées* de la glycolyse. Comme son nom l'implique, l'hexokinase peut catalyser la phosphorylation de divers hexoses, en particulier le glucose, le mannose et le fructose.

La glucokinase

Le foie contient un enzyme, la **glucokinase**, qui catalyse la réaction de la Figure 19.4 et qui est extrêmement spécifique du D-glucose. Son K_m pour le glucose beaucoup plus élevé (environ 10,0 m*M*) que celui de l'hexokinase et l'enzyme n'est pas inhibé par le produit de la réaction. Avec un K_m aussi élevé, le rôle métabolique de

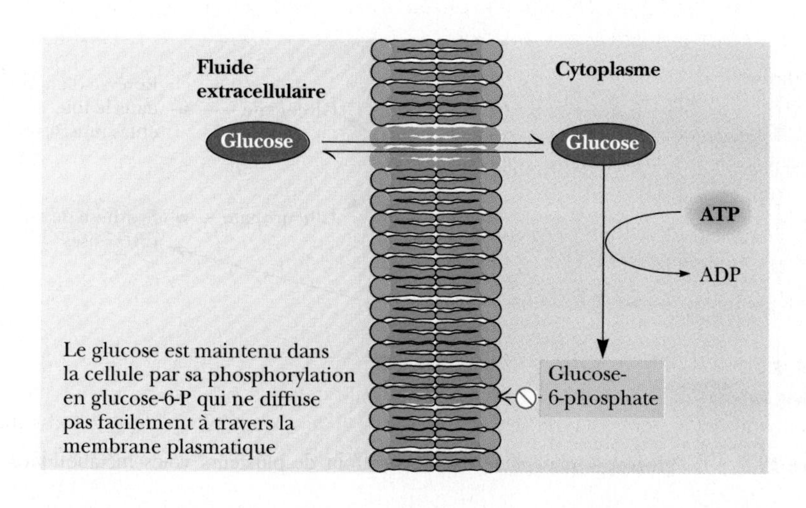
Fluide extracellulaire
Cytoplasme
Glucose
Glucose
ATP
ADP
Le glucose est maintenu dans la cellule par sa phosphorylation en glucose-6-P qui ne diffuse pas facilement à travers la membrane plasmatique
Glucose-6-phosphate

Figure 19.4 • La phosphorylation du glucose en glucose-6-phosphate par l'ATP, donne une molécule ionisée qui ne peut pas diffuser passivement à travers la membrane plasmatique.

la glucokinase ne devient important que lorsque la concentration du glucose hépatique est élevée (par exemple après l'ingestion d'une grande quantité de sucre). Lorsque la concentration en glucose est basse, c'est surtout l'hexokinase qui est active. Cependant quand la concentration du glucose est élevée, le glucose est converti par la glucokinase en glucose-6-phosphate avant d'être, si nécessaire, accumulé sous forme de glycogène. La glucokinase est un enzyme *inductible* ; sa concentration dans le foie est régulée par l'insuline, une hormone pancréatique. Les personnes atteintes de **diabète sucré** ne produisent pas suffisamment d'insuline. Elles ont une faible concentration de glucokinase et accumulent peu de glycogène dans leur foie. L'organisme ne tolère pas une concentration élevée de glucose sanguin ; si la sécrétion d'insuline est insuffisante, le glucose n'étant pas assez rapidement utilisé par le foie est éliminé par la voie rénale (l'urine à un goût sucré d'où le nom de cette forme de diabète). Le glucose-6-phosphate est un métabolite commun à plusieurs voies métaboliques (Figure 19.5), il occupe un des points de branchement du métabolisme du glucose.

Réaction 2 : La glucose-6-phosphate isomérase catalyse l'isomérisation du glucose-6-phosphate

La deuxième étape de la glycolyse est un exemple typique d'une réaction commune dans les réactions métaboliques : l'isomérisation d'un aldose en cétose. Dans ce cas particulier, la fonction carbonyle de l'ose passe du C-1 du glucose-6-phosphate (un aldose) au C-2 du fructose phosphate (un cétose). Cette réaction d'isomérisation est nécessaire pour deux raisons. Premièrement l'étape suivante de la glycolyse est la phosphorylation en C-1, or la fonction –OH semi-acétalique du glucose est plus difficilement phosphorylée qu'un hydroxyle d'alcool primaire. Deuxièmement, l'isomérisation du glucose en fructose (avec un carbonyle en position 2 dans la structure linéaire) active le carbone C-3 et facilite la scission lors de la quatrième étape de la glycolyse. L'enzyme qui catalyse cette isomérisation est la **glucose-6-phosphate isomérase**, encore appelée la **phosphoglucose isomérase**. Chez les humains, l'enzyme extrêmement spécifique du glucose-6-phosphate, exige la présence de Mg^{2+} pour être actif. La valeur de $\Delta G°'$ est de 1,67 kJ/mol et celle de ΔG dans les conditions cellulaires est de –2,92 kJ/mol (Tableau 19.1). Cette faible valeur signifie que la catalyse s'effectue dans la cellule dans des conditions très proches de l'équilibre, la réaction est donc très facilement réversible. Elle passe par la formation d'un *ène-diol* intermédiaire (Figure 19.6). Bien que les formes de glucose-6-phosphate et de fructose-6-phosphate en solution soient cycliques, (Figure 19.6), l'enzyme catalyse la conversion de la forme ouverte (linéaire) du G-6-P en forme ouverte du F-6-P. L'enzyme catalyse d'abord l'ouverture du cycle pyrannose (Figure 19.6, Étape A). Puis le proton du C-2 du substrat est transféré sur un résidu basique de l'enzyme, ce qui facilite la formation de l'ène-diol intermédiaire (Figure 19.6, Étape B). Ce processus de transfert de proton est

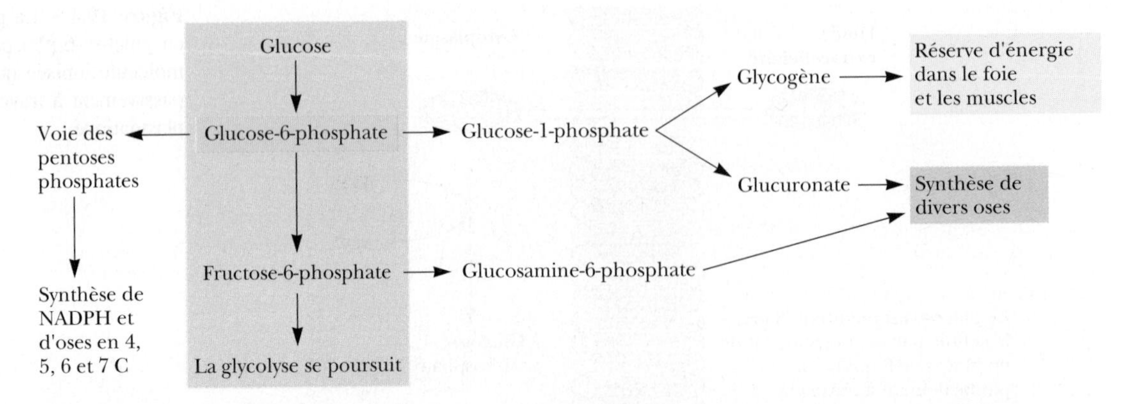

Figure 19.5 • Le glucose-6-phosphate est au carrefour de plusieurs voies métaboliques.

Figure 19.6 • Le mécanisme réactionnel de la glucose-6-P isomérase implique l'ouverture du cycle pyrannique (Étape A), le transfert d'un proton avec la formation d'un ène-diolate (Étape B), l'addition d'un proton sur la double liaison suivie de la fermeture du cycle (Étape C).

ensuite inversé, avec la formation d'un groupe carbonyle sur le C-2 de ce qui devient le F-6-P (Figure 19.6, Étape C). Le cycle furannique se reconstitue par l'attaque classique de l'hydroxyle en C-5 sur le groupe carbonyle.

Réaction 3 : Deuxième réaction d'amorçage. Phosphorylation du fructose-6-phosphate par la phosphofructokinase

Le « déplacement » de la fonction carbonyle du C-1 en C-2, catalysé par la G-6-P isomérase, crée une nouvelle fonction alcool primaire sur le C-1 (Figure 19.6). L'étape suivante de la voie de la glycolyse sera la phosphorylation de ce groupe par la **phosphofructokinase** (PFK). Là encore, l'ATP sera le cosubstrat de la phosphorylation. Comme la réaction catalysée par l'hexokinase, la phosphorylation du F-6-P est une réaction endergonique d'amorçage.

$$\text{Fructose-6-P} + P_i \longrightarrow \text{fructose-1,6-bisphosphate} \qquad (19.6)$$
$$\Delta G°' = 16{,}3 \text{ kJ/mol}$$

Lorsque cette réaction est couplée, par la phosphofructokinase, à l'hydrolyse de l'ATP, la réaction globale est fortement exergonique (Figure 19.7) :

$$\text{Fructose-6-P} + \text{ATP} \longrightarrow \text{fructose-1,6-bisphosphate} + \text{ADP} \qquad (19.7)$$
$$\Delta G°' = -14{,}2 \text{ kJ/mol}$$
$$\Delta G \text{ (dans les érythrocytes)} = -18{,}8 \text{ kJ/mol}$$

À pH 7 et à 37 °C l'équilibre de la réaction est très en faveur de son déplacement vers la droite. De la même façon que la phosphorylation du glucose par l'hexokinase favorise l'entrée du glucose dans la cellule, la réaction catalysée par *la phosphofructokinase engage le métabolisme dans la voie du catabolisme du glucose* plutôt que vers sa conversion en un autre ose ou sa mise en réserve. De même que la grande variation d'énergie libre qui accompagne la phosphorylation du glucose par l'hexokinase fait que cet enzyme est susceptible de régulation, la réaction catalysée par la phosphofructokinase est un important point de régulation, c'est d'ailleurs le plus important site de régulation de la glycolyse.

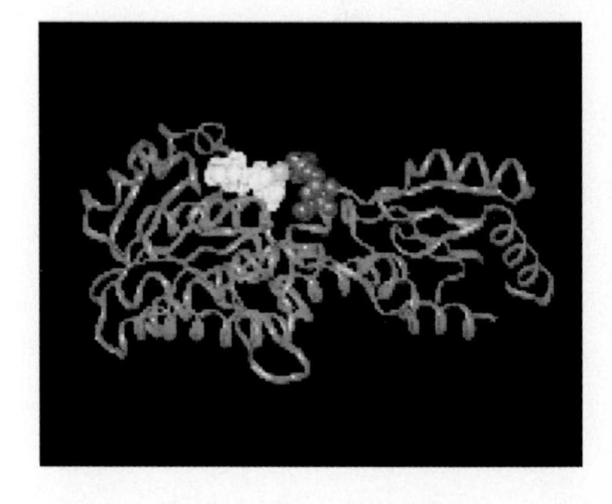

Phosphofructokinase liée à une molécule d'ADP (en blanc) et à une molécule de fructose-6-P (en rouge).

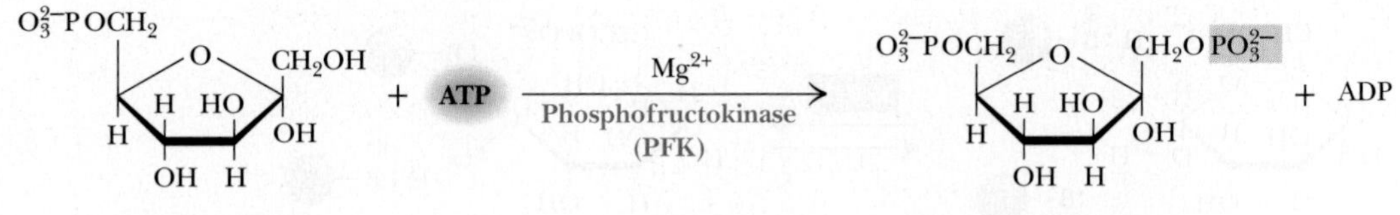

Fructose-6-phosphate + ATP $\xrightarrow[\text{Phosphofructokinase (PFK)}]{Mg^{2+}}$ Fructose-1,6-bisphosphate + ADP

$\Delta G^{\circ\prime} = -14{,}2$ kJ/mol

$\Delta G_{\text{érythrocyte}} = -18{,}8$ kJ/mol

Figure 19.7 • Réaction catalysée par la phosphofructokinase.

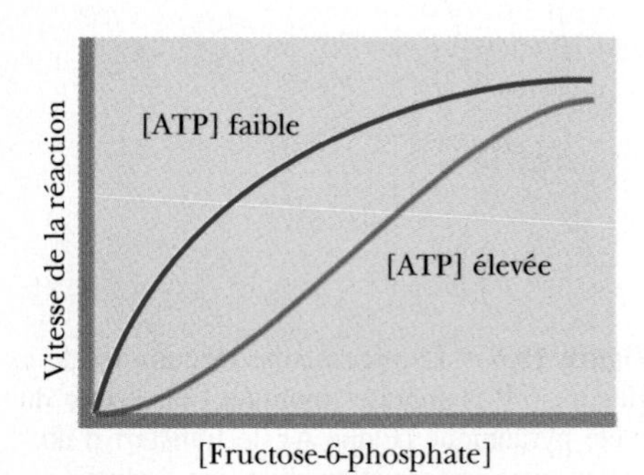

Figure 19.8 • Quand la [ATP] est élevée, la phosphofructokinase (PFK) se comporte comme un enzyme de type allostérique, la courbe de l'activité en fonction de [fructose-6-phosphate] est une sigmoïde. À forte concentration, l'ATP est un inhibiteur allostérique de la PFK ; à forte concentration l'ATP inhibe la PFK en diminuant l'affinité de l'enzyme pour F-6-P.

Régulation de la phosphofructokinase

La phosphofructokinase est l'étape limitante, « la valve régulatrice », de la vitesse de la glycolyse. L'ATP est un inhibiteur allostérique de l'enzyme. En présence d'une forte concentration d'ATP l'inhibition est de type coopératif ; les courbes représentant l'activité enzymatique en fonction de la concentration en F-6-P sont sigmoïdes et le K_m pour le fructose-6-phosphate est plus élevé (Figure 19.8). Lorsque la concentration de l'ATP dans le cytoplasme est suffisamment élevée, l'ATP diminue l'affinité de l'enzyme pour son substrat et donc ralentit la glycolyse. Mais la situation est en réalité plus complexe : dans la plupart des conditions physiologiques la concentration de l'ATP varie relativement peu. Lors d'un exercice musculaire intense, la concentration de l'ATP ne baisse que de 10 % par rapport à la concentration de l'ATP dans une cellule musculaire au repos. Les variations de l'activité glycolytique sont par contre très importantes, elles ne peuvent être corrélées à une simple variation de 10 % de la concentration en ATP. D'autres mécanismes doivent intervenir. Nous verrons que l'AMP, le citrate et le β-D-fructose-2,6-bisphosphate participent également à la régulation de l'activité de la PFK.

L'AMP lève l'inhibition de la PFK due à l'ATP et la concentration de l'AMP *augmente beaucoup* quand la concentration de l'ATP diminue, même de peu. En effet, un enzyme, *l'adénylate kinase,* intervient pour maintenir la concentration de l'ATP aux dépens de l'ADP. L'enzyme catalyse la réaction suivante :

$$\text{ADP} + \text{ADP} \rightleftharpoons \text{ATP} + \text{AMP}$$

avec la constante d'équilibre :

$$K_{eq} = \frac{[\text{ATP}]\,[\text{AMP}]}{[\text{ADP}]^2} = 0{,}44 \qquad (19.8)$$

L'adénylate kinase interconvertit rapidement l'ADP, l'ATP et l'AMP pour maintenir cet équilibre. La concentration de l'ADP dans le cytoplasme est d'environ 10 % de celle de l'ATP alors que celle de l'AMP est souvent inférieure à 1 % de la concentration de l'ATP. Dans ces conditions, il suffit d'une petite baisse relative de la concentration de l'ATP, due à son hydrolyse, pour que l'activité de l'adénylate kinase provoque un important accroissement relatif de la concentration de l'AMP.

EXEMPLE

Calculez la variation de la concentration de l'AMP qui résulterait de l'hydrolyse instantanée de 8 % de l'ATP des globules rouges en ADP. Dans les érythrocytes (Tableau 19.2), la concentration de l'ATP est en moyenne 1.850 μM, celle de l'ADP est 145 μM et celle de l'AMP est *5* μM. La concentration totale en adénosine phosphorylée est 2.000 μM.

SOLUTION

Le problème peut être résolu en utilisant l'équation de la constante d'équilibre de la réaction catalysée par l'adénylate kinase :

$$K_{eq} = 0{,}44 = \frac{[\text{ATP}]\,[\text{AMP}]}{[\text{ADP}]^2}$$

Si 8 % de l'ATP sont hydrolysés en ADP, alors [ATP] devient 1.850 (0,92) = 1.702 μM et celle de [AMP] + [ADP] devient 2000 – 1702 = 298 μM.
[AMP] peut être calculée à partir de l'équation d'équilibre de l'adénylate kinase :

$$0{,}44 = \frac{[1702\ \mu M]\,[\mathrm{AMP}]}{[\mathrm{ADP}]^2}$$

Puisque [AMP] = 298 μM – [ADP],

$$0{,}44 = \frac{1702(298) - [\mathrm{ADP}])}{[\mathrm{ADP}]^2}$$

$$[\mathrm{ADP}] = 278\ \mu M$$

$$[\mathrm{AMP}] = 20\ \mu M$$

Donc, une baisse de 8 % de [ATP] produit un *quadruplement* (20/5) de *la concentration de l'AMP.*

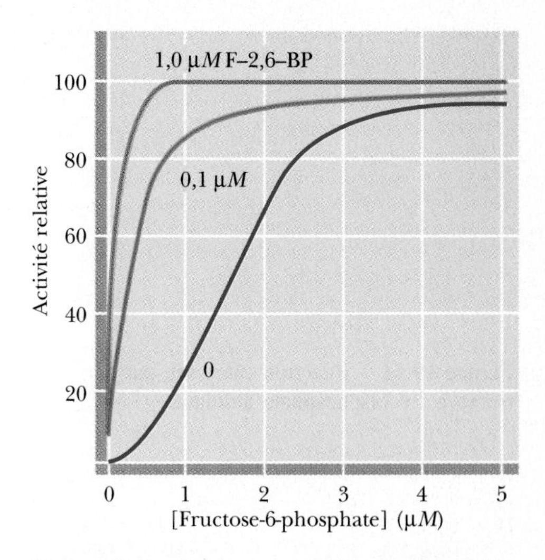

Figure 19.9 • Le fructose-2,6-bisphosphate (F-2,6-BP) active la PFK en augmentant l'affinité de l'enzyme pour fructose-6-P et rétablit la cinétique hyperbolique de l'enzyme en fonction de la concentration en substrat.

L'activité de la phosphofructokinase dépend à la fois de la concentration en ATP et en AMP, elle dépend du niveau énergétique intracellulaire. L'activité de la FPK augmente quand ce niveau baisse, elle diminue quand ce niveau augmente. L'activité de la glycolyse est ralentie quand il y a suffisamment d'ATP pour couvrir les besoins de l'activité cellulaire, elle est accélérée quand il faut un apport d'énergie sous forme d'ATP.

La glycolyse et le cycle de l'acide citrique (voir Chapitre 20) sont couplés par la phosphofructokinase car le *citrate*, un intermédiaire du cycle de l'acide citrique, est un inhibiteur allostérique de la PFK. Quand le cycle de l'acide citrique atteint la saturation, la glycolyse (qui alimente ce cycle dans les conditions aérobies) ralentit. Le cycle de l'acide citrique a une double fonction, fournir des électrons à la chaîne respiratoire (pour permettre la synthèse de l'ATP) et fournir des métabolites précurseurs à diverses voies de biosynthèse. Si ces produits ne peuvent plus être utilisés, le citrate s'accumule, inhibe la PFK et donc ralentit la glycolyse qui « alimente » le cycle de l'acide citrique en aérobiose. L'inhibition de la glycolyse par le citrate évite que le glucose continue à être utilisé pour alimenter un cycle déjà saturé.

La phosphofructokinase est aussi régulée par le **β-D-fructose-2,6-bisphosphate**, un puissant activateur allostérique qui augmente l'affinité de la PFK pour le fructose-6-phosphate (Figure 19.9). De plus, cet activateur stimule l'activité de la PFK en diminuant les effets inhibiteurs de l'ATP (Figure 19.10). Enfin, le fructose-2,6-bisphosphate augmente le flux net du glucose dans la voie de la glycolyse en inhibant l'activité de la fructose-1,6-bisphosphatase, l'enzyme qui catalyse la dégradation du fructose-1,6-bisphosphate et oriente la réaction dans le sens opposé à la glycolyse (Chapitre 23).

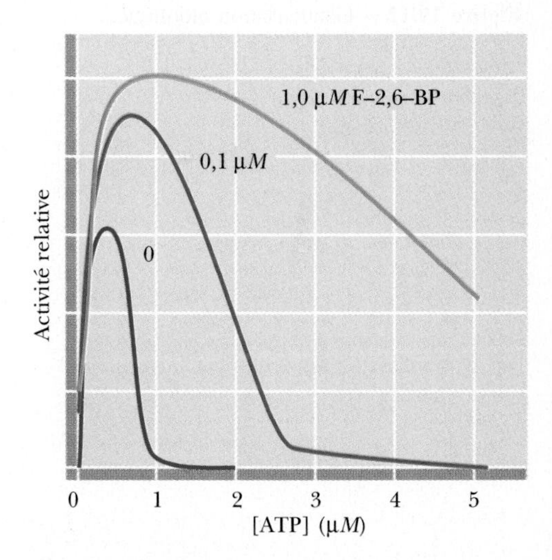

Figure 19.10 • Le fructose-2,6-bisphosphate diminue l'inhibition de la PFK due à l'ATP.

Réaction 4 : Clivage du fructose-1,6-bisP par la fructose bisphosphate aldolase

La fructose-1,6-bisphosphate aldolase, ou simplement **l'aldolase**, catalyse la scission, entre le C-3 et le C-4, du fructose-1,6-bisphosphate en deux trioses phosphates, le dihydroxyacétone phosphate (DHAP) et le glycéraldéhyde-3-phosphate. La constante d'équilibre de la réaction est d'environ 10^{-4} M et $\Delta G°'$ est de +23,9 kJ/mol (Figure 19.11). Ces valeurs pourraient faire croire que la réaction n'évolue pas, ou peu, de gauche à droite, dans le sens de la glycolyse. Mais il ne faut pas oublier que la réaction produit deux molécules (glycéralhéhyde-3-P et dihydroxyacétone-P) à partir d'une seule molécule (fructose-1,6-bisP) et que l'équilibre est grandement influencé par les concentrations. La valeur de (G dans les érythrocytes est en réalité de –0,23 kJ/mol, donc négative (voir Tableau 19.1). Dans les conditions physiologiques, la réaction est parfaitement réversible.

$^{2-}O_3POCH_2$ O OPO_3^{2-}
H HO
H CH_2OH
OH H

Fructose-2,6-bisphosphate

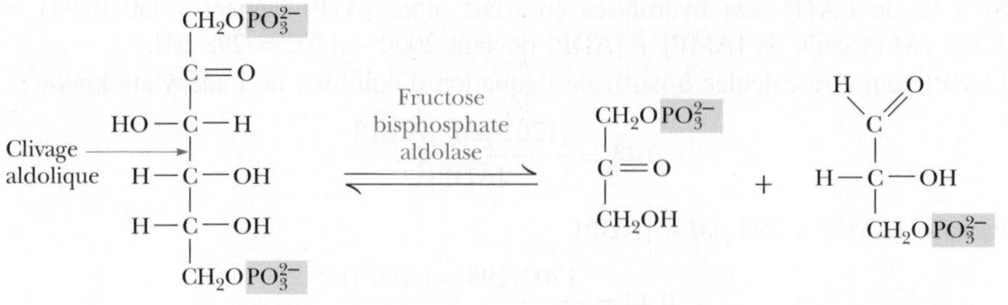

D-Fructose-1,6-bisphosphate (FBP) ⇌ (Fructose bisphosphate aldolase) Dihydroxyacétone phosphate (DHAP) + D-Glycéraldéhyde 3-phosphate (G-3-P)

$\Delta G°' = 23,9$ kJ/mol

Figure 19.11 • Réaction catalysée par la fructose-1,6-bisphosphate aldolase.

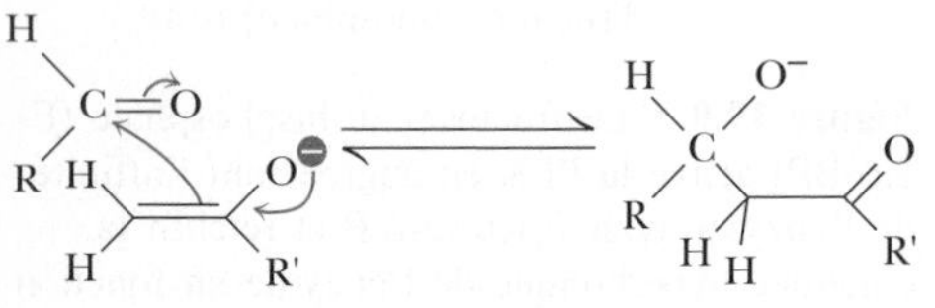

R' = H (aldéhyde)
R' = alkyl, etc. (cétone)

Figure 19.12 • Condensation aldolique.

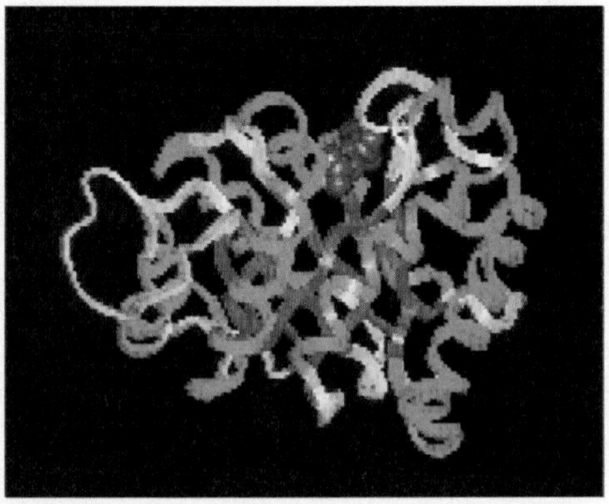

Structure schématique de la triose phosphate isomérase avec un analogue du substrat, le 2-phosphoglycérate (en rouge).

Il y a dans la nature deux classes d'aldolases. L'aldolase des tissus animaux, de la classe I, est caractérisée par la formation transitoire d'une base de Schiff entre un résidu Lys du site actif de l'enzyme et le groupe carbonyle du substrat (Figure 19.13a). Les aldolases de la classe I n'exigent pas la présence d'un ion métallique bivalent. Elles ne sont donc pas inhibées par l'EDTA mais, en présence du substrat, elles sont inhibées par le borohydrure de sodium ($NaBH_4$). (voir Pour en savoir plus, page 622). Les aldolases de la classe II, surtout présentes chez les bactéries et les champignons, ne sont pas inhibées par le borohydrure mais elles sont inhibées par l'EDTA car leur site actif contient un ion bivalent (en général Zn^{2+}). Les cyanobactéries et quelques autres microorganismes ont des aldolases des deux classes.

La réaction catalysée par l'aldolase n'est que la réaction inverse de la condensation aldolique bien connue des chimistes. Lors de cette réaction il y a, en milieu alcalin, formation d'un anion énolate (d'un aldéhyde ou d'une cétone) et attaque nucléophile par ce dernier du carbonyle d'un aldéhyde (Figure 19.12). Dans la réaction opposée, le clivage de l'aldol, la déprotonation du groupe β-hydroxyle est suivie de l'élimination de l'anion énolate. Le mécanisme réactionnel proposé pour la réaction de clivage aldolique du fructose-1,6-bisphosphate par les aldolases de la classe I est présenté Figure 19.13a. Dans les aldolases de la classe II, l'ion métallique du site actif agit comme un centre électrophile, il polarise le groupe carbonyle du substrat et stabilise l'énolate intermédiaire (Figure 19.13b).

Réaction 5 : Isomérisation du dihydroxyacétone phosphate par la triose phosphate isomérase

Des deux produits de la réaction catalysée par l'aldolase, seul le glycéraldéhyde-3-phosphate sera directement utilisé dans la seconde phase de la glycolyse. L'autre triose phosphate, le dihydroxyacétone phosphate, doit d'abord être converti en glycéraldéhyde-3-phosphate par la **triose phosphate isomérase** (Figure 19.14). Cette réaction permet l'entrée dans la glycolyse des deux produits résultant de l'action de l'aldolase. Pratiquement, le C-1, le C-2 et le C-3 de la molécule de glucose de départ deviennent respectivement équivalents au C-6, au C-5 et au C-4. Le mécanisme réactionnel implique la formation d'un éne-diol intermédiaire qui peut céder un proton de l'un ou l'autre de ses groupes hydroxyle à un résidu basique de l'enzyme et donc, devenir soit un dihydroxyacétone phosphate, soit un glycéraldéhyde-3-phosphate (Figure 19.15). La triose phosphate isomérase est l'un des enzymes qui approchent de la « perfection » catalytique, avec une constante catalytique proche de la vitesse limite de diffusion (Chapitre 14, Tableau 14.5).

La triose phosphate isomérase catalyse la dernière réaction de la première phase de la glycolyse, chaque molécule de glucose entrée dans cette voie étant convertie en deux molécules de glycéraldéhyde-3-phosphate. Bien que les deux dernières étapes de la première phase soient d'un point de vue thermodynamique défavorables, la variation d'énergie globale $\Delta G°'$ pour la séquence des cinq réactions est de

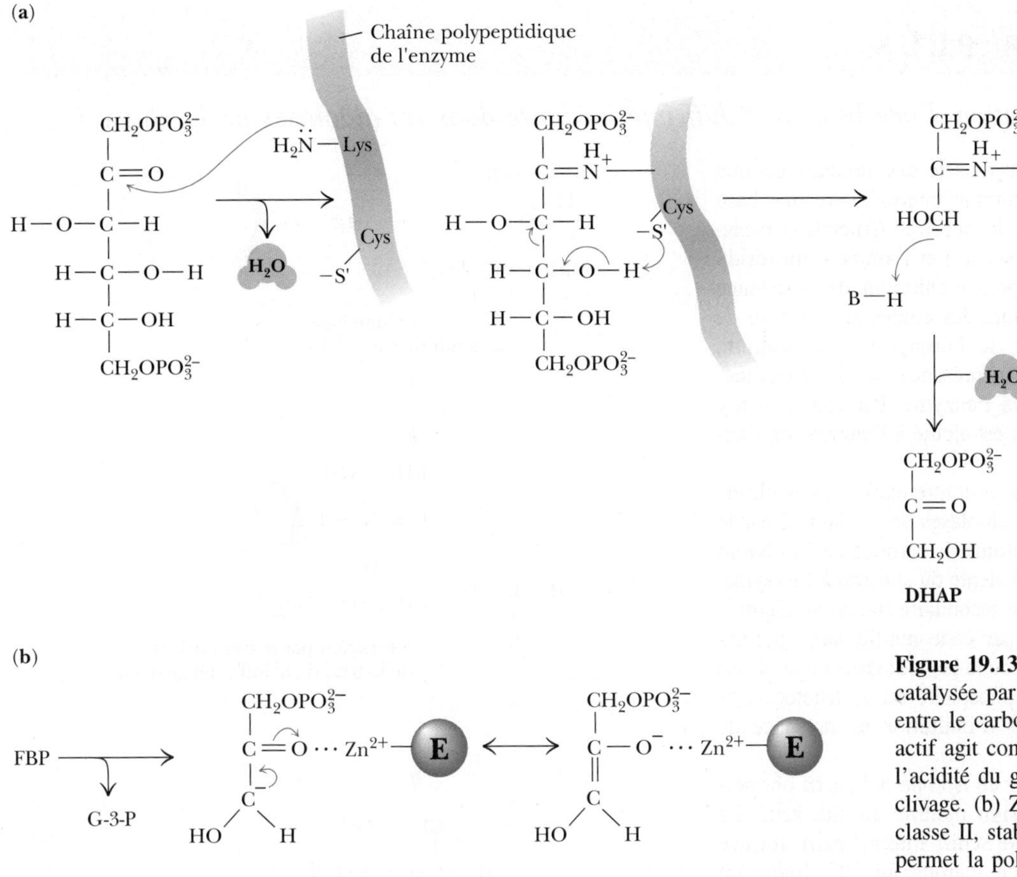

Figure 19.13 • (a) Mécanisme de la réaction catalysée par l'aldolase. La base de Schiff formée entre le carbonyle du substrat et une lysine du site actif agit comme un électrophile, ce qui accroît l'acidité du groupe β-hydroxyle et facilite le clivage. (b) Zn^{2+}, du site actif des aldolases de classe II, stabilise l'énolate intermédiaire, ce qui permet la polarisation du carbonyle du substrat.

+2,2 kJ/mol ($K_{eq} \approx 0{,}43$). L'énergie libérée par les deux premières réactions de phosphorylation (avec hydrolyse de deux molécules d'ATP) permet que la constante globale d'équilibre de la première phase de la glycolyse soit proche de 1 dans les conditions de l'état standard. En réalité, dans les conditions physiologiques cellulaires, ΔG est négatif (–53,4 kJ/mol dans les érythrocytes).

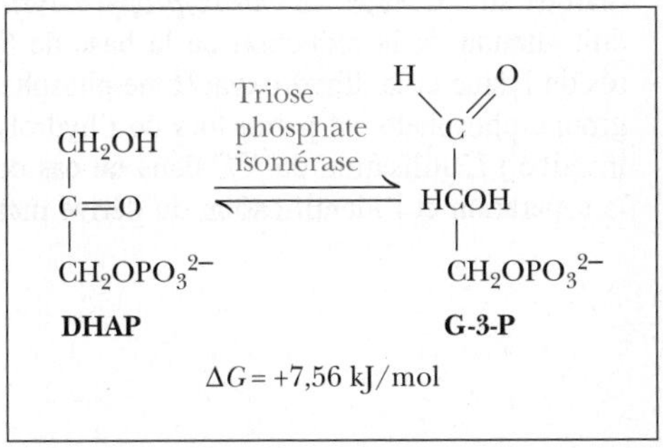

Figure 19.14 • Réaction catalysée par la triose phosphate isomérase.

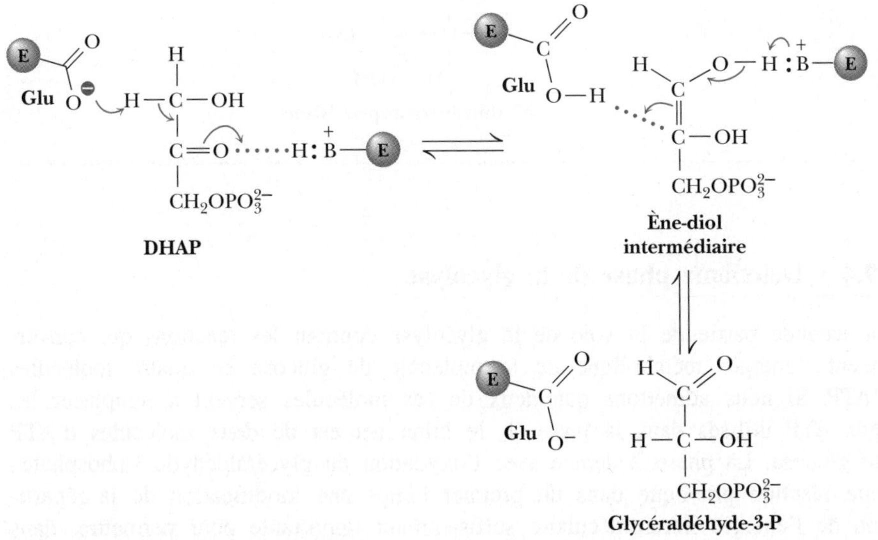

Figure 19.15 • Mécanisme réactionnel de la triose phosphate isomérase.

POUR EN SAVOIR PLUS

Preuve chimique de la formation d'une base de Schiff intermédiaire dans les aldolases de la classe I

La fructose bisphosphate aldolase du muscle des animaux est une aldolase de la classe I qui forme comme intermédiaire une base de Schiff, ou sel d'*iminium*, entre le substrat (fructose-1-6-bisphosphate ou dihydroxyacétone phosphate) et l'amine d'un résidu lysine du site actif de l'enzyme. La preuve chimique de l'existence de cet intermédiaire a été fournie, lors des études sur l'action de l'aldolase, par un agent réducteur, le borohydrure de sodium, $NaBH_4$. L'incubation de l'aldolase en présence de dihydroxyacétone phosphate et de $NaBH_4$ inactive l'enzyme. Par contre, il n'y a pas d'inactivation si le borohydrure est ajouté à l'enzyme en l'absence de substrat.

Le mécanisme réactionnel décrit ci-contre explique ces observations. Le borohydrure inactive les aldolases de la classe I par le transfert d'un ion hydrure ($H{:}^-$) à l'atome de carbone de l'iminium intermédiaire formé par la liaison covalente du substrat à l'enzyme. Il en résulte la formation d'une amine secondaire stable, non hydrolysable, et le site actif est inactivé par cette modification permanente. Le borohydrure de sodium inactive les aldolases de la classe I en présence de dihydroxyacétone phosphate ou de fructose-1,6-bisphosphate mais on n'observe pas d'inhibition en présence de glycéraldéhyde-3-phosphate.

Les expériences de marquage par un isotope radioactif ont permis l'identification définitive du résidu modifié au site actif. La réduction, par $NaBH_4$, de la base de Schiff intermédiaire formée avec un dihydroxyacétone phosphate marqué au ^{14}C donne un enzyme lié par une liaison covalente au substrat radioactif. L'hydrolyse acide de l'enzyme inactif a libéré un nouvel acide aminé marqué au ^{14}C, la *N^6-dihydroxypropyl-L-lysine*. C'était bien le produit attendu de la réduction de la base de Schiff formée entre un résidu lysine et le dihydroxyacétone phosphate marqué au ^{14}C. (Le groupe phosphate est perdu lors de l'hydrolyse acide de l'enzyme inactivé.) L'utilisation du ^{14}C dans un cas comme celui-ci, facilite la séparation et l'identification du dérivé marqué de l'acide aminé.

$CH_2{-}OH$ / $C{=}O$ / $CH_2{-}O{-}PO_3^{2-}$ + $H_2N{-}Lys$

Formation d'une base de Schiff intermédiaire

$CH_2{-}OH$ / $C{=}\overset{+}{N}{-}Lys$ (N–H) / $CH_2{-}O{-}PO_3^{2-}$; $H{-}\overset{-}{B}H_2{-}H$

Réduction par le borohydrure de la base de Schiff intermédiaire

$CH_2{-}OH$ / $H{-}C{-}N(H){-}Lys$ / $CH_2{-}O{-}PO_3^{2-}$

Dérivé E-S stable (piégé)

Dégradation de l'enzyme inactivé (hydrolyse acide)

$CH_2{-}OH$ / $H{-}C{-}N(H){-}Lys$ / $CH_2{-}OH$

N^6-dihydroxypropyl-L-lysine

19.4 • Deuxième phase de la glycolyse

La seconde partie de la voie de la glycolyse contient les réactions qui convertissent l'énergie métabolique de la molécule de glucose en quatre molécules d'ATP. Si nous admettons que deux de ces molécules servent à remplacer les deux ATP utilisés dans la phase 1, le bilan net est de deux molécules d'ATP par glucose. La phase 2 débute avec l'oxydation du glycéraldéhyde-3-phosphate ; cette réaction provoque dans un premier temps une modification de la répartition de l'énergie intramoléculaire suffisamment importante pour permettre, dans

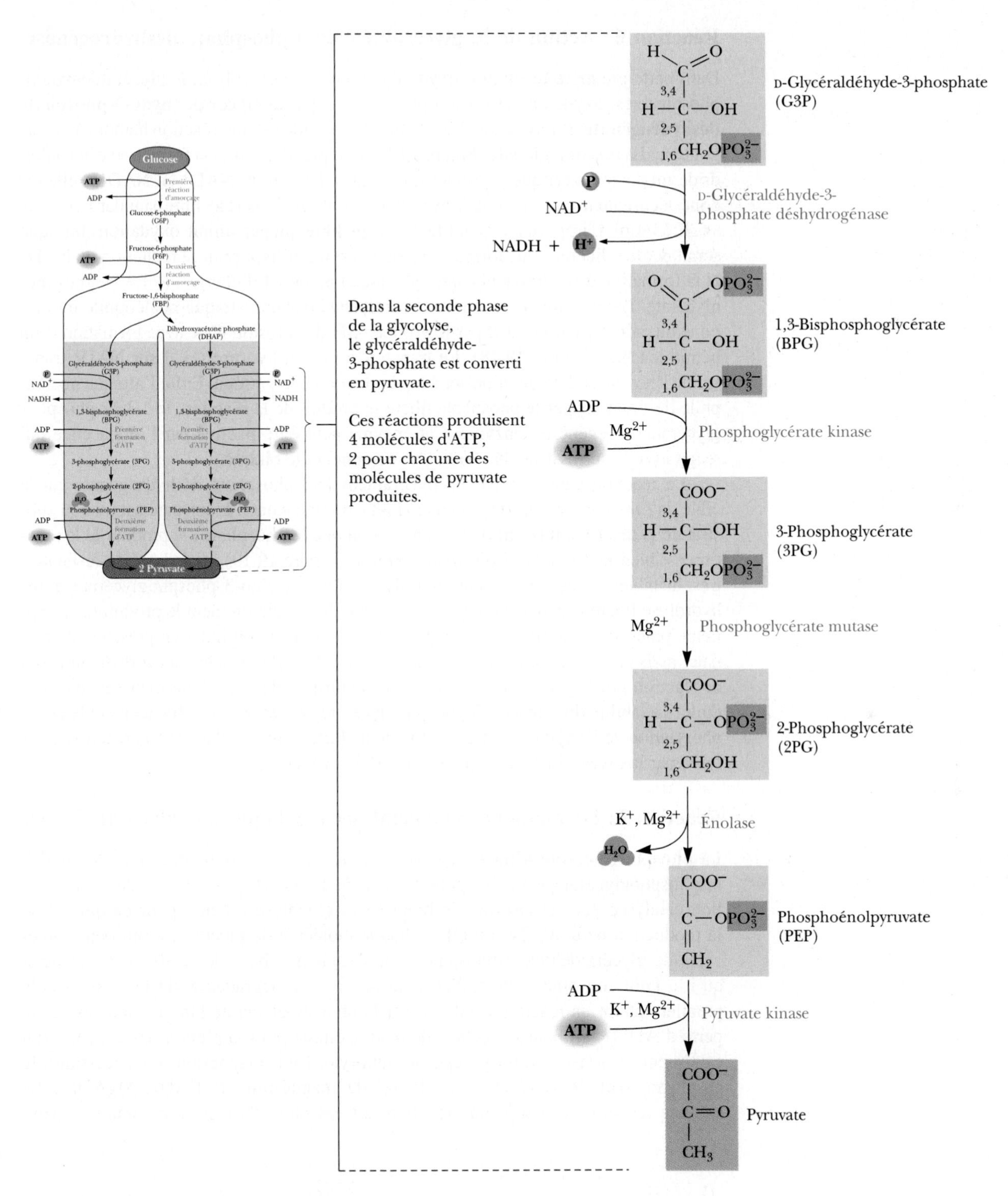

Figure 19.16 • Seconde phase de la glycolyse. Les liaisons entre les atomes de carbone sont numérotées de façon à rappeler la position d'origine de ces atomes.

un deuxième temps, la formation du 1,3-bisphosphoglycérate (1,3-BPG), une molécule contenant un phosphate à haut potentiel énergétique (Figure 19.16). Le transfert du phosphoryle du 1,3-BPG à l'ADP pour donner de l'ATP est énergétiquement favorable. Le produit, le 3-phosphoglycérate, est, après plusieurs étapes successives, converti en phosphoénolpyruvate (PEP), un autre dérivé phosphorylé à haut potentiel énergétique. Le transfert du groupe phosphoryle du PEP à l'ADP, pour donner un autre ATP, est catalysé par la pyruvate kinase.

Réaction 6 : Action de la glycéraldéhyde-3-phosphate déshydrogénase

Dans cette première réaction d'oxydoréduction de la glycolyse, le glycéraldéhyde-3-phosphate est oxydé en 1,3-bisphosphoglycérate par la **glycéraldéhyde-3-phosphate déshydrogénase**. L'oxydation d'un aldéhyde en acide est une réaction hautement exergonique. La réaction globale (Figure 19.17) comprend à la fois la formation d'un anhydride mixte carboxylique-phosphorique et la réduction du NAD^+ en NADH ; elle est donc légèrement endergonique, avec une variation d'énergie libre standard (G^{0}' de +6,30 kJ/mol. L'importante quantité d'énergie libre qui par simple oxydation chimique serait perdue, libérée sous forme de chaleur, est ici utilisée pour la réduction du NAD^+ et la formation d'un dérivé phosphorylé à haut potentiel d'énergie, le 1,3-bisphosphoglycérate. Le mécanisme réactionnel commence par une attaque nucléophile du carbone du carbonyle du G-3-P par le groupe –SH d'un résidu Cys, avec formation d'un hémithioacétal (Figure 19.18). Le transfert d'un ion hydrure ($H:^-$) sur NAD^+ transforme l'hémiacétal en un thioester à haut potentiel énergétique. Enfin l'attaque nucléophile du thioester par le phosphate libère le produit de la réaction, le 1,3-bisphosphoglycérate, et régénère l'enzyme. Cet enzyme peut être inactivé par l'iodoacétate qui réagit avec le sulfhydrile du résidu Cys essentiel et le bloque.

La réaction catalysée par la glycéraldéhyde-3-phosphate déshydrogénase est la cible de *l'ion arsénate* (AsO_4^{3-}) un analogue du phosphate. L'arsénate est un bon substrat de la réaction, il réagit de la même façon que le phosphate ; le produit de la réaction est bien le *1-arséno-3-phosphoglycérate* (Figure 19.19), mais les acyl-arsénates, très instables, sont rapidement hydrolysés. Le 1-arséno-3-phosphoglycérate après hydrolyse libère le *3-phosphoglycérate*, ce qui donne directement le produit de la septième réaction de la glycolyse. La glycolyse peut ainsi continuer en présence d'arsénate, mais en l'absence du substrat la molécule d'ATP normalement formée au cours de réaction 7 de la glycolyse (catalysée par la phosphoglycérate kinase) ne sera pas produite. La labilité du 1-arséno-3-phosphoglycérate *découple* donc efficacement la phosphorylation de l'oxydation, deux événements fortement couplés dans la réaction catalysée par la glycéraldéhyde-3-phosphate déshydrogénase.

Réaction 7 : Formation d'ATP catalysée par la phosphoglycérate kinase

La **phosphoglycérate kinase** catalyse le transfert d'un groupe phosphoryle du 1,3-bisphosphoglycérate à l'ADP pour former de l'ATP (Figure 19.20). Avec la réaction catalysée par cet enzyme, le bilan de la glycolyse est nul, pour ce qui est de la production nette d'ATP. En effet, chaque molécule de glucose fournit deux molécules de glycéraldéhyde-3-phosphate à la deuxième phase de la glycolyse, et puisqu'il a fallu consommer deux ATP pour amorcer la dégradation du glucose dans la première phase, la réaction catalysée par la phosphoglycérate kinase compense cette perte d'ATP (« rembourse » cette « dette »). Comme pour la plupart des enzymes qui catalysent le transfert d'un groupe phosphoryle, l'ion magnésium est nécessaire, le cosubstrat réel de la réaction est le sel de magnésium de l'ADP, $MgADP^-$. La sixième réaction et la septième réaction doivent être considérées comme une paire

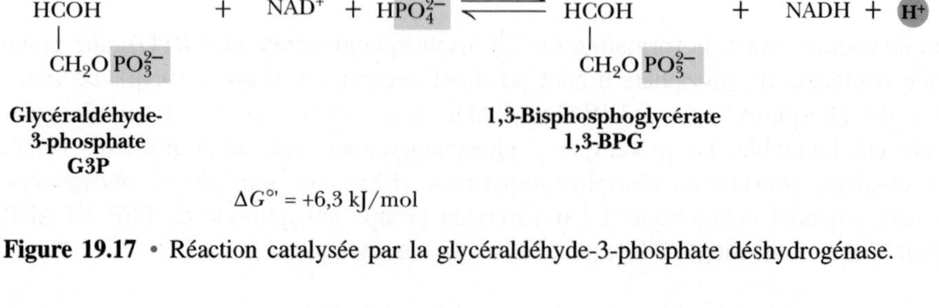

H–C=O / HCOH / $CH_2OPO_3^{2-}$ + NAD^+ + HPO_4^{2-} ⇌ O=C–OPO_3^{2-} / HCOH / $CH_2OPO_3^{2-}$ + NADH + H^+

Glycéraldéhyde-3-phosphate G3P

1,3-Bisphosphoglycérate 1,3-BPG

$\Delta G^{\circ\prime} = +6{,}3$ kJ/mol

Figure 19.17 • Réaction catalysée par la glycéraldéhyde-3-phosphate déshydrogénase.

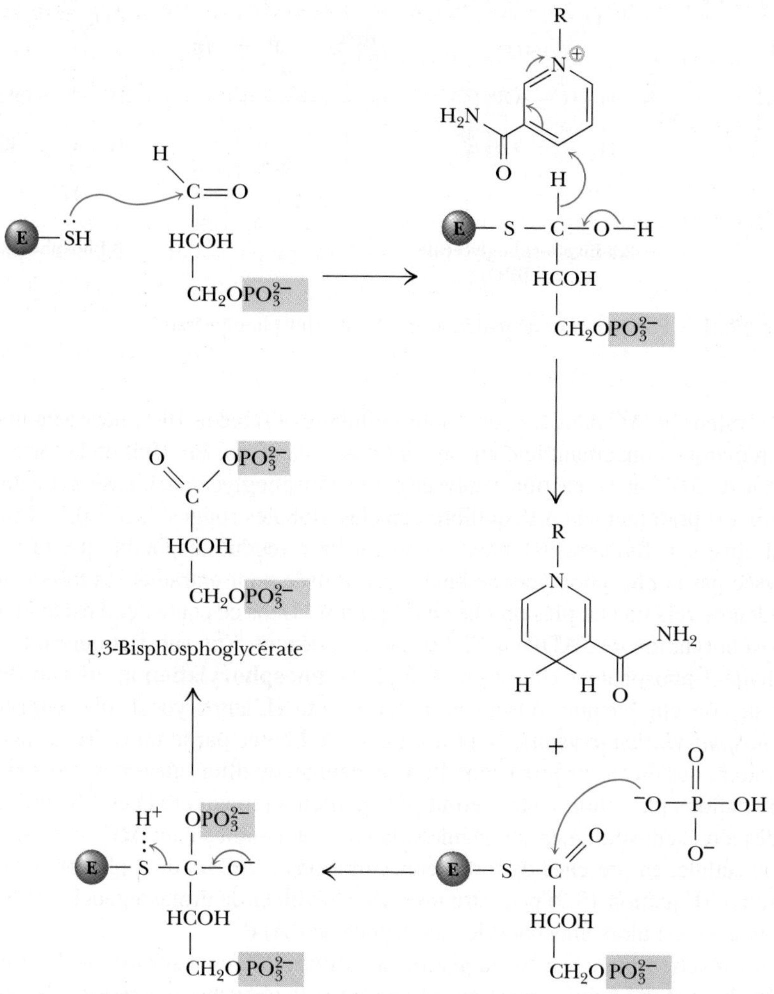

Figure 19.18 • Mécanisme proposé pour la réaction catalysée par la glycéraldéhyde-3-phosphate déshydrogénase. La réaction d'un –SH de l'enzyme avec le carbone du carbonyle du glycéraldéhyde-3-P donne un hémithioacétal qui cède un ion hydrure au NAD^+ et devient un thioester. La phosphorolyse de ce thioester libère le 1,3-bisphosphoglycérate.

de réactions couplées ayant pour substrat intermédiaire le 1,3-bisphosphoglycérate. La réaction catalysée par la phosphoglycérate kinase est suffisamment exergonique, même dans les conditions de l'état standard, pour déplacer dans le sens de la glycolyse la réaction catalysée par la G-3-P déshydrogénase. (En fait, il faut encore ajouter que les équilibres des réactions catalysées par l'aldolase et par la triose phosphate isomérase sont également déplacés en faveur de la glycolyse par l'action de la phosphoglycérate kinase). Le résultat net de ces réactions couplées est le suivant :

$$\text{Glycéraldéhyde-3-phosphate} + \text{ADP} + P_i + NAD^+ \longrightarrow \text{3-phosphoglycérate} + \text{ATP} + \text{NADH} + H^+ \quad \Delta G°' = -12{,}6 \text{ kJ/mol} \qquad (19.9)$$

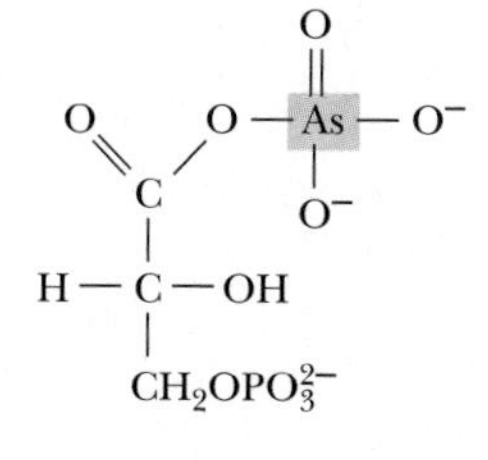

1-arséno-3-phosphoglycérate

Figure 19.19

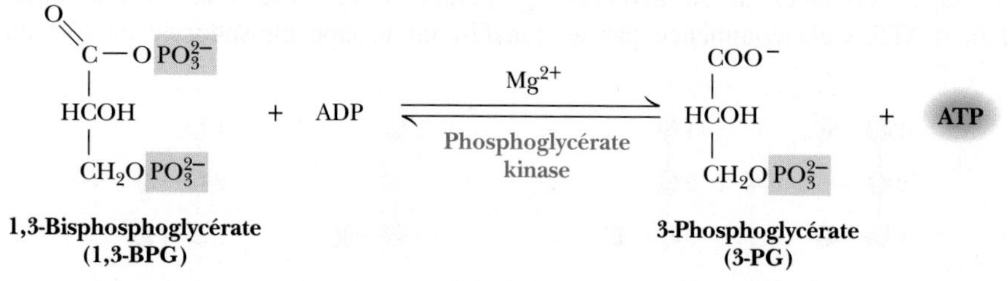

1,3-Bisphosphoglycérate (1,3-BPG) + ADP ⇌ (Mg^{2+}, Phosphoglycérate kinase) 3-Phosphoglycérate (3-PG) + ATP

$\Delta G°' = -18{,}9$ kJ/mol

Figure 19.20 • Réaction catalysée par la phosphoglycérate kinase.

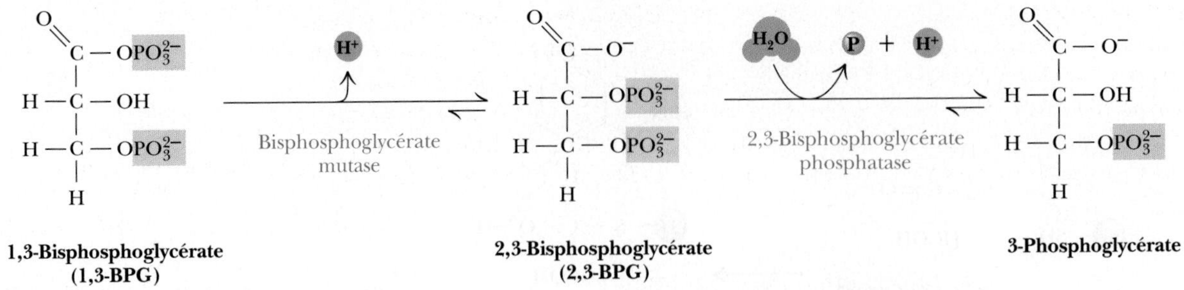

1,3-Bisphosphoglycérate (1,3-BPG) — Bisphosphoglycérate mutase → 2,3-Bisphosphoglycérate (2,3-BPG) — 2,3-Bisphosphoglycérate phosphatase → 3-Phosphoglycérate

Figure 19.21 • Formation et dégradation du 2,3-bisphosphoglycérate.

La valeur de ΔG dans les conditions cellulaires (Tableau 19.1) nécessite une dernière remarque concernant le couplage entre ces réactions. En dépit de la forte valeur négative de $\Delta G^{\circ\prime}$ de la réaction catalysée par la phosphoglycérate kinase, cette dernière réaction est pratiquement à l'équilibre dans les globules rouges (ΔG = 0,1 kJ/mol). Il en est ainsi car, fondamentalement, l'énergie libre rendue disponible par la réaction catalysée par la phosphoglycérate kinase est utilisée pour entraîner les trois réactions précédentes vers un état plus proche de l'équilibre. Dans ce contexte, il est évident que la phosphorylation de l'ADP en ATP se fait aux dépens d'un substrat qui est le glycéraldéhyde-3-phosphate. Ceci est un exemple de **phosphorylation au niveau du substrat**, un concept que nous retrouverons par la suite. (L'autre type de phosphorylation, la « *phosphorylation oxydative* », utilise l'énergie libérée par le transfert sur la chaîne respiratoire des électrons provenant d'un coenzyme, ou d'un substrat, vers l'oxygène ; les oxydations phosphorylantes seront plus particulièrement étudiées Chapitre 21). Il faut dès à présent souligner que même si la réaction couplée a un $\Delta G^{\circ\prime}$ très favorable, dans la cellule, en présence de fortes concentrations d'ATP et de 3-phosphoglycérate, la réaction (Équation 19.9) peut être inversée et évoluer de droite à gauche, le 3-phosphoglycérate est alors phosphorylé aux dépens de l'ATP.

Une réaction branchée sur la glycolyse, utilisant comme substrat le 1,3-bisphosphoglycérate et qui évite la réaction catalysée par la phosphoglycérate kinase, synthétise une importante molécule régulatrice, le *2,3-bisphosphoglycérate* (2,3-BPG). Le 2,3-BPG stabilise la forme non oxygénée de l'hémoglobine, c'est le principal responsable de la nature coopérative de la fixation de l'oxygène sur l'hémoglobine (voir Chapitre 15). La formation de cette molécule à partir du 1,3-BPG est catalysée par la **bisphosphoglycérate mutase** (Figure 19.21). Lors de la réaction, qui exige la présence du 3-phosphoglycérate, le groupe phosphoryle en C-1 du 1,3-BPG est transféré sur le C-2 du 3-phosphoglycérate (Figure 19.22). L'hydrolyse du 2,3-BPG par la *2,3-bisphosphoglycérate phosphatase* donne une molécule de 3-phosphoglycérate. Toutes les cellules contiennent des traces de 2,3-BPG, cependant dans les globules rouges la concentration du 2,3-BPG est nettement plus élevée, 4 à 5 m*M*.

Réaction 8 : Formation du 2-phosphoglycérate en présence de la phosphoglycérate mutase

Les étapes suivantes de la glycolyse préparent la synthèse d'un second équivalent d'ATP. Cela commence par le transfert du groupe phosphoryle en C-3 du

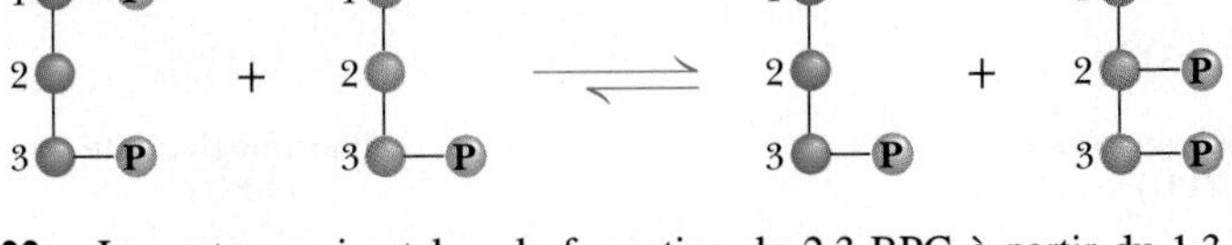

Figure 19.22 • La mutase qui catalyse la formation du 2,3-BPG à partir du 1,3-BPG requiert la présence de 3-phosphoglycérate. Il s'agit en réalité du transfert intermoléculaire d'un groupe phosphoryle, du C-1 du 1,3-BPG au C-2 du 3-PG.

phosphoglycérate sur le C-2. La réaction est catalysée par la **phosphoglycérate mutase**. (Le terme *mutase* s'applique aux enzymes qui catalysent le transfert d'un groupe à l'intérieur de la molécule substrat). La variation d'énergie libre de cette réaction est très faible dans les conditions cellulaires, ΔG = 0,83 kJ/mol dans les érythrocytes (Figure 19.23). Les phosphoglycérate mutases isolées de différentes sources n'ont pas toutes le même mécanisme réactionnel. Celles du muscle de lapin et de la

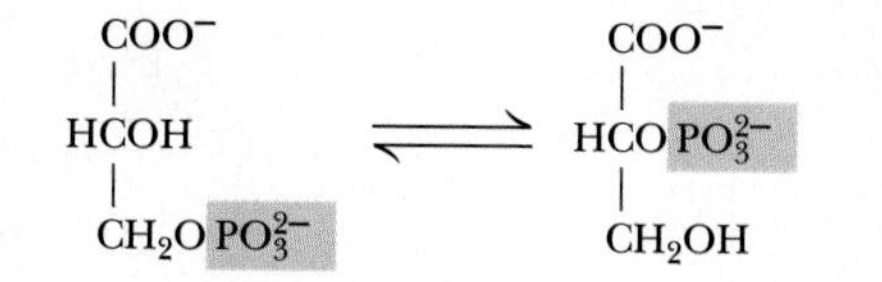

$$\begin{matrix} COO^- \\ | \\ HCOH \\ | \\ CH_2OPO_3^{2-} \end{matrix} \rightleftharpoons \begin{matrix} COO^- \\ | \\ HCOPO_3^{2-} \\ | \\ CH_2OH \end{matrix}$$

3-Phosphoglycérate (3-PG) **2-Phosphoglycérate (2-PG)**

$\Delta G^{\circ\prime}$ = +4,4 kJ/mol

Figure 19.23 • Réaction catalysée par la phosphoglycérate mutase.

Enzyme

Phosphohistidine

3-Phosphoglycérate (3-PG)

2,3-Bisphosphoglycérate intermédiaire

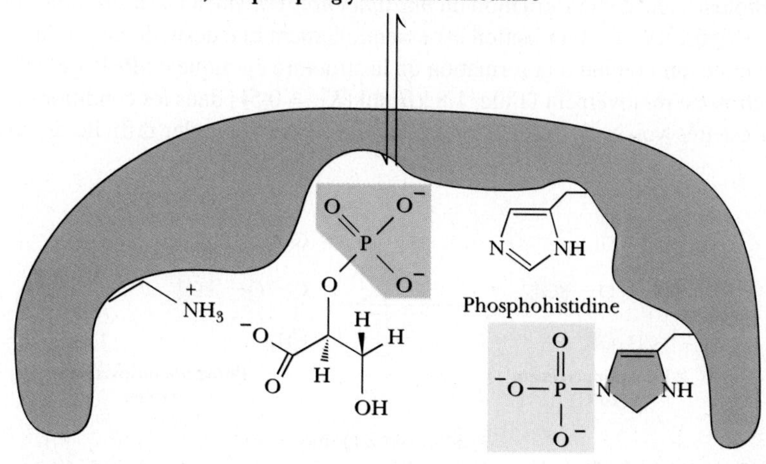

2-Phosphoglycérate (2-PG)

Figure 19.24 • Mécanisme de la réaction catalysée par la phosphoglycérate mutase du muscle de lapin et de la levure. Le rôle de la phosphohistidine dans le mécanisme n'était pas connu jusqu'à ce que Zelda Rose (Institute for Cancer Research à Philadelphie) montre que l'enzyme exigeait la présence d'une petite quantité de 2,3-BPG pour phosphoryler un résidu His avant que la réaction puisse se poursuivre.

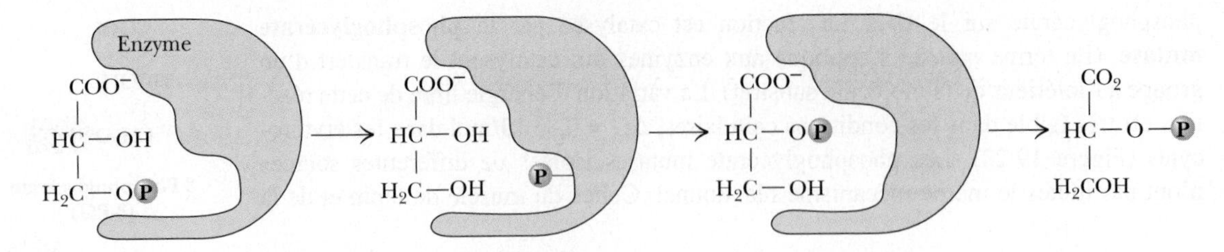

Figure 19.25 • La phosphoglycérate mutase du germe de blé catalyse un transfert intramoléculaire du groupe phosphoryle.

levure catalysent le transfert *inter*moléculaire d'un groupe phosphoryle et forment un *phosphoryl-enzyme* intermédiaire (Figure 19.24). Le *2,3-bisphosphoglycérate* est un cofacteur de la réaction et le groupe phosphoryle du 2-phosphoglycérate formé ne provient pas directement du substrat, le 3-phosphoglycérate. La forme prédominante de la phosphoglycérate mutase est un *phospho-enzyme* dans lequel un groupe phosphoryle est lié de façon covalente à un résidu His du site actif. Ce phosphoryle est transféré sur la position C-2 du substrat pour donner un 2,3-bisphosphoglycérate transitoire qui reste fixé sur le site actif. Cette molécule transitoire perd rapidement le groupe phosphoryle fixé sur le C-3, par transfert sur le résidu His de l'enzyme ; le produit final de la réaction est donc le 2-phosphoglycérate. Environ une fois tous les 100 cycles catalytiques, le 2,3-bisphosphate intermédiaire se dissocie du site actif, ce qui laisse un enzyme non phosphorylé, inactif. L'enzyme inactif, non phosphorylé, peut être réactivé par sa liaison à du 2,3-BPG. C'est la raison pour laquelle l'activité maximale de la phosphoglycérate mutase requiert la présence de petites quantités de 2,3-BPG.

L'enzyme du germe de blé utilise un autre mécanisme réactionnel et dans ce cas le 2,3-bisphosphoglycérate n'est pas un cofacteur. L'enzyme catalyse le transfert *intra*moléculaire du groupe phosphoryle (Figure 19.25). Le groupe phosphoryle est transféré du C-3 du substrat sur un résidu du site actif de l'enzyme, puis de ce site actif vers la position C-2 de la molécule substrat d'origine pour donner le produit, le 2-phosphoglycérate.

Réaction 9 : Catalyse par l'énolase de la déshydratation du 2-phosphoglycérate

Il faut se rappeler que la synthèse de l'ATP catalysée par la phosphoglycérate kinase exige la formation préalable d'un substrat phosphorylé à haut potentiel énergétique. De la même façon, la réaction 9 de la glycolyse produit un dérivé phosphorylé à haut potentiel énergétique qui sera ultérieurement utilisé pour la synthèse de l'ATP. **L'énolase** catalyse la formation du *phosphoénolpyruvate* à partir du 2-phospho-glycérate (Figure 19.26). La réaction est essentiellement une déshydratation du 2-phosphoglycérate qui conduit à la formation de la structure énolique du PEP. Le $\Delta G°'$ de cette réaction est relativement faible, 1,8 kJ/mol (K_{eq} = 0,5) ; dans les conditions cellulaires, ΔG est très voisin de zéro. À première vue, il peut sembler difficile de comprendre

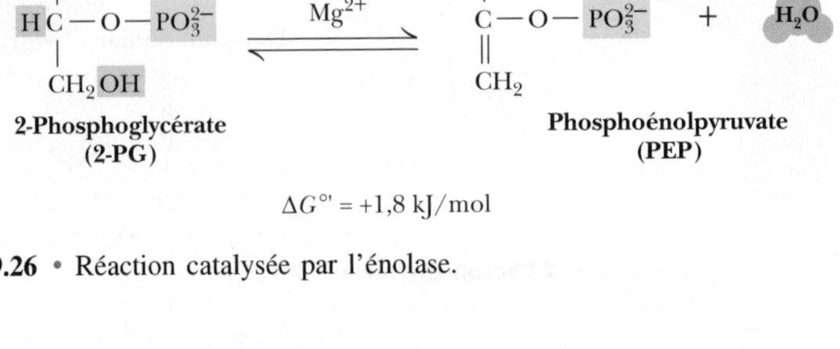

COO⁻ | HC—O—PO_3^{2-} | CH_2OH $\underset{}{\overset{Mg^{2+}}{\rightleftharpoons}}$ COO⁻ | C—O—PO_3^{2-} ‖ CH_2 + H_2O

2-Phosphoglycérate (2-PG) — **Phosphoénolpyruvate (PEP)**

$\Delta G°' = +1{,}8$ kJ/mol

Figure 19.26 • Réaction catalysée par l'énolase.

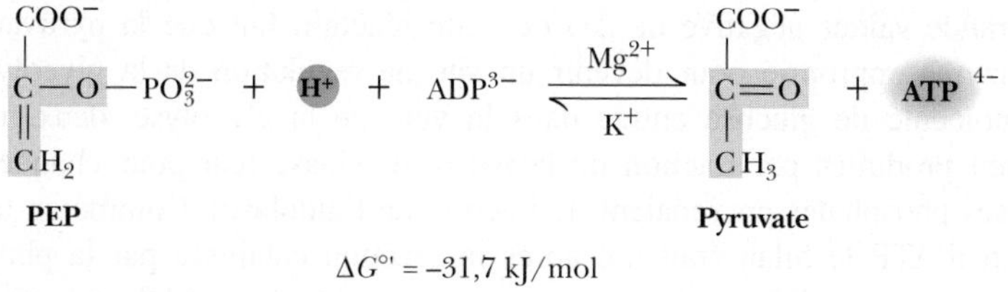

$$\text{PEP} + H^+ + ADP^{3-} \underset{K^+}{\overset{Mg^{2+}}{\rightleftharpoons}} \text{Pyruvate} + ATP^{4-}$$

$\Delta G^{\circ\prime} = -31{,}7$ kJ/mol

Figure 19.27 • Réaction catalysée par la pyruvate kinase.

comment la réaction catalysée par l'énolase peut transformer un substrat à énergie libre d'hydrolyse relativement bas en un produit à très haute énergie libre d'hydrolyse (le PEP). La situation devient plus claire si on conçoit que l'énergie métabolique *potentielle* est presque la même si les deux molécules sont dégradées jusqu'au stade CO_2, H_2O, et P_i. Ce que fait la réaction catalysée par l'énolase, c'est réarranger la structure du substrat en une forme qui, par hydrolyse, libère une plus grande partie de son énergie potentielle. L'enzyme est fortement inhibé par l'ion fluorure en présence de phosphate. L'inhibition résulte de la formation de l'anion *fluorophosphate* (FPO_3^{2-}) qui donne un complexe avec Mg^{2+} dans le site actif de l'enzyme.

Réaction 10 : Synthèse d'ATP catalysée par la pyruvate kinase

La deuxième réaction de la glycolyse permettant la synthèse d'ATP est catalysée par la *pyruvate kinase ;* cette dernière réaction de la voie de la glycolyse aboutit à la formation du pyruvate qui constitue un très important point de branchement de plusieurs voies métaboliques. La pyruvate kinase catalyse le transfert d'un groupe phosphoryle du phosphoénolpyruvate à l'ADP ; les deux produits de la réaction sont l'ATP et le pyruvate (Figure 19.27). La réaction requiert la présence de l'ion Mg^{2+}, elle est stimulée par K^+ et d'autres cations monovalents.

	$\Delta G^{\circ\prime}$ (kJ/mol)
Phosphoénolpyruvate^{3-} + H_2O ⟶ pyruvate$^-$ + HPO_4^{2-}	–62,2
ADP^{3-} + HPO_4^{2-} + H^+ ⟶ ATP^{4-} + H_2O	+30,5
Phosphoénolpyruvate^{3-} + ADP^{3-} + H^+ ⟶ pyruvate$^-$ + ATP^{4-}	–31,7

La constante d'équilibre de la réaction K_{eq} à 25 °C est égale à $3{,}63 \times 10^5$, l'équilibre de la réaction est donc très fortement déplacé vers la droite (dans le sens de la synthèse de l'ATP). Dans les conditions intracellulaires, la grandeur de la variation d'énergie libre est quelque peu réduite, mais ΔG dans les érythrocytes est encore très favorable avec une valeur de –23,0 kJ/mol. Cette importante variation de l'énergie libre lors de la conversion du PEP en pyruvate provient en grande partie de la conversion spontanée et énergétiquement favorable de la forme énolique du pyruvate, forme résultant du transfert du groupe phosphoryle, en sa forme cétonique beaucoup plus stable (Figure 19.28).

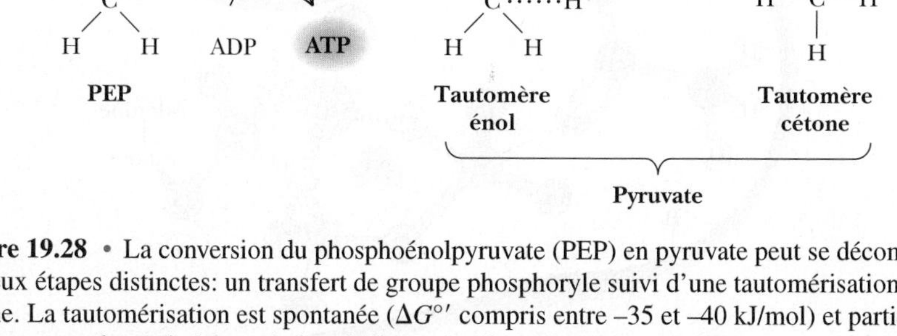

PEP — ADP → ATP — Tautomère énol ⇌ Tautomère cétone (Pyruvate)

Figure 19.28 • La conversion du phosphoénolpyruvate (PEP) en pyruvate peut se décomposer en deux étapes distinctes: un transfert de groupe phosphoryle suivi d'une tautomérisation énol-cétone. La tautomérisation est spontanée ($\Delta G^{\circ\prime}$ compris entre –35 et –40 kJ/mol) et participe pour une grande partie à la variation de l'énergie libre d'hydrolyse du PEP.

La grande valeur négative de ΔG de cette réaction fait que la pyruvate kinase est un enzyme approprié pour devenir un site de régulation de la glycolyse. Pour chaque molécule de glucose entrée dans la voie de la glycolyse, deux molécules d'ATP sont produites par l'action de la pyruvate kinase (car pour chaque glucose deux trioses phosphates provenaient de l'action de l'aldolase). Comme en termes de production d'ATP le bilan était nul après la réaction catalysée par la phosphoglycérate kinase (deux ATP produits pour compenser les deux ATP consommés), les deux molécules d'ATP produites par la pyruvate kinase représentent le rendement net, le « solde », de la glycolyse.

La pyruvate kinase a de nombreux sites de régulation allostérique. Elle est activée par l'AMP et le fructose-1,6-bisphosphate, elle est inhibée par l'ATP, l'acétyl-CoA et l'alanine (l'alanine est l'acide α-aminé formé par amination d'un acide α-cétonique, l'acide pyruvique). De plus, la pyruvate kinase hépatique est régulée par des modifications covalentes. Certaines hormones, comme le *glucagon*, activent une protéine kinase dépendante de l'AMP cyclique qui transfère un groupe phosphoryle de l'ATP à l'enzyme. La forme phosphorylée de la pyruvate kinase est plus fortement inhibée par l'ATP et l'alanine, son K_m pour le PEP est plus élevé de sorte que l'enzyme est inactif en présence des concentrations physiologiques de PEP et d'un excès d'ATP. Le PEP est alors utilisé comme substrat pour la synthèse de glucose dans la voie de la *néoglucogénèse* (décrite Chapitre 21), au lieu de passer par la fin de la glycolyse et d'alimenter le cycle de l'acide citrique (ou les diverses voies de fermentation). La Figure 19.29 présente les structures tridimensionnelles des molécules réactives et leur disposition géométrique dans le site actif de l'enzyme telles qu'elles résultent des études par RMN et RPE effectuées par Albert Mildvan et ses collègues. L'oxygène du groupe carbonyle du pyruvate et l'atome de phosphore γ de l'ATP sont à 0,3 nm l'un de l'autre dans le site

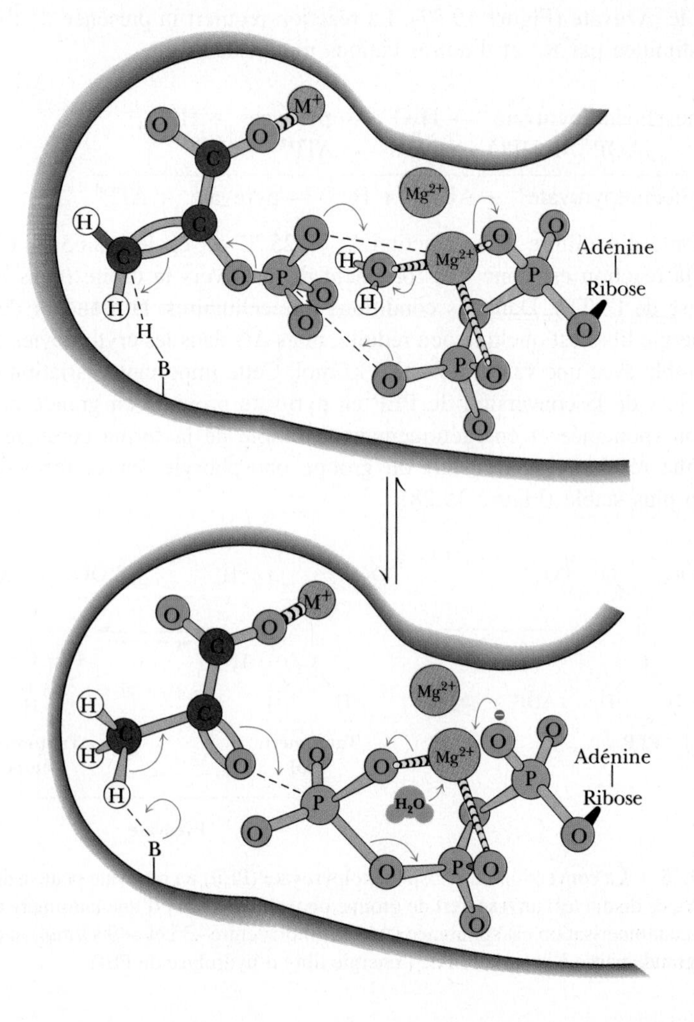

Figure 19.29 • Mécanisme de la réaction catalysé par la pyruvate kinase, basé sur les études par RMN et RPE de Mildvan et de ses collègues. Le transfert du groupe phosphoryle du PEP à l'ADP se décompose en quatre étapes : (a) Une molécule de l'eau de solvatation de l'ion Mg^{2+} coordiné à l'ADP est remplacée par le groupe phosphoryle du PEP ; (b) Mg^{2+} se dissocie du phosphate α de l'ADP; (c) le groupe phosphoryle est transféré ; (d) l'énol du pyruvate est protoné. *(D'après Mildvan, A., 1979.* Advances in Enzymology *49 : 103-126.)*

actif, ce qui est compatible avec un transfert direct du groupe phosphoryle sans formation d'un phosphoryl-enzyme intermédiaire.

19.5 • Devenir métabolique des produits de la glycolyse, NADH et pyruvate

En plus de l'ATP, les produits de la glycolyse sont le pyruvate et le NADH. Leur transformation dépend d'autres voies métaboliques. Le NADH doit être recyclé en NAD^+ car la très faible concentration cellulaire de ce cofacteur limiterait rapidement la vitesse de la glycolyse. Le NADH peut être recyclé par des voies anaérobies et aérobies qui toutes métabolisent en même temps le pyruvate. Ce que la cellule fera du pyruvate produit par la glycolyse dépend en grande partie de la présence d'oxygène disponible. Dans les conditions de l'aérobiose, le pyruvate peut être transformé pour entrer dans le cycle de l'acide citrique (ou cycle des acides tricarboxyliques ; voir Chapitre 20), et finalement être oxydé en CO_2 avec une production de NADH et de $FADH_2$. En aérobiose, le NADH, produit par la glycolyse et le cycle de l'acide citrique, est réoxydé en NAD^+ par la chaîne de transport des électrons des mitochondries (Chapitre 21).

19.6 • Voies anaérobies du pyruvate

En anaérobiose, le pyruvate produit par la glycolyse est transformé par des voies différentes de celles de l'aérobiose. Dans la levure, il est réduit en éthanol ; dans d'autres microorganismes, il est réduit en lactate. Ces processus sont des exemples de **fermentation**. Au sens général biochimique, les fermentations sont des voies de production d'énergie (d'ATP) dans lesquelles des molécules organiques servent à donner ou à accepter des électrons. Dans le cas le plus simple, la réduction du pyruvate est le moyen utilisé pour réoxyder le NADH produit par la glycéraldéhyde-3-phosphate déshydrogénase au cours de la glycolyse (Figure 19.30). Chez la levure, la **fermentation alcoolique** est un processus à deux étapes. Le pyruvate est d'abord décarboxylé en acétaldéhyde, une réaction irréversible catalysée par la **pyruvate décarboxylase**. La thiamine pyrophosphate est le cofacteur de cet enzyme. Dans la seconde étape, la réduction de l'acétaldéhyde en éthanol par NADH est catalysée

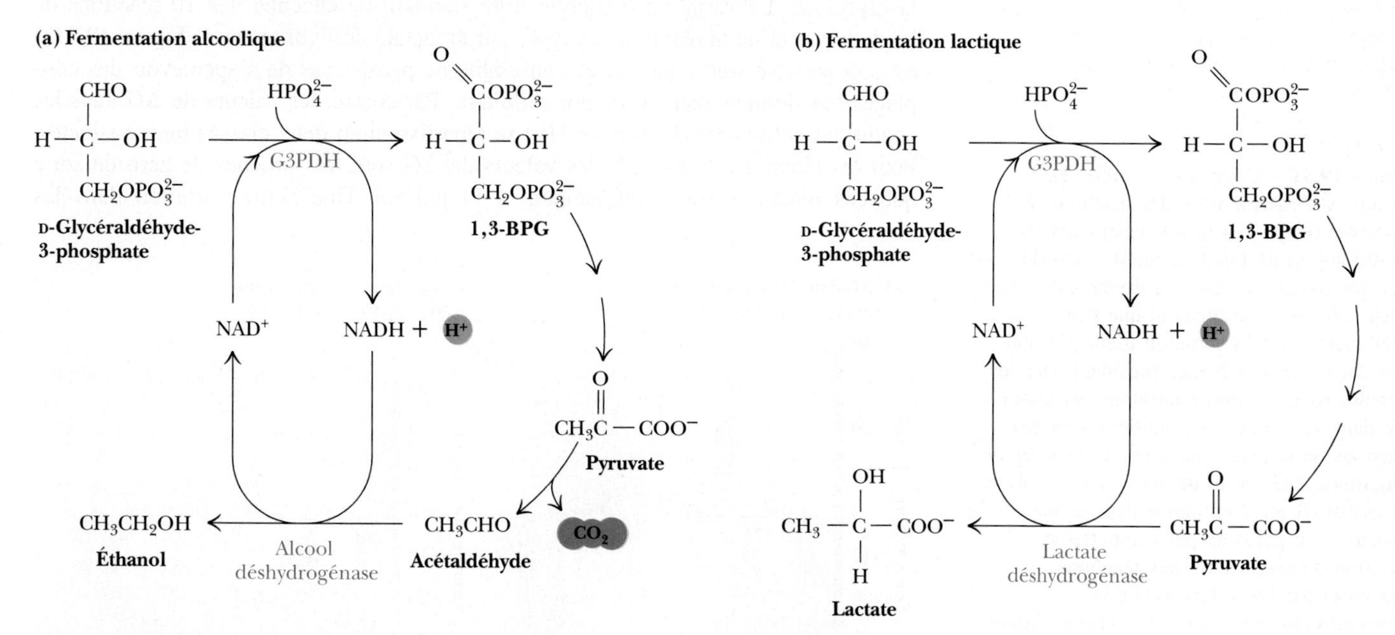

Figure 19.30 • (a) La réduction du pyruvate en éthanol chez la levure est un moyen de régénérer NAD^+ qui a été réduit lors la réaction catalysée par la glycéraldéhyde-3-phosphate déshydrogénase. (b) Dans le muscle privé d'oxygène, NAD^+ est régénéré par la réaction catalysée par la lactate déshydrogénase.

par l'**alcool déshydrogénase** (Figure 19.30a). À pH 7,0, l'équilibre de la réaction favorise nettement la formation de l'éthanol. La fermentation alcoolique produit donc de l'éthanol et du gaz carbonique. La production de la bière dans les brasseries et celle du vin à partir des sucres du jus de raisin utilisent des fermentations alcooliques. Le lactate produit par les microorganismes anaérobies de la **fermentation lactique** donne au lait fermenté son goût aigre et donne à la choucroute, du chou fermenté, son odeur et sa saveur caractéristiques.

Le lactate s'accumule dans les tissus animaux privés d'oxygène

Dans les tissus animaux carencés en oxygène, donc en anaérobiose, le pyruvate est réduit en lactate. La réduction du pyruvate s'observe dans les tissus normalement peu irrigués par les vaisseaux sanguins (par exemple la cornée) et dans les muscles du squelette pendant une forte activité. Lorsque l'exercice musculaire est intense, tout l'oxygène disponible dans les tissus est rapidement utilisé, plus rapidement qu'il y parvient. Le pyruvate formé lors de la glycolyse ne peut plus être oxydé dans le cycle de l'acide citrique et le NADH ne peut plus être oxydé sur la chaîne respiratoire. L'excès de pyruvate est alors réduit en lactate par une *lactate déshydrogénase* (Figure 19.30). Dans un tissu musculaire en anaérobiose le lactate est le dernier produit de la glycolyse. Toute personne pratiquant une activité physique assez intense, au point de consommer tout l'oxygène disponible dans les tissus concernés, éprouve une fatigue musculaire et ressent des crampes, ce sont des phénomènes associés à l'accumulation de l'acide lactique dans les muscles. La plus grande partie de ce lactate est éliminée du muscle par la circulation sanguine et est transportée dans le foie où le lactate peut être utilisé pour la synthèse de glucose par la voie de la néoglucogénèse. De plus, comme la glycolyse ne génère qu'une petite fraction de l'énergie utilisable à partir du glucose (le reste provient du cycle de l'acide citrique et du transfert des électrons sur la chaîne respiratoire), l'établissement de conditions anaérobies dans les muscles du squelette se traduit aussi par une réduction de l'énergie provenant du catabolisme du glucose.

19.7 • Élégance énergétique de la glycolyse

L'examen de la Figure 19.31 permet d'apprécier l'élégant raffinement de la voie de la glycolyse. La variation d'énergie libre standard de chacune des 10 réactions de la glycolyse et de la réaction catalysée par la lactate déshydrogénase (Figure 19.31a) est soit positive soit négative, et l'ensemble ne permet pas de s'apercevoir des couplages réactionnels dans le milieu cellulaire. Par contre, les valeurs de ΔG dans les conditions cellulaires (Figure 19.31b) se répartissent en deux classes bien distinctes. Pour les réactions 2 et 4 à 9, les valeurs de ΔG sont très proches de zéro de sorte que ces réactions sont pratiquement à l'équilibre. Une petite variation dans les

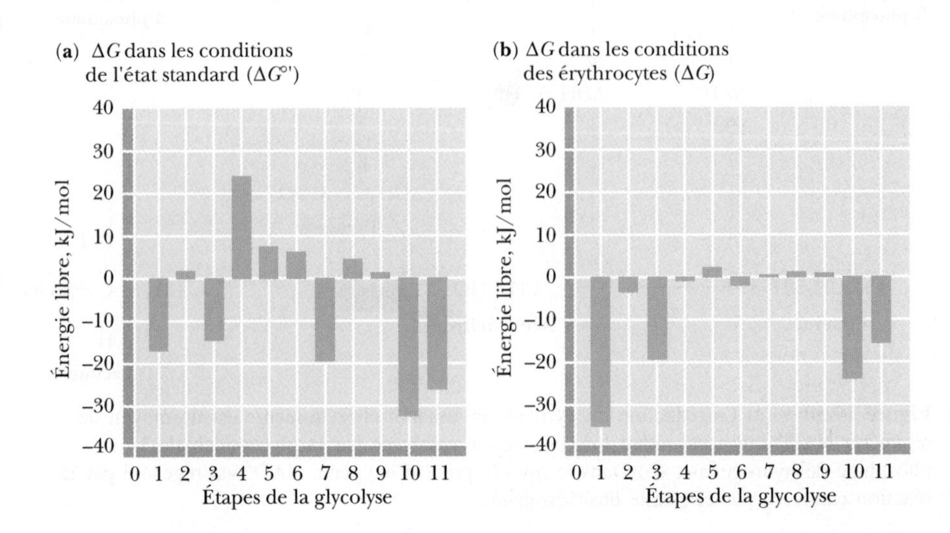

Figure 19.31 • Comparaison entre les variations d'énergie libre des réactions de la glycolyse (étape 1 = hexokinase) dans les conditions (a) de l'état standard et (b) de l'état réel des conditions dans les érythrocytes. Les valeurs de $\Delta G^{\circ\prime}$ ne donnent que peu d'indications sur la variation d'énergie libre dans les conditions réelles prévalant dans les globules rouges. Nous constatons par contre que dans ces dernières conditions sept des réactions de la glycolyse sont très proches de l'équilibre (ΔG voisin de zéro). La glycolyse est essentiellement entraînée dans le sens de la formation du pyruvate par l'importante variation d'énergie libre des réactions catalysées par l'hexokinase (1), la phosphofructokinase (3) et la pyruvate kinase (10). La lactate déshydrogénase (étape 11) catalyse une réaction qui présente également une importante variation négative de ΔG dans les conditions du milieu cellulaire.

concentrations des réactifs peut favoriser l'évolution de ces réactions dans le sens de la glycolyse, ou dans le sens opposé. Au contraire, l'hexokinase, la phosphofructokinase et la pyruvate kinase catalysent des réactions ayant des valeurs de ΔG négatives très élevées dans les conditions cellulaires. Ces réactions sont donc de bons sites pour la régulation de la glycolyse. Quand ces trois derniers enzymes sont actifs, la glycolyse se déroule normalement et le glucose est rapidement métabolisé en pyruvate ou en lactate. L'inhibition de ces trois enzymes par des effecteurs allostériques bloque la glycolyse. Quand nous examinerons la **néoglucogenèse** – ou biosynthèse du glucose, (Chapitre 21) – nous verrons que des enzymes différents remplacent ceux des réactions 1, 3, et 10 de la glycolyse. Ces enzymes qui participent à la synthèse nette de glucose permettent de catalyser les réactions « inverses » nécessaires. Par contre, les réactions 2 et 4 à 9, ainsi que les enzymes qui les catalysent, participent *aussi bien* à la néoglucogénèse qu'à la glycolyse. Elles ne posent aucun problème énergétique puisqu'elles sont voisines de l'équilibre.

19.8 • Utilisation d'autres substrats par la voie de la glycolyse

La voie de la glycolyse décrite dans ce chapitre débute par la phosphorylation du glucose. D'autres oses, simples ou plus complexes, peuvent entrer dans ce cycle après avoir été convertis par des enzymes appropriés en l'un des intermédiaires de la glycolyse. La Figure 19.32 présente quelques-uns des mécanismes par lesquels des métabolites simples peuvent donner ces intermédiaires. Par exemple, le **fructose**, produit par

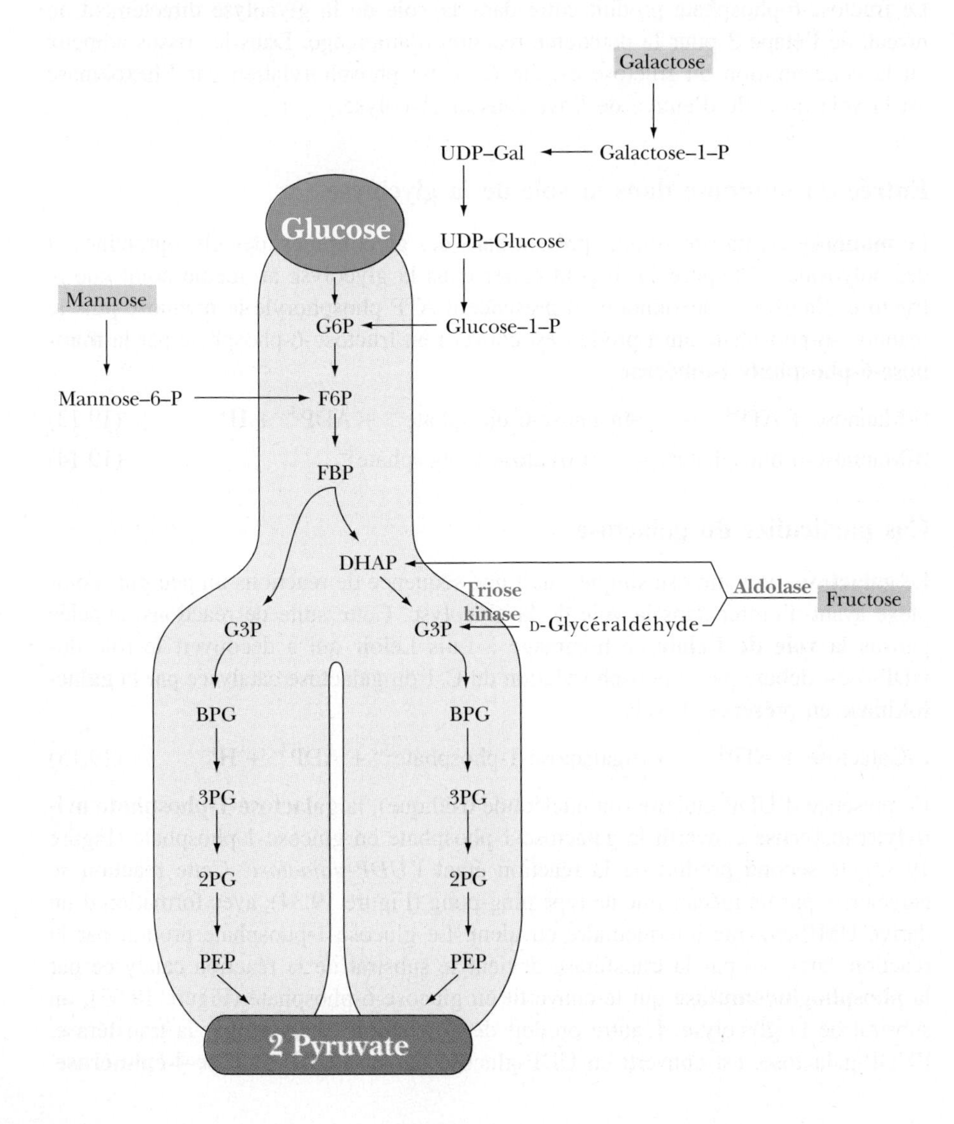

Figure 19.32 • Mannose, galactose, fructose et d'autres métabolites simples peuvent entrer dans la voie de la glycolyse.

la dégradation du saccharose, peut entrer dans la voie de la glycolyse, au moins de deux façons différentes. Dans le foie, le fructose est phosphorylé sur le C-1 par une **fructokinase :**

$$\text{D-Fructose} + \text{ATP}^{4-} \longrightarrow \text{D-fructose-1-phosphate}^{2-} + \text{ADP}^{3-} + \text{H}^{+} \quad (19.10)$$

Puis sous l'effet de la **fructose-1-phosphate aldolase**,

$$\text{D-Fructose-1-P}^{2-} \longrightarrow \text{D-glycéraldéhyde} + \text{dihydroxyacétone phosphate}^{2-} \quad (19.11)$$

la molécule est scindée, d'une manière semblable à celle qui est observée dans la réaction catalysée par la fructose bisphosphate aldolase, en dihydroxyacétone phosphate et en D-glycéraldéhyde. La dihydroxyacétone phosphate est un intermédiaire de la glycolyse mais le glycéraldéhyde doit encore être transformé. Le D-glycéraldéhyde peut, en présence d'ATP, être phosphorylé par une **triose kinase**. Le produit de la réaction, le glycéraldéhyde-3-phosphate, est un autre intermédiaire de la glycolyse.

Dans les reins et les tissus musculaires, le fructose est rapidement phosphorylé en fructose-6-phosphate par l'hexokinase qui, nous l'avons signalé, peut utiliser divers hexoses comme substrats. Comme dans les réactions précédentes catalysées par des kinases, l'énergie libre d'hydrolyse de l'ATP favorise la formation du dérivé phosphorylé.

$$\text{D-Fructose} + \text{ATP}^{4-} \longrightarrow \text{D-fructose-6-phosphate}^{2-} + \text{ADP}^{3-} + \text{H}^{+} \quad (19.12)$$

Le fructose-6-phosphate produit entre dans la voie de la glycolyse directement au niveau de l'étape 3 pour la deuxième réaction d'amorçage. Dans les tissus adipeux où la concentration du fructose est élevée, cette phosphorylation par l'hexokinase est la voie normale d'entrée de l'ose dans la glycolyse.

Entrée du mannose dans la voie de la glycolyse

Le **mannose** est un ose simple, présent dans des glycolipides, des glycoprotéines et des polyosides (Chapitre 7). Il peut entrer dans la glycolyse au même point que le fructose. En effet, l'hexokinase en présence d'ATP phosphoryle le mannose puis le mannose-6-phosphate ainsi produit est converti en fructose-6-phosphate par la **mannose-6-phosphate isomérase**:

$$\text{D-Mannose} + \text{ATP}^{4-} \longrightarrow \text{D-mannose-6-phosphate}^{2-} + \text{ADP}^{3-} + \text{H}^{+} \quad (19.13)$$

$$\text{D-Mannose-6-phosphate}^{2-} \longrightarrow \text{D-fructose-6-phosphate}^{2-} \quad (19.14)$$

Cas particulier du galactose

Le **galactose**, un autre ose simple, subit une séquence de réactions un peu plus complexe avant d'entrer dans la voie de la glycolyse. Cette suite de réactions, appelée parfois la **voie de Leloir** en hommage à Luis Leloir qui a découvert le rôle des UDP-oses, débute par la phosphorylation du C-1 du galactose catalysée par la **galactokinase** en présence d'ATP.

$$\text{D-Galactose} + \text{ATP}^{4-} \longrightarrow \text{D-galactose-1-phosphate}^{2-} + \text{ADP}^{3-} + \text{H}^{+} \quad (19.15)$$

En présence d'UDP-glucose (un nucléotide osidique), la **galactose-1-phosphate uridylyltransférase** convertit le galactose-1-phosphate en glucose-1-phosphate (Figure 19.33), le second produit de la réaction étant l'*UDP-galactose.* Cette réaction se caractérise par un mécanisme de type ping-pong (Figure 19.34), avec formation d'un dérivé UMP-enzyme intermédiaire covalent. Le glucose-1-phosphate produit par la réaction catalysée par la transférase devient le substrat de la réaction catalysée par la **phosphoglucomutase** qui le convertit en glucose-6-phosphate (Figure 19.33), un substrat de la glycolyse. L'autre produit de la réaction catalysée par la transférase, l'UDP-galactose, est converti en UDP-glucose par une **UDP-glucose-4-épimérase**.

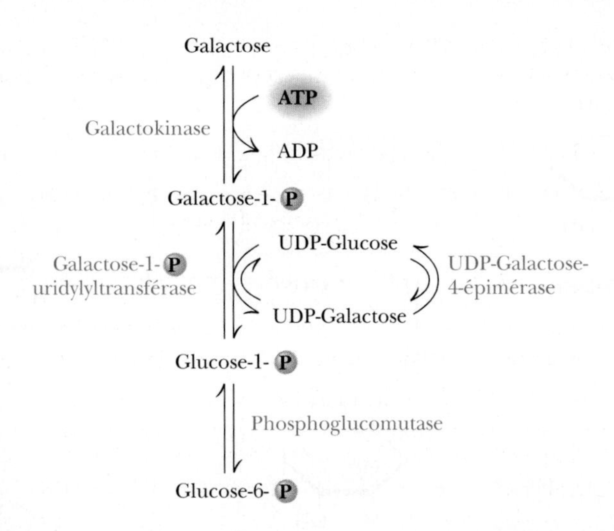

Figure 19.33 • Métabolisme du galactose par la voie de Leloir.

Finalement, l'action combinée de l'uridylyltransférase et de l'épimérase produit du glucose-1-P à partir de galactose-1-P, avec régénération de l'UDP-glucose.

Une maladie héréditaire récessive, peu fréquente, la **galactosémie**, a son origine dans une mutation du gène de la galactose-1-P uridylyltransférase et la protéine produite est inactive. Le galactose-1-phosphate s'accumule, à des niveaux toxiques, et provoque diarrhées, vomissements, cataracte et troubles neurologiques irréversibles (avec un sérieux retard mental). Ces effets peuvent être évités chez les nourrissons par une alimentation dépourvue de galactose (et de ses précurseurs, essentiellement le lactose du lait). Chez les adultes, la toxicité du galactose est moins sévère car le galactose-1-phosphate peut être transformé en UDP-galactose ; la réaction est catalysée par l'**UDP-glucose pyrophosphorylase** (en présence d'UTP) qui accepte le galactose-1-phosphate comme substrat au lieu du glucose-1-phosphate, son substrat normal (Figure 19.35). Il semble que la concentration de l'enzyme soit plus élevée chez les personnes atteintes de galactosémie.

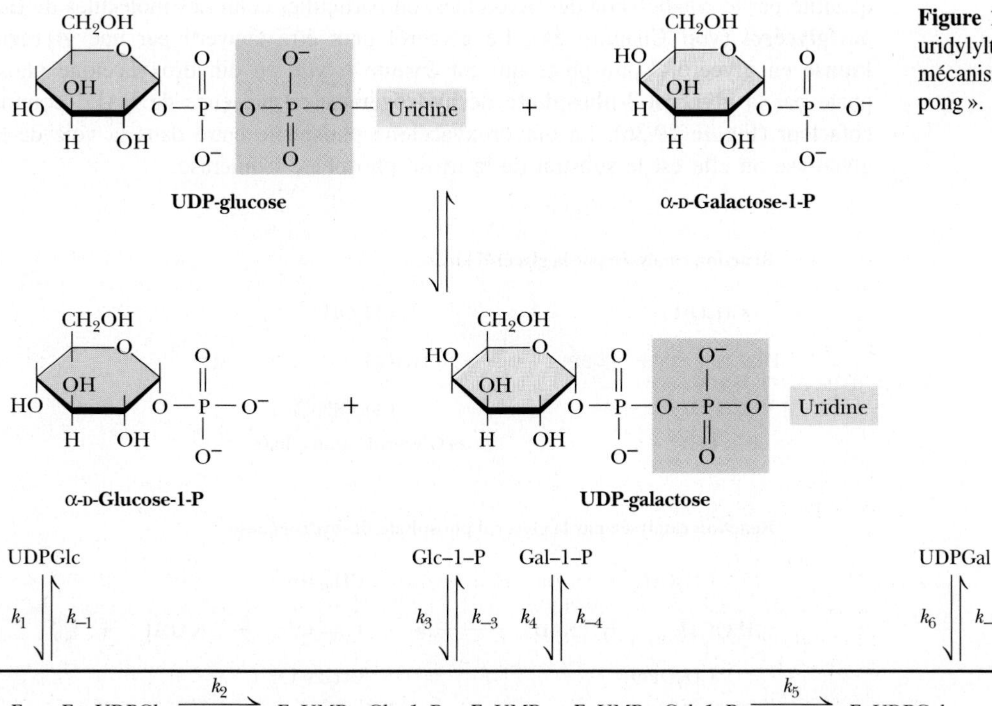

Figure 19.34 • La galactose-1-phosphate uridylyltransférase catalyse une réaction dont le mécanisme a une cinétique de type « ping-pong ».

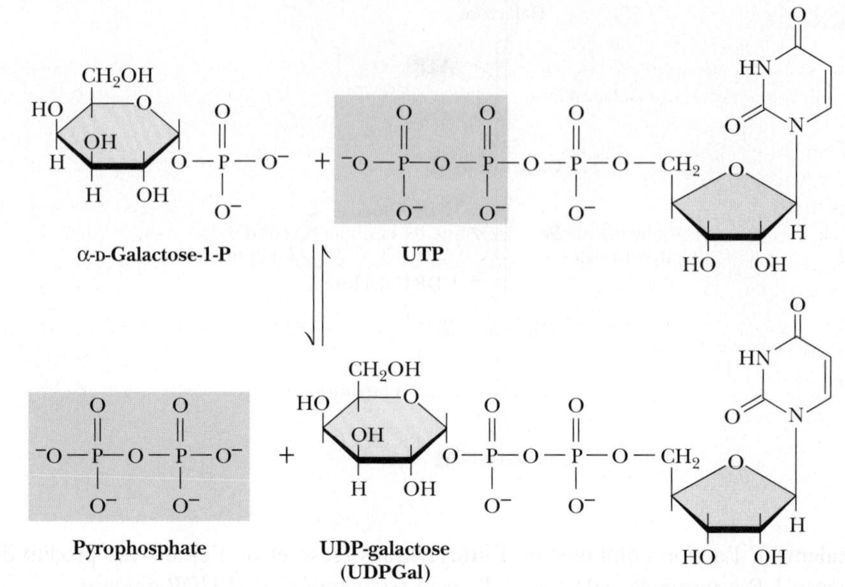

Figure 19.35 • Réaction catalysée par l'ADP-glucose pyrophosphorylase.

L'intolérance au lactose

Un défaut métabolique beaucoup plus répandu dans le monde à l'exception notable de certaines parties de l'Afrique et du nord de l'Europe, provoque **l'intolérance au lactose** (pratiquement au lait). Cette intolérance provient de l'absence d'un enzyme, la **lactase**, dans l'intestin des adultes et donc le lactose ne peut plus être digéré. Les principaux symptômes de cette carence sont la diarrhée et des crampes abdominales ; il suffit d'éliminer le lait de l'alimentation.

Le glycérol peut aussi rejoindre la voie de la glycolyse

Le glycérol est la dernière substance dont nous devons considérer l'entrée dans la voie de la glycolyse. Ce métabolite, simple mais important, est produit en grande quantité par le catabolisme des glycérides, en particulier celui des molécules de **triacylglycérol** (voir Chapitre 24). Le glycérol peut être converti par une **glycérol kinase** en glycérol-3-phosphate qui est ensuite oxydé en dihydroxyacétone phosphate par la **glycérol-3-phosphate déshydrogénase** en présence de NAD^+ comme cofacteur (Figure 19.36). La dihydroxyacétone phosphate entre dans la voie de la glycolyse où elle est le substrat de la triose phosphate isomérase.

Figure 19.36

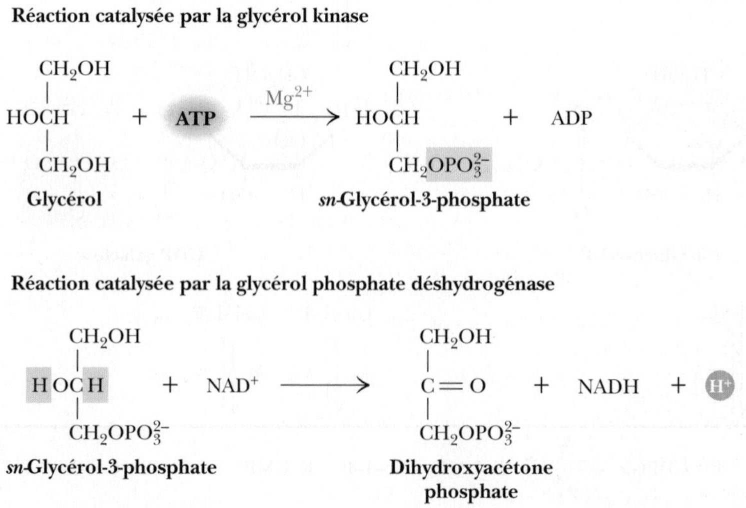

EXERCICES

1. Donnez la liste des réactions de la glycolyse qui :

a. sont consommatrices d'énergie (dans les conditions de l'état standard).

b. libèrent de l'énergie (dans les conditions de l'état standard).

c. consomment de l'ATP.

d. produisent de l'ATP.

e. sont fortement influencées par les variations de la concentration des substrats et des produits du fait d'un changement dans le nombre des molécules.

f. sont à l'équilibre, ou proches de l'équilibre, dans les érythrocytes (voir Tableau 19.2).

2. Si chacune des positions du squelette carboné du glucose sont successivement marquées par du ^{14}C, dans des expériences distinctes, quelle sera la position du carbone marqué dans le pyruvate produit par la glycolyse de ces molécules de glucose ?

3. Dans un globule rouge où les réactions de la glycolyse se déroulent normalement, quel serait l'effet d'un accroissement soudain de la concentration des substrats suivants (a) ATP, (b) AMP, (c) fructose-1,6-bisphosphate, (d) fructose-2,6-bisphosphate, (e) citrate, (f) glucose-6-phosphate ?

4. Pour chacune des réactions suivantes, donnez le nom de l'enzyme qui catalyse la réaction dans la glycolyse et le mécanisme réactionnel probable.

$CH_2OPO_3^{2-}$
|
C=O
|
HOCH
|
HCOH
|
HCOH
|
$CH_2OPO_3^{2-}$

$\rightleftharpoons$

$CH_2OPO_3^{2-}$
|
C=O
|
CH_2OH

\+

CHO
|
HCOH
|
$CH_2OPO_3^{2-}$

CHO
|
HCOH
|
$CH_2OPO_3^{2-}$

$\rightleftharpoons$

O OPO_3^{2-}
 \\\\ /
C
|
HCOH
|
$CH_2OPO_3^{2-}$

5. Écrivez les réactions qui permettent l'utilisation du galactose dans la voie de la glycolyse.

6. Quel peut être l'effet de l'acide iodoacétique sur la réaction catalysée par la glycéraldéhyde-3-phosphate déshydrogénase dans la glycolyse ? Justifiez votre réponse.

7. Si du phosphate minéral marqué au ^{32}P est introduit dans des érythrocytes en cours de glycolyse, pensez-vous qu'il soit possible de détecter ^{32}P dans les produits intermédiaires de la glycolyse. Si la réponse est positive, décrivez les réactions qui rendent possible cette incorporation, et dans quelle(s) molécule(s).

8. Le saccharose peut entrer dans la voie de la glycolyse par deux réactions différentes:

Saccharose phosphorylase :
Saccharose + $P_i \rightleftharpoons$ fructose + glucose-1-phosphate

Invertase :
Saccharose + $H_2O \rightleftharpoons$ fructose + glucose

L'une de ces deux réactions présente-t-elle un avantage lors de la préparation de l'entrée du saccharose dans la voie de la glycolyse ?

9. Quelle serait la conséquence d'une carence en Mg^{2+} sur les réactions de la glycolyse ?

10. La triose phosphate isomérase catalyse la conversion de la dihydroxyacétone-P en glycéraldéhyde-3-P. La variation d'énergie libre standard de la réaction, $\Delta G°'$, est +7,6 kJ/mol. Cependant la variation observée dans les érythrocytes (ΔG) n'est que de +2,4 kJ/mol.

a. Si [dihydroxyacétone-P] = 0,2 m*M*, quelle est la concentration du glycéraldéhyde-3-P ?

b. Calculez le rapport [dihydroxyacétone-P] / [glycéraldéhyde-3-P] dans les érythrocytes.

11. L'énolase catalyse la conversion du 2-phosphoglycérate en phosphoénolpyruvate + H_2O. La variation d'énergie libre standard de la réaction, $\Delta G°'$, est de +1,8 kJ/mol. Si la concentration du 2-phosphoglycérate est de 0,045 m*M* et la concentration du phosphoénolpyruvate de 0,034 m*M*, quelle est la valeur de ΔG de la réaction dans ces conditions ?

12. La variation d'énergie libre standard, $\Delta G°'$, de la réaction d'hydrolyse du phosphoénolpyruvate (PEP) est de –61,9 kJ/mol. La variation d'énergie libre standard de la réaction, $\Delta G°'$, pour l'hydrolyse de l'ATP est de –30,5 kJ/mol.

a. Quelle est la variation d'énergie libre standard de la réaction catalysée par la pyruvate kinase :

$$\text{ADP + phosphoénolpyruvate} \longrightarrow \text{ATP + pyruvate}$$

b. Quelle est la constante d'équilibre de la réaction ?

c. En supposant que les concentrations intracellulaires de l'ADP et de l'ATP restent respectivement fixées à 8 m*M* et à 1 m*M*, quel sera le rapport [pyruvate] / [phosphoénolpyruvate] quand la réaction est à l'équilibre ?

13. La variation d'énergie libre standard, $\Delta G°'$, de l'hydrolyse du fructose-1,6-bisphosphate (FBP) en fructose-6-P (F-6-P) et en P_i, est de –16,7 kJ/mol :

$$\text{FBP} + H_2O \longrightarrow \text{fructose-6-P} + P_i$$

La variation d'énergie libre standard de l'hydrolyse de l'ATP, $\Delta G°'$, est de –30,5 kJ/mol :

$$\text{ATP} + H_2O \longrightarrow \text{ADP} + P_i$$

a. Quelle est la variation d'énergie libre standard de la réaction catalysée par la phosphofructokinase

$$\text{ATP + fructose-6-P} \longrightarrow \text{ADP + FBP}$$

b. Quelle est la constante d'équilibre de la réaction ?

c. En supposant que les concentrations intracellulaires de l'ADP et de l'ATP restent respectivement fixées à 4 m*M* et à 1,6 m*M* dans les cellules du foie de rat, quel sera le rapport [FBP] / [F-6-P] quand la réaction sera à l'équilibre ?

14. La variation d'énergie libre standard, $\Delta G°'$, de l'hydrolyse du 1,3-bisphosphoglycérate (1,3-BPG) en 3-phosphoglycérate (3-PG) et P_i est de –49,6 kJ/mol :

$$\text{1,3-BPG} + H_2O \longrightarrow \text{3-PG} + P_i$$

La variation d'énergie libre standard de l'hydrolyse de l'ATP, $\Delta G^{\circ\prime}$, est de –30,5 kJ/mol :

$$ATP + H_2O \longrightarrow ADP + P_i$$

a. Quelle est la variation d'énergie libre standard de la réaction catalysée par la phosphoglycérate kinase

$$ADP + 1{,}3\text{-}BPG \longrightarrow ATP + 3\text{-}PG$$

b. Quelle est la constante d'équilibre de la réaction ?

c. Si les concentrations à l'équilibre du [1,3-BPG] et du [3-PG] sont respectivement de 1 μM et de 120 μM, quel sera le rapport [ATP] / [ADP] en admettant que la réaction est à l'équilibre ?

Lectures complémentaires

Arkin, A., Shen, P., et Ross, J., 1997. A test case of correlation metric construction of a reaction pathway from measurements. *Science* **277** : 1275-1279.

Beitner, R., 1985. *Regulation of Carbohydrate Metabolism.* Boca Raton, FL : CRC Press.

Bioteux, A., et Hess, A., 1981. Design of glycolysis. *Philosophical Transactions, Royal Society of London B* **293** : 5-22.

Bodner, G.M., 1986. Metabolism : Part I, Glycolysis. *Journal of Chemical Education* **63** : 566-570.

Bosca, L., et Corredor, C., 1984. Is phosphofructokinase the rate-limiting step of glycolysis ? *Trends in Biochemical Sciences* **9** : 372-373.

Boyer, P.D., 1972. *The Enzymes,* 3rd ed., vols. 5-9. New York : Academic Press.

Braun, L., Puskas, F., Csala, M., et al., 1997. Ascorbate as a substrate for glycolysis or gluconeogenesis : Evidence for an interorgan ascorbate cycle. *Free Radical Biology and Medicine* **23** : 804-808.

Conley, K.E., Blei, M.L., Richards, T.L., et al., 1997. Activation of glycolysis in human muscle *in vivo. American Journal of Physiology* **273** : C306-C315.

Fothergill-Gilmore, L., 1986. The evolution of the glycolytic pathway. *Trends in Biochemical Sciences* **11** : 47-51.

Goncalves, P.M., Giffioen, G., Bebelman, J.P., et Planta, R.J., 1997. Signalling pathways leading to transcriptional regulation of genes involved in the activation of glycolysis in yeast. *Molecular Microbiology* **25** : 483-493.

Green, H.J., 1997. Mechanisms of muscle fatigue in intense exercise. *Journal of Sports Sciences* **15** : 247-256.

Jucker, B.M., Rennings, A.J., Cline, G.W, et al., 1997. *In vivo* NMR investigation of intramuscular glucose metabolism in conscious rats. *American Journal of Physiology* **273** : E139-E148.

Knowles, J., et Albery, W., 1977. Perfection in enzyme catalysis : The engetics of triose phosphate isomerase. *Accounts of Chemical Research* **10** : 105-111.

Luczak-Szczurek, A., et Flisinska-Bojanowska, A., 1977. Effect of high-protein diet on glycolytic processes in skeletal muscles of exercising rats. *Journal of Physiology and Pharmacology* **48** : 119-126.

Newsholme, L, Challiss, R., et Crabtree, B., 1984. Substrate cycles : Their role in improving sensitivity in metabolic control. *Trends In Biochemical Sciences* **9** : 277-280.

Pilkus, S., et El-Maghrabi, M., 1988. Hormonal regulation of hepatic gluconeogenesis and glycolysis. *Annual Review of Biochemistry* **57** : 755-783.

Saier, M., Jr., 1987. *Enzymes in Metabolic Pathways.* New York : Harper and Row.

Sparks, S., 1997. The purpose of glycolysis. *Science* **277** : 459-460.

Vertessy, B.G., Orosz, F., Kovacs, J., et Ovadi, J., 1997. Alternative binding of two sequential glycolytic enzymes to microtubules. Molecular studies in the phosphofructokinase/aldolase/microtubule system. *Journal of Biological Chemistry* **272** : 25542-25546.

Wackerhage, H., Mueller, K, Hoffinann, U., et al., 1996. Glycolytic ATP production estimated from ^{31}P magnetic resonance spectroscopy measurements during ischemic exercise *in vivo. Magma* **4** : 151-155.

Waddell, T.G., et al., 1997. Optimization of glycolysis : A new look at the efficiency of energy coupling. *Biochemical Education* **25** : 204-205.

Walsh, C.T., 1979. *Enzymatic Reaction Mechanisms.* San Francisco : W.H. Freeman.

Chapitre 20

Le cycle des acides tricarboxyliques

Ainsi les temps changent, chaque chose a son tour ;
De nouvelles choses prennent place quand les précédentes ont vieilli.

ROBERT HERRICK (*Hesperides* [1648], « Ceremonies for Christmas Eve »)

Photographie de la Grande roue, prise de nuit. Les cellules aérobies utilisent une roue métabolique, le cycle des acides tricarboxyliques, pour produire de l'énergie en oxydant l'acétyl-CoA. (Ferns Wheel, Delmar Fai © Corbis/Richard Cummins)

PLAN

La glycolyse convertit le glucose en pyruvate et produit deux molécules d'ATP par molécule de glucose, ce qui ne représente qu'une faible partie du potentiel énergétique du glucose. En anaérobiose, le pyruvate est réduit en lactate chez les animaux et en éthanol dans la levure ; l'essentiel du potentiel énergétique du glucose n'est donc pas utilisé. Mais *en présence d'oxygène* la suite des réactions est plus intéressante ; la récupération de l'énergie potentielle du glucose est beaucoup plus importante. En aérobiose le NADH est, par exemple, oxydé sur la chaîne de transport des électrons plutôt que d'être réoxydé par la réduction du pyruvate en lactate ou par la réduction de l'acétaldéhyde en éthanol. De plus, le pyruvate est converti en *acétyl-CoA* et oxydé jusqu'au stade CO_2 dans **le cycle des acides tricarboxyliques** (ou

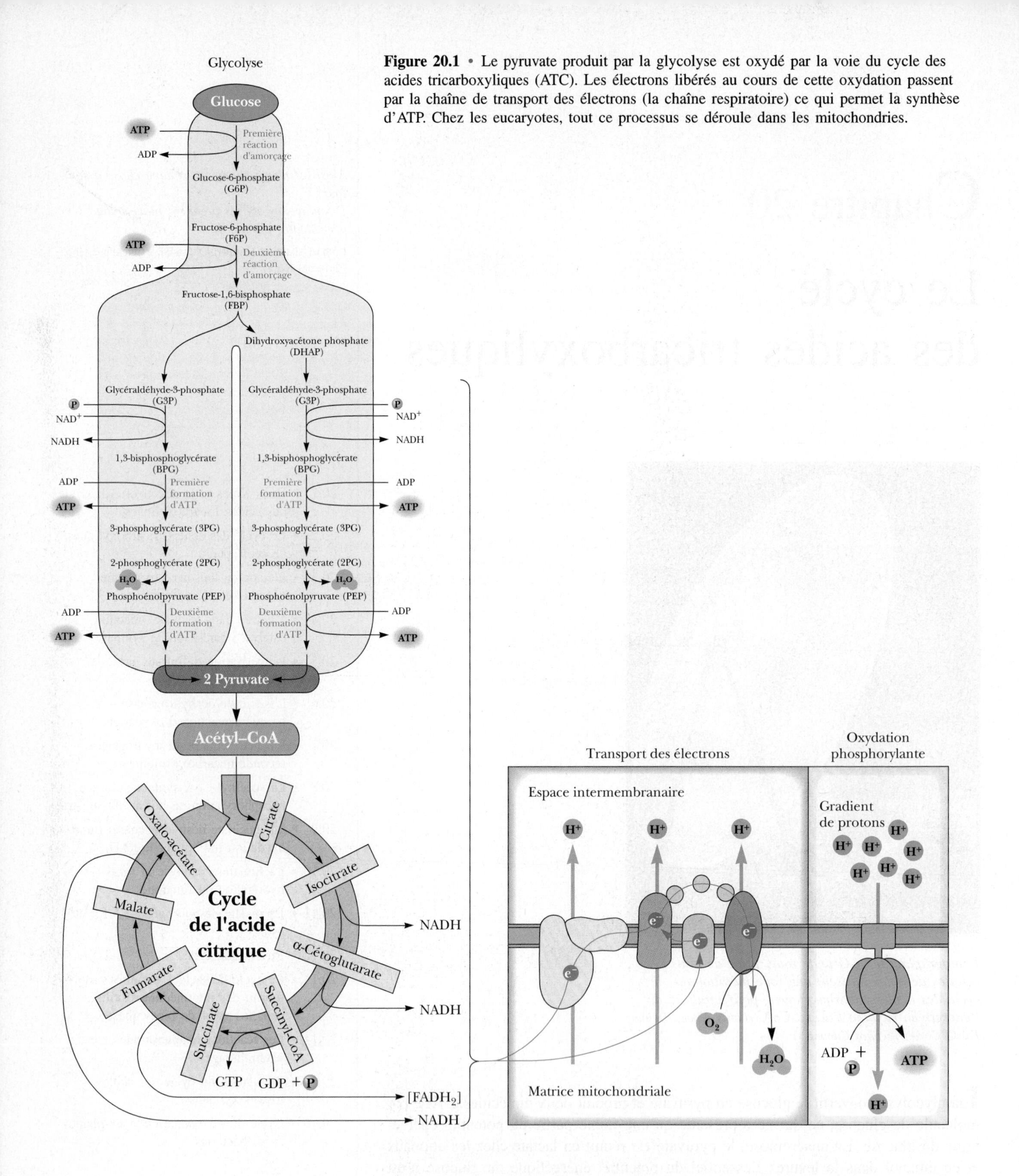

Figure 20.1 • Le pyruvate produit par la glycolyse est oxydé par la voie du cycle des acides tricarboxyliques (ATC). Les électrons libérés au cours de cette oxydation passent par la chaîne de transport des électrons (la chaîne respiratoire) ce qui permet la synthèse d'ATP. Chez les eucaryotes, tout ce processus se déroule dans les mitochondries.

ATC, ou **cycle de l'acide citrique**, ou encore **cycle de Krebs**). Les électrons libérés par ces réactions d'oxydation sont transférés par une chaîne de transport des électrons, liée à la membrane, jusqu'à O_2 l'accepteur final des électrons. Ce transfert des électrons est couplé avec la formation d'un gradient de protons transmembranaire. Un tel gradient représente un état « énergisé » et l'énergie ainsi accumulée est utilisée pour la synthèse de nombreux équivalents d'ATP.

La synthèse de l'ATP comme conséquence du transport des électrons est souvent appelée la « **phosphorylation oxydative** » (de l'anglais *oxydative phosphorylation*) . Un diagramme du processus complet est représenté Figure 20.1. Les *voies aérobies* permettent la production de 30 à 38 molécules d'ATP par molécule de glucose oxydée. Si deux des molécules d'ATP proviennent de la glycolyse et deux autres directement du cycle de Krebs, la plus grande partie résulte du transfert des électrons sur la chaîne respiratoire. Les équivalents réducteurs formés dans les réactions d'oxydation de la glycolyse, de l'oxydation du pyruvate et du cycle de l'acide citrique, sont captés sous forme de NADH et de $FADH_2$ lié à l'enzyme. Ces coenzymes réduits alimentent la chaîne de transport des électrons et donc la formation de l'ATP. Au cours de ce chapitre, nous examinerons en détail le cycle des acides tricarboxyliques.

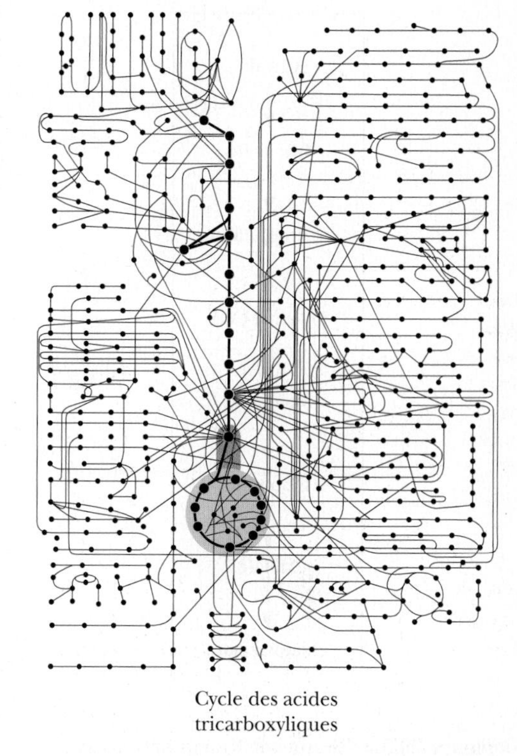

Cycle des acides tricarboxyliques

20.1 • Hans Krebs et la découverte du cycle des acides tricarboxyliques

Dans les limites d'un traité méthodique, logique, destiné aux étudiants, il est difficile de retracer la démarche des chercheurs dans le labyrinthe de la découverte scientifique, du tri patient et de la comparaison des hypothèses, des progrès souvent laborieux vers de nouveaux résultats. La découverte et la compréhension de toutes les étapes du cycle ATC de ce siècle est un cas exemplaire qui mérite d'être raconté. Armé de la connaissance des petites contributions accumulées comme des pièces d'un puzzle par différents chercheurs, Hans Krebs, par une inspiration féconde, au terme de travaux s'étendant sur plusieurs années, sut rassembler tous les éléments et finalement déchiffrer la nature cyclique de l'oxydation du pyruvate. C'est pour l'honorer que le cycle des acides tricarboxyliques est souvent appelé le **cycle de Krebs.**

En 1932, Hans Krebs étudiait l'oxydation des petites molécules organiques par le tissu hépatique et le tissu rénal. Seules quelques substances étaient oxydées dans ces expériences, en particulier le succinate, le malate, l'acétate et le citrate (Figure 20.2). Plus tard, on découvrit que l'oxalo-acétate pouvait être formé dans ces tissus à partir du pyruvate et que cette molécule pouvait être oxydée comme les autres acides dicarboxyliques.

En 1935, en Hongrie, Albert Szent-Györgyi qui étudiait l'oxydation de ces mêmes molécules par les muscles alaires des pigeons fit une découverte cruciale. (Ces muscles participent au vol du pigeon, ils ont un métabolisme très actif et les vitesses des réactions d'oxydation y sont particulièrement élevées). En mesurant soigneusement les quantités d'oxygène consommées, il observa que l'addition de toute molécule choisie parmi les trois acides dicarboxyliques, fumarate, succinate ou malate, provoquait une consommation d'oxygène supérieure à la quantité nécessaire pour oxyder cette même molécule. Il en conclut que ces substances étaient limitantes dans la cellule et que si on les ajoutait au milieu, elles stimulaient l'oxydation du glucose endogène et des autres molécules osidiques présentes dans les tissus. Il trouva également que le **malonate**, un inhibiteur compétitif de la succinate déshydrogénase, (Chapitre 14), inhibait ces processus d'oxydation. Szent-Györgyi émit alors l'hypothèse que ces acides dicarboxyliques étaient reliés dans une voie enzymatique importante pour le métabolisme aérobie.

H_2C-COO^- | H_2C-COO^- — **Succinate**

$H(COO^-)C=C(H)^-OOC$ — **Fumarate**

CH_3COO^- — **Acétate**

$HO-CH(COO^-)-H_2C-COO^-$ — **Malate**

$HO-C(COO^-)(CH_2COO^-)_2$ — **Citrate**

$O=C(COO^-)-H_2C-COO^-$ — **Oxalo-acétate**

Figure 20.2 • Acides organiques oxydés par des suspensions de tissus hépatique ou rénal lors des expériences de Krebs. Ces substances étaient des parties du puzzle que Krebs et d'autres auteurs ont finalement reconstruit.

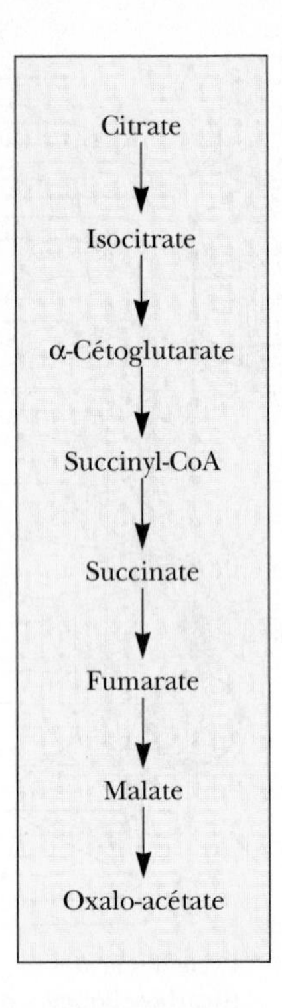

Figure 20.3 • Martius et Knoop ont observé que le citrate pouvait être converti en isocitrate puis en α-cétoglutarate ; cela complétait la séquence, du citrate à l'oxalo-acétate.

Une autre pièce du puzzle fut ensuite découverte par Carl Martius et Franz Knoop. Ils montrèrent que l'acide citrique pouvait être converti en acide isocitrique puis en acide α-cétoglutarique. Cette découverte était intéressante car on savait déjà que l'α-cétoglutarate pouvait être oxydé en succinate par voie enzymatique. À partir de ce moment, la voie du citrate à l'oxalo-acétate semblait être celle qui est représentée Figure 20.3. Cette voie semblait raisonnable, mais l'effet *catalytique* du succinate et des autres acides dicarboxyliques observé par Szent-Györgyi lors de ses recherches demeurait inexpliqué.

Enfin, en 1937, Hans Krebs observa que du citrate se formait dans une suspension de cellules musculaires en présence d'oxalo-acétate si l'on ajoutait du pyruvate ou de l'acétate. Il comprit alors qu'il y avait un cycle et non pas une simple voie métabolique, et que l'addition d'un quelconque intermédiaire pouvait générer tous les autres. L'existence d'un cycle et l'entrée du pyruvate dans ce cycle avec la formation du citrate permettait de comprendre l'effet stimulant du succinate, du fumarate et du malate. Si toutes ces molécules intermédiaires aboutissaient à la formation d'oxalo-acétate qui se combinait au pyruvate provenant de la glycolyse, elles pouvaient effectivement stimuler l'oxydation de diverses autres substances. (Pour Krebs, la conception d'un cycle n'était pas une première, il avait déjà en 1932 élucidé les détails du *cycle de l'urée*, avec Kurt Henseleit, un de ses collaborateurs étudiant en médecine). La Figure 20.4 représente le cycle de Krebs tel qu'il est compris aujourd'hui.

20.2 • Le cycle des acides tricarboxyliques – un bref aperçu

L'entrée de nouvelles unités carbonée dans le cycle se fait par l'intermédiaire de l'acétyl-CoA. Ce métabolite provient soit du pyruvate (produit par la glycolyse), soit de l'oxydation des acides gras (voir Chapitre 25). *La citrate synthase* catalyse le transfert du groupe acétyle à deux atomes de carbone (provenant de l'acétyl-CoA) sur l'oxalo-acétate, à quatre atomes de carbone, pour donner le citrate à six atomes de carbone. Un réarrangement de la structure du citrate, une déshydratation suivie d'une réhydratation, donne l'isocitrate. Deux décarboxylations successives produisent l'α-cétoglutarate puis le succinyl-CoA, un dérivé du CoA avec une molécule à quatre atomes de carbone. Après quelques étapes supplémentaires, l'oxalo-acétate est régénéré et peut être combiné avec une autre unité acétyle provenant de l'acétyl-CoA. En résumé, le carbone entre dans le cycle sous forme d'acétyl-CoA et en sort sous forme de CO_2. Au cours de ce processus l'énergie métabolique contenue dans l'acétyl-CoA est captée sous forme de NADH, d'ATP et d'un $FADH_2$ lié à un enzyme (symbolisé par [$FADH_2$]).

Logique chimique du cycle de Krebs

A première vue, le cycle (Figure 20.4) apparaît comme une voie d'oxydation d'une unité acétate en CO_2 inutilement compliquée. Mais il existe une justification chimique à cette apparence. L'oxydation d'un groupe acétyle en deux molécules de CO_2 requiert le clivage de la liaison C–C :

$$CH_3COO^- \longrightarrow CO_2 + CO_2$$

Dans les systèmes biologiques, il y a plusieurs cas de scission d'une liaison covalente entre deux atomes de carbone en α et en β d'un groupe carbonyle :

$$-\overset{\overset{\displaystyle O}{\|}}{C}-C_\alpha\underset{\underset{\textbf{Clivage}}{\uparrow}}{-}C_\beta-$$

Le clivage du fructose 1,6-bisphosphate catalysé par l'aldolase en est un exemple (voir Chapitre 19, Figure 19.14a).

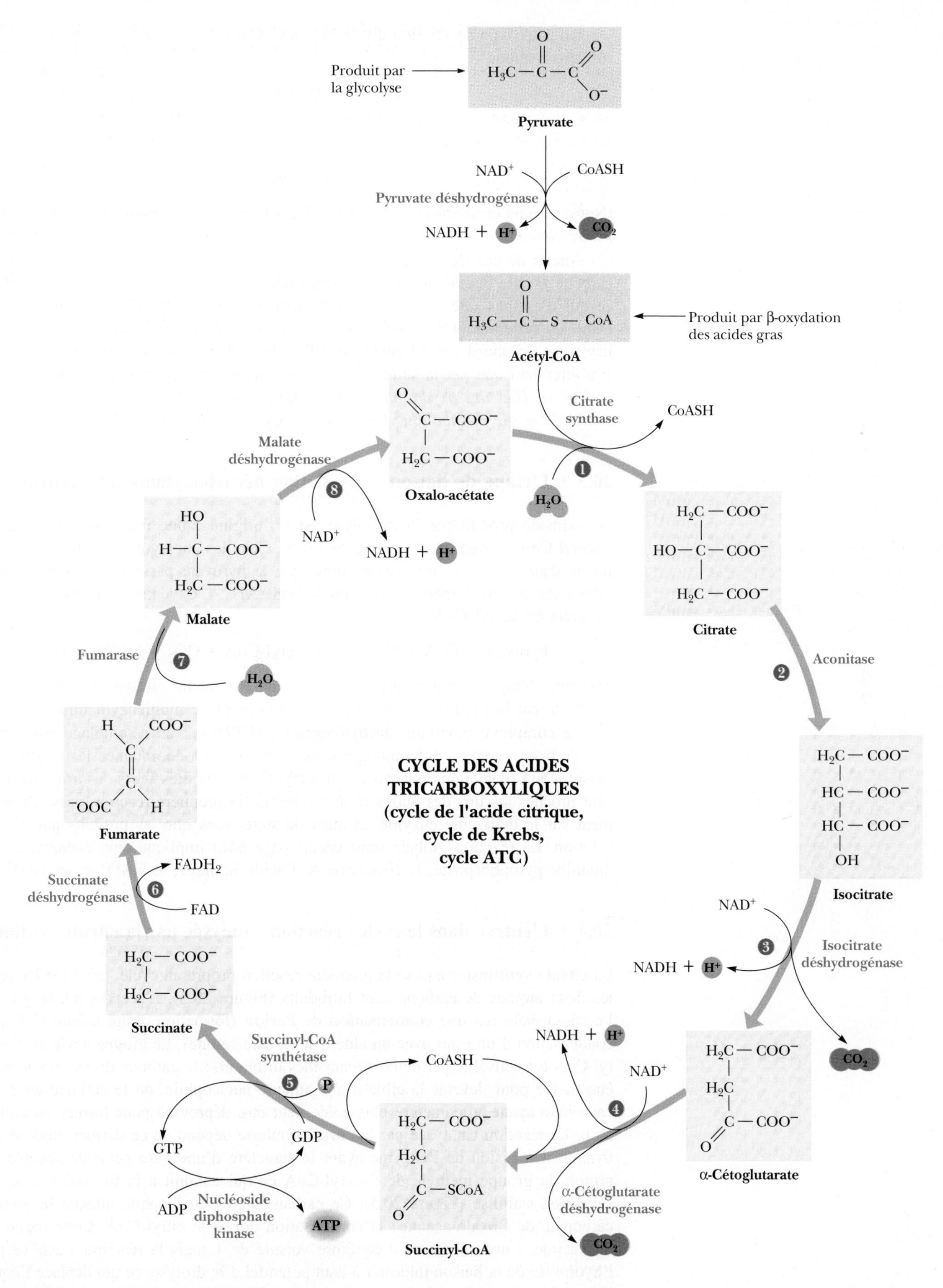

Figure 20.4 • Le cycle des acides tricarboxyliques.

Un autre type de scission d'une liaison C–C est donné par le clivage en α d'une α-hydroxycétone :

$$\begin{array}{cc} \mathrm{O} & \mathrm{OH} \\ \| & | \\ -\mathrm{C}- & \mathrm{C}_{\alpha}- \\ & \uparrow \end{array}$$

Clivage

(Nous verrons ce dernier cas Chapitre 23, à propos de la réaction catalysée par la *transcétolase*).

Aucun de ces modes de clivage ne peut s'appliquer à l'acétate. Il n'a pas de carbone β et le deuxième type de clivage nécessiterait une hydroxylation préalable, ce qui n'est pas une réaction énergétiquement favorable pour un groupe acétyle. Dans les systèmes biologiques, une autre voie chimique plus appropriée est apparue : il y a d'abord condensation avec l'oxalo-acétate et le clivage d'un groupe en β n'intervient que par la suite. *Le cycle de l'acide citrique combine la réaction de clivage en β et des oxydations pour produire le CO_2, régénérer l'oxalo-acétate et capter l'énergie métabolique libérée dans NADH, ATP et [FADH2].*

20.3 • L'étape de liaison : l'oxydation décarboxylante du pyruvate

Le pyruvate produit par la glycolyse est à l'origine d'une importante fraction de l'acétyl-CoA entrant dans le cycle de Krebs. Chez les eucaryotes, la glycolyse s'effectue dans le cytoplasme, il faut donc que le pyruvate passe dans les mitochondries pour être finalement oxydé dans le cycle ATC. L'oxydation décarboxylante du pyruvate en acétyl-CoA

$$\text{Pyruvate} + \text{CoA} + \text{NAD}^+ \longrightarrow \text{acétyl-CoA} + \text{CO}_2 + \text{NADH} + \text{H}^+$$

constitue l'étape reliant la glycolyse au cycle de l'acide citrique. La réaction est catalysée par la pyruvate déshydrogénase, un complexe multienzymatique.

Le **complexe pyruvate déshydrogénase (CPD)** est un assemblage non covalent de trois enzymes différents qui catalysent de façon coordonnée les étapes successives de l'oxydation du pyruvate en acétyl-CoA. Les sites actifs des trois enzymes sont proches les uns des autres et le produit de la première réaction passe directement sur le deuxième enzyme, et ainsi de suite, sans que les produits passent en solution. La réaction globale (voir encart page 646) implique cinq coenzymes : la thiamine pyrophosphate, le coenzyme A, l'acide lipoïque, le NAD^+ et un FAD.

20.4 • L'entrée dans le cycle : réaction catalysée par la citrate synthase

La **citrate synthase** catalyse la première réaction propre au cycle, celle par laquelle les deux atomes de carbone sont introduits (Figure 20.5). L'acétyl-CoA réagit sur l'oxalo-acétate par une **condensation de Perkin** (formation d'une liaison C–C par condensation d'un ester avec un aldéhyde ou une cétone). Le groupe acyle de l'acétyl-CoA est activable par deux mécanismes différents : le carbone du carbonyle peut être activé pour devenir la cible d'une attaque nucléophile, ou le carbone en α du carbonyle ayant un caractère plus acide peut être déprotoné pour former un carbanion. La réaction catalysée par la citrate synthase dépend de ce dernier mode d'activation. Un résidu de l'enzyme ayant le caractère d'une base générale accepte un proton du groupe méthyle de l'acétyl-CoA ce qui conduit à la formation d'un α-carbanion stabilisé (Figure 20.5). Ce carbanion très nucléophile attaque le groupe carbonyle de l'oxalo-acétate ; la condensation donne le citryl-CoA. Cette partie de la réaction a une constante d'équilibre voisine de 1 mais la réaction s'achève par l'hydrolyse de la liaison thioester à haut potentiel d'hydrolyse, ce qui déplace l'équilibre vers la formation de l'acide citrique et la libération du coenzyme A. La valeur

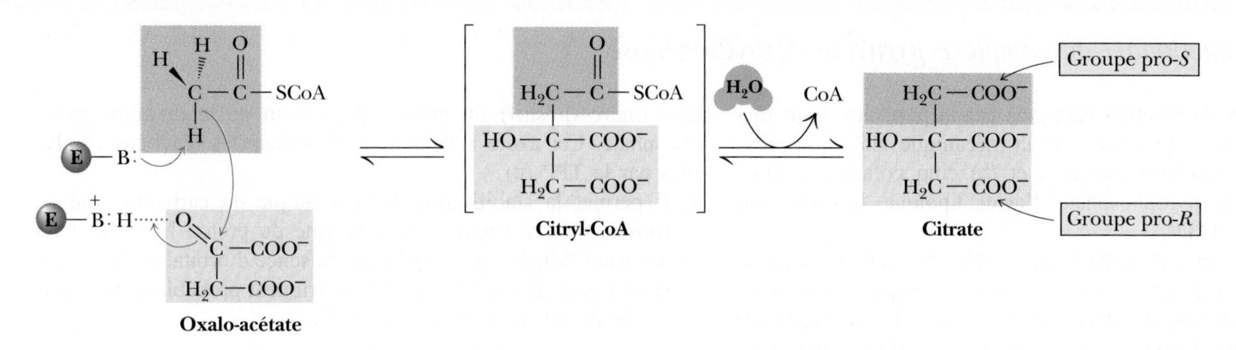

Figure 20.5 • La citrate synthase catalyse la formation du citrate à partir de l'oxalo-acétate et de l'acétyl-CoA. Le mécanisme réactionnel implique l'attaque nucléophile du carbone du carbonyle de l'oxalo-acétate par le carbanion de l'acétyl-CoA et se termine par l'hydrolyse de la liaison thioester.

de $\Delta G^{\circ\prime}$ de la réaction globale est de –31,4 kJ/mol, Dans les conditions de l'état standard, la réaction est donc pratiquement irréversible. Bien que la concentration de l'oxalo-acétate soit très faible dans les mitochondries, (nettement inférieure à 1 μM, voir l'exemple Section 20.11), la forte valeur négative de $\Delta G^{\circ\prime}$ favorise l'évolution de la réaction.

Structure de la citrate synthase

La citrate synthase des mammifères est un dimère constitué de sous-unités de 49 kDa (Tableau 20.1). L'oxalo-acétate et l'acétyl-CoA se lient au site actif de chacune des sous-unités ; ce site est au fond d'une crevasse située entre deux domaines, il est entouré principalement par des segments d'hélices α (Figure 20.6). La fixation de l'oxalo-acétate induit un changement de conformation qui facilite la fixation de l'acétyl-CoA et ferme le site actif de sorte que le carbanion de l'acétyl-CoA est protégé d'une possible protonation par l'eau.

Régulation de la citrate synthase

La citrate synthase catalyse la première étape de cette séquence métabolique et, comme nous l'avons déjà précisé, la réaction s'effectue avec un $\Delta G^{\circ\prime}$ très négatif. Il était donc prévisible que la citrate synthase soit un enzyme strictement régulé. NADH, un des produits du cycle de Krebs est un inhibiteur allostérique de la citrate synthase, de même que le succinyl-CoA, le produit de la cinquième étape du cycle (le succinyl-CoA est un analogue de l'acétyl-CoA).

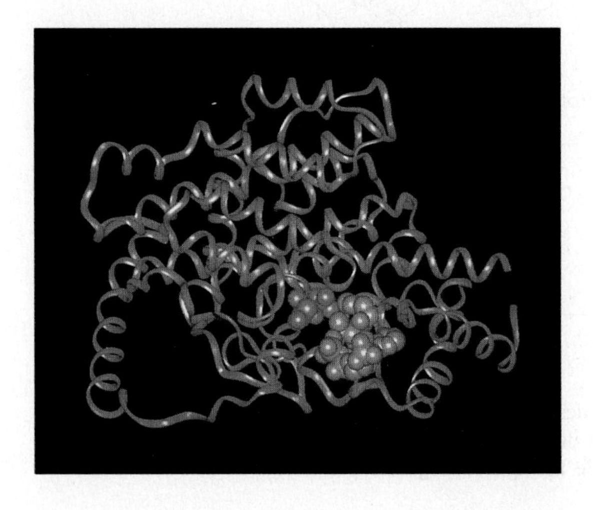

Figure 20.6 • Sous-unité de la citrate synthase (qui est un dimère). La crevasse, où se trouve le site actif, se ferme après la fixation des substrats, le citrate (en vert) et l'acétyl-CoA (en rouge).

Suite du texte page 648

Pour en savoir plus

Mécanisme réactionnel du complexe pyruvate déshydrogénase

Le mécanisme de la réaction catalysée par la pyruvate déshydrogénase est un « tour de force » de la mécanique chimique puisqu'elle implique (a) trois enzymes et (b) cinq cofacteurs différents—la thiamine pyrophosphate, l'acide lipoïque, le coenzyme A, le FAD et le NAD^+.

La première étape de cette réaction, décarboxylation du pyruvate et transfert du groupe acétyle à l'acide lipoïque, dépend de la présence d'une charge négative sur le carbone du carbonyle du pyruvate. L'accumulation de cette charge est facilitée par l'azote quaternaire (positif) du groupe thiazolium de la thiamine pyrophosphate. Cet azote a deux fonctions dans les réactions catalysées par la TPP (c) :

1. Il permet la stabilisation électrostatique du carbanion qui se forme après la capture par l'enzyme du proton lié au C-2 du pyruvate (L'hybridation sp^2 et la présence d'orbitales *d* vacantes sur l'atome de soufre adjacent contribuent probablement à faciliter le départ du proton lié au C-2).

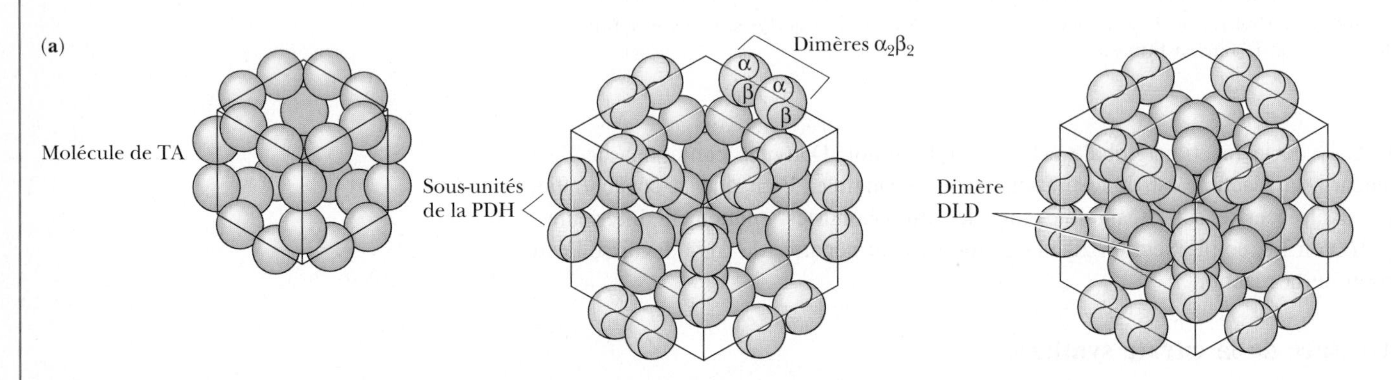

(a) Structure du complexe pyruvate déshydrogénase. Ce complexe comporte trois enzymes : la pyruvate déshydrogénase (PDH), la dihydrolipoyl-transacétylase (TA) et la dihydrolipoyl-déshydrogénase (DLD). (i) La TA est constituée de 24 sous-unités formant la structure cubique centrale du complexe enzymatique CPD. (ii) 24 dimères de pyruvate déshydrogénase sont répartis sur le cube (deux dimères par arête). (iii) 12 sous-unités de dihydrolipoyl-déshydrogénase (deux sous-unités par face de la structure cubique) complètent le complexe.

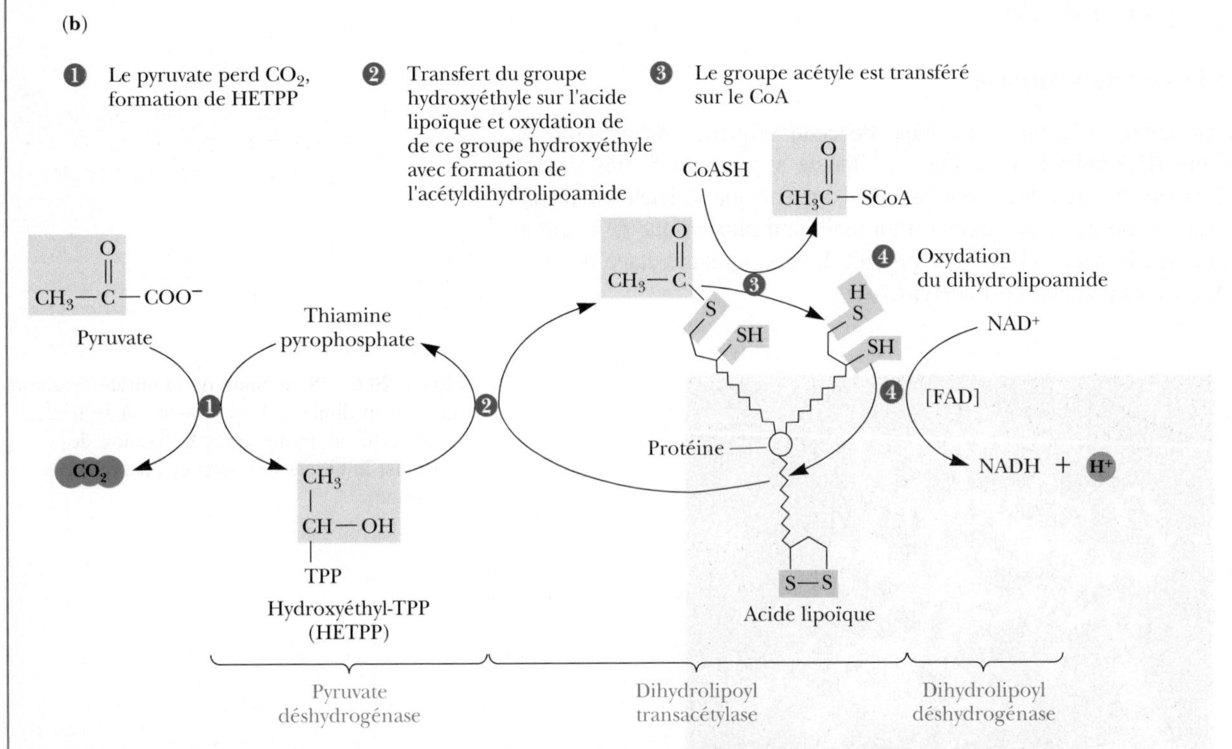

(b) Mécanisme de la réaction catalysée par le complexe pyruvate déshydrogénase. La décarboxylation du pyruvate conduit à la formation de HETPP (Étape 1). Le transfert de l'unité hydroxyéthyle à l'acide lipoïque (Étape 2) est suivi de la formation d'acétyl-CoA (Étape 3). L'acide lipoïque est régénéré par oxydation du dihydrolipoamide (Étape 4).

2. L'attaque du pyruvate par le TPP aboutit à sa décarboxylation. L'azote cationique du TPP (une imine) est un électrophile puissant (un puits à électron) qui stabilise, par résonance, la charge négative apparaissant sur le carbone attaqué.

L'intermédiaire stabilisé par résonance peut être protoné pour former **l'hydroxyéthyl-TPP** (HETPP). On a cru pendant longtemps que cet intermédiaire était si instable qu'il ne pouvait pas être synthétisé ou isolé. Mais à présent, sa synthèse et sa purification ne posent aucun problème particulier. (En fait, la thiamine pyrophosphate des organismes vivants est en partie présente sous forme de hydroxyéthyl-TPP)

La réaction de l'hydroxyéthyl-TPP avec l'acide lipoïque oxydé donne le thioester de l'acide lipoïque réduit, une molécule à haut potentiel d'énergie, et oxyde simultanément la fonction hydroxyle du groupe hydroxyéthyle (c). Cette réaction est suivie de l'attaque nucléophile du carbone du carbonyle par le coenzyme A (une propriété caractéristique de la chimie du CoA). Il en résulte un transfert du groupe acétyle, de l'acide lipoïque au CoA. L'oxydation ultérieure de l'acide lipoïque réduit est catalysée par la dihydrolipoyl-déshydrogénase (un enzyme à FAD) avec réduction de NAD^+.

(c)

Pyruvate

CO_2

Carboanion du substrat stabilisé par résonance

H^+

Hydroxyéthyl-TPP

H^+

(c) Détails des trois premières étapes du mécanisme de la réaction catalysée par le complexe pyruvate déshydrogénase.

Tableau 20.1

Enzymes et réactions du cycle de Krebs

Réaction	Enzyme
1. Acétyl-CoA + oxalo-acétate + $H_2O \rightleftharpoons$ CoASH + citrate	Citrate synthase
2. Citrate $\rightleftharpoons$ isocitrate	Aconitase
3. Isocitrate + $NAD^+ \rightleftharpoons$ α-cétoglutarate + NADH + CO_2 + H^+	Isocitrate déshydrogénase
4. α-cétoglutarate + CoASH + $NAD^+ \rightleftharpoons$ succinyl-CoA + NADH + CO_2 + H^+	Complexe α-cétoglutarate déshydrogénase
5. Succinyl-CoA + GDP + $P_i \rightleftharpoons$ succinate + GTP + CoASH	Succinyl-CoA synthétase
6. Succinate + [FAD] $\rightleftharpoons$ fumarate + [$FADH_2$]	Succinate déshydrogénase
7. Fumarate + $H_2O \rightleftharpoons$ L-malate	Fumarase
8. L-Malate + $NAD^+ \rightleftharpoons$ oxalo-acétate + NADH + H^+	Malate déshydrogénase

Bilan des réactions 1 à 8 :
Acétyl-CoA + 3 NAD^+ + [FAD] + GDP + P_i + 2 $H_2O \rightleftharpoons$ CoASH + 3 NADH + [$FADH_2$] + GTP + 2 CO_2 + 3 H^+
Simple combustion de l'acétate : Acétate + 2 O_2 + $H^+ \rightleftharpoons$ 2 CO_2 + 2 H_2O

20.5 • Isomérisation du citrate par l'aconitase

La molécule de citrate pose un problème : elle n'est pas *a priori* oxydable car elle contient un groupe alcool tertiaire et l'oxydation de ce dernier aboutirait à la rupture d'une liaison C–C. Une solution simple consisterait à isomériser cet alcool tertiaire en alcool secondaire, ce qui est effectivement catalysé dans la réaction suivante du cycle.

L'aconitase isomérise le citrate par un processus en deux étapes qui impliquent l'aconitate comme intermédiaire (Figure 20.7). Au cours de cette réaction le citrate

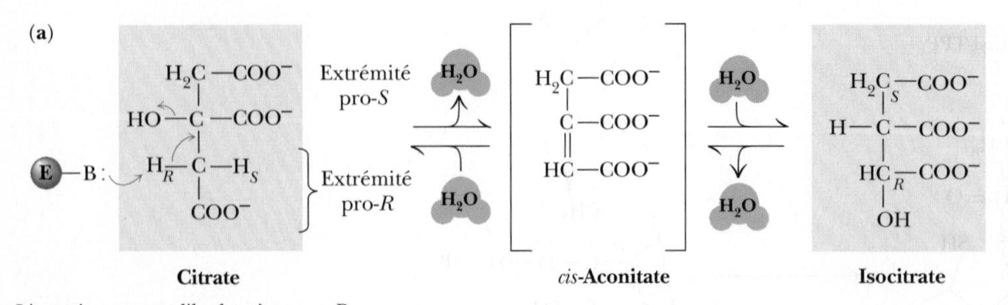

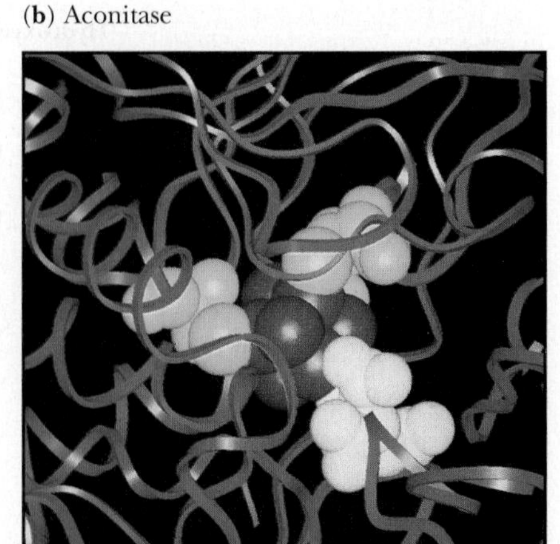

Figure 20.7 • (a) La réaction catalysée par l'aconitase convertit le citrate en *cis*-aconitate, puis en isocitrate. L'aconitase est stéréospécifique et ne capte que l'atome d'hydrogène pro-*R* de l'extrémité pro-*R* du citrate. (b) Site actif de l'aconitase. Le centre ferro-soufre (en rouge) est relié par des liaisons de coordinance aux résidus Cys (en jaune) et à l'isocitrate (en blanc).

Tableau 20.1

Suite

Masse d'une sous-unité, M_r	Composition de l'oligomère	$\Delta G°'$ (kJ/mol)	K_{eq} à 25 °C	ΔG (kJ/mol)
49.000*	Dimère	–31,4	$3,2 \times 10^5$	–53,9
44.500	Dimère	+6,7	0,067	+0,8
	$\alpha_2\beta\gamma$	–8,4	29,7	–17,5
E_1 96.000 E_2 70.000 E_3 56.000	Dimère 24-mère Dimère	–30	$1,8 \times 10^5$	–43,9
α 34.500 β 42.500	$\alpha\beta$	–3,3	3,8	≈0
α 70.000 β 27.000	$\alpha\beta$	+0,4	0,85	≠0
48.500	Tétramère	–3,8	4,6	≈0
35.000	Dimère	+29,7	$6,2 \times 10^{-6}$	≈0
		–40 –849		≈(–115)

* CS chez les mammifères, A du cœur de porc, αCGD chez *E.coli*, S-CoA du cœur de porc, SD du cœur de bœuf, F du cœur de porc, MD du cœur de porc. Valeurs de $\Delta G°'$ d'après Newsholme, E.A., et Leech, A.R., 1983. *Biochemistry for the Medical Sciences.* New York : Wiley.

est déshydraté pour donner l'aconitate, puis les groupes –H et –OH se fixent dans la position inverse de celle qu'ils avaient dans le citrate. Le résultat final est la conversion d'un alcool tertiaire (le citrate) en alcool secondaire (l'isocitrate). L'oxydation de la fonction alcool secondaire de l'isocitrate, qui implique la rupture d'une liaison C–H, est plus simple que l'oxydation directe du citrate qui impliquerait nécessairement la rupture d'une liaison C–C.

L'examen de la structure du citrate, une molécule prochirale, montre la présence de quatre atomes d'hydrogène chimiquement équivalents, mais seulement l'un d'eux – l'atome H pro-*R* de l'extrémité pro-*R* du citrate – est capté par l'aconitase qui est stéréospécifique. La formation de la double liaison de l'aconitate résulte de la capture du proton par l'aconitase et du départ de l'hydroxyle du C-3 sous forme d'un ion hydroxyde. Un hydroxyde n'est pas facilement mobilisable, mais son départ est facilité par l'établissement d'une liaison de coordination avec un atome de fer du centre fer-soufre de l'aconitase.

Centre fer-soufre de l'aconitase

L'aconitase contient un **centre fer-soufre** avec trois atomes de fer et quatre atomes de soufre dans un arrangement presque cubique (Figure 20.8). Le centre fer-soufre est lié à l'enzyme par trois des résidus Cys de la protéine. Un des sommets de ce « cube » est libre dans l'aconitase inactive, il lie un ion Fe^{2+} pour donner la forme active de l'enzyme. Cet ion ferreux peut être relié par coordination au groupe hydroxyle et à l'oxygène du groupe carbonyle en C-3 du citrate. Il agit comme un acide de Lewis en acceptant une paire d'électrons du groupe hydroxyle qui devient alors mobilisable. Avec un $\Delta G°'$ de +6,7 kJ/mol, la constante d'équilibre est en faveur de la formation du citrate ; à l'équilibre, le mélange réactionnel contient environ 90 % de citrate, 4 % de *cis*-aconitate et 6 % d'isocitrate.

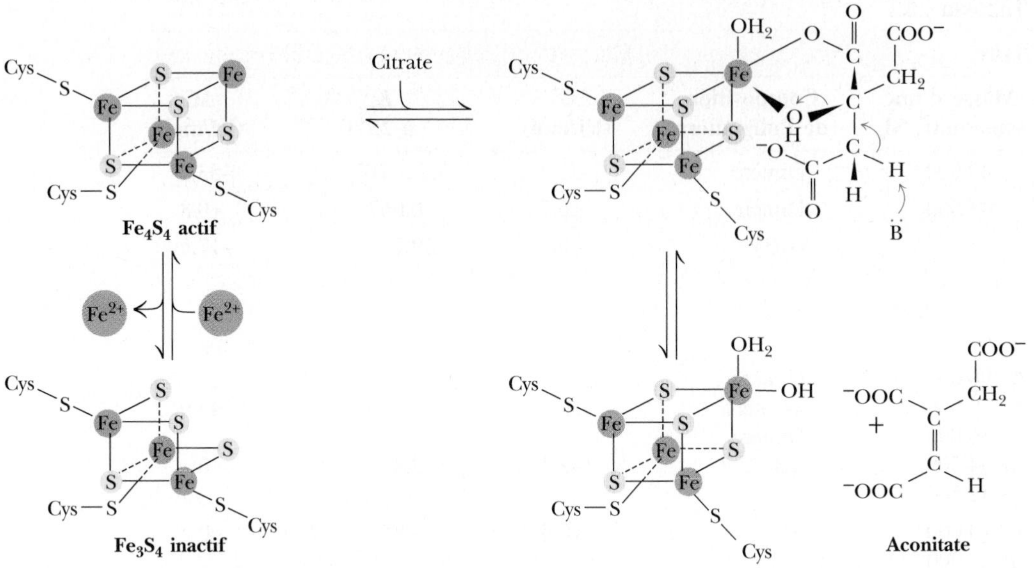

Figure 20.8 • Centre ferro-soufre de l'aconitase. La liaison d'un ion Fe^{2+}, sur le sommet libre du centre, active l'aconitase. Cet atome de fer lie par coordination les groupes carboxyle et hydroxyle en C-3 du citrate et agit comme un acide de Lewis ; il accepte une paire d'électrons provenant du groupe hydroxyle qui devient plus facilement mobilisable.

Le fluoroacétate inhibe le cycle des acides tricarboxyliques

Le fluoroacétate est un dangereux poison qui *in vivo* bloque le cycle, *sans avoir d'effet apparent sur les enzymes isolés*. Sa DL_{50}, *d*ose *l*étale pour 50 % des animaux qui en ont ingéré, est de 0,2 mg par kilo. Il a été utilisé pour empoisonner les rongeurs. En fait, c'est le *fluorocitrate* formé *in vivo* qui inhibe l'aconitase (Figure 20.9). Le fluoroacétate pénètre facilement dans les cellules puis dans les mitochondries où il est converti en *fluoroacétyl-CoA* par *l'acétyl-CoA synthétase*. Le fluoroacétyl-CoA est un substrat de la citrate synthase qui le condense avec l'oxalo-acétate pour donner le fluorocitrate. On peut considérer le fluoroacétate comme un *cheval de Troie inhibiteur*. (Analogie avec le cheval de la légende que les Troyens, ignorant que des soldats grecs étaient cachés à l'intérieur, avaient introduit dans leur cité). Il pénètre innocemment dans le cycle, mais après avoir été transformé en fluoroacétyl-CoA il sert de substrat pour la réaction catalysée par la citrate synthase qui le converti en un puissant inhibiteur de l'aconitase, bloquant ainsi le cycle de Krebs.

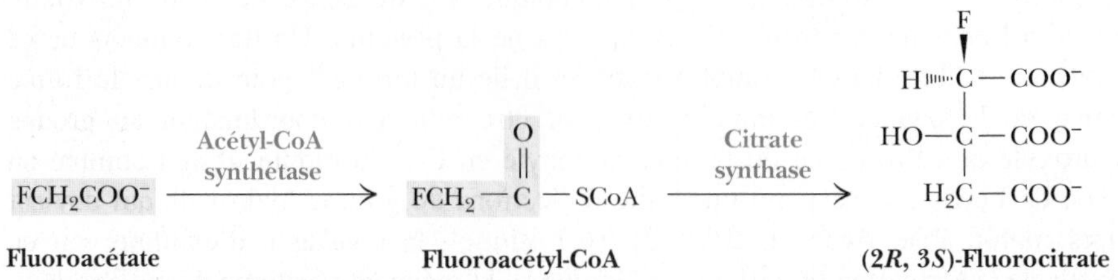

Figure 20.9 • Conversion du fluoroacétate en fluorocitrate.

20.6 • L'isocitrate déshydrogénase – première réaction d'oxydation

Dans l'étape suivante du cycle, l'isocitrate subit une oxydation décarboxylante, catalysée par *l'isocitrate déshydrogénase*, qui donne de l'α-cétoglutarate et du NADH par réduction de NAD^+ (Figure 20.10). Le $\Delta G°'$ de cette réaction exergonique est de –8,4 kJ/mol, ce qui est suffisant pour entraîner la formation d'isocitrate par l'aconitase. La réaction comporte deux étapes 1) oxydation de la fonction alcool en C-2 de l'isocitrate, avec production d'oxalo-succinate, puis 2) une réaction de β-décarboxylation élimine le groupe carboxyle central sous forme de CO_2 pour donner l'α-cétoglutarate. L'oxalo-succinate, un β-cétoacide, est une molécule instable qui se décarboxyle très rapidement.

L'isocitrate déshydrogénase relie le cycle de Krebs à la chaîne de transport des électrons

La réaction catalysée par l'isocitrate déshydrogénase, en produisant du NADH permet d'établir la première relation entre le cycle de l'acide citrique, la chaîne de transport des électrons et les oxydations phosphorylantes. L'isocitrate déshydrogénase, au carrefour de deux voies métaboliques, est un enzyme régulé. Le NADH et l'ATP sont deux inhibiteurs allostériques, tandis que l'ADP est un activateur allostérique de l'isocitrate dont il abaisse le K_m à une valeur dix fois plus faible. L'enzyme est pratiquement inactif en l'absence d'ADP. Par ailleurs le produit de la réaction, l'α-cétoglutarate, est un α-cétoacide qui joue un rôle particulier, et important, dans les réactions catalysées par les aminotransférases (voir Chapitres 14 et 27) ; c'est une molécule qui relie le cycle de l'acide citrique (donc le métabolisme des chaînes carbonées) au métabolisme des acides aminés.

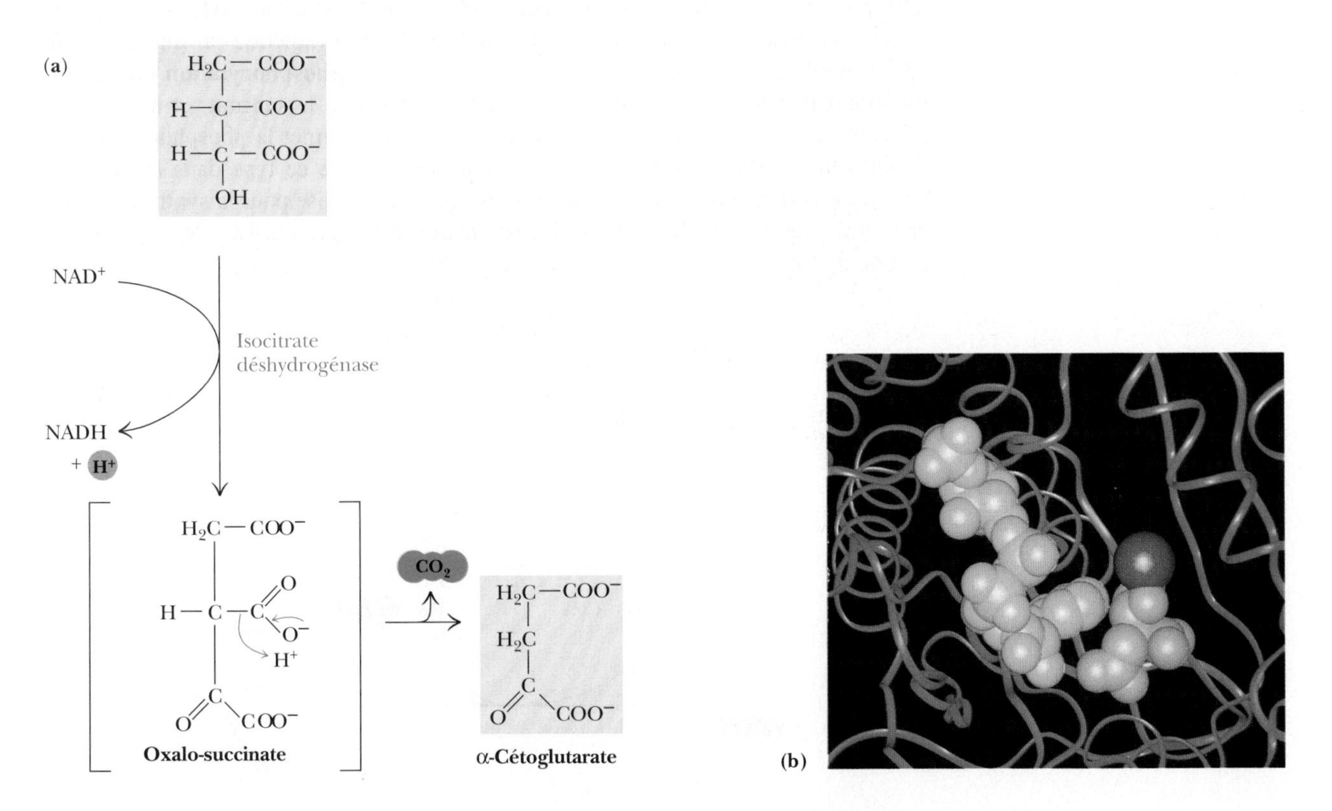

Figure 20.10 • (a) Réaction catalysée par l'isocitrate déshydrogénase. (b) Représentation schématique de l'isocitrate déshydrogénase. L'isocitrate est en vert, le $NADPH^+$ en jaune, le Ca^{2+} en rouge.

20.7 • L'α-cétoglutarate déshydrogénase – seconde décarboxylation

Une seconde oxydation décarboxylante est catalysée par le **complexe α-cétoglutarate déshydrogénase** (Figure 20.11). Ce complexe, multienzymatique comme celui de la pyruvate déshydrogénase, est composé de trois enzymes, *l'α-cétoglutarate déshydrogénase, la dihydrolipoyl transsuccinylase, et la dihydrolipoyl déshydrogénase*. Il utilise cinq coenzymes différents (Tableau 20.2). La dihydrolipoyl déshydrogénase de ce complexe est identique à celle du complexe pyruvate déshydrogénase. Le mécanisme réactionnel est également analogue à celui de la pyruvate déshydrogénase et la variation d'énergie libre pour l'ensemble des réactions est de –29 à –3,5 kJ/mol. Comme avec la pyruvate déshydrogénase, la réaction produit du NADH et un thioester, mais cette fois du succinyl-CoA. Le succinyl-CoA et le NADH sont deux molécules à haut potentiel énergétique qui sont d'importantes sources d'énergie métabolique pour d'autres processus cellulaires.

20.8 • La succinyl-CoA synthétase – une phosphorylation au niveau du substrat

Le NADH produit dans les réactions précédentes peut être utilisé dans la voie du transport des électrons pour la production d'ATP par des oxydations phosphorylantes. Cependant, le succinyl-CoA est aussi un métabolite à haut potentiel énergétique qui sera utilisé dans l'étape suivante du cycle de l'acide citrique pour la phosphorylation du GDP en GTP (chez les mammifères), ou d'ADP en ATP (chez les plantes et les bactéries). La réaction (Figure 20.12) est catalysée par la **succinyl-CoA synthétase**, parfois appelée la **succinyl thiokinase**. Les variations d'énergie libre produites par l'hydrolyse du succinyl-CoA, du GTP et de l'ATP sont équivalentes ; la réaction catalysée par la succinyl-CoA synthétase a un $\Delta G°'$ de –3,3 kJ/mol. Cette réaction est un nouvel exemple de **phosphorylation au niveau du substrat** (Chapitre 19), réaction au cours de laquelle le substrat, et non pas un gradient de protons, fournit directement l'énergie qui permet la phosphorylation de l'ADP (ou de son équivalent). C'est la seule réaction de ce type dans le cycle de Krebs. Le GTP produit chez les mammifères peut être utilisé pour la synthèse d'ATP dans une réaction où la **nucléoside diphosphate kinase** catalyse le transfert du groupe phosphoryle terminal du GTP vers l'ADP :

$$\text{GTP} + \text{ADP} \xrightleftharpoons[]{\text{Nucléoside diphosphate kinase}} \text{ATP} + \text{GDP}$$

Cette réaction est parfaitement réversible.

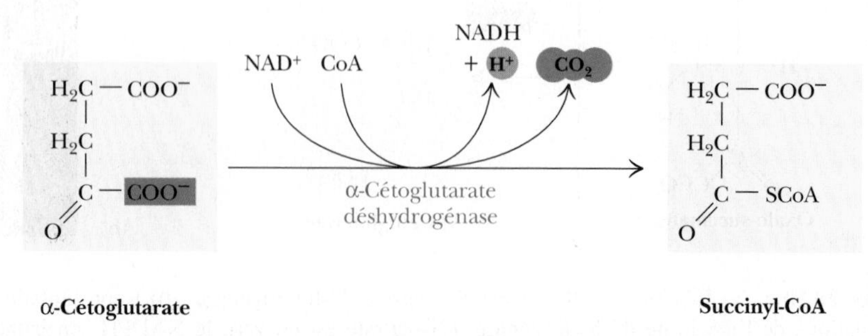

Figure 20.11 • Réaction catalysée par l'α-cétoglutarate déshydrogénase.

Tableau 20.2

Composition du complexe α-cétoglutarate déshydrogénase d'*E. coli*

Enzyme	Coenzyme	Enzyme M_r	Nombre de sous-unités dans l'enzyme	Masse d'une sous-unité	Nombre de sous-unités dans le complexe
α-Cétoglutarate déshydrogénase	Thiamine pyrophosphate	192.000	2	96.000	24
Dihydrolipoyl transsuccinylase	Acide lipoïque, CoASH	1.700.000	24	70.000	24
Dihydrolipoyl déshydrogénase	FAD, NAD^+	112.000	2	56.000	12

Mécanisme de la réaction

On admet que le mécanisme de la réaction catalysée par la succinyl-CoA synthétase implique, dans le site actif de l'enzyme, une phosphorolyse du succinyl-CoA qui libère le coenzyme A et donne du phosphoryl-succinate. Le groupe phosphoryle est ensuite transféré sur un résidu His du site actif (avec formation d'un intermédiaire *phosphohistidine*) et libération du succinate. Enfin, le groupe phosphoryle est transféré sur le GDP pour produire le GTP (Figure 20.13). La formation d'intermédiaires à haut potentiel énergétique dans cette série de réactions aboutissant à la synthèse de GTP (ou d'ATP), « préserverait » l'énergie de la liaison thioester du succinyl-CoA.

$$\text{Thioester} \longrightarrow [\text{succinyl-P}] \longrightarrow [\text{phosphohistidine}] \longrightarrow \text{GTP} \longrightarrow \text{ATP}$$

Les cinq premières étapes du cycle des acides tricarboxyliques produisent du NADH, du CO_2, du GTP (ou de l'ATP) et du succinate

À ce stade du cycle, il est intéressant de s'arrêter pour examiner la situation. Un groupe acétyle à deux atomes de carbone a été introduit dans le cycle sous forme d'acétyl-CoA et lié à l'oxalo-acétate ; deux molécules de CO_2 ont été libérées. Le cycle a également produit deux molécules de NADH, une de GTP (ou d'ATP) et une molécule de succinate.

Il reste à présent à convertir le succinate en oxalo-acétate pour revenir au point de départ. Ce processus représente une oxydation nette qui résultera des trois étapes suivantes catalysées par des enzymes distincts : une oxydation, une hydratation et une seconde oxydation. Les oxydations s'accompagnent de la réduction d'un [FAD] et d'un NAD^+. Les coenzymes réduits [$FADH_2$] et NADH seront ultérieurement réoxydés sur la chaîne de transport des électrons. (Nous verrons Chapitre 24 qu'une même séquence de réactions biochimiques est utilisée pour la β-oxydation des acides gras).

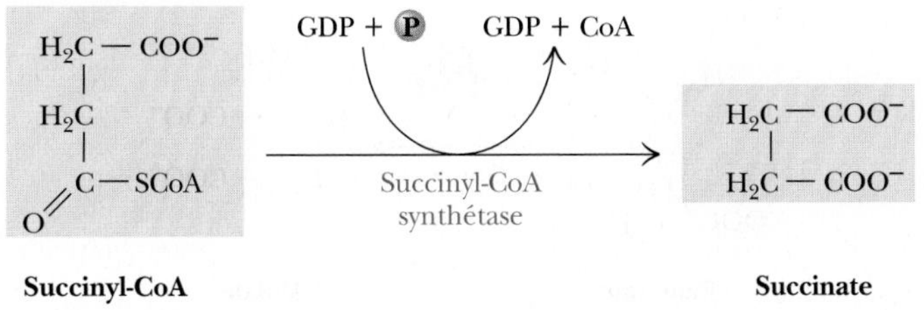

Figure 20.12 • Réaction catalysée par la succinyl-CoA synthétase.

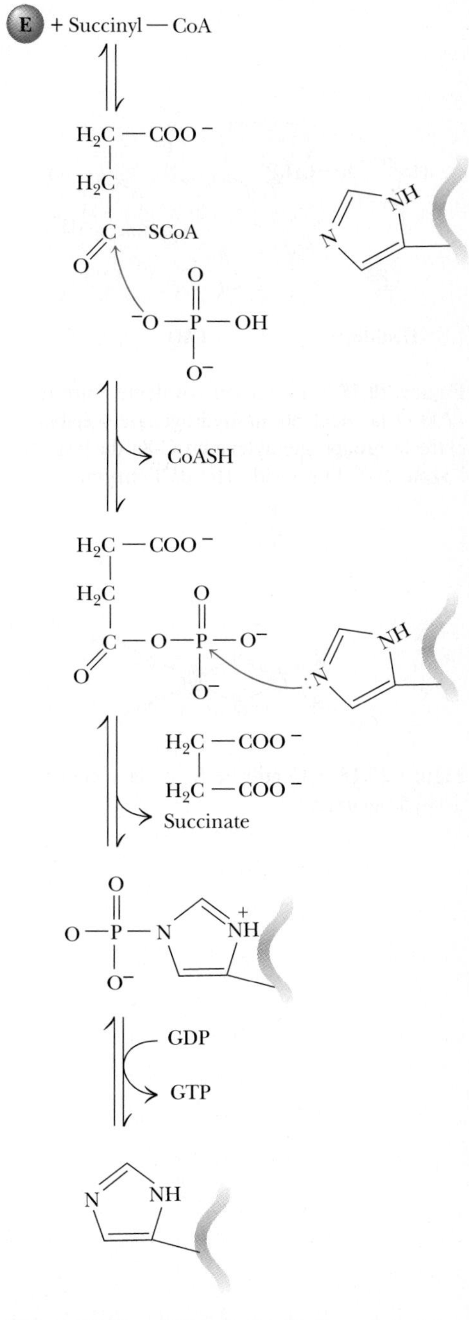

Figure 20.13 • Mécanisme réactionnel de la succinyl-CoA synthétase.

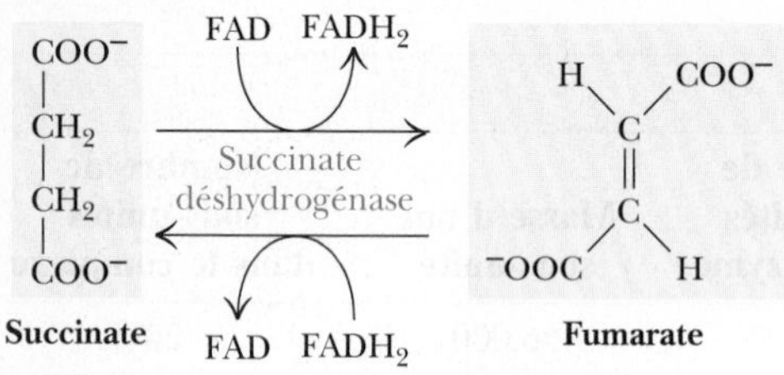

Figure 20.14 • Réaction catalysée par la succinate déshydrogénase. L'oxydation du succinate s'accompagne de la réduction de [FAD]. Le [$FADH_2$] est réoxydé par le transfert des électrons au coenzyme Q.

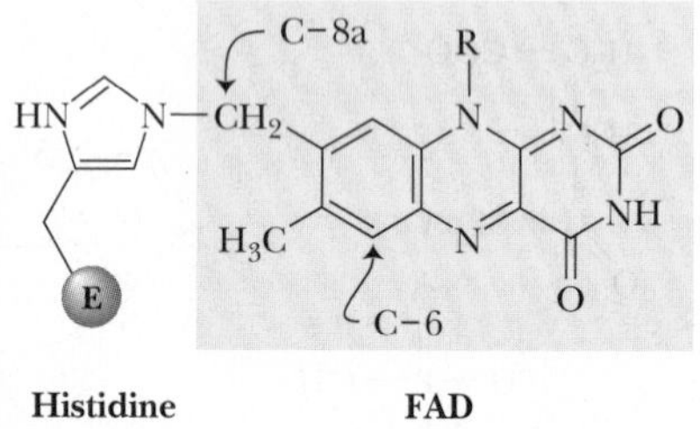

Figure 20.15 • La liaison covalente entre le FAD et la succinate déshydrogénase s'établit entre le groupe méthylène en C-8a du FAD et l'azote N-3 d'un résidu His de l'enzyme.

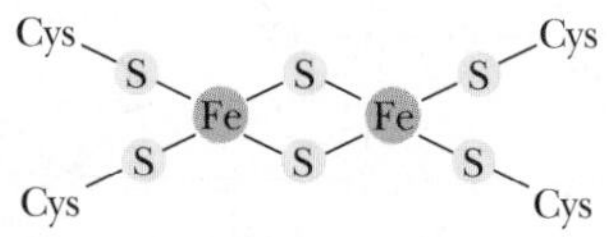

Figure 20.16 • Centre Fe_2S_6 de la succinate déshydrogénase.

20.9 • La succinate déshydrogénase – une oxydation impliquant le FAD

L'oxydation du succinate en fumarate (Figure 20.14) est catalysée par la **succinate déshydrogénase,** un enzyme lié à la membrane des mitochondries. Nous verrons, Chapitre 21, que la succinate déshydrogénase fait partie de la succinate-coenzyme Q réductase de la chaîne de transport des électrons. À la différence de tous les autres enzymes du cycle de Krebs, enzymes solubles présents dans la matrice mitochondriale, la succinate déshydrogénase est une protéine intramembranaire fortement associée à la membrane interne des mitochondries. L'oxydation du succinate s'effectue par transfert d'atomes d'hydrogène situés des deux côtés d'une liaison C–C et produit une molécule insaturée, le *trans*-fumarate. En général les déshydrogénations portent sur des atomes d'hydrogène situés de part et d'autre d'une liaison C–O ou C–N. Cette oxydation (d'un alcane en alcène) n'est pas assez exergonique pour réduire NAD^+, mais elle libère suffisamment d'énergie pour réduire [FAD]. (Par contre, l'énergie libérée par l'oxydation d'un alcool en cétone ou en aldéhyde permet de réduire NAD^+). Ce point a des conséquences qui seront examinées Chapitre 21.

La succinate déshydrogénase est un dimère avec deux sous-unités de 70 kDa et 27 kDa (voir Tableau 20.1). Le FAD est lié par une liaison covalente à la plus grosse sous-unité ; la liaison covalente entre le FAD et la succinate déshydrogénase s'établit entre le groupe méthylène en C-8a du FAD et l'azote N-3 d'un résidu His de l'enzyme (Figure 20.15). L'enzyme contient trois centres fer-soufre (Figure 20.16). La molécule de succinate est symétrique et l'enzyme catalyse à partir de l'une ou l'autre des extrémités de la molécule une déshydrogénation α,β pour former un groupe carbonyle (en fait un groupe carboxyle) ; cependant, la déshydrogénation est stéréospécifique, puisque c'est l'atome d'hydrogène pro-*S* d'un carbone et l'atome d'hydrogène pro-*R* de l'autre carbone qui sont transférés. Les électrons captés par le [FAD] au cours de la réaction seront directement transférés aux centres fer-soufre de l'enzyme puis au *coenzyme Q (UQ)* pour donner UQH_2. Le FAD, lié par une liaison covalente à la protéine, est d'abord réduit en [$FADH_2$] puis réoxydé en [FAD] avec réduction du coenzyme *UQ* en UQH_2. La formation de [$FADH_2$] n'est donc que transitoire. Les électrons captés par *UQ* (présents dans UQH_2) seront ensuite cédés à la chaîne de transport d'électrons (Chapitre 21).

Les enzymes flaviniques participent au transfert d'un ou de deux électrons. Dans la réaction catalysée par la succinate déshydrogénase FAD est réduit par deux électrons.

20.10 • La fumarase catalyse la *trans*-hydratation du fumarate

L'hydratation stéréospécifique du fumarate, catalysée par la fumarase, donne le L-malate (Figure 20.17). L'addition en *trans* des éléments de l'eau –H et –OH sur la double liaison rappelle la réaction similaire catalysée par l'aconitase qui produit également une addition en *trans* sur la double liaison du *cis* aconitate. Le mécanisme

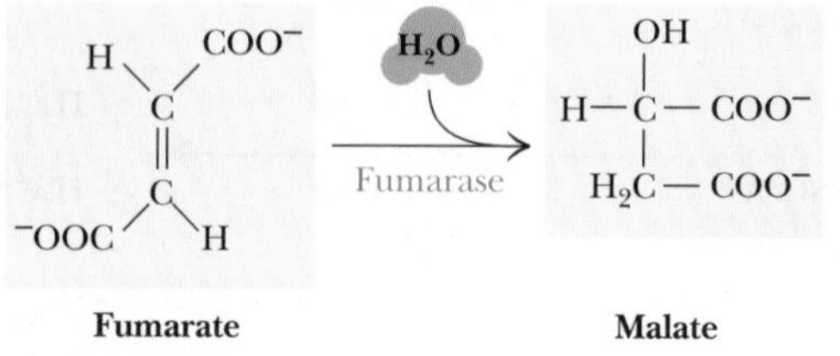

Figure 20.17 • Réaction catalysée par la fumarase.

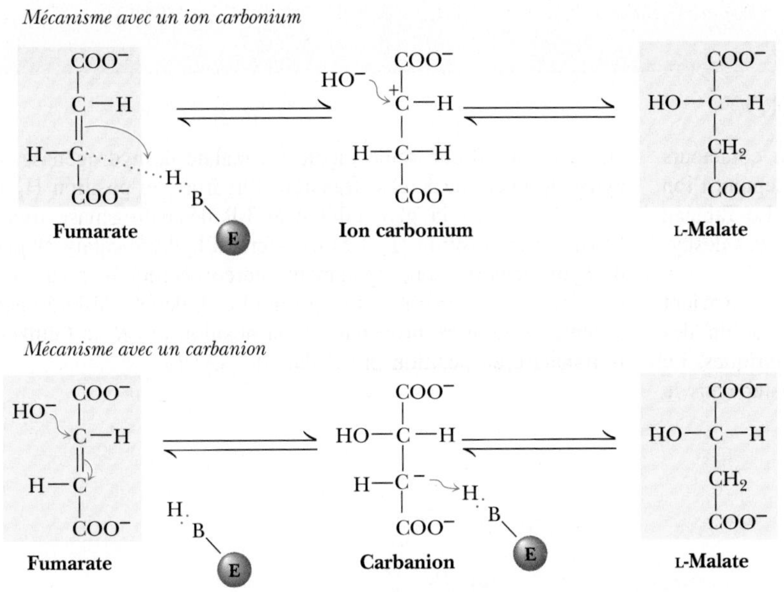

Mécanisme avec un ion carbonium

Fumarate → Ion carbonium → L-Malate

Mécanisme avec un carbanion

Fumarate → Carbanion → L-Malate

Figure 20.18 • Mécanismes envisagés pour la réaction catalysée par la fumarase.

de la réaction n'est pas établi, mais il implique probablement la protonation directe de la double liaison pour former un ion carbonium intermédiaire (Figure 20.18) ou bien une attaque préalable par H_2O, ou par l'anion OH^-, pour produire un carbanion qui sera ensuite protoné.

20.11 • La malate déshydrogénase – fin du cycle

Au cours de la dernière étape du cycle ATC, la **malate déshydrogénase** catalyse l'oxydation du L-malate en oxalo-acétate (Figure 20.19). Cette réaction est très endergonique, avec un $\Delta G°'$ de +30kJ/mol. Il s'ensuit que la concentration de l'oxalo-acétate dans la matrice mitochondriale est généralement très faible (voir l'exemple de calcul suivant). Cependant l'oxydation est entraînée par la réaction exergonique catalysée par la citrate synthase ($\Delta G°'$ –31,4 kJ/mol). L'oxydation du malate est couplée à la réduction d'une autre molécule de NAD^+, la troisième du cycle. Si l'on ajoute la réduction de [FAD] par la succinate déshydrogénase, cela donne quatre coenzymes réduits au cours de l'oxydation d'une unique unité acétate.

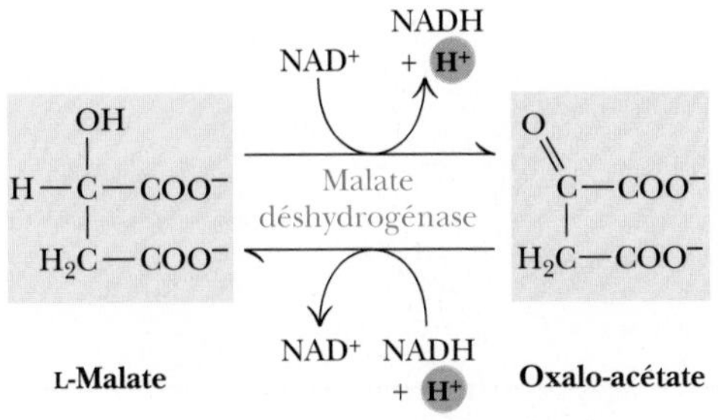

L-Malate ⇌ Oxalo-acétate (Malate déshydrogénase; NAD^+ → NADH + H^+)

Figure 20.19 • Réaction catalysée par la malate déshydrogénase.

POUR EN SAVOIR PLUS

Stéréospécificité des déshydrogénases à NAD⁺

Nous avons signalé, Chapitre 18, que les enzymes à cofacteurs dérivés de la nicotinamide sont stéréospécifiques et acceptent l'ion hydrure soit en position pro-*R*, soit en position pro-*S*. Le Tableau sur la page ci-contre précise la stéréospécificité de quelques déshydrogénases.

Quelle est la raison de cette stéréospécificité ? Elle provient du fait que les enzymes (et en particulier les sites actifs des enzymes) sont fondamentalement des structures asymétriques. Le cofacteur nicotinique (et le substrat) ne peuvent s'ajuster dans le site actif que d'une seule façon. La malate déshydrogénase, l'enzyme du cycle de Krebs, transfère l'hydrure en position H_R dans le NADH, mais la glycéraldéhyde-3-P déshydrogénase transfère l'hydrure en position H_S. Les transferts d'hydrure catalysés par les déshydrogénases sont également stéréospécifiques pour ce qui concerne les substrats. Par exemple, l'alcool déshydrogénase accepte un hydrure provenant de la position pro-*R* de l'éthanol et le transfère en position pro-*R* dans le NADH.

L-Malate + NAD⁺ ⇌ (Malate déshydrogénase) **Oxalo-acétate** + NADH + H⁺

Glycéraldéhyde-3-phosphate + NAD⁺ ⇌ (Glycéraldéhyde-3-phosphate déshydrogénase) **1,3-Bisphosphoglycérate** + NADH + H⁺

Éthanol + NAD⁺ ⇌ (Alcool déshydrogénase) **Acétaldéhyde** + NADH + H⁺

Les enzymes à cofacteur NAD(P)⁺ sont stéréospécifiques. Par exemple, la malate déshydrogénase transfère un hydrure vers la position pro-*R* de la nicotinamide dans le NADH, alors que la glycéraldéhyde-3-phosphate déshydrogénase transfère un hydrure vers la position pro-*S*. L'alcool déshydrogénase élimine un hydrure de la position pro-*R* de l'éthanol et le transfère à la position pro-*R* du NADH.

Stéréospécificité de quelques enzymes à NAD

Déshydrogénase	**Source**	**Stéréo-spécificité**
Alcool (éthanol)	Levure, *Pseudomonas*, foie, germe de blé	
Alcool (isopropanol)	Levure	
Acétaldéhyde	Foie	
L-Lactate	Muscle cardiaque, *Lactobacillus*	H_R
L-Malate	Cœur de pigeon, germe de blé	
D-Glycérate	Épinard	
Dihydroorotate	*Zymobacterium oroticum*	
α-Glycérophosphate	Muscle	
Glycéraldéhyde-3-phosphate	Levure, muscle	
L-Glutamate	Foie	
D-Glucose	Foie	
β-Hydroxystéroïde	*Pseudomonas*	
NADH cytochrome *c* réductase	Mitochondrie de foie de Rat, cœur de pigeon	H_S
NADPH transhydrogénase	*Pseudomonas*	
NADH diaphorase	Cœur de porc	
L-b-Hydroxybutyryl-CoA	Muscle cardiaque	

R—N:
H_R
H_S
C=O
NH_2

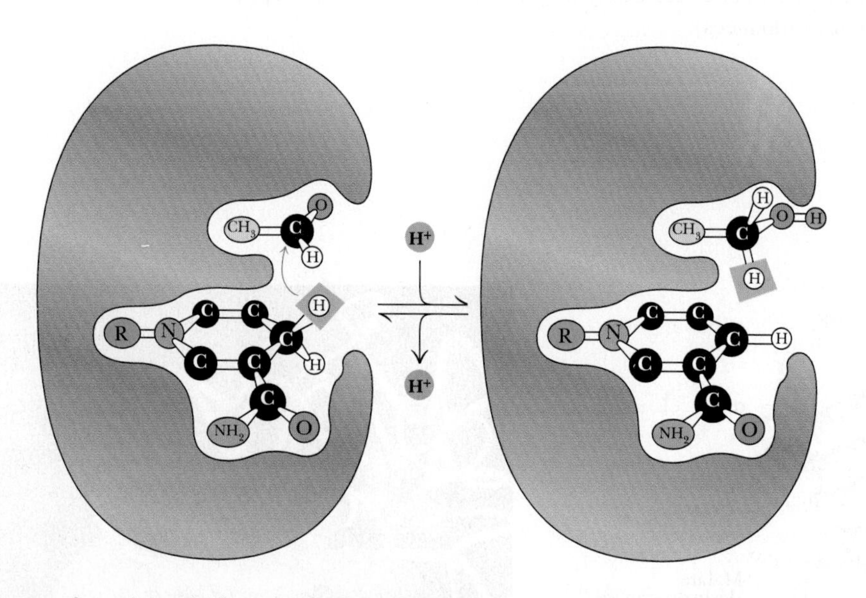

Le transfert stéréospécifique de l'hydrure par les déshydrogénases est une conséquence de l'asymétrie du site actif.

D'après Kaplan, N.O., 1960. In *The Enzymes*, vol. 3, p. 115, edited by Boyer, Lardy, et Myrbäck. New York : Academic Press.

EXEMPLE DE CALCUL DE LA CONCENTRATION DE L'OXALO-ACÉTATE

La concentration moyenne intramitochondriale du malate est de 0,22 m*M*. Si le rapport $[NAD^+]/[NADH]$ dans la mitochondrie est de 20, calculez la concentration intramitochondriale de l'oxalo-acétate à 25 °C.

SOLUTION

La réaction catalysée par la malate déshydrogénase est la suivante :

$$\text{Malate} + NAD^+ \rightleftharpoons \text{oxalo-acétate} + NADH + H^+$$

La valeur de $\Delta G^{\circ\prime}$ est + 30 kJ/mol. Nous avons donc

$$\Delta G^{\circ\prime} = -RT \ln K_{eq}$$

$$= -(8{,}314 \text{ J/mol}\cdot\text{K})\ (298) \ln \left(\frac{[1]\,x}{[20]\,[2{,}2 \times 10^{-4}]}\right)$$

$$\frac{-30.000 \text{ J/mol}}{2478 \text{ J/mol}} = \ln (x/4{,}4 \times 10^{-5})$$

$$-12{,}1 = \ln (x/4{,}4 \times 10^{-5})$$

$$x = (5{,}6 \times 10^{-6})(4{,}4 \times 10^{-3})$$

$$x = [\text{oxalo-acétate}] = 0{,}024\ \mu M$$

La structure et la fonction de la malate déshydrogénase sont semblables à celles des autres oxydoréductases à NAD^+, en particulier à la lactate déshydrogénase (Figure 20.20). Toutes les deux sont constituées de feuillets β et d'hélices α alternés. La liaison du NAD^+ provoque un changement de conformation dans le segment à 20 résidus (une longue boucle) qui relie les brins D et E du feuillet β. Le changement résulte de l'interaction entre la partie adénosine phosphate du NAD^+ et un résidu arginine de la boucle. Ce changement de conformation est compatible avec le mécanisme réactionnel des déshydrogénases à NAD^+ (voir Chapitre 14, réactions séquentielles ordonnées).

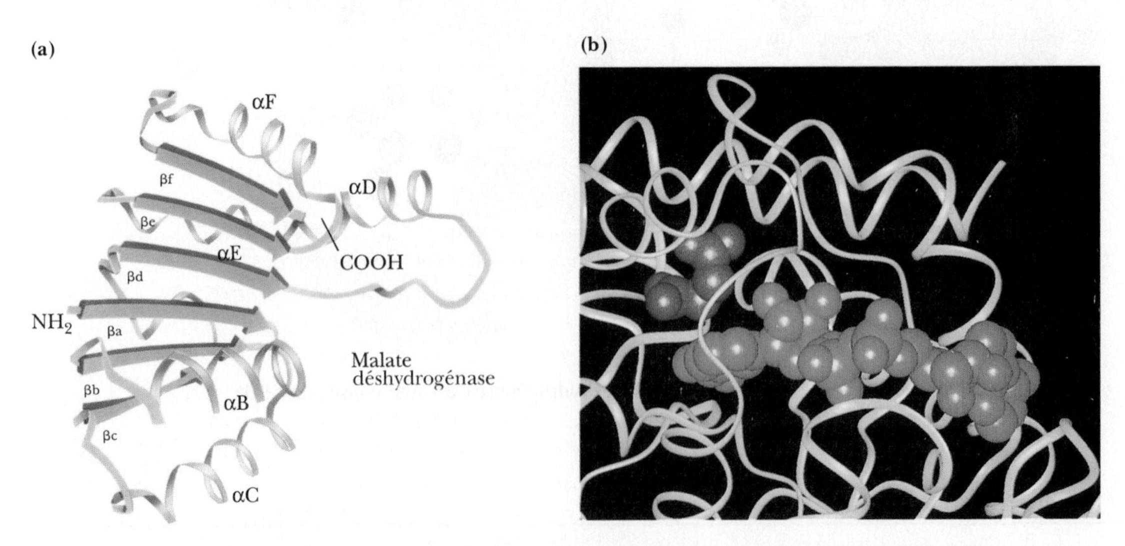

Figure 20.20 • (a) Structure d'une sous-unité de la malate déshydrogénase et (b) représentation schématique du dimère. Le malate est en rouge ; le NAD^+ en bleu.

20.12 • Résumé du cycle

Le bilan net d'un tour de cycle montre la formation de deux molécules de CO_2, une d'ATP, et de quatre coenzymes réduits par groupe acétate oxydé. Le cycle est exergonique avec un $\Delta G^{\circ\prime}$ global d'environ –40 kJ/mol. Voir Tableau 20.1 la comparaison de valeurs de $\Delta G^{\circ\prime}$ des réactions individuelles avec celle de la valeur globale de l'ensemble des réactions.

$$\text{Acétyl-CoA} + 3\ NAD^+ + [FAD] + ADP + P_i + 2\ H_2O \rightleftharpoons$$
$$2\ CO_2 + 3\ NADH + 3\ H^+ + [FADH_2] + ATP + CoASH$$
$$\Delta G^{\circ\prime} = -40\ \text{kJ/mol}$$

La glycolyse produit deux molécules de pyruvate par molécule de glucose métabolisé, donc deux molécules d'acétyl-CoA pourront entrer dans le cycle de Krebs. La combinaison de la glycolyse et de la voie du cycle de l'acide citrique donne la réaction globale suivante :

$$\text{Glucose} + 2\ H_2O + 10\ NAD^+ + 2\ [FAD] + 4\ ADP + 4\ P_i \rightleftharpoons$$
$$6\ CO_2 + 10\ NADH + 10\ H^+ + 2\ [FADH_2] + 4\ ATP$$

Les six atomes de carbone du glucose sont libérés sous forme de CO_2. Quatre molécules d'ATP sont produites, provenant de phosphorylations au niveau du substrat, ainsi que douze coenzymes réduits. L'oxydation de ces derniers sur la chaîne de transport des électrons peut donner lieu à la formation d'un maximum de 36 ATP par phosphorylation d'ADP. En effet, l'oxydation d'un NADH peut, dans ces conditions, permettre la synthèse de 3 ATP et celle d'un $FADH_2$ peut permettre la synthèse de 2 ATP.

$$NADH + H^+ + \tfrac{1}{2}O_2 + 3\ ADP + 3\ P_i \rightleftharpoons NAD^+ + 3\ ATP + 4\ H_2O$$
$$[FADH_2] + \tfrac{1}{2}O_2 + 2\ ADP + 2\ P_i \rightleftharpoons [FAD] + 2\ ATP + 3\ H_2O$$

Devenir des atomes de carbone de l'acétyl-CoA dans le cycle de Krebs

Il est intéressant de voir ce que deviennent les atomes de carbone d'un groupe acétyle donné à l'issue des réactions du cycle (Figure 20.21). Cette étude est possible grâce au marquage préalable des atomes. Aucun des deux atomes de carbone d'un groupe acétate entrant dans le cycle n'est libéré sous forme de CO_2 après un premier tour. À chaque tour de cycle, ce sont les deux groupes carboxyle de l'oxalo-acétate accepteur d'acétyle qui sont éliminés et non pas les atomes de carbone venant avec l'acétyl-CoA. Il faut aussi signaler que le succinate marqué par ^{14}C sur une unique extrémité par le carbone radioactif provenant du carbonyle de l'acétyl-CoA entré dans le cycle donne deux formes d'oxalo-acétate différentes par l'emplacement du carbone marqué. Le carbone du carbonyle de l'acétyl-CoA se retrouve, également réparti, dans l'un des deux atomes de carbone des fonctions carboxyliques de l'oxalo-acétate. Si c'est le carbone du groupe méthyle de l'acétyl-CoA entrant qui est marqué, ce carbone se retrouve, également réparti, dans le carbone du méthylène ou dans le carbone du carbonyle de l'oxalo-acétate.

Quand ces molécules d'oxalo-acétate passent dans le second tour du cycle, elles perdent les deux extrémités carboxyliques sous forme de CO_2 mais les atomes de carbone du méthylène et du carbonyle sont conservés. Donc le carbone marqué du groupe méthyle de l'acétyl-CoA est intégralement conservé après deux tours de cycle. Dans le troisième tour, la moitié des atomes de carbone marqués, qui sont à présent dans l'un des groupes carboxyle de l'oxalo-acétate, est éliminée sous forme de CO_2, l'autre moitié est redistribuée entre les atomes de carbone de l'oxalo-acétate régénéré. Au quatrième tour la moitié des atomes marqués encore présents est éliminée avec le CO_2 (soit le quart des atomes marqués de l'acétyl-CoA d'origine), et ainsi de suite.

Nous voyons donc que le sort d'un atome de carbone de l'acétyl-CoA dans le cycle de Krebs est différent suivant qu'il provient du groupe méthyle ou du groupe carbonyle. Le carbone du carbonyle reste présent à l'issue du premier tour, puis il

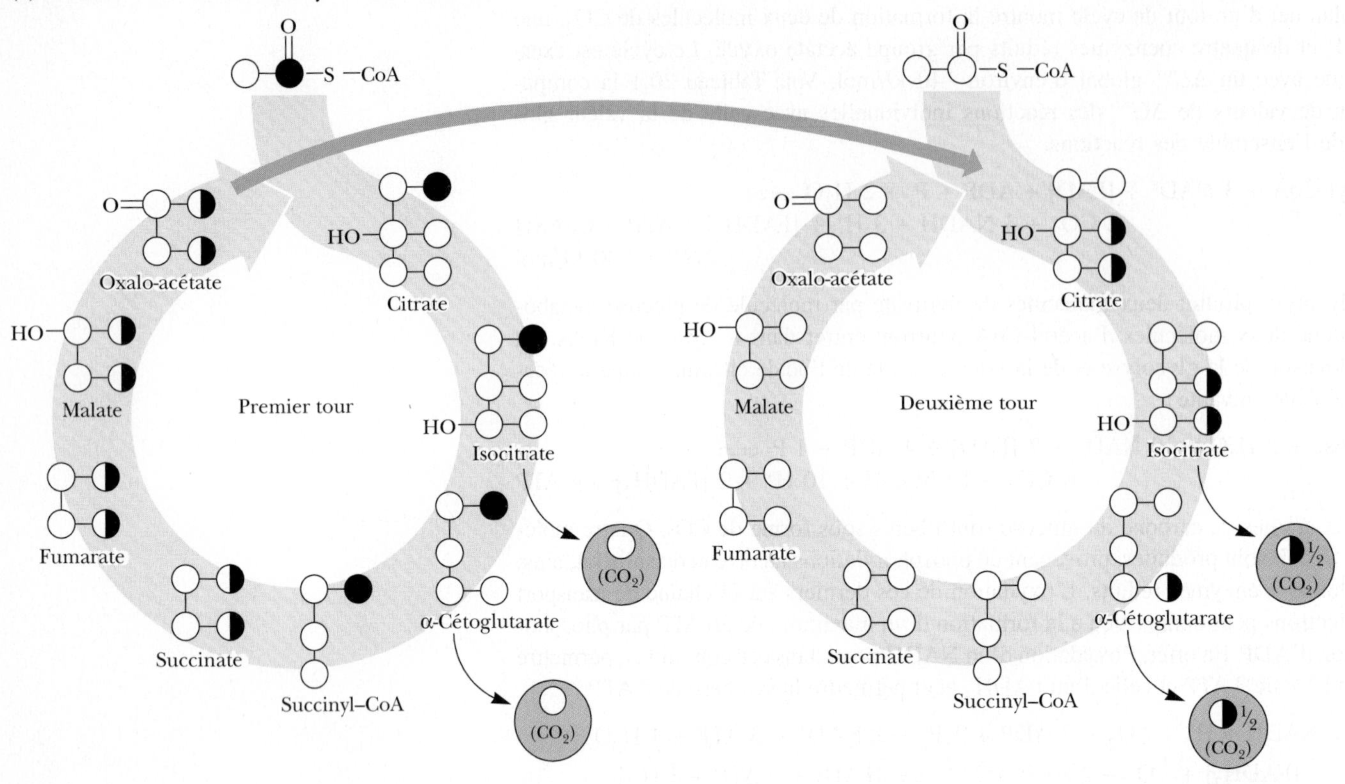
(a) Devenir du carbone du carboxyle de l'unité acétate
O
S —CoA
O=
Oxalo-acétate
HO
Citrate
HO
Malate
Premier tour
HO
Isocitrate
Fumarate
(CO2)
Succinate
Succinyl–CoA
α-Cétoglutarate
(CO2)
Deuxième tour
½
Tous les atomes
de carbone marqués
sont éliminés dans
ces deux étapes

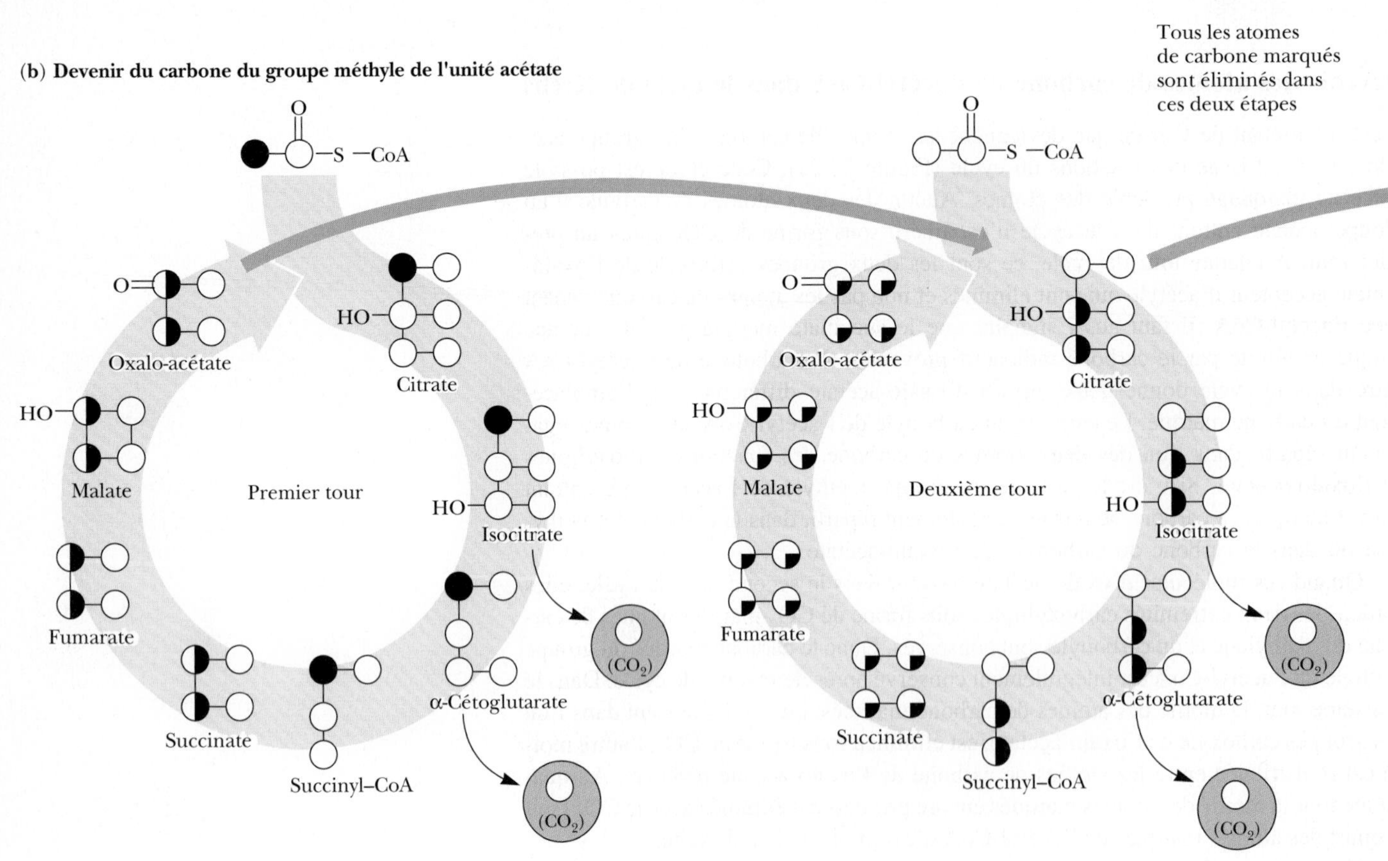
(b) Devenir du carbone du groupe méthyle de l'unité acétate
O
S —CoA
O=
Oxalo-acétate
HO
Citrate
HO
Malate
Premier tour
HO
Isocitrate
Fumarate
(CO2)
Succinate
Succinyl–CoA
α-Cétoglutarate
(CO2)
Deuxième tour

est complètement éliminé pendant le second tour. Le carbone du groupe méthyle est totalement conservé pendant deux tours, puis 50 % des atomes de carbone marqués présents sont éliminés au cours de chaque tour suivant.

Il faut enfin ajouter que la liaison C–C rompue pendant un tour du cycle de Krebs est entrée dans le cycle sous forme d'acétyl-CoA dans le tour de cycle *précédent.* Donc la réaction catalysée par l'isocitrate déshydrogénase, qui clive cette liaison C–C, n'est que le moyen détourné et efficace de cliver et d'oxyder la liaison C–C de l'acétate.

20.13 • Le cycle des acides tricarboxyliques fournit des intermédiaires utilisés dans les voies de biosynthèse

Jusqu'à présent, nous avons considéré le cycle ATC comme un processus catabolique, puisqu'il oxyde une unité acétate en CO_2, et convertit l'énergie libérée en ATP et coenzymes réduits. Le cycle est effectivement la voie terminale du catabolisme des substances nutritives, au moins pour ce qui concerne la dégradation de leur chaîne carbonée. Cependant les molécules à quatre, cinq et six atomes de carbone, produites dans le cycle de Krebs, peuvent participer à diverses **voies de biosynthèse** (Figure 20.22). L'α-cétoglutarate, le succinyl-CoA, le fumarate et l'oxalo-acétate sont des précurseurs

Figure 20.21 • Devenir des atomes de carbone de l'acétate lors des tours successifs du cycle des acides tricarboxyliques. (a) L'atome de carbone du carbonyle de l'acétyl-CoA est conservé à l'issu du premier tour, mais il est complètement perdu lors du second tour. (b) L'atome de carbone du groupe méthyle d'un acétyl-CoA marqué se retrouve intégralement à l'issue de deux tours, mais il est également réparti entre les quatre atomes de carbone de l'oxalo-acétate à la fin du second tour. À chaque tour de cycle suivant, la moitié de ce carbone marqué (à l'origine dans le groupe méthyle de l'acétyl-CoA) est éliminé.

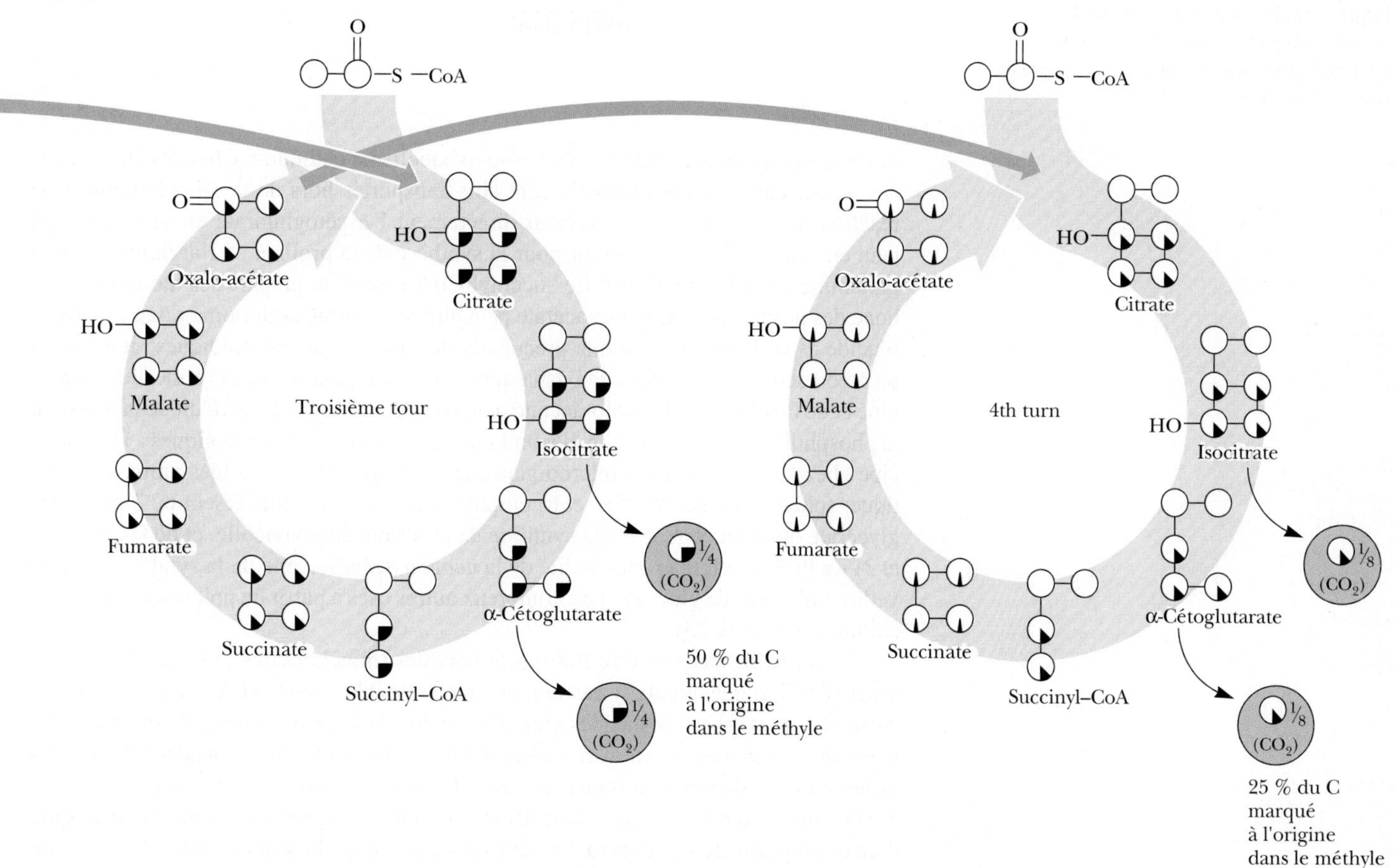

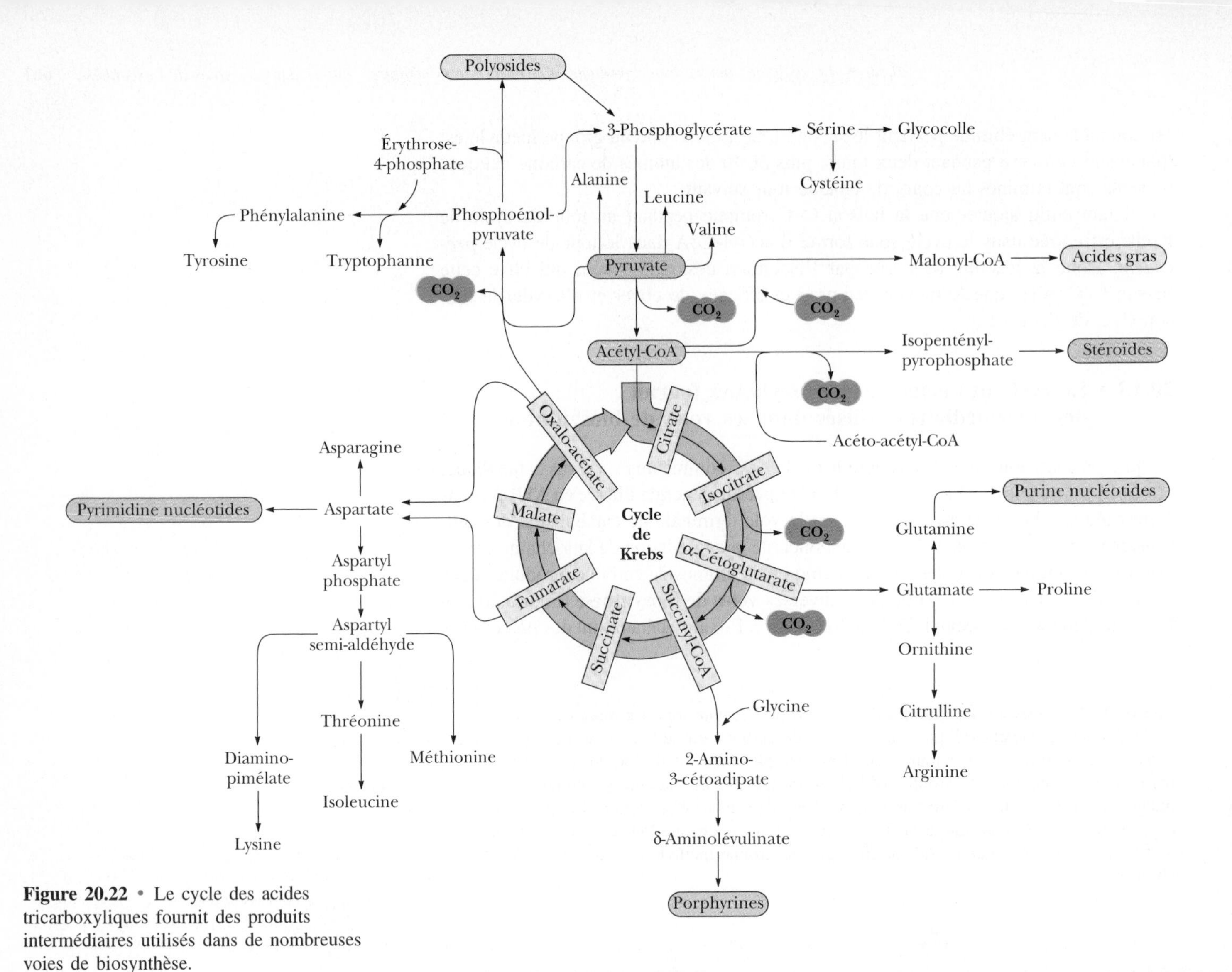

Figure 20.22 • Le cycle des acides tricarboxyliques fournit des produits intermédiaires utilisés dans de nombreuses voies de biosynthèse.

de certaines molécules indispensables au métabolisme cellulaire. Chez les eucaryotes, ces précurseurs doivent préalablement être transportés hors de la mitochondrie. Une réaction de transamination convertit directement l'α-cétoglutarate en glutamate qui peut ensuite servir de précurseur pour la synthèse de la proline, de l'arginine, et de la glutamine (voir Chapitre 26). Le succinyl-CoA fournit la plupart des atomes de carbone des porphyrines. L'oxalo-acétate peut être transaminé pour donner de l'aspartate. L'acide aspartique est ensuite le précurseur des nucléotides pyrimidiques ; il est aussi un précurseur de la synthèse de l'asparagine, de la méthionine, de la lysine, de la thréonine et de l'isoleucine. L'oxalo-acétate peut être décarboxylé. Le produit de la réaction, le phosphoénolpyruvate, est un élément clé de plusieurs voies anaboliques : 1) Il participe chez les plantes et les microorganismes à la synthèse des acides aminés aromatiques (phénylalanine, tyrosine et tryptophanne) ; 2) C'est le précurseur du 3-phosphoglycérate qui peut conduire à la synthèse de la sérine, du glycocolle, et de la cystéine ; et 3) Le PEP est premier métabolite de la *néoglucogénèse*, voie de la synthèse de nouvelles molécules de glucose et de nombreux autres oses à partir de précurseurs non glucidiques (Chapitre 23).

Enfin, le citrate peut être transporté hors des mitochondries puis scindé, en présence d'ATP, par la **citrate lyase** pour donner de l'oxalo-acétate et de l'acétyl-CoA précurseur de la synthèse des acides gras (Figure 20.23). L'oxalo-acétate produit par cette réaction est rapidement réduit en malate qui peut ensuite être métabolisé par deux voies différentes. 1) Il peut être transporté dans les mitochondries et rejoindre le cycle de Krebs ; ou 2) après une oxydation décarboxylante catalysée par **l'enzyme malique**, donner du pyruvate qui éventuellement retournera dans la mitochondrie. Le cycle de

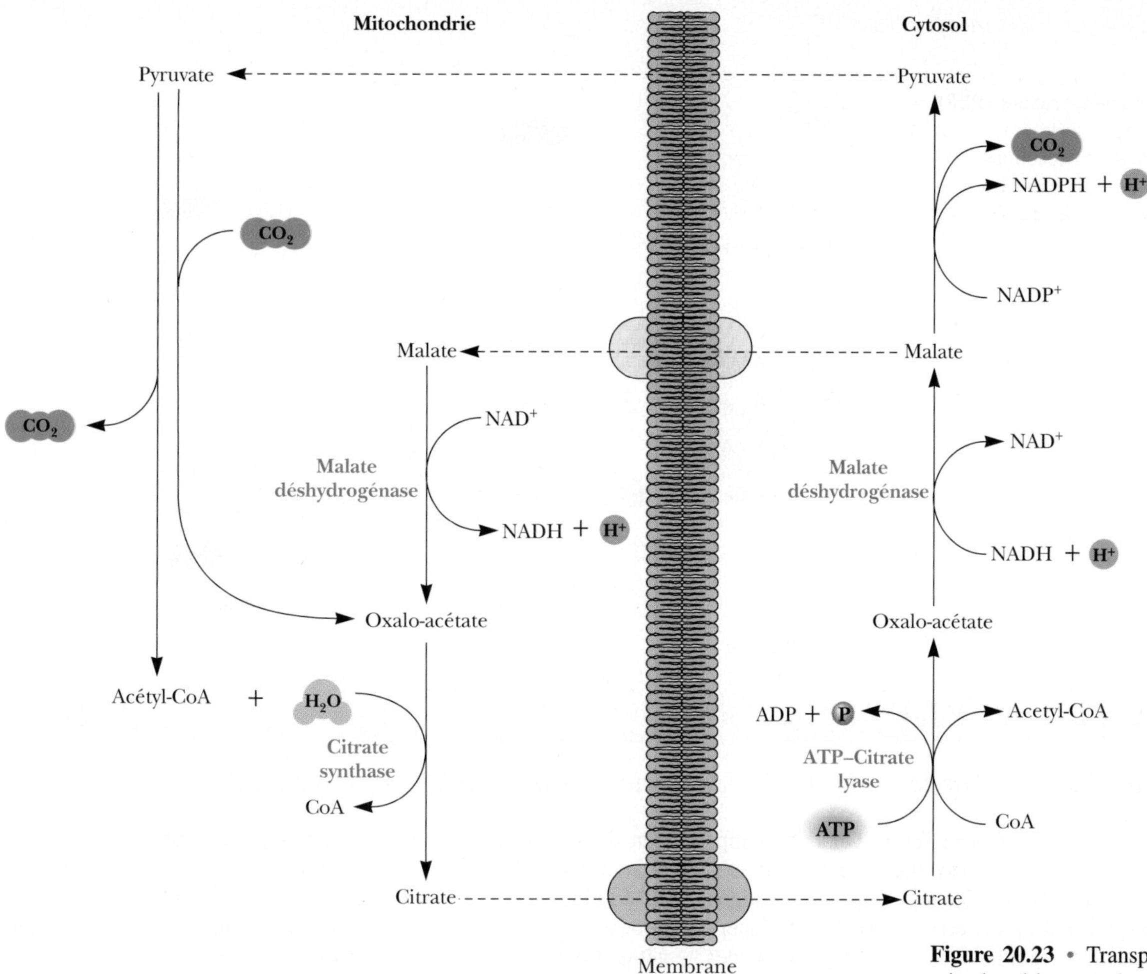

Figure 20.23 • Transport du citrate des mitochondries vers le cytosol où il est scindé pour donner de l'oxalo-acétate et de l'acétyl-CoA. L'oxalo-acétate est recyclé en malate ou en pyruvate qui retournent dans les mitochondries. Ce cycle produit l'acétyl-CoA précurseur de la synthèse des acides gras dans le cytoplasme.

Krebs permet donc par la formation de citrate dans la mitochondrie de fournir au cytosol cellulaire l'acétyl-CoA nécessaire à la synthèse des acides gras, avec retour dans la mitochondrie d'un sous-produit, l'oxalo-acétate, sous forme de malate ou de pyruvate.

20.14 • Les réactions anaplérotiques, ou de « remplissage »

Par une sorte d'arrangement réciproque, le métabolisme cellulaire peut fournir au cycle de Krebs des métabolites intermédiaires provenant de réactions particulières que H. L. Kornberg a proposé d'appeler les **réactions anaplérotiques**, littéralement en grec « de remplissage ». Le départ des métabolites du cycle de Krebs utilisés pour des biosynthèses ne permet pas la régénération de l'oxalo-acétate et le cycle ne pourrait plus fonctionner. Les réactions anaplérotiques catalysées par la **PEP carboxylase** et la **pyruvate carboxylase** permettent la synthèse d'oxalo-acétate à partir de leur substrat respectif (Figure 20.24).

La pyruvate carboxylase catalyse la plus importante des réactions anaplérotiques. Elle est présente dans les mitochondries des cellules animales mais pas dans celles des plantes. Elle établit un lien direct entre la glycolyse et le cycle de Krebs. C'est un enzyme tétramérique qui contient dans chaque sous-unité une molécule de biotine, liée par une liaison covalente, et un site Mg^{2+}. Ses propriétés seront plus précisément examinées Chapitre 23 à propos de la néoglucogénèse. La pyruvate carboxylase requiert la présence d'un activateur allostérique, l'acétyl-CoA. Quand il y a trop d'acétyl-CoA par rapport à l'oxalo-acétate présent, l'acétyl-CoA active la pyruvate carboxylase ; une concentration plus élevée d'oxalo-acétate permet l'oxydation de l'excès d'acétyl-CoA par le cycle ATC.

La PEP carboxylase est présente chez les bactéries, la levure et les plantes supérieures, mais pas chez les animaux. L'enzyme est spécifiquement inhibé par

Figure 20.24 • La phosphoénolpyruvate (PEP) carboxylase, la pyruvate carboxylase et l'enzyme malique, catalysent des réactions anaplérotiques permettant de remplacer les métabolites intermédiaires du cycle de Krebs qui viendraient à faire défaut.

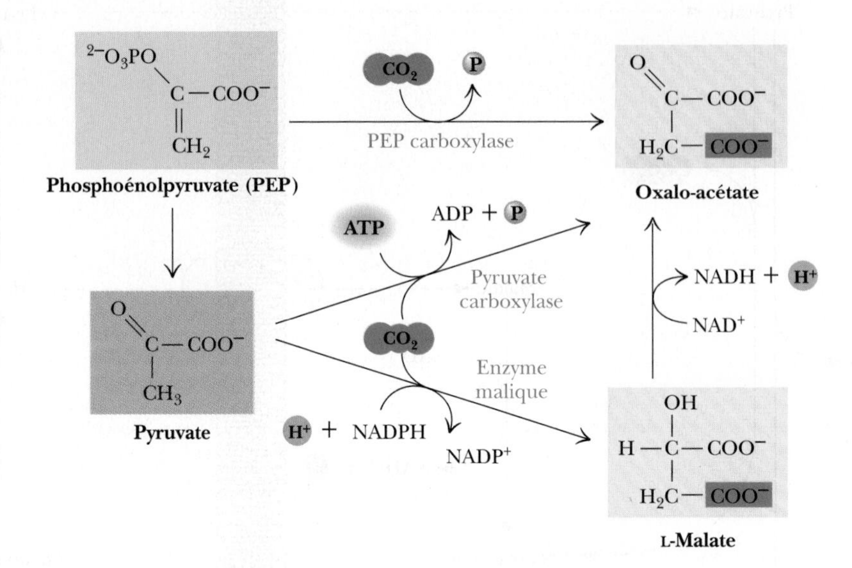

POUR EN SAVOIR PLUS

L'or des fous et la réduction par le cycle de l'acide citrique – la première voie métabolique ?

Quelle est l'origine de la vie sur la planète Terre ? On a longtemps supposé que l'atmosphère réductrice et la synthèse aléatoire de substances organiques ont donné naissance à une « soupe » prébiotique dans laquelle seraient apparues les premières formes de vie. Cependant, certaines molécules clés, arginine, lysine, histidine, les acides gras linéaires, les porphyrines et les coenzymes essentiels n'ont jamais pu être synthétisées de façon convaincante dans les conditions simulant celles de l'ère prébiotique. Pour cette raison, et parce que d'autres questions restent encore sans réponse, certains chercheurs ont envisagé de nouveaux modèles pour l'apparition de la vie.

L'un de ces modèles, proposé par Günter Wächtershäuser admet l'existence d'un version primitive du cycle de l'acide citrique fonctionnant en sens inverse, dans le sens de la réduction. L'inversion du cycle conduirait à l'assimilation de CO_2 et à la fixation du carbone selon le schéma ci-contre. À chaque tour de ce cycle inversé, deux atomes de carbone seraient fixés avec formation d'une molécule d'isocitrate, et deux de plus seraient fixés dans la transformation, avec réduction, de l'acétyl-CoA en oxalo-acétate. Donc pour chaque molécule de succinate entrant dans le cycle inversé, deux molécules de succinate seraient formées ; le cycle de l'acide citrique inversé serait effectivement autocatalytique. Comme les intermédiaires du cycle ATC sont impliqués dans de nombreuses séquences anaboliques (voir Section 20.13), le cycle inversé serait une abondante source de nombreux substrats métaboliques.

Un cycle inversé et réducteur exige un apport énergétique pour fonctionner. Quelle a pu être l'origine de cette énergie ? Wächtershäuser propose l'hypothèse suivante : l'action de H_2S sur FeS ,une réaction anaérobie qui produit FeS_2 (la pyrite, encore appelée l'or des fous) peut avoir fourni l'énergie nécessaire :

$$FeS + H_2S \longrightarrow FeS_2 \text{ (pyrite)} \downarrow + H_2$$

Cette réaction est très exergonique, avec un $\Delta G°'$ de –38 kJ/mol. Dans les conditions du monde prébiotique, cette réaction aurait produit suffisamment d'énergie pour entraîner les étapes de réduction dans un cycle ATC inversé. De plus, dans un environnement prébiotique riche en SH_2, les substances organiques auraient été en équilibre avec les composés organiques soufrés. Les dérivés thioesters formés de cette façon auraient eu un rôle clé dans l'énergétique des premières voies métaboliques.

Wächtershäuser a également suggéré que les premières réactions métaboliques auraient eu lieu à la surface de fragments de pyrite ou d'autres substances minérales apparentées. La chimie du fer et du soufre qui prévalait sur ces surfaces minérales aurait influencé l'évolution des protéines à centre fer-soufre qui contrôlent et catalysent de nombreuses réactions dans les voies métaboliques actuelles (y compris la succinate déshydrogénase et l'aconitase du cycle de Krebs).

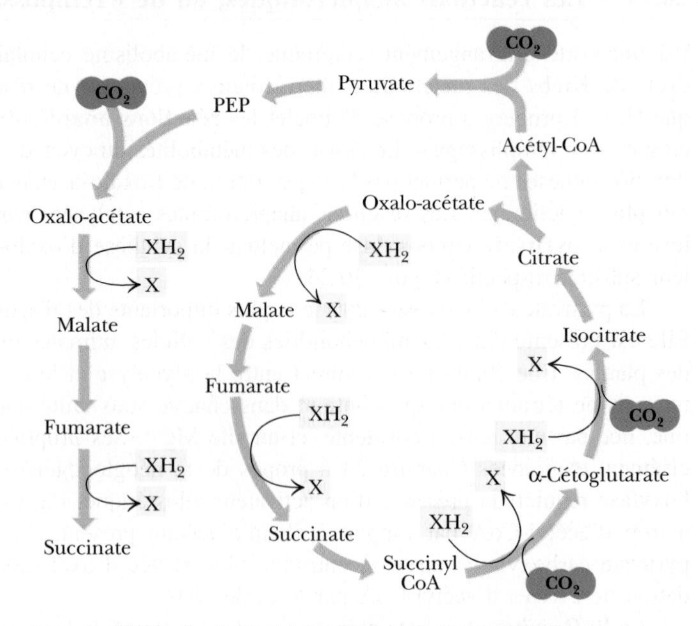

Un cycle de l'acide cyclique inversé et réducteur.

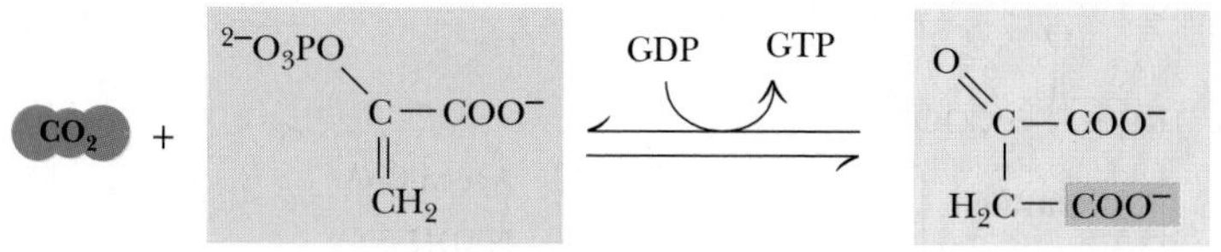

CO_2 + $^{2-}O_3PO-C(=CH_2)-COO^-$ (**PEP**) $\underset{}{\overset{GDP \quad GTP}{\rightleftharpoons}}$ $O=C(-COO^-)-H_2C-COO^-$ (**Oxalo-acétate**)

Figure 20.25 • Réaction catalysée par la PEP carboxykinase.

l'aspartate, un acide aminé produit par transamination de l'oxalo-acétate. Donc les organismes ayant la PEP carboxylase régulent la production de l'aspartate par la régulation de l'activité de cet enzyme. L'enzyme malique, présent dans le cytosol ou les mitochondries de nombreux animaux et des plantes supérieures, a pour coenzyme le NADPH ; l'enzyme catalyse la formation de L-malate à partir du pyruvate.

Il faut encore remarquer que la réaction catalysée par la **PEP carboxykinase** (Figure 20.25) pourrait aussi faire partie des réactions anaplérotiques, cependant les propriétés de l'enzyme ne le permettent pas. En effet, CO_2 n'a que peu d'affinité pour la PEP carboxykinase, alors que l'oxalo-acétate a une très forte affinité ($K_D = 2 \times 10^{-6}$), et donc l'enzyme favorise la formation de PEP à partir de l'oxalo-acétate et non l'inverse.

Le catabolisme des acides aminés produit du pyruvate, de l'acétyl-CoA, de l'oxalo-acétate, du fumarate, de l'α-cétoglutarate et du succinate. Toutes ces molécules peuvent être oxydées par la voie du cycle de Krebs. Les protéines sont donc d'excellentes sources d'énergie (voir Chapitre 26).

20.15 • Régulation du cycle des acides tricarboxyliques

La voie du cycle des acides tricarboxyliques est située entre la glycolyse et la chaîne de transport des électrons, elle doit donc être finement régulée. Si le cycle se déroulait sans contrôle, de grandes quantités d'énergie métabolique seraient gaspillées, accumulées dans les coenzymes réduits et dans l'ATP ; inversement, si l'activité était insuffisante, il n'y aurait pas assez d'ATP pour couvrir les besoins de la cellule. Le cycle étant également à l'origine de nombreux précurseurs pour les biosynthèses, il doit par ailleurs pouvoir les fournir quand ils sont nécessaires.

Quels sont les sites de régulation du cycle de Krebs ? Comme nous l'avons déjà vu à propos de la glycolyse (Figure 19.31), on peut par anticipation penser que certaines des réactions du cycle s'effectueront dans des conditions proches de l'équilibre (avec ΔG proche de 0), tandis que d'autres réactions – celles qui seront soumises à régulation – seront caractérisées par de grandes valeurs négatives de ΔG. Les valeurs de ΔG dans les mitochondries ont été calculées en tenant compte de la concentration intramitochondriale des métabolites (ces valeurs sont résumées Tableau 20.1). Trois des réactions du cycle s'effectuent avec de grandes valeurs négatives de ΔG dans les conditions intramitochondriales et sont donc des cibles potentielles pour la régulation. Il s'agit des réactions catalysées par la citrate synthase, l'isocitrate déshydrogénase, et l'α-cétoglutarate déshydrogénase.

Les effecteurs qui régulent le cycle de Krebs et les conséquences de leur action sont présentés Figure 20.26. Comme il était possible de l'envisager, les principaux « signaux » régulateurs sont les concentrations de l'acétyl-CoA, de l'ATP, du NAD^+ et du NADH, mais d'autres molécules participent également à la régulation. Les principaux sites de régulation du cycle sont : la pyruvate déshydrogénase, la citrate synthase, l'isocitrate déshydrogénase et l'α-cétoglutarate déshydrogénase. Tous ces enzymes sont inhibés en présence d'un excès de NADH ; le fonctionnement du cycle peut ainsi être interrompu si la cellule dispose d'un excès de NADH, excès qui dépasse les capacités d'oxydation du NADH par la chaîne respiratoire (et donc de synthèse de l'ATP par cette voie). Pour des raisons similaires, l'ATP est un inhibiteur de la pyruvate déshydrogénase et de l'isocitrate déshydrogénase. Mais le cycle est activé si le rapport ADP/ATP ou NAD^+/NADH est élevé, un tel rapport signalant que la cellule manque d'ATP ou de NADH. La régulation du cycle de Krebs par NAD^+, NADH, ADP et ATP dépend donc du niveau énergétique global de la cellule. Par contre, le succinyl-CoA est

Figure 20.26 • Régulation du cycle de Krebs.

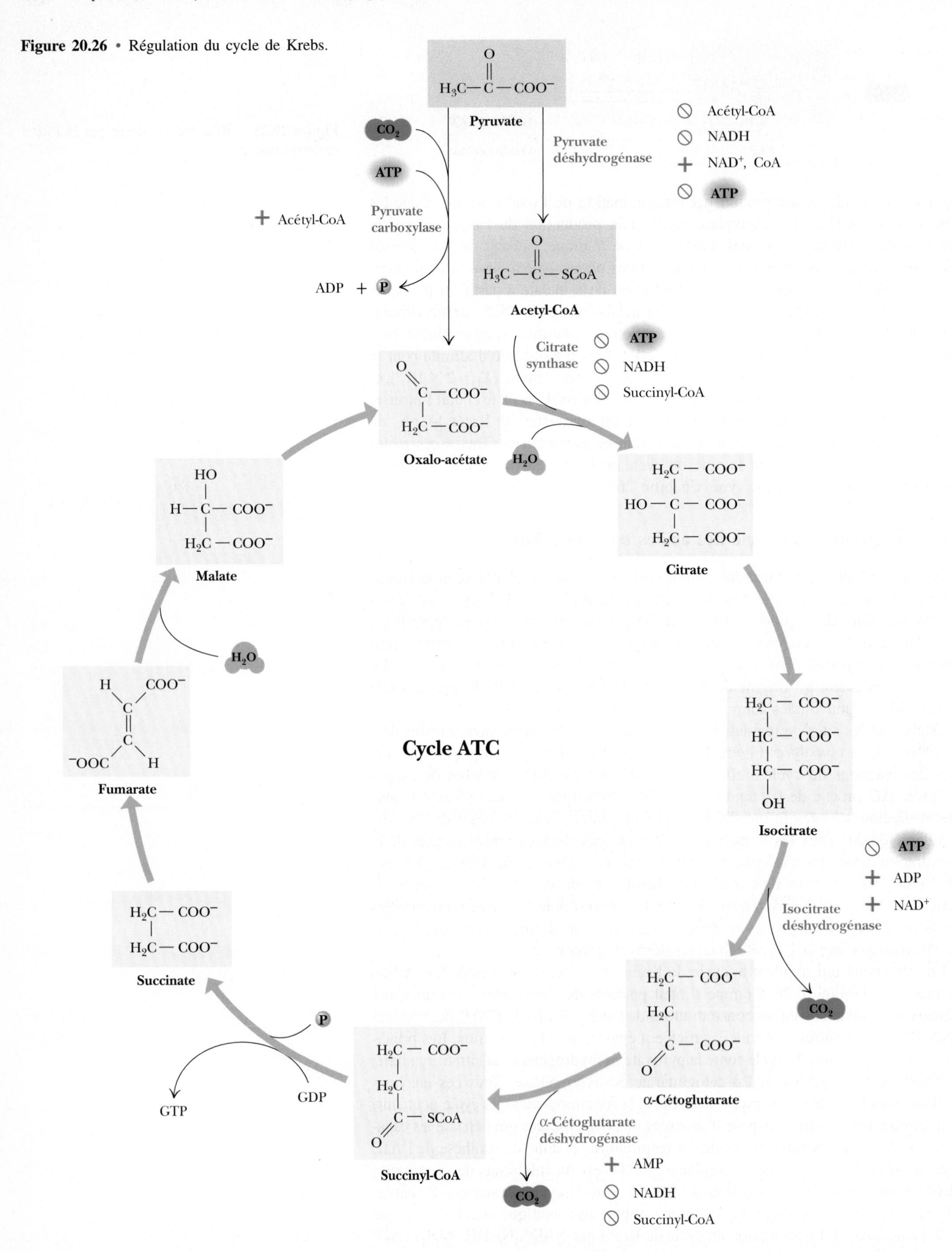

un *régulateur interne* du cycle, il inhibe la citrate synthase (par compétition avec l'acétyl-CoA) et l'α-cétoglutarate déshydrogénase. L'augmentation de la concentration de l'acétyl-CoA signale que la glycolyse et la dégradation des acides gras sont activées. L'acétyl-CoA, un effecteur allostérique de la pyruvate carboxylase stimule la réaction anaplérotique qui produit de l'oxalo-acétate. Ce dernier est l'accepteur nécessaire pour accroître le flux de l'acétyl-CoA dans le cycle de l'acide citrique.

Régulation de la pyruvate déshydrogénase

Nous verrons Chapitre 23 que la plupart des organismes peuvent synthétiser du glucose à partir du pyruvate. Mais les animaux ne peuvent pas synthétiser du glucose à partir d'acétyl-CoA. Pour cette raison, le complexe pyruvate déshydrogénase, qui convertit le pyruvate en acétyl-CoA, joue un rôle pivot dans le métabolisme. En effet, l'acétyl-CoA n'a plus que deux voies métaboliques ; il est, soit oxydé dans le cycle de Krebs, soit utilisé pour la synthèse des acides gras ou des stéroïdes (voir Chapitre 25). Le choix du devenir du pyruvate est si crucial pour l'organisme que la régulation de la pyruvate déshydrogénase est particulièrement minutieuse. Il est soumis à rétroinhibition et est régulé par les nucléotides. Enfin, l'activité du complexe pyruvate déshydrogénase est aussi régulée par des phosphorylations et des déphosphorylations des sous-unités.

De fortes concentrations de NADH ou d'acétyl-CoA (les deux produits de la réaction) inhibent de façon allostérique le complexe pyruvate déshydrogénase. L'acétyl-CoA inhibe spécifiquement la dihydrolipoyl-transacétylase, et le NADH agit sur la dihydrolipoyl-déshydrogénase. L'activité de la pyruvate déshydrogénase des mammifères est également régulée par des modifications covalentes. Une **pyruvate déshydrogénase kinase**, Mg^{2+} dépendante, est associée au complexe pyruvate déshydrogénase chez les mammifères (Figure 20.27). L'activation allostérique de la kinase par le NADH et l'acétyl-CoA, quand leur concentration augmente dans les mitochondries, stimule la phosphorylation d'un résidu sérine de la sous-unité pyruvate déshydrogénase. Cette phosphorylation inhibe la première étape de la réaction catalysée par l'enzyme, et donc la décarboxylation du pyruvate. Lorsque la concentration de l'acétyl-CoA et du NADH aura suffisamment baissé dans la matrice mitochondriale, l'enzyme sera réactivé par une **pyruvate déshydrogénase phosphatase**, dont l'activité dépend de la présence de Ca^{2+}. Cette phosphatase se lie au complexe pyruvate déshydrogénase et hydrolyse la phosphorylsérine de la sous-unité déshydrogénase. À basse concentration en acétyl-CoA et avec un faible rapport NADH / NAD^+, la phosphatase maintient la déshydrogénase dans sa forme active, mais si la concentration de l'acétyl-CoA et celle du NADH augmentent, la kinase est activée et la forme phosphorylée de la déshydrogénase, inactive, sera dominante. Il y a encore d'autres mécanismes de régulation de la pyruvate déshydrogénase: l'insuline et les ions Ca^{2+} activent la phosphatase et le pyruvate inhibe la réaction de phosphorylation de l'enzyme.

La pyruvate déshydrogénase est aussi sensible au niveau du potentiel énergétique de la cellule, l'AMP l'active alors que le GTP l'inhibe. Une concentration élevée d'AMP signifie que la cellule ne dispose que de peu d'énergie. L'activation de la pyruvate déshydrogénase engage le pyruvate dans la voie de la production d'énergie, le cycle de Krebs.

Régulation de l'isocitrate déshydrogénase

Le mécanisme de la régulation de l'isocitrate déshydrogénase est par certains aspects inverse de celui de la pyruvate déshydrogénase. La régulation allostérique de l'isocitrate déshydrogénase des mammifères est relativement plus simple, l'enzyme est activé par l'ADP et le NAD^+, et inhibé par l'ATP et le NADH. Des rapports NAD^+ / NADH et ADP / ATP élevés stimulent l'isocitrate déshydrogénase et donc l'activité du cycle des acides tricarboxyliques.

Chez *Escherichia coli*, l'enzyme est régulé par des modifications covalentes. Des résidus sérine sur chacune des sous-unités de l'enzyme dimérique sont phosphorylés

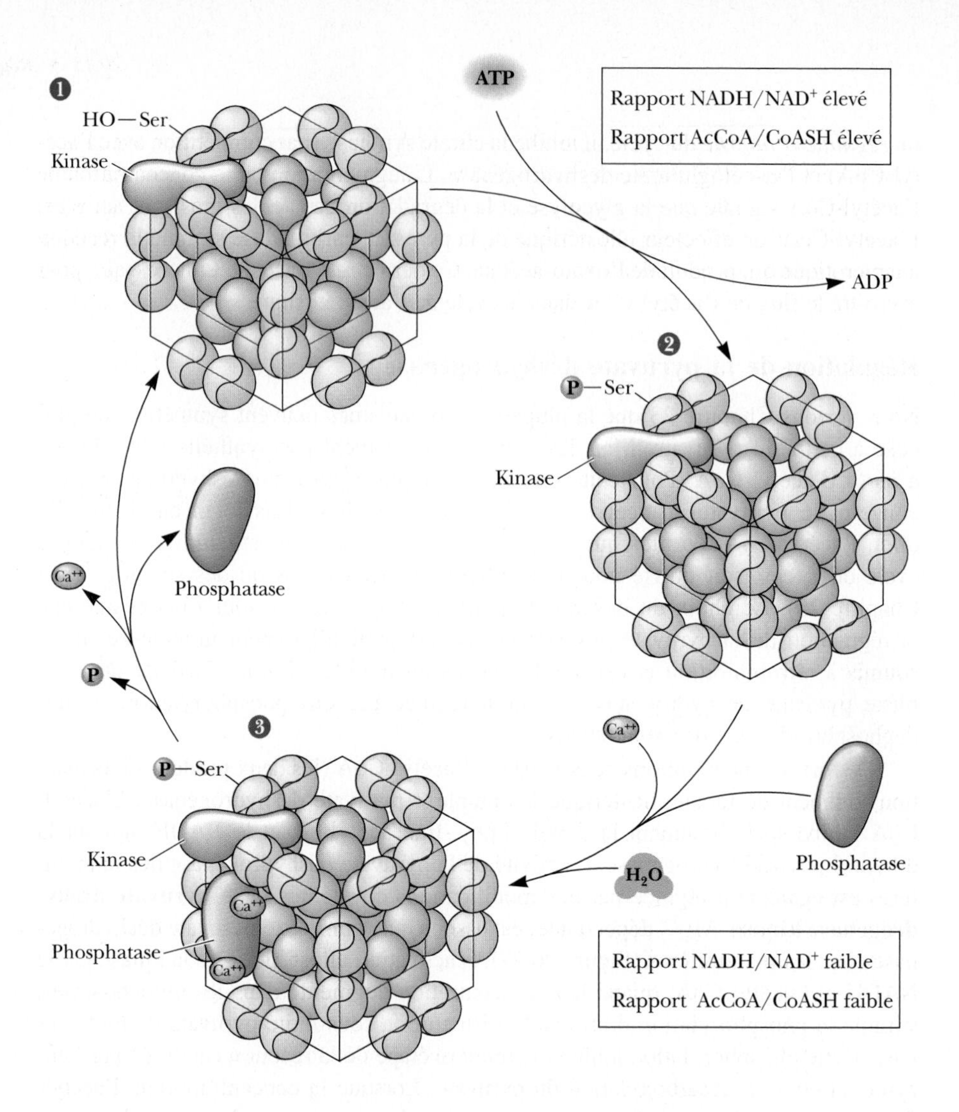

Figure 20.27 • Régulation de la pyruvate déshydrogénase.

par une protéine kinase ce qui inhibe l'activité. Cette dernière est rétablie sous l'action d'une phosphatase spécifique. Quand la concentration de certains intermédiaires de la glycolyse ou du cycle de Krebs – isocitrate, 3-phosphoglycérate, pyruvate, PEP et oxalo-acétate – s'élève, la kinase est inhibée, la phosphatase est activée et le cycle fonctionne normalement. Quand la concentration de ces intermédiaires est basse, la kinase est activée, l'isocitrate déshydrogénase est inhibée et l'isocitrate est utilisé par la *voie du glyoxalate* (voir Section suivante).

Il peut paraître surprenant que l'isocitrate déshydrogénase soit si fortement régulée puisqu'il ne semble pas que l'isocitrate soit un point de branchement dans le cycle ATC. Mais, le rapport citrate/isocitrate régule la vitesse de la production de l'acétyl-CoA dans le cytosol car cet acétyl-CoA est formé à partir du citrate qui provient de la mitochondrie. (Le clivage du citrate donne de l'acétyl-CoA et de l'oxalo-acétate, deux molécules utilisées comme intermédiaires dans diverses biosynthèses). Donc le niveau de l'activité de l'isocitrate déshydrogénase favorise soit le catabolisme de l'acétyl-CoA dans le cycle ATC, soit l'anabolisme de l'acétyl-CoA dans le cytosol.

20.16 • Cycle du glyoxalate chez les plantes et les bactéries

Les plantes (et en particulier les plantules qui ne peuvent encore pas utiliser efficacement la photosynthèse), ainsi que certaines bactéries et les algues, peuvent utiliser l'acétate comme seule source de carbone pour la synthèse de toutes leurs molécules organiques qu'elles produisent. Nous avons vu que si le cycle de Krebs peut fournir des métabolites à plusieurs voies anaboliques, ce cycle produit deux CO_2 pour chaque molécule d'acétyl-CoA qui s'y engage. Il ne peut donc pas faire la *synthèse nette* de ses intermédiaires. Le cycle ATC ne pourrait pas fournir les importantes quantités de métabolites nécessaires à la croissance d'un organisme en n'utilisant que de l'acétate s'il n'y avait pas d'autres réactions possibles. Fondamentalement le cycle est organisé pour la production de l'énergie et il « gaspille » deux atomes de carbone sous forme de CO_2. Une variante de ce cycle, qui permettrait la croissance sur acétate, éliminerait la production de CO_2 et favoriserait la production nette de molécules à quatre atomes de carbone (par exemple l'oxalo-acétate). Les plantes et les bactéries disposent d'une telle variante du cycle TCA, **le cycle du glyoxalate**, qui produit des acides dicarboxyliques à quatre atomes de carbone à partir de l'acétate à deux atomes de carbone. Le cycle du glyoxalate « court-circuite » les deux étapes d'oxydation décarboxylante du cycle de Krebs ; il dérive l'isocitrate vers deux enzymes qui lui sont propres, **l'isocitrate lyase** et **la malate synthase** (Figure 20.28). Le *glyoxalate* produit par la réaction catalysée par l'isocitrate lyase réagit en présence de la malate synthase avec une seconde molécule

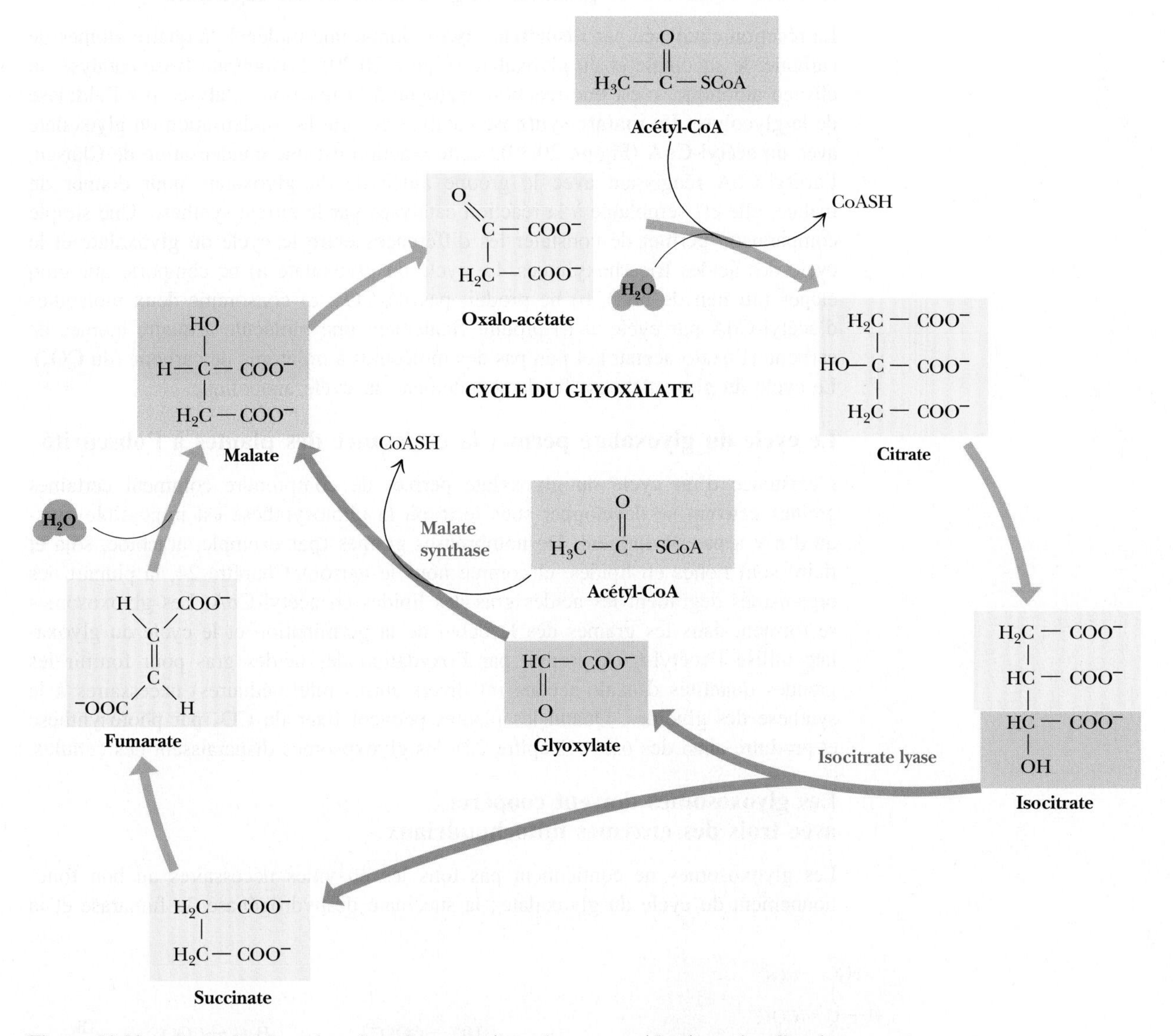

Figure 20.28 • Cycle du glyoxalate. Les deux premières étapes sont identiques à celles du cycle de Krebs. La troisième étape court-circuite celle de la décarboxylation dans le cycle ATC et produit du succinate et du glyoxalate. En présence de glyoxalate et d'acétyl-CoA, la malate synthase catalyse la formation de malate. Globalement, un tour du cycle du glyoxalate consomme un oxalo-acétate et deux acétyl-CoA pour donner deux molécules d'oxalo-acétate. Le bilan net est la formation d'une molécule oxalo-acétate à partir de deux molécules d'acétyl-CoA.

d'acétyl-CoA pour donner du L-malate. Le résultat de ces réactions est la conservation des unités carbonées puisque l'utilisation de deux molécules d'acétyl-CoA génère une molécule d'oxalo-acétate par tour de cycle. Une partie de cet oxalo-acétate est convertie en PEP, puis en glucose par des voies qui seront examinées Chapitre 23.

Le cycle du glyoxalate est localisé dans des organites spécialisés

Chez les plantes, les enzymes du cycle du glyoxalate sont contenus dans des organites spécialisés, les **glyoxosomes**. Chez les levures et les algues, ces enzymes se trouvent dans le cytoplasme. Les enzymes communs au cycle du glyoxalate et au cycle ATC sont en fait distincts, ce sont des isozymes qui fonctionnent indépendamment les uns des autres dans les deux cycles.

La réaction catalysée par l'isocitrate lyase court-circuite le cycle de Krebs et produit du glyoxalate et du succinate

La réaction catalysée par l'**isocitrate lyase** donne une molécule à quatre atomes de carbone, le succinate et du glyoxalate (Figure 20.29). L'isocitrate lyase catalyse un clivage aldolique, c'est une réaction analogue à la réaction catalysée par l'aldolase de la glycolyse. La **malate synthase** catalyse ensuite la condensation du glyoxalate avec un acétyl-CoA (Figure 20.30) ; cette réaction est une condensation de Claisen, l'acétyl-CoA réagissant avec le groupe aldéhyde du glyoxalate pour donner du malate, elle est semblable à la réaction catalysée par la citrate synthase. Une simple comparaison permet de constater les différences entre le cycle du glyoxalate et le cycle des acides tricarboxyliques. Le cycle du glyoxalate a) ne comporte que cinq étapes (au lieu de huit), b) ne produit pas de CO_2, c) consomme deux molécules d'acétyl-CoA par cycle et d) produit finalement une molécule à quatre atomes de carbone (l'oxalo-acétate) et non pas des molécules à un atome de carbone (du CO_2). Le cycle du glyoxalate est fondamentalement un cycle anabolique.

Le cycle du glyoxalate permet la croissance des plantes à l'obscurité

L'existence d'un cycle du glyoxalate permet de comprendre comment certaines graines peuvent se développer sous terre où la photosynthèse est impossible puisqu'il n'y a pas de lumière. De nombreuses graines (par exemple, arachide, soja et ricin) sont riches en lipides, et comme nous le verrons Chapitre 24, la plupart des organismes dégradent les acides gras des lipides en acétyl-CoA. Les glyoxosomes se forment dans les graines dès le début de la germination et le cycle du glyoxalate utilise l'acétyl-CoA produit par l'oxydation des acides gras pour fournir les grandes quantités d'oxalo-acétate (et divers autres intermédiaires) nécessaires à la synthèse des glucides. Quand les plantes peuvent fixer du CO_2 par photosynthèse et produire ainsi des oses (Chapitre 22), les glyoxosomes disparaissent des cellules.

Les glyoxosomes doivent coopérer avec trois des enzymes mitochondriaux

Les glyoxosomes ne contiennent pas tous les enzymes nécessaires au bon fonctionnement du cycle du glyoxalate ; la succinate déshydrogénase, la fumarase et la

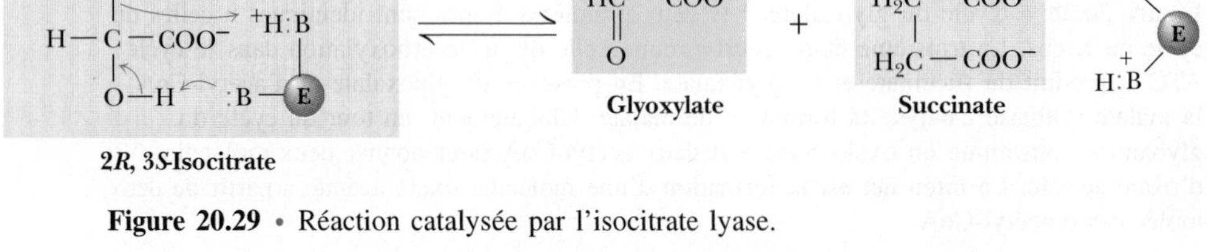

2*R*, 3*S*-Isocitrate ⇌ Glyoxylate + Succinate

Figure 20.29 • Réaction catalysée par l'isocitrate lyase.

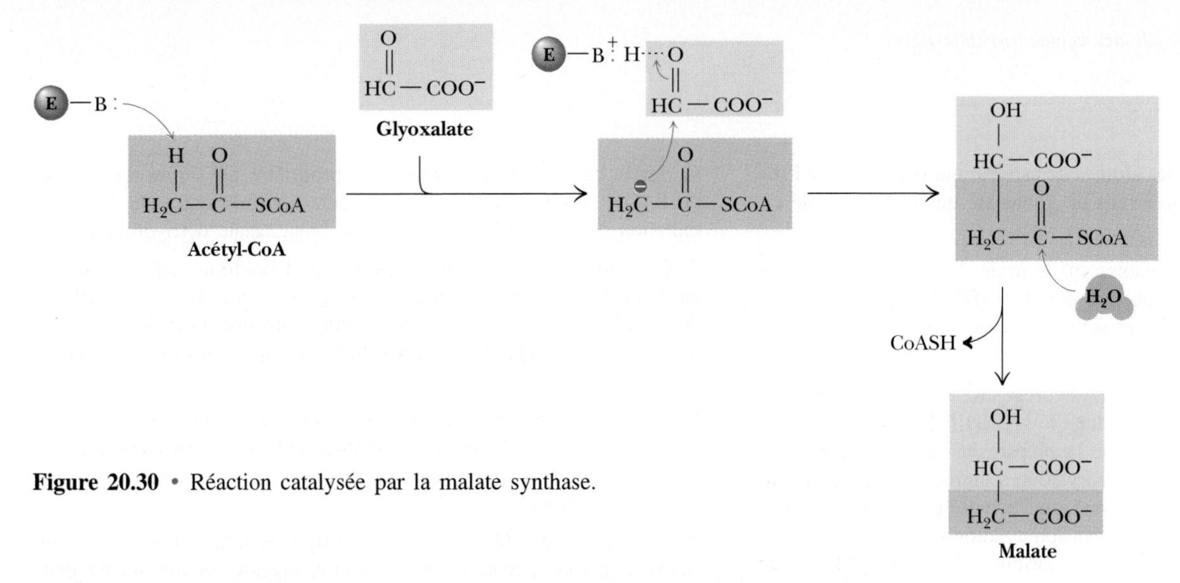

Figure 20.30 • Réaction catalysée par la malate synthase.

malate déshydrogénase font défaut. Les glyoxosomes doivent fonctionner en coopération avec les mitochondries pour parachever leur cycle (Figure 20.31). Le succinate passe des glyoxosomes aux mitochondries où il est métabolisé en oxalo-acétate. L'oxalo-acétate ne pouvant sortir des mitochondries, il est d'abord transaminé en aspartate. Cet aspartate peut être transporté hors des mitochondries et passer dans les glyoxosomes où une transamination avec l'α-cétoglutarate régénèrera l'oxalo-acétate, produit final du cycle du glyoxalate. Pour équilibrer les réactions de transamination, le glutamate formé sera transféré dans les mitochondries par un système transporteur.

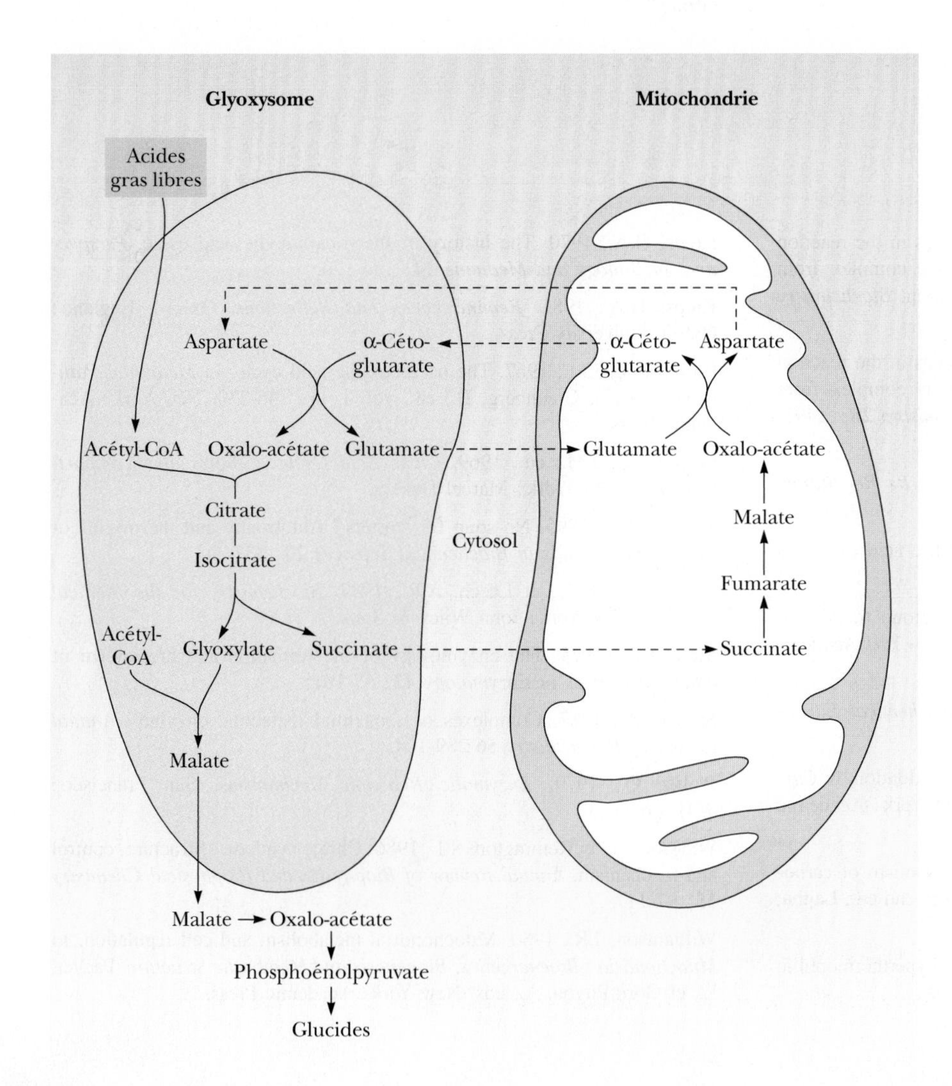

Figure 20.31 • Trois des enzymes nécessaires pour que le cycle du glyoxalate fonctionne indépendamment dans les glyoxosomes sont absents de ces organites. La succinate déshydrogénase, la fumarase et la malate déshydrogénase propres aux mitochondries doivent intervenir. Le succinate et le glutamate sont transférés des glyoxosomes aux mitochondries et l'α-cétoglutarate et l'aspartate sont transférés des mitochondries aux glyoxosomes.

EXERCICES

1. Décrivez la répartition des atomes de carbone qui résulterait de l'introduction dans le cycle de Krebs de glutamate qui serait marqué en C_γ par du ^{14}C.

2. Décrivez les effets observables sur le cycle de Krebs résultant (a) d'un accroissement de la concentration en NAD^+, (b) de la réduction de la concentration de l'ATP et (c) de l'accroissement de la concentration de l'isocitrate.

3. Le résidu Ser de l'isocitrate déshydrogénase qui est phosphorylé par la protéine kinase se trouve dans le site actif de l'enzyme. Cette situation est différente de celle de la plupart des autres exemples de modification covalente par phosphorylation d'un résidu éloigné du site actif de la protéine. Quel effet direct sur l'activité catalytique de l'enzyme peut, selon vous, avoir une phosphorylation dans le site actif de l'isocitrate déshydrogénase ? (voir Barford, D., 1991. Molecular mechanisms for the control of enzymic activity by protein phosphorylation. *Biochimica et Biophysica Acta* **1133** : 55-62).

4. La première étape de la réaction catalysée par l'α-cétoglutarate déshydrogénase aboutit à la décarboxylation du substrat et à la formation d'un intermédiaire lié de façon covalente à la thiamine pyrophosphate. Décrivez un mécanisme raisonnablement possible pour cette réaction.

5. Dans un tissu où le cycle de Krebs aurait été inhibé par du fluoroacétate, quelle différence peut-on s'attendre à observer pour chacun des métabolites du cycle, en comparaison avec leur concentration dans un tissu non inhibé ?

6. Sur la base de la description des propriétés physiques du FAD et du $FADH_2$ (voir Chapitre 18), suggérez une méthode pour la détermination de l'activité enzymatique de la succinate déshydrogénase.

7. En commençant à partir du citrate, de l'isocitrate, de l'α-cétoglutarate et du succinate, indiquez quel est celui des atomes de carbone de la molécule qui sera oxydé dans l'étape suivante du cycle des acides tricarboxyliques. Quelles sont les molécules qui subissent une oxydation nette ?

8. En plus du fluoroacétate, pensez-vous que d'autres analogues du cycle de Krebs, ou de ses produits intermédiaires, pourraient être utilisés pour inhiber spécifiquement des réactions du cycle ? Justifiez votre raisonnement.

9. En fonction du rôle de la thiamine pyrophosphate dans la réaction catalysée par la pyruvate déshydrogénase, suggérez un mécanisme pour la réaction de décarboxylation du pyruvate dans la levure :

$$\text{pyruvate} \longrightarrow \text{acétaldéhyde} + \text{CO2}$$

10. Dans le cycle de Krebs, l'aconitase catalyse la réaction suivante

$$\text{citrate} \rightleftharpoons \text{isocitrate}$$

La variation d'énergie libre standard, $\Delta G°'$ de la réaction est de +6,7 kJ/mol. Cependant la variation d'énergie libre (ΔG) de la réaction, observée dans les mitochondries du cœur de pigeon, est de +0,8 kJ/mol. Quel est le rapport [isocitrate] / [citrate] dans ces mitochondries. Si [isocitrate] = 0,03 *mM*, quelle est la concentration du citrate ?

LECTURES COMPLÉMENTAIRES

Akiyama, S.K., et Hanimes, G.G., 1980. Elementary steps in the reaction mechanism of the pyruvate dehydrogenase multienzyme complex from *Escherichia coli* : Kinetics of acetylation and deacetylation. *Biochemistry* **19** : 4208-4213.

Akiyama, S.K., et Hammes, G.G., 1981. Elementary steps in the reaction mechanism of the pyruvate dehydrogenase multienzyme complex from *Escherichia coli* : Kinetics offlavin reduction. *Biochemistry* **20** : 1491-1497.

Atkinson, D.E., 1977. *Cellular Energy Metabolism and Its Regulation.* New York : Academic Press.

Bodner, G.M., 1986. The tricarboxylic acid (TCA), citric acid or Krebs cycle. *Journal of Chemical Education* **63** : 673-677.

Frey, P.A., 1982. Mechanism of coupled electron and group transfer in *Escherichia coli* pyruvate dehydrogenase. *Annals of the New York Academy of Sciences* **378** : 250-264.

Gibble, G.W., 1973. Fluoroacetate toxicity. *Journal of Chemical Education* **50** : 460-462.

Hansford, R.G, 1980. Control of mitochondrial substrate oxidation. In *Current Topics in Bioenergetics,* vol. 10, pp. 217-278. New York : Academic Press.

Hawkins, R.A., et Mans, A.M., 1983. Intermediary metabolism of carbohydrates and other fuels. In *Handbook of Neurochemistry,* 2nd ed., Lajtha, A., ed., pp. 259-294. New York : Plenum Press.

Kelly, R.M., et Adams, M.W., 1994. Metabolism in hyperthermophilic microorganisms. *Antonie van Leeuwenhoek* **66** : 247-270.

Krebs, H.A., 1970. The history of the tricarboxylic acid cycle. *Perspectives in Biology and Medicine* **14** : 154-170.

Krebs, H.A., 1981. *Reminiscences and Reflections.* Oxford, England : Oxford University Press.

Lowenstein, J.M., 1967. The tricarboxylic acid cycle. In *Metabolic Pathways,* 3rd ed., Greenberg, D., ed., vol. 1, pp. 146-270. New York : Academic Press.

Lowenstein, J.M., ed., 1969. *Citric Acid Cycle : Control and Compartmentation.* New York : Marcel Dekker.

Maden, B.E., 1995. No soup for starters ? Autotrophy and the origins of metabolism. *Trends in Biochemical Sciences* **20** : 337-341.

Newsholme, E.A., et Leech, A.R., *1983. Biochemistry for the Medical Sciences.* New York : John Wiley & Sons.

Srere, P.A., 1975. The enzymology of the formation and breakdown of citrate. *Advances in Enzymology* **43** : 57-101.

Srere, P.A., 1987. Complexes of sequential metabolic enzymes. *Annual Review of Biochemistry* **56** : 89-124.

Walsh, C., 1979. *Enzymatic Reaction Mechanisms.* San Francisco : W.H. Freeman.

Wiegand, G., et Remington, S.J., 1986. Citrate synthase : Structure, control and mechanism. *Annual Review of Biophysics and Biophysical Chemistry* **15** : 97-117.

Williamson, J.R., 1980. Mitochondrial metabolism and cell regulation. In *Mitochondria : Bioenergetics, Biogenesis and Membrane Structure,* Packer, L., et Gorn-Puyou, A., eds. New York : Academic Press.

Chapitre 21

Transport des électrons et oxydations phosphorylantes

« Tout dans la nature a quelque chose de merveilleux. »

ARISTOTE (384-322 avant J.C.)

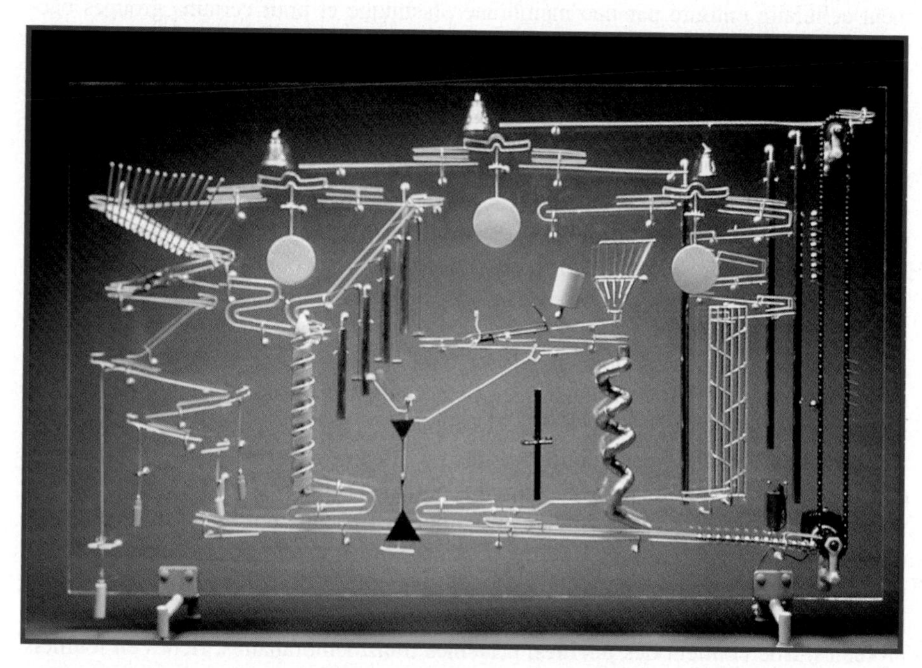

Pièce murale *#IV (1985), une sculpture cinétique de George Rhoads. Cet ensemble artistique complexe peut être considéré comme une métaphore de l'organisation moléculaire qui contribue au transport des électrons et à la synthèse de l'ATP par oxydation phosphorylante. (1985 par George Rhoads)*

PLAN

Les cellules vivantes font des réserves d'énergie, essentiellement sous forme de lipides et de glucides, et « dépensent », utilisent, cette énergie pour les biosynthèses, les transports membranaires et les mouvements. Dans les deux cas, mise en réserve ou utilisation d'énergie, les échanges et les transferts d'énergie s'effectuent par l'intermédiaire de l'ATP. Nous avons vu, Chapitres 19 et 20, que la glycolyse et le cycle des acides tricarboxyliques convertissent directement en ATP une partie de l'énergie utilisable contenue dans les glucides des réserves ou provenant de l'alimentation. Cependant, la plus grande partie de l'énergie qui peut être rendue disponible par la glycolyse ou par le cycle de Krebs à la suite des réactions d'oxydoréduction se retrouve dans du NADH ou des flavoprotéines réduites (symbolisées par [$FADH_2$]). Nous allons à présent découvrir comment les cellules convertissent en ATP l'énergie métabolique mise en réserve dans le NADH ou dans le [$FADH_2$].

Alors que l'ATP formé au cours de la glycolyse ou dans le cycle de Krebs provient d'une phosphorylation au niveau du substrat, la synthèse d'ATP à partir du NADH est le résultat d'une **oxydation phosphorylante**. Les électrons mis en réserve

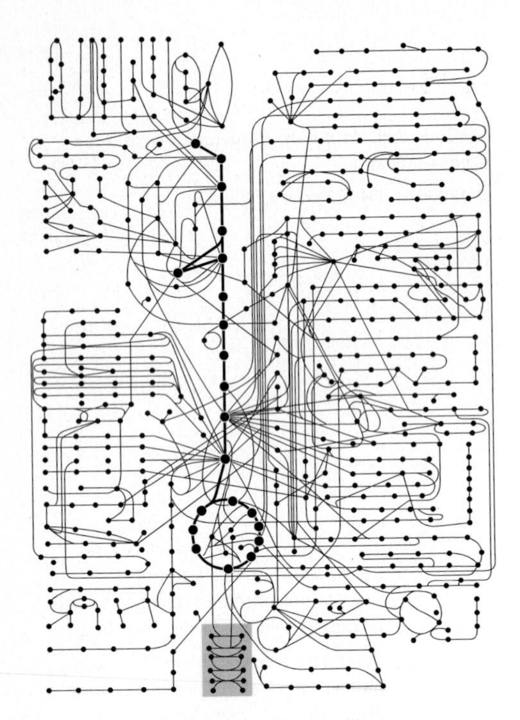

Transport des électrons et oxydations phosphorylantes

dans les coenzymes réduits, NADH ou [$FADH_2$], passent par une chaîne de protéines et de coenzymes hautement organisée, appelée la chaîne du transport des électrons, avant de rejoindre O_2 (l'oxygène moléculaire) l'accepteur final de ces électrons. Au cours de ce transfert électronique l'énergie libérée est accumulée sous forme d'un gradient de protons établi de part et d'autre de la membrane interne mitochondriale. L'énergie de ce gradient de protons est ensuite utilisée pour la synthèse de l'ATP.

21.1 • Le transport des électrons et les oxydations phosphorylantes sont des processus associés à des membranes

Le transport des électrons et les oxydations phosphorylantes sont deux **processus associés à des membranes**. Les bactéries sont les organismes vivants ayant les formes les plus simples. Elles sont généralement constituées d'un unique compartiment cellulaire entouré par une membrane plasmique et pour certains groupes bactériens par une paroi cellulaire plus rigide. Dans ces organismes, la conversion en ATP de l'énergie contenue dans le NADH ou dans [$FADH_2$] par la chaîne de transport des électrons et les oxydations phosphorylantes s'effectue dans (et à travers) la membrane plasmique. Dans les cellules eucaryotes, le transport des électrons et les oxydations phosphorylantes se font dans (et à travers) la membrane interne des mitochondries où se trouve également le cycle des acides tricarboxyliques et, comme nous le verrons Chapitre 24, les enzymes de l'oxydation des acides gras. Les cellules des mammifères contiennent de 800 à 2.500 mitochondries ; certaines cellules peuvent n'en contenir qu'une ou deux, et d'autres jusqu'à près de 500.000. Les érythrocytes humains, dont la seule fonction est de transporter de l'oxygène, n'ont *aucune* mitochondrie. Une mitochondrie typique a un diamètre de $0{,}5 \pm 0{,}3$ microns et une longueur de 0,5 à plusieurs microns de long ; sa forme générale est très sensible aux conditions métaboliques de la cellule.

Les mitochondries sont entourées d'une **membrane externe** relativement simple, et d'une **membrane interne** beaucoup plus complexe (Figure 21.1). Ces membranes sont séparées par un **espace intermembranaire**. Certains enzymes utilisant l'ATP (comme la créatine kinase et l'adénylate kinase) se trouvent dans cet espace intermembranaire. La membrane externe, lisse, contient de 30 à 40 % de lipides dont une concentration relativement élevée de phosphatidylinositol, et de 60 à 70 % de protéines. Elle contient des **porines,** protéines transmembranaires, riches en feuillets β, qui forment des canaux transmembranaires largement ouverts permettant le libre passage, la diffusion, de molécules à masse moléculaire inférieure à 10.000. La

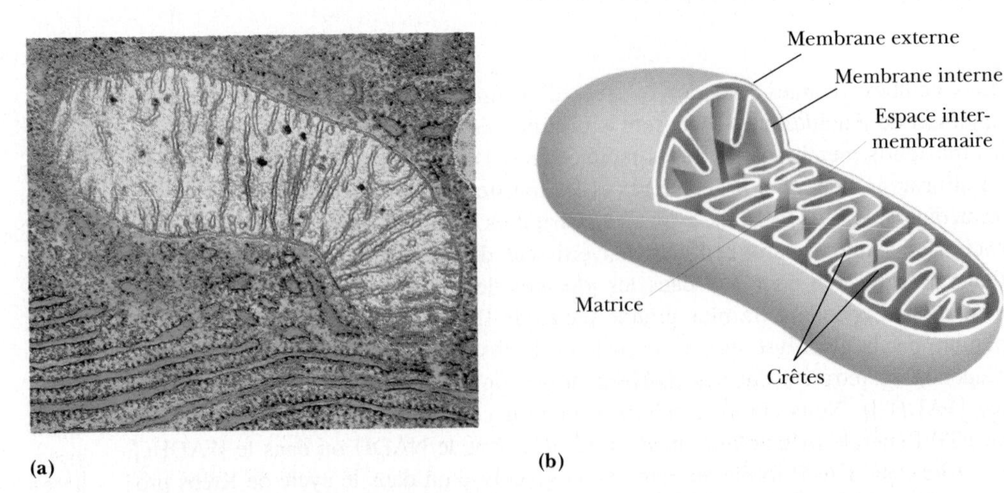

Figure 21.1 • (a) Micrographie électronique d'une mitochondrie. (b) Représentation schématique des compartiments internes d'une mitochondrie. *(a, B. King/BPS)*

membrane externe semble avoir pour fonction principale le maintien de la forme de la mitochondrie. La membrane interne contient beaucoup plus de protéines, près de 80 % de sa masse ; sa densité est donc plus élevée que celle de la membrane externe. Les acides gras de la membrane interne sont hautement insaturés ; le diphosphatidylglycérol (cardiolipide) et le phosphatidylglycérol (Chapitre 8) y sont relativement abondants. La membrane interne est dépourvue de cholestérol et est pratiquement imperméable aux ions et aux molécules. Les espèces qui doivent traverser la membrane interne de la mitochondrie – ions, substrats, acides gras à oxyder, etc. – sont transférées par des protéines de transport spécifiques situées dans cette membrane. La membrane interne est extrêmement repliée (Figure 21.1). Les **crêtes** ainsi formées augmentent notablement la surface de la membrane. Pendant les périodes de grande activité respiratoire, la membrane interne semble se contracter et l'espace intermembranaire devient plus grand.

La matrice mitochondriale contient les enzymes du cycle de Krebs

L'espace délimité par la membrane interne, la **matrice**, contient la plupart des enzymes du cycle de Krebs et de l'oxydation des acides gras (exception notable, la succinate déshydrogénase du cycle ATC est localisée *dans* la membrane interne). Les mitochondries contiennent de l'ADN circulaire, des ribosomes et les enzymes nécessaires pour effectuer la synthèse des protéines codées par le génome mitochondrial. Si certaines des protéines mitochondriales sont ainsi synthétisées, la plupart des autres sont codées par l'ADN nucléaire et sont synthétisées sur les ribosomes cytoplasmiques avant de rejoindre les mitochondries.

21.2 • Potentiels d'oxydoréduction – un moyen pour déterminer la variation d'énergie libre dans les réactions d'oxydoréduction

À plusieurs reprises au cours des chapitres précédents, nous avons signalé que le NADH et les flavoprotéines réduites [$FADH_2$] représentaient des formes d'énergie métabolique. Ces coenzymes réduits sont très facilement oxydés, c'est-à-dire qu'ils transfèrent facilement leurs électrons à d'autres accepteurs. La chaîne de transfert des électrons convertit l'énergie libérée lors de ces transferts d'électrons en une énergie de liaison anhydride phosphorique mise en réserve dans des molécules d'ATP. De même que le *potentiel de transfert d'un groupe* a été utilisé Chapitre 3 pour quantifier l'énergie du transfert d'un groupe phosphoryle, le **potentiel de réduction standard**, dénoté $\mathscr{E}_o'$, quantifie la tendance d'une espèce chimique à être réduite ou oxydée. Le potentiel de réduction standard décrivant le transfert d'électron entre deux espèces,

$$\begin{array}{ccc} \text{Donneur réduit} & & \text{Accepteur oxydé} \\ & ne^- & \\ \text{Donneur oxydé} & & \text{Accepteur réduit} \end{array} \quad (21.1)$$

est relié à la variation d'énergie libre du processus par

$$\Delta G^{\circ\prime} = -n\mathscr{F}\Delta\mathscr{E}_o' \quad (21.2)$$

dans laquelle n est le nombre des électrons transférés, $\mathscr{F}$ est la constante de Faraday, 96.485 J/V^{-1}mol et $\Delta\mathscr{E}_o'$ est la différence entre les potentiels de réduction du donneur et de l'accepteur. Cette relation directe dépend de la référence *standard* adoptée qui permet de définir les potentiels de réduction.

Mesure des potentiels de réduction standard

Les potentiels de réduction standard sont déterminés par la mesure du voltage généré par des **demi-piles électrochimiques** (Figure 21.2). Une demi-pile est constituée d'une solution contenant 1 *M* de la forme réduite et 1 *M* de la forme oxydée de la substance dont on désire connaître le potentiel et d'une électrode inattaquable

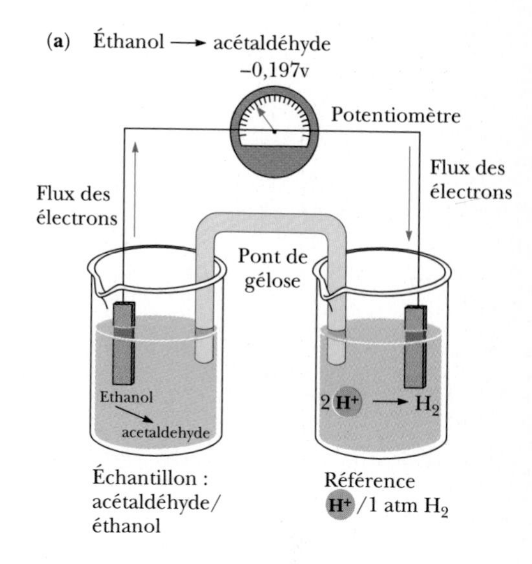

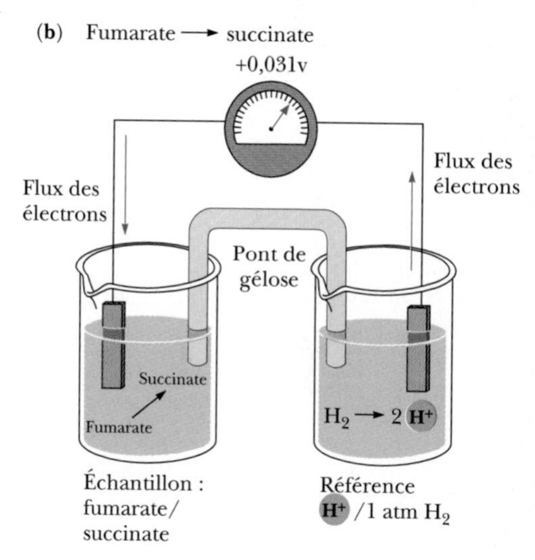

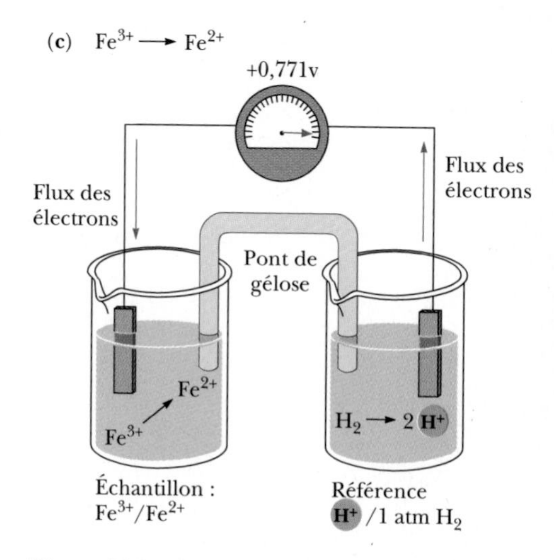

Figure 21.2 • Montage utilisé pour mesurer le potentiel de réduction standard des couples rédox. (a) Couple acétaldéhyde/éthanol, (b) couple fumarate /succinate, (c) couple Fe^{3+}/Fe^{2+}.

(l'ensemble forme oxydée et forme réduite est appelé le **couple rédox**). Cette **demi-pile** est reliée à une **demi-pile électrochimique de référence** et à son électrode par un pont conducteur permettant le passage des ions (le plus souvent une solution saline gélifiée). Un potentiomètre sensible (un voltmètre) est intercalé entre les deux électrodes afin de mesurer le potentiel électrique (le voltage) entre les deux demi-piles. La demi-pile de référence contient normalement une solution à 1 ion-gramme d'hydrogène par litre (1 M H^+) en équilibre avec H_2 gazeux à la pression de 1 atmosphère. Le potentiel de réduction standard de la demi-pile de référence H^+/H_2 est par définition égal à 0,0 V. Les potentiels de réduction standard de tous les autres couple rédox sont définis par rapport à la demi-pile à hydrogène de référence en fonction du signe et de la grandeur du voltage (la force électromotrice, fem) indiqués par le potentiomètre (Figure 21.2).

Si le flux des électrons est orienté vers la demi-pile contenant l'échantillon, ce dernier se réduit spontanément et le potentiel de réduction est dit positif. Si le flux des électrons est orienté vers la demi-pile de référence, le potentiel de réduction est dit négatif puisque la demi-pile contenant l'échantillon perd des électrons (il y a oxydation de l'échantillon). Pour être plus précis, si on relie, à pH 7 et à 25 °C, une demi-pile contenant 1 M d'une espèce chimique réduite et 1 M de la même espèce oxydée à une demi-pile de référence, le potentiel d'oxydoréduction standard, $\mathscr{E}_o'$, est la force électromotrice (la différence de potentiel) qui peut être mesurée à l'aide d'un voltmètre. Il faut noter que le potentiel de réduction de la demi-pile à hydrogène dépend du pH. Le potentiel de réduction standard est égal à 0,0 V si la concentration des ions H^+ est 1 M. Le potentiel, $\mathscr{E}_o'$, de la demi-pile à hydrogène mesuré à pH 7 est de –0,421 V.

Exemples de détermination d'un potentiel de réduction

La Figure 21.2a représente une paire de demi-piles, échantillon / référence, utilisées pour la mesure du potentiel de réduction standard du couple acétaldéhyde / éthanol. Puisque le flux des électrons est orienté vers la demi-pile de référence, le potentiel de réduction standard est négatif, sa valeur est égale à –0,197 V. Par contre, pour les couples fumarate/succinate et Fe^{3+}/Fe^{2+} les flux des électrons sont orientés vers la demi-pile contenant l'échantillon. Dans ces deux derniers systèmes, la réduction a lieu spontanément et les potentiels de réduction sont donc positifs. Le potentiel de réduction standard du couple Fe^{3+}/Fe^{2+} est beaucoup plus grand que celui du couple fumarate/succinate, avec des valeurs respectives de +0,771 V et +0,031 V. Dans chaque demi-pile, la **réaction de la demi-pile** décrit en fait ce qui se passe dans cette demi-pile. Pour le couple fumarate/succinate, la réaction qui a lieu dans la demi-pile est réellement la réduction du fumarate,

$$\text{Fumarate} + 2\ H^+ + 2\ e^- \longrightarrow \text{succinate} \qquad \mathscr{E}_o' = +0{,}031\ \text{V} \qquad (21.3)$$

De même pour le couple Fe^{3+}/Fe^{2+},

$$Fe^{3+} + e^- \longrightarrow Fe^{2+} \qquad \mathscr{E}_o' = +0{,}771\ \text{V} \qquad (21.4)$$

Cependant, la réaction qui a lieu dans la demi-pile acétaldéhyde/éthanol est l'oxydation de l'éthanol :

$$\text{Éthanol} \longrightarrow \text{acétaldéhyde} + 2\ H^+ + 2\ e^- \qquad \mathscr{E}_o' = -0{,}197\ \text{V} \qquad (21.5)$$

Signification de $\mathscr{E}_o'$

Les potentiels de réduction standard de quelques couples rédox sont donnés Tableau 21.1. Lorsque ces types de réaction sont présentés, c'est toujours sous la forme de réactions de *réduction*, indépendamment de ce qui se passe réellement dans la demi-pile. Le signe du potentiel de réduction standard indique quelle est la réaction réelle dans une demi-pile couplée à la demi-pile à hydrogène de référence. Les couples rédox qui ont un potentiel de réduction très positif ont une forte tendance à accepter des électrons et la forme oxydée de ces couples (O_2 par exemple) est un

Tableau 21.1

Potentiels de réduction standard de quelques couples rédox biologiques

Demi-réaction de réduction	$\mathscr{E}_o'$ (V)
$\frac{1}{2}O_2 + 2\ H^+ + 2\ e^- \longrightarrow H_2O$	0,816
$Fe^{3+} + e^- \longrightarrow Fe^{2+}$	0,771
Photosystème P700	0,430
$NO_3^- + 2\ H^+ + 2\ e^- \longrightarrow NO_2^- + H_2O$	0,421
Cytochrome $f(Fe^{3+}) + e^- \longrightarrow$ cytochrome $f(Fe^{2+})$	0,365
Cytochrome $a_3(Fe^{3+}) + e^- \longrightarrow$ cytochrome $a_3(Fe^{2+})$	0,350
Cytochrome $a(Fe^{3+}) + e^- \longrightarrow$ cytochrome $a(Fe^{2+})$	0,290
Rieske Fe-S(Fe^{3+}) + $e^- \longrightarrow$ Rieske Fe-S(Fe^{2+})	0,280
Cytochrome $c(Fe^{3+}) + e^- \longrightarrow$ cytochrome $c(Fe^{2+})$	0,254
Cytochrome $c_1(Fe^{3+}) + e^- \longrightarrow$ cytochrome $c_1(Fe^{2+})$	0,220
$UQH\cdot + H^+ + e^- \longrightarrow UQH_2$ (UQ = coenzyme Q)	0,190
$UQ + 2\ H^+ + 2\ e^- \longrightarrow UQH_2$	0,160
Cytochrome $b_H(Fe^{3+}) + e^- \longrightarrow$ cytochrome $b_H(Fe^{2+})$	0,050
Fumarate = 2 H^+ + 2 $e^- \longrightarrow$ succinate	0,031
$UQ + H^+ + e^- \longrightarrow UQH\cdot$	0,030
Cytochrome $b_5(Fe^{3+}) + e^- \longrightarrow$ cytochrome $b_5(Fe^{2+})$	0,020
$[FAD] + 2\ H^+ + 2\ e^- \longrightarrow [FADH_2]$	0,003-0,091*
Cytochrome $b_L(Fe^{3+}) + e^- \longrightarrow$ cytochrome $b_L(Fe^{2+})$	–0,100
Oxalo-acétate + 2 H^+ + 2 $e^- \longrightarrow$ malate	–0,166
Pyruvate + 2 H^+ + 2 $e^- \longrightarrow$ lactate	–0,185
Acétaldéhyde + 2 H^+ + 2 $e^- \longrightarrow$ éthanol	–0,197
$FMN + 2\ H^+ + 2\ e^- \longrightarrow FMNH_2$	–0,219
$FAD + 2\ H^+ + 2\ e^- \longrightarrow FADH_2$	–0,219
Glutathion (oxydé) + 2 H^+ + 2 $e^- \longrightarrow$ 2 glutathion (réduits)	–0,230
Acide lipoïque + 2 H^+ + 2 $e^- \longrightarrow$ acide dihydrolipoïque	–0,290
1,3-Bisphosphoglycérate + 2 H^+ + 2 $e^- \longrightarrow$ glycéraldéhyde-3-phosphate + P_i	–0,290
$NAD^+ + 2\ H^+ + 2\ e^- \longrightarrow NADH + H^+$	–0,320
$NADP^+ + 2\ H^+ + 2\ e^- \longrightarrow NADPH + H^+$	–0,320
Lipoate-déshydrogénase [FAD] + 2 H^+ + 2 $e^- \longrightarrow$ lipoate déshydrogénase [$FADH_2$]	–0,340
α-Cétoglutarate + CO_2 + 2 H^+ + 2 $e^- \longrightarrow$ isocitrate	–0,380
$2\ H^+ + 2\ e^- \longrightarrow H_2$	–0,421
Ferrédoxine (d'épinard) (Fe^{3+}) + $e^- \longrightarrow$ ferrédoxine (d'épinard) (Fe^{2+})	–0,430
Succinate + CO_2 + 2 H^+ + 2 $e^- \longrightarrow \alpha$-cétoglutarate + H_2O	–0,670

* Valeurs typiques pour la réduction du FAD lié dans une flavoprotéine comme la succinate déshydrogénase (voir Bonomi, F., Pagani, S., Cerletti, P., et Giori, C., 1983. *European Journal of Biochemistry* **134** : 439-445).

puissant agent d'oxydation. Les couples rédox qui ont un potentiel de réduction très négatif ont une forte tendance à céder des électrons (c'est-à-dire à être oxydés) et la forme réduite de ces couples (NADPH par exemple) est un puissant agent de réduction.

Réactions rédox couplées

Les réactions d'une demi-pile et les potentiels de réduction du Tableau 21.1 peuvent être utilisés pour analyser les variations d'énergie dans les réactions d'oxydo-réduction. L'oxydation du NADH peut être couplée à la réduction de l'α-cétoglutarate en isocitrate :

$$NAD^+ + \text{isocitrate} \longrightarrow NADH + H^+ + \alpha\text{-cétoglutarate} + CO_2 \quad (21.6)$$

C'est en fait la réaction catalysée par l'isocitrate déshydrogénase du cycle de Krebs. En écrivant les deux réactions des demi-piles, nous avons :

$$NAD^+ + 2\ H^+ + 2\ e^- \longrightarrow NADH + H^+$$
$$\mathscr{E}_o' = -0{,}32\ V \quad (21.7)$$

$$\alpha\text{-Cétoglutarate} + CO_2 + 2\ H^+ + 2\ e^- \longrightarrow \text{isocitrate}$$
$$\mathscr{E}_o' = -0{,}38\ V \quad (21.8)$$

Lors d'une réaction spontanée, les électrons sont donnés par (quittent) la demi-réaction ayant le potentiel de réduction le plus négatif et sont acceptés par (vont vers) la demi-réaction ayant le potentiel de réduction le plus positif. Dans le cas présent, l'isocitrate cèdera des électrons et NAD^+ acceptera les électrons. La convention définit $\Delta\mathscr{E}_o'$:

$$\Delta\mathscr{E}_o' = \mathscr{E}_o'\ (\text{accepteur}) - \mathscr{E}_o'\ (\text{donneur}) \quad (21.9)$$

Puisque dans ce cas l'isocitrate est le donneur et NAD^+ l'accepteur, nous pouvons écrire :

$$\Delta\mathscr{E}_o' = -0{,}32\ V - (-0{,}38\ V) = +0{,}06\ V \quad (21.10)$$

À l'aide de l'équation (21.2), nous pouvons à présent calculer $\Delta G^{\circ\prime}$:

$$\Delta G^{\circ\prime} = -\ (2)(96{,}485\ kJ/V\cdot mol)(0{,}06\ V) \quad (21.11)$$
$$\Delta G^{\circ\prime} = -\ 11{,}58\ kJ/mol$$

Notez qu'une réaction ayant un $\Delta\mathscr{E}_o'$ net positif donne une valeur de $\Delta G^{\circ\prime}$ négative, ce qui signifie que la réaction est spontanée.

Effet de la concentration des réactifs sur le potentiel de réduction

Nous avons déjà signalé que la variation d'énergie libre standard d'une réaction, $(G^{\circ\prime}$, ne reflétait pas les conditions réelles dans une cellule où les réactifs et les produits ne sont pas à la concentration de l'état standard (1 *M*). L'équation (3.12) a été introduite pour permettre de calculer la variation d'énergie réelle dans les conditions qui ne sont pas celles de l'état standard. De la même façon, les potentiels de réduction standard des couples rédox doivent être modifiés pour tenir compte de la concentration réelle des espèces oxydées et réduites. Pour tout couple rédox,

$$\text{ox} + ne^- \rightleftharpoons \text{red} \quad (21.12)$$

Le potentiel de réduction réel est donné par :

$$\mathscr{E} = \mathscr{E}_o' + (RT/n\mathscr{F})\ \ln \frac{[\text{ox}]}{[\text{red}]} \quad (21.13)$$

Les potentiels de réduction sont aussi assez sensibles à l'environnement moléculaire. L'influence de l'environnement est particulièrement importante pour les couples rédox des coenzymes flaviniques comme FAD / $FADH_2$ et FMN / $FMNH_2$. Ces espèces sont normalement liées à leurs protéines particulières (des flavoprotéines) ; le potentiel de réduction de FAD lié est par exemple très différent de la valeur donnée Tableau 21.1 pour le couple FAD / $FADH_2$ libre, –0,219 V. Un des exercices de la fin de ce chapitre se rapporte à ce cas.

21.3 • La chaîne de transport des électrons – aperçu général

Nous avons vu dans les chapitres précédents qu'une importante fraction de l'énergie métabolique résultant de l'oxydation des substances nutritives, glucides, graisses et acides aminés, était utilisée pour la formation de coenzymes réduits (NADH) et de flavoprotéines réduites ([$FADH_2$]). La chaîne de transport des électrons oxyde ces coenzymes réduits et cette oxydation libère de l'énergie qui sera, dans un deuxième temps, utilisée pour la synthèse de l'ATP. L'oxydation s'accompagne pour les coenzymes d'une perte de protons et d'électrons. Par l'intermédiaire de la chaîne de transport, les électrons provenant de NADH et de [$FADH_2$] sont transférés à l'oxygène moléculaire, O_2, accepteur terminal de la chaîne. (L'essentiel de la consommation d'oxygène d'un organisme aérobie provenant de son utilisation par la chaîne de transport des électrons, cette dernière est souvent appelée la *chaîne respiratoire*). L'oxydation du NADH

$$\text{NADH (réducteur)} + H^+ + \tfrac{1}{2}O_2 \text{ (oxydant)} \longrightarrow NAD^+ + H_2O \qquad (21.14)$$

comporte les deux demi-réactions suivantes :

$$NAD^+ + 2\,H^+ + 2\,e^- \longrightarrow NADH + H^+ \qquad \mathscr{E}_o' = -0{,}32 \text{ V} \qquad (21.15)$$

$$\tfrac{1}{2}O_2 + 2\,H^+ + 2\,e^- \longrightarrow H_2O \qquad \mathscr{E}_o' = +0{,}816 \text{ V} \qquad (21.16)$$

La demi-réaction (21.16) est celle qui accepte les électrons et la demi-réaction (21.15) est celle qui cède les électrons. Nous avons donc :

$$\Delta\mathscr{E}_o' = 0{,}816 - (-0{,}32) = 1{,}136 \text{ V}$$

Soit, d'après la relation (21.2), une variation d'énergie libre standard, $\Delta G°'$, de –219 kJ/mol. Les couples intermédiaires le long de la chaîne de transport des électrons ont des potentiels de réduction compris entre celui du couple NADH / NAD^+ et celui du couple oxygène/eau, de sorte que les électrons descendent progressivement

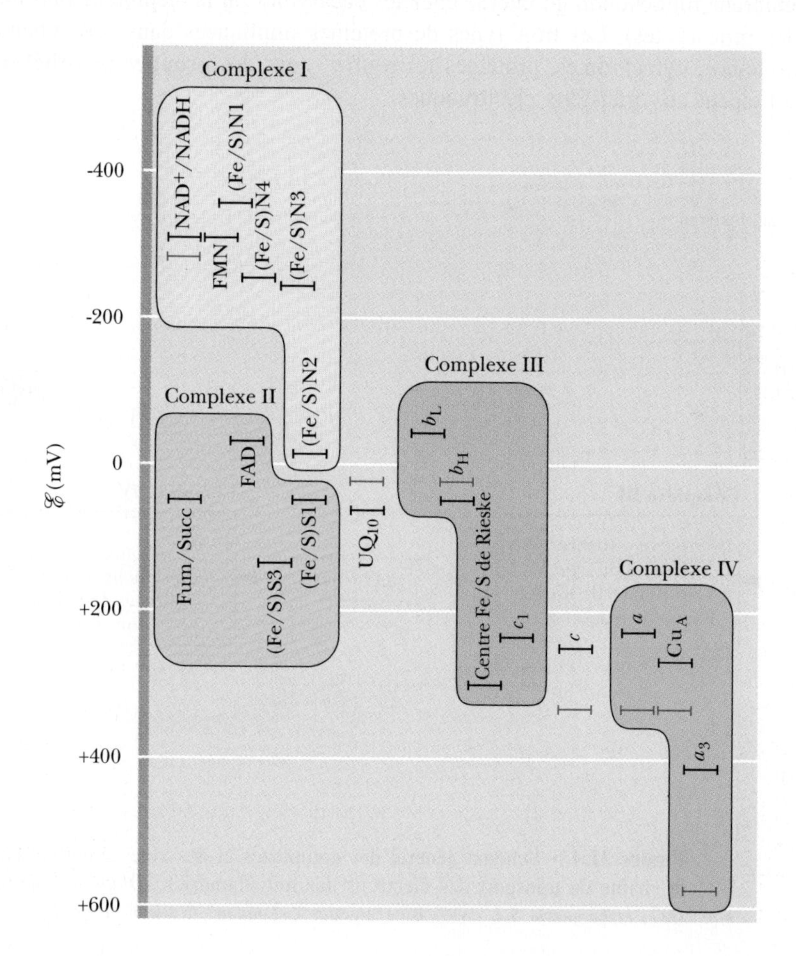

Figure 21.3 • Valeurs de $\mathscr{E}_o'$ et de $\mathscr{E}$ des couples rédox de la chaîne de transport des électrons dans les mitochondries. Les valeurs indiquées sont les valeurs consensuelles pour les mitochondries des animaux. Les barres noires représentent $\mathscr{E}_o'$ et les barres rouges $\mathscr{E}$.

l'échelle des potentiels (et des énergies) vers des potentiels de réduction plus positifs (Figure 21.3).

Si les électrons se déplacent effectivement du couple à potentiel de réduction le plus négatif vers le couple à potentiel le plus positif, le transfert ne s'effectue pas selon une séquence linéaire simple. Cela deviendra plus clair avec l'étude des divers composants de la chaîne respiratoire.

La chaîne de transport des électrons peut être découpée en quatre complexes

La chaîne de transport des électrons comprend de nombreuses espèces moléculaires ou ioniques différentes :

a. Des **flavoprotéines**, qui contiennent un groupe prosthétique FMN ou FAD, fermement lié à une protéine (signalé Chapitre 20), ce groupe pouvant participer à des réactions de transfert d'un ou de deux électrons.

b. Du **coenzyme Q**, encore appelé **ubiquinone** (en abrégé CoQ ou UQ, voir Figure 8.18), qui participe à des réactions de transfert d'un ou de deux électrons.

c. Plusieurs **cytochromes** (protéines dont le groupe prosthétique est un hème, voir Chapitre 5), cytochromes *b*, *c*, c_1, *a* et a_3, agents du transfert d'un électron. Au cours de ce transfert, l'ion fer de l'hème passe de façon réversible de l'état Fe^{2+} à l'état Fe^{3+}.

d. Plusieurs **protéines à centre fer-soufre**, qui participent au transfert d'un électron, avec un fer alternativement Fe^{2+} et Fe^{3+}

e. Une **protéine à cuivre**, qui participe au transfert d'un électron, avec le cuivre alternativement Cu^{+} et Cu^{2+}.

Tous ces intermédiaires, à l'exception du cytochrome *c*, sont liés à la membrane (la membrane mitochondriale interne chez les eucaryotes ou la membrane plasmique chez les procaryotes). Les trois types de protéines impliquées dans cette chaîne – flavoprotéines, cytochromes, protéines fer-soufre – ont des **groupes prosthétiques** qui participent aux transferts électroniques.

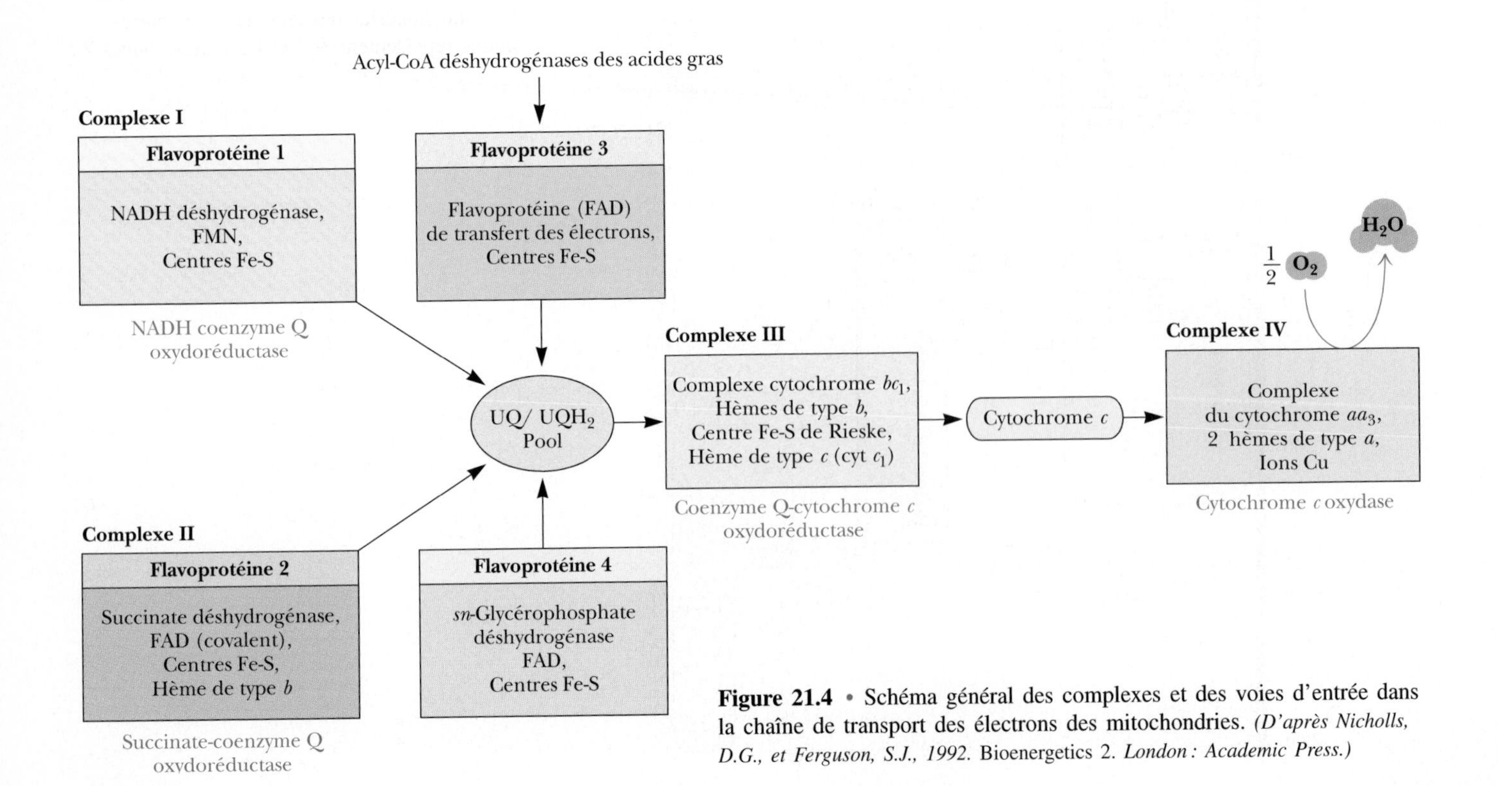

Figure 21.4 • Schéma général des complexes et des voies d'entrée dans la chaîne de transport des électrons des mitochondries. *(D'après Nicholls, D.G., et Ferguson, S.J., 1992.* Bioenergetics 2. *London : Academic Press.)*

La solubilisation de la membrane contenant la chaîne de transport des électrons permet la séparation et la purification de quatre complexes protéiques distincts. La chaîne est à présent considérée comme composée de quatre complexes : (I) *la NADH-coenzyme Q réductase*, (II) *la succinate-coenzyme Q réductase*, (III) *la coenzyme Q-cytochrome c réductase* et (IV) *la cytochrome c réductase* (Figure 21.4). Le complexe I accepte les électrons venant du NADH, il est le lien entre la chaîne de transport des électrons et la glycolyse, le cycle de Krebs et l'oxydation des acides gras. Le complexe II comprend la succinate déshydrogénase, c'est donc un lien direct entre la chaîne et le cycle de Krebs. Les complexes I et II ont un produit de réaction commun, le coenzyme Q réduit (UQH_2) qui sera le substrat de la coenzyme Q réductase (complexe III). Comme indiqué Figure 21.4, le coenzyme Q accepte aussi des électrons provenant de deux autres voies : ceux provenant de la **flavoprotéine de transfert d'électrons**, qui transporte les électrons provenant des acyl-CoA déshydrogénases (ces enzymes flaviniques catalysent l'une des étapes de l'oxydation des acides gras) et ceux apportés par la ***sn*-glycérol-3-phosphate déshydrogénase**. Le complexe III oxyde UQH_2 en réduisant le cytochrome *c*, qui est ensuite le substrat du complexe IV, la cytochrome *c* oxydase. Le complexe IV utilise les électrons pour réduire l'oxygène moléculaire. Chacun des complexes de la Figure 21.4 est un ensemble de nombreuses sous-unités insérées dans la membrane interne mitochondriale.

21.4 • Complexe I : la NADH-coenzyme Q réductase

Comme son nom l'indique, le complexe I transfère les électrons du NADH (par paire) au coenzyme Q, une petite molécule hydrophobe jaune. Ce complexe a un autre nom commun, la *NADH déshydrogénase*. Le complexe comprend plus de 30 chaînes polypeptidiques (masse estimée, 850 kDa), une molécule de flavine mononucléotide (FMN) et sept centres fer-soufre avec au total de 20 à 26 atomes de fer (Tableau 21.2). Puisque la NADH-coenzyme Q réductase contient du FMN fortement lié, c'est aussi une *flavoprotéine*.

Tableau 21.2

Complexes protéiques de la chaîne mitochondriale du transport des électrons

Complexe	Masse (kDa)	Sous-unités	Groupe prosthétique	Site de liaison du
NADH-UQ réductase	850	>30	FMN	NADH (du côté de la matrice)
			Fe-S	UQ (dans le cœur lipidique)
Succinate-UQ réductase	140	4	FAD	Succinate (du côté de la matrice)
			Fe-S	UQ (dans le cœur lipidique)
UQ-Cyt *c* réductase	250	9-10	Hème b_L	Cyt *c* (dans l'espace intermembranaire)
			Hème b_H	
			Hème c_1	
			Fe-S	
Cytochrome *c*	13	1	Hème *c*	Cyt c_1
				Cyt *a*
Cytochrome *c* oxydase	162	>10	Hème *a*	Cyt *c* (dans l'espace intermembranaire)
			Hème a_3	
			Cu_A	
			Cu_B	

D'après : Hatefi, Y., 1985. The mitochondrial electron transport chain and oxidative phosphorylation system. *Annual Review of Biochemistry* **54** : 1015-1069 ; et DePierre, J. et Ernster, L., 1977. Enzyme topology of intracellular membranes. *Annual Review of Biochemistry* **46** : 201-262.

Le mécanisme réactionnel de cette réductase n'est pas connu avec précision. La première étape est la liaison du NADH sur la membrane interne de la mitochondrie, face à la matrice, liaison suivie du transfert d'une paire d'électrons du NADH au FMN :

$$\text{NADH} + [\text{FMN}] + \text{H}^+ \longrightarrow [\text{FMNH}_2] + \text{NAD}^+ \qquad (21.17)$$

La seconde étape est celle du transfert des électrons du $[FMNH_2]$ à une série de protéines fer-soufre, comprenant à la fois des centres 2Fe-2S et 4Fe-4S (voir Figures 20.8 et 20.16). Les propriétés rédox particulières du groupe flavine du FMN ont probablement un rôle important dans ce transfert. Le NADH cède une paire d'électrons alors que les protéines Fe-S sont des agents de transfert d'un électron. (Un atome de fer de ces centres alterne entre l'état oxydé (Fe^{3+}) et l'état réduit (Fe^{2+}). Le groupe flavine du FMN a trois états rédox possibles – oxydé, semi-quinone et réduit. Il peut agir *soit* comme un agent de transfert d'un électron, *soit* comme un agent de transfert de deux électrons, il pourrait donc servir de lien entre le NADH et les protéines Fe-S.

La dernière étape de la réaction est le transfert de deux électrons des centres fer-soufre au coenzyme Q. Le coenzyme Q est un **transporteur d'électron mobile**. Sa queue isoprénique le rend très hydrophobe et il diffuse facilement dans le cœur hydrophobe de la membrane interne de la mitochondrie. Il peut donc transférer les électrons des complexes I et II au complexe III. La Figure 21.5 représente le cycle rédox de l'ubiquinone et la Figure 21.6 représente un schéma de l'ensemble des réactions catalysées par le complexe I.

Le complexe I transporte les protons de la matrice mitochondriale au cytosol

L'oxydation d'un NADH et la réduction du coenzyme Q par la NADH-UQ réductase a pour conséquence le transport net de protons du côté matrice au côté cytosol de la membrane interne. La face de la membrane interne du côté du cytosol (dans lequel les protons s'accumulent) est appelée la face **P** (pour *positive*) et la

(a)

e^- + H^+ ; e^- + H^+

Coenzyme Q, forme oxydée (Q, ubiquinone) — **Semiquinone intermédiaire (QH•)** — **Coenzyme Q, forme réduite (QH_2, ubiquinol)**

(b)

Figure 21.5 • (a) Les trois états d'oxydation du coenzyme Q. (b) Modèle compact du coenzyme Q.

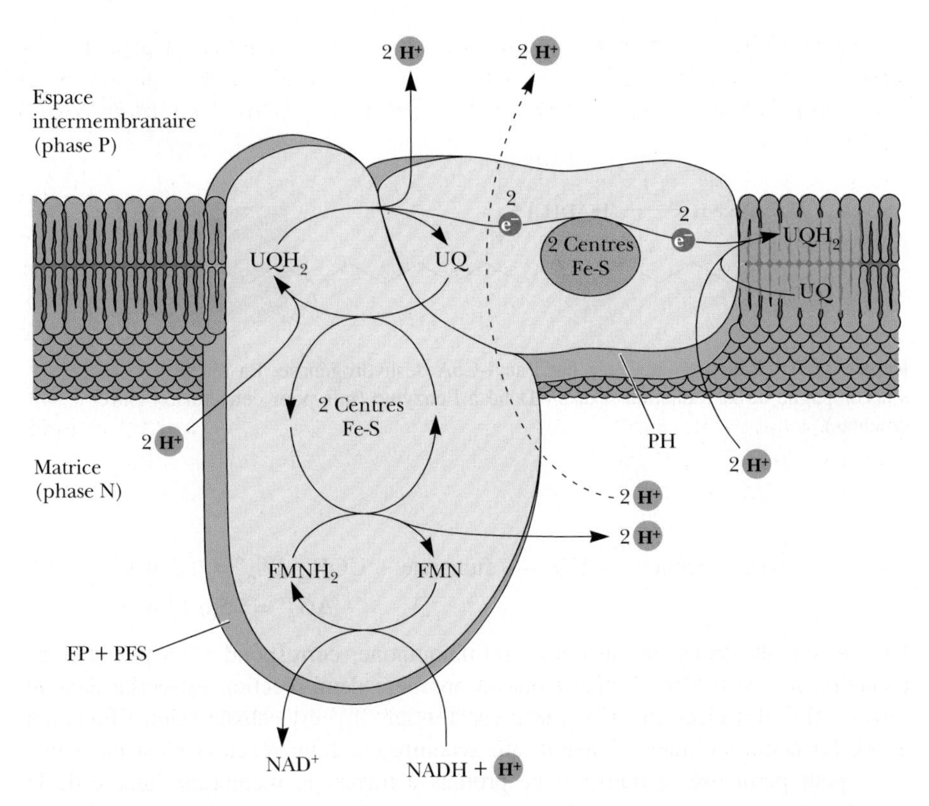

Figure 21.6 • Représentation simplifiée de la structure du complexe I et du transfert des électrons. Trois complexes protéiques ont été isolés comprenant la **flavoprotéine (FP)**, la **protéine fer-soufre (PFS)** et la **protéine hydrophobe (PH)**. FP contient trois polypeptidiques, (de 51, 24 et 10 kDa), du FMN lié et deux centres Fe-S (un centre 2Fe-2S et un centre 4Fe-4S). PFS est constituée de six chaînes polypeptidiques et d'au moins trois centres Fe-S. PH contient au moins sept polypeptides et un centre Fe-S.

face du côté de la matrice est la face **N** (pour *négative*). Une partie de l'énergie libérée par le flux des électrons à travers ce complexe est utilisée, par *un processus couplé au flux*, pour le *transport actif* de H^+ à travers la membrane (ceci constitue un exemple de transport actif, un phénomène examiné Chapitre 10). Les résultats expérimentaux sont compatibles avec un transport de quatre H^+ pour deux électrons transférés du NADH au coenzyme UQ.

21.5 • Complexe II : la succinate – coenzyme Q réductase

Le complexe II est plus généralement connu sous son autre nom – **la succinate déshydrogénase** (on dit aussi la *flavoprotéine 2 ou* FP_2). C'est le seul enzyme du cycle de Krebs qui soit une protéine intrinsèque de la membrane interne de la mitochondrie. L'enzyme, d'environ 100 à 140 kDa, est composé de quatre sous-unités : deux protéines fer-soufre de 70 kDa et 27 kDa et deux autres polypeptides de 15 kDa et 13 kDa. Il contient du FAD lié par une liaison covalente à un résidu histidine (voir Figure 20.15) et trois centres Fe-S différents : un centre 4Fe-4S, un centre 3Fe-4S, et un centre 2Fe-2S. L'oxydation du succinate en fumarate dans le cycle de Krebs est concomitante de la réduction du FAD lié à la succinate déshydrogénase en $FADH_2$. Ce $FADH_2$ transfère immédiatement ses électrons aux centres Fe-S qui les passent à l'ubiquinone :

$$\text{Succinate} \longrightarrow \text{fumarate} + 2\ H^+ + 2\ e^- \qquad (21.18)$$

$$\text{UQ} + 2\ H^+ + 2\ e^- \longrightarrow \text{UQH}_2 \qquad (21.19)$$

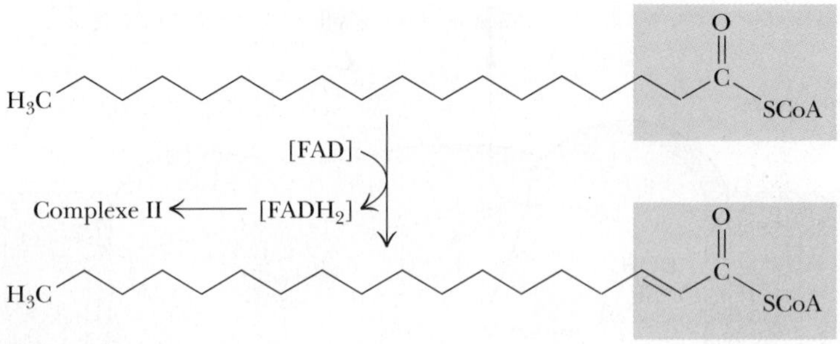

H_3C … $C(=O)SCoA$

[FAD]

Complexe II ⟵ $[FADH_2]$

H_3C … $C(=O)SCoA$

Figure 21.7 • Réaction catalysée par l'acyl-CoA déshydrogénase. La réaction s'accompagne de la réduction d'un FAD lié à l'enzyme (mis pour cette raison entre crochets).

$$\text{réaction globale: succinate + UQ} \longrightarrow \text{fumarate} + UQH_2 \quad \Delta\mathscr{E}_o{}' = 0{,}029\ \text{V} \quad (21.20)$$
$$\Delta G^{\circ\prime} = -5{,}6\ \text{kJ/mol}$$

Le flux des électrons, du succinate à l'ubiquinone, correspond à un potentiel de réduction net de 0,029 V. (Notez que la première demi-réaction est écrite dans le sens du flux des électrons. Comme il est d'usage, $\mathscr{E}_o{}'$ est calculé selon l'Equation 21.9). La petite variation d'énergie qui accompagne cette réaction n'est pas suffisante pour permettre le transport de protons à travers la membrane interne de la mitochondrie.

Ceci est un point important car (nous le verrons bientôt) le transport des protons est couplé avec la synthèse de l'ATP. L'oxydation d'un $FADH_2$ sur la chaîne de transport des électrons permet la synthèse d'environ deux molécules d'ATP, à comparer avec la formation de trois ATP par oxydation d'un NADH. D'autres enzymes peuvent céder des électrons à l'ubiquinone : un enzyme lié à la membrane interne et ayant un rôle navette, la *sn*-glycérol-3-phosphate déshydrogénase et trois enzymes en solution dans la matrice, les acyl-CoA déshydrogénases qui participent à l'oxydation des acides gras (Figure 21.7 ; voir également Chapitre 24). Le flux des électrons, du succinate au coenzyme UQ, est schématisé Figure 21.8.

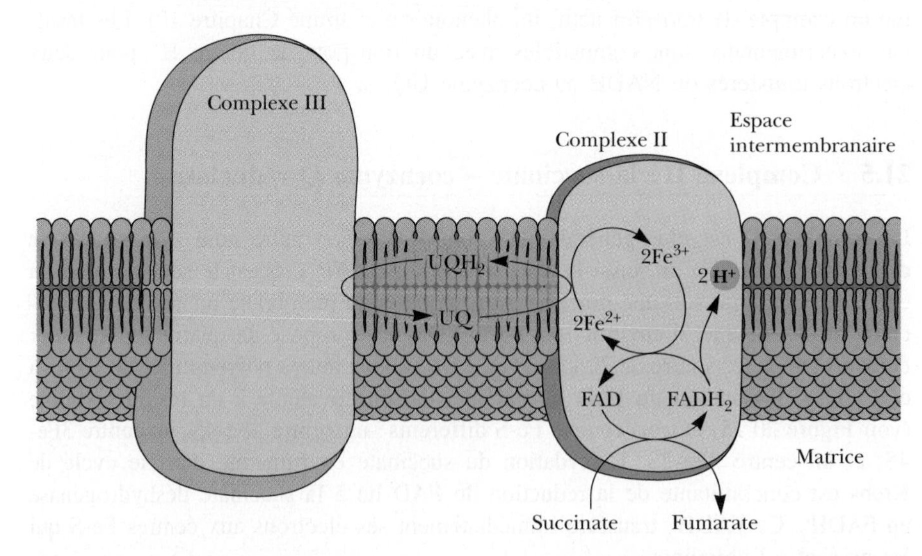

Figure 21.8 • Schéma probable du flux des électrons dans le complexe II. La réduction de [FAD] est concomitante de l'oxydation du succinate. Les électrons passent ensuite sur les centres Fe-S puis sur le coenzyme Q (UQ). Aucun transport de proton n'accompagne ces réactions.

21.6 • Complexe III : la coenzyme Q-cytochrome c réductase

Dans ce troisième complexe de la chaîne, le coenzyme Q réduit (UQH_2) cède ses électrons au cytochrome *c* par une voie rédox appelée le **cycle de l'ubiquinone**. Le complexe *ubiquinone-cytochrome c réductase* (UQ-cyt *c* réductase) comprend trois cytochromes différents et une protéine Fe-S. L'ion fer au centre de l'anneau porphyrine de ces cytochromes, comme de ceux des autres cytochromes, passe alternativement par l'état réduit (Fe^{2+}, ferreux) et par l'état oxydé (Fe^{3+}, ferrique).

Les cytochromes, ainsi nommés car ils sont colorés, sont classés d'après leur spectre d'absorption (Figure 21.9) qui lui-même dépend de la structure de l'hème et de son environnement. Les **cytochromes *b*** sont des protéines dont le groupe prosthétique est la *ferro-protoporphyrine IX* (Figure 21.10), le même hème que celui de l'hémoglobine et de la myoglobine. Les **cytochromes *c*** contiennent *l'hème c*, un dérivé de la ferro-protoporphyrine IX, lié par des liaisons covalentes à des résidus cystéine de la protéine. L'UQ-cyt *c* réductase contient un cytochrome particulier, de type *b*, de 30 à 40 kDa, avec deux hèmes distincts (Figure 21.11) et un cytochrome *c*. (Un troisième type de cytochrome, le

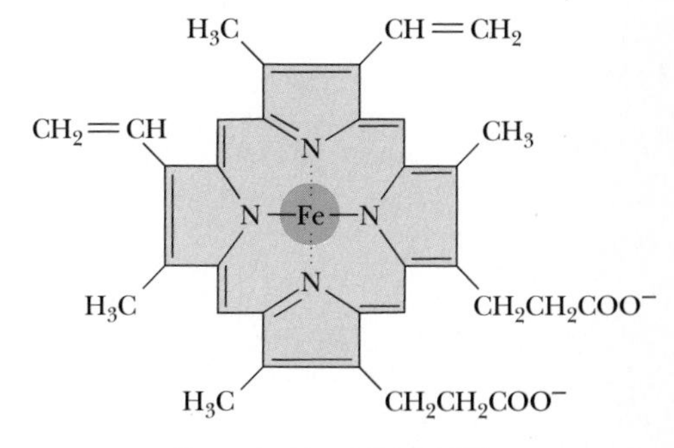

Ferro-protoporphyrine IX
(dans le cytochrome *b*, l'hémoglobine et la myoglobine)

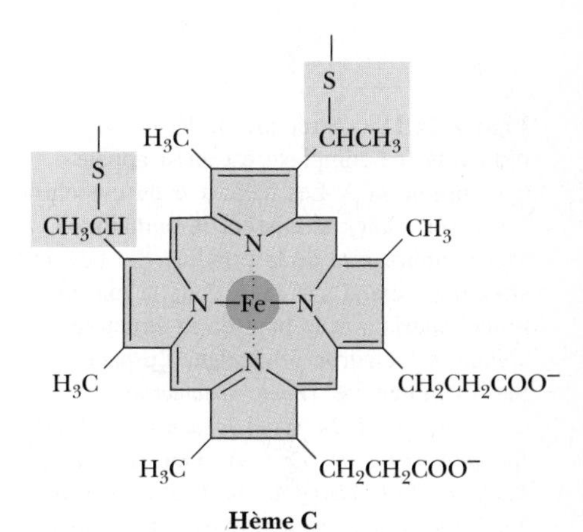

Hème C
(dans le cytochrome *c*)

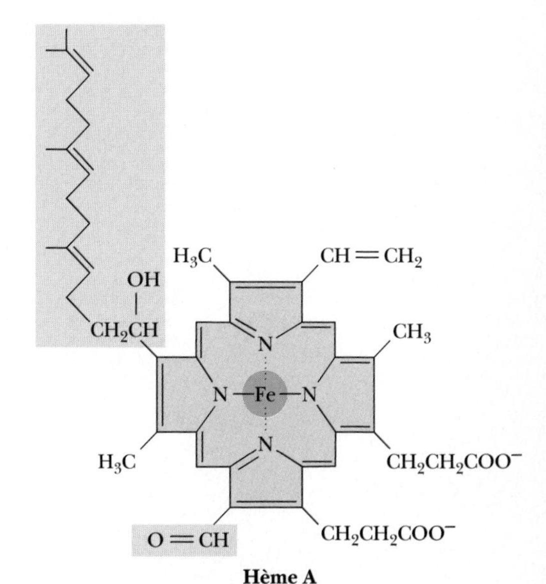

Hème A
(dans le cytochrome *a*)

Figure 21.10 • Structures de la ferro-protoporphyrine IX de l'hème *c* et de l'hème *a*.

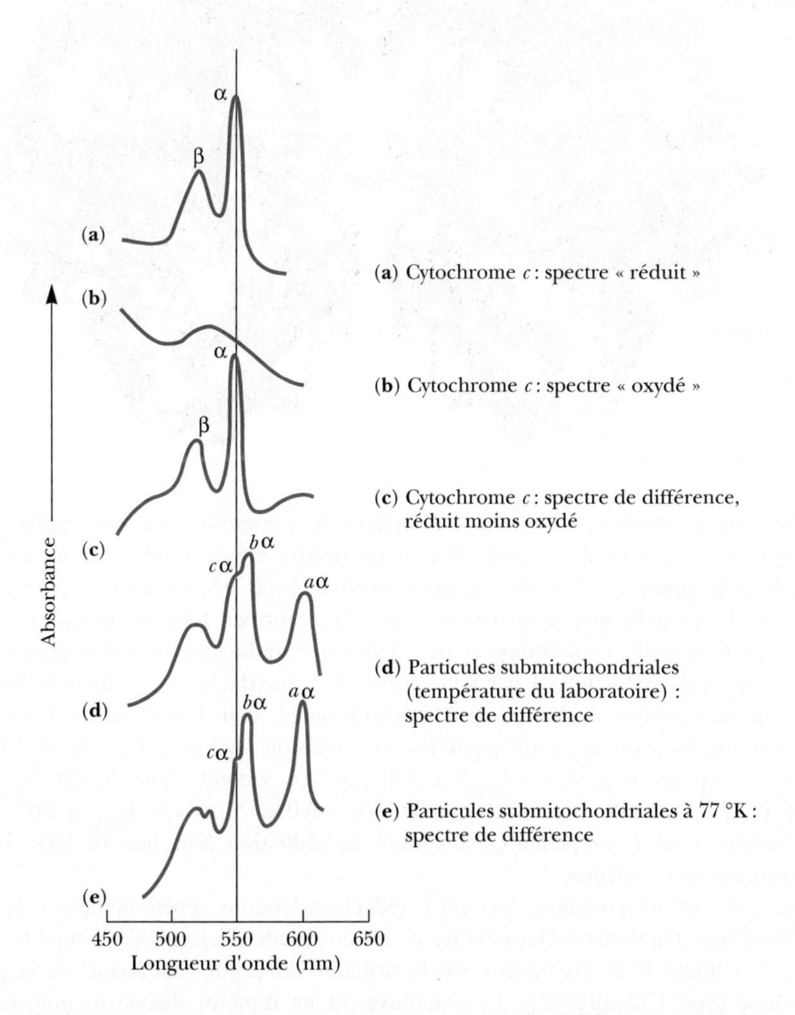

Figure 21.9 • Spectre d'absorption des cytochromes dans le visible. (a) spectre du cytochrome *c* réduit ; (b) spectre du cytochrome *c* oxydé ; (c) différence d'absorption entre les spectres, (a) – (b) ; (d) particules submitochondriales de cœur de bœuf ; spectre de différence (réduit moins oxydé) à la température du laboratoire ; (e) comme (d), mais à 77 °K. Les bandes d'absorption α et β des cytochromes sont indiquées, ainsi que les bandes des cytochromes *a*, *b*, et *c* en (d) et (e).

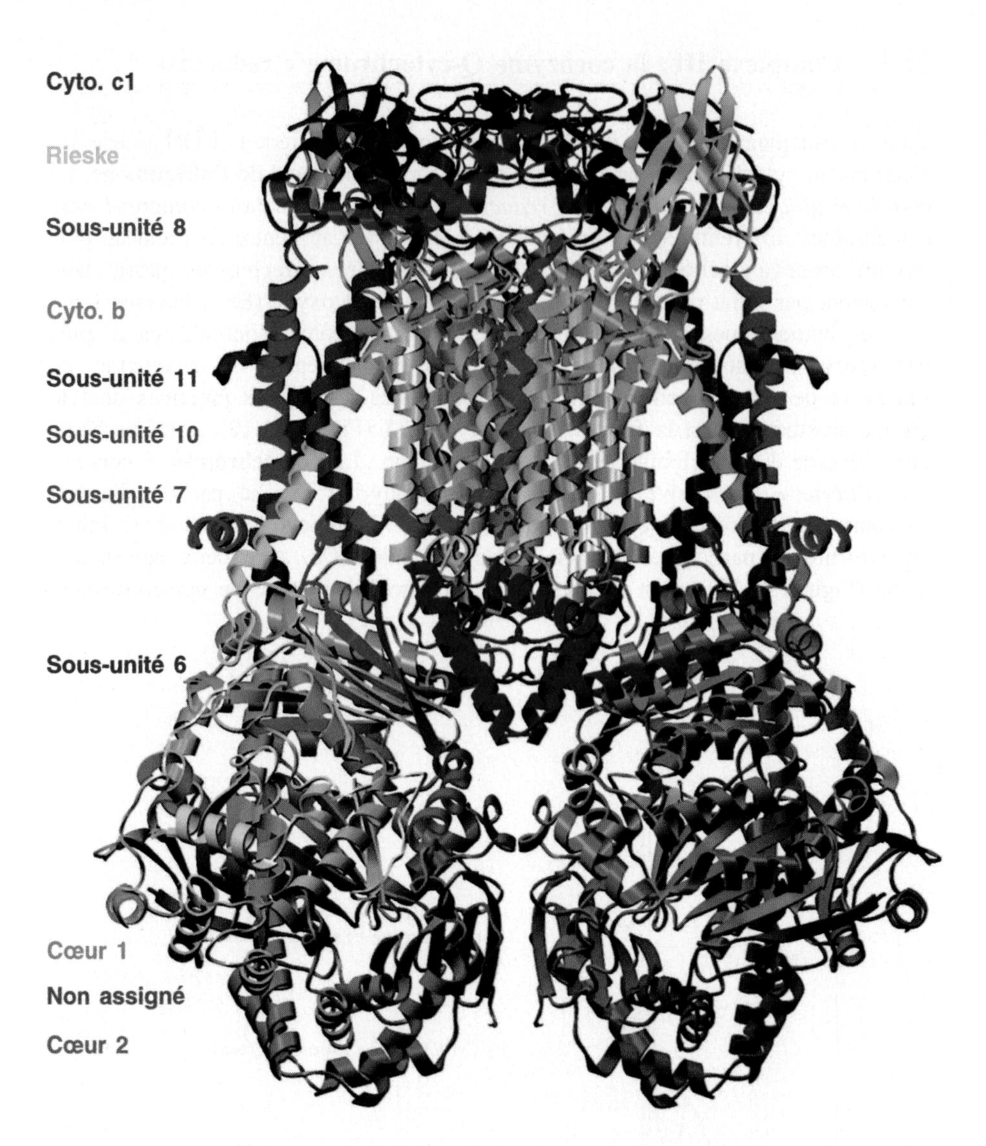

Figure 21.11 • Structure de l'UQ-cyt *c* réductase (ce complexe est aussi appelé cytochrome bc_1). Les hélices α du cytochrome *b* (en vert clair) définissent le domaine transmembranaire de la protéine. Le bas de la structure s'étend sur 75 Å dans la matrice mitochondriale et le haut de la structure s'étend sur environ 38 Å dans l'espace intermembranaire. *(Photo aimablement communiquée par Di Xia et Johann Deisenhofer [parue dans Xia, D., Yu, C.-A., Kim, H., Xia, J.-Z., Kachurin, A.M., Zhang, L., Yu, L. et Deisenhofer, J., 1997. The crystal structure of the cytochrome bc_1 complex from bovine heart mitochondria.* Science *277 : 60-66.])*

cytochrome *a*, contient l'hème *a*. Ce dernier se caractérise par une chaîne isoprénique à 15 atomes de carbone liée à un groupe vinyle modifié et un groupe formyle à la place de l'un des groupes méthyle [voir Figure 21.10]. Nous verrons que le **cytochrome *a*** se trouve sous deux formes dans le complexe IV). Les deux hèmes du cytochrome *b* de l'UQ-cyt *c* réductase se différencient par leur potentiel de réduction et par leur absorbance maximale (λ_{max}) dans la **bande *α***, (l'une des bandes d'absorption des cytochromes, voir Figure 21.9). L'un des hèmes *b*, cyt b_{566} ou b_L, a un potentiel de réduction standard, $\mathscr{E}_0'$, de –0,100 V et une absorption maximale (λ_{max}) à 566 nm. Le second hème *b*, cyt b_{562} ou b_H, a un potentiel de réduction standard de +0,050 V et un λ_{max} à 562 nm. (Les indices *L* et *H* rappellent le potentiel de réduction *low*, bas, et *high*, haut, des cytochromes concernés).

La structure du complexe UQ-cyt *c* réductase (encore appelé complexe bc_1) a été déterminée par Johann Deisenhofer et ses collègues (Deisenhofer a reçu le prix Nobel de Chimie pour ses travaux sur la structure du centre réactionnel de la photosynthèse [voir Chapitre 22]). Le complexe est un dimère, chaque monomère de 2165 résidus (248 kDa) étant constitué de 11 chaînes polypeptidiques. La structure globale, en forme de poire, comprend un grand domaine qui s'étend sur 75 Å dans la matrice mitochondriale, un domaine transmembranaire comportant 13 hélices α dans chaque monomère, et un petit domaine qui s'étend sur 38 Å dans l'espace intermembranaire (Figure 21.11). La plus grande partie de la **protéine de Rieske** (du nom de celui qui a découvert cette protéine à centre Fe-S) est mobile dans le cristal (seuls 62 des 196 résidus de la protéine sont visibles dans la structure représentée Figure 21.11). Selon Deisenhofer, cette sous-unité, mobile, participerait au transfert des électrons dans le complexe.l

Le complexe III permet le transport de protons

Comme avec le complexe I, le passage des électrons par le cycle de l'ubiquinone du complexe III est accompagné d'un transport de protons à travers la membrane interne de la mitochondrie. La voie probable du transfert des électrons dans ce complexe est représentée Figure 21.12. Un important pool d'ubiquinone oxydée et réduite existe dans la membrane interne de la mitochondrie. Le cycle de l'ubiquinone commence avec la diffusion d'une molécule de UQH_2 du pool vers un site (le site $\mathbf{Q}_p$) du complexe III, situé près de la face cytosolique de la membrane.

L'oxydation de cet UQH_2 se fait en deux étapes. Lors de la première, un électron provenant de HQH_2 est transféré à la *protéine de Rieske* puis au cytochrome c_1. Le transfert de cet électron s'accompagne d'une libération de deux H^+ dans le cytosol et de la formation d'une semi-quinone $\mathbf{UQ}^{\cdot -}$ au site Q_p. Le second électron est ensuite transféré à l'hème b_L, avec conversion de $UQ^{\cdot -}$ en UQ. La protéine de Rieske et le cytochrome *c* ont des structures similaires ; chacune a un domaine globulaire et un segment hydrophobe qui l'ancre dans la membrane, toutefois le segment hydrophobe est N-terminal dans la protéine de Rieske et C-terminal dans le cytochrome c_1.

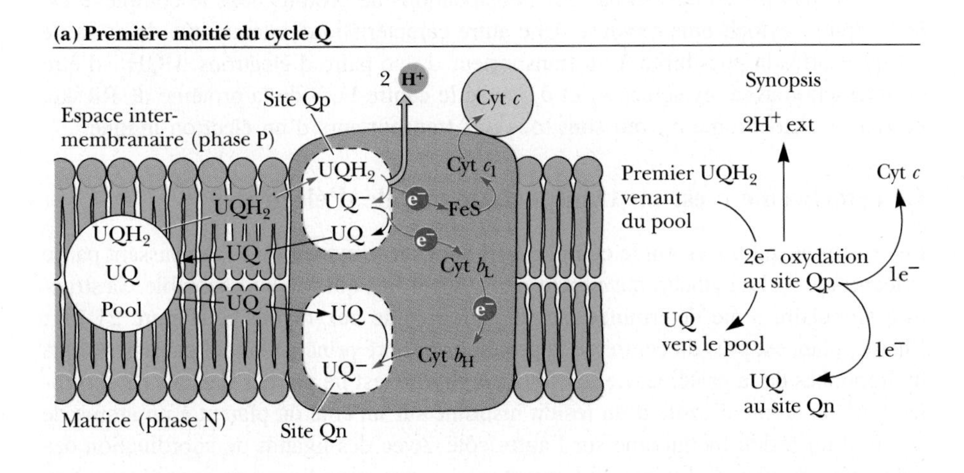

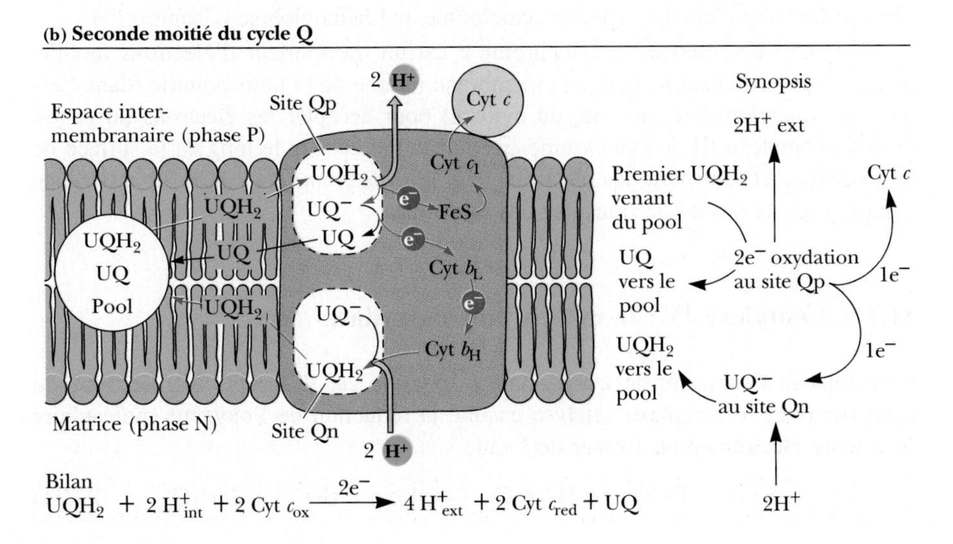

Figure 21.12 • Cycle de l'ubiquinone dans les mitochondries. (a) Voie du transfert des électrons après l'oxydation d'un premier UQH_2 au site Q_p près de la face cytosolique de la membrane. (b) Voie du transfert après l'oxydation d'un second UQH_2 au site Q_n.

L'électron accepté par l'hème b_L, sur la face cytosolique de la membrane, passe ensuite à l'hème b_H, sur la face du côté de la matrice. Ce transfert d'électron s'effectue contre un potentiel de membrane de 0,15 V ; il est rendu possible par une perte de potentiel rédox quand l'électron passe de l'hème b_L ($\mathscr{E}_o'$ = –0,100 V) à l'hème b_H ($\mathscr{E}_o'$ = +0,050 V). Enfin, l'électron passe de l'hème b_H à une molécule d'ubiquinone sur le site $\mathbf{Q}_n$. UQ est converti en semi-quinone $UQ^{\cdot -}$ qui reste fermement liée au site Q_n. Ainsi s'achève la première moitié du cycle de l'ubiquinone (Figure 21.12a).

La deuxième moitié du cycle (Figure 21.12b) est semblable à la première moitié. Une deuxième molécule de UQH_2 est oxydée sur le site Q_p, avec transfert d'un premier électron au cytochrome c_1 et d'un second électron à l'hème b_L puis à l'hème b_H. Cependant la fin de cette partie du cycle est différente : l'électron sur l'hème b_H est transféré sur la semi-quinone $UQ^{\cdot -}$ liée au site Q_n. Ce transfert s'accompagne 1) du passage dans le cytosol de deux H^+ provenant de la matrice, 2) de la production d'une molécule UQH_2 qui rejoint le pool de coenzyme Q et met fin au cycle de l'ubiquinone.

Le cycle de l'ubiquinone est une pompe à proton non équilibrée

Pourquoi l'évolution a-t-elle sélectionné cette voie plutôt tortueuse pour le transfert des électrons dans le complexe III ? En premier lieu, il faut rappeler que le complexe III prélève deux protons dans la matrice mitochondriale et en libère quatre du côté cytosolique pour chaque paire d'électrons qui passe dans le cycle de l'ubiquinone. Ce déséquilibre apparent, *deux protons qui entrent* dans le cycle pour *quatre qui en sortent* est compensé par des translocations de protons dans le complexe IV, le complexe cytochrome oxydase. Une autre caractéristique intéressante de ce cycle est qu'il offre la possibilité à un transporteur d'une paire d'électrons, UQH_2, d'être en interaction avec les hèmes b_L et b_H, avec le centre Fe-S de la protéine de Rieske, et avec le cytochrome c_1, qui sont tous des transporteurs d'un électron unique.

Le cytochrome *c* est un transporteur mobile d'électrons

Les électrons qui traversent le complexe III vont sur le cytochrome *c* en passant par le cytochrome c_1. Le cytochrome *c* est le seul cytochrome qui soit hydrosoluble. Sa structure globulaire a été déterminée par cristallographie aux rayons X (Figure 21.13) ; l'hème, plan, est près du centre de la protéine, entouré principalement par des résidus hydrophobes de la protéine. Le fer de la porphyrine est lié par des liaisons de coordination à un atome d'azote d'un résidu histidine sur un côté du plan et à un atome de soufre d'un résidu méthionine sur l'autre côté. Avec des ligands de coordination des deux côtés du plan de l'hème, ni l'oxygène ni aucun autre ligand ne peut plus se lier, une caractéristique qui distingue ce cytochrome de l'hémoglobine (Chapitre 15).

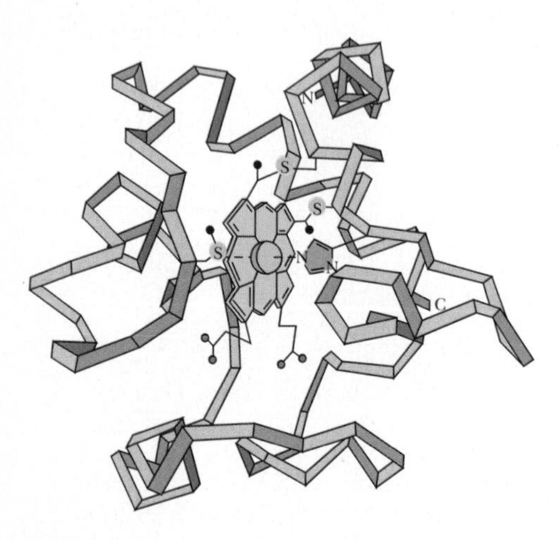

Figure 21.13 • Structure du cytochrome *c* mitochondrial. L'hème est au centre de la structure, lié par des liaisons covalentes à deux atomes de soufre (en jaune) de la protéine. Un troisième soufre, d'un résidu méthionine, est relié au fer par coordination.

Comme l'ubiquinone, le cytochrome *c* est un transporteur d'électrons mobile. S'il est transitoirement associé à la membrane interne de la mitochondrie (dans *l'espace intermembranaire*, du côté du cytosol) pour accepter les électrons du centre Fe-S du complexe III, le cytochrome *c* réduit migre ensuite le long de la surface de la membrane et transporte les électrons vers la *cytochrome c oxydase*, le quatrième complexe de la chaîne de transport des électrons.

21.7 • Complexe IV : la cytochrome *c* oxydase

Le complexe IV est appelé cytochrome *c* oxydase car il accepte les électrons du cytochrome *c* ; le complexe catalyse ensuite la réduction de l'oxygène moléculaire par quatre électrons pour former de l'eau :

$$4 \text{ cyt } c\ (Fe^{2+}) + 4\ H^+ + O_2 \longrightarrow 4 \text{ cyt } c\ (Fe^{3+}) + 2\ H_2O \qquad (21.21)$$

Figure 21.14 • Séparation par électrophorèse des sous-unités de la cytochrome *c* oxydase de cœur de bœuf. Les trois plus grosses sous-unités, I, II, et III, sont codées par des gènes de l'ADN mitochondrial. Les autres sont codées par des gènes de l'ADN nucléaire. (*Photographie aimablement communiquée par le Professeur Ronald Capaldi.*) ▶

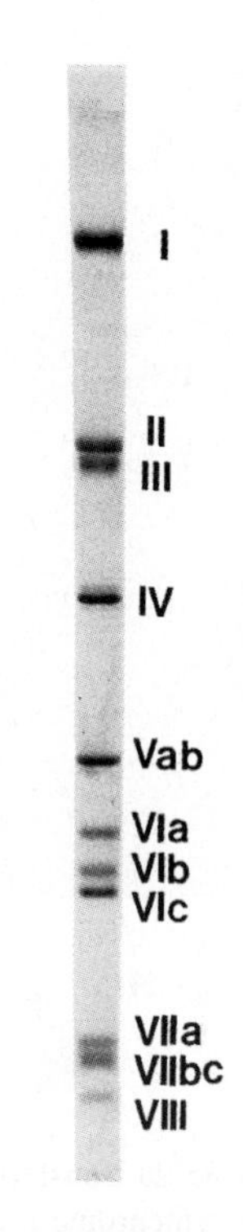

La cytochrome *c* oxydase, puis O_2, sont donc la destination finale des électrons provenant de l'oxydation des substances nutritives. Le transfert des électrons par la cytochrome *c* oxydase s'accompagne également d'un transport de protons à travers la membrane interne de la mitochondrie. Ces importantes fonctions sont effectuées par un complexe protéique transmembranaire, la cytochrome *c* oxydase constituée de plus de dix sous-unités (voir Tableau 21.2).

La Figure 21.14 reproduit la photographie d'une électrophorèse en gel de la cytochrome *c* oxydase de cœur de bœuf. La masse moléculaire de ce complexe de 13 sous-unités est de 204 kDa. Les sous-unités I, II et III, les plus grandes, sont codées par l'ADN mitochondrial, synthétisées dans la matrice, puis sont insérées dans la membrane interne de la mitochondrie. Les autres sous-unités, plus petites, sont codées par le génome nucléaire et synthétisées dans le cytosol.

La structure de la cytochrome *c* oxydase a été résolue. Les sites Fe et Cu, essentiels, sont à l'intérieur des structures des sous-unités I, II et III. Aucune des 10 sous-unités codées par l'ADN nucléaire n'a de contacts directs avec les sites Fe et Cu. C'est donc que les sous-unités I à III participent activement aux processus de transfert des électrons alors que les 10 autres sous-unités n'ont que des rôles régulateurs dans ces processus. La sous-unité I, de forme cylindrique, contient 12 hélices transmembranaires sans avoir de partie extramembranaire de quelque importance (Figure 21.15). Les hèmes *a* et a_3, perpendiculaires au plan de la membrane, sont entourés par les hélices de la sous-unité I. Les sous-unité II et III se trouvent de part et d'autre de la sous-unité I, sans avoir de contacts entre elles. La sous-unité II a un domaine extramembranaire sur la face cytosolique de la membrane mitochondriale. Ce domaine est constitué par un tonneau β à 10 brins qui maintient le site Cu_A à 7 Å de l'atome de la sous-unité le plus proche. La sous-unité III comporte 7 segments hélicoïdaux transmembranaires et des domaines extramembranaires de peu d'importance. La Figure 21.16 représente un graphique moléculaire de la cytochrome *c* oxydase.

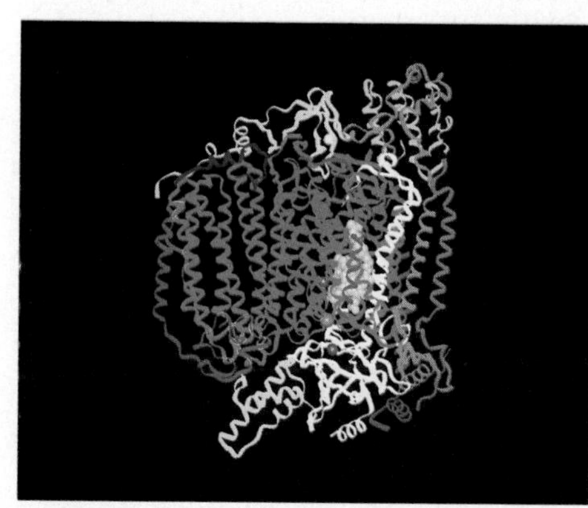

Figure 21.16 • Modèle déterminé par ordinateur de la structure de la cytochrome *c* oxydase. Sept des dix sous-unités codées par l'ADN nucléaire (IV, VIa, VIc, VIIa, VIIb, VIIc et VIII) ont des segments transmembranaires. Les trois autres n'en ont pas. Les sous-unités IV et VIc transmembranaires ont une forme d'haltère. La sous-unité Va, de forme globulaire, est liée au complexe sur le côté face à la matrice alors que la sous-unité VIb, également globulaire, se trouve sur le côté cytosolique du complexe. La sous-unité Vb est aussi globulaire et associée au complexe du côté face à la matrice, elle comporte un domaine N-terminal étendu. VIa est caractérisée par une hélice transmembranaire et un petit domaine globulaire. La sous-unité VIIa est constituée d'une hélice transmembranaire inclinée et d'un autre court segment hélicoïdal membranaire près du côté face à la matrice. Les sous-unités VIIa, VIIb et VIII contiennent des segments transmembranaires avec de courtes régions à l'extérieur de la membrane.

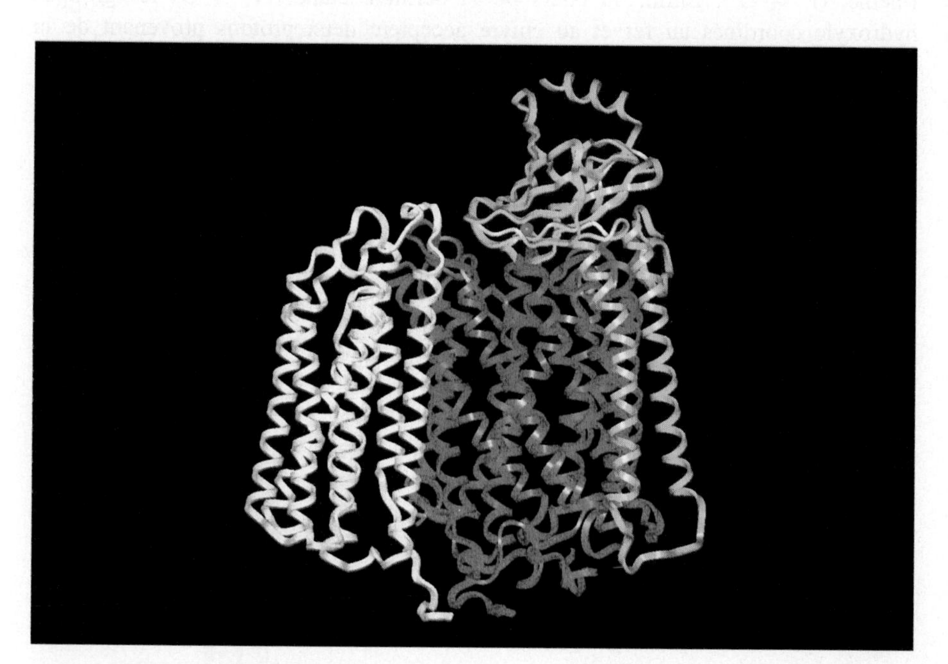

Figure 21.15 • Graphique moléculaire, déterminé par ordinateur, des structures des sous-unités I, II, et III de la cytochrome *c* oxydase.

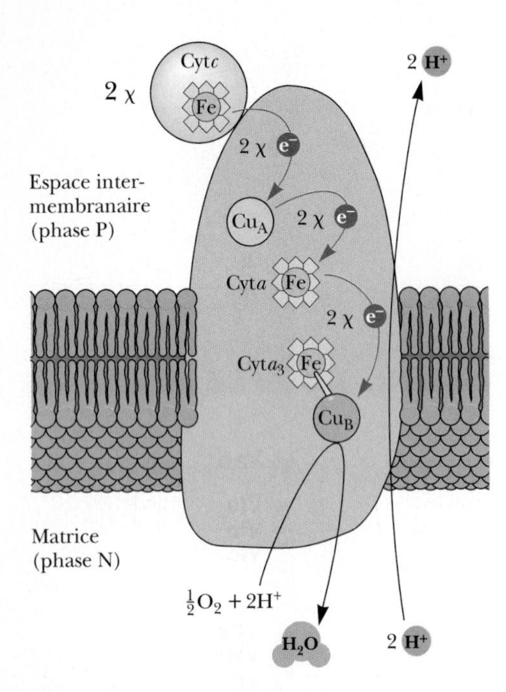

Figure 21.17 • Voie du transfert des électrons dans le complexe cytochrome *c* oxydase. Le cytochrome *c* se lie sur le côté cytosolique du complexe ; les électrons passent par le cuivre et les centres hémiques pour réduire O_2 sur le côté de la membrane face à la matrice.

Le transfert des électrons dans le complexe IV implique deux hèmes et deux sites cuivriques

La cytochrome *c* oxydase contient deux centres hémiques (les cytochromes *a* et a_3) et deux ions cuivre (Figure 21.17). Les sites cuivriques, Cu_A et Cu_B, sont respectivement associés au cytochrome *a* et a_3. Ces sites cuivriques participent au transfert des électrons en passant alternativement par les états Cu^+ (*cuivreux*, réduit) et Cu^{2+} (*cuivrique*, oxydé). Rappelons que les cytochromes, et les sites cuivriques, sont des agents de transfert d'un électron par cycle. La réduction d'une molécule d'oxygène exigera le passage de quatre électrons sur ces transporteurs – un électron à la fois (Figure 21.17).

Les électrons provenant du cytochrome *c* réduit sont transférés sur le site Cu_A puis sur le fer de l'hème du cytochrome *a*. Cu_A est lié par coordination à deux résidus Cys et deux résidus His (Figure 21.18). L'hème du cytochrome *a* est approximativement perpendiculaire au plan de la membrane (Figure 21.17), l'ion ferrique de l'hème est lié, par deux liaisons de coordination, à un atome d'azote du cycle imidazole de deux résidus His (Figure 21.18). Cu_A et Fe du cytochrome *a* sont très proches l'un de l'autre, ils ne sont séparés que par une distance de 1,5 nm.

Cu_B et le fer du cytochrome a_3 sont également proches l'un de l'autre et semblent avoir en commun un ligand, vraisemblablement le soufre d'un résidu Cys (Figure 21.19). Ces paires d'ions métalliques associés sont appelées **centres binucléaires**.

Comme nous pouvons le suivre sur la Figure 21.20, le transfert de l'électron accepté par le cyt *a* se poursuit dans le complexe IV avec son passage sur le site Cu_B (étape O → H), et les intermédiaires précédents, Cu_A, cyt *a*, se retrouvent à l'état oxydé. Un second électron, apporté par le cyt *c* réduit, parvient sur le centre fer du cyt a_3 qui passe à l'état Fe^{2+} (étape H → R). Après le transfert de deux premiers électrons nous avons le cytochrome a_3 réduit (cyt a_3-Fe^{2+}) et son site Cu_B également réduit Cu^+_B). Le cyt a_3-Fe^{2+} fixe O_2 (étape R → A), et une redistribution des électrons aboutit à la formation d'un pont peroxyde entre l'hème a_3 et Cu_B (étape A → P). *Cette redistribution correspond à un transfert de deux électrons du centre binucléaire à la molécule O_2 liée.* Au cours de l'étape suivante (P → F) deux protons sont captés (ils proviennent de la matrice) et l'arrivée d'un nouvel électron rompt la liaison O–O avec formation du complexe Fe^{4+}=O^{2-} dans l'hème. L'arrivée d'un quatrième électron facilite la formation d'hydroxyde ferrique au centre de l'hème, (F → O′). Enfin, au cours de la dernière étape (O′ → O) les groupes hydroxyle coordinés au fer et au cuivre acceptent deux protons provenant de la matrice et les molécules d'eau formées se dissocient du centre binucléaire.

Le complexe IV transporte aussi des protons à travers la membrane interne de la mitochondrie

La réduction de l'oxygène dans le complexe IV s'accompagne d'un transport de protons à travers la membrane interne, de la matrice mitochondriale vers l'espace intermembranaire. Pour quatre électrons utilisés pour la réduction de O_2, environ quatre protons sont transportés. Le mécanisme du transport des protons n'est pas connu, mais il semble qu'il comporte les étapes P à O (Figure 21.20). Quatre protons sont prélevés

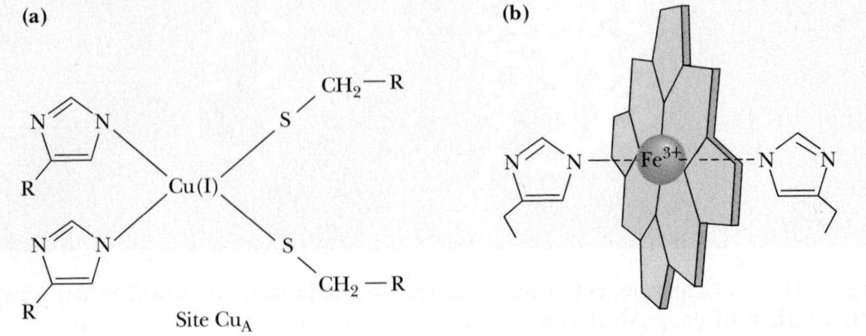

Figure 21.18 • (a) Site Cu_A de la cytochrome *c* oxydase. Les ligands du cuivre sont les groupes imidazole de deux résidus His et deux atomes de soufre de deux résidus Cys des chaînes latérales du complexe protéique. (b) Coordination des ligands histidine au fer de l'hème *a* de la cytochrome oxydase.

dans la matrice dont deux protons transportés vers le cytoplasme (les deux autres servent à la formation de l'eau, voir Figure 21.17).

Indépendance des quatre complexes transporteurs

Nous devons encore signaler que les quatre complexes de la chaîne de transport des électrons fonctionnent indépendamment dans la membrane interne. Chacun de ces agrégats protéiques est maintenu par de nombreuses et fortes interactions entre les diverses chaînes polypeptidiques mais il n'y a aucune preuve d'association entre les complexes. Des mesures de diffusion latérale des complexes, du coenzyme Q et du cytochrome *c*, dans la membrane interne mitochondriale montrent que les vitesses de diffusion sont très différentes, une indication en faveur de l'indépendance des complexes dans la membrane interne. De même, les études cinétiques avec des systèmes reconstitués montrent que le transport des électrons ne s'effectue pas entre des ensembles (formés par les quatre complexes) qui seraient reliés.

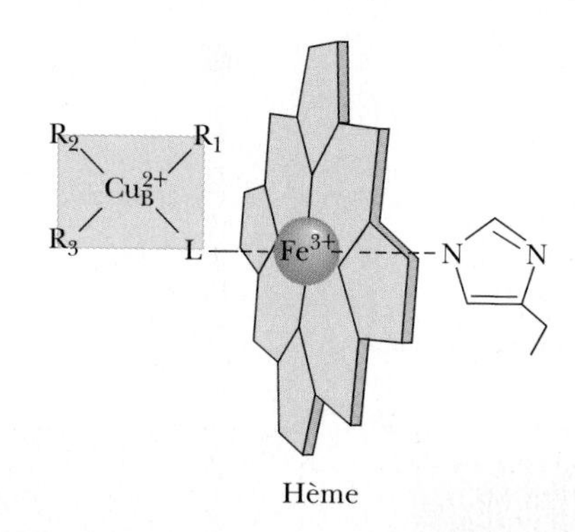

Figure 21.19 • Centre binucléaire de la cytochrome oxydase. Un ligand, L (probablement le soufre d'une cystéine) établit un pont entre les sites métalliques Cu_B et Fe_{a3}.

Modèle dynamique du transport des électrons

La Figure 21.21 représente un modèle de transport des électrons sur la chaîne. Les quatre complexes migrent indépendamment dans la membrane. Les molécules de coenzyme Q (UQ) captent les électrons libérés par les réactions catalysées par la NADH-UQ réductase et par la succinate-UQ réductase, puis, après diffusion dans la membrane, les transfèrent à l'UQ-cyt *c* réductase. Le cytochrome *c* est hydrosoluble ; chaque molécule de cyt *c* diffuse librement en transportant l'électron capté vers la cytochrome *c* oxydase. Ce processus de transfert des électrons est accompagné d'un transport de protons à travers la membrane (de la matrice vers l'espace intermembranaire). Le gradient de proton généré par le transport des électrons représente une très importante quantité d'énergie potentielle. Nous verrons dans la Section suivante que le retour des protons dans la matrice permet d'utiliser ce potentiel énergétique pour la synthèse de molécules d'ATP.

Le rapport $H^+/2\ e^-$ n'est pas connu avec certitude

En 1961, Peter Mitchell, un biochimiste britannique, a émis l'hypothèse que l'énergie accumulée dans le gradient de protons à travers la membrane interne mitochondriale

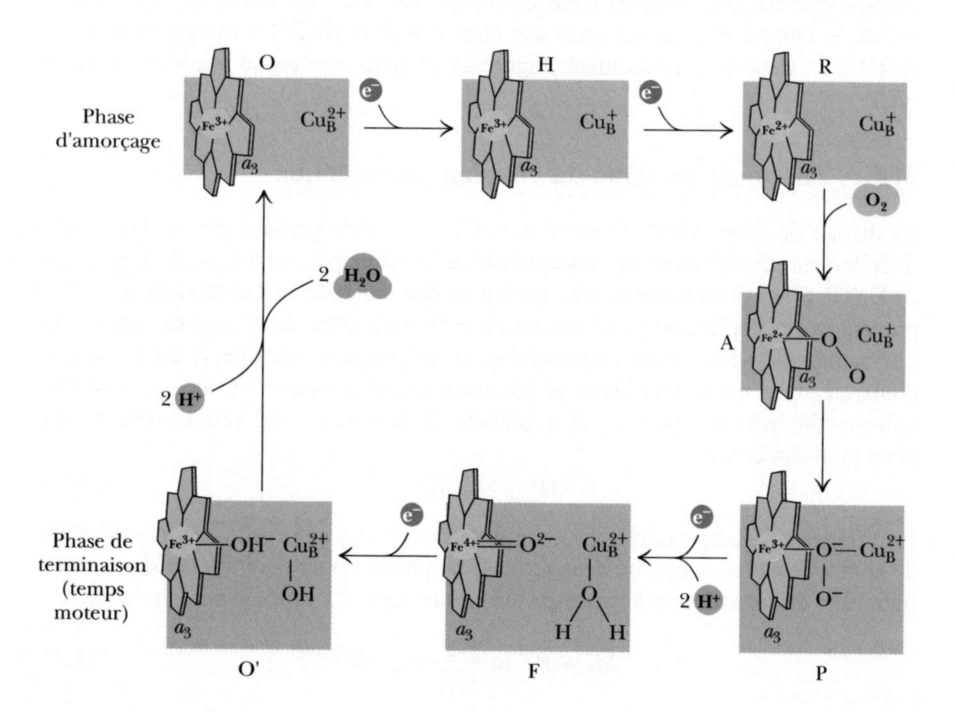

Figure 21.20 • Modèle du mécanisme de la réduction de O_2 par la cytochrome oxydase. *(D'après Nicholls, D.G., et Ferguson, S.J., 1992.* Bioenergetics 2. *London : Academic Press ; et Babrock, G.T., et Wikström, M., 1992.* Nature ***356*** *: 301-309.)*

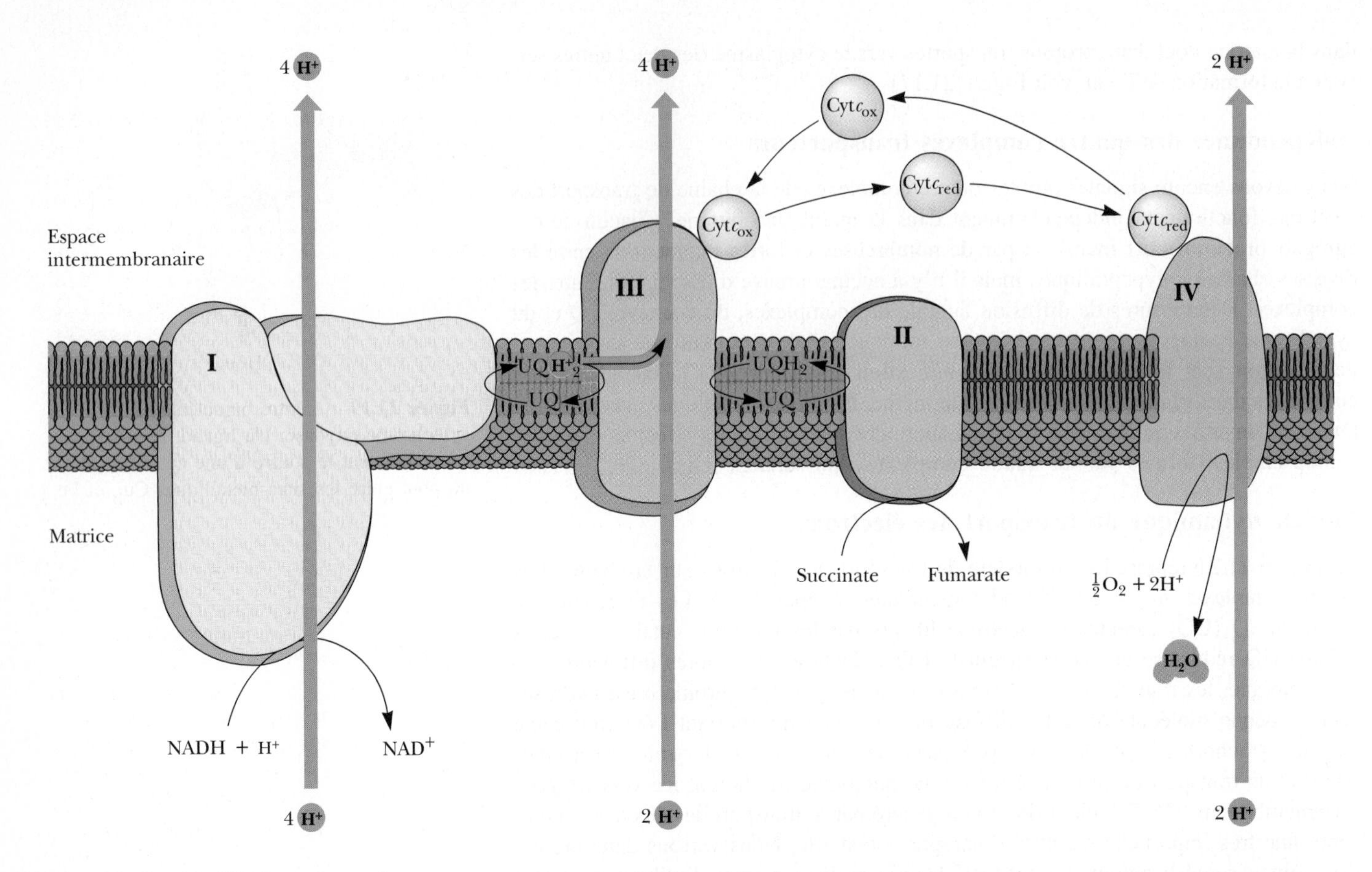

Figure 21.21 • Modèle de transport des électrons dans la membrane interne de la mitochondrie. UQ/UQH_2 et le cytochrome *c* sont des transporteurs mobiles qui transfèrent les électrons entre les complexes. Les complexes I, III et IV transportent les protons vers l'espace intermembranaire en utilisant une partie de l'énergie libérée.

lors du transport des électrons était utilisée pour la synthèse de l'ATP. Cette proposition est devenue la **théorie chimiosmotique de Mitchell**. La détermination du nombre des protons transportés par paire d'électrons passant sur la chaîne – appelé le **rapport $H^+/2e^-$** – a, pendant de nombreuses années, été un très intéressant sujet d'étude. La détermination précise de ce rapport est restée très difficile. L'estimation consensuelle pour le transport des électrons d'un succinate à l'oxygène est de 6 H^+ pour 2 e^-. La valeur du rapport pour le complexe I est encore incertaine mais les derniers résultats publiés font état d'un rapport aussi élevé que $4H^+/2\ e^-$. En tenant compte de cette valeur, le rapport pour le transport des électrons d'un NADH à l'oxygène serait de 10 $H^+/2\ e^-$. Cette valeur est utilisée Figure 21.21, mais ce n'est qu'une valeur consensuelle.

21.8 • Thermodynamique du couplage énergétique

La théorie de Peter Mitchell, en avançant le rôle d'un gradient électrochimique, a littéralement révolutionné les conceptions sur le couplage énergétique de la synthèse de l'ATP. (Plus généralement, elle impliquait que des réactions chimiques pouvaient provoquer des déplacements d'ions ou de molécules entre deux espaces séparés par une membrane relativement imperméable, et réciproquement). Quelle est la quantité d'énergie mise en réserve dans ce gradient électrochimique ? Concernant le flux transmembranaire des protons, de l'intérieur de la matrice, int, vers l'extérieur, ext, nous pouvons écrire :

$$H^+_{int} \longrightarrow H^+_{ext} \qquad (21.26)$$

La différence d'énergie libre pour les protons de part et d'autre de la membrane interne de la mitochondrie comprend deux termes : un premier pour la différence des concentrations et un second pour le potentiel électrique. Ce qui s'exprime par la relation :

$$\Delta G = RT \ln \frac{[c_2]}{[c_1]} + Z\mathcal{F}\Delta\Psi \qquad (21.27)$$

Les oxydations phosphorylantes – un choc d'idées et de fortes personnalités

Pendant de nombreuses années, le mode de couplage entre le transport des électrons et la synthèse de l'ATP est resté inconnu. Il n'est pas exagéré de dire que la recherche du mécanisme de couplage fut une des recherches les plus longues, les plus ardues de l'histoire de la Biochimie et qu'elle fut accompagnée de vives controverses. Depuis que Lavoisier avait, en 1777, démontré que les aliments étaient oxydés dans l'organisme, les chimistes et les biochimistes se demandaient comment l'énergie d'origine alimentaire était captée par les organismes vivants. La première pièce du puzzle fut mise en place quand, en 1929, Fiske et Subbarow eurent découvert et étudié l'adénosine 5'-triphosphate dans des extraits de muscle. Très rapidement, on a compris que l'hydrolyse de l'ATP fournissait l'énergie utilisée pour la contraction musculaire et pour d'autres processus.

Les expériences d'Engelhardt, en 1930, ont conduit à la notion que la synthèse de l'ATP était consécutive au transport des électrons et dès 1940 Severo Ochoa avait déterminé la valeur du **rapport P/O**, nombre de molécules d'ATP synthétisées par atome d'oxygène consommé sur la chaîne respiratoire. Puisque deux électrons « descendent » la chaîne par atome d'oxygène réduit, le rapport P/O reflète aussi le rapport des molécules d'ATP synthétisées par paire d'électrons consommés. Après de nombreuses et laborieuses expériences, les chercheurs ont décidé que le rapport P/O était de 3 pour l'oxydation du NADH et de 2 pour l'oxydation du succinate (c'est-à-dire de [$FADH_2$]). Le flux des électrons et la synthèse de l'ATP sont strictement couplés dans le sens où, dans la mitochondrie normale, on ne peut observer l'un sans observer l'autre.

L'hypothèse d'un intermédiaire chimique à haut potentiel énergétique intervenant dans le couplage de l'oxydation à la phosphorylation s'est révélée décevante

De nombreux modèles ont été proposés pour rendre compte du couplage du transport des électrons à la synthèse de l'ATP. Un modèle très convaincant a été proposé en 1953 par E.C. Slater. Selon ce modèle, l'énergie provenant du transport des électrons était mise en réserve dans un **intermédiaire à haut potentiel énergétique** (symbolisé par X~P). Cette espèce chimique, fondamentalement un dérivé phosphorylé, avait un rôle semblable à celui qui est décrit dans les Equations (21.22) à (21.25).

Cette hypothèse était fondée sur le modèle des phosphorylations au niveau du substrat dans lequel un métabolite intermédiaire à haut potentiel énergétique est le précurseur de l'ATP. La réaction catalysée par la 3-phosphoglycérate kinase, dans la glycolyse, est un bon exemple ; le 1,3-bisphosphoglycérate est le métabolite intermédiaire à haut potentiel d'énergie servant à la synthèse de l'ATP. Des centaines d'expériences ont eu pour objectif l'isolement de cet intermédiaire X~P à haut potentiel énergétique. Parmi les chercheurs engagés dans cette voie, les rumeurs ont fréquemment circulé annonçant que tel ou tel groupe avait réussi à isoler X~P, mais jamais rien n'est venu les confirmer. Finalement, il était devenu évident que cet intermédiaire ne pouvait pas être isolé car il n'existait pas.

Théorie chimiosmotique de Peter Mitchell

En 1961, Peter Mitchell a proposé un nouveau modèle de mécanisme de couplage impliquant un gradient de protons à travers la membrane interne mitochondriale. Selon la **théorie chimiosmotique** de Mitchell, le transport des électrons est accompagné d'un transport de protons à travers la membrane interne, de la matrice mitochondriale vers l'espace intermembranaire. Ce mécanisme met en réserve l'énergie libérée par le transport des électrons sous forme de **potentiel électrochimique**. Le départ de protons de la matrice accroît la valeur du pH, la charge électrique de la matrice devient plus négative par rapport à celle du cytoplasme (Figure 21.22). Le « pompage » des protons crée à la fois un gradient de protons et un gradient électrochimique à travers la membrane interne, qui tous deux tendent à faire revenir dans la matrice les protons accumulés dans le cytoplasme. Le flux des protons le long de ce gradient électrochimique est le processus énergétiquement favorable qui permet la synthèse d'ATP.

Modèle du couplage par changement de conformation, de Paul Boyer

Il existe un autre modèle de couplage ayant connu une certaine faveur, c'est le **couplage par changement conformationnel**. L'hypothèse est la suivante : si l'énergie libérée par le transport des électrons n'est pas mise en réserve dans un intermédiaire à haut potentiel énergétique, elle pourrait néanmoins être utilisée pour faciliter le changement de conformation d'une protéine membranaire qui adopterait une **conformation à haut potentiel énergétique** (dans le jargon biochimique, la protéine membranaire est « énergisée »). Selon le modèle proposé par Paul Boyer le changement de conformation est réversible, le retour à la conformation d'origine transfère l'énergie accumulée aux enzymes de la synthèse de l'ATP. Son modèle tient compte de certaines observations effectuées par divers auteurs ; il a été affiné et est devenu le **mécanisme de transconformation par liaison des substrats**, mécanisme qui tente d'expliquer le fonctionnement de l'ATP synthase (voir le modèle Figure 21.28). Ce dernier modèle de Boyer est en accord avec de nombreuses expériences de liaison de substrats et est parfaitement compatible avec la théorie chimiosmotique de Mitchell.

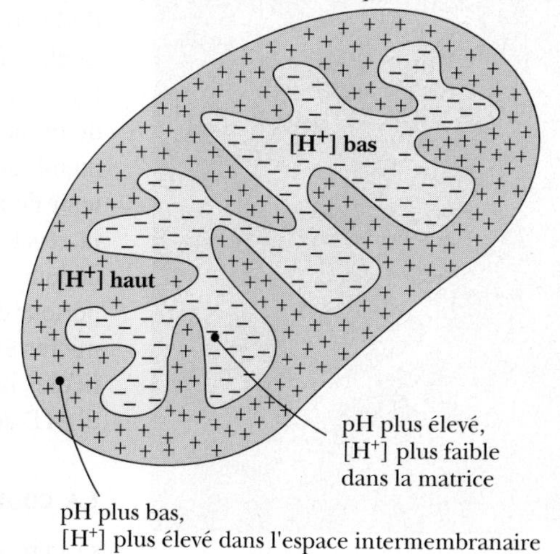
Le transfert des électrons fournit l'énergie nécessaire au transport des protons vers l'extérieur de la matrice et crée un gradient électrochimique
[H⁺] bas
[H⁺] haut
pH plus élevé, [H⁺] plus faible dans la matrice
pH plus bas, [H⁺] plus élevé dans l'espace intermembranaire

Figure 21.22 • Gradient de protons et gradient électrochimique de part et d'autre de la membrane interne. Le gradient électrochimique résulte du transport des protons à travers la membrane.

$$NADH + H^+ + FMN + X \longrightarrow NAD^+ - X + FMNH_2 \quad (21.22)$$
$$NAD^+ - X + P_i \longrightarrow NAD^+ + X{\sim}P \quad (21.23)$$
$$X{\sim}P + ADP \longrightarrow X + ATP + H_2O \quad (21.24)$$

Bilan :

$$NADH + H^+ + FMN + ADP + P_i \longrightarrow NAD^+ + FMNH_2 + ATP + H_2O \quad (21.25)$$

dans laquelle $[c_1]$ et $[c_2]$ sont les concentrations des protons des deux côtés de la membrane, Z est la charge d'un proton, F est la constante de Faraday et $\Delta\Psi$ est la différence de potentiel à travers la membrane. Dans notre cas, la relation devient :

$$\Delta G = RT \ln \frac{[H^+_{ext}]}{[H^+_{int}]} + \mathcal{F}\Delta\Psi \qquad (21.28)$$

En introduisant les valeurs des pH de la matrice et du cytoplasme, nous avons :

$$\Delta G = 2{,}303\ RT(pH_{ext} - pH_{int}) + \mathcal{F}\Delta\Psi \qquad (21.29)$$

Les valeurs de $\Delta\Psi$ et de DpH mesurées varient, néanmoins le potentiel de membrane est toujours positif à l'extérieur et négatif à l'intérieur et le pH est toujours plus acide à l'extérieur et plus basique à l'intérieur. En adoptant les valeurs typiques, $\Delta\Psi$ = 0,18 V et ΔpH = 1 unité, la variation d'énergie libre associée au mouvement d'une mole de protons de l'intérieur vers l'extérieur d'une membrane typique est :

$$\Delta G = 2{,}3\ RT + \mathcal{F}\ (0{,}18\ V) \qquad (21.30)$$

Avec $\mathcal{F}$ = 96,485 kJ/V·mol, la valeur de ΔG à 37 °C est :

$$\Delta G = 5{,}9\ kJ + 17{,}4\ kJ = 23{,}3\ kJ \qquad (21.31)$$

Ce qui représente à la variation d'énergie libre correspondant au déplacement d'une mole de protons à travers la membrane interne. Notez que les variations d'énergie libre, aussi bien pour la différence de pH que pour la différence de potentiel, sont défavorables au transport des protons vers l'extérieur, la différence de potentiel ayant la plus importante contribution dans le cas de la mitochondrie. Mais à l'inverse, le ΔG du flux des protons *vers l'intérieur*, vers la matrice, est de –23,3 kJ/mol. C'est l'énergie qui permet la synthèse de l'ATP selon le modèle de Mitchell.

21.9 • L'ATP synthase

L'ATP synthase est le complexe mitochondrial qui effectue la synthèse de l'ATP, on l'appelle parfois la **F_1F_O-ATPase** (car le complexe catalyse la réaction inverse). Sur les premières micrographies au microscope électronique de particules submitochondriales (fragments obtenus par traitement aux ultrasons de préparations de membrane interne), l'ATP synthase apparaissait sous forme de particules rondes, de 8,5 nm de diamètre, semblant comme projetées au-dessus de la surface de la membrane (Figure 21.23). L'examen de mitochondries natives a montré que ces particules se trouvaient sur le côté de la membrane interne exposé à la matrice. Une douce agitation de préparations de membrane isolée sépare les particules de la membrane, il devient ainsi possible d'obtenir deux fractions. Les particules sphériques isolées catalysent l'hydrolyse de l'ATP, la réaction inverse de celle qui est catalysée par l'ATP synthase. Les membranes dépourvues de ces particules peuvent encore transporter des électrons, réoxyder un porteur d'électrons, mais ne peuvent pas faire la synthèse de l'ATP. Dans une des premières expériences de *reconstitution*, Ephraïm Racker a montré que l'addition de particules isolées à des membranes qui en avaient été dépourvues restaurait une synthèse d'ATP dépendante de la chaîne de transport des électrons.

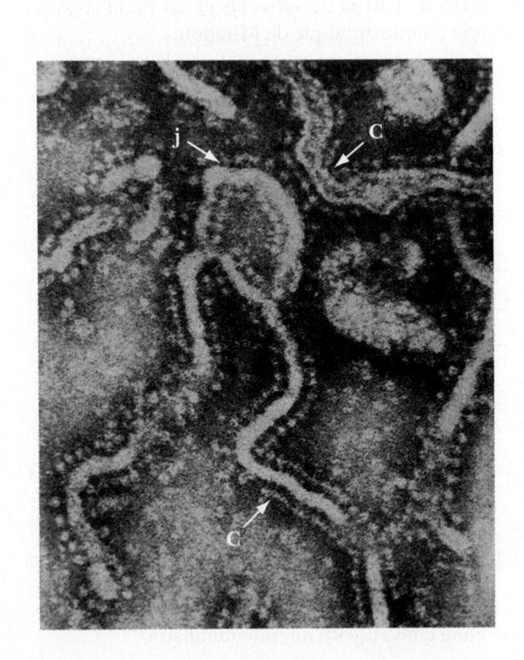

Figure 21.23 • Micrographie électronique de fragments submitochondriaux. Des petites sphères de 8,5 nm de diamètre, ou particules, semblent projetées au-dessus de la surface de la membrane interne. Il sera prouvé par la suite que ces particules sont constituées par le complexe F_1 de l'ATP synthase. *(Parsons, D. F., 1963.* Science ***140** : 985.)*

Le complexe ATP synthase est constitué de deux oligomères – F_1 et F_O

L'ATP synthase mitochondriale est formée de deux oligomères principaux. Les particules sphériques observées sur les micrographies électroniques représentent **l'unité F_1** (ou facteur de couplage 1) qui catalyse la synthèse de l'ATP. Ces sphères F_1 sont attachées à un oligomère intrinsèque de la membrane interne, **l'unité F_O**. F1 est constituée de cinq chaînes polypeptidiques différentes, α, β, γ, δ et ϵ, avec la stœchiométrie suivante, $\alpha_3\beta_3\gamma\delta\epsilon$ (Tableau 21.3). F_O contient au moins trois types de chaînes polypeptidiques hydrophobes, les chaînes a, b et c (Tableau 21.3) avec une stœchiométrie apparente $a_1\ b_2\ c_{9-12}$. L'oligomère F_O forme un canal transmembranaire par lequel les

Tableau 21.3

Organisation des sous-unités de l'ATP (F_1F_0) synthase d'*Escherichia coli*

Complexe	Sous-unité	Masse (kDa)	Stœchiométrie
F_1	α	55	3
	β	52	3
	γ	30	1
	δ	15	1
	ϵ	5,6	1
F_0	a	30	1
	b	17	2
	c	8	9-12

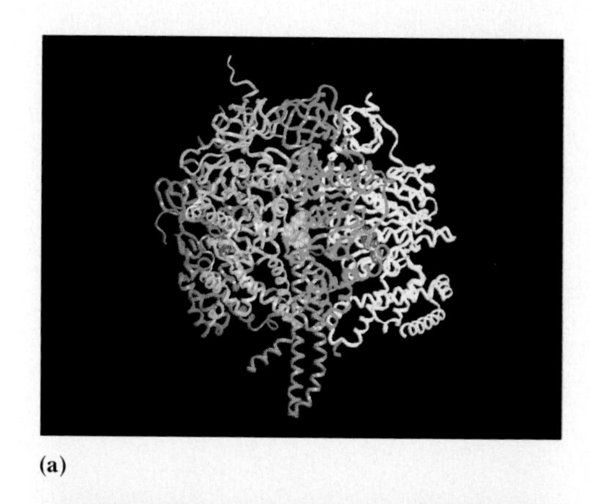

(a)

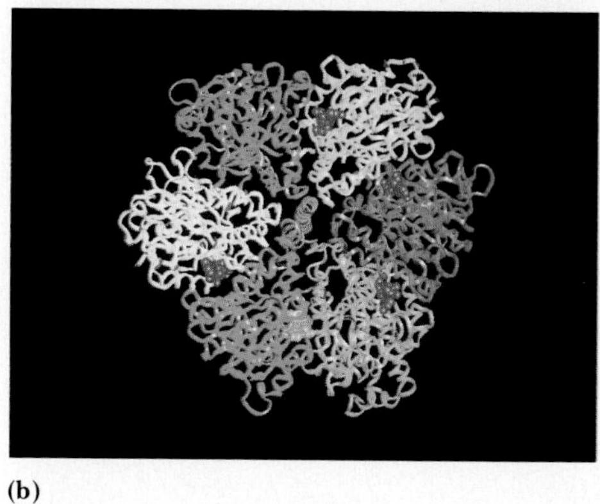

(b)

Figure 21.24 • Modèle généré par ordinateur du complexe F_1-ATP synthase, (a) vue latérale et (b) vue de dessus, montrant les polypeptides qui composent l'ATP synthase. La sous-unité γ est la structure (en rose) au centre de la vue (b).

protons vont vers F_1 pour entraîner la synthèse de l'ATP. Les chaînes polypeptidiques α, β, γ, δ et ϵ de F_1 contiennent respectivement 510, 482, 272, 146 et 50 résidus ; la masse moléculaire totale de F_1 est de 371 kDa. Les sous-unités α et β sont homologues et chacune lie un unique ATP ; la fonction des sites ATP dans les sous-unités α est inconnue (la délétion des sites n'affecte pas l'activité).

John Walker et ses collègues ont déterminé la structure du complexe F_1 (Figure 21.24). La F_1-ATPase est une structure très asymétrique et les trois sous-unités β ont des conformations différentes. Dans la structure résolue par Walker, l'un des sites ATP des sous-unités β contient un analogue non hydrolysable de l'ATP, l'AMP-PNP, un autre site contient de l'ADP alors que le troisième site est vide. Cet état est compatible avec le **mécanisme par changement de conformation et d'affinité** proposé par Paul Boyer pour la synthèse de l'ATP ; dans ce mécanisme, trois sites de réaction passent successivement par trois états intermédiaires lors de la synthèse de l'ATP (voir Figure 21.27, page 697).

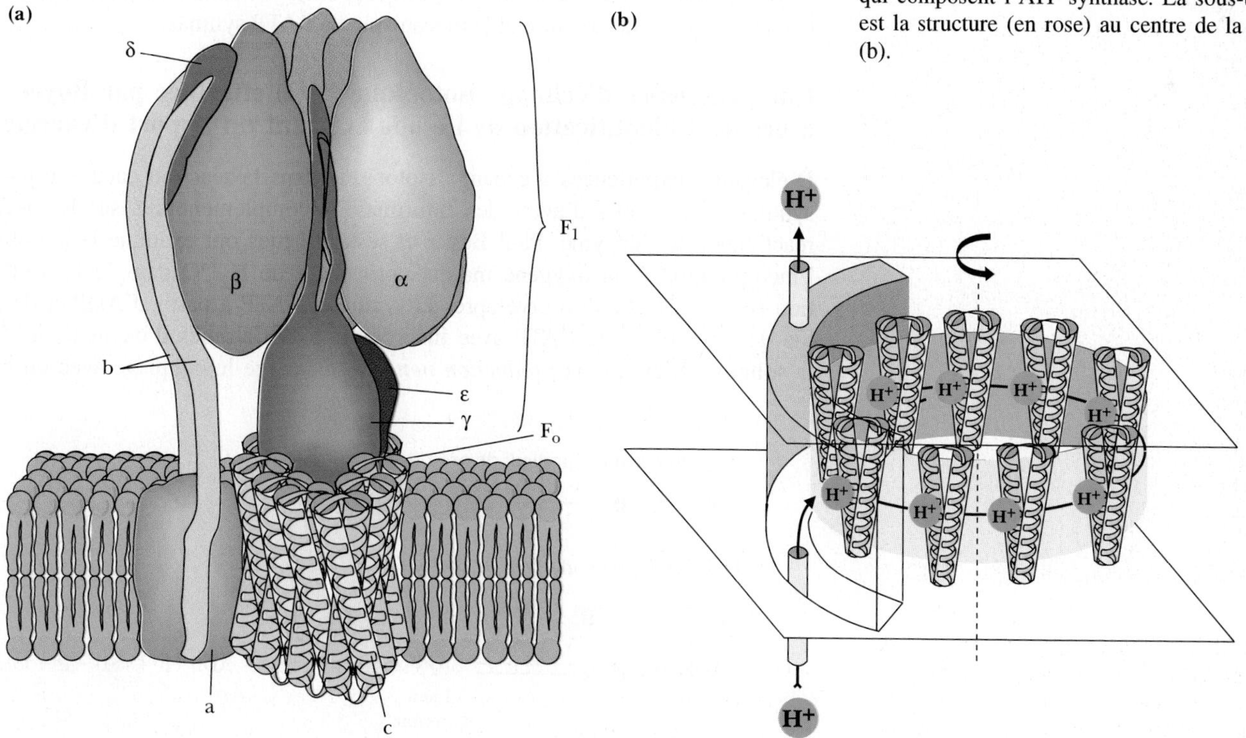

Figure 21.25 • Modèle représentant les structures F_1 et F_O de l'ATP synthase, un moteur moléculaire rotatif. Les sous-unités a, b, α, β et δ, constituent le stator du moteur et les sous-unités c, γ et ϵ forment le rotor. Le flux des protons à travers la structure fait tourner le rotor ; sa rotation entraîne un cycle de transconformations des sous-unités α et β et la synthèse de l'ATP.

Comment ce cycle de réactions peut-il s'effectuer ? Des informations révélatrices proviennent de plusieurs expériences qui ont montré que la sous-unité γ pivote par rapport au complexe $\alpha\beta$. La Figure 21.25 présente comment cette rotation pourrait être reliée au flux transmembranaire des protons et à la synthèse de l'ATP. Selon ce modèle, les sous-unités *c* de F_O sont disposées pour former un anneau. Il semble que chaque sous-unité *c* est constituée d'une paire d'hélices transmembranaires, parallèles, avec une courte boucle du côté de la face cytosolique de la membrane. Un anneau de sous-unités *c* pourrait constituer un **rotor** tournant par rapport à la sous-unité *a*, le **stator.** La sous-unité *a* est constituée de cinq hélices α transmembranaires avec des canaux d'accès accessibles aux protons des deux côtés de la membrane. La sous-unité γ formerait le lien entre F_1 et F_O. Plusieurs résultats expérimentaux accréditent l'idée d'une rotation de la sous-unité γ par rapport au complexe $(\alpha\beta)_3$ pendant la synthèse de l'ATP. Si γ est ancrée dans la sous-unité *c* rotor, c'est l'ensemble du complexe *c* rotor-γ qui tournerait. Une sous-unité *b* est constituée d'un unique segment transmembranaire et d'un long domaine hydrophile formant la tête de la sous-unité ; le stator complet pourrait être formé par les sous-unités *b* ancrées à l'une de leurs extrémités dans la sous-unité *a* et liées par les autres extrémités au complexe $(\alpha\beta)_3$ par l'intermédiaire de la sous-unité δ (Figure 21.25).

Quel serait donc le mécanisme de la synthèse de l'ATP ? Chacune des sous-unités *c* du rotor contient un résidu, Asp^{61}, essentiel. (Le remplacement de ce résidu par Asn abolit l'activité ATP synthétase). La rotation du rotor *c* pourrait dépendre de la neutralisation de la charge négative présente sur Asp^{61} dans chaque sous-unité *c* au fur et à mesure de la rotation du rotor. Un proton prélevé dans le cytosol par l'un des canaux à protons de la sous-unité *a* pourrait neutraliser un résidu Asp^{61} et rester fixé sur le rotor jusqu'à ce qu'il atteigne l'autre canal à proton de la sous-unité *a* par où il pourrait rejoindre la matrice mitochondriale. Une telle rotation ferait tourner la sous-unité γ par rapport aux trois sites nucléotidiques des sous-unités β dans F_1. Cela provoquerait un changement de conformation à chacune des séquences du cycle, de sorte que l'ADP serait d'abord lié, puis phosphorylé, puis libéré, conformément au mécanisme. Paul Boyer et John Walker ont conjointement reçu le prix Nobel de Chimie en 1997 pour leurs travaux sur la structure et le mécanisme de l'ATP synthase.

Une expérience d'échange isotopique (^{18}O) effectuée par Boyer a permis l'identification de l'étape exigeant un apport d'énergie

D'élégantes expériences d'échange isotopique dans la réaction catalysée par l'ATP synthase ont permis d'avoir des informations complémentaires sur le mécanisme réactionnel de l'enzyme. Paul Boyer et ses collègues ont examiné la possibilité de l'incorporation d'un oxygène marqué, provenant de $H_2{}^{18}O$ dans le P_i. Cette réaction (Figure 21.26) s'observe après la synthèse d'ATP à partir d'ADP et de P_i, suivie de l'hydrolyse de l'ATP avec incorporation des atomes d'oxygène de l'eau de la solution. Bien que la *production nette d'ATP* exige le couplage avec un gradient

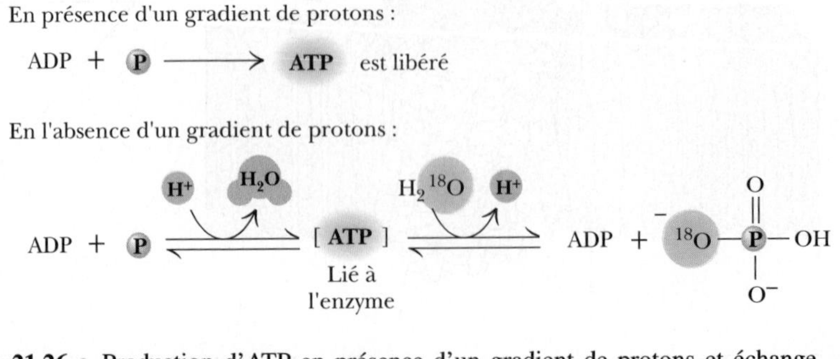

En présence d'un gradient de protons :

ADP + P ⟶ ATP est libéré

En l'absence d'un gradient de protons :

ADP + P ⇌ [ATP] (Lié à l'enzyme) ⇌ ADP + $^{18}O^{-}$–P(=O)(–OH)–O^{-}

Figure 21.26 • Production d'ATP en présence d'un gradient de protons et échange ATP/ADP en l'absence du gradient. Pendant la réaction d'échange ^{18}O s'incorpore dans le phosphate.

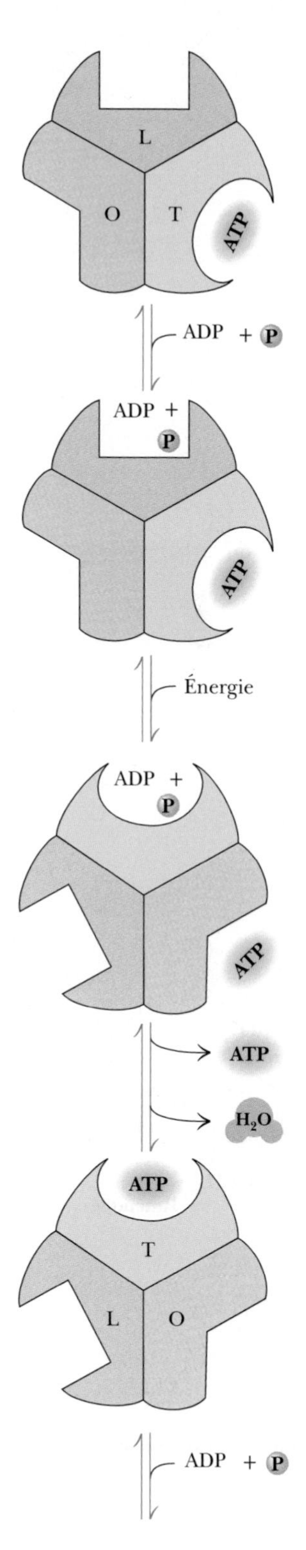

Figure 21.27 • Mécanisme de la synthèse de l'ATP par changement de conformation et d'affinité de l'ATP synthase. Ce modèle suppose que F_1 a trois sites en interaction avec des conformations distinctes. La conformation O (pour *Open*, ouverte) est inactive et a très peu d'affinité pour les ligands ; la conformation L (pour *Loose*, lâche, faible) est aussi inactive ; la conformation T (pour *Tight*, tendue) est active et a une haute affinité pour les ligands. La synthèse de l'ATP commence par la fixation d'ADP et de P_i sur le site L (étape 1). Dans la seconde étape, le changement de conformation provoqué par le passage de protons (équivalent à un apport d'énergie) convertit le site L en site T, mais aussi convertit le site T en O (ce qui libère l'ATP qui avait précédemment été synthétisé) et le site O en L. Dans la troisième étape, l'ATP est synthétisé sur le site T. Après deux autres passages par ces trois étapes, deux molécules supplémentaires d'ATP seront synthétisées et l'enzyme reviendra à son état d'origine.

de protons, Boyer a remarqué que cette *réaction d'échange* avait rapidement lieu même en l'absence d'un gradient de protons. Cette observation signifiait que la liaison de l'ATP à l'enzyme (formation du complexe enzyme-ATP) n'exigeait pas un apport d'énergie. En réalité, le passage des protons à travers le canal F_O provoquait la *libération de l'ATP qui venait d'être synthétisé* par l'enzyme. Donc, l'énergie fournie par le transport des électrons crée un gradient de protons qui entraîne des changements de conformation ayant pour conséquence la liaison des substrats sur l'ATP synthase et la libération des produits formés. Le mécanisme implique une coopérativité entre les trois sites en interaction (Figure 21.27).

À l'aide d'une expérience de reconstitution, Racker et Stoeckenius ont confirmé le modèle de Mitchell

Lorsque Mitchell a présenté sa théorie chimiosmotique en 1961, il y avait peu de preuves en sa faveur et la communauté scientifique était particulièrement sceptique. Mais petit à petit les preuves se sont accumulées, en faveur de son modèle. Il est à présent évident que le transport des électrons sur la chaîne de transport génère un gradient de protons. Des expériences précises ont montré que de l'ATP était synthétisé quand on créait artificiellement un gradient de protons dans des mitochondries qui ne pouvaient plus transporter des électrons. Les résultats d'une expérience très simple, mais

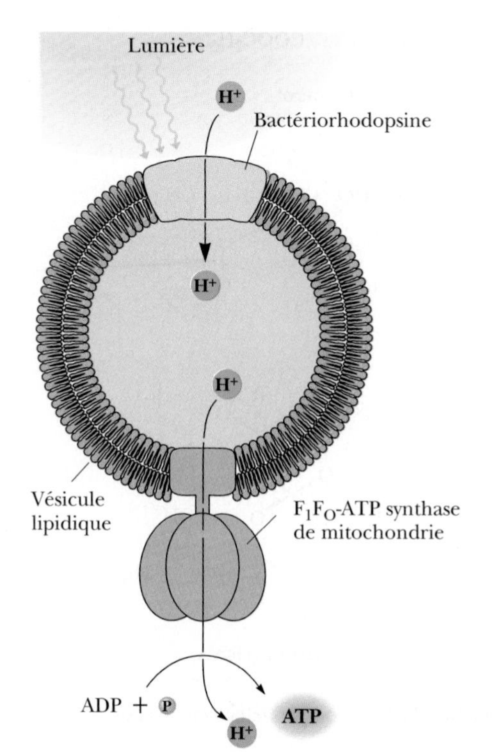

Figure 21.28 • Vésicule hybride reconstituée, contenant de l'ATP synthase et de la bactériorhodopsine. Ce système a été utilisé par Stoecknius et Racker pour confirmer la théorie chimiosmotique de Mitchell.

cruciale, publiés en 1974 par Efraïm Racker et Walther Stoeckenius ont confirmé la validité de la théorie de Mitchell. Dans leur expérience de reconstitution, ces auteurs ont formé des vésicules lipidiques artificielles avec de *l'ATP synthase* de mitochondries bovines et de la **bactériorhodopsine** de *Halobacterium halobium*, une pompe à protons activée par l'énergie de la lumière. Lorsque les vésicules étaient éclairées, la bactériorhodopsine pompait des protons et le gradient de proton formé suffisait pour permettre la synthèse d'ATP par l'ATP synthase (Figure 21.28). Comme il n'y avait que deux protéines présentes, une qui produisait le gradient de protons et une qui utilisait l'énergie ainsi accumulée pour catalyser la synthèse de l'ATP, cette expérience prouvait essentiellement la théorie chimiosmotique de Mitchell.

21.10 • Inhibiteurs des oxydations phosphorylantes

Les effets particuliers d'un inhibiteur peuvent souvent aider à identifier certains aspects d'un mécanisme enzymatique. De même, des inhibiteurs spécifiques (Figure 21.29) ont beaucoup aidé à la compréhension des mécanismes du transport des électrons et des oxydations phosphorylantes. Leurs sites d'inhibition sont représentés Figure 21.30.

Les inhibiteurs des complexes I, II et III, bloquent le transport des électrons

La roténone, un insecticide d'usage courant, inhibe fortement la NADH-ubiquinone réductase. La roténone est obtenue à partir des racines de plusieurs espèces de plantes. Les pêcheurs des tribus de diverses parties du monde avaient l'habitude de frapper les racines des arbres croissant le long des berges pour qu'elles libèrent de la roténone dans l'eau ; la roténone paralysait les poissons et facilitait leur capture.

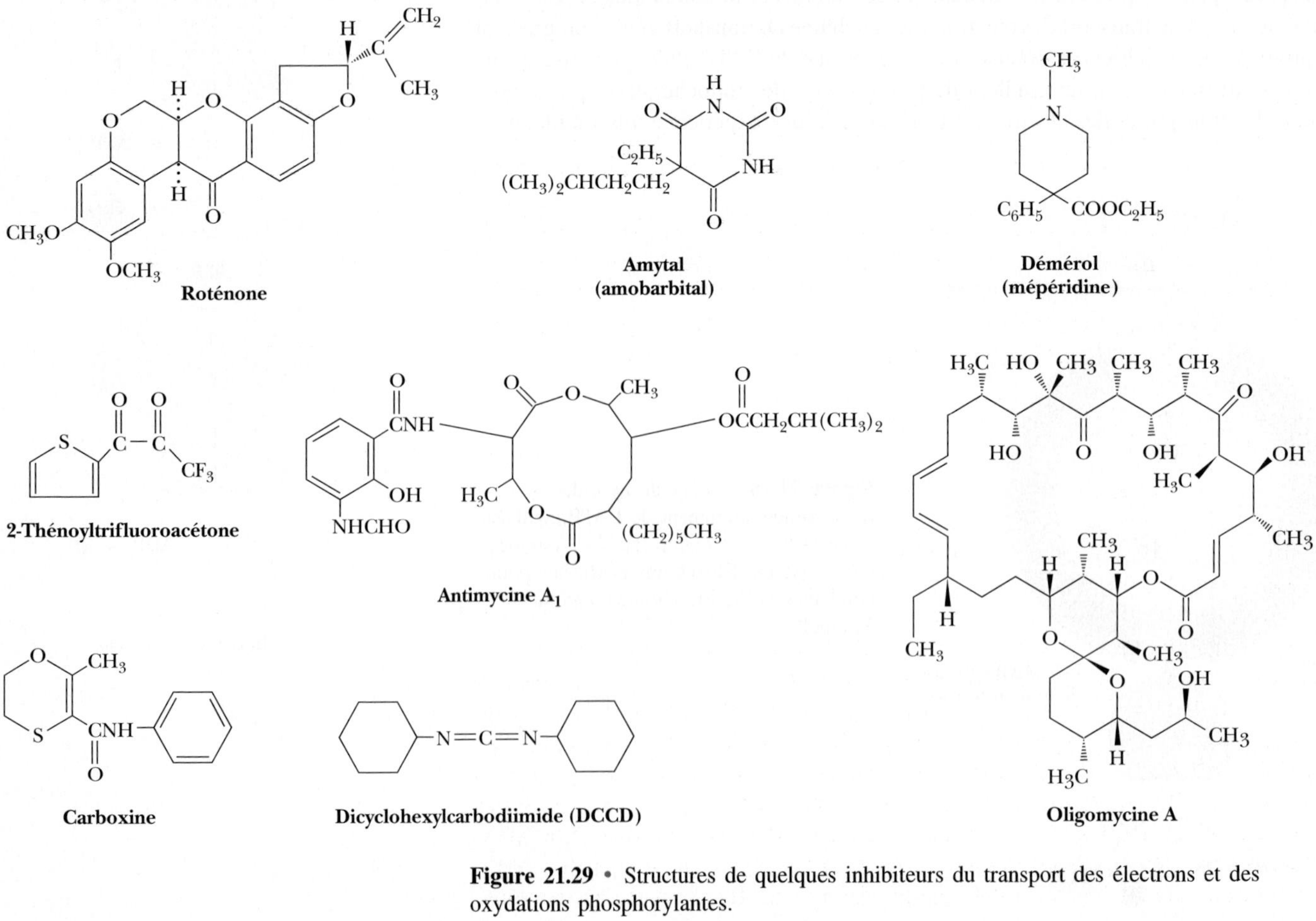

Roténone

Amytal (amobarbital)

Démérol (mépéridine)

2-Thénoyltrifluoroacétone

Antimycine A_1

Oligomycine A

Carboxine

Dicyclohexylcarbodiimide (DCCD)

Figure 21.29 • Structures de quelques inhibiteurs du transport des électrons et des oxydations phosphorylantes.

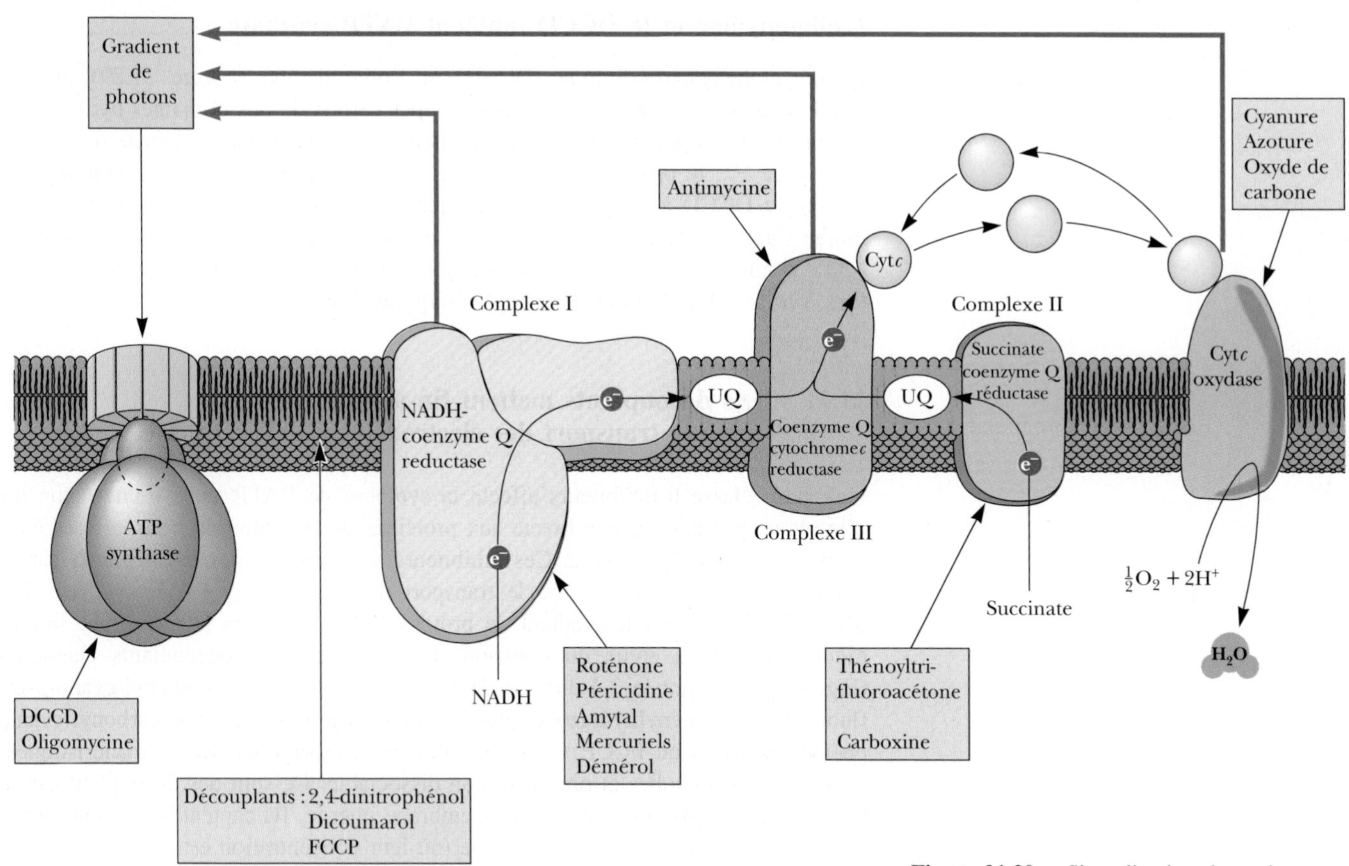

Figure 21.30 • Sites d'action de quelques inhibiteurs du transport des électrons et/ou de l'oxydation phosphorylante.

La ptéricidine, l'amytal et d'autres barbituriques, des dérivés mercuriques et le démérol, un puissant antalgique, ont aussi un effet inhibiteur sur ce complexe. Toutes ces substances semblent inhiber la réduction du coenzyme Q et l'oxydation des centres Fe-S de la NADH-ubiquinone réductase.

La 2-thénoyltrifluoroacétone, la carboxine et ses dérivés, bloquent spécifiquement le complexe II, la succinate-UQ réductase. L'antimycine, un antibiotique produit par *Streptomyces griseus*, inhibe l'UQ-cytochrome *c* réductase en bloquant le transfert des électrons entre l'hème b_H et le coenzyme Q. Le myxothiazol, un antifongique produit par *Myxococcus fulvus*, inhibe le même complexe en agissant sur le site Q_p.

Le cyanure, l'azoture et l'oxyde de carbone inhibent le complexe IV

La cytochrome *c* oxydase, ou complexe IV, est spécifiquement inhibée par le cyanure (CN^-), l'azoture (N_3^-) et l'oxyde de carbone (CO). Le cyanure et l'azoture se lient fortement à la forme ferrique du cytochrome a_3 tandis que l'oxyde de carbone ne se lie qu'à la forme ferreuse. L'effet inhibiteur du cyanure et de l'azoture sur le cytochrome a_3 est extrêmement puissant alors que la toxicité, connue, de l'oxyde de carbone provient essentiellement de son affinité pour le fer de l'hémoglobine. Il y a là, pour un organisme animal, une importante différence entre la toxicité du cyanure et celle de l'oxyde de carbone. Les animaux, y compris les humains, ont dans leur sang un nombre extrêmement élevé de molécules d'hémoglobine, ils doivent donc inhaler des quantités relativement importantes d'oxyde de carbone pour qu'il devienne létal. Par contre, les mêmes organismes ont, comparativement, très peu de molécules de cytochrome a_3. Une petite quantité de cyanure peut donc être létale. L'effet toxique très rapide du cyanure montre qu'un organisme a, en permanence, un besoin constant et immédiat de l'énergie fournie par le transport des électrons.

L'oligomycine et le DCCD inhibent l'ATP synthase

Le dicyclohexylcarbodiimide (DCCD) et l'oligomycine (Figure 21.29) inhibent l'ATP synthase. Le DCCD se lie aux groupes carboxyle des domaines hydrophobes des protéines en général, et plus particulièrement à un résidu glutamate de la sous-unité *c* de F_O, le protéolipide qui forme le canal à protons de l'ATP synthase. La liaison du DCCD à la sous-unité *c* bloque le flux des protons à travers F_O ce qui inhibe l'activité de l'ATP synthase. De même, l'oligomycine agit directement sur l'ATP synthase. En se liant à une sous-unité de F_O, elle bloque le passage des protons à travers F_O (le O de F_O, vient d'oligomycine).

21.11 • Les découplants mettent fin au couplage entre le transport des électrons et l'ATP synthase

Une autre classe d'inhibiteurs affecte la synthèse de l'ATP, mais d'une façon qui n'implique pas une liaison directe aux protéines de la chaîne du transport des électrons ou de la F_1F_O-ATPase. Ces inhibiteurs sont appelés des **découplants** car ils interrompent le couplage entre le transport des électrons et l'ATP synthase. Les découplants dissipent le gradient de protons formé à travers la membrane interne mitochondriale au cours du transport des électrons. Les découplants classiques (Figure 21.31) sont le 2,4-dinitrophénol, le dicoumarol et le carbonyl-cyano-*p*-trifluorométhoxy-phénylhydrazone, plus connu sous le nom de fluorocarbonyl-cyanophénylhydrazone ou FCCP. Ces molécules ont en commun deux caractéristiques : elles sont hydrophobes et ont un proton dissociable. Ce sont des découplant car ils transportent les protons à travers la membrane interne. Ils captent les protons sur la surface cytoplasmique de la membrane (où leur concentration est la plus élevée) et les transportent vers le côté opposé, face à la matrice ; ils détruisent ainsi le gradient de proton qui couple le transport des électrons à la synthèse de l'ATP. Dans les mitochondries traitées par des découplants, le transport des électrons se poursuit et les protons sont toujours transportés vers l'extérieur. Mais, les protons captés par les découplants reviennent si rapidement vers la matrice que l'énergie libérée par le transport des électrons est dissipée sous forme de chaleur.

Des découplants endogènes permettent la génération de chaleur par les organismes

Par un phénomène assez surprenant, les animaux adaptés au froid, les hibernants et les nouveaux-nés, peuvent produire de grandes quantités de chaleur en découplant l'oxydation phosphorylante. Certaines parties du tissu adipeux de ces organismes contiennent une si grande quantité de mitochondries qu'elles en sont colorées, elles forment *le tissu adipeux brun*. La membrane interne des mitochondries de ce tissu adipeux brun contient une protéine, la **thermogénine** (littéralement « qui engendre la chaleur »), ou *protéine découplante*, qui crée un canal par lequel les protons diffusent passivement du cytosol vers la matrice. Certaines plantes utilisent la chaleur produite par le découplage à des fins particulières. *Symplocarpus fœtidus* (le Skunk cabbage, le chou sconse, une plante vivace de l'Amérique du Nord) et des espèces apparentées ont des épis floraux qui, par ce moyen, sont à 20 degrés au-dessus de la température ambiante. La chaleur de ces épis sert à vaporiser des molécules dont l'odeur fétide attire les insectes qui assurent leur pollinisation.

Dinitrophénol

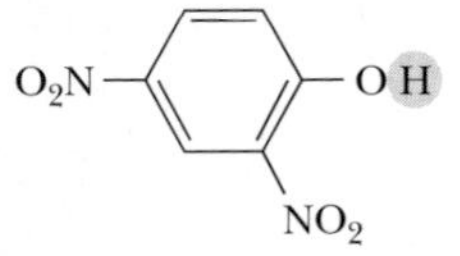

Dicoumarol

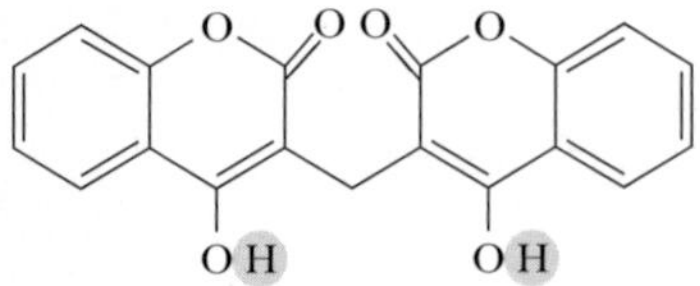

Carbonyl-cyano-*p*-trifluoro-méthoxyphénylhydrazone
— plus connue sous le nom de **F**luoro**C**arbonyl-**C**yanide-**P**hénylhydrazone (**FCCP**)

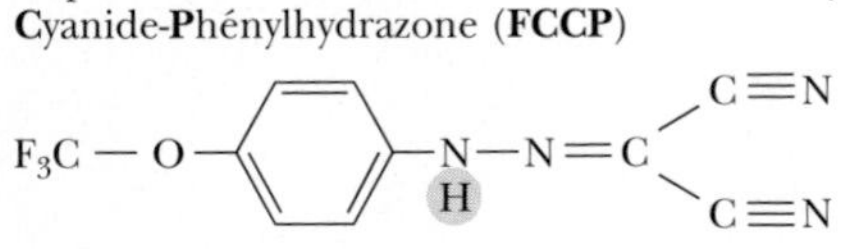

Figure 21.31 • Structures de quelques découplants, molécules qui dissipent le gradient de protons à travers la membrane interne mitochondriale. Ils détruisent ainsi le couplage entre le transport des électrons et l'activité de l'ATP synthase.

21.12 • L'ATP sort des mitochondries par une ATP-ADP translocase

L'ATP, la monnaie des échanges énergétiques cellulaires, doit sortir des mitochondries pour être utilisé par la cellule, et l'ADP doit entrer dans les mitochondries pour la production de l'ATP. Aucun de ces processus n'est spontané car les molécules d'ATP et d'ADP très chargées ne peuvent pas traverser les membranes biologiques. Un système transporteur, **l'ATP-ADP translocase** doit intervenir. Le strict couplage entre la sortie de l'ATP et l'entrée de l'ADP maintient approximativement constante la concentration de ces nucléotides adényliques dans la mitochondrie. Pour chaque ATP qui sort, un ADP entre dans la mitochondrie. La translocase, un homodimère dont chaque sous-unité a une masse de 30 kDa, représente 14 % de la masse totale des protéines de la membrane interne. Le transport s'effectue par un unique site de fixation du nucléotide qui, alternativement, fait face à la matrice et au cytosol (Figure 21.32). L'ATP se lie à la translocase dans la matrice, puis la translocase se réoriente vers le cytosol ; après l'échange de l'ATP pour de l'ADP, un nouveau retournement de la translocase vers la face exposée à la matrice permet la poursuite du cycle.

La sortie de l'ATP est favorisée par rapport à l'entrée de l'ADP

La charge électrique de l'ATP à pH voisin de 7,2 est d'environ –4, et la charge sur l'ADP au même pH est d'environ –3. L'échange d'un ATP (sortant) contre un ADP (entrant) se traduit donc par le déplacement net d'une charge négative, de la matrice vers le cytosol. (Ce processus est équivalent au déplacement d'un proton, du cytosol vers la matrice). Puisque la membrane interne est chargée positivement vers l'extérieur (voir Figure 21.22), la sortie de l'ATP est favorisée par rapport à celle de l'ADP ; c'est donc la translocation de l'ATP vers le cytosol qui est favorisée, de préférence à celle de l'ADP (Figure 21.32). Pour la même raison, la translocation inverse de l'ADP, du cytoplasme vers la matrice, est favorisée plutôt que celle de l'ATP. Donc le potentiel électrochimique lui-même contrôle la spécificité de l'ATP-ADP translocase. Cependant le cycle de la translocation diminue le potentiel électrochimique, il y a donc un coût énergétique. La cellule doit compenser cette perte de potentiel par un accroissement du nombre des électrons transférés sur la chaîne de transport des électrons.

Quel est le coût de l'échange ATP-ADP par rapport au coût énergétique de la synthèse d'un ATP ? Nous avons signalé que le déplacement d'un ATP vers l'extérieur de la matrice et d'un ADP vers l'intérieur était équivalent au déplacement d'un proton du cytoplasme vers la matrice. *La synthèse d'un ATP résulte du déplacement*

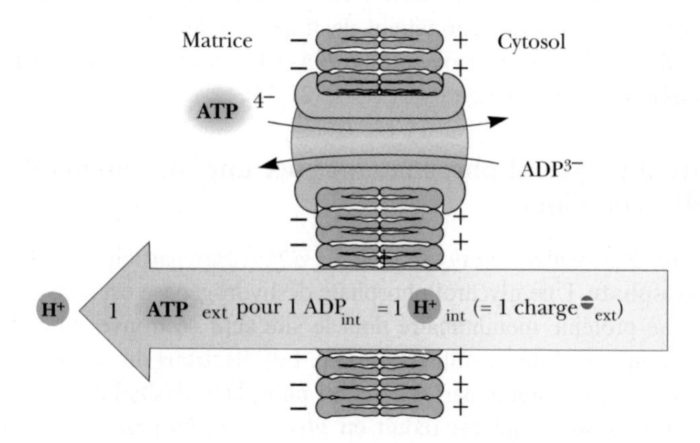

Figure 21.32 • Le transport de l'ATP vers l'extérieur de la matrice (par l'ATP/ADP translocase), est favorisé par le potentiel électrochimique de la membrane interne.

d'approximativement trois protons à travers F_O, du cytosol vers la matrice. Il y a donc au total approximativement un déplacement de quatre protons vers la matrice par ATP synthétisé. On peut dire qu'environ un quart de l'énergie dérivée de la chaîne respiratoire (transport des électrons plus oxydations phosphorylantes) est utilisée sous forme d'énergie électrochimique pour la translocation ATP-ADP dans la mitochondrie.

21.13 • Quel est le rapport P/O pour le transport des électrons et les oxydations phosphorylantes dans les mitochondries ?

Le **rapport P/O** est le nombre des molécules d'ATP synthétisées par oxydation phosphorylante pour deux électrons passant par un segment défini de la chaîne de transport des électrons. En dépit de très nombreuses études, la valeur réelle de ce rapport prête encore à discussion. Si nous acceptons la valeur de 10 H^+ transportés vers l'extérieur de la matrice pour 2 e^- passant du NADH à l'oxygène par la chaîne de transport des électrons, et si nous admettons (comme nous venons de le faire ci-dessus) que 4 H^+ sont transférés dans la matrice par ATP synthétisé (et passant par translocation dans le cytoplasme), le rapport P/O dans la mitochondrie est de 10/4, soit 2,5 dans le cas des électrons entrant sur la chaîne à partir de NADH. C'est une valeur inférieure à la valeur 3 précédemment admise pour le rapport P/O dans le cas de l'oxydation du NADH dans la mitochondrie. Pour la partie de la chaîne allant du succinate à O_2, le rapport protons/$2e^-$ est de 6 et le rapport P/O est dans ce cas de 6/4 soit 1,5. Les premières estimation donnaient une valeur de 2. Les dernières expériences tendant à mesurer le rapport P/O sont plus proches des valeurs adoptées par consensus, 2,5 et 1,5. De nombreux chimistes et biochimistes, habitués aux stœchiométries des réactions chimiques et métaboliques avec des nombres entiers, n'acceptent qu'à contrecœur la notion d'un rapport P/O qui ne soit pas un nombre entier. Mais avec l'approfondissement des connaissances sur ces processus couplés si complexes, il est nécessaire de revoir les anciennes notions.

21.14 • Des systèmes navettes font passer les électrons du NADH cytosolique à la chaîne de transport

$$\left(\frac{1\ \text{ATP}}{4\ \text{H}^+}\right)\left(\frac{10\ \text{H}^+}{2\ e^-\ [\text{NADH} \rightarrow 1/2\,\text{O}_2]}\right) = \frac{10}{4} = \frac{\text{P}}{\text{O}}$$

La plus grande partie du NADH utilisé par la chaîne de transport des électrons est produite dans la matrice mitochondriale, un site approprié puisque le NADH est oxydé par le complexe I sur la face interne de la membrane mitochondriale et que la membrane mitochondriale est imperméable à NADH. Mais du NADH est aussi produit dans le cytoplasme par la glycéraldéhyde-3-phosphate déshydrogénase pendant la glycolyse. Si cet NADH n'était pas oxydé, pour régénérer NAD^+, la glycolyse s'arrêterait par manque de NAD^+. Les cellules eucaryotes disposent de plusieurs *systèmes navettes* qui permettent de transférer les électrons de NADH dans la mitochondrie, sans que la molécule de NADH soit elle-même transportée à travers la membrane interne (Figures 21.33 et 21.34).

La navette du glycérol-phosphate permet une utilisation efficace du NADH cytosolique

Deux *glycérol-3-phosphate déshydrogénases différentes* participent à la **navette du glycérol phosphate**. Une glycérol phosphate déshydrogénase est dans le cytoplasme, l'autre est une protéine membranaire dont le site actif se trouve sur la face cytosolique de la membrane interne mitochondriale. Les électrons du NADH produits dans le cytoplasme sont transférés par la glycérol phosphate déshydrogénase sur le *dihydroxyacétone phosphate* qui est réduit en *glycérol-3-phosphate*. Ce métabolite est oxydé par la glycérol phosphate déshydrogénase membranaire, un enzyme à FAD, pour redonner du dihydroxyacétone phosphate et du $FADH_2$ lié à l'enzyme (Figure

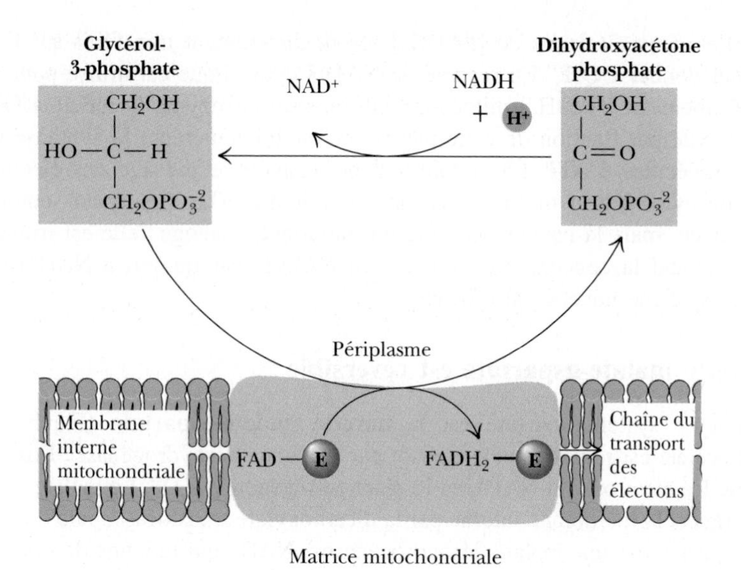

Figure 21.33 • La navette du glycérol-phosphate couple l'oxydation du NADH cytosolique à la réduction mitochondriale de [FAD].

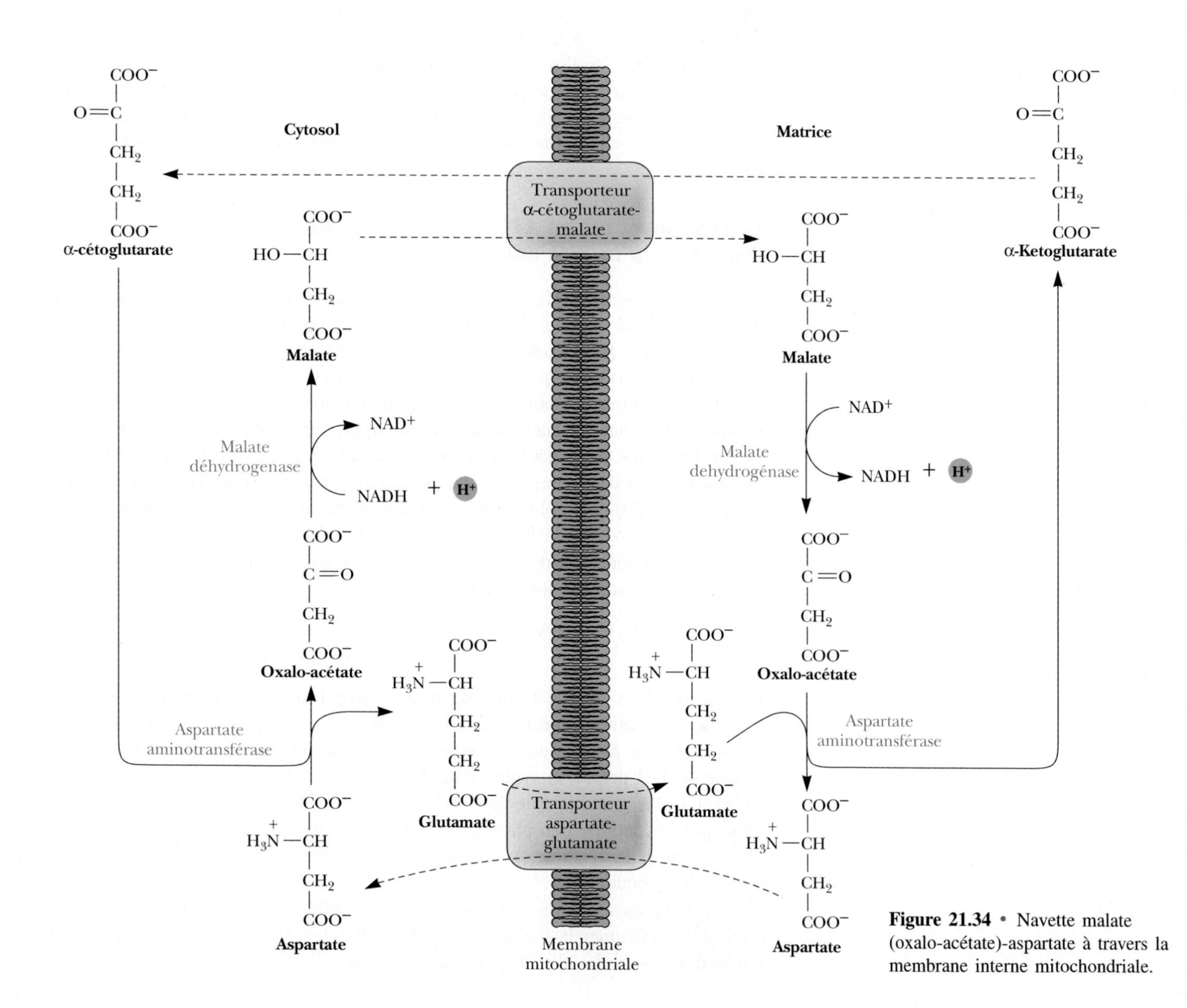

Figure 21.34 • Navette malate (oxalo-acétate)-aspartate à travers la membrane interne mitochondriale.

21.33). Les deux électrons de [$FADH_2$] seront directement transférés sur l'ubiquinone pour donner UQH_2. En résumé, le NADH cytosolique est utilisé pour former transitoirement du [$FADH_2$] mitochondrial, puis du coenzyme Q réduit, UQH_2. Le NADH oxydé par l'action de cette navette permettra seulement la synthèse d'environ 1,5 molécules d'ATP. La cellule a donc « payé » le passage des électrons du NADH du cytosol à la matrice avec un équivalent d'ATP. Cela peut sembler être du gaspillage, mais la navette présente un important avantage : elle est irréversible, et même quand la concentration relative en NADH (par rapport à NAD^+) est très faible, ce système navette est efficace.

La navette malate-aspartate est réversible

Le deuxième système navette est la **navette malate-aspartate** (Figure 21.34). L'oxalo-acétate est réduit dans le cytosol par la malate déshydrogénase ; l'oxalo-acétate capte les électrons du NADH et la réaction régénère NAD^+. Le malate est transporté à travers la membrane interne par la dicarboxylate translocase, puis il est oxydé dans la matrice par une malate déshydrogénase à NAD^+ qui redonne de l'oxalo-acétate et du NADH. Ce dernier sera rapidement oxydé sur la chaîne de transport des électrons. L'oxalo-acétate produit par la réaction ne peut pas traverser la membrane interne, il doit d'abord être transaminé pour donner de *l'aspartate qui traversera cette membrane,* lié à une translocase. Une nouvelle transamination dans le cytoplasme régénère l'oxalo-acétate. Contrairement à la navette du glycérol-phosphate, le cycle malate-aspartate est réversible, il n'est actif que si le rapport NADH / NAD^+ est plus élevé dans le cytosol que dans la matrice. Comme elle produit du NADH dans la matrice, elle permet de récupérer les 2,5 molécules d'ATP par NADH cytosolique.

Le rendement net en ATP par glucose oxydé dépend de la navette utilisée

Les voies complètes de la conversion de l'énergie métabolique du glucose en ATP ont à présent été décrites (Chapitres 19 à 21). Il est possible d'estimer le nombre des molécules d'ATP produit par l'oxydation complète d'une molécule de glucose. Pour toutes les raisons qui viennent d'être précisées, nous adopterons des valeurs de P/O de 2,5 et de 1,5 pour l'oxydation mitochondriale respective du NADH et du succinate, sans oublier que ces valeurs sont approximatives. Dans les cellules eucaryotes, les voies combinées de la glycolyse, du cycle de Krebs, du transport des électrons et des oxydations phosphorylantes donnent un rendement net de 30 à 32 molécules d'ATP par molécule de glucose oxydée, selon la navette utilisée pour le transfert des électrons du NADH cytosolique (Tableau 21.4).

La stœchiométrie nette de l'équation de l'oxydation du glucose avec utilisation de la navette glycérol-phosphate est :

$$\text{Glucose} + 6\,O_2 + {\sim}30\,\text{ADP} + {\sim}30\,P_i \longrightarrow 6\,CO_2 + {\sim}30\,\text{ATP} + {\sim}36\,H_2O \qquad (21.32)$$

Puisque les deux NADH formés pendant la glycolyse sont dans ce cas « transportés » par la navette glycérol phosphate, chacun d'eux n'a permis la synthèse que de 1,5 ATP. Si par contre nous admettons que la navette malate-aspartate est utilisée, chaque NADH permet la synthèse de 2,5 ATP et le total serait alors de 32, au lieu de 30. La plus grande partie de l'ATP – 26 sur les 30, ou 28 sur les 32 – est produite par oxydations phosphorylantes ; il n'y a que 4 molécules qui proviennent directement de la synthèse au niveau du substrat dans la glycolyse ou dans le cycle de l'acide citrique.

Chez les bactéries, la situation est un peu différente. Les cellules procaryotes n'ont pas à effectuer la translocation ATP / ADP. Les bactéries ont un potentiel de production voisin de 38 ATP par glucose oxydé.

Tableau 21.4

Rendement en ATP de l'oxydation du glucose

Voie	ATP par glucose	
	Navette du glycérol phosphate	Navette malate-aspartate
Glycolyse : du glucose au pyruvate (cytosol)		
Phosphorylation du glucose	–1	–1
Phosphorylation du fructose-6-phosphate	–1	–1
Déphosphorylation de 2 molécules de 1,3-BPG	+2	+2
Déphosphorylation de 2 molécules de PEP	+2	+2
L'oxydation de 2 molécules de glycéraldéyde-3-phosphate donne 2 NADH		
Conversion du pyruvate en acétyl-CoA (mitochondries)		
2 NADH		
Cycle de l'acide citrique (mitochondries)		
2 molécules de GTP provenant de 2 molécules de succinyl-CoA	+2	+2
L'oxydation de 2 molécules de citrate, d'α-cétoglutarate et de malate donne 6 NADH		
L'oxydation de 2 molécules de succinate donne 2 [$FADH_2$]		
Oxydations phosphorylantes (mitochondries)		
2 NADH de la glycolyse donnent chacun 1,5 ATP si NADH est oxydé après passage par la navette du glycérol phosphate, ou 2,5 ATP par la navette malate-aspartate	+3	+5
Oxydation décarboxylante de 2 pyruvate en 2 acétyl-CoA : 2 NADH produisant chacun 2,5 ATP	+5	+5
2 [$FADH_2$] de l'oxydation de 2 succinate dans le cycle de Krebs donnent chacun 1,5 ATP	+3	+3
Les NADH du cycle de l'acide citrique donnent chacun 2,5 ATP	+15	+15
Rendement net	30	32

Note : Les rapports P/O de 2,5 et de 1,5 pour l'oxydation du NADH et du [$FADH_2$] par les mitochondries sont des « valeurs consensuelles ». Elles peuvent ne pas correspondre aux valeurs réelles et les rapports peuvent varier suivant les conditions métaboliques. Les valeurs des rendements en ATP de l'oxydation du glucose ne sont donc qu'approximatives.

Après 3,5 milliards d'années, l'évolution a produit un système qui a un rendement énergétique de 54 %

En demeurant dans le domaine de l'hypothèse, quelle est la quantité d'énergie qu'une cellule eucaryote récupère de l'oxydation d'une molécule de glucose ? En admettant une valeur de 50 kJ/mol pour l'hydrolyse de l'ATP dans les conditions cellulaires (Chapitre 3) la production de 32 molécules d'ATP donne un total d'énergie utilisable de 1.600 kJ/mol de glucose. L'oxydation cellulaire du glucose (la combustion) donne $\Delta G = -2.937$ kJ/mol. L'efficacité combinée de la glycolyse, du cycle de Krebs, du transport des électrons, et des oxydations phosphorylantes peut être calculée, elle est de :

$$\frac{1600}{2937} \times 100\,\% = 54\,\%$$

Ceci est le résultat d'environ 3,5 milliards d'années d'évolution.

EXERCICES

1. Pour la réaction suivante,

$$[FAD] + 2 \text{ cyt } c\ (Fe^{2+}) + 2\ H^+ \rightleftharpoons [FADH_2] + 2 \text{ cyt } c\ (Fe^{3+})$$

quel est le couple rédox accepteur d'électrons et quel est le couple donneur dans les conditions de l'état standard, quelle est la valeur de $\Delta\mathscr{E}_0'$; déterminez la variation d'énergie libre pour la réaction.

2. Calculez la valeur de $\Delta\mathscr{E}_0'$ pour la réaction catalysée par la glycéraldéhyde-3-phosphate déshydrogénase et calculez la variation d'énergie libre de la réaction.

3. Pour la réaction rédox suivante,

$$NAD^+ + 2\ H^+ + 2\ e^- \longrightarrow NADH + H^+$$

suggérez une équation (analogue à l'Équation 21.13) qui montre que cette réaction est dépendante du pH et calculez son potentiel de réduction à pH 8.

4. Le nitrite de sodium ($NaNO_2$) est utilisé en urgence médicale comme antidote dans un empoisonnement par le cyanure (mais il doit être administré immédiatement après). Dans la Section 21.10, nous avons examiné le mode d'action du cyanure, pouvez-vous suggérer un mécanisme expliquant les effets bénéfiques du nitrite de sodium ?

5. Une femme d'affaires vient vous demander conseil. Elle a été contactée par un biochimiste à la recherche de moyens financiers qui lui permettraient de commercialiser du dinitrophénol et du dicoumarol pour faire perdre du poids à ceux qui estiment être trop bien enveloppés. Le biochimiste lui a expliqué que ces substances sont des découplants et qu'elles permettent de dissiper l'énergie métabolique sous forme de chaleur. L'investisseur potentiel désire savoir si vous pensez qu'elle devrait investir dans l'entreprise du biochimiste. Quelle serait votre réponse ?

6. En supposant que $3H^+$ sont transférés lors de la synthèse d'un ATP dans la matrice, que la différence de potentiel de la membrane est de 0,18 V (négatif à l'intérieur) et que la différence de pH est d'une unité (acide à l'extérieur, basique dans la matrice), calculez le plus grand rapport $[ATP]/[ADP][P_i]$ qui permet encore la synthèse normale de l'ATP.

7. Toutes les déshydrogénases de la glycolyse et du cycle des acides tricarboxyliques, sauf une, utilisent le NAD^+ comme accepteur d'électrons. L'exception est la succinate déshydrogénase, une flavoprotéine qui contient du FAD, lié par une liaison covalente, et l'utilise comme accepteur d'électrons. Le potentiel de réduction standard pour cet FAD est compris entre 0,003 et 0,091 V (Tableau 21.1). Par comparaison avec les autres déshydrogénases de la glycolyse et du cycle de Krebs, quelle est la caractéristique propre à la succinate déshydrogénase ? Pourquoi le FAD lié est-il un accepteur plus approprié dans ce cas ?

8. **a**. Quelle est la valeur de la variation d'énergie libre standard ($\Delta\mathscr{E}_0'$) de la réduction du coenzyme Q par NADH catalysée par le complexe I (NADH-UQ réductase) de la chaîne de transport des électrons si $\Delta\mathscr{E}_0'$ ($NADH^+/NADH + H^+$) = –0,320 volts et $\Delta\mathscr{E}_0'$ (UQ/UQH_2) = +0,060 volts ?

b. Quelle est la constante d'équilibre de cette réaction ?

c. Supposons (1) que l'énergie réellement libérée lors de la réaction catalysée par le complexe NADH-UQ réductase est égale à la quantité d'énergie libérée dans la réaction standard (calculée précédemment), (2) que cette énergie peut être utilisée pour la synthèse de l'ATP avec une efficacité = 0,75 (75 % de l'énergie libérée lors de l'oxydation de NADH est utilisée pour la synthèse de l'ATP) et (3) que l'oxydation d'un équivalent de NADH par le coenzyme Q aboutit à la phosphorylation d'un équivalent d'ADP (formation d'un ATP).

Dans ces conditions, quelle sera la valeur maximale du rapport [ATP] / [ADP] atteinte par les oxydations phosphorylantes en présence de $[P_i]$ = 1 m*M* ? (Vous admettrez que $\Delta G°'$ pour la synthèse de l'ATP = +30,5 kJ/mol).

9. L'oxydation du succinate par l'oxygène moléculaire, comme elle s'effectue par la voie de la chaîne du transport des électrons, peut s'écrire ainsi :

$$\text{succinate} + \tfrac{1}{2}O_2 \longrightarrow \text{fumarate} + H_2O$$

a. Quelle est la valeur de la variation d'énergie libre standard ($\Delta G°'$) de la réaction si $\Delta\mathscr{E}_0'$ (fum / succ) = +0,031 volts et $\Delta\mathscr{E}_0'$ ($\tfrac{1}{2}O_2/H_2O$) = +0,816 volts ?

b. Quelle est la constante d'équilibre (K_{eq}) de cette réaction ?

c. Supposons (1) que l'énergie réellement libérée lors de l'oxydation du succinate par la voie du transport des électrons est égale à la quantité d'énergie libérée dans la réaction standard (calculée précédemment), (2) que cette énergie peut être utilisée pour la synthèse de l'ATP avec une efficacité = 0,70 (70 % de l'énergie libérée lors de l'oxydation de NADH est utilisée pour la synthèse de l'ATP) et (3) que l'oxydation d'une molécule de succinate aboutit à la phosphorylation de 2 molécules d'ADP (formation de 2 ATP).

Dans ces conditions, quelle sera la valeur maximale du rapport [ATP] / [ADP] atteinte par les oxydations phosphorylantes en présence de $[P_i]$ = 1 m*M* ? (Vous admettrez que $\Delta G°'$ pour la synthèse de l'ATP = +30,5 kJ/mol).

10. L'oxydation du NADH par l'oxygène moléculaire, telle qu'elle s'effectue par la voie du transport des électrons, peut s'écrire ainsi :

$$NADH + H^+ + \tfrac{1}{2}O_2 \longrightarrow NAD^+ = H_2O$$

a. Quelle est la valeur de la variation d'énergie libre standard ($\Delta G°'$) de la réaction si $\Delta\mathscr{E}_0'$ ($NAD^+/NADH$) = +0,320 volts et $\Delta\mathscr{E}_0'$ ($\tfrac{1}{2}O_2/H_2O$) = +0,816 volts ?

b. Quelle est la constante d'équilibre (K_{eq}) de cette réaction ?

c. Supposons (1) que l'énergie réellement libérée lors de l'oxydation du NADH par la voie de la chaîne du transport des électrons est égale à la quantité d'énergie libérée dans la réaction standard (calculée précédemment), (2) que cette énergie peut être utilisée pour la synthèse de l'ATP avec une efficacité = 0,75 (75 % de l'énergie libérée lors de l'oxydation de NADH est utilisée pour la synthèse de l'ATP) et (3) que l'oxydation d'une molécule de succinate aboutit à la phosphorylation de 3 molécules d'ADP (formation de 3 ATP).

Dans ces conditions, quelle sera la valeur maximale du rapport [ATP] / [ADP] atteinte par les oxydations phosphorylantes en présence de $[P_i]$ = 2 m*M* ? (Vous admettrez que $\Delta G°'$ pour la synthèse de l'ATP = +30,5 kJ/mol).

11. Écrivez la réaction équilibrée de la réduction de l'oxygène moléculaire par le cytochrome *c* réduit, telle qu'elle est catalysée par le complexe IV (la cytochrome oxydase) de la voie du transport des électrons.

a. Quelle est la valeur de $\Delta G°'$ de la réaction si

$$\Delta\mathscr{E}_0' \text{ cyt } c(Fe^{3+})/\text{cyt } c(Fe^{2+}) = +0{,}254 \text{ volts et}$$
$$\Delta\mathscr{E}_0' (\tfrac{1}{2}O_2/H_2O) = 0{,}816 \text{ volts}$$

b. Quelle est la constante d'équilibre (K_{eq}) de cette réaction ?

c. Supposons (1) que l'énergie réellement libérée lors de l'oxydation du cytochrome *c* par la voie de la chaîne du transport des électrons est égale à la quantité d'énergie libérée dans la réaction standard (calculée précédemment), (2) que cette énergie peut être utilisée pour la synthèse de l'ATP avec une efficacité = 0,6 (60 % de l'énergie libérée lors de l'oxydation de NADH est utilisée pour la synthèse de l'ATP) et (3) que la réduction d'une molécule de O_2 par le cytochrome *c* réduit aboutit à la phosphorylation de 2 équivalents d'ADP (formation de 2 ATP).

Dans ces conditions, quelle sera la valeur maximale du rapport [ATP] / [ADP] atteinte par les oxydations phosphorylantes en présence de $[P_i]$ = 3 m*M* ? (Vous admettrez que $\Delta G°'$ pour la synthèse de l'ATP = +30,5 kJ/mol).

12. Le potentiel de réduction standard du couple NAD^+/NADH est de – 0,320 volts et le potentiel de réduction standard du couple pyruvate/lactate est de –0,185 volts.

a. Quelle est la valeur de $\Delta G°'$ de la réaction catalysée par la lactate déshydrogénase ?

$$\text{NADH} + \text{H}^+ + \text{pyruvate} \rightleftharpoons \text{lactate} + \text{NAD}^+$$

b. Quelle est la constante d'équilibre (K_{eq}) de cette réaction ?

c. Si [pyruvate] = 0,05 m*M*, [lactate] = 2,9 m*M* et si ΔG de la réaction catalysée par la lactate déshydrogénase = –15 kJ/mol dans les érythrocytes, quelle est la valeur du rapport $[NAD^+]$/[NADH] dans ces conditions ?

13. Supposons que la variation d'énergie libre, D*G*, associée au transport d'une mole de protons de l'extérieur vers l'intérieur d'une cellule bactérienne est de –23 kJ/mol et que 3 H^+ traversent la membrane plasmique de la bactérie par ATP synthétisé par la F_1F_O-ATP synthase. La synthèse de l'ATP s'effectue donc par le processus de couplage suivant :

$$3\ \text{H}_{\text{ext}}^+ + \text{ADP} + \text{P}_i \rightleftharpoons 3\ \text{H}_{\text{int}}^+ + \text{ATP} + \text{H}_2\text{O}$$

a. Si la variation d'énergie libre totale (ΔG_{totale}) associée dans ces cellules à la synthèse de l'ATP par cette voie de couplage est de –21 kJ/mol, quelle est la constante d'équilibre, K_{eq}, de ce processus.

b. Quelle est la valeur de $\Delta G_{synthèse}$ (variation d'énergie libre pour la synthèse de l'ATP) dans ces bactéries et avec ces conditions ?

c. La variation d'énergie libre standard lors de l'hydrolyse de l'ATP ($\Delta G°'_{hydrolyse}$) est de –30,5 kJ/mol. Quelle est la valeur du rapport [ATP]/[ADP] si $[P_i]$ = 2 m*M* dans ces cellules bactériennes ?

LECTURES COMPLÉMENTAIRES

Abraham, J.P., Leslie, A.G.W., Lutter, R., et Walker, J.E., 1994. Structure at 2.8 Å resolution of F_1-ATPase from bovine heart mitochondria. *Nature* **370** : 621-628.

Babcock, G.T., et Wikström, M., 1992. Oxygen activation and the conservation of energy in cell respiration. *Nature* **356** : 301-309.

Bonomi, F., Pagani, S., Cerletti, R, et Giori, C., 1983. Modification of the thermodynamic properties of the electron-transferring groups in mitochondrial succinate dehydrogenase upon binding of succinat, *European Journal of Biochemistry* **134** : 439-445.

Boyer, P., et al., 1977. Oxidative phosphorylation and photophosphorylation. *Annual Review of Biochemistry* **46** : 955-966.

Boyer, P.D., 1989. A perspective of' the binding change mechanism for ATP synthesis. *The FASEB Journal* **3** : 2164-2178.

Boyer, P.D., 1997. The ATP synthase – a splendid molecular machine. *Annual Review of Biochemistry* **66** : 717-750.

Cross, R.L., 1994. Our primary source of ATP. *Nature* **370** : 594-595.

Dickerson, R.E., 1980. Cytochrome *c* and the evolution of energy metabolism. *Scientific American* **242**(3) : 137-153.

Ernster, I., ed., 1980. *Bioenergetics*. New York : Elsevier Press.

Ferguson-Miller, S., 1996. Mammalian cytochronie *c* oxidase, a molecular monster subdued. *Science* **272** : 1125.

Fillingame, R.H., 1980. The proton-translocating pump ofoxidative phosphorylafion. *Annual Review of Biochemistry* **49** : 1079-1113.

Futai, M., Noumi, T., et Maeda, M., 1989. ATP synthase : Results by combined biochemical and molecular biological approaches. *Annual Review of Biochemistry* **58** : 111-136.

Harold, F.M., 1986. *The Vital Force : A Study of Bioenergetics*. New York : W.H. Freeman and Company.

Iwata, S., Ostermeier, C., Ludwig, B., et Michel, H., 1995. Structure at 2.8 Å resolution of cytochrome *c* oxidase from *Paracoccus denitrificans*. *Nature* **376** : 660-669.

Junge, W., Lill, H., et Engelbrecht, S., 1997. ATP synthase : An electrochemical transducer with rotatory mechanics. *Trends in Biochemical Sciences* **22** : 420-423.

Mitchell, P., 1979. Keilin's respiratory chain concept and its chemiosmotic consequences. *Science* **206** : 1148-1159.

Mitchell, P., et Moyle, J., 1965. Stoichiometry of proton translocation through the respiratory chain and adenosine triphosphatase systems of rat mitochondria. *Nature* **208** : 147-151.

Moser, C.C., et al. 1992. Nature of biological electron transfer. *Nature* **355** : 796-802.

Naqui, A., Chance, B., et Cadenas, E., 1986. Reactive oxygen intermediates in biochemistry. *Annual Review of Biochemistry* **55** : 137.

Nicholls, D.G., et Ferguson, S.J., 1992. *Bioenergetics 2*. London : Academic Press.

Nicholls, D.G, et Rial, E., 1984. Brown fat mitochondria. *Trends in Biochemical Sciences* **9** : 489-491.

Noji, H., Yasuda, R., Yoshida, M., et Kinosita, K., 1997. Direct observation of the rotation of F_1-ATPase. *Nature* **386** : 299-302.

Pedersen, P., et Carafoli, E., 1987. Ion-motive ATPases. 1. Ubiquity, properties and significance to cell function. *Trends in Biochemical Sciences* **12** : 146-150.

Sabbert, D., Engelbrecht, S., et Junge, W., 1996. Intersubunit rotation in active F_1-ATPase. *Nature* **381** : 623-625.

Slater, E.C., 1983. The Q cycle : An ubiquitous mechanism of electron transfer. *Trends in Biochemical Sciences* **8** : 239-242.

Trumpower, B.L., 1990. Cyt-hrome bc_1 complexes of microorganisms. *Microbiological Reviews* **54** : 101-129.

Trumpower, B.L. 1990. The protonmotive Q cycle-energy transduction by coupling of proton translocation to electron transfer by the cytochrome bc_1 complex. *Journal of Biological Chemistry* **265** : 11409-11412.

Tsukiliara, T., Aoyama, H., Yamashita, E., et al., 1996. The whole structure of the 13-subunit oxidized cytochrome *c* oxidase at 2.8 Å. *Science* **272** : 1136-1144.

Vignais, P.V., et Lunardi, J., 1985. Chemical probes of mitochondrial ATP synthesis and translocation. *Annual Review of Biochemistry* **54** : 977-1014.

von Jagow, G., 1980. *b*-Type cytochromes. *Annual Review of Biochemistry* **49** : 281-314.

Walker, J.E., 1992. The NADR/ubiquinone oxidoreductase (Complex I) of respiratory chains. *Quarterly Reviews of Biophysics* **25** : 253-324.

Weiss, H., Friedrich, T., Hofflaus, G., et Preis, D., 1991. The respiratory-chain NADH dehydrogenase (Complex I) of mitochondria. *European Journal of Biochemistry* **197** : 563-576.

Wilkens, S., Dunn, S.D., Chandler, J., et al., 1997. Solution structure of the N-terminal domain of the δ subunit of the *E. coli* ATP synthase. *Nature Structural Biology* **4** : 198-201.

Xia, D., Yu, C-A., Kin, H., et al., 1997. The crystal structure of the cytochronic bc_1 complex froni bovine heart mitochondria. *Science* **277** : 60-66.

Chapitre 22

La photosynthèse

« Est-ce si peu de chose
Que d'avoir joui du soleil
D'avoir aimé la lumière au printemps
D'avoir aimé, d'avoir pensé, d'avoir fait... ? »

MATTHEWS ARNOLD, *Empedocles on Etna* (1852)

« Tournesols » par Claude Monet (1840-1926), Metropolitan Museum of Art, New York City/Superstock, Inc.

PLAN

Presque toute l'énergie utilisée par les organismes vivants provient de l'énergie solaire captée par les processus de photosynthèse. Seules quelques bactéries chimioautotrophes (Chapitre 18) sont indépendantes de cette source d'énergie. Les organismes photosynthétiques n'utilisent que 1 % de l'énergie lumineuse reçue chaque jour sur Terre en provenance du soleil ($1{,}5 \times 10^{22}$ kJ). [1] Cette énergie qu'ils transduisent en énergie chimique sous forme de molécules biologiques est redistribuée aux autres membres de la biosphère par les chaînes alimentaires. La transduction de l'énergie solaire, ou lumineuse, en énergie chimique est souvent exprimée en termes de **fixation de gaz carbonique**, fixation caractérisée par la formation d'un hexose et le dégagement de l'oxygène :

$$6\ CO_2 + 6\ H_2O \xrightarrow{\text{Lumière}} C_6H_{12}O_6 + 6\ O_2 \qquad (22.1)$$

[1] Des 99 % restants, deux tiers sont absorbés par le sol et les océans, ce qui contribue à réchauffer la planète ; le troisième tiers est renvoyé dans l'espace par réflexion de la lumière.

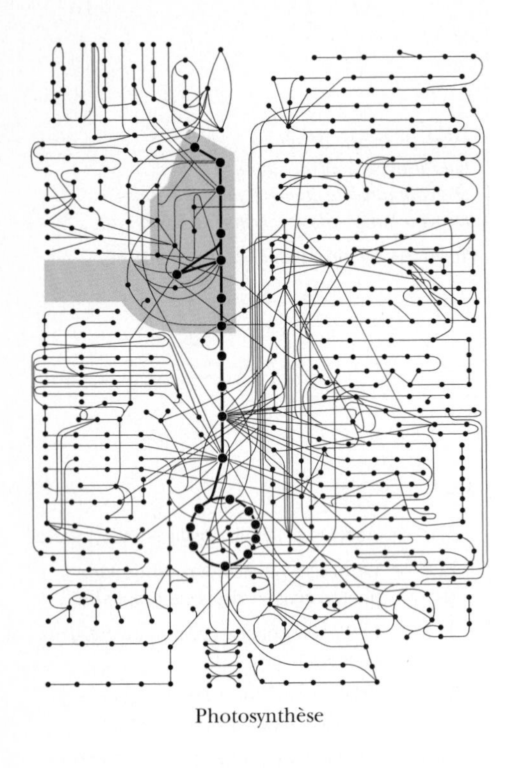
Photosynthèse

On estime à 10^{11} tonnes la quantité de gaz carbonique fixée par an, dont un tiers est fixé par les océans, essentiellement par les microorganismes photosynthétiques marins.

Bien que la photosynthèse soit traditionnellement assimilée à la fixation de CO_2, l'énergie électromagnétique des ondes lumineuses, ou plus précisément l'énergie chimique qui en provient, peut être utilisée par pratiquement tous les processus cellulaires endergoniques. L'incorporation des formes minérales de l'azote et du soufre dans des molécules organiques (Chapitre 27) représente deux autres conversions métaboliques utilisant l'énergie lumineuse dans les plantes vertes. Nous avons considéré lors de la description du métabolisme aérobie (Chapitres 19 à 21) que la respiration cellulaire, très précisément le processus inverse de l'Équation 22.1, était le processus fondamental fournissant de l'énergie utilisable par les organismes. Il s'ensuit nécessairement que la formation d'un hexose à partir de CO_2 et de l'eau, les produits de la respiration cellulaires, doit être endergonique. L'énergie requise provient de la lumière. Notez que dans cette réaction, l'énergie lumineuse est utilisée pour permettre l'évolution d'une réaction chimique contre son potentiel thermodynamique.

22.1 • Aspects généraux de la photosynthèse

La photosynthèse s'effectue dans des membranes

Les organismes photosynthétiques sont des plus divers, des simples procaryotes au plus grand de tous les organismes, le séquoia géant de Californie, *Sequoia gigantea*. En dépit de cette diversité, nous pouvons constater de nombreux points communs concernant la photosynthèse. Un des plus importants des points communs est que *la photosynthèse s'effectue toujours dans des membranes*. Chez les procaryotes phototrophes, les membranes photosynthétiques remplissent l'intérieur de la cellule ; par contre, chez les eucaryotes à photosynthèse, ces membranes sont localisées dans les **chloroplastes** (Figure 22.1 et 22.2). Les chloroplastes font partie d'un ensemble d'organites spécifiques des végétaux, les **plastes**. Les chloroplastes ont des formes très variées suivant les organismes : depuis l'unique chloroplaste en spirale qui donne son nom à une algue verte, *Spirogyra*, jusqu'à la multitude des plastides plus ou moins ellipsoïdaux caractéristiques des cellules, en particulier foliaires, des plantes supérieures (Figure 22.3).

Les chloroplastes ont trois membranes distinctes. Une membrane externe et une membrane interne, comme dans les mitochondries, plus un système membranaire

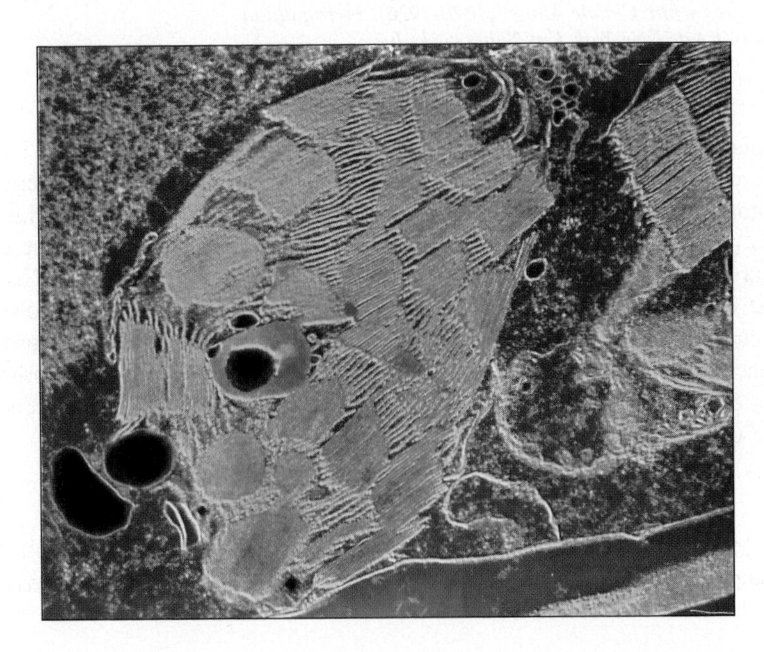

Figure 22.1 • Micrographie électronique d'un chloroplaste représentatif.
(James Dennis/CNTI/Phototake NYC.)

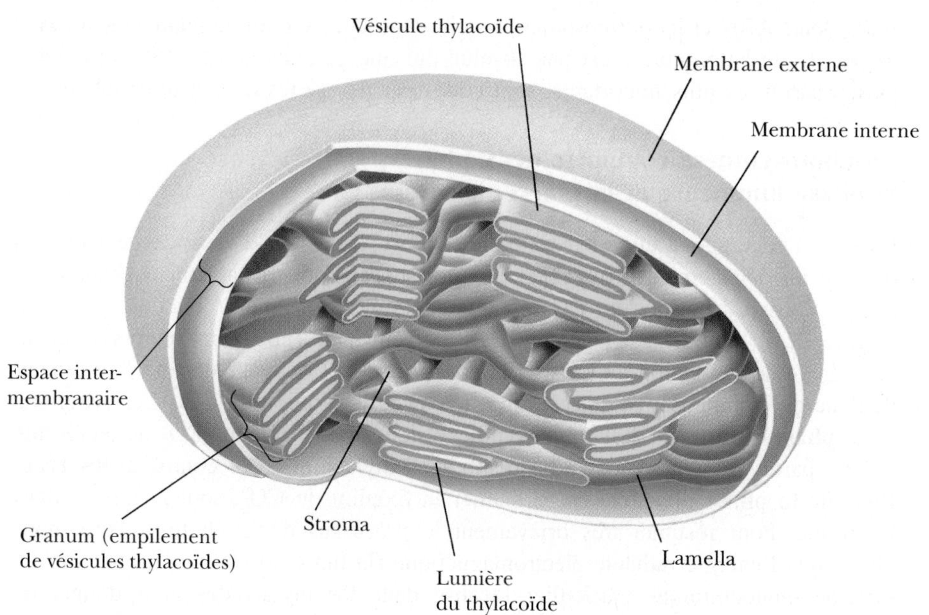

Figure 22.2 • Diagramme schématique d'un chloroplaste idéalisé.

interne, spécifique aux chloroplastes, la **membrane thylacoïde**. Cette membrane vraisemblablement continue, se plisse en donnant des feuillets regroupés par paires, ou **lamellae**, s'étendant à travers tout l'organite (Figure 22.1). Ces replis de la membrane thylacoïde forment des empilements de petits sacs, ou vésicules aplaties, les **vésicules thylacoïdes** (du Grec *thylacos*, sac). Les empilements de vésicules sont appelés **grana**. Un empilement, un **granum**, contient des dizaines de vésicules thylacoïdes et les différents grana sont reliés par les lamellae. Le tout baigne dans une phase soluble limitée vers l'extérieur par la membrane interne du chloroplaste, le **stroma**. Les chloroplastes ont donc trois compartiment délimités par des membranes : l'espace intermembranaire, le stroma et **l'espace intrathylacoïdien (la lumière du thylacoïde)**. Ce troisième compartiment joue un rôle fondamental dans la transduction de l'énergie de la lumière en énergie chimique (synthèse de l'ATP). La membrane thylacoïde qui l'entoure a une composition lipidique très caractéristique et, comme la membrane interne des mitochondries, est imperméable à la plupart des molécules et des ions. Comme les mitochondries, les chloroplastes ont leur

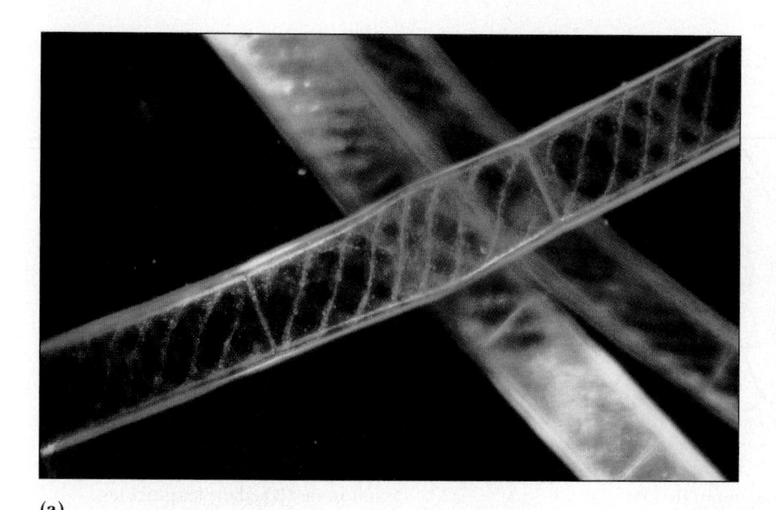

(a)

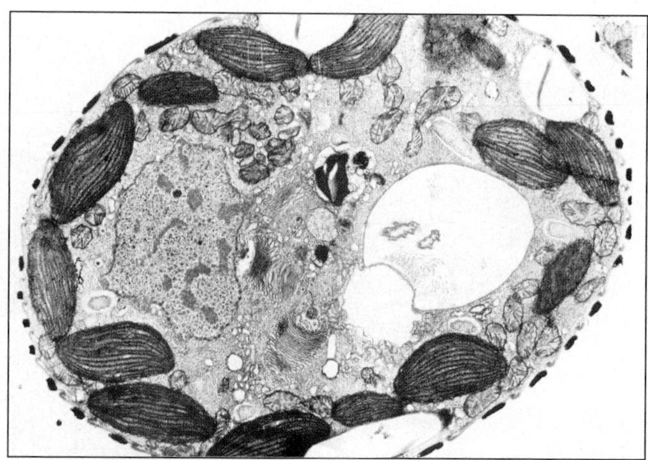

(b)

Figure 22.3 • (a) Une algue d'eau douce, *Spirogyra*. (b) Coupe d'une cellule foliaire de plante supérieure. *(a, Michael Siegel/Phototake NYC ; b, Biophoto Associates/Science Source.)*

ADN, leurs ARN et leurs ribosomes ; ils ont donc une autonomie relativement développée. Cette autonomie n'est pas absolue puisque certains constituants du chloroplaste, parmi les plus importants, sont codés par des gènes du noyau cellulaire.

La photosynthèse comporte deux phases, la phase lumineuse et la phase obscure

Lors de l'éclairage d'une suspension de chloroplastes, en l'absence de CO_2, on observe un dégagement d'oxygène. Si cette suspension préalablement éclairée est mise à l'obscurité et que du CO_2 est alors fourni, il y a une production d'hexoses (Figure 22.4). Donc le dégagement de l'oxygène peut, au moins temporairement, être séparé de la fixation du CO_2, et la production de l'oxygène dépend directement de l'énergie lumineuse, ce qui n'est pas le cas de la fixation du CO_2. Les **réactions de la phase lumineuse** de la photosynthèse, dont le dégagement d'O_2 ne représente qu'une partie, sont associées aux membranes thylacoïdes. Au contraire, **les réactions de la phase obscure**, en particulier la fixation du CO_2, sont localisées dans le stroma. Pour résumer très brièvement le processus de la photosynthèse, nous dirons que l'énergie radiante électromagnétique (la lumière) est transformée par un système photochimique particulier localisé dans les thylacoïdes pour donner de l'énergie chimique sous forme d'un potentiel réducteur (NADPH) et d'un dérivé phosphorylé à haut potentiel énergétique (l'ATP). Le NADPH et l'ATP peuvent ensuite être utilisés pour favoriser des processus endergoniques comme la formation d'hexoses (en fixant du CO_2) par une série de réactions enzymatiques localisées dans le stroma (voir Équation 22.3).

L'eau est l'ultime donneur d'électrons pour la réduction de NADP⁺ par photosynthèse

Dans les plantes vertes, l'eau est l'ultime donneur d'électrons pour la formation, par photosynthèse, d'équivalents réducteurs. La séquence réactionnelle

$$2\,H_2O + 2\,NADP^+ + x\,ADP + x\,P_i \xrightarrow{nh\nu} O_2 + 2\,NADPH + 2\,H^+ + x\,ATP + x\,H_2O \qquad (22.2)$$

où $nh\nu$ symbolise l'énergie lumineuse, décrit le processus global (n est le nombre des photons d'énergie $h\nu$, h est la constante de Planck et ν la fréquence de la

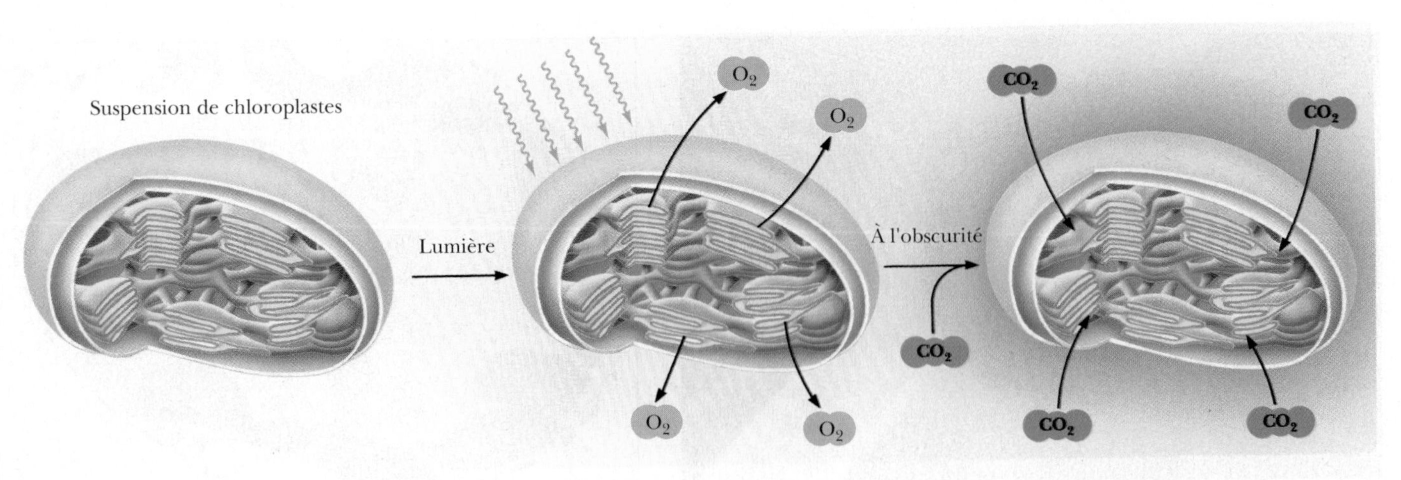

Figure 22.4 • Réactions de la phase lumineuse et de la phase obscure de la photosynthèse. Les réactions de la phase lumineuse sont associées à la membrane thylacoïde, celles de la phase obscure sont associées au stroma.

lumière). Il faut un apport d'énergie (lumineuse) pour que la réaction de réduction de $NADPH^+$ par H_2O ($\Delta\mathscr{E}_0{}' = -1{,}136$ V ; $\Delta G^{\circ\prime} = +219$ kJ/mol de $NADH^+$) soit thermodynamiquement possible. L'apport d'énergie lumineuse, *nhν,* doit dépasser 219 kJ/mol $NADPH^+$. La stœchiométrie de la formation d'ATP dépend du type de la photophosphorylation en cours dans la cellule et du rendement en ATP en termes de rapport chimiosmotique ATP/H^+, comme nous le verrons par la suite. Cependant, la stœchiométrie de la voie métabolique de la fixation du CO_2 est constante :

$$12\ NADPH + 12\ H^+ + 18\ ATP + 6\ CO_2 + 12\ H_2O \longrightarrow C_6H_{12}O_6 + 12\ NADP^+ + 18\ ADP + 18\ P_i \quad (22.3)$$

Équation généralisée de la réaction photochimique

En 1931, à la suite d'une étude comparative de la photosynthèse chez les bactéries, van Niel a proposé une formulation plus générale de la réaction photochimique :

$$\underset{\text{Accepteur d'hydrogène}}{CO_2} + \underset{\text{Donneur d'hydrogène}}{2\ H_2A} \xrightarrow{\text{Lumière}} \underset{\text{Accepteur réduit}}{(CH_2O)} + \underset{\text{Donneur oxydé}}{2A} + H_2O \quad (22.4)$$

Dans une bactérie photosynthétique, H_2A est suivant les cas, H_2S (bactéries photosynthétiques vertes et pourpres), l'isopropanol ou d'autres substances similaires oxydables. (CH_2O) symbolise une unité élémentaire osidique.

$$CO_2 + 2\ H_2S \longrightarrow (CH_2O) + H_2O + 2\ S$$

$$CO_2 + 2\ CH_3\text{–}CHOH\text{–}CH_3 \longrightarrow (CH_2O) + H_2O + 2\ CH_3\text{–}\overset{\overset{\displaystyle O}{\|}}{C}\text{–}CH_3$$

Chez les cyanobactéries et dans les cellules photosynthétiques des plantes vertes et des algues, H_2A est H_2O, et 2A est O_2. L'accumulation de l'oxygène, qui constitue 20 % de l'atmosphère terrestre, est le résultat de milliards d'années d'activité photosynthétique.

22.2 • La photosynthèse dépend de la photoréactivité de la chlorophylle

Les **chlorophylles** sont des tétrapyrroles substitués, contenant du magnésium, dont la structure de base rappelle celle de l'hème, la porphyrine liée au fer (Chapitres 5 et 21). Les chlorophylles se différencient de l'hème par plusieurs points : l'ion lié par coordination au centre de la structure de l'anneau plan à doubles liaisons conjuguées est du magnésium au lieu du fer ; un alcool à longue chaîne, le **phytol**, estérifie un substituant d'un cycle pyrrole ; enfin, le pont méthényle liant les cycles pyrroliques III et IV est substitué et relié par une liaison covalente au cycle III, ce qui aboutit à la formation d'un cinquième cycle pentagonal. Les structures des chlorophylles *a* et *b* sont représentées Figure 22.5.

Les chlorophylles, du fait de leur aromaticité, absorbent très fortement la lumière. Elles possèdent en effet de nombreux électrons π délocalisés au-dessus et au-dessous du plan du tétrapyrrole. Les différences d'énergie entre les états électroniques de ces orbitales π correspondent aux énergies des photons de la lumière visible. L'énergie lumineuse absorbée favorise le déplacement des électrons vers des orbitales supérieures, ce qui augmente le potentiel de transfert de ces électrons vers des accepteurs appropriés. La perte de l'état excité d'un électron et le transfert de l'énergie ainsi libérée vers un accepteur est une réaction d'oxydoréduction. Essentiellement, le processus est une transduction de l'énergie lumineuse en énergie chimique d'une réaction rédox.

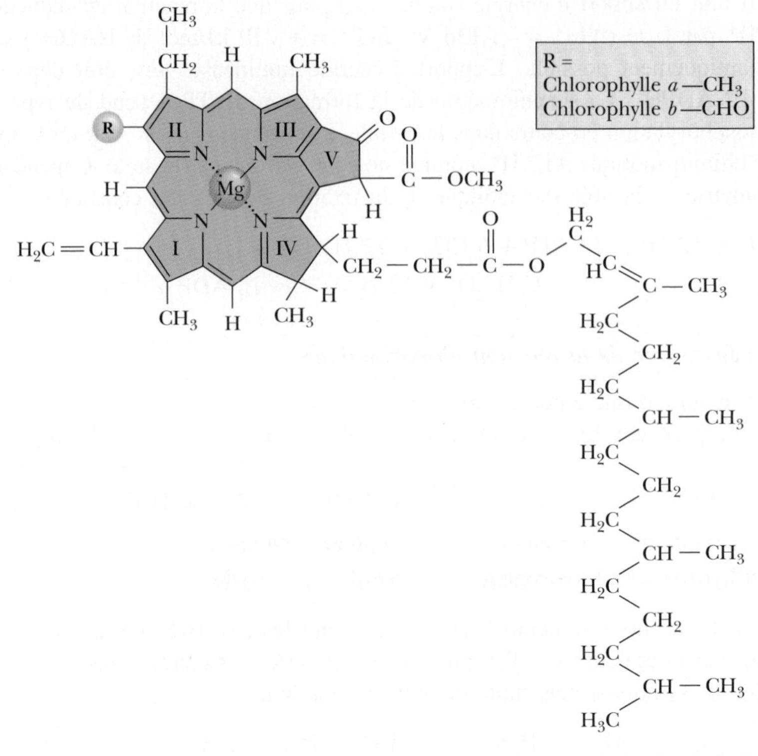

R =
Chlorophylle *a* —CH_3
Chlorophylle *b* —CHO

Chaîne latérale phytyle hydrophobe

Figure 22.5 • Structures des chlorophylles *a* et *b*. Les structures des chlorophylles sont apparentées à celles des hèmes ; un Mg^{2+} remplace le Fe^{2+} et le cycle II est plus réduit que le cycle correspondant dans les porphyrines. Cet anneau tétrapyrrole des chlorophylles est une chlorine. R = CH_3 dans la chlorophylle *a* ; R = CHO dans la chlorophylle *b*. Notez que dans la chlorophylle *b*, la double liaison C=O de l'aldéhyde introduit une double liaison conjuguée supplémentaire dans le système des doubles liaisons de l'anneau tétrapyrrole. Le cycle V est un cycle supplémentaire créé par l'interaction du substituant du pont méthényle entre les pyrroles III et IV avec la chaîne latérale du pyrrole III. La chaîne latérale phytyle du cycle IV fournit une ancre hydrophobe permettant l'ancrage de la chlorophylle dans les complexes protéiques membranaires.

Chlorophylles et pigments accessoires photocollecteurs

Les spectres d'absorption des chlorophylles *a* et *b* (Figure 22.6) sont quelque peu différents. Les plantes, qui contiennent les deux types de chlorophylles, peuvent capter un plus large spectre d'énergie incidente. D'autres pigments, présents dans les organismes photosynthétiques, les **pigments accessoires photocollecteurs** (Figure 22.7), élargissent le spectre d'absorption aux longueurs d'ondes non absorbée par les chlorophylles. Ces pigments accessoires, *carotènes*, *phycobilines*, sont aussi ceux qui donnent aux feuilles leur coloration automnale. Ils persistent plus longtemps dans les feuilles mortes que les pigments chlorophylliens verts plus labiles et confèrent donc aux plantes leurs nuances particulières. Ces pigments accessoires, comme la chlorophylle, contiennent de nombreuses doubles liaisons conjuguées et absorbent donc les radiations électromagnétiques caractéristiques du spectre de la lumière visible.

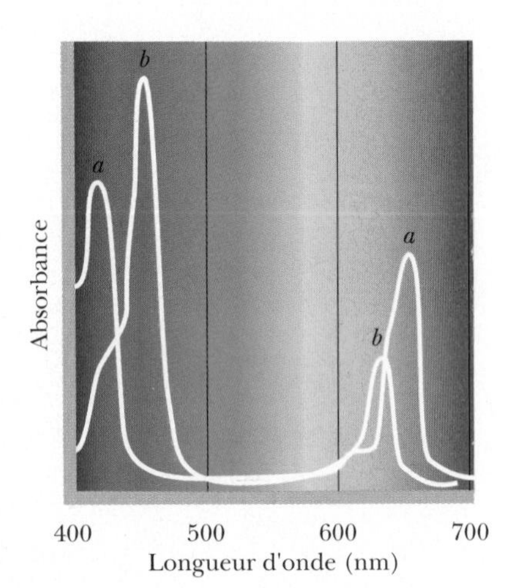

Figure 22.6 • Spectres d'absorption des chlorophylles *a* et *b*.

Devenir de l'énergie lumineuse absorbée par les pigments photosynthétiques

Chaque photon représente un quantum d'énergie lumineuse. Un quantum d'énergie lumineuse absorbé par les pigments photosynthétiques peut avoir quatre devenirs différents (Figure 22.8) :

A. **Perte sous forme de chaleur**. L'énergie peut être dissipée sous forme de chaleur par une redistribution de l'énergie entre les différents modes de vibration de la molécule de pigment.

B. **Perte sous forme de lumière**. L'énergie d'excitation réapparaît sous forme de **fluorescence** (émission de lumière) ; un photon de fluorescence est émis quand l'électron excité redescend vers une orbitale inférieure. Ce phénomène ne s'observe qu'aux intensités lumineuses saturantes. Pour des raisons thermodynamiques, le photon de fluorescence a nécessairement une énergie plus faible que celle du quantum d'excitation et donc une longueur d'onde plus élevée.

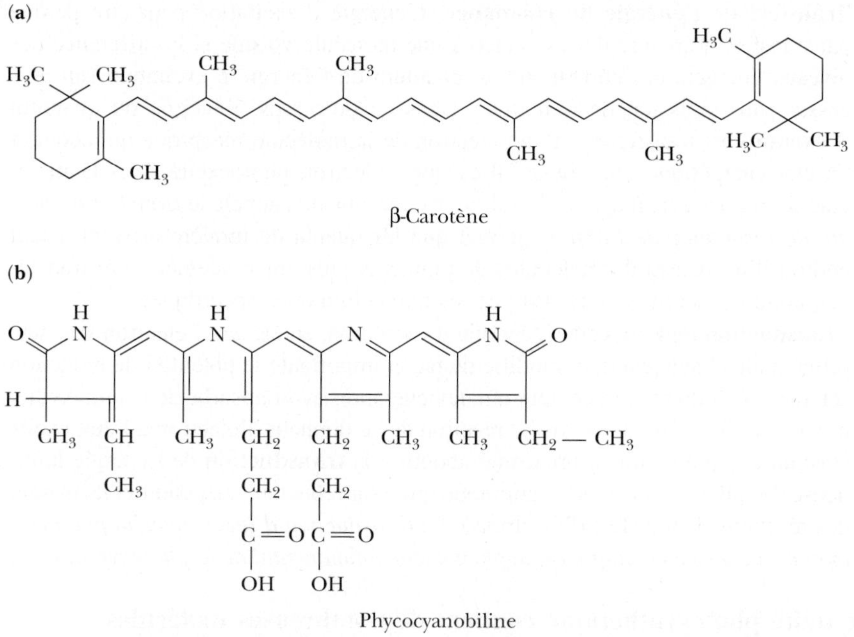

(**a**)

H_3C CH_3 CH_3 CH_3 H_3C CH_3 CH_3 CH_3 H_3C CH_3

β-Carotène

(**b**)

H H H O N N N N O H CH_3 CH CH_3 CH_2 CH_2 CH_3 CH_3 CH_2 — CH_3 CH_3 CH_2 CH_2 C=O C=O OH OH

Phycocyanobiline

Figure 22.7 • Structures de quelques pigments collecteurs de lumière accessoires des cellules photosynthétiques. (a) Le *β*-carotène, un pigment des feuilles. Remarquez les nombreuses doubles liaisons. (b) La phycocyanobiline, un pigment bleu des cyanobactéries. C'est un tétrapyrrole ouvert (linéaire).

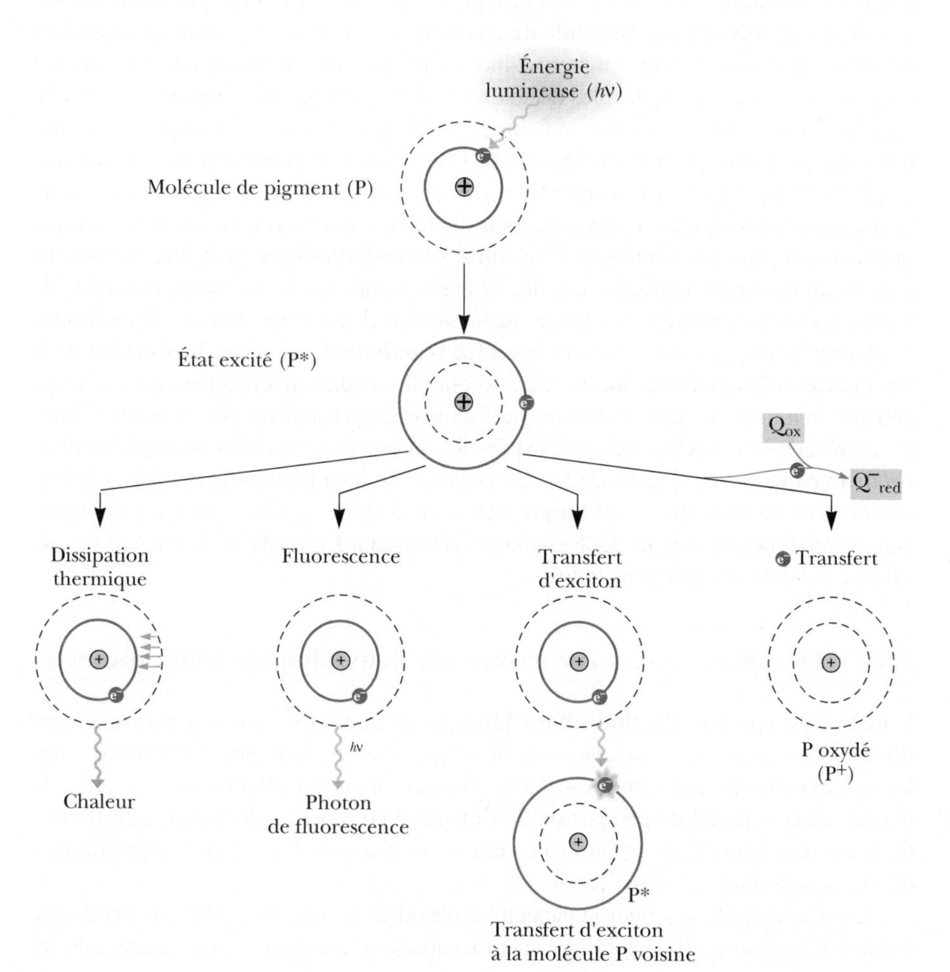

Figure 22.8 • Devenirs possibles des paquets (quanta) d'énergie lumineuse absorbés par les pigments photosynthétiques.

C. **Transfert de l'énergie de résonance**. L'énergie d'excitation peut être perdue par transfert d'énergie de résonance à une molécule voisine si la différence des niveaux énergétiques correspond au quantum de l'énergie d'excitation (un processus sans émission de radiation). Dans ce processus, l'énergie du quantum (**l'exciton**) est transférée vers un électron de la molécule réceptrice qui acquiert un état énergétique plus élevé, alors que l'électron photoexcité dans la molécule d'origine revient à son état initial. Ce mécanisme, appelé le *transfert d'énergie de résonance de Förster*, permet que les quanta de lumière arrivant à tout endroit d'un réseau de molécules de pigments puissent finalement être transférés, comme canalisés, vers des centres photochimiques spécifiques.

D. **Transduction de l'énergie**. L'énergie d'excitation, en élevant l'électron vers une orbite à plus haute énergie, modifie de façon importante le potentiel de réduction standard, $\mathscr{E}_0'$, du photorécepteur qui devient, après avoir absorbé de la lumière, un donneur d'électron plus actif. La réaction de ce donneur d'électron à l'état excité avec un accepteur situé à proximité aboutit à la **transduction** de l'énergie lumineuse (les photons) en énergie chimique (pouvoir réducteur, en potentiel favorisant des réactions de transfert d'électrons). *La transduction d'un événement photochimique en énergie chimique est le phénomène fondamental de la photosynthèse.*

Une unité photosynthétique contient de nombreuses molécules de chlorophylle, mais n'a qu'un unique centre de réaction

Au début des années 30, Emerson et Arnold étudiaient la relation entre la quantité de lumière incidente, la quantité de chlorophylle présente et la quantité de l'oxygène dégagé lors de l'illumination d'une suspension de cellules d'algues (cette relation est appelée le **rendement quantique de la photosynthèse**). Le résultat de leurs études fut inattendu : les algues étant brièvement illuminées par des flashes qui pouvaient exciter au moins une fois chaque molécule de chlorophylle, il ne se dégageait qu'une seule molécule d'oxygène pour environ 2400 molécules de chlorophylle. Ce résultat implique que toutes les molécules de chlorophylle ne sont pas réactives, il a conduit au concept d'unités fonctionnelles individuellement distinctes. La chlorophylle a deux fonctions dans la photosynthèse. Elle contribue à la capture de la lumière et au transfert de l'énergie captée aux centres photoréactifs par transfert d'énergie de résonance, et elle participe directement aux processus photochimiques qui transforment l'énergie lumineuse en énergie chimique. Une **unité photosynthétique** peut être considérée comme un ensemble constitué par une antenne composée de plusieurs centaines de molécules de chlorophylle collectrices de lumière, et d'une paire spéciale de molécules de chlorophylle *a* réactives formant le **centre réactionnel** de l'unité. La fonction de la très grande majorité des molécules de chlorophylle est de collecter, à la manière d'une antenne, la lumière incidente arrivant sur l'unité et de la canaliser, par transfert d'énergie de résonance, vers les molécules spéciales du centre de réaction où le phénomène photochimique a lieu (Figure 22.9). L'oxydation de la chlorophylle conduit à la formation d'un **radical libre cationique** accepteur d'électron, $Chl^{\bullet +}$, ce qui a d'importantes conséquences sur la photosynthèse. Notez que l'ion Mg^{2+} ne change pas de valence pendant ces réactions rédox.

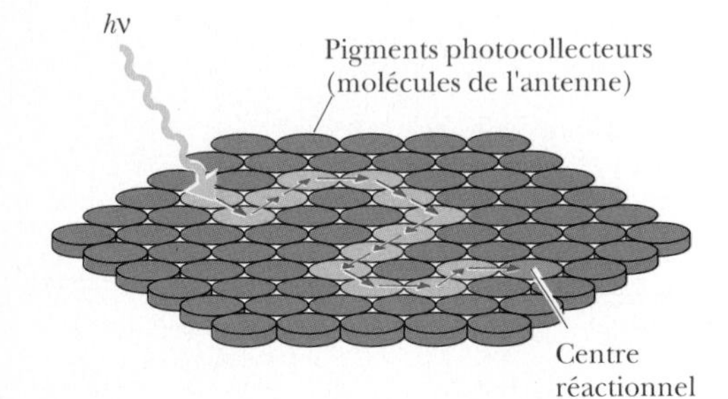

Figure 22.9 • Représentation schématique d'une unité photosynthétique. Les pigments collecteurs de lumière, ou molécules de l'antenne (en vert), absorbent et transfèrent l'énergie lumineuse à la paire spéciale de molécules de chlorophylle qui constitue le centre réactionnel (en orange).

22.3 • Les phototrophes eucaryotes ont deux photosystèmes distincts

L'analyse du **spectre d'action photochimique** de la photosynthèse a permis l'identification des molécules de chlorophylle *a* spéciales et démontré l'existence, chez les eucaryotes, de deux photosystèmes distincts mais en interaction. En effet, la mesure de la capacité de production de l'oxygène en fonction de la longueur d'onde de la lumière a révélé un phénomène curieux, connu sous le nom de « *chute rouge* » de la photosynthèse (Figure 22.10).

La chlorophylle *a* a bien la capacité d'absorber la lumière à 700 nm mais cette lumière n'est guère efficace pour la photosynthèse. Cependant, si on ajoute à un tel

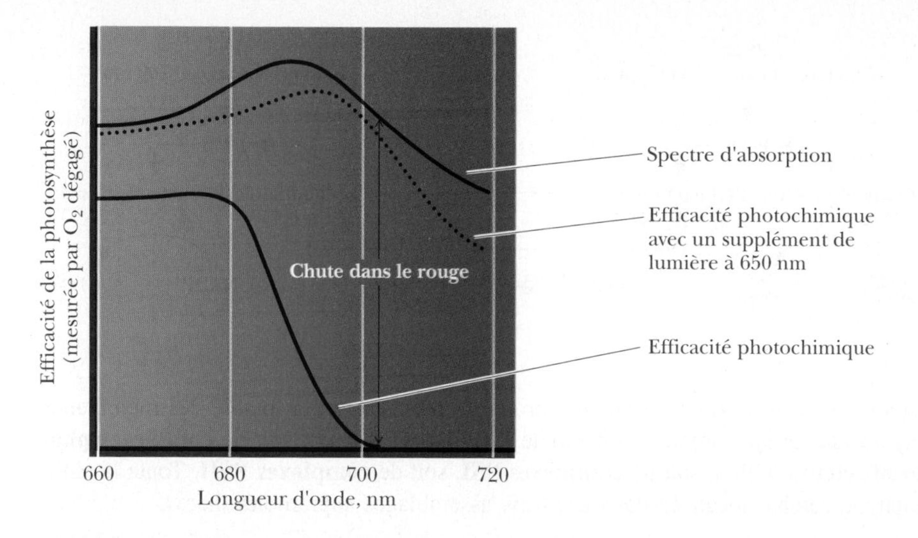

Figure 22.10 • Spectre d'action photochimique de la photosynthèse. Le rendement quantique de la photosynthèse en fonction de la longueur d'onde de la lumière incidente présente un brusque déclin au-dessus de 680 nm, déclin appelé la *chute rouge*.

faisceau lumineux une lumière d'une longueur d'onde plus courte, inférieure à 680 nm, on observe une stimulation du rendement quantique de la photosynthèse appelée *l'effet de stimulation d'Emerson*. En d'autres termes, les deux longueurs d'onde ont un effet de synergie : lorsqu'elles sont réunies, les lumières ayant ces longueurs d'onde provoquent une production d'O_2 plus importante que la somme des productions d'O_2 de chacune d'elles. L'interprétation la plus simple est que deux réactions distinctes dépendant de la lumière participent à la production d'oxygène par les cellules photosynthétiques. La première utilise l'énergie de la lumière de 700 nm et la seconde exige une lumière d'une longueur d'onde plus courte que 680 nm. Duysens a utilisé cette interprétation pour avancer l'hypothèse des deux photosystèmes distincts I et II. **Le photosystème I** (PSI) se différencie du photosystème II par un centre de réaction dont les chlorophylles absorbent la lumière avec un pic d'absorption maximum à 700 nm ; il n'intervient pas dans la production d'O_2. **Le photosystème II** (PSII) participe à la production d'O_2 et les chlorophylles de son centre de réaction absorbent la lumière ayant des longueurs d'ondes plus courtes que celles qui sont absorbées par les chlorophylles du PSI (pic d'absorption maximum à 680 nm).

Toutes les cellules photosynthétiques contiennent au moins un type de photosystème. Les bactéries photosynthétiques, à la différence des cyanobactéries et des eucaryotes, n'ont qu'un seul photosystème. Ce dernier ressemble plus au PSII des eucaryotes qu'à PSI, bien que les bactéries photosynthétiques (à l'exception des cyanobactéries) n'aient pas la capacité de produire de l'oxygène.

P700 et P680 sont respectivement les centres réactionnels de PSI et de PSII

Des mesures spectrophotométriques très précises ont montré qu'une petite partie des pigments absorbant à 700 nm (**P700**) se décolorait sous l'effet d'une lumière de cette longueur d'onde lors de l'irradiation de cellules photosynthétiques d'eucaryotes en suspension. Puisque cette décoloration, ou suppression de l'absorbance à 700 nm, peut être reproduite par l'addition à la suspension cellulaire d'un accepteur d'électron comme le ferricyanure, cette décoloration correspond à la perte d'un électron par P700. La concentration de P700 est très faible : chez les plantes, elle n'est que de 0,25 % du total des molécules de chlorophylle du photosystème. Mais cette faible concentration est compatible avec la notion de sites photoréactifs spécifiques, les **centres de réaction** (ou centres réactionnels). P700 est le centre réactionnel du photosystème I. Des études similaires, à l'aide de lumière à plus courte longueur d'onde, ont permis l'identification d'un pigment analogue, **P680**, qui est le centre réactionnel du photosystème II. P700 et P680 sont tous deux des dimères de chlorophylle *a* appartenant à des complexes protéiques spécialisés.

Dans les chloroplastes, la chlorophylle est associée à des protéines membranaires

Les membranes des thylacoïdes se dissolvent dans les solutions de détergents ; des complexes contenant des protéines intégrales et de la chlorophylle peuvent alors être

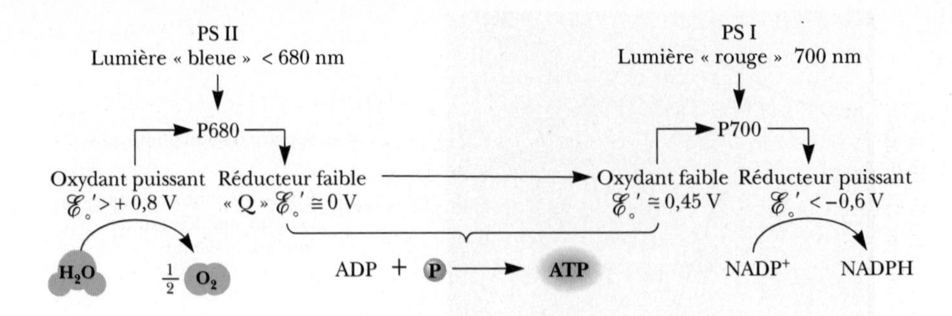

Figure 22.11 • Rôles des deux photosystèmes, PSI et PSII.

isolés. Ces complexes chlorophylle-protéines représentent la totalité des membranes thylacoïdes et leur organisation reflète leurs rôles ; il s'agit soit de **complexes photocollecteurs** (CPC), soit de **complexes PSI**, soit de **complexes PSII**. Toute la chlorophylle semble localisée dans ces trois assemblages supramoléculaires.

Rôles de PSI et de PSII

Quels sont les rôles de ces deux photosystèmes et quelles sont leurs relations réciproques ? Le photosystème I fournit le pouvoir réducteur sous forme de NADPH. Le photosystème II scinde la molécule d'eau, produisant O_2 et les électrons transférés sur la chaîne de transport des électrons qui couple PSI à PSII. Le transfert des électrons entre PSI et PSII « pompe » les protons nécessaires pour la synthèse chimiosmotique de l'ATP. Nous avons vu que la photosynthèse pouvait être assimilée à la réduction de $NADP^+$ par des électrons provenant de l'eau et activés par la lumière, $h\nu$ (Équation 22.2). Au cours de ce processus, il se forme aussi de l'ATP. Le potentiel de réduction standard du couple $NADP^+$/NADPH est de –0,32 V. Il faut donc un réducteur avec un $\mathscr{E}_o'$ plus négatif que –0,32 V pour réduire $NADP^+$ dans les conditions standard. En suivant le même raisonnement, il faut un oxydant très puissant pour oxyder l'eau en oxygène puisque $\mathscr{E}_o'$ du couple $\frac{1}{2}O_2$ / H_2O est égal à +0,82 V. Dans la nature, la séparation entre les deux aspects de l'Équation (22.2), la réduction et l'oxydation, est obtenue par la spécialisation de PSI pour la réduction de $NADP^+$ et de PSII pour l'oxydation de l'eau. PSI et PSII sont reliés par une chaîne de transporteurs d'électrons par laquelle le faible pouvoir réducteur généré par PSII transmet l'électron nécessaire pour la réduction de $P700^+$, l'oxydant faible, ce qui permet un nouveau cycle d'activité photochimique (Figure 22.11). Donc *le flux des électrons de H_2O vers $NADP^+$ est rendu possible par l'apport de l'énergie lumineuse absorbée par les centres réactionnels*. Le dégagement d'oxygène n'est qu'un sous-produit de la **photolyse** (littéralement la « scission de l'eau » par la lumière). La synthèse de l'ATP utilise l'énergie résultant du gradient de protons qui s'établit de part et d'autre de la membrane thylacoïde en conséquence des réactions de transfert des électrons induites par la lumière (voir Section 22.7). La phosphorylation de l'ADP induite par la lumière est appelée **photophosphorylation**.

22.4 • Schéma en Z du transfert des électrons dans la photosynthèse

Les photosystèmes I et II contiennent des transporteurs d'électrons spécifiques et complémentaires qui interviennent successivement dans le transfert des électrons de l'eau au $NADP^+$. Lorsque les composants redox individuels de PSI et de PSII sont disposés de façon à décrire la chaîne de transport des électrons en fonction des potentiels de réduction standard, la ligne en zigzag formée ressemble à la lettre Z (Figure 22.12). Les divers transporteurs d'électrons sont indiqués de la façon suivante : « Complexe Mn » symbolise le complexe contenant du manganèse intervenant dans le dégagement d'O_2 ; D est son accepteur d'électron et le donneur direct d'électron à $P680^+$; Q_A et Q_B représentent des molécules de plastoquinone particulières, ou « spéciales » (voir Figure 22.15) et PQ est le pool de plastoquinone ; Fe-S est le centre fer-soufre de Rieske, et *cyt f*, le cytochrome *f*. PC est l'abréviation de plastocyanine, le donneur direct d'électron à $P700^-$; F_A, F_B, et F_X

représentent des ferrédoxines membranaires en aval de A_0 (une chlorophylle *a* spécialisée) et de A_1 (une quinone particulière de PSI). Fd est le pool de ferrédoxine soluble qui sert de donneur d'électrons à la flavoprotéine (Fp), un enzyme appelé **ferrédoxine-NADP + réductase**, qui catalyse la réduction de $NADP^+$ en NADPH. *Cyt* $(b_6)_n$ et $(b_6)_p$ symbolisent les parties du cytochrome b_6 qui participent au transfert en retour des électrons de F_A/F_B vers $P700^+$ au cours de la phosphorylation cyclique (voie symbolisée par une flèche en pointillé).

Au cours de la photosynthèse, trois **complexes supramoléculaires transmembranaires** participent au transfert des électrons ; ces complexes sont composés de polypeptides intrinsèques et extrinsèques (espaces colorés globalement rectangulaires délimités par des lignes continues Figure 22.12). Ces trois complexes sont le complexe PSII, le complexe cytochrome b_6/cytochrome *f* et le complexe PSI. Le complexe PSII est une **eau:plastoquinone oxydoréductase** utilisant l'énergie lumineuse ; c'est le système enzymatique qui intervient dans la photolyse de l'eau et, pour cette raison, il est encore appelé le **complexe de la production d'O_2**. Dans ce complexe, une protéine contenant du manganèse est intimement impliquée dans la production d'O_2, probablement par la formation d'un centre métallique constitué de 4 Mn^{2+} liés par coordination à deux molécules d'eau. Les protons et les électrons sont extraits de ces molécules d'eau et l'oxygène se dégage à mesure que P680 passe par quatre cycles d'oxydation (Figure 22.13).

La production de l'oxygène requiert l'accumulation de quatre équivalents d'oxydation dans PSII

Si une suspension de chloroplastes préalablement conservée à l'obscurité est illuminée par des flashes lumineux successifs, de très brève durée, le dégagement d'O_2 atteint un maximum après le troisième flash puis, pour les flashes suivants, après chaque quatrième flash (Figure 22.14a). Les oscillations du dégagement d'oxygène s'amortissent avec la répétition des flashes et convergent vers une valeur moyenne plus faible. L'interprétation de ces résultats est que le centre réactionnel P680 passe par cinq états d'oxydation différents, de $\mathbf{S_0}$ à $\mathbf{S_4}$, au cours d'un cycle d'activité. Une molécule d'oxygène est libérée lorsque l'état $\mathbf{S_4}$ est atteint et PSII retourne à l'état d'oxydation $\mathbf{S_0}$, liant deux molécules d'eau (Figure 22.14b). La raison pour laquelle le premier pic de production d'O_2 est observé dès le troisième flash (Figure 22.14a) est que les centres réactionnels PSII des chloroplastes isolés sont déjà à l'état d'oxydation $\mathbf{S_1}$.

L'énergie lumineuse entraîne vers PSII un flux d'électrons en provenance de H_2O

Les événements intervenant entre H_2O et P680 impliquent un site *D*, dénomination d'un **résidu tyrosine spécifique** qui, par l'intermédiaire du complexe Mn (Figure 22.12), participe au transfert des électrons de H_2O vers $P680^+$. La forme oxydée de *D* est un radical libre, $D^{\cdot +}$. Le cycle commence quand l'énergie d'un quantum excite P680 en P680* qui devient capable de réduire une molécule spéciale de **phéophytine**, symbolisée par « Pheo » dans la Figure 22.12. La phéophytine est identique à la chlorophylle *a*, à l'exception des deux H^+ qui remplacent l'ion Mg^{2+} lié par coordination. Il semble que cette phéophytine spéciale est l'accepteur direct de l'électron provenant de P680*. La perte d'un électron transforme P680* en $P680^+$ l'accepteur d'électrons provenant de D. Ensuite, le flux des électrons de la phéophytine vers le pool de plastoquinone intramembranaire passe par des molécules de plastoquinone particulières, représentées par Q (Q_A et Q_B) dans la Figure 22.12. La plastoquinone est une molécule hydrophobe, elle est mobile dans la membrane et sert de navette entre le complexe supramoléculaire PSII et le complexe cytochrome b_6/cytochrome *f*. Le retour de la plastoquinone à sa forme hydroquinone nécessite la capture d'un proton (Figure 22.15). La nature asymétrique de la membrane thylacoïde détermine l'orientation asymétrique de la capture et de la libération des protons, de sorte que H^+ s'accumule dans les vésicules thylacoïdes, ce qui crée un

(Suite du texte page 722)

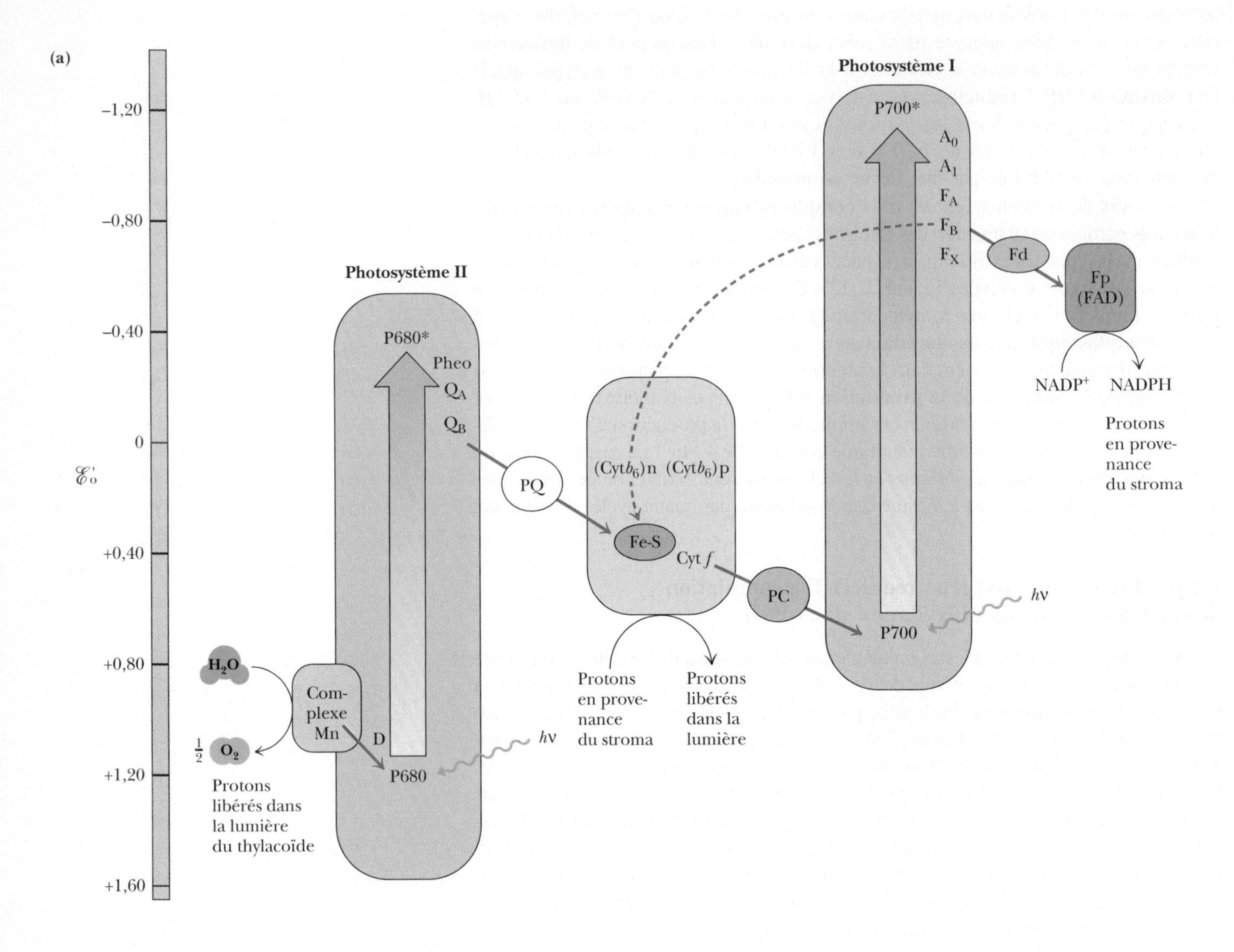
(a)
−1,20
−0,80
−0,40
0
+0,40
+0,80
+1,20
+1,60
$\mathscr{E}'_0$
Photosystème II
P680*
Pheo
Q_A
Q_B
PQ
H_2O
Com-
plexe
Mn
D
½ O_2
P680
hν
Protons
libérés dans
la lumière
du thylacoïde
$(Cytb_6)n$ $(Cytb_6)p$
Fe-S
Cyt *f*
PC
Protons
en prove-
nance
du stroma
Protons
libérés
dans la
lumière
Photosystème I
P700*
A_0
A_1
F_A
F_B
F_X
Fd
Fp
(FAD)
$NADP^+$ NADPH
Protons
en prove-
nance
du stroma
hν
P700

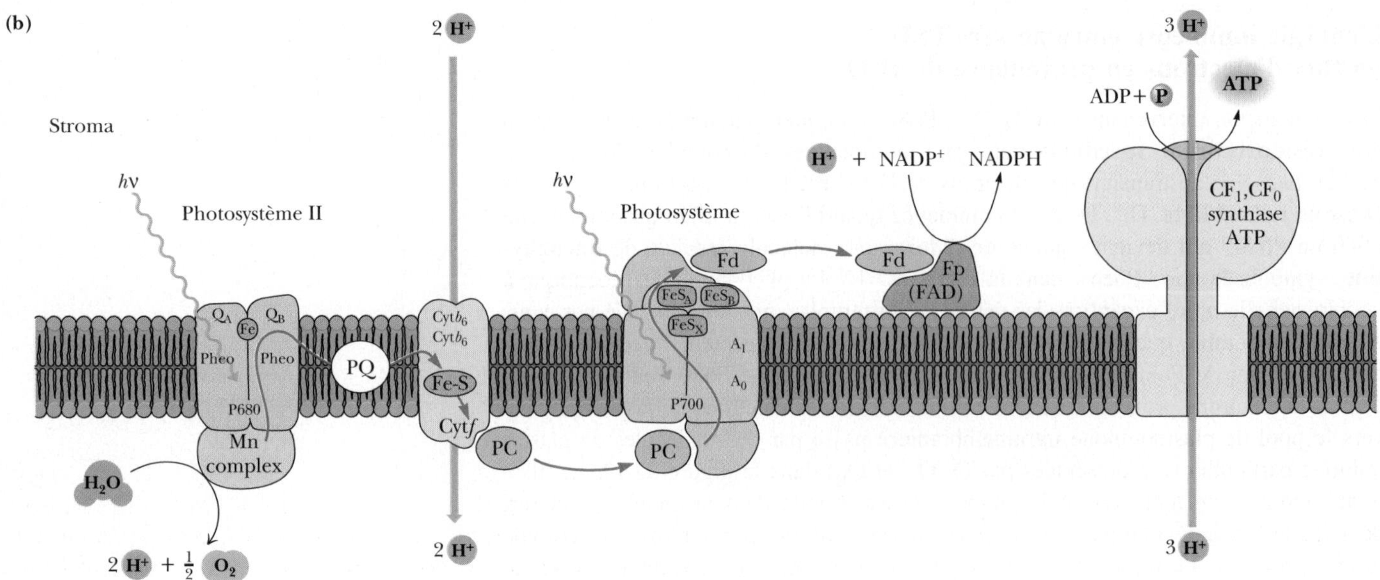
(b)
Stroma
hν
Photosystème II
Q_A
Fe
Q_B
Pheo
Pheo
P680
Mn
complex
H_2O
2 H^+ + ½ O_2
Lumière du thylacoïde
PQ
2 H^+
$Cytb_6$
$Cytb_6$
Fe-S
Cyt*f*
PC
2 H^+
hν
Photosystème
Fd
FeS_A
FeS_B
FeS_X
A_1
A_0
P700
PC
H^+ + $NADP^+$ NADPH
Fd
Fp
(FAD)
3 H^+
ADP + P
ATP
CF_1,CF_0
synthase
ATP
3 H^+

Figure 22.12 • Schéma en Z de la photosynthèse. (a) Le schéma en Z est un diagramme représentant le flux des électrons de H_2O vers $NADP^+$ au cours de la photosynthèse. Les relations énergétiques peuvent être déterminées en utilisant l'échelle des valeurs de $\mathscr{E}_0'$ à gauche du diagramme en Z, sur laquelle les potentiels d'énergie standard sont de plus en plus faibles (et donc l'énergie est plus importante) en allant du bas vers le haut de l'échelle. La capture de l'énergie lumineuse est indiquée par les deux grandes flèches jaunes, l'un des photons apparaissant dans P680, l'autre dans P700. P680* et P700* représentent les états excités correspondants. La perte de l'électron de P680* et de P700* donne $P680^+$ et $P700^+$. L'ensemble des composants de chacun des trois complexes supramoléculaires (*PSI*, *PSII* et le complexe *cytochrome* b_6-*cytochrome f*) est sur un fond coloré entouré par une ligne continue. Les translocations de protons qui créent la force proton-motrice, source de l'énergie permettant la synthèse de l'ATP sont également représentés. (b) Relations fonctionnelles entre PSII, le complexe cytochrome b_6-cytochrome *f*, PSI et l'ATP synthase CF_1CF_0 de la photosynthèse dans la membrane thylacoïde. Notez que les accepteurs d'électrons, Q_A (pour PSII) et A_1 (pour PSI), sont sur la membrane thylacoïde, du côté du stroma, tandis que les donneurs d'électrons à $P680^+$ et à $P700^+$ sont du côté de l'espace intravésiculaire (lumière du thylacoïde). Il en résulte une séparation transmembranaire des charges électriques ($-_{stroma}$, $+_{lumière}$). La translocation des protons dans la lumière des thylacoïdes crée un gradient chimiosmotique qui fournit l'énergie nécessaire pour la synthèse de l'ATP par le complexe de l'ATP synthase CF_1CF_0.

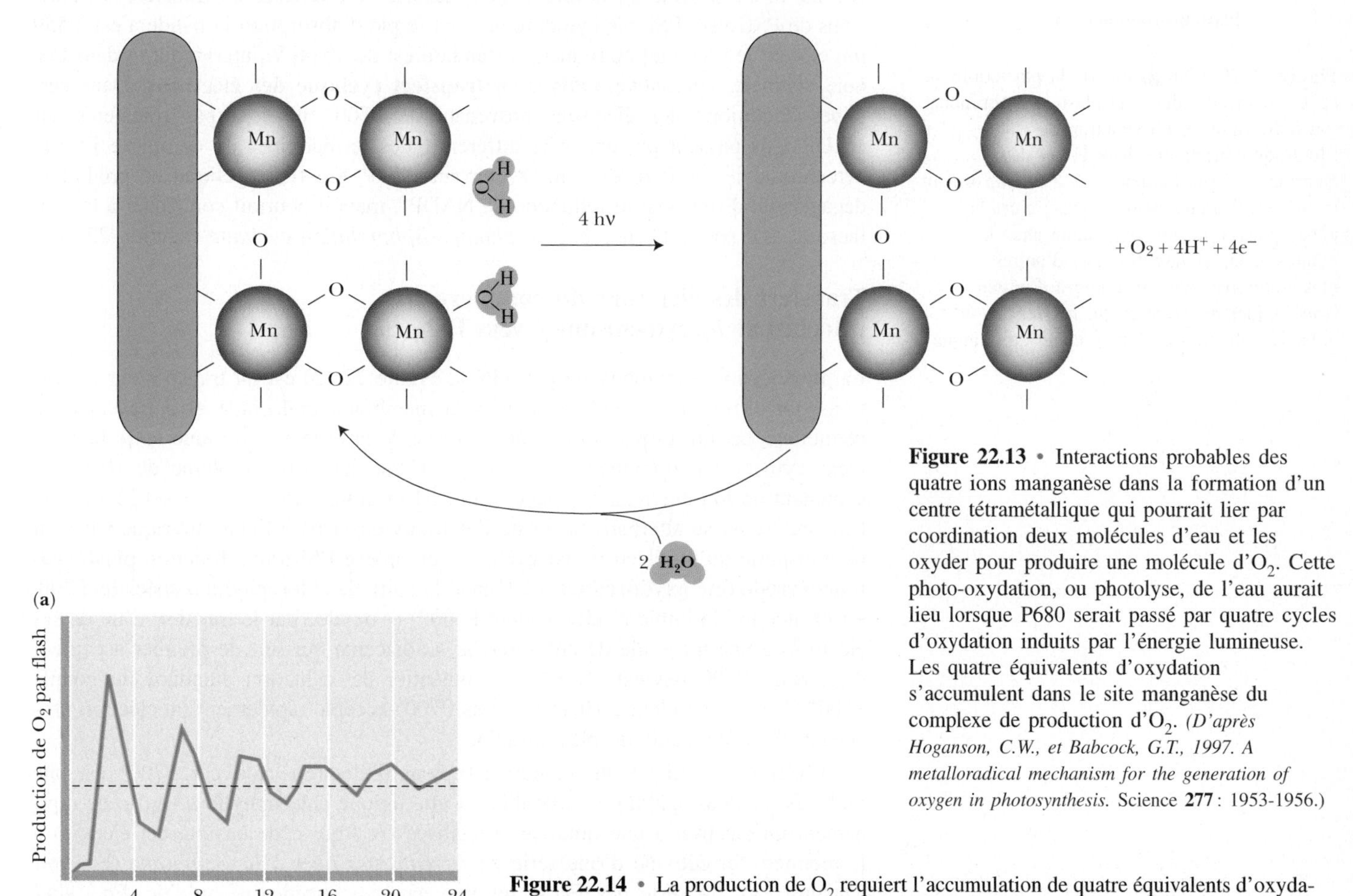

Figure 22.13 • Interactions probables des quatre ions manganèse dans la formation d'un centre tétramétallique qui pourrait lier par coordination deux molécules d'eau et les oxyder pour produire une molécule d'O_2. Cette photo-oxydation, ou photolyse, de l'eau aurait lieu lorsque P680 serait passé par quatre cycles d'oxydation induits par l'énergie lumineuse. Les quatre équivalents d'oxydation s'accumulent dans le site manganèse du complexe de production d'O_2. *(D'après Hoganson, C.W., et Babcock, G.T., 1997. A metalloradical mechanism for the generation of oxygen in photosynthesis.* Science **277** : 1953-1956.)

Figure 22.14 • La production de O_2 requiert l'accumulation de quatre équivalents d'oxydation dans PSII. (a) Des chloroplastes préalablement adaptés à l'obscurité ne produisent que peu d'oxygène après illumination par deux flashes de très brève durée. La production d'O_2 présente un pic dès le troisième flash puis à chacun des quatrièmes flashes suivants. Les oscillations dans la production d'O_2 sont de plus en plus amorties avec la succession des flashes et convergent vers une valeur moyenne plus faible après une vingtaine de flashes. (b) Les oscillations dans la production d'O_2 résultent du passage du centre réactionnel de PSII par cinq états d'oxydation différents, de $\mathbf{S_0}$ à $\mathbf{S_4}$. Lorsque l'état $\mathbf{S_4}$ est atteint, un O_2 est libéré. Le centre réactionnel cède un électron lors de chaque flash et passe successivement par les états $\mathbf{S_1}$, $\mathbf{S_2}$, $\mathbf{S_3}$ et S_4. L'état $\mathbf{S_4}$ oxyde spontanément 2 molécules d'eau, ce qui produit O_2, et retourne à l'état $\mathbf{S_0}$. Le pic de la production de O_2 qui suit le troisième flash est en partie dû au fait que les chloroplastes de la suspension sont déjà à l'état $\mathbf{S_1}$.

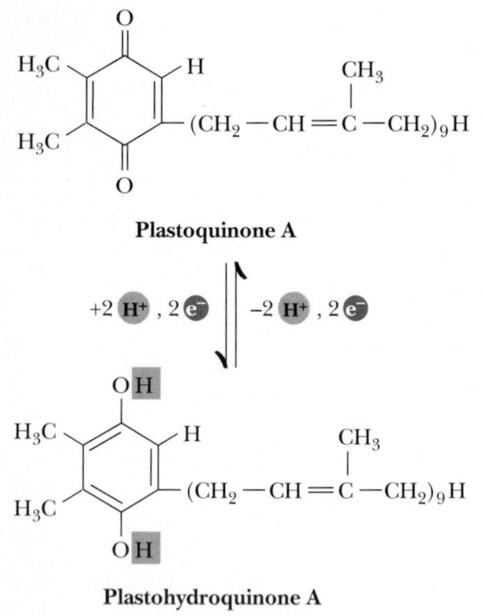

$$\text{Plastoquinone A: 2,3-diméthyl-1,4-benzoquinone, substituant } (CH_2-CH=C(CH_3)-CH_2)_9H$$

Plastoquinone A

$+2\ H^+,\ 2e^-$ ⇅ $-2\ H^+,\ 2e^-$

Plastohydroquinone A

Figure 22.15 • Structures de la plastoquinone et de sa forme réduite, la plastohydroquinone (ou plastoquinol). L'oxydation de l'hydroquinone libère deux H^+ et deux électrons. La plastoquinone A a un substituant formé par 9 unités isopréniques ; c'est la plastoquinone la plus abondante chez les plantes et les algues. Il existe d'autres plastoquinones avec un nombre d'unités isopréniques différent et qui peuvent avoir diverses substitutions sur le cycle quinonique.

gradient électrochimique. Notez que la plastoquinone est un analogue du coenzyme Q, le transporteur des électrons dans les mitochondries (Chapitre 21).

Transport des électrons à l'intérieur du complexe cytochrome b_6/cytochrome *f*

Le complexe cytochrome b_6/cytochrome *f*, ou **plastiquinol:plastocyanine oxydoréductase**, est une grosse structure protéique (210 kDa) comprenant de 22 à 24 hélices α transmembranaires. Il est formé de deux protéines (cyt b_6 et cyt *f*) dont les hèmes et les *centres fer-soufre* participent au transfert des électrons (voir Chapitre 21). Ce complexe intervient dans le transfert des électrons, de PSII vers PSI, et dans le transfert des protons à travers la membrane thylacoïde ; le « pompage » des protons s'effectue par l'intermédiaire d'un cycle plastoquinone, cycle analogue à celui du transport des électrons dans les mitochondries (Chapitre 21). Le cytochrome *f* (du latin *folium*, feuille) est un cytochrome de type *c*, avec un pic d'absorption à 553 nm, dans la bande α, et un potentiel de réduction de +0,365 V. Apparemment, le cytochrome b_6 ne se trouve pas directement dans la voie linéaire du transfert des électrons de PSII vers PSI. Ce cytochrome dont le pic d'absorption la bande a est à 559 nm et dont le potentiel de réduction standard est de –0,06 V, interviendrait dans une voie distincte, alternative, celle d'un **transfert cyclique des électrons**. Dans certaines conditions, les électrons provenant de P700* ne sont pas transférés sur $NADP^+$; ils passent par une voie différente, des ferrédoxines du complexe PSI au cytochrome b_6, pour finalement revenir sur $P700^+$. Ce flux cyclique ne produit ni dégagement d'oxygène ni réduction de $NADP^+$, mais il pourrait contribuer à la synthèse d'ATP par le phénomène de *photophosphorylation cyclique* (Section 22.7).

Transfert des électrons du complexe cytochrome b_6/cytochrome *f* vers PSI

La **plastocyanine** (symbolisée par « PC », Figure 22.12) est un transporteur d'électrons qui diffuse très rapidement dans la membrane thylacoïde et à travers cette membrane, ce qui lui permet de jouer un rôle de navette électronique entre le complexe cytochrome b_6/cytochrome *f* et PSI. C'est une petite protéine de 10,4 kDa contenant un ion cuivre. La plastocyanine est un transporteur ($\mathscr{E}_0{}' = +0{,}32$ V) dont l'ion cuivre passe alternativement de l'état cuivreux Cu^+ à l'état cuivrique Cu^{2+} ; il ne transporte qu'un électron par cycle. Le complexe PSI a une fonction **plastocyanine/ferrédoxine oxydoréductase**. Quand la paire de chlorophylle *a* spéciale, P700, est excitée par la lumière (elle devient P700*) et oxydée par le transfert d'un de ses électrons à une molécule de chlorophylle *a* adjacente qui sert de premier accepteur d'électron, P700 devient $P700^+$. (Le potentiel de réduction standard du couple $P700^+$/P700 est proche de +0,45 V). Puis $P700^+$ accepte rapidement un électron provenant d'une molécule de plastocyanine.

L'identité chimique du premier accepteur d'électron cédé par P700* est une molécule de chlorophylle *a* particulière. Cette unique chlorophylle *a* (A_0) cède rapidement un électron à une quinone spécialisée (A_1) qui cède ensuite cet électron à la première ferrédoxine d'une série de *ferrédoxines liées à la membrane* (Fd, voir Chapitre 21). La série des Fd se termine par une ferrédoxine soluble, Fd_S, elle-même donneur direct d'électron à la **ferrédoxine :NADP⁺ réductase**, une flavoprotéine (Fp) qui catalyse la réduction du $NADP^+$.

Les tout premiers événements de la photosynthèse sont des réactions de transfert d'électrons extrêmement rapides

Le transfert des électrons de P680 vers Q et de P700 vers Fd s'effectue en un temps compris entre la picoseconde et la nanoseconde. La nécessité d'une réaction aussi rapide est évidente dès que l'on comprend que l'excitation de Chl induite par la lumière aboutit à la séparation de charges électriques de signes opposés très proches l'une de l'autre ($P700^+$:A_0^-). Il faut donc que les réactions de transfert d'électron soient extrêmement rapides pour éviter une recombinaison de charges avec retour à P700:A_0 (et donc une dissipation de l'énergie d'excitation).

22.5 • Architecture moléculaire des centres de réaction de la photosynthèse

Quelle architecture moléculaire permet le couplage de l'absorption de l'énergie lumineuse à la série des transferts rapides des électrons, puis ces transferts électroniques à la translocation des protons qui rend possible la synthèse de l'ATP ? Une réponse partielle à cette question se trouve dans l'association des photosystèmes à la membrane. L'étude des protéines membranaires a malheureusement longtemps été impossible du fait de leur insolubilité dans les solvants aqueux généralement utilisés dans la biochimie des protéines. La première indication majeure est venue en 1984 avec la publication (par Johann Deisenhofer, Hartmut Michel, et Robert Huber) de l'analyse radiocristallographique d'un complexe protéique membranaire. Pour le plus grand bénéfice des chercheurs étudiant la photosynthèse, ce complexe protéique était le centre réactionnel de la photosynthèse d'une bactérie pourpre, *Rhodopseudomonas viridis*. Ce travail leur a valu l'attribution du prix Nobel de Chimie en 1984.

Structure du centre réactionnel du système de photosynthèse de *R. viridis*

Rhodopseudomonas viridis est un procaryote chez lequel la photosynthèse n'utilise qu'un seul type de photosystème. Le centre réactionnel de *R. viridis* (145 kDa) est localisé dans la membrane plasmique de ces bactéries. Il est composé de quatre polypeptides différents, désignés par les lettres *L* (273 résidus d'acides aminés), *M* (323 résidus), *H* (258 résidus) et par le terme *cytochrome* (333résidus). Les sous-unités *L* et *M* sont ancrées dans la membrane par cinq hélices α transmembranaires ; *H* n'a qu'une hélice α et la majorité de la protéine forme un domaine globulaire situé dans le cytoplasme (Figure 22.16). La sous-unité cytochrome contient quatre hèmes ; le résidu N-terminal de cette protéine est une cystéine. Le cytochrome ne pénètre pas dans la membrane mais y est ancré sur la face périplasmique par les chaînes hydrophobes de deux acides gras qui estérifient un glycérol lié par une liaison thioéther au résidu Cys N-terminal (Figure 22.16). Chacun des polypeptides *L* et *M* complexe deux molécules de *bactériochlorophylle* (BChl, la chlorophylle bactérienne) et une de *bactériophéophytine* (Bphéo). *L* lie en plus une quinone, Q_A. Les polypeptides L et M sont liés par coordination à un atome de fer. La partie photoréactive du centre réactionnel de *R. viridis*, **P870**, est composée de deux molécules de bactériochlorophylle, la paire « spéciale », l'une provenant de *L*, l'autre de *M*.

Transfert des électrons dans le centre réactionnel de *R. viridis*

Les groupes prosthétiques du centre de réaction de *R. viridis* (P870, BChl, Bphéo et les quinones liées) ont une répartition spatiale favorable au transfert des électrons issus de la photosynthèse (Figure 22.16). La photoexcitation de P870 (qui devient P870*) conduit à la perte d'un électron (et à la formation de $P870^+$) par son transfert vers une bactériochlorophylle qui ne fait *pas* partie de P870. L'électron est ensuite transféré de

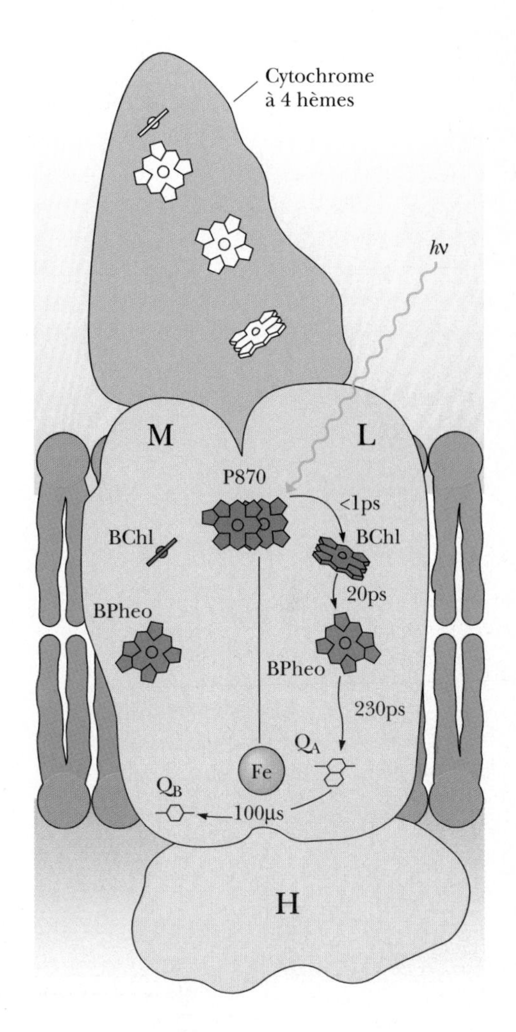

Note : La sous-unité cytochrome est associée à la membrane par sa partie diacylglycérol liée au résidu Cys de son extrémité N-terminale :

H_3N^+—CH—C(=O)—……
CH₂ → S—CH_2—CH——CH_2
O—C=O   O—C=O

Ancrage membranaire

Figure 22.16 • Structure schématique et activité du centre réactionnel de *R. viridis*. Quatre polypeptides (désignés sur la figure par *cytochrome*, *M*, *L* et *H*) constituent le complexe transmembranaire de ce centre réactionnel. Le cytochrome est associé à la membrane par un groupe diacylglycéryle lui-même lié au résidu Cys de l'extrémité N-terminale par une liaison thioéther. *M* et *L* sont caractérisés par le présence de cinq hélices α transmembranaires, *H* n'a qu'une hélice α transmembranaire. Les groupes prosthétiques sont répartis dans l'espace de façon à faciliter le transfert rapide des électrons de P870* vers Q_B. Il faut moins d'une picoseconde pour que la photoexcitation de P870 aboutisse à la réduction de BChl de la branche *L*. $P870^+$ est de nouveau réduit par un électron passant par les hèmes du cytochrome.

la bactériophéophytine *L* (Bpheo) à Q_A, un autre groupe prosthétique de *L*. Le site correspondant dans *M* est occupé par Q_B, une quinone faiblement liée à la protéine ; Q_B accepte l'électron cédé par Q_A. Un aspect intéressant de ce système est qu'il n'y a *pas* de transfert d'électron à travers *M*, bien que sa composition paraisse identique et symétrique de celle de *L*, voie normale du transfert des électrons.

La quinone réduite formée sur le site Q_B peut librement diffuser vers le complexe membranaire cyt *b*/cyt *c* voisin où son oxydation est couplée à la translocation de protons et donc en fin de compte à la synthèse d'ATP (Figure 22.17). Le **cytochrome c_2**, périplasmique, sert à recycler les électrons vers les quatre hèmes du cytochrome du centre réactionnel puis vers $P870^+$. Un résidu Tyr spécifique (Tyr^{162}) du polypeptide *L* est situé entre P870 et l'hème qui lui est le plus proche. Ce résidu Tyr transfère directement un électron à $P870^+$ et complète ainsi le cycle du transfert des électrons entraîné par la lumière. La Figure 22.18 représente un modèle de la structure tridimensionnelle du centre réactionnel de *S. viridis* reconstituée d'après les analyses cristallographique aux rayons X.

Centres réactionnels des eucaryotes : architecture moléculaire de PSII

PSII des plantes supérieures et des algues vertes contient plus de 20 sous-unités, ce centre réactionnel est donc beaucoup plus complexe que le centre de *R. viridis*. Néanmoins, la structure du centre réactionnel de *R. viridis* est un bon modèle de la structure du cœur de PSII. P680 et ses deux équivalents de phéophytine (Phéo) sont localisés sur une paire des protéines intégrales, désignées Figure 22.19 par **D1**

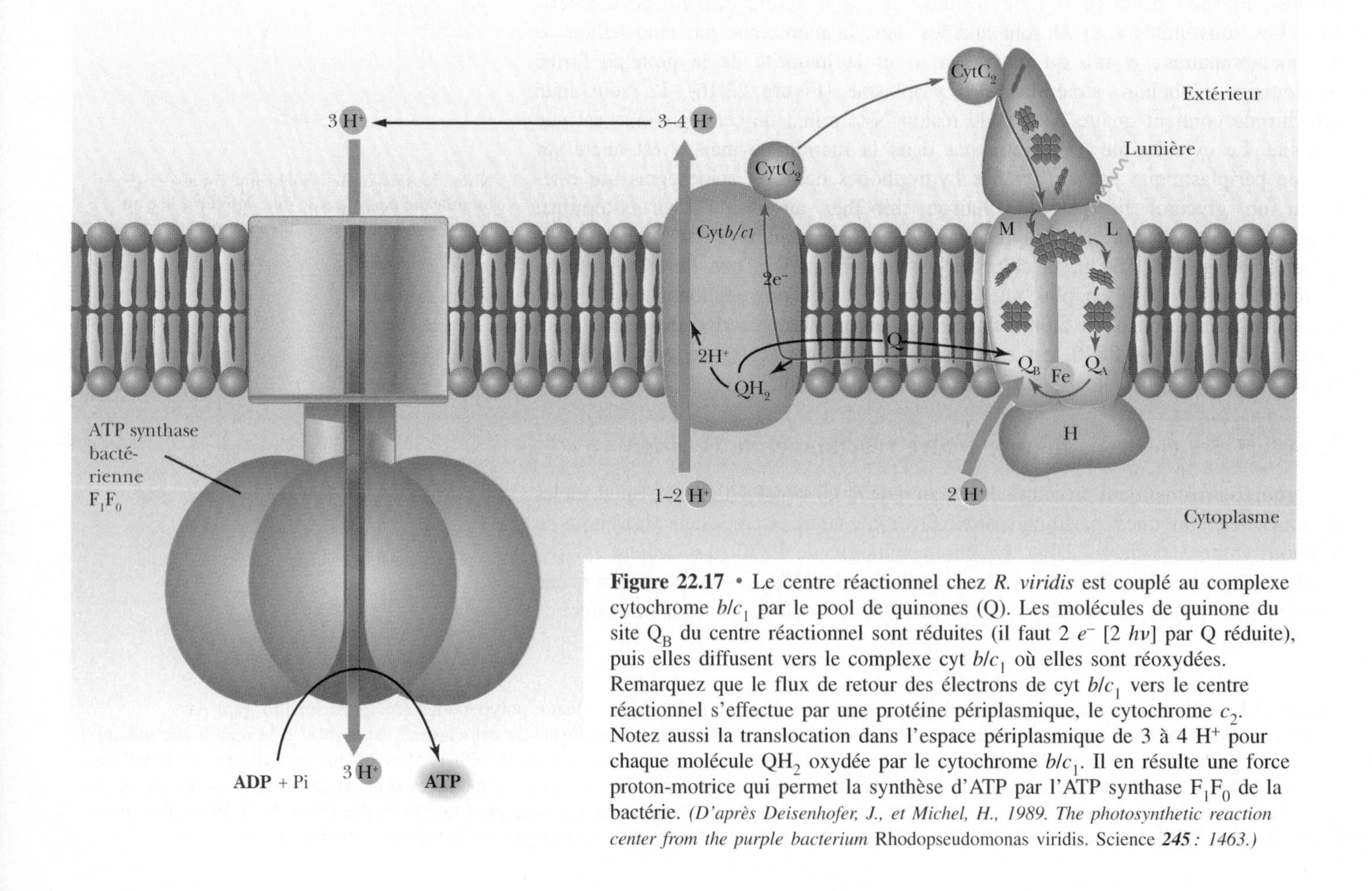

Figure 22.17 • Le centre réactionnel chez *R. viridis* est couplé au complexe cytochrome b/c_1 par le pool de quinones (Q). Les molécules de quinone du site Q_B du centre réactionnel sont réduites (il faut 2 e^- [2 $h\nu$] par Q réduite), puis elles diffusent vers le complexe cyt b/c_1 où elles sont réoxydées. Remarquez que le flux de retour des électrons de cyt b/c_1 vers le centre réactionnel s'effectue par une protéine périplasmique, le cytochrome c_2. Notez aussi la translocation dans l'espace périplasmique de 3 à 4 H^+ pour chaque molécule QH_2 oxydée par le cytochrome b/c_1. Il en résulte une force proton-motrice qui permet la synthèse d'ATP par l'ATP synthase F_1F_0 de la bactérie. *(D'après Deisenhofer, J., et Michel, H., 1989. The photosynthetic reaction center from the purple bacterium* Rhodopseudomonas viridis. Science ***245*** *: 1463.)*

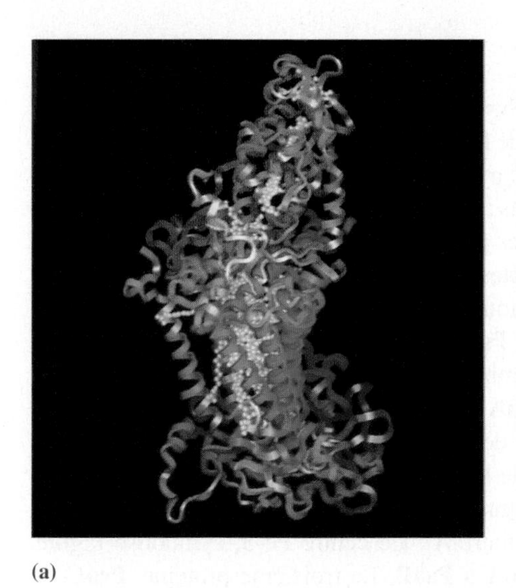
(a)

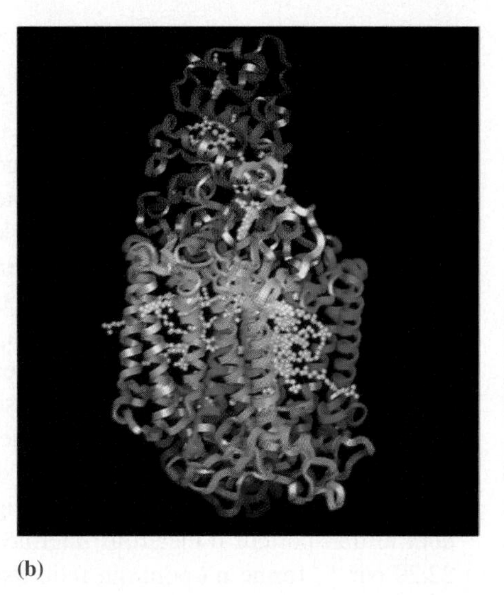
(b)

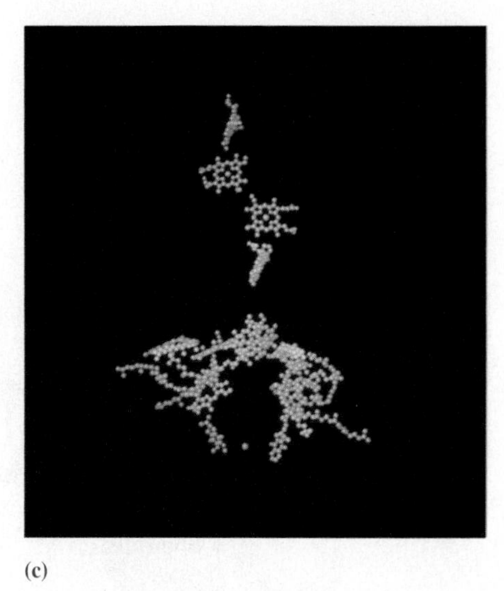
(c)

Figure 22.18 • Modèle du centre réactionnel de *R. viridis*. (a, b) Deux vues différentes du modèle schématique du centre réactionnel. Les sous-unités *M* et *L* sont respectivement colorées en pourpre et en bleu. La sous-unité cytochrome est colorée en brun et la sous-unité H en vert. Ces sous-unités forment la structure dans laquelle les groupes prosthétiques du centre réactionnel se trouvent répartis de façon à permettre le transfert rapide des électrons au cours de la photosynthèse. (c) Répartition spatiale des divers groupes prosthétiques (4 hèmes, P870, 2 BChl, 2 BPheo, 2 quinones, et l'ion fer) vue sous le même angle que (b), mais les chaînes polypeptidiques ont été omises.

(38 kDa) et par **D2** (39,4 kDa). La tyrosine particulière, *D*, est Tyr^{161} de la séquence de **D1**. Deux plastoquinones spéciales, Q_A et Q_B, sont respectivement complexées par **D2** et **D1** ; la molécule Q_A est fortement liée à D2. Les électrons provenant de P680* passent sur Pheo de **D1** puis à Q_A de **D2** et sur une seconde plastoquinone dans le site Q_B sur **D1**. Le transfert d'un électron de Q_A à Q_B est assisté par un ion Fe situé entre ces deux quinones. Chaque plastoquinone (PQ) qui entre dans le site Q_B accepte deux électrons provenant de l'eau et deux protons provenant du stroma avant d'être libérée dans la membrane sous forme d'hydroquinone (PQH_2). La stœchiométrie de la réaction globale catalysée par PSII est $2H_2O + 2PQ\ 4\ h\nu \rightarrow O_2 + 2PQH_2$. Un cytochrome, le **cytochrome b_{559}**, constitué de deux polypeptides (4,4 et 9,3 kDa) est copurifié avec PSII ; sa fonction n'est pas encore élucidée. Deux polypeptides, de 47 et 43 kDa, sont des protéines intrinsèques qui lient la chlorophylle *a* dans le complexe de l'antenne photoréceptrice où elles captent la lumière et transmettent l'énergie de l'exciton à P680. Trois autres polypeptides (47, 43 et 33 kDa) constituent le complexe de libération de l'oxygène ; ce complexe contenant des ions Mn^{2+} se trouve sur la membrane thylacoïde, face à la lumière du thylacoïde.

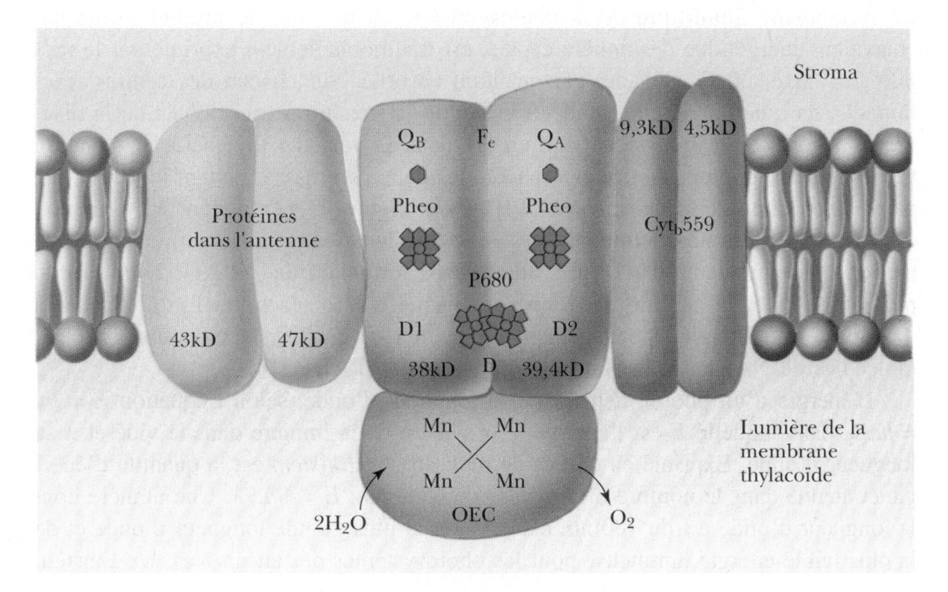

Figure 22.19 • Architecture moléculaire de PSII. Le cœur du complexe PSII qui catalyse la libération de O_2, est constitué de deux polypeptides (D1 et D2), qui lient P680, la phéophytine (Pheo) et les quinones « spéciales », Q_A et Q_B. Les autres constituants de ce complexe comprennent le cytochrome b_{559}, deux protéines intrinsèques de 47 et 43 kDa (du complexe photocollecteur de l'antenne), et une protéine extrinsèque indispensable pour la production d'O_2.

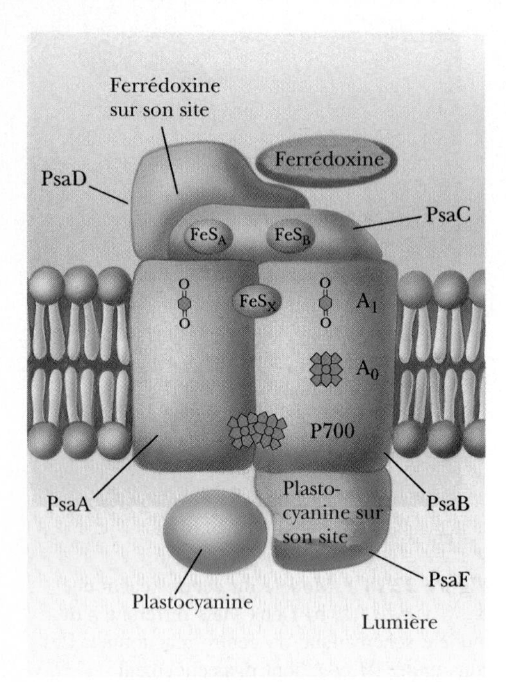

Figure 22.20 • Architecture moléculaire de PSI. PsaA et PsaB constituent le dimère du centre réactionnel, un complexe protéique intrinsèque ; P700 est situé sur le côté de ce dimère, à proximité de la face exposée vers la lumière de la vésicule thylacoïde. PsaC, qui contient deux centre Fe-S, F_A et F_B, et PsaD, qui contient le site d'interaction avec la ferrédoxine, sont situés sur la membrane thylacoïde, face au stroma. PsaF qui contient le site d'interaction avec la plastocyanine est sur la face côté lumière. *(D'après Golbeck, J.H., 1992.* Annual Review of Plant Physiology and Plant Molecular Biology *43 : 293-324.)*

Architecture moléculaire de PSI

La structure de PSI d'une cyanobactérie, *Synecoccus elongatus*, a été résolue par radiocristallographie ; cette structure présente de fortes similarités avec celle du centre réactionnel de *R. viridis* et PSII chez les eucaryotes. Elle est aussi proche de ce qui est connu concernant PSI chez les eucaryotes ; ce centre réactionnel de *S. elongatus* est donc devenu le modèle général de tous les photosystèmes P700 (Figure 22.20). Bien que PSI contienne 11 sous-unités différentes, tous les groupes prosthétiques transporteurs d'électrons essentiels pour la fonction de PSI se trouvent associés à seulement trois polypeptides. Deux de ces derniers, **PsaA** et **PsaB** (83 kDa chacun), forment le centre réactionnel hétérodimérique qui semble à présent universel dans les systèmes de transduction de l'énergie lumineuse. **PsaA** et **PsaB** ont chacun 11 hélices α transmembranaires. PSI contient une centaine de molécules de chlorophylle, dont la paire P700 et deux molécules à environ 16 Å de P700 dont l'une est la molécule A_0 qui lui sert d'accepteur d'électron immédiat (Figure 22.20). PSI contient aussi des quinones dont le transporteur d'électrons intermédiaire A_1. Le centre Fe-S, symbolisé Figure 22.20 par F_x forme un pont qui relie **PsaA à PsaB**. La troisième protéine, **PsaC** (9 kDa), contient deux centres Fe-S, désignés par F_A et F_B ; **PsaC** (ainsi que deux autres protéines, **PsaD** et **PsaE**) est située sur le côté du complexe constituant le centre réactionnel, face au stroma. D'autres polypeptides interviennent dans l'assemblage de PSI, en particulier une protéine (**PsaF**) à trois hélices α transmembranaires qui contiennent le site d'interaction avec la plastocyanine (sur la face côté lumière du thylacoïde) et une protéine (**PsaD**) qui contient le site d'interaction avec la ferrédoxine dans le système PSI des eucaryotes (sur la face côté stroma).

La structure générale de PSI chez *S. elongatus* consiste en un cœur formant le centre réactionnel entouré par et relié à un système antennaire chlorophyllien de grande dimension (système photocollecteur). Trois de ces complexes PSI sont assemblés en une structure trimérique. La réaction photochimique commence par l'absorption d'un quantum d'énergie par P700, suivi d'un transfert quasi instantané de l'électron avec séparation des charges électriques ($P700^+$:A_0^-). Puis le transfert se poursuit, l'électron passant successivement de A_0 sur A_1, F_x, puis F_A/F_B où il est utilisé pour réduire une molécule de ferrédoxine dans le stroma. La charge positive de $P700^+$ et la charge négative de l'électron sur F_A/F_B représentent la séparation des charges de part et d'autre de la membrane thylacoïde, donc l'état « énergisé » crée par l'absorption de la lumière.

22.6 • Rendement quantique de la photosynthèse

Le **rendement quantique** de la photosynthèse, ou quantité de produit formé par équivalent énergétique de lumière captée, est traditionnellement exprimé par le rapport CO_2 fixé, ou O_2 dégagé, par quantum absorbé. Sur chacun des centres réactionnels, un quantum excite un électron. Selon la stœchiométrie globale de la réaction, on constate la translocation d'un H^+ dans la vésicule thylacoïde par photon absorbé. Deux photons captés par chacun des deux centres permettent le flux d'une paire d'électrons de H_2O vers $NADPH^+$ (voir Figure 22.12) et donc la formation d'un NADPH et la production de $\frac{1}{2}O_2$. Si la translocation de 3 H^+ permettait la formation d'une molécule d'ATP, il y aurait aussi formation de $\frac{4}{3}$ d'ATP. D'une façon plus appropriée, la capture de 4 $h\nu$ par chaque centre réactionnel (soit 8 quanta d'énergie) entraînerait le dégagement d'une molécule d'O_2, la réduction de deux molécules de $NADP^+$ et la phosphorylation de $2,\frac{2}{3}$ d'ADP.

L'énergie d'un photon dépend de sa longueur d'onde, selon l'équation $E = h\nu = hc/\lambda$, dans laquelle E est l'énergie, c la vitesse de la lumière dans le vide et λ sa longueur d'onde. Exprimé en termes de molarité, un *Einstein* est la quantité d'énergie contenue dans le nombre d'Avogadro de photons : $E = Nhc/\lambda$. Une lumière dont la longueur d'onde est de 700 nm est celle de la plus grande longueur d'onde et de la plus faible énergie lumineuse pour les photosystèmes des eucaryotes. Un Einstein de cette lumière est énergétiquement équivalent à environ 170 kJ. Huit Einsteins de cette lumière, soit 1360 kJ, peuvent théoriquement générer la formation de 2 moles de NADPH, $2\frac{2}{3}$ moles d'ATP et 1 mole d'oxygène.

Quantité d'énergie photosynthétique exigée pour la synthèse d'un hexose

La fixation de CO_2 pour former un hexose, la *phase obscure des réactions de photosynthèse*, requiert une quantité d'énergie considérable. Ce processus exige (Eq. 22.3) 12 NADPH et 18 ATP. Pour produire les 12 équivalents de NADPH il faut au minimum que le chloroplaste capte 48 Einsteins de lumière, d'au moins 170 kJ chacun. Cependant, si le rapport de $1\frac{1}{3}$ d'ATP par NADPH est correct, il n'y aurait pas assez d'ATP produit pour la fixation du CO_2. Il faudrait au moins six Einsteins de plus pour fournir les deux ATP supplémentaires requis. À partir de ces 54 Einsteins, ou 9.180 kJ, une mole d'hexose pourrait en principe être synthétisée. La variation d'énergie libre standard, $\Delta G°'$ pour la formation d'un hexose à partir de gaz carbonique et d'eau (la réaction inverse de la respiration cellulaire) est de +2.870 kJ/mol.

22.7 • Énergie lumineuse et synthèse de l'ATP : la photophosphorylation

La synthèse de l'ATP entraînée par la capture de l'énergie de la lumière est appelée **photophosphorylation**. C'est une partie fondamentale du processus photosynthétique. La conversion d'une énergie électromagnétique en énergie chimique résulte des réactions de transfert d'électrons provoquant la formation d'un pouvoir réducteur (NADPH). Une translocation de protons à travers la membrane thylacoïde est couplée à ces réactions de transfert. Ces translocations de protons s'effectuent d'une manière analogue à celle de la translocation des protons qui accompagne le transport des électrons dans la mitochondrie et qui fournit l'énergie nécessaire aux oxydations phosphorylantes (Chapitre 21). La translocation des protons dans le chloroplaste peut s'observer sur plusieurs sites (Figure 22.12). Par exemple, il peut y avoir translocation de protons lors de la photolyse de l'eau par suite des réactions entre l'eau et PSII. La série des réactions d'oxydation et de réduction qui accompagnent le transfert des électrons dans le pool des plastoquinones et le cycle Q est une autre occasion de translocation de protons. Il est possible de considérer la production du proton qui accompagne la réduction de $NADP^+$ comme la translocation d'un proton du stroma vers la lumière d'une vésicule thylacoïde. On admet généralement que la translocation de deux protons accompagne le passage d'un électron de l'eau vers $NADP^+$. Puisque ce transfert électronique exige deux photons, l'un capté par PSII, l'autre par PSI, le rendement global est d'un proton par quantum de lumière.

Mécanisme chimiosmotique de la photophosphorylation

La translocation des protons dans la membrane thylacoïde est vectorielle, de la même façon que la translocation des protons dans la membrane mitochondriale est vectorielle, pour essentiellement les mêmes raisons : la structure de la membrane thylacoïde est asymétrique, elle a deux côtés différents, tout comme la membrane mitochondriale. Elle est aussi imperméable à la diffusion des ions H^+. Le transport des électrons lors de la photosynthèse établit donc un gradient électrochimique (une force proton-motrice) transmembranaire, avec une accumulation d'ions H^+ à l'intérieur, dans la lumière du thylacoïde, par rapport au stroma du chloroplaste. Comme pour l'oxydation phosphorylante, le mécanisme de la photophosphorylation est chimiosmotique.

Pour la synthèse de l'ATP, il faut une force proton-motrice d'environ –250 mV. Cette force proton-motrice, Δp, comprend un potentiel de membrane, $\Delta\Psi$, et un gradient de pH, ΔpH (voir Chapitre 21). La force proton motrice est définie comme la différence d'énergie libre, ΔG, divisée par la constante de Faraday, $\mathcal{F}$:

$$\Delta p = \Delta G/\mathcal{F} = \Delta\Psi - (2{,}3RT/\mathcal{F})\ \Delta \text{pH} \qquad (22.5)$$

DÉVELOPPEMENTS DÉCISIFS EN BIOCHIMIE

Des expériences effectuées avec des chloroplastes isolés ont fourni la première preuve directe validant la théorie chimiosmotique

La preuve expérimentale montrant que le mécanisme de la photophosphorylation est bien chimiosmotique fut apportée par une élégante expérience réalisée par André Jagendorf et Ernest Uribe en 1966 (Figure ci-dessous). Jagendorf et Uribe ont pensé que si l'énergie de la photophosphorylation provenait réellement d'un gradient électrochimique formé par le transfert des électrons lors de la photosynthèse, ils pourraient artificiellement générer un tel gradient par une incubation à l'obscurité de chloroplastes en milieu acide, puis en alcalinisant rapidement le milieu extérieur. L'inégale distribution de l'activité électrochimique des ions hydrogène de part et d'autre de la membrane devrait mimer les conditions normales résultant de l'illumination des chloroplastes ; elle devrait fournir l'énergie nécessaire à la formation d'ATP. Pour vérifier cette hypothèse de travail, Jagendorf et Uribe ont mis en incubation des chloroplastes isolés dans un milieu légèrement acide (pH 4) pendant 60 secondes, durée suffisante pour que le pH à l'intérieur des chloroplastes s'équilibre avec celui du milieu extérieur. Le pH du milieu extérieur a ensuite été rapidement alcalinisé (pH 8), ce qui a créé un gradient artificiel de pH de part et d'autre de la membrane thylacoïde. Après addition d'ADP et de P_i, il y a eu synthèse d'ATP, tandis que le gradient de pH s'effondrait. Cette expérience devenue classique fut la première preuve réelle de la validité de la théorie chimiosmotique de Mitchell et encouragea la communauté scientifique à accepter ses interprétations. Avec l'accumulation des preuves expérimentales en faveur de la théorie chimiosmotique de Mitchell pour expliquer la synthèse de l'ATP, elle est devenue l'un des dogmes de la Biochimie. La photophosphorylation peut être brièvement résumée en disant que les vésicules thylacoïdes illuminées accumulent des ions H^+, ce qui crée un gradient pouvant être utilisé pour entraîner la synthèse d'ATP. La chute du gradient – c'est-à-dire l'équilibrage de la concentration ionique de part et d'autre de la membrane – est le mécanisme transducteur : le potentiel énergétique d'une différence de concentration est transduit en énergie chimique par la synthèse de l'ATP.

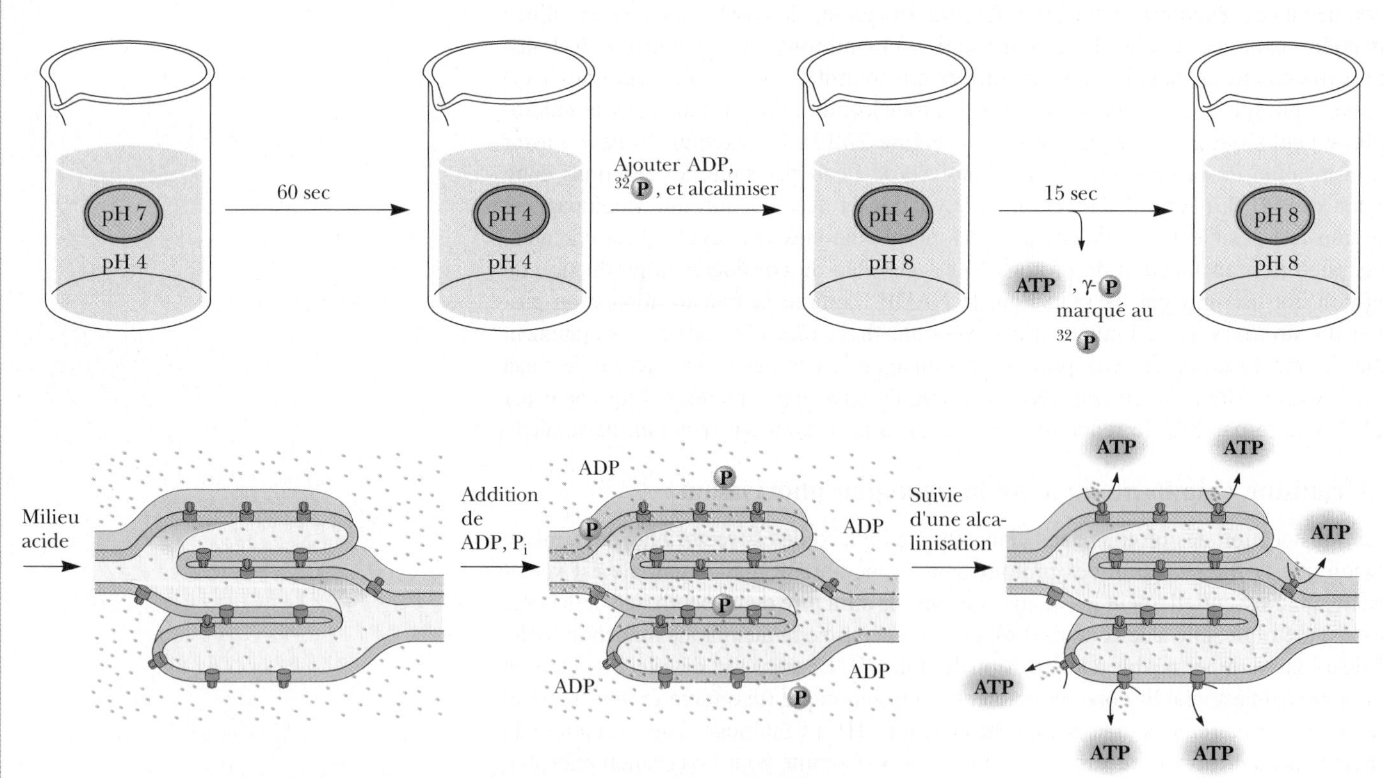

Le mécanisme de la photophosphorylation est chimiosmotique. En 1966, Jagendorf et Uribe ont pour la première fois apporté la preuve expérimentale que l'établissement d'un gradient électrochimique de part et d'autre de la membrane d'un organite transducteur d'énergie pouvait aboutir à la synthèse d'ATP. Ils ont équilibré des chloroplastes pendant 60 secondes dans un bain à pH 4, amené ensuite ce pH à 8 en présence d'ADP et de P_i, et laissé incuber pendant 15 secondes. Toute l'expérience était effectuée à l'obscurité.

Dans les chloroplastes, la valeur de $\Delta\Psi$ est typiquement de –50 à –100 mV et le gradient de pH est d'environ 3 unités de pH, de sorte que – $(2{,}3RT/\mathcal{F})\Delta pH$ = –200 mV. Cette situation est différente de celle qui est observée pour la force proton-motrice de la membrane mitochondriale où le potentiel de membrane contribue pour une part plus importante à la valeur de Δp que le gradient de pH.

L'ATP synthase CF_1CF_0 du chloroplaste est équivalente à l'ATP synthase F_1F_0 de la mitochondrie

L'ATP synthase du chloroplaste effectue la transduction du gradient électrochimique en énergie chimique représentée par l'ATP ; elle est très analogue à l'ATP synthase F_1F_O mitochondriale. Le complexe enzymatique du chloroplaste est appelé **l'ATP synthase CF_1CF_0**, le « C » symbolisant le chloroplaste. Comme le complexe mitochondrial, l'ATP synthase du chloroplaste est un hétéromultimère de sous-unités α, β, γ, δ, ϵ, a, b et c (voir Chapitre 21), en forme de bouton d'environ 9 nm de diamètre (CF_1) attaché à une tige de base (CF_0) pénétrant dans la membrane thylacoïde. Le mécanisme d'action de l'ATP synthase CF_1CF_0 qui couple la synthèse de l'ATP à la chute du gradient de protons est semblable à celui de l'ATP synthase de la mitochondrie. Ce mécanisme est schématisé Figure 22.21.

Photophosphorylation cyclique et non cyclique

Le transport des électrons d'origine photosynthétique entraînant la translocation de H^+ dans la lumière des vésicules thylacoïdes peut s'effectuer selon deux modes différents, tous deux aboutissant à la formation de la force proton-motrice transmembranaire. Les deux modes sont donc couplés à la synthèse d'ATP, ils constituent des mécanismes alternatifs de la photophosphorylation qui se différencient par leurs

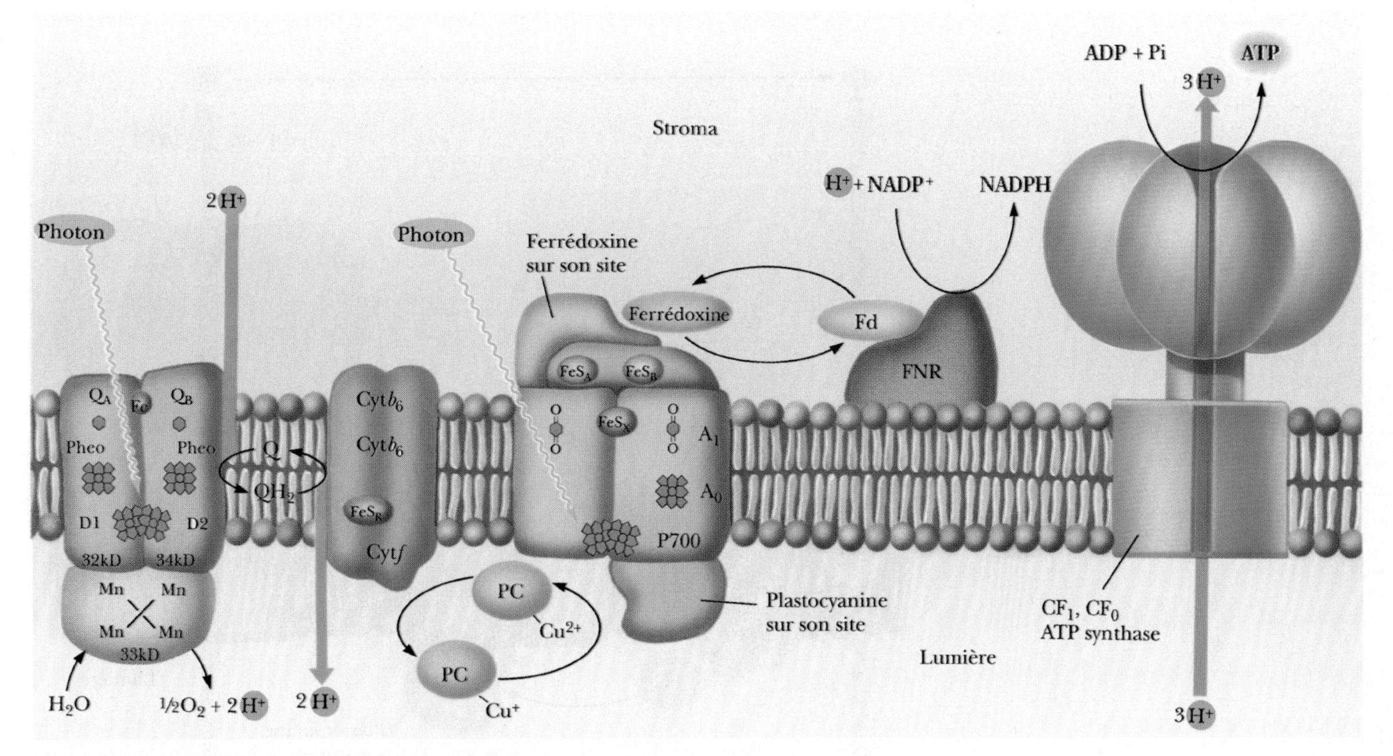

Figure 22.21 • Mécanisme de la photophosphorylation. Le transport de électrons de la photosynthèse établit un gradient de protons qui est utilisé par l'ATP synthase CF_1CF_0 pour la synthèse de l'ATP. L'aspect essentiel de ce mécanisme est que les composants du transport des électrons induit par la lumière et de la synthèse de l'ATP sont disposés de façon asymétrique dans la membrane thylacoïde. Cette disposition permet un prélèvement vectoriel et une libération vectorielle de H^+, ce qui engendre la force proton-motrice.

voies de transfert des électrons. L'un des modes est cyclique, l'autre est non cyclique. La **photophosphorylation non cyclique (ou linéaire)** est celle que nous avons envisagée jusqu'à présent ; elle est schématiquement représentée Figure 22.21. Dans ce mode, le flux des électrons activés par les quanta sur PSII et PSI, passe de H_2O à $NADP^+$, en établissant simultanément le gradient à l'origine de la force protonmotrice qui fournit l'énergie nécessaire à la synthèse de l'ATP. Au cours de cette photophosphorylation linéaire, il y a production d'O_2 et réduction de $NADP^+$.

Photophosphorylation cyclique

Dans la **photophosphorylation cyclique**, le « trou » électronique dans $P700^+$, formé par le départ d'un électron de P700, n'est *pas* comblé par un électron provenant de H_2O via PSII. Il sera comblé par un électron provenant d'une voie cyclique par laquelle l'électron photoexcité revient finalement sur $P700^+$. Cette voie est schématiquement représentée Figure 22.12 par la ligne en pointillé qui relie F_B au cytochrome b_6. La fonction du cytochrome b_6 (b_{563}) est en effet de coupler les ferrédoxines liées au complexe PSI au complexe cytochrome b_6/cytochrome f (par l'intermédiaire du pool de plastoquinone). Cette voie détourne l'électron activé de la réduction de $NADP^+$ et le renvoie vers la plastocyanine pour réduire $P700^+$ (Figure 22.22).

Des translocations de protons accompagnent ce transfert cyclique d'électrons, de sorte que la synthèse d'ATP reste possible. Lors de la photophosphorylation cyclique, l'ATP est le seul produit résultant de la conversion de l'énergie de la lumière. Il n'y a pas formation de NADPH et, puisque PSII n'est pas impliqué, il n'y a pas de production d'O_2. La photophosphorylation cyclique ne dépend que de PSI. La vitesse maximale de la photophosphorylation cyclique n'est que le vingtième de la vitesse de la photophosphorylation linéaire.

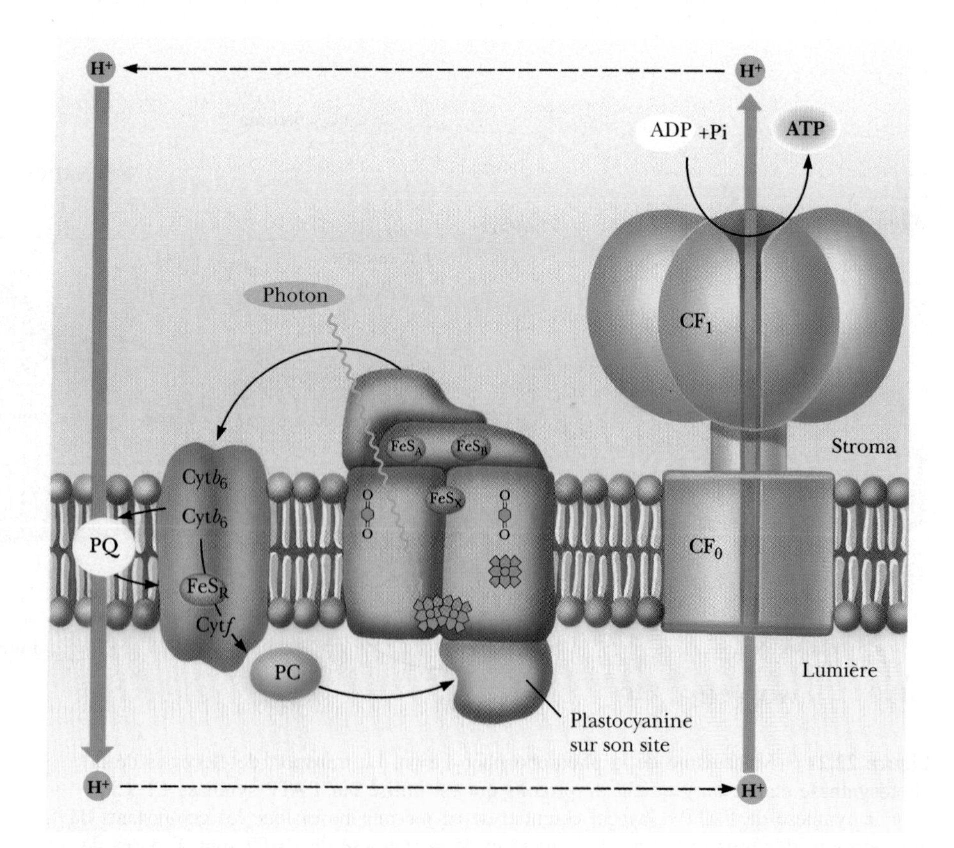

Figure 22.22 • Voie de la photophosphorylation par PSI. *(D'après Arnon, D.I., 1984.* Trends in Biochemical Sciences *9 : 258.)*

22.8 • Fixation du gaz carbonique

Au début de ce chapitre, nous avons vu que la photosynthèse est traditionnellement assimilée au processus de fixation de CO_2 c'est-à-dire à la synthèse nette de glucides à partir de CO_2. Effectivement, la capacité des organismes phototrophes (et des organismes autotrophes) à effectuer la synthèse nette de glucides à partir du CO_2 les distingue des organismes hétérotrophes. Alors que les animaux ont des enzymes capables de catalyser la liaison du CO_2 à des accepteurs organiques, ils ne peuvent pas réaliser d'accumulation nette de molécules organiques par ces réactions. Par exemple, la biosynthèse des acides gras est amorcée par la liaison covalente d'un CO_2 sur de l'acétyl-CoA qui produit du malonyl-CoA (Chapitre 25). Cependant, ce CO_2 « fixé » est libéré dès la réaction suivante, il n'y a donc pas d'incorporation nette de CO_2.

L'élucidation de la voie de la fixation du CO_2 est le résultat d'une des premières utilisations de marqueurs isotopiques radioactifs dans les études biologiques. En 1945, Melvin Calvin et ses collègues de l'Université de Californie, à Berkeley, étudiaient la fixation photosynthétique de CO_2 par *Chlorella.* En utilisant $^{14}CO_2$, ils ont pu suivre l'incorporation de ^{14}C radioactif dans les produits organiques isolés ; ils ont ainsi trouvé que la molécule la plus précocement marquée était le **3-phosphoglycérate** (voir Figure 18.13). Si ce résultat semblait indiquer que l'accepteur était une molécule à deux atomes de carbone, les recherches ont montré qu'en réalité il se formait deux équivalents de 3-phosphoglycérate après fixation de CO_2 sur un ose à cinq atomes de carbone (un pentose).

$$CO_2 + \text{accepteur à cinq C} \longrightarrow [\text{intermédiaire à six C}] \longrightarrow \text{deux molécules de 3-phosphoglycérate}$$

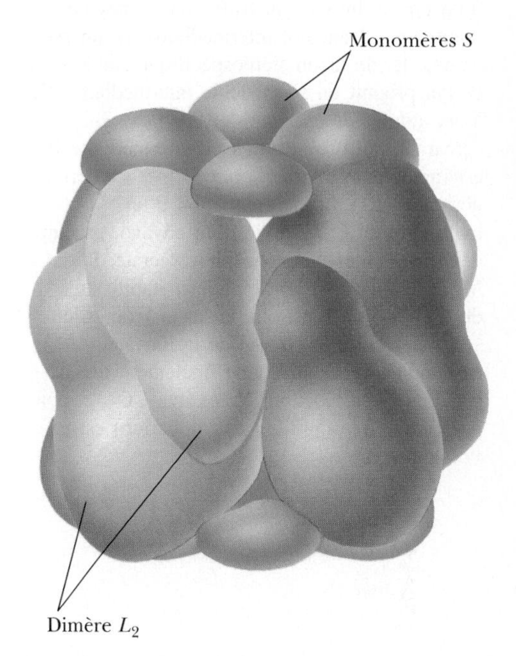

Figure 22.23 • Diagramme schématique de l'organisation des sous-unités de la ribulose bisphosphate carboxylase révélée par cristallographie aux rayons X. L'enzyme est constitué de deux types de sous-unités (*L*, de 55 kDa, et *S*, de 15 kDa) chacun présent en huit exemplaires. Les petites sous-unités (*S*, pour *Small*, petite) sont regroupées par quatre à chacune des extrémités de l'octamère formé par quatre dimères L_2 (L pour *Large*, grosse). *(D'après Knight, S., Andersson, I., et Branden, C.I., 1990.* Journal of Molecular Biology ***215*** *: 113-160.)*

Le ribulose-1,5-bisphosphate est l'accepteur du CO_2

L'accepteur à cinq atomes de carbone est le **ribulose-1,5-bisphosphate** (RuBP) et l'enzyme qui catalyse cette réaction clé de la fixation du CO_2 est la **ribulose-1,5-bisphosphate carboxylase/oxygénase**, ou dans le jargon des spécialistes, la **rubisco**. Le nom de l'enzyme, la *ribulose-1,5-bisphosphate carboxylase/oxygénase* reflète le fait que la rubisco catalyse soit la fixation de CO_2, soit celle d'O_2 sur RuBP. La rubisco se trouve dans le stroma des chloroplastes. C'est un enzyme particulièrement abondant qui constitue plus de 15 % de la totalité des protéines d'un chloroplaste. Étant donnée la prépondérance des plantes vertes dans la biosphère, la rubisco est probablement la protéine la plus abondante sur Terre. C'est une grosse protéine, un hétéromultimère ($\alpha_8\beta_8$)de 550 kDa constitué de huit grosses sous-unités identiques de 55 kDa et de huit petites sous-unités de 15 kDa (Figure 22.23). La grosse sous-unité est l'unité catalytique de l'enzyme. Elle lie les deux substrats (CO_2 et RuBP) et un ion Mg^{2+} essentiel à l'activité enzymatique. La petite sous-unité module l'activité catalytique en accroissant de plus de 100 fois *kcat*[2].

Réaction catalysée par la ribulose-1,5-bisphosphate carboxylase

La fixation, par une liaison covalente, du CO_2 sur le ribulose-1,5-bisphosphate produit un intermédiaire lié à l'enzyme, le **2-carboxy,3-cétoarabinitol** (Figure 22.24). Plus précisément, cet intermédiaire apparaît quand CO_2 se fixe sur un premier intermédiaire ènediol résultant de la formation d'un complexe Mg^{2+} (enzyme) avec le

[2] La grosse sous-unité de la rubisco est codée par un gène de l'ADN du chloroplaste, tandis la petite sous-unité est codée par une famille de gènes de l'ADN nucléaire. Les polypeptides formant les petites sous-unités traversent la membrane du chloroplaste et l'assemblage de l'hétéromultimère s'effectue dans le chloroplaste.

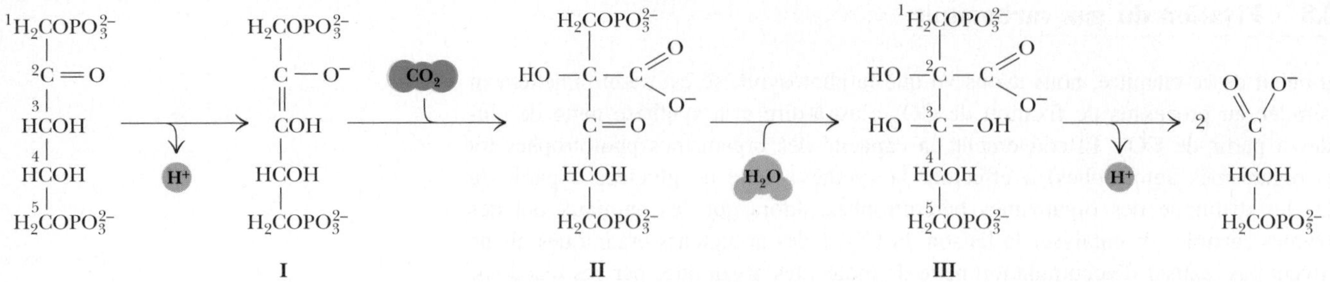

Figure 22.24 • Réaction catalysée par la ribulose bisphosphate carboxylase. La capture d'un proton du C-3 du RuBP par l'enzyme donne un 2,3-ènediol intermédiaire (I) qui est carboxylé, de façon stéréospécifique sur le C-2, ce qui produit un *b*-cétoacide intermédiaire (II) à six atomes de carbone, le 2-carboxy,3-cétoarabinitol bisphosphate. L'intermédiaire II est rapidement hydraté, pour former un dérivé gem-diol (III). La déprotonation d'un hydroxyle du C-3, suivie d'un clivage, produit deux molécules de 3-phosphoglycérate. L'ion Mg^{2+} du site actif participe à la stabilisation du 2,3-ènediol transitoire avant la fixation du CO_2, et facilite le clivage de la liaison carbone-carbone qui donne finalement les produits de la réaction. Notez que CO_2, et non pas HCO_3^- (son produit d'hydratation) est le vrai substrat.

ribulose-1,5-bisphosphate. L'hydratation de la fonction cétone de l'intermédiaire génère deux molécules de 3-phosphoglycérate. Le CO_2 fixé se retrouve dans le groupe carboxyle de l'une des deux molécules.

Régulation de l'activité ribulose-1,5-bisphosphate carboxylase

La rubisco se présente sous trois formes : une forme inactive, *E* ; une forme carbamylée, mais inactive, *EC*, et une forme active, *ECM*, la forme carbamylées ayant lié Mg^{2+} à son site actif. La carbamylation résulte de l'addition de CO_2 sur le groupe ε-NH_2 du résidu Lys^{201} voisin du site actif (il y a formation d'un dérivé ε–NH–COO^-). Les molécules de CO_2 qui carbamylent ces résidus Lys ne deviennent pas des substrats de la photosynthèse. La carbamylation s'effectue spontanément en milieu légèrement alcalin (pH 8). Cette carbamylation est nécessaire pour achever la formation du site de liaison de Mg^{2+} qui participe à la réaction catalytique. Une fois le Mg^{2+} fixé par *EC*, l'enzyme est sous sa forme active *ECM*. Le K_m de la rubisco active pour CO_2 est de 10 à 20 µ*M*[3].

Le substrat RuBP se lie plus fortement à la forme inactive de la rubisco, *E* (K_D = 20nm) qu'à la forme active, *EMC* (K_m pour RuBP = 20 µ*M*). RuBP est donc également un puissant inhibiteur de l'activité de la rubisco. Une protéine *régulatrice*, la **rubisco activase** favorise le départ de RuBP lié à la rubisco (en présence d'ATP qui sera hydrolysé). Le résidu Lys^{201} est ensuite carbamylé, puis l'enzyme *EC* peut fixer Mg^{2+}. La rubisco activase est elle-même activée ,d'une façon indirecte, par la lumière. La lumière est donc l'ultime activateur de la rubisco.

22.9 • Cycle de Calvin-Benson

Le premier produit libéré après la fixation de CO_2, le 3-phosphoglycérate, doit subir toute une série de transformations avant qu'il y ait une synthèse nette de glucide. Parmi ces glucides, les hexoses (et en particulier le glucose) occupent une place centrale. Le glucose est l'unité osidique de la synthèse de la cellulose et de l'amidon. Ces polymères des végétaux constituent la plus abondante forme de substance organique du monde vivant et donc, l'intérêt porté au glucose comme produit ultime de la fixation du CO_2 est amplement justifié. Le saccharose (α-D-glucopyranosyl-(1 → 2)-β-D-fructofuranoside) est la principale molécule organique à sortir des feuilles, par translocation, pour rejoindre les autres tissus de la plante. Dans les tissus non photosynthétiques, le saccharose est métabolisé par la voie de la glycolyse pour, en particulier, fournir de l'ATP.

[3] L'abondance relative du CO_2 dans l'atmosphère est assez faible, environ 0,03 %. La concentration de CO_2 en solution aqueuse équilibrée avec l'air est d'environ 10µ*M*.

La série des réactions qui transforment le 3-phosphoglycérate en hexose est appelée le **cycle de Calvin-Benson** (ou plus simplement le *cycle de Calvin*), du nom des auteurs de sa découverte. La série des réactions est réellement cyclique car, si un hexose apparaît comme produit terminal, l'accepteur, le RuBP, doit impérativement être régénéré pour permettre une fixation continue de CO_2. Les relations équilibrées qui représentent schématiquement le cycle sont :

$$6(1) + 6(5) \longrightarrow 12(3)$$
$$12(3) \longrightarrow 1(6) + 6(5)$$
$$\textit{Bilan}: 6(1) \longrightarrow 1(6)$$

Chaque chiffre entre parenthèses représente le nombre des atomes de carbone dans la molécule, et le nombre précédant la parenthèse indique la stœchiométrie de la réaction. Ainsi, 6(1), ou 6 CO_2, se fixent sur 6(5), ou 6 RuBP, pour donner 12 molécules de 3-phosphoglycérate. Ces 12(3) sont réarrangés dans le cycle de Calvin pour former un hexose, 1(6), et régénérer les accepteurs, six RuBP à 5C.

Enzymes du cycle de Calvin

Les enzymes du cycle de Calvin ont trois finalités distinctes :

1. Ils participent à la plus importante voie de fixation nette de CO_2 existante.
2. Ils réduisent le 3-phosphoglycérate en glycéraldéhyde-3-phosphate, ce qui rend possible la synthèse de glucides.
3. Ils catalysent les réactions d'interconversion qui transforment une molécule à 3 atomes de C en molécules à 4, 5, 6 et 7 atomes de carbone.

À deux exceptions près, les enzymes intervenant dans le cycle de Calvin participent à la glycolyse (Chapitre 19) ou à la voie des pentoses phosphates (Chapitre 23). Le cycle de Calvin rend compte de la formation d'un hexose à partir du 3-phosphoglycérate. Nous verrons qu'au cours de cette séquence métabolique qui partant du 3-phosphoglycérate aboutit à la formation d'un hexose, il y a consommation de NADPH et d'ATP provenant de la capture de l'énergie lumineuse. (Voir Équation 22.3).

Le cycle des réactions commence avec la *ribulose bisphosphate carboxylase* qui catalyse la formation du 3-glycérophosphate à partir de CO_2 et de RuBP, s'achève avec la **ribulose-5-phosphate kinase** (ou *phosphoribulose kinase*) qui catalyse la formation du RuBP (Figure 22.25 et Tableau 22.1). Certains points des réactions du Tableau 22.1 méritent d'être soulignés. Notez que les 18 équivalents d'ATP consommés pour la formation d'un hexose sont utilisés au cours des réactions 2 et 15 : 12 ATP pour la formation du 1,3-bisphosphoglycérate à partir du 3-phosphoglycérate, par la réaction inverse de la glycolyse catalysée par la **3-phosphoglycérate kinase**, et six ATP pour la phosphorylation de 6 Ru-5-P qui régénère 6 RuBP. Les 12 équivalents de NADPH sont tous consommés lors de la réaction 3. Les plantes ont une **glycéraldéhyde-3-phosphate déshydrogénase** spécifique du **NADPH**, ce qui la différencie de l'enzyme correspondant de la glycolyse qui utilise NAD^+ ; par ailleurs la réaction s'effectue normalement dans le sens de la réduction.

Équilibrage des réactions du cycle de Calvin pour rendre compte de la synthèse nette d'un hexose

Quand les réactions d'interconversion sont équilibrées pour rendre compte de la synthèse nette d'un hexose, cinq des molécules de glycéraldéhyde-3-phosphate sont converties en dihydroxyacétone phosphate (DHAP). Trois de ces DHAP sont condensés, sous l'effet de l'aldolase, avec trois glycéraldéhyde-3-phosphate pour donner du fructose bisphosphate. (Rappelons que $\Delta G°'$ de la réaction catalysée par l'aldolase

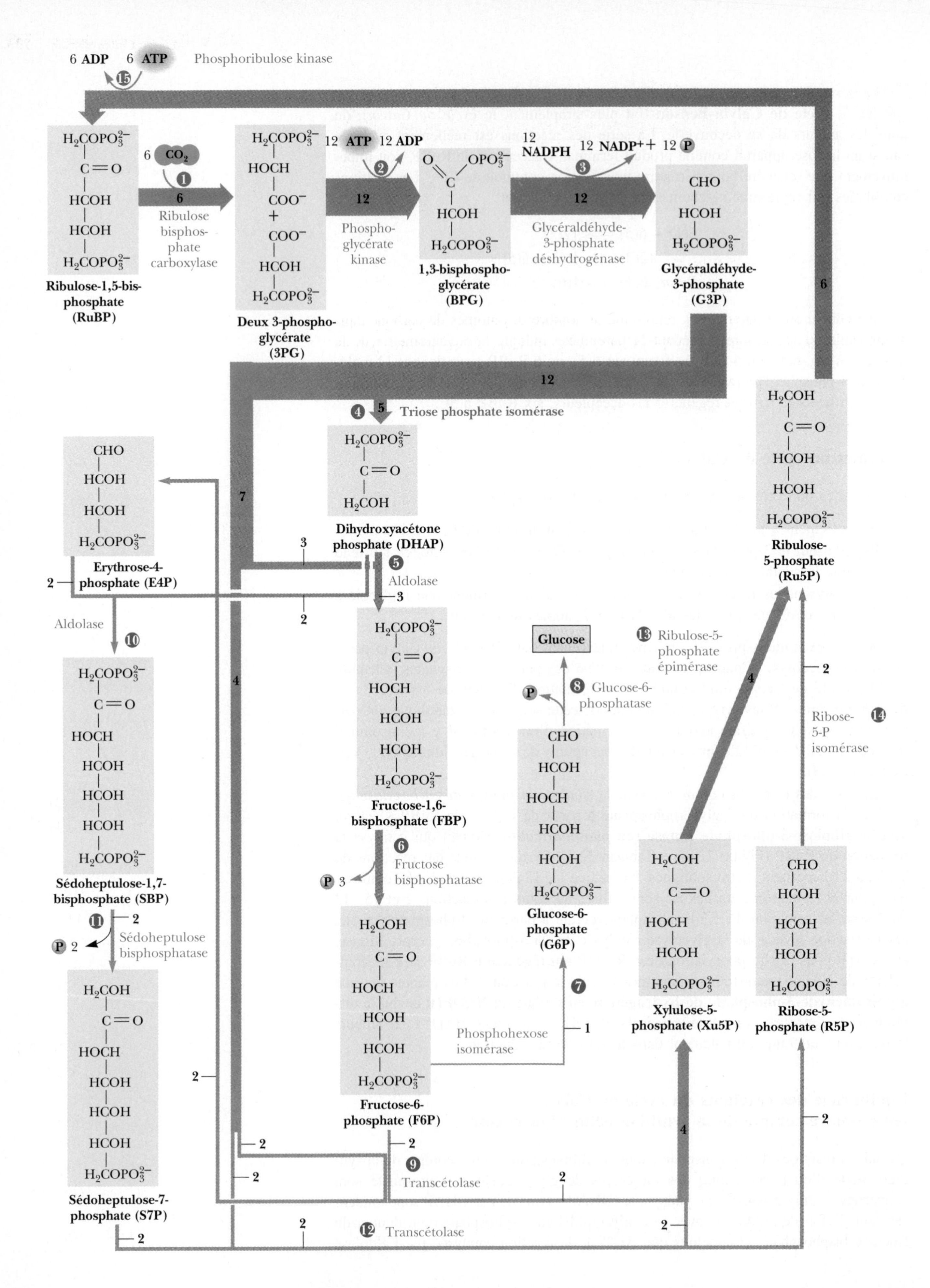

6 ADP
6 ATP
Phosphoribulose kinase
Ribulose-1,5-bisphosphate (RuBP)
6 CO_2
Ribulose bisphosphate carboxylase
Deux 3-phosphoglycérate (3PG)
12 ATP
12 ADP
Phosphoglycérate kinase
1,3-bisphosphoglycérate (BPG)
12 NADPH
12 $NADP^+$ + 12 P
Glycéraldéhyde-3-phosphate déshydrogénase
Glycéraldéhyde-3-phosphate (G3P)
Triose phosphate isomérase
Dihydroxyacétone phosphate (DHAP)
Aldolase
Erythrose-4-phosphate (E4P)
Aldolase
Sédoheptulose-1,7-bisphosphate (SBP)
Sédoheptulose bisphosphatase
Sédoheptulose-7-phosphate (S7P)
Fructose-1,6-bisphosphate (FBP)
Fructose bisphosphatase
Fructose-6-phosphate (F6P)
Transcétolase
Transcétolase
Phosphohexose isomérase
Glucose-6-phosphate (G6P)
Glucose-6-phosphatase
Glucose
Ribulose-5-phosphate épimérase
Ribulose-5-phosphate (Ru5P)
Ribose-5-P isomérase
Xylulose-5-phosphate (Xu5P)
Ribose-5-phosphate (R5P)

Figure 22.25 • Réactions du cycle de Calvin-Benson. Le nombre associé aux flèches à chacune des étapes correspond au nombre des molécules réagissant par tour de cycle pour produire une molécule de glucose. La numérotation des réactions est la même que celle du Tableau 22.1.

dans le sens de la glycolyse est de +23,9 kJ/mol. Donc la réaction inverse dans le cycle de Calvin serait thermodynamiquement favorisée dans les conditions de l'état standard). En mettant de côté un FBP, considéré comme du glucose, produit terminal du cycle, il reste 30 C répartis en deux fructose-6-phosphate, quatre glycéraldéhyde-3-phosphate et deux DHAP. Ces 30 C seront réorganisés en 6 RuBP par les réactions 9 à 15. Les étapes 9 et 12 à 14 impliquent les réarrangements de la voie des pentoses phosphates (voir Chapitre 23). La réaction 11 est catalysée par la **sédoheptulose-1,7-bisphosphatase**. Cette phosphatase est spécifique des plantes ; elle sert à produire le sédoheptulose-7-phosphate (un ose à 7 C) qui sert de substrat à la transcétolase. De même la **phosphoribulose kinase** est spécifique des plantes, elle catalyse la formation du RuBP à partir du Ru-5-P (réaction 15). Le bilan de la conversion rend compte de l'incorporation nette de six équivalents de gaz carbonique dans un hexose aux dépens de 18 ATP et de 12 NADPH.

Tableau 22.1

Réactions du cycle de Calvin

Les réactions de 1 à 15 constituent le cycle qui s'achève par la formation d'une molécule de glucose. Pour chacune des réactions, le nom de l'enzyme qui intervient est donné avec la réaction ainsi que l'équilibrage des atomes de carbone. Les nombres entre parenthèses indiquent le nombre des atomes de carbone dans les molécules des substrats et des produits de la réaction. Les chiffres en préfixes aux parenthèses indiquent le nombre de fois où chacune des réactions des étapes concernées est nécessaire pour que l'ensemble soit équilibré jusqu'à la formation d'une molécule de glucose.

1. Ribulose biphosphate carboxylase : 6 CO_2 + 6 H_2O + 6 RuBP ⟶ 12 3-PG	6(1) + 6(5) ⟶ 12(3)
2. 3-Phosphoglycérate kinase : 12 3-PG + 12 ATP ⟶ 12 1,3-BPG + 12 ADP	12(3) ⟶ 12(3)
3. $NADP^+$-glycéraldéhyde-3-P déshydrogénase : 12 1,3-BPG + 12 NADPH ⟶ 12 $NADP^+$ + 12 G3P + 12 P_i	12(3) ⟶ 12(3)
4. Triose-P isomérase : 5 G3P ⟶ 5 DHAP	5(3) ⟶ 5(3)
5. Aldolase : 3 G3P + 3 DHAP ⟶ 3 FBP	3(3) + 3(3) ⟶ 3(6)
6. Fructose biphosphatase : 3 FBP + 3 H_2O ⟶ 3 F6P + 3 P_1	3(6) ⟶ 3(6)
7. Phosphohexose isomérase : 1 F6P ⟶ 1 G6P	1(6) ⟶ 1(6)
8. Glucose phosphatase : 1 G6P + 1 H_2O ⟶ 1 GLUCOSE + 1 P_i	1(6) ⟶ 1(6)
La suite de cette voie conduit à la régénération des six RuBP accepteurs (= 30 C) à partir des molécules disponibles, deux F6P (12 C), quatre G3P (12C), et deux DHAP (6 C).	
9. Transcétolase : 2 F6P + 2 G3P ⟶ 2 Xu5P + 2 E4P	2(6) + 2(3) ⟶ 2(5) + 2(4)
10. Aldolase : 2 E4P + 2 DHAP ⟶ 2 sédoheptulose-1,7-bisphosphate (SBP)	2(4) + 2(3) ⟶ 2(7)
11. Sédoheptulose bisphosphatase : 2 SBP + 2 H_2O ⟶ 2 S7P + 2 P_i	2(7) ⟶ 2(7)
12. Transcétolase : 2 S7P + 2 G3P ⟶ 2 Xu5P + 2 R5P	2(7) + 2(3) ⟶ 4(5)
13. Ribulose-5-phosphate épimérase : 4 Xu5P ⟶ 4 Ru5P	4(5) ⟶ 4(5)
14. Ribulose-5-phosphate isomérase : 2 R5P ⟶ 2 Ru5P	2(5) ⟶ 2(5)
15. Ribulose-5-phosphate kinase : 6 Ru5P + 6 ATP ⟶ 6 RuBP + 6 ADP	6(5) ⟶ 6(5)
Bilan : 6 CO_2 + 18 ATP + 12 NADPH + 12 H^+ + 12 H_2O ⟶ glucose + 18 ADP + 18 P_i + 12 $NADP^+$	6(1) ⟶ 1(6)

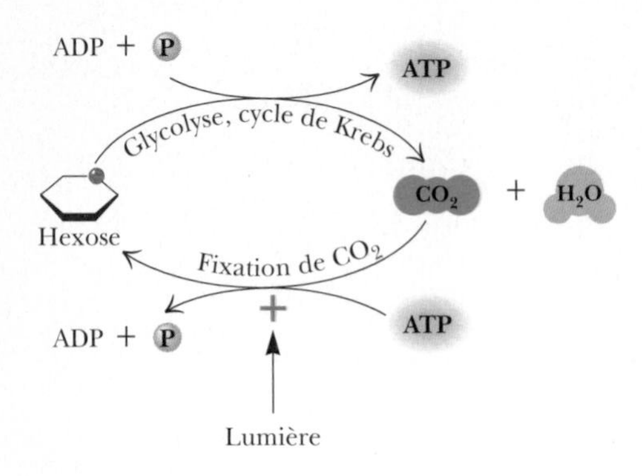

Figure 22.26 • La régulation par la lumière de la fixation du CO_2 prévient un cycle futile de substrats entre la respiration cellulaire et la synthèse des hexoses par fixation de CO_2. Comme les plantes ont des mitochondries qui peuvent fournir de l'énergie à partir du catabolisme des hexoses (glycolyse et cycle de l'acide citrique), la régulation de la fixation photosynthétique de CO_2 par une activation due à la lumière contrôle le flux net des atomes de carbone entre ces deux séquences opposées.

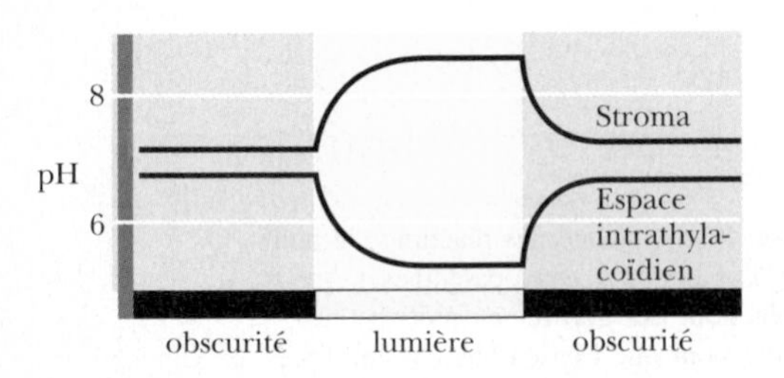

Figure 22.27 • Changement de pH induit par la lumière dans les compartiments des chloroplastes. L'illumination des chloroplastes provoque le pompage des protons et des variations de pH dans les chloroplastes, de sorte que le pH baisse dans l'espace intrathylacoïdien et s'élève dans le stroma. Cette variation du pH module l'activité de certains enzymes clés du cycle de Calvin.

Figure 22.28 • Voie de la régulation par la lumière des enzymes du cycle de Calvin. Le pouvoir réducteur produit par l'absorption de la lumière (Fd_{red} = ferrédoxine réduite) fournit les électrons pour la réduction de la thorédoxine (T) par la ferrédoxine-thiorédoxine réductase (FTR). Plusieurs des enzymes du cycle de Calvin ont des paires de résidus Cys qui sont impliquées dans la transition entre la forme active de l'enzyme (–SH HS–) et la forme inactive réduite (–S–S–). Ces enzymes sont la *fructose-1,6-bisphosphatase* (résidus Cys^{174} et Cys^{179}), la *NADP⁺-malate déshydrogénase* (résidus Cys^{10} et Cys^{15}) et la *ribulose-5-P kinase* (résidus Cys^{16} et Cys^{55}).

22.10 • Régulation de la fixation du CO_2

Les cellules des plantes contiennent des mitochondries, elles ont donc une respiration cellulaire (glycolyse, cycle de l'acide citrique et oxydations phosphorylantes) qui fournit de l'énergie à l'obscurité. La régulation du cycle de Calvin empêche la formation d'un cycle futile entre deux voies de directions opposées, oxydation des glucides en CO_2 par la glycolyse et le cycle de Krebs et fixation de CO_2 dans des glucides par photosynthèse (Figure 22.26). Dans cette régulation, l'activité des enzymes clés du cycle de Calvin est en relation avec les produits de la photosynthèse. En effet, ces enzymes répondent indirectement à *l'activation par la lumière*. Ainsi, quand l'énergie lumineuse est disponible et qu'il se forme l'ATP et le NADPH utilisés pour la fixation de CO_2, le cycle de Calvin fonctionne. À l'obscurité, quand l'ATP et le NADPH ne sont plus produits par photosynthèse, la fixation de CO_2 cesse. Les effets induits par la lumière dans les chloroplastes et qui servent à moduler l'activité des enzymes clés du cycle de Calvin sont (1) *le changement du pH*, (2) *la production d'un pouvoir réducteur* et (3) *la sortie des ions Mg^{2+} des vésicules thylacoïdes.*

Changements de pH induits par la lumière dans les compartiments du chloroplaste

L'illumination des chloroplastes a pour conséquence une translocation des protons vers la lumière des thylacoïdes et donc un changement du pH dans le stroma et à l'intérieur des vésicules thylacoïdes (Figure 22.27). Le pH du stroma s'élève, normalement vers pH 8. La *ribulose bisphosphate carboxylase* (rubisco) et la *rubisco activase* sont activées à pH 8 ; la fixation de CO_2 est activée quand le pH s'élève. De même l'élévation du pH active la *fructose-1,6-bisphosphatase*, la *ribulose-5-phosphate kinase* et la *glycéraldéhyde-3-phosphate déshydrogénase* qui ont leur pH optimum en milieu alcalin. La lumière, induisant une élévation du pH dans le stroma, augmente donc l'activité de ces enzymes.

Production d'un pouvoir réducteur induit par la lumière

L'illumination des chloroplastes induit le transport des électrons qui accompagne la photosynthèse ; ce transport engendre du pouvoir réducteur sous forme de ferrédoxine réduite et de NADPH. Plusieurs des enzymes de la fixation de CO_2, en particulier la *fructose-1,6-bisphosphatase*, la *sédoheptulose-1,7-bisphosphatase* et *la ribulose-5-phosphate kinase*, sont activés par réduction de certains ponts disulfure Cys-Cys en Cys-SH. La forme réduite de la *thiorédoxine* intervient dans cette réduction. La thiorédoxine est une petite protéine (12 kDa) contenant à l'état réduit un groupe sulfhydrile (–SH HS–) qui par oxydation forment un pont disulfure (–S–S–). La thiorédoxine sert de transporteur d'hydrogène entre NADPH ou la ferrédoxine réduite et les enzymes régulés par la lumière (Figure 22.28).

Sortie induite par la lumière des ions Mg^{2+} contenus dans les vésicules thylacoïdes

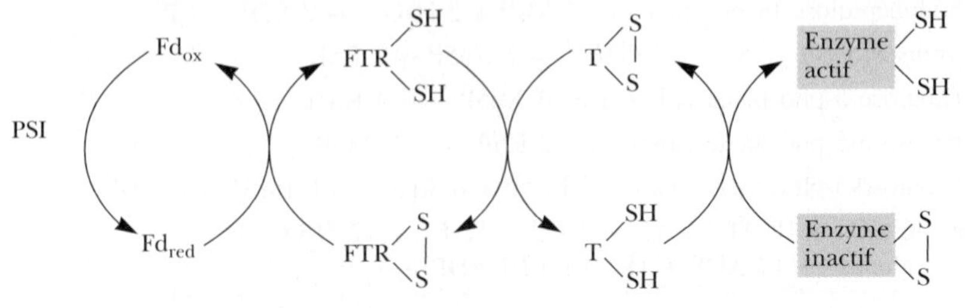

La translocation des ions H^+ vers la lumière des thylacoïdes s'accompagne d'un flux d'ions Mg^{2+} sortant des vésicules vers le stroma. Cette sortie de Mg^{2+} neutralise en partie l'accumulation de charges électriques résultant de l'entrée de H^+ ; c'est une des raisons pour lesquelles la variation du potentiel de membrane en réponse à la translocation des protons est moins importante dans les chloroplastes que dans les mitochondries (Eq 22.5). La *ribulose bisphosphate carboxylase* et la *fructose-1,6-bisphosphatase* sont deux enzymes activés par les ions Mg^{2+}, et le flux de ces ions vers le stroma, en conséquence de l'activation du transfert des protons par la lumière, stimule donc la fixation du CO_2 à ces deux étapes clés. Des mesures d'activité indiquent que la fructose bisphosphatase serait l'enzyme limitant du cycle de Calvin. La présence récurrente de la fructose bisphosphatase parmi les enzymes dont les changements d'activité sont induits par la lumière dans les chloroplastes, fait de cet enzyme une cible privilégiée de la régulation du cycle de Calvin.

22.11 • Réaction catalysée par la ribulose bisphosphate oxygénase : la photorespiration

Nous avons déjà signalé que la ribulose bisphosphate carboxylase/oxygénase pouvait catalyser une réaction par laquelle O_2 était compétitivement fixé sur RuBP au lieu de

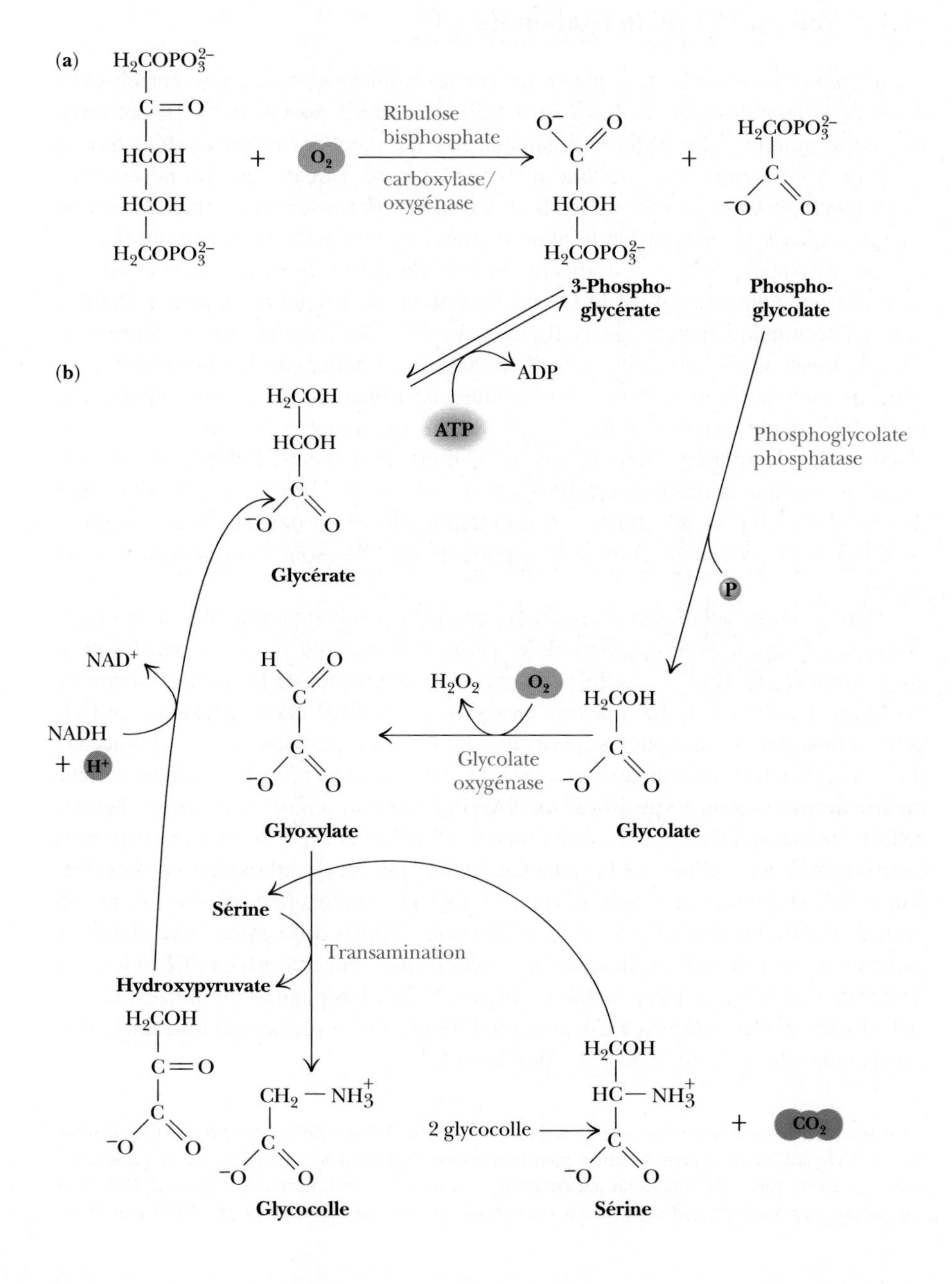

Figure 22.29 • Activité oxygénase de la rubisco. (a) La réaction de la RuBP carboxylase avec O_2 en présence de ribulose bisphosphate aboutit au clivage du RuBP en 3-phosphoglycérate et en phosphoglycolate, un gaspillage énergétique. (b) Conversion du phosphoglycolate en glycocolle. Dans les mitochondries, deux molécules de glycocolle produites par photorespiration sont converties en une molécule de sérine et CO_2. Cette étape est à l'origine du CO_2 dégagé lors de la photorespiration. La sérine est utilisée pour la transamination du glyoxalate en glycocolle, il se forme de l'hydroxypyruvate ; ce dernier est ensuite réduit en glycérate qui, phosphorylé, redonne du 3-phosphoglycérate utilisable dans le cycle de Calvin pour la synthèse du RuBP.

CO_2 (Figure 22.29a). L'activité *ribulose-1,5-bisphosphate oxygénase* a une importante conséquence sur la productivité des plantes car elle conduit à un gaspillage de RuBP, l'accepteur de CO_2, (et donc d'énergie). Le K_m pour l'oxygène dans cette réaction est d'environ 200 μM. Étant donné l'abondance relative de CO_2 et d'O_2 dans l'atmosphère, les solubilités respectives dans l'eau et les K_m relatifs de l'enzyme, le rapport de l'activité carboxylase à l'activité oxygénase, *in vivo*, est d'environ 3 ou 4 à 1.

L'activité ribulose bisphosphate oxygénase produit du *3-phosphoglycérate* et du *phosphoglycolate*. Une déphosphorylation et une oxydation convertissent le phosphoglycolate en **glyoxalate**, un aldéhyde qui par transamination donne le glycocolle (Figure 22.29 b). Le phosphoglycolate peut subir d'autres transformations, y compris une oxydation complète en CO_2 qui dissipe l'énergie sous forme de chaleur. De toute évidence la productivité agricole est très abaissée par ce phénomène appelé la **photorespiration** car il utilise une partie de la lumière, consomme de l'oxygène *et dégage* du CO_2. Nous verrons que certaines plantes, en particulier des plantes tropicales, ont un système de photosynthèse qui réduit cette photorespiration. Ces plantes utilisent la lumière pour la synthèse des glucides avec une plus grande efficacité.

22.1 • Voie en C-4 de la fixation du CO_2

Ainsi que nous venons de le signaler, les plantes tropicales sont moins sensibles aux effets de la photorespiration. Les études utilisant comme marqueur $^{14}CO_2$ ont montré que le premier intermédiaire organique marqué dans ces plantes n'était pas un composé à trois atomes de carbone mais un composé à quatre atomes de carbone. Deux biochimistes australiens, Hatch et Slack, ont découvert cette formation d'un produit à quatre C résultant de la photosynthèse, et très naturellement cette voie en C-4 de la fixation du CO_2 est appelée la *voie de Hatch et Slack*. La voie en C-4 n'est pas une voie alternative de la voie de Calvin, ni même une séquence aboutissant à l'accumulation nette de la fixation de CO_2. Sa fonction est de *fournir du* CO_2, le transportant des cellules de l'extérieur des feuilles, où la concentration en oxygène est relativement élevée, aux cellules de l'intérieur où la concentration de l'oxygène est plus basse et donc O_2 entre moins en compétition avec CO_2 dans sa réaction avec la rubisco. Donc la voie en C-4 est un moyen d'éviter la photorespiration en mettant la réaction catalysée par la rubisco à l'abri des effets d'O_2 dans des cellules éloignées des zones à concentration élevée en oxygène. Les composés en C-4 qui interviennent comme transporteurs de CO_2 sont *l'oxalo-acétate* et *le malate*.

Deux types de cellules en interaction participent à la compartimentation des réactions qui freinent la photorespiration, les *cellules du mésophylle* et *les cellules de la gaine fasciculaire*. Dans les cellules du mésophylle, proches de la surface foliaire où l'oxygène est abondant, une réaction catalysée par la **PEP carboxylase** utilise CO_2 pour carboxyler le phosphoénolpyruvate (le PEP) et produire de l'oxalo-acétate (Figure 22.30). Cet acide dicarboxylique à 4 C est ensuite soit réduit en malate par une **malate déshydrogénase spécifique du NADPH**, soit transaminé en *aspartate* dans les cellules du mésophylle [4]. Ces molécules en C-4 (malate et aspartate) sont transportées du mésophylle aux cellules de la gaine fasciculaire où, par décarboxylation, elles libèrent le CO_2 et donnent une molécule en C-3. Le CO_2 est alors fixé par les enzymes du cycle de Calvin localisé dans les chloroplastes des cellules de la gaine fasciculaire. Le pyruvate retourne dans les cellules du mésophylle où il sera converti en PEP et le cycle du transport de CO_2 peut se poursuivre (Figure 22.30). Les plantes qui utilisent la voie en C-4 sont appelées **plantes à C4**, pour les différencier des plantes qui utilisent la voie conventionnelle de fixation du CO_2 (**plantes à C3**).

[4] Il existe plusieurs sous-types biochimiques de plantes en C-4. Ils se différencient par la nature du donneur de CO_2, malate ou aspartate, utilisé pour le transport du CO_2 dans les cellules de la gaine fasciculaire, et par la nature de la réaction qui décarboxyle le transporteur et donne un produit en C-3. Dans tous les cas, le produit en C-3 retourne dans les cellules du mésophylle où il est phosphorylé en PEP

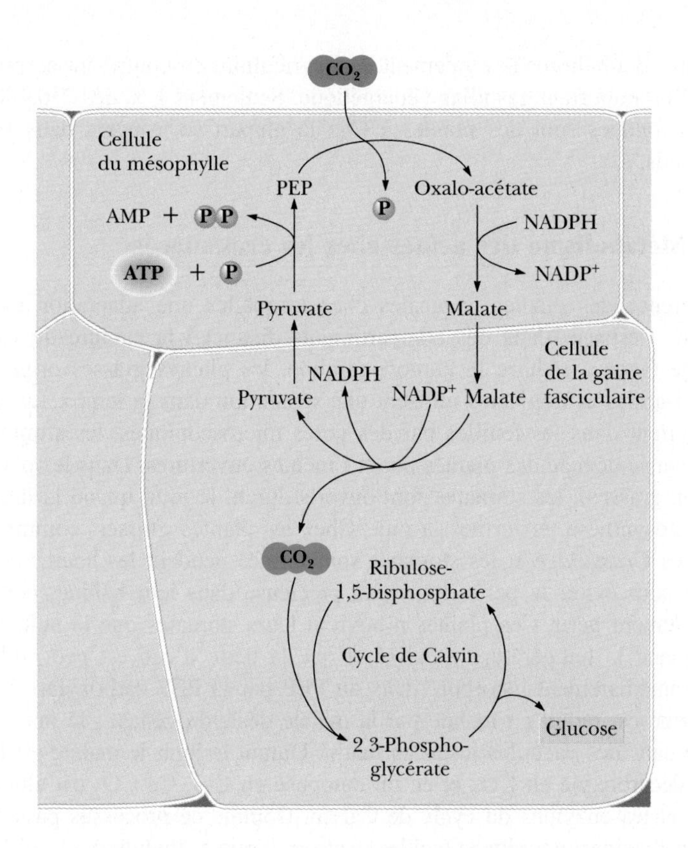

Figure 22.30 • Principales caractéristiques de la compartimentation de la fixation du CO_2 dans les plantes en C-4 et de la biochimie de la voie de Hatch-Slack. Dans les cellules du mésophylle, le gaz carbonique est fixé sur le PEP par la PEP carboxylase, ce qui produit de l'oxalo-acétate. Le CO_2 ainsi fixé est transporté vers les cellules de la gaine fasciculaire sous forme de malate (résultant de la réduction de l'oxalo-acétate) ou d'aspartate (après transamination de l'oxalo-acétate). Le CO_2 est alors libéré par décarboxylation du malate ou de Asp ; le C-3 produit retournera dans les cellules du mésophylle. La formation de PEP par la pyruvate:P_i dikinase permet la poursuite du cycle. Le CO_2 libéré dans les cellules de la gaine fasciculaire est utilisé pour la synthèse des oses par la voie classique de la série des réactions rubisco-cycle de Calvin.

Le transport intercellulaire de chaque molécule de CO_2 par l'intermédiaire d'une molécule en C-4 nécessite l'hydrolyse de deux ATP

Le transport de chaque molécule de CO_2 requiert l'hydrolyse de deux liaisons phosphate à haut potentiel d'énergie. L'énergie de ces liaisons est utilisée pour la phosphorylation du pyruvate en phosphoénolpyruvate (PEP) par une phosphotransférase propre aux plantes, la **pyruvate:P_i-dikinase** ; les produits de la réaction sont le PEP, l'AMP et le pyrophosphate (PP_i). Cette réaction est très particulière car les phosphates β et γ d'un même ATP sont utilisés pour phosphoryler les deux substrats, le pyruvate et le P_i. Le mécanisme réactionnel implique la formation d'un phosphorylenzyme intermédiaire, phosphorylé sur un résidu His du site actif. Le phosphate γ de l'ATP est transféré à P_i, tandis que le phosphate β de l'ATP phosphoryle le résidu His pour donner E-His-P :

$$\text{E–His} + \text{AMP}_\alpha\text{–P}_\beta\text{–P}_\gamma + \text{P}_\text{i} \longrightarrow \text{E–His–P}_\beta + \text{AMP}_\alpha + \text{P}_\gamma\text{P}_\text{i}$$
$$\text{E–His–P}_\beta + \text{pyruvate} \longrightarrow \text{PEP} + \text{E–His}$$
$$\textit{Bilan}: \text{ATP} + \text{pyruvate} + \text{P}_\text{i} \longrightarrow \text{AMP} + \text{PEP} + \text{PP}_\text{i}$$

L'activité de la pyruvate:P_i-dikinase est régulée par la phosphorylation réversible d'un résidu thréonine ; la forme non phosphorylée est la forme active. Il s'agit d'un cas très particulier de régulation interconvertible où le donneur de phosphate est l'ADP. En dépit d'une consommation énergétique supplémentaire de deux liaisons à haut potentiel pour chaque équivalent de CO_2 capté, la fixation du gaz carbonique reste beaucoup plus efficace dans les plantes qui utilisent la voie en C-4 si l'intensité lumineuse et la température sont plus élevées. (Lorsque la température s'élève, la photorespiration des plante à C3 s'élève aussi et l'efficacité de la fixation du CO_2 diminue). Ces plantes comprennent la canne à sucre, le maïs et certaines graminées. En termes de rendement photosynthétique, les champs de canne à sucre représentent le summum d'efficacité. Environ 8 % de la lumière incidente sont captés pour la photosynthèse, à comparer avec 0,2 % pour les plantes des zones non cultivées. Les recherches sur la photorespiration se poursuivent très activement, avec l'espoir d'améliorer le rendement de l'agriculture en contrôlant ce processus à l'origine d'un important gaspillage énergétique. Seulement 1 % des 230.000 espèces de plantes connues sont des plantes à C4 ; la plupart se trouvent dans les pays à climat chauds.

22.13 • Métabolisme des acides chez les crassulacées

À la différence des plantes tropicales chez lesquelles une adaptation évolutive a séparé dans l'espace (dans des compartiments distincts) la capture du CO_2 de sa fixation, de façon à réduire la photorespiration, les plantes grasses originaires des zones semi-arides et tropicales utilisent une séparation dans le temps. Les gaz, CO_2 et O_2 pénètrent dans les feuilles par des pores microscopiques, les **stomates**, et la vapeur d'eau se dégage des plantes par ces mêmes ouvertures. Dans les plantes classiques (non grasses), les stomates sont ouverts durant le jour, quand la lumière permet la photosynthèse, et fermés la nuit. Chez les plantes grasses, comme les *Cactacées* et les *Crassulacées*, les stomates sont fermés pendant les heures chaudes de la journée pour éviter la perte d'une eau précieuse dans leur habitat, perte qui les ferait rapidement périr. Ces plantes n'ouvrent leurs stomates que la nuit, pour capter CO_2 quand la température a baissé et que la perte d'eau est peu probable. Ce CO_2 est immédiatement incorporé dans du PEP par la PEP carboxylase et l'oxaloacétate formé est réduit en malate par la malate déshydrogénase ; le malate est mis en réserve dans des vacuoles jusqu'au matin. Durant le jour, le malate est libéré des vacuoles, décarboxylé en CO_2 et en un composé en C-3. Ce CO_2 est alors fixé par la rubisco et les enzymes du cycle de Calvin. Comme ce processus passe par l'accumulation d'acides organiques (acides oxalo-acétique et malique), et qu'il est commun dans les Crassulacées, on l'appelle généralement *métabolisme acide des crassulacées*, et les plantes qui l'utilisent sont *des plantes de type MAC*.

EXERCICES

1. Dans le photosystème I, $\mathscr{E}_0'$ de l'état de base de P700 = +0,4 V. L'excitation de P700 par un photon d'une lumière de 700 nm modifie ce potentiel qui pour P700* devient $\mathscr{E}_0'$ = –0,6 V. Quelle est l'efficacité de la capture de l'énergie de cette lumière par P700 ?

2. Quelle est la valeur du potentiel $\mathscr{E}_0'$ de l'oxydant primaire produit par la lumière sur le photosystème II si l'oxydation de l'eau par la lumière (qui aboutit à la libération de O_2) s'effectue avec un $\Delta G°'$ de –25 kJ/mol ?

3. En supposant que les concentrations de l'ATP, de l'ADP et de P_i dans les chloroplastes sont respectivement 3 m*M*, 0,1 m*M* et 10 m*M*, quel est le ΔG de la synthèse de l'ATP dans ces conditions ? Le transport des électrons produits par la photosynthèse établit une force proton-motrice qui entraîne la photophosphorylation. En admettant qu'une paire d'électrons est transférée par molécule d'ATP synthétisée, quelle est la différence de potentiel rédox nécessaire pour qu'il y ait, dans les conditions précédentes, synthèse d'ATP ?

4. Une plante verte est exposée à du gaz carbonique marqué au ^{14}C puis, très peu de temps après, les composés produits sont isolés. Les substances marquées suivantes sont identifiées : 3-phosphoglycérate, glucose, érythrose-4-phosphate, sédoheptulose-1,7-bisphosphate, ribose-5-phosphate. Quel seront les atomes de carbone marqués par la radioactivité ?

5. Écrivez l'équation globale, équilibrée, de la synthèse d'une molécule de glucose par la voie du cycle de Calvin, à partir du ribulose-1,6-bisphosphate et du CO_2.

6. Si le transport non cyclique des électrons photosynthétiques aboutit à la translocation de $3H^+$ par électron et celui du transport cyclique à la translocation de $2H^+$ par électron, quelle est l'efficacité relative de la synthèse d'ATP par la photophosphorylation non cyclique par rapport à la photophosphorylation cyclique (exprimée par le nombre des photons absorbés par ATP synthétisé). Vous admettrez que le rendement de la synthèse de l'ATP par la synthase CF_1CF_0 est d'un ATP pour 3 H^+.

7. La voie de la fixation photosynthétique du CO_2 est régulée en réponse aux effets spécifiques induits dans les chloroplastes par la lumière. Quelle est la nature de ces effets et comment régulent-ils cette voie métabolique ?

8. L'équation globale de la fixation de CO_2 par la photosynthèse est

$$6\ CO_2 + 6\ H_2O \longrightarrow C_6H_{12}O_6 + 6\ O_2$$

Tous les atomes d'oxygène dégagés sous forme de O_2 proviennent de l'eau ; *aucun* ne provient du CO_2. Mais, si 12 atomes O apparaissent sous forme de O_2, il n'y a que 6 H_2O dans l'équation. De plus, les 6 CO_2 ont 12 atomes O, or il n'en apparaît que 6 dans $C_6H_{12}O_6$. Comment pouvez-vous justifier cette apparente anomalie ? (*Un conseil* : tenez compte des réactions partielles de la photosynthèse, synthèse d'ATP, réduction de $NADP^+$, photolyse de l'eau et de la globalité des réactions de la synthèse d'un hexose par le cycle de Calvin-Benson.)

LECTURES COMPLÉMENTAIRES

Anderson, J.M., 1986. Photoregulation of the composition, function and structure of the thylakoid membrane. *Annual Review of Plant Physiology* **37** : 93-136.

Anderson, J.M., et Andersson, B., 1988. The dynamic photosynthetic membrane and regulation of solar energy conversion. *Trends in Biochemical Sciences* **13** : 351-355.

Arnon, D.I., 1984. The discovery, of photosynthetic phosphorylation. *Trends in Biochemical Sciences* **9** : 258-262. A historical account of photophosphorylation by its discoverer.

Bendall, D.S., et Manasse, R.S., 1995. *Cyclic* photophosphorylation and electron transport. *Biochimica et Biophysica Acta* **1229** : 23-38.

Berry,, S., et Rumberg, B., 1996. H^+/ATP coupling ratio at the unmodulated CF_1CF_0-ATP synthase determined by proton flux measurements. *Biochimica et Biophysica Acta* **1276** : 51-56.

Blankenship, R.E., et Hartman, H., *1998.* The origin and evolution of oxygenic photosynthesis. *Trends in Biochemical Sciences* **23** : 94-97.

Burnell, J.N., et Hatch, M.D., 1985. Light-dark modulation of leaf pyruvate, P_i dikinase. *Trends in Biochemical Sciences* **10** : 288-291. Regulation of a key enzyme in C4 CO_2 fixation.

Chapman, M.S., et al., 1988. Tertiary structure of plant rubisco : Domains and their contacts. *Science* **241** : 71-74. Structural details of rubisco.

Cramer, W.A., et al., 1985. Topography and function of thylakoid membrane proteins. *Trends in Biochemical Sciences* **10** : 125-129.

Cramer, W.A., et Knaff, D.B., 1990. *Energy Transduction in Biological Membranes – A Textbook of Bioenergetics.* New York : Springer-Verlag, 545 pp. A textbook on bioenergetics by two promi nent workers in photosynthesis.

Cramer, W.A., et al., 1996. Some new structural aspects and old controversies concerning the cytochrome $b_6 f$ complex of oxygenic photosynthesis. *Annual Review of Plant Physiology and Plant Molecular Biology* **47** : 477-508.

Deisenhofer, J., et Michel, H., 1989. The photosynthetic reaction center from the purple bacterium *Rhodopseudomonas viridis*. *Science* **245** : 1463-1473. Published version of the Nobel laureate address by the researchers who first elucidated the molecular structure of a photosynthetic reaction center.

Deisenhofer, J., Michel, H., et Huber, R., 1985. The structural basis of light reactions in bacteria. *Trends in Biochemical Sciences* **10** : 243-248.

Deisenhofer, J., et al., 1985. Structure of the protein subunits in the photosynthetic reaction center of *Rhodopseudomonas viridis* at 3 Å resolution. *Nature* **318** : 618-624 ; also *The Journal of Molecular Biology* (1984) **180** : 385-398. These papers are the original reports of the crystal structure of a photosynthetic reaction center.

Ghanotakis, D.F., et Yocum, C.F., 1990. Photosystem II and the oxygen-evolving complex. *Annual Review of Plant Physiology and Plant Molecular Biology* **41** : 255-276.

Glazer, A.N., 1983. Comparative biochemistry of photosynthetic light-harvesting pigments. *Annual Review of Biochemistry* **52** : 125-157.

Glazer, A.N., et Melis, A., 1987. Photochemical reaction centers : Structure, organization and function. *Annual Review of Plant Physiology* **38** : 11-45.

Golbeck, J.H., 1992. Structure and function of photosystem I. *Annual Review of Plant Physiology and Plant Molecular Biology* **43** : 292-324.

Green, B.R., et Durnford, D.G., 1996. The chlorophyll-carotenoid proteins of oxygenic photosynthesis. *Annual Review of Plant Physiology and Plant Molecular Biology* **47** : 685-714.

Hankamer, B., Barber, J., et Boekema, E.J., 1997. Structure and membrane organization of photosystem II in green plants. *Annual Review of Plant Physiology and Plant Molecular Biology* **48** : 641-671.

Harold, F.M., 1986. *The Vital Force : A Study of Bioenergetics.* Chapter 8 : Harvesting the Light. San Francisco : Freeman & Company.

Hatch, M.D., 1987. C_4 photosynthesis : A unique blend of modified biochemistry, anatomy and ultrastructure. *Biochimica et Biophysica Acta* **895** : 81-106. A review of C_4 biochemistry by its discoverer.

Hoffman, E., et al., 1996. Structural basis of light harvesting by carotenoids : Peridinin-chlorophyll-protein from *Amphidinium carterae. Science* **272** : 1788-1791.

Hoganson, C.W., et Babcock, G.T., 1997. A metalloradical mechanism for the generation of oxygen in photosynthesis. *Science* **277** : 1953-1956.

Jagendorf, A.T., et Uribe, E., 1966. ATP formation caused by acid-base transition of spinach chloroplasts. *Proceedings of the National Academy of Sciences, USA* **55** : 170-177. The classic paper providing the first experimental verification of Mitchell's chemiosmotic hypothesis.

Knaff, D.B., 1991. Regulatory phosphorylation of chloroplast antenna proteins. *Trends in Biochemical Sciences* **16** : 82-83. Additional discussion of the structure of light-harvesting antenna complexes associated with photosynthetic reaction centers can be found in *Trends in Biochemical Sciences* **11** : 414 (1986), **14** : 72 (1989), and **16** : 181 (1991).

Knight, S., Anderson, I., et Branden, C.I., 1990. Crystallographic analysis of ribulose 1,5-bisphosphate carboxylase from spinach at 2.4 Å resolution. Subunit interactions and active site. *Journal of Molecular Biology* **215** : 113-160.

Krauss, N., et al., 1993. Three-dimensional structure of system I of photosynthesis at 6 Å resolution. *Nature* **361** : 326-331.

Krauss, N., et al., 1996. Photosystem I at 4 Å resolution represents the first structural model of a joint photosynthetic reaction centre and core antenna system. *Nature Structural Biology* **3** : 965-973.

Miziorko, H.M., et Lorimer, G.H., 1983. Ribulose-1,5-biphosphate carboxylase/oxygenase. *Annual Review of Biochemistry* **52** : 507-535. An early review of the enzymological properties of rubisco.

Murata, N., et Miyao, M., 1985. Extrinsic membrane proteins in the photosynthetic oxygen-evolving complex. *Trends in Biochemical Sciences* **10** : 122-124.

Nitschke, W., et Rutherford, A.W., 1991. Photosynthetic reaction centers : Variations on a common structural theme. *Trends in Biochemical Sciences* **16** : 241-245.

Ogren, W.L., 1984. Photorespiration : Pathways, regulation and modification. *Annual Review of Plant Physiology* **35** : 415-442.

Portis, A.R., Jr., 1992. Regulation of ribulose 1,5-biphosphate carboxylase/oxygenase activity. *Annual Review of Plant Physiology and Plant Molecular Biology* **43** : 415-437.

Rögner, M., Boekema, E.J., et Barber, J., 1996. How does photosystem 2 split water ? The structural basis of energy conversion. *Trends in Biochemical Sciences* **21** : 44-49.

Ting, I.P., 1985. Crassulacean acid metabolism. *Annual Review of Plant Physiology* **36** : 595-622.

« Con pan y vino se anda el camino »
(Avec du pain et du vin, vous pouvez faire votre chemin)

Proverbe espagnol

Chapitre 23

Néoglucogenèse, métabolisme du glycogène, et voie des pentoses phosphates

PLAN

Pains et pâtisseries dans une boulangerie parisienne. Les glucides, y compris ceux du pain, fournissent une importante fraction des calories de l'alimentation humaine. (© Steven Rothfield/Tony Stone Images)

Nous avons vu, Chapitres 18 et 19, que le métabolisme des oses est une importante source d'énergie pour les cellules. De nombreux animaux, y compris les humains, obtiennent de grandes quantités de glucose à partir de l'amidon et du glycogène contenus dans leur nourriture. Le glucose provient également de la dégradation du glycogène en réserve dans certaines cellules (chez les animaux) ou de l'amidon (pour les plantes). De grandes quantités de glucose sont aussi synthétisées à partir de précurseurs non glucidiques par un processus appelé la *néoglucogenèse*. Ces voies métaboliques ainsi que la synthèse du glycogène à partir du glucose seront traitées dans ce chapitre.

Une autre voie du catabolisme du glucose, la voie des *pentoses phosphates*, est la source principale du NADPH ; cette forme réduite du $NADP^+$ est essentielle pour la plupart des séquences réductrices de la biosynthèse. Par exemple, le NADPH est indispensable pour la synthèse des acides gras (Chapitre 25) et des acides aminés (Chapitre 26). La voie des pentoses phosphates produit aussi du ribose-5-phosphate, un des constituant de l'ATP, du NAD^+, du FAD, du coenzyme A et plus particulièrement de l'ADN et de l'ARN. Cette voie métabolique sera également étudiée dans ce chapitre.

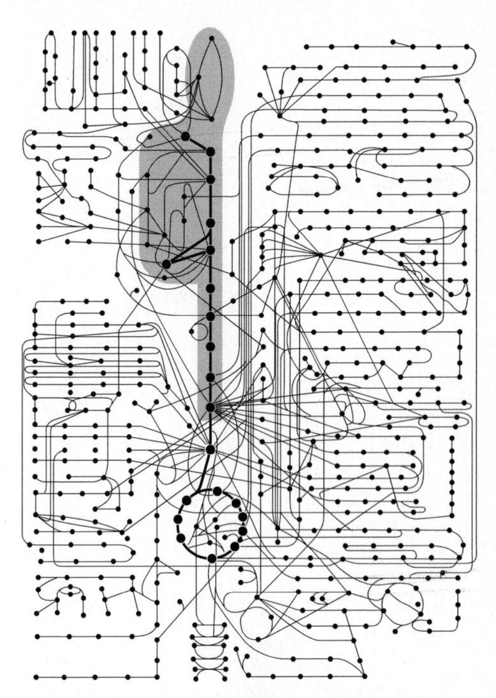

Néoglucogenèse, métabolisme du glycogène et voie des pentoses phosphates

Néoglucogenèse, métabolisme du glycogène, et voie des pentoses phosphates

23.1 • La Néoglucogenèse

La plupart des organismes peuvent synthétiser du glucose à partir de divers métabolites. Par exemple, le métabolisme humain consomme environ 160 ± 20 grammes de glucose par jour, dont près de 75 % dans le cerveau. Les fluides du corps ne contiennent qu'environ 20 g de glucose libre et les réserves de glycogène correspondent normalement à 180 à 200 g de glucose libre. Au total, l'organisme contient à peine plus d'une journée des besoins quotidiens en glucose. Si le glucose n'est pas apporté par l'alimentation, il doit être produit à partir de précurseurs non glucidiques. Cette activité métabolique est appelée la **néoglucogenèse**, terme qui signifie la génération (*genesis*) de nouveau (*neo*) glucose.

Par ailleurs, les muscles consomment beaucoup de glucose par la voie de la glycolyse, et donc produisent beaucoup de pyruvate. Pendant un exercice vigoureux, les cellules musculaires sont en anaérobiose et le pyruvate est converti en lactate. La néoglucogenèse récupère le lactate et le pyruvate pour les reconvertir en glucose.

Les substrats de la néoglucogenèse

En plus du pyruvate et du lactate, d'autres précurseurs sont des substrats pour la néoglucogenèse chez les animaux. Ce sont essentiellement la plupart des acides aminés, le glycérol et tous les intermédiaires du cycle des acides tricarboxyliques. Par contre, les acides gras ne sont pas des substrats utilisables pour la néoglucogenèse chez les animaux ; la dégradation des acides gras fournit surtout de l'acétyl-CoA et les animaux n'ont pas la capacité d'utiliser de l'acétyl-CoA pour effectuer la synthèse nette de glucose. La leucine et la lysine sont les seuls acides aminés qui ne sont pas des substrats pour la néoglucogenèse ; en effet, leur dégradation ne produit que de l'acétyl-CoA. Rappel : l'acétyl-CoA est un substrat de la néoglucogenèse quand le cycle du glyoxalate est fonctionnel (Chapitre 20).

Presque toute la néoglucogenèse s'effectue dans le foie et dans les reins des animaux

Assez curieusement, le cerveau et les muscles, organes des mammifères qui consomment le plus de glucose, n'en synthétisent que très peu. Les principaux lieux de la production du glucose par néoglucogenèse sont le foie, pour environ 90 %, et les reins, pour 10 %. Le glucose ainsi produit dans ces organes passe dans le sang pour être utilisé par le cerveau, le cœur, les muscles et les globules rouges, en fonction de leurs besoins. Le pyruvate et le lactate produits par ces derniers tissus retourneront vers le foie et les reins pour y devenir des substrats de la néoglucogenèse.

La néoglucogenèse n'est pas simplement le processus inverse de la glycolyse

La néoglucogenèse est pour partie un processus inverse de la glycolyse. Il y a synthèse de glucose, et non pas catabolisme ; de l'ATP est consommé, et non pas produit ; du NADH est oxydé au lieu d'observer une réduction du NAD^+. Cependant, la néoglucogenèse ne peut pas être *simplement* le processus inverse de la glycolyse, ne serait-ce que pour deux raisons. Premièrement la glycolyse est exergonique, avec un $\Delta G°'$ d'environ –74 kJ/mol. Si la néoglucogenèse n'était que le processus inverse de la glycolyse, elle serait fortement endergonique, donc thermodynamiquement impossible. Il faut un apport d'énergie supplémentaire pour que la néoglucogenèse s'effectue spontanément (qu'elle soit thermodynamiquement possible). Deuxièmement, les processus de la glycolyse et de la néoglucogenèse doivent êtres régulés réciproquement, de sorte que si la glycolyse est activée la néoglucogenèse est inhibée, et que si la néoglucogenèse est activée c'est la glycolyse qui doit être inhibée. Les nécessités énergétiques et celles de la régulation sont satisfaites par l'existence de réactions spécifiques à chacun des deux processus en plus des réactions communes.

La néoglucogenèse – des réactions empruntées à la glycolyse, et quelques réactions nouvelles

La voie complète de la néoglucogenèse est représentée Figure 23.1, en parallèle à la voie de la glycolyse. Dans la néoglucogenèse, trois réactions catalysées par trois

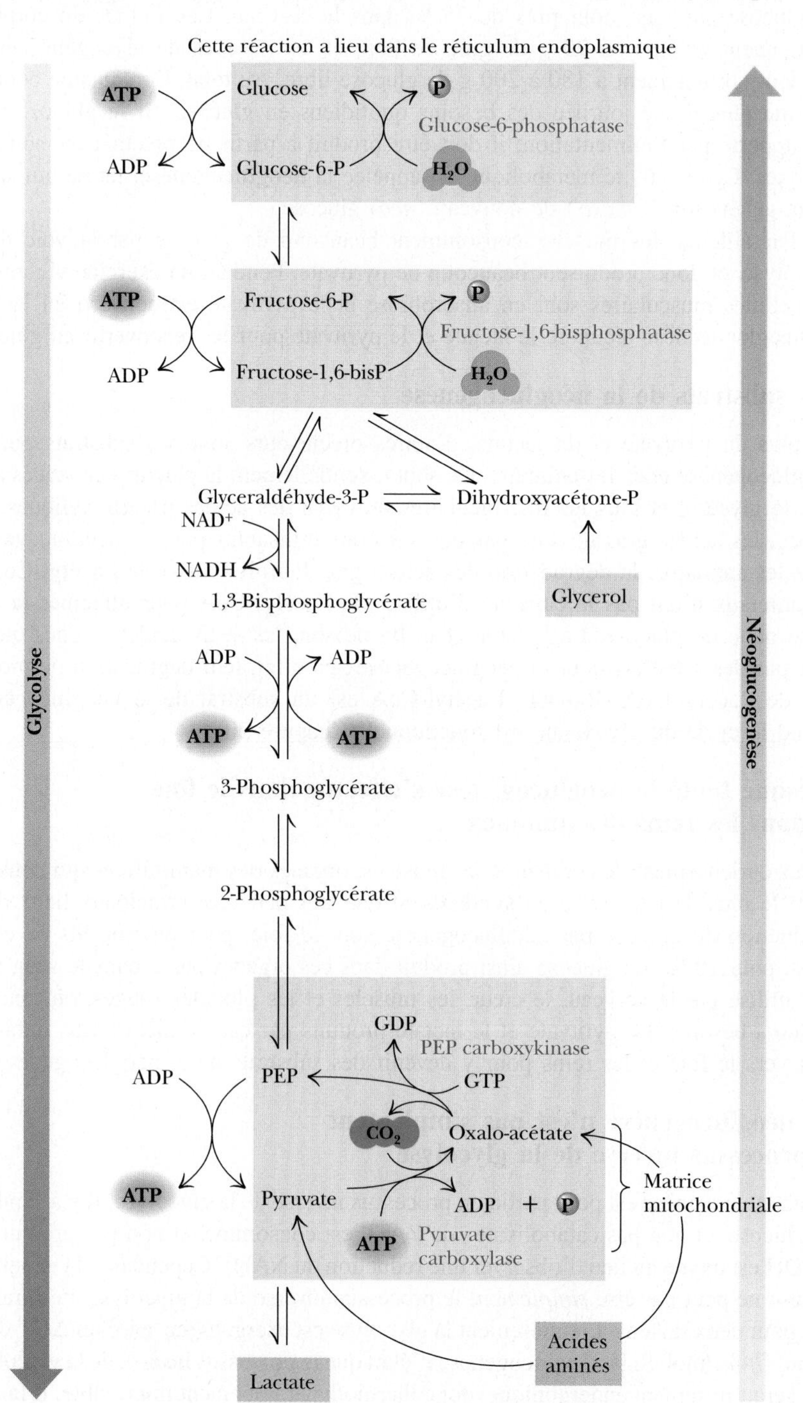

Figure 23.1 • Voies de la néoglucogenèse et de la glycolyse. Les espèces sur fond bleu, vert, ou rosé, indiquent des points d'entrée pour la néoglucogenèse autres que le pyruvate.

enzymes différents, remplacent les trois réactions de la glycolyse qui sont très exergoniques (et hautement régulées). Les sept autres étapes de la glycolyse sont utilisées dans des réactions inverses pour la néoglucogenèse. Les six réactions réversibles, du fructose-1,6-bisphosphate au PEP sont communes aux deux voies, de même que l'isomérisation du glucose-6-phosphate en fructose-6-phosphate. Les trois réactions exergoniques et régulées – catalysées par l'hexokinase (glucokinase), la phosphofructokinase et la pyruvate kinase – sont remplacées par d'autres réactions dans la néoglucogenèse.

La conversion du pyruvate en PEP, qui engage dans la voie de la néoglucogenèse, exige deux réactions particulières. La **pyruvate carboxylase** catalyse d'abord la conversion du pyruvate en oxalo-acétate. Puis la **PEP carboxykinase** catalyse la conversion de l'oxalo-acétate en PEP. La conversion du fructose-1,6-bisphosphate en fructose-6-phosphate est catalysée par une phosphatase spécifique, *la* **fructose-1,6-bisphosphatase**. Une **glucose-6-phosphatase** catalyse l'hydrolyse du glucose-6-phosphate en glucose, dernière étape de la néoglucogenèse. Chacune de ces réactions sera examinée en détail dans les paragraphes suivants. Le $\Delta G°'$ de la conversion du pyruvate en PEP est proche de zéro, mais les réactions suivantes orientent le sens du processus. La conversion du fructose-1,6-bisphosphate en glucose dans les trois dernières étapes de la néoglucogenèse est fortement exergonique, avec un $\Delta G°'$ d'environ –30,5 kJ/mol. Cette séquence de deux réactions catalysées par des phosphatases, séparées par une isomérisation, contribue à la plus grande partie de la variation d'énergie libre qui accompagne la néoglucogenèse et la rend spontanément possible.

Réactions spécifiques à la néoglucogenèse

1. *La pyruvate carboxylase – un enzyme à biotine*

La conversion du pyruvate en oxalo-acétate, catalysée par la **pyruvate carboxylase**, est la première réaction de la néoglucogenèse (Figure 23.2). La réaction s'effectue en deux étapes séparées, l'ATP et le bicarbonate en sont les substrats. L'enzyme a pour coenzyme la biotine et son activité est régulée par un activateur allostérique, l'acétyl-CoA. La pyruvate carboxylase est un oligomère de quatre sous-unités (masse moléculaire d'environ 500 kDa). Dans chaque sous-unité, un résidu lysine du site actif est lié par une liaison covalente à une biotine (Figure 23.3). La première étape de la réaction, l'attaque nucléophile d'un oxygène du bicarbonate sur le γ-phosphate d'une molécule d'ATP donne un **carboxy-phosphate (ou carbonylphosphate)**, une forme active de CO_2, et de l'ADP (Figure 23.4) ; ce carbonylphosphate réagit rapidement avec la biotine pour former la N-carboxybiotine avec libération du phosphate minéral. Dans la deuxième étape, l'élimination d'un proton du C-3 du pyruvate produit un carbanion qui attaque l'atome de carbone de la N-carboxybiotine pour donner l'oxalo-acétate.

L'ACÉTYL-COA EST UN ACTIVATEUR ALLOSTÉRIQUE DE LA PYRUVATE CARBOXYLASE Deux aspects particulièrement intéressants de la réaction catalysée par la pyruvate carboxylase sont (a) l'activation allostérique de l'enzyme par les dérivés acyl-CoA et (b) la localisation de la réaction dans la matrice mitochondriale. La carboxylation de la biotine exige la présence d'acétyl-CoA, ou d'autres dérivés acylés du CoA, sur un site allostérique de l'enzyme. La deuxième partie de la réaction – l'attaque du pyruvate et la formation de l'oxalo-acétate – n'est pas influencée par la présence d'un acyl-CoA.

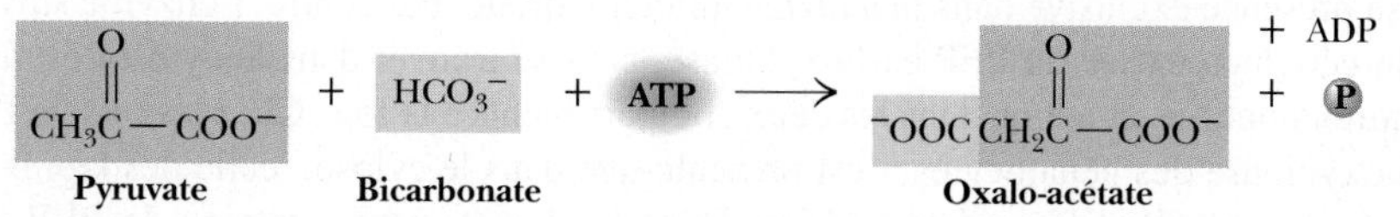

$$CH_3C(=O)-COO^- + HCO_3^- + ATP \longrightarrow {}^-OOC\,CH_2C(=O)-COO^- + ADP + P$$

Pyruvate — Bicarbonate — Oxalo-acétate

Figure 23.2 • Réaction catalysée par la pyruvate carboxylase.

E — $CH_2CH_2CH_2CH_2$ — NH (Lysine) — C=O — CH_2 — CH_2 — CH_2 — CH_2 — (Biotin)

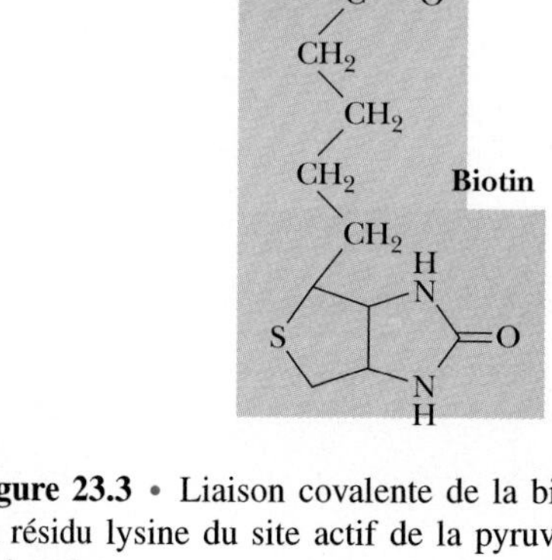

Figure 23.3 • Liaison covalente de la biotine à un résidu lysine du site actif de la pyruvate carboxylase.

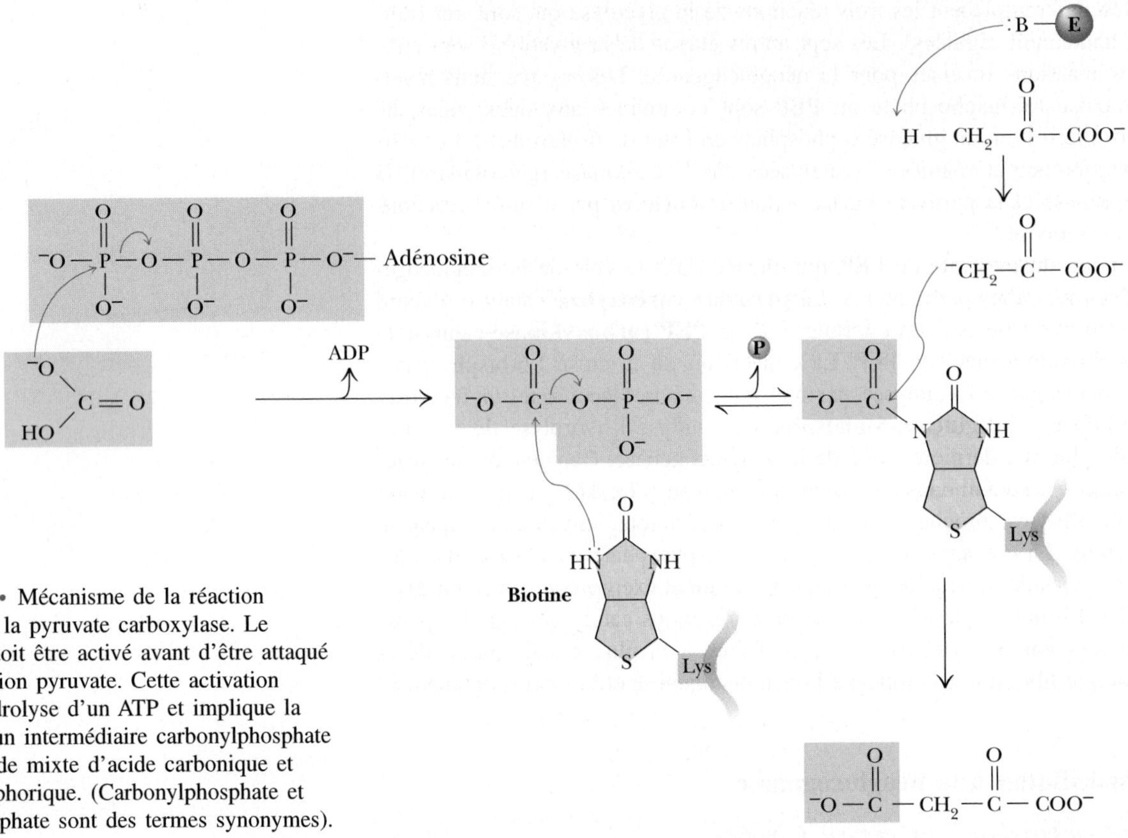

Figure 23.4 • Mécanisme de la réaction catalysée par la pyruvate carboxylase. Le bicarbonate doit être activé avant d'être attaqué par le carbanion pyruvate. Cette activation requiert l'hydrolyse d'un ATP et implique la formation d'un intermédiaire carbonylphosphate – un anhydride mixte d'acide carbonique et d'acide phosphorique. (Carbonylphosphate et carboxy-phosphate sont des termes synonymes).

L'activation de la pyruvate carboxylase par l'acétyl-CoA joue un rôle très important dans les régulations physiologiques. L'acétyl-CoA est le substrat principal du cycle de Krebs et l'oxalo-acétate (formé dans la réaction catalysée par la pyruvate carboxylase) est à la fois l'intermédiaire privilégié de ce cycle et de la voie de la néoglucogenèse. Si les concentrations cellulaires de l'ATP et/ou de l'acétyl-CoA (ou d'autres acyl-CoA) sont trop faibles, le pyruvate est oxydé par la voie du cycle de l'acide citrique et donc favorise l'augmentation de la concentration en ATP. Si les concentrations de l'ATP et de l'acétyl-CoA sont élevées, le pyruvate est converti en oxalo-acétate et utilisé pour la néoglucogenèse. De fortes concentrations en ATP et en acyl-CoA sont des signaux cellulaires qui, réunis, indiquent une abondante quantité d'énergie disponible et les métabolites disponibles seront engagés vers la synthèse du glucose et éventuellement du glycogène. Si le niveau énergétique des cellules est bas (en termes d'ATP et de dérivés acylés du CoA), le pyruvate est oxydé par la voie du cycle des acides tricarboxyliques. Nous avons signalé Chapitre 20 que la pyruvate carboxylase est un enzyme anaplérotique. L'activation de la pyruvate carboxylase par l'acétyl-CoA stimule la synthèse de l'oxalo-acétate et maintient sa concentration au niveau nécessaire au bon fonctionnement du cycle de Krebs et en premier lieu à l'oxydation de l'acétyl-CoA.

PROBLÈME RÉSULTANT DE LA LOCALISATION MITOCHONDRIALE DE LA PYRUVATE CARBOXYLASE La seconde caractéristique intéressante de la pyruvate carboxylase est sa présence exclusive dans la *matrice* mitochondriale. Par contre, l'enzyme suivant de la néoglucogenèse, la PEP carboxykinase, peut se trouver dans le cytosol ou dans les mitochondries et même dans les deux compartiments à la fois. Chez les rats, la PEP carboxykinase des hépatocytes n'est présente que dans le cytosol, celle des lapins est principalement dans les mitochondries. Dans les hépatocytes humains, la PEP carboxykinase se trouve dans le cytosol et dans les mitochondries. Le pyruvate est transporté dans la matrice mitochondriale où il peut être converti en acétyl-CoA (pour être oxydé dans le cycle de Krebs), puis en acide citrique (précurseur de la synthèse des acides gras, voir Figure 25.1). Le pyruvate peut aussi être converti en oxalo-acétate (réaction catalysée par la pyruvate carboxylase), qui sera utilisé pour la néoglucogenèse. Lorsque la PEP carboxykinase est uniquement mitochondriale, l'oxalo-acétate est converti en PEP dans la mitochondrie d'où il est transporté vers le cytosol pour la néoglucogenèse (Figure 23.6). Cependant, un problème particulier se pose pour les tissus où la PEP carboxykinase est essentiellement cytosolique. L'oxalo-acétate formé dans la matrice mitochondriale ne peut pas être directement transporté, il est d'abord transformé en malate ou en aspartate pour être ensuite transporté à travers la membrane interne (Figure 23.5). Le malate ou l'aspartate seront ensuite reconvertis en oxalo-acétate pour leur utilisation dans la voie de la néoglucogenèse.

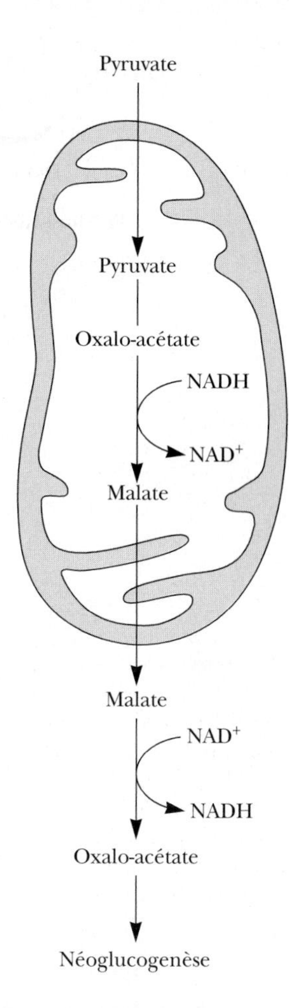

Figure 23.5 • La pyruvate carboxylase est toujours localisée dans la matrice mitochondriale. Dans ce compartiment le pyruvate est carboxylé en oxalo-acétate. Mais l'oxalo-acétate ne peut pas être transporté à travers la membrane interne, il doit d'abord être transformé en malate (ou aspartate). Dans le cytosol le malate est oxydé en oxalo-acétate et la néoglucogenèse peut continuer.

2. *La PEP carboxykinase*

La seconde réaction de la néoglucogenèse à partir du pyruvate est la transformation de l'oxalo-acétate en PEP. La production d'un métabolite à aussi haut potentiel énergétique que le PEP exige un apport d'énergie. Dans ce cas, les exigences énergétiques sont satisfaites de deux façons. Premièrement, le CO_2 fixé sur le pyruvate par la pyruvate carboxylase est éliminé lors de la réaction catalysée par la PEP carboxylase. La décarboxylation est un processus énergétiquement favorable qui contribue à la formation de l'énol phosphate à très haut potentiel d'hydrolyse. Cette décarboxylation permet une réaction qui sans elle serait endergonique. Il y a une logique métabolique à cette paire de réactions : l'énergie de l'ATP utilisée pour la carboxylation du pyruvate est en partie récupérée lors de la décarboxylation pour faciliter la formation du PEP. Deuxièmement, un autre nucléotide à haut potentiel énergétique est consommé dans la réaction catalysée par la carboxykinase (Figure 23.6). Les mammifères et quelques autres espèces utilisent le GTP au lieu de l'ATP. La consommation d'un GTP est équivalente à celle d'un ATP (voir le rôle de la **nucléoside diphosphate kinase** Figure 20.4). L'apport énergétique résultant de l'hydrolyse du GTP est crucial pour la synthèse du PEP. Le ΔG global des réactions catalysées par la pyruvate carboxylase et la PEP carboxykinase est en effet de –22,6 kJ/mol, dans les conditions physiologiques de la cellule hépatique. Le PEP étant formé, la phosphoglycérate mutase, la phosphoglycérate kinase, la glycéraldéhyde-3-phosphate déshydrogénase, l'aldolase, puis la phosphate isomérase participent aux réactions qui aboutissent à la formation de fructose-1,6-bisphosphate (Figure 23.1).

3. *Fructose-1,6-bisphosphatase*

L'hydrolyse du fructose-1,6-bisphosphate en fructose-6-phosphate (Figure 23.7) est, comme toutes les hydrolyses d'esters phosphoriques, une réaction exergonique ($\Delta G^{\circ\prime}$ = –16,7 kJ/mol). Dans les conditions de la cellule hépatique elle reste exergonique (ΔG = –8,6 kJ/mol). **La fructose-1,6-bisphosphatase** est un enzyme soumis à régulation allostérique. Le citrate stimule son activité, mais le *fructose-2,6-bisphosphate* est un puissant inhibiteur allostérique. L'AMP inhibe aussi la bisphosphatase et son action inhibitrice est renforcée par le fructose-2,6-bisphosphate.

$$\underset{\textbf{Oxalo-acétate}}{O{=}C(COO^-)-H_2C-COO^-} + GTP \xrightarrow{\text{PEP carboxykinase}} \underset{\textbf{PEP}}{{}^{2-}O_3PO-C(COO^-){=}CH_2} + GDP + CO_2$$

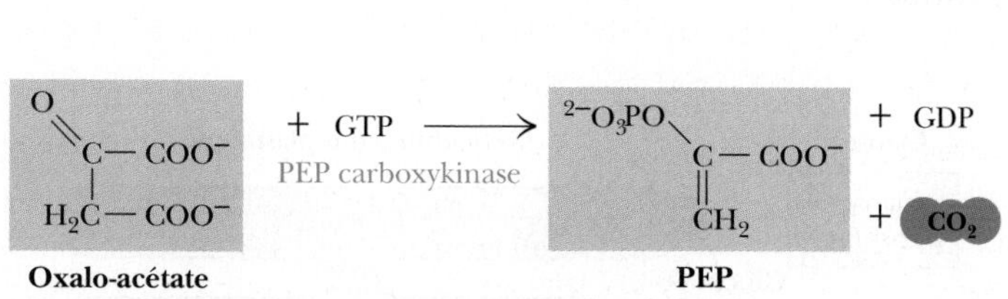

Figure 23.6 • Réaction catalysée par la PEP carboxykinase. Le GDP formé dans cette réaction peut redonner du GTP dans une réaction catalysée par la nucléoside diphosphate kinase en présence d'ATP ; cependant, les cellules hépatiques de certaines espèces animales n'ont pas cet enzyme.

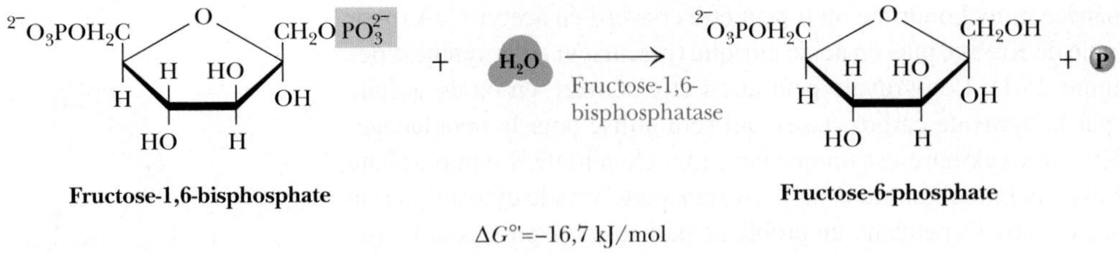

Fructose-1,6-bisphosphate + H_2O $\xrightarrow{\text{Fructose-1,6-bisphosphatase}}$ **Fructose-6-phosphate** + P

$\Delta G^{\circ\prime} = -16{,}7$ kJ/mol

Figure 23.7 • Réaction catalysée par la fructose-1,6-bisphosphatase.

4. ***La glucose-6-phosphatase***

L'étape finale de la néoglucogenèse est l'hydrolyse du glucose-6-phosphate en glucose, une réaction catalysée par la **glucose-6-phosphatase**. Cet enzyme se trouve dans les membranes du réticulum endoplasmique du foie et des reins, mais il est absent des muscles et du cerveau qui n'effectuent donc pas de néoglucogenèse. Cette association avec la membrane a une importance physiologique, le substrat est en effet hydrolysé lors de son passage dans la membrane même du réticulum endoplasmique (Figure 23.8). Lors du passage du glucose-6-phosphate dans la membrane du réticulum endoplasmique, des vésicules se forment à partir de cette membrane, elles diffusent vers la membrane plasmique entraînant le glucose ; la fusion de la membrane plasmique et de la membrane des vésicules libère le glucose dans la circulation sanguine. La réaction d'hydrolyse du glucose-6-phosphate passe par la formation d'un intermédiaire phosphorylenzyme, probablement par phosphorylation d'un résidu His (Figure 23.9). Le ΔG de la réaction dans le foie est de –5,1 kJ/mol.

La néoglucogenèse est couplée à l'hydrolyse de l'ATP et du GTP La réaction nette de la synthèse du glucose à partir du pyruvate est la suivante :

$$2\ \text{Pyruvate} + 4\ \text{ATP} + 2\ \text{GTP} + 2\ \text{NADH} + 2\ \text{H}^+ + 6\ \text{H}_2\text{O} \rightarrow \text{glucose} + 4\ \text{ADP} + 2\ \text{GDP} + 6\ \text{P}_i + 2\ \text{NAD}^+$$

Elle s'accompagne d'une variation d'énergie libre, $\Delta G^{\circ\prime}$, de –37,7 kJ/mol. L'hydrolyse de six nucléosides triphosphates fournit l'énergie nécessaire. Si la synthèse du glucose n'utilisait que les réactions de la glycolyse, de façon inverse, le bilan de la réaction serait le suivant :

$$2\ \text{Pyruvate} + 2\ \text{ATP} + 2\ \text{NADH} + 2\ \text{H}^+ + 2\ \text{H}_2\text{O} \rightarrow \text{glucose} + 2\ \text{ADP} + 2\ \text{P}_i + 2\ \text{NAD}^+$$

avec un $\Delta G^{\circ\prime}$ de +47 kJ/mol. Ce processus hautement endergonique serait thermodynamiquement impossible. L'hydrolyse supplémentaire de quatre liaisons phosphate à haut potentiel énergétique fournit l'apport d'énergie qui rend possible la néoglucogenèse. Dans les conditions physiologiques la néoglucogenèse est moins favorisée, la valeur de ΔG est seulement de –15,6 kJ/mol pour la synthèse du glucose à partir du pyruvate.

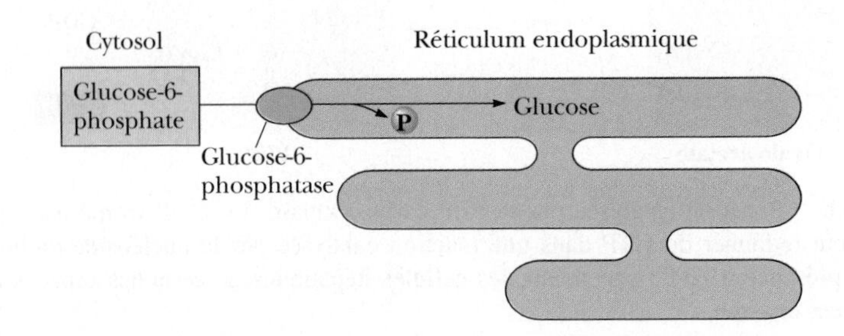

Figure 23.8 • La glucose-6-phosphatase est localisée dans la membrane du réticulum endoplasmique. L'hydrolyse du glucose-6-phosphate en glucose s'effectue dans la membrane même, pendant le transport dans la lumière du RE.

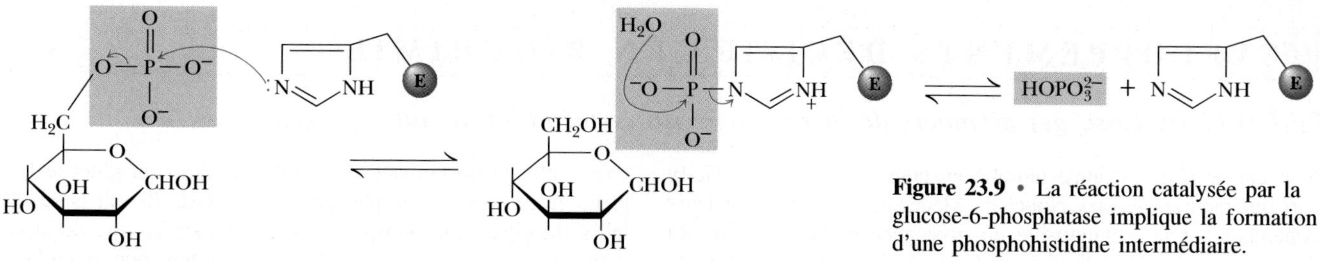

Figure 23.9 • La réaction catalysée par la glucose-6-phosphatase implique la formation d'une phosphohistidine intermédiaire.

LE LACTATE FORMÉ DANS LES MUSCLES EST RECYCLÉ EN GLUCOSE DANS LE FOIE
Pour ce qui concerne la redistribution du lactate et du glucose dans le corps humain, un dernier point permettra d'expliciter l'importance des interactions métaboliques entre les différents organes. Un exercice vigoureux peut produire un manque, au moins momentané, d'oxygène (donc les conditions de l'anaérobiose) et les besoins énergétiques sont alors couverts par une stimulation de la glycolyse. Pendant la glycolyse, le NAD^+ est réduit en NADH, mais si l'oxygène fait défaut, NAD^+ n'est plus régénéré sur la chaîne respiratoire. L'oxydation du NADH est alors obtenue par la réduction du pyruvate en lactate. Le lactate ainsi produit peut être transporté des muscles au foie par la voie sanguine ; dans le foie, la lactate déshydrogénase pourra réoxyder le lactate en pyruvate. De cette façon, le foie participe au stress métabolique résultant d'un exercice vigoureux. Le glucose pourra retourner au muscle, qui produira du lactate, lequel sera à nouveau transformé en glucose dans le foie. Ce cycle est parfois appelé le **cycle de Cori** (Figure 23.10). Le foie où le rapport NAD^+/NADH est généralement très élevé (environ 700) produit facilement plus de glucose qu'il n'en utilise. Dans le muscle, le rapport NAD^+/NADH diminue pendant une activité intense (les cellules sont pratiquement en anaérobiose, NADH n'est donc plus oxydé sur la chaîne respiratoire), ce qui favorise la réduction du pyruvate en lactate.

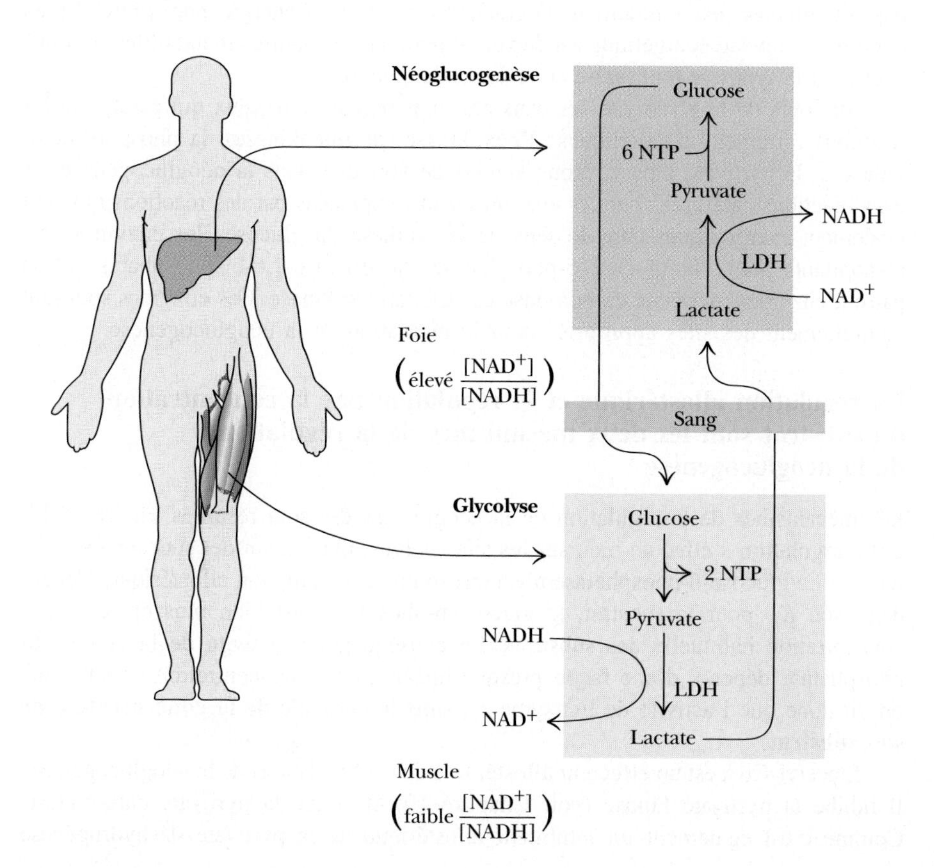

Figure 23.10 • Le cycle de Cori.

DÉVELOPPEMENTS DÉCISIFS EN BIOCHIMIE

Carl et Gerty Cori, des pionniers de la recherche sur le métabolisme du glycogène

Le cycle de Cori est ainsi nommé en hommage à Carl et Gerty Cori qui reçurent le prix Nobel de Médecine en 1947 pour leurs recherches sur le métabolisme du glycogène et la régulation du glucose sanguin. Carl Ferdinand Cori et Gerty Theresa Radnitz sont tous deux nés à Prague (alors sous domination autrichienne). Ils terminèrent leurs études médicales à l'Université de Prague en 1920 et se marièrent vers la fin de la même année. En 1931 ils ont rejoint la Washington University School of Medecine à Saint Louis. Leur remarquable collaboration a eu pour conséquence plusieurs importantes contributions sur le métabolisme des glucides et du glycogène. Ils ont découvert le glucose-1-phosphate, pendant longtemps appelé « ester de Cori ». Ils ont aussi montré que le glucose-6-phosphate pouvait être produit à partir du glucose-1-phosphate en présence de la phosphoglucomutase. Ils ont isolé et cristallisé la glycogène phosphorylase et élucidé la voie de la dégradation du glycogène. En 1952, ils ont montré que la *maladie de von Gierke* , une maladie héréditaire qui se traduit en particulier par une importante accumulation du glycogène dans le foie, provenait de la déficience hépatique en glucose-6-phosphatase. Six futurs prix Nobel ont été formés dans leur laboratoire. Gerty Cori fut la première femme américaine à recevoir un prix Nobel. Carl Cori a dit au sujet de leur remarquable collaboration : « Nos efforts ont largement été complémentaires et l'un sans l'autre n'aurait pu aller aussi loin... ».

23.2 • Régulation de la néoglucogenèse

Presque toutes les réactions de la glycolyse et de la néoglucogenèse ont lieu dans le cytoplasme. En l'absence de régulation métabolique, la dégradation du glucose par la glycolyse et la synthèse du glucose par la néoglucogenèse s'effectueraient simultanément, sans bénéfice pour la cellule, et avec une grande consommation d'ATP. Ce gaspillage est prévenu par un système de **régulation réciproque** très élaboré, de sorte que la glycolyse est active quand la néoglucogenèse est inhibée, et que la néoglucogenèse est active quand la glycolyse est inhibée. La régulation réciproque de ces deux voies métaboliques dépend en grande partie du niveau énergétique cellulaire. Si ce niveau est bas, du glucose est rapidement dégradé pour fournir l'énergie nécessaire. Si au contraire le niveau énergétique est élevé, du pyruvate et d'autres métabolites sont utilisés pour la synthèse (et la mise en réserve) du glucose.

Au cours de la glycolyse, les trois enzymes régulés sont ceux qui catalysent les réactions fortement exergoniques : l'hexokinase (la glucokinase), la phosphofructokinase et la pyruvate kinase. Nous venons de voir que dans la néoglucogenèse les trois réactions catalysées par ces enzymes sont remplacées par des réactions qui sont également exergoniques dans le sens de la synthèse du glucose ; les enzymes correspondants sont : la glucose-6-phosphatase, la fructose-1,6-bisphosphatase et la paire d'enzymes, pyruvate carboxylase et PEP carboxykinase. Ces enzymes sont tout naturellement des sites appropriés pour la régulation de la néoglucogenèse.

La régulation allostérique et la régulation par la concentration du substrat sont les deux mécanismes de la régulation de la néoglucogenèse

Les mécanismes de la régulation de la néoglucogenèse sont résumés Figure 23.11. Cette régulation s'effectue bien sur les sites prévus, mais selon des mécanismes différents. La glucose-6-phosphatase n'est pas soumise à régulation allostérique. Cependant, son K_m pour le substrat, le glucose-6-phosphate, est bien plus élevé que la concentration habituelle des substrats. En conséquence, l'activité de la glucose-6-phosphatase dépend, d'une façon presque linéaire, de la concentration en substrat ; on dit donc que l'activité de l'enzyme est **sous le contrôle de la concentration de son substrat**.

L'acétyl-CoA est un effecteur allostérique de la glycolyse et de la néoglucogenèse. Il inhibe la pyruvate kinase (voir Chapitre 19) et active la pyruvate carboxylase. Comme c'est également un inhibiteur allostérique de la pyruvate déshydrogénase

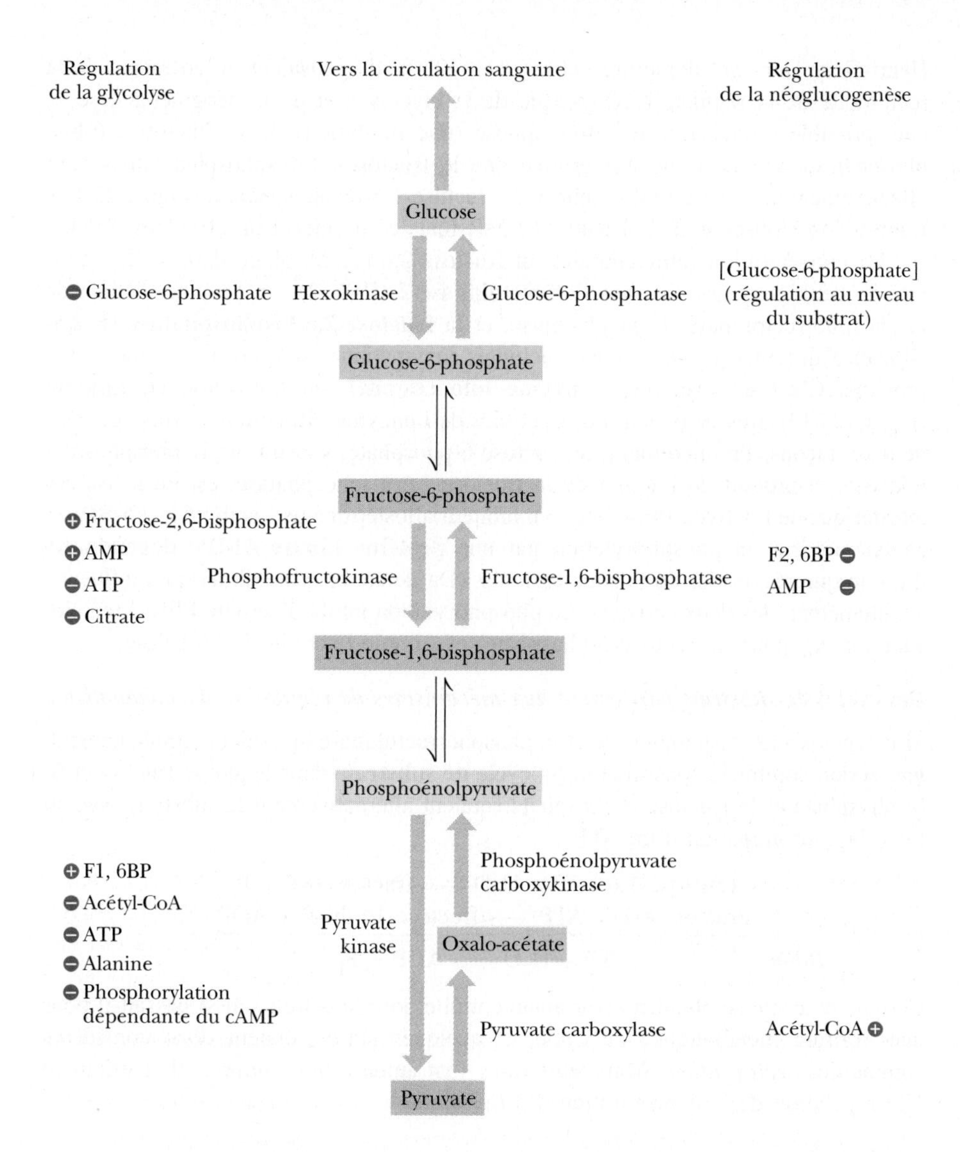

Figure 23.11 • Principaux mécanismes régulateurs de la glycolyse et de la néoglucogenèse. Les activateurs sont représentés par des signes + et les inhibiteurs par des signes –.

(l'enzyme qui relie la glycolyse au cycle de Krebs), le devenir cellulaire du pyruvate dépend fortement de la concentration de l'acétyl-CoA. Si cette dernière augmente, cela signifie que le cycle de Krebs ne peut l'utiliser car le niveau de l'énergie intracellulaire est élevé et donc que les métabolites peuvent être dirigés vers la synthèse du glucose. Inversement, si la concentration en acétyl-CoA baisse, l'activité de la pyruvate kinase et celle de la pyruvate déshydrogénase augmentent et favorisent le flux des métabolites à travers le cycle de Krebs, favorisant ainsi la production de l'énergie nécessaire à la cellule.

La fructose-1,6-bisphosphatase est un autre site de régulation de la néoglucogenèse. Cet enzyme est inhibé par l'AMP et activé par le citrate. Ces effets sont inversés par rapport à leur action sur la phosphofructokinase de la glycolyse, c'est encore un exemple d'effets régulateurs réciproques. Quand la concentration en AMP s'élève, l'activité de la néoglucogenèse est ralentie, tandis que celle de la glycolyse est stimulée. Un accroissement de la concentration en citrate signale que l'activité du cycle des acides tricarboxyliques est restreinte et que le pyruvate doit plutôt être dirigé vers la synthèse du glucose.

Le fructose-2,6-bisphosphate – Un régulateur allostérique de la néoglucogenèse

Nous avons signalé Chapitre 19 que le fructose-2,6-bisphosphate est un puissant activateur allostérique de la phosphofructokinase (Emile Van Schaftingen et

$^{2-}O_3POCH_2$ O OPO_3^{2-} H HO H CH_2OH OH H

Fructose-2,6-biphosphate

Henri-Géry Hers ont démontré cet effet en 1980). Ils pensaient qu'en raison de la réciprocité de la régulation réciproque de la glycolyse et de la néoglucogenèse, il était possible d'envisager un effet opposé (une inhibition) de la fructose-1,6-bisphosphatase. En 1981, ils ont prouvé que le fructose-2,6-bisphosphate mais était effectivement un puissant inhibiteur de la fructose-1,6-bisphosphatase (Figure 23.12). L'inhibition s'observe en l'absence d'AMP, mais ce dernier a un effet synergique.

La concentration intracellulaire du fructose-2,6-bisphosphate dépend de l'activité de deux enzymes, la **phosphofructokinase-2 (PFK-2)**, un enzyme distinct de la phosphofructokinase de la glycolyse, et la **fructose-2,6-bisphosphatase (F-2,6-BPase)**. Fait remarquable, ces deux activités enzymatiques se trouvent sur une même protéine. C'est un exemple **d'enzyme bifonctionnel**, ou **d'enzyme en tandem** (Figure 23.13). Les deux activités opposées de l'enzyme bifonctionnel sont régulées de deux façons. Premièrement, le fructose-6-phosphate, substrat de la phosphofructokinase, et produit de l'action de la fructose-1,6-bisphosphatase, est un activateur allostérique de l'activité PFK-2 et un inhibiteur allostérique de l'activité F-2,6-BPase. Deuxièmement, la phosphorylation par une **protéine kinase AMPc dépendante**, d'un unique résidu Ser de la sous-unité 49 kDa de cet enzyme dimérique, influence simultanément les deux activités. La phosphorylation inhibe l'activité PFK-2 (en élevant son K_m pour le fructose-6-phosphate) et stimule l'activité F-2,6-BPase.

Des cycles de substrats participent aux mécanismes de régulation du métabolisme

Si la fructose-1,6-bisphophatase et la phosphofructokinase agissaient simultanément, leur action combinée constituerait un **cycle de substrats** dans lequel le fructose-1,6-bisphosphate et le fructose-6-phosphate seraient alternativement le substrat, avec au bilan la consommation d'un ATP :

$$\text{Fructose-1,6-bisP} + H_2O \longrightarrow \text{fructose-6-P} + P_i$$
$$\text{Fructose-6-P} + \text{ATP} \longrightarrow \text{fructose-1,6-bisP} + \text{ADP}$$
$$\textit{Bilan}: \quad \text{ATP} + H_2O \longrightarrow \text{ADP} + P_i$$

Ce type de cycle semblait n'avoir aucune utilité pour la cellule, aussi passait-il pour une fioriture métabolique ; ce cycle, et quelques autres, étaient donc considérés comme des *cycles futiles*. Mais leurs rôles sont aujourd'hui compris : ils participent à la régulation de la concentration des métabolites.

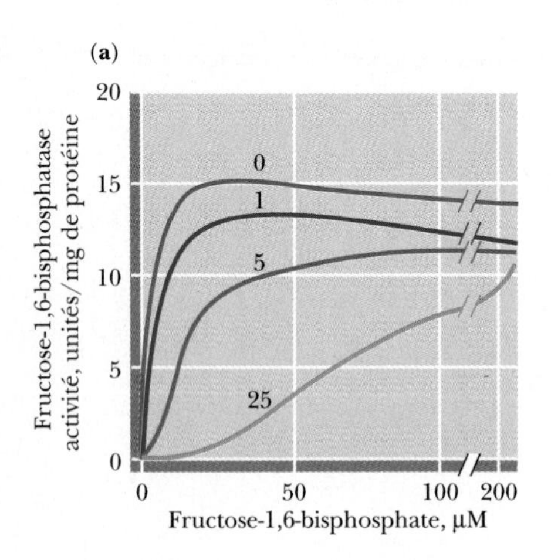

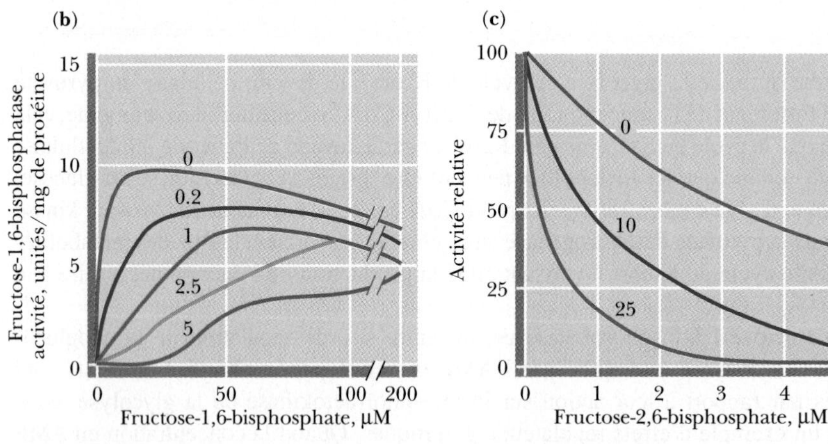

Figure 23.12 • Inhibition de la fructose-1,6-bisphosphatase par le fructose-2,6-bisphosphate. (a) en l'absence d'AMP, et (b) en présence de 25 μM d'AMP. En (a) et en (b), l'activité enzymatique est portée en fonction de la concentration du substrat (le fructose-1,6-bisphosphate). Les concentrations du fructose-2,6-bisphosphate sont inscrites (en μM) au-dessus de chaque courbe. (c) Effets de l'AMP (0,10, et 25 μM) sur l'inhibition de la fructose-1,6-bisphosphatase par le fructose-2,6-bisphosphate. L'activité est mesurée en présence de 10 μM de fructose-1,6-bisphosphate. *(D'après Van Schaftingen, E. et Hers, H.-G., 1981. Inhibition of fructose-1,6-biphosphatase by fructose-2,6-bis-phosphate.* Proceedings of the National Academy of Science, USA *78 : 2861-2863.)*

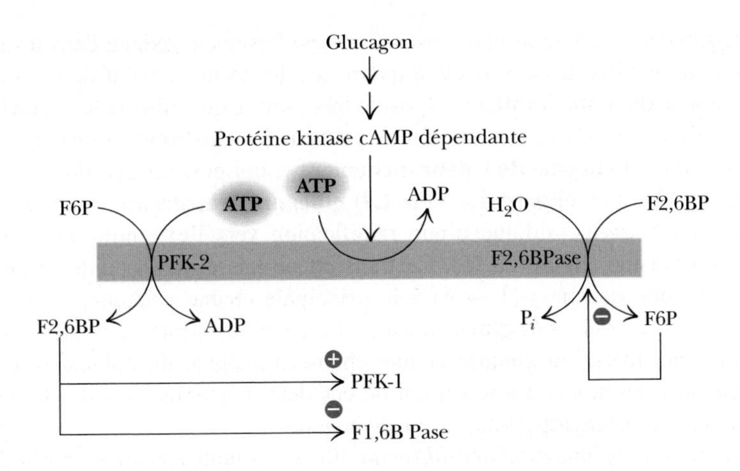

Figure 23.13 • La synthèse et la dégradation du fructose-2,6-bisphosphate sont catalysées par un enzyme bifonctionnel.

Les trois étapes spécifiques de la glycolyse et la néoglucogenèse constituent de tels cycles de substrat, chacun avec sa « raison d'être » (en français dans le texte). Examinons par exemple la régulation du cycle du F-1,6-bisP–fructose-6-P par le F-2,6-bisP. Nous avons vu que la fructose-1,6-bisphosphatase est soumise à une inhibition allostérique par le Fe-2,6-bisP, tandis que la phosphofructokinase est activée par le F-2,6-bisP. Le résultat est que l'activité *soit* de la phosphofructokinase, *soit* de la fructose-1,6-bisphosphatase (mais pas les deux à la fois), est maximale à un moment donné, ce qui évite tout cycle futile. C'est ainsi qu'en **période de jeûne** (en l'absence d'alimentation, donc de glucose), la phosphofructokinase est inactive car la concentration en fructose-2,6-bisP est basse et la glycolyse est interrompue. Par contre, dans le foie, la néoglucogenèse se déroule normalement pour fournir le glucose nécessaire au cerveau (l'activité de la F-1,6-bisphosphatase est alors maximale). Après une prise de nourriture (contenant des glucides), la phosphofructokinase est très active (la concentration en F-2,6-bisP ayant augmenté) et la concentration en fructose-1,6-bisphosphate est importante. Comme la courbe de l'activité de la F-1,6-bisphosphatase en fonction de la concentration en substrat est, en présence de fructose-2,6-bisphosphate, une sigmoïde (Figure 23.12), le cycle des substrats ne s'observe que pour des concentrations élevées en fructose-1,6-bisphosphate. Dans ces conditions, près de 30 % du fructose-1,6-bisP formé par la phosphofructokinase est recyclé en fructose-6-phosphate (puis en glucose). Le cycle des substrats évite une accumulation excessive de fructose-1,6-bisphosphate.

23.3 • Catabolisme du glycogène

Dégradation du glycogène et de l'amidon d'origine alimentaire

Un adulte humain bien nourri métabolise environ 160 g de glucides par jour. Un régime équilibré apporte facilement cette quantité, essentiellement sous forme d'amidon, l'apport de glycogène est plutôt limité. Si l'alimentation ne contient pas assez de glucides les réserves de glycogène du foie et des muscles peuvent être mobilisées. Les premières réactions permettant la dégradation du glycogène et de l'amidon sont représentées Figure 23.14. **L'α-amylase** est un important constituant de la salive et du suc pancréatique. (La **β-amylase** se trouve dans les plantes. Les notations α et β de ces enzymes ne servent qu'à les distinguer l'un de l'autre, ils n'ont pas de rapport avec la configuration α ou β de la liaison osidique). L'α-amylase est une *endoglucosidase* qui hydrolyse de façon aléatoire les liaisons α-(1 → 4) de l'amylopectine et du glycogène ; les produits finaux de la réaction sont le maltose, le maltotriose [un trioholoside à trois résidus glucose liés par des liaisons α-(1 → 4)] et d'autres petits oligosides. L'α-amylase peut catalyser l'hydrolyse des chaînes osidiques de l'amylopectine (voir Figure 10.21) et du glycogène de part et d'autre

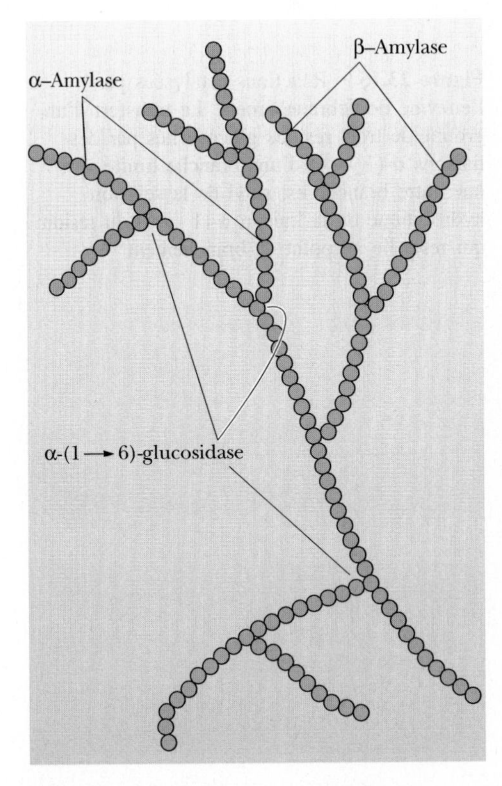

Figure 23.14 • Hydrolyse du glycogène et de l'amidon par l'α-amylase et la β-amylase.

d'une liaison de ramification mais son activité est fortement réduite dans les régions très ramifiées et l'hydrolyse s'arrête à quatre résidus avant le point de ramification.

On appelle **dextrine limite** le polyoside très ramifié qui subsiste après une action prolongée de l'α-amylase. Ces structures peuvent être hydrolysées par un enzyme du suc intestinal, **l'enzyme de « débranchement »**, qui possède une double activité. La première, l'activité **oligo(α-1,4 → α-1,4) glucanne transférase** catalyse le transfert d'une unité triglucosidique d'une ramification vers l'extrémité 4' libre d'une ramification voisine (figure 23.15). Ce transfert ne laisse qu'un unique résidu glucose, lié par une liaison α-(1 → 6) à la principale chaîne osidique. La deuxième activité, l'activité **α-(1 → 6) glucosidase** de l'enzyme de débranchement, hydrolyse ce résidu isolé, libère un glucose et une chaîne principale du polyoside ayant un embranchement en moins. La répétition de ces deux réactions aboutit à la dégradation complète de l'amylopectine ou du glycogène.

La β-amylase est une *exoglucosidase* qui libère des unités maltose à partir de l'extrémité non réductrice des branches de l'amylopectine (Figure 23.14). Pas plus que l'α-amylase, la β-amylase ne catalyse l'hydrolyse des liaisons α-(1 → 6) des points de branchement ou les liaisons α-(1 → 4) proches de ces points d'embranchement.

Métabolisme du glycogène intracellulaire

La digestion est un processus multienzymatique efficace par lequel pratiquement 100 % des glucides ingérés sont dégradés puis assimilés. L'hydrolyse de l'amidon et du glycogène au cours de la digestion n'est pas régulée. Par contre, la dégradation du glycogène tissulaire, qui représente un important réservoir d'énergie potentielle et les réactions qui permettent sa synthèse, sont finement contrôlées et soumises à régulation, ce qui ne devrait pas être une surprise. Le glycogène est mis en réserve dans le cytosol des cellules hépatiques et musculaires, sous forme de granules dont la masse moléculaire varie de 6×10^6 à 1.600×10^6 (Figure 23.16). Ces agrégats de granules contiennent les enzymes de la synthèse et du catabolisme du glycogène de même que les enzymes de la glycolyse.

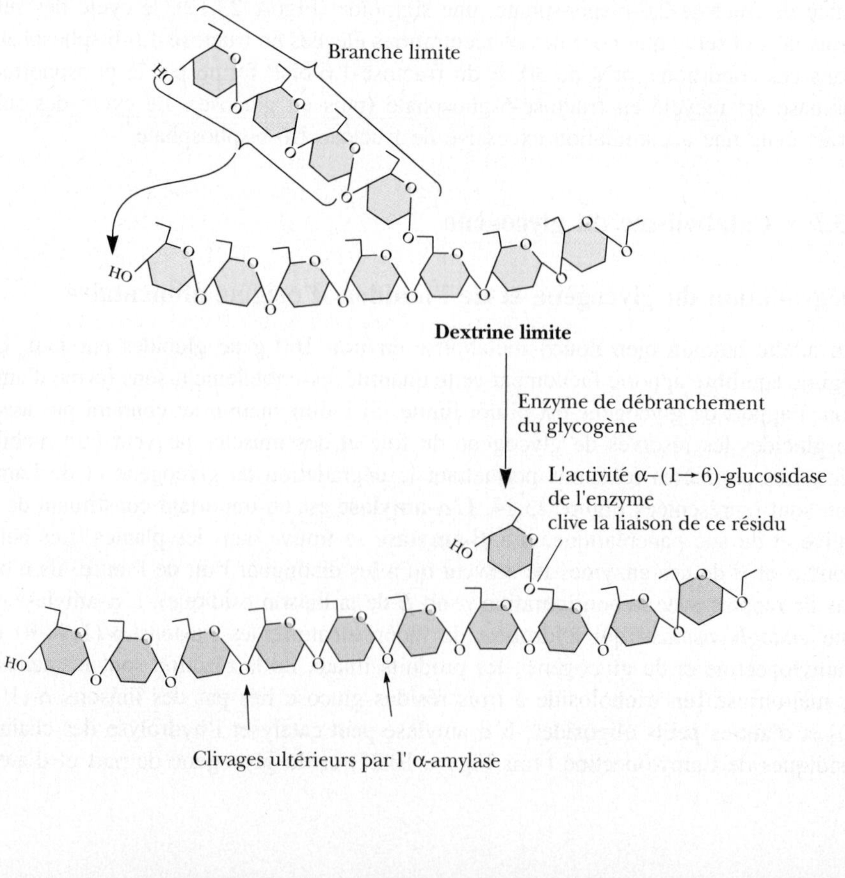

Figure 23.15 • Réactions catalysées par l'enzyme de débranchement. Le transfert d'un groupe de trois résidus glucose liés par des liaisons α-(1 → 4) d'une branche limite vers une autre branche est suivi de la scission hydrolytique de la liaison α-(1 → 6) du résidu qui reste lié au point de branchement.

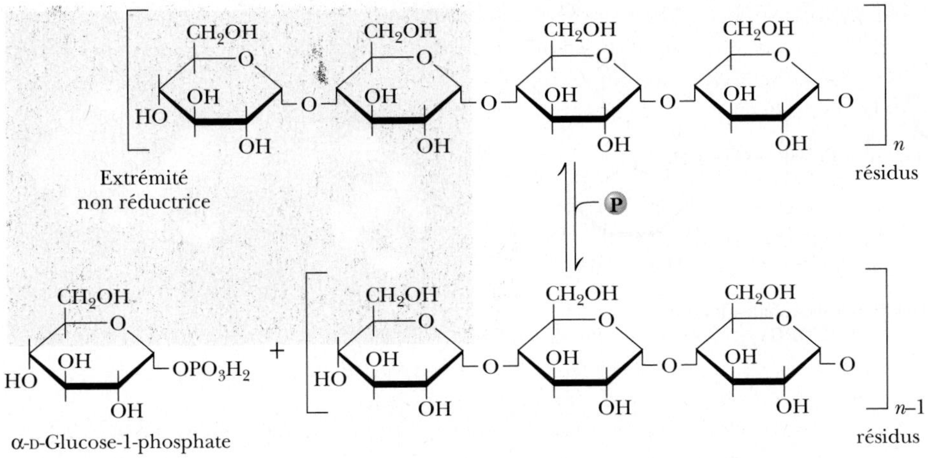

Figure 23.16 • La réaction glycogène phosphorylase.

Le principal enzyme du catabolisme du glycogène est la **glycogène phosphorylase**, un enzyme finement régulé (voir Chapitre 15). La glycogène phosphorylase catalyse la phosphorolyse des unités glucose à partir de l'extrémité non réductrice d'une molécule de glycogène. La variation d'énergie libre standard ($\Delta G°'$) pour la réaction catalysée par la glycogène phosphorylase est de +3,1 kJ/mol mais le rapport des concentrations intracellulaires $[P_i]$ / [glucose-1-phosphate] est voisin de 100, et ΔG *in vivo* est approximativement de –6 kJ/mol. Cette phosphorolyse présente un avantage énergétique pour la cellule. Si la dégradation résultait d'une hydrolyse, le glucose devrait être phosphorylé (donc avec une perte d'un ATP) pour que la glycolyse puisse commencer.

La phosphorolyse du glycogène produit de la dextrine limite qui sera ensuite dégradée par l'enzyme de « débranchement ».

23.4 • Synthèse du glycogène

Les animaux synthétisent du glycogène et le mettent en réserve quand la concentration du glucose sanguin est élevée ; la voie de la biosynthèse n'est pas simplement la voie inverse de la dégradation par la glycogène phosphorylase. La concentration élevée du phosphate intracellulaire favorise la dégradation du glycogène et empêche la synthèse *in vivo* de glycogène par la réaction inverse, bien que le $\Delta G°'$ de la réaction soit en faveur de la synthèse du glycogène. Il faut donc dans la cellule une autre réaction pour favoriser la synthèse et l'accumulation du glycogène. Essentiellement, cette voie de synthèse active les molécules de glucose avant qu'elles soient transférées sur les chaînes du glycogène.

La formation de nucléotides osidiques active les unités glucose qui seront transférées

La notion d'activation chimique préalable au transfert d'un groupe nous est déjà familière. Nous avons vu que l'acétyl-CoA est la forme activée de l'acétate, que la biotine et le tétrahydrofolate activent des groupes monocarbonés et que l'ATP est une forme active de phosphate. Au cours des années 1950, Luis Leloir, un biochimiste argentin, a montré que la synthèse du glycogène dépend de la présence de **nucléotides osidiques** qui peuvent être considérés comme des formes d'activation d'unités osidiques (Figure 23.17). Par exemple, la formation d'une liaison ester entre

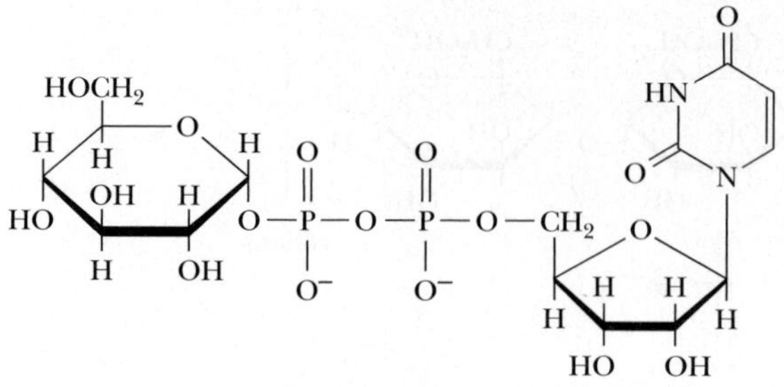

Uridine-diphosphate-glucose (UDPG)

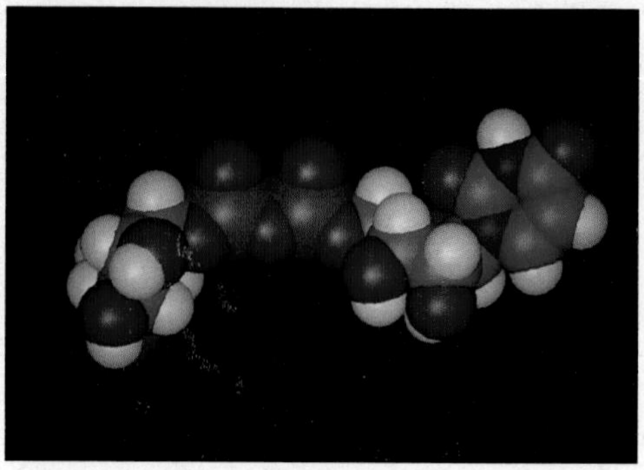

Figure 23.17 • Structure de l'UDP-glucose, un nucléotide osidique.

le groupe hydroxyle en C-1 et le β-phosphate de l'UDP active la partie glucose de l'**UDP-glucose**.

L'hydrolyse du pyrophosphate fournit l'énergie nécessaire à la synthèse de l'UDP-glucose

Les nucléotides osidiques sont formés à partir d'un ose-1-phosphate et d'un nucléoside triphosphate, en présence d'enzymes spécifiques, des **pyrophosphorylases** (Figure 23.18). Par exemple, l'UDP-glucose pyrophosphorylase catalyse la formation d'UDP-glucose à partir de glucose-1-phosphate et d'uridine-5′-triphosphate :

$$\text{Glucose-1-P} + \text{UTP} \longrightarrow \text{UDP-glucose} + \text{pyrophosphate}$$

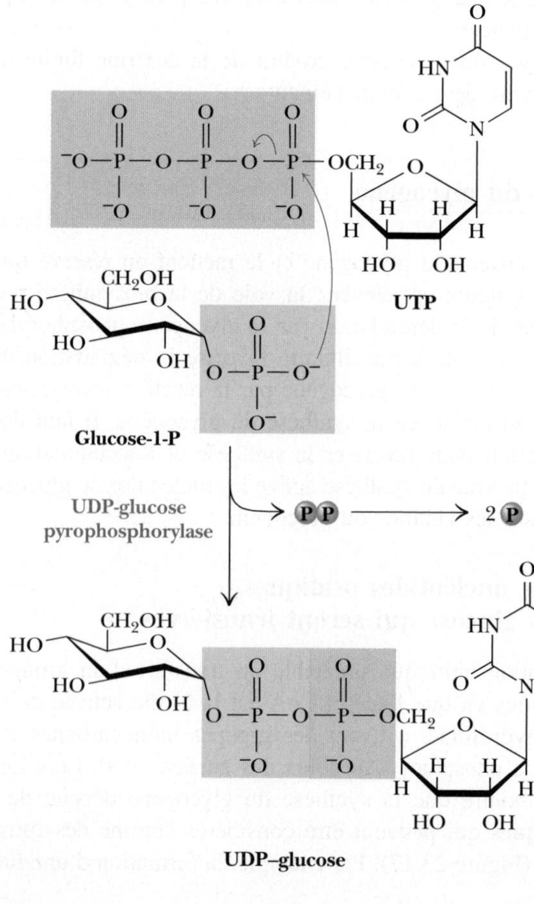

Figure 23.18 • La réaction catalysée par l'UDP-glucose pyrophosphorylase est une réaction d'échange de liaison phosphoanhydride. L'oxygène du groupe phosphate du glucose-1-P attaque le phosphate α de l'UTP pour donner de l'UDP-glucose et du pyrophosphate.

UTP

Glucose-1-P

UDP-glucose pyrophosphorylase

UDP–glucose

La réaction débute par l'attaque nucléophile d'un oxygène du phosphate du glucose-1-phosphate sur le phosphore α de l'UTP, attaque qui libère un anion pyrophosphate. Cette réaction est réversible, mais – comme c'est le cas pour de nombreuses réactions de biosynthèse – l'équilibre est déplacé en faveur de la formation de l'UDP-glucose par l'hydrolyse du pyrophosphate :

$$\text{Pyrophosphate} + H_2O \longrightarrow 2\ P_i$$

En combinant les deux réactions précédentes, nous avons au bilan :

$$\text{Glucose-1-P} + \text{UTP} + H_2O \longrightarrow \text{UDP-glucose} + 2\ P_i$$

Les nucléotides osidiques de ce type sont des donneurs d'unités osidiques pour la biosynthèse des oligosides et des polyosides. Chez les animaux, l'UDP-glucose est le donneur de glucose pour la synthèse du glycogène, cependant l'ADP-glucose est le donneur de glucose pour la synthèse de l'amidon chez les plantes.

La glycogène synthase catalyse la formation des liaisons osidiques α-(1 → 4) du glycogène

Les très gros polymères de glycogène sont élaborés à partir d'un petit cœur protéique. Le premier glucose est lié par une liaison acétal au groupe –OH d'un résidu Tyr d'une protéine, la **glycogénine**. Une **glycogène synthase** catalyse l'addition successive d'unités osidiques au polymère par transfert du glucose de l'UDP-glucose sur le groupe hydroxyle du C-4 à l'extrémité non réductrice d'une branche du glycogène. Le clivage de la liaison C–O entre le glucose et le phosphate β de l'UDP-glucose forme un ion oxonium intermédiaire qui est rapidement attaqué par l'atome d'oxygène de l'hydroxyle sur le C-4 du glucose terminal d'une ramification du glycogène (Figure 23.19). La réaction est exergonique, avec un $\Delta G°'$ de –13,3 kJ/mol.

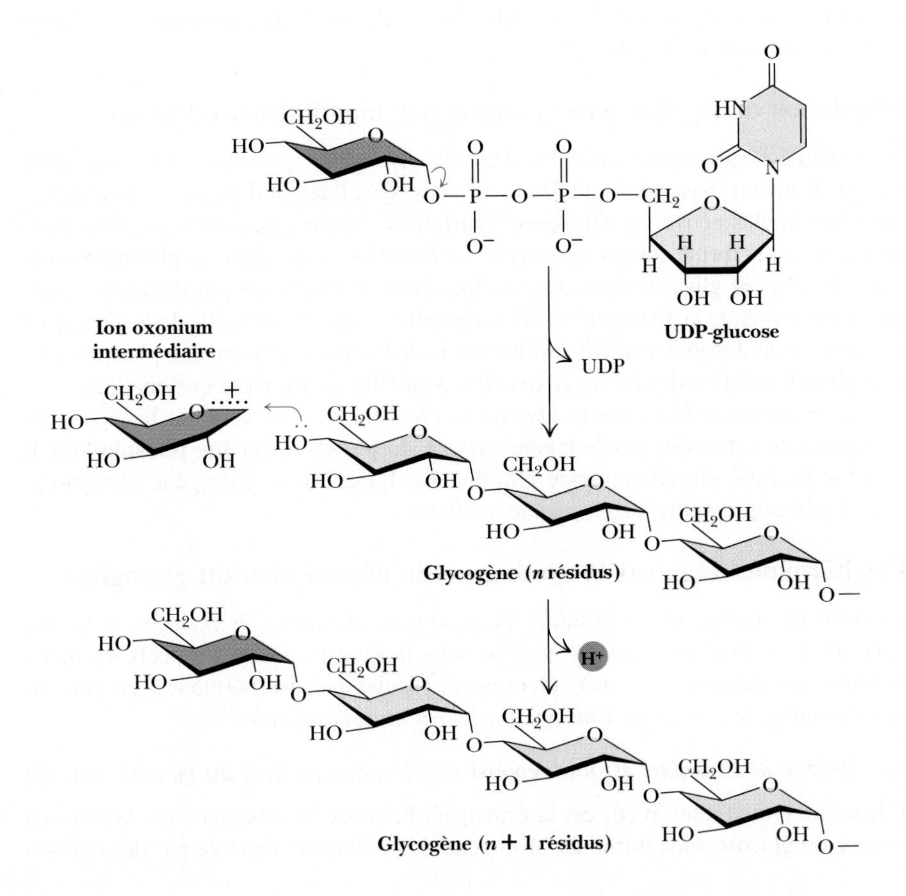

Figure 23.19 • Réaction catalysée par la glycogène synthase. Le clivage de la liaison C–O de l'UDP-glucose donne un oxonium intermédiaire. L'oxonium est immédiatement attaqué par l'oxygène de l'hydroxyle d'un résidu glucose terminal d'une molécule de glycogène.

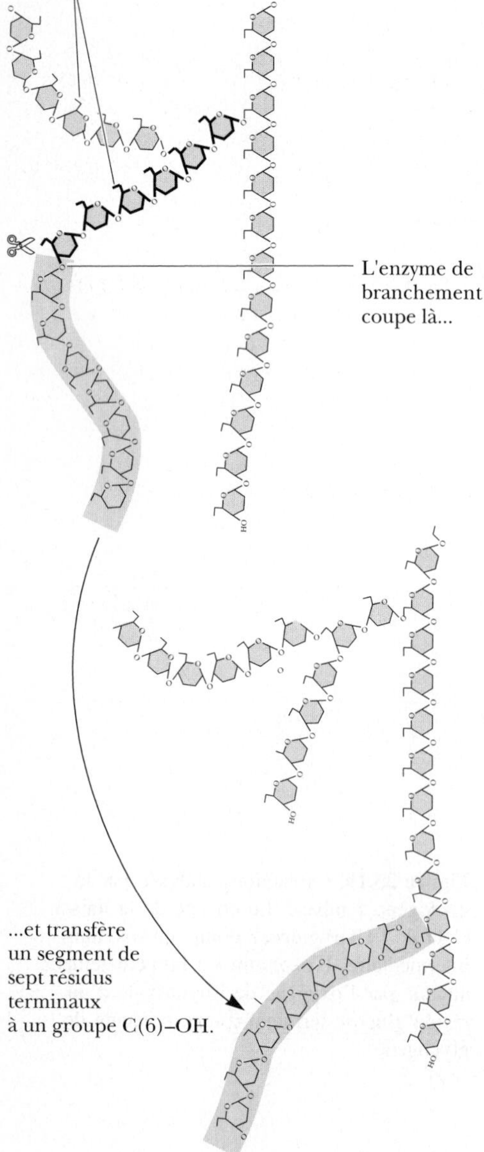
Chaînes (1→4) en cours d'élongation
L'enzyme de branchement coupe là...
...et transfère un segment de sept résidus terminaux à un groupe C(6)–OH.

Figure 23.20 • Formation des embranchements du glycogène par l'enzyme de branchement. Un segment de six ou sept résidus d'une chaîne du glycogène en cours d'élongation est transféré sur l'hydroxyle du C-6 d'un résidu glucose de la même chaîne ou d'une chaîne voisine.

Les embranchements du glycogène résultent d'un transfert de segments terminaux d'une chaîne

Le glycogène est un polymère ramifié du glucose. Les embranchements proviennent des liaisons α-(1 → 6) qui se forment tous les 8 à 12 résidus. Nous avons signalé, Chapitre 7, que cette ramification multipliait le nombre ses sites de dégradation ou de synthèse du polymère (la dégradation et la synthèse peuvent donc être plus rapides), et aussi augmentait sa solubilité. Les embranchements du glycogène sont formés par l'action d'une *amylo-(1,4 → 1,6)-transglucosidase*, encore appelée *enzyme de branchement*. La réaction implique le transfert d'un segment contenant six ou sept résidus, provenant de l'extrémité non réductrice d'une chaîne d'au moins 11 résidus de long, vers l'hydroxyle du C-6 d'un résidu glucose de la même chaîne ou d'une chaîne voisine (Figure 23.20). Avec chaque réaction de branchement, le glycogène acquiert une nouvelle extrémité qui peut s'allonger par apport de résidus glucose.

23.5 • Régulation du métabolisme du glycogène

Le métabolisme du glycogène est très finement régulé

La synthèse et la dégradation du glycogène doivent être rigoureusement régulées afin que cet important réservoir d'énergie soit utilisé de la meilleure façon pour couvrir les besoins métaboliques de l'organisme. Le glucose est le principal métabolite énergétique du cerveau ; ne serait-ce que pour cette raison, la concentration sanguine du glucose doit être maintenue proche de 5 m*M*. Le glucose provenant de la dégradation du glycogène est aussi une source primaire d'énergie pour la contraction musculaire. La régulation du métabolisme du glycogène s'effectue par une régulation réciproque de la glycogène phosphorylase et de la glycogène synthase. C'est ainsi que l'activation de la glycogène phosphorylase est étroitement liée à l'inhibition de la glycogène synthase, et réciproquement. Les régulations comprennent à la fois une régulation allostérique et une régulation par une modification covalente, cette dernière étant sous dépendance hormonale. La régulation de la glycogène phosphorylase a été examinée Chapitre 15.

Régulation de la glycogène synthase par modification covalente

Comme la glycogène phosphorylase, la glycogène synthase existe sous deux formes distinctes, passant d'une forme à l'autre sous l'action d'enzymes spécifiques. La forme la plus active, ou **glycogène synthase I** (*I* pour glucose-6-phosphate *i*ndépendante) est la forme non phosphorylée. La forme la moins active, la **glycogène synthase D** (*D* pour glucose-6-phosphate *d*épendante) est la forme phosphorylée. Cette phosphorylation de la glycogène synthase est plus complexe que celle de la glycogène phosphorylase. Jusqu'à neuf des résidus sérine de l'enzyme peuvent être phosphorylés et la phosphorylation de chacun de ces sites a un effet sur l'activité enzymatique.

La déphosphorylation de la glycogène phosphorylase et celle de la glycogène synthase sont catalysées par le même enzyme, la **phosphoprotéine phosphatase 1**. L'action de cette phosphoprotéine phosphatase 1 inactive la glycogène phosphorylase et par contre active la glycogène synthase.

Des hormones régulent la synthèse et la dégradation du glycogène

La mise en réserve et l'utilisation du glycogène tissulaire, le maintien à niveau constant de la concentration du glucose dans le sang et d'autres aspects du métabolisme des glucides, sont méticuleusement régulés par des hormones, en particulier *l'insuline*, le *glucagon*, *l'adrénaline* et les *glucocorticoïdes*.

La sécrétion de l'insuline est une réponse à l'élévation du taux du glucose sanguin

L'insuline (voir Figure 6.36) est la principale hormone intervenant dans la mise en réserve du glucose sous forme de glycogène. L'insuline est sécrétée par des cellules

Pour en savoir plus

Utilisation du glucose et du glycogène au cours d'un effort physique

Les animaux ont la remarquable capacité de " changer de vitesse " métabolique pendant les périodes d'intense activité physique. Cette adaptation métabolique permet l'utilisation par l'organisme de différentes sources d'énergie (qui toutes produisent de l'ATP) en fonction de la nature des efforts. Pour les courtes périodes d'intense activité musculaire (par exemple un sprint de 100m), la quasi-totalité de l'énergie provient directement de l'ATP et de la créatine phosphate préalablement présents (voir Figure, partie a). Pour un exercice de plus longue durée, une course de 10 km ou un marathon (42,2 km), l'énergie nécessaire provient essentiellement du métabolisme aérobie. Entre ces deux extrêmes, par exemple pour une course sur 800 m, l'énergie nécessaire provient surtout de la glycolyse anaérobie, c'est-à-dire de la conversion du glucose en lactate dans les muscles et de l'utilisation du cycle de Cori.

La dégradation du glycogène musculaire fournit la plus grande partie du glucose nécessaire à ces dernières activités. La vitesse de la dégradation du glycogène dépend de l'intensité de l'effort (voir Figure, partie b). Par contre, le glucose produit par néoglucogenèse ne représente qu'une petite partie du glucose métabolisé durant l'exercice. Au cours d'un effort prolongé d'intensité moyenne, la néoglucogenèse n'apporte que 8 % du glucose utilisé. Si l'effort est plus intense, ce pourcentage est encore plus petit.

La nature de l'alimentation a d'importantes conséquences sur la reconstitution des réserves de glycogène après un effort soutenu. Si la nourriture est essentiellement composée de protides et de lipides, la reconstitution est très lente ; même après cinq jours, elle n'est pas complète (voir Figure, partie c). Une alimentation riche en glucides permet une restauration rapide des réserves de glycogène musculaire. Cependant, même dans ce cas, deux jours sont nécessaires pour la restauration complète des réserves.

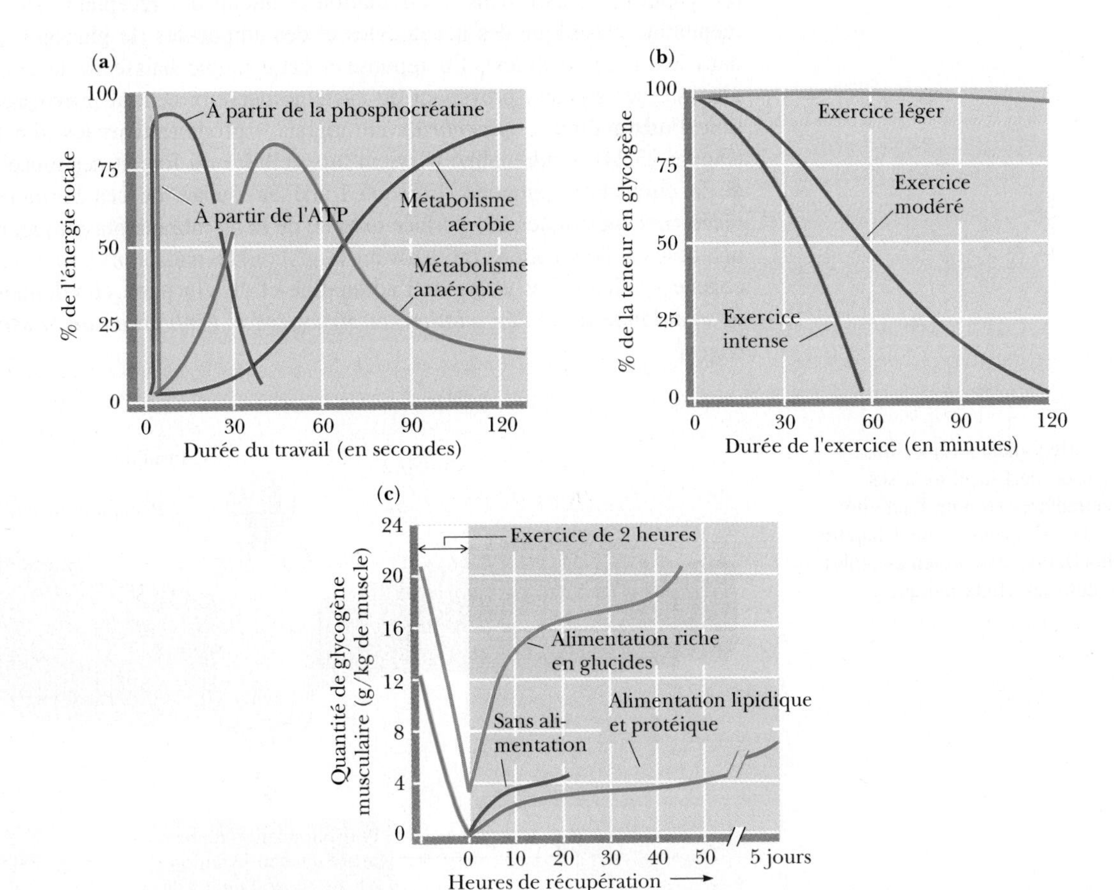

(a) Contributions des diverses sources d'énergie à l'activité musculaire au cours d'un exercice musculaire léger. (b) Diminution des réserves de glycogène musculaire dans les muscles à contraction rapide au cours d'un exercice léger, modéré, intense. (c) Vitesse de la reconstitution des réserves de glycogène après une intense activité musculaire. *(a et c d'après Rhodes et Pflanzer, 1992.* Human Physiology. *Philadelphia : Saunders College Publishing ; b d'après Horton et Terjung, 1988.* Exercise, Nutrition and Energy Metabolism. *New York : Macmillan.)*

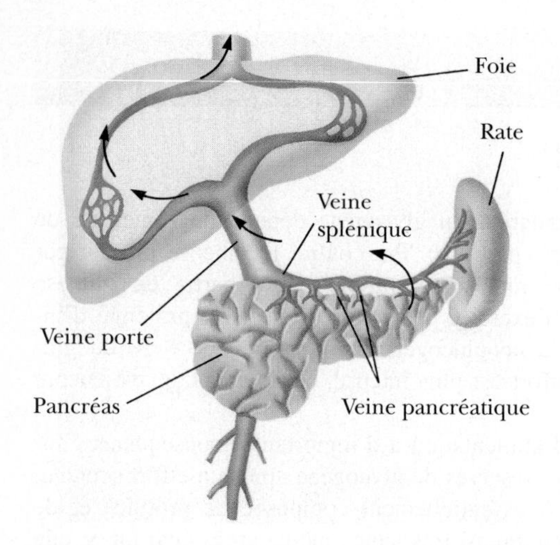

Figure 23.21 • Le système veine porte amène les sécrétions pancréatiques comme l'insuline et le glucagon directement au foie et de là, dans la circulation générale.

particulières du pancréas, les cellules β des **îlots de Langerhans**. *La sécrétion de l'insuline s'effectue en réponse à une élévation de la concentration du glucose sanguin.* Lorsque la concentration du glucose s'élève (après un repas par exemple), l'insuline est sécrétée dans les veines pancréatiques d'un **système veine porte** (Figure 23.21) et parvient directement au foie avant d'entrer dans la circulation générale. L'insuline a de multiples effets qui tous tendent à faire rapidement baisser la concentration du glucose sanguin. En particulier, elle agit en stimulant la synthèse du glycogène et en inhibant la dégradation du glycogène dans le foie et dans les muscles.

D'autres effets physiologiques contribuent à abaisser le taux du glucose dans le sang et dans les tissus (Figure 23.22). L'insuline stimule le transport actif du glucose (et aussi des acides aminés) à travers la membrane plasmique des cellules musculaires et du tissu adipeux. L'insuline accroît également le catabolisme cellulaire du glucose en induisant la synthèse de certains enzymes de la glycolyse, glucokinase, phosphofructokinase et pyruvate kinase. L'insuline agit encore en inhibant des enzymes de la néoglucogenèse. Ces multiples effets de l'insuline permettent une réponse rapide de l'organisme à l'augmentation de la concentration du glucose sanguin.

Le glucagon et l'adrénaline stimulent la dégradation du glycogène

Le **glucagon** et **l'adrénaline** déclenchent le catabolisme des réserves de glycogène. *En réponse à une diminution du taux du glucose sanguin*, les cellules α des îlots de Langerhans du pancréas sécrètent du **glucagon** (Figure 23.23). Cette hormone polypeptidique passe dans la circulation et atteint des récepteurs spécifiques sur la membrane plasmique des hépatocytes et des adipocytes (le glucagon n'est pas actif dans les autres cellules). En réponse à cette même baisse de la concentration du glucose, des signaux provenant du système nerveux central provoquent une libération **d'adrénaline** – *epinephrine* en anglais – produite dans les glandes surrénales (Figure 23.24). L'adrénaline parvient aux cellules du foie et des muscles par la voie de la circulation sanguine. Lorsque l'une ou l'autre de ces hormones se lie aux récepteurs spécifiques à la surface externe de la membrane plasmique, elle déclenche une cascade de réactions qui activent la glycogène phosphorylase et inhibent la glycogène synthase. Les effets de l'adrénaline et du glucagon coordonnent strictement *la stimulation de la dégradation du glycogène et l'inhibition de la synthèse du glycogène*.

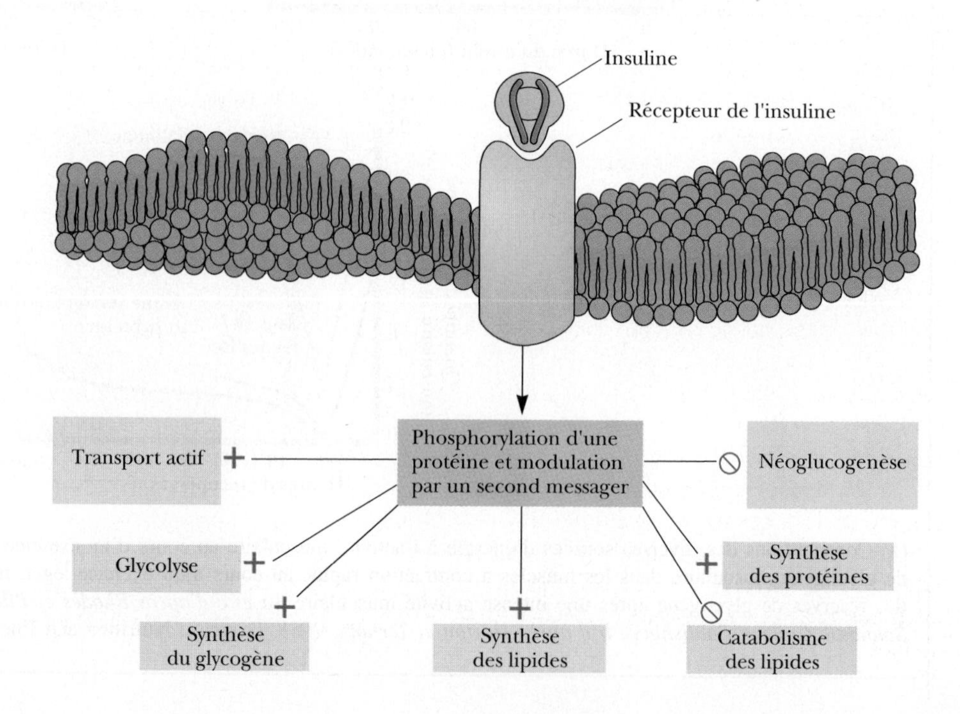

Figure 23.22 • Effets métaboliques de l'insuline. La liaison de l'insuline à ses récepteurs membranaires stimule l'activité protéine kinase des récepteurs (voir Chapitre 34). La phosphorylation des protéines cibles qui s'ensuit module les effets indiqués.

Une cascade de réactions amplifie le signal hormonal

La stimulation de la dégradation du glycogène consomme de l'ATP à trois des étapes de la cascade enzymatique qui commence par l'activation de l'adénylate cyclase sensible aux hormones (Figure 15.19). Le mécanisme de la cascade est un moyen d'amplification chimique puisque la liaison de seulement quelques molécules d'adrénaline ou de glucagon permet la synthèse de nombreuses molécules d'AMP cyclique qui, en stimulant la protéine kinase A, activent un plus grand nombre de molécules de phosphorylase kinase et un nombre encore plus grand de molécules de glycogène phosphorylase. Par exemple, une concentration extracellulaire de 10^{-10} à 10^{-8} *M* d'adrénaline déclenche la formation de 10^{-6} *M* d'AMPc, et pour chaque molécule de protéine kinase activée par l'AMP cyclique environ 30 molécules de phosphorylase seront activées ; chacune de ces dernières activera environ 800 molécules de phosphorylase qui catalyseront la formation de très nombreuses molécules de glucose-1-phosphate.

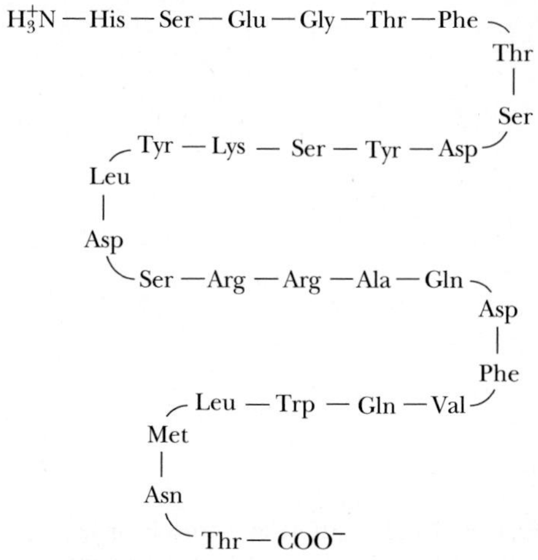

H_3^+N—His—Ser—Glu—Gly—Thr—Phe—Thr—Ser—Asp—Tyr—Ser—Lys—Tyr—Leu—Asp—Ser—Arg—Arg—Ala—Gln—Asp—Phe—Val—Gln—Trp—Leu—Met—Asn—Thr—COO^-

Figure 23.23 • Séquence primaire du glucagon.

Différences entre les effets de l'adrénaline et du glucagon

L'adrénaline et le glucagon sont deux hormones qui activent la glycogènolyse, mais pour des raisons différentes. L'adrénaline est secrétée en réaction à une colère ou à une peur, elle peut être considérée comme un signal d'alarme ou de danger. C'est l'hormone qui prépare l'organisme à fuir ou à se battre, en mobilisant rapidement de grandes quantités d'énergie. L'un des effets physiologiques de l'adrénaline est l'enclenchement des réactions de la cascade enzymatique qui aboutit à une rapide dégradation du glycogène, avec stimulation de la glycolyse et production d'une importante quantité d'énergie. La vitesse de la glycolyse est accrue d'environ 2.000 fois en un très bref laps de temps. Comme la réponse à un signal de danger ou de colère doit inclure la production d'énergie (sous forme de glucose), à la fois localement (dans les muscles) puis dans tout l'organisme (le glucose sera produit par le foie), l'adrénaline active la glycogènolyse dans le foie et dans les muscles.

Le glucagon intervient dans une fonction moins immédiate de stabilisation du taux du glucose dans le sang et dans les cellules. Ce résultat est atteint par l'activation de la libération dans la circulation sanguine du glucose produit à partir des réserves de glycogène hépatique (le glucagon active la glycogènolyse). Pour élever la concentration du glucose dans le sang, le glucagon active aussi la néoglucogenèse hépatique. La stabilisation de la concentration du glucose est pour l'essentiel une fonction du foie. Le glucagon n'active pas la cascade de la phosphorylase dans le muscle (les membranes des cellules musculaires n'ont pas de récepteurs du glucagon). La dégradation du glycogène musculaire ne s'observe qu'en réponse à la sécrétion d'adrénaline ; les tissus musculaires ne participent donc pas à la régulation du taux du glucose sanguin.

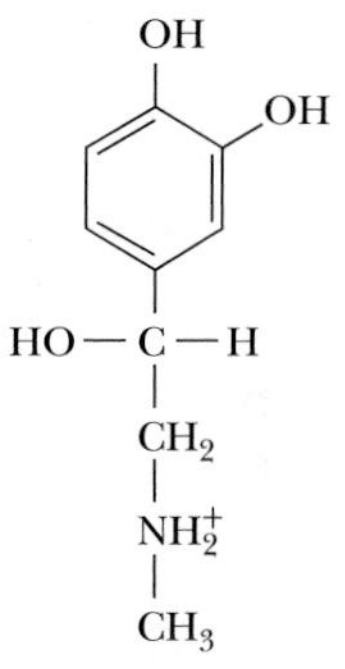

Figure 23.24 • Adrénaline.

Effets du cortisol et des glucocorticoïdes sur le métabolisme du glycogène

Les glucocorticoïdes forment une des classes des hormones corticoïdes ; ils ont de multiples effets sur le foie, les muscles du squelette et le tissu adipeux. Les effets du cortisol, un glucocorticoïde caractéristique, peuvent être résumés par le terme *cataboliques*. Dans les muscles du squelette, le cortisol stimule la dégradation des protéines et ralentit leur synthèse. Par contre, dans le foie, il stimule la néoglucogenèse et favorise la synthèse du glycogène mais cette néoglucogenèse induite par le cortisol résulte en grande partie de la conversion d'acides aminés en glucose (Figure 23.25). Les effets spécifiques du cortisol dans le foie comprennent une stimulation de l'expression des gènes de plusieurs des enzymes de la néoglucogenèse, l'activation d'enzymes du métabolisme des acides aminés et la stimulation du cycle de l'urée qui permet l'élimination de l'azote libéré par le catabolisme des acides aminés (Chapitre 27).

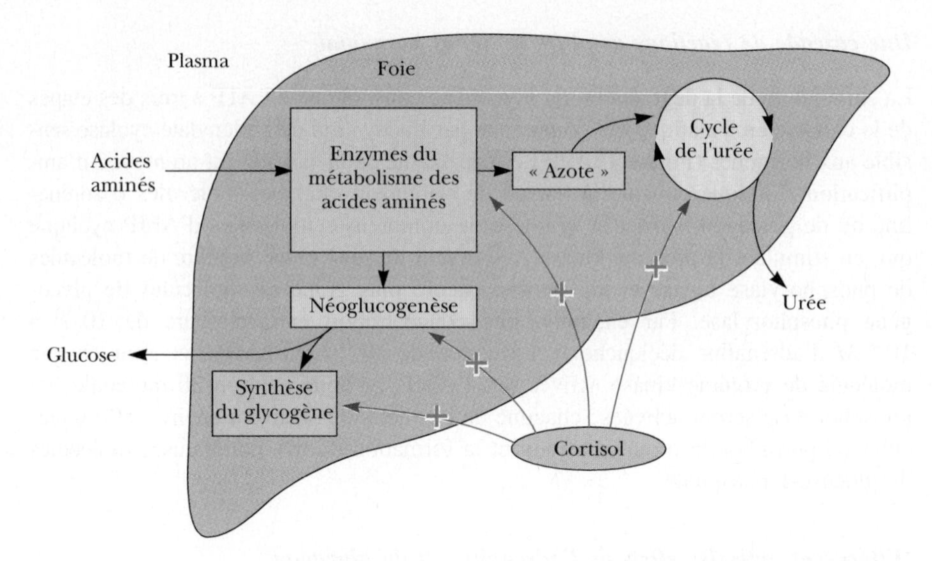

Figure 23.25 • Effets du cortisol sur le métabolisme glucidique et le métabolisme protéique dans le foie.

23.6 • Voie des pentoses phosphates

Les cellules ont un constant besoin de NADPH pour les réactions de réduction indispensables pour les biosynthèses vitales. Une grande partie de cette exigence est couverte par une séquence métabolique utilisant du glucose, séquence portant plusieurs noms, **voie des pentoses phosphates**, **voie des hexoses monophosphates**, ou **voie du phosphogluconate**. Cette voie fournit, outre le NADPH nécessaire aux biosynthèses, le *ribose-5-phosphate* indispensable pour la synthèse des acides nucléiques. Plusieurs des métabolites de la voie des pentoses phosphates peuvent aussi rejoindre la voie de la glycolyse.

Aperçu général de la voie des pentoses phosphates

La voie des pentoses phosphates commence à partir du glucose-6-phosphate, un ose à six atomes de carbone, et produit des oses à trois, quatre, cinq, six et sept atomes de carbone (Figure 23.26). Nous verrons que deux oxydations successives aboutissent à la réduction de $NADP^+$ en NADPH et à la libération de CO_2. Les cinq étapes suivantes, non oxydantes, produisent divers oses phosphorylés dont certains peuvent rejoindre la voie de la glycolyse. Les enzymes de la voie des pentoses phosphates sont surtout présents dans le cytoplasme des cellules hépatiques et dans celles du tissu adipeux. Ils sont pratiquement absents des muscles où le glucose-6-phosphate, par la voie de la glycolyse puis du cycle des acides tricarboxyliques, est surtout utilisé pour la production d'énergie. Les enzymes de la voie des pentoses phosphates sont dans le cytosol, qui est aussi le lieu de la synthèse des acides gras dont les séquences réductrices dépendent de la présence de NADPH.

Étapes d'oxydation de la voie des pentoses phosphates

1. ***La glucose-6-phosphate déshydrogénase***

La voie des pentoses phosphates commence avec l'oxydation du glucose-6-phosphate. Les produits de la réaction sont un ester cyclique, la lactone de l'acide phosphogluconique, et le NADPH (Figure 23.27). La *glucose-6-phosphate déshydrogénase* qui catalyse cette réaction est spécifique du $NADP^+$. Première étape d'une importante séquence métabolique, cette réaction est irréversible et hautement régulée. La glucose-6-phosphate déshydrogénase est fortement inhibée (inhibition allostérique) par le NADPH, un des produits de la réaction, et par les acyl-CoA

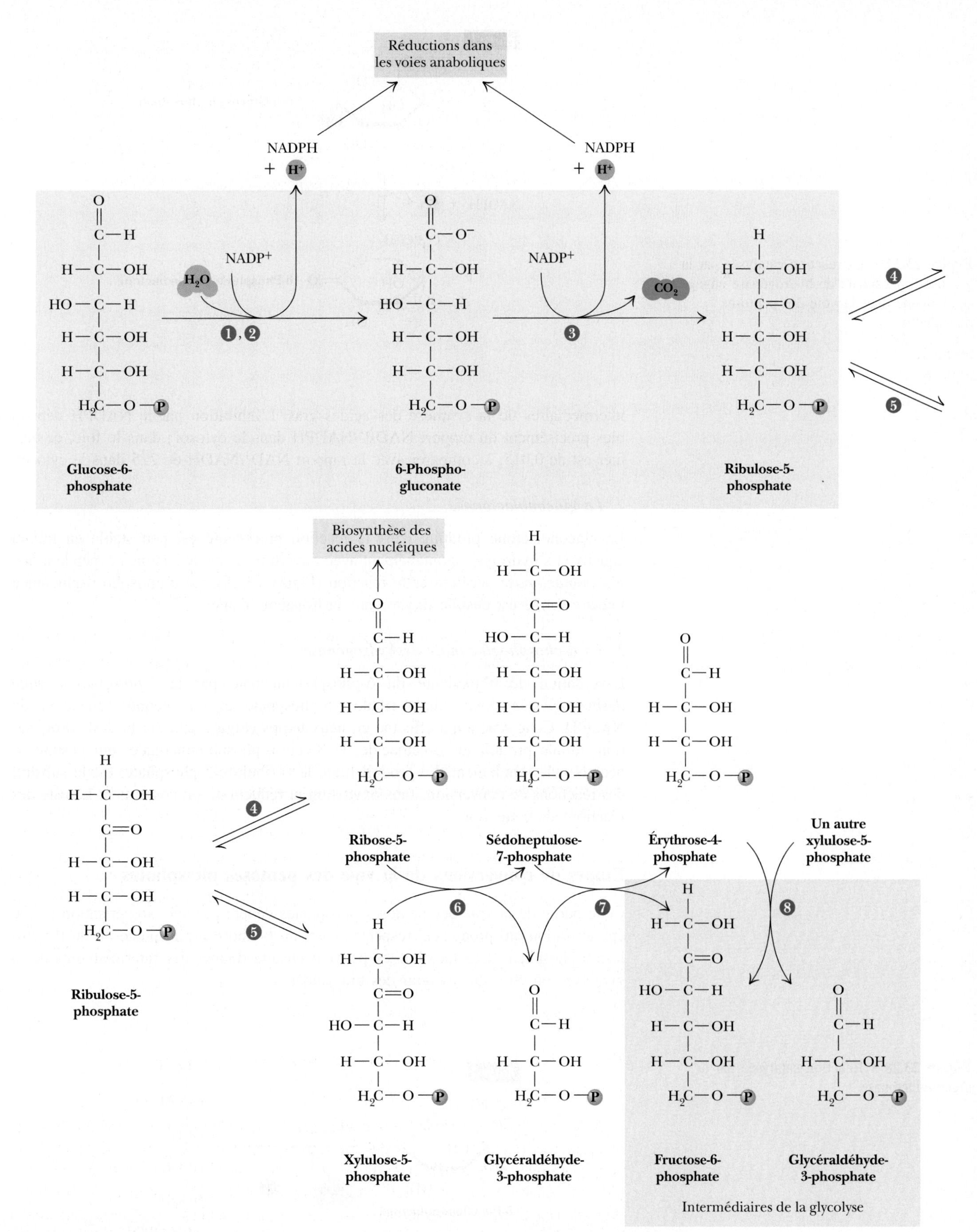

Figure 23.26 • Voie des pentoses phosphates. Les chiffres dans les cercles bleus indiquent les étapes traitées dans le texte.

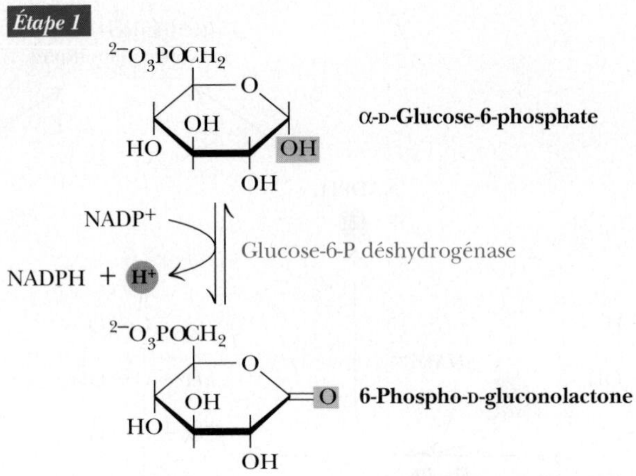

Figure 23.27 • La réaction catalysée par la glucose-6-phosphate déshydrogénase engage le catabolisme dans la voie des pentoses phosphates.

intermédiaires de la synthèse des acides gras. L'inhibition par le NADPH dépend plus précisément du rapport $NADP^+$/NADPH dans le cytosol ; dans le foie, ce dernier est de 0,015, à comparer avec le rapport NAD^+/NADH de 725 dans le cytosol.

2. ***La gluconolactonase***

La gluconolactone produite dans la réaction précédente est peu stable en milieu aqueux et s'hydrolyse spontanément avec ouverture du cycle lactone ; cependant une *gluconolactonase* accélère cette réaction (Figure 23.28). Le 6-phospho-D-gluconate linéaire formé est ensuite oxydé dans la troisième étape.

3. ***La 6-phosphogluconate déshydrogénase***

L'oxydation décarboxylante du 6-phosphogluconate par la *6-phosphogluconate déshydrogénase* donne du D-ribulose-5-phosphate et un second équivalent de NADPH. Cette réaction s'effectue en deux temps (Figure 23.29) : la déshydrogénation initiale produit un β-cétoacide, le 3-céto-6-phosphogluconate, qui ensuite se décarboxyle rapidement. Le produit final, le D-ribulose-5-phosphate, est le substrat des réactions de conversion, sans oxydation ni réduction, qui constituent le reste des réactions de cette voie.

Étapes de conversions de la voie des pentoses phosphates

Cette partie de la voie des pentoses phosphates débute par une isomérisation et une épimérisation qui produisent respectivement du D-ribose-5-phosphate ou du D-xylulose-5-phosphate. Ces métabolites peuvent ensuite donner des intermédiaires de la glycolyse ou être utilisés pour des biosynthèses.

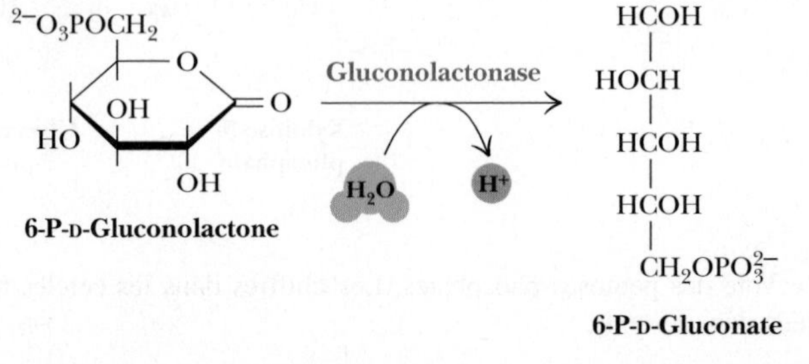

Figure 23.28 • Réaction catalysée par la gluconolactonase.

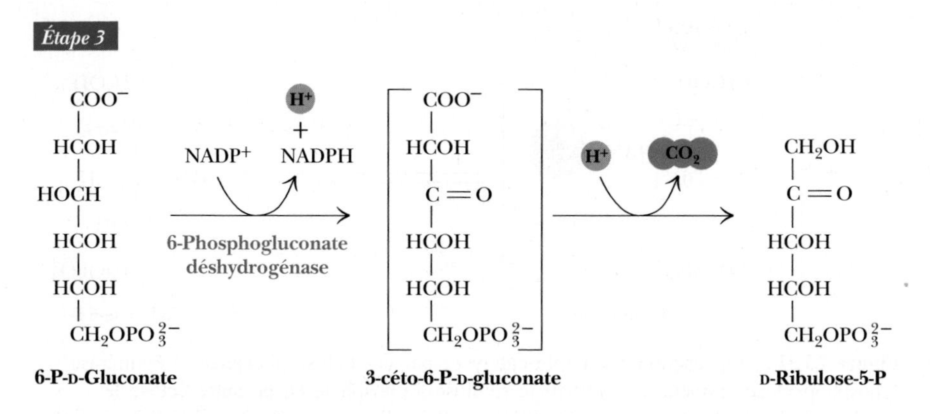

Figure 23.29 • Réaction catalysée par la 6-phosphogluconate déshydrogénase.

4. ***La ribulose-phosphate isomérase***

Cet enzyme catalyse l'interconversion du ribulose-5-P et du ribose-5-P en formant un intermédiaire ènediol (Figure 23.39). La réaction (et son mécanisme) est analogue à celle qui est catalysée par la phosphohexose isomérase de la glycolyse qui interconvertit glucose-6-P et fructose-6-P. Le ribose-5-P produit par la réaction peut être utilisé pour la synthèse des coenzymes (NAD^+, $NADP^+$, FMN, FAD et vitamine B_{12}), des nucléotides et des acides nucléiques (ARN et ADN). Le bilan des quatre premières étapes de la voie des pentoses phosphates est à présent :

$$\text{Glucose-6-P} + 2\ NADP^+ \longrightarrow \text{ribose-5-P} + 2\ NADPH + 2\ H^+ + CO_2$$

5. ***La ribulose phosphate épimérase***

La réaction catalysée par cet enzyme convertit le ribulose-5-P en un autre cétose, le xylulose-5-P. Cette réaction passe également par la formation d'un ènediol, mais cette fois avec une inversion sur le C-3 (Figure 23.31). Au cours de la réaction, le proton acide en α du carbonyle est capté par un résidu de l'enzyme, ce qui produit un ènediolate, puis ce proton est restitué au même carbone, mais du côté opposé. Remarquez le changement de nomenclature du –OH concerné consécutif à ce changement de structure. Un changement de la position d'un groupe sur un même carbone est une épimérisation et le transfert d'un groupe sur un autre carbone est une isomérisation.

À ce point de la séquence, la voie des pentoses phosphates a produit un pool de trois pentoses phosphates. Le $\Delta G^{\circ\prime}$ de chacune des deux dernières réactions est petit et les trois pentoses phosphates coexistent en équilibre. Pour chaque molécule de glucose-6-P convertie en un pentose-phosphate nous avons à ce stade deux NADPH et un CO_2. Au cours des trois prochaines étapes, les squelettes à cinq atomes de carbone des pentoses seront réarrangés pour donner des molécules à trois, quatre, six et sept atomes de carbone qui peuvent être utilisées à diverses fins métaboliques. Pourquoi en est-il ainsi ? Le plus souvent, la cellule utilise beaucoup plus de NADPH (pouvoir réducteur indispensable pour de nombreuses synthèses) que de

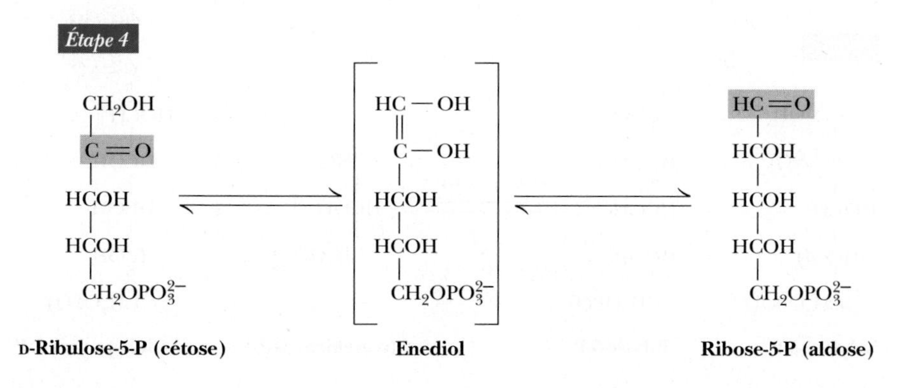

Figure 23.30 • La réaction réversible catalysée par la ribulose phosphate isomérase passe par la formation d'un 1,2-énediol intermédiaire.

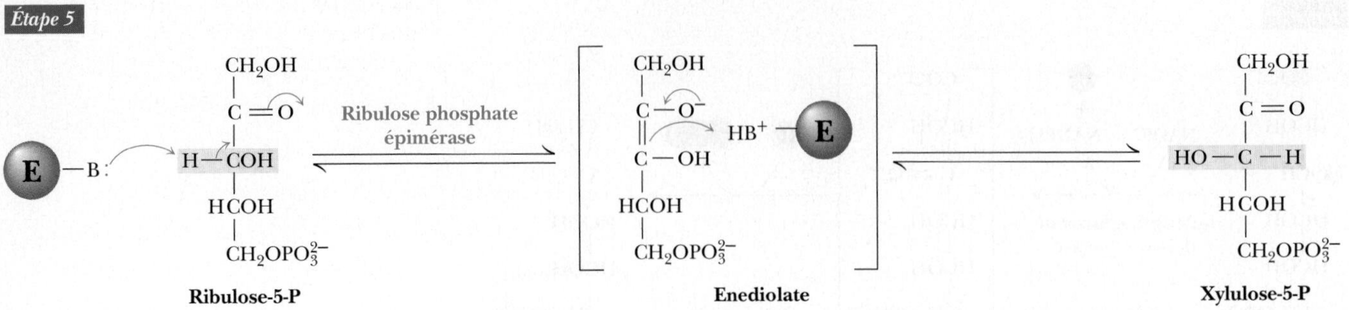

Étape 5

Ribulose phosphate épimérase

Ribulose-5-P — Enediolate — Xylulose-5-P

Figure 23.31 • La réaction réversible catalysée par la ribulose phosphate 3-épimérase (phosphopentose épimérase) convertit le ribulose-5-phosphate en un autre cétose le xylulose-5-phosphate. Le mécanisme réactionnel implique la formation d'un 2,3-ènediol intermédiaire et l'inversion de l'hydroxyle du C-3.

ribose-5-P. Les trois dernières étapes de la voie des pentoses transforment donc une partie des unités à cinq atomes de carbone en glycéraldéhyde-3-P et en fructose-6-P qui peuvent rejoignent la glycolyse. La cellule a donc la possibilité de couvrir ses besoins en NADPH et en ribose-5-P dans une même séquence métabolique et l'excès de métabolites carbonés peut rejoindre la glycolyse.

6. *et* 8. *La transcétolase*

La transcétolase intervient au cours des étapes 6 et 8 de la voie des pentoses phosphates ; dans les deux cas, l'enzyme catalyse le transfert de maillons à deux atomes de carbone. Dans ces réactions (ainsi que dans l'étape 7 au cours de laquelle un maillon à trois atomes de carbone est transféré), le donneur de maillon carboné est un cétose et l'accepteur est un aldose. Le cétose donneur devient un aldose et l'aldose accepteur devient un cétose. Au cours de l'étape 6, le xylulose-5-P donne un maillon à deux atomes de carbone au ribose-5-P, les produits de la réaction sont le glycéraldéhyde-3-P et le sédoheptulose-7-P (Figure 23.32). Au cours de l'étape 8, le xylulose-5-P cède le maillon à de l'érythrose-4-P ; les produits de la réaction sont cette fois le glycéraldéhyde-3-P et le fructose-6-P (Figure 23.33). Trois de ces produits entrent directement dans la voie de la glycolyse. (Nous verrons que le sédoheptulose-7-P sera d'abord transformé dans l'étape 7). La transcétolase à pour coenzyme la thiamine pyrophosphate (TPP) et le mécanisme (Figure 23.34) implique la capture par l'enzyme du proton acide du cycle thiazole de la TPP. Le carbanion formé attaque le carbone du carbonyle du cétose phosphate substrat, le glycéraldéhyde-3-P est libéré, puis le maillon carboné est transféré sur l'accepteur. La transcétolase a une certaine spécificité, elle réagit avec les 2-cétoses phosphates qui ont la même configuration que le xylulose-5-P ; par contre, elle utilise comme substrat accepteur divers aldoses phosphates.

Figure 23.32 • Réaction catalysée par la transcétolase de la sixième étape de la voie des pentoses phosphates.

Étape 6

Xylulose-5-P + Ribose-5-P ⇌ (Transcétolase) Glycéraldéhyde-3-P + Sédoheptulose-7-P

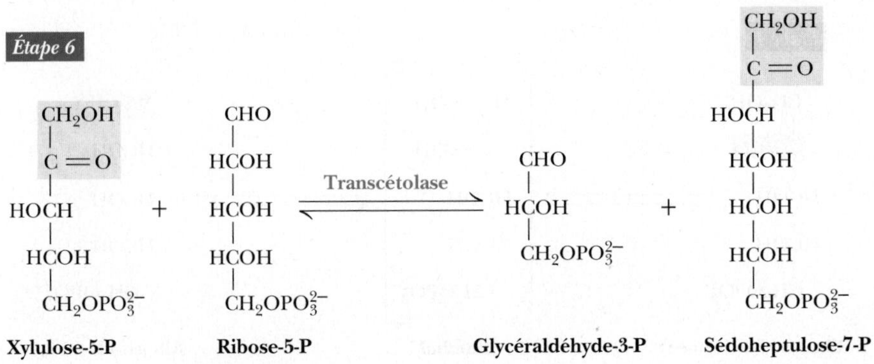

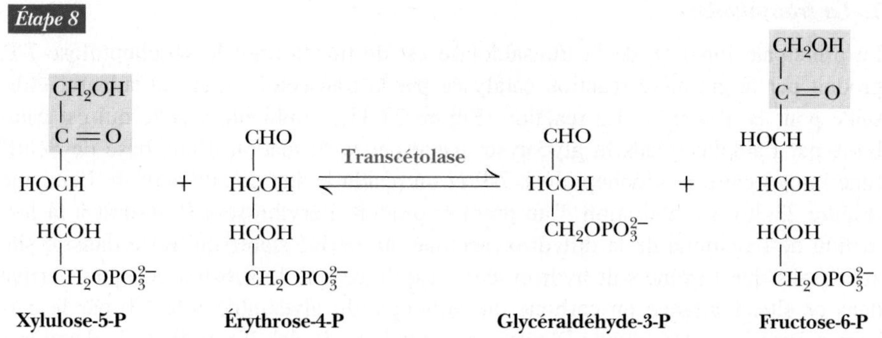

Étape 8

Figure 23.33 • Réaction catalysée par la transcétolase de la huitième étape de la voie des pentoses phosphates.

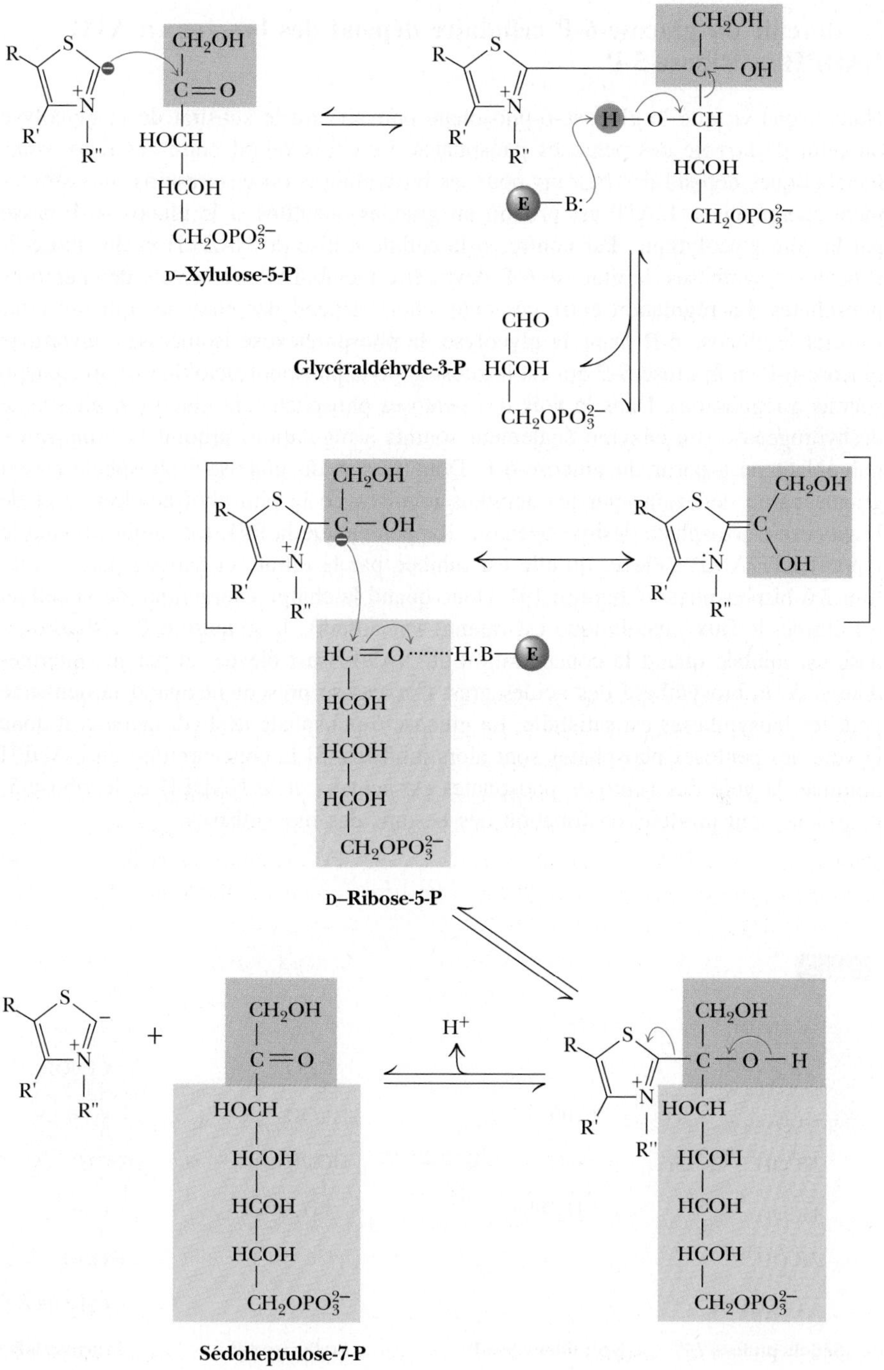

Figure 23.34 • Mécanisme de la réaction catalysée par la transcétolase dépendante de la TPP. (Le groupe transféré lors de cette réaction devrait, de façon plus appropriée, être reconnu comme un groupe aldol et le groupe transféré dans la réaction catalysée par la transaldolase est en réalité un cétol. En dépit de cette curieuse anomalie, le nom persiste pour des raisons historiques).

7. ***La transaldolase***

La principale fonction de la transaldolase est de transformer le sédoheptulose-7-P, produit par la première réaction catalysée par la transcétolase, en un substrat utilisable pour la glycolyse. La réaction (Figure 23.35), semblable à celle qui est catalysée par l'aldolase dans la glycolyse, passe par la formation d'une base de Schiff (une imine) entre le sédoheptulose-7-P et un résidu lysine du site actif de l'enzyme (Figure 23.36). La libération d'un premier produit, l'érythrose-4-P, aboutit à la formation de l'ènamine de la dihydroxyacétone, un dérivé stable qui reste dans le site actif (sans que l'imine soit hydrolysée), jusqu'à ce que le substrat accepteur arrive dans ce site. L'attaque du carbone du carbonyle du glycéraldéhyde-3-P par le carbanion ènamine est suivie de l'hydrolyse de la base de Schiff qui libère le deuxième produit de la réaction, le fructose-6-P.

Le devenir du glucose-6-P cellulaire dépend des besoins en ATP, NADPH et Ribose-5-P

Nous avons vu que le glucose-6-phosphate pouvait être le substrat de la glycolyse ou celui de la voie des pentoses phosphates. Le choix relatif entre ces deux voies métaboliques dépend des besoins pour les biosynthèses ou des besoins plus strictement énergétiques. L'ATP est produit en grandes quantités si le glucose-6-P passe par la voie glycolytique. Par contre, si la cellule utilise du NADPH et du ribose-5-P pour ses synthèses, le glucose-6-P devra être métabolisé par la voie des pentoses phosphates. La régulation entre ces deux choix dépend des enzymes qui ont pour substrat le glucose-6-P. Dans la glycolyse, la phosphohexose isomérase convertit le glucose-6-P en fructose-6-P qui est le substrat de la phosphofructokinase (un enzyme soumis à régulation). Dans la voie des pentoses phosphates, la glucose-6-phosphate déshydrogénase (un enzyme également soumis à régulation) produit la 6-phosphogulonolactone à partir du glucose-6-P. Donc le sort du glucose-6-phosphate est en grande partie déterminé par les activités relatives de la phosphofructokinase et de la glucose-6-phosphate déshydrogénase. Rappelons que la PFK est inhibée quand le rapport ATP/AMP s'élève, qu'elle est inhibée par le citrate et activée par le fructose-2,6-bisphosphate (Chapitre 19). Donc quand la charge énergétique de la cellule est élevée, le flux glycolytique est ralenti. Par ailleurs, la glucose-6-P déshydrogénase est inhibée quand la concentration du NADPH est élevée, et par les intermédiaires de la biosynthèse des acides gras. Ces cas se présentent quand la demande pour les biosynthèses est satisfaite. La glucose-6-phosphate déshydrogénase et donc la voie des pentoses phosphates sont alors inhibées. Si la concentration en NADPH diminue, la voie des pentoses phosphates est activée, et le NADPH et le ribose-5-phosphate sont produits en fonction des besoins des biosynthèses.

Figure 23.35 • Réaction catalysée par la transaldolase.

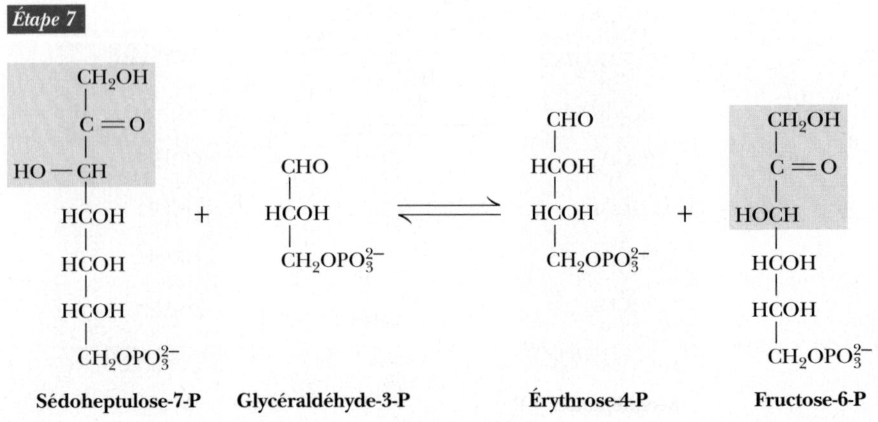

Étape 7

Sédoheptulose-7-P + **Glycéraldéhyde-3-P** ⇌ **Érythrose-4-P** + **Fructose-6-P**

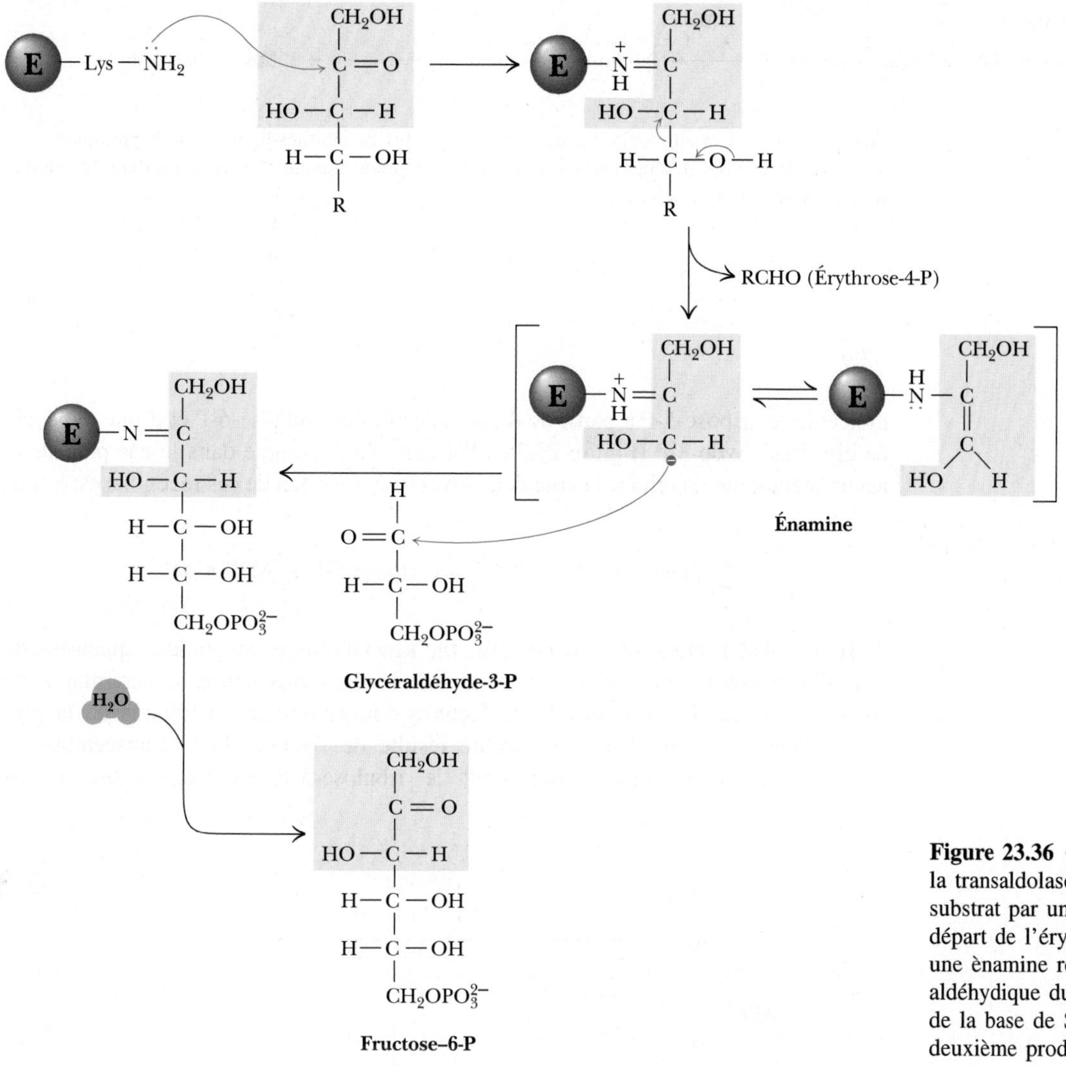

RCHO (Érythrose-4-P)

Énamine

Glycéraldéhyde-3-P

Fructose–6-P

Figure 23.36 • Le mécanisme réactionnel de la transaldolase implique une attaque du substrat par un résidu lysine du site actif. Le départ de l'érythrose-4-P laisse sur le site actif une ènamine réactive qui attaque le carbone aldéhydique du glycéraldéhyde-3-P. L'hydrolyse de la base de Schiff libère le fructose-6-P, deuxième produit de la réaction.

Néanmoins, même lorsque ce dernier choix est fait, il n'est pas absolu ; la cellule a toujours des besoins plus ou moins importants en ATP (comme en NADPH et en ribose-5-P). En fonction des divers besoins, les réactions de la glycolyse et de la voie des pentoses phosphates peuvent être combinées pour produire les métabolites nécessaires. Il y a quatre possibilités principales.

1. **La cellule a besoin à la fois de ribose-5-P et de NADPH.** Dans ce cas, les quatre premières réactions de la voie des pentoses phosphates sont prédominantes (Figure 23.37). Le NADH est produit par les réactions d'oxydation et le ribose-5-P est le principal produit carboné. Nous avons déjà signalé que le bilan de la réaction à ce stade est le suivant :

$$\text{Glucose-6-P} + 2\ \text{NADP}^+ + H_2O \longrightarrow \text{ribose-5-P} + CO_2 + 2\ \text{NADPH} + 2\ H^+$$

2. **Il lui faut plus de ribose-5-P que de NADPH.** La synthèse de ribose-5-P peut être effectuée sans production de NADPH si les réactions d'oxydation sont court-circuitées. La clé de cette voie est dans l'utilisation du fructose-6-P et du glycéraldéhyde-3-P produits par la glycolyse (mais pas celle du glucose-6-P). L'action de la transcétolase et de la transaldolase sur le fructose-6-P et sur le glycéraldéhyde-3-P produit trois

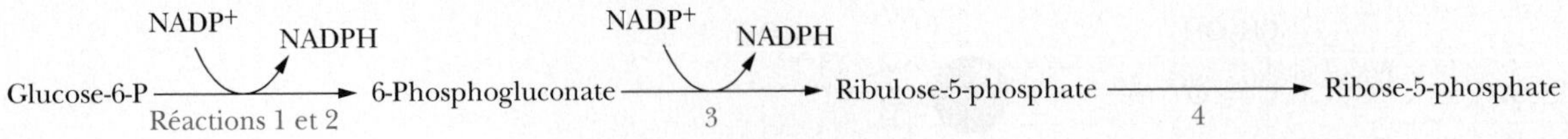

Glucose-6-P —(Réactions 1 et 2; $NADP^+$ → NADPH)→ 6-Phosphogluconate —(3; $NADP^+$ → NADPH)→ Ribulose-5-phosphate —(4)→ Ribose-5-phosphate

Figure 23.37 • Lorsque cela est nécessaire pour les biosynthèses, les quatre premières réactions de la voie des pentoses phosphates sont prédominantes et les principaux produits sont le NADPH et le ribose-5-P.

molécules de ribose-5-P à partir de deux molécules de fructose-6-P et d'une molécule de glycéraldéhyde-3-P (Figure 23.38). Par cette voie, comme dans le cas précédent, aucun métabolite ne rejoint la voie de la glycolyse. Le bilan de ces réactions est le suivant :

$$5 \text{ Glucose-6-P} + \text{ATP} \longrightarrow 6 \text{ ribose-5-P} + \text{ADP} + \text{H}^+$$

3. **Il lui faut plus de NADPH que de ribose-5-P**. De grandes quantités de NADPH peuvent être formées dans la cellule sans production concomitante de ribose-5-P si celui-ci est recyclé de façon à donner des intermédiaires de la glycolyse (Figure 23.39). Cette possibilité résulte de l'action de la transcétolase et de la transaldolase qui convertissent le ribulose-5-P en fructose-6-P et en

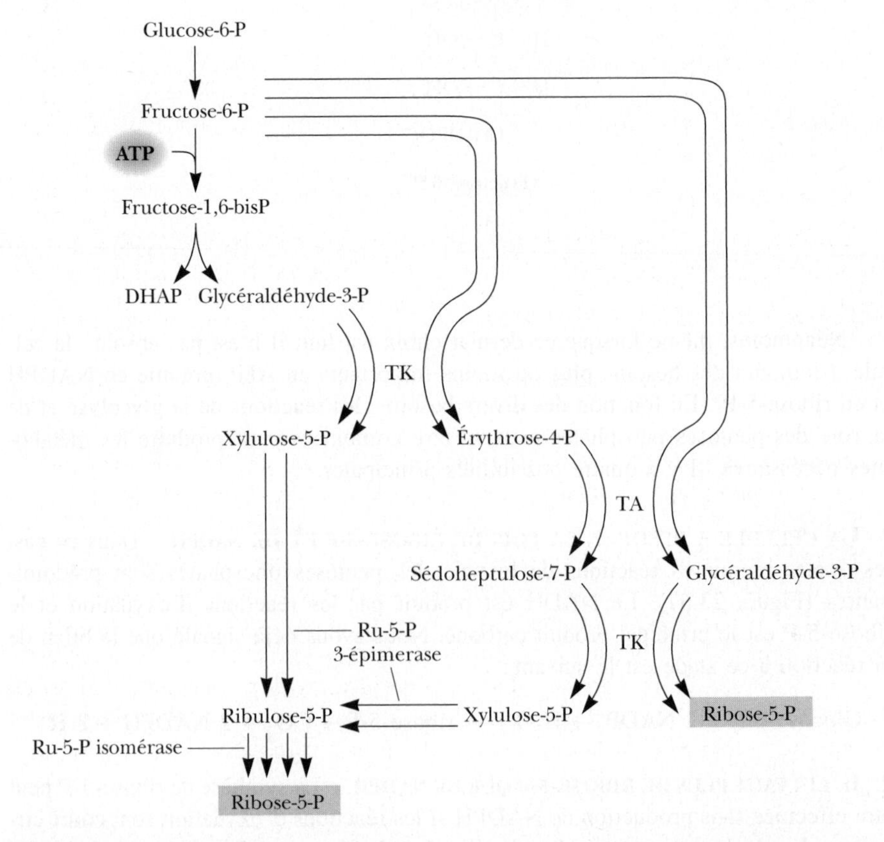

Figure 23.38 • Les étapes d'oxydation de la voie des pentoses phosphates peuvent être court-circuitées s'il est nécessaire de couvrir principalement des besoins en ribose-5-phosphate.

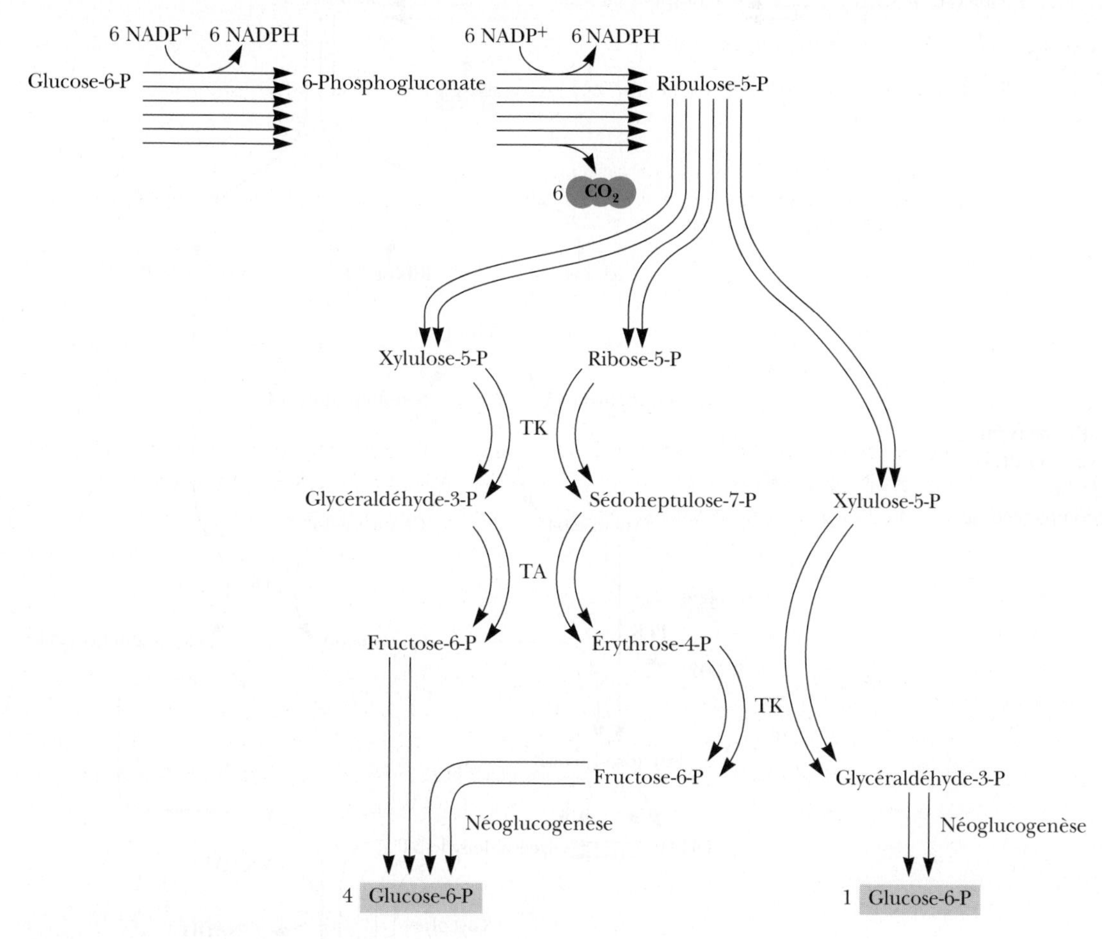

Figure 23.39 • De grandes quantités de NADPH peuvent être produites par la voie des pentoses phosphates sans qu'elles soient accompagnées d'une production nette significative de ribose-5-P. Dans ces conditions, le ribose-5-P est recyclé pour donner des produits intermédiaires de la glycolyse.

glycéraldéhyde-3-P, lesquels peuvent ensuite être recyclés en glucose-6-P par les réactions de la néoglucogenèse. Le bilan de ce processus est le suivant :

$$6\ \text{Glucose-6-P} + 12\ \text{NADP}^+ + 6\ \text{H}_2\text{O} \longrightarrow$$
$$6\ \text{ribulose-5-P} + 6\ \text{CO}_2 + 12\ \text{NADPH} + 12\ \text{H}^+$$
$$6\ \text{Ribulose-5-P} \longrightarrow 5\text{-glucose-6-P} + \text{P}_i$$

Notez que dans ce cas, les six hexoses phosphates ont été convertis en six pentoses phosphates avec libération de six molécules de CO_2. Les six molécules de pentose-phosphate sont ensuite reconverties en cinq molécules de glucose phosphate.

4. **Il lui faut à la fois du NADPH et de l'ATP, mais la cellule n'a pas besoin de ribose-5-P.** Dans certains cas, la cellule a un besoin simultané de NADPH et d'ATP. Ceci peut être obtenu par une série de réactions identiques au départ à celles du cas 3 mais le fructose-6-P et le glycéraldéhyde-3-P seront cette fois des substrats de la glycolyse. Ils permettront alors la production d'ATP et de pyruvate, qui lui-même peut être à l'origine de beaucoup plus d'ATP si son catabolisme passe par la voie du cycle des acides tricarboxyliques (Figure 23.40).

$$3\ \text{Glucose-6-P} + 5\ \text{NAD}^+ + 6\ \text{NADP}^+ + 8\ \text{ADP} + 5\ \text{P}_i \longrightarrow$$
$$5\ \text{pyruvate} + 3\ \text{CO}_2 + 5\ \text{NADH} + 6\ \text{NADPH} + 8\ \text{ATP} + 2\ \text{H}_2\text{O} + 8\ \text{H}^+$$

Notez qu'à l'exception des trois molécules de CO_2, tous les autres atomes de carbone du glucose-6-P se retrouvent dans le pyruvate.

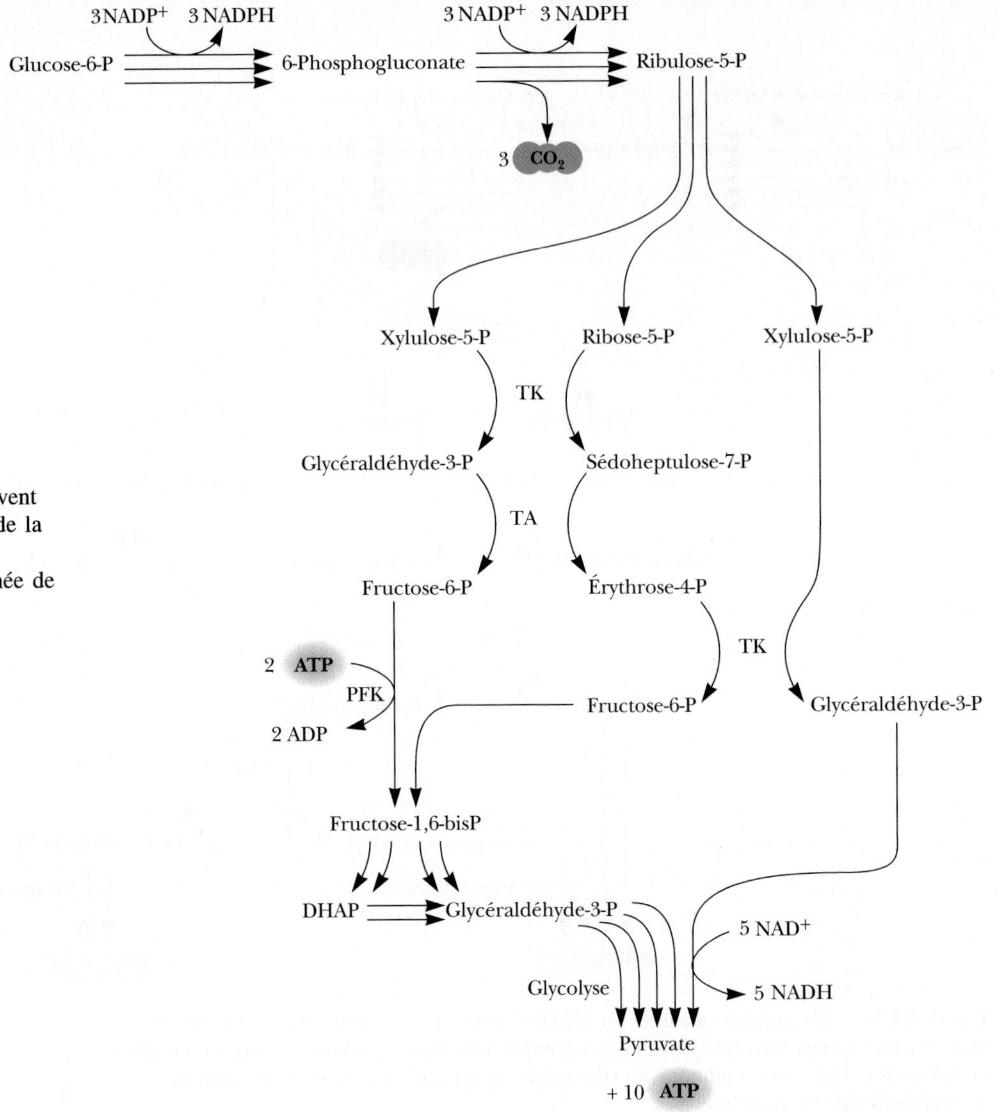

Figure 23.40 • L'ATP et le NADPH peuvent tous deux être produits par cette version de la voie des pentoses phosphates et de la glycolyse. Leur production est accompagnée de celle du NADH.

Exercices

1. Examinez l'équation résumant la néoglucogenèse Section 23.1. Donnez l'origine de chacun des termes de cette équation en précisant les stœchiométries.

2. Calculez les valeurs de $\Delta G°'$ et de ΔG pour la néoglucogenèse dans les érythrocytes. Utilisez les indications du Tableau 19.2 et voyez si les résultats sont proches de ceux qui sont donnés Section 23.1. Vous admettrez que [GTP] = [ATP], [GDP] = [ADP], et $[NAD^+]/[NADH] = 20$.

3. Utilisez les résultats portés Figure 23.12 pour calculer le pourcentage d'inhibition de la fructose-1,6-bisphosphatase produit par 25 μM de fructose-2,6-bisphosphate en présence de 25 μM, puis de 100 μM de fructose-1,6-bisphosphate.

4. Suggérez une explication à la nature exergonique de la réaction catalysée par la glycogène synthase ($\Delta G°' = -13{,}3$ kJ/mol). Si nécessaire, consultez le Chapitre 3 pour revoir les propriétés des dérivés phosphorylés à haut potentiel énergétique.

5. En utilisant les valeurs du Tableau 24.1 concernant la teneur en glycogène de l'organisme, et les résultats de la partie b de l'illustration accompagnant l'Encart page 759, calculez la vitesse de la consommation d'énergie par les muscles au cours d'une intense activité (en J/seconde). Utilisez les valeurs correspondant aux muscles à contraction rapide.

6. Quelle serait la distribution des atomes de carbone en position 1,3, et 6 du glucose-6-P, après un premier passage dans la voie des pentoses phosphates, si les besoins de l'organisme exigent principalement du ribose-5-P et si les étapes d'oxydation sont court-circuitées (Figure 23.38) ?

7. Quel est le devenir du carbone en position 2 et 4 du glucose-6-P après un passage selon le schéma de la Figure 23.40 ?

8. Quelle réaction de la voie des pentoses phosphates serait inhibée par $NaBH_4$? Pourquoi ?

9. Imaginez une molécule de glycogène ayant 8.000 résidus glucose. S'il y a un branchement tous les huit résidus, combien d'extrémités réductrices cette molécule contient-elle ? Et s'il y a un branchement tous les douze résidus ? Quel est le nombre des extrémités non réductrices dans les deux cas ?

10. Expliquez les effets des conditions suivantes sur la vitesse de la néoglucogenèse et du métabolisme du glycogène :

a. Augmentation de la concentration du fructose-1,6-bisphosphate cellulaire

b. Augmentation de la concentration du glucose sanguin.

c. Augmentation de la concentration de l'insuline dans le sang.

d. Augmentation de la concentration du glucagon sanguin.

e. Diminution de la concentration de l'ATP cellulaire.

f. Augmentation de la concentration de l'AMP cellulaire.

g. Diminution de la concentration du fructose-6-phosphate.

11. La valeur de variation de l'énergie libre, $\Delta G°'$, de la réaction catalysée par la glycogène phosphorylase est de +3,1 kJ/mol. Si $[P_i]$ = 1 m*M*, quelle est la concentration du glucose-1-P quand cette réaction est à l'équilibre ?

12. Sur la base du mécanisme réactionnel de la pyruvate carboxylase (Figure 23.4), proposez un mécanisme vraisemblable pour les réactions ci-dessous :

$$\text{ATP} + HCO_3^- + (H_3C)_2C{=}CH{-}C({=}O){-}SCoA \longrightarrow {}^-OOC{-}CH_2{-}C(CH_3){=}CH{-}C({=}O){-}SCoA + ADP + \text{Ⓟ}$$

β-Méthylcrotonyl-CoA → **β-Méthylglutaconyl-CoA**

$$\text{ATP} + HCO_3^- + \text{Géranyl-CoA} \longrightarrow \gamma\text{-Carboxygéranyl-CoA} + ADP + \text{Ⓟ}$$

Géranyl-CoA → **γ-Carboxygéranyl-CoA**

$$\text{ATP} + HCO_3^- + H_2N{-}C({=}O){-}NH_2 \longrightarrow {}^-OOC{-}NH{-}C({=}O){-}NH_2 + ADP + \text{Ⓟ}$$

Urée → ***N*-Carboxy-urée**

Transcarboxylase

$$H_3C{-}CH(COO^-){-}C({=}O){-}SCoA + H_3C{-}C({=}O){-}COO^- \rightleftharpoons H_3C{-}CH_2{-}C({=}O){-}SCoA + {}^-OOC{-}CH_2{-}C({=}O){-}COO^-$$

Méthylmalonyl-CoA + **Pyruvate** ⇌ **Propionyl-CoA** + **Oxalo-acétate**

13. Le mécanisme chimique de l'acéto-lactate synthase et de la phosphocétolase (réactions décrites ci-dessous) est similaire de celui de la transcétolase (Figure 23.34). Présentez un mécanisme valable pour ces réactions.

$$CH_3{-}C({=}O){-}COO^- + CH_3{-}C({=}O){-}COO^- \xrightarrow[\text{synthase}]{\text{Acéto-lactate}} CH_3{-}C({=}O){-}C(OH)(CH_3){-}COO^- + CO_2$$

$$\text{Fructose-6-P} + HOPO_3^{2-} \xrightarrow[-H_2O]{\text{Phosphocétolase}} H_3C{-}C({=}O){-}OPO_3^{2-} + \text{Érythrose-4-P}$$

Fructose-6-P : $H_2C{-}OH$ / $C{=}O$ / $HOCH$ / $HCOH$ / $HCOH$ / $CH_2OPO_3^{2-}$

Acétyl-P : $H_3C{-}C({=}O){-}OPO_3^{2-}$

Érythrose-4-P : $HC{=}O$ / $HCOH$ / $HCOH$ / $CH_2OPO_3^{2-}$

Fructose-6-P **Acétyl-P** **Érythrose-4-P**

Lectures complémentaires

Akermark, C., Jacobs, I., Rasmusson, M., et Karlsson, J., 1996. Diet and muscle glycogen concentration in relation to physical performance in Swedish elite ice hockey players. *International Journal of Sport Nutrition* **6**: 272-284.

Browner, M.F., et Fletterick, R.J., 1992. Phospliorylase : A biological transducer. *Trends in Biochemical Sciences* **17**: 66-71.

Fox, E.L., 1984. *Sports Physiology*, 2nd ed. Philadelphia: Saunders College Publishing.

Hanson, R.W., et Reshef, L., 1997. Regulation of phosphoenolpyruvate carboxykinast. (GTP) gene expression. *Annual Review of Biochemistry* **66**: 581-611.

Hargreaves, M., 1997. Interactions between muscle glycogen and blood glucose during exercise. *Exercise and Sport Sciences Reviews* **25**: 21-39.

Hers, H.-G., et Hue, L., 1983. Gluconeogenesis and related aspects of glycolysis. *Annual Review of Biochemistry* **52**: 617-653.

Horton, E.S., et Terjung, R.L., eds. 1988. *Exercise, Nutrition and Energy Metabolism.* New York: Macmillan.

Huang, D., Wilson, W.A., et Roach, P.J., 1997. Glucose-6-P control of glycogen synthase phosphorylation in yeast. *Journal of Biological Chemistry* **272**: 22495-22501.

Johnson, L.N., 1992. Glycogen phosphorylase: Control by phosphorylation and allosteric effectors. *FASEB Journal* **6**: 2274-2282.

Larner, J., 1990. Insulin and the stimulation of glycogen synthesis: The road from glycogen structure to glycogen synthase to cyclic AMP-dependent protein kinase to insulin mediators. *Advances in Enzymology* **63**: 173-231.

Newsholine, E.A., Chaliss, R.A.J., et Crabtree, B., 1984. Substrate cycles: Their role in improving sensitivity in metabolic control. *Trends in Biochemical Sciences* **9**: 277-280.

Newsholine, E.A., et Leech, A.R., 1983. *Biochemistry for the Medical Sciences.* New York: Wiley.

Pilkis, S.J., El-Maghrabi, M.R., et Claus, T.H. 1988. Hormonal regulation of hepatic gluconeogenesis and glycolysis. *Annual Review of Biochemistry* **57**: 755-783.

Rhoades, R., et Pflanzer, R., 1992. *Human Physiology.* Philadelphia: Saunders College Publishing.

Rolfe, D.F., et Brown, G.C., 1997. Cellular energy utilizatlon and molecular origin of stanclard metabolic rate in mammals. *Physiological Reviews* **77**: 731-758.

Rybicka, K.K., 1993. Glycosomes – The organelles of glycogen metabolism. *Tissue and Cell* **28**: 253-265.

Sies, H., ed., 1982. *Metabolic Compartmentation.* London: Academic Press.

Shulman, R.G., et Rothman, D.L., 1996. Nuclear magnetic resonance studies of muscle and applications to exercise and diabetes. *Diabetes* **45**: S93-S98.

Stalmans, W., Cadefau, J., Wera, S., et Bollen, M., 1997. New insight into the regulation of liver glycogen metabolism by glucose. *Biochemical Society Transactions* **25**: 19-25.

Sukalski, K.A., et Nordlie, R.C., 1989. Glucose-6-phosphatase: Two concepts of membrane-function relationship. *Advances in Enzymology* **62**: 93-117.

Taylor, S.S., et al., 1993. A template for the protein kinase family. *Trends in Biochemical Sciences* **18**: 84-89.

Van Schaftingen, E., et Hers, H.-G., 1981. Inhibition of fructose-1,6-bisphosphatase by fructose-2,6-bisphosphate. *Proceedings of the National Academy of Sciences, USA* **78**: 2861-2863.

Williamson, D.H., Lund, P., et Krebs, H.A., 1967. The redox state of free nicotinamide-adenine dinucleotide in the cytoplasm and mitochondria of rat liver. *Biochemical Journal* **103**: 514-527.

Woodget, J.R., 1991. A common denominator linking glycogen metabolism, nuclear oncogenes, and development. *Trends in Biochemical Sciences* **16**: 177-181.

Chapitre 24

Catabolisme des acides gras

« The fat is in the fire »
Proverbs, JOHN HEYWOOD (1497-1580)

NdT : Les pionniers américains avaient remarqué que la graisse tombant de la viande cuite à la broche ravivait les flammes d'un feu. L'expression s'utilise dans le sens de : « ça devient excitant » ou : « quelque chose d'intéressant va commencer ».

L'incroyable capacité du colibri à mettre en réserve des lipides et à les utiliser le rend apte à effectuer des vols sur de très longues distances. (Deux colibris, lithographie ; Académie des Sciences Naturelles de Philadelphie/Corbis Images)

PLAN

Les acides gras représentent la principale forme de réserve énergétique pour de nombreux organismes. Les réserves d'énergie sous forme d'acides gras présentent deux avantages. (1) La plupart des atomes de carbone des acides gras sont presque complètement réduits (groupes $-CH_2-$) à comparer avec ceux des autres molécules biologiques simples (oses et acides aminés). L'oxydation des acides gras fournira donc plus d'énergie (sous forme d'ATP) que tout autre molécule organique. (2) Les acides gras, hydrophobes, ne sont pratiquement pas hydratés contrairement aux polyosides ; les molécules occupent donc un plus faible volume dans les tissus de réserve. Ce chapitre sera consacré à quelques-uns des aspects du catabolisme des acides gras. La biosynthèse des lipides sera examinée Chapitre 25.

Catabolisme des acides gras

24.1 • Mobilisation des lipides de l'alimentation et du tissu adipeux

L'alimentation moderne est souvent trop riche en lipides

L'alimentation apporte une importante partie des acides gras ; ils sont aussi synthétisés à partir des glucides et du squelette carboné des acides aminés. Les acides gras fournissent 30 à 60 % des calories de l'alimentation de la majorité des Américains. Pour nos ancêtres, l'homme et la femme des cavernes, ces valeurs étaient probablement voisines de 20 %. Les produits laitiers n'étaient apparemment pas inclus dans leur nourriture et la viande consommée (provenant d'animaux de chasse se déplaçant rapidement) contenait peu de lipides. Au contraire, les élevages modernes de porcs et de vaches favorisent aujourd'hui les fortes teneurs en lipides (la viande a meilleur goût). Mais, comme il est de nos jours difficile de trouver de trouver des sandwiches à base de mammouth ou des steaks de tigre à dents de sabre, même dans les rayons spécialisés des épiceries fines, nous consommons par défaut (et métabolisons) de grandes quantités de lipides.

Les triglycérides constituent la principale forme d'énergie mise en réserve chez les animaux

Bien qu'une partie des lipides alimentaires soit constituée de phospholipides, les **triglycérides** (**triacylglycérols**) sont la principale source d'acides gras. Les triglycérides sont également notre principale forme de réserve énergétique. La quantité d'énergie disponible à partir des réserves lipidiques d'une personne de corpulence moyenne est largement supérieure à la totalité de l'énergie disponible à partir des protéines, du glycogène et du glucose (Tableau 24.1). Les lipides représentent en moyenne 83 % de l'énergie disponible, en partie parce que les réserves lipidiques sont plus abondantes, et en partie parce que le rendement énergétique par gramme de lipide est supérieur à celui des glucides ou des protéines. La combustion totale d'un lipide libère 37 kJ/g, à comparer avec 16 à 17 kJ/g pour le glucose, le glycogène, les acides aminés et les protéines. Chez les animaux, les lipides sont mis en réserve sous forme de molécules de triacyglycérols dans des cellules spécialisées, les **adipocytes**, ou **cellules adipeuses**. Les agrégats de triacylglycérols forment de volumineux globules qui occupent la plus grande partie de l'adipocyte (Figure 24.1). Dans les cellules musculaires qui contiennent beaucoup moins de lipides les agrégats sont bien plus petits.

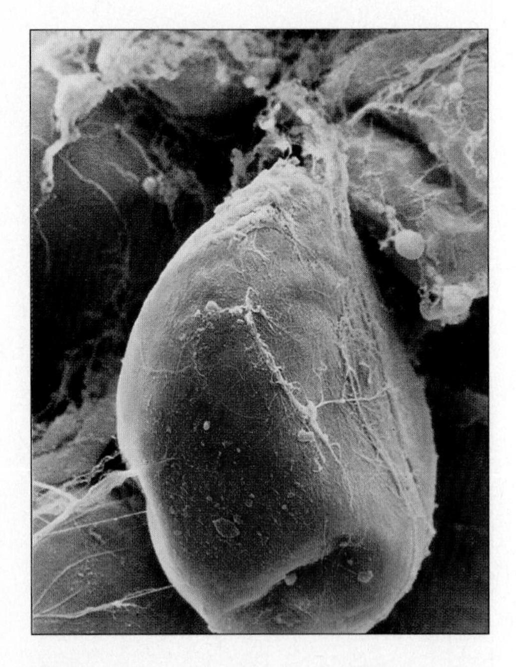

Figure 24.1 • Photographie au microscope électronique à balayage d'une cellule du tissu adipeux (adipocyte). Des globules de triacylglycérol occupent la plus grande partie du volume de ces cellules. *(Prof. P. Motta, département d'anatomie, Université « La Sapienza », Rome/Science Photo Library/Photo Researchers, Inc.)*

La libération des acides gras des tissus adipeux est sous la dépendance d'un signal hormonal

Les Figures 24.2 et 24.3 présentent les voies de la libération des acides gras à partir des triacylglycérols, qu'ils soient d'origine alimentaire ou qu'ils proviennent des

Tableau 24.1

Réserves énergétiques d'une personne de 70 kg

Nature des réserves	Énergie (kJ/g de poids sec)	Poids sec (g)	Énergie disponible (kJ)
Graisse (tissu adipeux)	37	15.000	555.000
Protéines (muscles)	17	6.000	102.000
Glycogène (muscles)	16	120	1.920
Glycogène (foie)	16	70	1.120
Glucose (fluides extracellulaires)	16	20	320
Total			660.360

Sources : Owen, O.E., et Reichard, G.A., Jr., 1971. *Progress in Biochemistry and Pharmacology* **6** : 177 ; Newsholme, E.A., et Leech, A.R., 1983. *Biochemistry for the Medical Sciences.* New York : Wiley.

adipocytes. L'adrénaline le glucagon et l'ACTH (hormone adrénocorticotrope) mobilisent les acides gras des adipocytes. Ces molécules signal se lient à des récepteurs de la membrane plasmique des adipocytes, ce qui active l'adénylate cyclase, l'enzyme qui catalyse la formation de l'AMP cyclique à partir de l'ATP (voir Chapitre 34, Section Hormones et transduction des signaux). Dans les adipocytes, l'AMPc active la protéine kinase A qui phosphoryle et active une **triacylglycérol lipase** (encore appelée **lipase sensible aux hormones**) ; cet enzyme hydrolyse la liaison ester du C-1 ou du C-3 des triacylglycérols. Les actions successives d'une **diacylglycérol lipase** et d'une **monoacylglycérol lipase** libèrent ensuite les autres acides gras et le glycérol. Les acides gras passent dans la circulation sanguine où ils sont transportés sous forme de complexes avec *la sérum albumine* jusque vers les sites d'utilisation.

La dégradation des triglycérides alimentaires s'effectue principalement dans le duodénum

Une petite partie des triglycérides présents dans la nourriture est hydrolysée par des lipases dans l'environnement acide de l'estomac, le reste passe dans le duodénum.

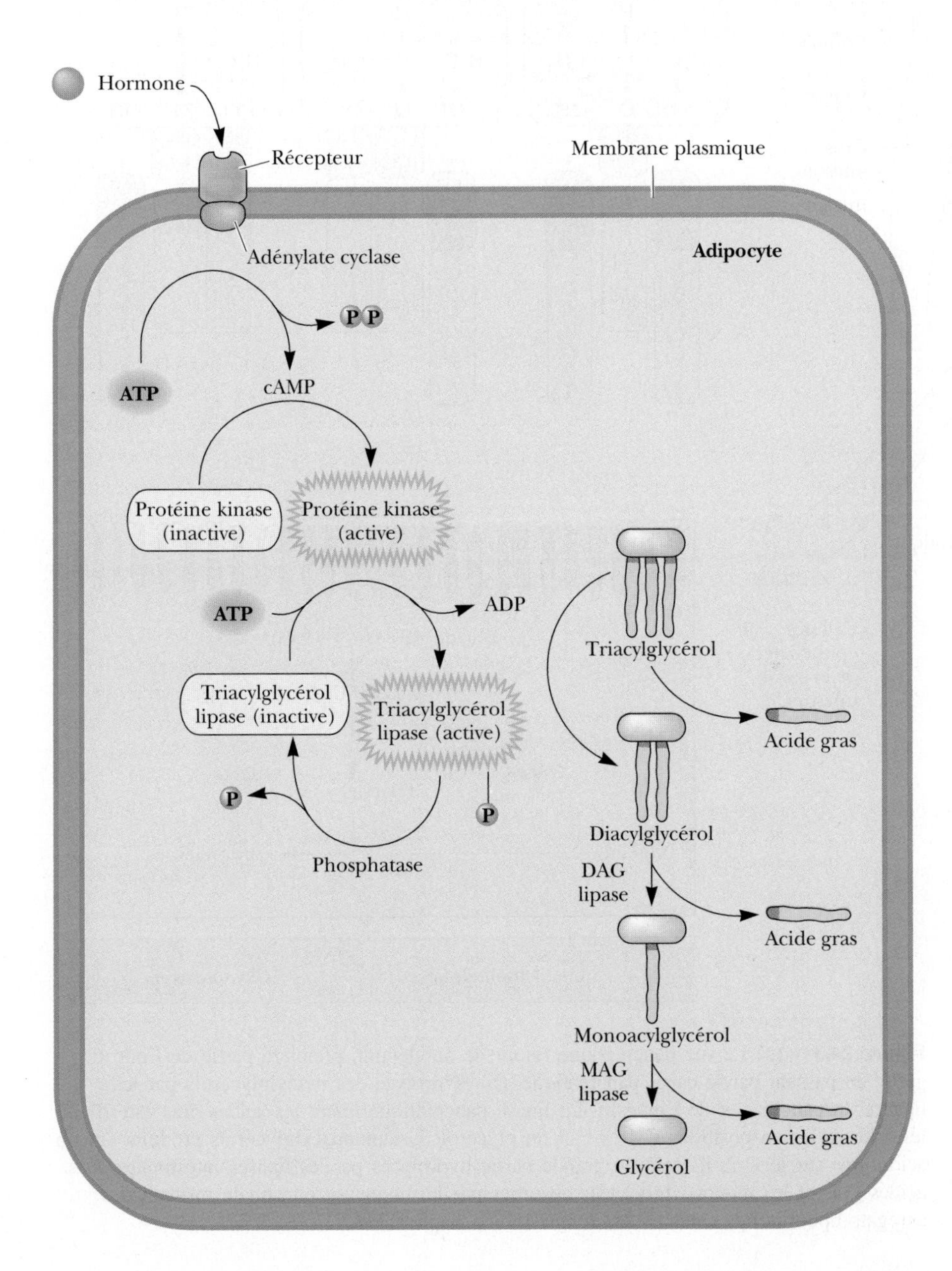

Figure 24.2 • Activation hormonale de l'hydrolyse des triacylglycérols dans les adipocytes.

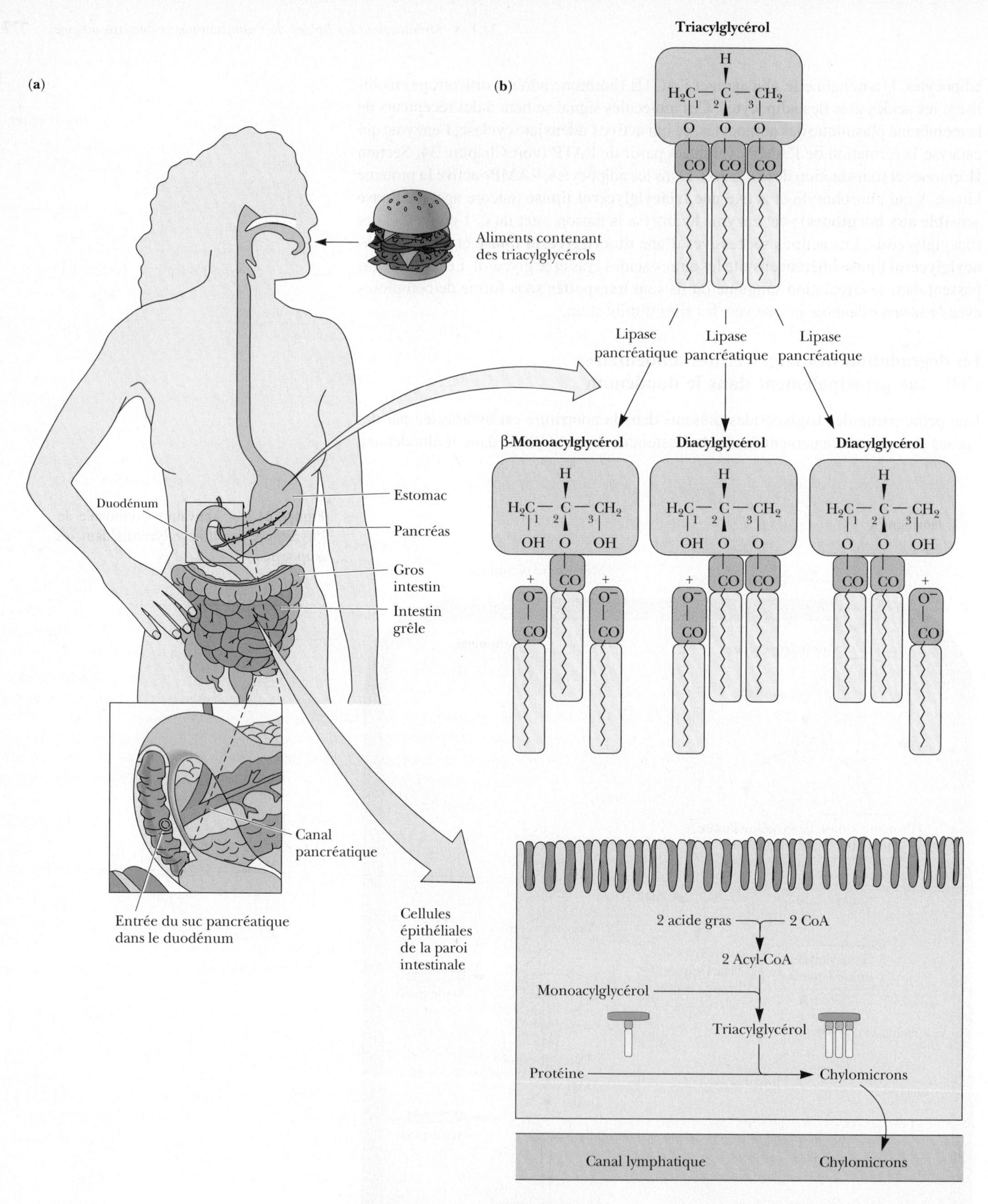

Figure 24.3 • (a) Le suc pancréatique rejoint le duodénum, première partie de l'intestin grêle, en passant par le canal pancréatique. (b) Hydrolyse des triacylglycérols par les lipases du pancréas et de l'intestin. La lipase pancréatique libère les acides gras estérifiant les hydroxyles en positions C-1 et C-3 du glycérol. Les monoacylglycérols produits ont un acide gras sur le C-2, ils sont en grande partie hydrolysés par les lipases intestinales. Les acides gras et les monoacylglycérols absorbés par la muqueuse intestinale forment des agrégats lipoprotéiques, les *chylomicrons* (voir Chapitre 25).

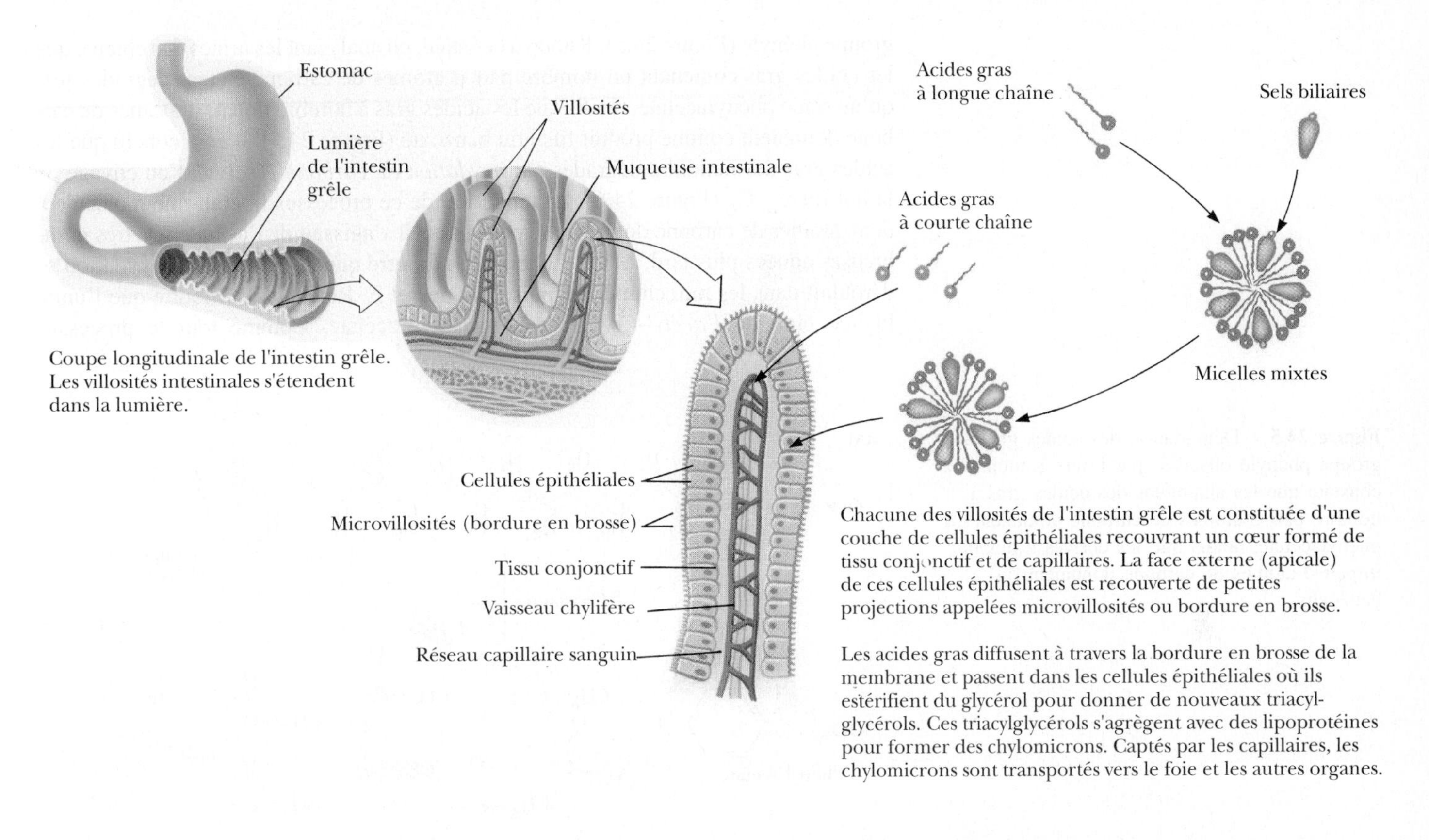

Estomac
Villosités
Lumière de l'intestin grêle
Muqueuse intestinale
Acides gras à longue chaîne
Sels biliaires
Acides gras à courte chaîne
Coupe longitudinale de l'intestin grêle. Les villosités intestinales s'étendent dans la lumière.
Micelles mixtes
Cellules épithéliales
Microvillosités (bordure en brosse)
Tissu conjonctif
Vaisseau chylifère
Réseau capillaire sanguin
Chacune des villosités de l'intestin grêle est constituée d'une couche de cellules épithéliales recouvrant un cœur formé de tissu conjonctif et de capillaires. La face externe (apicale) de ces cellules épithéliales est recouverte de petites projections appelées microvillosités ou bordure en brosse.
Les acides gras diffusent à travers la bordure en brosse de la membrane et passent dans les cellules épithéliales où ils estérifient du glycérol pour donner de nouveaux triacylglycérols. Ces triacylglycérols s'agrègent avec des lipoprotéines pour former des chylomicrons. Captés par les capillaires, les chylomicrons sont transportés vers le foie et les autres organes.

Figure 24.4 • Dans l'intestin grêle, les acides gras forment avec les sels biliaires des micelles mixtes. Ces micelles permettent le passage des acides gras dans les cellules épithéliales qui recouvrent les villosités intestinales. À l'intérieur des cellules épithéliales, les acides gras sont estérifiés et redonnent des triacylglycérols.

Le suc pancréatique alcalin secrété dans le duodénum (Figure 24.3a) élève le pH du milieu ce qui permet l'hydrolyse des triglycérides par une lipase pancréatique et par des estérases non spécifiques. La lipase pancréatique hydrolyse les liaisons ester sur C-1 et C-3 des triacylglycérols, d'autres lipases hydrolysent la liaison sur C-2 (Figure 24.3b). Ces processus dépendent de la présence des **sels biliaires**, une famille de dérivés carboxyliques du cholestérol (Chapitre 25). Les sels biliaires agissent comme des détergents, ils émulsifient les lipides et facilitent l'action hydrolytique des lipases et des estérases. Les acides gras libérés à 10 atomes de carbone ou moins (acides gras à courte chaîne) sont directement absorbés dans les villosités de la muqueuse intestinale tandis que ceux dont les chaînes sont plus longues, moins solubles, forment avec les sels biliaires des micelles qui parviennent sous cette forme à la surface des cellules épithéliales qui recouvrent les villosités (Figure 24.4). Les acides gras passent dans les cellules épithéliales où ils estérifient du glycérol pour donner de nouvelles molécules de triacyglycérol. Ces triacylglycérols s'agrègent avec des lipoprotéines pour former des particules, des **chylomicrons**, qui sont ensuite véhiculés par le système lymphatique puis par le réseau sanguin d'où ils rejoignent le foie, les poumons, le cœur et d'autres organes ou cellules (Chapitre 25). Dans les cellules correspondantes, les triacylglycérols sont hydrolysés pour libérer les acides gras qui peuvent ensuite être oxydés par une voie très exergonique, la voie de la *β-oxydation*.

24.2 • β-Oxydation des acides gras

Franz Knoop et la découverte de la β-oxydation

Les premiers secrets de l'oxydation des acides gras et de leur dégradation ont été percés au tout début des années 1900 par Franz Knoop qui a eu l'idée de nourrir des chiens avec des acides gras dans lesquels le groupe méthyle terminal était remplacé par un groupe phényle (Figure 24.5). Knoop a constaté, en analysant les urines des chiens, que les acides gras contenant un nombre pair d'atomes de carbone étaient dégradés jusqu'au stade phénylacétate, tandis que les acides gras à nombre impair d'atomes de carbone donnaient comme produit final du benzoate (Figure 24.5). Il en a conclu que les acides gras devaient être dégradés par *oxydation du carbone* β suivie d'un clivage de la liaison C_α–C_β (Figure 24.6). La répétition de ce processus libérait une molécule à deux atomes de carbone dont Knoop pensait qu'il s'agissait de l'acétate. De très nombreuses années plus tard, Albert Lehninger a montré que ce processus d'oxydation se déroulait dans les mitochondries, puis F. Lynen et E. Reichart ont montré que l'unité libérée était de *l'acétyl-CoA* et non pas de l'acétate. Comme tout le processus

Figure 24.5 • Dégradation des acides gras à groupe phényle observée par Franz Knoop. Il a constaté que les analogues des acides gras à nombre pair d'atomes de carbone donnaient du phénylacétate, tandis que les dérivés à nombre impair d'atomes de carbone donnaient du benzoate.

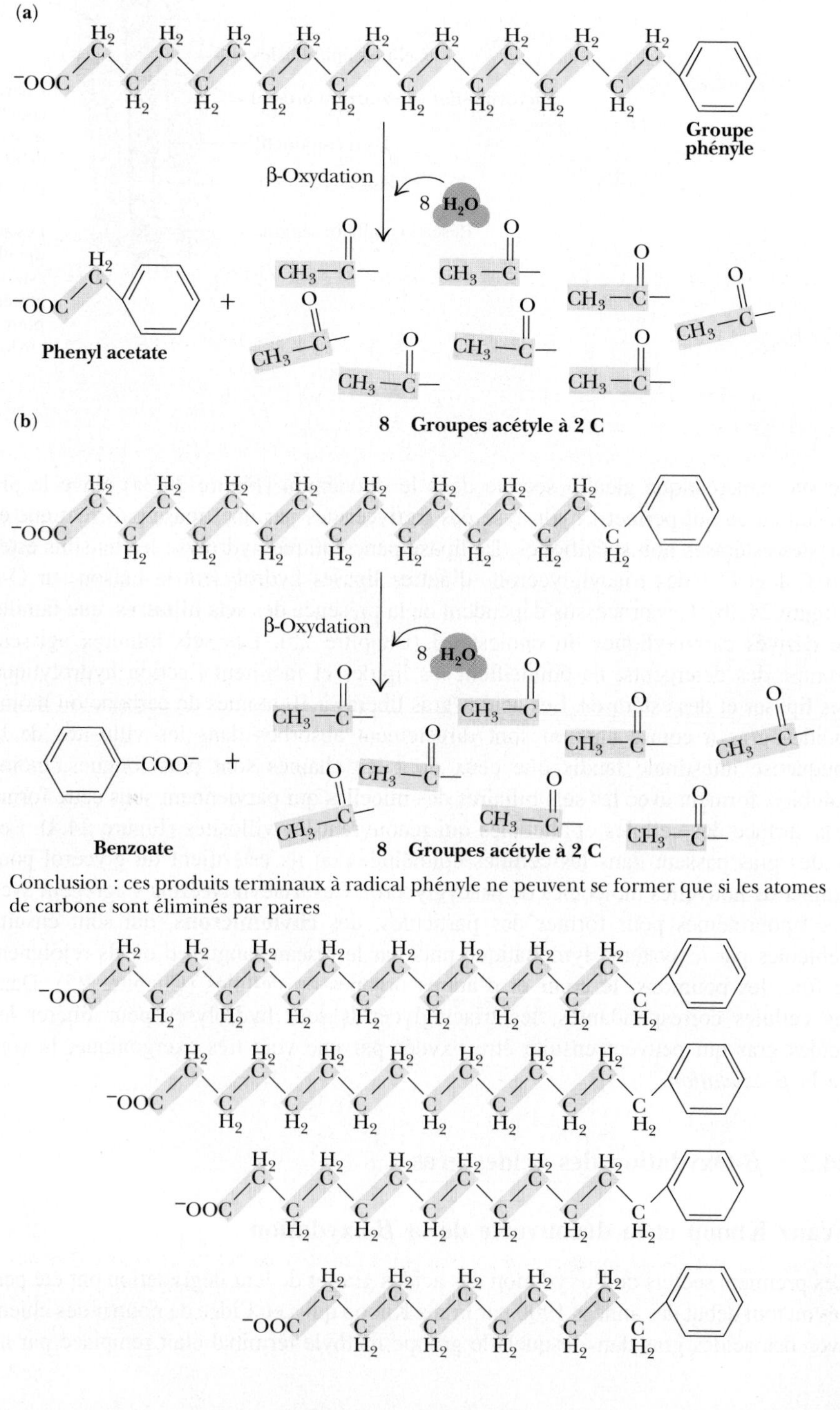

(a)

Groupe phényle

β-Oxydation

8 H_2O

Phenyl acetate

8 Groupes acétyle à 2 C

(b)

β-Oxydation

8 H_2O

Benzoate

8 Groupes acétyle à 2 C

Conclusion : ces produits terminaux à radical phényle ne peuvent se former que si les atomes de carbone sont éliminés par paires

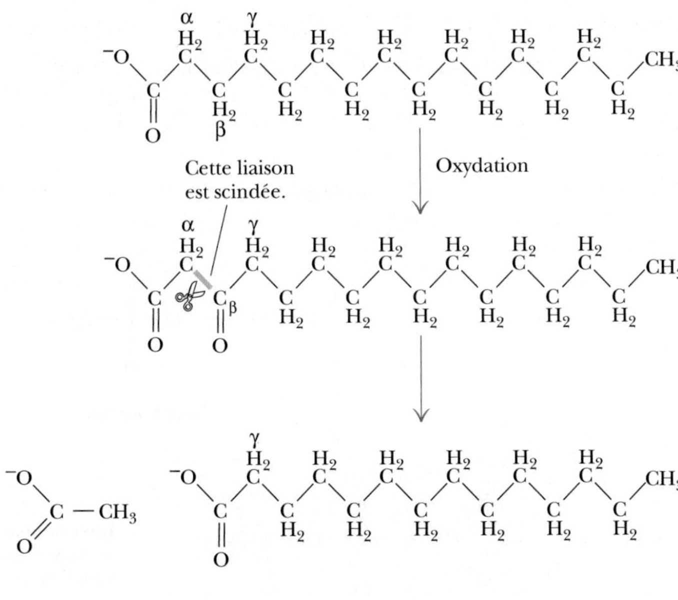

Cette liaison est scindée.

Oxydation

Figure 24.6 • La dégradation de acides gras résulte de l'oxydation cyclique du carbone β et de la scission de la liaison C_α–C_β qui libère des unités acétate.

commence par l'oxydation du carbone qui se trouve en β par rapport au carbone du groupe carboxyle, il a été appelé le processus de ***β*-oxydation** des acides gras.

Le coenzyme A active les acides gras avant leur dégradation

La β-oxydation débute avec la formation d'une liaison thioester entre le carboxyle de l'acide gras et le groupe thiol du coenzyme A. Cette réaction est catalysée par l'**acyl-CoA synthétase** encore appelée **acyl-CoA ligase** (Figure 24.7). La condensation avec le CoA active les acides gras qui peuvent sous cette forme entrer dans la voie de la β-oxydation. Pour les acides gras à longue chaîne, la réaction d'activation a normalement lieu dans la membrane externe de la mitochondrie, avant que l'acide gras passe dans la mitochondrie, mais elle peut également avoir lieu à la surface de la membrane du réticulum endothélial. Les acides gras à moyenne et courte chaîne sont activés dans la mitochondrie. Dans tous les cas, l'activation est accompagnée d'une hydrolyse de l'ATP en AMP et pyrophosphate. Le $\Delta G°'$ des deux réactions combinées est de –0,8 kJ/mol, de sorte que cette réaction, bien qu'en faveur de la synthèse, est facilement réversible (Figure 24.7). Cependant, comme nous l'avons vu dans plusieurs cas similaires, le pyrophosphate produit dans la réaction est rapidement hydrolysé en deux molécules de phosphate minéral, ce qui donne au bilan total de la réaction un $\Delta G°'$ d'activation de –33,6 kJ/mol. La concentration cellulaire du pyrophosphate est ainsi maintenue à bas niveau (généralement inférieure à 1 m*M*) ce qui favorise fortement la réaction d'activation. Le mécanisme réactionnel de l'acyl-CoA synthétase commence

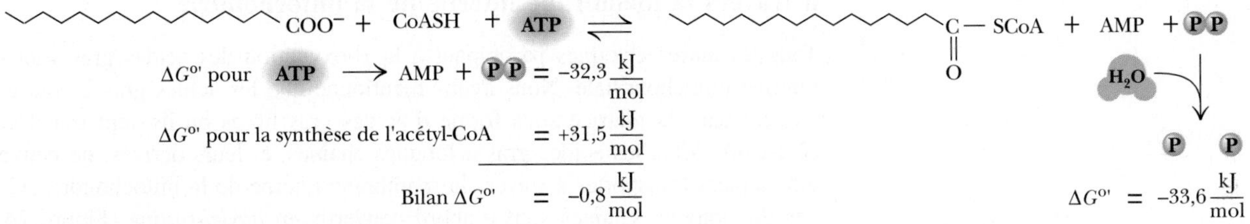

$$\text{COO}^- + \text{CoASH} + \text{ATP} \rightleftharpoons \text{C(=O)—SCoA} + \text{AMP} + \text{PP}$$

$\Delta G°'$ pour ATP ⟶ AMP + PP $= -32{,}3 \frac{kJ}{mol}$

$\Delta G°'$ pour la synthèse de l'acétyl-CoA $= +31{,}5 \frac{kJ}{mol}$

Bilan $\Delta G°' = -0{,}8 \frac{kJ}{mol}$

H_2O → P P : $\Delta G°' = -33{,}6 \frac{kJ}{mol}$

Figure 24.7 • La réaction catalysée par l'acyl-CoA synthétase active les acides gras qui peuvent ensuite être oxydés par β-oxydation. L'énergie nécessaire provient de l'hydrolyse de l'ATP en AMP et pyrophosphate et de l'hydrolyse du pyrophosphate qui déplace l'équilibre.

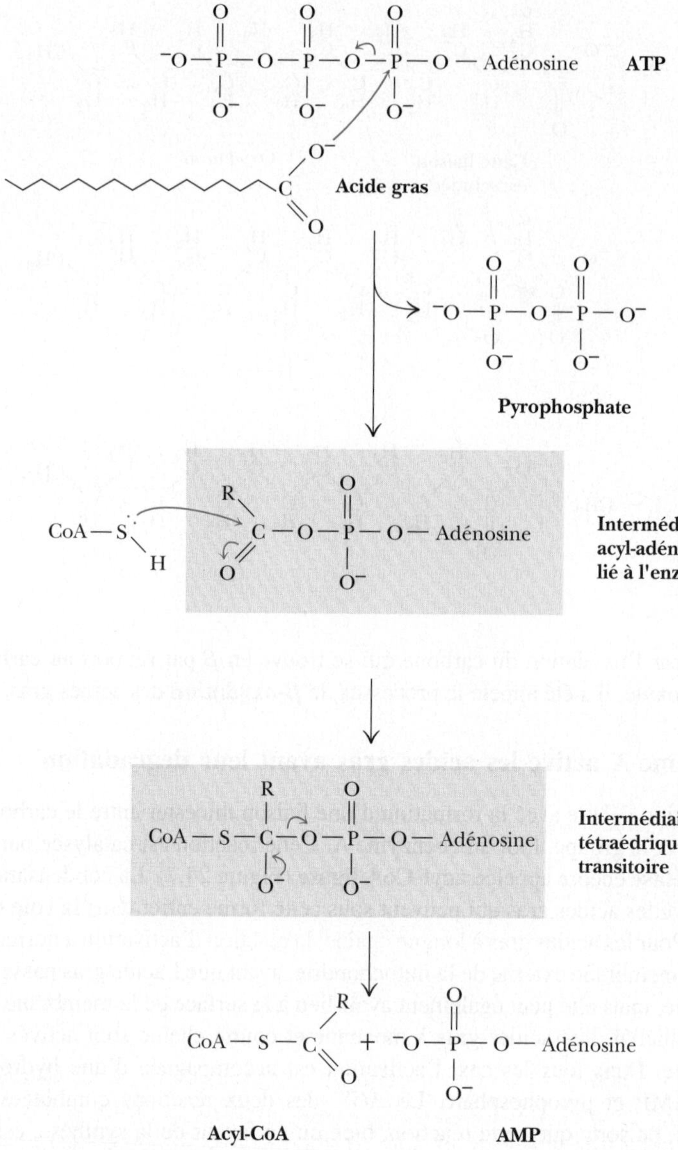

Figure 24.8 • Mécanisme de la réaction catalysée par l'acyl-CoA synthétase. Lors de la première étape, le carboxyle de l'acide gras attaque l'ATP pour former un acyl-adénylate intermédiaire. Ce dernier subit ensuite une attaque par le CoA qui aboutit à la formation d'un thioester, l'acyl-CoA.

par l'attaque de l'ATP par le groupe carboxyle de l'acide gras et la formation d'un *acyladénylate intermédiaire.* L'attaque de cet intermédiaire par le CoA donnera finalement un thioester, l'acyl-CoA (Figure 24.8).

La carnitine transfère les acides gras à travers la membrane interne de la mitochondrie

Tous les autres enzymes participant à la β-oxydation des acides gras sont dans la matrice mitochondriale. Nous avons mentionné que les acides gras à courte chaîne passent dans la matrice sous forme d'acides gras libres où ils sont transformés en acyl-CoA. Mais les acides gras à longues chaînes, et leurs dérivés, ne peuvent être directement transportés à travers la membrane interne de la mitochondrie. Ces dérivés des longues chaînes sont d'abord convertis en *acylcarnitine* (Figure 24.9). En présence d'un acyl-CoA et de carnitine, la **carnitine acyltransférase I**, localisée sur la face externe de la membrane interne mitochondriale, catalyse la formation des dérivés *O-acylcarnitine*. Ces dérivés O-acylcarnitine sont transportés à travers la membrane par une **translocase**. Sur la surface interne de la membrane, du côté de

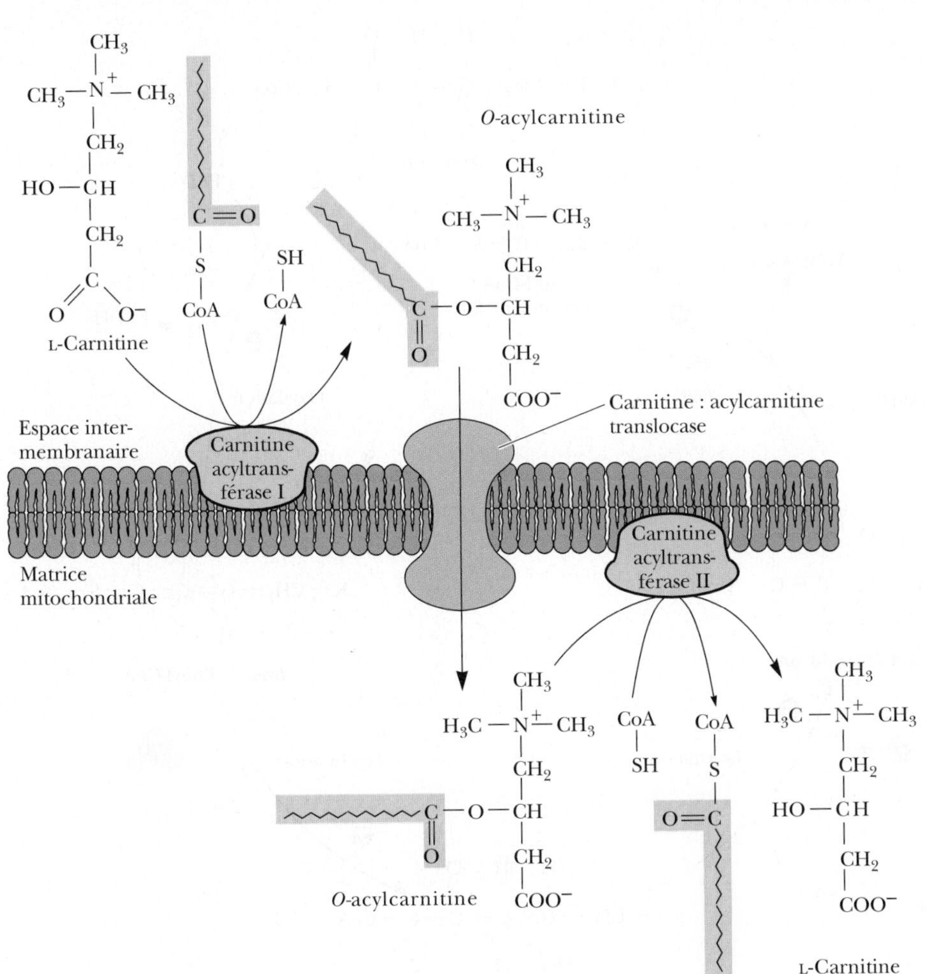

Figure 24.9 • Formation des acylcarnitines et leur transport à travers la membrane interne de la mitochondrie. Le processus requiert l'action coordonnée des acylcarnitine transférases de part et d'autre de la membrane, et d'une translocase qui transfère les acylcarnitines à travers la membrane.

la matrice, une autre transférase, la **carnitine acyltransférase II**, catalyse la régénération des acyl-CoA avec libération de la carnitine. La translocase permet le retour de la carnitine à travers la membrane et le cycle du transfert peut perdurer.

Deux remarques concernant le passage des acides gras vers la matrice mitochondriale. Premièrement, bien que les esters aient généralement un potentiel de transfert de groupe inférieur à celui des thioesters, la liaison O-acyl d'un acylcarnitine est à haut potentiel de transfert et les réactions de transestérification catalysées par les acyltransférases ont des constantes d'équilibre proches de 1. Deuxièmement, dans les eucaryotes, le pool du CoA intramitochondrial est distinct de celui du cytosol. Le pool cytosolique est principalement utilisé pour la synthèse des acides gras (Chapitre 25) et celui de la mitochondrie intervient dans l'oxydation des acides gras, du pyruvate et de certains acides aminés.

La *β*-oxydation englobe une séquence répétée de quatre réactions

Pour les acides gras saturés, la *β*-oxydation est le résultat d'un cycle récurrent des quatre réactions (Figure 24.10). Les trois premières étapes aboutissent à la formation d'un groupe carbonyle sur le carbone *β*; la première étape, celle de l'oxydation (par déshydrogénation) de la liaison C_α–C_β, est suivie d'une hydratation de la double liaison formée entre ces atomes de carbone, et la troisième réaction donne lieu à une nouvelle oxydation. Dans son principe, cette séquence de réactions est semblable à la séquence du cycle de Krebs qui convertit le succinate en oxalo-acétate. La quatrième réaction est le clivage du *β*-cétoester (réaction inverse de la

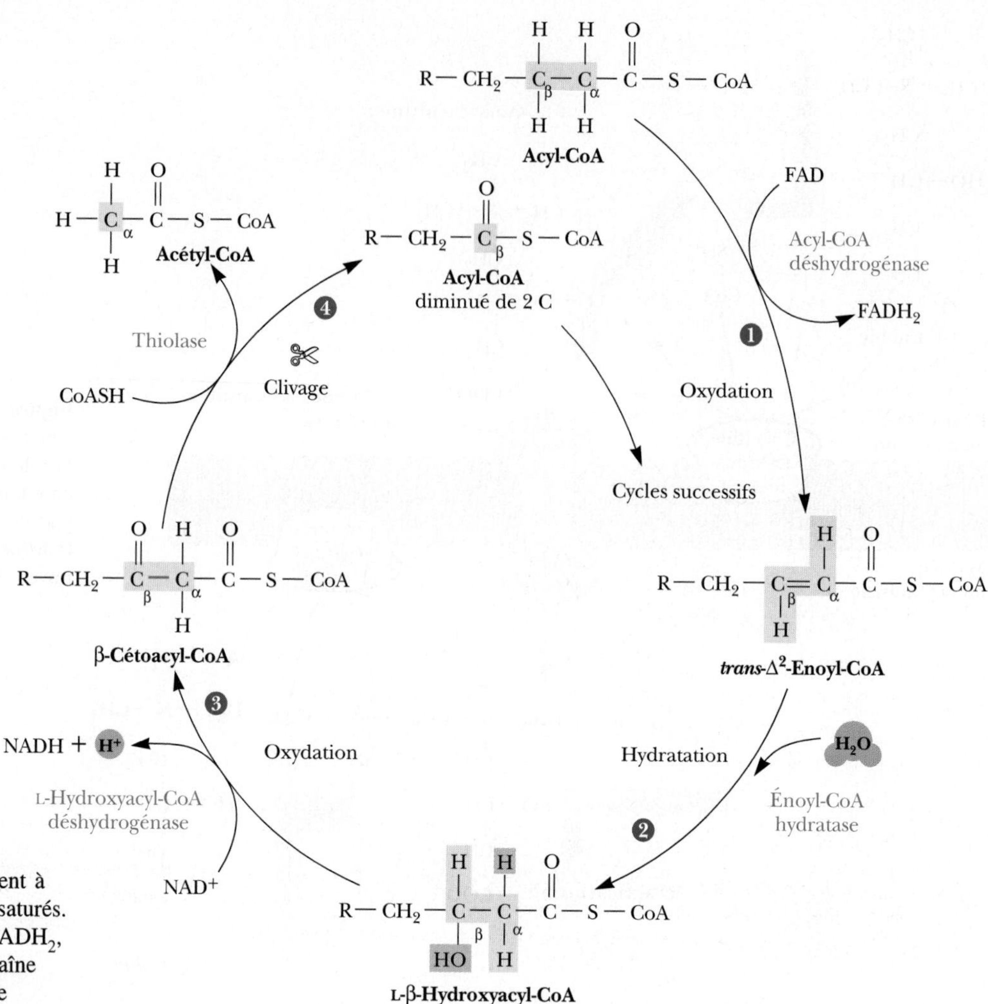

Figure 24.10 • Quatre enzymes participent à la β-oxydation cyclique des acides gras saturés. Chaque cycle produit une molécule de $FADH_2$, une de NADH, un acétyl-CoA et une chaîne d'acide gras diminuée de deux atomes de carbone. (Le symbole Δ signale une double liaison et le chiffre en exposant indique le plus petit numéro des atomes de carbone participant à cette double liaison).

condensation de Claisen) qui produit une unité acétate et une chaîne d'acide gras plus courte de deux atomes de carbone que celle du début du cycle réactionnel. Rappelons que la réaction de Claisen consiste en une attaque nucléophile du carbone d'un carbonyle pour donner un β-cétoacide (voir Chapitre 20).

Première réaction de la β-oxydation – L'acyl-CoA déshydrogénase

L'oxydation de la liaison C_α–C_β est catalysée par les **acyl-CoA déshydrogénases**. Il s'agit d'une famille de trois enzymes solubles de la matrice mitochondriale (masses moléculaires de 170 à 180 kDa) dont la spécificité est restreinte aux acyl-CoA à longue, moyenne, ou courte chaîne d'acides gras. Ils contiennent un FAD fermement lié, mais pas par une liaison covalente ; ce coenzyme est réduit au cours de l'oxydation de l'acide gras. Les électrons du $FADH_2$ sont ensuite transférés (Figure 24.11) à une **flavoprotéine de transport d'électrons** (FTE). La FTE réduite est réoxydée par une oxydoréductase spécifique (une protéine à centre Fe-S), qui cède ensuite les électrons à la chaîne du transport des électrons au niveau du coenzyme Q. Comme dans les autres cas, l'oxydation de ce $FADH_2$ dans les mitochondries pourra aboutir à la formation d'environ 1,5 ATP. Le mécanisme réactionnel de l'acyl-CoA déshydrogénase implique la déprotonation du carbone α de la chaîne de l'acide gras, suivie du transfert de l'ion hydrure du carbone β au FAD (Figure 24.12). La structure de la déshydrogénase du foie de porc, spécifique des chaînes de longueur moyenne, contient une molécule de FAD dans sa conformation étirée, placée entre un faisceau d'hélices α et un tonneau β distordu (Figure 24.13).

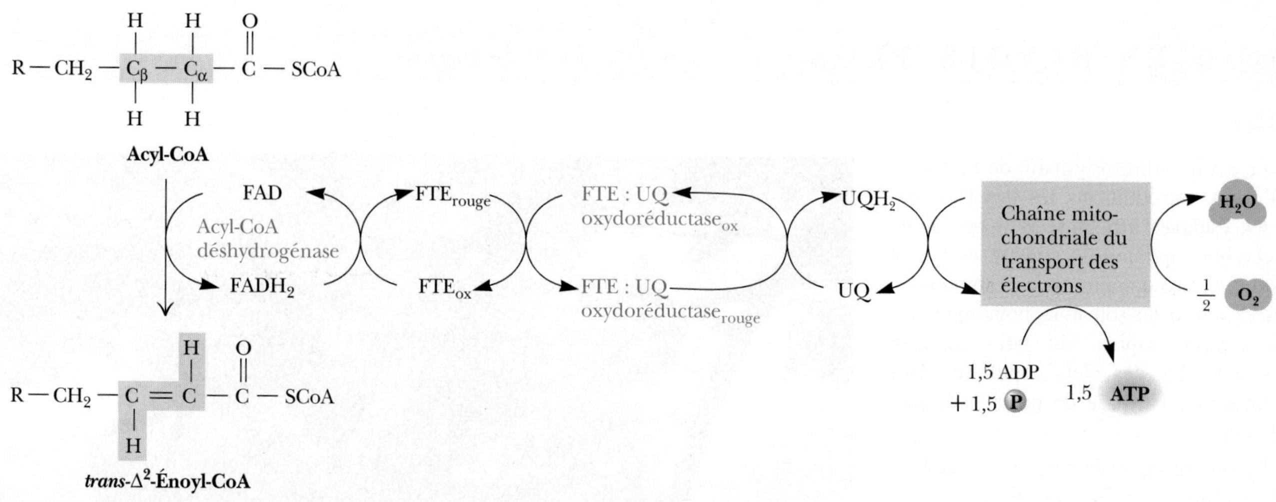

$$R-CH_2-C_\beta H_2-C_\alpha H_2-CO-SCoA$$

Acyl-CoA

Acyl-CoA déshydrogénase

FAD → $FADH_2$; FTE_{rouge} → FTE_{ox} ; FTE : UQ oxydoréductase$_{ox}$ → FTE : UQ oxydoréductase$_{rouge}$; UQ → UQH_2 → Chaîne mitochondriale du transport des électrons ; $\frac{1}{2}$ O_2 → H_2O ; 1,5 ADP + 1,5 P → 1,5 ATP

$$R-CH_2-CH=CH-CO-SCoA$$

***trans*-Δ^2-Énoyl-CoA**

Figure 24.11 • Réaction catalysée par l'acyl-CoA déshydrogénase. Les deux électrons provenant de cette réaction d'oxydation passent dans la chaîne de transport des électrons par l'intermédiaire du coenzyme Q réduit (UQH_2).

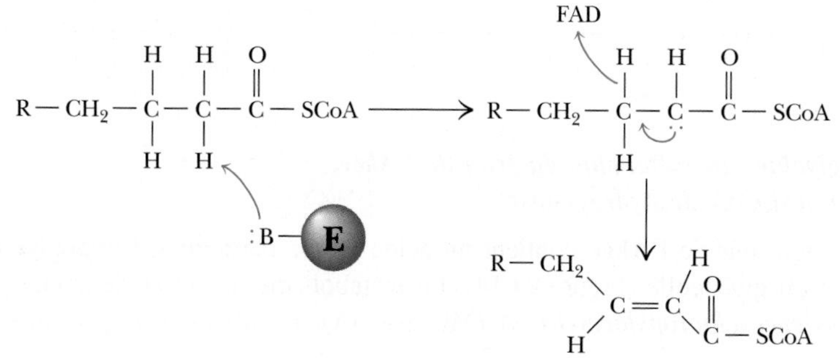

$$R-CH_2-CH_2-CH_2-CO-SCoA \longrightarrow R-CH_2-CH_2-\overset{-}{C}H-CO-SCoA \longrightarrow R-CH_2-CH=CH-CO-SCoA$$

:B—E ; FAD

Figure 24.12 • Mécanisme réactionnel de l'acyl-CoA déshydrogénase. La capture d'un proton du C α est suivie du transfert d'un hydrure du carbone β au FAD.

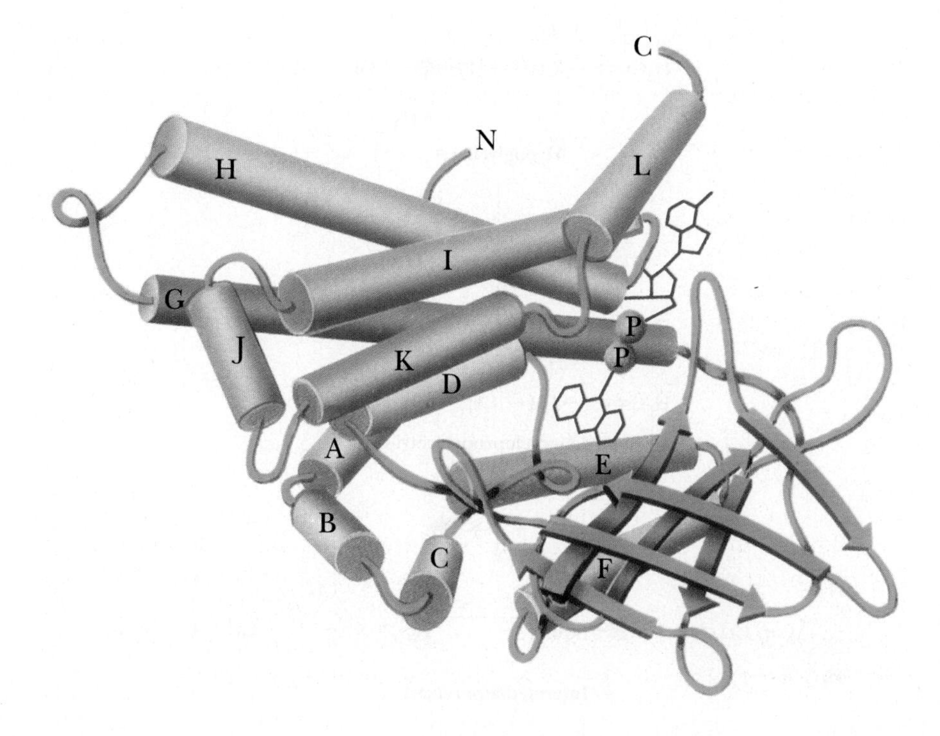

Figure 24.13 • Structure de l'acyl-CoA déshydrogénase du foie de porc, spécifique des chaînes de longueur moyenne. Remarquez l'emplacement du FAD lié (en rouge). *(D'après Kim, J.-T., et Wu, J., 1988. Structure of the medium-chain acyl-CoA dehydrogenase from pig liver mitochondria at 3-Å resolution.* Proceedings of the National Academy of Sciences, USA ***85** : 6671-6681.)*

POUR EN SAVOIR PLUS

L'akee

L'akee est un arbre originaire de l'Afrique de l'ouest, introduit ans les îles Caraïbes par les esclaves africains. William Bligh, l'exécrable capitaine du sinistre voilier le *Bounty*, le fit connaître à la communauté scientifique, d'où son nom botanique *Blighia sapida* (sapida, du latin *sapidus*, savoureux). Un des plats populaires dans les Antilles est à base de poisson de mer et d'akee.

« L'akee, le riz et le poisson, c'est bon, et le rhum c'est excellent tous les jours de l'année »
– *De la chanson*, Jamaica Farewell

(R.R. Head/Earth Scenes/Animals, Animals)

L'hypoglycine, un métabolite du fruit de l'Akee, inhibe l'acyl-CoA déshydrogénase

Le fruit non mûr de l'**Akee** contient un acide aminé particulier, **l'hypoglycine**, un analogue du glycocolle (Figure 24.14). Le métabolisme de cet acide aminé produit du *méthylènecyclopropylacétyl-CoA* (MCPA-CoA). Le MCPA-CoA est un substrat

Figure 24.14 • Conversion de l'hypoglycine du fruit de l'akee en un produit qui inhibe irréversiblement l'acyl-CoA déshydrogénase.

$H_2C{=}C{-}CH{-}CH_2{-}CH(NH_3^+){-}COO^-$ (cycle CH_2)

Hypoglycine A

↓ CoASH

$H_2C{=}C{-}CH{-}CH_2{-}C(=O){-}SCoA$ (cycle CH_2)

Méthylènecyclopropylacétyl-CoA (MCPA-CoA)

↓ H^+

$(H_2C{=})_2C^-{-}CH{=}CH{-}C(=O){-}SCoA \rightleftharpoons H_2C{=}C{-}CH{-}\bar{C}H{-}C(=O){-}SCoA$ (cycle CH_2)

Intermédiaire réactif

de l'acyl-CoA déshydrogénase qui catalyse normalement l'élimination d'un proton du carbone α (Figure 24.14), mais le produit de la réaction inactive irréversiblement l'enzyme en formant un dérivé covalent avec le FAD. La consommation du fruit de l'akee avant sa complète maturité provoque des vomissements, et dans les cas les plus sévères des convulsions, puis conduit au coma et à la mort. Les individus ayant un taux d'acyl-CoA déshydrogénase plutôt bas sont particulièrement sensibles.

L'ènoyl-CoA hydratase fixe une molécule d'eau sur la double liaison

L'étape suivante de la β-oxydation est l'addition stéréospécifique de H_2O sur la double liaison du produit de la réaction précédente ; **l'ènoyl-CoA hydratase** catalyse cette hydratation avec formation de l'hydroxyacyl-CoA. Au moins trois enzymes différents ayant une activité ènoyl-CoA hydratase sont actuellement connus. Ces enzymes, encore appelés **crotonases**, catalysent spécifiquement l'hydratation des dérivés *trans*-ènoyl-CoA en L-β-hydroxyacyl-CoA (Figure 24.15). Les crotonases peuvent aussi hydrater les dérivés *cis*-ènoyl-CoA, mais avec une vitesse beaucoup plus lente, et le produit de la réaction est alors le D-β-hydroxyacyl-CoA. Une ènoyl-CoA hydratase récemment découverte donne également du D-β-hydroxyacyl-CoA, mais à partir d'un *trans*-énoyl-CoA (Figure 24.15).

La L-hydroxyacyl-CoA déshydrogénase oxyde le groupe hydroxyle du carbone β

La troisième réaction de la β-oxydation oxyde le groupe hydroxyle en position β pour donner un β-cétoacyl-CoA. Cette réaction est catalysée par la **L-hydroxyacyl-CoA déshydrogénase**, un enzyme dont le coenzyme est le NAD^+. Le NADH formé au cours de la réaction représente l'énergie métabolique utilisable. Chacun de ces NADH produits dans la mitochondrie par cette réaction permet la synthèse de 2,5 ATP s'il est

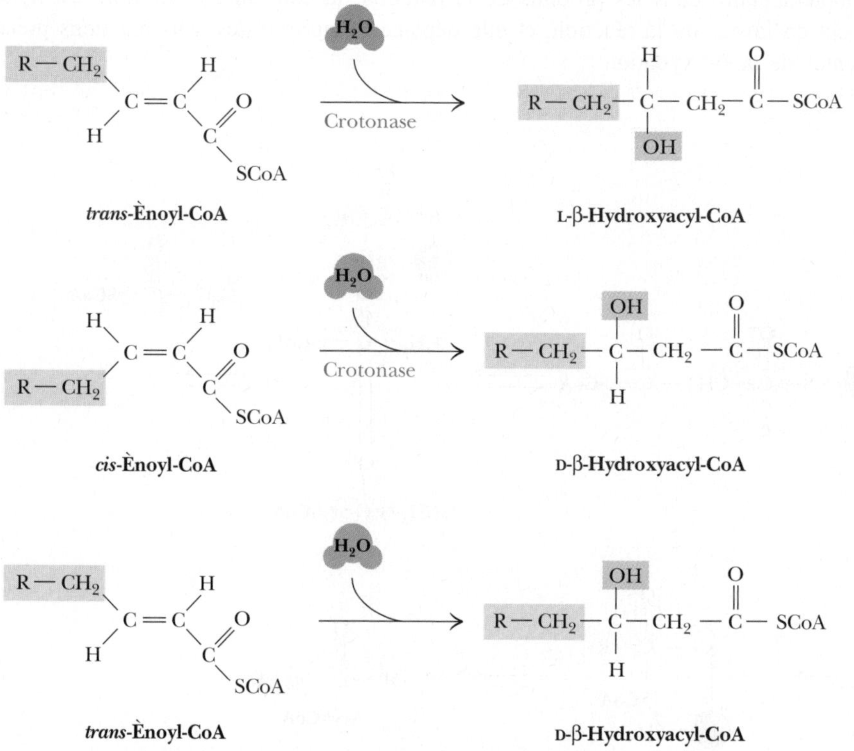

trans-Ènoyl-CoA → (H₂O, Crotonase) → L-β-Hydroxyacyl-CoA

cis-Ènoyl-CoA → (H₂O, Crotonase) → D-β-Hydroxyacyl-CoA

trans-Ènoyl-CoA → (H₂O) → D-β-Hydroxyacyl-CoA

Figure 24.15 • (a) Conversion des dérivés *trans-* et *cis*-ènoyl-CoA en, respectivement, L- et D-β-hydroxyacyl-CoA. Ces réactions sont catalysées par des ènoyl-CoA hydratases, ou crotonases, enzymes qui se différencient par leurs spécificités pour des acides gras à longueurs de chaînes différentes. (b) Un enzyme récemment découvert catalyse la conversion directe du *trans*-ènoyl-CoA en D-β-hydroxyacyl-CoA.

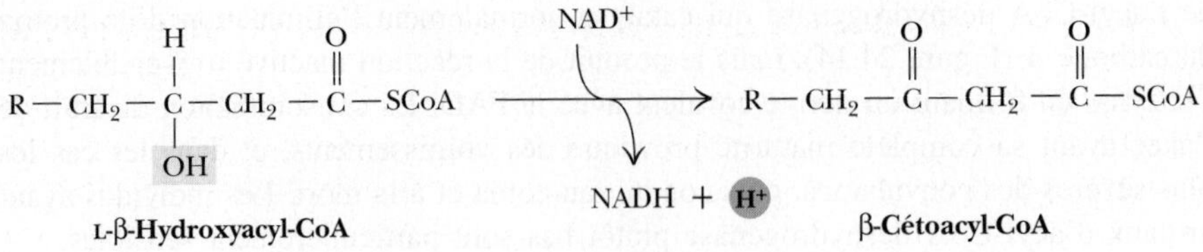

Figure 24.16 • Réaction catalysée par la L-β-hydroxyacyl-CoA déshydrogénase.

réoxydé par la voie du transport des électrons. La L-hydroxyacyl-CoA déshydrogénase est strictement spécifique des isomères L-hydroxyacyl du substrat (Figure 24.16). Nous verrons que les isomères D-hydroxyacyl provenant principalement de l'oxydation des acides gras insaturés sont métabolisés d'une façon différente.

Une thiolase clive les β-cétoacyl-CoA

La dernière étape de la β-oxydation est le clivage du β-cétoacyl-CoA. Cette réaction catalysée par une **thiolase** (appelée la ***β*-cétothiolase**) commence avec l'attaque du carbone β par le groupe thiol d'un résidu Cys de l'enzyme, suivie du clivage de l'intermédiaire formé. Cette première partie de la réaction aboutit à la formation d'un énolate de l'acétyl-CoA (qui s'isomérise en acétyl-CoA) et d'un enzyme-thioester covalent (Figure 24.17). Une nouvelle attaque par une seconde molécule de CoA et le départ de l'enzyme (sous forme de dérivé cystéine thiolate) libère une molécule d'acyl-CoA dont la chaîne est plus courte de deux atomes de carbone. Si la réaction de la Figure 24.17 est lue à l'envers, il est facile de voir qu'il s'agit d'une condensation classique de Claisen, c'est-à-dire de l'attaque d'une liaison thioester par la forme énolate d'un acétyl-CoA. Malgré la formation d'une liaison thioester supplémentaire dans les produits de la réaction, la constante d'équilibre est nettement en faveur de la réaction, et elle déplace l'équilibre des trois réactions précédentes de la β-oxydation.

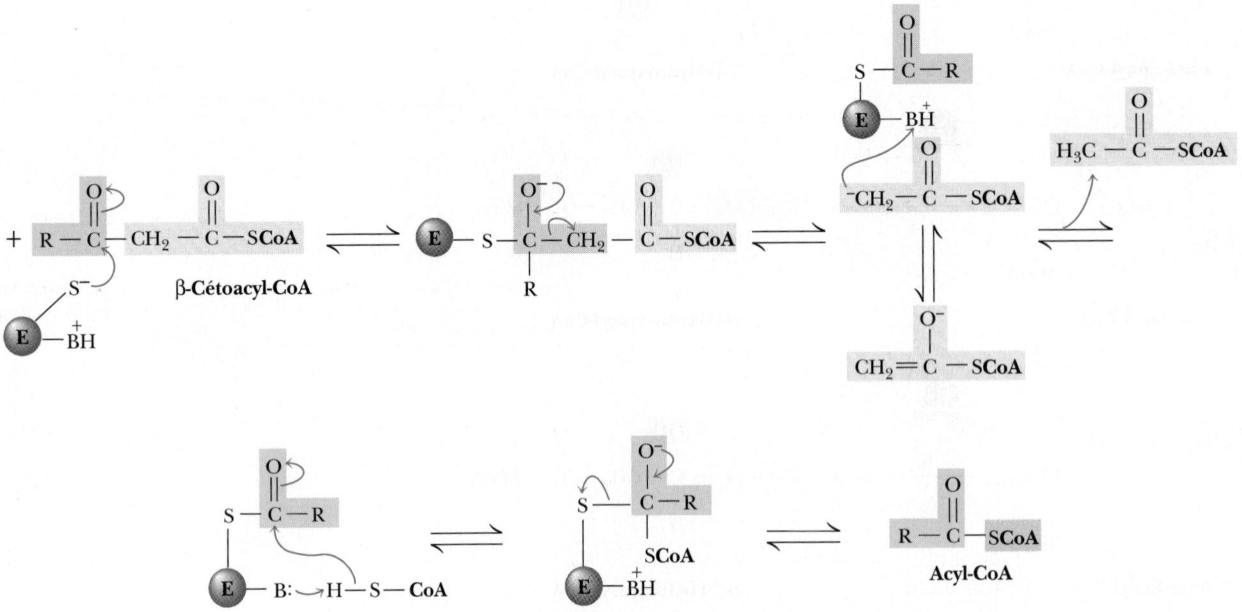

Figure 24.17 • Mécanisme réactionnel de la thiolase. Le groupe thiolate d'un résidu Cys de l'enzyme attaque le carbone du carbonyle β et produit un intermédiaire tétraédrique. Le départ de l'acétyl-CoA décompose l'intermédiaire tétraédrique et laisse un nouvel intermédiaire, un thioester de l'enzyme. Le groupe thiol d'un second CoA attaque ce dernier intermédiaire et forme un acyl-CoA raccourci d'un maillon à deux atomes de carbone.

La répétition des *β*-oxydations produit une succession d'unités acétate

Pour résumer, cette série de quatre réactions a donné un nouvel acide gras (thioester du CoA) raccourci d'un maillon à deux atomes de carbone et une molécule d'acétyl-CoA. Le nouvel acyl-CoA peut passer par un autre cycle de *β*-oxydation comme décrit Figure 24.10. La répétition de ce cycle, avec au départ un acide gras à nombre pair d'atomes de carbone, aboutira lors de la dernière étape à la formation de deux molécules d'acétyl-CoA. La *β*-oxydation complète de l'acide palmitique donne finalement huit molécules d'acétyl-CoA, sept molécules de $FADH_2$ et sept de NADH (Première équation, Tableau 24.2). L'acétyl-CoA peut ensuite être métabolisé par la voie du cycle de Krebs ou être utilisé comme substrat pour la synthèse des acides aminés (Chapitre 26). Nous avons signalé, Chapitre 23, que l'acétyl-CoA ne peut pas être un substrat pour la néoglucogénèse chez les mammifères.

L'oxydation complète d'une molécule d'acide palmitique peut fournir 106 molécules d'ATP

Si un acétyl-CoA est oxydé dans les mitochondries par la voie du cycle de Krebs, il peut permettre la formation d'environ 10 liaisons à haut potentiel énergétique, c'est-à-dire la formation de 10 ATP à partir de 10 ADP (Tableau 24.2). Si l'on inclut l'ATP formé à partir de $FADH_2$ et de NADH, l'oxydation complète d'une molécule de palmityl-CoA (*β*-oxydation, plus oxydation de l'acétyl-CoA dans les mitochondries) fournit 108 molécules d'ATP. Puisqu'il a fallu 2 liaisons à haut potentiel énergétique pour la formation du palmityl-CoA, l'oxydation complète d'une molécule d'acide palmitique permet la synthèse de 106 molécules d'ATP. Le $\Delta G°'$ de la combustion de l'acide palmitique en CO_2 est de –9.790 kJ/mol. L'énergie d'hydrolyse incorporée dans 106 molécules d'ATP est de $106 \times 30{,}5$ kJ/mol = 3.233 kJ/mol, soit un rendement global de 33 % dans les conditions de l'état standard. L'importante quantité d'énergie libérée par l'oxydation des acides gras reflète l'état hautement réduit des atomes de carbone dans ces molécules. Le rendement énergétique, exprimé par gramme de substance oxydée, est plus de 2 fois plus élevé pour les lipides que pour les glucides car les atomes de carbone des oses sont déjà partiellement oxydés. La dégradation des acides gras est régulée par des métabolites et des hormones. Cette régulation sera précisée Chapitre 25, en même temps que la régulation de la biosynthèse des acides gras.

Tableau 24.2

Équations de l'oxydation complète d'un palmityl-CoA en CO_2 et H_2O

Équations	Rendement en ATP	Rendement énergétique (kJ/mol)
$CH_3(CH_2)_{14}CO\text{–}CoA + 7\,[FAD] + 7\,H_2O + 7\,NAD^+ + 7\,CoA \longrightarrow$ 8 $CH_3CO\text{-}CoA + 7\,[FADH_2] + 7\,NADH + 7\,H^+$		
$7\,[FADH_2] + 10{,}5\,P_i + 10{,}5\,ADP + 3{,}5\,O_2 \longrightarrow$ $7\,[FAD] + 17{,}5\,H_2O + 10{,}5\,ATP$	10,5	320
$7\,NADH + 7\,H^+ + 17{,}5\,P_i + 17{,}5\,ADP + 3{,}5\,O_2 \longrightarrow$ $7\,NAD^+ + 24{,}5\,H_2O + 17{,}5\,ATP$	17,5	534
8-acétyl-CoA + $16\,O_2 + 80\,ADP + 80\,P_i \longrightarrow$ $8\,CoA + 88\,H_2O + 16\,CO_2 + 80\,ATP$	80	2440
$CH_3(CH_2)_{14}CO\text{–}CoA + 108\,P_i + 108\,ADP + 23\,O_2 \longrightarrow$ $108\,ATP + 16\,CO_2 + 130\,H_2O + CoA$	108	3294
« Coût » énergétique de la formation du palmityl-CoA	–2	–61
	106	3233

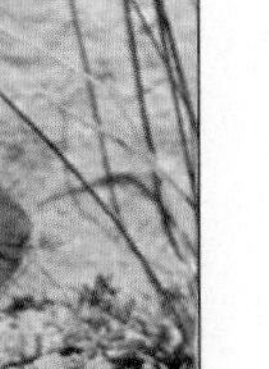

(a) Gerbille

Les oiseaux migrateurs parcourent de longues distances en utilisant l'énergie provenant de l'oxydation des acides gras

Les acides gras étant la forme la plus concentrée de réserve énergétique biologique, ils sont le carburant métabolique de choix pour les vols sur des distances incroyablement longues de certains oiseaux migrateurs. Certains oiseaux migrent en survolant des zones terrestres, ils peuvent donc s'alimenter fréquemment, mais d'autres espèces parcourent de longues distances sans avoir cette possibilité. Le pluvier doré américain vole directement de l'Alaska à Hawaï, un vol de 3.300 kilomètres effectué en 35 heures (une moyenne de près de 100 km/heure) nécessitant plus de 250.000 battements d'ailes ! Le colibri à gorge rouge, qui passe l'hiver en Amérique centrale et se reproduit dans le sud du Canada, doit survoler le golfe du Mexique, pratiquement sans arrêt. Ces oiseaux, et certains autres, peuvent accomplir ces vols prodigieux, en accumulant d'importantes réserves d'acides gras (de graisses) dans les jours qui précèdent leur vol migratoire. La masse des lipides accumulés peut représenter 70 % du poids sec de ces oiseaux (à comparer avec les 30 %, ou moins, des oiseaux non migrateurs).

(b) Colibri à gorge rouge

L'oxydation des acides gras est une importante source d'eau métabolique pour certains animaux

La formation d'une grande quantité d'eau d'origine métabolique accompagne la β-oxydation (130 H_2O par palmityl-CoA). Pour certains animaux, comme la gerbille des déserts ou l'orque (les cétacés ne boivent pas d'eau salée), l'eau résultant de l'oxydation des acides gras peut représenter une grande partie de l'eau qui leur est nécessaire. Un exemple frappant est donné par le chameau (Figure 24.18) dont les bosses sont essentiellement constituées de dépôts de graisse. Le métabolisme des acides gras qu'ils contiennent fournit l'eau (et l'énergie métabolique) indispensable pendant les périodes où l'eau de boisson vient à manquer. On peut dire que le « vaisseau du désert » fait route sur son eau métabolique !

(c) Pluvier doré

(d) Orque

(e) Chameaux

Figure 24.18 • Animaux dont l'existence dépend fortement de l'oxydation des acides gras : (a) gerbille, (b) colibri à gorge rouge, (c) pluvier doré, (d) orque (« tueur de baleine »), et (e) chameaux. *(a, Photo Researchers, Inc. ; b, Tom J. Ulrich/Visuals Unlimited ; c, S.J. Krasemann/Photo Researchers, Inc. ; d, © François Gohier/Photo Researchers, Inc. ; e, © George Holton/Photo Researchers, Inc.)*

24.3 • β-Oxydation des acides gras à nombre impair d'atomes de carbone

La β-oxydation des acides gras à nombre impair d'atomes de carbone produit du propionyl-CoA

Les acides gras à nombre impair d'atomes de carbone sont relativement rares chez les mammifères, mais sont assez communs dans les organismes marins et les plantes. Les humains et les animaux qui ingèrent des aliments de ces origines métabolisent tous les acides gras par β-oxydation, mais la réaction finale de l'oxydation des acides gras à nombre impair d'atomes de carbone, celle de la dernière thiolyse, donne à la fois de l'acétyl-CoA et du propionyl-CoA (l'acide propionique est une molécule à trois atomes de C). Trois réactions successives convertissent le propionyl-CoA en succinyl-CoA, un intermédiaire du cycle de Krebs. Cette séquence des réactions est aussi très importante dans le métabolisme des acides aminés car le propionyl-CoA est aussi produit lors de la dégradation de la méthionine, de la valine et de l'isoleucine (Chapitre 26). La séquence débute par une carboxylation du carbone α du propionyl-CoA, ce qui produit du D-méthylmalonyl-CoA (Figure 24.19). La réaction est catalysée par la **propionyl-CoA carboxylase**, un enzyme à biotine. Le mécanisme réactionnel passe par une carboxylation de l'azote N_1 de la biotine (l'énergie nécessaire provient de l'hydrolyse d'un ATP, voir Chapitre suivant), laquelle est suivie d'une attaque nucléophile du C de la N-carboxybiotine par le carbanion en α du propionyl-CoA.

Le produit de la réaction, le D-méthylmalonyl-CoA, est isomérisé en L-méthylmalonyl-CoA par la **méthylmalonyl-CoA épimérase** (Figure 24.19). Cet enzyme est parfois, et improprement, appelé la « méthylmalonyl-CoA racémase ». Ce n'est pas une racémase car la partie CoA contient cinq autres centres d'asymétrie qui sont conservés. Le mécanisme réactionnel semble passer par la formation d'un carbanion en position α (Figure 24.20). La réaction est facilement réversible et implique une dissociation réversible du proton en α qui a un caractère acide. L'isomère L est finalement le substrat de la méthylmalonyl-CoA mutase. La méthymalonyl-CoA épimérase a une activité catalytique impressionnante. Le pK_a de la dissociation du proton qui amorce la réaction est d'environ 21 ! Si la liaison d'un proton au carbanion α est seulement limitée par la vitesse de diffusion, avec $k_{\text{lié}} = 10^9\ M^{-1}\ s^{-1}$, la vitesse de la dissociation initiale du proton est la vitesse limitante et la constante de vitesse doit être :

$$k_{\text{libre}} = K_a \cdot k_{\text{lié}} = (10^{-21}\ M) \cdot (10^9\ M^{-1}\ s^{-1}) = 10^{-12}\ s^{-1}$$

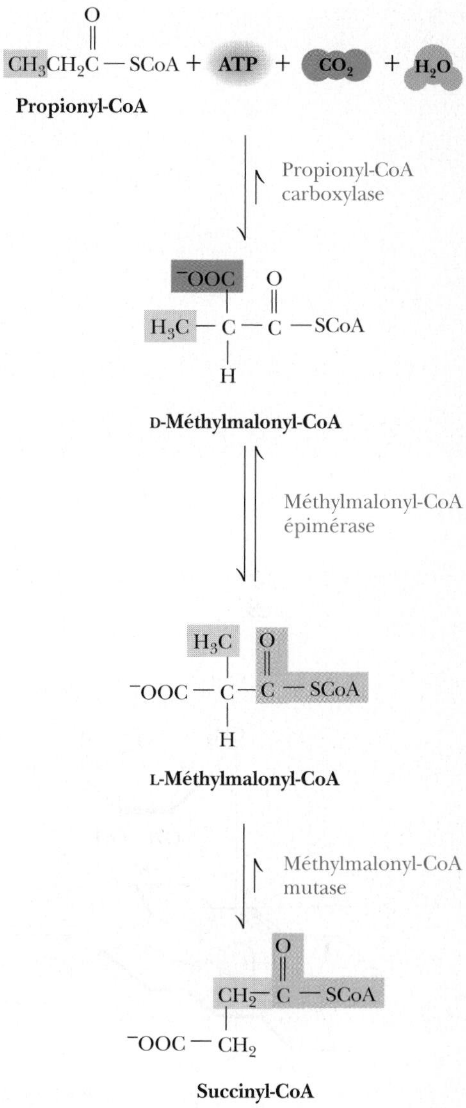

(S)-Méthylmalonyl-CoA

(R)-Méthylmalonyl-CoA

Carbanion intermédiaire stabilisé par résonance

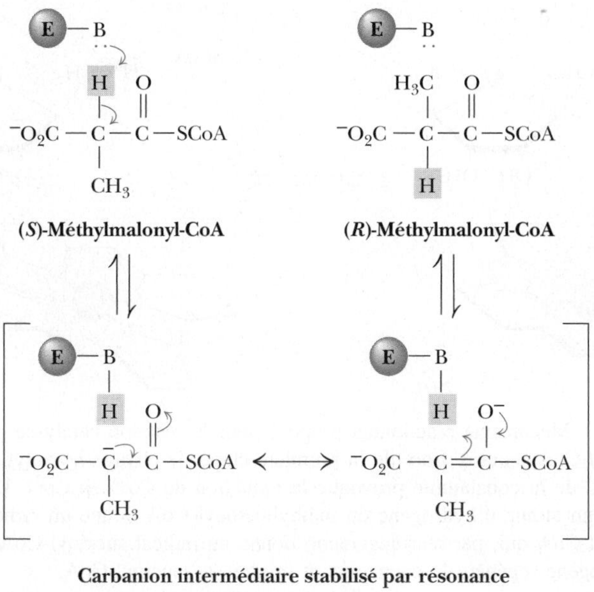

Figure 24.20 • Le mécanisme réactionnel de la méthylmalonyl-CoA épimérase implique la formation d'un carbanion en position α, stabilisé par résonance.

Propionyl-CoA

Propionyl-CoA carboxylase

D-Méthylmalonyl-CoA

Méthylmalonyl-CoA épimérase

L-Méthylmalonyl-CoA

Méthylmalonyl-CoA mutase

Succinyl-CoA

Figure 24.19 • Conversion du propionyl-CoA (formé par la β-oxydation des acides gras à nombre impair d'atomes de carbone) en succinyl-CoA. Trois enzymes interviennent successivement. Le succinyl-CoA peut entrer dans le cycle de Krebs ou être oxydé en acétyl-CoA.

La constante catalytique de la méthylmalonyl-CoA épimérase est de 100 s^{-1}, et donc la vitesse de la réaction catalysée par l'enzyme est accrue d'un facteur 10^{14}.

Le réarrangement intramoléculaire du l-méthylmalonyl-CoA par un enzyme à vitamine B_{12} donne du succinyl-CoA

La troisième réaction, catalysée par la **méthylmalonyl-CoA mutase**, est d'un type peu commun puisqu'elle se traduit par le déplacement du groupe carbonyl-CoA d'un atome de carbone sur l'atome de carbone voisin (Figure 24.21). L'enzyme exige la présence de la vitamine B_{12} et la réaction commence par le clivage homolytique de la liaison Co^{3+}–C de la cobalamine, ce qui réduit l'ion cobalt en Co^{2+}. Le transfert d'un atome d'hydrogène du substrat au groupe désoxyadénosyle produit la formation d'un radical méthylmalonyl-CoA qui subit ensuite un réarrangement pour donner le radical succinyl-CoA. Ce dernier capte le proton du groupe désoxyadénosyle, ce qui donne le succinyl-CoA et régénère le coenzyme (la vitamine B_{12}).

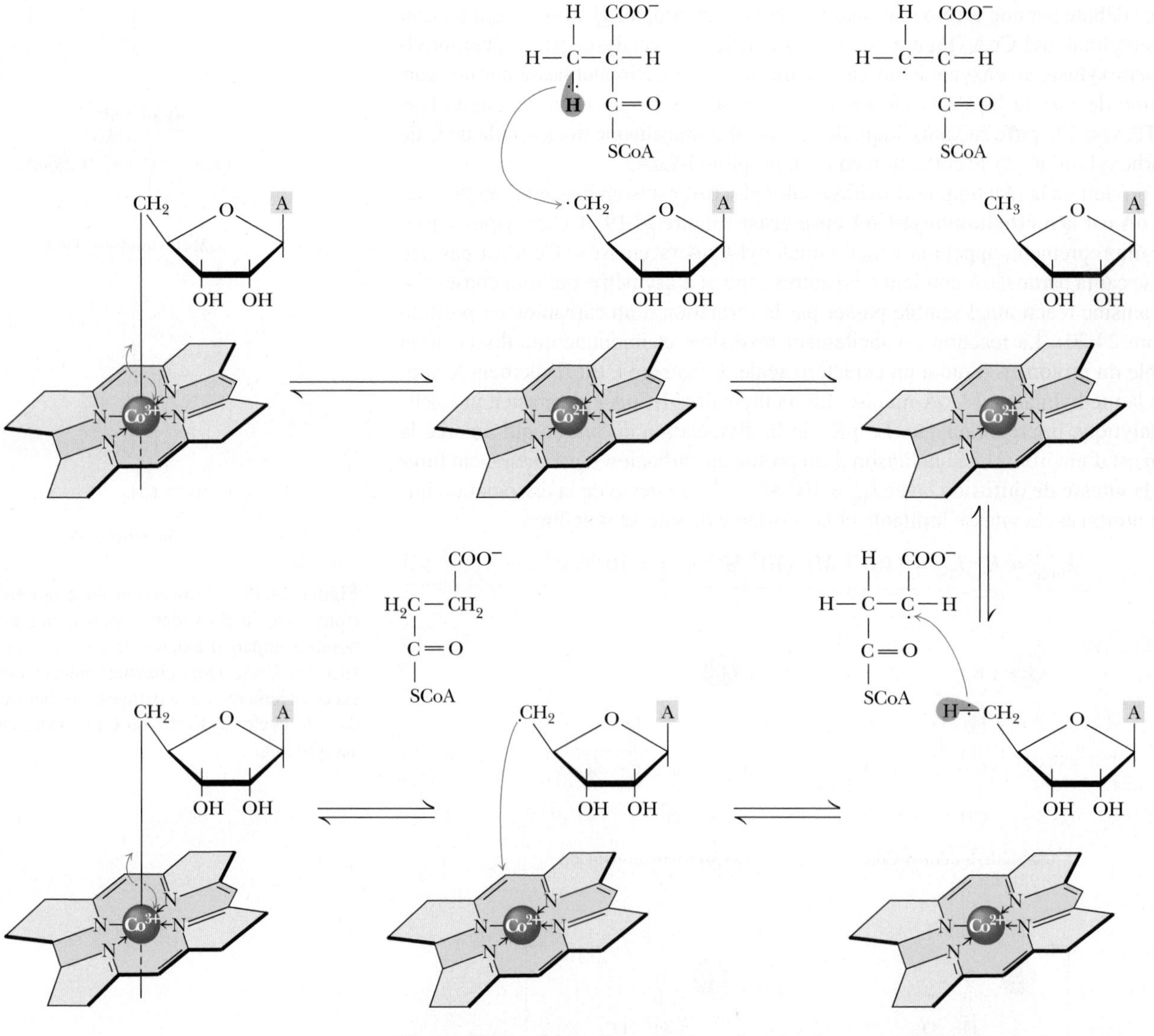

Figure 24.21 • Mécanisme réactionnel proposé pour la réaction catalysée par la méthylmalonyl-CoA mutase. Lors de la première étape, le clivage homolytique de la liaison Co^{3+}–C de la cobalamine provoque la réduction de Co^{3+} en Co^{2+}. Le transfert vers l'adénosine d'un atome d'hydrogène du méthylmalonyl-CoA donne un radical méthylmalonyl-CoA qui, par réarrangement, donne un radical succinyl-CoA. Le retour d'un atome d'hydrogène régénère le coenzyme et produit le succinyl-CoA.

POUR EN SAVOIR PLUS

L'activation de la vitamine B_{12}

La conversion de la *vitamine B_{12}* inactive en sa forme active la 5′-désoxyadénosylcobalamine semble s'effectuer en trois étapes. Deux flavoprotéines réductases réduiraient successivement le Co^{3+} de l'hydroxycobalamine à l'état Co^{2+} puis Co^+. Co^+ est un nucléophile puissant. Il attaque l'atome de carbone 5′ de l'ATP selon le schéma ci-dessous ; le clivage produit un anion triphosphate et la 5′-désoxycyanocobalamine. Comme deux électrons reviennent sur la liaison Co–C, l'ion cobalt redevient Co^{3+} dans la forme active du coenzyme. Cette réaction de clivage est l'un des deux cas connus de transfert du groupe adénosyle (par attaque nucléophile du C-5′ du ribose dans l'ATP). L'autre cas est celui de la formation de la S-adénosylméthionine.

La formation du coenzyme actif, la 5′-désoxyadénosylcobalamine à partir de la vitamine B_{12} inactive, débute par des réactions successives catalysées par deux flavoprotéines réductases. L'espèce Co^+, dite supernucléophile, attaque le carbone 5′ de l'ATP et produit un transfert peu commun de l'adénosyle.

L'oxydation complète du succinyl-CoA exige sa conversion préalable en acétyl-CoA

Le succinyl-CoA provenant du propionyl-CoA peut entrer dans le cycle de Krebs. L'oxydation du succinate en oxalo-acétate fournit un substrat permettant la synthèse du glucose. Ainsi, alors que les unités acétate produites par β-oxydation ne peuvent pas être utilisées pour la synthèse nette de glucose, les unités propionate produites lors de l'oxydation des acides gras à nombre impair d'atomes de carbone *peuvent* être utilisées pour la synthèse du glucose. Le succinate, provenant de ces acides gras et introduit dans le cycle des acides tricarboxyliques, peut aussi être oxydé en CO_2. La nécessaire régénération des molécules à quatre atomes de C du cycle de Krebs fait qu'il faut plutôt considérer ces molécules comme ayant surtout un rôle catalytique. La dégradation complète du succinyl-CoA ne s'effectue donc pas directement dans le cycle de Krebs. Le succinyl-CoA provenant du propionyl-CoA doit d'abord être converti en malate, puis en pyruvate, et enfin en acétyl-CoA (qui peut être complètement oxydé par la voie du cycle de Krebs). Cette voie n'est pas directe non plus. Le succinyl-CoA passe d'abord dans le cycle où il donnera du malate selon la séquence normale. Ce malate est alors transféré de la matrice mitochondriale vers le cytosol où il sera décarboxylé en CO_2 et pyruvate par une réaction d'oxydation

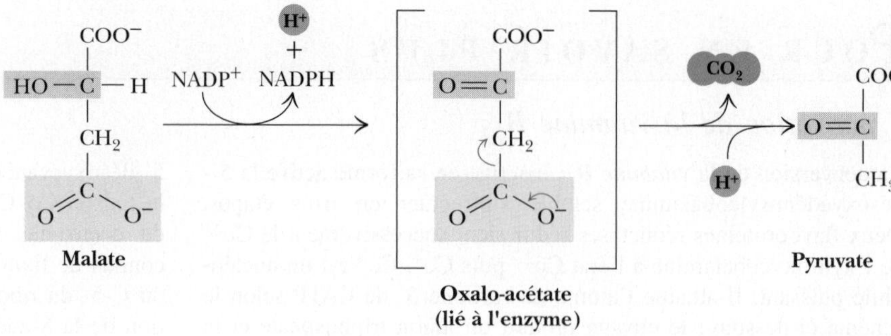

Figure 24.22 • La réaction catalysée par l'enzyme malique oxyde d'abord le malate en oxalo-acétate, puis la décarboxylation de l'oxalo-acétate lié à l'enzyme donne du pyruvate.

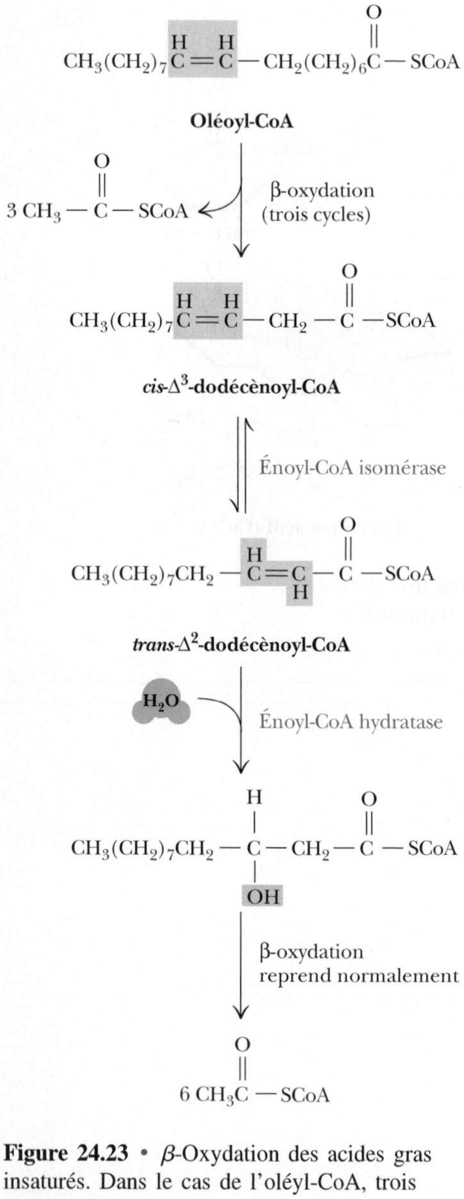

décarboxylante catalysée par l'**enzyme malique** (Figure 24.22). Le pyruvate sera ensuite transporté vers la matrice mitochondriale où passera dans le cycle de Krebs après action de la pyruvate déshydrogénase. Notez que l'enzyme malique intervient également dans la synthèse des acides gras (voir Figure 25.1).

24.4 • *β*-Oxydation des acides gras insaturés

Une isomérase et une réductase facilitent la *β*-oxydation des acides gras insaturés

Comme les acides gras saturés, les acides gras insaturés sont catabolisés par *β*-oxydation, mais il faut deux enzymes supplémentaires – une isomérase et une nouvelle réductase, toutes deux mitochondriales – pour éliminer les doubles liaisons *cis* présentes dans les acides gras naturels. Considérons par exemple la dégradation de l'acide oléique, un acide gras dont la chaîne contient 18 atomes de carbone et une double liaison en position 9,10. Pendant trois cycles d'oxydation, les réactions s'effectuent normalement, produisant trois molécules d'acétyl-CoA et un *cis*-Δ^3-dodécènoyl-CoA (Figure 24.23). Cet intermédiaire n'est pas un substrat de l'acyl-CoA déshydrogénase. Avec une double liaison déjà présente en position 3,4, il n'est pas possible de former une nouvelle double liaison en position 2,3 (en *β*). Le problème est résolu par l'**ènoyl-CoA isomérase**, un enzyme qui catalyse le réarrangement de la double liaison *cis*-Δ^3 en double liaison *trans*-Δ^2 (Figure 24.23). Cette dernière molécule suit la voie normale de la *b*-oxydation.

La dégradation des acides gras polyinsaturés requiert l'action d'une 2,4 diènoyl-CoA réductase

La dégradation des acides gras polyinsaturés est un peu plus complexe. Examinons le cas de l'acide linoléique (Figure 24.24). Comme pour l'acide oléique, après les trois premiers cycles de la *β*-oxydation, une ènoyl-CoA isomérase convertit la double liaison *cis*-Δ^3 en double liaison *trans*-Δ^2 ce qui permet un cycle de *β*-oxydation supplémentaire. Mais le produit final est cette fois un *cis*-Δ^4 ènoyl-CoA qui sera normalement oxydé par l'acyl-CoA déshydrogénase en un *trans*-Δ^2, *cis*-Δ^4 acyl-CoA. Ce dernier est un mauvais substrat de l'ènoyl-CoA hydratase. Cette difficulté est résolue par une **2,4-diènoyl-CoA réductase**, un enzyme qui, selon les organismes, catalyse deux types de réactions. Chez les mammifères, l'enzyme, en présence de NADPH, réduit le *trans*-Δ^2, *cis*-Δ^4 diènoyl-CoA en *trans*-Δ^3 ènoyl-CoA qui sous l'action d'une ènoyl-CoA isomérase donnera le *trans*-Δ^2 ènoyl-CoA, et la *β*-oxydation se poursuivra normalement. Chez *Escherichia coli*, la 2,4-ènoyl-CoA réductase a une activité différente, l'enzyme catalyse la réduction de la double liaison *cis*-Δ^4 en donnant directement, donc en une seule étape, le *trans*-Δ^2 ènoyl-CoA.

Figure 24.23 • *β*-Oxydation des acides gras insaturés. Dans le cas de l'oléyl-CoA, trois cycles de *β*-oxydation produisent trois molécules d'acétyl-CoA et une molécule de *cis*-Δ^3-dodécènoyl-CoA que l'ènoyl-CoA isomérase transformera en *trans*-Δ^2-décènoyl-CoA. Ensuite, la *β*-oxydation se poursuivra normalement.

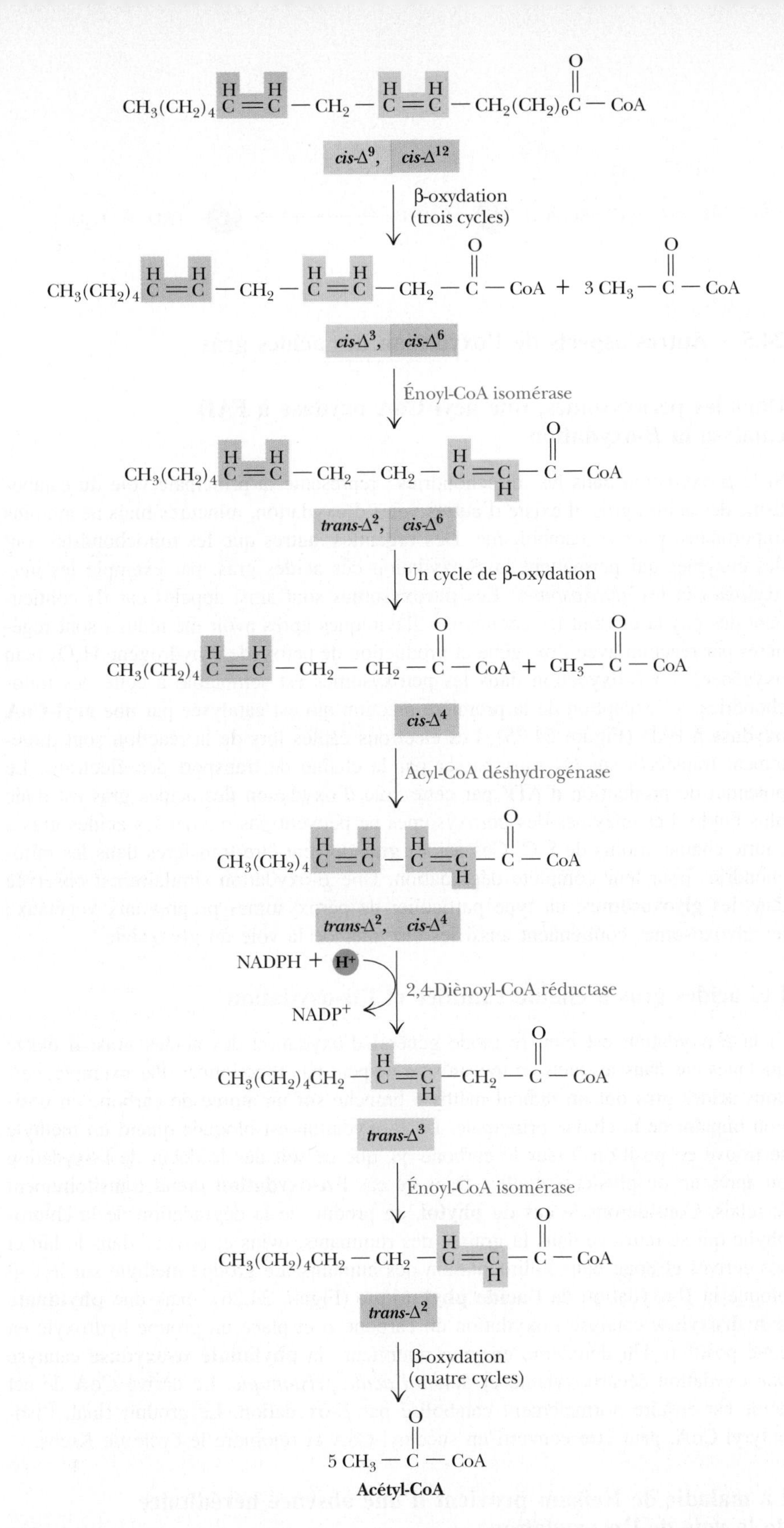

Figure 24.24 • Voie de l'oxydation des acides gras polyinsaturés, exemple de l'acide linoléique. Trois cycles de β-oxydation du linoléyl-CoA donnent un métabolite intermédiaire, *cis*-Δ^3,*cis*-Δ^6, qu'une isomérase transforme en un dérivé *trans*-Δ^2,*cis*-Δ^6. Un nouveau cycle de β-oxydation produit le *cis*-Δ^4-ènoyl-CoA qui est oxydé en *trans*-Δ^2,*cis*-Δ^4-ènoyl-CoA par l'acyl-CoA déshydrogénase. Il faut à présent l'intervention de la 2,4 diènoyl-CoA réductase qui réduit le substrat en *trans*-Δ^3-ènoyl-CoA. Ce dernier est isomérisé en dérivé *trans*-Δ^2 par l'ènoyl-CoA isomérase. La β-oxydation produira ensuite cinq molécules d'acétyl-CoA.

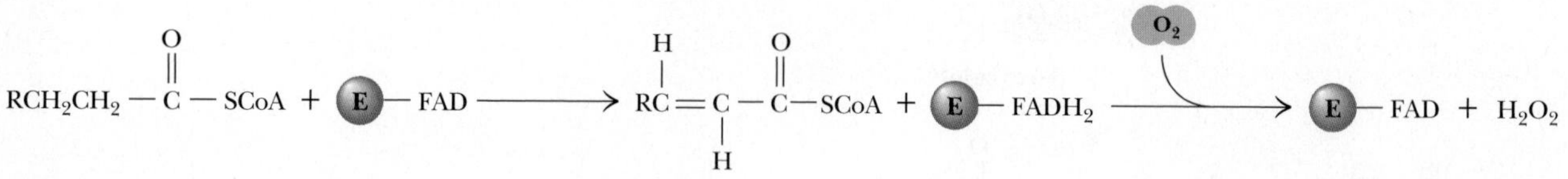

$$RCH_2CH_2-\overset{\overset{O}{\|}}{C}-SCoA + \text{(E)}-FAD \longrightarrow \overset{H}{\underset{}{RC}}=\underset{H}{C}-\overset{\overset{O}{\|}}{C}-SCoA + \text{(E)}-FADH_2 \xrightarrow{O_2} \text{(E)}-FAD + H_2O_2$$

Figure 24.25 • Réaction catalysée par l'acyl-CoA déshydrogénase (enzyme flavinique auto-oxydable) dans les peroxysomes.

24.5 • Autres aspects de l'oxydation des acides gras

Dans les peroxysomes, une acyl-CoA oxydase à FAD catalyse la β-oxydation

Si la β-oxydation dans les mitochondries [1] représente la principale voie du catabolisme des acides gras, il existe d'autres voies d'oxydation, mineures mais néanmoins importantes, pour ce catabolisme. Des organites, autres que les mitochondries, ont des enzymes qui permettent la β-oxydation des acides gras, par exemple les *peroxysomes* et les *glyoxosomes*. Les **peroxysomes** sont ainsi appelés car ils contiennent des oxydases dont les coenzymes flaviniques après avoir été réduits sont régénérés par réaction avec l'oxygène et production de peroxyde d'hydrogène H_2O_2 (eau oxygénée). La β-oxydation dans les peroxysomes est semblable à celle des mitochondries, à l'exception de la première réaction qui est catalysée par une **acyl-CoA oxydase** à FAD (Figure 24.25). Les électrons captés lors de la réaction sont directement transférés sur O_2 sans passer par la chaîne de transport des électrons. Le potentiel de production d'ATP par cette voie d'oxydation des acides gras est donc plus faible. Les enzymes des peroxysomes ne peuvent pas oxyder les acides gras à courte chaîne, moins de 8 C. Ces acides gras doivent être transférés dans les mitochondries pour leur complète dégradation. Une β-oxydation similaire est observée dans les **glyoxosomes**, un type particulier de peroxysomes propres aux végétaux ; les glyoxosomes contiennent aussi les enzymes de la voie du glyoxalate.

Les acides gras à chaîne ramifiée et l'α-oxydation

Si la β-oxydation est bien le mode général d'oxydation des acides gras, il existe quelques cas dans lesquels ce mécanisme ne peut pas fonctionner. Par exemple, certains acides gras ont un radical méthyle branché sur un atome de carbone en position impaire de la chaîne principale. La β-oxydation est bloquée quand un méthyle se trouve en position 3 (sur le carbone γ), que ce soit dès le début de l'oxydation ou après un ou plusieurs cycles. Dans ce cas l'**α-oxydation** prend transitoirement le relais. Considérons le cas du **phytol**, un produit de la dégradation de la chlorophylle qui se retrouve dans la graisse des ruminants, ovins et bovins, dans le lait et ses dérivés et donc dans l'alimentation des humains. Le groupe méthyle sur le C-3 bloque la β-oxydation de l'**acide phytanique** (Figure 24.26), mais une **phytanate α-hydroxylase** catalyse l'oxydation du carbone α et place un groupe hydroxyle en cette position. Un deuxième enzyme intervient : la **phytanate α-oxydase** catalyse une oxydation décarboxylante et donne *l'acide pristanique*. Le dérivé CoA de cet acide est ensuite normalement catabolisé par β-oxydation. Le produit final, l'isobutyryl-CoA, peut être converti en succinyl-CoA et rejoindre le cycle de Krebs.

La maladie de Refsum provient d'une absence héréditaire de la voie de l'α-oxydation

La **maladie de Refsum**, une maladie génétique, se caractérise par des troubles de la vision nocturne, des convulsions et d'autres anomalies neurologiques. Les symptômes résultent de l'accumulation de l'acide phytanique dans les lipides de l'organisme par

[1] La β-oxydation est une voie peu active dans les mitochondries végétales.

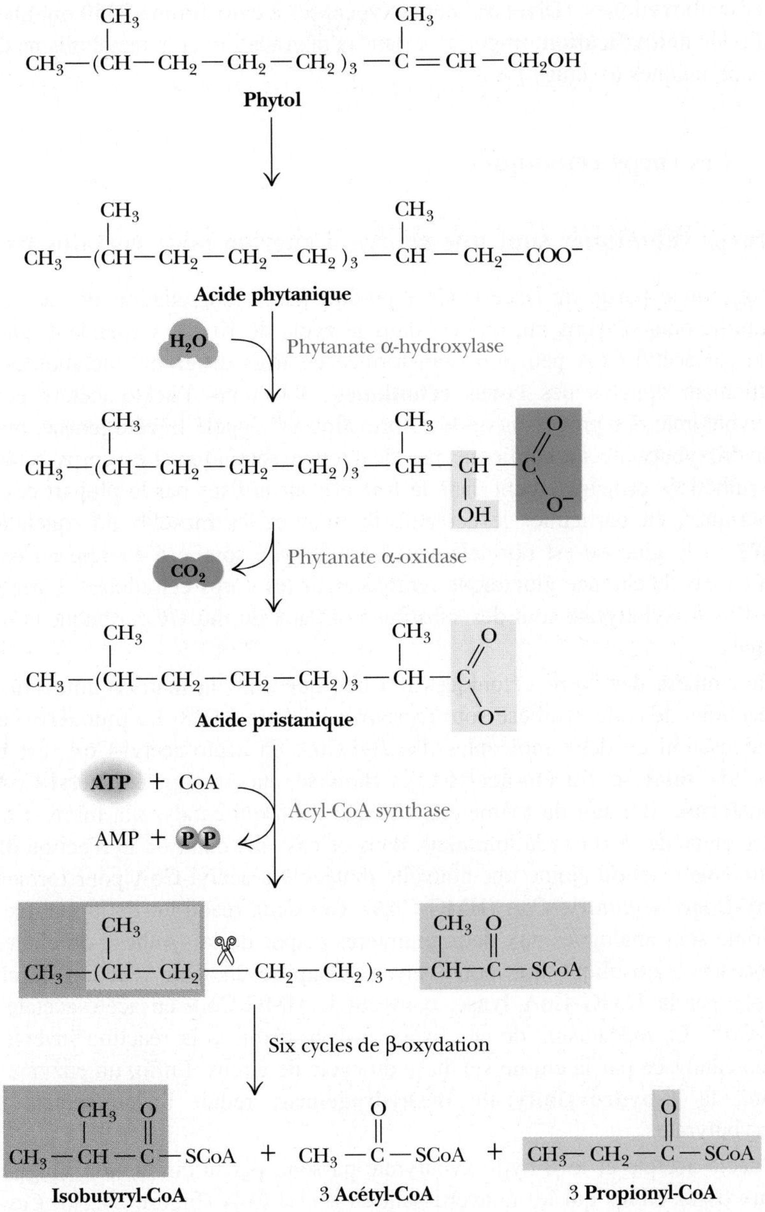

Phytol

Acide phytanique

H_2O — Phytanate α-hydroxylase

Phytanate α-oxidase — CO_2

Acide pristanique

ATP + CoA → AMP + PP — Acyl-CoA synthase

Six cycles de β-oxydation

Isobutyryl-CoA + 3 Acétyl-CoA + 3 Propionyl-CoA

Figure 24.26 • Les acides gras ramifiés sont oxydés par α-oxydation, une réaction illustrée par l'oxydation de l'acide phytanique. L'acide pristanique, produit de la réaction catalysée par la phytanate oxydase, est un substrat de la β-oxydation classique. L'isobutyryl-CoA et le propionyl-CoA peuvent être convertis en succinyl-CoA qui peut rejoindre le cycle de Krebs.

suite de l'absence de la voie de l'α-oxydation. Le seul traitement préventif connu de la maladie est une alimentation dépourvue de chlorophylle, le précurseur de l'acide phytanique. C'est un régime très difficile à suivre car non seulement tous les végétaux verts doivent être exclus, mais également la viande de bœuf, porc et volaille, ces animaux se nourrissant de végétaux.

L'ω-oxydation des acides gras permet la synthèse de petites quantités d'acides dicarboxyliques

L'oxydation du carbone terminal des acides gras, un processus appelé l'*w*-oxydation, permet la synthèse de petites quantités d'acides gras dicarboxyliques dans la membrane du réticulum endoplasmique (Figure 24.27). Cette réaction catalysée par le **cytochrome P-450**, une monooxygénase à NADPH, hydroxyle en présence de O_2 le C terminal de la chaîne. Une seconde oxydation oxyde l'alcool formé en groupe carboxyle. L'une des deux extrémités de l'acide dicarboxylique peut être liée à du CoA ; le dérivé peut alors subir la β-oxydation et être à l'origine de la formation de différents petits

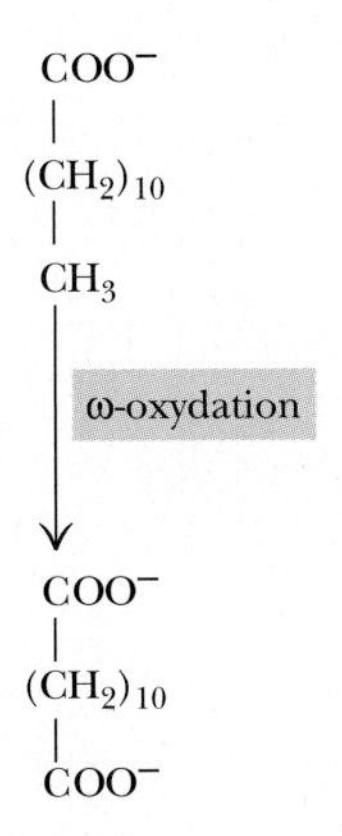

Figure 24.27 • Des acides dicarboxyliques peuvent être synthétisés par oxydation du groupe méthyle terminal des acides gras (en position ω). La réaction est catalysée par un enzyme à cytochrome P450.

acides dicarboxyliques. (Diverses monooxygénases à cytochrome P450 ont une fonction, dite de **détoxification,** importante dans la dégradation et le métabolisme de substances organiques toxiques.)

24.6 • Les corps cétoniques

Les corps cétoniques sont une source d'énergie pour certains tissus

La plus grande partie de l'acétyl-CoA produit par la dégradation des acides gras est, comme nous l'avons vu, oxydée dans le cycle de Krebs. Cependant, une fraction de cet acétyl-CoA peut être transformée en trois différents métabolites traditionnellement appelés des **corps cétoniques**: l'acétone, l'acéto-acétate et le β-hydroxybutyrate. Le processus de leur formation est appelé la **cétogenèse**, bien que le β-hydroxybutyrate ne contienne pas de groupe cétonique. Les corps cétoniques sont synthétisés principalement dans le foie et sont utilisés par la plupart des tissus périphériques, en particulier le cerveau, le cœur et les muscles du squelette. Par exemple, si le glucose est normalement la principale source d'énergie du cerveau, il sera en cas de carence glucidique remplacé par les corps cétoniques. L'acéto-acétate et l'hydroxybutyrate sont des substrats normaux du muscle cardiaque et du cortex rénal.

La synthèse des corps cétoniques n'a lieu que dans la matrice mitochondriale. Les réactions de cette synthèse sont regroupées Figure 24.28. La première réaction, la condensation de deux molécules d'acétyl-CoA en acéto-acétyl-CoA, est catalysée par une **thiolase**, l'**acéto-acétyl-CoA thiolase**, encore appelée **acétyl-CoA acétyltransférase**. Il s'agit du même enzyme que celui qui catalyse la thiolyse dans la dernière étape de la β-oxydation, mais, dans ce cas, elle catalyse la réaction inverse. La deuxième réaction ajoute une nouvelle molécule d'acétyl-CoA pour former le *β-hydroxy-β-méthylglutaryl-CoA* (HMG-CoA). Ces deux réactions de la matrice mitochondriale sont analogues aux deux premières étapes de la synthèse du cholestérol, un processus cytosolique que nous verrons Chapitre 25. Une réaction de clivage, catalysée par la **HMG-CoA lyase**, convertit le HMG-CoA en acéto-acétate et en acétyl-CoA. Le mécanisme de ce clivage est semblable à la réaction inverse de la réaction catalysée par la citrate synthase du cycle de Krebs. Enfin, un enzyme membranaire, la **β-hydroxybutyrate déshydrogénase**, réduit l'acéto-acétate en β-hydroxybutyrate.

L'acéto-acétate et le β-hydroxybutyrate passent, par la circulation sanguine, du foie aux tissus cibles qui les convertissent en acétyl-CoA (Figure 24.29). *Ces corps cétoniques constituent une forme d'acide gras facilement transportable, véhiculée par la circulation sanguine, sans être complexée par la sérum albumine ou par les autres protéines qui lient les acides gras.*

Les corps cétoniques et le diabète sucré

Le **diabète sucré** est la maladie d'origine endocrine la plus fréquente. Aux États-Unis cette maladie est la troisième cause de décès prématuré, avec environ 6 millions de cas diagnostiqués et probablement plus de 4 millions de cas prédiabétiques non diagnostiqués. Le diabète se caractérise par une concentration anormalement élevée du glucose sanguin. On distingue les diabètes de type I et de type II. Dans le **diabète de type I** (près de 10 % des cas), les cellules β des îlots de Langerhans (dans le pancréas) ne sécrètent pas suffisamment d'insuline lorsque cela est nécessaire, il en résulte un taux élevé du glucose sanguin. Dans le **diabète de type II** (au moins 90 % des cas), non insulino-dépendant, la glycémie élevée résulte de l'insensibilité à l'insuline des tissus périphériques. La sécrétion d'insuline est généralement normale, ou plus élevée que la normale, mais les récepteurs de l'insuline du foie et des tissus périphériques, souvent moins nombreux, ne répondent pas à la

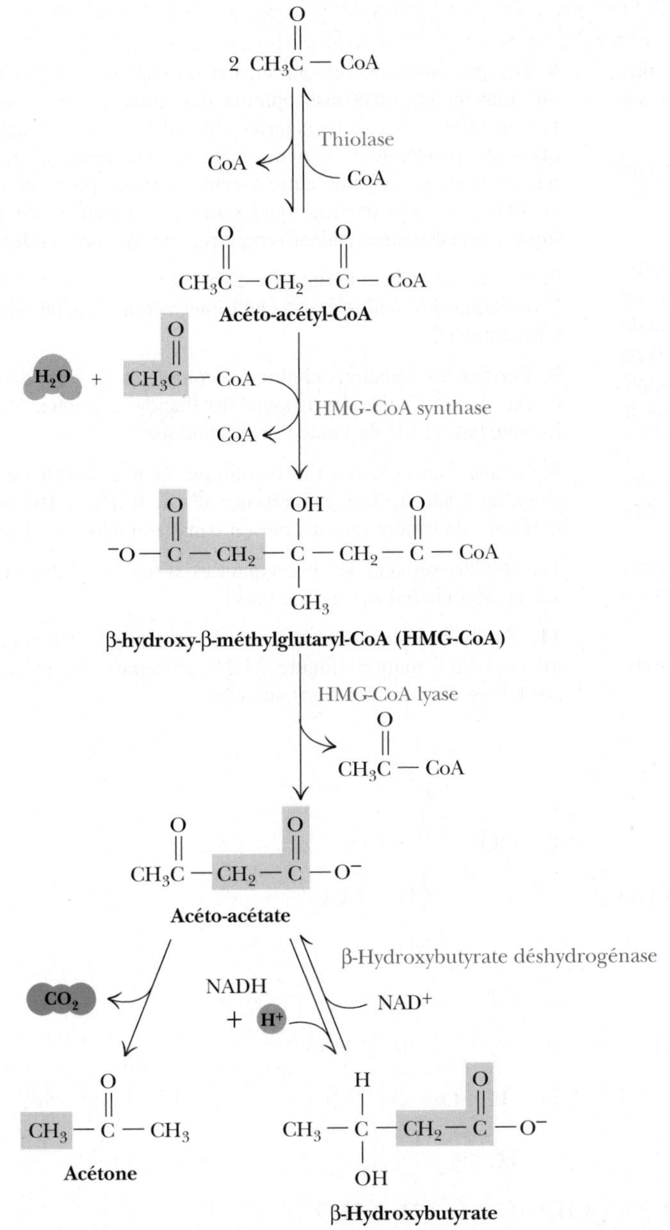

Figure 24.28 • Formation des corps cétoniques. Leur synthèse s'effectue principalement dans les mitochondries du foie.

présence de l'hormone (voir Chapitre 34). Dans les deux types de diabètes, le transport du glucose dans les cellules hépatiques, musculaires et du tissu adipeux, est très réduit ; en dépit de l'abondance du glucose dans le sang, ces cellules sont en état de carence métabolique. En réponse à cette carence, la néoglucogenèse, le catabolisme des acides gras et celui des protéines sont activés. Dans le diabète de type I, la stimulation de la néoglucogenèse consomme la plus grande partie de l'oxalo-acétate cellulaire et la dégradation des acides gras (et celle moins importante des protéines) produit une grande quantité d'acétyl-CoA. Normalement l'acétyl-CoA serait oxydé par la voie du cycle de Krebs, mais la concentration de l'oxalo-acétate est devenue trop faible et l'acétyl-CoA est utilisé pour la synthèse d'une grande quantité de corps cétoniques. L'haleine des diabétiques de type I a souvent une odeur d'acétone (produite par décarboxylation spontanée de l'acéto-acétate) qui signale une forte concentration de corps cétoniques dans le plasma sanguin.

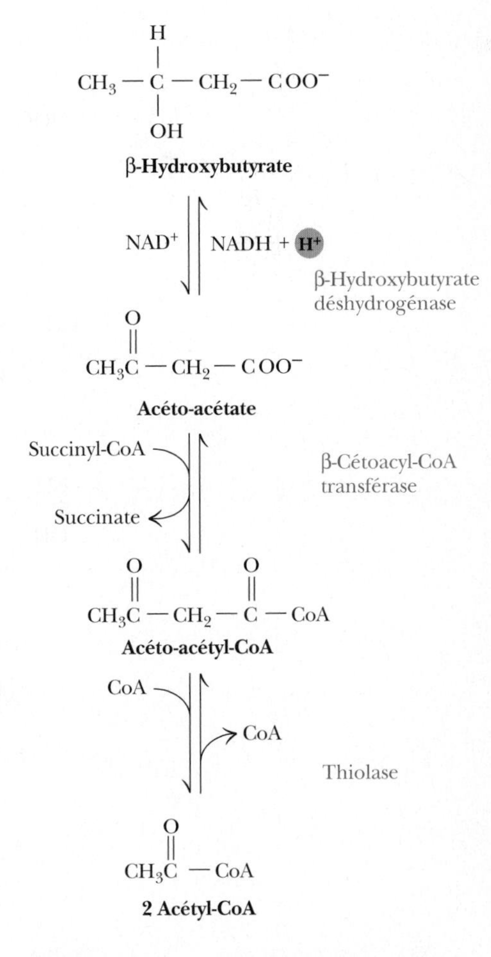

Figure 24.29 • La reconversion des corps cétoniques en acétyl-CoA dans les mitochondries de nombreux tissus (autres que le foie) fournit un apport significatif d'énergie.

EXERCICES

1. Calculez le volume de l'eau d'origine métabolique dont peut disposer un chameau transportant 13,5 kg de triglycérides dans ses bosses ?

2. Calculez le nombre approximatif de molécules d'ATP qui peuvent être synthétisées à la suite de l'oxydation complète de l'acide *cis*-11-heptadécènoïque.

3. L'acide phytanique, le produit de la dégradation de la chlorophylle qui est nocif pour les personnes atteintes de la maladie de Refsum est l'acide 3,7,11,15-tétraméthylhexadécanoïque. Donnez une séquence de réactions de dégradation compatible avec ce que vous avez vu dans ce chapitre ? (Un rappel : un groupe méthyle sur le carbone C-3 bloque l'hydroxylation et la β-oxydation normale. Vous pouvez, si vous le désirez, commencer la dégradation par une autre voie.)

4. Bien que l'acétyl-CoA, produit par exemple par oxydation des acides gras, ne puisse pas permettre la synthèse nette de glucose chez les animaux, du carbone radioactif provenant de l'acétate marqué au ^{14}C peut se retrouver dans le glucose, ou le glycogène, synthétisé par les animaux. Expliquez comment cela est possible. Quels seraient les premiers atomes de carbone marqués ?

5. Quelles seraient les conséquences sur la glycémie de la consommation de fruits verts de l'akee ?

6. Les personnes obèses qui suivent un régime pour perdre du poids ont souvent une mauvaise opinion des graisses car le tissu adipeux met en réserve l'excès de calories alimentaires. Et pourtant, les conséquences « pondérales » seraient pires si les excédents caloriques étaient mis en réserve sous une autre forme. Soit une personne qui pèserait 10 livres (4,5 kg) de trop, quel serait le supplément de poids si les lipides excédentaires étaient remplacés par des polyosides ?

7. Quelle serait la conséquence d'une déficience en vitamine B_{12} sur l'oxydation des acides gras ? Quel intermédiaire métabolique pourrait s'accumuler ?

8. Écrivez les équations chimiques complètes de l'oxydation en CO_2 et eau de (a) l'acide myristique, (b) l'acide stéarique, (c) l'acide α-linolènique, et (d) de l'acide arachidonique.

9. Si une molécule d'acide palmitique était complètement dégradée jusqu'au stade acétate en présence d'eau tritiée à 100 %, combien d'atomes de tritium retrouverait-on dans les molécules d'acétyl-CoA ?

10. Quelles seraient les conséquences d'une déficience en carnitine sur la dégradation des acides gras ?

11. Tenant compte du mécanisme réactionnel proposé pour la méthylmalonyl-CoA mutase (Figure 24.21) présentez des mécanismes raisonnables pour les réactions suivantes :

$$^{-}OOC{-}C(H)(H){-}CH_2{-}CH(NH_3^{+}){-}COO^{-} \rightleftharpoons {}^{-}OOC{-}C(H)(CH_3){-}CH(NH_3^{+}){-}COO^{-}$$

$$CH_3{-}CH(OH){-}C(H)(H){-}OH \longrightarrow CH_3{-}C(H)(H){-}C(=O){-}H + H_2O$$

$$CH_2(OH){-}CH(OH){-}C(H)(OH){-}H \longrightarrow CH_2(OH){-}C(H)(H){-}C(=O){-}H + H_2O$$

$$CH_2(NH_3^{+}){-}C(H)(OH){-}H \longrightarrow CH_3{-}C(=O){-}H + NH_4^{+}$$

Lectures complémentaires

Bennett, M.J., 1994. The enzymes of mitochondrial fatty acid oxidation. *Clinica Chimica Acta* **226** : 211-224.

Bieber, L.L., 1988. Carnitine. *Annual Review of Biochemistry* **88** : 261-283.

Boyer, P.D., ed., 1983. *The Enzymes,* 3rd ed., vol. 16. New York : Academic Press.

Eder, M., Krautle, F., Dong, Y., et al., 1997. Characterization of human and pig kidney long-chain-acyl-CoA dehydrogenases and their role in beta-oxidation. *European Journal of Biochemistry* **245** : 600-607.

Grynberg, A., et Demaison, L., 1996. Fatty acid oxidation in the heart. *Journal of Cardiovascular Pharmacology* **28** : S11-S17.

Halpern, J., 1985. Mechanisms of coenzyme B_{12}-dependent rearrangement, *Science* **227** : 869-875.

Hiltunen, J.K., Palosaari, P., et Kunau, W.-H., 1989. Epimerization of 3-hydroxyacyl-CoA esters in rat liver. *Journal of Biological Chemistry* **264** : 13535-13540.

McGarry, J.D., et Foster, D.W., 1980. Regulation of hepatic fatty acid oxidation and ketone body production. *Annual Review of Biochemistry* **49** : 395-420.

Newsholme, E.A., et Leech, A.R., 1983. *Biochemistry for the Medical Sciences.* New York : Wiley.

Pollitt, R.J., 1995. Disorders of mitochondrial long-chain fatty acid oxidation. *Journal of Inherited Metabolic Disease* **18** : 473-490.

Romijn, J.A., Coyle, E.F., Sidossis, L.S., et al., 1996. Relationship between fatty acid delivery and fatty acid oxidation during strenuous exercise. *Journal of Applied Physiology* **79** : 1939-1945.

Schulz, H., 1987. Inhibitors of fatty acid oxidation. *Life Sciences* **40** : 1443-1449.

SchuIz, H., et Kunau, W.-H., 1987. β-Oxidation of unsaturated fatty acids : A revised pathway. *Trends in Biochemical Sciences* **12** : 403-406.

Scriver, C.R., et al., 1995. *The Metabolic and Molecular Bases of Inherited Disease,* 7th ed. New York : McGraw-Hill.

Sherratt, H.S., 1994. Introduction : The regulation of fatty acid oxidation in cells. *Biochemical Society Transactions* **22** : 421-422.

Sherratt, H.S., et Spurway, T.D., 1994. Regulation of fatty acid oxidation in cells. *Biochemical Sociely Transactions* **22** : 423-427.

Srere, P.A., et Sumegi, B., 1994. Processivity and fatty acid oxidation. *Biochemical Society Transactions* **22** : 446-450.

Tolbert, N.E., 1981. Metabolic pathways in peroxisomes and glyoxysomes. *Annual Review of Biochemistry* **50** : 133-157.

Vance, D.E., et Vance, J.E., eds., 1985. *Biochemistry of Lipids and Membranes.* Menlo Park, CA : Benjamin/Cummings.

Yagoob, P., Newsholme, E.A., et Calder, P.G, 1994. Fatty acid oxidation by lymphocytes. *Biochemical Society Transactions* **22** : 116S.

« Il y a un moment pour tout,
et un temps pour tout faire sous le ciel...
Un temps pour détruire, et un temps
Pour construire. »

L'ECCLÉSIASTE 3.1-3

Chapitre 25

Biosynthèse des lipides

PLAN

Veau marin du sud (*Mirounga leonina*). *(Gerald Lacz/Peter Arnold, Inc.)*

Nous examinerons à présent la biosynthèse des molécules lipidiques. Nous commencerons par la synthèse des acides gras, en insistant sur les principales réactions anaboliques, sur les autres voies d'allongement de la chaîne, sur les mécanismes de l'introduction des doubles liaisons et sur les mécanismes de la régulation de la synthèse. Les sections suivantes concerneront la biosynthèse des glycérophospholipides, des sphingolipides, des eicosanoïdes et du cholestérol. Le rôle des complexes lipoprotéiques dans le transport des lipides sera précisé, et ce chapitre se terminera avec la synthèse des sels biliaires et des hormones stéroïdes.

25.1 • Les voies de la biosynthèse et de la dégradation des acides gras sont différentes

Nous avons déjà vu à plusieurs reprises que la *synthèse* d'une classe de molécules biologiques s'effectue par une voie différente, au moins en partie, de celle de leur dégradation (par exemple, glycolyse comparée à la néoglucogénèse, ou dégradation de l'amidon ou du glycogène comparée à la synthèse des polyosides). De même, les voies de la synthèse des acides gras et des autres substances lipidiques sont différentes de celles de leur dégradation. La synthèse des acides gras comprend une série de réactions complètement distinctes sous plusieurs aspects de celles de la dégradation :

1. Les intermédiaires de la synthèse des acides gras sont liés par une liaison thioester au groupe –SH de **protéines** particulières – **les ACP** (du nom anglais *acyl carrier proteins*, protéines du transport des groupes acyle). Dans la dégradation des acides gras, les métabolites intermédiaires sont liés au groupe –SH d'un coenzyme A.
2. La synthèse des acides gras a lieu dans le **cytosol** alors que leur dégradation s'effectue dans les mitochondries.
3. Chez les animaux, les activités enzymatiques de la synthèse des acides gras sont réparties sur une unique chaîne polypeptidique, la **synthase des acides gras**, alors que les enzymes de la dégradation sont indépendants les uns des autres. (Les enzymes de la synthèse sont aussi séparés chez les plantes et les bactéries.)
4. Le coenzyme des réactions de réduction dans la biosynthèse des acides gras est le NADPH ; pour les oxydations dans la dégradation, les coenzymes sont le FAD et le NAD^+.

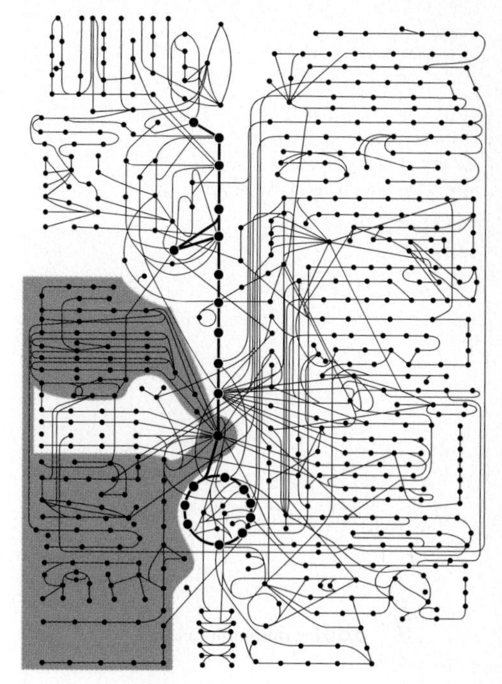
Biosynthèse des lipides

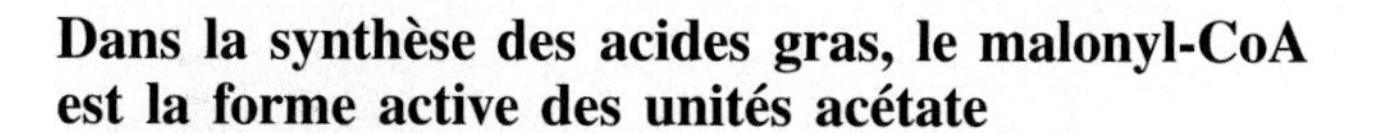

Dans la synthèse des acides gras, le malonyl-CoA est la forme active des unités acétate

Le schéma général de la synthèse des acides gras est le suivant :

a. Les chaînes des acides gras sont formées par additions successives d'unités à deux atomes de carbone provenant de *l'acétyl-CoA*.
b. Les unités acétate sont préalablement activées sous forme de *malonyl-CoA* (l'hydrolyse d'une molécule d'ATP fournit l'énergie nécessaire).
c. L'addition d'une unité à deux atomes de carbone est entraînée par la *décarboxylation* du malonyl-CoA.
d. Les réactions d'allongement sont répétées jusqu'à ce que la chaîne contienne 16 atomes de carbone (acide palmitique).
e. D'autres enzymes interviennent ensuite pour catalyser la formation des doubles liaisons et ajouter des unités acétate supplémentaires à la chaîne.

La biosynthèse des acides gras requiert du pouvoir réducteur fourni par NADPH

Le bilan global de la formation du palmitate à partir de l'acétyl-CoA et du malonyl-CoA est le suivant :

$$\text{Acétyl-CoA} + 7\ \text{malonyl-CoA}^- + 14\ \text{NADPH} + 14\ \text{H}^+ \longrightarrow \text{palmitoyl-CoA} + 7\ \text{HCO}_3^- + 7\ \text{CoASH} + 14\ \text{NADP}^+ \quad (25.1)$$

(La concentration intracellulaire des acides gras libres est normalement très basse. Le palmitate synthétisé est rapidement converti en palmityl-CoA, puis incorporé dans des phospholipides ou dans les triacylglycérols.)

Origines de l'acétyl-CoA cytosolique et du pouvoir réducteur utilisés pour la synthèse des acides gras

La production de grandes quantités de substrats pour la synthèse des acides gras pose un problème particulier propre aux cellules eucaryotes. Il faut que le *cytosol* contienne suffisamment d'acétyl-CoA, de malonyl-CoA et de NADPH. Le malonyl-CoA est produit dans le cytosol par carboxylation de l'acétyl-CoA, le problème se réduit donc à la formation de l'acétyl-CoA et du NADPH.

Les trois principales sources d'acétyl-CoA sont (Figure 25.1) :

1. La dégradation cytosolique des acides aminés ;
2. La β-oxydation des acides gras dans les mitochondries ;
3. Enfin, la glycolyse qui produit du pyruvate dans le cytosol. Mais ce dernier est transporté dans la mitochondrie où il est oxydé en acétyl-CoA par la pyruvate déshydrogénase.

La quantité d'acétyl-CoA provenant de la dégradation des acides aminés est normalement trop faible pour la biosynthèse des acides gras, et l'acétyl-CoA résultant de l'action de la pyruvate déshydrogénase et de la β-oxydation des acides gras ne peut traverser la membrane interne de la mitochondrie pour participer directement à la synthèse. Le problème est résolu par la formation de citrate à partir d'acétyl-CoA et d'oxalo-acétate (la première réaction du cycle de Krebs), puis le citrate est transporté de la matrice mitochondriale au cytosol (Figure 25.1) où l'**ATP-citrate lyase** catalyse la conversion du citrate en acétyl-CoA et en oxalo-acétate. L'acétyl-CoA peut de cette façon servir de substrat à la synthèse cytosolique des acides gras. (L'oxalo-acétate

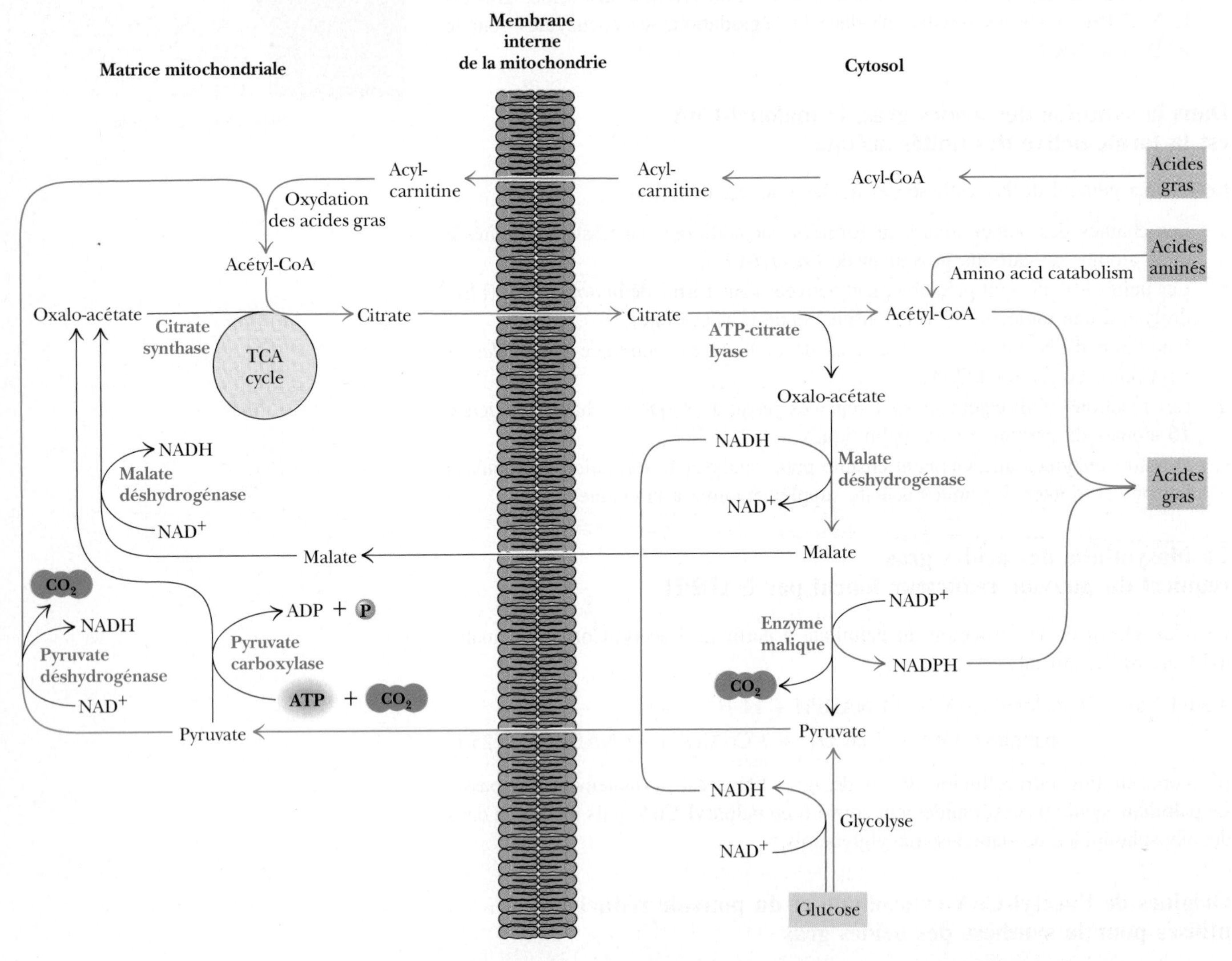

Figure 25.1 • La navette citrate-malate-pyruvate fournit les unités acétate et les équivalents réducteurs (les électrons) utilisés pour la synthèse des acides gras. Les acétyl-CoA transférés proviennent principalement de la glycolyse, et aussi de l'oxydation des acides gras et du catabolisme des acides aminés. La plus grande partie des équivalents réducteurs provient de la glycolyse. Les voies qui fournissent les atomes de carbone de la synthèse des acides gras sont en bleu ; celles qui fournissent les électrons sont en rouge.

retourne dans les mitochondries sous forme de pyruvate ou de malate, métabolites qui seront respectivement transformés en acétyl-CoA ou en oxalo-acétate.)

La voie des pentoses phosphates permet la production du NADPH, ainsi que la réaction catalysée par l'enzyme malique (Figure 25.1). Le pouvoir réducteur accumulé dans le NADH au cours de la glycolyse peut aussi être transféré au NADPH par l'action combinée de la malate déshydrogénase et de l'enzyme malique :

$$\text{Oxalo-acétate} + \text{NADH} + \text{H}^+ \longrightarrow \text{malate} + \text{NAD}^+$$
$$\text{Malate} + \text{NADP}^+ \longrightarrow \text{pyruvate} + \text{CO}_2 + \text{NADPH} + \text{H}^+$$

Des 14 NADPH utilisés pour la synthèse d'un palmitate (Eq. 25.1), combien proviennent de cette dernière voie ? La réponse dépend de la quantité de malate disponible dans le cytosol. Une molécule de citrate qui passe dans le cytosol permet la formation d'une molécule d'acétyl-CoA et d'une molécule de malate. Chaque malate oxydé par l'enzyme malique est à l'origine d'un NADPH et d'un pyruvate. Donc si le malate est oxydé, un NADPH est disponible pour chaque unité d'acétyl-CoA cytosolique utilisée pour la synthèse d'un acide gras. Pour la synthèse d'un palmitate qui nécessite huit unités d'acétyl-CoA, il y a donc huit NADPH disponibles (Les 6 autres NADPH requis pour cette synthèse proviendront de la voie des pentoses phosphates). Mais le malate peut aussi passer dans la mitochondrie, dans ce cas il y a un NADPH en moins dans le cytosol, la voie des pentoses phosphates devra donc fournir un NADPH de plus.

La formation de malonyl-CoA engage les unités acétate dans la voie de la synthèse des acides gras

Rittenberg et Bloch ont montré à la fin des années 1940 que les unités acétate étaient les éléments de construction des acides gras. Leurs travaux ont été complétés par ceux de Salih Wakil, qui a démontré le rôle du bicarbonate dans la synthèse des acides gras. Il est alors devenu évident que la synthèse du *malonyl-CoA* faisait partie de ce processus. La formation de malonyl-CoA par carboxylation de l'acétyl-CoA est une réaction pratiquement irréversible, elle constitue **l'étape initiale** de la synthèse des acides gras (Figure 25.2). La réaction est catalysée par l'**acétyl-CoA carboxylase**, un enzyme à biotine. C'est le seul enzyme de la synthèse des acides gras qui ne soit pas inclus dans la chaîne polypeptidique plurifonctionnelle de la synthase des acides gras.

L'acétyl-CoA carboxylase est un enzyme à biotine dont le mécanisme réactionnel est de type ping-pong

Le groupe prosthétique de l'acétyl-CoA carboxylase, la biotine, est lié par une liaison covalente au groupe ϵ-aminé d'un résidu Lys du site actif, de la même façon que dans la pyruvate carboxylase (Figure 21.3). Le mécanisme réactionnel est également analogue à celui de la pyruvate carboxylase (Figure 21.4). La carboxylation de la biotine, entraînée par l'hydrolyse d'un ATP, est suivie du transfert du CO_2 activé à l'acétyl-CoA et de la formation du malonyl-CoA. Comme nous l'avons signalé Chapitre 14, *toutes* les réactions catalysées par des enzymes à biotine ont une cinétique de type ping-pong. L'enzyme purifié *d'Escherichia coli* comprend trois sous-unités : (1) la **protéine porteur de la biotine** (et de la carboxybiotine), un dimère à protomères de 22,5 kDa ; (2) la **biotine carboxylase**, un dimère à protomères de 51 kDa, qui catalyse la carboxylation du groupe prosthétique ; et (3) la **transcarboxylase**, un tétramère $\alpha_2\beta_2$ à protomères de 30 et 35 kDa, qui transfère le CO_2 activé sur l'acétyl-CoA. Le long bras flexible formé par la chaîne biotine-lysine (biocytine) permet le transfert du groupe carboxyle activé de la biotine carboxylase à la transcarboxylase (Figure 23.5).

L'acétyl-CoA carboxylase des animaux est une protéine multifonctionnelle

Chez les animaux, l'acétyl-CoA carboxylase (ACC) est un long polymère filamenteux de 4.000 à 8.000 kDa, constitué de nombreux protomères de 230 kDa.

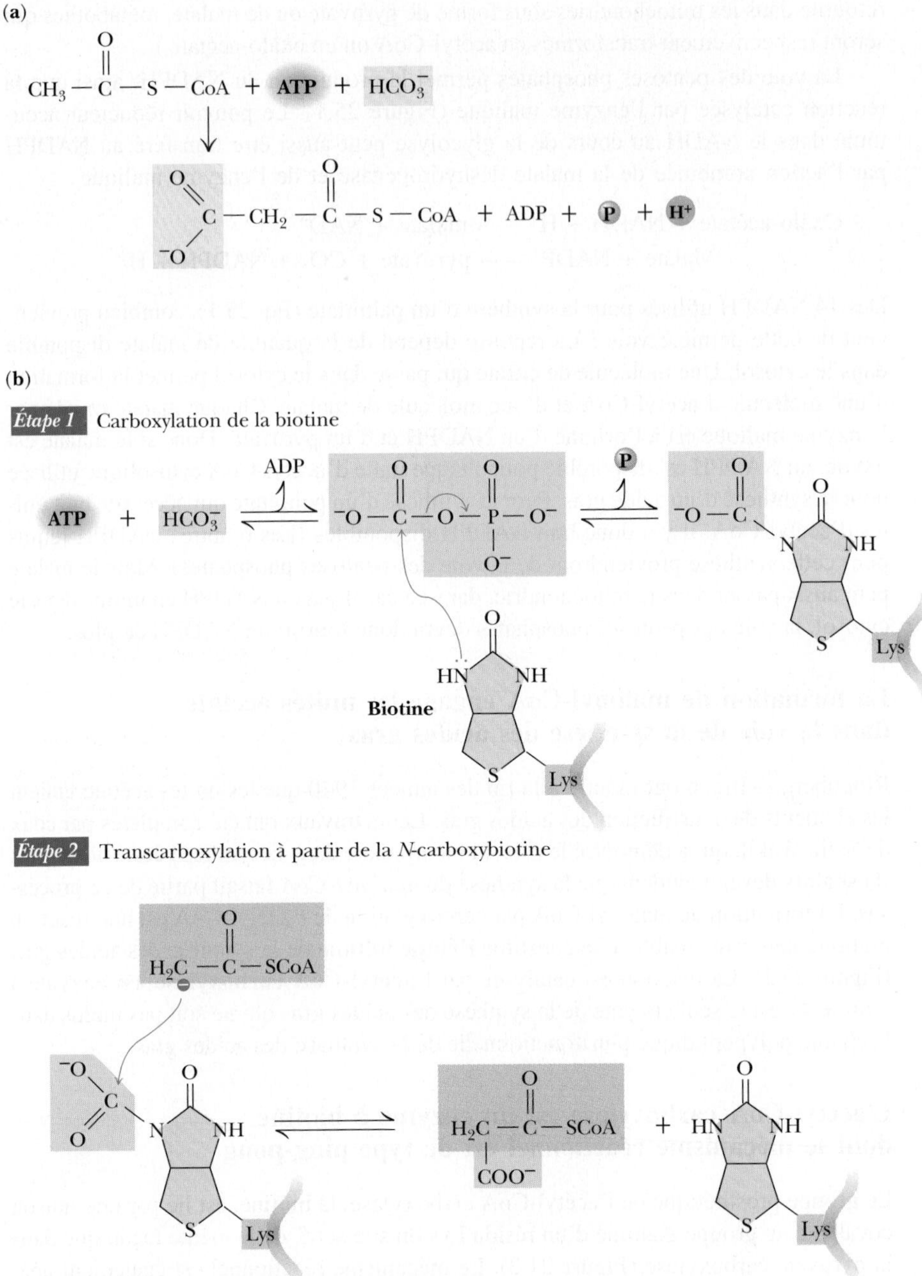

Figure 25.2 • (a) L'acétyl-CoA carboxylase catalyse la réaction qui produit le malonyl-CoA utilisé pour la synthèse des acides gras. (b) Mécanisme de la réaction catalysée par l'acétyl-CoA carboxylase. Préalablement à la réaction de carboxylation, le bicarbonate est activé sous forme de N-carboxybiotine. L'hydrolyse de l'ATP fournit l'énergie nécessaire ; il se forme un intermédiaire carbonylphosphate transitoire (Étape 1). Puis, l'attaque nucléophile du carbone carboxylique de la N-carboxybiotine par un carbanion acétyl-CoA (une réaction typique des enzymes à biotine) donne par transcarboxylation le produit carboxylé (Étape 2).

Chacun de ces protomères contient les trois activités, celles de la protéine porteur de biotine, de la biotine carboxylase et de la transcarboxylase, ainsi que les sites de la régulation allostérique. L'ACC des animaux est donc une protéine multifonctionnelle. Les protomères isolés sont inactifs. L'activité de l'ACC dépend donc de la position de l'équilibre entre les deux formes :

$$\text{Protomères inactifs} \rightleftharpoons \text{polymère actif}$$

Comme cet enzyme catalyse l'étape qui engage l'acétyl-CoA dans la voie de la synthèse des acides gras, il est particulièrement régulé. Le *palmityl-CoA*, produit final de la biosynthèse, déplace l'équilibre en faveur de la dissociation du polymère, tandis que le *citrate*, l'activateur allostérique de l'enzyme, déplace l'équilibre en faveur de la forme active. La cinétique de l'acyl-CoA carboxylase est celle des enzymes allostériques de type V du modèle Monod-Wyman-Changeux (Chapitre 15).

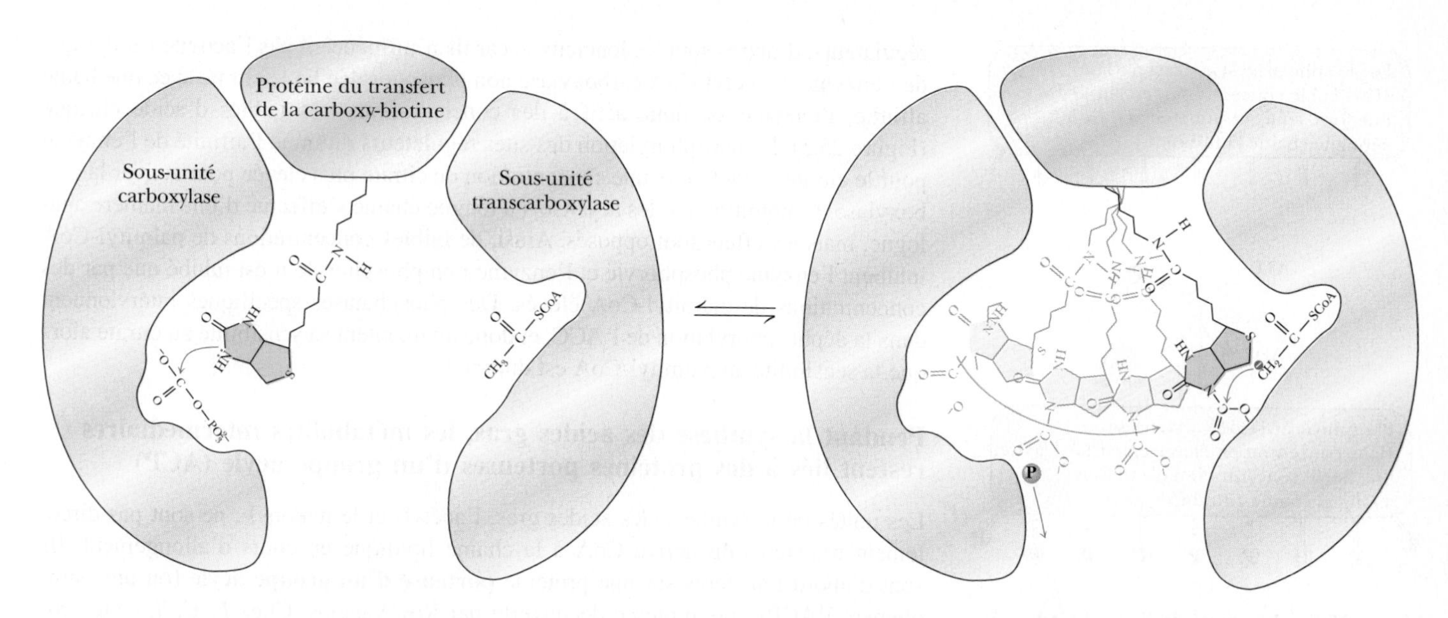

Figure 25.3 • Au cours de la réaction catalysée par l'acétyl-CoA carboxylase, la partie cyclique de la biotine, à l'extrémité de son bras flexible, acquiert un groupe carboxylique en provenance du carbonylphosphate lié à la sous-unité carboxylase puis le transfère à la molécule d'acétyl-CoA liée à la sous-unité transcarboxylase.

La phosphorylation de l'ACC module l'activation par le citrate et l'inhibition par le palmityl-CoA

Les effets régulateurs du citrate et du palmityl-CoA dépendent du niveau de phosphorylation de l'acétyl-CoA carboxylase. Chacune des sous-unités de l'enzyme d'origine animale peut être phosphorylée sur 8 à 10 sites (Figure 25.4). Certains de ces sites sont

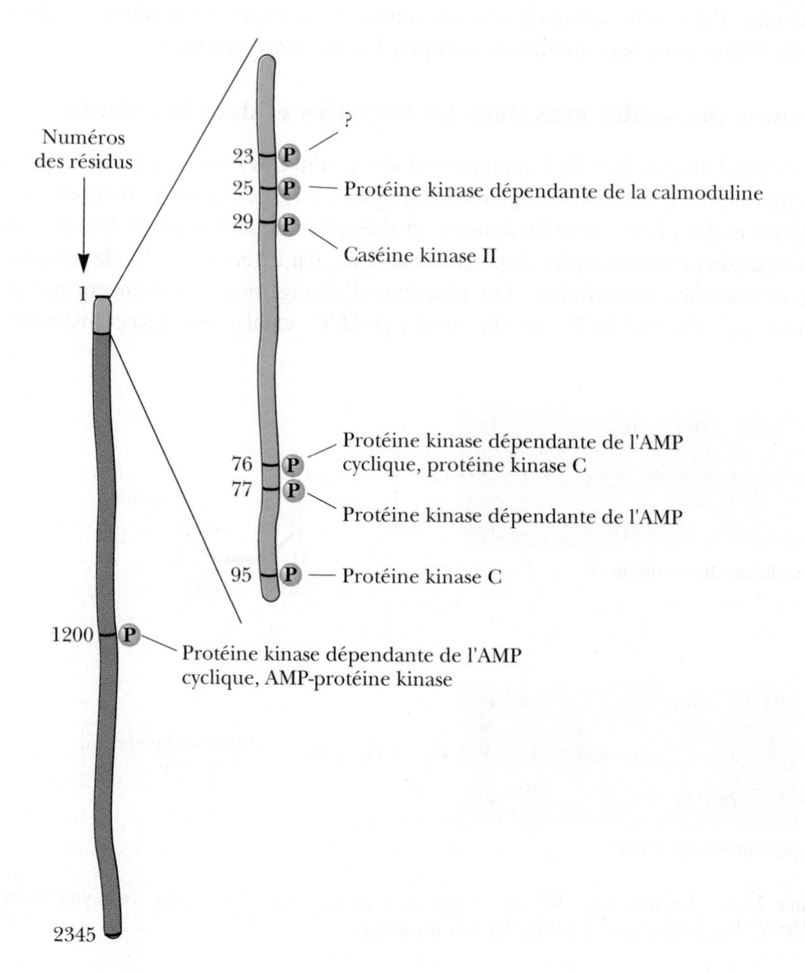

Figure 25.4 • Représentation schématique de la chaîne polypeptidique de l'acétyl-CoA carboxylase. Les sites de phosphorylation sont indiqués ainsi que les noms des protéines kinases impliquées. La phosphorylation de Ser^{1200} est le principal facteur de la diminution de l'affinité pour le citrate.

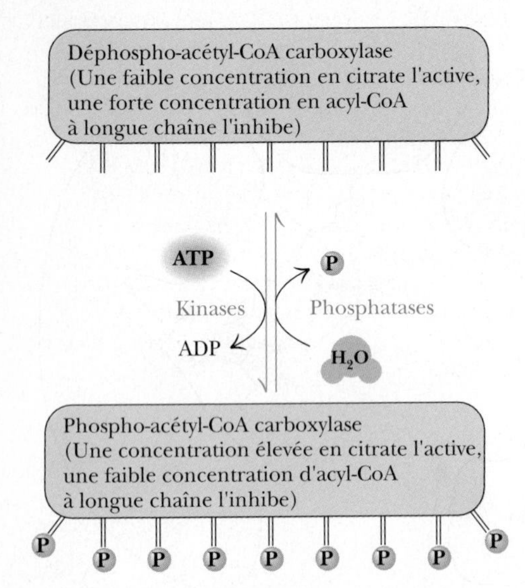

Figure 25.5 • L'activité de l'acétyl-CoA carboxylase est modulée par des phosphorylations et des déphosphorylations. La forme déphosphorylée de l'enzyme est activée par de faibles concentrations de citrate et inhibée par des concentrations élevées d'acyl-CoA à longues chaînes. L'activation de la forme phosphorylée de l'enzyme exige, au contraire, de fortes concentrations de citrate, mais cette forme est aussi très sensible à l'inhibition par les acyl-CoA à longue chaîne.

régulateurs, d'autres sont « silencieux », car ils n'influencent pas l'activité catalytique de l'enzyme. L'acétyl-CoA carboxylase non phosphorylée lie le citrate avec une haute affinité, l'enzyme est donc actif à des concentrations très faibles d'acide citrique (Figure 25.5). La phosphorylation des sites régulateurs diminue l'affinité de l'enzyme pour le citrate, il faut alors une concentration de citrate plus élevée pour activer la carboxylase. L'inhibition par les acyl-CoA à longue chaîne s'effectue d'une manière analogue, mais les effets sont opposés. Ainsi, de faibles concentrations de palmityl-CoA inhibent l'enzyme phosphorylé et l'enzyme non phosphorylé n'est inhibé que par des concentrations de palmityl-CoA élevés. Des phosphatases spécifiques interviennent dans la déphosphorylation de l'ACC, et donc augmentent sa sensibilité au citrate alors que la sensibilité au palmityl-CoA est diminuée.

Pendant la synthèse des acides gras, les métabolites intermédiaires restent liés à des protéines porteuses d'un groupe acyle (ACP)

Les unités de la synthèse des acides gras, l'acétyl- et le malonyl-, ne sont pas directement transférés du dérivé CoA à la chaîne lipidique en cours d'allongement. Ils sont d'abord transférés sur une protéine **porteuse d'un groupe acyle** (ou plus simplement l'ACP), une protéine découverte par Roy Vagelos. Chez *E. Coli*, cette protéine est une chaîne polypeptidique de 77 résidus à laquelle est lié (sur le résidu sérine terminal) un groupe **phosphopantéthéine**, le même groupe qui forme la partie fonctionnellement « utile » du coenzyme A. La protéine porteuse du groupe acyle est une forme de coenzyme A, propre à la biosynthèse des acides gras. (Figure 25.6).

L'organisation des enzymes qui catalysent la formation de l'acyl-ACP et du malonyl-ACP, puis la synthèse des acides gras, varie selon les organismes. Nous examinerons en premier lieu la synthèse des acides gras dans les bactéries et dans les plantes où les diverses réactions sont catalysées par des protéines séparées, indépendantes. Puis nous verrons le cas des animaux où toutes les réactions s'effectuent sur un même complexe multienzymatique, *l'acide gras synthase.*

Synthèse des acides gras dans les bactéries et dans les plantes

Les étapes individuelles de l'allongement des chaînes des acides gras sont pratiquement les mêmes dans tous les organismes (Figure 25.7). Les enzymes indépendants des bactéries et des plantes sont facilement purifiés ; ils ont permis de distinguer chacune des étapes du processus avant de pouvoir analyser, par extension, celui des étapes de la biosynthèse chez les animaux. Les réactions d'allongement commencent par la formation de l'acétyl-ACP et du malonyl-ACP catalysées respectivement par

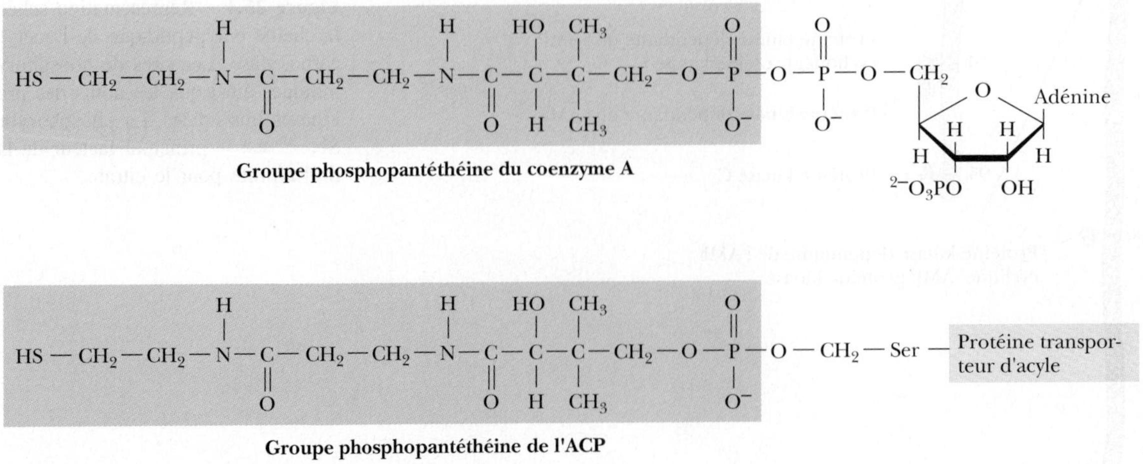

Adénine

Groupe phosphopantéthéine du coenzyme A

Protéine transporteur d'acyle

Groupe phosphopantéthéine de l'ACP

Figure 25.6 • La fonction –SH du groupement phosphopantéthéine du coenzyme A et de l'ACP lie les acides gras par une liaison thioester.

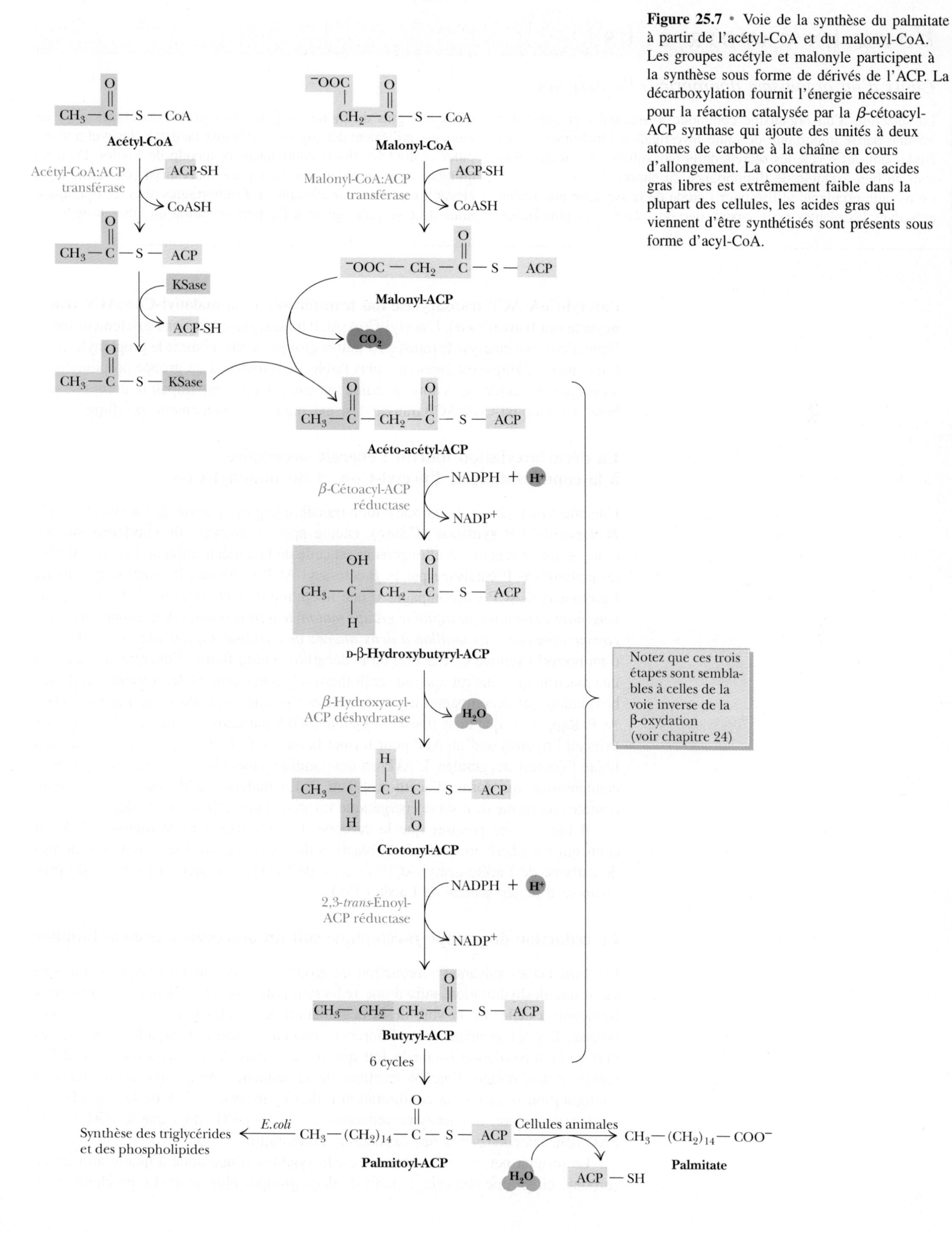

Figure 25.7 • Voie de la synthèse du palmitate à partir de l'acétyl-CoA et du malonyl-CoA. Les groupes acétyle et malonyle participent à la synthèse sous forme de dérivés de l'ACP. La décarboxylation fournit l'énergie nécessaire pour la réaction catalysée par la β-cétoacyl-ACP synthase qui ajoute des unités à deux atomes de carbone à la chaîne en cours d'allongement. La concentration des acides gras libres est extrêmement faible dans la plupart des cellules, les acides gras qui viennent d'être synthétisés sont présents sous forme d'acyl-CoA.

POUR EN SAVOIR PLUS

Choix d'un organisme approprié à l'expérience

La sélection d'un organisme commode à manipuler et approprié est une partie importante de toute investigation biochimique. Les études qui ont révélé les secrets de la biosynthèse des acides gras sont un bon exemple de l'importance du choix.

Le modèle privilégié utilisé pour l'étude de la synthèse des acides gras dans les plantes est l'avocat, une des plantes les plus riches en acides gras du monde végétal. Les premières études chez les animaux utilisaient des pigeons, animaux faciles à élever et à manipuler et dont les tissus contiennent beaucoup de lipides. D'autres animaux sont certainement plus gras, mais aussi plus difficiles à élever. Le grizzly, par exemple, a d'importantes réserves lipidiques, mais il ne se prête guère à l'expérimentation en laboratoire !

l'acétyl-CoA:ACP transacylase (ou transférase), et la **malonyl-CoA:ACP transacylase (ou transférase)**. L'acétyl-CoA:ACP transacylase n'est pas strictement spécifique, l'enzyme catalyse le transfert d'autres groupes acyle, comme le propionyle, mais l'activité catalytique est beaucoup plus faible ; le transfert d'un groupe propionyle est à l'origine des acides gras dont la chaîne linéaire est à nombre impair d'atomes de carbone. La malonyl-CoA:ACP transacylase est, par contre, hautement spécifique.

La décarboxylation fournit l'énergie nécessaire à la condensation de l'acétyl-CoA et du malonyl-CoA

Une nouvelle réaction de transacylation transfère le groupe acyle de l'acétyl-ACP à la **β-cétoacyl-ACP synthase (CSase)**, encore appelée **enzyme de condensation**. La toute première réaction d'allongement est celle de la condensation de l'acétyl-ACP et du malonyl-ACP catalysée par le β-céto-acyl-ACP synthase ; la réaction qui donne l'acéto-acétyl-ACP s'accompagne d'une libération de CO_2 (Figure 25.7). *Nous pouvons nous demander pourquoi le groupe malonyle à trois atomes de carbone est utilisé comme donneur d'un maillon à deux atomes de carbone.* La réponse est qu'il s'agit d'un nouvel exemple de réaction où la décarboxylation fournit l'énergie nécessaire à une réaction qui sans cet appoint serait thermodynamiquement défavorable. La décarboxylation qui accompagne la condensation entraîne la synthèse de l'acéto-acétyl-ACP. Rappelons que la synthèse du malonyl-CoA par carboxylation de l'acétyl-CoA exigeait l'hydrolyse d'un ATP pour former la liaison C–C. La rupture de cette liaison libère l'énergie accumulée. L'ATP est donc indirectement la source de l'énergie de la condensation qui forme l'acéto-acétyl-ACP. Le malonyl-ACP peut être considéré comme une forme de réserve énergétique favorisant la synthèse des acides gras.

Il faut encore préciser que le carbone du CO_2 fixé dans le malonyl-CoA est celui qui est libéré au cours de la réaction de condensation. Donc, tous les atomes de carbone de l'acéto-acétyl-ACP (*et* ceux de l'acide gras qui sera synthétisé) proviennent d'unités acétate de l'acétyl-CoA.

La réduction du groupe β-cétonique suit un processus à présent familier

Les trois étapes suivantes – réduction du groupe β-cétonique en groupe alcool, suivie d'une déshydratation, puis d'une réduction pour saturer la chaîne – ressemblent beaucoup à celles de la voie de la dégradation des acides gras, mais dans le sens inverse. Il y a cependant deux différences cruciales entre la biosynthèse des acides gras et la β-oxydation (outre le fait que les enzymes de ces processus sont différents) : premièrement l'alcool résultant de la réduction du groupe cétonique a la configuration D, et non la configuration L de l'hydroxyacyl-CoA de la dégradation, et, deuxièmement, le coenzyme réducteur est le NADPH, alors que le NAD^+ et le FAD sont les coenzymes des oxydations cataboliques.

Le résultat net de cette séquence est la synthèse d'une unité à quatre atomes de carbone, un groupe butyryle, à partir de deux groupes plus petits. Le prochain cycle du processus condensera un nouveau malonyl-ACP pour donner une chaîne à six atomes de carbone, le β-cétohexyl-ACP et un CO_2. La séquence réactionnelle, réduction, hydratation et une autre réduction, donnera un acyl-CoA à chaîne saturée. Ces cycles sont répétés, avec à chaque fois l'addition d'une nouvelle unité à deux atomes de carbone, jusqu'à ce que la chaîne saturée compte 16 atomes de carbone (Figure 25.7). L'affinité de la β-cétoacyl-ACP synthase pour les dérivés à 16 atomes de carbone chute brusquement, et le palmityl-ACP est le principal produit terminal de la synthèse. L'hydrolyse du C_{16}-acyl-ACP libère l'acide gras et l'ACP.

Finalement, sept molécules de malonyl-CoA et une d'acétyl-CoA ont été utilisées pour la synthèse d'un palmitate (représenté ici par un palmitoyl-CoA) :

$$\text{Acétyl-CoA} + 7\ \text{malonyl-CoA}^- + 14\ \text{NADPH} + 14\ \text{H}^+ \longrightarrow \text{palmitoyl-CoA} + 7\ \text{HCO}_3^- + 14\ \text{NADP}^+ + 7\ \text{CoASH}$$

La formation des sept molécules de malonyl-CoA a exigé :

$$\text{Acétyl-CoA} + 7\ \text{HCO}_3^- + 7\ \text{ATP}^{4-} \longrightarrow 7\ \text{malonyl-CoA}^- + 7\ \text{ADP}^{3-} + 7\ \text{P}_i^{2-} + 7\ \text{H}^+$$

Donc, l'équation de la réaction globale de la formation d'un palmitoyl-CoA est :

$$\text{Acétyl-CoA} + 7\ \text{ATP}^{4-} + 14\ \text{NADPH} + 7\ \text{H}^+ \longrightarrow \text{palmitoyl-CoA} + 14\ \text{NADP}^+ + 7\ \text{CoASH} + 7\ \text{ADP}^{3-} + 7\ \text{P}_i^{2-}$$

Note : Ces équations, y compris les charges électriques, sont équilibrées. Pour la pratique, voir l'exercice n° 1 à la fin de ce chapitre.

La synthèse des acides gras chez les eucaryotes s'effectue sur un complexe multienzymatique

À la différence de ce qui se passe avec les bactéries et les plantes, les réactions de la synthèse des acides gras chez les animaux qui suivent la formation du malonyl-CoA sont catalysées par un complexe multienzymatique, appelé la **synthase des acides gras** (ou acide gras synthase). Chez la levure, ce complexe de 2,4 × 10^3 kDa est un dodécamère $\alpha_6\beta_6$ constitué de l'assemblage de deux chaînes peptidiques différentes, une sous-unité α de 213 kDa et une sous-unité β de 203 kDa. La Figure 25.8 précise les activités catalytiques associées à chacune de ces deux chaînes. Chez les animaux, la synthase est un dimère constitué de deux *chaînes polypeptidiques multifonctionnelles* identiques de 250 kDa. L'étude de l'effet d'enzymes protéolytiques sur ces chaînes polypeptidiques à permis d'élaborer un modèle comprenant trois domaines séparés, reliés par parties flexibles (Figure 25.9). Le premier domaine contient les enzymes catalysant la liaison des éléments de construction, les groupes acétyle et malonyle, ainsi que la condensation de ces unités. Il s'agit de l'acétyl-transférase, de la malonyltransférase et de l'enzyme de condensation (ou β-cétoacyl-ACP synthase). Le second domaine, où s'effectue la réduction de l'intermédiaire synthétisé dans le domaine 1, comprend la protéine ACP, la β-cétoacyl-ACP réductase, la déshydratase et l'ènoyl-ACP réductase. Le troisième domaine contient la thiolase qui libère le palmitate lorsque la chaîne en cours d'allongement atteint la limite de 16 atomes de carbone. La proximité de ces activités dans le complexe permet un transfert efficace des intermédiaires d'un site actif au suivant. La présence de toutes les activités sur une unique chaîne polypeptidique assure la synthèse simultanée de tous les enzymes nécessaires à la synthèse des acides gras.

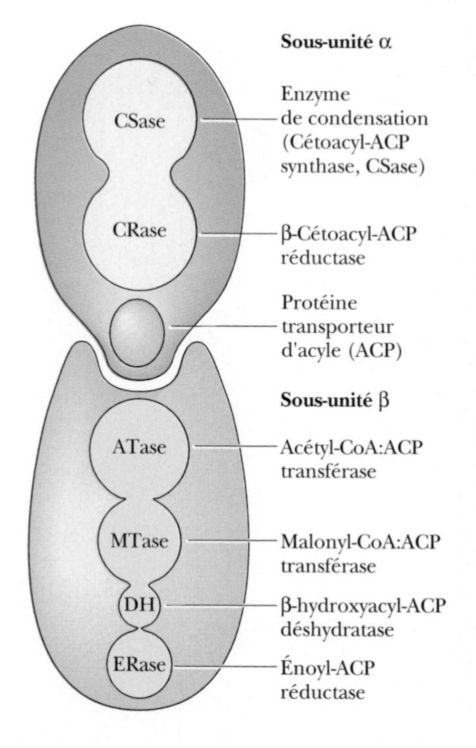

Figure 25.8 • Dans la levure, les groupes fonctionnels et les activités enzymatiques de la synthèse des acides gras sont répartis entres les deux protomères α et β de la synthase.

Mécanisme réactionnel de la synthase des acides gras

Le premier domaine d'une sous-unité de l'acide gras synthase est en interaction avec le deuxième et le troisième domaine de la seconde sous-unité ; c'est-à-dire que les unités sont assemblées tête-bêche (Figure 25.9). La première étape de la synthèse commence par la formation d'un intermédiaire acétyl-O-enzyme entre un groupe

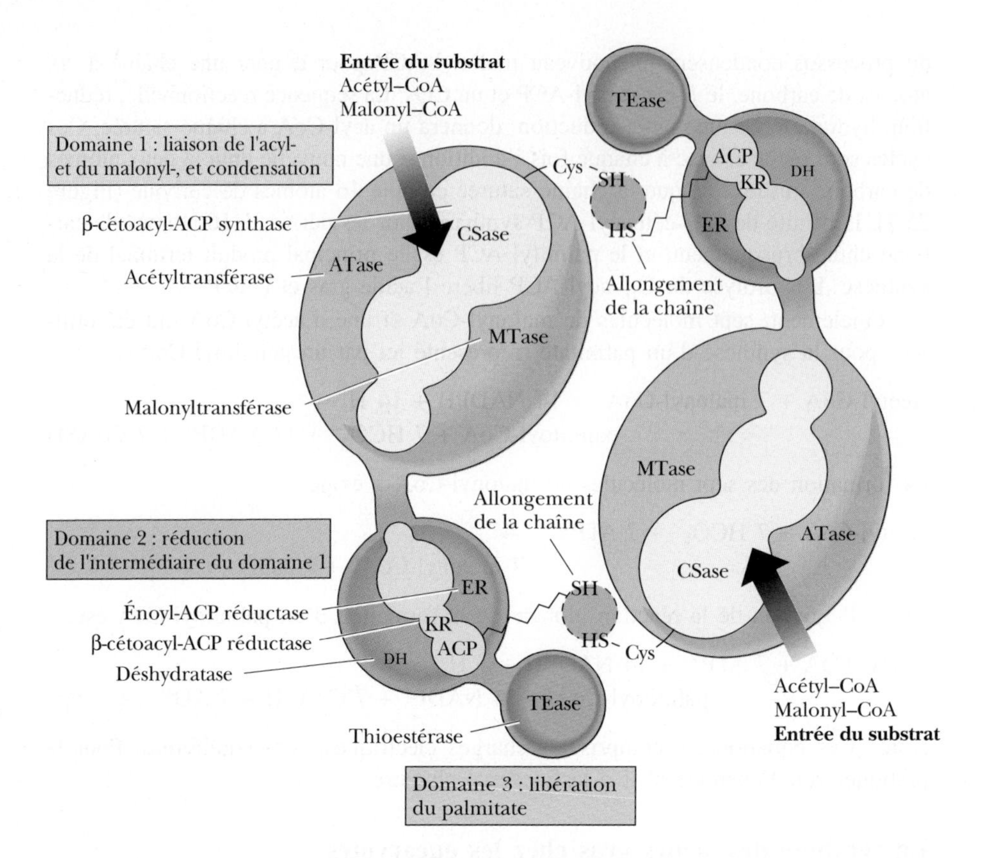

Figure 25.9 • Tous les groupes fonctionnels et toutes les activités catalytiques de la synthase des acides gras des mammifères sont sur une même chaîne polypeptidique multifonctionnelle. L'enzyme actif est un dimère dans lequel deux sous-unités identiques sont tête-bêche. *(D'après Wakil, S.J., Stoops, J.K., et Joshi, V.C., 1983.* Annual Review of Biochemistry ***52** : 556.)*

acétyle de l'acétyl-CoA et un résidu sérine du site actif de l'acyl-CoA:ACP transacylase (Figure 25.10). D'une façon similaire, il se forme un intermédiaire malonyl-O-enzyme par réaction d'un résidu sérine de la malonyl-CoA:ACP transacylase avec le malonyl-CoA. Le groupe acétyle lié à l'acétyl-CoA :ACP transacylase est ensuite transféré sur le groupe –SH de l'ACP (Figure 25.11). Ce groupe acétyle est dans la deuxième étape transféré sur la β-cétoacyl-ACP synthase, ou enzyme de condensation. L'ACP est alors libre, elle peut (troisième étape) recevoir le groupe malonyle transféré par la malonyl-CoA:ACP transacylase. L'étape suivante est la réaction de condensation au cours de laquelle la décarboxylation du groupe malonyle facilite l'attaque concertée de l'unité à deux atomes de carbone, toujours liée à l'ACP, sur le carbone du carbonyle de l'acétate lié à l'enzyme de condensation. Remarquez la formation, par décarboxylation, d'un carbanion transitoire très nucléophile qui attaque le groupe acétate.

Les trois étapes suivantes – réduction du groupe carbonyle du cétoacyl–ACP en alcool, déshydratation de ce dernier en ènoyl-ACP avec une double liaison *trans*-α,β, puis sa réduction pour donner la chaîne saturée – sont identiques à celles observées chez les bactéries et les plantes (Figure 25.7) et ressemblent aux réactions

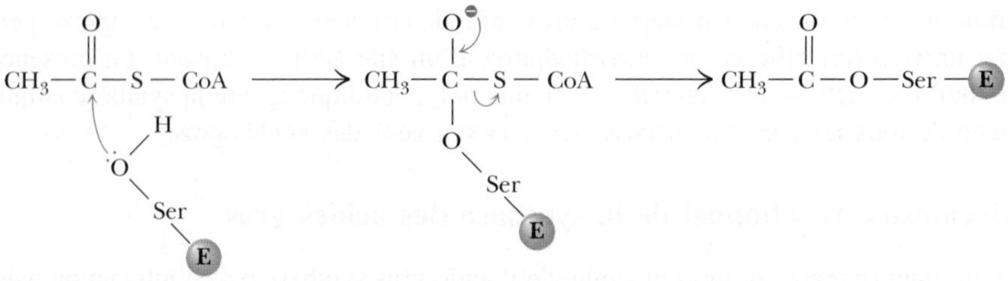

$$CH_3-\overset{O}{\overset{\|}{C}}-S-CoA \;(+\; H-O-Ser-E) \longrightarrow CH_3-\overset{O^-}{\overset{|}{\underset{\underset{Ser-E}{|}}{\underset{O}{C}}}}-S-CoA \longrightarrow CH_3-\overset{O}{\overset{\|}{C}}-O-Ser-E$$

Figure 25.10 • Chez les eucaryotes, les unités acétyle sont transitoirement liées par une liaison covalente à un résidu sérine du site actif de l'acétyltransférase. De même les unités malonyle sont transitoirement liées à la malonyltransférase.

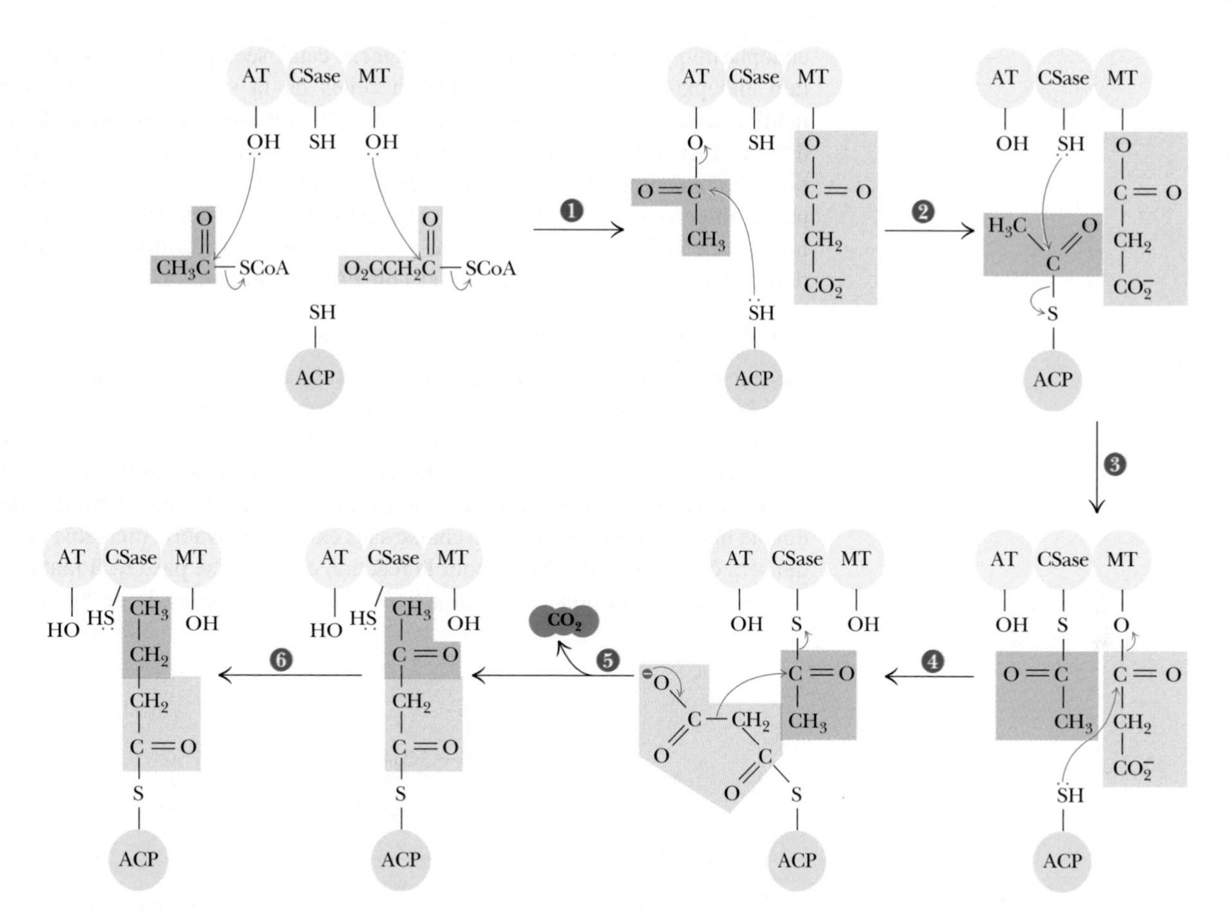

Figure 25.11 • Mécanisme de la réaction catalysée par l'acide gras synthase chez les eucaryotes. (1) Les groupes acétyle et malonyle sont respectivement chargés sur l'acétyltransférase (AT) et sur la malonyltransférase (MT). (2) L'unité acétate qui constitue la base de la chaîne à synthétiser est transférée sur l'ACP du domaine 2, puis, (3), sur la β-cétoacyl-ACP synthase (CSase). (4) L'attaque du carbone du carbonyle de l'unité malonyle sur la malonyltransférase par un ACP donne le malonyl-ACP. (5) La décarboxylation donne lieu à la formation d'un carbanion qui attaque le carbone du groupe carbonyle de l'unité acétyle liée à la β-cétoacyl-ACP synthase. (6) La réduction du groupe cétone, suivie d'une déshydratation et d'une nouvelle réduction de la double liaison ainsi formée aboutit à la formation d'un acyl-ACP allongé d'une unité acétate. Les étapes 3 à 6 sont répétées jusqu'à la fin de l'allongement de la chaîne.

inverses de l'oxydation des acides gras (et de la conversion du succinate en oxaloacétate dans le cycle de Krebs). Cette séquence cyclique de condensation suivie de réduction se répète jusqu'à ce que la chaîne en cours d'allongement contienne 16 ou 18 atomes de carbone. La thioestérase du domaine 3 de la synthase libère alors l'acide gras. La séquence des acides aminés de la thioestérase est homologue de celle des sérine-protéases ; un résidu Ser du site actif de l'enzyme attaque le carbone du carbonyle de l'acyl-thioester à longue chaîne et libère l'acide gras.

Transformations anaboliques des acides gras à 16 atomes de carbone

Élongations supplémentaires

Le palmitate est le principal produit directement formé par la synthase. Les cellules synthétisent cependant de nombreux acides gras. Les chaînes plus courtes que celle du palmitate sont facilement produites si elles sont libérées avant leur complet allongement. Les chaînes plus longues proviennent de réactions d'élongation particulières ; ces allongements ont lieu soit dans les mitochondries, soit sur le réticulum endoplasmique. Les réactions d'allongement catalysées par des enzymes du réticulum endoplasmique sont semblables à celles de la synthèse des acides gras : le maillon à deux atomes de carbone ajouté à l'extrémité carboxylique de la chaîne d'un acyl-CoA provient d'un malonyl-CoA dont la décarboxylation favorise la réaction de condensation. Par contre, dans la mitochondrie, la réaction d'allongement utilise directement l'acétyl-CoA. Les réactions sont essentiellement des réactions inverses de celle de la β-oxydation, à l'exception de la réaction de réduction de la double liaison qui utilise NADPH et non $FADH_2$ (Figure 25.12).

Introduction d'une unique double liaison cis

Les eucaryotes et les procaryotes ont la capacité d'introduire une double liaison *cis* dans la chaîne d'un acide gras. Chez certaines bactéries, l'introduction de cette double liaison est un processus anaérobie, indépendant de la présence de l'oxygène, tandis que chez les eucaryotes, l'oxygène est indispensable. La différence chimique entre les deux processus est fondamentale. La réaction O_2 dépendante permet l'introduction d'une double liaison à tout endroit de la chaîne sans exiger l'activation préalable de la liaison qui sera déshydrogénée. Mais, pour la réaction qui n'utilise pas O_2, il faut que la liaison à désaturer soit préalablement activée. Chez les bactéries, la déshydrogénation a

CH₃—C(=O)—SCoA

HSCoA

R—CH₂—C(=O)—SCoA → R—CH₂—C(=O)—CH₂—C(=O)—SCoA

Thiolase

Acyl-CoA

β-Cétoacyl-CoA

NADH + H⁺

L-β-hydroxyacyl-CoA déshydrogénase

NAD⁺

R—CH₂—CH(OH)—CH₂—C(=O)—SCoA

L-β-Hydroxyacyl-CoA

H_2O

Énoyl-CoA hydratase

R—CH₂—CH=CH—C(=O)—SCoA

***α, β-trans*-Énoyl-CoA**

NADPH + H⁺

NADP⁺

R—CH₂—CH₂—CH₂—C(=O)—SCoA

Acyl-CoA (allongé de deux atomes de C)

Figure 25.12 • L'allongement de la chaîne des acides gras dans les mitochondries commence par une réaction catalysée par la thiolase. Le β-cétoacyl-CoA formé subit ensuite les trois réactions caractéristiques de la β-oxydation, mais dans le sens inverse. Notez cependant que si le coenzyme de la réduction du β-cétoacyl-CoA est le NADH, celui de la réduction de l'énoyl-CoA est le NADPH.

lieu lorsque la liaison concernée est encore proche du groupe β-carbonyle ou β-hydroxyle et de la liaison thioester à l'extrémité de la chaîne ; l'introduction de la double liaison s'effectue *pendant* la synthèse de l'acide gras.

Chez *E. coli*, la biosynthèse d'un acides gras monoinsaturé débute par les quatre premiers cycles normaux de la synthèse des acides gras, jusqu'à la formation du β-hydroxydécanoyl-ACP (Figure 25.13). Cet intermédiaire est déshydraté par une déshydratase particulière, *la β-hydroxydécanoyl-ACP déshydratase*, et le produit de la réaction contient une double liaison *cis*-β,γ qui ne sera pas réduite (dans la synthèse des acides gras, seules les doubles liaisons *trans* sont réduites). Trois cycles supplémentaires d'allongement, comprenant toutes les réactions normales, aboutissent à la formation d'un *palmitoléyl-ACP* (16:1 *cis*-Δ^9). La biosynthèse peut s'arrêter à ce stade, elle peut aussi se poursuivre. Le principal acide gras insaturé chez *E. coli* est *l'acide cis-vaccénique* (18:1 *cis*-Δ^{11}), il est formé à partir du *cis*-palmitoléyl-ACP par une étape supplémentaire d'allongement.

Acétyl-ACP + 4 Malonyl-ACP

Quatre cycles d'allongement

$CH_3(CH_2)_5-CH_2-CH(OH)-CH_2-C(=O)-ACP$

β-Hydroxydécanoyl-ACP

β-Hydroxydécanoyl-ACP déshydratase

H_2O

$CH_3(CH_2)_5CH=CH-CH_2-C(=O)-ACP$ (γ, β)

Trois cycles d'allongement

Palmitoléoyl-ACP (16:1$^{\Delta 9}$–ACP)

Allongement

cis-Vaccénoyl-ACP 18:1$^{\Delta 11}$–ACP

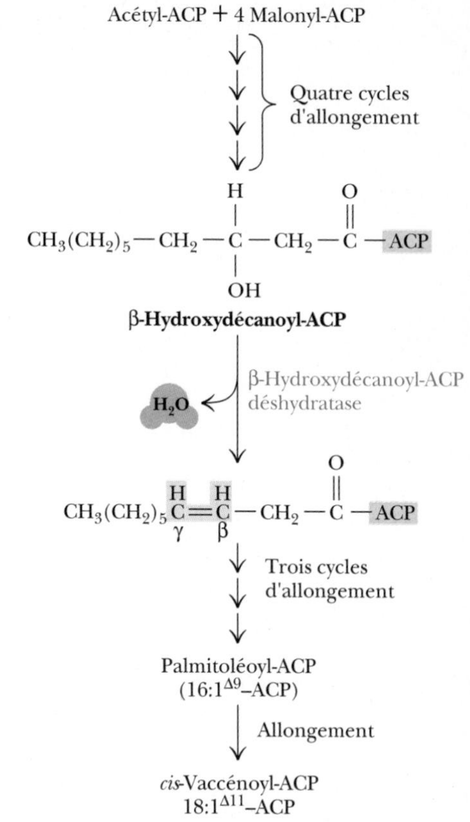

Figure 25.13 • Chez *E. coli*, les doubles liaisons sont introduites dans les chaînes des acides gras pendant leur allongement, par l'action d'une déshydratase spécifique. La synthèse du palmitoléyl-ACP commence par une séquence de quatre cycles normaux d'allongement, suivie de l'insertion d'une double liaison catalysée par la β-hydroxydécanoyl-ACP déshydratase ; trois nouveaux cycles d'allongement terminent la synthèse. Un cycle supplémentaire d'allongement produit l'acide *cis*-vaccénique.

Les réactions d'insaturation chez les eucaryotes commencent au milieu de la chaîne aliphatique

L'introduction des doubles liaisons dans les acides gras des eucaryotes s'effectue *après* la synthèse complète de la chaîne (en général à 18 atomes de carbone). Malgré l'absence de tout groupe fonctionnel voisin qui faciliterait la réaction, la liaison C–C au centre de la chaîne du stéaryl-CoA est déshydrogénée :

$$CH_3\text{–}(CH_2)_{16}CO\text{–}SCoA \longrightarrow CH_3\text{–}(CH_2)_7CH{=}CH(CH_2)_7CO\text{–}SCoA$$

Cette réaction est catalysée par la **stéaryl-CoA désaturase**, un enzyme de 53 kDa contenant un centre fer non hémique ; elle exige du NADH, de l'oxygène (O_2) et deux autres protéines, la **cytochrome b$_5$ *réductase*** (une flavoprotéine de 43 kDa) et le **cytochrome b$_5$** (16,7 kDa). Ces trois protéines sont dans la membrane du réticulum endoplasmique. La cytochrome b_5 réductase catalyse le transfert (par l'intermédiaire du FAD) d'une paire d'électrons du NADH au cytochrome b_5 (Figure 25.14). L'oxydation du cytochrome b_5 réduit est couplée à la réduction de Fe^{3+} en Fe^{2+} dans la désaturase. Fe^{3+} de l'enzyme accepte une paire d'électrons venant du cytochrome b_5 (un électron par cycle d'oxydoréduction) et crée une double liaison *cis* en position 9,10 du stéaryl-CoA. O_2 est l'accepteur final des électrons de cette réaction de désaturation d'un acyl-CoA à longue chaîne. Notez qu'il se forme deux molécules d'eau, ce qui signifie que quatre électrons ont été transférés ; deux proviennent du NADH et deux de l'acide gras qui est déshydrogéné.

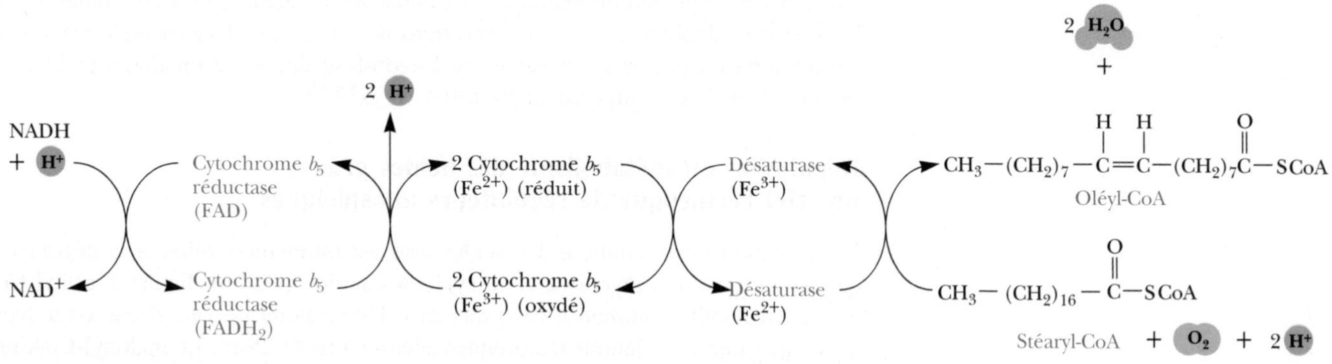

NADH + H^+ → NAD$^+$

Cytochrome b_5 réductase (FAD) / Cytochrome b_5 réductase ($FADH_2$)

2 H^+

2 Cytochrome b_5 (Fe^{2+}) (réduit) / 2 Cytochrome b_5 (Fe^{3+}) (oxydé)

Désaturase (Fe^{3+}) / Désaturase (Fe^{2+})

2 H_2O + $CH_3-(CH_2)_7-CH{=}CH-(CH_2)_7C(=O)-SCoA$ Oléyl-CoA

$CH_3-(CH_2)_{16}-C(=O)-SCoA$ Stéaryl-CoA + O_2 + 2 H^+

Figure 25.14 • La conversion du stéaryl-CoA en oléyl-CoA chez les eucaryotes est catalysée par la stéaryl-CoA désaturase ; la séquence réactionnelle comprend le cytochrome b_5 et la cytochrome b_5 réductase. Deux des électrons transférés proviennent du NADH et passent sur l'oxygène par la chaîne des réactions décrite dans la figure, et deux autres électrons proviennent du substrat, le stéaryl-CoA.

Une réaction d'insaturation peut être suivie d'un allongement de la chaîne

Après cette réaction aboutissant à la formation d'un seule double liaison, la chaîne de l'acide gras peut être allongée. L'oléyl-CoA peut être allongé d'un maillon à deux atomes de carbone pour donner le 20:1 *cis*-Δ^{11} acyl-CoA. Si le substrat de départ avait été le palmityl-CoA, les réactions d'insaturation auraient donné le palmitoléyl-CoA (16:1 *cis*-Δ^9). Les acides gras en C_{16} et en C_{18} peuvent également être allongés pour donner des acides gras en C_{22} et C_{24} souvent présents dans les sphingolipides.

Biosynthèse des acides gras polyinsaturés

La synthèse, la transformation et l'utilisation des acides gras polyinsaturés varient avec les organismes. *Escherichia coli*, par exemple, n'a aucun acide gras polyinsaturé. Par contre, les eucaryotes synthétisent une grande variété d'acides gras polyinsaturés, certains organismes plus que d'autres. Les plantes font la synthèse d'acides gras insaturés dans lesquels des doubles liaisons peuvent se trouver entre le Δ^9 et le méthyle de l'extrémité de la chaîne, mais pas les animaux car ils *n'ont pas* les enzymes nécessaires. Les plantes synthétisent l'acide linoléique (18:2 *cis*-$\Delta^{9,12}$) par désaturation en 12-13 de l'acide oléique et l'acide linolénique (18:3 *cis*-$\Delta^{9,12,15}$) par désaturation en 15-16 de l'acide linoléique. Les mammifères ont besoin de ces acides gras polyinsaturés et doivent les trouver dans leurs aliments. Ces acides gras sont appelés **acides gras essentiels**. Cependant, les animaux *ont* des enzymes qui catalysent l'introduction d'une double liaison entre la double liaison en position 8 ou 9 et le groupe carboxyle. Un complexe enzymatique du réticulum endoplasmique peut effectuer la désaturation en 5-6, si une double liaison est déjà présente en position 8, ou effectuer la désaturation en 6-7 si la double liaison préexistante est en position 9. Ainsi l'oléate peut être désaturé entre les atomes de carbone 6 et 7 pour donner l'acide gras 18:2 *cis*-Δ^6,Δ^9.

Les mammifères synthétisent l'acide arachidonique à partir de l'acide linoléique

Les mammifères peuvent ajouter des doubles liaisons aux acides gras d'origine alimentaire. Ils sont, par exemple, capables de synthétiser l'acide arachidonique à partir de l'acide linoléique (Figure 25.15). Cet acide gras est le précurseur des prostaglandines et des leucotriènes. La synthèse commence par la formation de linoléyl-CoA ; la réaction suivante introduit une nouvelle double liaison entre les atomes de carbone 6 et 7. Cet acide gras est alors allongé (une réaction favorisée par la décarboxylation du malonyl-CoA donateur) en acide gras à 20 atomes de carbone et trois doubles liaisons, aux positions 8-, 11- et 14-. Une seconde réaction de désaturation en position 5-6 suivie de l'hydrolyse de la liaison thioester libère le produit final, l'acide arachidonique (20:4 *cis* $\Delta^{5,8,11,14}$).

Régulation du métabolisme des acides gras – un effet réciproque de régulateurs allostériques

La régulation de la synthèse des acides gras est intimement reliée à la dégradation des acides gras, à la glycolyse et au cycle des acides tricarboxyliques. L'acétyl-CoA est un métabolite commun à ces processus. De ce point de vue, il est assez facile de comprendre les relations réciproques décrites Figure 25.16. Le malonyl-CoA prévient l'entrée des acyl-CoA dérivés des acides gras dans les mitochondries en inhibant la carnitine acyltransférase I. De cette façon, lorsque la synthèse des acides gras est active (quand la concentration du malonyl-CoA est élevée) la β-oxydation est inhibée. Nous avons signalé que le citrate est un activateur allostérique de l'acétyl-CoA carboxylase et que les acyl-CoA à longue chaînes (dérivés des acides gras)

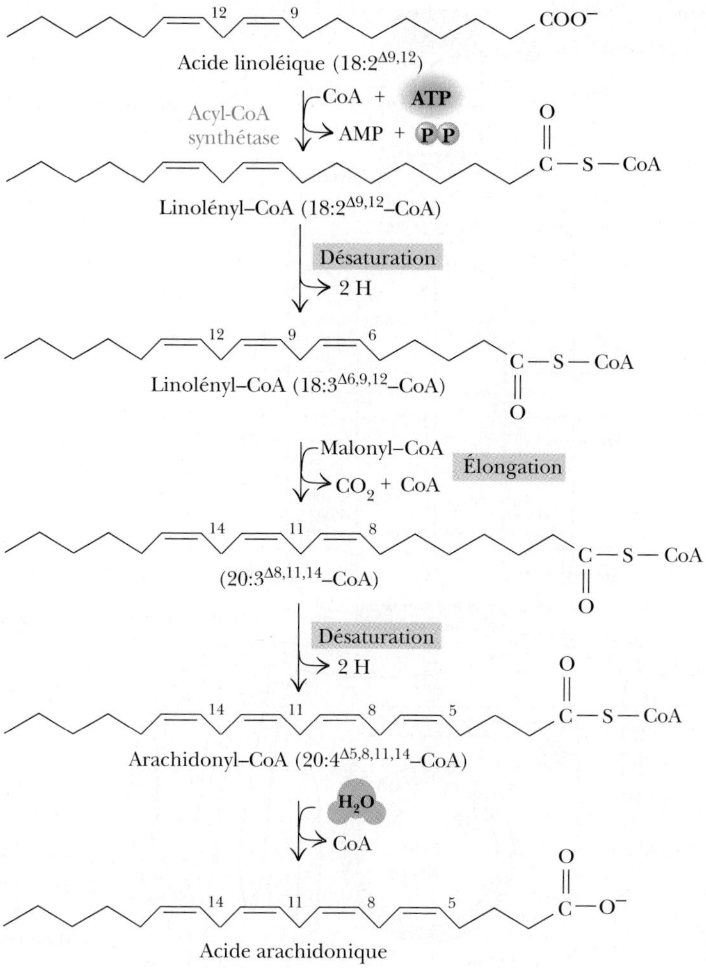

Figure 25.15 • Synthèse de l'acide arachidonique à partir de l'acide linoléique chez les eucaryotes. C'est la seule voie par laquelle les animaux peuvent synthétiser des acides gras contenant des doubles liaisons situées au-delà du C-9.

sont des inhibiteurs de cet enzyme. L'intensité de l'inhibition dépend de la longueur de la chaîne de l'acide gras lié au coenzyme A : plus les chaînes sont longues, plus elles ont d'affinité pour le site d'inhibition allostérique de l'acétyl-CoA carboxylase. Le palmityl-CoA, le stéaryl-CoA et l'arachidyl-CoA sont les plus puissants inhibiteurs de l'acétyl-CoA carboxylase.

Des signaux hormonaux régulent l'acétyl-CoA carboxylase et la biosynthèse des acides gras par un cycle de phosphorylation–déphosphorylation

Nous avons signalé que l'activation de l'acétyl-CoA carboxylase par le citrate, ou son inhibition par le palmityl-CoA, dépendaient de l'état de la phosphorylation de l'enzyme. Cette phosphorylation est fondamentalement reliée à la régulation hormonale. Plusieurs des enzymes qui participent à la phosphorylation de l'acétyl-CoA carboxylase (Figure 25.4) sont régulés par voie hormonale. Le glucagon est un bon exemple d'hormone régulant l'activité de l'acétyl-CoA carboxylase (Figure 25.17). Le glucagon, en se liant à son récepteur membranaire, active une cascade intracellulaire qui débute par l'activation de l'adénylate cyclase (Chapitre 23). L'AMP cyclique, produit par la cyclase, active une protéine kinase qui phosphoryle l'acétyl-CoA carboxylase. Sauf si la concentration en citrate est particulièrement élevée,

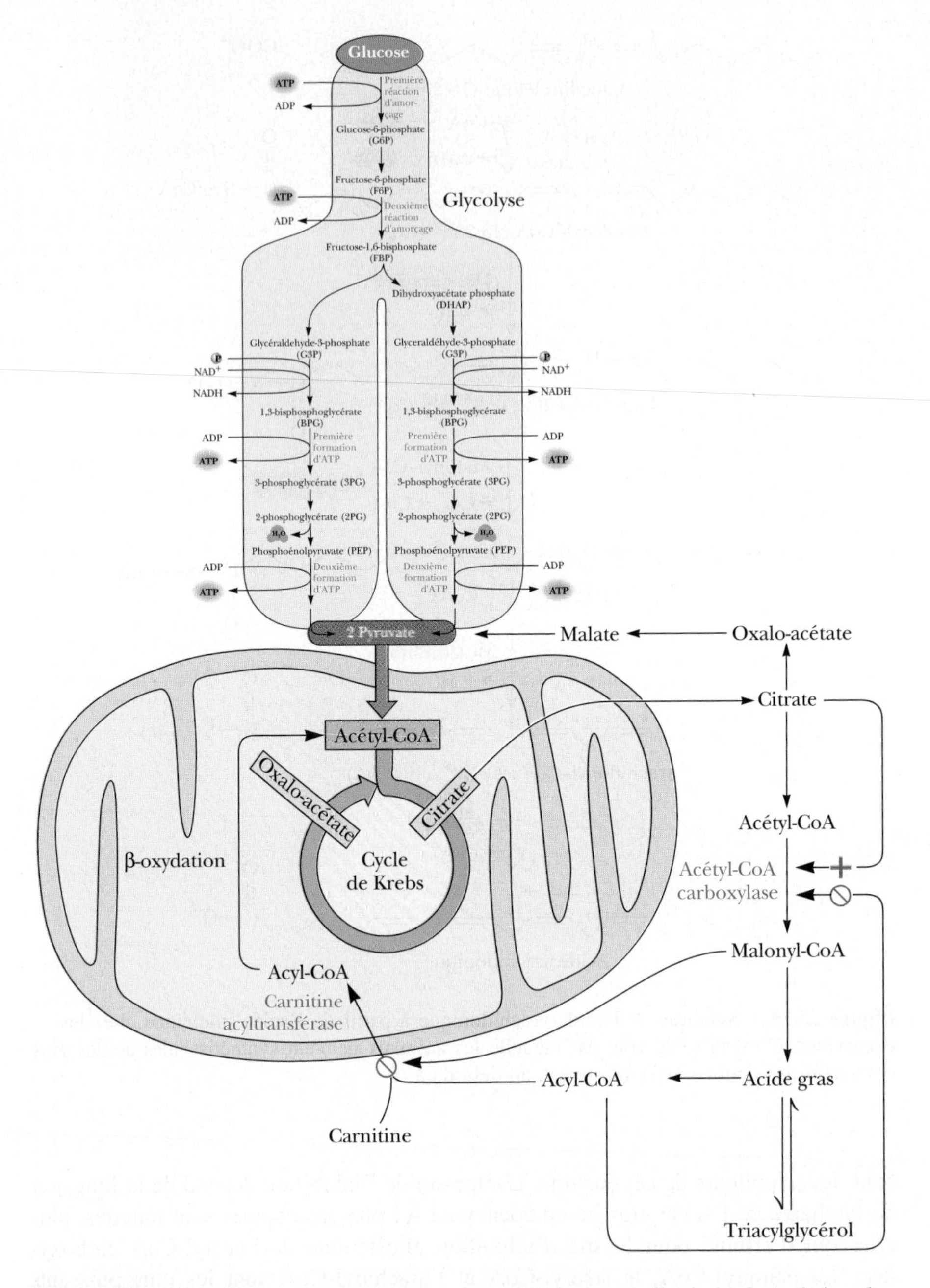

Figure 25.16 • La régulation de la synthèse des acides gras et celle de la β-oxydation des acides gras sont couplées. Le malonyl-CoA formé par la première réaction de la synthèse des acides gras inhibe l'entrée de l'acyl-carnitine dans les mitochondries (et donc l'oxydation des acides gras). Quand la concentration des acyl-CoA à longue chaîne s'élève, la synthèse des acides gras est inhibée et la β-oxydation est stimulée. L'augmentation de la concentration du citrate (qui reflète une production abondante d'acétyl-CoA) stimule la synthèse des acides gras.

la phosphorylation de la carboxylase a pour conséquence l'inhibition de la synthèse des acides gras. La carboxylase (et donc la synthèse des acides gras) est réactivée par une phosphatase spécifique qui déphosphoryle l'enzyme. L'activation simultanée de la triacylglycérol lipase par le glucagon favorise le catabolisme des acides gras. L'inactivation de l'acétyl-CoA carboxylase et l'activation de la triacylglycérol lipase sont toutes deux neutralisées par l'insuline ; le récepteur de l'insuline, après avoir lié l'hormone, stimule une phosphodiestérase qui hydrolyse l'AMP cyclique en AMP.

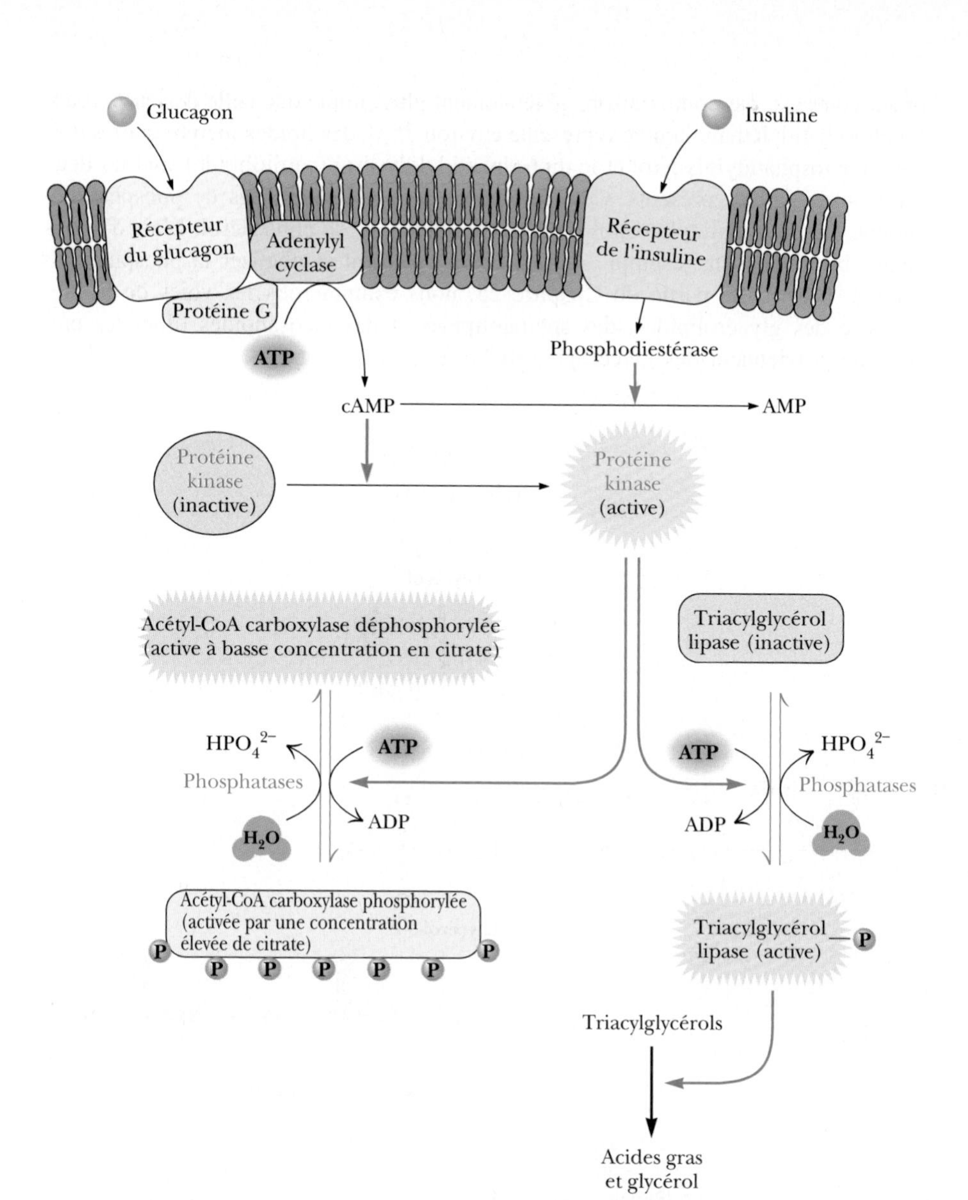

Figure 25.17 • Des signaux hormonaux régulent la synthèse des acides gras, principalement par leur effet sur l'acétyl-CoA carboxylase. La mobilisation des acides gras dépend également de l'activation hormonale de la triacyglycérol lipase.

25.2 • Biosynthèse des lipides complexes

La structure des lipides complexes est constituée d'un squelette sur lequel des acides gras sont liés par des liaisons covalentes. Les **glycérolipides**, dont le squelette est du glycérol, et les **sphingolipides**, dont le squelette est la sphingosine, sont les deux principales classes de lipides complexes. Les glycérolipides comprennent les **glycérophospholipides** et les **triacylglycérols (ou triglycérides)**. Les **phospholipides** englobent un groupe hétérogène de lipides, glycérophospholipides et sphingomyéline (un sphingolipide) qui ont en commun leur rôle crucial dans la structure des membranes. Ce sont aussi des précurseurs d'hormones comme les *eicosanoïdes* (par exemple les *prostaglandines*) et de molécules signal comme les produits de la dégradation des *inositol-phospholipides.*

La composition lipidique est parfois très différente d'un organisme à l'autre et les voies de synthèse peuvent ne pas être exactement les mêmes. Par exemple, seuls les eucaryotes contiennent des triglycérides et des sphingolipides ; ces derniers sont toutefois présents dans quelques genres bactériens. La composition lipidique des procaryotes est, par comparaison, généralement plus simple que celle des eucaryotes. La phosphatidyléthanolamine représente environ 75 % des lipides membranaires *d'E. coli*, le phosphatidylglycérol et le diphosphatidylglycérol (cardiolipide) sont les deux seuls autres lipides présents. Ces membranes ne contiennent pas de phosphatidylcholine, de phosphatidylinositol, de sphingolipides, ni de cholestérol. Mais d'autres genres bactériens (par exemple *Pseudomonas*) peuvent synthétiser la phosphatidylcholine. Dans cette partie du Chapitre 25, nous examinerons les voies de la biosynthèse des glycérolipides, des sphingolipides et des eicosanoïdes (dont les précurseurs proviennent des glycérophospholipides).

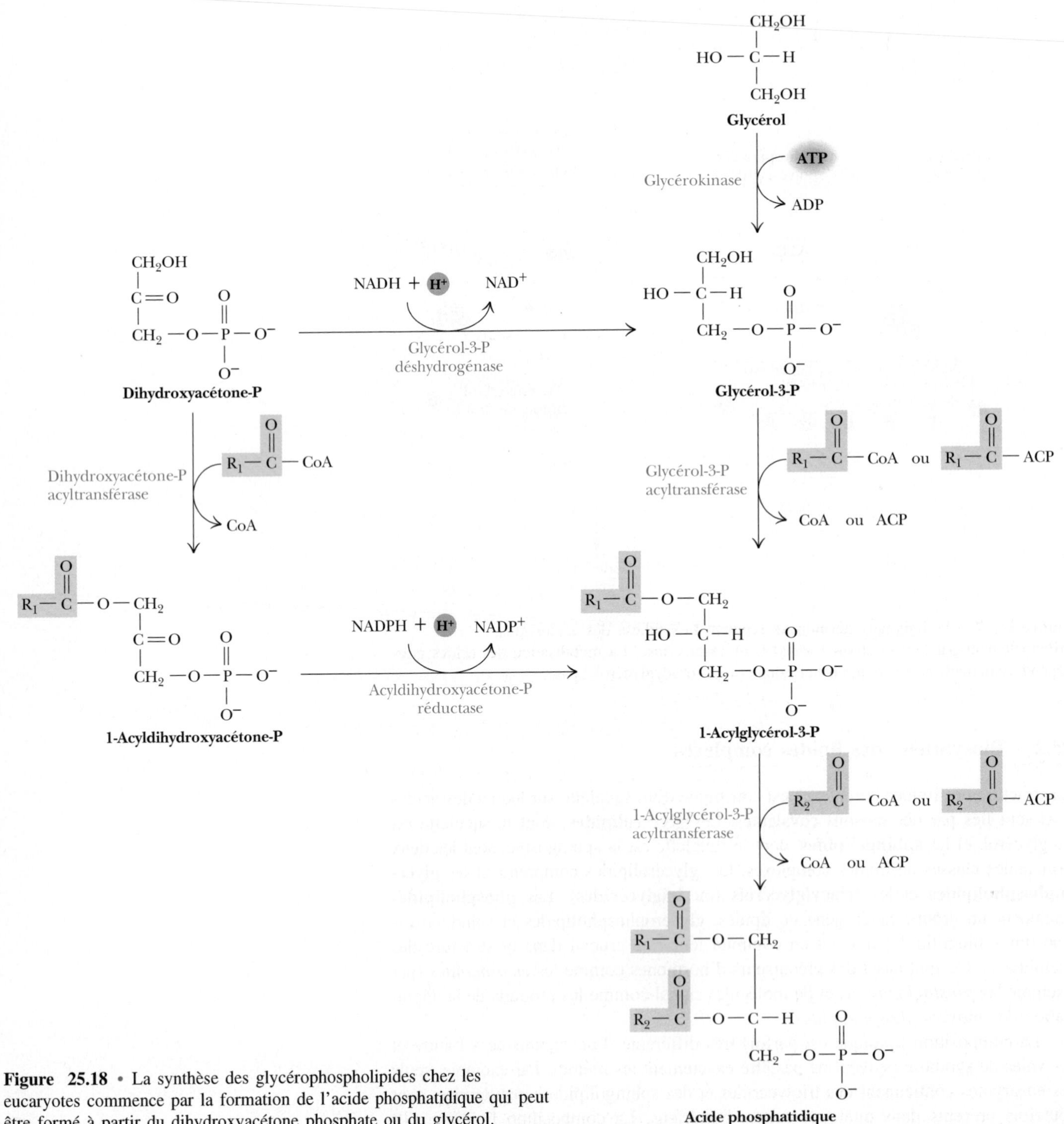

Figure 25.18 • La synthèse des glycérophospholipides chez les eucaryotes commence par la formation de l'acide phosphatidique qui peut être formé à partir du dihydroxyacétone phosphate ou du glycérol.

Biosynthèse des glycérolipides

La synthèse de **l'acide phosphatidique**, le précurseur des autres glycérolipides, est commune à presque tous les organismes. Une *glycérokinase* catalyse la phosphorylation du glycérol pour donner le glycérol-3-phosphate qui est ensuite acylé sur les positions 1 et 2 (Figure 25.18). La première acylation, sur l'hydroxyle en C-1, est catalysée par la *glycérol-3-phosphate transacylase*, un enzyme spécifique des chaînes d'acides gras saturées dans la plupart des organismes. Chez les eucaryotes, la synthèse de l'acide phosphatidique peut aussi commencer par l'acylation de la *dihydroxyacétone phosphate* (Figure 25.18). Une réaction, catalysée par une transacylase spécifique, fixe une chaîne d'acide gras sur l'hydroxyle en C-1 ; elle est suivie par la réduction de la fonction cétone du squelette, réduction est catalysée par l'**acyl-dihydroxyacétone-3-P réductase** dont le cofacteur est le NADPH. Dans une voie alternative, la dihydroxyacétone-3-P peut être réduite en glycérol-3-phosphate par la **glycéraldéhyde-3-phosphate déshydrogénase**.

Les eucaryotes synthétisent les glycérolipides à partir du CDP-diacylglycérol ou du diacylglycérol

Chez les eucaryotes, l'acide phosphatidique est directement converti soit en diacylglycérol soit en *cytidine diphospho-diacylglycérol* (ou plus simplement en *CDP-diacylglycérol*) ; tous les autres glycérophospholipides dérivent de ces deux précurseurs (Figure 25.19). Le diacylglycérol est le précurseur utilisé pour la synthèse des triglycérides, de la phosphatidyléthanolamine, de la phosphatidylsérine et de la phosphatidylcholine. Les triglycérides sont essentiellement synthétisés dans le tissu adipeux, le foie et les intestins ; ils constituent la principale forme de réserve énergétique chez les eucaryotes. La biosynthèse des triglycérides dans le foie et dans le tissu adipeux est catalysée par la **diacylglycérol transacylase**, un enzyme lié à la face cytosolique du réticulum endoplasmique. Dans les intestins, la synthèse s'effectue par une voie différente. Rappelons que les triglycérides d'origine alimentaire sont dégradés en 2-monoacylglycérols par des lipases spécifiques (Figure 24.3). Des transacétylases acylent ces monoglycérides pour donner de nouveaux triglycérides (Figure 25.20).

La phosphatidyléthanolamine est synthétisée à partir du diacylglycérol et du CDP-éthanolamine

La synthèse de la phosphatidyléthanolamine commence avec la phosphorylation de l'éthanolamine qui donne la phosphoryléthanolamine (Figure 25.19). Puis, le transfert du groupe cytidylique d'un CTP à la phosphoryléthanolamine, catalysé par une cytidylyltransférase spécifique aboutit à la formation de CDP-éthanolamine et de pyrophosphate. Comme dans les autres réactions de ce type, l'hydrolyse du pyrophosphate déplace l'équilibre en faveur de la production du CDP-éthanolamine. Enfin, une **phosphoryléthanolamine transférase** lie le groupe phosphoryléthanolamine du CDP-éthanolamine à un diacylglycérol. Chez les animaux, la biosynthèse de la phosphatidylcholine (PC) suit une voie analogue car ils peuvent la synthétiser directement ; mais toute la choline ainsi incorporée doit provenir de l'alimentation. Par contre, la levure, certaines bactéries et le foie des animaux, peuvent convertir la phosphatidyléthanolamine en phosphatidylcholine par des réactions de méthylation utilisant comme donneur de groupe méthyle la S-adénosylméthionine (voir Chapitre 26).

L'échange de l'éthanolamine pour de la sérine convertit la phosphatidyléthanolamine en phosphatidylsérine

Les mammifères synthétisent la phosphatidylsérine (PS) par une réaction d'échange impliquant des acides aminés à fonction alcool (Figure 25.21) ; cette réaction requiert la présence d'ions calcium. L'enzyme qui catalyse cet échange est associé à la membrane du réticulum endoplasmique, il accepte comme substrat la

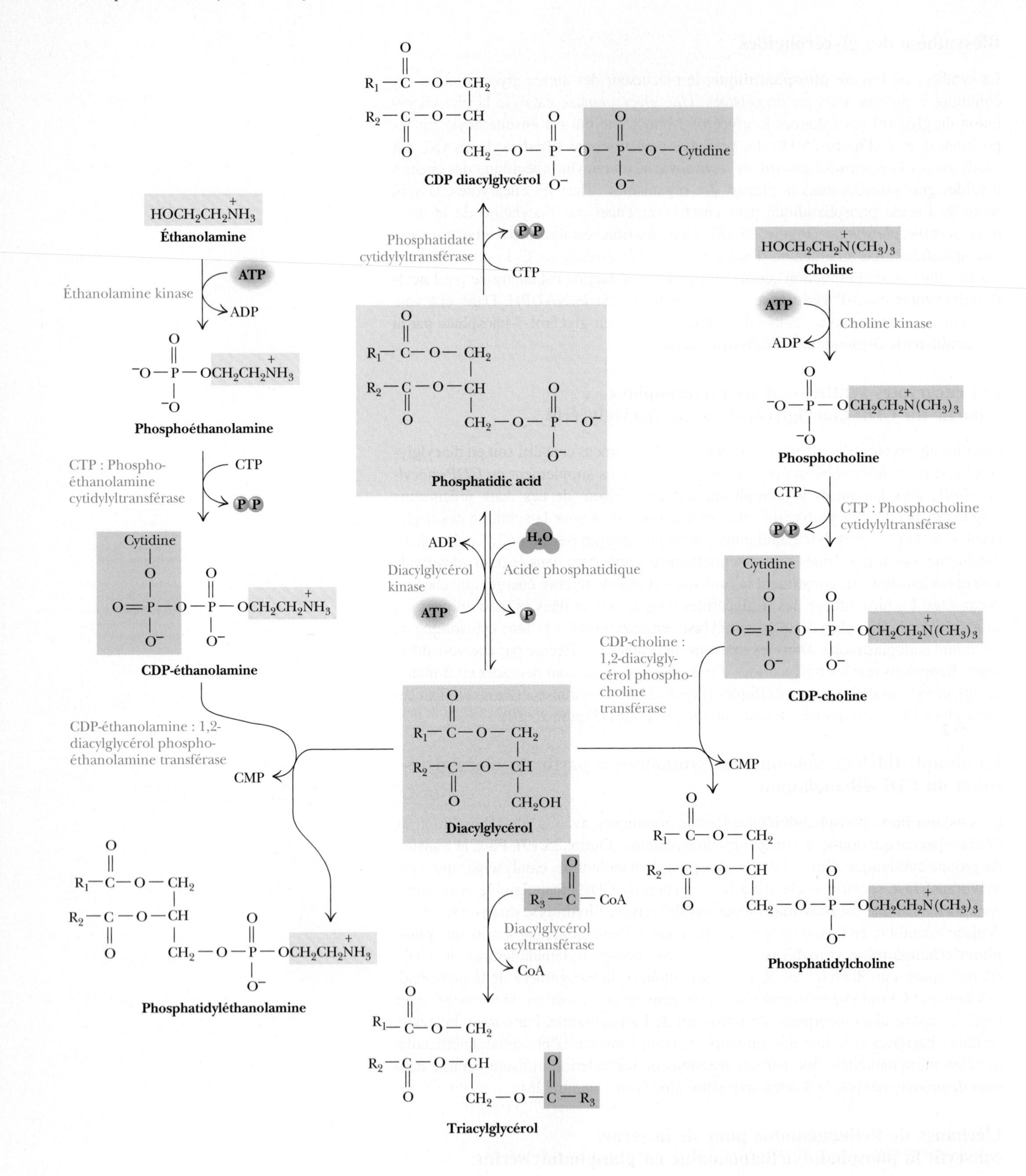

Figure 25.19 • Le diacylglycérol et le CDP-diacylglycérol sont les principaux précurseurs des glycérophospholipides chez les eucaryotes. La phosphatidyléthanolamine et la phosphatidylcholine sont respectivement formées à partir du CDP-éthanolamine et du CDP-choline.

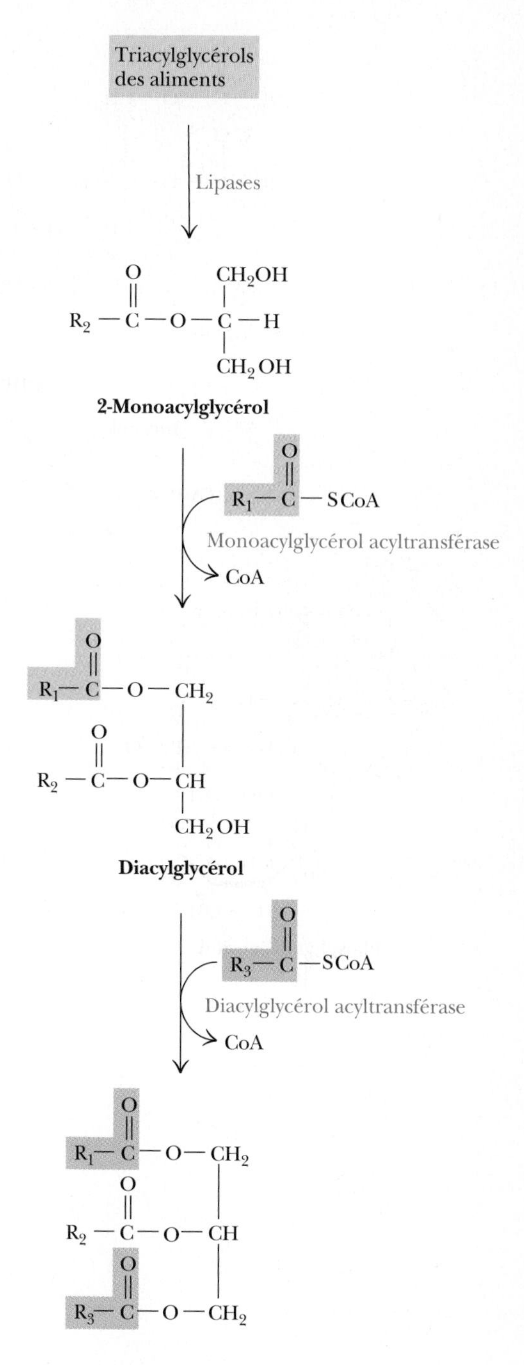

Figure 25.20 • Les triacylglycérols sont pour l'essentiel synthétisés par l'action des acyltransférases sur le mono et le diacylglycérol. L'acyltransférase chez *E. coli* est un enzyme membranaire intrinsèque (83 kDa) qui utilise comme substrat soit des acyl-CoA, soit des acyl-ACP. Il a une certaine préférence pour les dérivés de l'acide palmitique. Les acyltransférases des eucaryotes n'utilisent comme donneurs d'acide gras que les acyl-CoA.

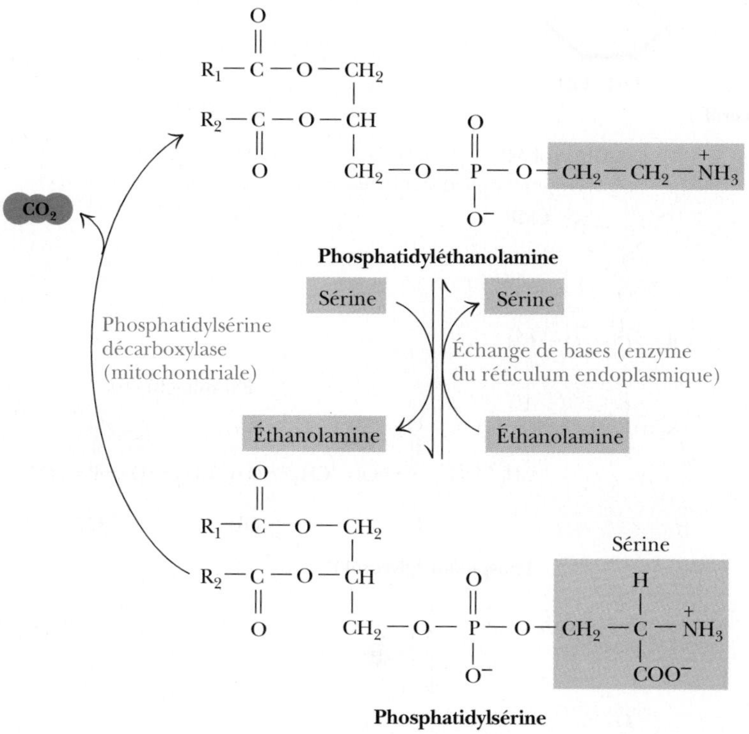

CO_2

Phosphatidyléthanolamine

Sérine

Sérine

Phosphatidylsérine décarboxylase (mitochondriale)

Échange de bases (enzyme du réticulum endoplasmique)

Éthanolamine

Éthanolamine

Sérine

Phosphatidylsérine

Figure 25.21 • Interconversion de la phosphatidyléthanolamine et de la phosphatidylsérine chez les mammifères.

phosphatidyléthanolamine (PE) et d'autres phospholipides. Dans les mitochondries, et dans les bactéries, une PS décarboxylase peut convertir PS en PE. On ne connaît pas d'autre voie de conversion de la sérine en éthanolamine.

Les eucaryotes synthétisent d'autres glycérophospholipides à partir du CDP-diacylglycérol

Pour la synthèse des autres glycérophospholipides, phosphatidylinositol (PI), phosphatidylglycérol (PG) et diphosphatidylglycérol (DPG), les eucaryotes utilisent comme précurseur le CDP-diacylglycérol formé à partir de l'acide phosphatidique (Figure 25.22). Le PI et ses dérivés phosphorylés ne représente que 2 à 8 % des phospholipides des membranes de la plupart des animaux, mais les produits de leur dégradation, en particulier l'inositol-1,4,5-trisphosphate et le diacylglycérol, sont les seconds messagers de très nombreux processus de signalisation cellulaire.

La dihydroxyacétone phosphate est le précurseur des plasmalogènes

Certains glycérophospholipides ont sur le C-1 un groupe éther alkyle ou alcényle à la place du groupe acyle. Ces éthers lipidiques sont synthétisés à partir de la dihydroxyacétone phosphate (Figure 25.23). L'acylation de la dihydroxyacétone phosphate (DHAP) est suivie d'une réaction d'échange par laquelle un

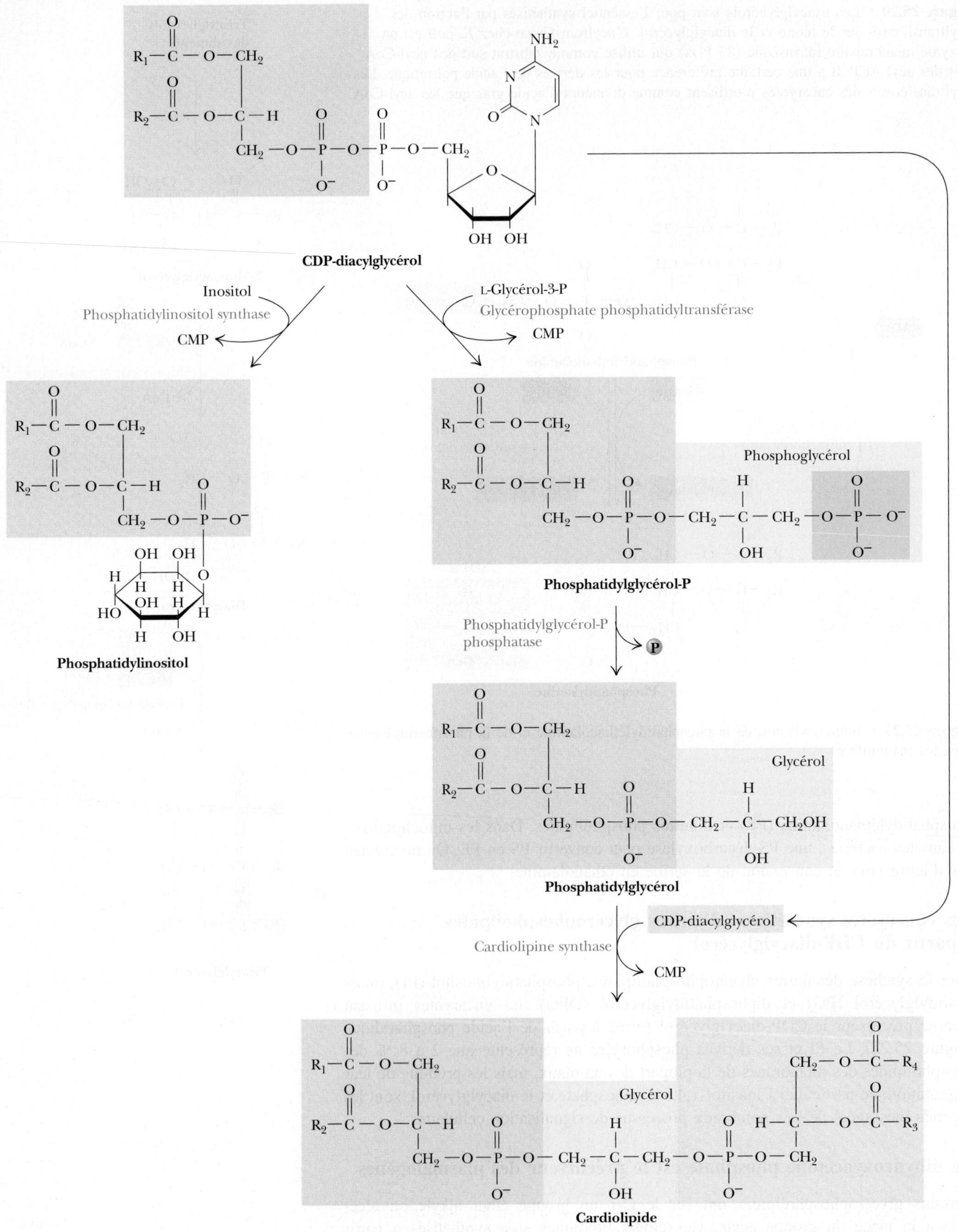

CDP-diacylglycérol

Inositol

Phosphatidylinositol synthase

CMP

L-Glycérol-3-P

Glycérophosphate phosphatidyltransférase

CMP

Phosphatidylinositol

Phosphoglycérol

Phosphatidylglycérol-P

Phosphatidylglycérol-P phosphatase

P

Glycérol

Phosphatidylglycérol

CDP-diacylglycérol

Cardiolipine synthase

CMP

Glycérol

Cardiolipide

Figure 25.22 • Le CDP-glycérol est le précurseur du phosphatidylinositol, du phosphatidylglycérol et du diphosphatidylglycérol (cardiolipide) chez les eucaryotes.

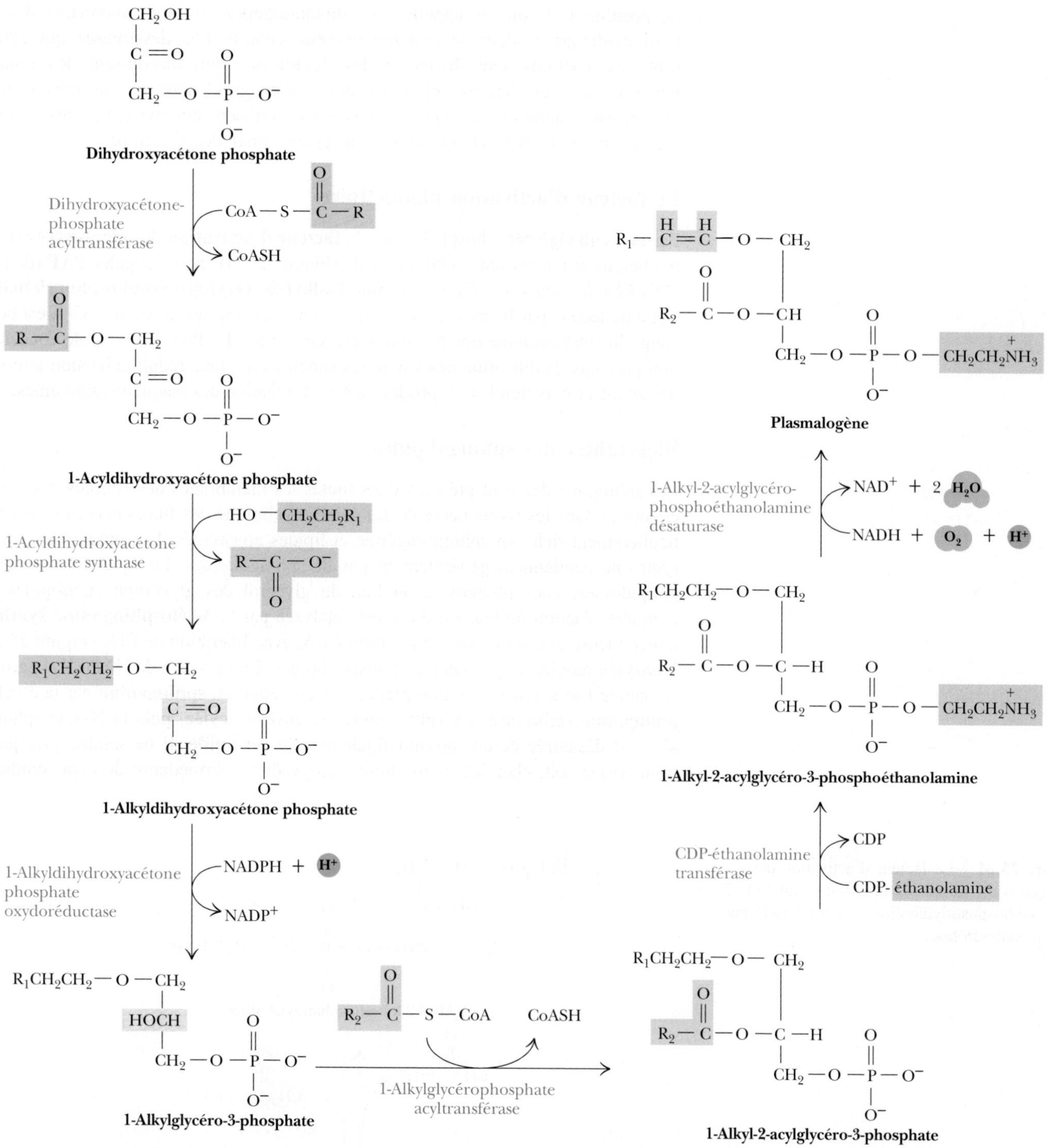

Dihydroxyacétone phosphate

Dihydroxyacétone-phosphate acyltransférase

CoA—S—C(=O)—R → CoASH

1-Acyldihydroxyacétone phosphate

1-Acyldihydroxyacétone phosphate synthase

HO—$CH_2CH_2R_1$ → R—C(=O)—O^-

1-Alkyldihydroxyacétone phosphate

1-Alkyldihydroxyacétone phosphate oxydoréductase

NADPH + H^+ → $NADP^+$

1-Alkylglycéro-3-phosphate

R_2—C(=O)—S—CoA → CoASH

1-Alkylglycérophosphate acyltransférase

1-Alkyl-2-acylglycéro-3-phosphate

CDP-éthanolamine transférase

CDP-éthanolamine → CDP

1-Alkyl-2-acylglycéro-3-phosphoéthanolamine

1-Alkyl-2-acylglycéro-phosphoéthanolamine désaturase

NADH + O_2 + H^+ → NAD^+ + 2 H_2O

Plasmalogène

Figure 25.23 • Biosynthèse des plasmalogènes chez les animaux. Après une acylation sur le C-1, le groupe acyle est remplacé par un alcool à longue chaîne. La réduction de la fonction cétone en position 2 est suivie de deux réactions de transfert : la première acyle l'hydroxyle en C-2, la deuxième apporte la tête polaire du plasmalogène. Enfin une désaturase introduit la double liaison dans la chaîne alkyle. Les deux premiers enzymes sont cytoplasmiques, la dernière transférase est liée au réticulum endoplasmique.

alcool à longue chaîne remplace l'acide carboxylique en position C-1. L'alcool à longue chaîne provient de la réduction d'un acyl-CoA ; cette réduction est catalysée par une **acyl-CoA réductase** qui oxyde simultanément deux NADH. Le groupe *cétonique* en position C-2 du squelette DHAP est alors réduit en groupe alcool qui est ensuite acylé. Le produit final de ces réactions, le 1-alkyl-2-acylglycéro-3-phosphate peut réagir de la même façon que l'acide phosphatidique pour donner des éthers analogues de PE, PC, etc. Des **désaturases** spécifiques, associées au réticulum endoplasmique, peuvent désaturer la chaîne éther alkyle de ces lipides. Les produits de la réaction contiennent des éthers α,β-insaturés en position C-1, on les appelle des **plasmalogènes** ; ils sont abondants dans le tissu cardiaque et dans le système nerveux central. Les désaturases qui catalysent ces réactions sont distinctes des désaturases qui introduisent des doubles liaisons dans les dérivés acyl-CoA des acides gras, mais le mécanisme réactionnel est néanmoins similaire. Ces enzymes utilisent comme cofacteurs le cytochrome b_5 et le NADH, O_2 étant l'accepteur final des électrons.

Le facteur d'activation plaquettaire

Parmi les alkylglycérophospholipides, le **facteur d'activation des plaquettes** est particulièrement intéressant. Cette molécule (Figure 25.24) encore appelée **PAF** (de l'anglais *Platelet Activating Factor*) est une **1-alkyl-2-acétyl-glycérophosphorylcholine**. Cette molécule, par la présence d'une très courte chaîne sur la position C-2, est beaucoup plus hydrosoluble que les autres glycérolipides. La PAF à très faible concentration provoque la dilatation des vaisseaux sanguins (et donc réduit la tension artérielle des animaux hypertendus), il produit aussi l'agrégation des plaquettes sanguines.

Biosynthèse des sphingolipides

Les sphingolipides sont présents dans toutes les membranes des cellules eucaryotes et surtout dans les tissus nerveux. La gaine myélinique des fibres nerveuses est particulièrement riche en sphingomyéline et lipides apparentés. Les organismes procaryotes ne contiennent généralement pas de sphingolipides. Le squelette des sphingolipides est une sphingosine au lieu du glycérol des glycérophospholipides. La première réaction de leur synthèse est catalysée par la **3-cétosphinganine synthase** qui condense une sérine sur un palmityl-CoA, avec libération de CO_2 (Figure 25.25). L'enzyme requiert la présence de phospholipides. En présence de NADPH, le groupe cétonique formé par la réaction précédente est réduit en **sphinganine** par la **3-cétosphinganine réductase**. La sphinganine est ensuite acylée, puis la N-acyl-sphinganine est désaturée ce qui produit finalement le **céramide**. Il ne semble pas que la sphingosine soit, chez les mammifères, un produit intermédiaire de cette synthèse.

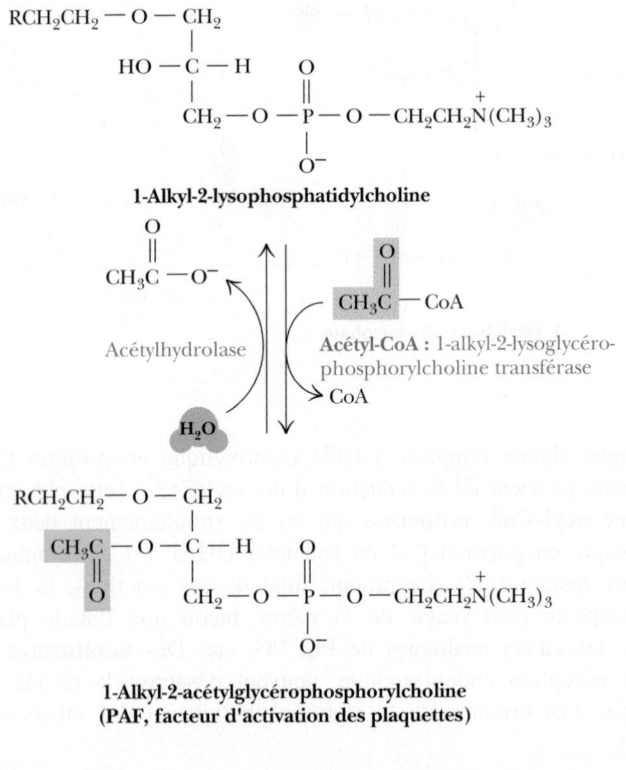

Figure 25.24 • Le facteur d'activation des plaquettes est formé par acétylation sur le C-2 du lysophosphatidylcholine ; il est dégradé par une acétylhydrolase.

1-Alkyl-2-lysophosphatidylcholine

CH_3COO^- ← Acétylhydrolase (H_2O)

$CH_3C(O)-CoA$ → CoA : **Acétyl-CoA :** 1-alkyl-2-lysoglycérophosphorylcholine transférase

1-Alkyl-2-acétylglycérophosphorylcholine (PAF, facteur d'activation des plaquettes)

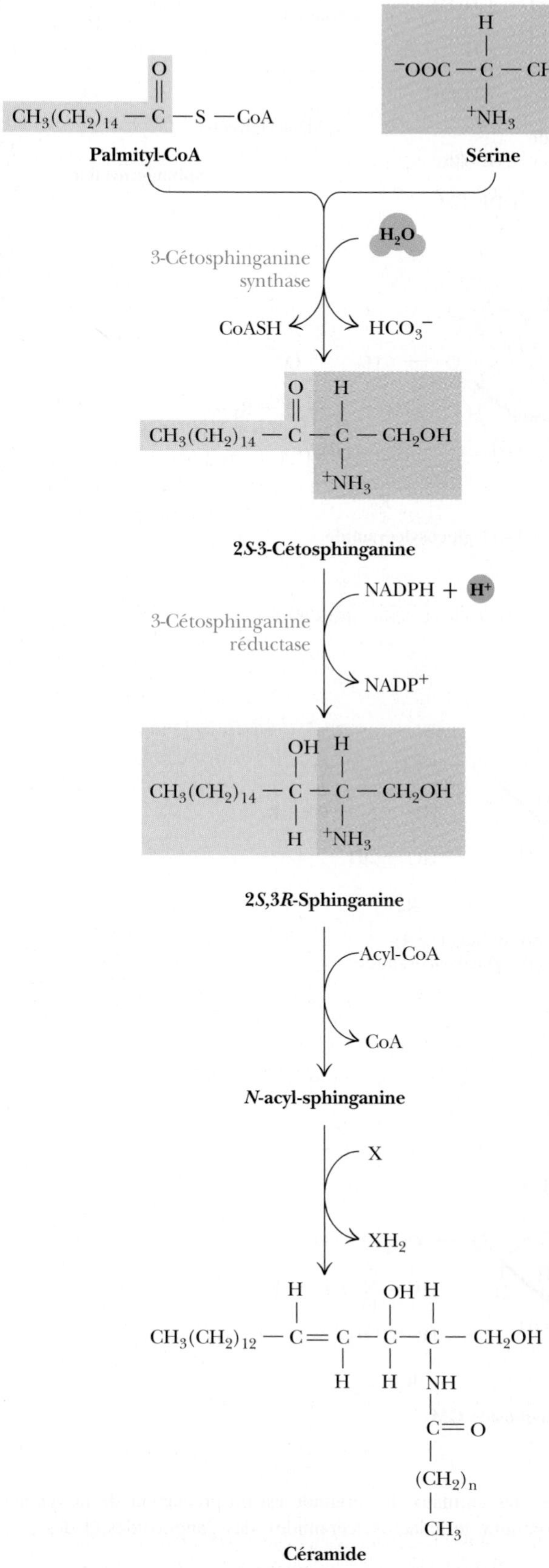

Figure 25.25 • Biosynthèse des sphingolipides chez les animaux. Elle débute par la condensation du palmityl-CoA et de la sérine, une réaction catalysée par la 3-cétosphinganine synthase qui exige la présence de phospholipides. Les réactions suivantes, réduction du groupe cétone, acylation et désaturation (avec réduction d'un accepteur d'électrons, symbolisé par X), aboutissent à la formation du céramide, le précurseur des sphingolipides.

$CH_3(CH_2)_{14}-C(=O)-S-CoA$
Palmityl-CoA

$^-OOC-CH(^+NH_3)-CH_2OH$
Sérine

3-Cétosphinganine synthase
H_2O
CoASH
HCO_3^-

$CH_3(CH_2)_{14}-C(=O)-CH(^+NH_3)-CH_2OH$
2*S*-3-Cétosphinganine

3-Cétosphinganine réductase
NADPH + H^+
$NADP^+$

$CH_3(CH_2)_{14}-CH(OH)-CH(^+NH_3)-CH_2OH$
2*S*,3*R*-Sphinganine

Acyl-CoA
CoA

***N*-acyl-sphinganine**

X
XH_2

$CH_3(CH_2)_{12}-CH=CH-CH(OH)-CH(NH-C(=O)-(CH_2)_n-CH_3)-CH_2OH$
Céramide

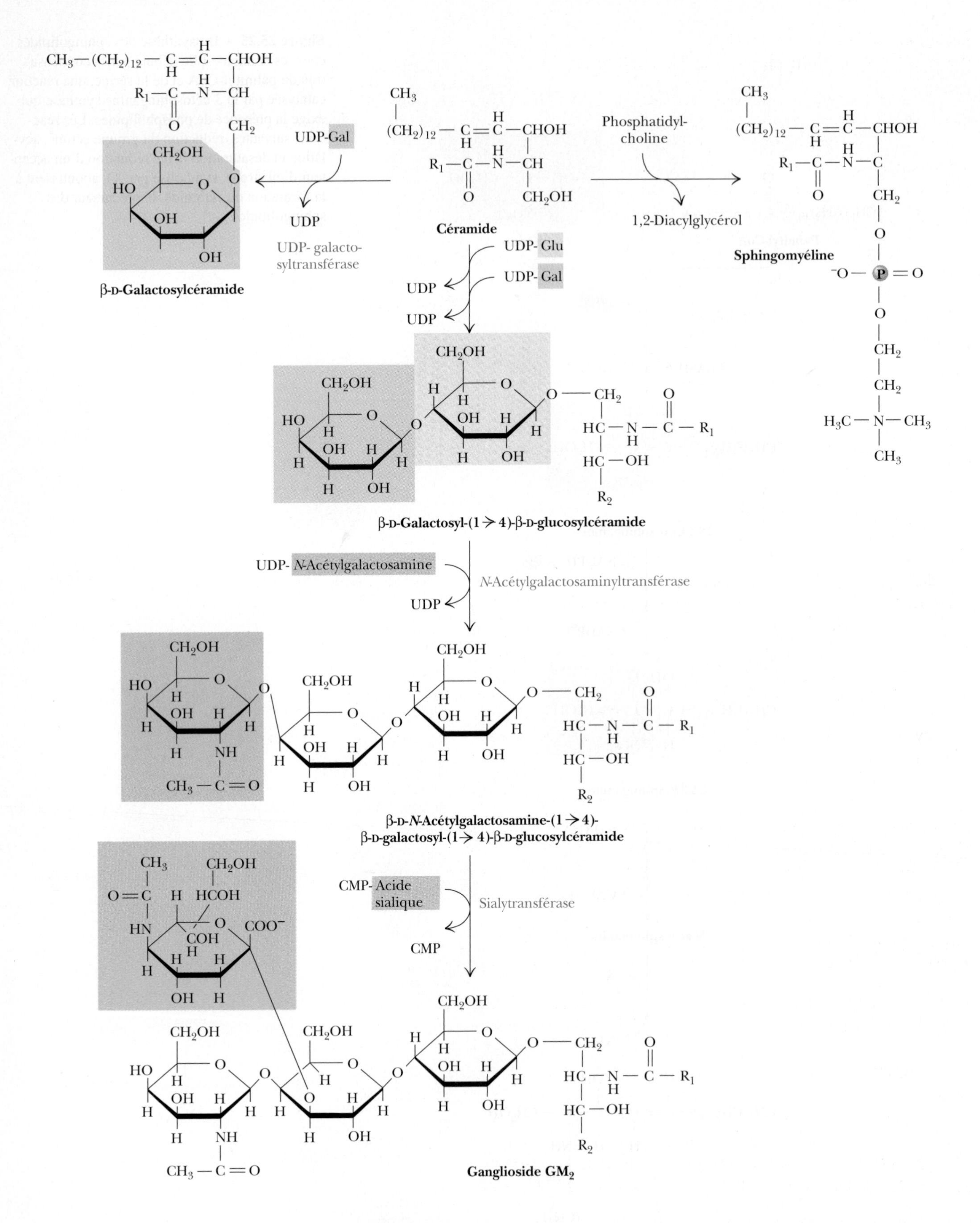

Figure 25.26 • Chez les animaux, le céramide est un précurseur de la synthèse des glycosylcéramides (comme le galactosylcéramide), des gangliosides et des sphingomyélines.

Le céramide est le précurseur des autres sphingolipides et des cérébrosides

Le céramide est l'élément de base spécifique de la synthèse de tous les sphingolipides. Par exemple, la sphingomyéline résulte du transfert du groupe phosphorylcholine de la phosphatidylcholine sur le céramide (Figure 25.26). La glycosylation du céramide par des UDP-oses donne des **cérébrosides**, comme le galactosylcéramide, qui participe pour 15 % à la structure de la gaine myélinique. Les cérébrosides qui contiennent un ou plusieurs résidus d'acide sialique (acide N-acétylneuraminique) sont appelés les **gangliosides**. Plusieurs douzaines de gangliosides ont été caractérisés ; leur mode général de synthèse est illustré par le cas du ganglioside GM_2 (Figure 25.26). Les unités osidiques sont ajoutées au cours de la synthèse des gangliosides à partir de dérivés nucléotidiques comme l'UDP-acétylglucosamine, l'UDP-galactose, ou l'UDP-glucose.

25.3 • Biosynthèse et fonctions des eicosanoïdes

Les eicosanoïdes doivent leur nom au fait qu'ils sont tous des dérivés d'acides gras à 20 atomes de carbone. Ces molécules sont très largement répandues chez les vertébrés ; leurs précurseurs proviennent de la dégradation des phospholipides. En réponse à divers stimuli, la phospholipase A_2 (voir Chapitre 8) hydrolyse la liaison ester en position 2 de certains phospholipides (Figure 25.27). Cette position est généralement occupée par des chaînes d'acides gras insaturés, acides gras qui comprennent en particulier l'acide arachidonique. L'action combinée de la phospholipase C (qui donne des diacylglycérols) et de la diacylglycérol lipase (qui libère les acides gras) peut aussi être à l'origine de l'acide arachidonique libre.

Les eicosanoïdes sont des hormones qui agissent localement

Les cellules animales ont la capacité de transformer l'acide arachidonique et d'autres acides gras polyinsaturés, par un processus impliquant une réaction d'oxygénation et de cyclisation, pour produire des hormones, appelées régulateurs locaux. Ces hormones (1), sont actives à de très faibles concentrations et (2), manifestent leur activité à proximité du lieu de leur synthèse. Les voies de biosynthèse comprennent souvent des réactions de cyclisation et d'oxygénation. Ces substances comprennent les **prostaglandines** (PG), les **thromboxanes** (Tx), les **leucotriènes** et d'autres dérivés des **acides hydroxyeicosanoïques**. Les thromboxanes, découverts dans les plaquettes sanguines, les *thrombo*cytes, sont des éthers cycliques avec un groupe hydroxyle sur le C-15. (TxB_2 est en réalité un hémiacétal ; voir Figure 25.27).

Les prostaglandines sont synthétisées à partir de l'acide arachidonique par oxydation et cyclisation

Toutes les prostaglandines sont des dérivés cyclopentanoïques de l'acide arachidonique. La première réaction de la biosynthèse des prostaglandines est catalysée par la **prostaglandine endoperoxyde synthase**, un enzyme associé à la membrane du réticulum endoplasmique. L'enzyme qui comporte deux activités distinctes, une activité cyclo-oxygénase et une activité peroxydase, catalyse simultanément l'oxydation et la cyclisation de l'acide arachidonique (Figure 25.28).

Une grande variété de stimuli déclenchent la libération de l'acide arachidonique et la synthèse des eicosanoïdes

Des stimuli très divers déclenchent la synthèse et l'interconversion des eicosanoïdes. Ces stimuli comprennent, par exemple, l'histamine, des hormones comme l'adrénaline et la bradykinine, des protéases comme la thrombine, et même la sérum albumine. Une

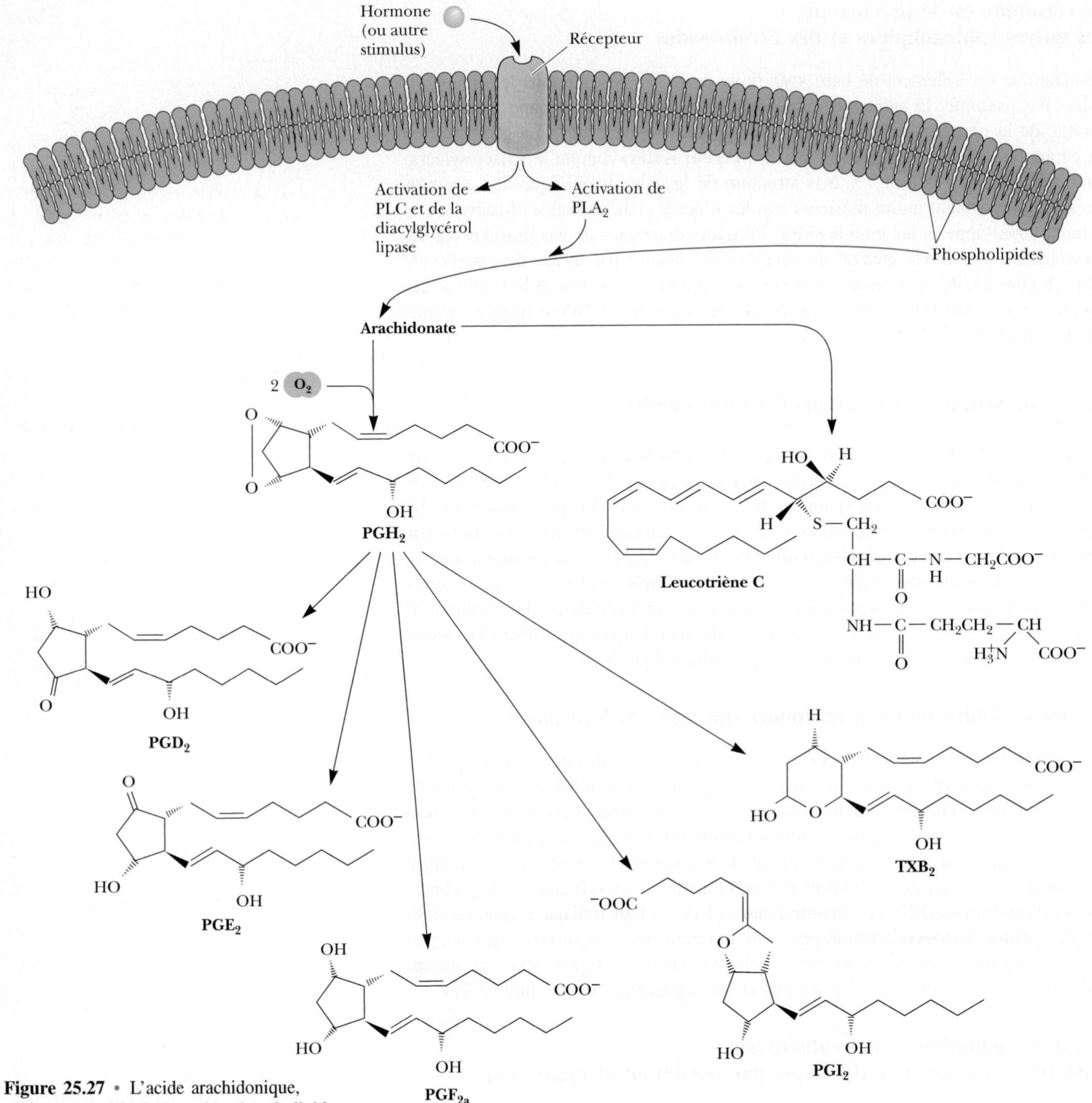

Figure 25.27 • L'acide arachidonique, provenant de l'hydrolyse des phospholipides (PL) par la phospholipase A_2, est le précurseur des prostaglandines, des thromboxanes et des leucotriènes. Les lettres utilisées pour classer les prostaglandines dénotent une communauté de structures et de propriétés physiques. Par exemple les prostaglandines de la classe PGE sont des β-hydroxycétones solubles dans l'éther alors que les molécules de la classe PGF sont des 1,3-diols et sont solubles dans un tampon phosphate ; les prostaglandines PGA sont des cétones insaturées en α,β. Le chiffre qui suit, précise le nombre des doubles liaisons entre les atomes de carbone. Ainsi PGE_2 contient deux doubles liaisons.

lésion ou une inflammation tissulaire sont aussi d'importants facteurs de déclenchement du mécanisme de la libération de l'acide arachidonique et de la synthèse des eicosanoïdes. En réponse à la lésion, des cellules spécialisées, les **monocytes** et les **neutrophiles**, envahissent les tissus atteints et réagissent avec les cellules voisines (cellules des muscles lisses et fibroblastes). *Leurs interactions aboutissent de façon caractéristique à la libération d'acide arachidonique et à la synthèse des eicosanoïdes.* La crise cardiaque, le rhumatisme articulaire et la colite ulcérante sont des exemples où une atteinte tissulaire se traduit par une synthèse d'eicosanoïdes.

Pour en savoir plus

La découverte des prostaglandines

Le nom de *prostaglandine* a été donné à cette classe de substances par le suédois Ulf von Euler qui les a découvertes dans le sperme humain, au cours des années 1930. Comme il croyait qu'elles étaient sécrétées par la prostate (la glande prostatique), il les a appelées prostaglandines. Ces molécules étaient en réalité sécrétées par les vésicules séminales ; on sait aujourd'hui que des molécules similaires sont synthétisées dans la plupart des tissus animaux (mâles et femelles). Von Euler avait remarqué que l'injection de ces substances à des animaux provoquait la contraction des muscles lisses et une impressionnante baisse de la pression sanguine.

Von Euler (et d'autres chercheurs) ont rapidement constaté qu'il était très difficile d'analyser et de caractériser ces substances a priori intéressantes car elles n'étaient présentes qu'à des concentrations extrêmement faibles. La concentration de la prostaglandine $E_{2\alpha}$, ou $PGE_{2\alpha}$, dans le sérum humain est inférieure à 10^{-14} *M* ! De plus, leur durée de demi-vie varie de 30 secondes à quelques minutes, ce qui ne facilite guère l'identification, et au cours des préparations, dissection, homogénéisation, les tissus animaux synthétisent et dégradent rapidement ces molécules. Les quantités obtenues dépendent des méthodes de purification et sont particulièrement sensibles à une variation, même la plus minime, de la procédure utilisée.

La première détermination d'une structure de prostaglandine, par Sune Bergstrom et ses collègues, date de la fin des années 1950. Depuis, avec l'utilisation des techniques de spectroscopie RMN et de la spectroscopie de masse, la caractérisation de ces molécules a fait des progrès spectaculaires.

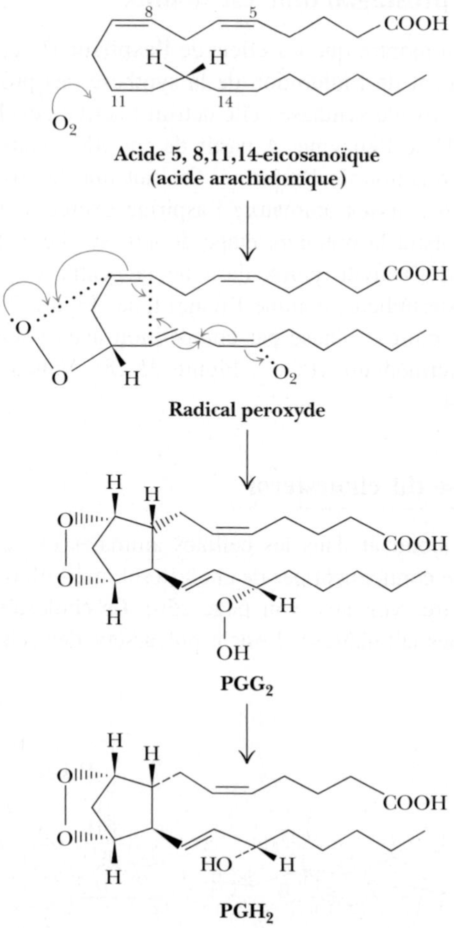

Acide 5, 8,11,14-eicosanoïque (acide arachidonique)

Radical peroxyde

PGG_2

PGH_2

Figure 25.28 • L'endoperoxyde synthase, la dioxygénase qui convertit l'acide arachidonique en prostaglandine PGH_2, a deux activités distinctes : une activité cyclo-oxygénase (étapes 1 et 2), et une activité hydroperoxydase (étape 3) qui exige la présence de glutathion réduit (GS-SG). La cyclo-oxygénase est le site d'action de l'aspirine et de nombreux agents analgésiques.

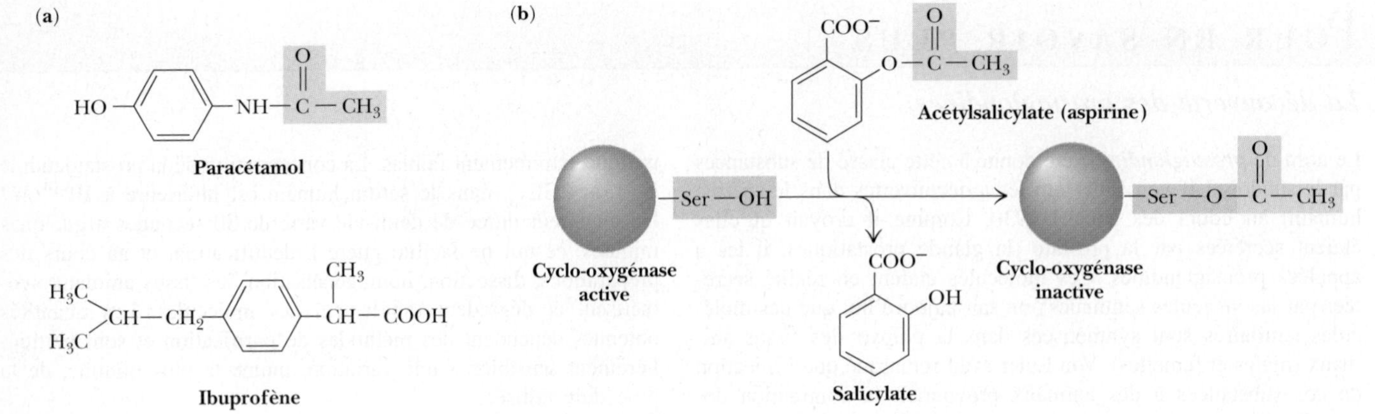

(a) HO–C₆H₄–NH–C(=O)–CH₃ **Paracétamol**

$(CH_3)_2CH-CH_2-C_6H_4-CH(CH_3)-COOH$ **Ibuprofène**

(b) **Acétylsalicylate (aspirine)** + Cyclo-oxygénase active (–Ser–OH) → Cyclo-oxygénase inactive (–Ser–O–C(=O)–CH₃) + **Salicylate**

Figure 25.29 • (a) Structures de trois substances analgésiques communes. Le paracétamol, *N*-(p-hydroxyphényl)acétamide, est commercialisé sous les noms de Doliprane® ou Efféralgan®, et l'ibuprofène sous ceux de Brufen® ou d'Advil®. (b) L'acétylsalicylate (l'aspirine), inhibe irréversiblement l'activité cyclo-oxygénase de l'endoperoxyde synthase par suite de l'acétylation du résidu Ser^{530}.

« Prenez deux comprimés d'aspirine… » et la synthèse de prostaglandine est inhibée

En 1971, John Vane a montré que les effets de **l'aspirine** (l'acide acétylsalicylique ; Figure 25.29) résultaient de l'inhibition de la synthèse des prostaglandines. L'aspirine agit sur l'endoperoxyde synthase ; elle détruit l'activité cyclo-oxygénase en acétylant le résidu Ser^{530} de l'enzyme. À partir de cet effet, vous pouvez comprendre une partie du mode d'action de l'aspirine. On sait que les prostaglandines favorisent l'inflammation des tissus animaux ; l'aspirine exerce son puissant effet anti-inflammatoire en inhibant la première étape de leur synthèse. L'aspirine ne semble avoir aucun effet sur l'activité peroxydase de la synthase. D'autres agents anti-inflammatoires non stéroïdiens, comme l'ibuprofène (Figure 25.29) et la phénylbutazone, inhibent la cyclo-oxygénase par compétition avec l'acide arachidonique ou avec le peroxyde intermédiaire (PGG_2, Figure 25.28). Voir aussi l'encart Pour en savoir plus, page 834

25.4 • Biosynthèse du cholestérol

Le stéroïde le plus abondant dans les cellules animales est le **cholestérol** (Figure 25.30). Les plantes ne contiennent pas de cholestérol, mais elles *contiennent d'autres stérols* de structures très voisines (voir page 256). Le cholestérol est un composant crucial des membranes cellulaires ; il est le précurseur des sels biliaires (comme le

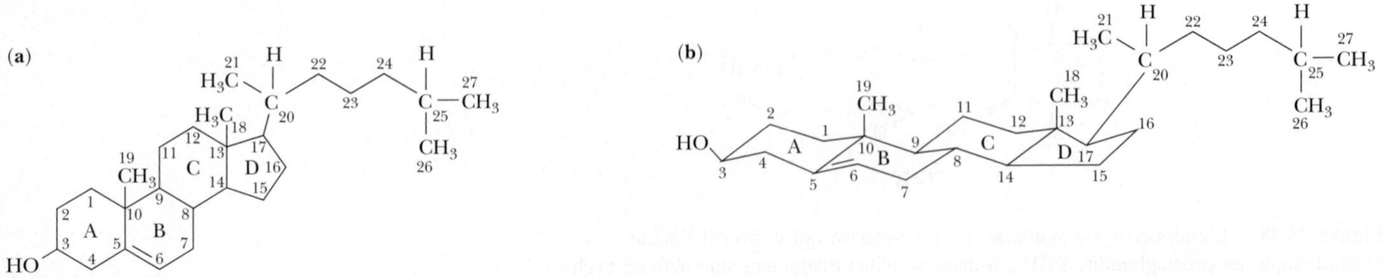

Figure 25.30 • Structure du cholestérol, écrite (a) sous la forme plane traditionnelle, et (b) sous une forme qui précise la conformation des cycles de la molécule.

cholate, le glycocholate et le taurocholate) ainsi que des hormones stéroïdes (par exemple testostérone, estradiol et progestérone). La vitamine D_3 provient du *7-déshydrocholestérol*, le précurseur immédiat du cholestérol. Le foie est le principal lieu de synthèse du cholestérol.

La synthèse du mévalonate à partir de l'acétyl-CoA passe par une réaction catalysée par la HMG-CoA synthase

La biosynthèse du cholestérol commence dans le cytosol avec la formation de mévalonate à partir de l'acétyl-CoA (Figure 25.31). La première étape, qui donne l'acéto-acétyl-CoA, est une condensation de Claisen entre deux molécules d'acétyl-CoA ; elle est catalysée par la **β-cétothiolase**. Dans la réaction suivante, une seconde condensation de Claisen, une molécule d'acétyl-CoA se lie à l'acéto-acétyl-CoA pour former le *3-hydroxy-3-méthylglutaryl-CoA* (en abrégé *HMG-CoA*) ; la réaction est catalysée par l'**HMG-CoA synthase**. Ensuite, l'HMG-CoA est réduit en *3R-mévalonate* dans une réaction qui consomme 2 NADPH (Figure 25.32). Cette troisième étape de la séquence est catalysée par *l'HMG-CoA réductase*, un enzyme de 97 kDa qui traverse la membrane du réticulum plasmatique et dont le site actif fait face au cytosol. C'est l'étape limitante de la synthèse du cholestérol et l'HMG-CoA réductase est le principal site de régulation de la synthèse du cholestérol.

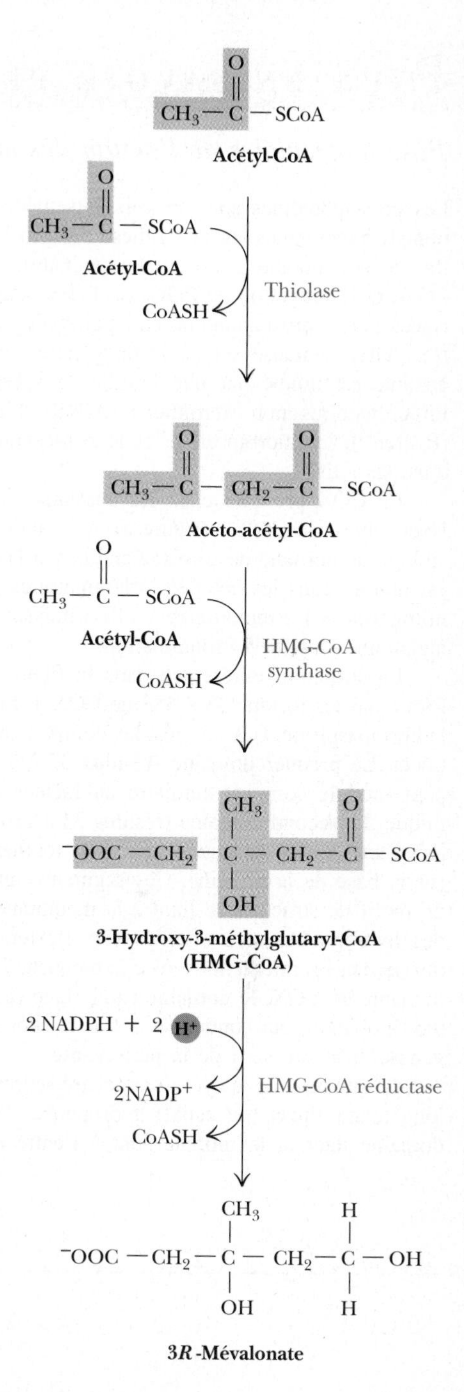

Figure 25.31 • Biosynthèse du 3*R*-mévalonate à partir de l'acétyl-CoA.

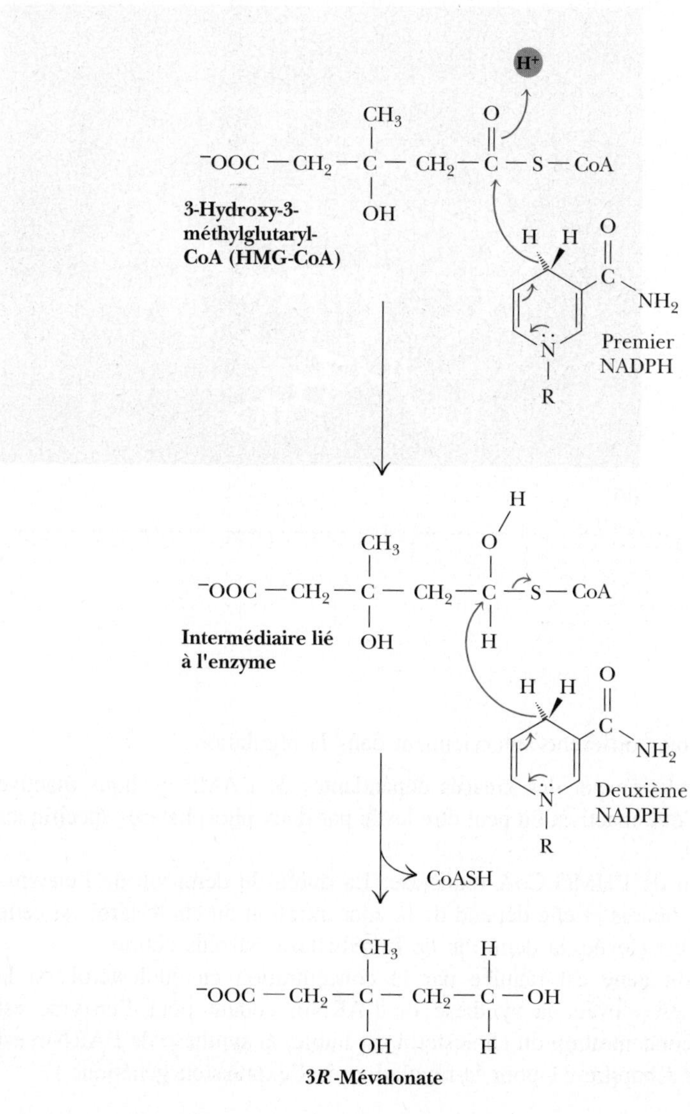

Figure 25.32 • Mécanisme proposé pour la réaction catalysée par la HMG-CoA réductase. Deux réductions successives utilisant du NADPH convertissent le thioester de HMG-CoA en un alcool primaire.

Pour en savoir plus

Base moléculaire de l'action des anti-inflammatoires non stéroïdiens

Les prostaglandines sont de puissants médiateurs de l'inflammation. L'étape engageant la synthèse des prostaglandines à partir de l'acide arachidonique est la dioxygénation de l'arachidonate en PGG_2 et la réduction de PGG_2 en PGH_2. Ces réactions sont catalysées par la prostaglandine endoperoxyde synthase, encore appelée PGH_2 synthase ou cyclo-oxygénase (en abrégé COX). Cet enzyme est inhibé par une famille de substances appelées anti-inflammatoires non stéroïdiens (AINS). L'aspirine, l'ibuprofène (Brufèn®), le fluorbiprofène et le paracétamol (Doliprane®) sont tous des AINS.

La COX présente chez les animaux sous la forme de deux isoenzymes : la COX-1 (figure a), qui catalyse la production physiologique normale des prostaglandines et la COX-2 (figure b) qui est induite dans les cellules inflammatoires par les cytokines, les mitogènes et les endotoxines ; elle catalyse la formation de prostaglandines lors de l'inflammation.

La structure représentée dans la figure est celle du segment formé par les résidus 33 à 583 de COX-1 du mouton, inactivé par la bromoaspirine. Ces 551 résidus comprennent trois domaines distincts. Le premier domaine (résidus 33 à 72, en pourpre) est un petit module compact similaire au facteur de croissance épidermique. Le second domaine (résidus 73 à 116, en jaune) est constitué d'une spirale de quatre hélices α tournant à droite s'étendant sur la base de la protéine. Ces segments amphipathiques forment un motif de structure se liant à la membrane ; la plupart des résidus hydrophobes sont orientés vers l'extérieur de la protéine ce qui permet les interactions avec la bicouche lipidique. Le troisième domaine de COX, le domaine catalytique (en bleu), est une structure globulaire qui contient à la fois le sites actif de la cyclo-oxygénase et le site actif de la peroxydase.

Le site actif de la cyclo-oxygénase se trouve à l'extrémité d'un long tunnel étroit (ou canal) hydrophobe. Trois des hélices α du domaine liant la membrane sont à l'entré de ce tunnel dont les

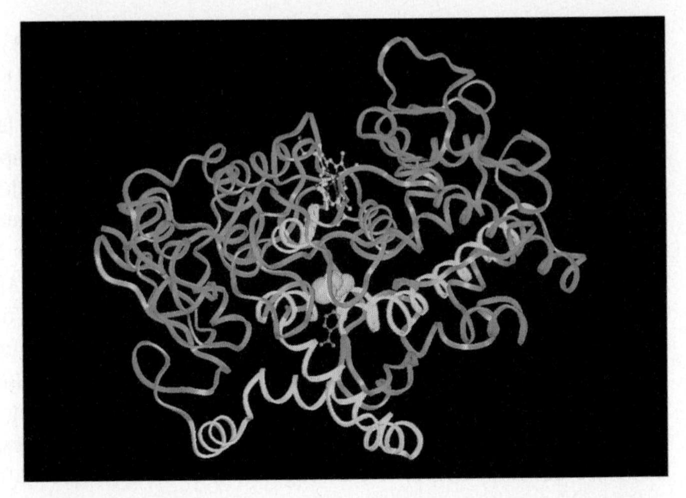

(a)

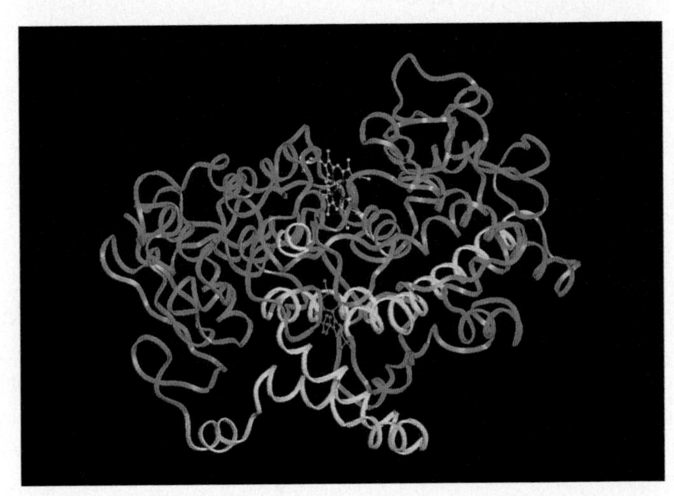

(b)

Trois mécanismes différents interviennent dans la régulation :

1. Une phosphorylation par des kinases dépendantes de l'AMP cyclique inactive la réductase. Cette inactivation peut être levée par deux phosphatases spécifiques (Figure 25.33).
2. La dégradation de l'HMG-CoA réductase. La durée de demi-vie de l'enzyme n'est que de 3 heures et elle dépend de la concentration du cholestérol : si cette concentration est élevée, la demi-vie de la réductase est plus courte.
3. L'expression du gène est régulée par la concentration en cholestérol : si la concentration est élevée, la synthèse de l'ARNm codant pour l'enzyme est réduite ; si la concentration du cholestérol est faible, la synthèse de l'ARNm est stimulée. (voir Chapitre 31 pour la régulation de l'expression génétique.)

parois sont délimitées par quatre hélices *a* (en orange) formées par les résidus 106 à 123, 325 à 353, 379 à 384, et 520 à 535).

Dans cette structure inactivée par la bromoaspirine, le résidu Ser^{530} est bromoacétylé, il se trouve dans les parois du tunnel qui contient une molécule de salicylate. Le résidu Tyr^{385}, de grande importance pour l'activité catalytique se trouve tout au fond du tunnel. Une peroxydase (contenant un hème) interviendrait dans la formation d'un radical Tyr^{385} nécessaire à l'activité cyclo-oxygénase. L'aspirine et les autres AINS inhibent la synthèse des prostaglandines en pénétrant puis bloquant le tunnel, ce qui empêche la migration de l'acide arachidonique vers Tyr^{385} dans le site actif au fond de ce tunnel.

On estime que les AINS agissent par au moins quatre mécanismes différents. L'aspirine (comme la bromoaspirine) acétylent un résidu dans le tunnel, ce qui inactive irréversiblement COX-1 et COX-2. L'Ibuprofène est un inhibiteur compétitif (donc réversible) qui se fixe sur le site de liaison du substrat dans le tunnel.

Le Flurbiprofène et l'indométhacine, de la troisième classe des inhibiteurs, provoquent une lente inactivation de COX-1 et de COX-2, apparemment par formation d'un pont salin entre un groupe carboxylique du médicament et le résidu Arg^{120} qui se trouve dans le tunnel.

La molécule SC-558 agit par un quatrième mécanisme et inhibe spécifiquement COX-2. Elle inhibe faiblement, par compétition, COX-1, mais inactive COX-2 ; l'inhibition n'est pas immédiate, elle est lente et se renforce avec le temps. Les inhibiteurs spécifiques de COX-2 sont des médicaments du futur car ils inhibent sélectivement le processus inflammatoire dans lequel intervient COX-2. Ils éviteraient les lésions de la paroi stomacale et la toxicité rénale provoquées par l'inhibition de COX-1.

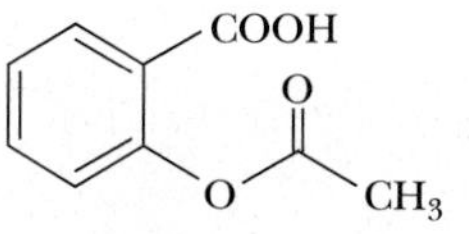

Aspirine 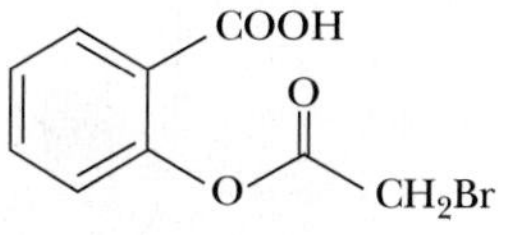 **Bromoaspirine** 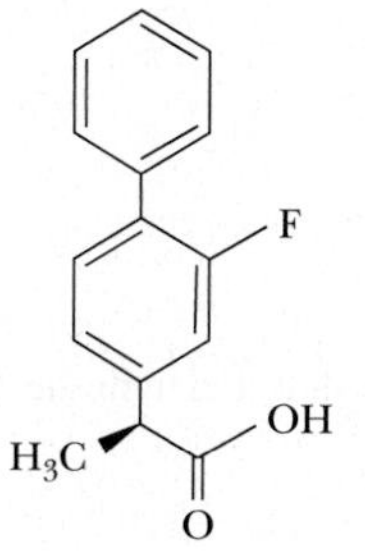 **Flurbiprofène** 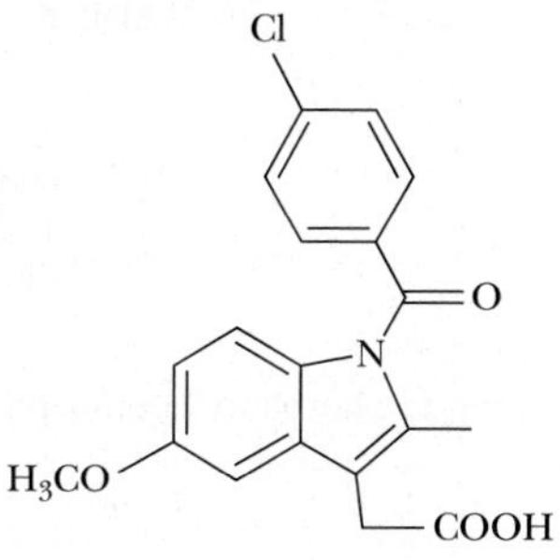 **Indométhacine** 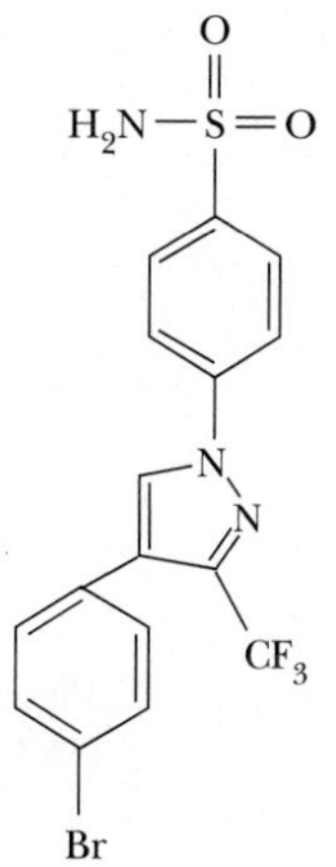 **SC-558** 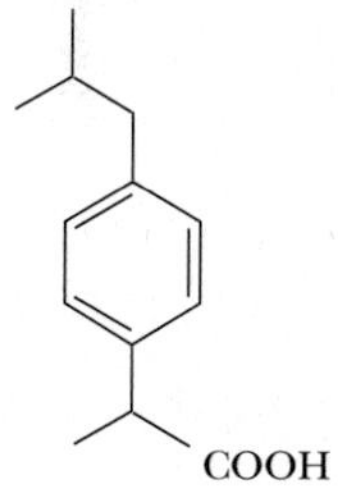 **Ibuprofène**

Problème posé par la thiolase

Puisque les unités acétate peuvent être condensées par la thiolase pour donner de l'acéto-acétate dans la première réaction de la synthèse du cholestérol, pourquoi cette réaction n'est-elle pas utilisée pour la synthèse des acides gras? Cela éviterait pourtant toute la complexité des réactions catalysées par la synthase. La réponse est donnée par la réaction de condensation qui certes est réversible, mais tout de même est plutôt en faveur du clivage, en faveur de la thiolyse. Dans la voie de la synthèse du cholestérol, les réactions suivantes, en particulier celle catalysée par l'HMG-CoA réductase et celles catalysées par les kinases, déplacent l'équilibre de la réaction catalysée par la thiolase en faveur de la condensation. Dans le cas de la synthèse des acides gras, une succession de huit condensations catalysées par la thiolase serait plutôt défavorable d'un point de vue thermodynamique. Compte tenu de la nécessaire répétition des réactions dans la synthèse des acides gras, il est plus intéressant que la condensation des unités acétate soit spontanée dans le sens de la synthèse (favorable du point de vue énergétique).

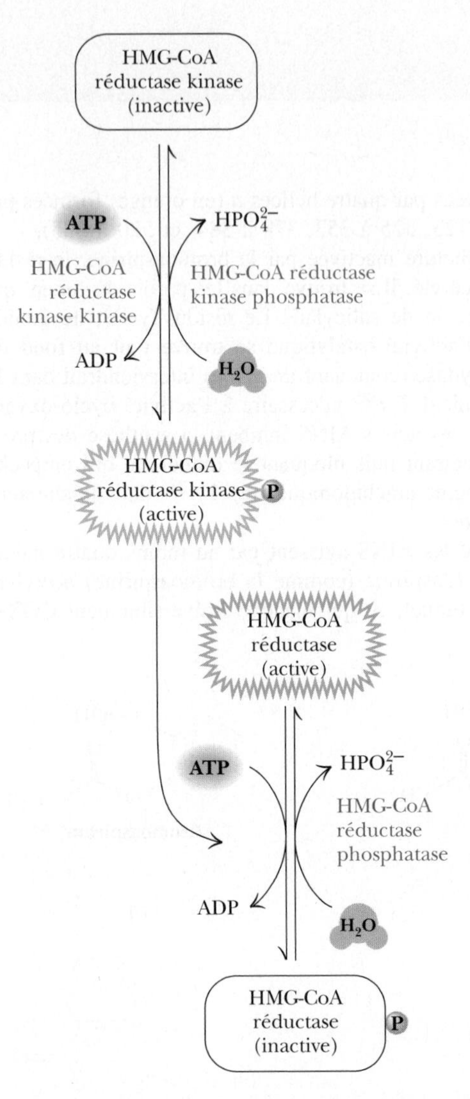

Figure 25.33 • Un cycle de phosphorylation-déphosphorylation module l'activité de la HMG-CoA réductase.

Le mévalonate est le précurseur du squalène

La biosynthèse du squalène passe par la formation de deux intermédiaires à cinq atomes de carbone dérivés du mévalonate, l'isopenténylpyrophosphate et le diméthylallyl-pyrophosphate ; leur condensation donne le géranyl-pyrophosphate, précurseur du farnésyl-pyrophosphate qui précède le squalène. Une série de quatre réactions convertit le mévalonate en isopenténylpyrophosphate, puis en diméthylallyl-pyrophosphate (Figure 25.34). Chacune des trois premières étapes consomme un ATP : il faut d'abord deux ATP pour la formation du groupe pyrophosphate lié au carbone 5, l'hydrolyse du troisième ATP accompagne la décarboxylation et fournit l'énergie nécessaire pour la formation de la double liaison lors de la troisième étape. La **pyrophosphomévalonate décarboxylase** catalyse la phosphorylation du groupe l'hydroxyle sur le C-3 du 5-pyrophosphomévalonate ; le dérivé phosphorylé, instable, subit une élimination *trans* du groupe phosphate et du carboxyle, élimination qui est à l'origine de la double liaison du produit final de la réaction, l'isopenténylpyrophosphate (isopenténylPP). L'isomérisation de la double liaison donne ensuite le diméthylallyl-pyrophosphate (diméthylallyl-PP). Une première condensation de l'isopenténylPP sur le diméthylallyl-PP donne le géranyl-PP ; l'addition d'un nouvel isopentény-PP sur le géranyl-PP donne le farnésyl-PP. Chacune des deux étapes de condensation conduisant à la formation du farnésyl-PP

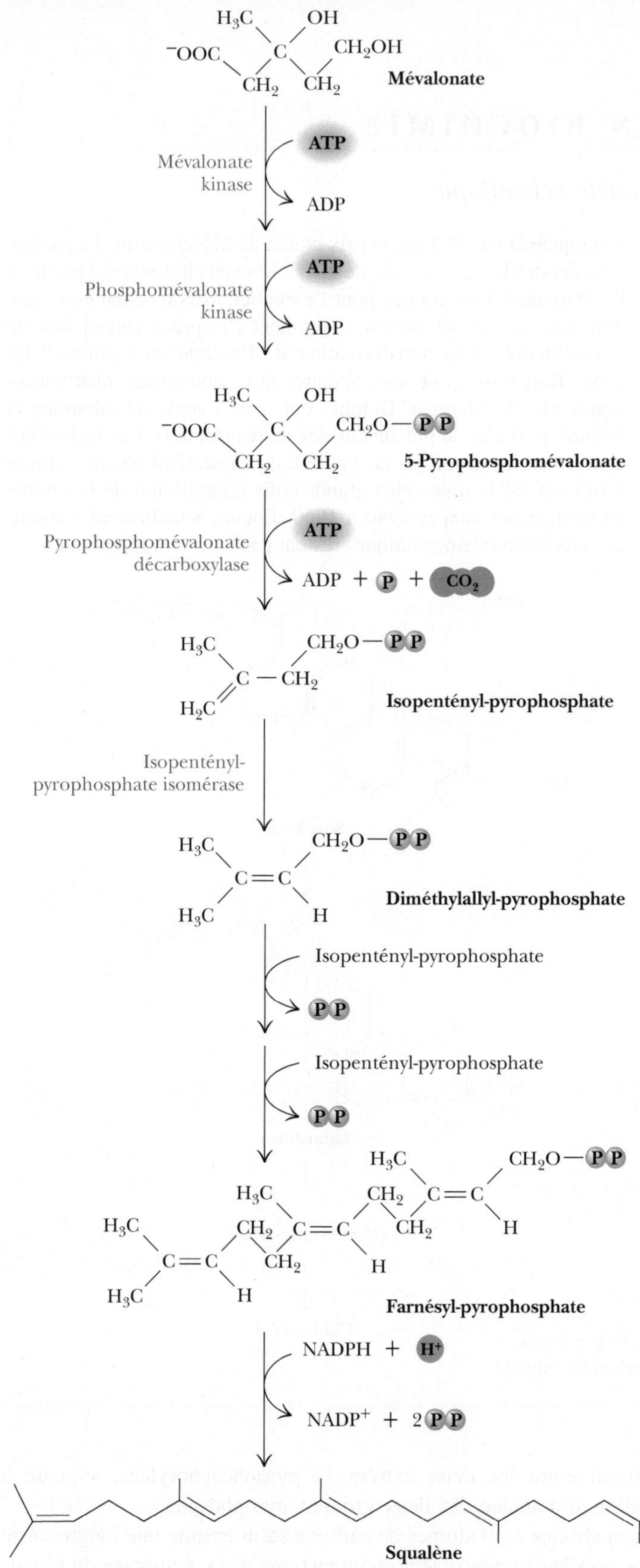

Figure 25.34 • Synthèse du squalène à partir du mévalonate.

est accompagnée de la libération d'un pyrophosphate dont l'hydrolyse favorise l'évolution de la réaction. Remarquez qu'à chaque étape la condensation d'une unité isoprénique s'effectue par une liaison « tête-à-queue » ; c'est une règle générale dans la synthèse des polyisoprènes. L'étape suivante, la condensation de deux farnésyl-PP pour former le *squalène*, constitue une importante exception à cette règle, la

DÉVELOPPEMENTS DÉCISIFS EN BIOCHIMIE

La voie de la biosynthèse du cholestérol, une longue quête scientifique

Dès 1926, Heilbron, Kramm et Owens ont dit que le squalène était le précurseur du cholestérol. Le même année, H. J. Channon a démontré que les tissus des animaux dont l'alimentation était enrichie en squalène (provenant de l'huile de requin) contenaient plus de cholestérol. Dans les années 1940, K. Bloch et D. Rittenberg ont montré qu'un grand nombre des atomes de carbone de la partie tétracyclique et de la chaîne aliphatique latérale du cholestérol provenaient de l'acétate. Avant même que le lien entre l'acétate et la synthèse du squalène fut compris, Robert Robinson avait, en 1934, proposé un schéma pour la cyclisation du squalène en cholestérol. Le squalène est un polymère d'unités isopréniques, et J. Bonner et B. Arreguin ont, en 1949, pensé que trois unités acétate pouvaient se lier pour former l'unité *isoprène* à cinq atomes de carbone (voir partie (a) de la figure).

En 1952, Konrad Bloch et Robert Langdon ont définitivement prouvé que de l'acétate marqué était rapidement incorporé dans le squalène et que ce dernier était le précurseur du cholestérol. Langdon, un étudiant de troisième cycle effectua les expériences décisives dans le laboratoire de K. Bloch à l'Université de Chicago, pendant que Bloch passait l'été aux Bermudes à essayer de démontrer que du squalène radioactif pouvait être converti en cholestérol dans le foie de requin. Comme Bloch l'a un jour reconnu, « Tout ce que j'ai pu apprendre était qu'il est très difficile d'attraper des requins d'une taille convenable et que leur foie est si riche en lipides qu'il est impossible de le couper en tranches » (Bloch, 1987).

En 1953, Bloch, en collaboration avec un éminent chimiste, R.B. Woodward, a proposé un nouveau schéma pour la cyclisation du squalène (voir partie (b) de la figure). Les travaux de K. Bloch ont été récompensés en 1964 par le prix Nobel de Médecine qu'il a partagé avec Feodor Lynen. La voie de la synthèse du cholestérol à partir de l'acétate était donc connue pour l'essentiel, mais il restait une question cruciale encore ouverte : comment l'isoprène peut-il être un intermédiaire de la transformation de l'acétate en squalène ? En 1956, Karl Folkers et ses collègues des Laboratoires pharmaceutiques Merck, Sharp et Dohme, ont isolé l'acide mévalonique et montré qu'il était le précurseur des unités isoprène. Les recherches concernant les détails de la synthèse du cholestérol (décrits dans le texte) ont été l'un des plus grands défis scientifiques de la Chimie biologique des années 1940 à 1960. Encore actuellement, certains des mécanismes enzymatiques restent partiellement méconnus.

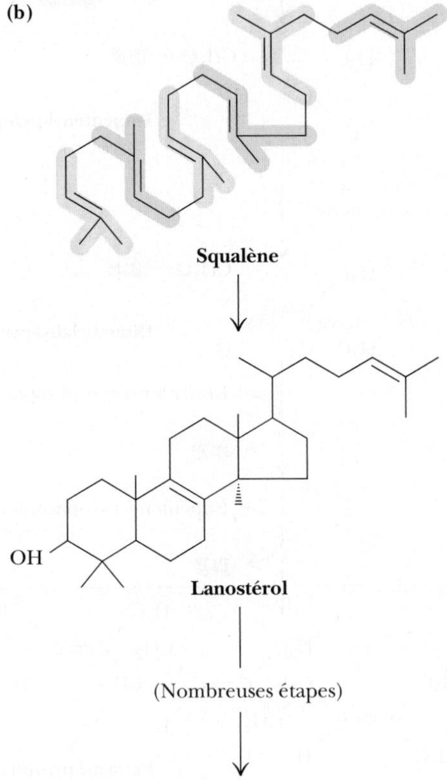

(a) Une unité isoprénique et mécanisme de la liaison tête-à-queue d'unités isopréniques.
(b) Cyclisation du squalène en lanostérol selon le schéma proposé par Bloch et Woodward.

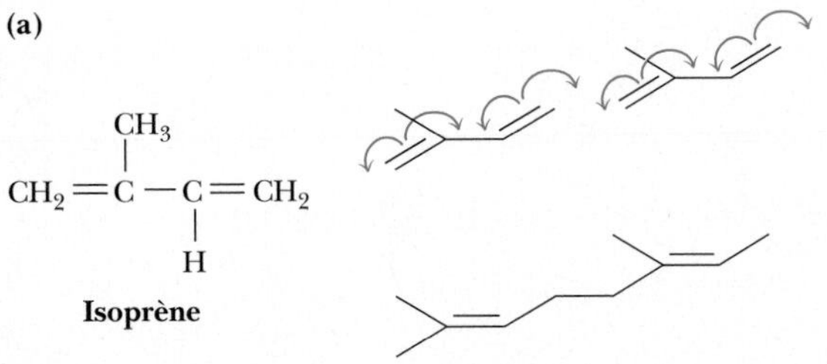

condensation se faisant entre les deux extrémités pyrophosphorylées, « queue à queue », avec libération simultanée des deux groupes pyrophosphate.

La chaîne polyisoprénique à 30 atomes de carbone subit ensuite une longue série de modifications. La *squalène monooxygénase*, un enzyme de la membrane du réticulum endoplasmique, convertit le squalène en *squalène-2,3-époxide* (Figure 25.35). Cette réaction utilise deux coenzymes, le FAD et le NADPH, elle requiert la présence d'O_2 et d'une protéine cytosolique appelée l'**activateur protéique soluble**. Un autre enzyme, lui aussi lié au réticulum endoplasmique, la **2,3-oxydo-squalène lanostérol cyclase**, catalyse la réaction qui, par une succession de transferts 1,2 d'ions hydrure et de groupes méthyle, aboutit à la formation du lanostérol.

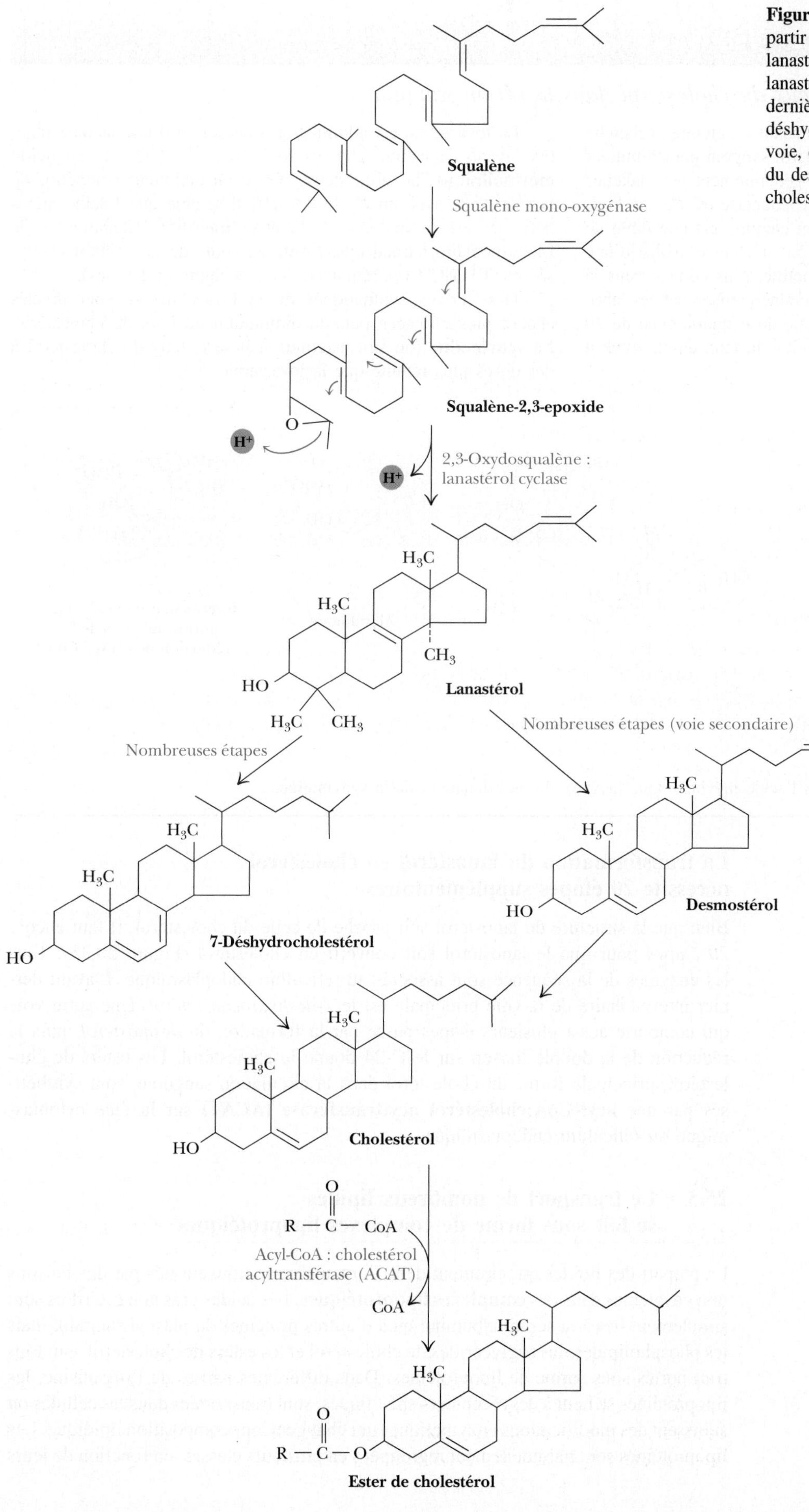

Figure 25.35 • La synthèse du cholestérol à partir du squalène passe par la formation du lanastérol. La voie principale à partir du lanastérol comprend 20 réactions dont la dernière est la réduction du 7-déshydrocholestérol en cholestérol. Une autre voie, quantitativement moins importante, donne du desmostérol comme précurseur immédiat du cholestérol.

Squalène

Squalène mono-oxygénase

Squalène-2,3-epoxide

H^+

2,3-Oxydosqualène : lanastérol cyclase

H_3C H_3C CH_3 HO H_3C CH_3

Lanastérol

Nombreuses étapes

Nombreuses étapes (voie secondaire)

7-Déshydrocholestérol

Desmostérol

Cholestérol

R — C(=O) — CoA

Acyl-CoA : cholestérol acyltransférase (ACAT)

CoA

R — C(=O) — O

Ester de cholestérol

Biochimie humaine

La lovastatine fait baisser le taux du cholestérol dans le sérum sanguin

Les chimistes et les biochimistes ont pendant longtemps recherché un moyen de réduire le taux du cholestérol sanguin pour diminuer les risques de crise cardiaque et plus généralement les maladies cardiovasculaires. Puisque l'HMG-CoA réductase est l'étape limitante de la synthèse du cholestérol, cet enzyme est une cible de choix pour un éventuel médicament. Une substance, isolée d'une souche d'*Aspergillus terreus,* la **mévinoline,** plus connue sous le nom de **lovastatine**, a été étudiée et commercialisée par les laboratoires de Merck, Sharp et Dohme. Une dose quotidienne de 20 à 80 mg permet une importante diminution du taux du cholestérol plasmatique.

La lovastatine est administrée sous forme d'une lactone inactive. Après ingestion, elle est hydrolysée dans le foie en **acide mévinolinique**, la forme active. C'est un inhibiteur compétitif de la réductase, avec un K_i de 0,6 n*M*. Il semble que l'acide mévinolinique est un analogue de l'état de transition (Chapitre 16) de l'intermédiaire tétraédrique formé au cours de la réaction catalysée par l'HMG-CoA réductase (voir la figure ci-dessous).

Des dérivés synthétiques de la lovastatine se sont révélés encore plus efficaces pour la diminution du taux du cholestérol. La **synvinoline** (ou simvastatine) abaisse le taux du cholestérol à des doses plus réduite que la lovastatine.

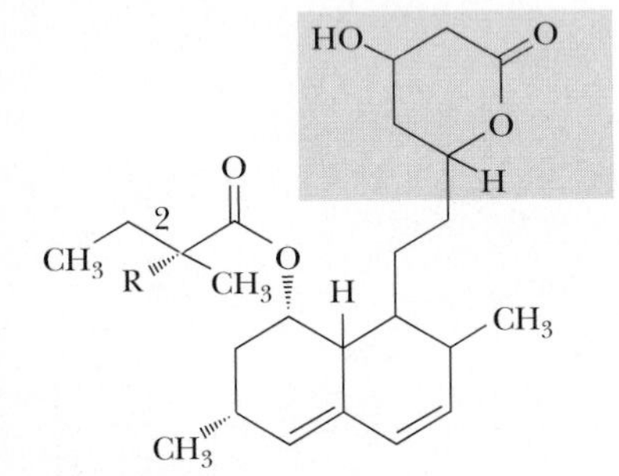

1 R=H Mévinoline (Lovastatine, MEVACOR®)
2 R=CH_3 Synvinoline (Simvastatine, ZOCOR®)

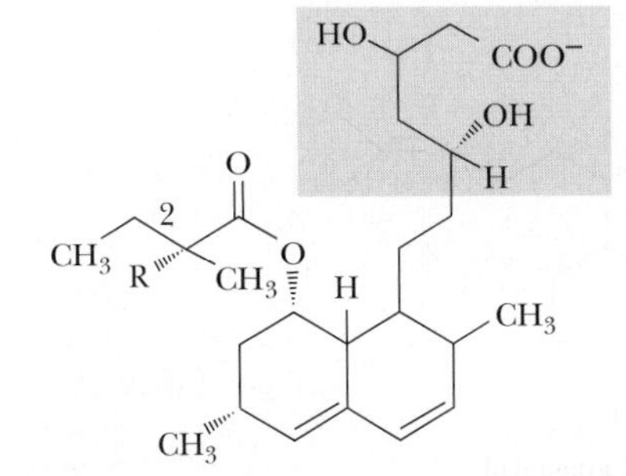

Acide mévinolinique

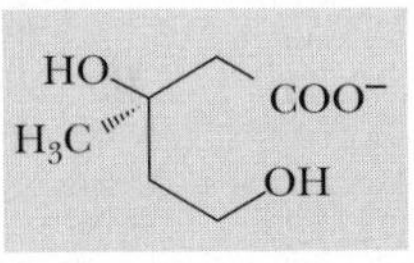

Mévalonate

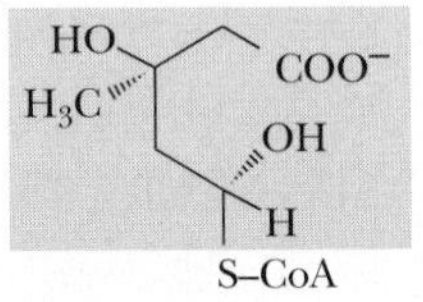

Intermédiaire tétraédrique formé au cours de la réduction de l'HMG-CoA

Structures de la lovastatine (inactive), de l'acide mévinolinique (active), du mévalonate et de la synvinoline.

La transformation du lanostérol en cholestérol nécessite 20 étapes supplémentaires

Bien que la structure du lanostérol soit proche de celle du cholestérol, il faut encore *20 étapes* pour que le lanostérol soit converti en cholestérol (Figure 20.35). Tous les enzymes de la séquence sont associés au réticulum endoplasmique. L'avant dernier intermédiaire de la voie principale est le *7-déshydrocholestérol.* Une autre voie qui comporte aussi plusieurs étapes passe par la formation du *desmostérol*, puis la réduction de la double liaison sur le C-24 donne le cholestérol. Les esters de cholestérol, principale forme du cholestérol dans la circulation sanguine, sont synthétisés par une **acyl-CoA:cholestérol acyltransférase (ACAT)** sur la face cytoplasmique du réticulum endoplasmique.

25.5 • Le transport de nombreux lipides se fait sous forme de complexes lipoprotéiques

La plupart des lipides qui circulent dans l'organisme se trouvent liés par des liaisons non covalentes dans des **complexes lipoprotéiques**. Les acides gras non estérifiés sont simplement liés à la sérum albumine ou à d'autres protéines du plasma sanguin, mais les phospholipides, les triglycérides, le cholestérol et les esters de cholestérol sont tous transportés sous forme de lipoprotéines. Dans différentes parties de l'organisme, les lipoprotéines se lient à des récepteurs spécifiques, sont transportées dans les cellules ou subissent des modifications enzymatiques qui changent leur composition lipidique. Les lipoprotéines sont habituellement regroupées en plusieurs classes, en fonction de leurs

Tableau 25.1

Composition et propriétés des lipoprotéines humaines

Classes des lipoprotéines	Densité (g/ml)	Diamètre (nm)	Composition (% du poids sec)			
			Protéines	Cholestérol	Phospholipides	Triacylglycérols
HDL	1,063-1,21	5-15	33	30	29	8
LDL	1,019-1,063	18-28	25	50	21	4
IDL	1,006-1,019	25-50	18	29	22	31
VLDL	0,95-1,006	30-80	10	22	18	50
Chylomicrons	<0,95	100-500	1-2	8	7	84

D'après Brown, M. et Goldstein, J., 1987. In Braunwald, E., et al., eds., *Harrison's Principles of Internal Medicine*, 11th ed. New York : McGraw-Hill ; et Vance, D. et Vance, J., eds., 1985. *Biochemistry of Lipids and Membranes*. Menlo Park, CA : Benjamin/Cummings.

densités (Tableau 25.1). Ces densités dépendent des proportions relatives des lipides et des protéines dans les complexes. Comme la densité moyenne des protéines est de 1,3 à 1,4 g/ml, et que les agrégats lipidiques ont une densité voisine de 0,8 g/ml, plus un complexe contient de protéines, ou moins il contient de lipides, plus sa densité est élevée. On distingue les **lipoprotéines de haute densité** (HDL), **les lipoprotéines de faible densité** (LDL), les **lipoprotéines de densité intermédiaire** (IDL), **les lipoprotéines de très faible densité** (VLDL), et les **chylomicrons**. Les chylomicrons ont le plus faible rapport protéines/lipides ; ce sont donc les lipoprotéines de plus faible densité. Ce sont aussi les plus grosses lipoprotéines.

Structure et synthèse des lipoprotéines

Les HDL et les VLDL sont principalement assemblées dans le réticulum endoplasmique du foie, tandis que les chylomicrons sont formés dans l'intestin (une petite partie des HDL et VLDL provient aussi de l'intestin). Les LDL ne sont pas synthétisées directement, elles proviennent des VLDL.Les LDL sont les principaux complexes du cholestérol et des esters de cholestérol dans la circulation sanguine. La fonction principale des chylomicrons est le transport des triglycérides. Il faut cependant noter que chacune des classes de lipoprotéines contient une certaine quantité de chaque type de lipides. Les quantités relatives de HDL et de LDL ont une importante signification sur la disponibilité du cholestérol dans l'organisme et pour la formation de plaques

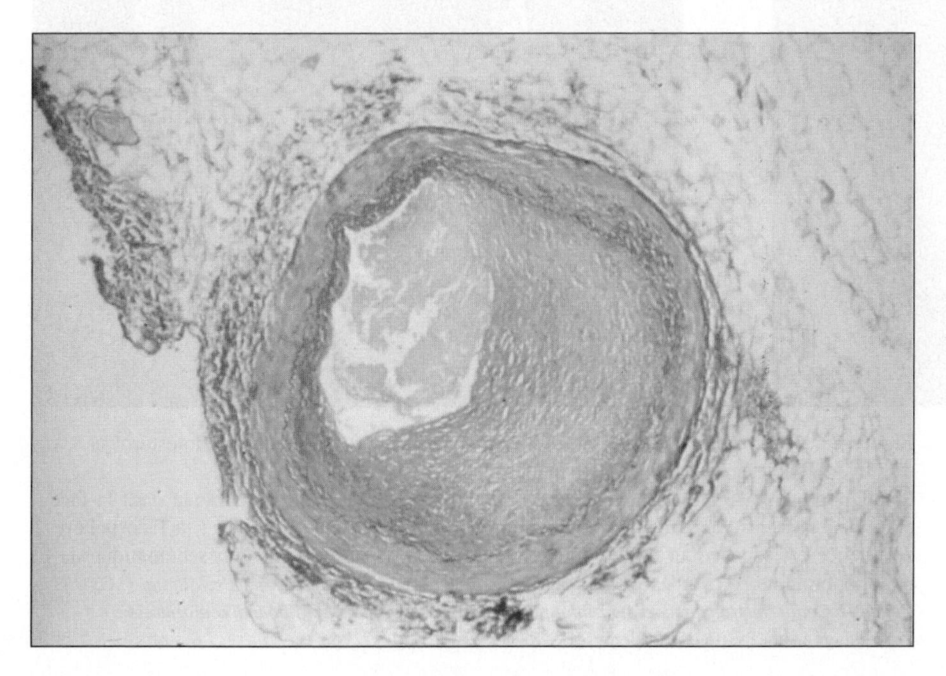

Figure 25.36 • Microphotographie d'une plaque artérielle athéromateuse. *(Science Photo Library/ Photo Researchers, Inc.)*

artérielles athéromateuses, provoquant une sclérose progressive ou athérosclérose, (Figure 25.36). Les structures des diverses lipoprotéines sont assez voisines ; elles sont constituées d'un cœur de triglycérides mobiles et d'esters de cholestérol entouré d'une unique couche de phospholipides dans laquelle s'insère un mélange de cholestérol et de protéines (Figure 25.37). Les phospholipides sont orientés, les têtes polaires faisant face à l'environnement aqueux de sorte que les phospholipides forment un écran entre les lipides hydrophobes de l'intérieur et le milieu hydrophile extérieur. Les protéines ont également une fonction de site de reconnaissance pour les divers récepteurs des lipoprotéines répartis dans l'organisme. Un grand nombre d'apoprotéines différentes ont été caractérisées dans les lipoprotéines (Tableau 25.2), il en existe certainement d'autres. Ces apoprotéines en interactions avec des lipides contiennent une grande proportion de résidus d'acides aminés hydrophobes. Une **protéine du transfert du cholestérol** s'associe également aux lipoprotéines.

Les lipoprotéines circulants sont progressivement dégradées par la lipoprotéine lipase

Le foie et l'intestin des animaux sont les principaux lieux de la formation des lipides circulants. Les chylomicrons transportent les triglycérides et les esters de cholestérol

(a)

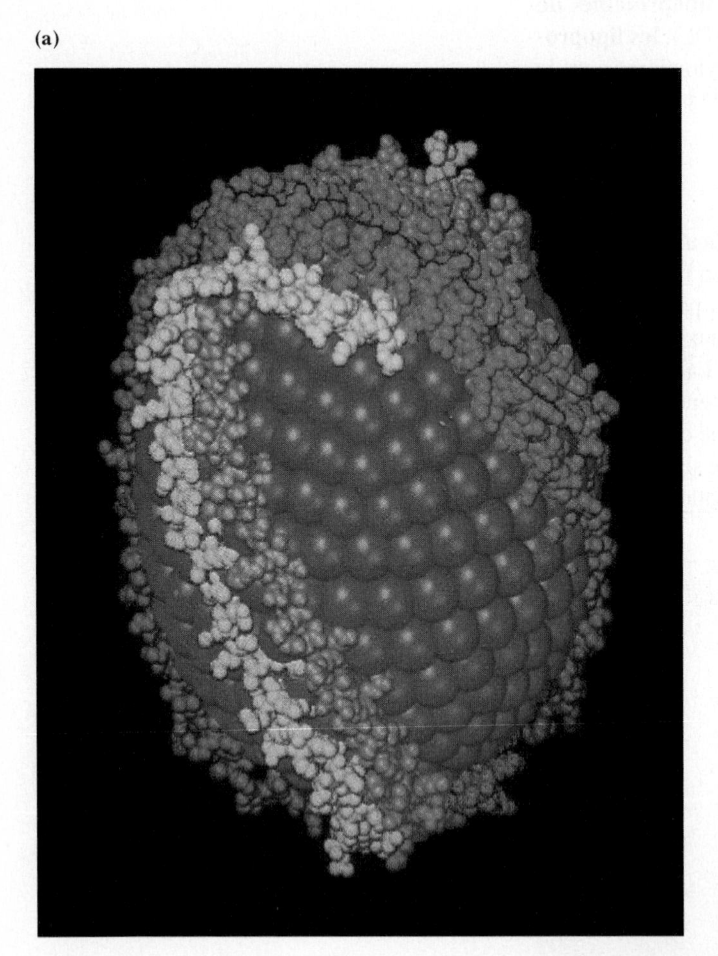

(b)

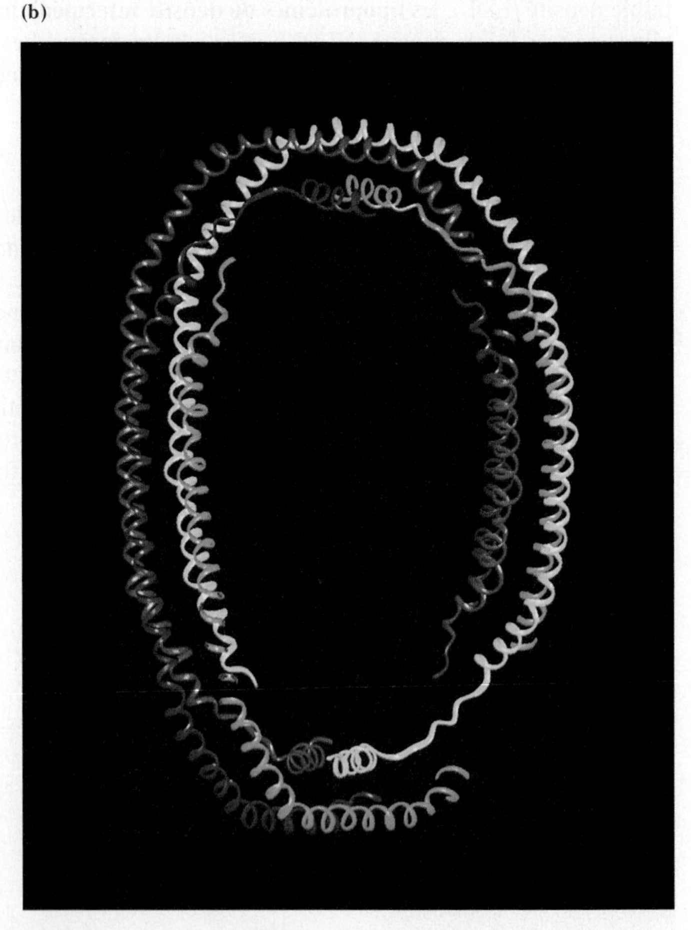

Figure 25.37 • Structure modélisée d'une lipoprotéine. (a) Un cœur de cholestérol et d'esters de cholestérol est entouré par une monocouche de phospholipides L'apolipoprotéine A-1 est représentée par une longue hélice α amphipathique dont la face non polaire est insérée dans le cœur hydrophobe de la particule lipidique ; la face polaire de l'hélice est exposée au milieu aqueux environnant. (b) Représentation schématique de l'apolipoprotéine A-1. *(D'après Borhani, D.W., Rogers, D.P., Engler, J.A. et Brouillette, C.G., 1997. Crystal structure of truncated human apolipoprotein A-I suggests a lipid-bound conformation.* Proceedings of the National Academy of Sciences ***94*** *: 12291-12296.)*

Tableau 25.2

Apoprotéines des lipoprotéines humaines

Apoprotéine	M_r	Concentration plasmatique (mg/100 ml)	Distribution
A-1	28.300	90-120	Principale protéine des HDL
A-2	8.700	30-50	Sous forme de dimère, principalement dans les HDL
B-48	240.000	<5	Seulement dans les chylomicrons
B100	500.000	80-100	Principale protéine dans les LDL
C-1	7.000	4-7	Dans les chylomicrons, les VLDL, les HDL
C-2	8.800	3-8	Dans les chylomicrons, les VLDL, les HDL
C-3	8.800	8-15	Dans les chylomicrons, les VLDL, les IDL, les HDL
D	32.500	8-10	Dans les HDL
E	34.100	3-6	Dans les chylomicrons, les VLDL, les IDL, les HDL

D'après Brown, M. et Goldstein, J., 1987. In Braunwald, E. et al., eds., *Harrison's Principles of Internal Medicine*, 11th ed. New York : McGraw-Hill ; et Vance, D. et Vance, J., eds., 1985. *Biochemistry of Lipids and Membranes*, Menlo Park, CA : Benjamin/Cummings.

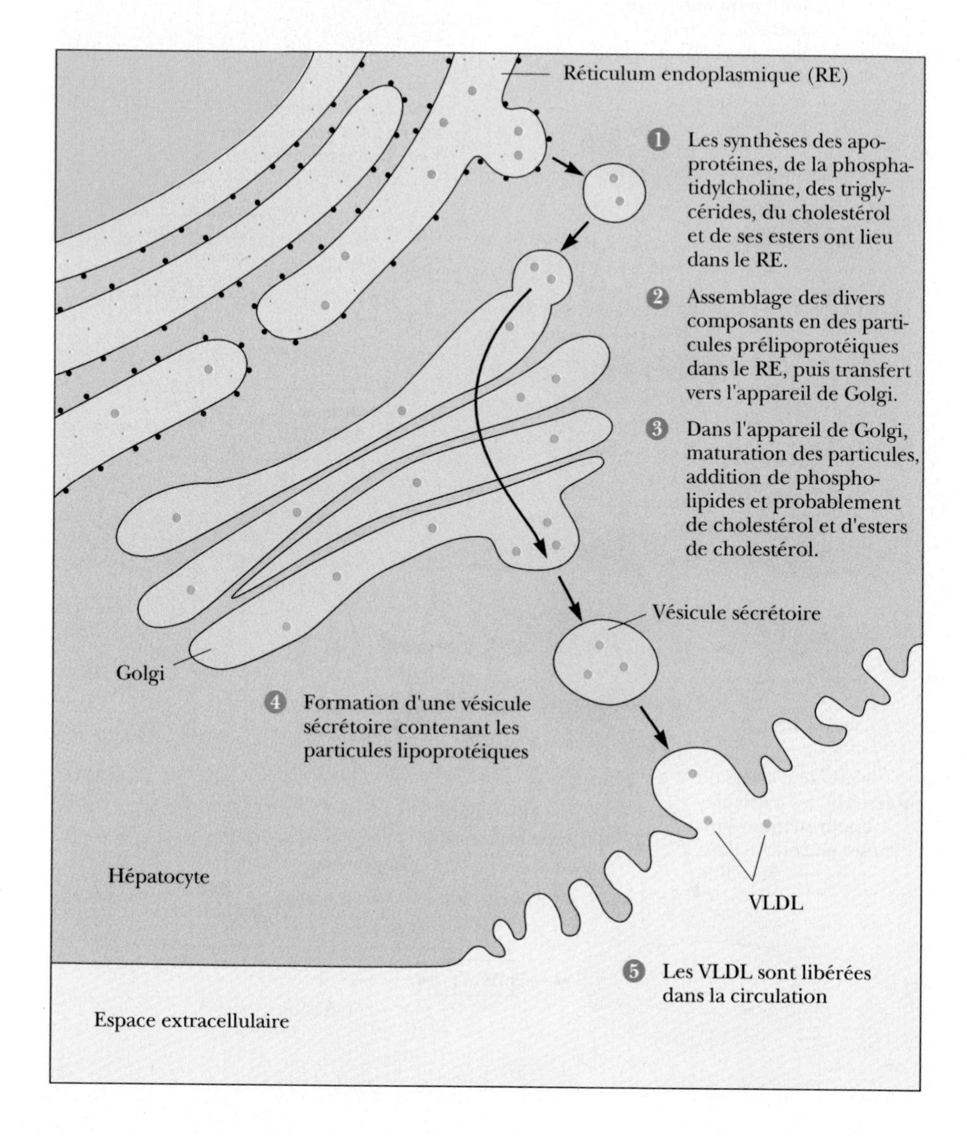

Réticulum endoplasmique (RE)
1 Les synthèses des apoprotéines, de la phosphatidylcholine, des triglycérides, du cholestérol et de ses esters ont lieu dans le RE.
2 Assemblage des divers composants en des particules prélipoprotéiques dans le RE, puis transfert vers l'appareil de Golgi.
3 Dans l'appareil de Golgi, maturation des particules, addition de phospholipides et probablement de cholestérol et d'esters de cholestérol.
Vésicule sécrétoire
Golgi
4 Formation d'une vésicule sécrétoire contenant les particules lipoprotéiques
Hépatocyte
VLDL
5 Les VLDL sont libérées dans la circulation
Espace extracellulaire

Figure 25.38 • Les constituants des lipoprotéines sont synthétisés principalement dans le réticulum endoplasmique des hépatocytes. Après l'assemblage des particules lipoprotéiques (points rouges) dans le RE et leur maturation dans l'appareil de Golgi, les lipoprotéines sont rassemblées dans des vésicules sécrétoires. Ces dernières sont ensuite exportées de la cellule, par exocytose ; les lipoprotéines libérées dans l'espace intercellulaire rejoignent la circulation générale.

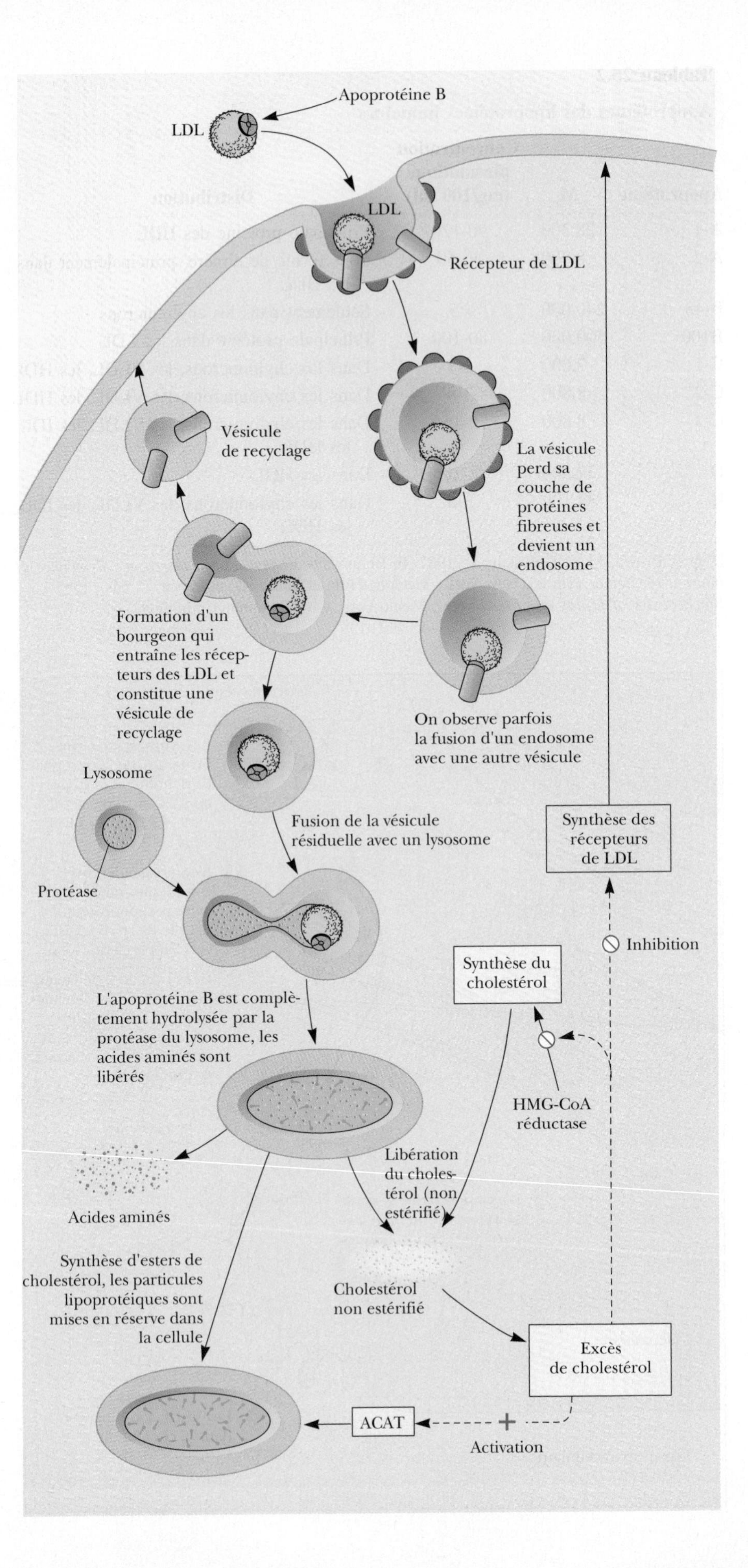

Figure 25.39 • Endocytose et dégradation des particules lipoprotéiques. (ACAT est l'abréviation de acyl-CoA:cholestérol acyltransférase).

de l'intestin aux autres tissus et les VLDL transportent les lipides provenant du foie (Figure 25.38). Au niveau de certains sites, en particulier dans les capillaires des muscles et des tissus adipeux, les particules lipoprotéiques sont dégradées par une **lipoprotéine lipase** qui hydrolyse les triglycérides. L'action de la lipase provoque une perte progressive des triglycérides (et des apoprotéines), ce qui réduit la taille des lipoprotéines. Ce processus convertit progressivement les VLDL en IDL, puis en LDL qui retournent ensuite au foie pour y être transformées, ou vont vers les adipocytes et les glandes surrénales. Près de 50 % des LDL circulantes sont ainsi renouvelés chaque jour. Les LDL se lient à des récepteurs spécifiques regroupés dans certaines parties de la membrane plasmatique appelées **puits tapissés** (sous-entendu, de protéines réceptrices). La fixation de LDL sur leurs récepteurs provoque l'invagination de ce domaine plasmatique et la formation de **vésicules tapissées** (Figure 25.39). Parvenues à l'intérieur des cellules, les vésicules fusionnent avec les lysosomes et les LDL sont dégradées par les **lipases acides des lysosomes**.

La durée de vie des lipoprotéines de haute densité (HDL) est beaucoup plus longue dans l'organisme que celle des autres lipoprotéines. Lors de leur formation, les HDL ne contiennent pratiquement pas d'esters de cholestérol. Mais par la suite les esters de cholestérol s'accumulent sous l'action d'une **lécithine:cholestérol acyltransférase** (LCAT), une glycoprotéine de 59 kDa associée aux HDL. Une autre protéine également associée, la **protéine de transfert des esters de cholestérol**, transfère une partie de ces esters aux VLDL et LDL. Une des fonctions des HDL est de faire revenir au foie le cholestérol et les esters de cholestérol. Ce dernier processus peut expliquer la corrélation entre une forte concentration relative en HDL et la diminution du risque de maladie cardiovasculaire. Par contre, une concentration élevée en LDL est corrélée avec un *accroissement* du risque de coronarite artérielle et de troubles cardiovasculaires.

Structure du récepteur de LDL

Le récepteur de LDL ancré dans les membranes plasmiques (Figure 25.40) est un polypeptide de 839 résidus répartis en cinq domaines. Ces domaines comprennent un domaine de liaison des LDL, à 292 résidus, un segment de 350 à 400 résidus sur lequel des oligosides sont liés par des liaisons *N*-osidiques, un segment de 58 résidus porteur d'oligosides liés par des liaisons *O*-osidiques, un segment transmembranaire de 22 résidus et un segment de 50 résidus qui s'étend dans le cytosol. La présence de ce segment cytosolique est nécessaire à l'agrégation des sites récepteurs et à la formation des vésicules tapissées.

Des déficiences dans le métabolisme des lipoprotéines peuvent être à l'origine d'un taux élevé de cholestérol plasmatique

Le mécanisme du métabolisme des lipoprotéines et les déficiences dans ce métabolisme ont été largement étudiés par Michael Brown et Joseph Goldstein qui ont reçu pour leurs travaux le prix Nobel de Médecine en 1985. **L'hypercholestérolémie familiale** est le nom donné à un ensemble de maladies congénitales caractérisées par un taux plasmatique de cholestérol très élevé, la plus grande partie de ce cholestérol étant dans les LDL. La déficience génétique responsable de l'hypercholestérolémie familiale est l'absence, ou un mauvais fonctionnement, des récepteurs de LDL de l'organisme. Les individus hétérozygotes (personnes ayant un gène normal et un gène déficient) n'ont que la moitié du nombre normal de récepteurs de LDL. Les homozygotes (personnes dont les deux gènes sont déficients) n'ont que très peu, ou pas du tout, de récepteurs de LDL. Dans ce cas, les LDL (et donc le cholestérol) ne sont pas captées et la concentration plasmatique en LDL (et en cholestérol) est très élevée. La cholestérolémie moyenne des hétérozygotes est de 300 à 400 mg/100 ml, celle des homozygotes s'élève à 600-800 mg/100 ml, et même plus, contre environ 200 mg/100 ml chez un adulte normal. L'absence de récepteurs

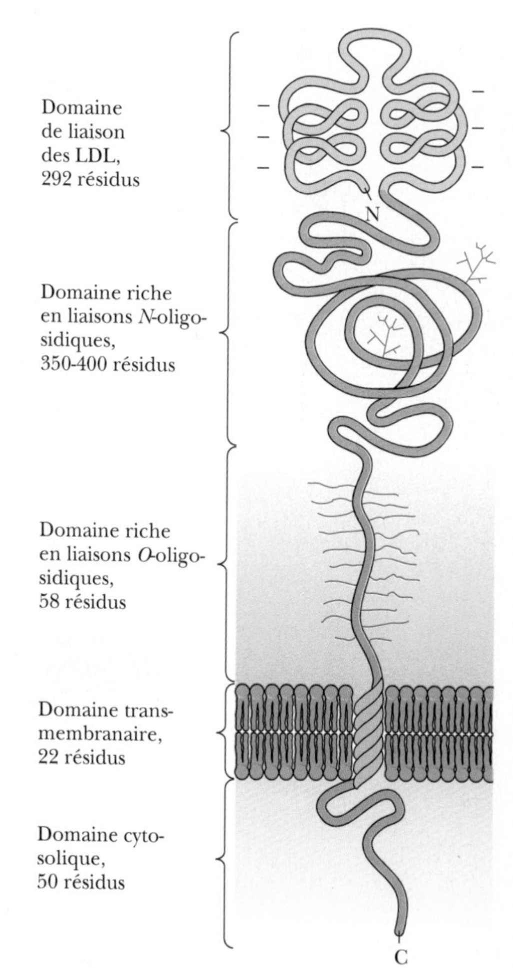

Figure 25.40 • Structure schématique du récepteur de LDL. Le domaine *N*-terminal reconnaît et lie l'apoprotéine LDL. Le domaine riche en liaisons *O*-oligosidique fait office de tige et surélève le domaine de liaison au-dessus du glycocalyx. Le domaine cytosolique est indispensable pour l'invagination de la membrane et l'endocytose des récepteurs de LDL.

a deux origines différentes. Soit la synthèse des récepteurs n'a pas lieu, soit il y a synthèse du polypeptide destiné à former le récepteur mais la protéine ne s'intègre pas dans la membrane plasmique. Cette anomalie provient d'un défaut dans la maturation de la protéine dans l'appareil de Golgi, ou dans le transport de la protéine vers la membrane. Même si les récepteurs des LDL atteignent la membrane, ils peuvent ne pas être capables de se rassembler pour former les puits tapissés aptes à capter les LDL par suite d'un mauvais reploiement ou d'anomalies dans la séquence de l'extrémité carboxy-terminale ou encore ils peuvent ne pas lier les LDL par suite d'anomalies dans le domaine de liaison des LDL.

25.6 • Biosynthèse des acides biliaires

Les **acides biliaires**, généralement présents sous formes de **sels biliaires**, sont des dérivés carboxyliques du cholestérol ; ils ont un rôle important dans la digestion, en particulier dans la solubilisation (l'émulsion) des lipides. Les sels de Na^+ et de K^+ de *l'acide glycocholique* et de *l'acide taurocholique* sont les principaux sels biliaires (Figure 25.41). Le glycocholate et le taurocholate résultent de la conjugaison de

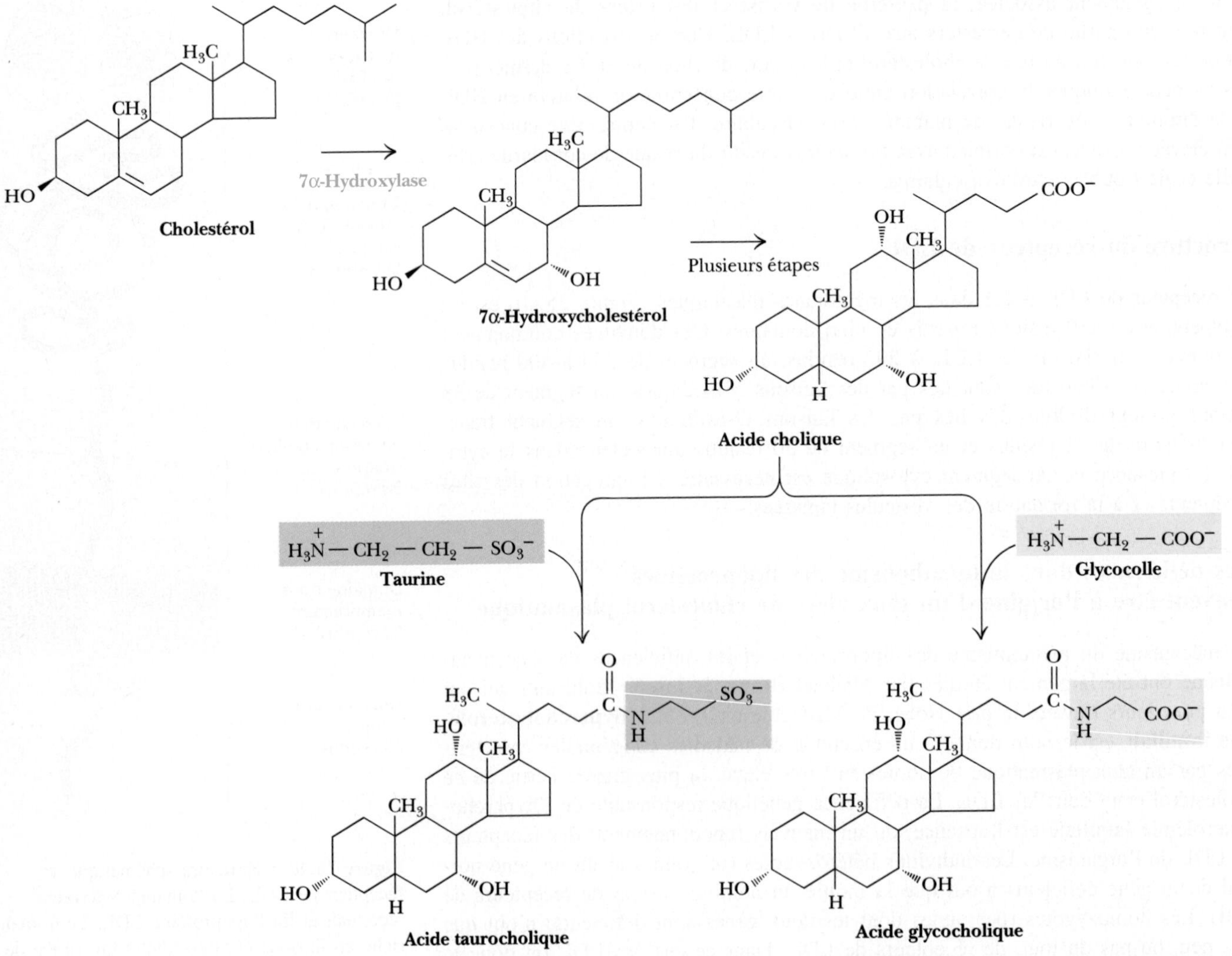

Cholestérol

7α-Hydroxylase

7α-Hydroxycholestérol

Plusieurs étapes

Acide cholique

$H_3\overset{+}{N}-CH_2-CH_2-SO_3^-$ Taurine

$H_3\overset{+}{N}-CH_2-COO^-$ Glycocolle

Acide taurocholique

Acide glycocholique

Figure 25.41 • L'acide cholique, l'un des acides biliaires, est synthétisé à partir du 7 α-hydroxycholestérol. La conjugaison de cette molécule avec la taurine ou le glycocolle donne respectivement l'acide taurocholique ou l'acide glycocholique. Le taurocholate et le glycocholate sont très solubles dans l'eau, ce sont des détergents efficaces.

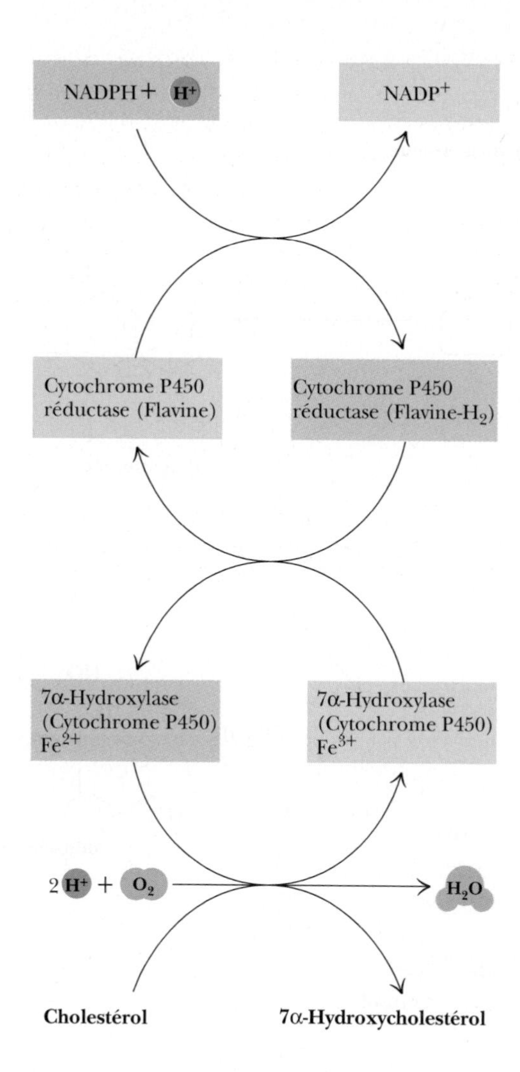

Figure 25.42 • La 7α-hydroxylase est une oxygénase à fonction mixte.

l'acide cholique avec respectivement le glycocolle et la taurine. Ces dérivés conjugués contiennent un domaine polaire et un domaine non polaire, ce sont donc d'excellents détergents. Les sels biliaires sont synthétisés dans le foie, mis en réserve dans la vésicule biliaire et sont sécrétés dans l'intestin en réponse à des signaux provenant de la digestion.

La formation des sels biliaires représente la principale voie de la dégradation du cholestérol. La dégradation commence par une hydroxylation du C-7 du cholestérol (Figure 25.41). Cette réaction, au cours de laquelle un *cytochrome P450* intervient, est catalysée par une oxygénase à fonction mixte, la **7α-hydroxylase**. L'oxygène, O_2, est un substrat des **oxygénases à fonction mixte**. Un des atomes de la molécule d'oxygène sert à hydroxyler le substrat et le second est réduit en H_2O (Figure 25.42). Le cytochrome P450 active O_2, ce qui permet la réaction d'hydroxylation. Ce type de réaction d'hydroxylation s'observe dans les voies de la synthèse du cholestérol, des acides biliaires, des hormones stéroïdes et dans les voies de détoxification des molécules aromatiques. Le 7α-hydroxycholestérol est le précurseur de l'acide cholique.

25.7 • Biosynthèse et métabolisme des hormones stéroïdes

Les hormones stéroïdes sont des signaux régulateurs cruciaux chez les mammifères. (Leurs effets physiologiques particuliers sont décrits Chapitre 34). La première étape de la synthèse convertit le cholestérol en prégnènolone (Figure 25.43). Cette réaction est catalysée par la **cholestérol desmolase**, un enzyme qui se trouve dans les mitochondries des tissus qui synthétisent des dérivés stéroïdes (essentiellement

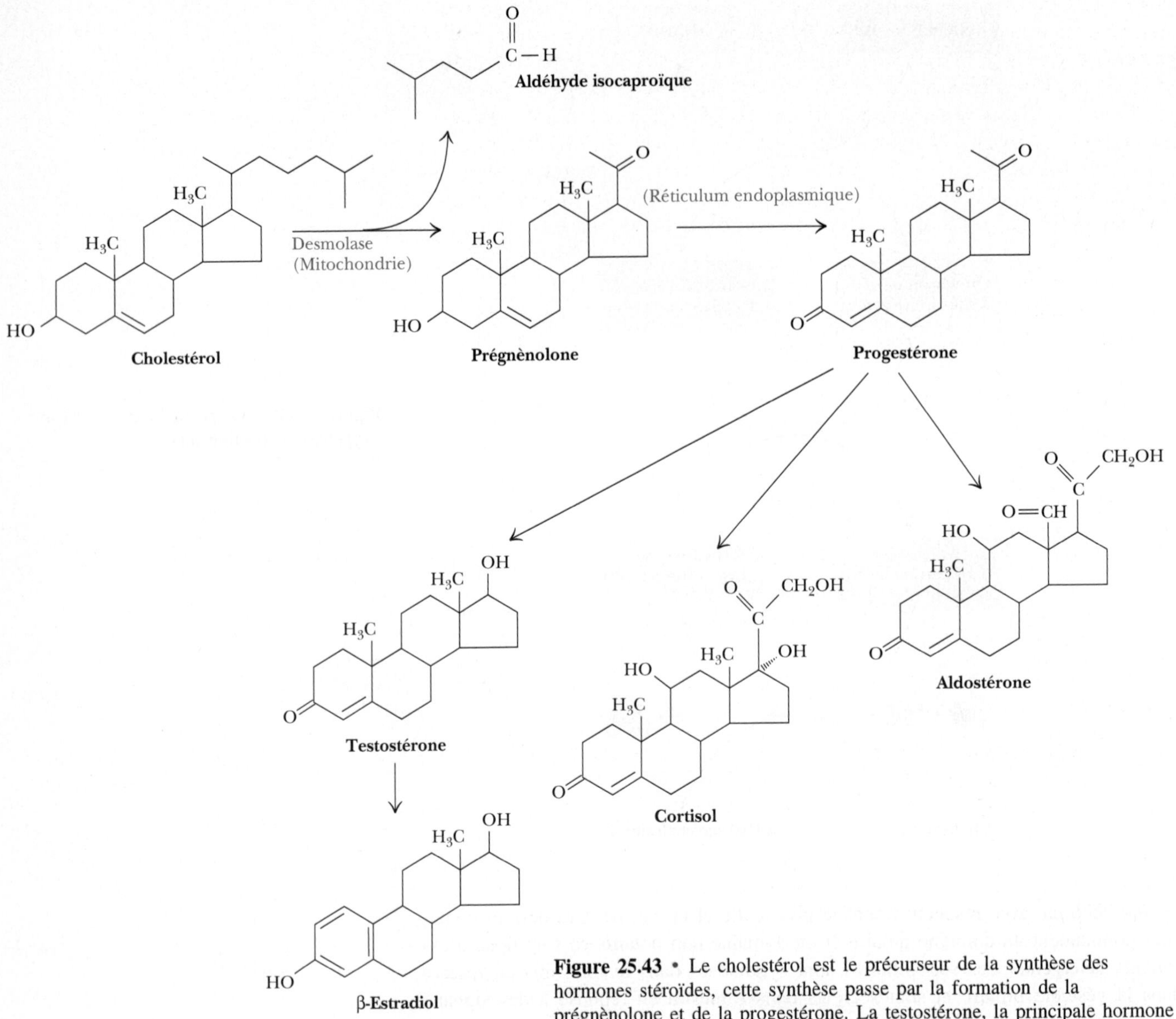

Figure 25.43 • Le cholestérol est le précurseur de la synthèse des hormones stéroïdes, cette synthèse passe par la formation de la prégnènolone et de la progestérone. La testostérone, la principale hormone sexuelle stéroïde du mâle est le précurseur du β-estradiol. Le cortisol, un glucocorticoïde, et l'aldostérone, un minéralocorticoïde, sont aussi des dérivés de la progestérone.

gonades et glandes surrénales). La desmolase contient un cytochrome P450 et catalyse deux réactions d'hydroxylation successives.

La prégnènolone et la progestérone sont les précurseurs de toutes les autres hormones stéroïdes

La prégnènolone, formée dans les mitochondries, est transportée jusqu'au réticulum endoplasmique où une *hydroxystéroïde déshydrogénase* catalyse l'oxydation du groupe hydroxyle et la migration d'une double liaison pour donner la progestérone. Dans les glandes surrénales, la synthèse de la prégnènolone est activée par la **corticotropine** (ou hormone adrénocorticotrope, ACTH), une hormone peptidique de 39 résidus, sécrétée par l'antéhypophyse.

Chez la femme, la progestérone est sécrétée par le corps jaune pendant la deuxième phase du cycle menstruel. Elle prépare les cellules épithéliales et le tissu conjonctif de l'utérus à recevoir l'ovule fécondé. Si l'œuf s'attache, la sécrétion de progestérone se poursuit ; cette sécrétion est indispensable au bon déroulement de la gestation. La progestérone formée dans les corticosurrénales est le précurseur de la synthèse des autres hormones stéroïdes, les **hormones sexuelles** et les **corticostéroïdes**. Les stéroïdes sexuels caractéristiques de mâles sont appelés des **androgènes** et ceux des femelles des **estrogènes**. Chez les mâles, la testostérone est une hormone androgène synthétisée essentiellement dans les testicules (et accessoirement dans les corticosurrénales). Les androgènes sont nécessaires à la maturation du sperme. Même des tissus sans rapport avec les fonctions de reproduction (foie, cerveau, muscles du squelette), sont sensibles aux effets des androgènes.

Chez les femelles, les ovaires produisent également de la testostérone comme précurseur des estrogènes (il s'en forme aussi, mais peu, dans les corticosurrénales). Le β-estradiol est le plus important des estrogènes (Figure 25.43).

Les hormones stéroïdes modulent la transcription dans le noyau

Les hormones stéroïdes agissent d'une manière différente de celle de la plupart des hormones pour lesquelles nous avons déjà considéré le mode d'action. Elles traversent facilement la membrane plasmatique, sans se lier à des récepteurs membranaires. Les stéroïdes se lient à d'autres récepteurs, soit directement à des récepteurs nucléaires, soit à des récepteurs cytosoliques qui rejoignent ensuite le noyau. Dans le noyau, le complexe hormone-récepteur se lie à des séquences nucléotidiques spécifiques de l'ADN et favorise la transcription de l'ADN en ARN (Chapitres 31 et 34).

Le cortisol et d'autres corticostéroïdes régulent une grande variété de processus physiologiques

Les corticostéroïdes comprennent des *glucocorticoïdes* et des *minéralocorticoïdes* ; ils sont synthétisés dans la partie corticale des glandes surrénales. Le cortisol (Figure 25.43) est le représentant caractéristique des **glucocorticoïdes**. Cette classe des corticoïdes comprend des molécules qui (1) stimulent la néoglucogénèse et la synthèse du glycogène dans le foie (elles agissent comme un signal de stimulation de la synthèse de la PEP carboxykinase, de la fructose-1,6-bisphosphatase, de la glucose-6-phosphatase et de la glycogène synthase) ; (2) inhibent la synthèse des protéines, et stimulent leur dégradation dans les tissus périphériques comme les muscles ; (3) inhibent les réponses allergiques ou inflammatoires ; (4) ont un effet immunosuppresseur en inhibant la réplication de l'ADN et la mitose, et en réprimant la formation des anticorps et des lymphocytes ; et (5) inhibent la formation des fibroblastes, les cellules qui participent à la cicatrisation, et ralentissent la réparation des fractures osseuses.

L'aldostérone est l'hormone la plus active des **minéralocorticoïdes** (Figure 25.43) ; elle participe à la régulation de l'équilibre Na^+, K^+ dans les tissus en contrôlant leur élimination rénale. L'aldostérone accroît la capacité des cellules des tubules rénaux à réabsorber Na^+, Cl^- et H_2O du filtrat glomérulaire.

Les stéroïdes anabolisants sont frauduleusement utilisés pour améliorer les performances des athlètes

Les effets remarquables des anabolisants sur la synthèse des protéines ont conduit certains athlètes à utiliser des *androgènes synthétiques*, un terme qui recouvre les **stéroïdes anabolisants**. Cet usage s'est largement répandu, comme une épidémie, en dépit des avertissements de la communauté médicale concernant les effets secondaires, troubles rénaux et hépatiques, stérilité, maladies cardiaques. Le **stanozolol**, (Figure 25.44) est l'un de ces anabolisants ; il a été retrouvé dans les urines de Ben Johnson après sa performance et sa victoire aux 100 m des Jeux olympiques de 1988. Comme l'usage de cette substance est interdit, Ben Johnson a dû rendre sa médaille d'or et Carl Lewis fut déclaré vainqueur.

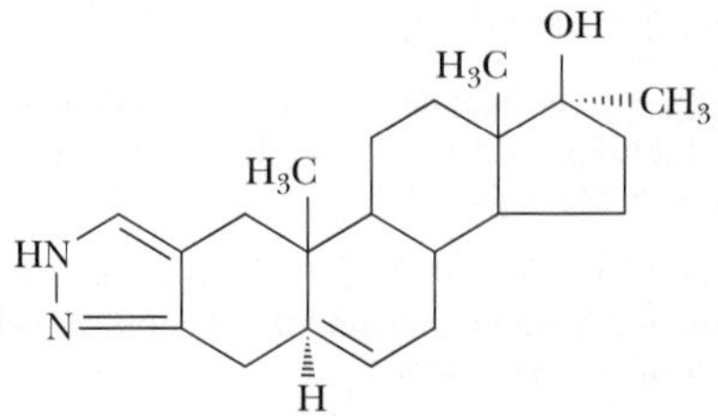

Stanozolol

Figure 25.44 • Structure du stanozolol, un stéroïde anabolisant.

EXERCICES

1. Commentez le sort de chacun des atomes de carbone présents dans les équations de la synthèse du palmityl-CoA, du malonyl-CoA et de la réaction globale de la synthèse de l'acide palmitique à partir de l'acétyl-CoA ; tenez également compte des charges électriques.

2. À partir des relations métaboliques décrites Figure 25.1, déterminez quels sont les atomes de carbone du glucose qui sont incorporés dans l'acide palmitique. Au cours de ce processus, que deviennent les atomes de carbone des molécules de citrate qui sont exportées vers le cytosol aussitôt après leur synthèse et de celles qui sont oxydées dans le cycle de Krebs ?

3. En fonction des informations contenues dans cet ouvrage et Figures 25.4 et 25.5, décrivez un modèle de régulation de l'acétyl-CoA carboxylase. Dans ce modèle, tenez compte des possibilités d'interactions entre les sous-unités, des phosphorylations et des changements de conformation.

4. La taille du groupe pantothénique joue un rôle dans la synthèse des acides gras chez les animaux, pouvez-vous en déduire la distance maximale séparant les sites actifs de la malonyltransférase et de la cétoacyl-ACP synthase ?

5. Examinez soigneusement le mécanisme de la réaction catalysée par la stéaryl-CoA désaturase, Figure 25.14. Pour vous convaincre de la validité de la stœchiométrie précisée sur la figure, précisez l'origine, le nombre et la destination de tous les électrons, des atomes d'hydrogène et d'oxygène qui participent à cette réaction.

6. Écrivez l'équation stœchiométrique et équilibrée de la synthèse de la phosphatidyléthanolamine à partir du glycérol, d'acyl-CoA, et d'éthanolamine. Donnez une estimation de la valeur de $\Delta G°'$ de l'ensemble de ce processus.

7. Écrivez l'équation stœchiométrique et équilibrée de la synthèse du cholestérol à partir de l'acétyl-CoA.

8. Suivez le sort des atomes de carbone du mévalonate au cours de la synthèse du cholestérol et déterminez la position de chacun de ces atomes dans la structure finale.

9. Quel peut être le rôle structural ou fonctionnel du domaine du récepteur des LDL qui est caractérisé par la présence de nombreux oligosides liés par une liaison *O*-osidique ?

10. Parmi les diverses voies de synthèse des lipides, quelle est celle qui serait affectée par une concentration anormalement faible de CTP ?

11. Quel est le nombres des équivalents d'ATP utilisés pour la synthèse d'un acide palmitique à partir de l'acétyl-CoA ? Vous admettrez que un NADPH correspond à 3,5 ATP.

12. Présentez un mécanisme raisonnable de la réaction catalysée par la 3-cétosphinganine synthase ; n'oubliez pas que le pyridoxal-phosphate intervient dans cette réaction.

LECTURES COMPLÉMENTAIRES

Athappilly, E.K., et Hendrickson, W.A., 1995. Structure of the biotinyl domain of acetyl-CoA carboxylase determined by MAD phasing. *Structure* **3** : 1407.

Bloch, K., 1965. The biological synthesis of cholesterol. *Science* **150** : 19-28.

Bloch, K., 1987. Summing up. *Annual Review of Biochemistry* **56** : 1-19.

Borhani, D.W., Rogers, D.P., Engler, J.A., et Brouillette, C.G., 1997. Crystal structure of truncated human apolipoprotein A-I suggests a lipid-bound conformation. *Proceedings of the National Academy of Sciences* **94** : 12291-12296.

Boyer, P.D., ed., 1983. *The Enzymes,* 3rd ed., Vol. 16. New York : Academic Press.

Carman, G.M., et Henry, S.A., 1989. Phospholipid biosynthesis in yeast. *Annual Review of Biochemistry* **58** : 635-669.

Carman, G.M., et Zeimetz, G.M., 1996. Regulation of phospholipid biosynthesis in the yeast *Saccharomyces cerevisiae. Journal of Biological Chemistry* **271** : 13292-13296.

Chang, S.I., et Hammes, G.G., 1990. Structure and mechanism of action of a multifunctional enzyme : Fatty acid synthase. *Accounts of Chemical Research* **23** : 363-369.

Dunne, S.J., Cornell, R.B., Johnson, J.E., et al., 1996. Structure of the membrane-binding domain of CTP phosphocholine cytidylyltransferase. *Biochemistry* **35** : 1975.

Friedman, J.M., 1997. The alphabet of weight control. *Nature* **385** : 119-120.

Hansen, H.S., 1985. The essential nature of linoleic acid in mammals. *Trends in Biochemical Sciences* **11** : 263-265.

Jackowski, S., 1996. Cell cycle regulation of membrane phospholipid metabolism. *Journal of Biological Chemistry* **271** : 20219-20222.

Jeffcoat, R., 1979. The biosynthesis of unsaturated fatty acids and its control in mammalian liver. *Essays in Biochemistry* **15** : 1-36.

Kent, C., 1995. Eukaryotic phospholipid biosynthesis. *Annual Review of Biochemistry* **64** : 315-343.

Kim, K-H., et al., 1989. Role of reversible phosphorylation of acetyl-CoA carboxylase in long-chain fatty acid synthesis. *The FASEB Journal* **3** : 2250-2256.

Lardy, H., et Shrago, E., 1990. Biochemical aspects of obesity. *Annual Review of Biochemistry* **59** : 689-710.

Liscum, L., et Underwood, K.W., 1995. Intracellular cholesterol transport and compartmentation. *Journal of Biological Chemistry* **270** : 15443-15446.

Lopaschuk, G.D., et Gamble, J., 1994. The 1993 Merck Frosst Award. Acetyl-CoA carboxylase : an important regulator of fatty acid oxidation in the heart. *Canadian Journal of Physiology and Pharmacology* **72** : 1101-1109.

McCarthy, A.D., et Hardie, D.G., 1984. Fatty acid synthase – An example of protein evolution by gene fusion. *Trends in Biochemical Sciences* **9** : 60-63.

Needleman, P., et al., 1986. Arachidonic acid metabolism. *Annual Review of Biochemisiry* **55** : 69-102.

Roberts, L.M., Ray, M.J., Shih, T.W, et al., 1997. Structural analysis of apolipoprotein A-I : Limited proteolysis of methionine-reduced and -oxidized lipid-free and lipid-bound human Apo A-I. *Biochemistry* **36** : 7615.

Samuelsson, B., et al., 1987. Leukotrienes and lipoxins : Structures, biosynthesis and biological effects. *Science* **237** : 1171-1176.

Schewe, T., et Kuhn, H., 1991. Do 15-lipoxygenases have a common biological role ? *Trends in Biochemical Sciences* **16** : 369-373.

Smith, W.L., Garavito, R.M., et DeWitt,. D.L., 1996. Prostaglandin endoperoxide H synthases (cyclooxygenases)-1 and -2. *Journal of Biological Chemistry* **271** : 33157-33160.

Tataranni, P.A., et Ravussin, E., 1997. Effect of fat intake on energy balance. *Annals of the New York Academy of Sciences* **819** : 37-43.

Vance, D.E., et Vance, J.E., eds., 1985. *Biochemistry of Lipids and Membranes.* Menlo Park, CA : Benjamin/Cummings.

Wakil, S., 1989. Fatty acid synthase, a proficient multifunctional enzyme. *Biochemistry* **28** : 4523-4530.

Wakil, S., Stoops, J.K, et Joshi, V.C., 1983. Fatty acid synthesis and its regulation. *Annual Review of Biochemistry* **52** : 537-579.

« Une génération disparaît, une autre arrive, mais la Terre tient toujours. »
L'ECCLÉSIASTE 1.4

Chapitre 26

Acquisition de l'azote et métabolisme des acides aminés

PLAN

Récolte du blé. Seules les plantes et quelques microorganismes peuvent transformer les diverses formes minérales oxydées de l'azote disponibles dans l'environnement inanimé en une forme où l'azote, réduit, est biologiquement utilisable. (© *Dick Durrance II/Woodfin Camp and Associates, Inc.*)

L'azote est un élément vital pour tous les organismes vivants ; dans ce chapitre, nous commencerons la description des voies du métabolisme azoté. Nous présenterons d'abord les deux principales voies de l'acquisition de l'azote à partir de l'environnement inanimé, la voie de l'assimilation du nitrate et la voie de la fixation de l'azote ; puis nous verrons les réactions d'assimilation de l'ammoniac. La glutamine synthétase sera particulièrement étudiée car elle permet de comprendre plusieurs des grands principes de la régulation métabolique. Les voies de la biosynthèse et de la dégradation des acides aminés seront décrites ; celles qui concernent les acides aminés soufrés permettront d'introduire certains aspects du métabolisme du soufre.

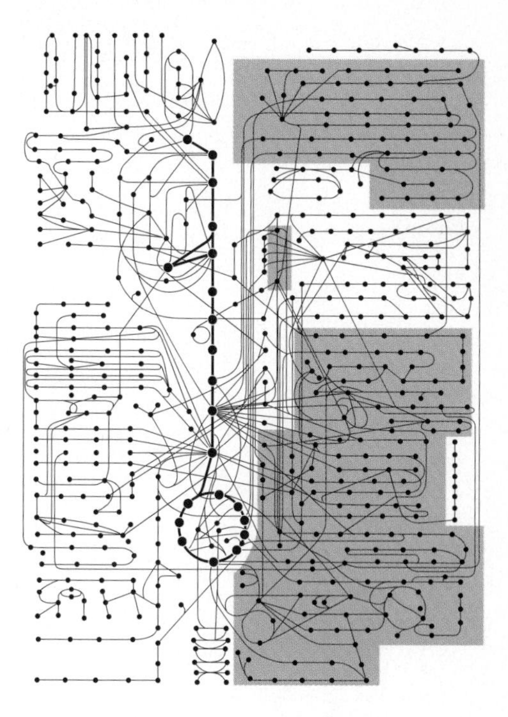

Acquisition de l'azote
et métabolisme des acides aminés

Le cycle de l'azote

Dans l'environnement inanimé, l'azote existe principalement sous forme de N_2 dans l'atmosphère et sous sa forme la plus oxydée, le nitrate (NO_3^-), dans le sol et les océans. L'acquisition de l'azote par les systèmes biologiques s'effectue par sa réduction en ions ammonium (NH_4^+) et l'incorporation de ces ions ammonium dans les substances organiques par des liaisons amine ou amide (Figure 21.6). Les plantes vertes, divers champignons filamenteux et certaines bactéries effectuent la réduction de NO_3^- en NH_4^+ par une voie métabolique en deux étapes, appelée voie de l'**assimilation des nitrates**. La formation de NH_4^+ à partir de N_2 est appelée la **fixation de l'azote**. Cette fixation de l'azote est un processus propre aux procaryotes : certaines bactéries se développant en symbiose avec des plantes et des bactéries du sol effectuent la fixation de l'azote. Aucun animal n'a la capacité de fixer de l'azote ou d'assimiler des nitrates, de sorte qu'ils sont totalement dépendants des plantes ou des bactéries pour la synthèse des molécules organiques azotées, acides aminés et protéines, pour la satisfaction des exigences en cet élément essentiel, l'azote.

Les animaux éliminent l'excès d'azote sous une forme réduite, soit minérale, NH_4^+, soit organique comme l'urée. La libération de N_2 gazeux s'effectue à la fois pendant la vie et lors de la décomposition bactérienne des organismes après leur mort. Plusieurs espèces bactériennes oxydent les formes réduites de l'azote et rejettent l'azote dans l'environnement. L'oxydation de NH_4^+ en NO_3^- par les **bactéries de la nitrification**, un groupe de bactéries chimioautotrophes, constitue la seule source d'énergie chimique pour ces organismes. L'azote des nitrates peut également retourner dans l'atmosphère en conséquence de l'activité métabolique des **bactéries de la dénitrification**. Ces bactéries peuvent utiliser NO_3^- et d'autres formes minérales d'azote oxydé comme accepteurs d'électrons pour produire de l'énergie libre au lieu d'utiliser l'oxygène. Les nitrates sont en fin de compte réduits en N_2. Ces bactéries diminuent donc le niveau de l'azote combiné [1], un engrais naturel qui autrement serait disponible. Cependant, cette activité bactérienne est utilisée pour le traitement des eaux dans les stations d'épuration afin de réduire la charge en azote combiné qui pourrait polluer les rivières, les lacs et les baies.

Cycle de l'azote :

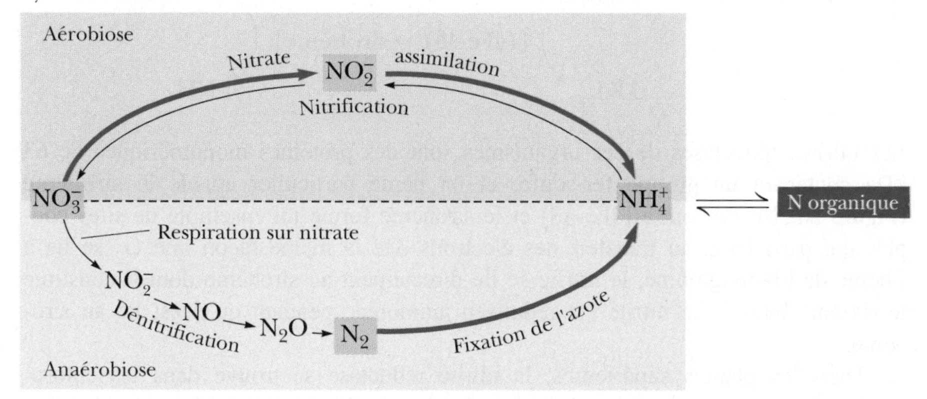

Figure 26.1 • Le cycle de l'azote. Les substances organiques azotées sont synthétisées par incorporation de NH_4^+ dans des squelettes carbonés. Les ions ammonium peuvent être formés par réduction de précurseurs, N_2 ou minéraux oxydés : la **fixation de l'azote** réduit N_2 en NH_4^+ ; l'**assimilation du nitrate** réduit NO_3^- en NH_4^+. Les bactéries de la nitrification peuvent oxyder NH_4^+ en NO_3^-, ce processus de **nitrification** leur permet d'obtenir l'énergie nécessaire pour leur croissance. La **dénitrification** est une forme de respiration bactérienne dans laquelle en l'absence d'oxygène, les oxydes d'azote servent d'accepteurs d'électrons.

[1] Azote lié à d'autres éléments dans les substances chimiques.

26.1 • Les deux principales voies d'acquisition biologique de l'azote

Enzymologie de l'assimilation du nitrate

La voie de l'assimilation du nitrate comporte deux étapes : la réduction par deux électrons du nitrate en nitrite, catalysée par la nitrate réductase (Equation 26.1), et la réduction par six électrons du nitrite en ammonium, catalysée par la nitrite réductase (Equation 26.2).

$$(1)\ NO_3^- + 2\ H^+ + 2\ e^- \longrightarrow NO_2^- + H_2O \qquad (26.1)$$

$$(2)\ NO_2^- + 8\ H^+ + 6\ e^- \longrightarrow NH_4^+ + 2\ H_2O \qquad (26.2)$$

L'assimilation des nitrates est la voie principale d'acquisition de l'azote par les plantes vertes, les algues et divers microorganismes. Plus de 99 % de l'azote minéral (nitrate ou azote) entrant dans la biosphère proviennent de cette voie.

La nitrate réductase

$$NADH \rightarrow NADH^+ \quad [\text{—SH} \rightarrow \text{FAD} \rightarrow \text{cytochrome } b_{557} \rightarrow \text{MoCo}] \quad NO_3^- \rightarrow NO_2^-$$

Les crochets [ ] rappellent que les groupes prosthétiques, qui constituent la chaîne du transport des électrons entre le NADH et le nitrate, sont liés à l'enzyme. L'enzyme catalyse le transfert d'une paire d'électrons venant de NADH vers le nitrate qui est réduit en nitrite. Les électrons passent successivement des groupes –SH de l'enzyme à du FAD, à un cytochrome *b* et à un cofacteur, **MoCo**, contenant du molybdène. Les diverses nitrates réductases, protéines cytosoliques, sont des homodimères d'environ 220 kDa. La Figure 26.2a représente la structure du cofacteur contenant le molybdène (MoCo). Ce cofacteur est indispensable à l'assemblage des sous-unités et à l'activité de la nitrate réductase. Le cofacteur molybdique est aussi le cofacteur de plusieurs enzymes qui catalysent des réactions d'hydroxylation, par exemple, la xanthine déshydrogénase, l'aldéhyde oxydase et la sulfite oxydase.

Nitrite réductase des plantes vertes

Il faut six électrons pour la réduction de NO_2^- en NH_4^+, et dans les organismes photosynthétiques capables d'assimiler le nitrate, ces électrons proviennent de six équivalents de ferrédoxine réduite par photosynthèse (Fd_{red}).

$$\text{Lumière} \rightarrow 6\ Fd_{red} \rightarrow 6\ Fd_{ox} \quad [(4Fe\text{-}4S) \rightarrow \text{sirohème}] \quad NO_2^- \rightarrow NH_4^+$$

Les nitrites réductases de ces organismes sont des protéines monomériques de 63 kDa contenant un groupe fer-soufre et un hème particulier appelé le **sirohème** (Figure 26.2b). Le centre [4Fe-4S] et le sirohème forme un ensemble de sites couplés qui participent au transfert des électrons. De la même façon que O_2 se lie à l'hème de l'hémoglobine, le nitrite se lie directement au sirohème dont il constitue le sixième ligand. Le nitrite est réduit en ammoniac pendant qu'il est lié au sirohème.

Dans les plantes supérieures, la nitrite réductase se trouve dans les chloroplastes, à proximité de son réducteur primaire, la ferrédoxine réduite par la photosynthèse. Les nitrite réductases bactériennes sont plus complexes et leurs masses moléculaires sont plus grandes que celles des plantes. Les nitrites réductases bactériennes sont en fait plus proches des nitrates réductases, elles ont un groupe

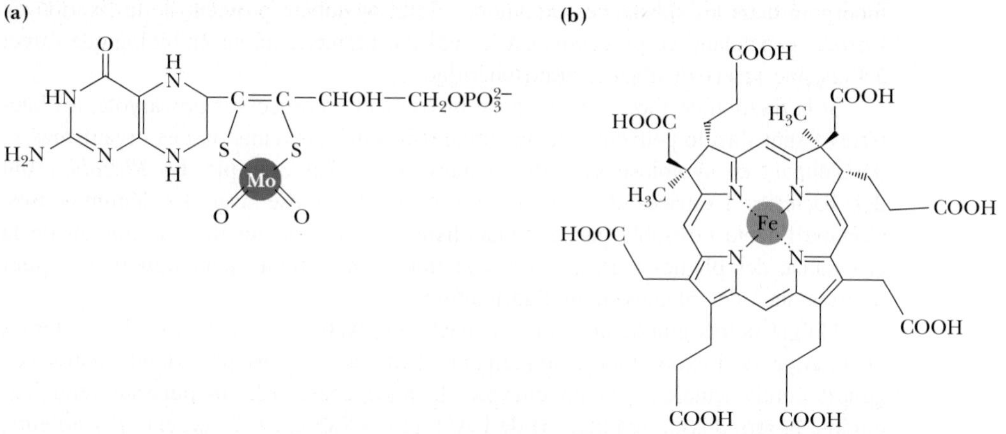

Figure 26.2 • Groupes prosthétiques de la nitrate réductase et de la nitrite réductase. (a) Cofacteur molybdique de la nitrate réductase. La molécule dépourvue de molybdène est une ptéridine appelée **molybdoptérine**. (b) Le sirohème, dérivé de l'uroporphyrine, fait partie d'une classe d'hèmes, les **isobactériochlorines** ; ce sont des porphyrines dont deux cycles pyrrole adjacents sont partiellement réduits. La particularité du sirohème est d'avoir huit chaînes latérales carboxyliques. Ces groupes carboxyliques pourraient être des donneurs de H^+ lors de la réduction de NO_2^- en NO_3^-.

prosthétique FAD et des –SH qui couplent l'oxydation de NADPH à la réduction du nitrite (Figure 26.3).

Enzymologie de la fixation de l'azote

La fixation de l'azote implique la réduction de l'azote atmosphérique (N_2) par un système enzymatique, le système **nitrogénase**, exclusivement présent chez quelques procaryotes. La nitrogénase catalyse la réaction suivante :

$$N_2 + 8\ H^+ + 8\ e^- \longrightarrow 2\ NH_3 + H_2 \qquad (26.3)$$

Remarquez la réduction simultanée de deux protons en hydrogène gazeux qui accompagne obligatoirement la réduction de N_2 en ammoniac. Moins de 1 % de l'azote

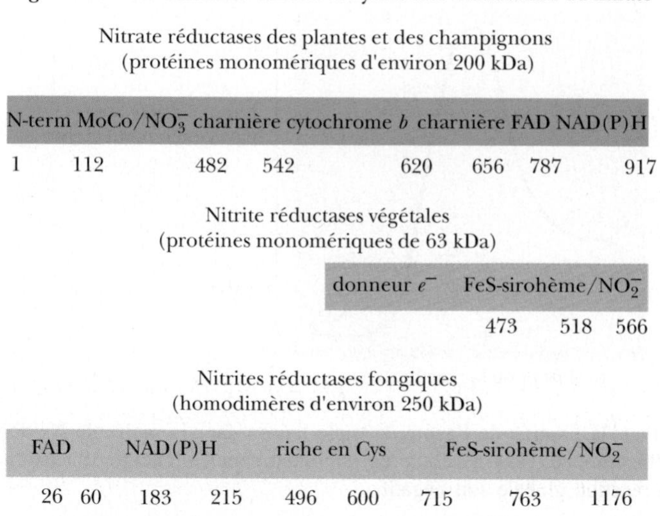

Organisation des domaines dans les enzymes de l'assimilation du nitrate

Nitrate réductases des plantes et des champignons
(protéines monomériques d'environ 200 kDa)

N-term MoCo/NO_3^- charnière cytochrome *b* charnière FAD NAD(P)H

1 112 482 542 620 656 787 917

Nitrite réductases végétales
(protéines monomériques de 63 kDa)

donneur e^- FeS-sirohème/NO_2^-

473 518 566

Nitrites réductases fongiques
(homodimères d'environ 250 kDa)

FAD NAD(P)H riche en Cys FeS-sirohème/NO_2^-

26 60 183 215 496 600 715 763 1176

Figure 26.3 • Organisation des domaines dans les enzymes de l'assimilation du nitrate. Les nombres correspondent aux résidus délimitants les divers segments dans la protéine concernée. La nitrate réductase de la Figure provient d'une plante verte, *Arabidopsis thaliana*. La nitrite réductase végétale est celle des épinards et la nitrite réductase fongique est celle de *Neurospora crassa*. *(D'après Campbell & Kinghorn, 1990.* Trends in Biochemical Sciences ***15*** *: 315-319.)*

incorporé dans les substances organiques de la biosphère provient de la fixation de l'azote ; cependant, ce processus est le seul qui permette un accès biologique direct à l'énorme réservoir d'azote atmosphérique.

Si la fixation de l'azote est bien exclusivement un processus procaryote, les bactéries fixant l'azote peuvent être des organismes indépendants ou des organismes se développant en symbiose avec des plantes vertes. Par exemple, les *Rhizobia* sont des bactéries fixatrices d'azote qui vivent en symbiose avec les légumineuses. Comme l'azote utilisable par le métabolisme est souvent un facteur limitant de la croissance des plantes vertes, ces associations symbiotiques sont importantes pour la croissance des plantes, pour l'agriculture.

Malgré la très grande diversité des bactéries fixatrices d'azote, tous les systèmes de fixation de l'azote sont pratiquement identiques et tous présentent quatre exigences fondamentales : (1) un enzyme, la nitrogénase, (2) un puissant réducteur comme la ferrédoxine réduite, (3) de l'ATP et (4) l'absence d'oxygène. Par ailleurs, plusieurs modes de régulation contrôlent l'activité de la nitrogénase.

Le complexe nitrogénase. Deux métalloprotéines constituent le complexe nitrogénase : une ferroprotéine, la nitrogénase réductase et une protéine à fer et molybdène (MoFe) appelée nitrogénase. La **nitrogénase réductase** est un homodimère de 60 kDa avec un unique centre [4Fe-4S] comme groupe prosthétique. La nitrogénase réductase est extrêmement sensible à l'oxygène. La nitrogénase réductase lie l'ATPMg et hydrolyse quatre équivalents d'ATP par paire d'électrons transférés au cours de la réaction. Comme la réduction de N_2 en 2 NH_3 + H_2 exige quatre paires d'électrons, 16 équivalents ATP sont consommés par molécule N_2 réduite.

Cette exigence énergétique peut sembler paradoxale puisque la réduction de N_2 en NH_4^+ est thermodynamiquement favorable (la variation d'énergie libre de la réaction est négative). La raison de ce paradoxe est donnée par la très grande force de la liaison entre les deux atomes de N_2 (Figure 26.4). Il faut beaucoup d'énergie pour dépasser le très haut niveau d'énergie d'activation requis et rompre la triple liaison N°N. Dans un système biologique, l'ATP fournit l'énergie nécessaire.

La **nitrogénase** (la protéine MoFe) est un hétérotétramère α_2-β_2 de 240 kDa. L'unité fonctionnelle est le dimère $\alpha\beta$; chaque dimère contient deux types de centre métallique, un centre peu commun 8Fe-7S appelé **centre P** (Figure 26.5a) et un tout nouveau centre 7Fe-1Mo-9S appelé le cofacteur Fe-Mo, **ou Fe-Mo-Co**, (Figure 26.5b). Dans certains cas particuliers, le **vanadium** remplace le molybdène dans Fe-Mo-Co. Comme la nitrogénase réductase, la nitrogénase est extrêmement sensible à l'oxygène.

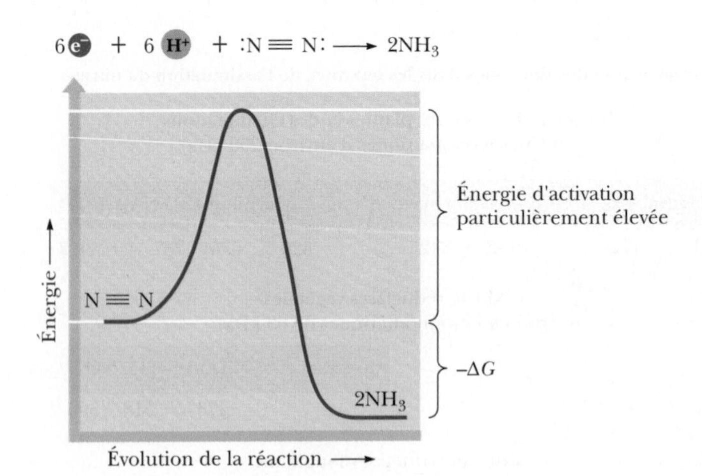

Figure 26.4 • Pour la fixation de l'azote, la triple liaison dans la molécule N_2 doit préalablement être rompue. Cela nécessite un important apport d'énergie d'activation bien que $\Delta G^{\circ\prime}$ de la réaction globale soit négatif.

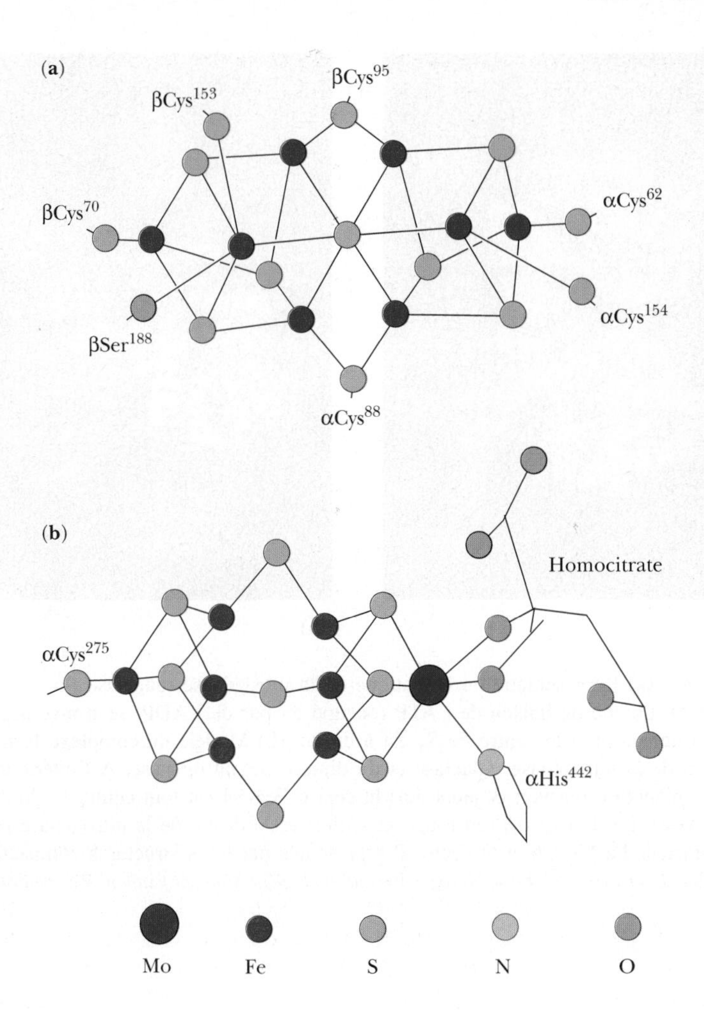

Figure 26.5 • Structures des deux types de centres métalliques de la nitrogénase. (a) Le centre P. Deux centres Fe_4-S_3 ont en commun un quatrième S, et deux résidus Cys de la protéine (Cysa^{88} et Cysb^{95}) forment des liaisons reliant leurs groupes thiol à ces centres. (b) Le cofacteur Fe-Mo-Co. Ce nouveau centre Fe-S plus complexe contient du molybdène ; il comporte 1 Mo, 7 Fe, et 9 S ; Cysa^{275} établit une liaison avec un Fe et Hisa^{442} établit une liaison avec l'atome Mo. Remarquez l'homocitrate qui établit deux liaisons de coordination avec Mo. *(D'après Leigh, G.J., 1995. The mechanism of dinitrogen reduction by molybdenum nitrogenases.* European Journal of Biochemistry ***229** : 14-20.)*

RÉACTION CATALYSÉE PAR LA NITROGÉNASE. Dans la réaction catalysée par le système nitrogénase (Figure 26.6), la nitrogénase réductase transfère les électrons provenant de la ferrédoxine réduite à la nitrogénase, l'enzyme qui catalyse la fixation de N_2. Le transfert des électrons de la nitrogénase réductase à la nitrogénase ne s'effectue que si la nitrogénase réductase s'est préalablement liée à une sous-unité dimérique $\alpha\beta$ de la nitrogénase (Figure 26.7). Le transfert des électrons s'effectue selon la séquence suivante : Protéine Fe → centre P → cofacteur Fe-Mo → N_2.

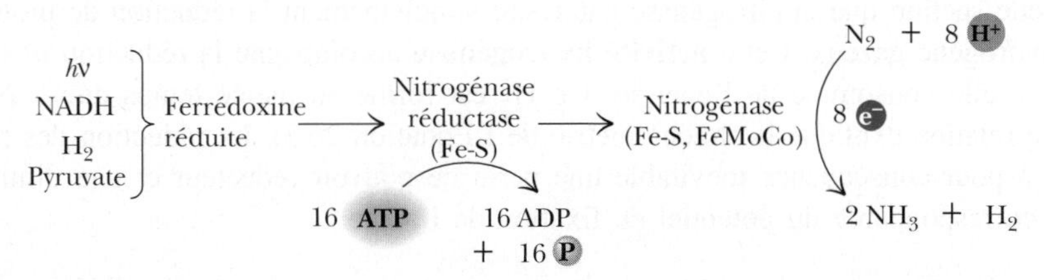

Figure 26.6 • Réaction catalysée par la nitrogénase. Selon les bactéries, les électrons utilisés pour la réduction de l'azote peuvent provenir de la lumière, de NADH, de l'hydrogène gazeux, ou du pyruvate. Le donneur immédiat d'électrons du système nitrogénase est la ferrédoxine réduite. La ferrédoxine réduite transmet les électrons directement à la nitrogénase réductase. Il faut six électrons pour réduire N_2 en $2NH_3$, et deux électrons supplémentaires pour la réduction obligatoire de 2 H^+ en H_2. La nitrogénase réductase transfère les électrons à la nitrogénase, un électron à la fois. N_2 est lié au cofacteur Fe-Mo-Co de la nitrogénase, jusqu'à ce que tous les électrons et tous les protons aient été ajoutés ; on n'a pas pu détecter avec certitude la présence d'intermédiaires tels que HN=NH, ou H_2N–NH_2.

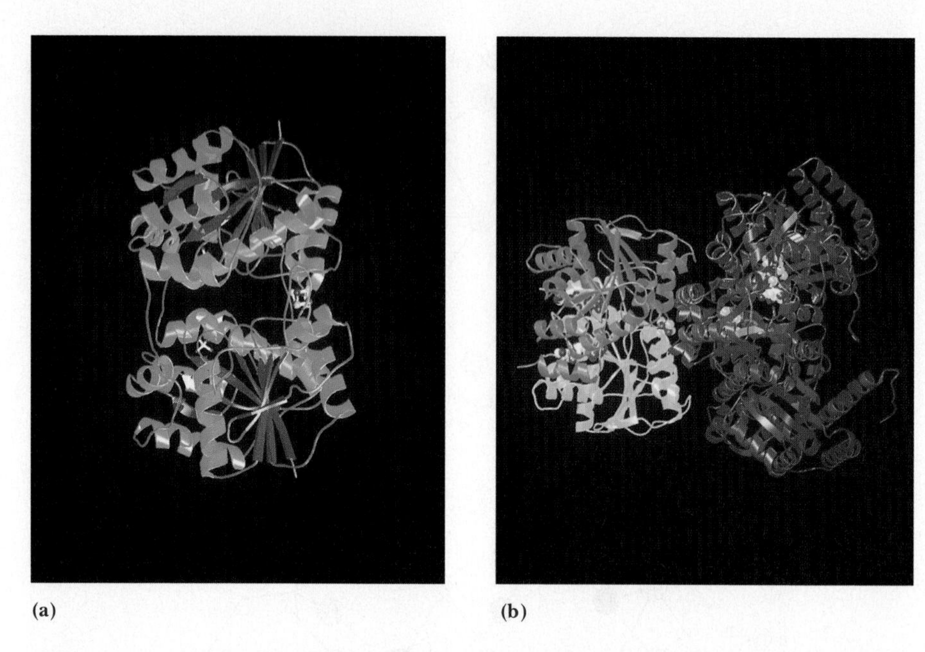

(a) (b)

Figure 26.7 • (a) Représentation schématique de la nitrogénase réductase (la ferroprotéine). Le site de liaison de l'ATP (occupé ici par de l'ADP) se trouve à gauche dans cette orientation et le centre Fe_4S_4 est à droite. (b) Modèle du complexe formé par l'association de la nitrogénase réductase et du dimère $\alpha\beta$ nitrogénase. À l'intérieur de la nitrogénase réductase (en vert et jaune ici) le centre Fe4-S4 est tout contre le dimère $\alpha\beta$ (la nitrogénase). Le dimère $\alpha\beta$ (en rouge et violet) est à droite de la nitrogénase réductase, avec le cofacteur Fe-Mo-Co et le centre P représentés par leurs structures compactes. *(D'après Kim, J., et Rees, D., 1994. Nitrogenase and biological nitrogen fixation.* Biochemistry *33 : 389-396.)*

L'hydrolyse de l'ATP est couplée au transfert d'un électron de la protéine Fe au centre P. L'hydrolyse de l'ATP aboutit à un changement de conformation de la nitrogénase réductase qui ne peut plus se lier à la nitrogénase. La nitrogénase est un enzyme relativement peu actif qui transfère au maximum 12 paires d'électrons par seconde et par molécule d'enzyme ; cela signifie que l'enzyme ne réduit que trois molécules d'azote par seconde. Comme cette activité est très réduite, les bactéries fixatrices d'azote contiennent une grande quantité de nitrogénase, ce qui leur permet de disposer de suffisamment d'azote réduit pour leur croissance. La nitrogénase peut représenter jusqu'à 5 % des protéines cellulaires. Nous avons signalé au début de cette section que la nitrogénase catalysait simultanément la réduction de protons en hydrogène gazeux. Cette **activité hydrogénase** accompagne la réduction *in vivo* de N_2, elle consomme de l'énergie. Un H_2 est formé en même temps que 2 NH_3 (cette relation explique la stœchiométrie de l'Équation 26.3). La réduction des protons à pour conséquence inévitable une perte de pouvoir réducteur et une diminution correspondante du potentiel de fixation de l'azote.

Régulation de la fixation de l'azote

En première approximation, deux mécanismes régulateurs sont d'une importance primordiale (Figure 26.8) : (a) L'ADP inhibe l'activité de la nitrogénase ; cette activité est bloquée quand le rapport ATP/ADP diminue. (b) NH_4^+ réprime l'expression des gènes *nif*, les gènes qui codent pour les protéines du système de fixation de l'azote. À ce jour, plus de 20 gènes *nif* ayant un rapport avec le processus de fixation de l'azote ont été identifiés. La répression des gènes *nif* par l'ion ammonium, le produit de la fixation de l'azote, est une façon simple et efficace d'inhiber la fixation quand le produit de celle-ci n'est plus nécessaire.

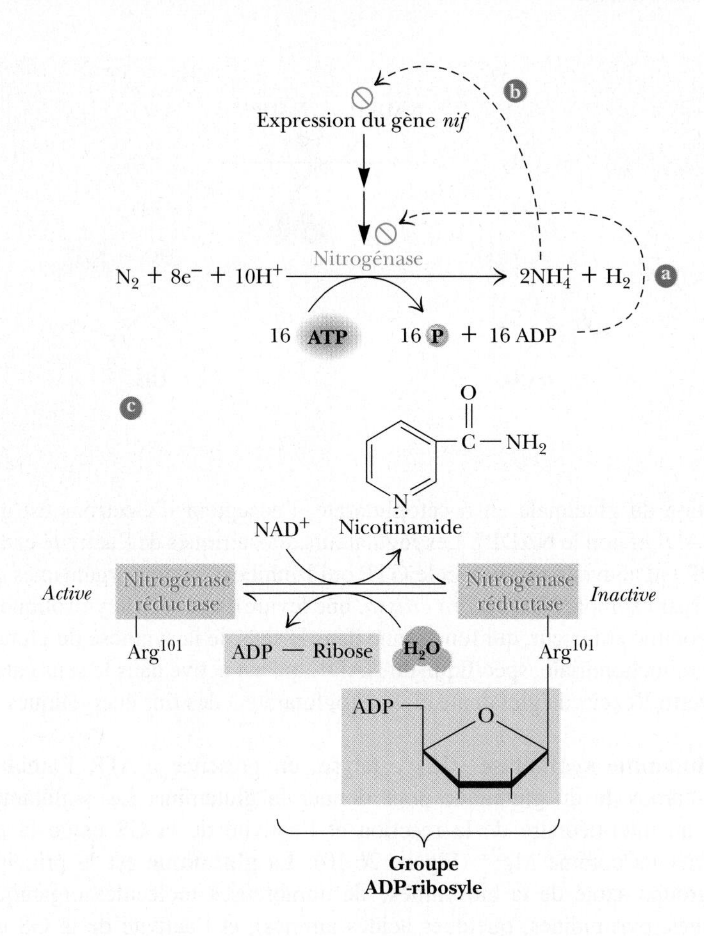

Figure 26.8 • Régulation de la fixation de N_2. (a) L'ADP inhibe l'activité de la nitrogénase. NH_4^+ réprime l'expression du gène *nif*. (c) Dans certains organismes, le complexe nitrogénase est régulé par des modifications covalentes. L'ADP-ribosylation de la nitrogène réductase inactive l'enzyme. La nitrogène réductase est apparentée (mais d'assez loin) à la superfamille des protéines G, protéines de la transduction des signaux.

26.2 • Devenir de l'ammoniac

L'ammoniac (sous forme d'ion ammonium NH_4^+) s'incorpore dans les molécules biologiques par trois réactions principales que l'on retrouve dans toutes les cellules. Les enzymes qui catalysent ces réactions sont (1) *la carbamyl-phosphate synthétase I*, (2) *la glutamate déshydrogénase* et (3) *la glutamine synthétase*.

La carbamyl-phosphate synthétase I catalyse une des étapes du cycle de *l'urée*. La réaction consomme deux équivalents ATP, un pour l'activation de HCO_3^- et sa condensation avec l'ammonium, l'autre pour la phosphorylation du carbamate formé :

$$NH_4^+ + HCO_3^- + 2\ ATP \longrightarrow H_2N\text{–}\overset{\displaystyle O}{\overset{\|}{C}}\text{–}O\text{–}PO_3^{2-} + 2\ ADP + P_i + 2\ H^+$$

Le *N-acétylglutamate* est l'activateur allostérique indispensable de cette réaction.

La **glutamate déshydrogénase** (GDH) catalyse l'amination et la réduction de l'α-cétoglutarate pour donner du glutamate. Le pouvoir réducteur provient du NADH ou du NADPH :

$$NH_4^+ + \alpha\text{-cétoglutarate} + NADPH + H^+ \longrightarrow \text{glutamate} + NADP+ + H_2O$$

Cette réaction est à l'interface du métabolisme de l'azote, des voies métaboliques des chaînes carbonées et du métabolisme énergétique car l'α-cétoglutarate est un intermédiaire du cycle de Krebs. Pour cette raison, la GDH est une cible idéale de la régulation métabolique. La glutamate déshydrogénase du foie des vertébrés est un hexamère α_6 dont toutes les sous-unités sont identiques ; c'est un enzyme de la matrice mitochondriale qui utilise les électrons du NADPH lorsqu'il catalyse la synthèse du glutamate (Figure 26.9). Par contre, dans le sens catabolique, celui de l'oxydation et de la

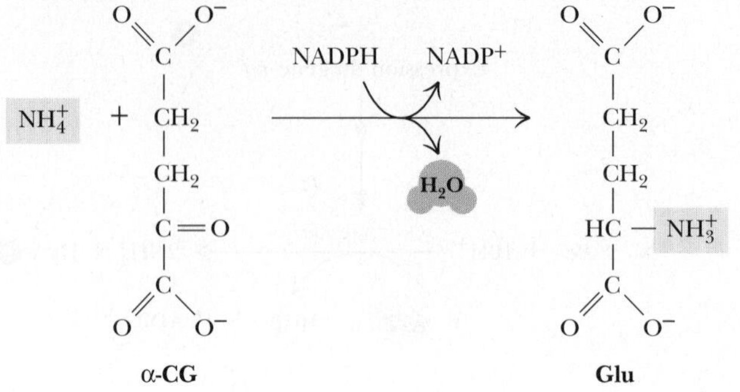

Figure 26.9 • Réaction catalysée par la glutamate déshydrogénase.

désamination du glutamate en α-cétoglutarate, l'accepteur d'électrons est généralement le NAD^+ et non le $NADP^+$. Les régulateurs allostériques de l'activité catabolique sont l'ADP qui active la réaction et le GTP qui l'inhibe. Certains organismes ont deux isozymes (par exemple *Neurospora crassa*, une levure), une GDH cytosolique, avec le NADPH comme cofacteur, qui fonctionne dans le sens de la synthèse du glutamate, et une GDH mitochondriale, spécifique du NAD^+, qui est active dans le sens catabolique pour convertir l'excès de glutamate en a-cétoglutarate à des fins énergétiques et métaboliques.

La **glutamine synthétase** (GS) catalyse, en présence d'ATP, l'amidation du groupe γ-carboxyle du glutamate pour donner la glutamine. Le γ-glutamyl-phosphate est un intermédiaire de la réaction et l'activité de la GS exige la présence d'ions bivalents comme Mg^{2+} (Figure 26.10). La **glutamine** est le principal donneur de groupe azoté de la biosynthèse de nombreuses molécules organiques azotées (purines, pyrimidines, quelques acides aminés), et l'activité de la GS est strictement régulée. Ces synthèses utilisent l'azote du groupe **amide** de la glutamine.

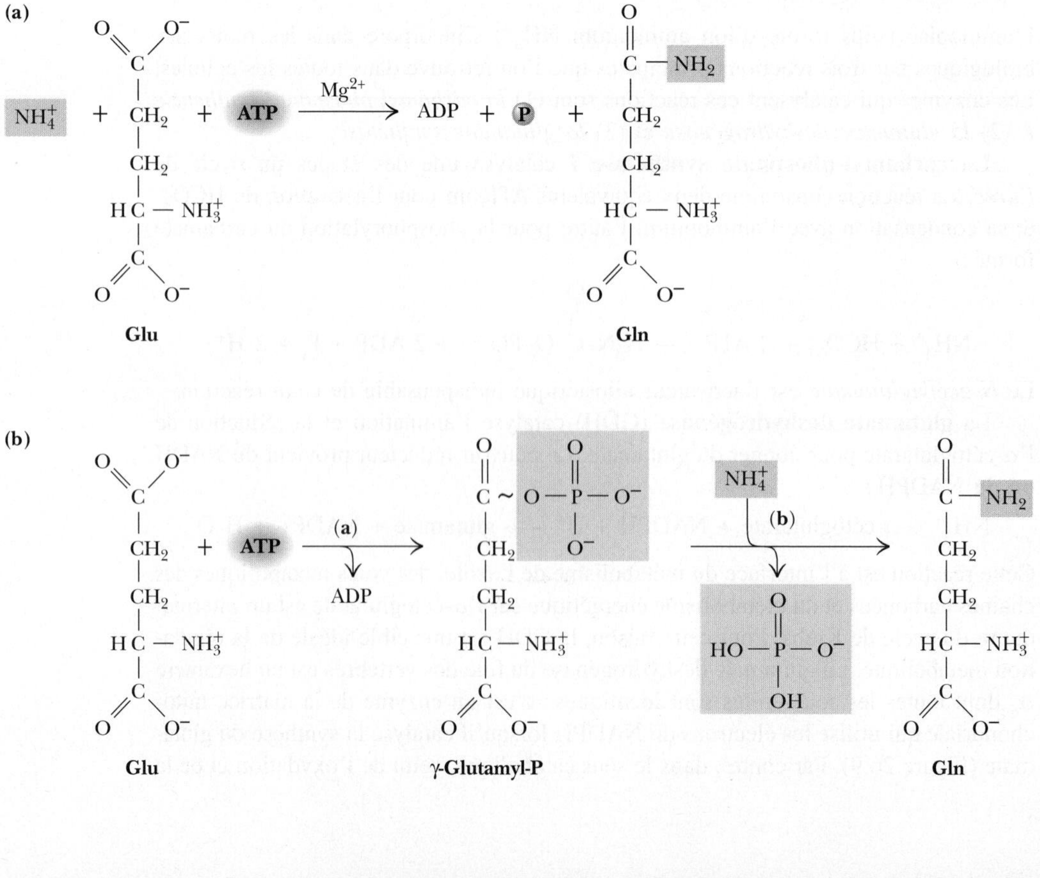

Figure 26.10 • Réaction catalysée par la glutamine synthétase. (a) L'activation du groupe γ-carboxyle de Glu par l'ATP précède (b) l'amidation par $NH_4{}^+$.

(**a**) NH_4^+ + α-cétoglutarate + NADPH $\xrightarrow{\text{GDH}}$ Glutamate + $NADP^+$ + H_2O

(**b**) Glutamate + NH_4^+ + ATP $\xrightarrow{\text{GS}}$ Glutamine + ADP + P_i

SOMME : 2 NH_4^+ + α-cétoglutarate + NADPH + ATP ⟶ Glutamine + $NADP^+$ + ADP + P_i + H_2O

Figure 26.11 • Voie GDH/GS de l'assimilation de l'ammonium. La somme des deux réactions correspond à la conversion d'un α-cétoglutarate en une glutamine, aux dépens de 2 NH_4^+, 1 ATP et 1 NADPH.

D'un point de vue quantitatif, la GDH et la GS catalysent les réactions qui sont à l'origine de l'incorporation de la plus grande partie de l'ammonium dans les molécules biologiques.

Voies de l'assimilation de l'ammonium

Chez les organismes qui se développent dans un environnement riche en NH_4^+, la GDH et la GS catalysent la principale voie d'incorporation de l'azote (Figure 26.11). Cependant, le K_m de la GDH pour NH_4^+ est beaucoup plus élevé que celui de la GS. Par conséquent, dans les organismes où NH_4^+ est limitant, par exemple les plantes vertes, la GS sera le seul enzyme intervenant dans une réaction d'assimilation de NH_4^+. Il faut donc qu'il existe une voie alternative pour la synthèse du glutamate afin de remplacer celui qui est consommé dans la réaction catalysée par la GS. Cette voie est celle qui est catalysée par la *glutamate synthase* (ou GOGAT, abréviation du nom de l'enzyme dans la nomenclature officielle, **g**lutamate:**o**xo**g**lutarate **a**mino**t**ransférase). La glutamate synthase catalyse l'amination et la réduction de l'α-cétoglutarate, dans une réaction où la glutamine est le donneur du groupe $-NH_2$:

$$\text{Réducteur} + \alpha\text{-CG} + \text{Gln} \longrightarrow 2\ \text{Glu} + \text{réducteur oxydé}$$

Il se forme deux équivalents glutamate, le premier par amination de l'α-cétoglutarate, le second par désamidation de la glutamine (Figure 26.12). Le glutamate produit peut servir d'accepteur pour la synthèse de glutamine par la GS. Le pouvoir réducteur varie avec les organismes, NADH (levure, *Neurospora crassa*), NADPH (*E. coli*), ou ferrédoxine réduite (plantes vertes). Les glutamate synthases sont de grosses protéines complexes ; chez *E. coli*, la GOGAT est une flavoprotéine de 800 kDa, contenant à la fois du FMN et du FAD, ainsi que des centres fer-soufre [4Fe-4S].

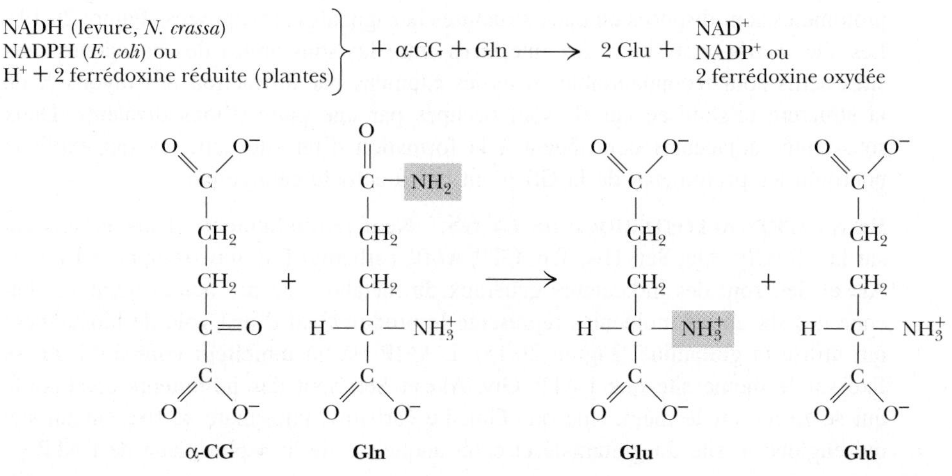

NADH (levure, *N. crassa*)
NADPH (*E. coli*) ou
H^+ + 2 ferrédoxine réduite (plantes)
} + α-CG + Gln ⟶ 2 Glu + NAD^+ / $NADP^+$ ou / 2 ferrédoxine oxydée

α-CG + Gln ⟶ Glu + Glu

Figure 26.12 • Réaction catalysée par la glutamate synthase. En haut, les divers réducteurs utilisés par différents organismes pour cette réaction de réduction accompagnée d'une amination.

$$\text{(a) } 2\,NH_4^+ + 2\,ATP + 2\,\text{Glutamate} \xrightarrow{GS} 2\,\text{Glutamine} + 2\,ADP + 2\,P_i$$

$$\text{(b) } NADPH + \alpha\text{-cétoglutarate} + \text{Glutamine} \xrightarrow{GOGAT} 2\,\text{Glutamate} + NADP^+$$

$$\text{SOMME : } 2\,NH_4^+ + \alpha\text{-cétoglutarate} + NADPH + 2\,ATP \longrightarrow \text{Glutamine} + NADP^+ + 2\,ADP + 2\,P_i$$

Figure 26.13 • Voie GS/GOGAT de l'assimilation de l'ammonium. La somme des deux réactions correspond à la conversion d'1 cétoglutarate en 1 glutamine, aux dépens de 2 ATP et d'1 NADPH.

L'action combinée de la GS et de la GOGAT constitue une seconde voie d'assimilation de l'ammonium dans laquelle seule la réaction catalysée par GS est une étape de fixation de NH_4^+ ; le rôle de la GOGAT est de régénérer le glutamate Figure 26.13). Remarquez que cette voie consomme deux ATP et 1 NADPH (ou pouvoir réducteur similaire) par paire d'atomes d'azote (2 NH_4^+) introduits dans la glutamine ; la voie GDH/GS, plus classique, n'utilise qu'un ATP et 1 NADPH par paire d'ions NH_4^+ fixée. La fixation de l'ammonium dans un environnement déficient en NH_4^+ a un coût énergétique plus élevé.

26.3 • La glutamine synthétase d'*Escherichia coli* : un bon exemple de régulation de l'activité enzymatique

Nous avons signalé que la glutamine avait un rôle pivot dans le métabolisme de l'azote, puisque qu'elle cède son groupe amide pour la synthèse de plusieurs substances azotées essentielles. En accord avec son importance métabolique, la GS des entérobactéries, comme *E. coli*, est régulée à trois niveaux distincts :

1. Une régulation allostérique de son activité par *rétroinhibition*
2. Une régulation par *modification covalente* réversible convertit la GS active en GS inactive
3. La concentration cellulaire de la GS est régulée par le contrôle de l'*expression du gène* et celui de la *synthèse de la protéine*

Par contre, la glutamine synthase des eucaryotes n'est soumise à aucune de ces régulations.

La GS d'*E. coli* est un dodécamère de 600 kDa, formé de douze sous-unités identiques de 52 kDa (chaque protomère est un polypeptide de 468 résidus). Les protomères sont disposés en deux structures hexagonales superposées (Figure 26.14). Les sites actifs sont situés aux interfaces entre les sous-unités des hexagones ; ces sites actifs sont reconnaissables dans les examens par diffraction des rayons X de la structure cristallisée car ils sont occupés par une paire d'ions divalents. Deux sous-unités adjacentes contribuent à la formation d'un site actif, ce qui explique pourquoi les protomères de la GS n'ont pas d'activité catalytique.

Régulation allostérique de la GS. Neuf rétroinhibiteurs distincts agissent sur la GS (Gly, Ala, Ser, His, Trp, CTP, AMP, carbamyl-P et glucosamine-6-P). Gly, Ala et Ser, sont des indicateurs généraux du métabolisme des acides aminés ; chacune des six autres molécules représente le produit final d'une voie de biosynthèse qui utilise la glutamine (Figure 26.15). L'AMP est un inhibiteur compétitif qui se fixe sur le même site que l'ATP. Gly, Ala et Ser, sont des inhibiteurs compétitifs qui se fixent sur le même site que Glu. Le carbamyl-phosphate se fixe sur un site qui englobe le site du glutamate et celui auquel se lie le γ-phosphate de l'ATP.

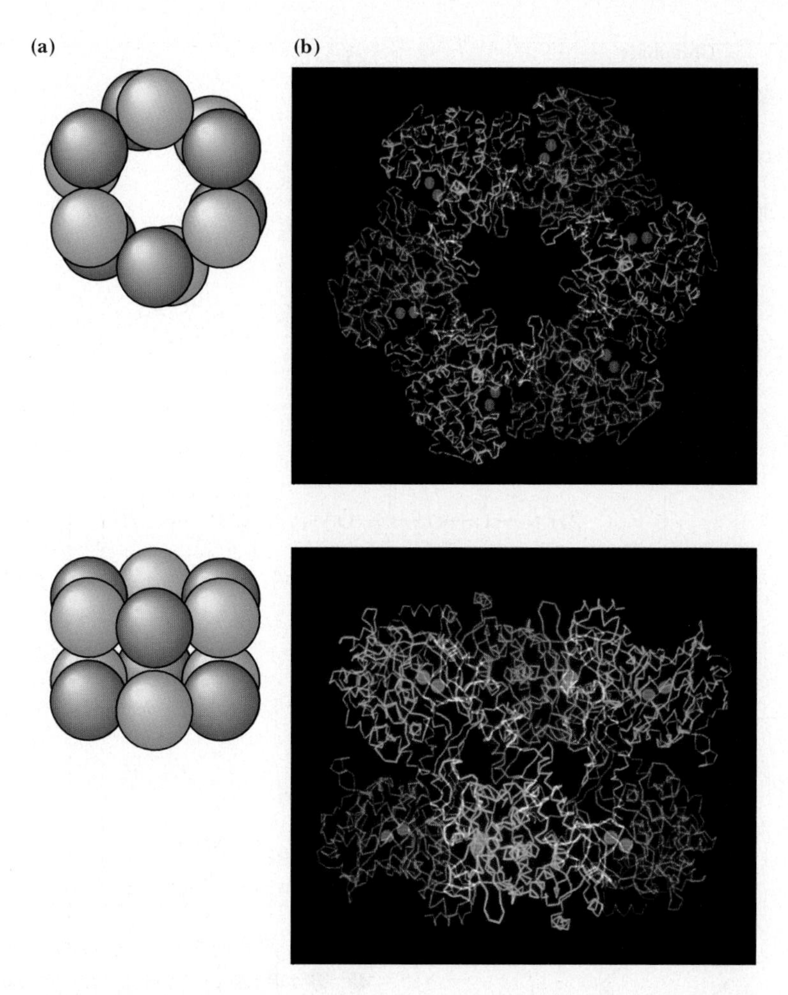

Figure 26.14 • Organisation des sous-unités de la glutamine synthétase bactérienne. (a) Diagramme de la structure dodécamérique montrant la superposition de deux hexagones ; (b) Structure moléculaire obtenue par radiocristallographie de la glutamine synthétase de *Salmonella typhymurium* (une bactérie très proche de *E. coli*).

MODIFICATION COVALENTE DE LA GS. Tous les protomères de la GS peuvent être adénylylés sur un résidu tyrosine spécifique (Tyr^{397}). En présence d'ATP, cette réaction, réversible, est catalysée par **l'ATP:GS adénylyltransférase (ou adénylyltransférase, AT)**. L'adénylylation inactive la GS. Si *n* est le nombre moyen de groupes adénylyle par molécule d'enzyme, l'activité de GS est inversement proportionnelle à *n*. Le nombre *n* peut varier de 0 (pas de groupe adénylyle) à 12 (tous les protomères sont adénylylés). L'amplitude de la modification covalente est déterminée par un **système de réactions cycliques en cascade hautement régulé** (Figure 26.17). L'**adénylyltransférase** non seulement catalyse l'adénylylation de Gs mais aussi sa désadénylylation par phosphorolyse du groupe adénylyle lié au résidu Tyr, ce qui produit de l'ADP. Le sens de la réaction catalysée par AT dépend de l'état d'une protéine régulatrice, $\mathbf{P_{II}}$,qui lui est associée. P_{II} est une protéine de 44 kDa (un oligomère de quatre sous-unités de 11 kDa). Si P_{II} est sous la forme appelée P_{IIA}, le complexe AT:P_{IIA} catalyse l'adénylylation de GS. Si P_{II} est sous la forme appelée P_{IID}, le complexe AT:P_{IID} catalyse la désadénylylation de GS adénylylé. Les sites actifs de AT:P_{IIA} et de AT:P_{IID} sont différents, ce qui correspond logiquement à leurs rôles catalytiques différents. Il faut encore ajouter que les complexes AT:P_{IIA} et AT:P_{IID} sont soumis à des régulations allostériques. Les effecteurs, l'α-cétoglutarate et Gln, ont des effets opposés et réciproques. Gln stimule l'activité du complexe AT:P_{IIA} et

Figure 26.15 • Régulation allostérique de la glutamine synthétase par rétroinhibition cumulative.

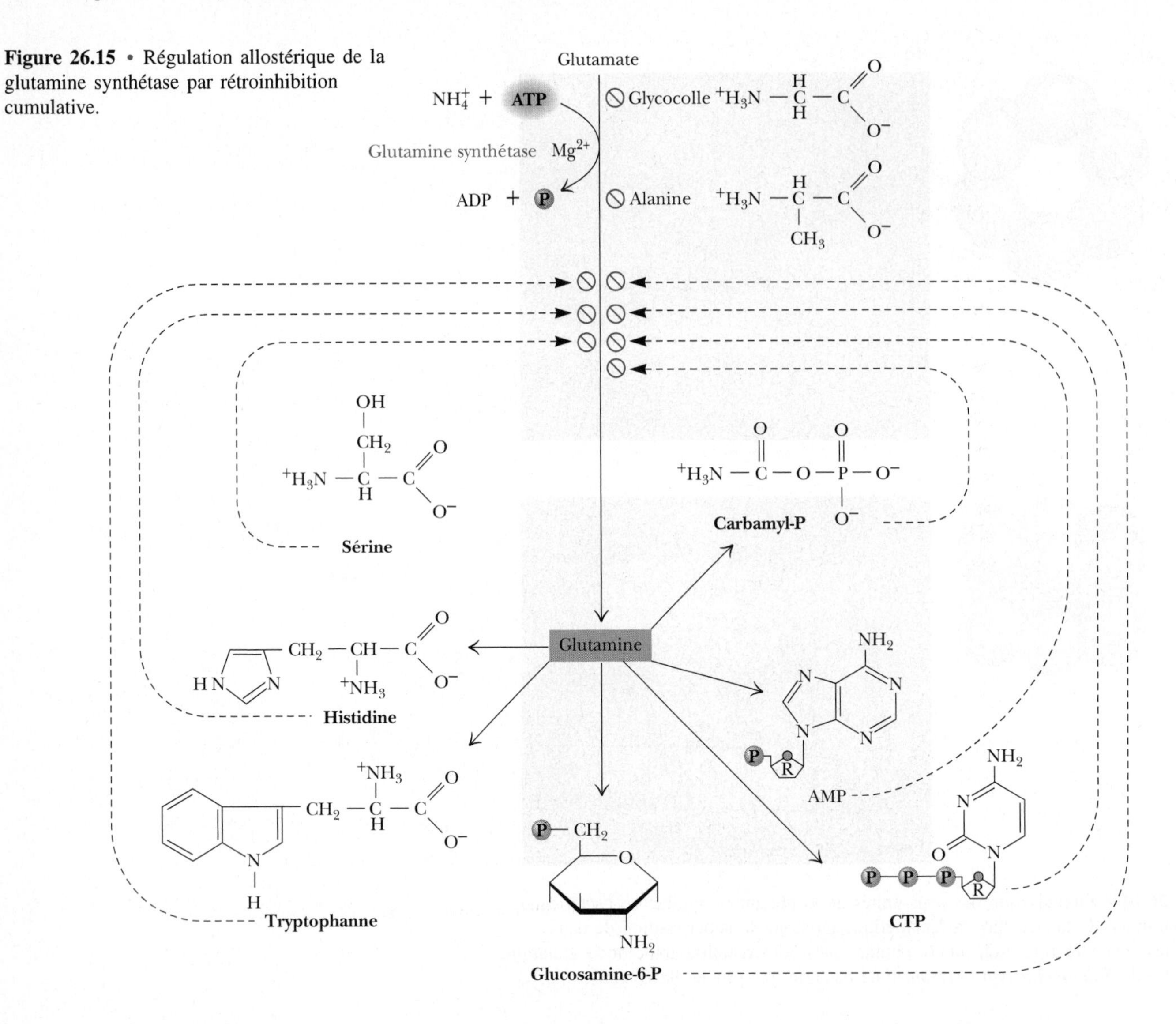

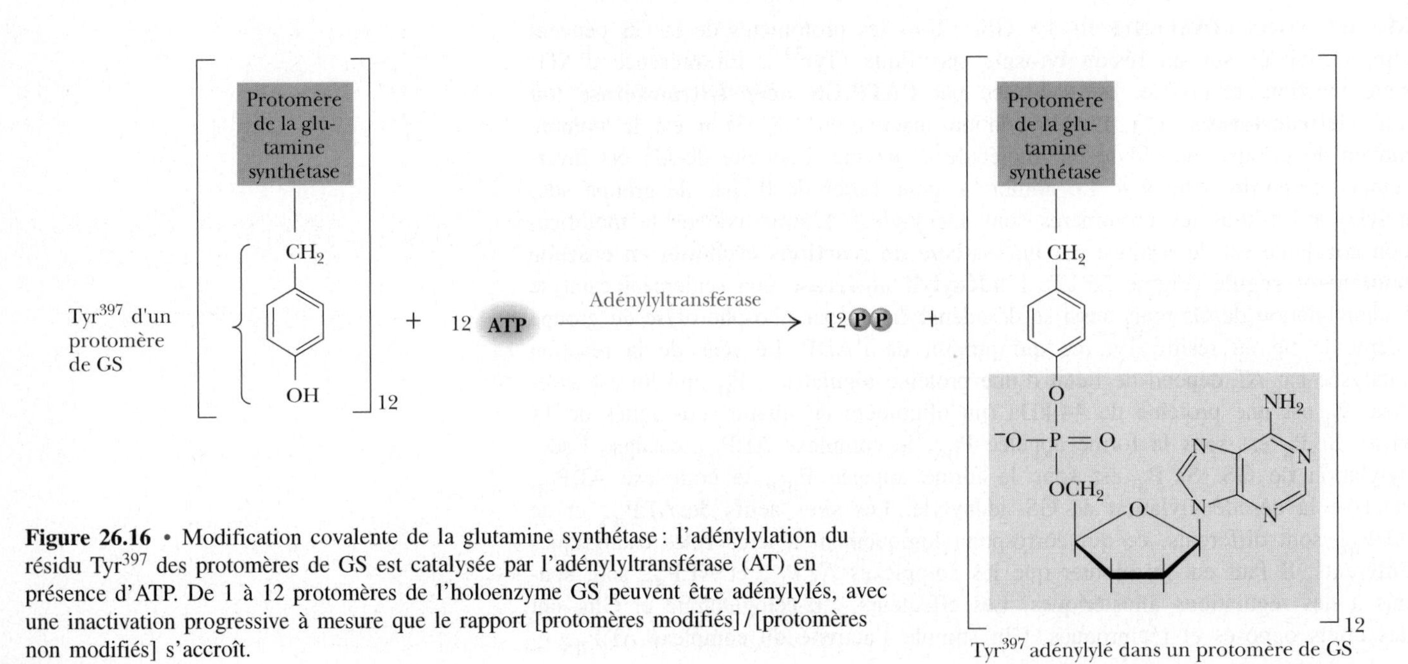

Figure 26.16 • Modification covalente de la glutamine synthétase : l'adénylylation du résidu Tyr^{397} des protomères de GS est catalysée par l'adénylyltransférase (AT) en présence d'ATP. De 1 à 12 protomères de l'holoenzyme GS peuvent être adénylylés, avec une inactivation progressive à mesure que le rapport [protomères modifiés] / [protomères non modifiés] s'accroît.

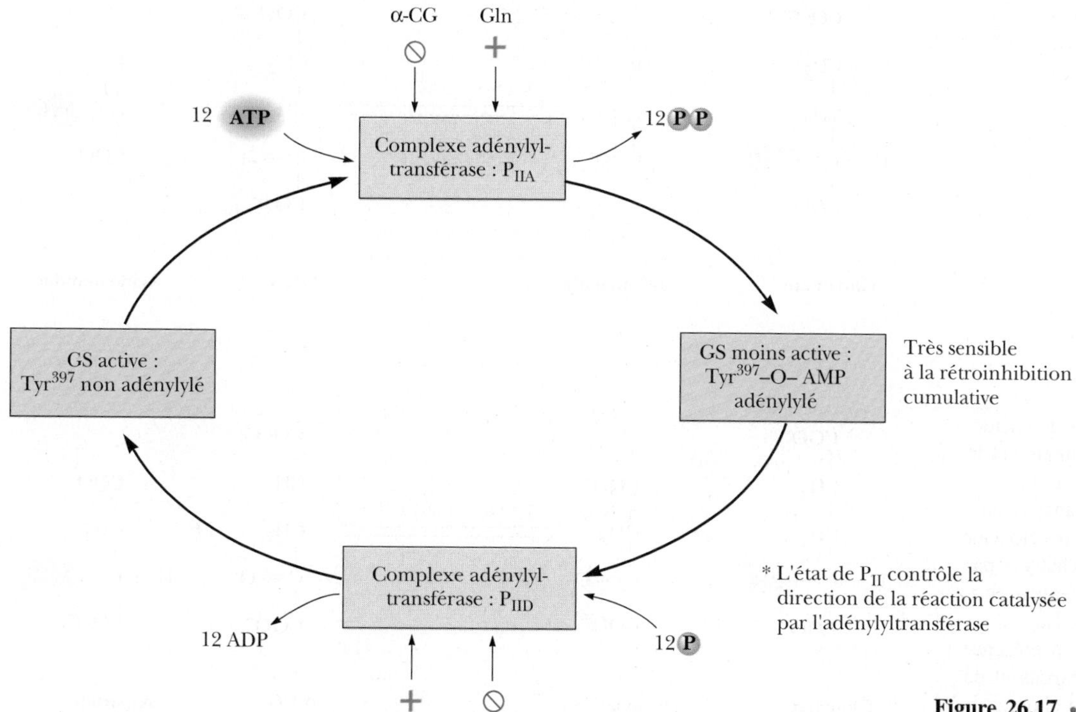

Figure 26.17 • Système en cascade cyclique régulant la modification covalente de GS.

inhibe celle du complexe AT:P_{IID} ; les effets de l'α-cétoglutarate sur les activités de ces complexes sont diamétralement opposés (Figure 26.17).

Il est évident que le facteur déterminant le degré de l'adénylylation, *n*, et donc l'activité relative de GS, est le rapport [Gln]/[α-CG]. Une concentration élevée en Gln signale la satisfaction des besoins cellulaires en azote et GS est adénylylé. Au contraire, une concentration élevée en α-CG signale que l'apport d'azote organique est insuffisant et donc un besoin de fixation de l'ion ammonium par la GS.

RÉGULATION DE L'EXPRESSION DU GÈNE DE GS. Chez *E. coli*, le gène *GlnA* code pour la sous-unité de GS. Ce gène n'est activement transcrit en ARNm pour la traduction et la synthèse de la protéine GS que si un *élément régulateur spécifique de la transcription du gène*, $\mathbf{NR_I}$, est sous sa forme phosphorylée, NR_I-P. Cette réaction est catalysée en présence d'ATP par une protéine kinase, $\mathbf{NR_{II}}$ (Figure 26.18). Cependant, si NR_{II} est complexée par P_{IIA}, son activité n'est plus celle d'une kinase mais celle d'une phosphatase, et la forme active de l'activateur, NR_I-P, est déphosphorylée en NR_I avec pour conséquence l'arrêt de la transcription de *Gln*A. Vous venez de voir qu'un rapport [Gln]/[α-CG] élevé favorise la formation de P_{IIA} aux dépens de P_{IID} et donc l'inactivation de GS. Dans ces conditions, l'expression du gène de GS n'est plus nécessaire.

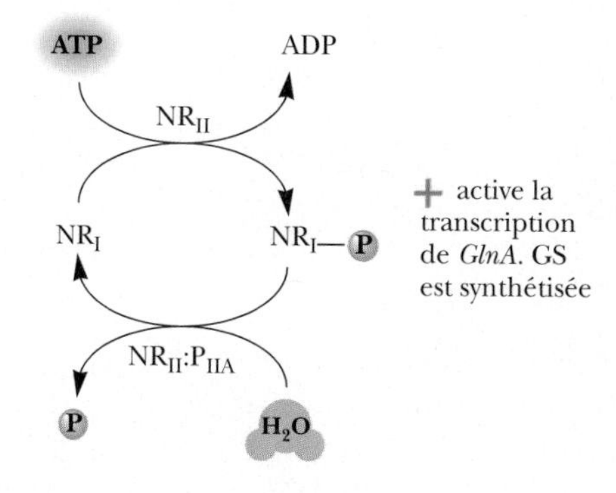

Figure 26.18 • La régulation de la transcription de *Gln*A par la phosphorylation réversible de NR_I est contrôlée par NR_{II} et son association avec P_{IIA}.

26.4 • Biosynthèse des acides aminés

La capacité de synthétiser les 20 acides aminés communs aux protéines n'est pas la même pour tous les organismes. En général, les microorganismes et les plantes peuvent synthétiser tous leurs métabolites azotés, y compris les acides aminés, à partir des formes minérales de l'azote, NH_4^+ et NO_3^-. Chez ces organismes, les groupes α-amino de tous les acides aminés proviennent du glutamate, le plus souvent par transamination de l'α-cétoacide correspondant (Figure 26.19). Dans de nombreux cas, la synthèse d'un acide aminé se ramène à la synthèse de l'acide α-cétonique approprié, puis à sa transamination avec le glutamate. Il est possible de classer

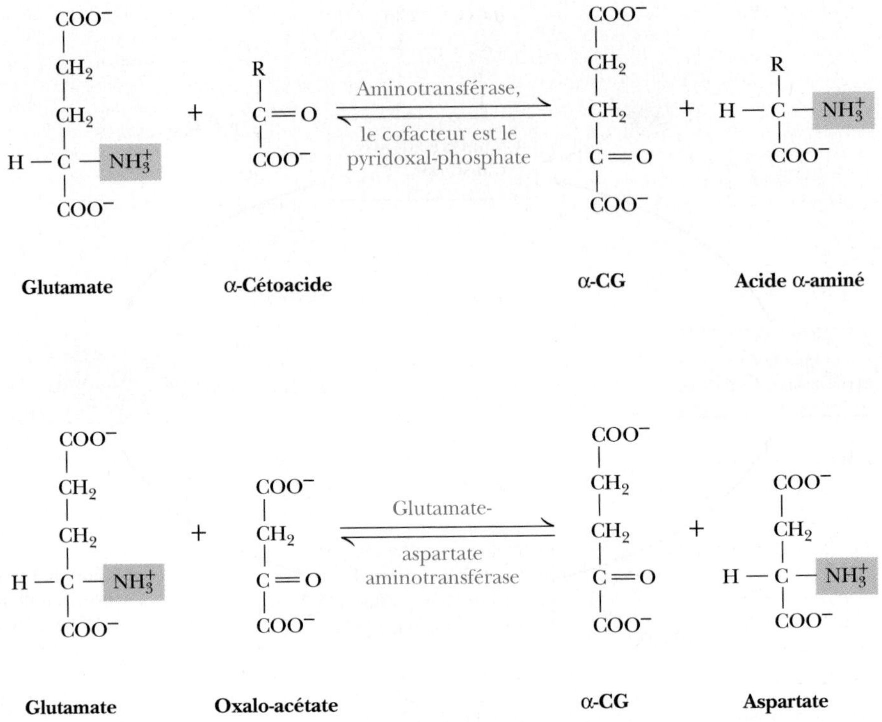

Glutamate + α-Cétoacide ⇌ α-CG + Acide α-aminé (Aminotransférase, le cofacteur est le pyridoxal-phosphate)

Glutamate + Oxalo-acétate ⇌ α-CG + Aspartate (Glutamate-aspartate aminotransférase)

Figure 26.19 • La transamination des acides α-cétoniques en présence de glutamate est le mécanisme le plus caractéristique de la synthèse des acides aminés. Le transfert du groupe α-amino du glutamate à l'α-cétoacide accepteur (la transamination) est catalysé par des enzymes appelés aminotransférases, ou transaminases (voir Figure 14.22). La transamination de l'oxalo-acétate en présence de glutamate, qui produit de l'aspartate et de l'α-cétoglutarate, est l'exemple de choix.

les acides aminés selon la source des intermédiaires de la biosynthèse des acides α-cétoniques (Tableau 26.1). Par exemple, les acides aminés Glu, Gln, Pro et Arg (et parfois Lys) sont des membres de la famille de l'α-cétoglutarate car leurs squelettes carbonés dérivent de l'α-cétoglutarate, un intermédiaire du cycle de l'acide citrique. Nous reviendrons à cette classification à propos des voies de synthèse propres à chaque acide aminé.

Les mammifères ne peuvent synthétiser que 10 des 20 acides aminés communs (Tableau 26.2) ; les autres doivent être apportés par l'alimentation. Ceux qui peuvent être synthétisés sont considérés comme **non essentiels**, c'est-à-dire qu'il n'est pas essentiel que ces acides aminés se trouvent dans la nourriture. Les animaux peuvent en effet synthétiser les squelettes carbonés correspondants à ces acides aminés non essentiels, puis achever leur synthèse par transamination. Par contre, les mammifères ne sont pas capables de synthétiser les squelettes carbonés des acides aminés **essentiels**, ils doivent donc les trouver dans leur alimentation. Il faut signaler que les excédents d'acides aminés d'origine alimentaire ne peuvent pas être mis en réserve ; d'autre part, ils ne sont pas excrétés tels quels, ils sont convertis en intermédiaires métaboliques variés qui seront oxydés par la voie du cycle de Krebs ou utilisés pour la néoglucogénèse (voir Section 26.5).

La transamination

La transamination est le nom donné à la réaction de transfert du groupe α-amino d'un acide aminé sur le groupe cétone d'un acide α-cétonique (Figure 26.17). Dans ce processus, le donneur de groupe amino devient un acide α-cétonique, tandis que l'acide α-cétonique accepteur devient un acide α-aminé :

$$\text{Acide aminé}_1 + \alpha\text{-cétoacide}_2 \longrightarrow \alpha\text{-cétoacide}_1 + \text{acide aminé}_2$$

Le principal couple acide aminé/α-cétoacide des réactions de transamination est le couple glutamate/α-cétoglutarate, avec la conséquence que le glutamate est le principal donneur de groupe amino dans la synthèse des acides aminés. Les réactions

Tableau 26.1

Classification des acides aminés en familles, en fonction de l'intermédiaire métabolique qui sert de précurseur à la synthèse de leur squelette carboné

Famille de l'α-cétoglutarate	Famille de l'aspartate
Glutamate	Aspartate
Glutamine	Asparagine
Proline	Méthionine
Arginine	Thréonine
Lysine*	Isoleucine
	Lysine*
Famille du pyruvate	**Famille du 3-phosphoglycérate**
Alanine	Sérine
Valine	Glycocolle
Leucine	Cystéine
Famille du phosphoénolpyruvate et de l'érythrose-4-P	
Les acides aminés aromatiques	
Phénylalanine	
Tyrosine	
Tryptophanne	
L'*histidine* non comprise dans ces familles provient du PRPP (5-phosphoribosyl-1-pyrophosphate) et de l'ATP.	

*Le précurseur de la lysine n'est pas le même pour tous les organismes.

de transamination sont catalysées par des **aminotransférases** (nom à utiliser de préférence à *transaminases*). Le nom des aminotransférases tient compte des acides aminés substrats de l'enzyme, comme dans la **glutamate-aspartate aminotransférase**. Les aminotransférases sont des exemples caractéristiques d'enzymes qui catalysent des réactions de type ping-pong à deux substrats (Figure 14.22).

Voies de la biosynthèse des acides aminés

Nous avons vu, Tableau 26.1, que les acides aminés peuvent être regroupés en familles d'après les intermédiaires métaboliques utilisés comme précurseurs.

Acides aminés de la famille de l'α-cétoglutarate

Les acides aminés dérivés de l'α-cétoglutarate sont le glutamate (Glu), la glutamine (Gln), la proline (Pro), l'arginine (Arg) et chez les champignons et certains protistes (*Euglena* par exemple), la lysine (Lys). Nous avons vu les voies de la synthèse du glutamate et de la glutamine à propos de l'assimilation de l'ammonium.

La **proline** dérive du glutamate à la suite de quatre réactions : activation du γ-carboxyle, réduction de ce groupe activé en aldéhyde (*glutamate-5-semialdéhyde*) qui se cyclise spontanément pour former une base de Schiff interne, le D^{1}*-pyrroline-5-carboxylate* (Figure 26.20) ; la réduction de la double liaison de la pyrrolidine par un enzyme à NADPH donne la proline.

La synthèse de **l'arginine** utilise des réactions qui font aussi partie du cycle de **l'urée**, une voie métabolique permettant l'excrétion de l'azote chez certains animaux. La synthèse nette d'arginine dépend de la synthèse préalable de **l'ornithine**. L'ornithine dérive du glutamate par une séquence de réactions qui rappellent la synthèse de la proline (Figure 26.21). Le glutamate est d'abord *N*-acétylé, par l'acétyl-CoA, en *N-acétylglutamate*. Le γ-carboxyle de l'acétylglutamate

Tableau 26.2

Acides aminés essentiels et non essentiels chez les mammifères

Essentiels	Non essentiels
Arginine*	Alanine
Histidine*	Asparagine
Isoleucine	Aspartate
Leucine	Cystéine
Lysine	Glutamate
Méthionine	Glutamine
Phénylalanine	Glycocolle
Thréonine	Proline
Tryptophanne	Sérine
Valine	Tyrosine†

* L'arginine et l'histidine sont essentielles pour les jeunes en cours de croissance, mais ne le sont plus pour les adultes.

† La tyrosine est classée parmi les acides aminés non essentiels uniquement parce qu'elle est rapidement synthétisée à partir de la phénylalanine, un acide aminé essentiel.

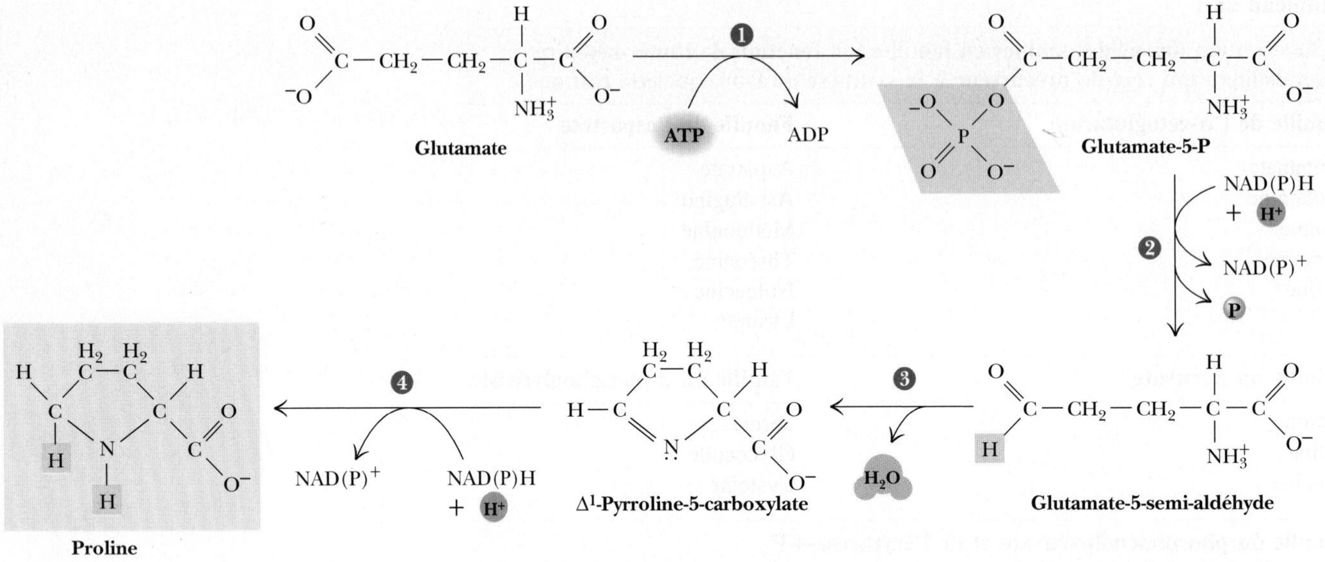

Figure 26.20 • Voie de la biosynthèse de la proline à partir du glutamate. Les enzymes sont, (1) la γ-glutamate kinase, (2) la glutamate-5-semi-aldéhyde déshydrogénase, et (4) la Δ^1-pyrrolidine-5-carboxylate réductase ; la réaction (3) s'effectue spontanément.

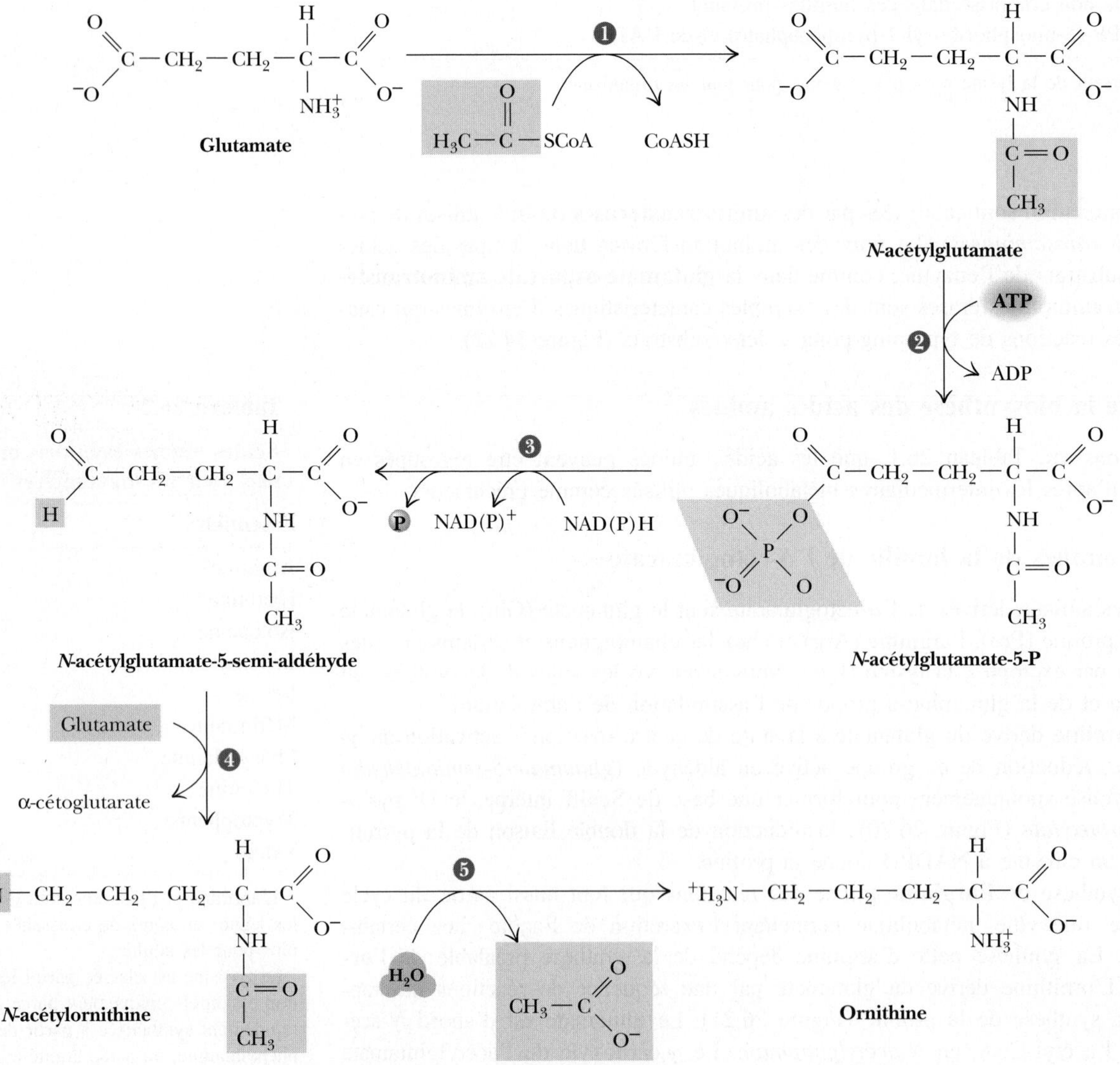

Pour en savoir plus

Mécanisme des réactions catalysées par les aminotransférases (réactions de transamination)

La réaction de transamination fait partie des réactions de base des organismes vivants. Elle permet les échanges d'azote entre les acides aminés et les acides α-cétoniques. Cette réaction, réversible, fait intervenir le pyridoxal-phosphate, le cofacteur des aminotransférases (voir Figures 18.26 et 18.27). Le mécanisme débute avec la perte d'un proton α suivie d'une tautomérisation aldimine-cétimine ; il s'agit du déplacement de la double liaison de la base de Schiff, du carbone aldéhydique du pyridoxal vers le carbone α de l'acide aminé substrat. Ce déplacement est suivi de l'hydrolyse de la cétimine qui produit un acide α-cétonique. Sur le site actif, il reste un produit intermédiaire, la pyridoxamine phosphate, qui se combinera avec un autre acide α-cétonique (un substrat différent de l'acide α-cétonique produit) pour former une seconde cétimine. Une transaldimination avec un résidu Lys du centre actif termine la réaction, produisant l'acide aminé correspondant au squelette carboné de l'acide α-cétonique substrat et régénérant le complexe enzyme:pyridoxal phosphate.

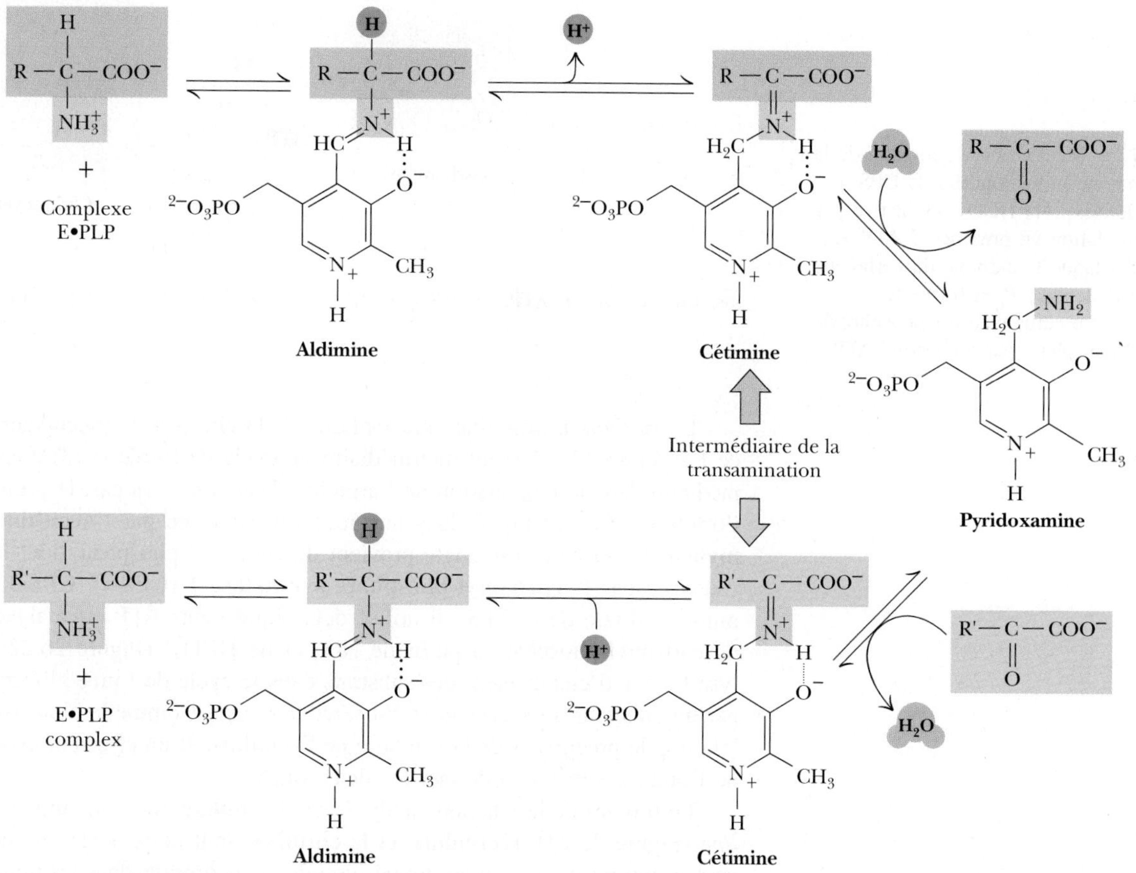

Rôle du PP dans les réactions de transamination.

est ensuite phosphorylé par une réaction qui utilise l'ATP puis, en présence de NAD(P)H, le *N-acétylglutamate-5-phosphate* est réduit en semi-aldéhyde. Le *N-acétylglutamate-5-semi-aldéhyde* est aminé par une aminotransférase dépendante du glutamate, enfin la *N-acétylornithine* est finalement désacétylée en ornithine.

◀ **Figure 26.21** • (*page ci-contre*) Synthèse de l'ornithine à partir du glutamate chez les bactéries. Les enzymes sont (1) la *N*-acétylglutamate synthase, (2) la *N*-acétylglutamate kinase, (3) la *N*-acétylglutamate–5-semi-aldéhyde déshydrogénase, (4) la *N*-acétylornithine δ-aminotransférase et (5) la *N*-acétylornithine désacylase. Chez les mammifères, l'ornithine est directement synthétisée à partir du glutamate-5-semi-aldéhyde, par une voie qui évite le blocage du groupe amino par un acétyle.

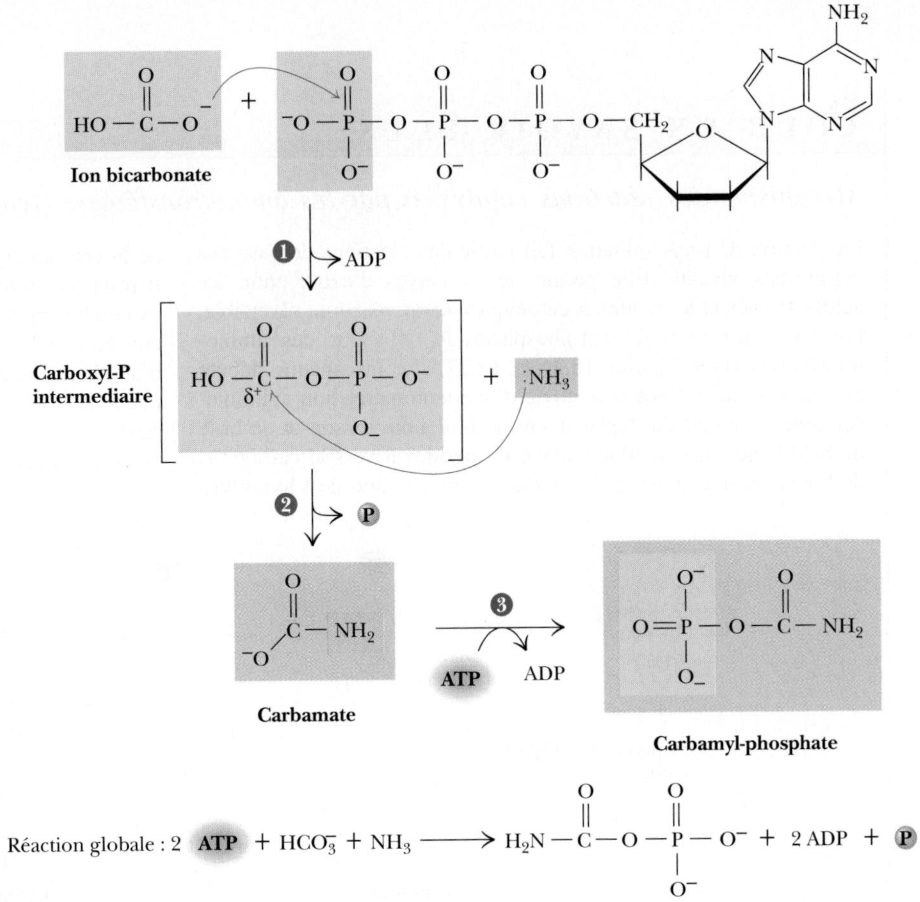

Ion bicarbonate

Carboxyl-P intermediaire

Carbamate

Carbamyl-phosphate

Réaction globale : $2\ \text{ATP} + HCO_3^- + NH_3 \longrightarrow H_2N{-}C(=O){-}O{-}P(=O)(O^-){-}O^- + 2\ \text{ADP} + \text{P}$

Figure 26.22 • Mécanisme réactionnel de la CPS-1, l'isozyme mitochondrial de CPS dépendant de NH_3. (1) HCO_3^- est activé par une phosphorylation en présence d'ATP. (2) L'ammoniac attaque le carbone du carboxyle du carboxyl-P, déplace P_i et forme le carbamate. (3) Le carbamate est phosphorylé en carbamyl-phosphate par un second ATP.

L'*ornithine* a trois rôles métaboliques : (1) elle sert de précurseur à la synthèse de l'arginine, (2) c'est un intermédiaire du cycle de l'urée et (3) c'est est un intermédiaire dans la dégradation de l'arginine. Dans tous ces cas, le groupe δ-NH_3^+ de l'ornithine est carbamylé dans une réaction catalysée par l'**ornithine transcarbamylase**. Le groupe carbamyle provient du carbamyl-phosphate dont la synthèse est catalysée par la **carbamyl-phosphate synthétase I (CPS-I)**. **CPS-1** est l'isozyme mitochondriale de la CPS ; il utilise deux équivalents ATP et catalyse la formation du carbamyl-phosphate à partir de NH_3 et de HCO_3^- (Figure 26.22). CPS-1 catalyse l'étape d'engagement des substrats dans le cycle de l'urée ; l'enzyme est activé par un effecteur allostérique, le *N-acétylglutamate*. Comme le N-acétylglutamate est à la fois le précurseur de la synthèse de l'ornithine et un effecteur essentiel du cycle de l'urée, il sert à coordonner les deux voies.

Le produit de la réaction catalysée par l'ornithine transcarbamylase est la *citrulline* (Figure 26.23). L'ornithine et la citrulline sont deux acides α-aminés, mais ils ne font *pas* partie des acides aminés communs incorporés dans les protéines. Comme la CPS-1, l'ornithine transcarbamylase est un enzyme mitochondrial. Les autres réactions de la synthèse de l'arginine et du cycle de l'urée ont lieu dans le cytosol.

Figure 26.23 • Réactions du cycle de l'urée. Réaction 1 : transfert du groupe carbamyle du carbamyl-phosphate à l'ornithine, catalysé par l'*ornithine transcarbamylase* (OTCase), et production de citrulline. Réaction 2a : le groupe uréido de la citrulline est activé par l'ATP pour donner un intermédiaire citrullyl-AMP ; l'AMP est ensuite déplacé par l'aspartate qui se lie au squelette de la citrulline par son groupe α-NH_2 (réaction 2b). Le déroulement de la réaction 2 a été vérifié en utilisant de la citrulline marquée par ^{18}O. L'atome ^{18}O (précisé par un astérisque *) se retrouve finalement dans l'AMP. La citrulline et l'AMP sont reliés par l'atome *O du groupe uréido. Le produit de cette réaction (2a et 2b) catalysée par l'*arginino-succinate synthétase* est l'arginino-succinate. L'étape suivante (réaction 3) est catalysée par l'*arginino-succinate lyase* qui élimine le fumarate par voie non hydrolytique pour donner l'arginine. Réaction 4, l'hydrolyse de l'arginine par *l'arginase* donne l'urée et régénère l'ornithine, ce qui achève le cycle de l'urée.

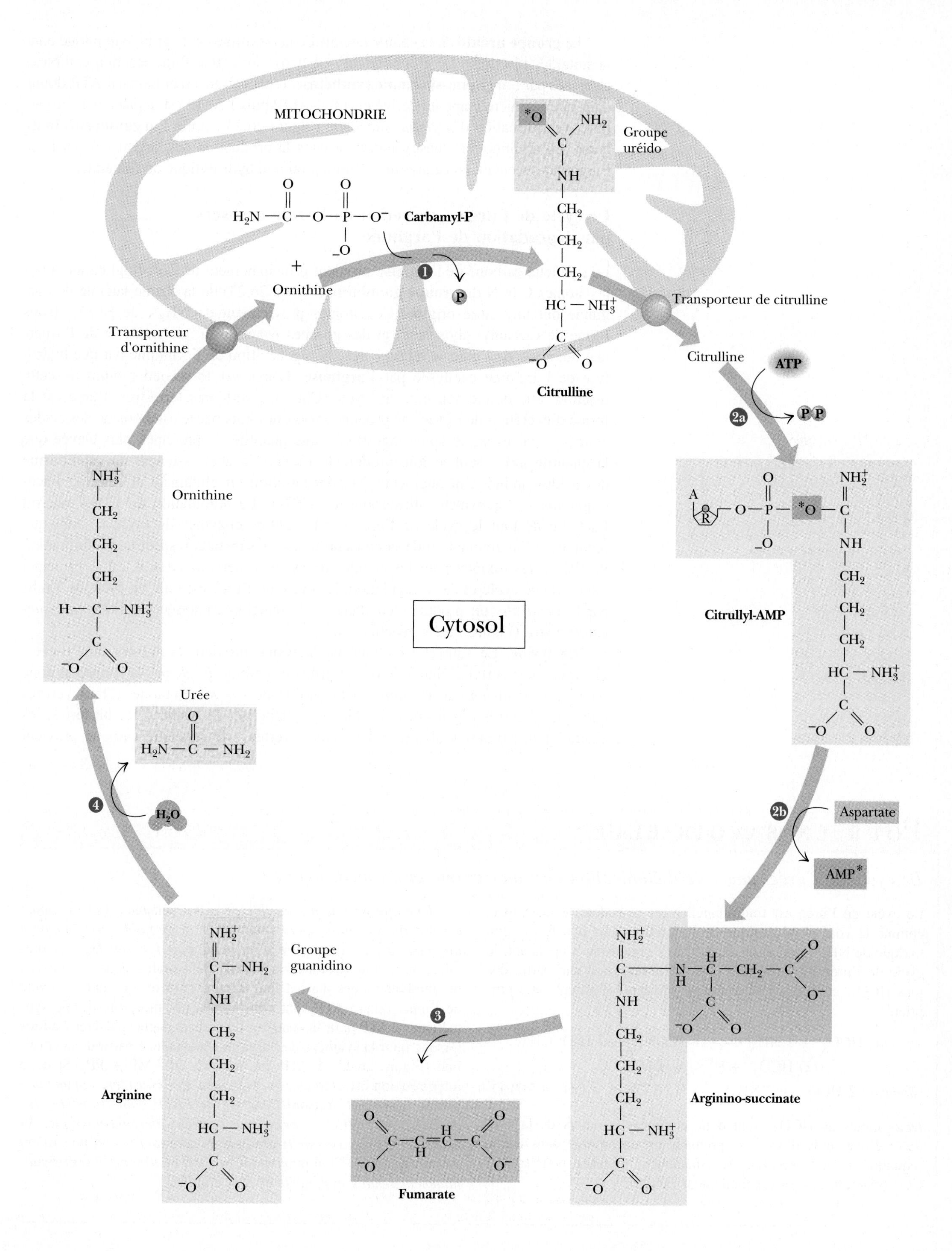
MITOCHONDRIE
Carbamyl-P
Ornithine
Groupe uréido
Citrulline
Transporteur de citrulline
Transporteur d'ornithine
ATP
Citrullyl-AMP
Cytosol
Ornithine
Urée
H_2O
Aspartate
AMP*
Groupe guanidino
Arginine
Fumarate
Arginino-succinate

Le **groupe uréido** de la chaîne latérale de la citrulline est le groupe impliqué dans la suite des réactions. Le groupe uréido est activé au cours d'une réaction complexe catalysée par l'**arginino-succinate synthétase**. L'activation, en présence d'ATP, donne dans une première étape un dérivé citrullyl-AMP puis l'AMP est déplacé par l'aspartate, avec formation d'*arginino-succinate* (Figure 26.23). Enfin l'**arginino-succinate lyase** (ou arginino-succinase) intervient dans la production de l'arginine à partir de l'arginino-succinate en catalysant l'élimination non hydrolytique du fumarate.

Le cycle de l'urée – excrétion de l'azote en excès par dégradation de l'arginine

Le squelette carboné de l'arginine provient principalement de l'α-cétoglutarate, mais les atomes C et N du **groupe guanidino** (Figure 26.23) de la chaîne latérale de l'arginine ont une autre origine. Ces atomes proviennent de NH_4^+, de HCO_3^- (sous forme de carbamyl-phosphate) et des groupes α-amino du glutamate et de l'aspartate. Le cycle de l'urée se referme avec la régénération de l'ornithine par une hydrolyse de l'arginine catalysée par l'**arginase**. L'urée est le second produit de cette réaction, elle donne son nom au cycle. Chez les vertébrés terrestres, l'urée est la forme d'excrétion de l'excès de produits azotés produits par le catabolisme des acides aminés – par exemple après ingestion d'une quantité de protéines plus élevée que la quantité utile. Seul le foie produit de l'urée. Un accroissement du catabolisme des acides aminés fait augmenter la concentration en glutamate et celle de l'acétylglutamate, l'activateur allostérique de CPS-1. La stimulation de CPS-1 accroît l'activité de tout le cycle de l'urée car les autres enzymes du cycle ne font que répondre à l'augmentation de la concentration des substrats respectifs. L'élimination de NH_4^+, très toxique pour les cellules du système nerveux central, est le principal intérêt de ce cycle et de sa régulation. Le cycle de l'urée est relié au cycle de Krebs par le *fumarate*, un produit secondaire de la réaction catalysée par l'*arginino-succinate lyase* (Figure 26.23, réaction 3).

La lysine. Le squelette carboné de la lysine provient également de l'α-cétoglutarate chez certains champignons et protistes comme *Euglena ;* la lysine est donc pour ces organismes un membre de la famille de l'α-cétoglutarate. (Nous verrons que dans d'autres organismes capables de synthétiser la lysine – les bactéries, les champignons, d'autres algues et les plantes vertes – le squelette carboné provient

Pour en savoir plus

Le cycle de l'urée, une voie d'élimination de l'ammonium et du bicarbonate

Le cycle de l'urée est traditionnellement considéré, à juste titre, comme la voie physiologique de l'excrétion sous une forme non toxique de NH_4^+ produit en excès dans l'organisme. Cependant, le cycle de l'urée est aussi une voie d'élimination d'une partie des ions HCO_3^- en excès. Les équations suivantes illustrent cette propriété :

$$(1)\ HCO_3^- + 2\ NH_4^+ \longrightarrow H_2NCONH_2 + 2\ H_2O + H^+$$

$$(2)\ HCO_3^- + H^+ \longrightarrow H_2O + CO_2$$

$$\textit{Somme :}\ 2\ HCO_3^- + 2\ NH_4^+ \longrightarrow H_2NCONH_2 + CO_2 + 3\ H_2O$$

Deux moles de HCO_3^- sont donc éliminées au cours de la synthèse d'une mole d'urée : la première est incorporée dans l'urée (équation 1) et la seconde est simplement protonée pour former CO_2 (réaction 2), qui est facilement excrété.

Une interprétation plausible de ce mécanisme est la suivante : ces réactions couplées permettent qu'un acide faible (NH_4^+) puisse protoner la base conjuguée d'un acide plus fort (HCO_3^-). À première vue, cette protonation semble défavorable pour des raisons thermodynamiques mais il faut aussi considérer que dans le cycle de l'urée, quatre ATP sont consommés par molécule d'urée synthétisée : 2 ATP pour la synthèse du carbamyl-phosphate et 2 autres lorsque pour la synthèse de l'arginino-succinate à partir de la citrulline (Figure 26.23) 1 ATP est converti en AMP + PP_i. Si cette interprétation est correcte, *le cycle peut être considéré comme une pompe à protons utilisant l'énergie de l'ATP pour transférer H^+ de NH_4^+ vers HCO_3^- contre une barrière thermodynamique. Au cours de ce processus deux produits de dégradation qui pourraient devenir toxiques, l'ion ammonium et l'ion bicarbonate, sont simultanément rendus inoffensifs et sont éliminés.*

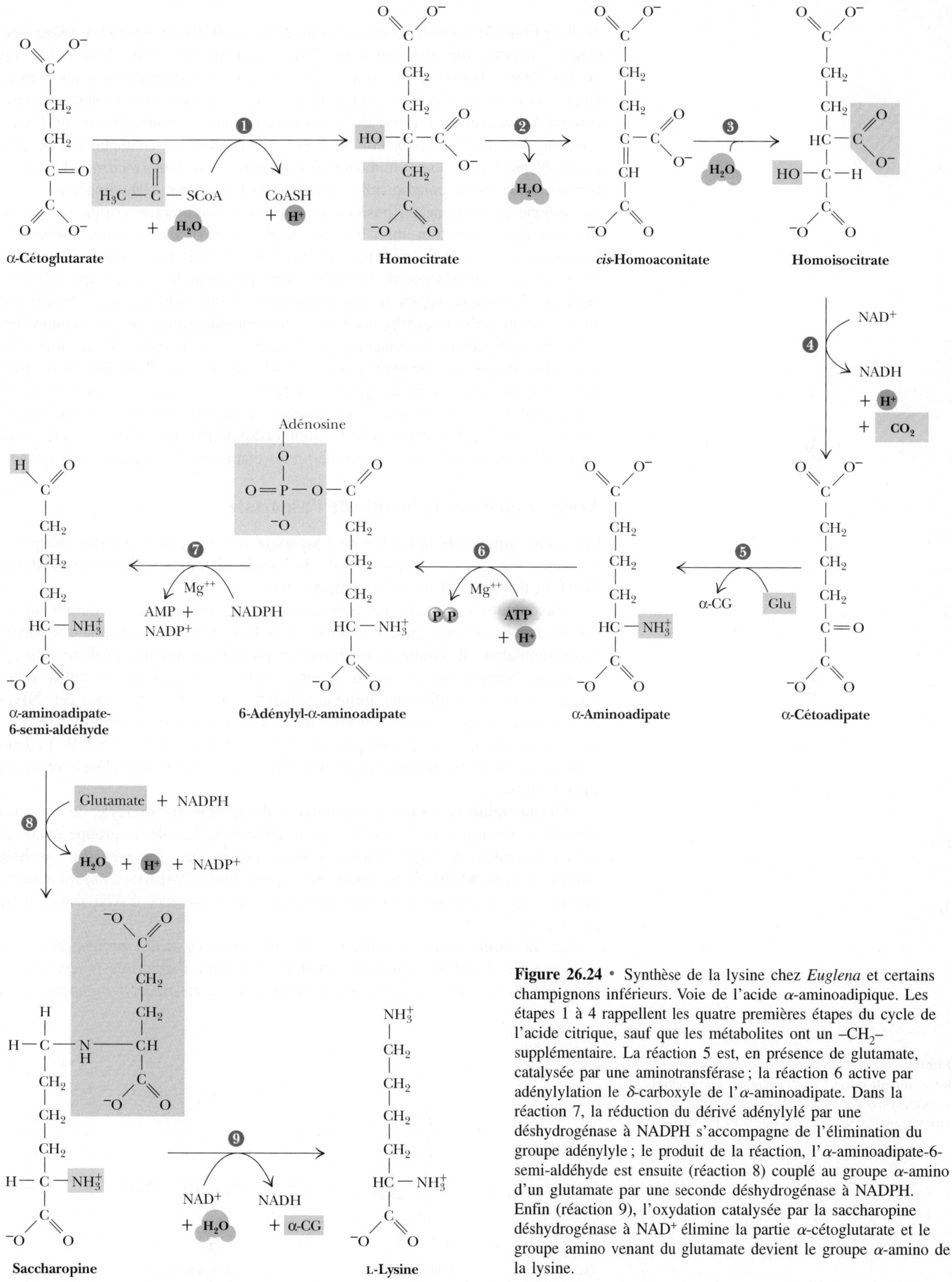

α-Cétoglutarate → (1) Homocitrate → (2) *cis*-Homoaconitate → (3) Homoisocitrate → (4) α-Cétoadipate → (5) α-Aminoadipate → (6) 6-Adénylyl-α-aminoadipate → (7) α-aminoadipate-6-semi-aldéhyde → (8) Saccharopine → (9) L-Lysine

Figure 26.24 • Synthèse de la lysine chez *Euglena* et certains champignons inférieurs. Voie de l'acide α-aminoadipique. Les étapes 1 à 4 rappellent les quatre premières étapes du cycle de l'acide citrique, sauf que les métabolites ont un $-CH_2-$ supplémentaire. La réaction 5 est, en présence de glutamate, catalysée par une aminotransférase ; la réaction 6 active par adénylylation le δ-carboxyle de l'α-aminoadipate. Dans la réaction 7, la réduction du dérivé adénylylé par une déshydrogénase à NADPH s'accompagne de l'élimination du groupe adénylyle ; le produit de la réaction, l'α-aminoadipate-6-semi-aldéhyde est ensuite (réaction 8) couplé au groupe α-amino d'un glutamate par une seconde déshydrogénase à NADPH. Enfin (réaction 9), l'oxydation catalysée par la saccharopine déshydrogénase à NAD^+ élimine la partie α-cétoglutarate et le groupe amino venant du glutamate devient le groupe α-amino de la lysine.

de l'aspartate). La synthèse de la lysine à partir de l'α-cétoglutarate exige que la chaîne carbonée soit allongée d'un $–CH_2–$ pour arriver à l'*α-cétoadipate* (Figure 26.24). Cette addition résulte d'une série de réactions qui rappellent les premières étapes du cycle de l'acide citrique. En premier lieu, une unité à deux atomes de carbone provenant de l'acétyl-CoA se condense sur le groupe cétone de l'α-cétoglutarate pour donner *l'homocitrate*. Puis, par une réaction analogue à celle qui est catalysée par l'aconitase, l'homocitrate est converti en *homoisocitrate*. Une oxydation décarboxylante, comme celle catalysée par l'isocitrate déshydrogénase, élimine un carbone (le carbone en position α dans l'α-cétoglutarate d'origine) et produit *l'α-cétoadipate*. Une transamination avec le glutamate donne l'*α-aminoadipate*. Puis, le groupe δ-COO^- est activé par adénylylation (l'ATP est le donneur du groupe AMP) ce qui, en présence de NADPH, permet la réduction du groupe δ-COO^- en aldéhyde. L'*α-aminoadipate-6-semi-aldéhyde* subit une réduction par NADPH et une amination du carbone aldéhydique dans une réaction catalysée par l'aminoadipate semi-aldéhyde:glutamate réductase qui produit la *saccharopine*. Enfin, une oxydation catalysée par une déshydrogénase à NAD^+ clive la saccharopine en α-cétoglutarate et *lysine*. Cette voie de synthèse de la lysine est appelée la voie de l'acide α-aminoadipique. Une remarque intéressante, la dégradation de la lysine chez les animaux aboutit à la formation de l'α-aminoadipate par une série de réactions identiques, mais inversées, à celles des dernières étapes de la synthèse de la lysine.

Acides aminés de la famille de l'aspartate

Les acides aminés de la famille de l'aspartate comprennent l'aspartate (Asp), l'asparagine (Asn), la lysine (par la voie de l'acide diaminopimélique), la méthionine (Met), la thréonine (Thr) et l'isoleucine (Ile).

L'aspartate se forme par transamination du groupe amino du glutamate à l'oxalo-acétate (Figure 26.25). Comme dans la synthèse du glutamate à partir de l'α-cétoglutarate, la synthèse de l'aspartate prélève un des intermédiaires du cycle de Krebs. Nous avons vu que le groupe amino de Asp peut être utilisé pour la conversion de la citrulline en arginine. Chapitre 27, nous verrons que cet $-NH_2$ est aussi à l'origine de l'un des atomes d'azote du noyau cyclique de la purine lors de la synthèse des nucléotides puriques et du groupe amino en position 6 de l'adénine. Pour la synthèse des nucléotides pyrimidiques, c'est toute la molécule d'aspartate qui est utilisée.

L'asparagine se forme par amidation du groupe β-carboxyle de l'aspartate. Chez les bactéries, pour la synthèse de la glutamine, l'azote du groupe amide provient directement de NH_4^+. Dans les autres organismes, l'**asparagine synthétase** catalyse le transfert du groupe amide de la glutamine à l'aspartate, pour donner l'asparagine et le glutamate ; cette réaction s'effectue en présence d'ATP, source d'énergie (Figure 26.26).

La **thréonine**, la **méthionine** et la **lysine**, sont des acides aminés dont la synthèse chez les bactéries utilise un précurseur commun, l'*aspartate β-semi-aldéhyde* dérivé de l'aspartate. L'aspartate est d'abord converti en *aspartyl-β-phosphate*, puis

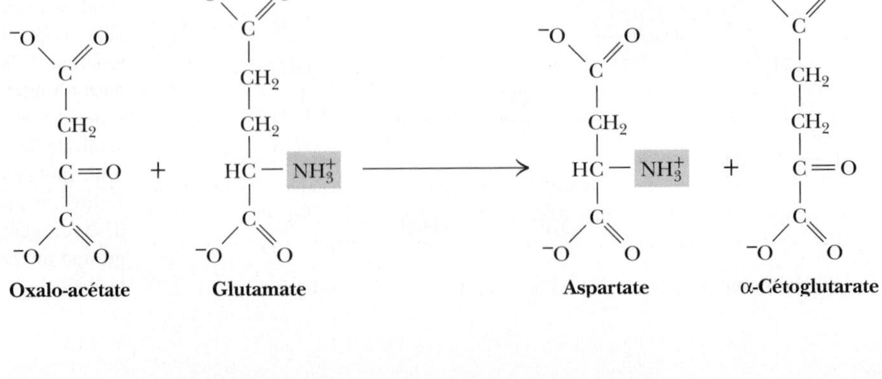

Figure 26.25 • Biosynthèse de l'aspartate par transamination de l'oxalo-acétate. La réaction est catalysée par la glutamate:aspartate aminotransférase, un enzyme à PLP.

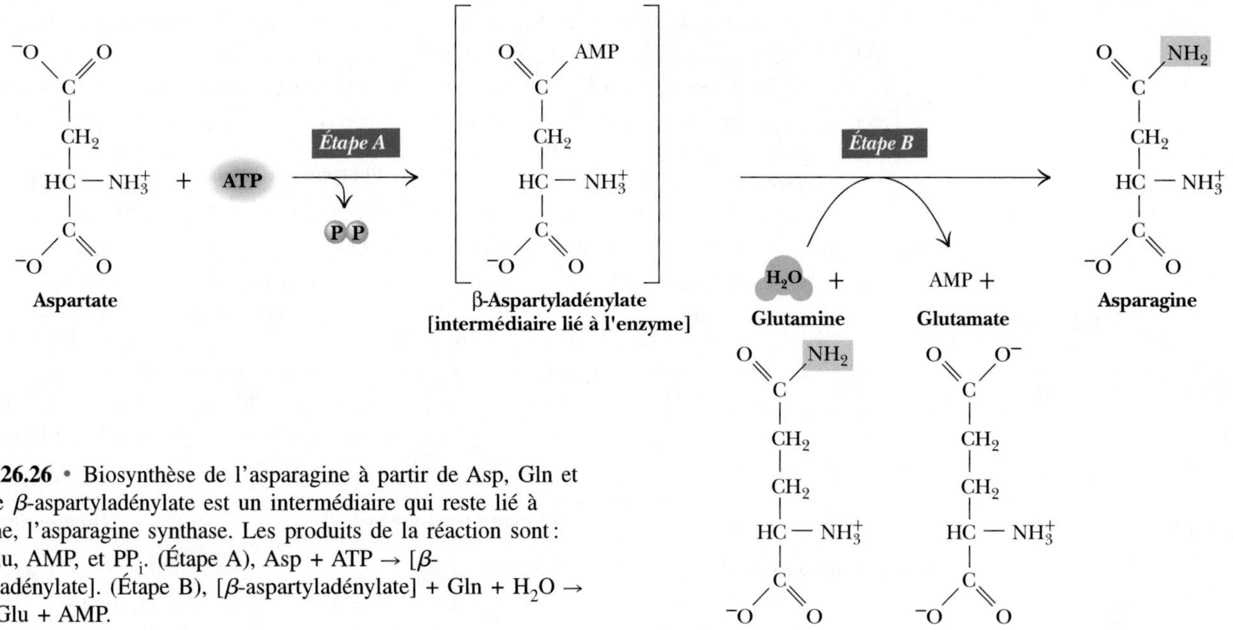

Figure 26.26 • Biosynthèse de l'asparagine à partir de Asp, Gln et ATP. Le β-aspartyladénylate est un intermédiaire qui reste lié à l'enzyme, l'asparagine synthase. Les produits de la réaction sont : Asn, Glu, AMP, et PP_i. (Étape A), Asp + ATP → [β-aspartyladénylate]. (Étape B), [β-aspartyladénylate] + Gln + H_2O → Asn + Glu + AMP.

en aspartate β-semi-aldéhyde. La première réaction est catalysée par l'**aspartokinase** (Figure 26.27). Trois isozymes différents se trouvent chez *E. coli*, les **aspartokinases I, II** et **III**. Chacune de ces aspartokinases est spécifiquement régulée, contrôle de l'activité et/ou de la formation de l'isozyme concerné, par au moins l'un des produits terminaux des voies de leur synthèse (Tableau 26.3). De cette façon, la biosynthèse de chacun des trois acides aminés peut être indépendamment régulée par des contrôles s'exerçant sur la formation d'un isozyme particulier et (sauf pour l'aspartokinase II) sur son activité.

La formation de l'aspartate β-semi-aldéhyde par réduction de l'aspartyl-β-phosphate est catalysée par l'aspartate **β-semi-aldéhyde déshydrogénase** dont le cofacteur est le NADPH (Figure 26.27). Ensuite, la voie de la synthèse de la lysine diverge : le carbone du groupe méthyle du pyruvate est condensé sur le carbonyle de l'aspartate β-semi-aldéhyde, puis l'élimination de H_2O conduit au *2,3-dihydropicolinate* à structure cyclique. Il faut donc considérer la lysine comme membre de la famille de l'aspartate et de la famille du pyruvate. La lysine est un rétroinhibiteur de la dihydropicolinate synthase, premier enzyme de l'embranchement spécifique de sa synthèse. Le *dihydropicolinate* est ensuite réduit en présence de NADPH, la réaction donne le *Δ^1-pipéridine-2,6-dicarboxylate*. Une série de réactions, ouverture du cycle pipéridine par hydrolyse, succinylation, transamination (avec le glutamate comme donneur de groupe amino) et élimination du succinate par hydrolyse, aboutit à la formation du *L,L-α,ϵ-diaminopimélate* symétrique. Cette molécule, épimérisée en la forme *méso*, puis décarboxylée, donne le produit final, la *lysine*. Comme cette voie de la synthèse de la lysine passe par la formation du L,L-α,ϵ-diaminopimélate symétrique, la moitié du CO_2 éliminé par décarboxylation du précurseur immédiat de la lysine provient du groupe carboxyle du pyruvate, l'autre moitié provient de l'α-carboxyle de l'aspartate.

La deuxième branche métabolique partant du β-aspartyl-semi-aldéhyde conduit à la synthèse de la *thréonine* et de la *méthionine* en passant par *l'homosérine*, un analogue de la sérine provenant de la réduction de l'aspartate β-semi-aldéhyde, réduction catalysée en présence de NADPH par l'**homosérine déshydrogénase** (Figure 26.27). À partir de l'homosérine, les voies de la synthèse de la thréonine et de la méthionine divergent. Pour la synthèse de la **méthionine**, le groupe –OH de l'homosérine est succinylé par l'**homosérine succinyltransférase**. La méthionine régule par rétroinhibition l'activité de ce premier enzyme de la voie spécifique de sa synthèse. Le groupe succinyle de *l'O-succinylhomosérine* est ensuite déplacé par

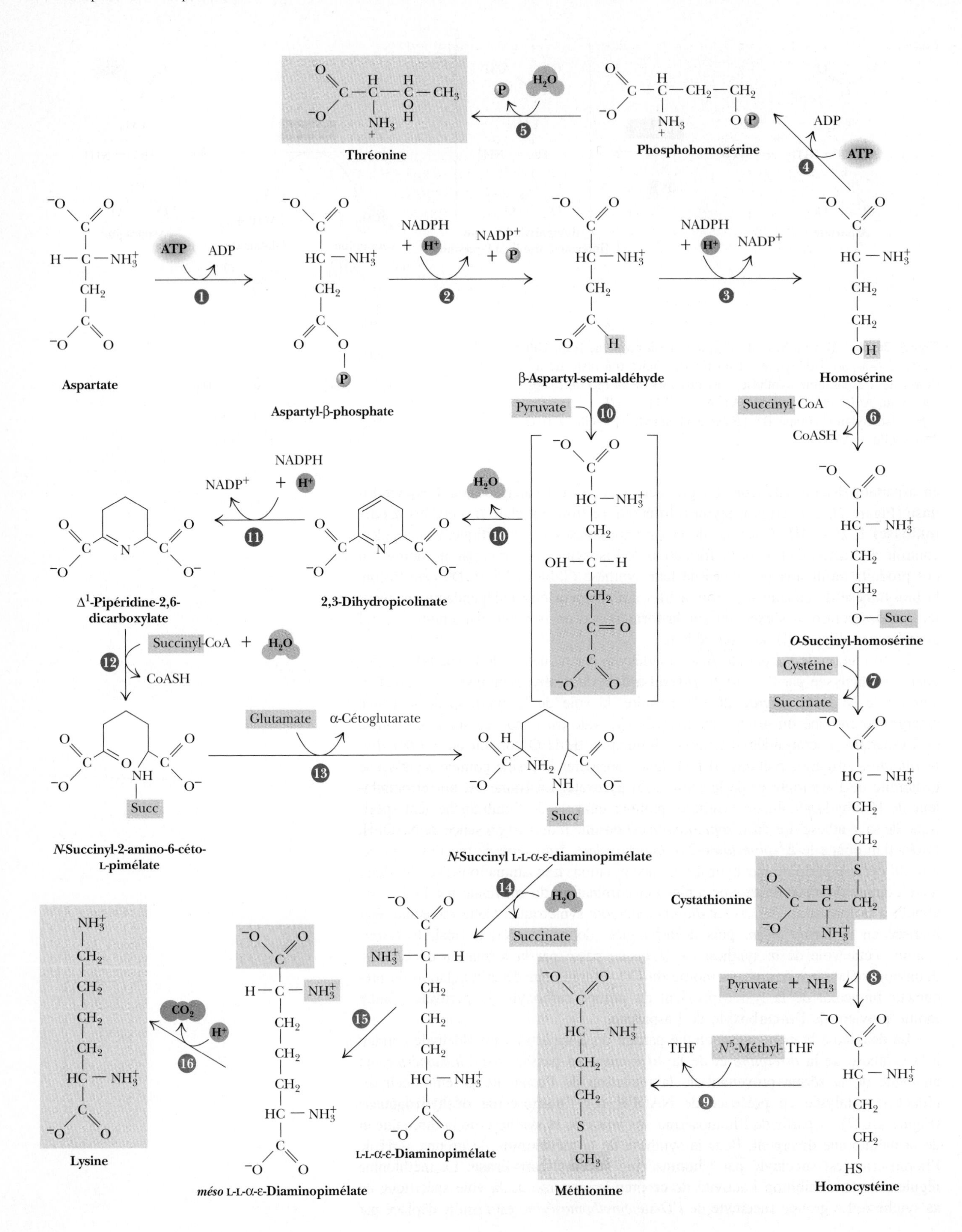
Thréonine
Phosphohomosérine
Aspartate
Aspartyl-β-phosphate
β-Aspartyl-semi-aldéhyde
Homosérine
ATP
ADP
NADPH
NADP+
H2O
Pyruvate
Succinyl-CoA
CoASH
Δ1-Pipéridine-2,6-dicarboxylate
2,3-Dihydropicolinate
O-Succinyl-homosérine
Cystéine
Succinate
N-Succinyl-2-amino-6-céto-L-pimélate
Glutamate
α-Cétoglutarate
N-Succinyl L-L-α-ε-diaminopimélate
Cystathionine
Pyruvate + NH3
CO2
Lysine
méso L-L-α-ε-Diaminopimélate
L-L-α-ε-Diaminopimélate
THF
N5-Méthyl-THF
Méthionine
Homocystéine

Figure 26.27 • (*page opposée*) Biosynthèses de la thréonine, de la méthionine et de la lysine, trois acides aminés de la famille de l'aspartate. Le β-aspartyl-semi-aldéhyde est le précurseur commun aux trois acides aminés. Il est formé par deux réactions successivement catalysées par l'aspartokinase (réaction 1) et par la β-aspartyl-semi-aldéhyde déshydrogénase (réaction 2). À partir de ce métabolite, les voies de synthèse divergent. La réduction du β-aspartyl-semi-adéhyde par l'homosérine déshydrogénase (réaction 3) donne l'homosérine, précurseur de la thréonine et de la méthionine, mais pas de la lysine. La branche regroupant les réactions 4 et 5 (catalysées par l'homosérine kinase et la thréonine synthase) donne la thréonine. La branche partant de l'homosérine (réactions 6 à 9) aboutit à la méthionine ; les enzymes sont, dans l'ordre des réactions, l'homosérine acyltransférase, la cystathionine synthase, la cystathionine-β-lyase et l'homocystéine méthyltransférase. La voie de la synthèse de la lysine partir du β-aspartyl-semi-aldéhyde est appelée la voie de l'acide diaminopimélique (réaction 10 à 16). Un pyruvate est condensé (réaction 10 catalysée par la dihydropicolinate synthase) avec un β-aspartyl-semi-aldéhyde pour former le 2,3-dihydropicolinate qui est ensuite réduit par la Δ^1-pipéridine-2,6-dicarboxylate déshydrogénase (réaction 11). La succinylation (réaction 12, catalysée par la *N*-succinyl-2-amino-6-cétopimélate synthase) s'accompagne de l'ouverture du cycle, elle est suivie d'une amination (réaction 13, succinyl-diaminopimélate aminotransférase) et d'une désuccinylation (réaction 14, succinyl-diaminopimélate désuccinylase) qui produit le L,L-α,ϵ-diaminopimélate. Son épimérisation en la forme *méso* (réaction 15, diaminopimélate épimérase) puis la décarboxylation (réaction 16, diaminopimélate décarboxylase) donne finalement la lysine.

Tableau 26.3

Régulation des trois aspartokinases (isozymes) d'*E. coli*

Enzyme	Rétroinhibiteur	Co-répresseur*
Aspartokinase I	Thréonine	Thréonine et isoleucine
Aspartokinase II	Aucun	Méthionine
Aspartokinase III	Lysine	Lysine

* *Co-répresseur*, nom donné aux métabolites qui peuvent réprimer l'expression de gènes spécifiques.

la cystéine, ce qui donne la *cystathionine*. L'atome de soufre présent dans la méthionine provient du sulfhydrile de la cystéine. La *cystathionine* est ensuite scindée avec formation de pyruvate, d'NH_4^+ et *d'homocystéine*, un acide aminé qui n'est pas incorporé dans les protéines et dont la chaîne latérale a un maillon $-CH_2-$ de plus que la cystéine. La méthionine est finalement obtenue par méthylation du groupe –SH de l'homocystéine ; le donneur de méthyle de la réaction de transméthylation est le N^5-méthyl-THF (voir Chapitres 18 et 27).

Si l'étape finale de la synthèse de la méthionine est une transméthylation, il faut signaler que la méthionine joue elle-même un rôle important dans les réactions de méthylation. La **S-adénosylméthionine synthase** catalyse, en présence de méthionine et d'ATP, la formation de la *S-adénosylméthionine*, ou SAM (Figure 26.28), un donneur de méthyle de plusieurs réactions de méthylation, par exemple pour la formation de phosphatidylcholine à partir de la phosphatidyléthanolamine (voir Figure 8.5).

Les deux derniers acides aminés de la famille de l'aspartate sont la thréonine et l'isoleucine. La **thréonine**, comme la méthionine, est synthétisée à partir de l'homosérine. En fait, l'homosérine est l'alcool primaire analogue de l'alcool secondaire qu'est Thr. Le déplacement de –OH du C-4 au C-3 nécessite l'activation du groupe hydroxyle par une phosphorylation catalysée par l'**homosérine kinase**. Il s'agit de la première réaction spécifique de la voie de la synthèse de la thréonine ; l'homosérine kinase est, comme prévisible, soumise à rétroinhibition par le produit final, la thréonine. La dernière étape, transformation de la phosphohomosérine en thréonine, est catalysée la thréonine synthase, un enzyme à PLP (Figure 26.27).

L'isoleucine fait partie de la famille de l'aspartate car quatre de ses six atomes de carbone proviennent de Asp (par la thréonine) et deux seulement proviennent du

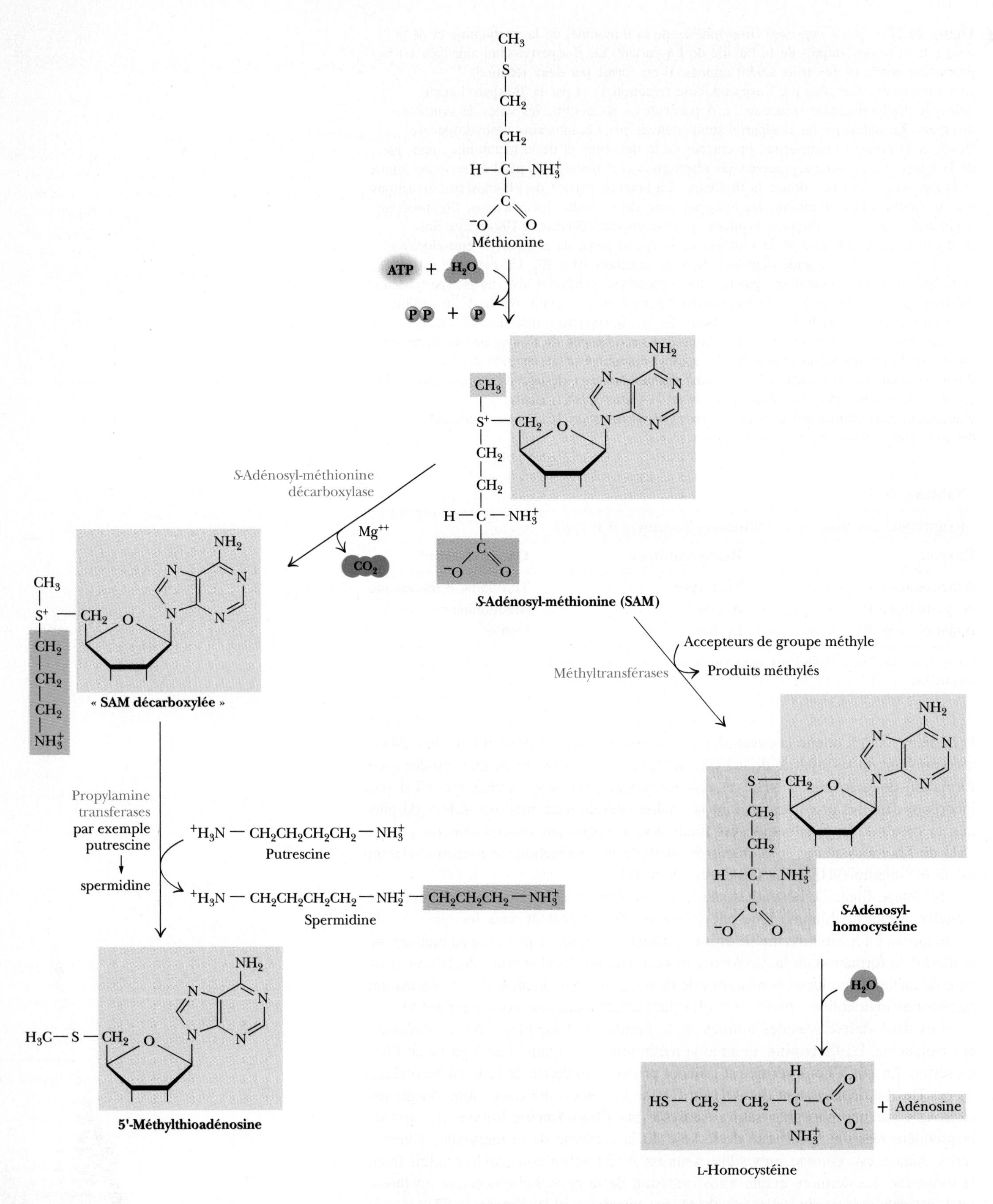

Figure 26.28 • Synthèse de la *S*-adénosyl-méthionine (SAM) à partir de la méthionine et de l'ATP, et son rôle donneur de groupe méthyle dans les réactions catalysées par des méthyltransférases ou de groupe propylamine dans la synthèse des polyamines.

Biochimie humaine

L'homocystéine et les attaques cardiaques

Une maladie héréditaire rare, *l'homocystéinurie* se caractérise par une forte concentration d'homocystéine dans le sang. Les enfants nés avec ce syndrome souffraient de problèmes cardio-vasculaires et d'artériosclérose (durcissement des artères) ; ils décédaient le plus souvent avant même l'adolescence. Ces maladies sont habituellement associées au vieillissement.

L'excès d'homocystéine dans la circulation est la cause des dommages subits par les vaisseaux sanguins. En effets, des études montrent que les adultes ayant un niveau élevé d'homocystéine dans la sang ont un risque plus grand d'attaque cardiaque ou cérébrale. Dès 1969, Kilmer McCully un médecin formé à Harvard et intéressé par l'homocystéinurie suggérait que l'homocystéine favorisait les attaques cardiaques et que de nombreuses personnes avaient un niveau élevé d'homocystéine dans le sang car leur alimentation était trop pauvre en acide folique ; cependant ses travaux n'eurent guère d'écho pendant 25 ans. Par bonheur, il est vrai qu'une alimentation enrichie en acide folique (une vitamine du groupe B) réduit la concentration sanguine de l'homocystéine à un niveau qui n'est plus pathogène. Cet effet résulte probablement de l'augmentation de la conversion de l'homocystéine en méthionine, une réaction catalysée par l'homocystéine méthyltransférase, un enzyme dont le cofacteur est le tétrahydrofolate (réaction 9 de la Figure 26.27).

pyruvate. Cependant, quatre des cinq enzymes de la voie de la synthèse de l'isoleucine sont les mêmes que ceux de la voie de la synthèse de la valine ; la synthèse de l'isoleucine sera donc présentée avec celle des acides aminés de la famille du pyruvate.

Acides aminés de la famille du pyruvate

Les acides aminés de la famille du pyruvate comprennent l'alanine (Ala), la valine (Val) et la leucine (Leu). La transamination du pyruvate, avec le glutamate comme donneur, produit **l'alanine**. Ce type de réaction de transamination étant facilement réversible, la dégradation de l'alanine s'effectue par la voie inverse, avec l'α-cétoglutarate comme accepteur.

Pratiquement tous les organismes effectuent la transamination du pyruvate en alanine, mais la valine, la leucine et l'isoleucine, ne sont pas synthétisées par les mammifères, ce sont des acides aminés essentiels. Les synthèses de la **valine** et de **l'isoleucine** peuvent être examinées parallèlement puisque les quatre derniers enzymes de leurs voies de synthèse sont communs (Figure 26.29). Les deux voies commencent par un α-cétoacide. L'isoleucine peut être considérée comme un analogue structural de la valine avec un maillon $-CH_2-$ supplémentaire ; et l'*α-cétobutyrate*, le précurseur de l'isoleucine, a un maillon $-CH_2-$ de plus que le pyruvate, le précurseur de la valine. L'α-cétobutyrate est formé par désamination et déshydratation de la thréonine, une réaction catalysée par un enzyme à PLP, la **thréonine désaminase** (encore appelée thréonine déshydratase ou sérine déshydratase). L'enzyme est soumis à rétroinhibition par l'isoleucine. Une partie des atomes de carbone du squelette de Ile provient donc de Asp, précurseur de Thr. À partir de l'α-cétobutyrate, les voies de synthèse d'Ile et de Val utilisent les mêmes enzymes. La première réaction passe par la formation d'un intermédiaire hydroxyéthyl-thiamine pyrophosphate à partir d'un pyruvate, au cours d'une réaction analogue à celle qui est catalysée par la transcétolase ou par le complexe pyruvate déshydrogénase. Le groupe hydroxyéthyle à deux atomes de carbone est transféré du TPP au cétoacide accepteur dans une réaction catalysée par l'**acéto-hydroxyacide synthase** (ou acéto-lactate synthase) pour donner, selon l'accepteur, *l'α-acéto-lactate* ou *l'α-acéto-hydroxybutyrate*. La réduction de ces deux α-hydroxycétoacides, en présence de NAD(P)H, donne deux acides dihydroxylés, l'*α,β-dihydroxy-isovalérate* et l'*α,β-dihydroxy-β-méthylvalérate*. La déshydratation de chacun de ces deux dihydroxyacides, catalysée par *une* **dihydroxyacide déshydratase** donne les squelettes carbonés des acides α-cétoniques précurseurs immédiats de Val et Ile, l'*α-cétoisovalérate* et l'*α-céto-β-méthylvalérate*. Enfin, la transamination par une **glutamate aminotransférase**, **spécifique des acides aminés à chaîne latérale ramifiée**, donne respectivement Val et Ile (Figure 26.29).

Figure 26.29 • Biosynthèses de la valine et de l'isoleucine. Les enzymes sont les suivants : (1) la thréonine désaminase, (2) l'acéto-hydroxyacide synthase, (3) l'acéto-hydroxyacide isomérase-réductase, (4) la dihydroxyacide déshydratase et (5) une glutamate aminotranférase. Cette voie est régulée par rétroinhibition : l'enzyme 1 est inhibé par l'isoleucine et l'enzyme 2 par la valine.

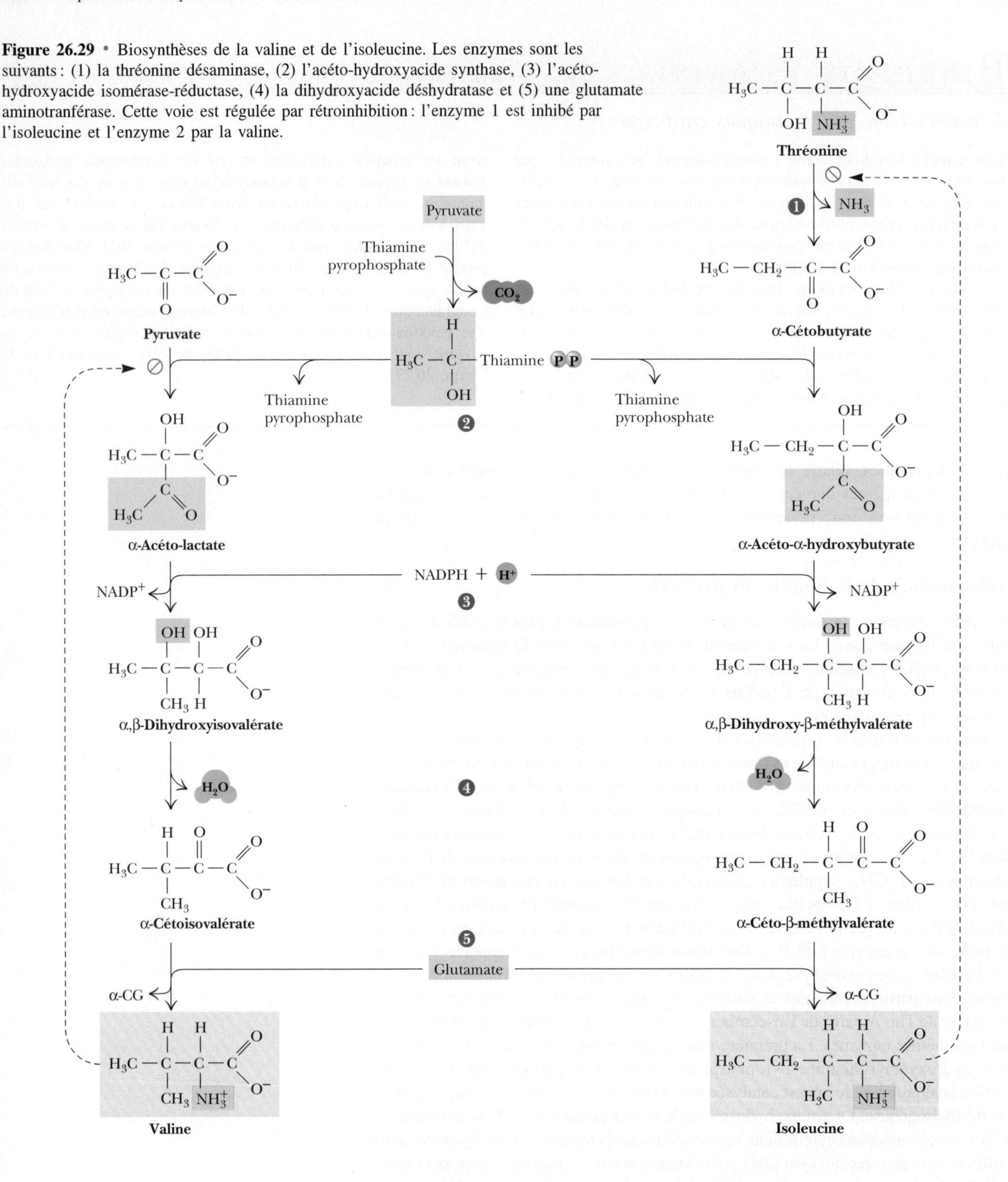

La synthèse de la **leucine** dépend de ces mêmes réactions puisque l'α-cétoisovalérate est un précurseur commun à Val et Leu (Figure 26.30). La chaîne latérale de ces acides aminés ne diffère que par un $-CH_2-$. La première réaction, la fixation d'un groupe acétyle provenant de l'acétyl-CoA sur le carbonyle de l'α-céto-isovalérate, donne l'*α-isopropylmalate*. Cette addition d'un maillon à deux atomes de carbone est catalysée par l'**isopropylmalate synthase**, enzyme soumis à rétroinhibition par Leu. Une **isopropylmalate déshydratase** convertit l'α-isopropylmalate

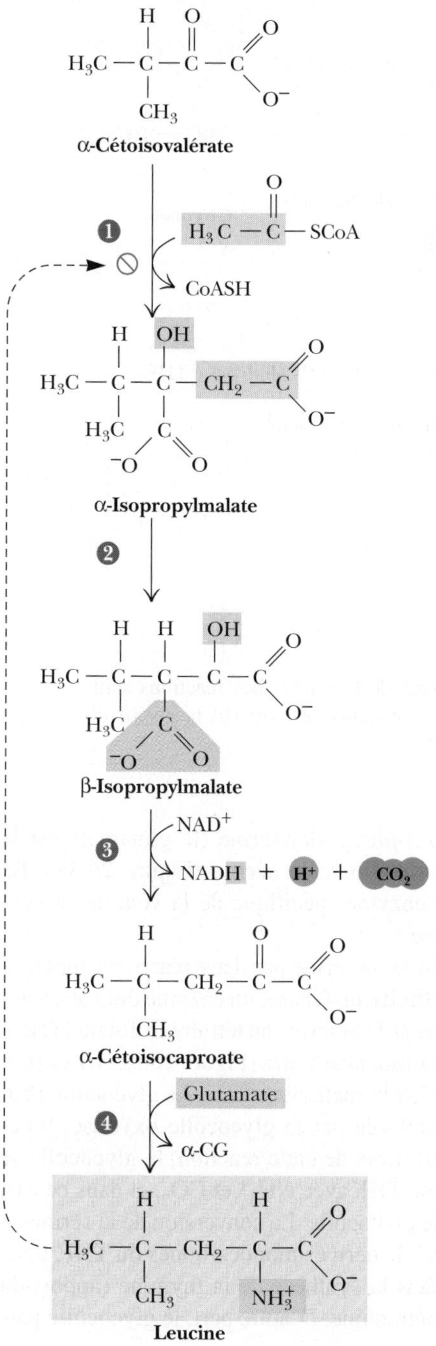

α-Cétoisovalérate

❶ $H_3C-C(=O)-SCoA$ → CoASH

α-Isopropylmalate

❷

β-Isopropylmalate

❸ NAD^+ → NADH + H^+ + CO_2

α-Cétoisocaproate

❹ Glutamate → α-CG

Leucine

Figure 26.30 • Biosynthèse de la leucine. Les enzymes sont les suivants : (1) L'α-isopropylmalate synthase, (2) l'α-isopropylmalate déshydratase, (3) l'isopropylmalate déshydrogénase, et (4) la leucine aminotransférase. L'enzyme 1 subit la rétroinhibition par la leucine.

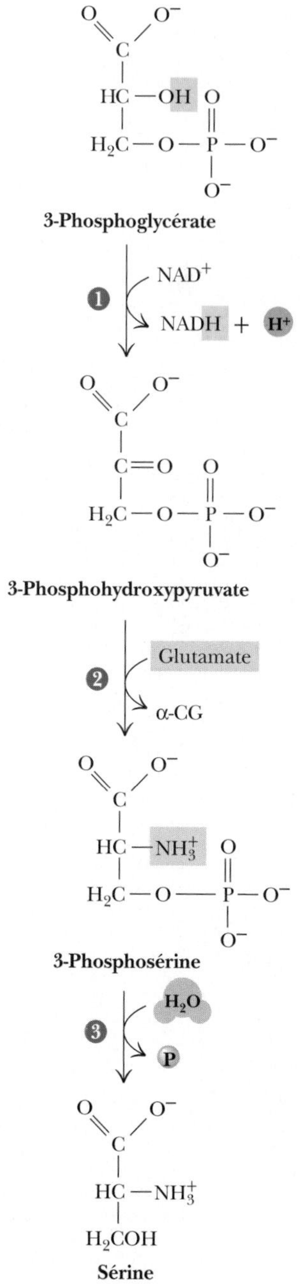

3-Phosphoglycérate

❶ NAD^+ → NADH + H^+

3-Phosphohydroxypyruvate

❷ Glutamate → α-CG

3-Phosphosérine

❸ H_2O → P

Sérine

Figure 26.31 • Biosynthèse de la sérine à partir du 3-phosphoglycérate. Les enzymes sont (1) la 3-phosphoglycérate déshydrogénase, (2) la 3-phosphosérine aminotransférase et (3) la phosphosérine phosphatase.

en β-isopropylmalate. L'isomère β subit ensuite une oxydation décarboxylante catalysée par l'**isopropylmalate déshydrogénase** (à NAD^+) qui élimine, sous forme de CO_2, le groupe carboxyle présent à l'origine dans l'α-cétoisovalérate. L'amination de l'α-cétoisocaproate par une **leucine amino-transférase** donne Leu.

Acides aminés de la famille du 3-phosphoglycérate

La sérine, le glycocolle et la cystéine proviennent d'un intermédiaire de la glycolyse, le 3-phosphoglycérate. Cet intermédiaire sort de la voie de la glycolyse par une oxydation catalysée par la **phosphoglycérate déshydrogénase** (un enzyme à NAD^+) ; le produit de la réaction, *le 3-phosphohydroxypyruvate*, un α-cétoacide, est le

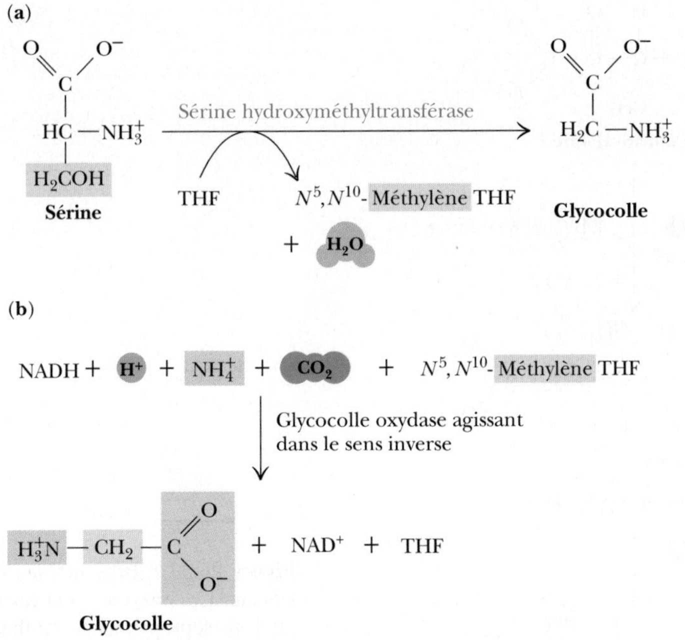

Figure 26.32 • Biosynthèse du glycocolle à partir de la sérine. Les réactions sont catalysées par : voie (a) la sérine hydroxyméthyltransférase et voie (b) la glycocolle oxydase.

substrat d'une transamination qui donne la *3-phosphorylsérine* (le glutamate est le cosubstrat). L'action de la *sérine phosphatase* libère la **sérine** (Figure 26.31). La sérine régule par rétroinhibition le premier enzyme spécifique de la voie de sa synthèse, la 3-phosphoglycérate déshydrogénase.

Le **glycocolle** peut être synthétisé à partir de la sérine par deux réactions apparentées. Dans la première, la **sérine hydroxyméthyltransférase**, un enzyme dont le cofacteur est le PLP, catalyse le transfert du carbone β de la sérine au tétrahydrofolate (THF), l'agent principal du métabolisme des radicaux monocarbonés (Figure 26.32a). Les produits de la réaction sont le glycocolle et le N^5,N^{10}-méthylène THF. Le glycocolle peut également être synthétisé par la réaction catalysée par la **glycocolle oxydase**, fonctionnant dans le sens inverse (Figure 26.32b). Lors de cette réaction, le glycocolle se forme par condensation du N^5,N^{10}-méthylène THF avec NH_4^+ et CO_2, et dans ce cas, le carbone β de la sérine est incorporé dans le glycocolle. La conversion de la sérine en glycocolle est la principale voie de formation de dérivés monocarbonés du THF, dérivés utilisés dans la synthèse des purines, dans la synthèse de la thymine (apport du groupe méthyle en C-5) et dans celle de la méthionine. D'autre part, le glycocolle participe à la synthèse des purines et des hèmes.

La synthèse de la **cystéine** résulte du transfert d'un groupe –SH sur la sérine. Chez certaines bactéries, H_2S est directement condensé sur la sérine, une réaction catalysée par un enzyme à PLP ; mais chez la plupart des autres microorganismes et chez les plantes, il faut que la sérine soit préalablement activée en *O-acétylsérine* (Figure 26.33). Le transfert d'un groupe acétyle de l'acétyl-CoA sur le –OH de la sérine est catalysé par la **sérine acétyltransférase**. Cet enzyme est inhibé par la cystéine. L'*O*-acétylsérine est ensuite sulfhydrylée par SH_2 avec élimination de l'acétate, une réaction catalysée par l'**O-acétylsérine sulfhydrylase**.

ASSIMILATION DU SULFATE. Étant donné la nature plutôt oxydante de l'environnement, la toxicité et la réactivité de H_2S, l'origine du sulfure nécessaire pour la synthèse de la cystéine mérite une certaine attention. Chez les microorganismes et les plantes, le sulfure est le produit de l'assimilation du sulfate. Le sulfate est la forme minérale commune du soufre et son assimilation implique de très intéressants dérivés de l'ATP

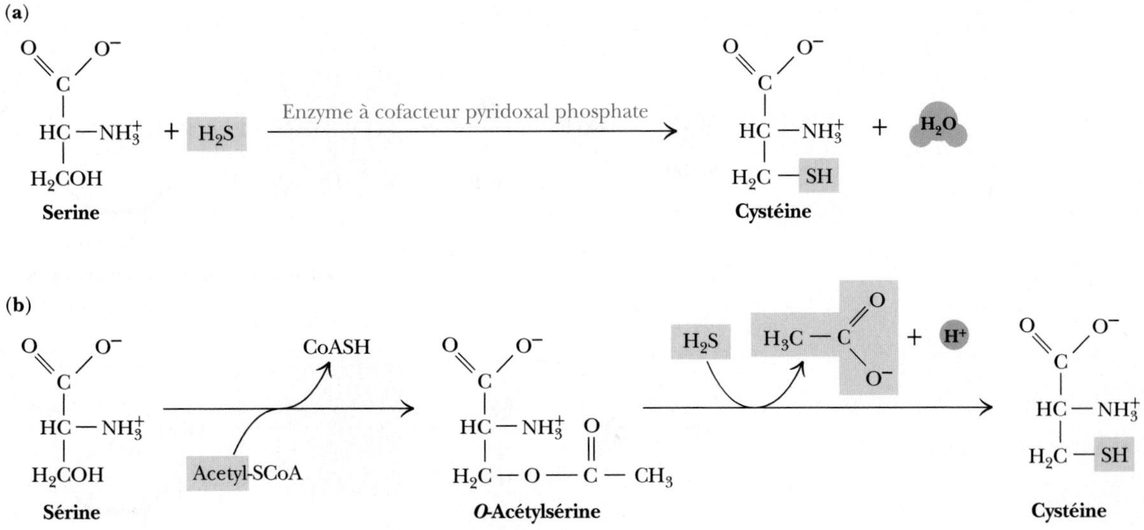

Figure 26.33 • Biosynthèse de la cystéine. (a) Sulhydrylation directe de la sérine par SH_2. (b) Sulfhydrylation de l'*O*-acétylsérine.

(Figure 26.34). Le **3′-phosphoadénosine 5′-phosphosulfate** (PAPS) n'est pas seulement un intermédiaire de l'assimilation du sulfate, il est aussi le substrat de la synthèse des esters sulfates comme les polyosides sulfatés du glycocalyx des cellules animales. Dans la voie de l'assimilation, le sulfate « actif » du PAPS est réduit en sulfite (SO_3^{2-}) et le sulfite est réduit en sulfure (S^{2-}).

Biosynthèse des acides aminés aromatiques

Les acides aminés aromatiques, phénylalanine, tyrosine et tryptophanne, partagent la même voie de synthèse jusqu'à la formation de l'intermédiaire commun, l'**acide chorismique** (Figure 26.35). D'une façon générale, l'acide chorismique est commun aux voies de synthèse des substances contenant des cycles benzéniques, ce qui comprend, en plus des acides aminés aromatiques, les vitamines E et K liposolubles, l'acide folique, ainsi que l'ubiquinone et la plastoquinone (les deux quinones du transport des électrons participant respectivement à la respiration et à la photosynthèse). La **lignine**, un polymère d'unités à neuf atomes de carbone, est aussi un dérivé de l'acide chorismique. La lignine, et des substances apparentées, peut représenter jusqu'à 35 % du poids sec des plantes supérieures ; ce qui signifie qu'une énorme quantité de carbone passe par la voie de la synthèse de l'acide chorismique.

VOIE DU SHIKIMATE. La biosynthèse du chorismate passe par la **voie du shikimate** (Figure 26.36). Les précurseurs sont le *phosphoénolpyruvate* et l'*érythrose-4-phosphate*. Ces intermédiaires sont condensés pour former le *3-désoxy-D-arabino-heptulosonate-7-phosphate* (DAHP). Bien que cette réaction catalysée par la **DAHP synthase** soit encore très éloignée des acides aminés aromatiques, l'enzyme constitue un important point de régulation de leur synthèse. Au cours des étapes suivantes, le DAHP est cyclisé en un noyau saturé à six atomes de carbone, le *3-déshydroquinate*. Plusieurs réactions suivent, provoquant en particulier la désaturation du cycle ; elles aboutissent au *shikimate* puis au *chorismate*. Remarquez que la chaîne latérale du chorismate dérive d'une seconde molécule de phosphoénolpyruvate.

PHÉNYLALANINE ET TYROSINE. À partir du chorismate, les voies de synthèse se séparent en trois branches, chacune spécifique de la synthèse d'une acide aminé aromatique. Les branches aboutissant à la formation de la phénylalanine et de la tyrosine passent par le *préphénate* (Figure 26.37). Dans certains organismes, comme

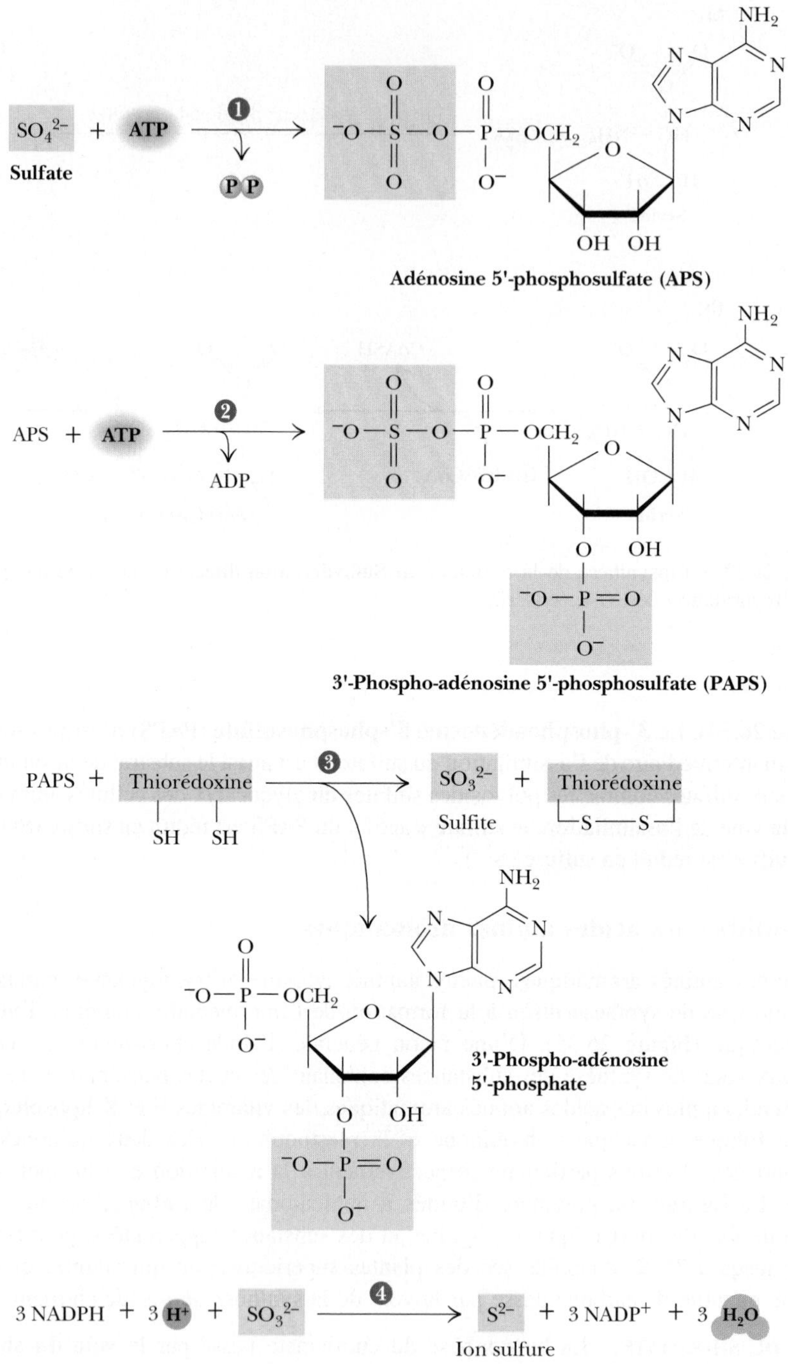

SO_4^{2-} + ATP → (1) → APS + PP
Sulfate
Adénosine 5'-phosphosulfate (APS)

APS + ATP → (2) → PAPS + ADP
3'-Phospho-adénosine 5'-phosphosulfate (PAPS)

PAPS + Thiorédoxine (SH SH) → (3) → SO_3^{2-} + Thiorédoxine (S—S) + 3'-Phospho-adénosine 5'-phosphate
Sulfite

3 NADPH + 3 H^+ + SO_3^{2-} → (4) → S^{2-} + 3 $NADP^+$ + 3 H_2O
Ion sulfure

Figure 26.34 • Assimilation du sulfate et formation du sulfure pour la synthèse des composés organiques contenant du soufre. Réaction 1, l'ATP sulfurylase catalyse la formation de l'adénosine –5′-phosphosulfate (APS) + PP_i. Réaction 2, l'adénosine-5′-phosphosulfate 3′-phosphokinase catalyse la réaction de l'APS avec un second ATP et la formation du 3′-phosphoadénosine 5'-phosphosulfate (PAPS) + ADP. Ces deux enzymes exigent la présence de Mg^{2+}. Réaction 3, un enzyme dont le cofacteur est la thiorédoxine catalyse la réduction du PAPS avec formation de sulfite (SO_3^{2-}) et de 3′-phosphoadénosine 5′-phosphate. La thiorédoxine est une petite protéine (12 kDa) qui participe à de nombreuses réactions biologiques (voir Chapitre 27). Réaction 4, la *sulfite réductase* catalyse la réduction du sulfite en sulfure, une réaction qui exige six électrons cédés par 3 NADPH. Le groupe prosthétique de la sulfite réductase est le sirohème, le même hème que nous avons vu avec la nitrite réductase (Figure 26.2) qui catalyse également une réaction comprenant le transfert de six électrons.

E. coli, ces branches sont distinctes dès le chorismate car le préphénate n'apparaît pas sous forme d'un intermédiaire libre ; il reste lié à un enzyme bifonctionnel, la **chorismate mutase**, qui catalyse les deux premières réactions suivant la formation du chorismate. Dans les deux cas, l'enzyme catalyse la première réaction de la voie de la synthèse de Phe ou de Tyr. Dans la branche menant à Phe, le groupe –OH du préphénate, en *para* du carboxyle, est éliminé par une **déshydratase** ; dans la branche Tyr, cet –OH est conservé et devient le –OH phénolique de Tyr. Une réaction de transamination (avec le glutamate) transforme les deux α-cétoacides, le *phénylpyruvate* et le *4-hydroxyphénylpyruvate*, en Phe et Tyr respectivement. Certains mammifères peuvent synthétiser Tyr à partir de Phe, d'origine alimentaire, au cours d'une réaction catalysée par la **phénylalanine-4-monooxygénase**, un enzyme qui utilise

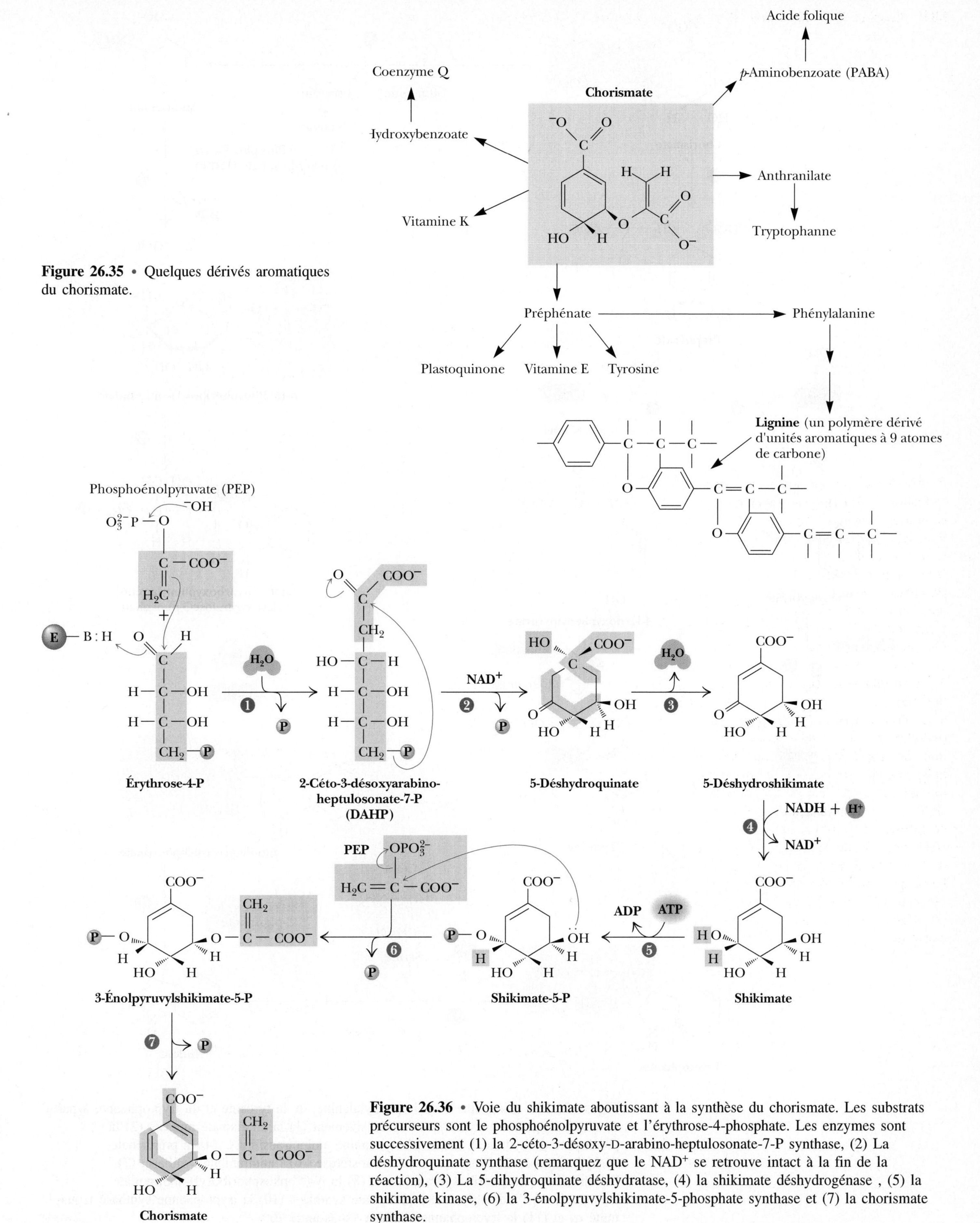

Figure 26.35 • Quelques dérivés aromatiques du chorismate.

Figure 26.36 • Voie du shikimate aboutissant à la synthèse du chorismate. Les substrats précurseurs sont le phosphoénolpyruvate et l'érythrose-4-phosphate. Les enzymes sont successivement (1) la 2-céto-3-désoxy-D-arabino-heptulosonate-7-P synthase, (2) La déshydroquinate synthase (remarquez que le NAD^+ se retrouve intact à la fin de la réaction), (3) La 5-dihydroquinate déshydratase, (4) la shikimate déshydrogénase , (5) la shikimate kinase, (6) la 3-énolpyruvylshikimate-5-phosphate synthase et (7) la chorismate synthase.

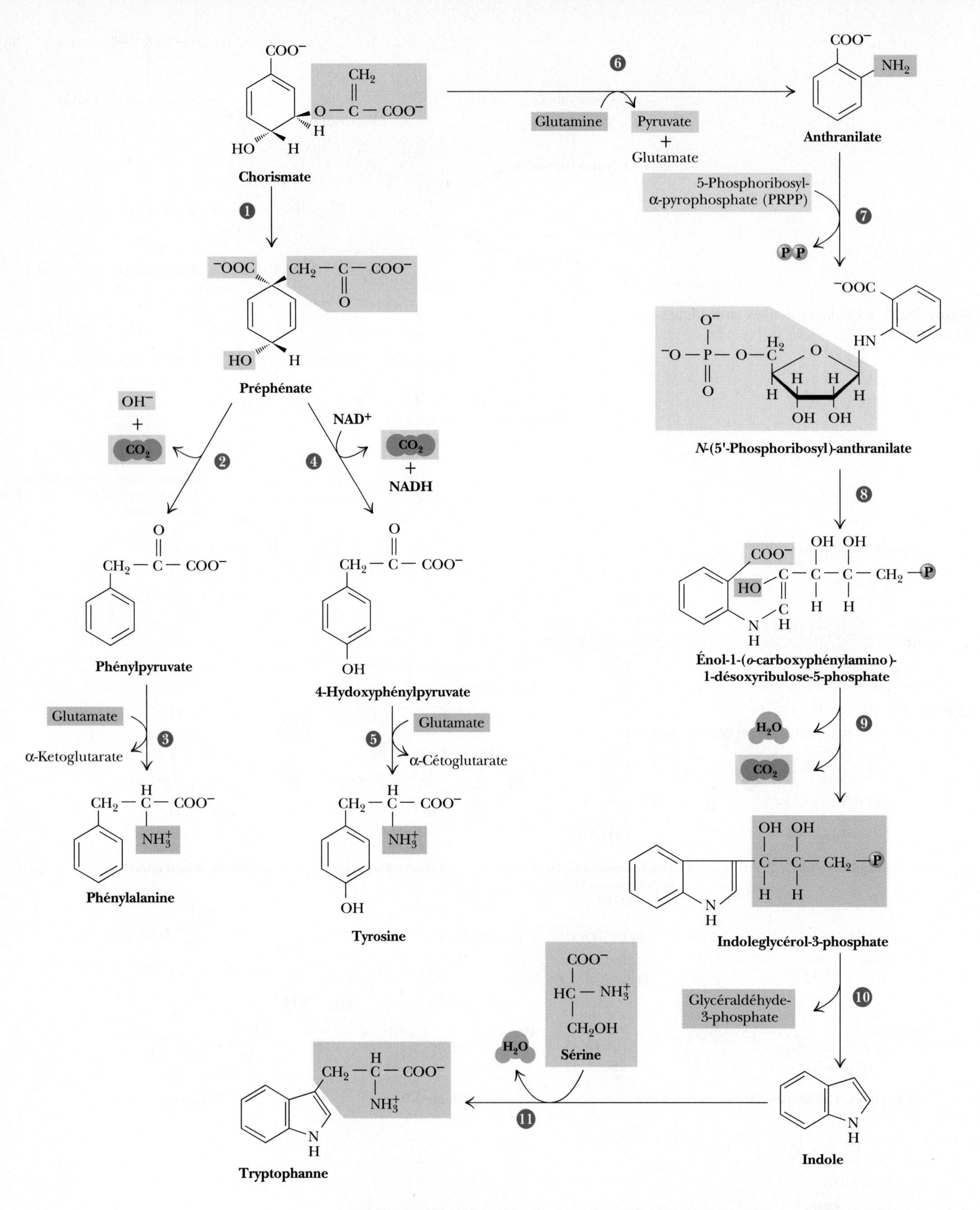

Figure 26.37 • Biosynthèse de la phénylalanine, de la tyrosine et du tryptophanne, à partir du chorismate. Les enzymes sont successivement (1) la chorismate mutase, (2) la préphénate déshydratase, (3) la phénylalanine aminotransférase, (4) la préphénate déshydrogénase, (5) la tyrosine aminotransférase, (6) l'anthranilate synthase, (7) l'anthranilate phosphoribosyltransférase, (8) la *N*-(5′-phosphoribosyl)-anthranilate isomérase, (9) l'indoleglycérol-3-phosphate synthase, (10) la tryptophanne synthase (sous-unité α) et (11) la tryptophanne synthase (sous-unité β).

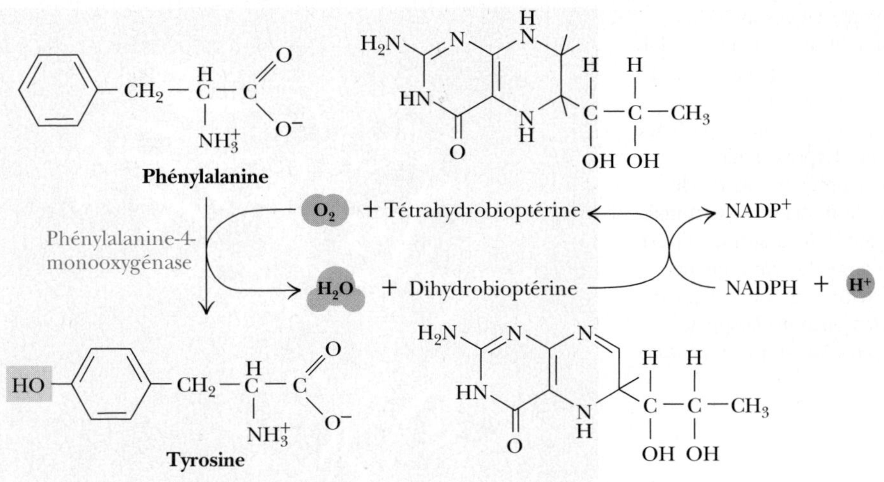

Phénylalanine
Phénylalanine-4-monooxygénase
O_2 + Tétrahydrobioptérine
$NADP^+$
H_2O + Dihydrobioptérine
NADPH + H^+
Tyrosine

Figure 26.38 • Synthèse de la tyrosine à partir de la phénylalanine. Cette réaction est aussi la première étape de la dégradation de la phénylalanine dans la plupart des organismes ; chez les mammifères, c'est la voie de la formation de la tyrosine. (La phénylalanine-4-monooxygénase est encore appelée phénylalanine hydroxylase.)

comme co-substrats, O_2, et la *tétrahydrobioptérine*, un analogue de l'acide tétrahydrofolique (Figure 26.38).

TRYPTOPHANNE. La voie de la synthèse du tryptophanne est probablement la séquence la plus analysée de toutes les séquences biologiques, en particulier pour l'organisation génétique et l'expression des gènes concernés. Les recherches fondamentales initiées dans ce domaine par Charles Yanofsky, de l'Université Standford, et sa contribution personnelle à la compréhension des moindres détails de cette voie métabolique représentent un apport significatif à l'interprétation du problème général de la régulation métabolique. La synthèse du tryptophanne à partir du chorismate exige six étapes (Figure 26.37). Chez la plupart des microorganismes, le premier enzyme, l'**anthranilate synthase**, est une protéine tétramérique de type $\alpha_2\beta_2$, les sous-unités β ayant l'activité glutamine amidotransférase qui fournit le groupe $-NH_2$ à l'anthranilate. Cependant, si la concentration en NH_4^+ est élevée, la sous-unité α catalyse directement la formation de l'anthranilate par un processus qui n'utilise pas la sous-unité β. La seconde étape est catalysée par la **phosphorybosyl-anthranilate transférase**, mais chez certaines entérobactéries (*E. coli, Salmonella typhimurium*), c'est la sous-unité α de l'anthranilate synthase qui a cette activité. Le *5-phosphoribosyl-1-pyrophosphate (PRPP)*, substrat de cette réaction, est également un précurseur de la synthèse des bases puriques (Chapitre 27). Le *phosphoribosyl-anthranilate* subit un réarrangement au cours duquel le ribose est isomérisé en désoxyribulose ; le produit de la réaction est l'*énol-1-(o-carboxyphénylamino)-1-désoxyribulose-5-phosphate* (réaction 8). Une décarboxylation et la fermeture du cycle catalysées par l'**indoleglycérol-3-phosphate synthase** (réaction 9) donnent le noyau indole de l'*indoleglycérol-3-phosphate*. Dans la dernière réaction la **tryptophanne synthase** catalyse la substitution de la sérine au glycéraldéhyde-3-phosphate et produit le Trp. La tryptophanne synthase est une également une molécule tétramérique de type $\alpha_2\beta_2$. Les sous-unités α clivent l'indole glycérol-3-phosphate en indole et glycéraldéhyde-3-phosphate et transfèrent le noyau indole sur la sous-unité β, une protéine à PLP qui catalyse la fixation de la sérine.

L'analyse de la structure tridimensionnelle de la tryptophanne synthase de *S. typhymurium* par radiocristallographie montre que les sites actifs des sous-unités α et β bien que distants de 2,5 nm, sont reliés par un tunnel hydrophobe assez large pour accueillir l'indole lié à l'enzyme (Figure 26.39). L'indole ainsi « **canalisé** » passe d'un site actif à l'autre sans quitter le complexe enzymatique. Ce phénomène de transfert direct d'un intermédiaire métabolique accroît l'efficacité d'un processus réactionnel en évitant la perte et la dilution de l'intermédiaire. C'est un mécanisme de transfert fréquemment observé dans le métabolisme, en particulier dans les enzymes des organismes supérieurs.

Figure 26.39 • La tryptophanne synthase est un exemple de complexe multienzymatique contenant un « tunnel » intramoléculaire dans lequel l'indole produit par la sous-unité α est en quelque sorte « canalisé » pour passer à la sous-unité β. Dans la sous-unité β, l'hydroxyle de la L-sérine substrat est remplacé par un indole à la suite d'une réaction complexe à laquelle participe le pyridoxal-phosphate et qui produit le L-tryptophanne. Représentation schématique de la sous-unité α (en bleu), et de la sous-unité β voisine (le domaine N-terminal de la sous-unité β est en orange, le domaine C-terminal en rose). Le tunnel est matérialisé par les pointillés jaunes à sa surface et est représenté avec plusieurs molécules d'indole (vertes) alignées tête-à-queue. Les indications « IPP » et « PLP » signalent les sites actifs des sous-unités α et β respectivement. Un inhibiteur compétitif (l'indolepropanol phosphate, IPP) et le cofacteur PLP sont liés sur ces sites. *(D'après Hyde, C.C., et al., 1985.* Journal of Biological Chemistry ***260** : 3716.)*

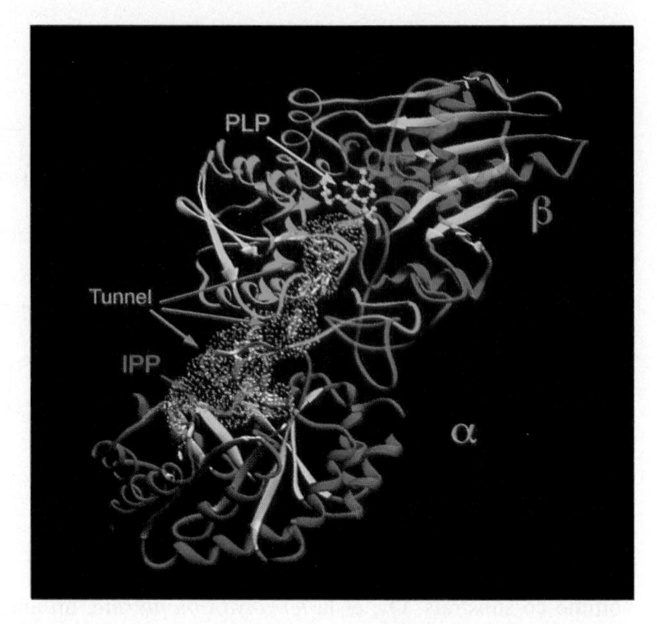

POUR EN SAVOIR PLUS

Herbicides inhibiteurs de la biosynthèse des acides aminés

Contrairement aux animaux, les plantes peuvent synthétiser tous les acides aminés. Les laboratoires des sociétés d'agrochimie ont élaboré des inhibiteurs spécifiques des enzymes végétaux participant à la synthèse des acides aminés « essentiels » (acides aminés non synthétisés par les animaux). Ces substances, utilisées comme herbicides, sont, en principe, idéales puisqu'elles ne devraient pas avoir d'effet sur les animaux. Le **glyphosate**, commercialisé sous l'appellation de *Roundup*®, est un analogue du PEP qui inhibe spécifiquement la 3-énolpyruvylshikimate-5-P synthase (Figure 26.36). Le **méthylsulfméturone**, une sulfonylurée herbicide, inhibe l'*acéto-hydroxyacide synthase*, un enzyme commun à la synthèse de Val, Leu, et Ile (Figure 26.29) ; c'est le principe actif de *Oust*®. **L'aminotriazole**, commercialisée sous le nom de *Amitrole*®, inhibe *l'imidazoleglycérol-P déshydratase* (Figure 26.40) et bloque la synthèse de l'histidine. La **phosphinothricine** (ou **PPT**) est un puissant inhibiteur de la *glutamine synthétase*. Bien que Gln ne soit pas un acide aminé essentiel et que la glutamine synthase se trouve dans tous les organismes, la phosphinothricine semble relativement inoffensive pour les animaux car elle ne passe pas la barrière méningée (les enveloppes du système nerveux central) et est rapidement éliminée par voie rénale.

$$^{-}O-P(=O)(O^{-})-CH_2-NH-CH_2-COO^{-}$$

Glyphosate

$$C_6H_4(COOCH_3)-SO_2-NH-C(=O)-NH-(C_4HN_2)(CH_3)_2$$

Méthylsulfméturone

Aminotriazole

$$CH_3-P(=O)(O^{-})-CH_2-CH_2-CH(NH_2)-COO^{-}$$

DL-Phosphinothrycine (PPT)

HISTIDINE. La voie de synthèse de l'histidine, comme celles des acides aminés aromatiques, utilise des métabolites communs à la voie de la synthèse des nucléotides puriques. Cette voie compte dix étapes distinctes, dont la première est une réaction d'un type peu commun qui lie l'ATP et la partie phosphoribosyle du PRPP (Figure 26.40). Cinq atomes de carbone du PRPP (du ribose) et un de l'ATP se

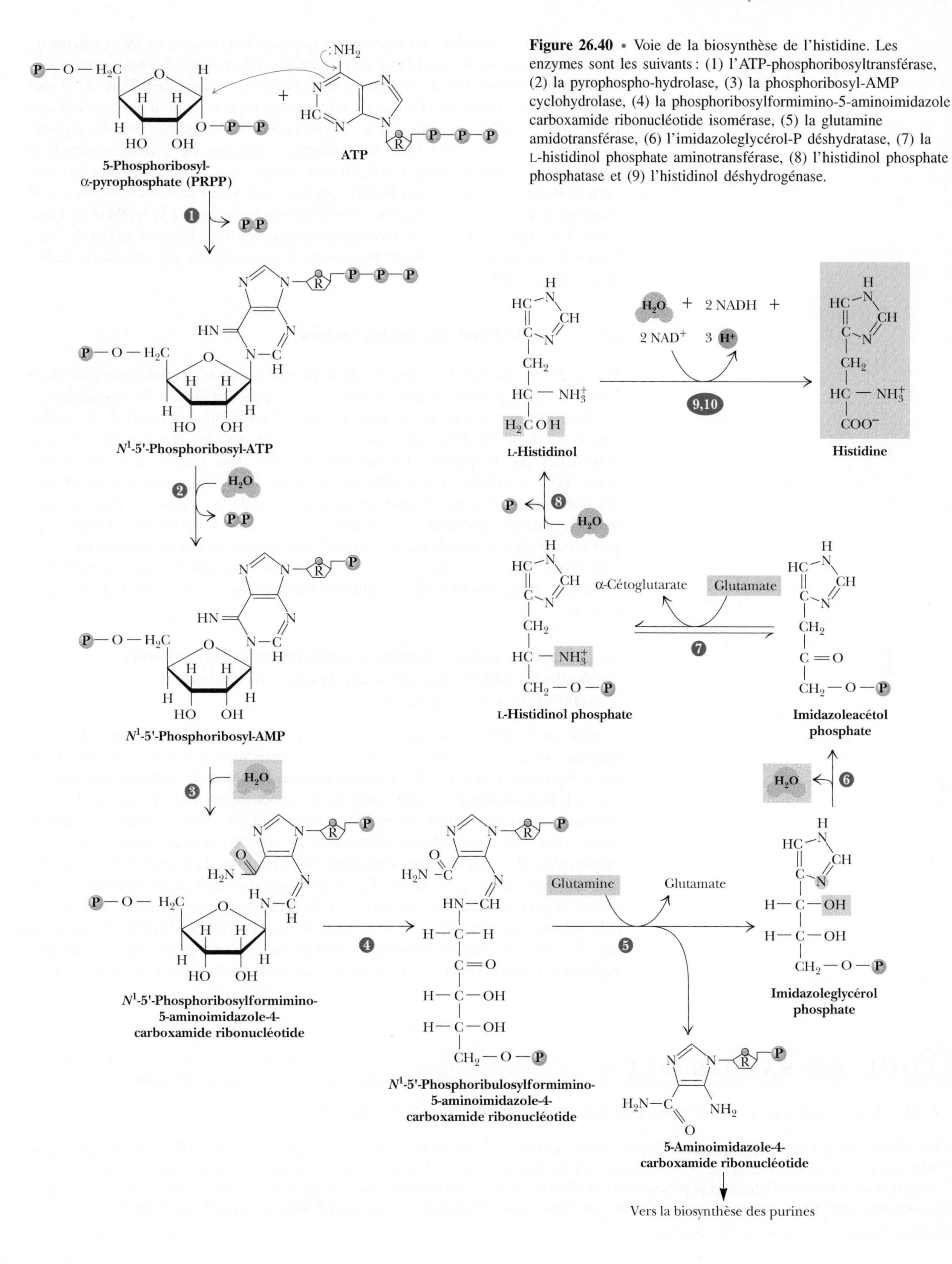

Figure 26.40 • Voie de la biosynthèse de l'histidine. Les enzymes sont les suivants : (1) l'ATP-phosphoribosyltransférase, (2) la pyrophospho-hydrolase, (3) la phosphoribosyl-AMP cyclohydrolase, (4) la phosphoribosylformimino-5-aminoimidazole carboxamide ribonucléotide isomérase, (5) la glutamine amidotransférase, (6) l'imidazoleglycérol-P déshydratase, (7) la L-histidinol phosphate aminotransférase, (8) l'histidinol phosphate phosphatase et (9) l'histidinol déshydrogénase.

retrouvent dans l'histidine. La réaction chimique de l'étape cinq est très particulière. Dans cette réaction, le substrat, *le phosphoribulosylformimino-5-aminoimidazole-4-carboxamide ribonucléotide* capte un groupe amino (provenant de l'amide de la glutamine), puis le clivage de la molécule accompagné de la formation d'un cycle donne deux produits dérivés de l'imidazole : le précurseur de l'histidine (*l'imidazoleglycérol-phosphate*) et un précurseur des nucléotides puriques (le *5-aminoimidazole-4-carboxamide ribonucléotide*, ou AICAR). Remarquez que l'AICAR en tant que précurseur de la synthèse des nucléotides puriques permet la reconstitution de l'ATP incorporé dans la première réaction. Neuf enzymes participent à la synthèse de l'histidine. Les étapes 9 et 10, deux oxydations successives de la fonction alcool de l'histidinol en aldéhyde et de l'aldéhyde en acide, étant catalysées par une même déshydrogénase à NAD^+.

26.5 • Catabolisme des acides aminés

Près de 90 % des besoins énergétiques d'un adulte humain normal proviennent de l'oxydation des glucides et des graisses ; le reste provient surtout de l'oxydation du squelette carboné des acides aminés. Le rôle physiologique primordial des acides aminés est de servir d'éléments constitutifs pour la synthèse des protéines. Dans la plupart des cas, la quantité d'acides aminés libres dans l'alimentation ne compte guère. Si la nourriture est trop riche en protéines, ou si la quantité des acides aminés libérés par le renouvellement des protéines excède les exigences liées à la synthèse de nouvelles protéines, l'excès des acides aminés est catabolisé. Lorsque l'apport glucidique est insuffisant (au cours d'un jeûne ou en cas de famine) ou si par suite d'une maladie le glucose n'est pas correctement métabolisé (par exemple dans le diabète sucré), les protéines corporelles sont utilisées pour le métabolisme énergétique.

Les 20 acides aminés communs sont dégradés par 20 voies cataboliques différentes qui convergent vers seulement 7 métabolites intermédiaires

Comme les 20 acides aminés communs contenus dans les protéines ont des squelettes carbonés différents, chaque acide aminé a sa propre voie de dégradation. Puisque le catabolisme des acides aminés ne couvre normalement que 10 % des besoins énergétiques, la dégradation d'un acide aminé donné ne pourra satisfaire qu'environ 1 % des besoins énergétiques de l'organisme. Nous n'examinerons donc pas toutes les particularités de ces voies cataboliques. Cependant, les voies de la dégradation du squelette carboné des 20 acides *a*-aminés communs convergent vers la formation de seulement 7 métabolites : *acétyl-CoA, succinyl-CoA, pyruvate, a-cétoglutarate, fumarate, oxalo-acétate* et *acéto-acétate*. Le succinyl-CoA, le pyruvate, l'α-cétoglutarate, le fumarate et l'oxalo-acétate, peuvent servir de précurseurs pour la synthèse du glucose ; les acides aminés dont la dégradation aboutit à ces intermédiaires sont appelés acides aminés **glucogènes** (ou glucoformateurs). Ceux dont la dégradation donne de l'acétyl-CoA ou de

Pour en savoir plus

L'histidine – une clé pour la compréhension des premières étapes de l'évolution ?

Les résidus His des sites actifs des enzymes participent souvent au mécanisme de la réaction catalysée. Cette participation du groupe imidazole à l'activité catalytique et la présence de l'imidazole dans la structure des bases puriques est en faveur des hypothèses actuelles sur la place fondamentale des ARN dans les premières formes vivantes. La découverte de molécules d'ARN ayant une activité catalytique, et appelées *ribozymes* pour souligner cette particularité, est en accord avec ces hypothèses (Chapitre 14).

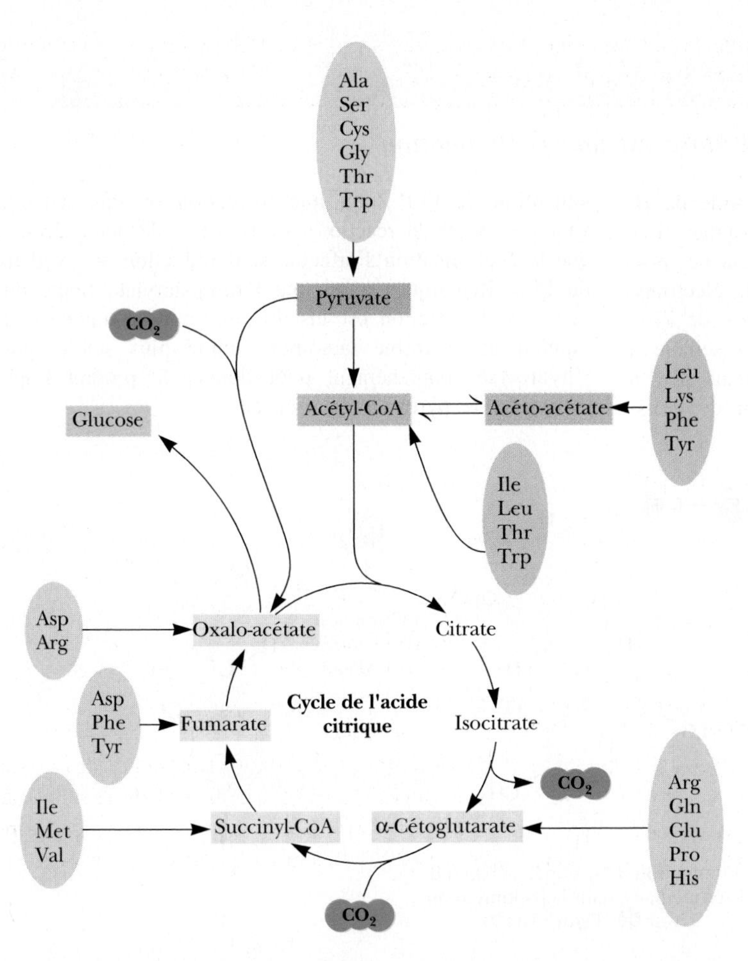

Figure 26.41 • Catabolisme des acides aminés. Les 20 acides aminés communs peuvent être classés d'après les produits de leur dégradation. Ceux qui donnent des précurseurs de la synthèse du glucose, comme l'α-cétoglutarate, le succinyl-CoA, le fumarate, l'oxalo-acétate et le pyruvate, sont dits *glucogènes* (sur fond rouge). Ceux qui sont dégradés en acétyl-CoA ou en acéto-acétate sont dits *cétogènes* (sur fond bleu) car ils peuvent être convertis en acides gras ou en corps cétoniques. Quelques acides aminés sont à la fois glucogènes et cétogènes.

l'acéto-acétate sont dits **cétogènes** (ou cétoformateurs) car ils peuvent être utilisés pour la synthèse des acides gras ou de corps cétoniques. Quelques acides aminés sont à la fois glucogènes et cétogènes (Figure 26.41.

Famille des acides aminés en C-3 : alanine, sérine et cystéine

La dégradation des squelettes carbonés de l'alanine, de la sérine et de la cystéine, converge vers la formation du *pyruvate* (Figure 26.42). La transamination de l'alanine donne du pyruvate :

$$\text{Alanine} + \alpha\text{-cétoglutarate} \rightleftharpoons \text{pyruvate} + \text{glutamate}$$

La désamination de la sérine par la **sérine déshydratase** donne également du pyruvate. La conversion de la cystéine en pyruvate peut s'effectuer par diverses voies.

Le squelette carboné de trois autres acides aminés devient aussi du pyruvate. Le *glycocolle* est d'abord converti en sérine, puis en pyruvate. Les trois atomes de carbone du *tryptophanne* qui ne sont pas dans le cycle indole apparaissent au cours de la dégradation de Trp sous forme d'alanine (et de là se retrouvent dans le pyruvate). Une des voies de la dégradation de la *thréonine* donne du glycocolle et de l'acétaldéhyde. L'acétaldéhyde est oxydé en acétyl-CoA, mais le glycocolle est finalement (par l'intermédiaire de la sérine) converti en pyruvate (Figure 26.42).

Pour en savoir plus

La réaction catalysée par la sérine déshydratase est une β-élimination

La dégradation de la sérine en pyruvate est un exemple de β-élimination catalysée par un enzyme à pyridoxal phosphate. Les β-éliminations dans lesquelles le PLP intervient donnent des produits qui ont subi une oxydation par transfert de deux électrons. La sérine est ainsi oxydée en pyruvate avec libération de l'ion ammonium (voir la figure). À première vue, cela ressemble à une demi-réaction catalysée par une transaminase, mais il y a une importante différence. Lors d'une demi-réaction de transamination, le PLP subit une oxydation ou une réduction (suivant le sens de la réaction) par transfert de deux électrons alors que la β-élimination s'effectue sans réduction ou oxydation nette du PLP. Remarquez aussi que l'aminoacrylate libéré du PLP à la fin de la réaction est instable en solution aqueuse. Il adopte rapidement la forme tautomère imine plus stable qui ensuite s'hydrolyse spontanément pour donner le produit final, un α-cétoacide, le pyruvate dans ce cas.

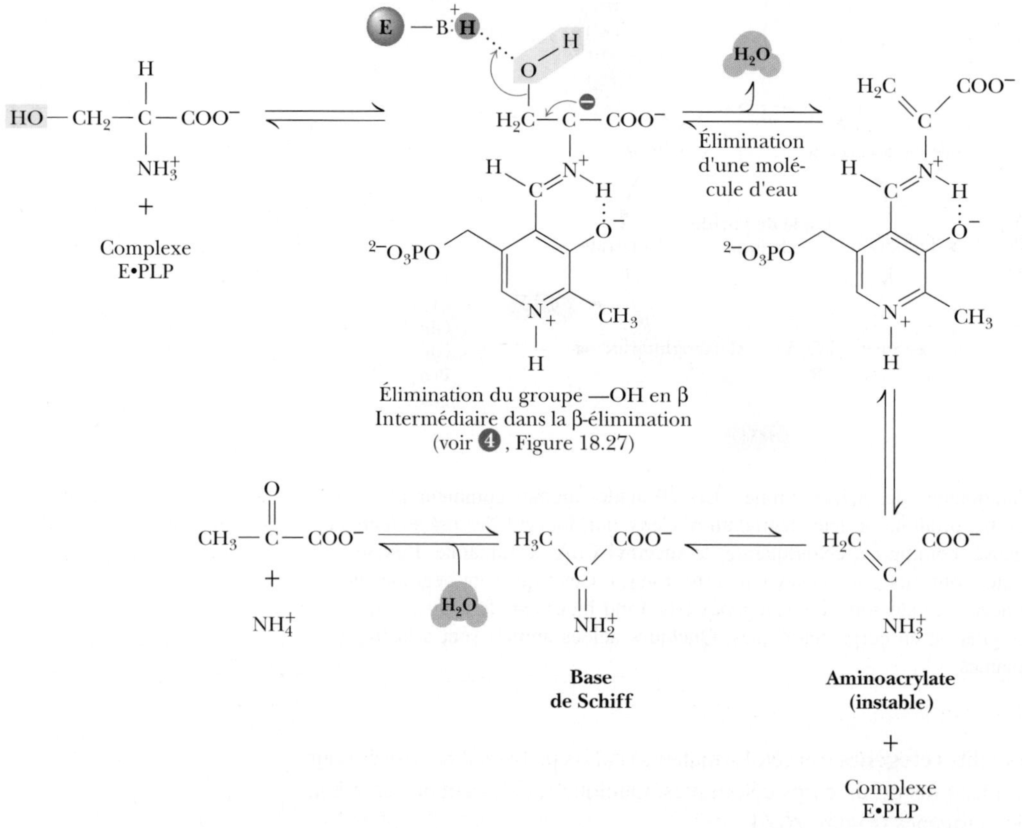

$HO-CH_2-CH(NH_3^+)-COO^-$ + Complexe E•PLP

Élimination du groupe —OH en β
Intermédiaire dans la β-élimination
(voir ❹, Figure 18.27)

Élimination d'une molécule d'eau

Base de Schiff

Aminoacrylate (instable) + Complexe E•PLP

$CH_3-CO-COO^-$ + NH_4^+

Mécanisme réactionnel de la réaction catalysée par la sérine déshydratase – un exemple de β-élimination catalysée par un enzyme à pyridoxal phosphate.

Famille des acides aminés en C-4 : aspartate et asparagine

La transamination de l'aspartate donne de l'oxalo-acétate :

$$\text{Aspartate} + \alpha\text{-cétoglutarate} \rightleftharpoons \text{oxalo-acétate} + \text{glutamate}$$

L'hydrolyse de l'asparagine par *l'asparaginase* donne de l'aspartate + NH_4^+. Une seconde voie de dégradation de l'aspartate, par le cycle de l'urée, produit du *fumarate*, un autre intermédiaire du cycle de l'acide citrique (Figure 26.23).

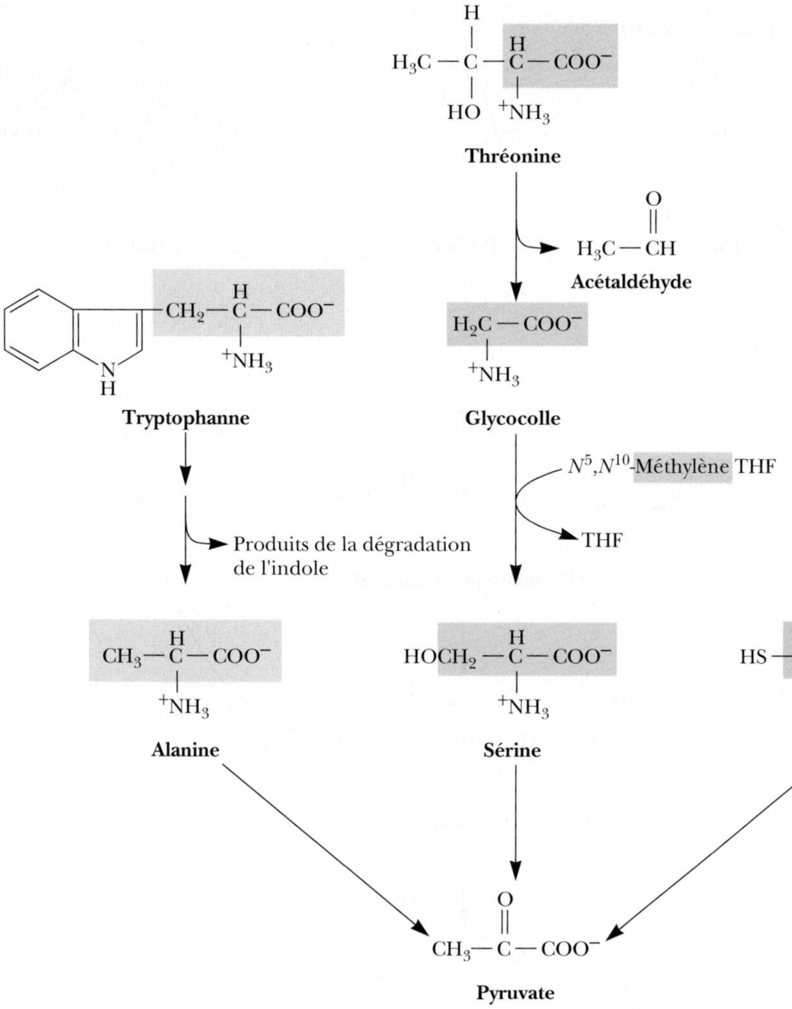

Figure 26.42 • Formation du pyruvate à partir de l'alanine, de la sérine, de la cystéine, du glycocolle, du tryptophanne et de la thréonine.

Les acides aminés de la famille en C-5 sont convertis en glutamate, puis en α-cétoglutarate

L'α-cétoglutarate, l'intermédiaire à cinq atomes de carbone du cycle de Krebs, est toujours un des produits des réactions de transamination impliquant le *glutamate*. Donc le *glutamate* et tout acide aminé convertible en glutamate sont regroupés dans une même famille, la famille des acides aminés en C-5. Ces acides aminés comprennent la *glutamine*, la *proline*, *l'arginine* et *l'histidine* (Figure 26.43).

La dégradation de la valine, de l'isoleucine et de la méthionine, aboutit au succinyl-CoA

Le *propionyl-CoA* est le produit commun de la dégradation de la valine, de l'isoleucine et de la méthionine (Figure 26.44). Le propionyl-CoA est ensuite converti en méthylmalonyl-CoA, puis en *succinyl-CoA* par les réactions décrites pour l'oxydation des acides gras dont les chaînes linéaires contiennent un nombre impair d'atomes de carbone (Chapitre 24).

La dégradation de la leucine produit de l'acétyl-CoA et de l'acéto-acétate

La **leucine** est, avec la lysine, l'un des deux acides aminés purement cétogènes. La désamination de la leucine par transamination donne l'*α-cétoisocaproate* qu'une oxydation décarboxylante transforme en *isovaléryl-CoA* (figure 26.45). Une succession de réactions cataboliques, dont une carboxylation catalysée par un enzyme à

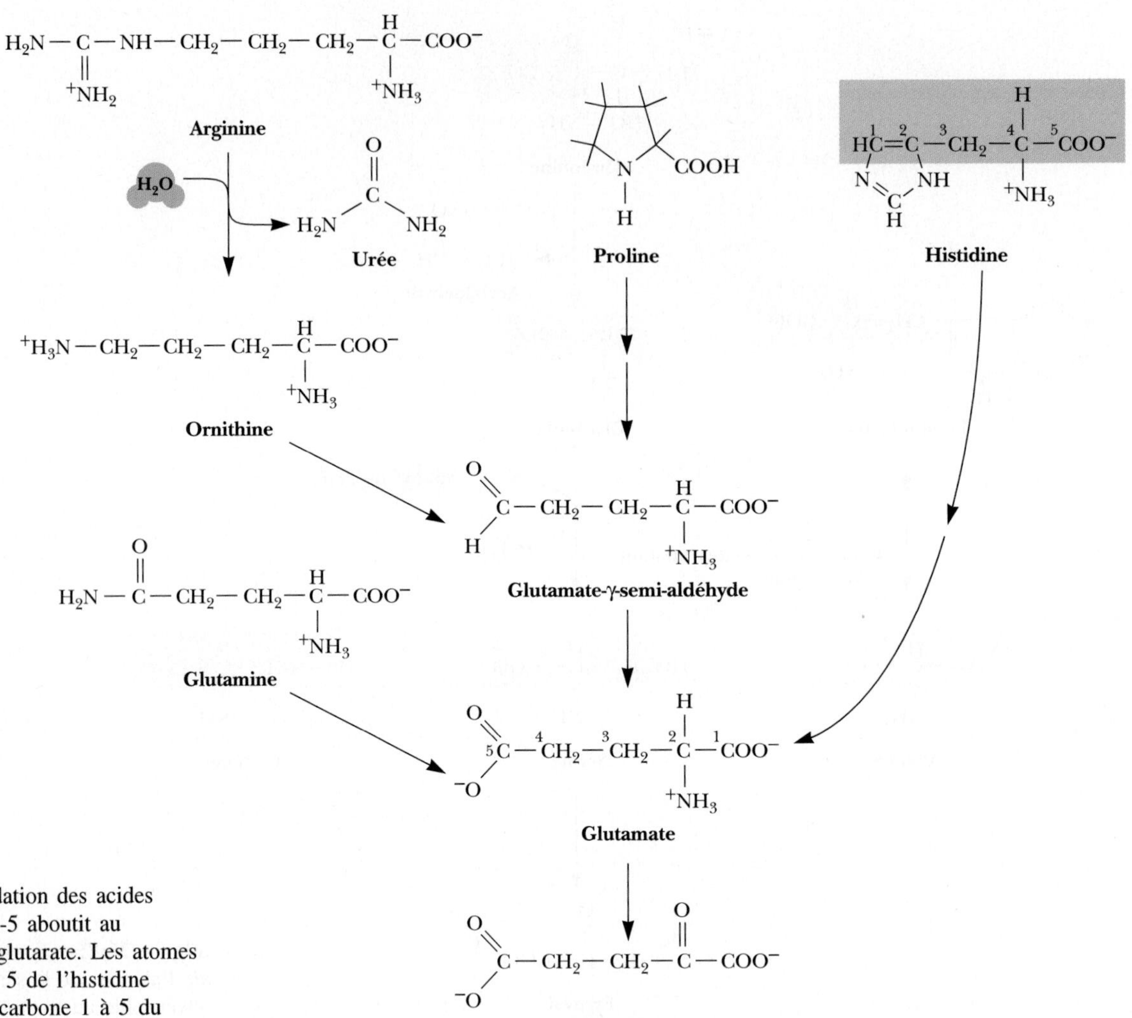

Figure 26.43 • La dégradation des acides aminés de la famille en C-5 aboutit au glutamate, puis à l'α-cétoglutarate. Les atomes de carbone numérotés 1 à 5 de l'histidine deviennent les atomes de carbone 1 à 5 du glutamate.

biotine, donne le *β-hydroxyl-β-méthylglutaryl-CoA* qui est clivé en *acétyl-CoA* et *acéto-acétate*. Aucun de ces produits n'est utilisable pour la néoglucogénèse.

Les premières étapes du catabolisme de la valine, de la leucine, et de l'isoleucine, sont identiques. Ces trois acides aminés, après désamination en acides α-cétoniques, subissent une oxydation décarboxylante avec formation d'acyl-CoA. La **leucinose** (ou **maladie des urines à odeur de sirop d'érable**) résulte d'un défaut d'origine génétique dans le complexe catalysant l'oxydation décarboxylante de ces acides α-cétoniques ramifiés. Les taux de la leucine, la valine et l'isoleucine (ainsi que ceux des α-cétoacides correspondants) dans le sang et l'urine sont donc élevés et l'urine a une odeur de sirop d'érable. L'issue de cette déficience est généralement fatale sauf si l'ingestion de ces trois acides aminés est strictement limitée dès les premiers mois de la vie.

Catabolisme de la lysine

Plusieurs voies permettent la dégradation de la lysine, mais, dans le foie, **la voie de la saccharopine** est prédominante (Figure 26.46). Cette voie de dégradation utilise jusqu'au stade α-cétoadipate la voie inverse de la biosynthèse de la lysine (Figure 26.24). L'α-cétoadipate subit une oxydation décarboxylante en *glutaryl-CoA,* qui est ensuite transformé en *acéto-acétyl-CoA* puis en *acéto-acétate*, l'un des corps cétoniques (Chapitre 24).

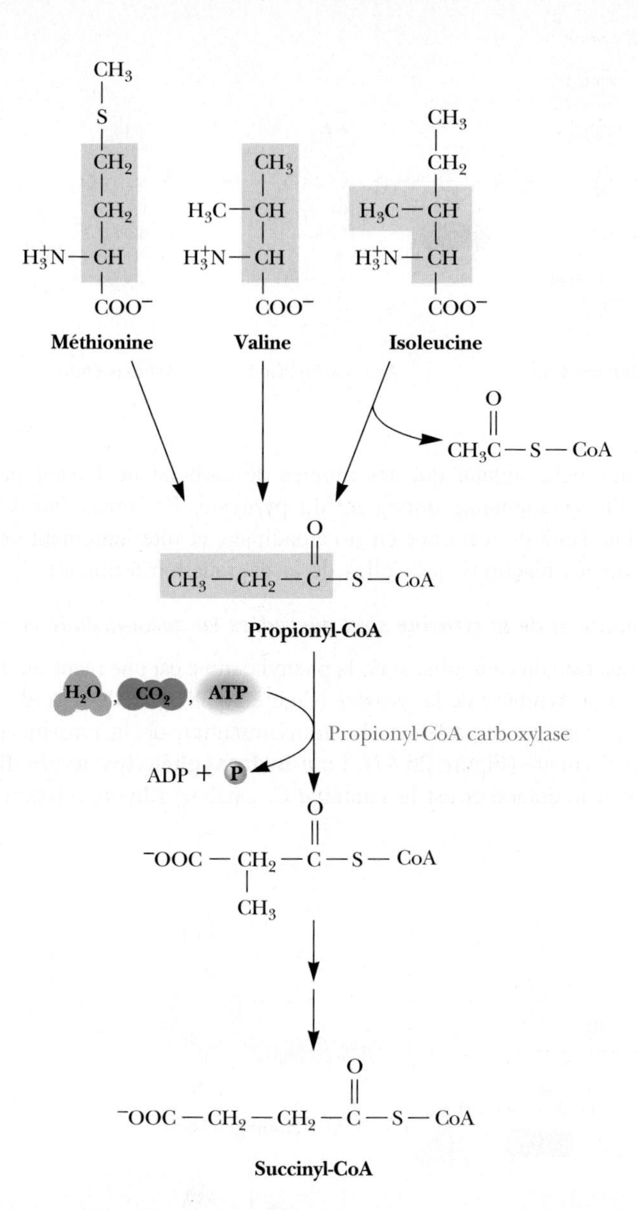

Figure 26.44 • La valine, l'isoleucine et la méthionine sont convertis en propionyl-CoA puis en succinyl-CoA qui entre ensuite dans le cycle de Krebs. Les atomes de carbone des trois acides aminés qui se retrouvent dans le propionyl-CoA sont sur fond rose. Les trois acides aminés perdent leur groupe α-carboxyle sous forme de CO_2. La méthionine devient d'abord la S-adénosylméthionine puis l'homocystéine (voir Figure 26.28). Les deux atomes de carbone de l'extrémité de l'isoleucine se retrouvent dans un acétyl-CoA.

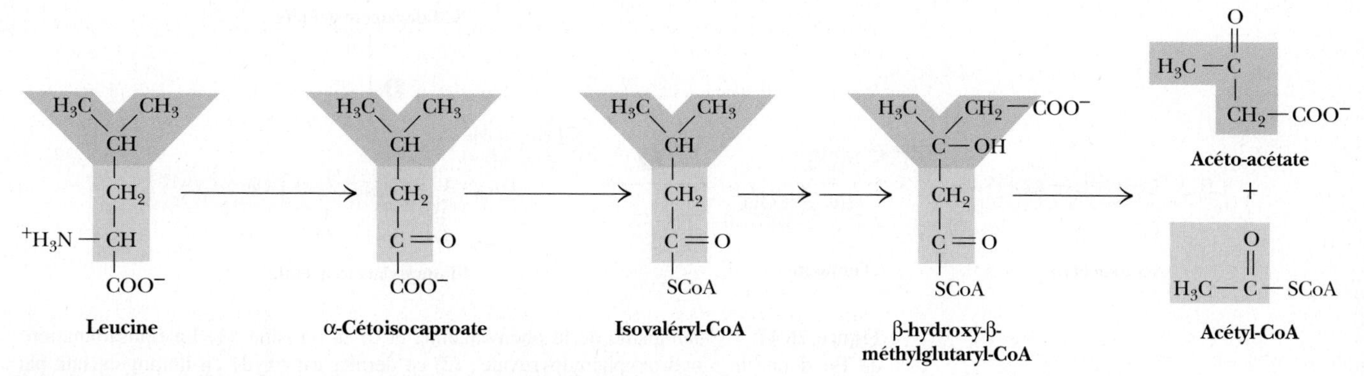

Figure 26.45 • Dégradation de la leucine en acétyl-CoA et acéto-acétate. Cette dégradation passe par la formation du β-hydroxy-β-méthylglutaryl-CoA, un intermédiaire que l'on retrouve aussi lors la formation des corps cétoniques à partir des acétyl-CoA produits par le catabolisme des acides gras (Chapitre 24).

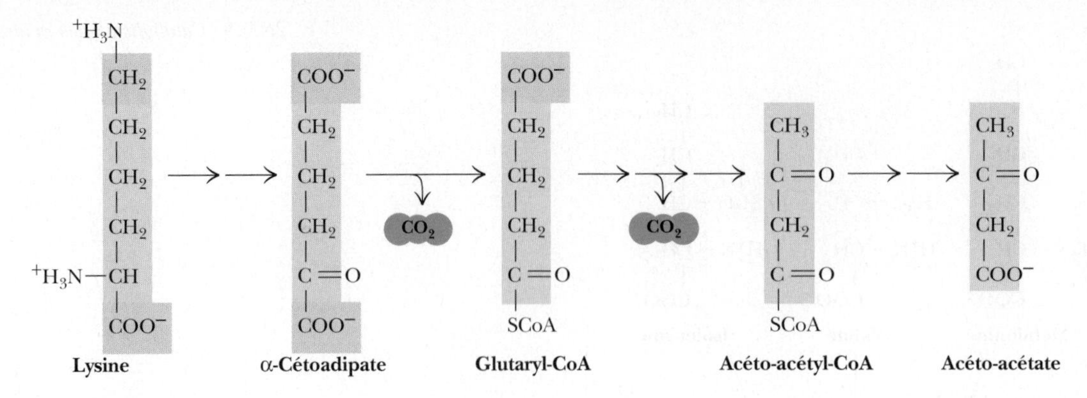

Figure 26.46 • Le catabolisme de la lysine par la voie de la saccharopine et de l'α-cétoadipate aboutit à la formation de l'acéto-acétyl-CoA.

Nous avons déjà signalé que les atomes de carbone ne faisant pas partie du cycle indole du tryptophanne donnaient du pyruvate. Le *noyau indole* de Trp est converti par une suite de réactions en α-cétoadipate, et ultérieurement en *acéto-acétate* par les mêmes réactions que celles de la dégradation terminale de la lysine.

La phénylalanine et de la tyrosine sont dégradées en acéto-acétate et en fumarate

La première réaction du catabolisme de la phénylalanine est une réaction d'hydroxylation, celle de la biosynthèse de la *tyrosine* (Figure 26.38). Ces deux acides aminés ont donc la même voie de dégradation. La transamination de la tyrosine donne le *p-hydroxyphénylpyruvate* (Figure 26.47). La ***p*-hydroxyphénylpyruvate dioxygénase**, un enzyme dont le cofacteur est la vitamine C, catalyse l'hydroxylation du cycle et

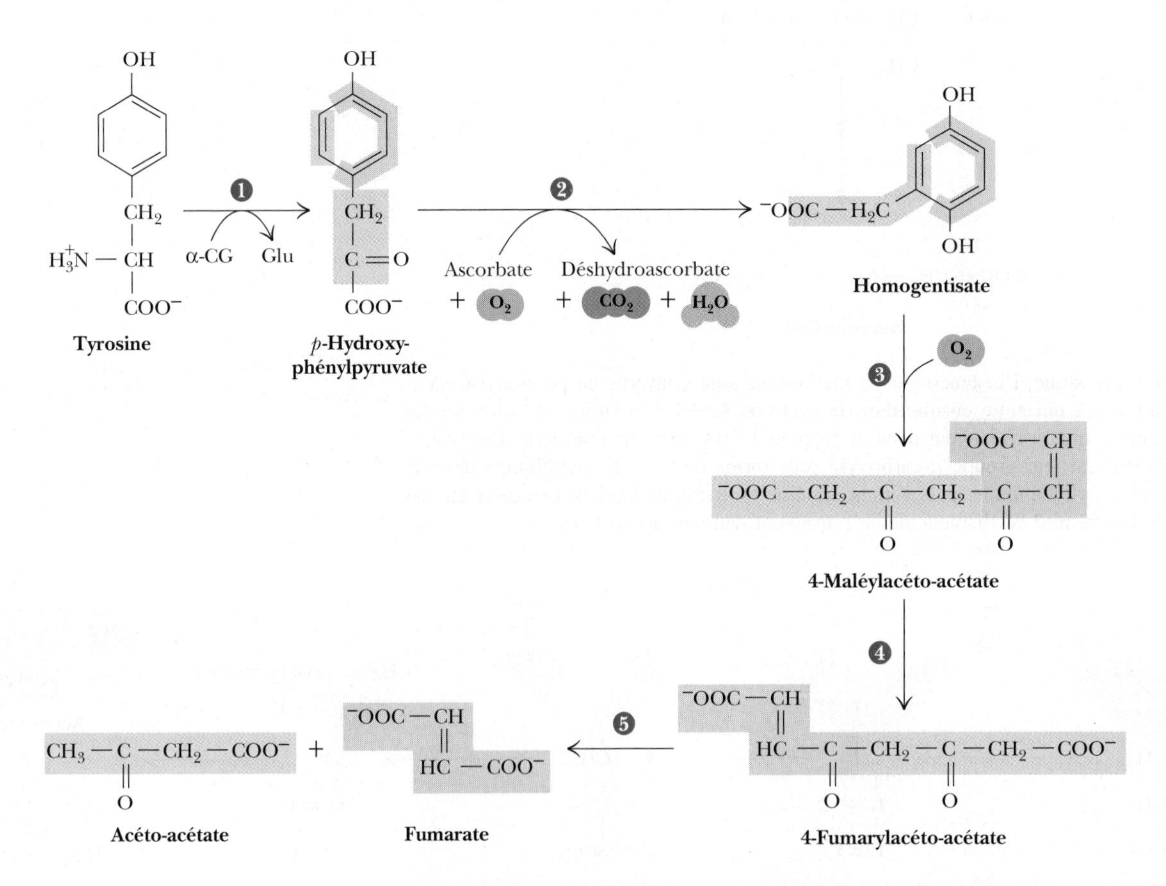

Figure 26.47 • Catabolisme de la phénylalanine et de la tyrosine. (1) La transamination de Tyr donne le *p*-hydroxyphénylpyruvate ; (2) ce dernier est oxydé en homogentisate par la *p*-hydroxyphénylpyruvate dioxygénase, dans une réaction dont le cofacteur est l'acide ascorbique (vitamine C). (3) L'homogentisate dioxygénase catalyse l'ouverture du cycle de l'homogentisate et produit le 4-maléylacéto-acétate. (4) La 4-maléylacéto-acétate isomérase donne le 4-fumarylacéto-acétate qui (5) est ensuite hydrolysé par la fumarylacéto-acétase.

l'oxydation, suivie d'une décarboxylation, de la chaîne latérale, ce qui produit *l'homogentisate*. L'ouverture du cycle dihydroxylé et une isomérisation aboutissent à la formation du *4-fumarylacéto-acétate* qui est finalement hydrolysé en *acéto-acétate* et *fumarate*.

Défauts génétiques du catabolisme de la phénylalanine : l'alcaptonurie et la phénylcétonurie

L'alcaptonurie et la phénylcétonurie sont deux maladies génétiques provenant d'une absence d'activité de l'un des enzymes du catabolisme de la phénylalanine. L'**alcaptonurie** se caractérise par une abondante excrétion urinaire de l'homogentisate consécutive à une déficience de l'**homogentisate dioxygénase**. Lorsque l'urine est exposée à l'air, l'homogentisate s'oxyde spontanément, polymérise, et l'urine noircit ; les porteurs de ce caractère génétique ont seulement tendance à souffrir d'arthrite en vieillissant.

Par contre, les personnes atteintes de **phénylcétonurie**, celles dont l'urine contient un fort taux d'acide phénylpyruvique (Figure 26.48), souffrent d'un sévère retard mental si la maladie n'est pas reconnue dès la naissance et traitée correctement. Il suffit de réduire au minimum nécessaire l'apport alimentaire de phénylalanine. Ces malades présentent une déficience de la phénylalanine hydroxylase ; l'excès de Phe qui s'accumule est transaminé en phénylpyruvate qui est excrété.

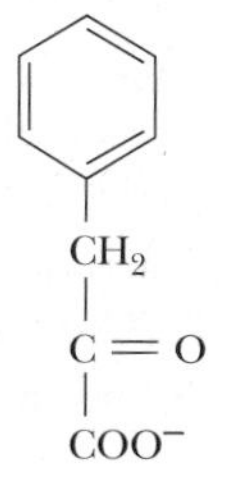

CH_2
$C=O$
COO^-
Phénylpyruvate

Figure 26.48 • Structure du phénylpyruvate.

Excrétion de l'azote

Les animaux sont les seuls organismes qui bénéficient normalement d'un surplus d'azote d'origine alimentaire. L'excès d'azote libéré au cours du catabolisme des acides aminés est excrété chez les animaux par trois voies différentes selon leurs rapports avec l'eau. Les animaux aquatiques éliminent directement de l'ammoniaque dans l'eau de leur environnement ; ces animaux sont dits **ammoniotéliques** (du grec *telos*, à la fin, au loin). Les espèces terrestres et aériennes utilisent divers mécanismes pour convertir l'ammonium en une substance moins toxique et qui exige une plus faible quantité d'eau pour son élimination. Beaucoup de vertébrés terrestres sont **uréotéliques**, c'est-à-dire qu'ils excrètent l'excès d'azote sous forme d'**urée**, un produit très soluble et non ionisé. Chez ces animaux, l'urée se forme par la voie du cycle de l'urée. Les animaux **uricotéliques** utilisent une troisième forme d'excrétion de l'azote : ils synthétisent de l'**acide urique**, un analogue de la purine assez peu soluble. Les oiseaux et les reptiles sont uricotéliques. La métabolisme de l'acide urique sera présenté dans le chapitre suivant. Certains animaux sont ammoniotéliques, uricotéliques, ou uréotéliques suivant que l'eau est plus ou moins disponible.

EXERCICES

1. Quel est le nombre d'oxydation de N dans le nitrate, le nitrite, NO, N_2O et N_2 ?

2. Combien faut-il d'ATP par atome d'azote dans l'ammoniac formé (a) par la voie de l'assimilation du nitrate, (b) par la voie de la fixation de l'azote ?

3. Supposons que les concentrations *in vivo* de certains métabolites spécifiques sont telles que la cascade cyclique régulant l'activité de la glutamine synthase chez *E. coli* a atteint un équilibre dynamique pour lequel le degré d'adénylylation de GS, *n*, est égal à 6. Quelles seront les variations de *n* si

a. [ATP] augmente,

b. P_{IID}/P_{IIA} augmente,

c. [*a*-CG]/[Gln] augmente,

d. [P_i] diminue.

4. Combien faut-il d'équivalents ATP pour la production d'un équivalent d'urée par le cycle de l'urée ?

5. Pourquoi conseille-t-on aux personnes dont l'alimentation est riche en protides de boire beaucoup d'eau ?

6. Combien faut-il d'équivalents ATP pour la biosynthèse de la lysine à partir de l'aspartate par la voie représentée Figure 26.27 ?

7. Si du PEP marqué en position 2 par du ^{14}C, sert de précurseur à la synthèse du chorismate, quel est l'atome du chorismate qui sera radioactif ?

8. Écrivez l'équation équilibrée de la synthèse du glucose (par néoglucogénèse) à partir de l'aspartate.

Lectures complémentaires

Atkinson, D.E., et Camien, M.N., 1982. The role of urea synthesis in the removal of metabolic bicarbonate and the regulation of blood pH. *Current Topics in Cellular Regulation* **21** : 261-302. Describes the reasoning behind the proposal that the urea cycle eliminates bicarbonate as well as ammonium when urea is formed.

Bender, D.A., 1985. *Amino Acid Metabolism.* New York : Wiley. A general review of amino acid metabolism.

Boushey, C.J., et al., 1995. A quantitative assessment of plasma homocysteine as a risk factor for vascular disease. *Journal of the American Medical Association* **274** : 1049-1057.

Brewin, A.J., et Legocki, A.B., 1996. Biological nitrogen fixation for sustainable agriculture. *Trends in Microbiology* **4** : 476-477.

Burris, R.H., 1991. Nitrogenases. *The Journal of Biological Chemistry* **266** : 9339-9342.

Fernandez-Canon, J.M., et al., 1996. The molecular basis of alkaptonuria. *Nature Genetics* **14** : 19-24.

Hudson, R.C., et Daniel, R.M., 1993. Glutamate dehydrogenases : Distribution, properties, and mechanism. *Comparative Biochemistry* **106B** : 767-792.

Kim, J., et Rees, D.C., 1994. Nitrogenase and biological nitrogen fition. *Biochemistry* **33** : 389-396.

Kishore, G.M., et Shah, D.M., 1988. Amino acid biosynthesis inhibitors as herbicides. *Annual Review of Biochemistry* **57** : 627-663.

Leigh, G.J., 1995. The mechanism of dinitrogen reduction by molybdenum nitrogenases. *European Journal of Biochemistry* **229** : 14-20.

Liaw, S.-H., et Eisenberg, D.S., 1995. Discovery of the ammonium substrate site on glutamine synthetase, a third cation binding site. *Protein Science* **4** : 2358-2365.

Liaw, S.-H., Pan, C., et Eisenberg, D.S., 1993. Feedback inhibition of fully unadenylylated glutamine synthetase from *Salmonella typhimurium* by glycine, alanine, and serine. *Proceedings of the National Academy of Sciences, USA* **90** : 4996-5000.

Mortenson, L.E., et al., 1993. The role of metal clusters and MgATP in nitrogenase catalysis. *Advances in Enzymology* **67** : 299-375.

Peters, J.W., Fisher, K., et Dean, D.R., 1995. Nitrogenase structure and function : A biochemical-genetic perspective. *Annual Review of Microbiology* **49** : 335-366.

Rhee, C., et Stadtman, E.R., 1989. Regulation of *E. coli* glutamine synthetase. *Advances in Enzymology* **62** : 37-92.

Scriver, C.R., et al., 1995. *The Metabolic and Molecular Bases of Inherited Disease,* 7th ed. New York : McGraw-Hill. A three-volume treatise on the biochemistry and genetics of inherited metabolic disorders, including disorders of amino acid metabolism.

Srere, P.A., 1987. Complexes of sequential metabolic enzymes. *Annual Review of Biochemistry* **56** : 89-124. A review of the evidence that enzymes in a pathway sequence are often physically associated with one another *in vivo*, particularly in eukaryotic cells.

Stacey, G., Burris, R.H., et Evans, H.J., 1992. *Biological Nitrogen Fixation.* New York : Chapman & Hall.

Wray, J.L., et Kinghorn, J.R., 1989. *Molecular and Genetic Aspects of Nitrate Assimilation.* New York : Oxford Science.

Chapitre 27

Synthèse et dégradation des nucléotides

« Le guano, une substance que l'on trouve sur certaines côtes fréquentées par les oiseaux marins, est essentiellement composé d'excréments d'oiseaux en partie décomposés... Le nom *guanine* provient de l'abondance de cette base purique dans le guano.

Les îles Chincha... sont... au large du Pérou... Des myriades d'oiseaux, après avoir satisfait leur vorace appétit en se gavant des poissons de l'océan, ont depuis des temps immémoriaux fait de ces îles leur lieu de repos nocturne, et le réceptacle de leurs fécales offrandes. »

J. C. NESBIT, *On Agricultural Chemistry and the Nature and Properties of Peruvian Guano (1850)*

PLAN

Pigeon buvant à la fontaine Gaia, à Sienne, Italie. Les grandes lignes de la biosynthèse des purines furent élucidées par les études sur le métabolisme de l'azote chez les pigeons. Les pigeons excrètent l'excès d'azote sous forme d'acide urique, un dérivé de la purine. (Arte & Imamagini srl/Corbis, Images.)

Les nucléotides sont des constituants universels du monde vivant, ils participent activement à la plupart des réactions biochimiques. Rappelons simplement que l'ATP est la « monnaie énergétique » de la cellule, que les dérivés uridyliques des oses sont des intermédiaires de la synthèse des glucides (Chapitre 23) et que la synthèse des phospholipides passe par des dérivés cytidyliques (Chapitre 25). Nous verrons, Chapitre 33, que le GTP fournit l'énergie nécessaire aux réactions endergoniques de la synthèse des protéines. De nombreux coenzymes sont des dérivés de nucléotides (comme le CoA, le NAD^+, le NADP et le FAD). Des nucléotides interviennent également dans les régulations métaboliques, par exemple l'activité de nombreux enzymes clés du métabolisme intermédiaire varie en fonction de la concentration relative de l'AMP, de l'ADP et de l'ATP (la PFK est un exemple

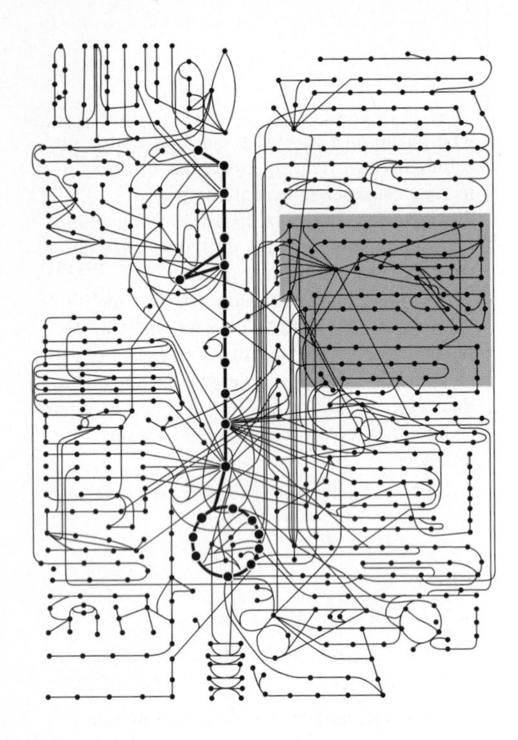

Synthèse et dégradation des nucléotides

typique d'enzyme régulé de cette façon ; voir aussi Chapitre 19). Les dérivés cycliques des nucléotides puriques, l'AMP cyclique et le GMP cyclique n'interviennent dans le métabolisme que comme des régulateurs. Enfin, et ce n'est pas le moins important, les nucléotides sont les unités élémentaires des acides nucléiques. Les désoxyribonucléosides triphosphates (dNTP) et les ribonucléosides triphosphates (NTP) servent respectivement de précurseurs immédiats à la synthèse de l'ADN et de l'ARN (voir Partie IV, Transfert de l'information génétique). Sans ARN, la biosynthèse des protéines n'est pas possible ; en l'absence de la synthèse d'ADN, le matériel génétique n'est pas répliqué et la division cellulaire ne peut avoir lieu.

27.1 • Biosynthèse des nucléotides

Presque tous les organismes peuvent synthétiser *de novo* les nucléotides puriques et pyrimidiques. (*De novo* signifie à nouveau, mais en biochimie, l'expression est utilisée pour signifier que la voie de synthèse de la molécule utilise des précurseurs relativement simples dont la cellule peut disposer). De nombreux organismes ont aussi des voies de « récupération » des purines et pyrimidines apportées par l'alimentation, ou provenant du renouvellement des acides nucléiques et de leur dégradation. Alors que le ribose des nucléotides peut être catabolisé et fournir ainsi de l'énergie, les bases azotées *ne peuvent pas* servir de source d'énergie ; leur catabolisme ne conduit pas à des produits utilisables par des voies permettant une conservation de l'énergie. En comparaison avec les cellules qui se multiplient lentement, les cellules qui prolifèrent rapidement synthétisent de plus grandes quantités d'ARN et d'ADN par unité de temps. Pour satisfaire cette plus importante synthèse d'acides nucléiques, de plus grandes quantités de nucléotides doivent être produites. Les voies de synthèse des nucléotides sont donc naturellement devenues d'intéressantes cibles pour des médicaments permettant d'interrompre la croissance des cellules se divisant rapidement, cellules cancéreuses et bactéries infectieuses. De nombreuses substances anticancéreuses et des antibiotiques sont des inhibiteurs de la synthèse des nucléotides puriques ou pyrimidiques.

27.2 • Biosynthèse des ribonucléotides puriques

Les premières indications intéressantes sur la voie de synthèse *de novo* des purines furent obtenues en 1948 par John Buchanan qui, très intelligemment, utilisa le fait que les oiseaux excrétaient les produits azotés en excès sous forme d'acide urique, une purine très peu soluble dans l'eau. Buchanan a nourri des pigeons avec des produits marqués par des isotopes, puis a examiné la distribution des atomes marqués dans l'*acide urique* (Figure 27.1). En fonction de l'origine métabolique des atomes présents dans ce produit terminal de dégradation, il a été possible de déterminer quels étaient les précurseurs des neuf atomes dans les cycles de la purine (Figure 27.2) : l'acide aspartique (N-1), la glutamine (N-3 et N-9), le glycocolle (C-4, C-5, et N-7), CO_2 (C-6) et des dérivés monocarbonés du THF (C-2 et C-8). Le THF et le rôle de ce cofacteur dans le métabolisme des maillons monocarbonés ont été présentés Chapitre 18.

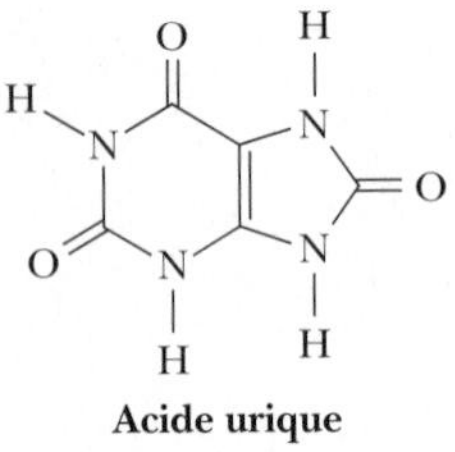

Acide urique

Figure 27.1 • L'azote des produits de dégradation est, chez les oiseaux, principalement éliminé sous forme d'acide urique, un analogue des purines.

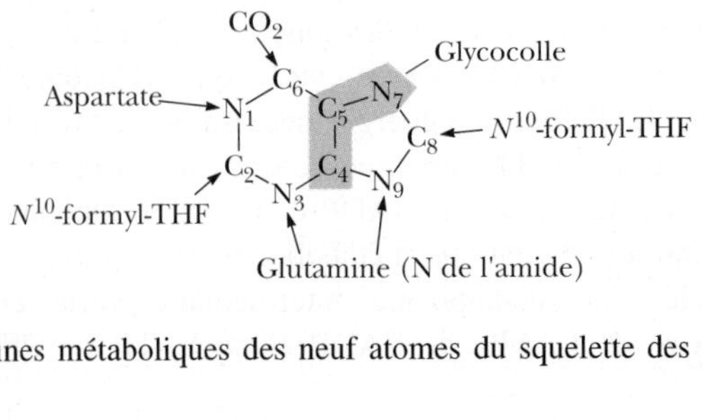

CO_2 — Glycocolle — Aspartate — N^{10}-formyl-THF — N^{10}-formyl-THF — Glutamine (N de l'amide)

Figure 27.2 • Origines métaboliques des neuf atomes du squelette des purines.

Pour en savoir plus

Le tétrahydrofolate (THF) et les unités monocarbonées

Un ensemble très élaboré de réactions enzymatiques participe à l'incorporation d'unités monocarbonées dans le THF et à l'interconversion des différents nombres d'oxydation du carbone de ces unités (voir Figure 18.35 et Tableau 18.6). Le N^5-méthyltétrahydrofolate peut être directement oxydé en N^5,N^{10}-méthylènetétrahydrofolate qui peut encore être oxydé en N^5,N^{10}-méthényltétrahydrofolate. Le N^5-formimino-, le N^5-formyl- et le N^{10}-formyltétrahydrofolate peuvent être formés à partir du N^5,N^{10}-méthylényltétrahydrofolate (ces dérivés sont au même niveau, ou nombre, d'oxydation), ou encore peuvent directement provenir de l'addition d'une unité monocarbonée au THF. La principale voie d'incorporation d'une unité monocarbonée au THF est catalysée par la **sérine hydroxyméthyltransférase** qui convertit la sérine en glycocolle et produit le N^5,N^{10}-méthylènetétrahydrofolate. Le glycocolle, l'histidine et le formate sont aussi des sources d'unités monocarbonées (figure).

Les voies de la biosynthèse de la méthionine (voir Figure 26.27), des purines (Figure 27.3) et de la thymine (voir Figure 27.29) utilisent toutes une unité monocarbonée provenant d'un dérivé du tétrahydrofolate. Le N^5,N^{10}-méthylène-THF est la source des carbone 2 et 8 du système bicyclique des purines et du groupe $-CH_3$ lié au C-5 dans la thymine, une pyrimidine.

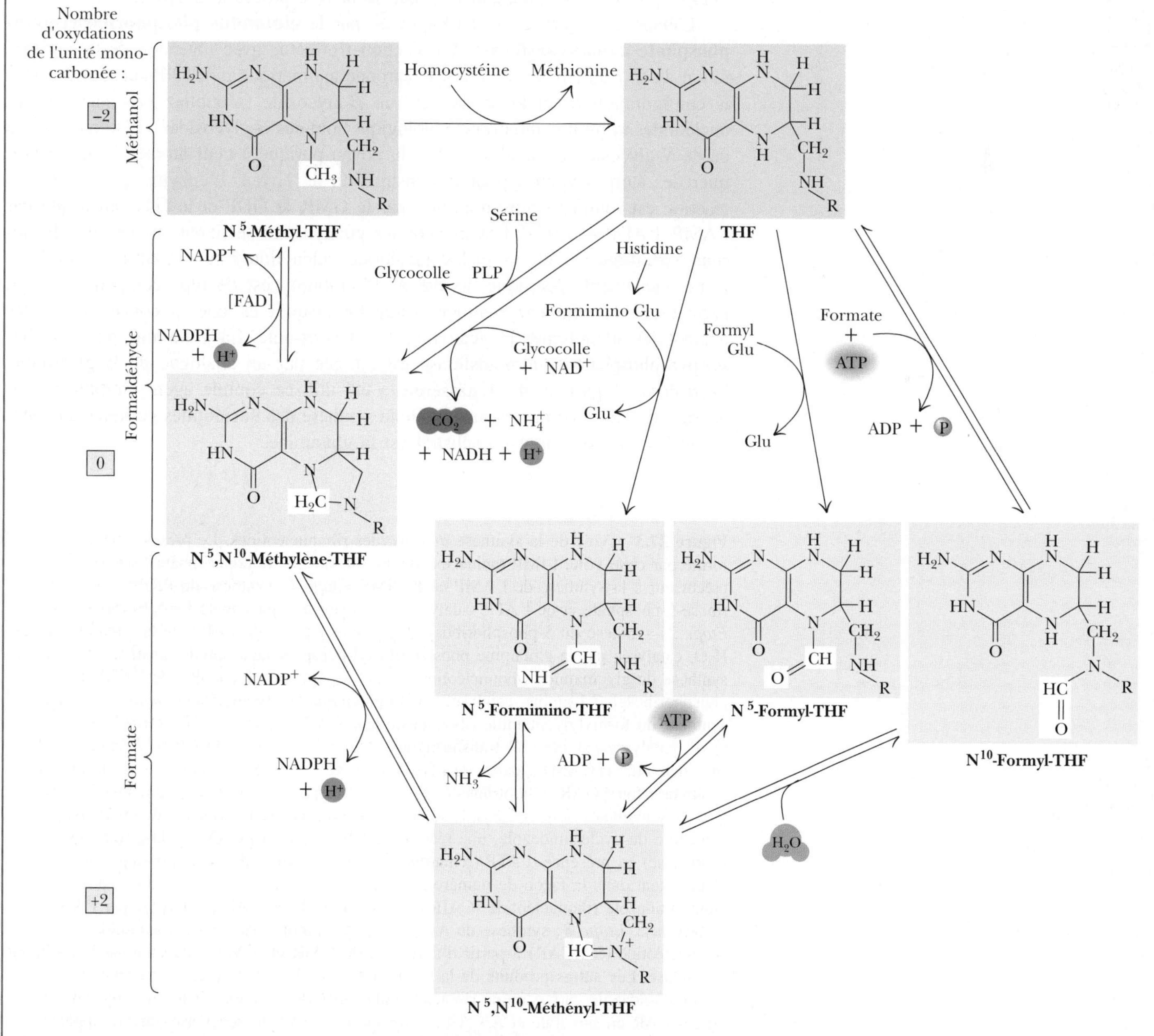

Les réactions qui introduisent ou convertissent les unités monocarbonées dans le tétrahydrofolate (THF) relient sept dérivés du THF porteurs d'unités monocarbonées de trois niveaux d'oxydation différents (–2, 0, et +2). *(D'après Brody, T., et al., in Machlin, L.J., 1984.* Handbook of Vitamins. *New York : Marcel Dekker.)*

Biosynthèse de l'acide inosinique (IMP), le précurseur immédiat du GMP et de l'AMP

La voie de la synthèse *de novo* des nucléotides puriques est particulièrement intéressante. Les atomes constituant le noyau purique sont successivement ajoutés au *ribose-5-phosphate* ; les purines sont donc directement synthétisées sous forme de nucléotides. Dans l'étape 1, le ribose-5-phosphate est activé par le transfert d'un groupe pyrophosphate de l'ATP sur le C-1 du ribose, ce qui produit le *5-phosphoribosyl-α-pyrophosphate (PRPP)* (Figure 27.3). La réaction est catalysée **par la ribose-5-phosphate pyrophosphokinase**. Le PRPP est le métabolite limitant de la synthèse des purines. Les deux principaux nucléosides diphosphates puriques, l'ADP et le GDP, sont des effecteurs négatifs de la ribulose-5-phosphate pyrophosphokinase. Mais comme le PRPP a d'autres rôles métaboliques, la réaction suivante est l'étape qui marque réellement le début de la voie propre à la synthèse.

L'étape 2 (Figure 27.3) est catalysée par la **glutamine phosphoribosyl-pyrophosphate amidotransférase**. La réaction s'effectue avec inversion de la configuration du C-1 du ribose ; en effet, le carbone anomérique du PRPP substrat est dans la configuration α, et le produit est un β-glycoside (n'oubliez pas que tous les nucléotides ayant une importance biologique sont des β-glycosides). L'atome d'azote de ce *N*-glycoside deviendra le N-9 du noyau purique à neuf atomes ; c'est le premier des atomes ajoutés pour la construction du noyau. L'enzyme qui catalyse la réaction est soumis à rétroinhibition par le GMP, le GDP et le GTP, ainsi que par l'AMP, l'ADP et l'ATP. Les nucléotides guanyliques se fixent sur un site allostérique spécifique, le site G, et les nucléotides adényliques sur un autre site de l'enzyme, également spécifique, le site A. L'inhibition est de type compétitif, ce qui permet une activité enzymatique résiduelle jusqu'à ce que la concentration des nucléotides adényliques et guanyliques soit suffisante. La glutamine phosphoribosyl-pyrophosphate amidotransférase est inhibée par un analogue de la glutamine, l'*azasérine* (Figure 27.4). L'azasérine a été utilisée comme agent antitumoral car elle inactive les enzymes de la voie de la synthèse des nucléotides puriques qui catalysent les réactions dont un substrat est la glutamine.

Figure 27.3 • Voie de la synthèse *de novo* des ribonucléotides. Le premier dérivé purique formé par cette voie, l'IMP (acide inosinique ou inosine monophosphate), sert de précurseur à la synthèse de l'AMP et du GMP. *Étape 1* : synthèse du PRPP à partir du ribose-5-phosphate et de l'ATP, catalysée par la ribose-5-phosphate pyrophosphokinase. *Étape 2* : synthèse du 5-phosphoribosyl-β-1-amine à partir du PRPP, de la glutamine et de H_2O, catalysée par la glutamine phosphoribosyl-pyrophosphate amidotransférase. *Étape 3* : synthèse du glycinamide ribonucléotide (GAR) à partir du glycocolle, de l'ATP et du 5-phosphoribosyl-β-1-amine, catalysée par la glycinamide ribonucléotide synthétase. *Étape 4* : synthèse du formylglycinamide ribonucléotide (FGAR) à partir du N^{10}-formyl-THF et de GAR, catalysée par la GAR transformylase. *Étape 5* : synthèse du formylglycinamidine ribonucléotide (FGAM) à partir de FGAR, de l'ATP et de H_2O, catalysée par la FGAM synthétase (ou FGAR amidotransférase) ; les autres produits de la réaction sont l'ADP, P_i et le glutamate. *Étape 6* : Synthèse du 5-aminoimidazole ribonucléotide (AIR) par fermeture du cycle imidazole, une réaction catalysée par la FGAM cyclase (ou AIR synthétase) en présence d'ATP (remarquez que la fermeture du cycle provoque un changement dans la façon de numéroter les atomes). *Étape 7* : synthèse du 4-carboxy-5-aminoimidazole ribonucléotide (CAIR) à partir de CO_2 et d'AIR, catalysée par l'AIR carboxylase. *Étape 8* : synthèse du *N*-succinylo-5-aminoimidazole-4-carboxamide ribonucléotide (SAICAR) à partir d'aspartate, de CAIR et d'ATP, catalysée par la SAICAR synthétase. Les autres produits de la réaction sont l'ADP et P_i. *Étape 9* : formation du 5-aminoimidazole carboxamide ribonucléotide (AICAR), par un clivage non hydrolytique du SAICAR en fumarate et AICAR. L'enzyme est l'adénylo-succinase (encore appelée adénylo-succinate lyase). *Étape 10* : synthèse du 5-formylaminoimidazole carboxamide ribonucléotide (FAICAR) à partir de AICAR et du N^{10}-formyl-THF, catalysée par l'AICAR transformylase. *Étape 11* : Déshydratation du FAICAR et fermeture du cycle donnant le premier ribonucléotide purique, l'IMP ; l'enzyme catalysant la réaction est l'IMP synthase.

α-D-Ribose-5-phosphate
1
Ribose-5-phosphate pyrophosphokinase
ATP
AMP
5-Phosphoribosyl-α-pyrophosphate (PRPP)

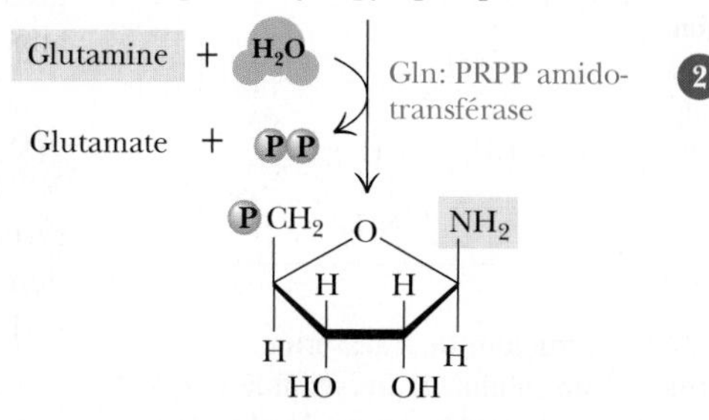

Glutamine
H₂O
Glutamate
Gln: PRPP amido-transférase
2
NH₂
Phosphoribosyl-β-amine

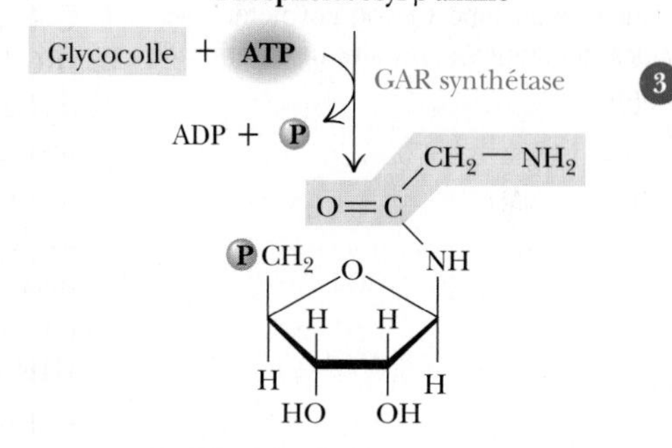

Glycocolle
ATP
ADP
GAR synthétase
3
CH₂ — NH₂
O = C
NH
Glycinamide ribonucléotide (GAR)
N¹⁰-Formyl -THF
THF
GAR transformylase
4
Formylglycinamide ribonucléotide (FGAR)
ATP
Glutamine
H₂O
ADP
Glutamate
FGAM synthétase
5
Formylglycinamidine ribonucléotide (FGAM)

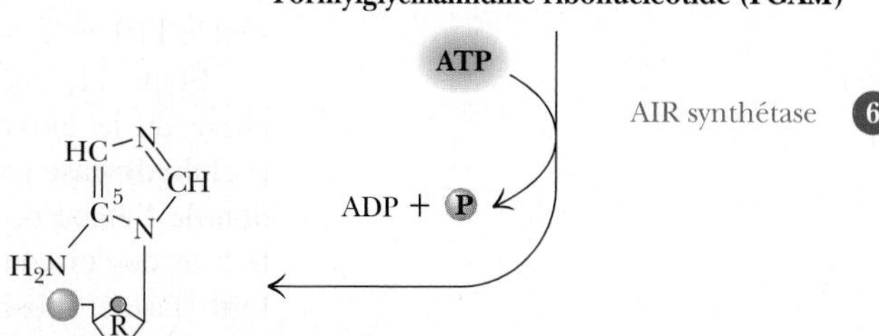

ATP
AIR synthétase
6
ADP
5-Aminoimidazole ribonucléotide (AIR)

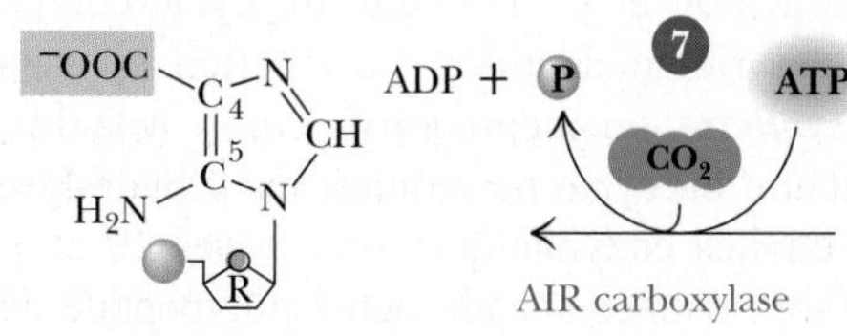

7
ADP
ATP
CO₂
AIR carboxylase
Carboxyaminoimidazole ribonucléotide (CAIR)
8
ADP
Aspartate
ATP
SAICAR synthétase

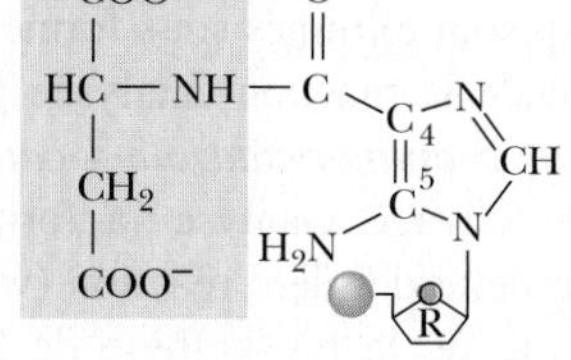

COO⁻
HC — NH — C
CH₂
COO⁻
N-succinylo-5-aminoimidazole-4-carboxamide ribonucléotide (SAICAR)

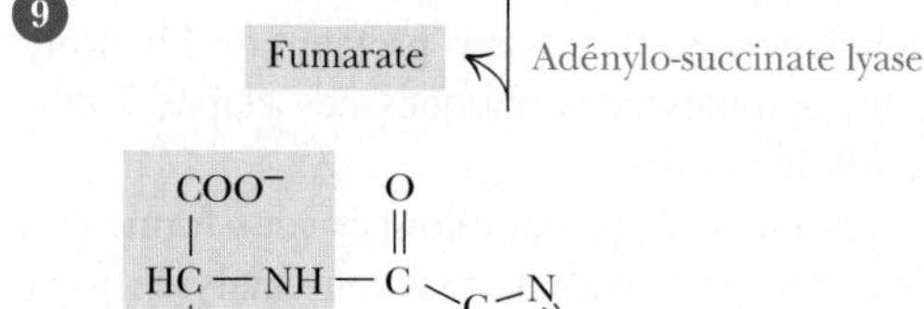

9
Fumarate
Adénylo-succinate lyase
5-Aminoimidazole-4-carboxamide ribonucléotide (AICAR)
10
THF
N¹⁰-Formyl -THF
AICAR transformylase
N-formylaminoimidazole-4-carboxamide ribonucléotide (FAICAR)

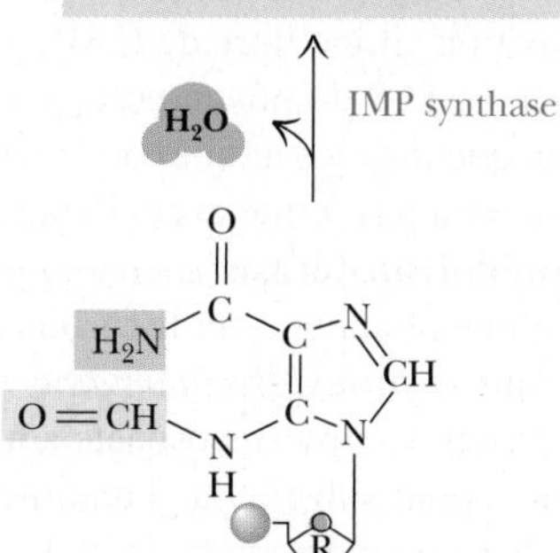

H₂N
O = CH
11
H₂O
IMP synthase

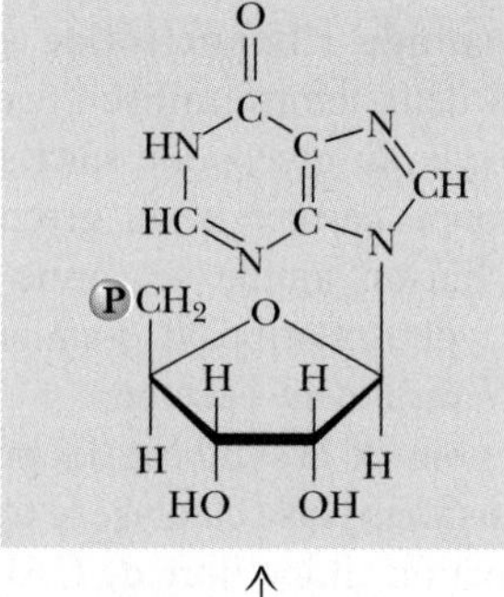

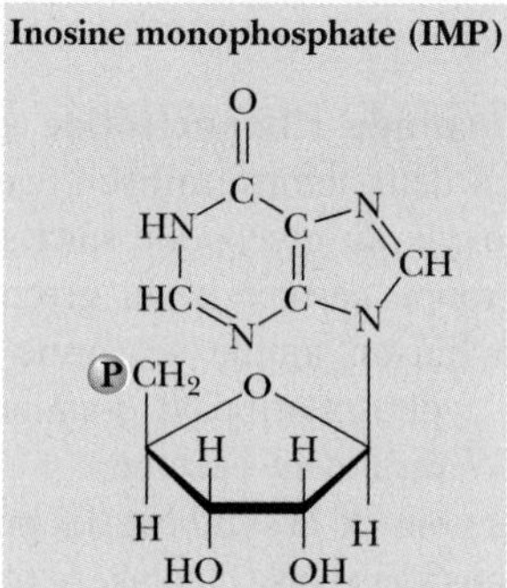

Inosine monophosphate (IMP)

Azasérine

$$^{-}N{=}\overset{+}{N}{=}CH-\underset{\underset{O}{\parallel}}{C}-O-CH_2-\underset{\underset{^{+}NH_3}{|}}{CH}-C\begin{matrix}{\nearrow}O\\ \searrow O^{-}\end{matrix}$$

Glutamine

$$H_2N-\overset{\overset{O}{\parallel}}{C}-CH_2-CH_2-\underset{\underset{^{+}NH_3}{|}}{CH}-C\begin{matrix}{\nearrow}O\\ \searrow O^{-}\end{matrix}$$

Figure 27.4 • Structure de l'azasérine. L'azasérine est un inhibiteur irréversible des enzymes dont un des substrats est la glutamine, elle agit en formant une liaison covalente avec des groupes nucléophiles du site de fixation de la glutamine.

L'étape 3 est catalysée par la **glycinamide ribonucléotide synthétase** *(GAR synthétase)*. La réaction, qui se déroule en deux temps, utilise l'énergie d'hydrolyse de l'ATP pour condenser le groupe carboxyle du glycocolle sur l'amine du *5-phosphoribosyl-β-amine* (Figure 27.3). Le groupe carboxyle du glycocolle est préalablement activé par phosphorylation. La liaison amide se forme ensuite entre le groupe carboxyle activé et l'amine du 5-phosphoribosyl-β-amine. Le glycocolle apporte les futurs atomes C-4, C-5 et N-7 du noyau purique.

L'étape 4 est la première des deux réactions de la synthèse des purines utilisant un dérivé monocarboné du THF. La **GAR transformylase** catalyse le transfert du groupe N^{10} formyle du N^{10}-formyl-THF sur la fonction amine libre de GAR et donne l'*α-N-formyl-glycinamide ribonucléotide (FGAR)*. Le C-8 du noyau purique est donc introduit dans la molécule par formylation. Bien que tous les atomes de la partie imidazole de la purine soient déjà présents, le cycle ne sera pas fermé avant l'étape 6.

L'étape 5 est catalysée par la **FGAR amidotransférase** *(encore appelée la FGAM synthétase)*. Le transfert du groupe amide d'une glutamine sur le carbonyle en position C-4 de FGAR consomme un ATP et produit le *formylglycinamidine ribonucléotide (FGAM)*. De même que la glutamine phosphoribosyl-pyrophosphate amidotransférase de l'étape 2, la FGAR amidotransférase, qui a pour substrat la glutamine, est irréversiblement inactivée par l'azasérine. L'azote de l'imine deviendra le N-3 de la purine.

L'étape 6, une déshydratation consommant de l'ATP, conduit à la fermeture du cycle imidazole. L'ATP est utilisé pour phosphoryler l'atome d'oxygène du groupe formyle ; l'activation de ce groupe permet la fermeture du cycle qui suit. Comme le produit de la réaction est le *5-aminoimidazole ribonucléotide*, ou AIR, l'enzyme est appelé **AIR synthétase**. Dans le foie des oiseaux, les activités enzymatiques catalysant les étapes 3, 4 et 6 (GAR synthétase, GAR transformylase et AIR synthétase) sont réunies sur un même polypeptide de 110 kDa portant plusieurs sites d'activité.

L'étape 7 conduit à l'acquisition d'un CO_2, fixé sur le C-4 du cycle imidazole. Cette réaction de carboxylation utilise l'énergie d'hydrolyse de l'ATP. La fixation de CO_2 est catalysée par l'**AIR carboxylase**. Le carbone apporté par CO_2 deviendra le C-6 du noyau purique. Le produit de la réaction est le *carboxyaminoimidazole ribonucléotide (CAIR)*.

Étape 8, l'azote du groupe amino de l'aspartate (qui deviendra le N-1 de la purine) se lie au groupe carboxyle du CAIR et le produit de la réaction est le *N-succinylo-5-aminoimidazole-4-carboxamide ribonucléotide (SAICAR)*. La **SAICAR synthétase** catalyse la condensation, l'énergie nécessaire provient de l'hydrolyse de l'ATP. Dans le foie des oiseaux, les activités enzymatiques des étapes 7 et 8 sont réunies sur un même polypeptide bifonctionnel.

Étape 9, les quatre atomes de carbone de Asp sont éliminés sous forme de fumarate par un clivage non hydrolytique ; le produit de la réaction catalysée par l'**adénylo-succinase** *(adénylo-succinate lyase)* est le *5-aminoimidazole-4-carboxamide ribonucléotide (AICAR)*. Le même enzyme de clivage catalyse la formation de l'AMP à partir de l'IMP et son nom provient de cette dernière réaction (voir la partie suivante). L'AICAR est aussi un intermédiaire de la biosynthèse de l'histidine (voir Chapitre 26), mais comme l'ATP est dans ce cas le précurseur de la formation d'AICAR, il n'y a pas de synthèse nette de purine.

Étape 10, addition du groupe formyle provenant du N^{10}-formyl-THF ; cette addition apporte le neuvième et dernier atome nécessaire à la formation du noyau purique. La réaction est catalysée par l'**AICAR transformylase** ; les produits de la réaction sont le THF et le *N-formylaminoimidazole-4-carboxamide ribonucléotide*, ou *FAICAR*.

Étape 11, une déshydratation et la fermeture du cycle complètent la première phase de la biosynthèse des ribonucléotides. La réaction est catalysée par l'**IMP cyclohydrolase** (ou *IMP synthase*, ou encore *inosinicase*). À la différence de la réaction de l'étape 6, la fermeture du cycle ne requiert pas l'hydrolyse d'un ATP. Dans le foie des oiseaux, les activités enzymatiques des étapes 10 et 11 (AICAR transformylase et inosinicase) sont réunies sur un même polypeptide de 67 kDa dans un dimère de 135 kDa.

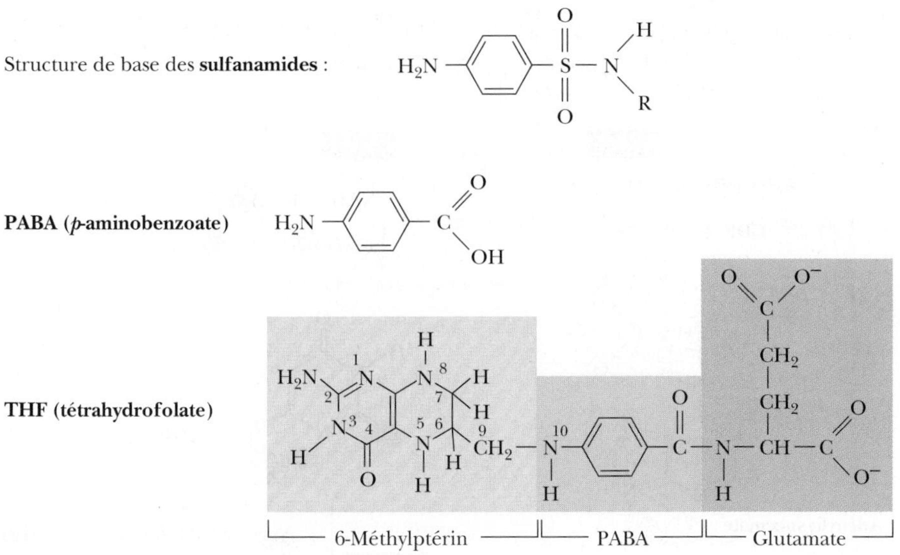

Structure de base des **sulfanamides** :

PABA (*p*-aminobenzoate)

THF (tétrahydrofolate)

6-Méthylptérin — PABA — Glutamate

Jusqu'à sept résidus γ-glutamyle successifs peuvent être présents dans le THF

Figure 27.5 • Les sulfamides (ou sulfonamides) doivent leurs propriétés antibiotiques à leur similarité avec le *p*-aminobenzoate (PABA), un précurseur de la synthèse de l'acide folique. Les sulfamides inhibent la synthèse de l'acide folique en compétant avec le *p*-aminobenzoate.

Six ATP ont été utilisés au cours des étapes 1, 3, 5, 6, 7 et 8 pour synthétiser l'IMP à partir du ribose-5-phosphate. Cependant 7 liaisons phosphate à haut potentiel ont été consommées (soit sept équivalents ATP) puisque la formation du PRPP lors de la première étape, suivie de la libération de PP_i dans la réaction 2, correspond à la perte de deux équivalents ATP.

Des dérivés de l'acide folique participent aux étapes 4 et 10 de la biosynthèse des purines ; des inhibiteurs du métabolisme de l'acide folique (par exemple le *méthotrexate*, voir Figure 27.30) inhiberont indirectement la synthèse des nucléotides puriques et donc la synthèse des acides nucléiques, la croissance cellulaire et la division cellulaire. Bien évidemment, des cellules qui prolifèrent rapidement, comme les cellules malignes et les bactéries sont plus sensibles à ces antagonistes de l'acide folique que les cellules normales qui croissent lentement. Les *sulfamides* forment un autre groupe d'antagonistes, inhibiteurs de la synthèse de l'acide folique (Figure 27.5). L'acide folique est pour les animaux une vitamine qu'ils doivent trouver dans leur alimentation (Chapitre 18). Par contre, les bactéries synthétisent l'acide folique à partir de précurseurs, en particulier l'acide *p-aminobenzoïque (PABA)*, elles sont donc beaucoup plus sensibles aux sulfamides que les cellules animales.

Synthèse de l'AMP et du GMP à partir de l'IMP

L'IMP est le précurseur de l'AMP et du GMP. Les voies de synthèse de ces deux principaux nucléotides puriques divergent à partir de l'IMP, elles contiennent chacune deux étapes. La voie qui aboutit à l'AMP (adénosine-5′-monophosphate) commence avec le déplacement de l'oxygène lié au C-6 de l'inosine par de l'aspartate, une réaction qui utilise un GTP ; elle est suivie de l'élimination non hydrolytique du squelette carboné de Asp, sous forme de fumarate (Figure 27.6). Le groupe amino apporté par Asp reste lié au noyau purique et devient le groupe 6-amino de l'AMP. Les deux réactions sont successivement catalysées par l'**adénylo-succinate synthétase** et l'**adénylo-succinase**. Rappelons que l'adénylo-succinase intervient également à l'étape 9 de la synthèse de l'IMP à partir du ribose-5-phosphate.

La synthèse du GMP débute par une oxydation sur le C-2 du noyau purique de l'IMP ; l'oxygène lié au C-2 est ensuite remplacé par un groupe amino provenant d'une glutamine, une réaction catalysée par une amidotransférase (Figure 27.6). Le produit final est le *2-amino,6-oxypurine nucléoside monophosphate,* plus communément app*elé guanosine-5′-monophosphate*. Les réactions sont successivement catalysées par l'**IMP déshydrogénase** et la **GMP synthétase**. Remarquez que, depuis le ribose-5-phosphate, il faut 8 équivalents ATP pour la synthèse de l'AMP et 9 pour celle du GMP.

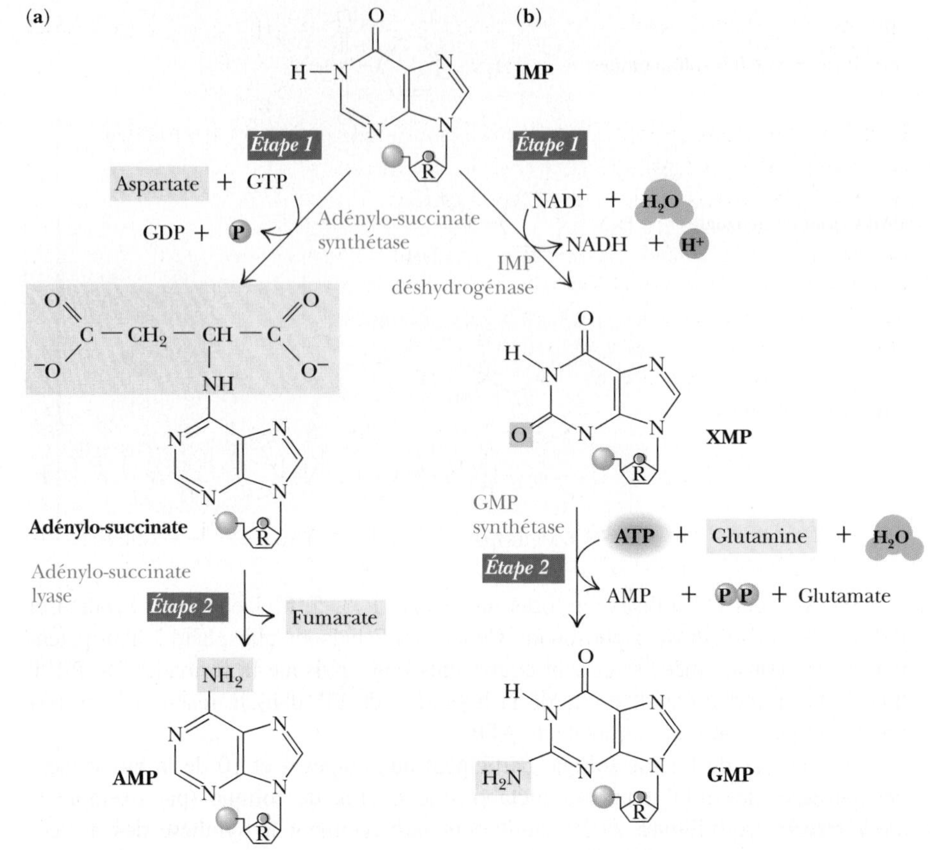

Figure 27.6 • Synthèse de l'AMP et du GMP à partir de l'IMP. (a) Synthèse de l'AMP : les deux étapes de la synthèse de l'AMP sont semblables aux étapes 8 et 9 de la voie de la synthèse de l'IMP. Dans l'*étape 1*, catalysée par l'adényIo-succinate synthétase, l'atome d'oxygène lié au C-6 de l'inosine est déplacé par un aspartate, ce qui donne l'adényIo-succinate. L'énergie nécessaire provient de l'hydrolyse d'un GTP. L'AMP est un inhibiteur qui est en compétition avec l'IMP pour l'adényIo-succinate synthétase. Dans l'*étape 2*, l'adényIo-succinase (encore appelée adényIo-succinate lyase, le même enzyme qui intervient dans l'étape 9 de la synthèse de l'IMP), catalyse le clivage non hydrolytique de l'adényIo-succinate en fumarate et AMP. (b) Synthèse du GMP : la synthèse du GMP commence par une oxydation, laquelle est suivie par un transfert de groupe amido. Dans l'*étape 1*, l'IMP déshydrogénase, en présence de deux autres substrats, le NAD^+ et H_2O, catalyse l'oxydation du C-2 de l'IMP. Les produits sont le xanthylate (xanthosine monophosphate, ou XMP), le NADH et H^+. Le GMP est un inhibiteur qui est en compétition avec l'IMP pour l'IMP déshydrogénase. Dans l'*étape 2*, la GMP synthétase catalyse le transfert du groupe amido de la glutamine sur le C-2 de XMP pour donner du GMP et du glutamate. Cette réaction s'accompagne de l'hydrolyse de l'ATP en AMP et PP_i. L'hydrolyse du PP_i en deux P_i par des pyrophosphatases présentes dans toutes les cellules déplace l'équilibre de la réaction en faveur de la synthèse du GMP.

Régulation de la voie de la synthèse des nucléotides puriques

Le système de régulation de la synthèse des nucléotides puriques est schématisé Figure 27.7. Pour résumer, la régulation allostérique de cette synthèse, depuis le ribose-5-phosphate jusqu'à l'IMP, s'exerce sur les deux premières étapes. Bien que la réaction catalysée par la ribose-5-phosphate pyrophosphokinase ne soit pas l'étape qui engage spécifiquement dans la voie de la synthèse des purines, l'enzyme est soumis à rétroinhibition par l'ADP et le GDP. L'enzyme qui catalyse l'étape suivante, la glutamine phosphoribosyl-pyrophosphate amidotransférase, a deux sites allostériques, un site « A » sur lequel les nucléotides adényliques se lient et inhibent l'activité par rétroinhibition, et un site « G » sur lequel les nucléotides guanyliques se lient et inhibent l'activité. La vitesse de la formation de l'IMP par cette voie dépend donc de la concentration des produits finaux, les nucléotides adényliques et guanyliques. De plus, le PRPP agit comme un activateur de l'enzyme.

À partir de l'IMP, la voie de la synthèse se divise en deux branches, l'une aboutissant à l'AMP, l'autre au GMP. Le premier enzyme de la voie vers l'AMP, l'adénylo-succinate synthétase, est inhibé de façon compétitive par l'AMP ; sur la branche symétrique vers le GMP, l'IMP déshydrogénase est inhibée de la même façon par le GMP. Les concentrations relatives de l'AMP et du GMP déterminent donc le devenir de l'IMP, ce qui permet l'autocorrection de toute déficience dans l'un des deux principaux nucléotides puriques. La réciprocité de la régulation est un mécanisme efficace d'équilibrage de la production de l'AMP et du GMP en fonction des besoins cellulaires. Remarquez que cette réciprocité se manifeste jusque dans les apports énergétiques : le GTP fournit l'énergie nécessaire à la synthèse de l'AMP, et l'ATP a le même rôle dans la synthèse du GMP (Figure 27.7).

Des kinases dont le cosubstrat est l'ATP catalysent la formation des nucléosides diphosphates et triphosphates à partir des nucléosides monophosphates

Les produits de la synthèse *de novo* des nucléotides puriques sont l'AMP et le GMP. Deux réactions de phosphorylation successives convertissent ces nucléotides en nucléosides triphosphates ATP et GTP. Les premières phosphorylations sont catalysées par des kinases à ATP, spécifiques de la base A ou G du substrat, l'**adénylate kinase** et la **guanylate kinase**.

$$\text{Adénylate kinase : AMP + ATP} \rightarrow \text{2ADP}$$

$$\text{Guanylate kinase : GMP + ATP} \rightarrow \text{GDP + ADP}$$

Ces mêmes nucléoside monophosphate kinases catalysent la phosphorylation des désoxyribonucléosides monophosphates pour donner le dADP et le dGDP.

Les oxydations phosphorylantes (voir Chapitre 21) sont, pour l'essentiel, à l'origine de la conversion de l'ADP en ATP. L'ATP sert ensuite de donneur de groupe phosphoryle pour la synthèse des autres nucléosides triphosphates à partir des NDP ; un enzyme non spécifique, la **nucléoside diphosphate kinase**, catalyse la réaction. Par exemple,

$$\text{GDP + ATP} \rightleftharpoons \text{GTP + ADP}$$

Comme cette réaction est facilement réversible et non spécifique, tant pour le donneur de groupe phosphoryle que pour l'accepteur, tout NDP peut être phosphorylé par tout NTP et inversement. La prépondérance de l'ATP sur tous les autres nucléosides triphosphates signifie que, d'un point de vue quantitatif, l'ATP est le principal substrat de la nucléoside diphosphate kinase. L'enzyme ne distingue pas le ribose du désoxyribose, il catalyse donc le transfert d'un groupe phosphoryle même si l'un des substrats est un désoxy-NDP ou un désoxy-NTP.

Figure 27.7 • Système de régulation de la biosynthèse des nucléotides puriques. L'ADP et le GDP sont des rétroinhibiteurs de la ribose-5-phosphate pyrophosphokinase, le premier enzyme de la voie de leur synthèse. Le second enzyme, la glutamine phosphoribosyl-pyrophosphate amidotransférase, a deux sites distincts de rétroinhibition, un site pour les nucléotides A et un site pour les nucléotides G. Cet enzyme est aussi soumis à activation allostérique par le PRPP. Dans l'embranchement aboutissant à l'AMP, ce dernier régule par rétroinhibition l'activité du premier enzyme ; de même pour l'autre branche, le GMP régule par rétroinhibition l'activité du premier enzyme. Enfin, l'ATP fournit l'énergie nécessaire à la synthèse du GMP, alors que le GTP fournit celle de la synthèse de l'AMP.

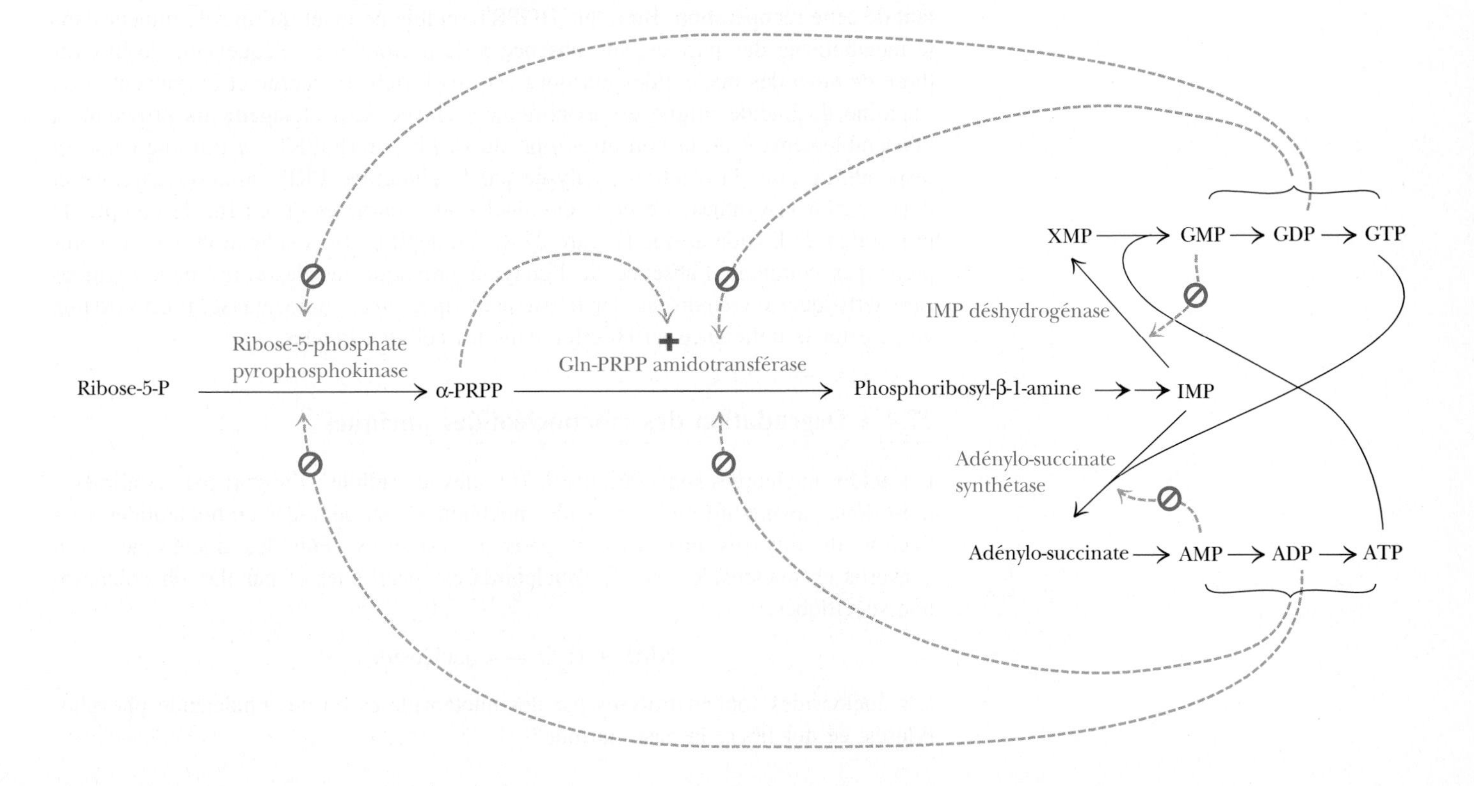

27.3 • « Récupération » des bases puriques

Dans la plupart des cellules, le renouvellement des acides nucléiques (synthèse et dégradation) est un processus continu. En particulier, les ARNm sont très rapidement synthétisés et dégradés. Les processus de dégradation peuvent aboutir à la libération de bases puriques libres, adénine, guanine et hypoxanthine (la base dans l'IMP). Ces substances représentant pour les cellules un investissement métabolique, il existe des voies de récupération qui permettent leur utilisation. Les réactions de récupération passent par la resynthèse des nucléotides à partir des bases, réactions catalysées par des phosphoribosyltransférases.

$$\text{Base} + \text{PRPP} \rightleftharpoons \text{nucléoside-5'-phosphate} + \text{PP}_i$$

L'hydrolyse par des pyrophosphatases du PP_i en phosphate minéral rend cette réaction irréversible.

Les purine phosphoribosyltransférases sont l'**adénine phosphoribosyltransférase (APRT)**, qui catalyse la formation de l'AMP et l'**hypoxanthine-guanine phosphoribosyltransférase (HGPRT**, ou plus simplement **HPRT)** qui catalyse la formation de l'IMP à partir de l'hypoxanthine ou du GMP à partir de la guanine (Figure 27.8, partie sur fond jaune).

Syndrome de Lesch-Nyhan : une déficience en HGPRT conduit à de sévères désordres cliniques

Les symptômes du **syndrome de Lesch-Nyhan** sont tragiques : la « goutte », une maladie invalidante due à une accumulation excessive d'acide urique (produit terminal de la dégradation des purines chez les mammifères), et pire, un dysfonctionnement du système nerveux qui a pour conséquences, une arriération mentale, une hypertonie musculaire, un comportement agressif et une tendance à l'automutilation. Le syndrome de Lesch-Nyhan résulte d'une absence totale d'activité de HGPRT. Le gène de structure de l'enzyme est localisé sur le chromosome X et la maladie héréditaire, récessive, liée au sexe, ne se manifeste que chez les mâles. Les conséquences dramatiques d'une carence en HGPRT prouvent que la récupération des bases puriques a une importance métabolique autre que la simple économie d'énergie résultant de cette récupération. Bien que HGPRT semble ne jouer qu'un rôle mineur dans le métabolisme des purines, son absence a de profondes conséquences : la biosynthèse *de novo* des nucléotides puriques est très fortement accrue et la concentration sanguine de l'acide urique est extrêmement élevée. Ces changements proviennent vraisemblablement de la non-utilisation du PRPP par HGPRT, ce qui augmente sa disponibilité pour la réaction catalysée par la glutamine PRPP amidotransférase et donc accroît la synthèse *de novo* des nucléotides puriques et, en fin de compte, la production de l'acide urique (Figure 27.8). En dépit de ces explications, on ne comprend pas comment l'absence de l'enzyme provoque les désordres neurologiques caractéristiques du syndrome. Heureusement, après une amniocentèse, il est possible de détecter la déficience en HGPRT dans les cellules fœtales.

27.4 • Dégradation des ribonucléotides puriques

Les acides nucléiques sont présents dans toutes les cellules, l'apport par les aliments n'est donc pas négligeable. Les acides nucléiques sont dégradés en nucléotides sous l'action de diverses nucléases et phosphodiestérases. Puis les nucléotides sont convertis en nucléosides par des nucléotidases spécifiques et par des phosphatases non spécifiques.

$$\text{NMP} + H_2O \longrightarrow \text{nucléoside} + P_i$$

Les nucléosides sont hydrolysés par des nucléosidases ou des nucléoside phosphorylases, ce qui libère la base purique :

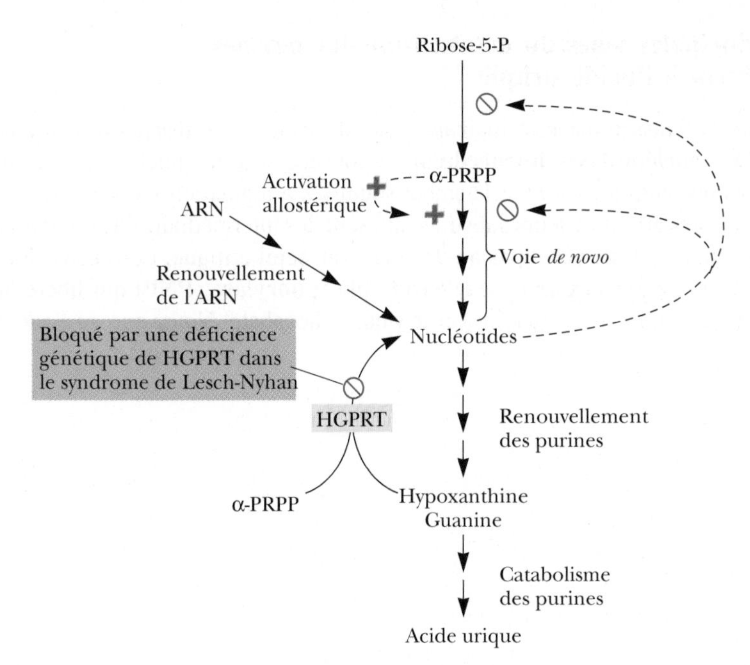

Figure 27.8 • Conséquences métaboliques de la déficience génétique en HGPRT dans le syndrome de Lesch-Nyhan. La perte de HGPRT aboutit à l'accumulation de PRPP et à la stimulation de la synthèse *de novo* des nucléotides puriques. Une des ultimes conséquences est la surproduction de l'acide urique.

$$\text{Hypoxanthine} + \alpha\text{-PRPP} \xrightarrow{\text{HGPRT}} \text{IMP} + \text{PP}$$

$$\text{Guanine} + \alpha\text{-PRPP} \xrightarrow{\text{HGPRT}} \text{GMP} + \text{PP}$$

$$\text{Nucléoside} + H_2O \xrightarrow{\textit{nucléosidase}} \text{base} + \text{ribose}$$

$$\text{Nucléoside} + P_i \xrightarrow{\textit{nucléoside phosphorylase}} \text{base} + \text{ribose-1-P}$$

Les molécules de pentose libérées dans ces réactions sont les seules sources d'énergie métabolique potentielle provenant de la dégradation des nucléotides puriques.

Des expériences utilisant des acides nucléiques marqués par des atomes radioactifs ont démontré qu'une très faible partie des nucléotides ingérés se retrouvait incorporée dans les acides nucléiques cellulaires. Ce qui confirme que la voie de biosynthèse *de novo* des nucléotides est bien la voie principale de la formation des précurseurs des acides nucléiques. Les bases ingérées sont, pour l'essentiel, excrétées. Les acides nucléiques cellulaires sont néanmoins dégradés au cours du recyclage permanent des constituants cellulaires.

Les principales voies du catabolisme des purines aboutissent à l'acide urique

La Figure 27.9 rassemble les principales voies du catabolisme des purines chez les animaux. Des **nucléotidases intracellulaires** convertissent les nucléotides en nucléosides. Ces nucléotidases sont strictement soumises à régulation métabolique de sorte que les concentrations de leurs substrats, qui sont des intermédiaires de nombreux processus vitaux, ne descendent pas au-dessous d'un seuil critique. Les nucléosides sont ensuite dégradés par la **purine nucléoside phosphorylase (PNP)** qui libère la base purique (hypoxanthine ou guanine) et le ribose phosphate. Notez que, ni l'adénosine,

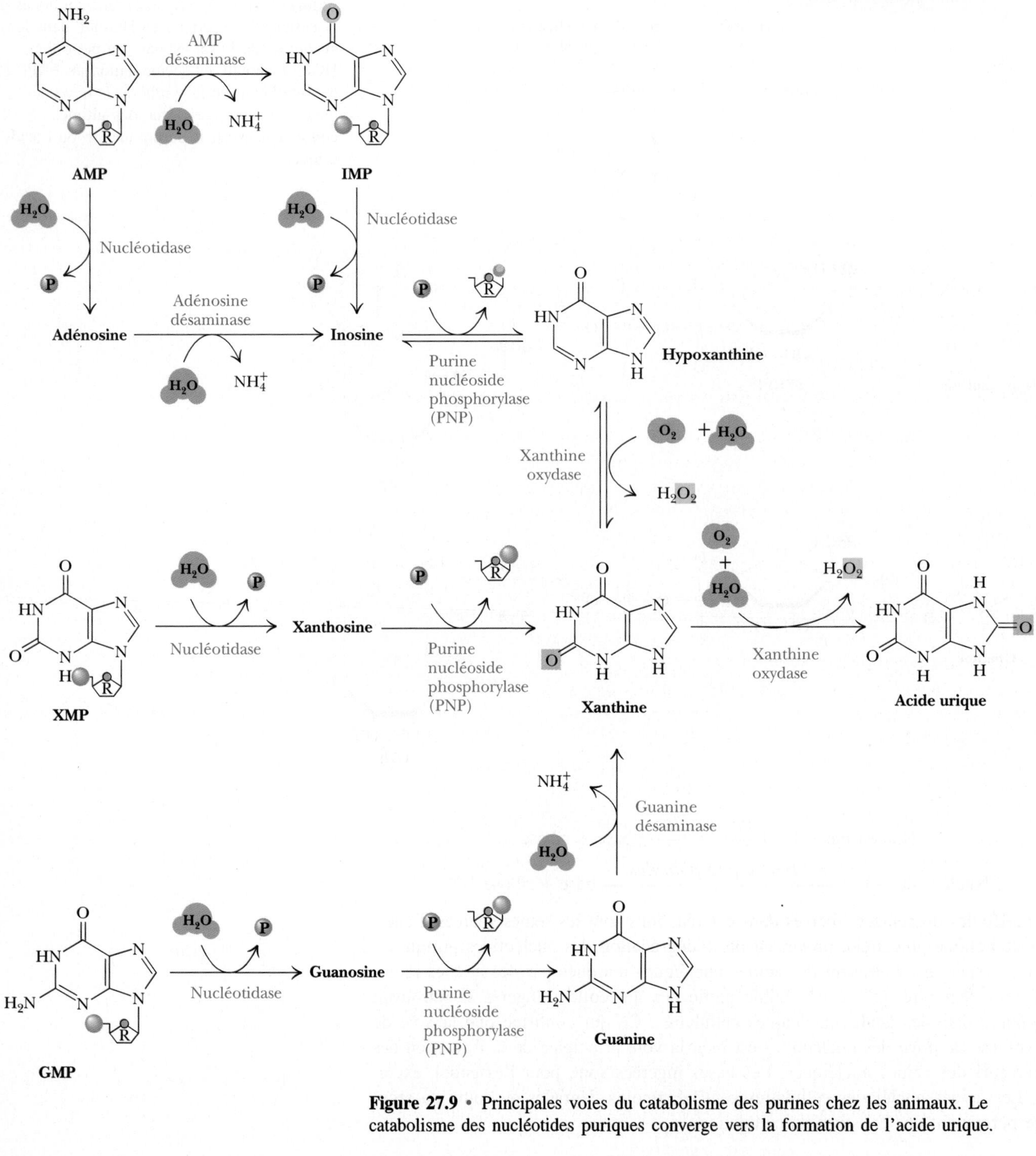

Figure 27.9 • Principales voies du catabolisme des purines chez les animaux. Le catabolisme des nucléotides puriques converge vers la formation de l'acide urique.

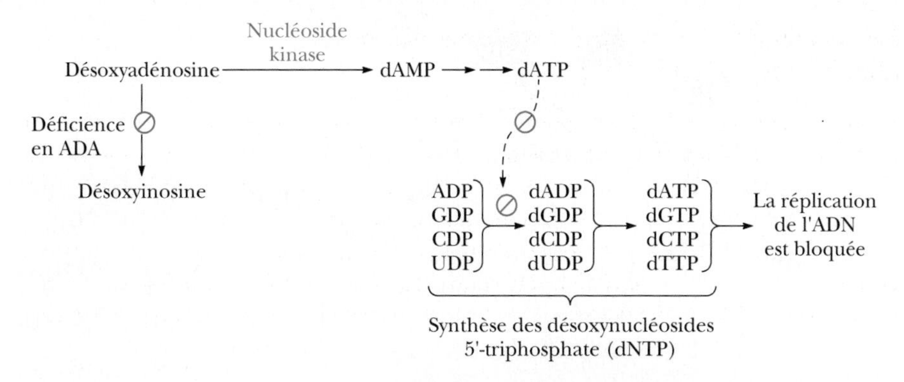

Figure 27.10 • Effets consécutifs à l'élévation de la concentration de la désoxyadénosine sur le métabolisme des purines. En l'absence de l'adénine désaminase ou par suite d'une activité insuffisante, la désoxyadénosine n'est pas convertie en désoxyinosine, ni l'adénosine en inosine. La désoxyadénosine est récupérée par une nucléoside kinase qui la phosphoryle en dAMP, ce qui pour conséquence l'accumulation du dATP et l'inhibition de la synthèse des désoxyribonucléotides (voir Figure 27.7). La réplication de l'ADN est donc bloquée.

ni la désoxyadénosine, ne sont des substrats directs de la PNP. Ces deux nucléosides sont d'abord convertis en inosine par une **adénosine désaminase**. La guanine est transformée en xanthine par une **guanine désaminase** et l'hypoxanthine est aussi transformée en xanthine par la **xanthine oxydase**. La xanthine est ensuite oxydée en acide urique par la même xanthine oxydase.

Syndrome de l'immunodéficience sévère combinée : la carence en adénosine désaminase est l'une des causes de cette maladie génétique

Le **syndrome de l'immunodéficience combinée**, comporte un ensemble de désordres, d'origine génétique, caractérisés par l'absence de réponse immunitaire aux maladies infectieuses. La déficience immunologique provient de l'incapacité des lymphocytes B et T à proliférer et à produire des anticorps en réponse à la stimulation par un antigène. Environ 30 % des cas d'immunodéficience relèvent de l'absence de l'**adénosine désaminase (ADA)**. Une déficience en ADA serait aussi à l'origine des troubles cliniques observés dans le Sida, certaines anémies et divers lymphomes et leucémies. Le premier essai clinique de **thérapie génique**, *dont l'objectif est de suppléer une déficience génétique par l'introduction d'un gène recombinant fonctionnel*, fut effectué sur un patient atteint d'immunodéficience sévère provenant d'une mutation du gène structural de l'ADA. L'ion Zn^{2+} est un cofacteur de l'adénosine désaminase et une carence en Zn^{2+} provoque un affaiblissement des fonctions immunitaires.

En l'absence d'ADA, la désoxyadénosine n'est pas catabolisée, elle est alors convertie en dAMP, puis en dADP et dATP. Or, le dATP est un puissant rétroinhibiteur de la biosynthèse des désoxyribonucléotides (voir Section 27.7). En l'absence de désoxyribonucléotides, l'ADN ne peut être répliqué et les cellules ne se divisent plus (Figure 27.10). Les cellules qui prolifèrent rapidement, comme les lymphocytes, sont particulièrement sensibles à la réduction de la synthèse de l'ADN.

Cycle des nucléosides puriques : une voie anaplérotique des muscles du squelette

L'**AMP désaminase** catalyse la désamination de l'AMP en IMP (Figure 27.9), et l'AMP peut être resynthétisé à partir de l'IMP par l'**adénylo-succinate synthétase** et l'**adénylo-succinate lyase**, deux enzymes de la voie de synthèse *de novo* des nucléotides puriques. Cet ensemble constitue le cycle des nucléosides puriques (Figure 27.11). L'effet net de ce cycle se résume à la conversion d'un aspartate en fumarate plus NH_3 et à l'hydrolyse d'un GTP en GDP plus P_i. Mais ce cycle n'est pas aussi futile

Figure 27.11 • Cycle des nucléosides puriques. Ce cycle constitue une voie anaplérotique de restauration des métabolites intermédiaires du cycle de l'acide citrique dans les muscles du squelette.

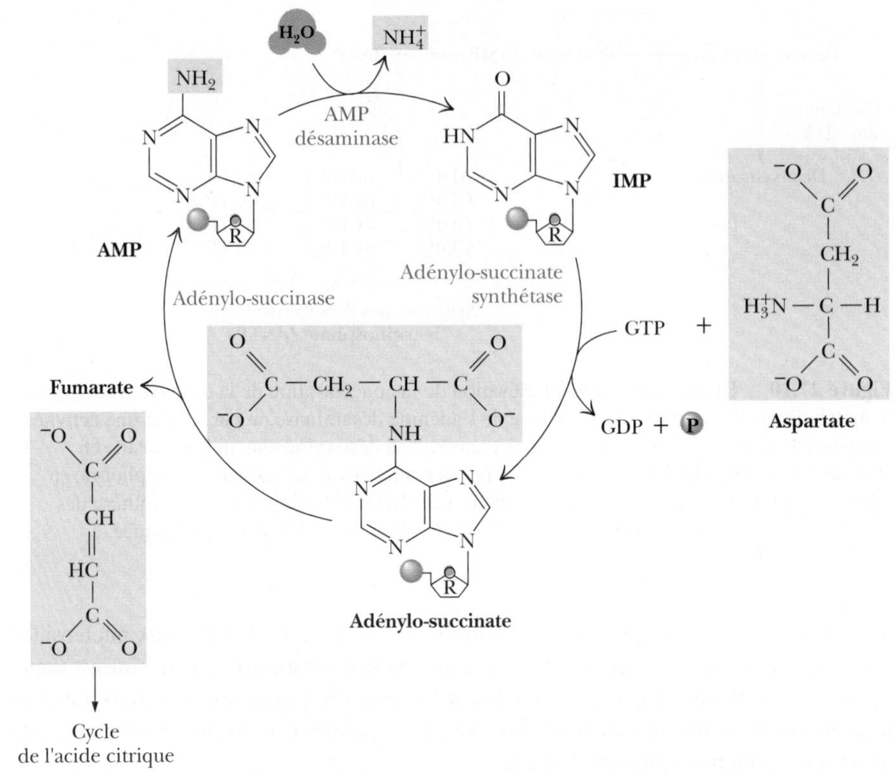

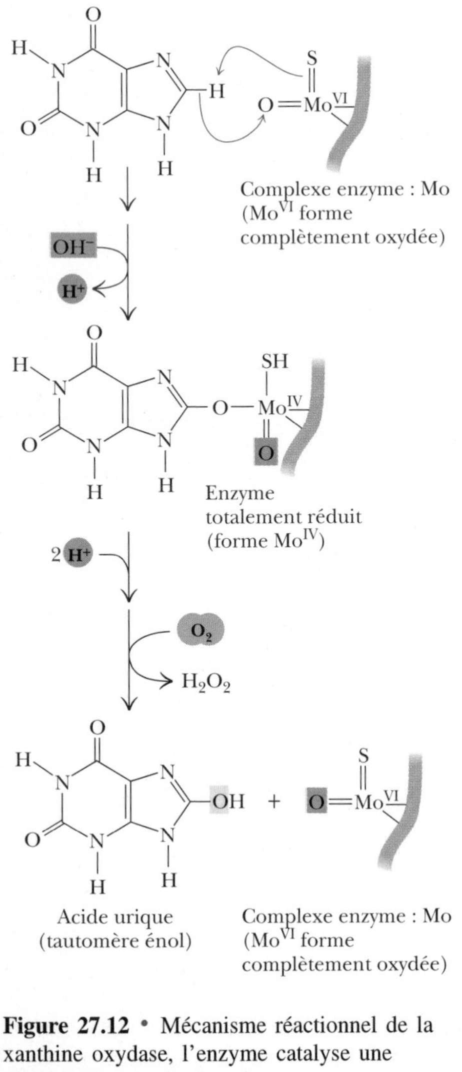

Figure 27.12 • Mécanisme réactionnel de la xanthine oxydase, l'enzyme catalyse une réaction de type hydroxylase.

qu'il paraît : il participe activement au métabolisme énergétique dans les muscles du squelette. Le fumarate produit rétablit la concentration des intermédiaires du cycle de l'acide citrique, intermédiaires perdus car utilisés par des réactions amphiboliques (voir Chapitre 20). Les cellules des muscles squelettiques n'ont pas les enzymes anaplérotiques classiques et leur absence est compensée par une plus grande quantité d'AMP désaminase, d'adénylo-succinate synthétase et d'adénylo-succinate lyase.

La xanthine oxydase

Le foie, les muqueuses intestinales et le lait, contiennent de grandes quantités de **xanthine oxydase**. Cet enzyme catalyse l'oxydation de l'hypoxanthine en xanthine et de la xanthine en acide urique. La xanthine oxydase est relativement peu spécifique ; en présence de O_2, elle peut, dans certaines conditions, oxyder une grande variété de substrats, purines, ptéridines et aldéhydes, et la réaction produit de l'eau oxygénée, H_2O_2. La xanthine oxydase est un enzyme à FAD, qui contient des centres Fe-S, et a pour cofacteurs NAD^+ et un *ion molybdène* qui intervient dans le transfert des électrons (Figure 27.12).

Chez les humains et les autres primates, l'acide urique est le produit terminal du catabolisme des purines, il est excrété avec l'urine. Les oiseaux, les reptiles terrestres et de nombreux insectes excrètent aussi de l'acide urique mais, dans ces organismes, l'acide urique est la principale forme d'excrétion de l'azote car, contrairement aux animaux, ils ne produisent pas d'urée (Chapitre 26). Le catabolisme de toutes les substances azotées, y compris celui des acides aminés, aboutit à la formation d'acide urique. Cette voie du catabolisme de l'azote favorise la conservation de l'eau car ces organismes excrètent les cristaux d'acide urique sous forme de pâte très consistante.

La goutte : un excès d'acide urique

La goutte est le terme clinique qui décrit les conséquences physiologiques de l'accumulation de l'acide urique dans les fluides de l'organisme humain. L'acide urique et ses sels, les urates, sont très peu solubles et précipitent s'ils sont en excès. Le symptôme le plus commun de la goutte est l'arthrite, une inflammation douloureuse

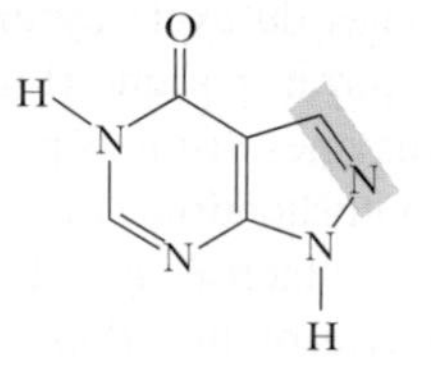

Allopurinol

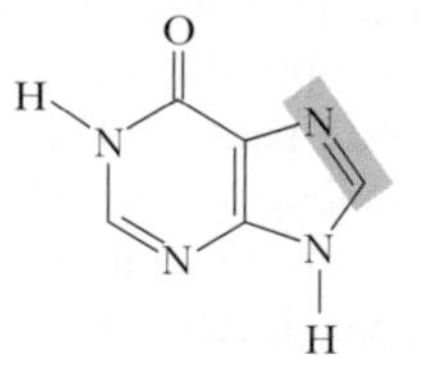

Hypoxanthine

Figure 27.13 • L'allopurinol, un analogue de l'hypoxanthine, est un puissant inhibiteur de la xanthine oxydase.

des articulations provenant de la formation de dépôts d'urates dans les tissus cartilagineux. L'articulation du gros orteil est une cible particulièrement privilégiée. Les cristaux d'urates peuvent former des calculs rénaux, ils obstruent les voies urinaires et provoquent des douleurs extrêmement vives. Environ 3 % de la population sont atteints d'**hyperuricémie** chronique par suite d'une insuffisante excrétion de l'acide urique ou d'une trop grande production de purines. Les aliments riches en acides nucléiques (comme le caviar et les autres œufs de poisson) aggravent l'hyperuricémie. Les origines biochimiques de la goutte sont variées. Il existe cependant un traitement commun. L'*allopurinol*, un analogue de l'hypoxanthine (Figure 27.13), se lie fortement à la forme réduite de la xanthine oxydase ; ce médicament inhibe ainsi l'activité de l'enzyme et prévient l'accumulation de l'acide urique. L'hypoxanthine et la xanthine, plus solubles que l'acide urique, sont plus facilement excrétées et ne s'accumulent donc pas au point d'être toxiques.

Devenir de l'acide urique

Les organismes qui n'excrètent pas l'acide urique le dégradent jusqu'à des stades variés (Figure 27.14). Les mollusques et les mammifères autres que les primates oxydent l'acide urique en *allantoïne* qui est excrétée ; la réaction est catalysée par l'**urate oxydase**. Chez les poissons osseux (téléostéens, la majorité des poissons), la dégradation se poursuit, une **allantoïnase** hydrolyse l'allantoïne en *acide allantoïque* qui sera excrété. Les poissons cartilagineux (requins et raies) ainsi que les amphibiens dégradent l'acide allantoïque ; l'**allantoïcase** l'hydrolyse en acide glyoxylique et libère deux molécules d'*urée*. Les animaux les plus simples, comme les invertébrés marins (crustacées, etc.) ont une uréase qui hydrolyse l'urée en CO_2 et NH_3. Contrairement aux animaux qui doivent éliminer l'excès des produits du catabolisme de l'azote potentiellement dangereux, la croissance des microorganismes est souvent limitée par la disponibilité des substances azotées. Beaucoup de microorganismes disposent des enzymes de la dégradation de l'acide urique ; la libération de l'ammoniac leur permet de l'utiliser pour la synthèse des substances azotées essentielles, nécessaires à leur prolifération.

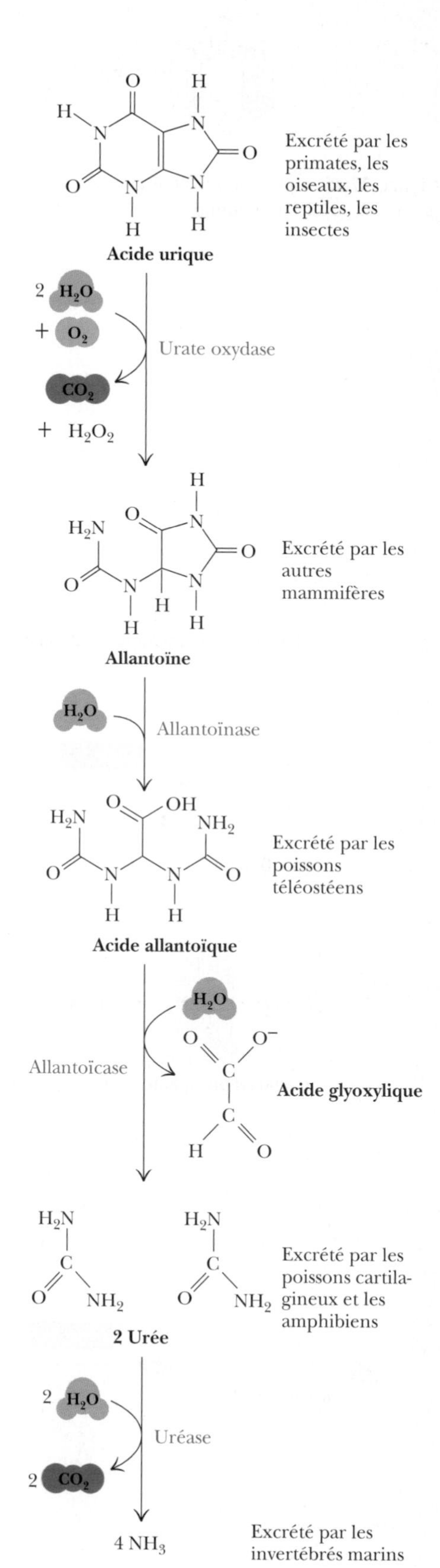

Figure 27.14 • Dégradation de l'acide urique en allantoïne, acide allantoïque, urée, ou ammonium chez divers animaux.

27.5 • Biosynthèse des ribonucléotides pyrimidiques

Contrairement aux purines, les pyrimidines ne sont pas synthétisées sous forme de nucléotides ; le cycle pyrimidique est synthétisé avant que la partie ribose-5-phosphate soit ajoutée. De plus, deux précurseurs seulement, le carbamyl-phosphate et

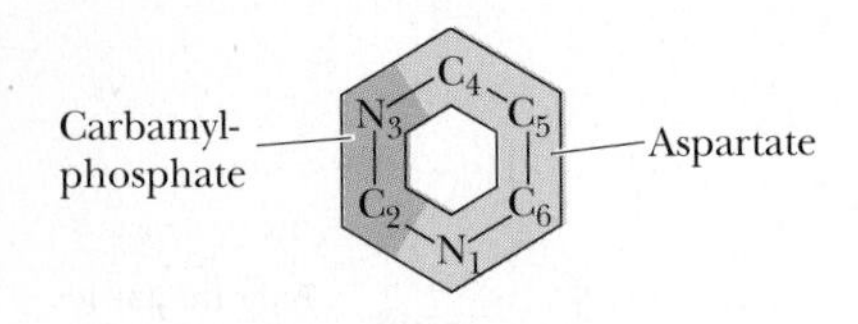

Figure 27.15 • Origine métabolique des six atomes du cycle pyrimidine.

l'aspartate, apportent les six atomes du cycle pyrimidine, à comparer avec les sept précurseurs des neuf atomes du noyau purique (Figure 27.15).

Les mammifères ont deux enzymes distincts pour la synthèse du carbamyl-phosphate, l'un cytosolique, l'autre mitochondrial. Le carbamyl-phosphate précurseur de la synthèse des pyrimidines est synthétisé dans le cytosol par la **carbamyl-phosphate synthétase II (CPS II)** cytosolique. Rappelons que la carbamyl-phosphate synthétase I, mitochondriale, intervient dans le cycle de l'urée et dans la biosynthèse de l'arginine (Chapitre 26). Les substrats de la carbamyl-phosphate synthétase II sont HCO_3^-, H_2O, la glutamine et 2 ATP (Figure 27.16). Comme le carbamyl-phosphate synthétisé par CPS II n'a pas d'autre destinée que son incorporation dans les pyrimidines, la réaction catalysée par CPS II peut être considérée comme l'étape d'engagement dans la voie de synthèse *de novo* des pyrimidines. Les bactéries n'ont qu'une CPS et le carbamyl-phosphate produit est incorporé aussi bien dans l'arginine que dans le cycle pyrimidique. L'étape d'engagement dans la voie de la synthèse des pyrimidines chez les bactéries est donc l'étape suivante, la réaction catalysée par l'**aspartate transcarbamylase (ATCase)**.

L'ATCase catalyse la condensation du carbamyl-phosphate avec l'aspartate, pour former le carbamyl-aspartate (Figure 27.17). La réaction ne consomme pas d'ATP

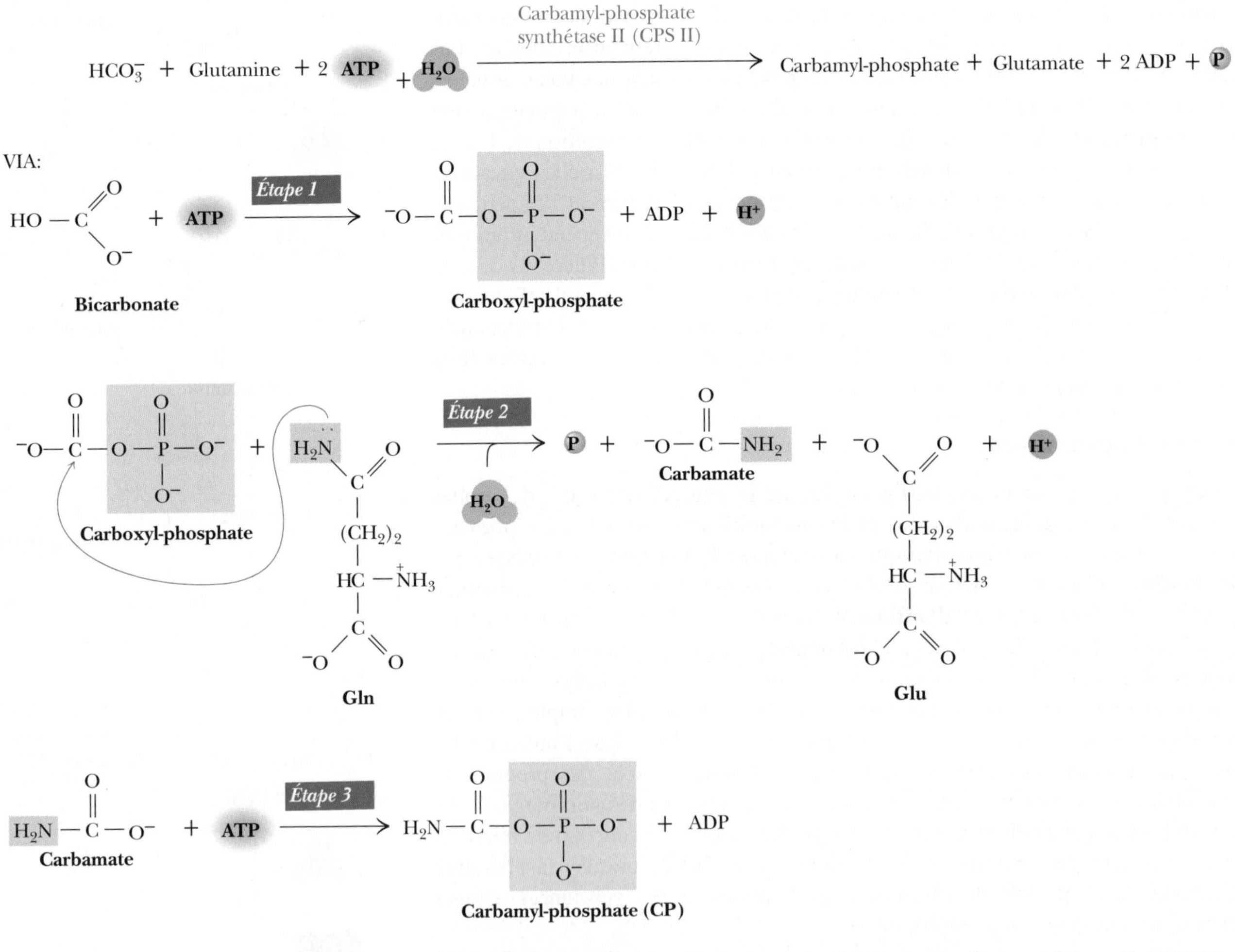

$$HCO_3^- + \text{Glutamine} + 2\ \text{ATP} + H_2O \xrightarrow{\text{Carbamyl-phosphate synthétase II (CPS II)}} \text{Carbamyl-phosphate} + \text{Glutamate} + 2\ \text{ADP} + \text{P}$$

VIA:

$$\underset{\textbf{Bicarbonate}}{HO-C(=O)-O^-} + \text{ATP} \xrightarrow{\textit{Étape 1}} \underset{\textbf{Carboxyl-phosphate}}{^-O-C(=O)-O-P(=O)(O^-)-O^-} + \text{ADP} + H^+$$

$$\underset{\textbf{Carboxyl-phosphate}}{^-O-C(=O)-O-P(=O)(O^-)-O^-} + \underset{\textbf{Gln}}{H_2N-C(=O)-(CH_2)_2-HC(\overset{+}{N}H_3)-COO^-} \xrightarrow[H_2O]{\textit{Étape 2}} \text{P} + \underset{\textbf{Carbamate}}{^-O-C(=O)-NH_2} + \underset{\textbf{Glu}}{^-OOC-(CH_2)_2-HC(\overset{+}{N}H_3)-COO^-} + H^+$$

$$\underset{\textbf{Carbamate}}{H_2N-C(=O)-O^-} + \text{ATP} \xrightarrow{\textit{Étape 3}} \underset{\textbf{Carbamyl-phosphate (CP)}}{H_2N-C(=O)-O-P(=O)(O^-)-O^-} + \text{ADP}$$

Figure 27.16 • Réaction catalysée par la carbamyl-phosphate synthétase II (CPS II). Contrairement à la carbamyl-phosphate synthétase I, CPS II utilise le groupe amide de la glutamine, et non NH_4^+, pour former le carbamyl-phosphate. *Étape 1* : Il faut un premier ATP pour former le carboxy-phosphate, forme activée de CO_2. *Étape 2* : Le carboxyl-phosphate (encore appelé le carbonyl-phosphate) réagit avec l'amide d'une glutamine pour donner du carbamate et du glutamate. *Étape 3* : Le carbamate est phosphorylé par un second ATP pour donner de l'ADP et du carbamyl-phosphate.

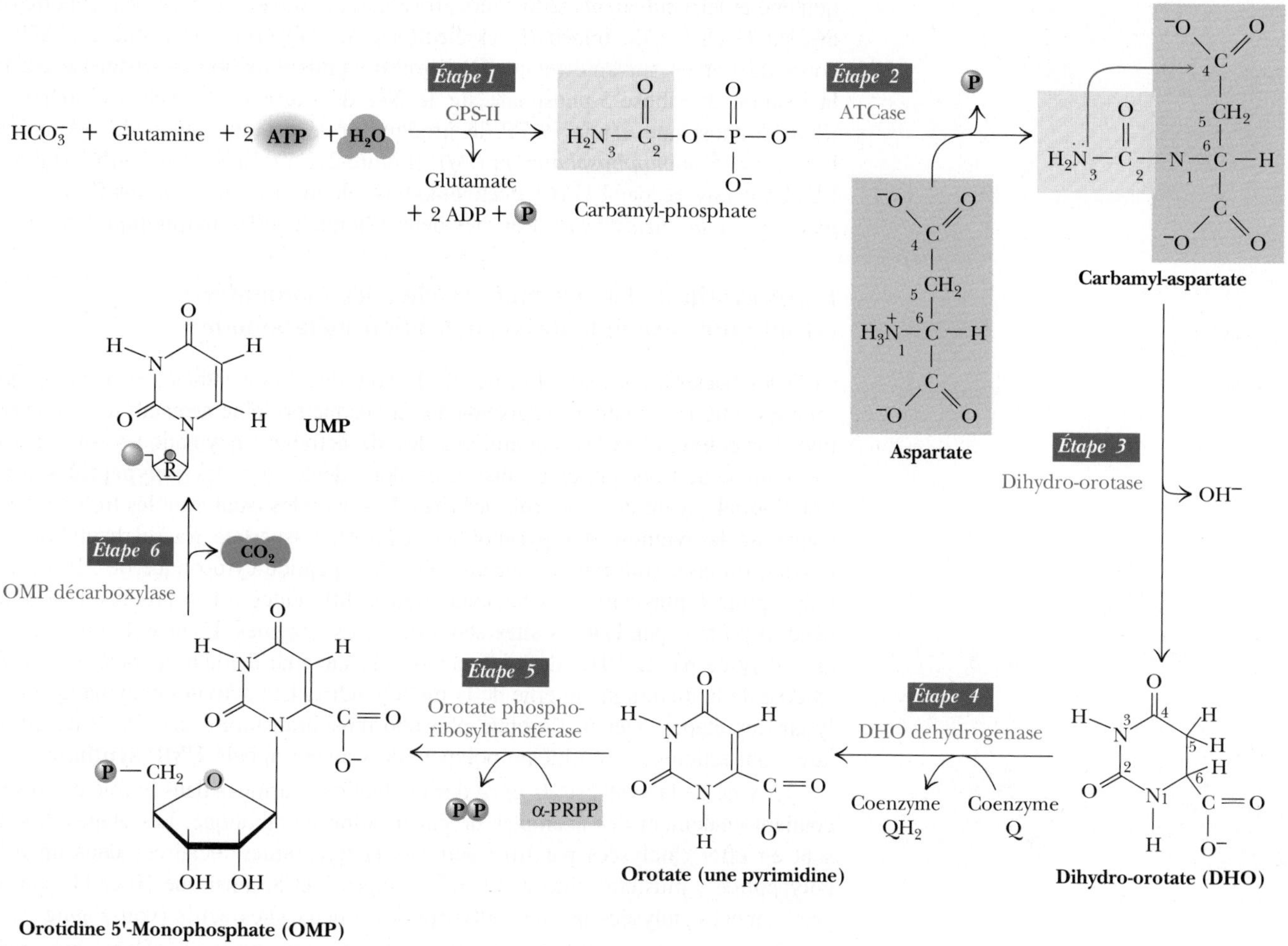

Figure 27.17 • Voie de la synthèse *de novo* d'une pyrimidine. *Étape 1* : Synthèse du carbamyl-phosphate. *Étape 2* : La condensation du carbamyl-phosphate et de l'aspartate, catalysée par l'aspartate transcarbamylase, donne le carbamyl-aspartate. *Étape 3* : Une condensation intramoléculaire catalysée par la dihydro-orotase ferme l'hétérocycle à six atomes caractéristique des pyrimidines. Le produit est le dihydro-orotate (DHO). *Étape 4* : L'oxydation de DHO par la dihydro-orotate déshydrogénase donne l'orotate. *Étape 5* : Formation de l'orotidine-5′-monophosphate (OMP), un nucléotide pyrimidique, par fixation sur l'orotate de la partie ribose-5-phosphate provenant du PRPP. Notez que l'orotate phosphoribosyltransférase catalyse la formation d'une liaison β-osidique entre le N-1 de la pyrimidine et le groupe ribosyle. L'hydrolyse du PP_i déplace l'équilibre de la réaction en faveur de la synthèse. *Étape 6* : La décarboxylation de l'OMP par l'OMP décarboxylase donne l'UMP.

car le carbamyl-phosphate est la forme « activée » du groupe carbamyle. La **dihydro-orotase** catalyse ensuite la fermeture du cycle par une déshydratation intramoléculaire entre le groupe $-NH_2$, provenant du carbamyl-P, et le groupe $-COO^-$ qui était le groupe β-COO^- de l'aspartate (étape 3). Le produit de la réaction est le *dihydro-orotate*, un hétérocycle à six atomes. Le dihydro-orotate n'est pas encore une pyrimidine alors que son produit d'oxydation (étape 4), l'*orotate,* est une pyrimidine. La **dihydro-orotate déshydrogénase** catalyse cette oxydation. Les dihydro-orotate déshydrogénases bactériennes sont des flavoprotéines dont l'accepteur final d'hydrogène est le NAD^+, elles ont la particularité de contenir à la fois le FAD et le FMN ; ces enzymes ont aussi comme autres groupes prosthétiques des centres Fe-S. La dihydro-orotate déshydrogénase des eucaryotes est une des protéines de la membrane interne de la mitochondrie ; son accepteur d'électrons immédiat est une quinone et les équivalents réducteurs provenant du dihydro-orotate peuvent être oxydés sur la chaîne du transport des électrons ce qui permet la synthèse d'ATP. Au cours de l'étape suivante (étape 5), l'**orotate phosphoribosyltransférase** catalyse la fixation du ribose-5-phosphate sur le N-1 de l'orotate. Le substrat donneur de ribose-5-phosphate est le PRPP, le produit formé est un nucléotide pyrimidique, l'*orotidine-5'-monophosphate*, ou *OMP* (Figure 27.17). Enfin, la décarboxylation de l'OMP, catalysée par l'**OMP décarboxylase**, donne l'*UMP (uridine-5'-monophosphate,* ou *acide uridylique)*, l'un des deux ribonucléotides pyrimidiques communs.

La biosynthèse des pyrimidines chez les mammifères est un autre exemple de « canalisation métabolique »

Chez les bactéries, les six enzymes de la voie de la biosynthèse *de novo* des pyrimidines sont des protéines indépendantes et chaque protéine ne catalyse qu'une réaction. Par contre, chez les mammifères, les six activités enzymatiques sont réparties sur seulement trois protéines distinctes dont deux sont des **polypeptides multifonctionnels** ayant deux ou trois activités. Les activités catalysant les trois premières étapes de la synthèse des pyrimidines, CPS II, l'aspartate transcarbamylase et la dihydro-orotase, sont réunies sur un *même* polypeptide cytosolique de 210 kDa. Ce polypeptide à plusieurs activités catalytiques différentes est le produit d'un unique gène, il porte cependant les sites actifs des trois enzymes. L'étape 4 (Figure 27.17) est catalysée par la DHO déshydrogénase, un enzyme distinct, associé à la surface externe de la membrane interne de la mitochondrie. Les activités enzymatiques catalysant les étapes 5 et 6, l'orotate phosphoribosyltransférase et l'OMP décarboxylase, sont réunies sur un même polypeptide souvent appelé **UMP synthase**.

La voie de la synthèse *de novo* des nucléotides puriques dans le foie des oiseaux contient également des exemples de canalisation métabolique. Les étapes 3, 4 et 6 sont en effet catalysées par trois activités enzymatiques localisées dans un même polypeptide à plusieurs sites actifs et les étapes 7 et 8, ainsi que 10 et 11, sont respectivement catalysées par des polypeptides à deux sites actifs (voir Figure 27.3).

Ces enzymes multifonctionnels confèrent un avantage. Dans une même séquence, le produit d'une réaction est le substrat de la réaction suivante ; si l'enzyme est contient plusieurs sites actifs, le produit d'une réaction reste lié et est, en quelque sorte, « canalisé » vers le prochain site actif sans qu'il se dissocie et se dilue dans le milieu environnant. **La canalisation métabolique** est plus efficace car les substrats ne se diluent pas et il n'y a pas accumulation de métabolites intermédiaires.

Synthèse des principaux ribonucléotides pyrimidiques, l'UTP et le CTP

Les deux plus importants ribonucléotides pyrimidiques proviennent du même précurseur, l'UMP, par une voie de synthèse commune. La *nucléoside monophosphate kinase* catalyse d'abord la phosphorylation de l'UMP en UDP :

$$\text{UMP} + \text{ATP} \rightleftharpoons \text{UDP} + \text{ADP}$$

Puis l'UDP est phosphorylée par la *nucléoside diphosphokinase :*

$$\text{UDP} + \text{ATP} \rightleftharpoons \text{UTP} + \text{ADP}$$

L'amination de l'UTP sur le C-6 donne le CTP. Cette réaction est catalysée par la **CTP synthase**, une glutamine amidotransférase (Figure 27.18). L'hydrolyse d'un ATP fournit l'énergie nécessaire à la réaction.

Régulation de la biosynthèse des pyrimidines

Chez les bactéries, la biosynthèse des pyrimidines est régulée au niveau de l'aspartate transcarbamylase (ATCase), un enzyme allostérique. L'ATCase d'*Escherichia coli* subit une rétroinhibition par le produit ultime de la voie de synthèse, le CTP.

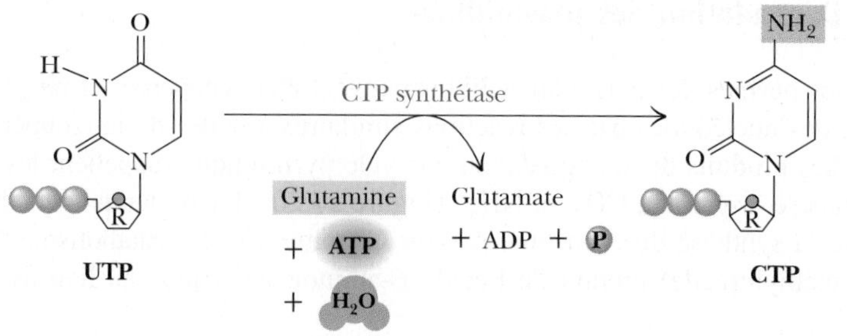

Figure 27.18 • Synthèse du CTP à partir de l'UTP. La CTP synthétase catalyse l'amination du C-6 du cycle pyrimidique de l'UTP. Chez les eucaryotes, cet $-NH_2$ provient du groupe amide de la glutamine ; chez les bactéries l'UTP est directement aminé par NH_4^+.

L'ATP, qui peut être considéré comme signalant une disponibilité énergétique et la présence de purines en quantité suffisante, est un activateur allostérique de l'AT-Case. Le CTP et l'ATP sont en compétition pour un même site allostérique. Chez un grand nombre de bactéries, l'UTP (et non le CTP) est le rétroinhibiteur de l'AT-Case.

Chez les animaux, c'est la carbamyl-phosphate synthétase II qui catalyse l'étape d'engagement dans la voie de la synthèse des pyrimidines, elle est donc l'enzyme soumis à régulation allostérique. L'UDP et l'UTP sont des rétroinhibiteurs de la CPS II, alors que le PRPP et l'ATP sont des activateurs allostériques. À l'exception de l'ATP, aucune de ces molécules n'est un substrat de la CPS II ou des deux autres activités catalytiques du polypeptide ayant les trois fonctions. La Figure 27.19 présente une comparaison entre les systèmes de régulation de la synthèse des pyrimidines chez *E. coli* et chez les animaux.

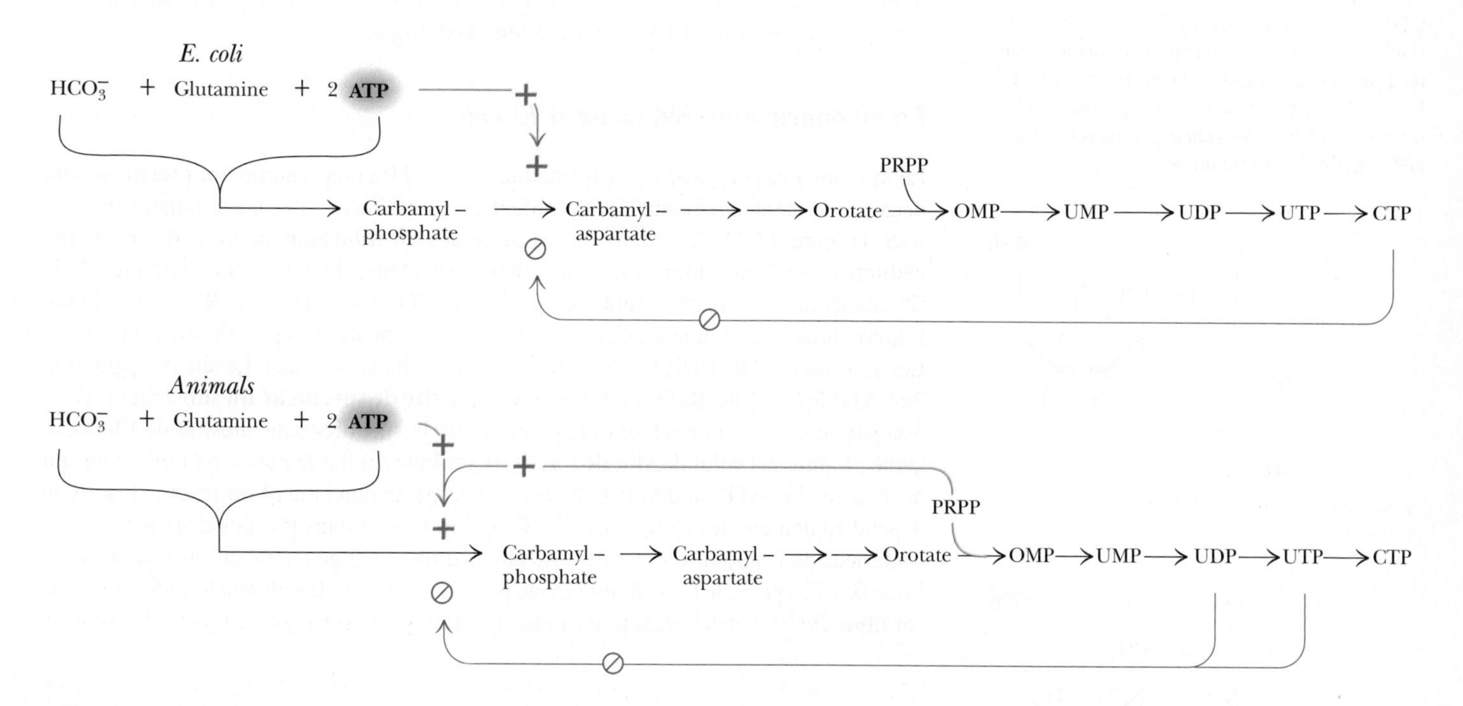

Figure 27.19 • Régulations comparées de la synthèse des pyrimidines chez *E. coli* et chez les animaux.

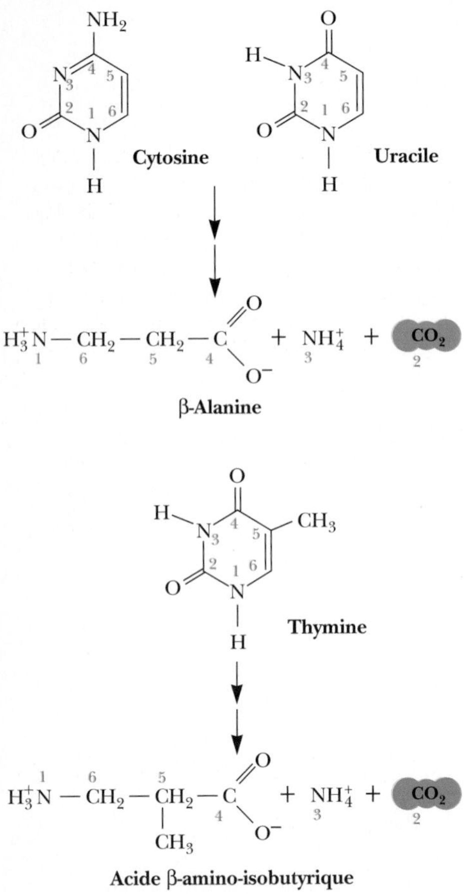

27.6 • Dégradation des pyrimidines

Comme les purines, les pyrimidines libres peuvent être récupérées et recyclées pour redonner des nucléotides par des réactions similaires à celles de la récupération des purines. Les produits de la dégradation du cycle pyrimidique rappellent les substrats de la synthèse, aspartate, CO_2, et NH_4^+ (Figure 27.20). La β-alanine peut être réutilisée pour la synthèse du coenzyme A (voir Chapitre 14). Le catabolisme de la thymine (5-méthyluracile) produit de l'acide β-aminoisobutyrique au lieu de la β-alanine.

Dans ce chapitre, nous avons jusqu'à présent décrit les voies de la synthèse des quatre principaux ribonucléotides : ATP, GTP, UTP et CTP. Ces molécules ont un important rôle de cosubstrats ou de cofacteurs dans le métabolisme et elles servent de précurseurs immédiats à la synthèse des acides ribonucléiques (ARN). Environ 90 % du total des acides nucléiques cellulaires sont de l'ARN, le reste étant de l'acide désoxyribonucléique (ADN). L'ADN est un polymère de désoxyribonucléotides, ce qui le différencie d'un point de vue chimique de l'ARN ; l'un des désoxyribonucléotides est l'acide désoxythymidylique. Nous examinerons à présent la synthèse de ces nucléotides.

Cytosine / Uracile → $H_3N^+—CH_2—CH_2—COO^-$ + NH_4^+ + CO_2 (β-Alanine)

Thymine → $H_3N^+—CH_2—CH(CH_3)—COO^-$ + NH_4^+ + CO_2 (Acide β-amino-isobutyrique)

Figure 27.20 • Dégradation des pyrimidines. Les atomes de carbone 4, 5 et 6 plus l'azote N-1 sont libérés sous forme de β-alanine ; N-3 sous forme de NH_4^+, et C-2 sous forme de CO_2. (La thymine, une pyrimidine, donne de l'acide β-amino-isobutyrique). Rappelez-vous de l'origine des atomes du cycle : N-1, C-4, C-5 et C-6, provenaient de l'aspartate, C-2 d'un CO_2 et N-3 ne venait pas directement de NH_4^+ mais de la glutamine.

27.7 • Biosynthèse des désoxyribonucléotides

Les désoxyribonucléotides n'ont qu'une seule fonction métabolique : ce sont les précurseurs de la synthèse de l'ADN. Dans la plupart des organismes, les ribonucléosides diphosphates (NDP) sont les substrats de la formation des désoxyribonucléosides-diphosphates (dNDP). La réduction au niveau du C-2′ du ribose des NDP produit les 2′-désoxynucléotides (Figure 27.21). Le remplacement de l'OH en 2′ du ribose par un ion hydrure (H:⁻) est catalysé par une **ribonucléotide réductase**. Le mécanisme de cette réduction implique la formation d'un radical libre. Trois classes de ribonucléotides réductases sont connues, elles se différencient par le mode de génération du radical libre. Les enzymes de la classe I se trouvent chez *E. coli* et pratiquement tous les eucaryotes, ils contiennent du fer et génèrent le radical libre sur la chaîne latérale d'un résidu tyrosine spécifique.

La ribonucléotide réductase d'*E. coli*

Le système enzymatique de la formation des dNTP comprend quatre protéines dont deux constituent la ribonucléotide réductase proprement dite, un tétramère de type $\alpha_2\beta_2$ (Figure 27.22). Les deux autres protéines, la **thiorédoxine** et la **thiorédoxine réductase**, servent à fournir les équivalents réducteurs. Les deux homodimères de la ribonucléotide réductase sont désignés par **R1** (86 kDa) et **R2** (43,5 kDa). L'homodimère R1 contient deux types de sites de régulation en plus du site catalytique. Les substrats (ADP, CDP, GDP, UDP) se lient au site catalytique. Le site de régulation lie l'ATP, le dATP, le dGTP, ou le dTTP, c'est le **site de spécificité du substrat** : la fixation sur ce site d'un effecteur donné détermine la spécificité du substrat de l'holoenzyme ; l'autre est celui du **site de l'activité globale** : selon la nature de l'effecteur qui occupe ce site, ATP ou dATP, l'enzyme est respectivement actif ou inactif. L'activité dépend également des résidus Cys[439], Cys[225] et Cys[462] dans R1. Les deux ions Fe^{3+} à l'intérieur de l'unique site actif formé par le dimère R2 génèrent sur un résidu spécifique de R2, Tyr[122], le radical libre exigé pour la réduction des ribonucléotides. Le radical libre Tyr[122] génère ensuite un radical libre Cys-S• sur Cys[439]. Cys[439]-S• initie la

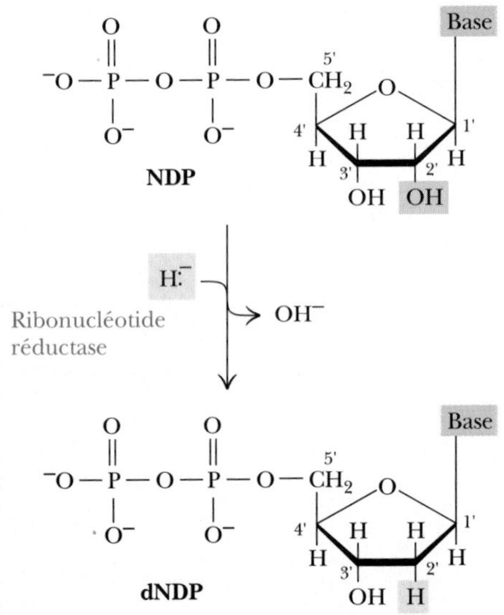

NDP → (H:⁻, Ribonucléotide réductase, → OH⁻) → dNDP

Figure 27.21 • La synthèse d'un désoxyribonucléotide implique la réduction du groupe en C-2' du ribose des ribonucléosides diphosphates.

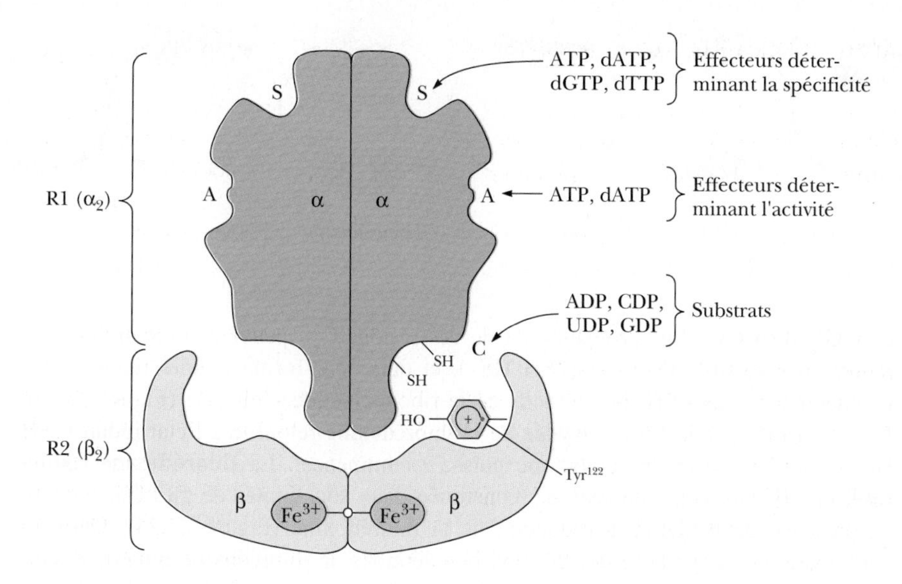

Figure 27.22 • Organisation des sous-unités et sites de liaison de la ribonucléotide réductase d'*E. coli*. L'holoenzyme est constitué de deux dimères, R1 et R2 (chacun contenant deux sous-unités identiques). L'holoenzyme a trois types de sites de liaison des nucléotides : les sites S qui déterminent la spécificité ; les sites A, déterminent l'activité catalytique ; les sites C, les sites actifs sur lesquels se fixent les substrats. Les trois types de sites lient des nucléotides différents. Remarquez que l'holoenzyme n'a apparemment qu'un seul site actif, formé par l'interaction entre les ions Fe^{3+} de chacune des sous-unités du dimère R2.

réduction du ribonucléotide en captant le 3′-H du ribose d'un nucléoside diphosphate, ce qui crée un radical libre sur le C-3′. Enfin, une déshydratation aboutit à la formation du produit, un désoxyribonucléotide.

Origine du pouvoir réducteur utilisé par la ribonucléotide réductase

Le NADPH est la source ultime des équivalents réducteurs de la réduction des ribonucléotides, mais le donneur immédiat est la **thiorédoxine**, une petite protéine (12 kDa) contenant deux groupes –SH réactifs proches l'un de l'autre dans la séquence

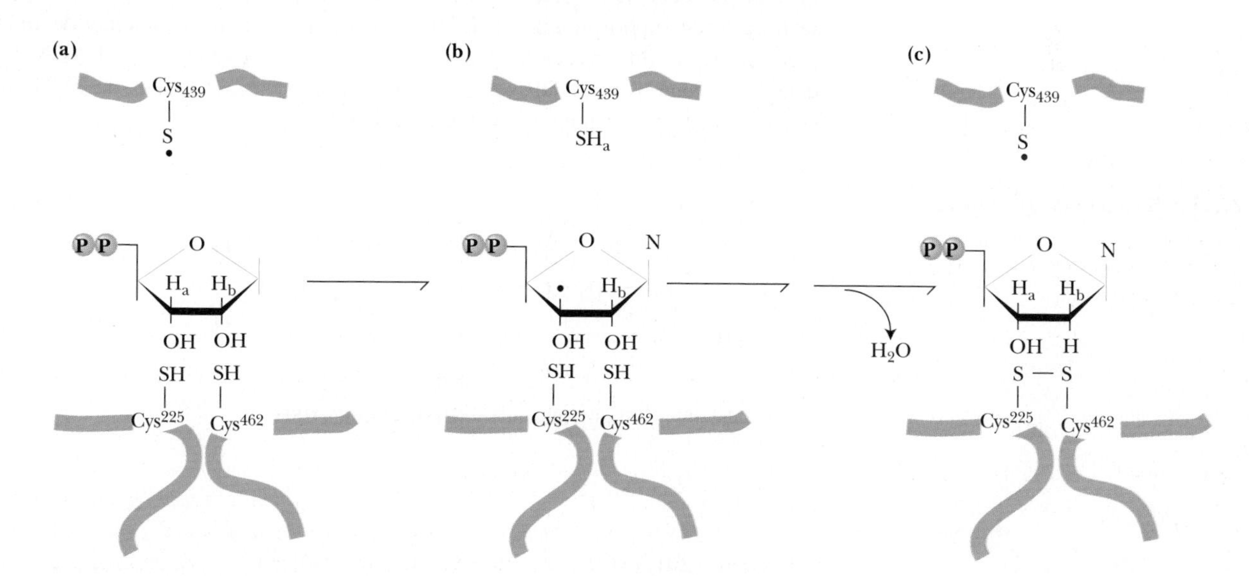

Figure 27.23 • Mécanisme de la formation d'un radical libre dans la réduction d'un NDP par la ribonucléotide réductase. H*a* désigne l'hydrogène lié au C-3′ et H*b* l'atome d'hydrogène lié au C-2′. (a) La réaction utilise un radical libre Cys-S• (résidu Cys^{439} de l'homodimère R1 de la ribonucléotide réductase de *E. coli*) formé par réaction avec un radical libre, Tyr^{122}, sur R2. (b) Ce radical Cys-S• capte l'hydrogène H*a* et crée un radical C-3′•. (c) La déshydratation, par élimination de H*b* et du groupe –OH lié au C-2′, accompagnée de la formation d'un pont disulfure par l'oxydation de Cys^{225} et de Cys^{462} sur R (source de pouvoir réducteur) et du retour de H*a* sur C-3′ donne le produit final, un dNDP. *(D'après Reichard, P., 1997. The evolution of ribonucleotide reduction.* Trends in Biochemical Sciences *22 : 81-85. This fee radical mechanism of ribonucleotide reduction was originally proposed by JoAnn Stubbe of MIT.)*

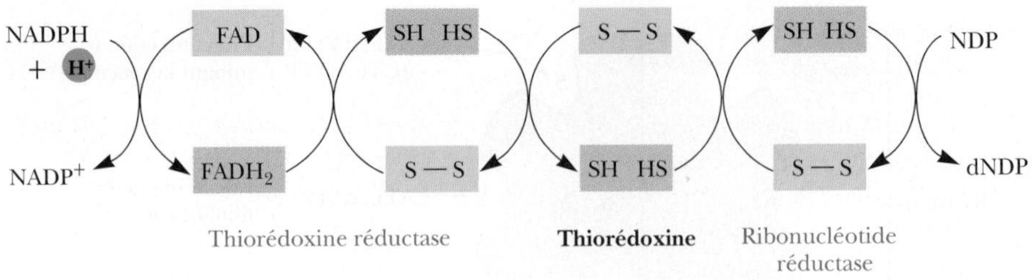

Figure 27.24 • Le cycle d'oxydation-réduction des couples (–S-S–) / (–SH HS–) implique la ribonucléotide réductase, la thiorédoxine, la thiorédoxine réductase et le NADPH.

Cys–Gly–Pro–Cys. Les groupes –SH de ces résidus Cys peuvent subir une oxydo-réduction réversible (S–S) et (–SH HS–), et dans leur forme réduite ils servent à régénérer les deux –SH du site actif de la ribonucléotide réductase (Figure 27.23). Il faut ensuite que la forme oxydée de la thiorédoxine retourne à l'état réduit (–SH HS–) pour que le cycle catalytique puisse recommencer. La **thiorédoxine réductase**, une flavoprotéine de type α_2, constituée deux sous-unités de 58 kDa, catalyse en présence de NADPH la réduction de la thiorédoxine (Figure 27.24). Outre sa participation à la synthèse des désoxyribonuléotides, la thiorédoxine intervient dans plusieurs réactions métaboliques qui ont comme dénominateur commun la transition réversible thiol $\rightleftharpoons$ disulfure de deux résidus Cys. Chez *E. coli*, une autre protéine à groupes -SH, analogue à la thiorédoxine, la **glutarédoxine**, peut jouer le même rôle dans la réduction des ribonucléotides. La glutarédoxine oxydée peut être réduite par deux équivalents de **glutathion** (γ-glutamylcystéinylglycocolle ; Figure 27.25) ; le glutathion oxydé est ensuite réduit par la glutathion réductase, un autre enzyme flavinique dont le cofacteur est le NADPH.

Le CDP, l'UDP, le GDP et l'ADP sont les substrats de la ribonucléotide réductase et les produits correspondants sont le dCDP, le dUDP, le dGDP et le dADP. Le CDP qui n'est pas un intermédiaire de la synthèse des nucléotides pyrimidiques est produit par déphosphorylation du CTP, par exemple dans la réaction catalysée par la nucléoside diphosphokinase. L'UDP est un substrat de la nucléotide réductase bien que les uridine nucléotides ne participent pas à la synthèse de l'ADN. Cependant la formation du dUDP est nécessaire car c'est le précurseur du dTTP, un des substrats nécessaires pour la synthèse de l'ADN.

Figure 27.25 • Structure du glutathion.

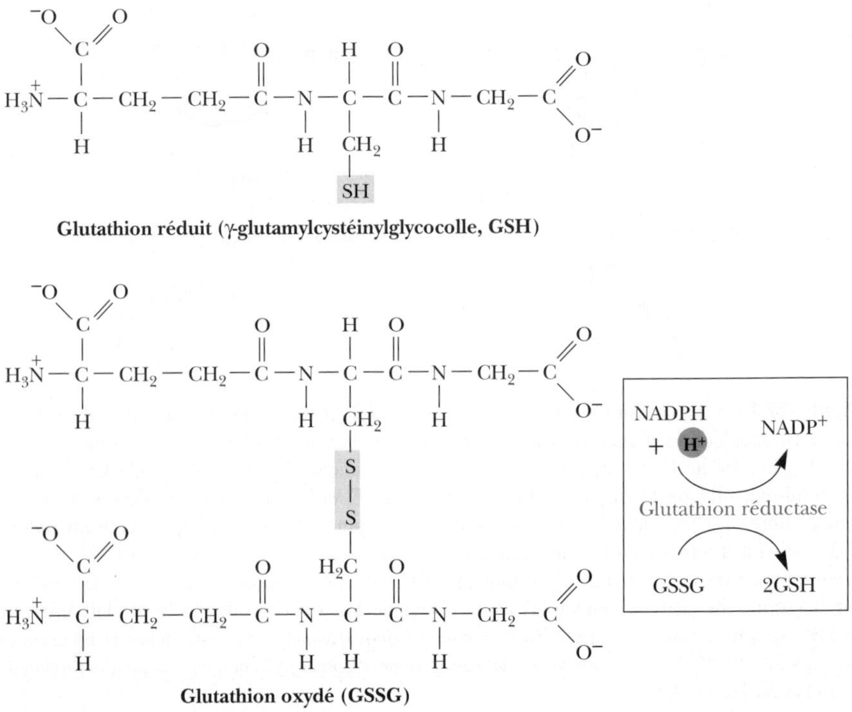

Glutathion réduit (γ-glutamylcystéinylglycocolle, GSH)

Glutathion oxydé (GSSG)

Régulation de la spécificité et de l'activité de la ribonucléotide réductase

Afin de maintenir un rapport approprié entre les concentrations des quatre désoxyribonucléotides utilisés pour la synthèse de l'ADN (dNTP : dATP, dGTP, dCTP et dTTP), l'activité de la ribonucléotide réductase doit être doublement modulée. Premièrement, en fonction des besoins en dNTP l'enzyme doit être activé ou inhibé. Deuxièmement, la concentration relative de chacun des NDP transformé en dNDP doit être contrôlée. La ribonucléotide réductase contient deux différents types de sites de fixation des effecteurs, *distincts du site actif sur lequel se lie le substrat.* Ces deux sites de régulation sont le *site de l'activité globale* et *le site de la spécificité du substrat.* Seuls l'ATP et le dATP peuvent se lier au site d'activité globale. Si l'ATP est lié, l'enzyme est actif ; si c'est le dATP qui est lié, l'enzyme est inactif. L'ATP est donc l'effecteur positif de l'enzyme et le dATP l'effecteur négatif, ils sont en compétition pour le même site.

Le deuxième site de régulation, le *site de la spécificité du substrat*, peut lier l'ATP, le dTTP, le dGTP, ou le dATP, et la spécificité de l'enzyme pour le substrat est déterminée par la nature du nucléotide qui occupe ce site. Si l'ATP se trouve sur le site de spécificité de la ribonucléotide réductase, le site catalytique fixera préférentiellement les nucléotides pyrimidiques (UDP ou CDP) et les réduira en dUDP ou dCDP. Avec du dTTP sur le site de spécificité, c'est le GDP qui devient le substrat préféré de la réduction. Quand le dGTP se lie au site de spécificité, l'ADP devient le substrat de la réduction. La logique de ces différentes spécificités est la suivante (Figure 27.26) : une concentration élevée en ATP signale que le statut énergétique de la cellule est favorable, une condition compatible avec la croissance cellulaire et la division, et donc qu'il doit y avoir synthèse d'ADN. Dans ces conditions, la probabilité pour l'ATP de se lier au site régulateur de l'activité de la ribonucléotide réductase est élevée, il active l'enzyme et permet la production des dNTP nécessaires pour la synthèse de l'ADN. Mais aussi, dans ces mêmes conditions, l'ATP se fixe très certainement sur le site de spécificité de sorte que l'UDP et le CDP sont réduits en dUDP et dCDP. Nous verrons bientôt que ces deux désoxyribonucléotides pyrimidiques sont des précurseurs du dTTP. Donc des concentrations plus importantes de dUDP et dCDP conduiront à l'élévation de la concentration du dTTP, ce qui accroît la probabilité de sa liaison au site de spécificité. Dans ce cas, le GDP devient le meilleur substrat, et le taux de dGTP s'élève. Lorsque le dGTP se fixe sur le site de spécificité, c'est l'ADP qui devient le substrat de l'enzyme, ce qui permet la formation de dATP et son accumulation. La fixation du dATP sur le site d'activité global inhibera l'activité enzymatique. Pour résumer, les affinités relatives des trois différents sites de fixation pour les nucléotides, substrats, activateurs et inhibiteurs, sont telles que la formation des dNTP s'effectue de façon ordonnée et équilibrée. Lorsqu'il y a suffisamment de dNDP pour les besoins de la cellule, ils sont phosphorylés par des nucléoside diphosphokinases, ce qui donne les dNTP, les substrats immédiats de la synthèse de l'ADN.

Le statut énergétique de la cellule est favorable; [ATP] élevée. Synthèse d'ADN :

1. L'ATP se fixe sur le site A : la ribonucléotide réductase est *ACTIVE*
2. L'ATP lié au site S favorise la fixation du CDP ou de l'UDP sur le site C ⟶ [dCDP], [dUDP] ↑
3. dCDP, dUDP ⟶ ⟶ dUMP ⟶ dTMP ⟶ ⟶ dTTP
4. Le DTTP occupe le site de spécificité S, ce qui favorise la fixation du GDP ou de l'ADP sur le site C
   GDP ⟶ dGDP ⟶ dGTP
5. DGTP occupe le site S, favorise la fixation d'ADP sur le site C ⟶ [dADP] ↑
6. dATP remplace ATP sur le site A : la ribonucléotide réductase est *INACTIVE*

Figure 27.26 • Régulation de la biosynthèse des désoxyribonucléotides. Justification rationnelle des différentes affinités des deux sites régulateurs de la ribonucléotide réductase.

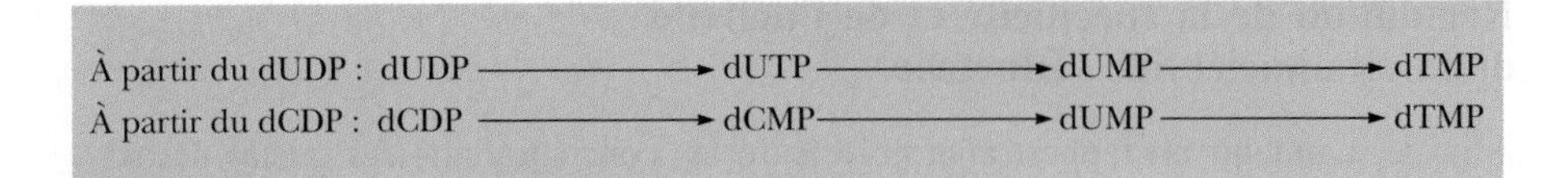

Figure 27.27 • Voies de la synthèse du dTMP. La production de dTMP provient du dUDP ou du dCDP. En partant du précurseur commun aux pyrimidines, l'UMP, la production du dTMP résulte de la séquence suivante : UMP → UDP → UTP → CTP → CDP → dCDP → dCMP → dUMP → dTMP.

27.8 • Synthèse des nucléotides thymidyliques

Les désoxyribonucléotides thymidyliques sont synthétisés à partir d'autres désoxynucléotides pyrimidiques. Les cellules n'utilisent pas de ribonucléotides libres ayant pour base la thymine et ne les synthétisent pas. Les ARNt contiennent de l'acide ribothymidylique, mais la thymine de ce ribonucléotide provient de la méthylation de résidus uracile déjà incorporés dans les ARNt (les ARNt contiennent un assez grand nombre de bases non classiques). Le précurseur immédiat utilisé pour la synthèse du dTMP est le dUMP qui est formé à partir du dUDP ou du dCDP (Figure 27.27). Assez curieusement, le dUMP ne provient pas directement du dUDP, mais du dUTP qui est hydrolysé par la **dUTPase**, une pyrophosphatase qui donne de l'UMP et du PP_i. Cette hydrolyse évite l'accumulation du dUTP et donc son utilisation comme substrat pour la synthèse de l'ADN. Dans une deuxième voie, le dCDP est le précurseur de la formation du dUMP : le dCDP est déphosphorylé en dCMP qui est ensuite désaminé en dUMP par la **dCMP désaminase** (Figure 27.28). La dCMP désaminase est le second enzyme soumis à régulation allostérique dans la synthèse des dNTP ; elle est activée par le dCTP et subit une rétroinhibition par le dTTP. Remarquez que le dCTP est le seul des quatre dNTP à ne pas intervenir dans la régulation de la ribonucléotide réductase (Figure 27.26) ; par contre, il stimule la dCMP désaminase.

La synthèse du dTMP à partir du dUMP est catalysée par la **thymidylate synthase** (Figure 27.29) ; le cycle uracile du substrat est méthylé en C-5 et le donneur de groupe méthyle est un dérivé monocarboné de l'acide folique, le N^5,N^{10}-méthylène-THF. L'enzyme catalyse à la fois le transfert du groupe méthylène puis la réduction par le THF de ce groupe méthylène en groupe méthyle. À la suite de cette réaction, le THF se trouve oxydé en dihydrofolate (DHF). Le DHF ne peut pas servir d'accepteur de maillon carboné, il doit préalablement être réduit en THF, une réaction catalysée par la dihydrofolate réductase (voir Figure 18.35). La thymidylate synthase est au carrefour de la synthèse des dNTP et du métabolisme de l'acide folique. Cet enzyme est devenu une cible de choix pour des inhibiteurs conçus avec l'intention de bloquer la synthèse de l'ADN. Une approche indirecte a été d'utiliser, comme antimétabolites de la synthèse du dTMP, des analogues de l'acide folique ou de ses précurseurs (Figure 27.30). La synthèse des purines est également affectée car elle est elle aussi dépendante des dérivés du THF (Figure 27.3).

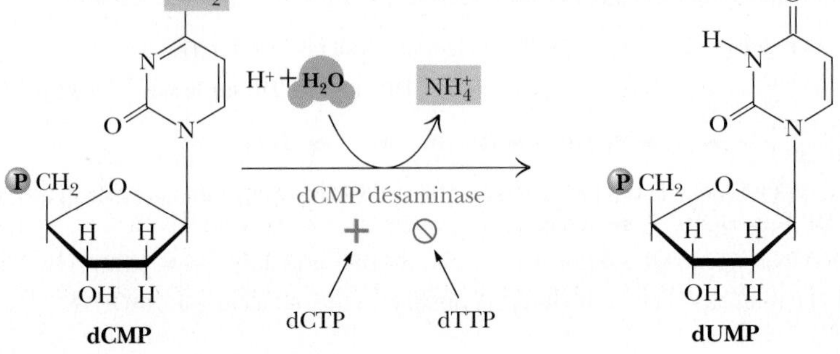

Figure 27.28 • Réaction catalysée par la dCMP désaminase.

dCMP — $H^+ + H_2O$ → NH_4^+ — dCMP désaminase (+ dCTP, ⊘ dTTP) → dUMP

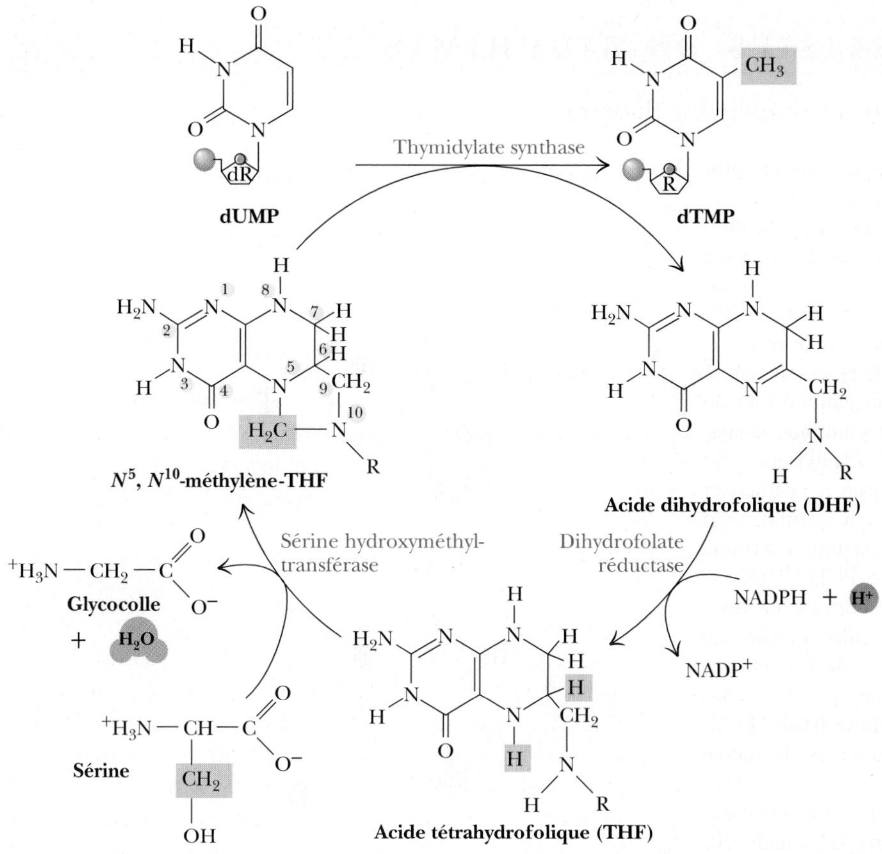

Thymidylate synthase

dUMP **dTMP**

N^5, N^{10}-méthylène-THF

Acide dihydrofolique (DHF)

Sérine hydroxyméthyl-transférase

Dihydrofolate réductase

NADPH + H^+

$NADP^+$

Glycocolle + H_2O

Sérine

Acide tétrahydrofolique (THF)

Figure 27.29 • Réaction catalysée par la thymidylate synthase. Le groupe $-CH_3$ sur C-5 provient du carbone β de la sérine.

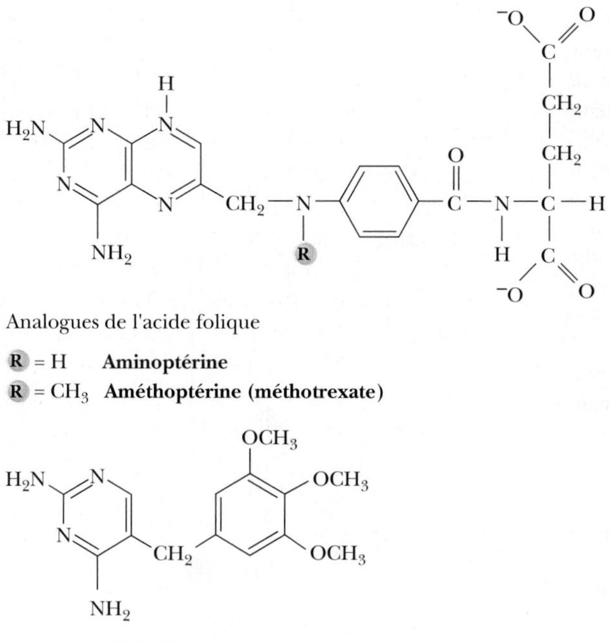

Analogues de l'acide folique

R = H **Aminoptérine**

R = CH_3 **Améthoptérine (méthotrexate)**

Triméthoprime

Figure 27.30 • Précurseurs et analogues de l'acide folique utilisés comme antimétabolites : sulfamides (voir Figure 27.5), aminoptérine, méthotrexate et triméthoprime. Ces trois derniers composés se lient à la dihydrofolate réductase avec une affinité environ mille fois plus grande que le DHF, ils se comportent pratiquement comme des inhibiteurs irréversibles.

DÉVELOPPEMENTS DÉCISIFS EN BIOCHIMIE

Inhibition de l'activité enzymatique par des molécules fluorées

Les liaisons Fluor-Carbone sont extrêmement rares dans les produits naturels et le fluor est un élément peu commun dans les molécules biologiques. Le fluor a trois propriétés particulièrement intéressantes pour les chimistes qui préparent des substances à usage médical : (a) c'est, en synthèse organique, le plus petit atome pouvant remplacer l'hydrogène, (b) le fluor est l'élément le plus électronégatif et (c) la liaison F–C est relativement peu réactive. L'atome F ayant un faible encombrement stérique et sa capacité à induire des effets en conséquence de son électronégativité font du fluor un substituant très utile pour la synthèse chimique d'analogues de substrats inhibiteurs de l'activité catalytique des enzymes. Une des approches intéressantes consiste à synthétiser des précurseurs fluorés qui, étant assimilés, seront normalement métabolisés pour former des antimétabolites. L'exemple classique est celui du *fluoroacétate* (voir Chapitre 20). Le FCH_2COO^- est exceptionnellement toxique car il est rapidement converti en fluorocitrate par la citrate synthase du cycle de l'acide citrique. Le fluorocitrate se trouve être un puissant inhibiteur de l'aconitase. La transformation métabolique d'une substance qui n'est pas nocive en un dérivé toxique est appelée **biosynthèse létale**. Le *5-fluorouracile* et le *5-fluorocytosine* sont des exemples de même type (voir la fin de ce chapitre).

Contrairement à l'hydrogène d'un substrat, qui est souvent éliminé sous forme de H^+, le fluor ne peut pas être facilement éliminé sous forme de F^+. Les inhibiteurs d'enzymes sont donc synthétisés par voie chimique avec un atome de fluor à la place de l'hydrogène qui est éliminé sous forme de H^+ lors de la réaction catalysée par un enzyme. La thymidylate synthase catalyse l'élimination d'un H du dUMP sous forme de H^+ par un mécanisme qui implique la formation d'une liaison covalente. Normalement, un groupe thiol de l'enzyme attaque le C-6 du cycle uracile de l'acide 2′-désoxyuridylique, de sorte que le C-5 peut agir comme un carbanion et attaquer le carbone méthylènique du N^5,N^{10}-méthylène-THF (voir la Figure dans la marge). La régénération de l'enzyme s'effectue par la libération de l'hydrogène du C-5 sous forme de H^+ et la dissociation du produit formé, le dTMP. Si F remplace H sur le C-5, comme dans le 2′-désoxy-5-fluorouridylate (dFUMP), l'enzyme est immobilisé dans un complexe ternaire très stable [enzyme:dFUMP:méthylène-THF] et devient inactif. Les inhibiteurs d'enzymes tels que le dFUMP dont les propriétés ne se révèlent que par leur participation à un cycle catalytique portent des noms variés, **substrat suicide**, substrat **cheval de Troie**, ou encore **inhibiteur du mécanisme réactionnel**.

E — Cys — SH

N^5, N^{10}-méthylène-THF

Complexe ternaire

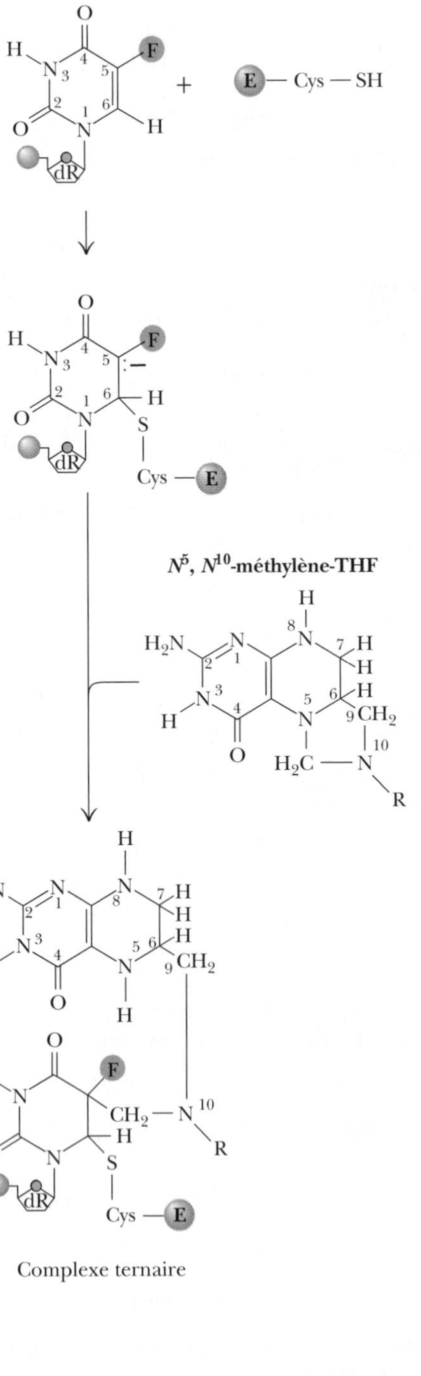

Effets d'une substitution 5-fluoro sur le mécanisme réactionnel de la thymidylate synthase. Normalement, un groupe thiol de la chaîne latérale d'un résidu Cys de l'enzyme attaque le C-6 du dUMP de sorte que le C-5 réagit comme un carbanion avec le N^5,N^{10}-méthylène-THF. L'enzyme est régénéré par la libération de l'hydrogène du C-5 sous forme de proton. Comme F ne peut pas donner F^+, le complexe ternaire [enzyme:dFUMP:méthylène-THF] est stable ; sa persistance empêche la participation de l'enzyme à toute nouvelle réaction. (La structure du N^5,N^{10}-méthylène-THF est présentée dans la figure sous une forme simplifiée.)

Figure 27.31 • Structures du 5-fluorouracile (5-FU), de la 5-fluorocytosine et du 5-fluoroorotate.

5-Fluorouracile **5-Fluorocytosine** **5-Fluoroorotate**

Le *5-fluorouracile* (*5-FU*; Figure 27.31) est un analogue de la thymine. *In vivo*, il est converti en *5-fluorouridylate* par une phosphoribosyltransférase (le PRPP est le cosubstrat) qui, par les réactions de la synthèse des dNTP, devient finalement l'acide *2′-désoxy-5-fluorouridylique*, un puissant inhibiteur de la dTMP synthase. Le 5-FU est utilisé dans la chimiothérapie du cancer. *Le 5-fluorocytosine* est utilisé comme antifongique car, à la différence des animaux, les champignons le convertissent en 2′-désoxy-5-fluorouridylate.Les parasites qui provoquent le paludisme peuvent utiliser l'orotate d'origine exogène et synthétiser des nucléotides pyrimidiques pour la synthèse des acides nucléiques, ce que ne font pas les mammifères. Le *5-fluoroorotate* est donc une substance antipaludique intéressante qui n'est toxique que pour ces parasites.

EXERCICES

1. Écrire la structure du noyau purique et du cycle pyrimidique en précisant l'origine de chacun des atomes présents.

2. À partir de la glutamine, de l'aspartate, du glycocolle, du CO_2, et de N^{10}-formyl-THF, combien faut-il d'équivalents ATP pour la synthèse (a) de l'ATP, (b) du GTP, (c) de l'UTP et (d) du CTP ?

3. Quels sont les enzymes soumis à régulation dans la biosynthèse (a) de l'IMP, de l'AMP et du GMP ; (b) des pyrimidines chez *E. coli* ; (c) des pyrimidines chez les mammifères ?

4. Quelles sont les réactions du métabolisme des purines et pyrimidines qui sont inhibées par les substances suivantes : (a) azasérine, (b) méthotrexate, (c) sulfamides, (d) allopurinol et (e) 5-fluorouracile

5. Puisque le dUTP n'est pas un constituant normal de l'ADN, pourquoi selon vous, la ribonucléotide réductase a-t-elle la capacité de convertir l'UDP en dUDP ?

6. Proposez une explication rationnelle des effets régulateurs de l'ATP, du dATP, du dTTP et du dGDP sur la ribonucléotide réductase.

7. Par quelle(s) voie(s) le ribose provenant de la dégradation des nucléotides est-il catabolisé dans le métabolisme intermédiaire et converti en énergie cellulaire ? Combien d'équivalents ATP peuvent être formés par équivalent de ribose ?

8. Quelles sont les étapes de la biosynthèse des nucléotides puriques qui sont semblables à celles de la biosynthèse de l'histidine ?

9. Donnez des mécanismes réactionnels raisonnables pour les étapes 6, 8 et 9 de la biosynthèse des purines (Figure 27.3).

LECTURES COMPLÉMENTAIRES

Abeles, R.H., et Alston, T.A., 1990. Enzyme inhibition by fluoro compounds. *The Journal of Biological Chemistry* **265** : 16705-16708. A brief review of the usefullness of fluoro derivatives probing reaction mechanisms.

Benkovic, S.J., 1984. The transformylase enzymes in *de novo* purine biosynthesis. *Trends in Biochemical Sciences* **9** : 320-322. These enzymes provide an instance of metabolic channeling in one-carbon metabolism.

Henikoff, S., 1987. Multifunctional polypeptides for purine *de novo* synthesis. *BioEssays* **6** : 8-13.

Holmgren, A., 1989. Thioredoxin and glutaredoxin systems. *The Journal of Biological Chemistry* **264** : 13963-13966.

Jones, M.E., 1980. Pyrimidine nucleotide biosynthesis in animals. Genes, enzymes and regulation of UMP biosynthesis. *Annual Review of Biochemistry* **49** : 253-279.

Licht, S., Gerfen, G.J., et Stubbe, J., 1996. Thiyl radicals in ribonucleotide reductases. *Science* **271** : 477-481.

Marsh, E.N .G., 1995. A radical approach to enzyme catalysis. *BioEssays* **17** : 431-441. A discussion of enzymatic mechanisms proceeding via carbon-based free radicals, the most prominent examples of which are ribonucleotide reductases.

Mueller, E.J., et al., 1994. N^5-carboxyaminoimidazole ribonucleotide : Evidence for a new intermediate and two new enzymatic activities in the *de novo* purine biosynthetic pathway of *Escherichia coli. Biochemistry* **33** : 2269-2278.

Nordlund, P., et Eklund, H., 1993. Structure and function of the *Escherichia coli* ribonucleotide reductase protein R2. *Journal of Molecular Biology* **232** : 123-164.

Reichard, P., 1988. Interactions between deoxyribonucleotide and DNA synthesis. *Annual Review of Biochemistry* **57** : 349-374. A review of the regulation of ribonucleotide reductase by the scientist who discovered these phenomena.

Reichard, P., 1997. The evolution of ribonucleotide reduction. *Trends in Biochemical Sciences* **22** : 81-85.

Scriver, C.R., et al., 1995. *The Metabolic and Molecular Bases of Inherited Disease,* 7th ed. New York : McGraw-Hill. A three-volume treatise on the biochemistry and genetics of inherited metabolic disorders, including disorders of purine and pyrimidine metabolism.

Srere, P.A., 1987. Complexes of sequential metabolic enzymes. *Annual Review of Biochemistry* **56** : 89-124. A discussion of how the enzymes acting sequentially in a metabolic pathway are often organized into multienzyme complexes, or even synthesized as multifunctional proteins, especially in eukaryotes.

Stubbe, J., 1990. Ribonucleotide reductases : Amazing and confusing. *The Journal of Biological Chemistry* **265** : 5329-5332. An analysis of the complex catalytic mechanism that underlies the overtly simple reaction mediated by ribonucleotide reductase.

Uhlin, U., et Eklund, H., 1996. The ten-stranded α/β barrel in ribonucleotide reductase protein R1. *Journal of Molecular Biology* **262** : 358-369.

Watts, R.W.E., 1983. Some regulatory and integrative aspects of purine nucleotide synthesis and its control : An overview. *Advances in Enzyme Regulation* **21** : 33-51.

Wilson, D.K., Rudolph, F.B., et Quiocho, F.A., 1991. Atomic structure of adenosine deaminase complexed with a transition-state analog : Understanding catalysis and immunodeficient mutations. *Science* **252** : 1279-1284.

Wyngaarden, J.B., 1977. Regulation of purine biosynthesis and turnover. *Advances in Enzyme Regulation* **14** : 25-42.

Chapitre 28

Intégration métabolique et caractère unidirectionnel des séquences métaboliques

« L'étude d'un enzyme, d'une réaction, ou d'une séquence métabolique, n'a de signification biologique que si sa position dans la hiérarchie des fonctions est présente à l'esprit. »

DANIEL E. ATKINSON (1921-) *Cellular Energy Metabolism and its Regulation (1977)*

PLAN

Leçon de danse, Université de San Francisco. L'intégration métabolique est l'aboutissement d'une chorégraphie hautement régulée de plusieurs milliers de réactions enzymatiques. *(Phil Schermeister/Tony Stone Images)*

Dans les chapitres précédents (3ᵉ Partie : Le métabolisme et sa régulation), nous avons exploré les principales séquences métaboliques : la glycolyse, le cycle de l'acide citrique, le transport des électrons et les oxydations phosphorylantes, la néoglucogénèse, la photosynthèse, l'oxydation des acides gras, la biosynthèse des lipides, le métabolisme des acides aminés et le métabolisme des nucléotides. Certaines de ces séquences sont cataboliques, elles servent à fournir l'énergie chimique utile à l'organisme ; d'autres séquences sont anaboliques, elles utilisent cette énergie pour la synthèse de biomolécules essentielles. En dépit de leurs fonctions opposées, ces réactions sont le plus souvent concomitantes, et parfois ont lieu dans une même cellule, de sorte que des molécules provenant de l'alimentation sont dégradées pour fournir les éléments de construction et l'énergie nécessaires aux synthèses en cours. L'état d'équilibre dynamique des cellules se maintient grâce à un flux métabolique considérable. Si nous revenons sur les derniers chapitres et considérons à présent le métabolisme intermédiaire sous l'angle des niveaux d'organisation, nous pouvons acquérir une meilleure compréhension du métabolisme et des processus biologiques en général. Notre objectif est l'intégration des voies métaboliques dans un ensemble régulé, ordonné, en phase avec la vitalité et la stabilité des cellules. [1]

28.1 • Analyse des grandes voies métaboliques

Le métabolisme d'une cellule aérobie hétérotrophe typique peut schématiquement être considéré comme un ensemble de seulement trois groupes de fonctions interconnectées : (1) le catabolisme, (2) l'anabolisme, (3) la synthèse des macromolécules et la croissance (Figure 28.1).

1. Le catabolisme. Au cours du catabolisme, les molécules ingérées sont oxydées en CO_2 et H_2O, et la majorité des électrons sont transférés à l'oxygène par la voie du transport des électrons couplée aux oxydations phosphorylantes de sorte qu'il se forme de l'ATP. Une partie des électrons est utilisée pour réduire $NADP^+$ en NADPH, principale source de pouvoir réducteur pour l'anabolisme. La glycolyse, le cycle de Krebs, le transport des électrons et les oxydations phosphorylantes ainsi que la voie des pentoses phosphates sont les principales séquences métaboliques de ce groupe. Les intermédiaires métaboliques de ces séquences peuvent également servir de substrats aux processus du groupe des séquences anaboliques.

2. L'anabolisme. L'ensemble des réactions qui produisent la très grande variété des molécules présentes dans une cellule constitue l'anabolisme. Pour des raisons thermodynamiques, la chimie de l'anabolisme est plus complexe que celle du catabolisme ; en effet, il faut pour synthétiser une molécule une quantité d'énergie supérieure à l'énergie libérée lors de sa dégradation, et souvent un plus grand nombre d'étapes. Les métabolites intermédiaires provenant de la glycolyse et du cycle de Krebs sont les précurseurs utilisés pour ces synthèses, le NADPH étant généralement la source du pouvoir réducteur et l'ATP la source d'énergie.

3. La synthèse des macromolécules et la croissance. Les molécules organiques produites par l'anabolisme sont les éléments de la construction des macromolécules. Comme pour les réactions anaboliques, l'énergie nécessaire pour la synthèse de ces macromolécules provient de l'ATP, même si l'origine n'est parfois pas directe : le GTP est la principale source d'énergie pour la synthèse des protéines, le CTP pour la synthèse des phospholipides et l'UTP pour celle des polyosides. Cependant l'ATP est toujours l'ultime agent de la phosphorylation du GDP, du CDP et de l'UDP, phosphorylation qui donne respectivement le GTP, le CTP et l'UTP. Les macromolécules (acides nucléiques, protéines et lipides, ces derniers pouvant s'assembler pour former des membranes) sont les agents des fonctions biologiques et de l'information. La croissance peut être considérée comme l'accumulation cellulaire ordonnée de macromolécules et la partition de ces matériaux entre des cellules filles par le processus de la division cellulaire.

Très peu d'intermédiaires relient les grandes voies métaboliques

En dépit de la complexité de chacune des grandes voies métaboliques, celles-ci ne sont reliées que par un petit nombre de molécules. Une dizaine de catabolites provenant de

[1] Une grande partie des idées présentées dans ce chapitre proviennent d'un ouvrage particulièrement intéressant écrit par Daniel E. Atkinson de l'Université de Californie, Los Angeles, *Cellular Energy Metabolism and Its Regulation* (New York : Academic Press, 1977).

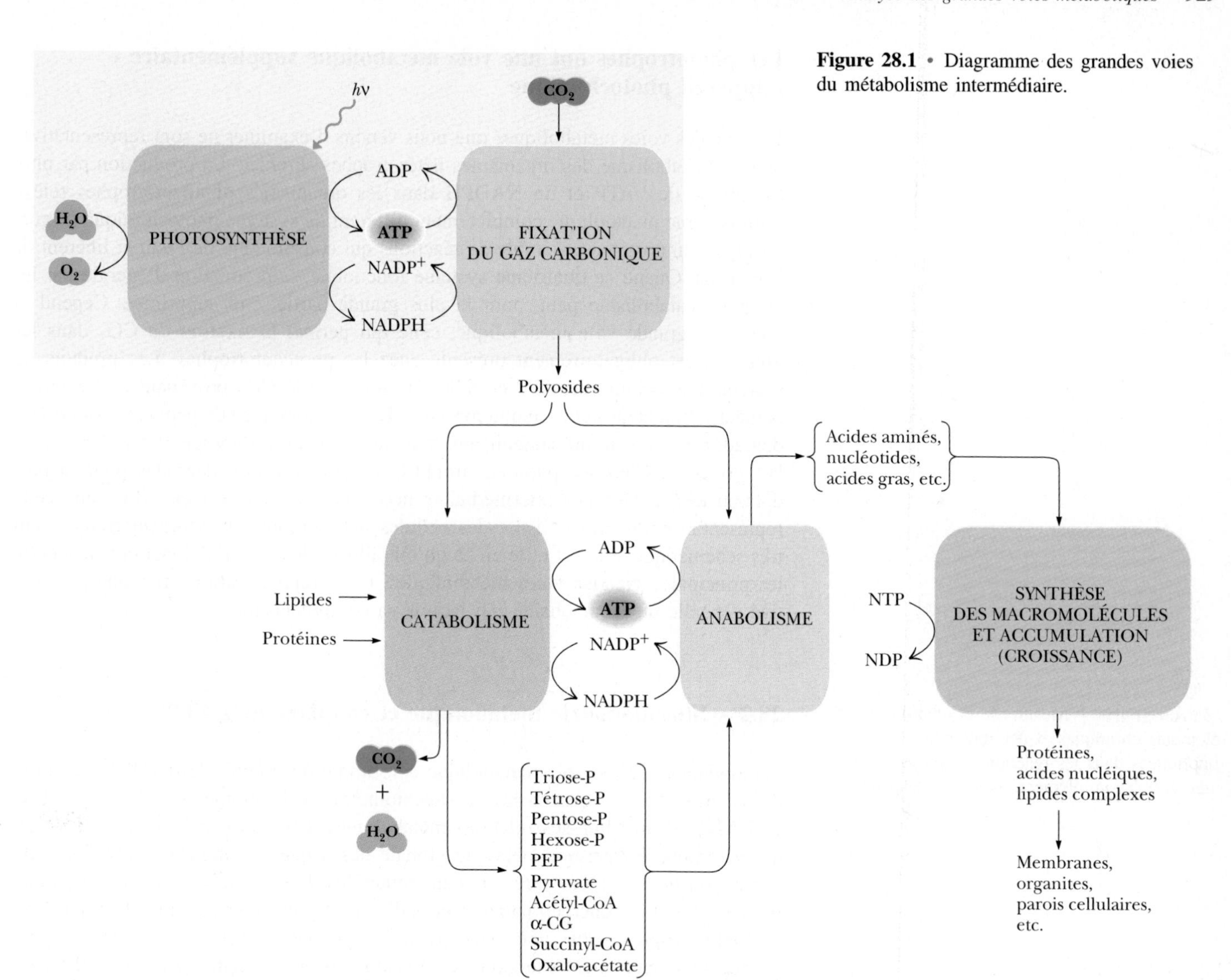

Figure 28.1 • Diagramme des grandes voies du métabolisme intermédiaire.

la glycolyse, de la voie de pentoses phosphates, ou du cycle des acides tricarboxyliques, sont utilisés dans les voies anaboliques : quatre dérivés osidiques (triose-P, tétrose-P, pentose-P et hexose-P), trois acides α-cétoniques (pyruvate, oxalo-acétate et α-cétoglutarate), deux dérivés du coenzyme A (acétyl-CoA et succinyl-CoA), et le PEP (phosphoénolpyruvate).

L'ATP et le NADPH couplent le catabolisme à l'anabolisme

Les intermédiaires métaboliques sont consommés par les réactions anaboliques, ils doivent sans cesse être remplacés par de nouveaux intermédiaires. Par contre, les molécules à haut potentiel énergétique, ATP et NADPH, sont en permanence recyclées plutôt que remplacées. Lorsque ces molécules sont utilisées pour des synthèses, il se forme de l'ADP et du $NADP^+$; l'ATP et le NADPH seront respectivement régénérés à partir de l'ADP et du $NADP^+$ lors des réactions d'oxydation du catabolisme. Ces molécules ont une particularité remarquable : ce sont les seules substances qui couplent les processus cataboliques libérant de l'énergie aux processus anaboliques qui consomment de l'énergie. Cependant, il existe d'autres agents de couplage ayant un rôle important dans le métabolisme. Par exemple, lors des oxydations phosphorylantes, NADH et [$FADH_2$] participent au transfert des électrons des substrats à l'oxygène. Mais, ces réactions sont uniquement cataboliques, et donc les fonctions du NADH et de [$FADH_2$] sont restreintes au catabolisme.

Les phototrophes ont une voie métabolique supplémentaire – l'appareil photochimique

Les grandes voies métaboliques que nous venons d'examiner ne sont représentatives que du métabolisme des organismes hétérotrophes aérobies. La production par photosynthèse de l'ATP et du NADPH dans les organismes photoautotrophes relève d'un système métabolique complètement différent, le système photochimique (Figure 28.1). Il comporte un ensemble de réactions qui consomment de l'eau et libèrent de l'oxygène. Quand ce quatrième système fonctionne, la production d'énergie par les voies du catabolisme peut, pour la plus grande partie, être supprimée. Cependant une autre grande voie métabolique, celle qui permet la fixation du CO_2 dans les glucides, est obligatoirement présente chez les photoautotrophes. Les produits du système photochimique, ATP et NADPH, ainsi que le CO_2 provenant de l'environnement, alimentent cette cinquième voie. Les glucides formés peuvent ensuite être dégradés par la voie du catabolisme, mais la production d'énergie n'est alors pas le but principal. Chez les photoautotrophes, les glucides sont dégradés pour la production des métabolites intermédiaires nécessaires à l'anabolisme. Bien que cette représentation du métabolisme des cellules hétérotrophes et photoautotrophes soit très schématique, elle est utile en ce qu'elle illustre les relations fonctionnelles entre les principales grandes voies métaboliques. Cette représentation offre une perspective générale du métabolisme qui facilite sa compréhension.

28.2 • Stœchiométrie métabolique et couplage de l'ATP

Stœchiométrie • Mesure de la quantité des éléments chimiques et des molécules impliquées dans les réactions chimiques (du grec *stoicheion*, élément, et *metria*, mesure).

Pratiquement chaque voie métabolique consomme ou produit de l'ATP. La quantité d'ATP mise en jeu, c'est-à-dire la stœchiométrie de la synthèse ou de l'hydrolyse de l'ATP, est au cœur des relations métaboliques. C'est la stœchiométrie de l'ATP qui détermine la thermodynamique globale des séquences métaboliques. Par cette expression nous voulons dire que dans toutes les voies métaboliques, un ensemble de réactions n'est énergétiquement possible (favorable) que par une stœchiométrie de l'ATP propre à cette voie. Une partie importante de l'énergie libérée au cours des réactions hautement exergoniques du catabolisme est captée pour la synthèse de l'ATP. Inversement, l'énergie libérée par l'hydrolyse de l'ATP entraîne les réactions anaboliques qui, en l'absence de cet appoint énergétique, seraient thermodynamiquement défavorables. En fin de compte, l'efficacité d'une séquence métabolique est déterminée par son couplage avec l'ATP.

Pour illustrer ce principe, nous examinerons trois types de stœchiométrie. Les deux premiers sont déterminés par les lois de la Chimie alors que le troisième est propre aux organismes vivants. Il révèle une différence fondamentale entre le monde de la physico-chimique et le monde des organismes vivants, celui des fonctions finalisées. Cette différence fondamentale est dans la stœchiométrie du couplage de l'ATP.

1. *Réaction stœchiométrique*

Dans une réaction chimique simple, le nombre des atomes de tout type demeure constant et donc le nombre des atomes doit être le même des deux côtés de l'équation. Cette exigence est toujours respectée, même pour un processus aussi complexe que la respiration cellulaire :

$$C_6H_{12}O_6 + 6\ O_2 \longrightarrow 6\ CO_2 + 6\ H_2O$$

Les six atomes de carbone du glucose apparaissent dans les 6 CO_2, les 12 H du glucose apparaissent dans les 12 H des six molécules d'eau et les 18 O sont répartis entre les CO_2 et les H_2O.

2. *Couplage stœchiométrique obligatoire*

La respiration cellulaire est un processus d'oxydoréduction dans lequel l'oxydation du glucose est couplée à la réduction du NAD^+ et de [FAD]. Les crochets [ ] rappellent que cet FAD est lié par une liaison covalente à la succinate déshydrogénase (Chapitre 21). Le NADH et le [$FADH_2$] ainsi formés sont oxydés dans la voie du transport des électrons :

(a) $C_6H_{12}O_6 + 10\ NAD^+ + 2\ [FAD] + 6\ H_2O \longrightarrow$
$6\ CO_2 + 10\ NADH + 10\ H^+ + 2\ [FADH_2]$

(b) $10\ NADH + 10\ H^+ + 2\ [FADH_2] + 6\ O_2 \longrightarrow$
$12\ H_2O + 10\ NAD^+ + 2\ [FAD]$

L'équation (a) représente l'ensemble des réactions d'oxydation du glucose, par les voies de la glycolyse et du cycle de Krebs, et l'équation (b) est l'équation globale du transport des électrons pour un glucose oxydé. La stœchiométrie du couplage par les transporteurs biologiques des électrons, NAD^+ et FAD, est imposée par les propriétés chimiques du transporteur; chacun de ces deux coenzymes accepte une paire d'électrons. La réduction d'un atome d'oxygène nécessite une paire d'électrons. Les lois de la chimie s'imposent au métabolisme : l'oxydation biologique d'un glucose libère 12 paires d'e^-, il faut donc obligatoirement des accepteurs pour ces 12 paires d'électrons, accepteurs qui transfèrent ensuite ces électrons aux 12 atomes d'oxygène.

3. *Couplages stœchiométriques liés à l'évolution*

À la différence des pyridines nucléotides ou flaviniques, la participation de l'ATP dans les séquences métaboliques répond à une logique fondamentalement différente. La « stœchiométrie » des nucléotides adényliques n'est pas dictée par des nécessités chimiques, elle est une des conséquences de l'évolution du monde vivant. L'équation générale de la respiration cellulaire comprenant la formation de l'ATP couplée aux oxydations phosphorylantes est[2] :

$$C_6H_{12}O_6 + 6\ O_2 + 38\ ADP + 38\ P_i \longrightarrow 6\ CO_2 + 38\ ATP + 44\ H_2O$$

La « stœchiométrie » de la formation de l'ATP, $38\ ADP + 38\ P_i \rightarrow 38\ ATP + 38\ H_2O$, ne peut être prédite par aucune considération chimique. La valeur 38 ATP est le résultat final d'une adaptation biologique. C'est une caractéristique phénotypique des organismes, acquise au cours de l'évolution, résultant de l'interaction des caractères héréditaires et de l'environnement. Comme pour tout caractère phénotypique issu de l'évolution, cette stœchiométrie est le résultat d'un compromis. Nous verrons que l'énergie libérée par l'oxydation d'un glucose est plus grande que celle incorporée dans la formation des 38 équivalents d'ATP et les systèmes biologiques auraient pu avoir un rendement encore inférieur. Il n'en demeure pas moins que ce caractère phénotypique convient particulièrement bien aux organismes.

Signification du rapport 38 ATP/glucose dans la respiration cellulaire

La variation d'énergie libre standard de l'hydrolyse de l'ATP, –30,5 kJ/mol, est une assez grande valeur négative. Dans les conditions physiologiques, en tenant compte des concentrations cellulaires d'ATP, d'ADP et de P_i, la variation d'énergie libre qui accompagne l'hydrolyse de l'ATP est probablement plutôt proche de –50 kJ/mol. Or tout changement dans la « stœchiométrie » de l'ATP affecte très sérieusement la constante d'équilibre des réactions couplées. Dans le cas qui nous intéresse, la valeur de K_{eq} peut être calculée à partir de la variation d'énergie libre standard de l'oxydation du glucose, –2870 kJ/mol. Dans les conditions

[2] Cette équation globale de la respiration cellulaire correspond à des réactions ayant lieu dans une cellule non compartimentée (une bactérie). Chez les eucaryotes où une grande partie de la respiration cellulaire a lieu dans le compartiment mitochondrial, les transferts ADP/ATP se font aux dépens du gradient de protons, il faut un H^+ pour un ATP, de sorte que le rendement global est de 32 ATP par glucose et non pas 38.

cellulaires où la concentration du glucose, de O_2 et de CO_2 peuvent être considérées comme respectivement voisines[3] de 10 mM, 0,13 atm et 0,05 atm, la variation d'énergie libre, ΔG, est de –2867 kJ/mol (pratiquement identique à $\Delta G^{\circ\prime}$). La constante d'équilibre du couplage de l'ATP à l'oxydation du glucose est :

$$K_{eq} = [CO_2]^6[ATP]^n/[glucose]\,[ADP]^n[P_i]^n[O_2]^6$$

L'exposant n, qui est mis à l'ATP, à l'ADP et au P_i, signifie que la stœchiométrie de l'ATP n'est pas constante. Si n = 38, et si chaque ATP « coûte » 50 kJ/mol, la valeur de la variation d'énergie libre, ΔG, de l'oxydation du glucose couplée à la formation de 38 ATP est de –967 kJ/mol (–2867 kJ/mol + 1900 kJ/mol). Comme $\Delta G = -RT \ln K_{eq}$, cette variation d'énergie correspond à $K_{eq} = 10^{170}$, une valeur particulièrement élevée ! Près de 58 ATP pourraient théoriquement être formés par l'oxydation d'une mole de glucose ($58 \times 50 = 2900$ kJ/mol) si la variation d'énergie libre globale, $\Sigma\Delta G$ était égale à zéro ($K_{eq} = 1$). Avec une valeur physiologique de n = 38, la grandeur astronomique de la constante d'équilibre, K_{eq}, signifie que d'un point de vue thermodynamique l'oxydation du glucose est extrêmement favorisée. Elle indique fortement que la réaction est spontanée et sera pratiquement totale. Par contre, avec n = 58 (et $K_{eq} = 1$), la réaction atteindrait rapidement son point d'équilibre avant qu'une grande quantité de glucose ait pu être oxydée. Cela ne serait guère avantageux pour un organisme utilisant le glucose comme source d'énergie car, une fois l'équilibre atteint, il ne lui serait plus possible d'en obtenir de l'énergie, même s'il y avait encore du glucose disponible. L'avantage d'un meilleur rendement en ATP (58 au lieu de 38) ne compense pas l'impossibilité d'utiliser tout le glucose disponible.

Le nombre 38 n'est pas un nombre magique. Chez les eucaryotes, le rendement net n'est que de 30 à 32 ATP par glucose et non pas 38. (Tableau 21.4). Cette valeur 38 s'est fixée il y a déjà très longtemps, alors que les conditions atmosphériques et que les problèmes de compétition étaient certainement très différents de ceux d'aujourd'hui. La signification de ce nombre est qu'il représente un haut rendement en ATP par glucose, tout en restant assez bas pour que pratiquement tout le glucose disponible soit métabolisé.

L'équivalent ATP

L'ATP étant couplé à presque tous les processus métaboliques, il est intéressant de connaître les relations stœchiométriques qui accompagnent les séquences réactionnelles. Nous pouvons définir le **coefficient de couplage** d'un processus comme étant le nombre de moles d'ATP formées ou consommées par mole de substrat transformé (ou de produit formé). Le coefficient de couplage de la respiration cellulaire du glucose est ainsi de 30 à 38 selon le type de cellule. Le coefficient de couplage d'une réaction comme celle qui est catalysée par la pyruvate kinase est de 1 lorsqu'elle évolue dans le sens physiologique, tandis que les réactions catalysées par la phosphofructokinase et l'hexokinase, qui consomment chacune 1 ATP, ont un coefficient de couplage de –1. Ces coefficients nous permettent d'attribuer un « **prix métabolique** » aux « transactions » métaboliques. Un glucose « vaut » ainsi 38 ATP au maximum et la formation catalysée par l'hexokinase d'un glucose-6-phosphate à partir du glucose « coûte » 1 ATP. Ces remarques permettent de justifier l'expression courante « l'ATP est la monnaie énergétique de la cellule ».

L'unité métabolique des échanges énergétiques est l'**équivalent ATP**, défini comme l'énergie correspondant à la conversion d'un ATP en ADP (ou d'un ADP en ATP). Dans quelques réactions métaboliques, par exemple l'activation des acides gras, l'ATP est converti en AMP et PP_i. Puisqu'il faut deux phosphorylations pour reformer un ATP à partir de l'AMP, l'équivalent ATP pour ces réactions est –2.

[3] Les valeurs des concentrations de O_2 et de CO_2 admises pour représenter approximativement les concentrations intracellulaires proviennent de la pression partielle de ces gaz dans le sang artériel, soit 0,13 atm (100 mm de Hg) pour pO_2 et 0,05 atm (40 mm de Hg) pour pCO_2.

Valeur en ATP du NADH, du $FADH_2$ et du NADPH

Puisque les voies métaboliques sont reliées entre-elles, il est possible d'exprimer toutes les conversions métaboliques en termes d'équivalents ATP et d'attribuer une valeur, un « prix », aux métabolites intermédiaires. Cette expression est particulièrement utile pour décrire la valeur des agents de couplage tels que NADH, NADPH, et $FADH_2$ dans les transformations (« transactions ») métaboliques. La valeur de NADH est de 3 ATP (2,5 dans les mitochondries) car c'est le nombre des ATP formés par l'oxydation d'un NADH dans la voie des oxydations phosphorylantes. L'oxydation du $FADH_2$ par la même voie donne 2 ATP (1,5 dans les mitochondries), donc $FADH_2$ vaut deux ATP. La valeur métabolique de NADPH est moins évidente. Cette molécule n'est pas oxydée sur la chaîne de transport des électrons pour fournir de l'ATP ; NAD et NADP, malgré leur grande similarité chimique n'ont pas les mêmes rôles dans le métabolisme. Le plus souvent, seul le NADPH est l'agent de couplage qui transporte le pouvoir réducteur libéré par certaines réactions des séquences cataboliques aux séquences réductrices des processus anaboliques.

Pour plusieurs raisons, il semble que la valeur métabolique de NADPH soit plus élevée que celle de NADH, bien que les potentiels de réduction standard des couples NAD^+/NADH et $NADP^+$/NADPH soient les mêmes, –320 mV (Tableau 21.1). La concentration intracellulaire de NAD^+ est beaucoup plus élevée que celle de NADH, alors que la situation est inversée pour $NADP^+$ et NADPH ($[NAD^+] > [NADH]$ et $[NADP^+] < [NADPH]$; voir Chapitre 23). Du fait de ces inégalités, les potentiels de réduction de ces deux nicotinamide-adénine dinucléotides ne sont pas équivalents et, dans les conditions cellulaires, le couple $NADP^+$/NADPH est un bien meilleur donneur d'électrons que le couple NAD^+/NADH. Puisqu'un NADH vaut 2,5 à 3 ATP, il faut admettre qu'un NADPH vaut 3,5 à 4 ATP.

Nature et grandeur de l'équivalent ATP

Le rôle biologique fondamental de l'ATP, en tant qu'agent de couplage énergétique est d'entraîner les réactions dans le sens qui, en son absence, serait défavorable d'un point de vue thermodynamique. En corollaire, l'énergie libérée par les séquences métaboliques composées de séquences thermodynamiquement favorables est utilisée pour entraîner la phosphorylation de l'ADP et former de l'ATP. De nombreux mécanismes enzymatiques couplent les réactions défavorables avec l'hydrolyse de l'ATP. En effet, l'énergie libérée par l'hydrolyse de l'ATP est transmise aux réactions défavorables, d'une façon telle que la variation globale d'énergie pour les réactions couplées est négative, c'est-à-dire qu'elle est favorable. L'hydrolyse de l'ATP sert à modifier la variation d'énergie libre d'une réaction ; autrement dit, le rôle de l'ATP dans la réaction est de changer le rapport concentration des substrats/concentration des produits à l'équilibre.

Une autre façon d'envisager les relations métaboliques est de remarquer qu'à l'équilibre, les concentrations de l'ADP et de P_i seront bien plus grandes que la concentration de l'ATP puisque la valeur négative $\Delta G°'$ de l'hydrolyse de l'ATP est importante [4]. Mais, précisons qu'une cellule dans laquelle la réaction d'hydrolyse de l'ATP est à l'équilibre est une cellule morte. Les cellules vivantes dégradent les molécules d'origine alimentaire pour produire, en particulier, de l'ATP. Ces réactions cataboliques libèrent de grandes quantités d'énergie libre et les régulations de la cinétique des voies cataboliques sont telles que le rapport $[ATP]/[ADP][P_i]$ est toujours très élevé. *Dans la cellule, les régulations cinétiques des voies métaboliques maintiennent un rapport $[ATP]/[ADP][P_i]$ très élevé de sorte que l'énergie d'hydrolyse de l'ATP peut servir à entraîner pratiquement toutes les réactions biochimiques.*

[4] Puisque $\Delta G°' = -30{,}5$ kJ/mol, ln $K_{eq} = 2{,}2 \times 10^5$. Soit pour les conditions initiales [ATP] = 8 m*M*, [ADP] = 8 m*M* et $[P_i]$ = 1 m*M* ; nous pouvons admettre qu'à l'équilibre, [ATP] a une valeur très faible, x, que [ADP] est proche de 16 m*M* et que $[P_i]$ est proche de 9 m*M*. La concentration de l'ATP à l'équilibre, x, est donc déterminée par le calcul, proche de 1 n*M*.

POUR EN SAVOIR PLUS

L'ATP modifie d'un facteur 10^8 la constante d'équilibre K_{eq} d'un processus

Soit un processus, A ⇌ B; il peut s'agir d'une réaction biochimique, ou du transport d'un ion contre un gradient de concentration, ou encore d'un processus mécanique comme la contraction musculaire. Supposons que pour des raisons thermodynamiques la réaction soit défavorable, disons pour illustrer la démonstration que $\Delta G^{\circ\prime} = +13{,}8$ kJ/mol. En utilisant l'équation

$$\Delta G^{\circ\prime} = -RT \ln K_{eq}$$

Nous avons :

$$+13.800 = -(8{,}31 \text{ J/K·mol})\ (298\text{K}) \ln K_{eq}$$

Ce qui donne :

$$\ln K_{eq} = -5{,}57$$

Donc à l'équilibre :

$$K_{eq} = 0{,}0038 = [B_{eq}] / [A_{eq})$$

Cette réaction est évidemment défavorable (avec un $\Delta G^{\circ\prime}$ positif, c'était prévisible). À l'équilibre, il n'y a qu'une molécule de produit pour 263 molécules de substrats. Très peu de A est transformé en B.

Supposons à présent que la réaction, A ⇌ B est couplée à l'hydrolyse de l'ATP, ce qui est souvent le cas dans le métabolisme :

$$A + ATP \rightleftharpoons B + ADP + P_i$$

Les propriétés thermodynamiques de cette réaction couplée sont les mêmes que la somme des propriétés thermodynamiques des réactions partielles :

$$\begin{array}{ll} A \rightleftharpoons B & \Delta G^{\circ\prime} = +13{,}8 \text{ kJ/mol} \\ ATP + H_2O \rightleftharpoons ADP + P_i & \Delta G^{\circ\prime} = -30{,}5 \text{ kJ/mol} \\ \hline A + ATP + H_2O \rightleftharpoons B + ADP + P_i & \Delta G^{\circ\prime} = -16{,}7 \text{ kJ/mol} \end{array}$$

Soit,

$$\Delta G^{\circ\prime}{}_{global} = -16{,}7 \text{ kJ/mol}$$

De sorte que

$$-16.700 = RT \ln K_{eq} = -(8{,}31)(298) \ln K_{eq}$$
$$\ln K_{eq} = -16.700/-2476 = 6{,}75$$
$$K_{eq} = 850$$

En utilisant cette constante d'équilibre, voyons ce qu'il se passe dans une cellule où les concentrations de l'ATP, de l'ADP et de P_i sont les concentrations typiques.[5]

$$K_{eq} = \frac{[B_{eq}]\,[ADP]\,[P_i]}{[A_{eq}]\,[ATP]}$$

$$850 = \frac{[B_{eq}]\,[8 \times 10^{-3}]\,[10^{-3}]}{[A_{eq}]\,[8 \times 10^{-3}]}$$

$$[B_{eq}]/[A_{eq}] = 850.000$$

En comparant le rapport $[B_{eq}]/[A_{eq}]$ de la réaction A ⇌ B, avec celui de la réaction couplée à l'hydrolyse de l'ATP, nous avons :

$$\frac{850.000}{0{,}0038} = 2{,}2 \times 10^8$$

À l'équilibre, le rapport de B à A est plus de 10^8 fois plus grand quand la réaction est couplée à l'hydrolyse de l'ATP. Une réaction qui était nettement défavorable ($K_{eq} = 0{,}0038$) est devenue des plus spontanées !

La participation de l'ATP à la réaction a augmenté de plus de 200 millions de fois le rapport B/A à l'équilibre. Il est particulièrement instructif de retenir que ce facteur de multiplication est indépendant de la nature de la réaction (les enzymes ne changent que les vitesses des réactions, pas les constantes d'équilibre). N'oubliez pas que nous avons défini A ⇌ B en des termes très généraux. La valeur du rapport entre les constantes d'équilibre, $2{,}2 \times 10^8$, n'est donc pas dépendante d'une réaction particulière, ni même de sa variation d'énergie libre, $\Delta G^{\circ\prime}$. Vous pouvez le vérifier et vous en convaincre, en choisissant pour $\Delta G^{\circ\prime}$ une autre valeur que +13,8 kJ/mol et en répétant les calculs (conservez cependant les concentrations cellulaires de l'ATP, de l'ADP et du P_i, à 8, 8 et 1 m*M*, comme dans l'exemple).

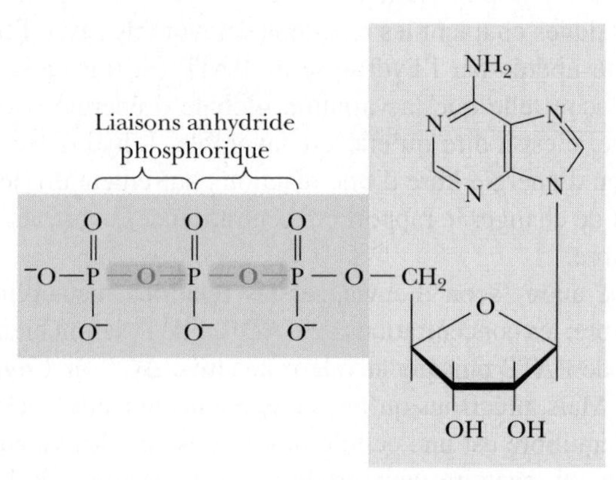

ATP
(adénosine-5'-triphosphate)

[5] Les concentrations de l'ATP, de l'ADP et du P_i, dans une cellule bactérienne en croissance à 25 °C sont respectivement maintenues à environ 8 m*M*, 8 m*M* et 1 m*M*. Le rapport $[ADP]\,[P_i]\,/\,[ATP]$ est donc d'environ 10^{-3}. Dans ces conditions, la variation d'énergie libre, ΔG, de l'hydrolyse de l'ATP est de –47,6 kJ/mol.

Les cycles de substrats revisités

Si le coefficient de couplage de l'ATP d'une séquence métabolique évoluant dans une direction n'est pas le même que celui de la même séquence dans la direction opposée, il se peut que les deux réactions constituent un *cycle de substrats* (Chapitre 23). Dans ce cas, l'ATP serait hydrolysé sans qu'il ait de conversion nette d'un substrat en produit.

Prenons l'exemple de la formation du fructose-1-6-bisphosphate catalysée dans la glycolyse par la phosphofructokinase (PFK) en présence d'ATP et celui de la conversion du fructose-1-6-bisphosphate en fructose-6-phosphate par la fructose bisphosphatase (FBPase) dans la néoglucogénèse :

$$\text{Fructose-6-phosphate} + \text{ATP} \xrightarrow{\text{PFK}} \text{fructose-1,6-biphosphate} + \text{ADP}$$

$$\text{Fructose-1,6-biphosphate} + H_2O \xrightarrow{\text{FBPase}} \text{fructose-6-phosphate} + P_i$$

$$\textit{Bilan :} \quad \text{ATP} + H_2O \longrightarrow \text{ADP} + P_i$$

Le coefficient de couplage de l'ATP dans la réaction catalysée par la PFK est de –1 ; celui de la FBPase est de 0, puisqu'il n'y a pas d'ATP produit ni d'ATP consommé. Dans les cellules vivantes, ces cycles de substrats sont normalement évités par les régulations cinétiques qui gouvernent l'activité des enzymes catalysant les réactions pouvant produire ces cycles (Figure 28.2). Plus précisément, les effecteurs allostériques régulent réciproquement les deux enzymes, de sorte que seul l'un des deux soit significativement actif, afin que l'énergie de l'ATP ne soit pas dissipée en vain (Chapitre 23).

Pour la réaction catalysée par la FBPase, $\Delta G°' = -16{,}7$ kJ/mol et K_{eq} est d'environ 850. Pour la réaction catalysée par la PFK, $\Delta G°' = -14{,}2$ kJ/mol et $K_{eq} = 310$. Par conséquent, *les deux* réactions sont en faveur de leurs directions physiologiques respectives ; la réaction prédominante dépendra des concentrations des effecteurs allostériques qui participent à la régulation de la cinétique de ces deux enzymes. Autrement dit, les deux réactions étant favorables, les nécessités métaboliques de la cellule, glycolyse ou néoglucogénèse, déterminent quelle est la réaction qui l'emporte.

Ce cycle de substrats illustre une importante caractéristique de toutes les paires de séquences métaboliques évoluant dans des directions opposées. *Les coefficients de couplage de l'ATP des séquences métaboliques opposées* ***sont toujours différents****, et cette différence fait que l'évolution de ces séquences est toujours favorable du point de vue thermodynamique.* Le choix de la séquence qui doit fonctionner est déterminé par les nécessités métaboliques elles-mêmes signalées par les variations de la concentration des effecteurs allostériques.

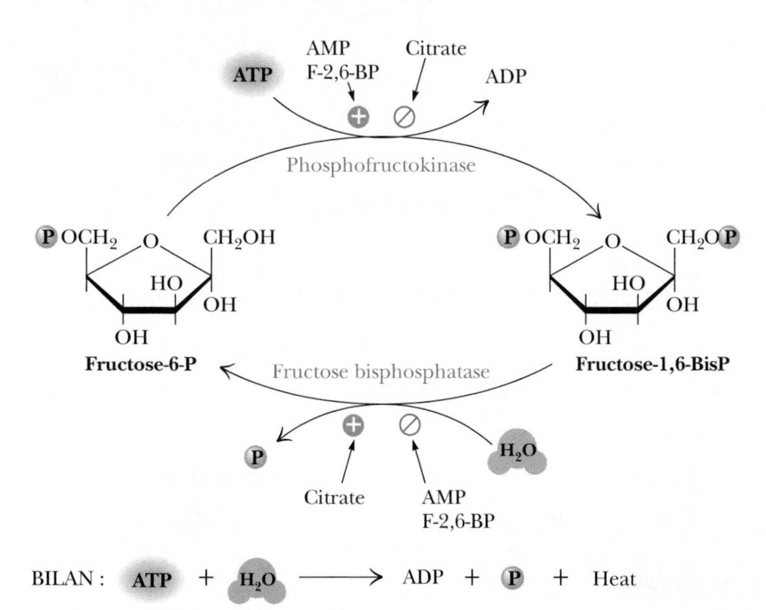

Figure 28.2 • Exemple de cycle de substrats. Dans ce cycle, l'interconversion du fructose-6-phosphate et du fructose-1,6-bisphosphate par la phosphofructokinase (PFK) et par la fructose bisphosphatase (FBPase) est accompagnée par une hydrolyse nette d'un ATP. Ces cycles de substrats, ou *cycles futiles* comme on les appelle parfois, sont généralement prévenus par des régulations réciproques : l'AMP et le fructose-2,6-bisphosphate stimulent la PFK et inhibent la FBPase, alors que le citrate inhibe la PFK et stimule la FBPase.

Dans certaines circonstances, les cycles de substrats peuvent être bénéfiques car l'hydrolyse de l'ATP engendre de la chaleur. Par exemple, le thorax du bourdon doit être maintenu à 30 °C pour que l'insecte puisse voler. Si la température ambiante n'est que de 10ºC, la forte activité simultanée de la PFK et de la FBPase libère de la chaleur, par l'hydrolyse de l'ATP, et le vol est possible. Chez les bourdons, la FBPase n'est pas inhibée par l'AMP, une adaptation qui favorise la génération de la chaleur par ce cycle de substrats.

28.3 • Caractère unidirectionnel des séquences métaboliques

Bien que des séquences métaboliques opposées puissent avoir en commun certaines étapes (la glycolyse et la néoglucogénèse par exemple), d'un point de vue fonctionnel on peut considérer les séquences métaboliques comme *unidirectionnelles*. C'est-à-dire qu'elles sont soit cataboliques, soit anaboliques, et qu'elles évoluent dans une seule direction pour satisfaire une seule fonction physiologique, la synthèse *ou* la dégradation. Les vitesses de ces séquences métaboliques opposées dépendent de régulateurs allostériques qui modulent l'activité des enzymes allostériques catalysant les étapes clés de chaque séquence.

Pour que cela soit possible, il faut que les deux membres de toute paire de voies métaboliques opposées, comme l'oxydation des acides gras ou la synthèse des acides gras, soient thermodynamiquement favorables, pratiquement en même temps et dans les mêmes conditions. Il faut toujours se rappeler que les régulations ne peuvent agir que sur des réactions éloignées de leur état d'équilibre. Avec un coefficient de couplage de l'ATP approprié, toutes les séquences métaboliques peuvent être thermodynamiquement favorables. En cela réside probablement le rôle le plus fondamental de l'ATP dans le métabolisme, bien que cet aspect soit généralement négligé : *le coefficient de couplage de l'ATP de toute séquence métabolique (issu de l'évolution) est tel que l'équilibre global d'une conversion est hautement favorable.* Ce rôle de l'ATP peut être appelé son **rôle stœchiométrique**. Sous réserve d'un nombre suffisant d'équivalents ATP dans la voie métabolique, une très grande valeur de la constante d'équilibre pour l'ensemble de la voie peut être atteinte. En termes de thermodynamique, la voie considérée est très largement **unidirectionnelle** (la voie inverse est hautement défavorable). Les séquences métaboliques évoluant dans des directions opposées, comme l'oxydation des acides gras et la synthèse des acides gras (Figure 28.3) ont des coefficients de couplage différents, de sorte que les deux séquences sont thermodynamiquement favorables et cependant unidirectionnelles.

La respiration cellulaire opposée à la fixation du CO_2 – une lumineuse illustration du rôle stœchiométrique de l'ATP

La plus belle illustration du rôle stœchiométrique de l'ATP est donnée par la plus importante paire de voies métaboliques opposées dans la biosphère, la fixation du CO_2 par photosynthèse et la respiration cellulaire. Comme nous l'avons signalé, le coefficient de couplage de l'ATP pour la respiration cellulaire est de 38, et un coefficient de

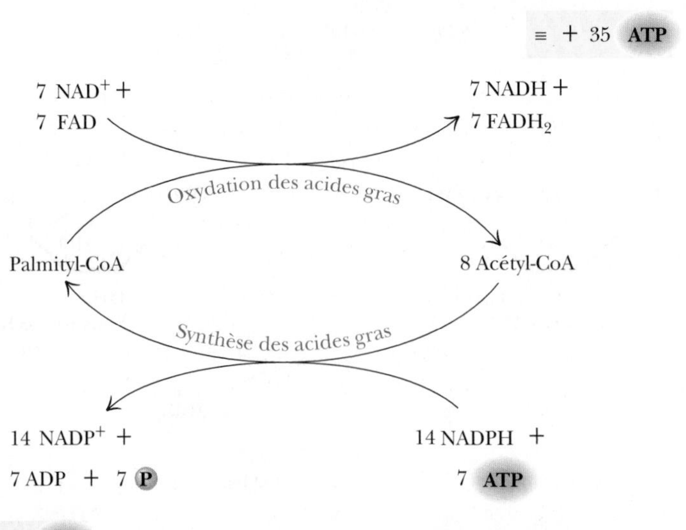

Figure 28.3 • Coefficients de couplage de l'ATP pour l'oxydation des acides gras et pour la synthèse des acides gras. *Oxydation des acides gras* : chaque NADH vaut 3 ATP et chaque $FADH_2$ en vaut 2, le coefficient de couplage de l'ATP pour l'oxydation du palmityl-CoA est donc +35. *Synthèse des acides gras* : chaque NADPH vaut 4 ATP, le coefficient de couplage de l'ATP pour la synthèse du palmityl-CoA est donc –63. La différence entre les coefficients de couplage pour les deux séquences est de 28 équivalents ATP, ce qui rend chaque séquence thermodynamiquement favorable et fait que la dégradation du palmityl-CoA en acétyl-CoA ou la conversion de l'acétyl-CoA en palmityl-CoA n'est pas déterminée par des considérations d'équilibre, mais par les besoins du métabolisme.

(**a**) *Respiration cellulaire :*

$$\text{Glucose} + 6\,O_2 + 38\,\text{ADP} + 38\,\text{P} \longrightarrow 6\,CO_2 + 38\,\text{ATP} + 44\,H_2O \qquad K_{eq} = 10^{170}$$

(**b**) *Coefficient de couplage de l'ATP dans l'hypothèse où l'oxydation du glucose aurait lieu avec* $K_{eq} = 1$ *:*

$$\text{Glucose} + 6\,O_2 + 58\,\text{ADP} + 58\,\text{P} \longrightarrow 6\,CO_2 + 58\,\text{ATP} + 64\,H_2O \qquad K_{eq} = 1$$

(**c**) *L'oxydation du glucose avec un coefficient de couplage de l'ATP de 66 est défavorable :*

$$\text{Glucose} + 6\,O_2 + 66\,\text{ADP} + 66\,\text{P} \longrightarrow 6\,CO_2 + 66\,\text{ATP} + 72\,H_2O \qquad K_{eq} = 10^{-76}$$

(**d**) *La séquence inverse de* (**c**) *décrit la fixation photosynthétique de* CO_2 *sous forme de glucose :*

$$6\,CO_2 + 66\,\text{ATP} + 72\,H_2O \longrightarrow \text{Glucose} + 6\,O_2 + 66\,\text{ADP} + 66\,\text{P} \qquad K_{eq} = 10^{76}$$

Figure 28.4 • Coefficients de couplage de l'ATP de la dégradation (respiration) aérobie du glucose en CO_2 et de la fixation du CO_2 sous forme de glucose par la photosynthèse.

couplage de 58 pour cette séquence métabolique donnerait une constante d'équilibre proche de 1 (Figure 28.4). La conversion du glucose en CO_2 deviendrait même thermodynamiquement défavorable si le coefficient de couplage de l'ATP devenait plus grand que 58, ce qui inversement veut dire que, dans ces conditions, la conversion de CO_2 en glucose deviendrait favorable. La fixation biologique de 6 CO_2 pour former un glucose exige 12 NADPH et 18 ATP, pour un coefficient de couplage de l'ATP de -66. Étant donné ce coefficient de couplage, la voie de la fixation du CO_2 a une constante d'équilibre global de 10^{76} (Figure 28.4)[6]. Les constantes d'équilibre global des deux processus, la respiration cellulaire et la fixation de CO_2, ayant de très grandes valeurs, ces deux processus sont du point de vue thermodynamique extrêmement favorables. Pour la même raison, ces deux voies sont unidirectionnelles.

L'ATP a un double rôle métabolique

L'ATP intervient à double titre dans le métabolisme :

1. Il a un rôle stœchiométrique en établissant une constante d'équilibre très élevée pour conversions métaboliques et en leur donnant un caractère unidirectionnel. C'est de ce rôle qu'il est question quand on dit que l'ATP est la *monnaie énergétique* de la cellule.
2. L'ATP est aussi un important effecteur allostérique intervenant dans les régulations cinétiques du métabolisme. Sa concentration (par rapport à celle de l'ADP et de l'AMP) est un indice du statut énergétique cellulaire ; elle détermine les vitesses des réactions catalysées par les enzymes soumis à régulation. Ces enzymes soumis à régulation sont situés à des points clés du métabolisme, comme la PFK dans la glycolyse et la FBPase dans la néoglucogénèse.

[6] Ce calcul suppose que les conditions cellulaires lors de la fixation du CO_2 sont les mêmes que celles admises pour la respiration cellulaire : [glucose] = 10 m*M*, pO_2 = 0,13 atm, pCO_2 = 0,05 atm et $\Delta G_{\text{hydrolyse de l'ATP}} = -50$ kJ/mol.

Mise en réserve de l'énergie dans le système adénylate

La transduction de l'énergie et la mise en réserve de l'énergie dans le système adénylate – ATP, ADP et AMP – est au cœur même du métabolisme. La quantité d'ATP utilisée par minute par une cellule est proche de la quantité d'ATP présente à l'état d'équilibre. La durée de vie métabolique de l'ATP est donc brève. L'ATP, l'ADP et l'AMP sont trois effecteurs de la régulation cinétique des enzymes soumis à régulation, des changements non contrôlés de leurs concentrations auraient de sérieuses conséquences. La régulation du métabolisme par des dérivés adényliques exige donc un contrôle rigoureux de la concentration de l'ATP, de l'ADP et de l'AMP. Certaines réactions utilisant l'ATP produisent de l'ADP, par exemple, la PFK et l'hexokinase. D'autres produisent de l'AMP, comme lors de l'activation d'un acide gras par une acétyl-CoA synthétase :

$$\text{Acide gras} + \text{ATP} + \text{coenzyme A} \longrightarrow \text{AMP} + \text{PP}_i + \text{acyl-CoA}$$

L'adénylate kinase catalyse l'interconversion entre l'ATP, l'ADP et l'AMP

L'adénylate kinase (Chapitre 19), en catalysant la phosphorylation réversible de l'AMP par l'ATP, établit une relation directe entre les trois membres du pool des adénylates :

$$\text{ATP} + \text{AMP} \rightleftharpoons 2\ \text{ADP}$$

L'énergie libre résultant de l'hydrolyse d'une liaison phospho-anhydride est pratiquement la même dans l'ATP et dans l'ADP (Chapitre 3), et la variation d'énergie libre standard de la réaction catalysée par l'adénylate kinase est proche de zéro (K_{eq} = 2,27). Puisque 2 ADP peuvent par cette réaction former 1 ATP, l'ADP vaut $\frac{1}{2}$ équivalent ATP.

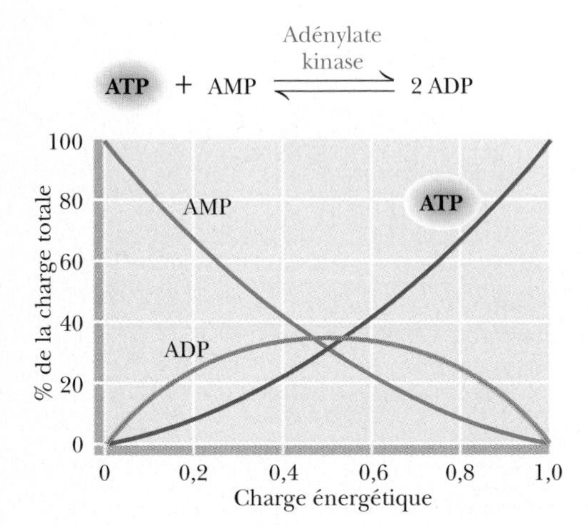

Figure 28.5 • Concentrations relatives de l'AMP, de l'ADP et de l'ATP, en fonction de la charge énergétique. (Ce graphe est construit en admettant que la réaction catalysée par l'adénylate kinase est à l'équilibre et que $\Delta G^{0\prime}$ de la réaction est égal à –473 J/mol ; K_{eq} = 1,2.)

La charge énergétique

Le rôle du système adénylate est de fournir des groupes phosphoryle à haut potentiel de transfert, de façon à entraîner les réactions qui seraient thermodynamiquement défavorables. La capacité du système adénylate à jouer ce rôle dépend de sa charge en liaisons anhydrides phosphoriques. La **charge énergétique** est l'indice de cette capacité :

$$\text{Charge énergétique} = \frac{1}{2}\left(\frac{2\,[\text{ATP}] + [\text{ADP}]}{[\text{ATP}] + [\text{ADP}] + [\text{AMP}]}\right)$$

Le dénominateur représente le pool des adénylates ([ATP] + [ADP] + [AMP]) ; le numérateur est le nombre des liaisons phospho-anhydride dans le pool, deux par ATP et une par ADP. Le facteur $\frac{1}{2}$ normalise l'équation de sorte que la charge énergétique, ou **C.E.**, est comprise entre 0 et 1. Si tout l'adénylate est de l'ATP, C.E. = 1, et le potentiel de transfert de groupe phosphoryle est maximal. À l'autre extrême, si l'AMP est le seul adénylate présent, C.E. = 0. Il est raisonnable d'admettre que dans la cellule, la réaction catalysée par l'adénylate kinase n'est jamais loin de son équilibre ; les concentrations relatives des trois nucléotides adényliques sont donc fixées par la charge énergétique. La Figure 28.5 présente les variations relatives des concentrations des adénylates quand la charge énergétique varie de 0 à 1.

Réponses des enzymes à la charge énergétique

Les enzymes soumis à régulation allostérique répondent souvent d'une façon réciproque aux nucléotides adényliques. Par exemple, la PFK est stimulée par l'AMP et inhibée par l'ATP. L'étude *in vitro* des activités de ces enzymes en fonction de la charge énergétique montre une intéressante relation. Les enzymes qui sont soumis à régulation dans les voies cataboliques productrices d'énergie ont une plus forte activité à faible charge énergétique et leur activité décline rapidement quand la C.E.

approche de 1. Au contraire, les enzymes soumis à régulation dans les voies anaboliques sont peu actifs à faible charge énergétique, mais leur activité croît de façon exponentielle quand la C.E. approche de 1 (Figure 28.6). Ces réponses contrastées sont dites de type **R** , pour les enzymes catalysant les réactions qui **r**égénèrent l'ATP, et de type **U**, pour ceux catalysant les réactions qui **u**tilisent l'ATP. Les enzymes soumis à régulation dans la glycolyse, la PFK et la pyruvate kinase, ont une courbe d'activité de type **R** quand on fait varier C.E. Il faut rappeler que la réaction catalysée par la PFK *utilise* l'ATP pour phosphoryler le fructose-6-phosphate en fructose-1,6-bisphosphate. Mais cependant, puisque la PFK agit comme une valve régulant le flux du glucose dans la voie catabolique de la respiration et qu'elle conduit donc à la régénération de l'ATP, la PFK répond comme un enzyme de type **R** à la charge énergétique. Les enzymes soumis à régulation dans les séquences anaboliques, par exemple l'acétyl-CoA carboxylase qui catalyse la première réaction de la biosynthèse des acides gras, répondent comme des enzymes de type **U**.

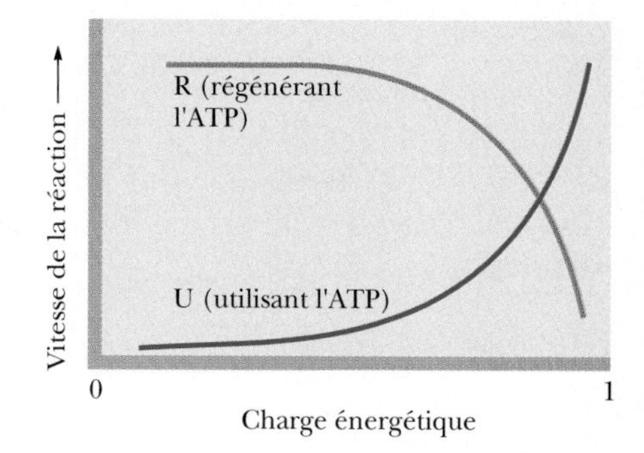

Figure 28.6 • Réponse des enzymes soumis à régulation par la charge énergétique. Les enzymes des voies cataboliques ont pour fonction ultime de régénérer l'ATP à partir de l'ADP. La courbe d'activité de ces enzymes en fonction de la charge énergétique est de type **R**. Les enzymes des processus de la biosynthèse utilisent l'ATP comme donneur d'énergie pour les réactions anaboliques ; en réponse à la variation de la charge énergétique, ces enzymes ont des courbes d'activité de type **U**.

Les finalités des voies métaboliques **R** et **U** sont diamétralement opposées en ce qui concerne l'ATP. Notez, Figure 28.6, que le point d'intersection des courbes **R** et **U** correspond à une charge énergétique assez élevée. Quand C.E. s'accroît, l'activité des enzymes de type **R** au-delà du point d'intersection diminue rapidement, les activités de type **U** augmentent. Quand la valeur de la C.E. est très élevée, les biosynthèses sont accélérées et le catabolisme diminue. La conséquence de ces effets est que lorsque la C.E. est très élevée, la consommation de l'ATP est plus rapide que sa production, et donc la C.E. baisse. Quand la C.E. tombe en dessous de sa valeur au point d'intersection, les processus de type **R** sont favorisés par rapport à ceux de type **U**. L'ATP est régénéré plus rapidement qu'il n'est utilisé. Il en résulte que la valeur de la charge énergétique oscille autour d'un **état d'équilibre** (Figure 28.7). Les résultats expérimentaux portant sur les concentrations relatives de l'ATP, de l'ADP et de l'AMP montrent que la charge énergétique dans les cellules normales est voisine de 0,85 à 0,88. Le maintien de cet état d'équilibre est l'un des critères de la santé et de la normalité d'une cellule.

Le potentiel de phosphorylation

La charge énergétique d'une cellule normale étant maintenue relativement constante, sa valeur ne renseigne pas sur la capacité de la cellule à effectuer des réactions de phosphorylation. Comme ces réactions de phosphorylation fournissent l'énergie nécessaire au métabolisme, un indice du potentiel de phosphorylation serait plus intéressant. Les concentrations relatives de l'ATP, de l'ADP et de P_i permettent d'établir une fonction, appelée **potentiel de phosphorylation** et définie en termes de concentrations :

$$\text{ADP} + P_i \rightleftharpoons \text{ATP} + H_2O$$

Le potentiel de phosphorylation, Γ, est égal à $[\text{ATP}]/([\text{ADP}][P_i])$.

Remarquez que cette expression introduit un terme, $[P_i]$, qui n'est pas inclus dans l'équation de la charge énergétique, bien que sa valeur ait une grande influence thermodynamique sur les réactions qui utilisent l'ATP. Contrairement à la charge énergétique, le potentiel de phosphorylation varie de façon importante dans les différentes conditions physiologiques ; c'est un indice très sensible du statut énergétique d'une cellule. Les proportions intracellulaires d'ATP, d'ADP et de P_i varient en fonction du métabolisme, Γ peut être compris entre 200 et 800 M^{-1}, les plus hautes valeurs signifiant qu'il y a plus d'ATP correspondent donc à un potentiel de phosphorylation plus élevé.

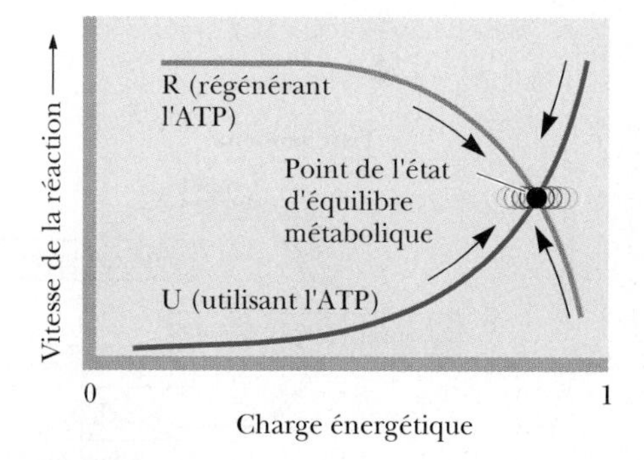

Figure 28.7 • La charge énergétique (C.E.) oscille autour d'une valeur correspondant à un état d'équilibre en réponse à l'effet des processus **R** et **U** sur la production et la consommation d'ATP. Quand C.E. augmente, la vitesse des réactions **R** diminue, mais celle des réactions **U** s'accroît ; par voie de conséquence, plus d'ATP est consommé et C.E. chute. En dessous de la valeur correspondant au point d'intersection, les processus **R** sont plus actifs et les processus **U** sont plus lents, de sorte que l'équilibre se rétablit. La charge énergétique oscille autour d'une valeur déterminée par le point d'intersection des courbes **R** et **U**.

28.4 • Métabolisme dans un organisme multicellulaire

Avec l'accroissement de la complexité des organismes multicellulaires, des organes effectuant des fonctions spécialisées sont apparus. Chaque organe exprime un répertoire de voies métaboliques en rapport avec sa (ou ses) fonction(s) physiologique(s). Cette spécialisation exige une coordination des séquences métaboliques propres aux différents organes afin que tout l'organisme puisse se développer harmonieusement. La plupart des cellules animales ont en commun les enzymes des principales voies du métabolisme intermédiaire, en particulier les enzymes qui participent à la formation de l'ATP, à la synthèse du glycogène et des réserves lipidiques. Néanmoins, les organes se différencient par une certaine préférence envers certains substrats utilisables comme source d'énergie. Il y a aussi d'importantes différences quant à la façon d'utiliser l'ATP dans l'exercice des fonctions métaboliques propres aux organes. Pour illustrer ces particularités, nous examinerons les interactions entre les principaux organes de l'être humain : le cerveau, les muscles du squelette, le cœur, le tissu adipeux et le foie. Nous nous intéresserons surtout au métabolisme énergétique de ces organes (Figure 28.8). Les principales réserves énergétiques chez les animaux sont le *glycogène* dans le foie et les muscles, les *triacyglycérols* (graisses) dans le tissu adipeux et les *protéines*, essentiellement dans les muscles squelettiques. En général, l'ordre de préférence pour l'utilisation de ces réserves est le suivant : glycogène > triacylglycérols > protéines. Cependant les tissus d'un organisme ne fonctionnent pas indépendamment les uns des autres. Ensemble, ils participent au maintien de **l'homéostasie calorique**, définie comme *la disponibilité permanente de molécules énergétiques dans le sang*.

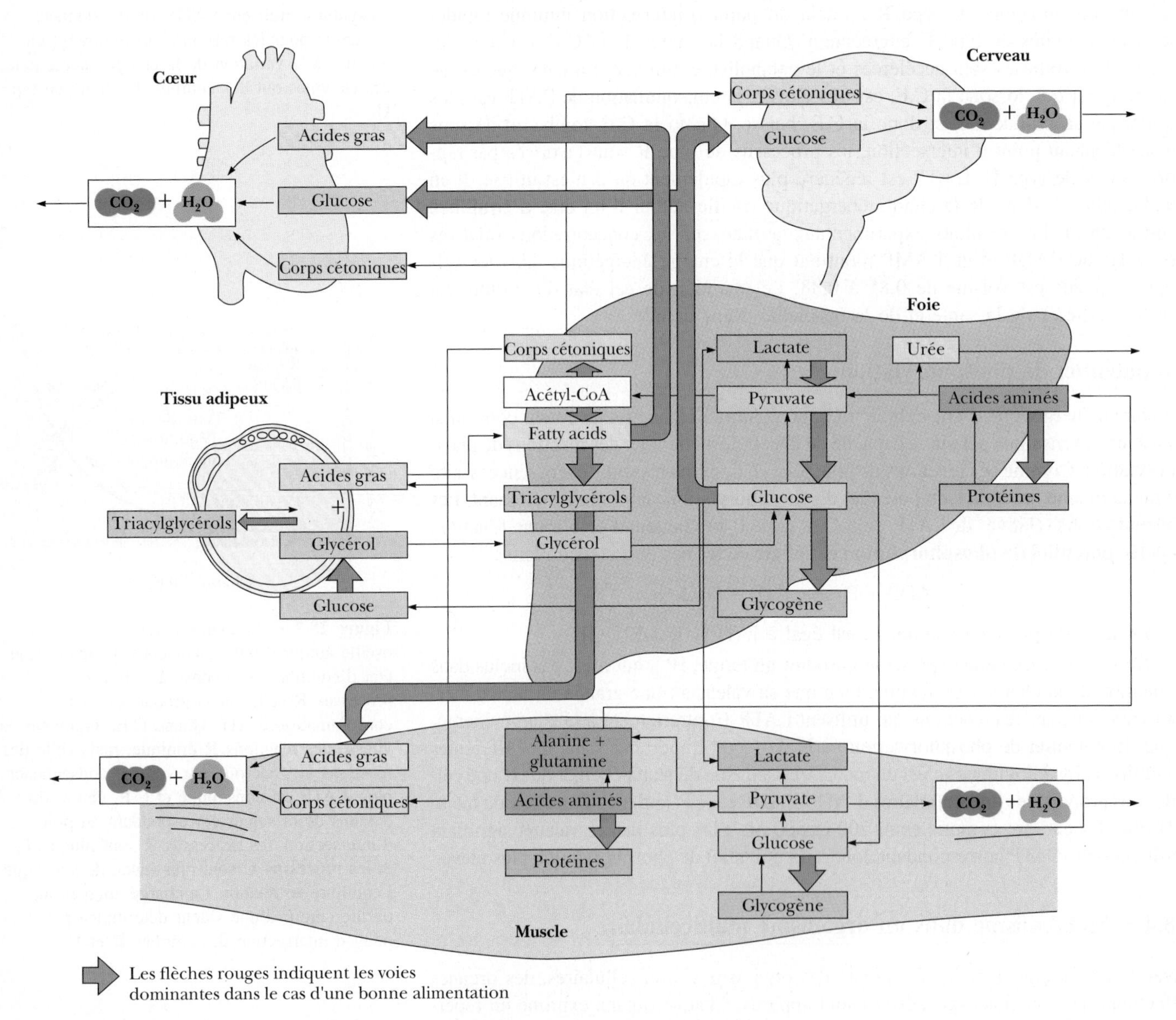

Figure 28.8 • Relations métaboliques entre les principaux organes humains : cerveau, muscles, cœur, tissu adipeux et foie.

Tableau 28.1

Métabolisme énergétique des principaux organes des vertébrés

Organe	Réserve énergétique	Substrat préféré	Molécules énergétiques exportées
Cerveau	Aucune	Glucose (corps cétoniques pendant un jeûne)	Aucune
Muscle squelettique (au repos)	Glycogène	Acides gras	Aucune
Muscle squelettique (exercice prolongé)	Aucune	Glucose	Lactate
Muscle cardiaque	Glycogène	Acides gras	Aucune
Tissu adipeux	Triacylglycérols	Acides gras	Acides gras, glycérol
Foie	Glycogène, triacylglycérols	Acides aminés, glucose, acides gras	Acides gras, glucose, corps cétoniques

La spécialisation des organes

Le Tableau 28.1 résume les caractéristiques du métabolisme énergétique des principaux organes du corps humain.

LE CERVEAU. Le cerveau a deux particularités métaboliques. Premièrement, il a un métabolisme respiratoire extrêmement élevé. Chez un adulte au repos, 20 % de l'oxygène consommé est utilisé par le cerveau, qui pourtant ne représente que 2 % environ de la masse corporelle. Cette importante consommation d'oxygène est indépendante de l'activité cérébrale, elle se poursuit au même rythme pendant le sommeil. Deuxièmement, le cerveau est un organe pratiquement sans réserves énergétiques, pas de glycogène ni de protéine utilisables, ni de graisse. Le cerveau n'utilise normalement comme source d'énergie que le glucose, il est totalement dépendant d'un apport permanent de glucose par le sang. L'interruption de la circulation sanguine, et donc de l'apport de glucose, si brève soit-elle (comme dans le cas d'un accident cérébro-vasculaire), peut aboutir à la perte irréversible et plus ou moins étendue des fonctions cérébrales. Le cerveau oxyde le glucose pour former de l'ATP par la voie de la respiration cellulaire. Une production rapide et permanente d'ATP est nécessaire au bon fonctionnement de la Na^+, K^+-ATPase qui participe au maintien du potentiel de membrane, un facteur essentiel de la transmission de l'influx nerveux.

Après un jeûne prolongé, les réserves de glycogène de l'organisme sont épuisées. Dans ce cas, le cerveau utilise comme source d'énergie le β-hydroxybutyrate (Figure 28.9), pour produire de l'acétyl-CoA qui sera dégradé par la voie du cycle de Krebs. Le β-hydroxybutyrate (Chapitre 24) est formé dans le foie à partir des acides gras. Le cerveau ne peut pas utiliser directement les acides gras ou les lipides présents dans le sang, mais la conversion par le foie de ces substances en β-hydroxybutyrate permet indirectement l'utilisation des acides gras par le cerveau. Une dernière source potentielle d'énergie pour le cerveau pendant les périodes prolongées de jeûne est le glucose formé par néoglucogénèse dans le foie (Chapitre 23). Cet organe utilise alors le squelette carboné des acides aminés provenant de la dégradation des protéines musculaires. L'adaptation du cerveau à l'utilisation du β-hydroxybutyrate permet de retarder la dégradation des protéines pour des situations de carence encore plus difficiles (lorsque les réserves lipidiques sont épuisées).

LES MUSCLES. Les muscles du squelette utilisent environ 30 % de l'oxygène consommé par un organisme humain au repos. Pendant les périodes d'exercices

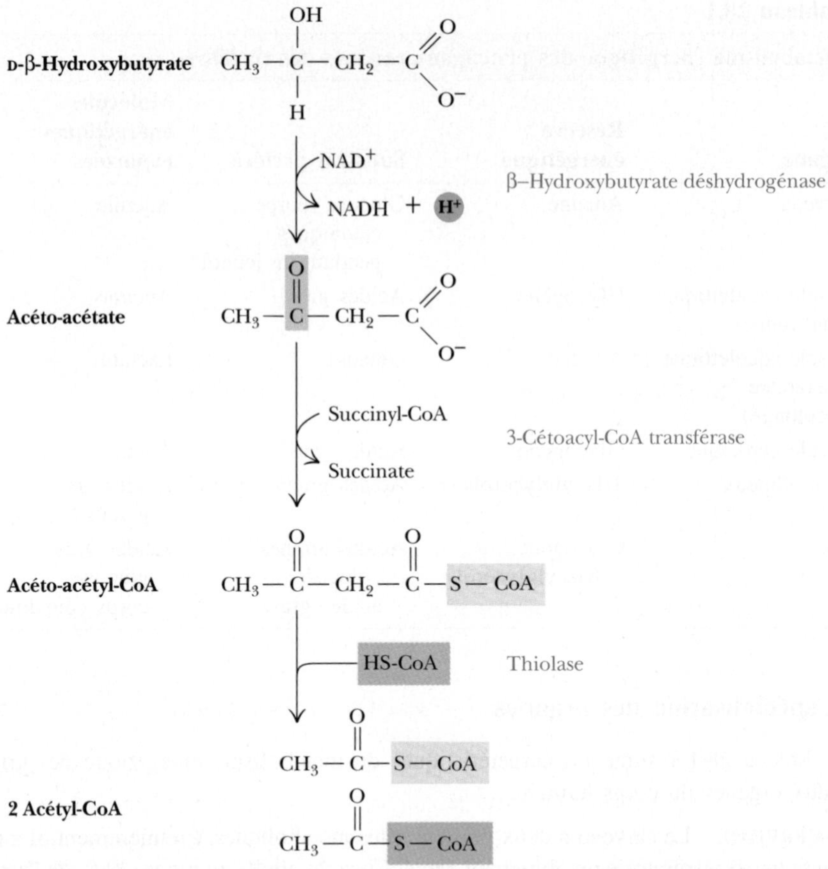

D-β-Hydroxybutyrate $CH_3-CH(OH)-CH_2-COO^-$

NAD^+ → $NADH + H^+$ β–Hydroxybutyrate déshydrogénase

Acéto-acétate $CH_3-CO-CH_2-COO^-$

Succinyl-CoA → Succinate 3-Cétoacyl-CoA transférase

Acéto-acétyl-CoA $CH_3-CO-CH_2-CO-S-CoA$

HS-CoA Thiolase

2 Acétyl-CoA $CH_3-CO-S-CoA$ $CH_3-CO-S-CoA$

Figure 28.9 • Formule du *β*-hydroxybutyrate et sa conversion en acétyl-CoA (qui sera utilisé dans le cycle de l'acide citrique.

intenses, le métabolisme des muscles squelettiques peut représenter jusqu'à 90 % du métabolisme total. Le métabolisme musculaire est principalement dédié à la formation de l'ATP, source énergétique de la contraction et de la relaxation. La contraction musculaire s'obtient quand l'impulsion d'une fibre nerveuse motrice provoque la libération du Ca^{2+} contenu dans des compartiments spécialisés (les tubules transversaux et le réticulum sarcoplasmique). Ca^{2+} se déverse dans le *sarcoplasme* (le compartiment cytosolique de la cellule musculaire) où il se lie à la **troponine C**, une protéine régulatrice, ce qui déclenche une série d'événements dont la conséquence est le glissement des gros filaments de *myosine* sur les fins filaments *d'actine*. Le résultat final est la contraction du muscle. Ce mouvement mécanique utilise l'énergie libérée par l'hydrolyse de l'ATP (Chapitre 17). La relaxation s'observe quand les ions Ca^{2+} retournent dans le réticulum sarcoplasmique sous l'action d'une Ca^{2+}-ATPase membranaire. La translocation de deux ions Ca^{2+} requiert l'hydrolyse d'un ATP. La quantité d'ATP utilisée pour la relaxation est presque la même que celle utilisée pour la contraction.

Comme la contraction musculaire (pour les muscles du squelette) est un processus intermittent en réponse à une demande, le métabolisme musculaire est donc adapté à une réponse en fonction de la demande. Le muscle au repos dégrade le glucose, les acides gras, ou les corps cétoniques, et produit de l'ATP par la voie des oxydations phosphorylantes. Le muscle au repos contient environ 2 % de son poids en glycogène et une quantité de phosphocréatine (Figure 28.10) permettant de fournir l'ATP nécessaire à un exercice d'une durée d'environ 4 secondes. Lors d'un effort violent, comme pendant un sprint de 100 m, la réserve de phosphocréatine étant épuisée, le muscle ne dispose que de ses réserves en glycogène pour produire de l'ATP par la voie de la glycolyse. Contrairement aux voies du cycle de Krebs et des oxydations phosphorylantes, la glycolyse est capable d'une soudaine augmentation de son activité et l'afflux du glucose-6-phosphate dans cette voie peut augmenter de 2.000 fois, presque instantanément. L'ion Ca^{2+} et *l'adrénaline* (l'hormone

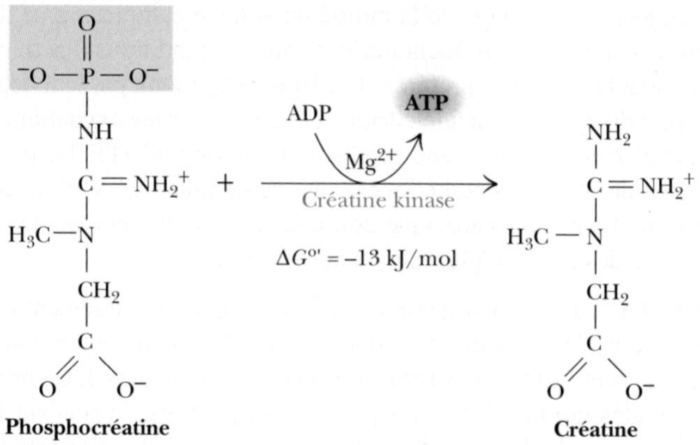

Phosphocréatine + ADP → Créatine + ATP (Mg^{2+}, Créatine kinase, $\Delta G^{\circ\prime} = -13$ kJ/mol)

Figure 28.10 • La phosphocréatine est un réservoir d'énergie permettant la synthèse d'ATP. Quand l'ADP s'accumule par suite de l'hydrolyse de l'ATP, la créatine kinase catalyse la formation de l'ATP aux dépens de la phosphocréatine. Pendant les périodes de repos, quand les oxydations phosphorylantes ont rétabli le niveau normal d'ATP, la créatine kinase catalyse la réaction inverse pour rétablir la réserve de phosphocréatine.

du « combat ou de la fuite ») sont les signaux qui déclenchent cette activation (Chapitres 23 et 34). Au cours d'un effort intense de courte durée, il y a peu de coopération entre les organes et les cellules musculaires sont en anaérobiose.

La fatigue musculaire est l'incapacité d'un muscle à poursuivre un effort. Lors d'un exercice intensif, la fatigue apparaît au bout d'une vingtaine de secondes. La fatigue ne provient pas de l'épuisement des réserves de glycogène, elle n'est pas non plus causée par l'accumulation d'acide lactique dans le muscle. Elle résulte de l'abaissement du pH intramusculaire, conséquence de la production des protons au cours de la glycolyse. (La conversion d'une molécule de glucose en deux molécules de lactate s'accompagne de la libération de deux protons). Le pH peut descendre jusqu'à 6,4. C'est vraisemblablement la baisse de l'activité de la PFK à bas pH qui cause la sensation et l'état de fatigue ; il ne se forme plus assez de fructose-1,6-bisphosphate pour alimenter la glycolyse, et donc la production d'ATP devient insuffisante. Un des avantages de la diminution de l'activité de la PFK est que l'ATP résiduel n'étant pas totalement utilisé pour la réaction, il en reste suffisamment dans la cellule pour éviter des conséquences plus désastreuses.

En période de jeûne prolongé ou d'intense activité, les protéines des muscles squelettiques sont dégradées en acides aminés dont les squelettes carbonés peuvent ensuite être utilisés comme source d'énergie. Plusieurs d'entre eux sont convertis en pyruvate, qui peut ensuite être transaminé en alanine avant de passer dans la circulation sanguine (Figure 28.11). L'alanine parvenue au foie redonne du pyruvate par transamination et le pyruvate sert de substrat à la néoglucogénèse. Bien que les protéines musculaires puissent être mobilisées et servir de source énergétique, un organisme qui consomme ses muscles diminue sa capacité de survie ; les protéines musculaires ne sont utilisées qu'en dernier recours.

Le cœur. À l'opposé du travail intermittent des muscles du squelette, l'activité rythmique du muscle cardiaque est permanente. L'amplitude des variations d'activité est aussi plus restreinte. En conséquence, le cœur est un organe toujours en aérobiose et

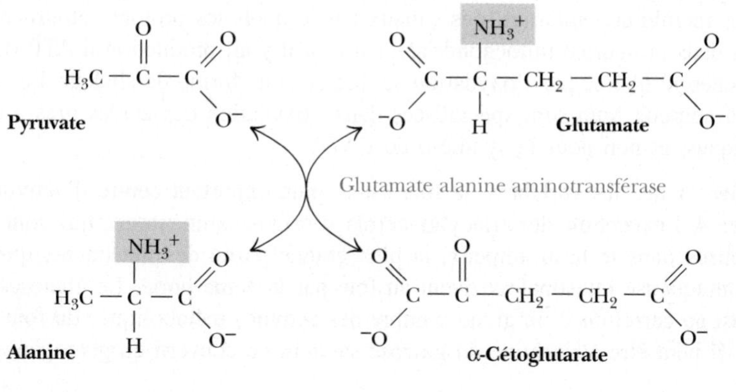

Pyruvate + Glutamate ⇌ Alanine + α-Cétoglutarate (Glutamate alanine aminotransférase)

Figure 28.11 • Transamination du pyruvate en alanine par la glutamate:alanine aminotransférase.

très riche en mitochondries. Près de la moitié du volume cytoplasmique d'une cellule musculaire est occupé par des mitochondries. Dans les conditions d'activité normales, les acides gras sont les substrats préférés ; l'acétyl-CoA produit par leur dégradation est oxydé par la voie du cycle de l'acide citrique et permet, par les oxydations phosphorylantes sur la chaîne respiratoire, une production continue d'ATP. Le tissu cardiaque contient très peu de réserves énergétiques : une petite quantité de phosphocréatine et peu de glycogène. Le muscle cardiaque doit donc être continuellement approvisionné en oxygène, en acides gras, ou glucose, ou corps cétoniques.

LE TISSU ADIPEUX. Le tissu adipeux est un tissu amorphe, largement répandu dans l'organisme, autour des vaisseaux sanguins, dans la cavité abdominale, dans les glandes mammaires et surtout sous forme de dépôts sous-cutanés. Il est principalement constitué de cellules qui ne se divisent plus, les **adipocytes**. Cependant leur nombre peut augmenter par multiplication des cellules précurseurs des adipocytes et les personnes obèses ont tendance à en avoir plus. Les triacylglycérols s'accumulent dans le tissu adipeux sous forme de gouttelettes lipidiques et peuvent représenter jusqu'à 65 % de son poids. Les réserves lipidiques d'un homme de 70 kg lui permettent, avec une consommation énergétique quotidienne de 6.000 kJ, de survivre pendant trois mois en supposant qu'il n'y a pas de déficience métabolique particulière (il faut un apport d'eau, de vitamines, de minéraux, enfin le métabolisme des acides aminés doit être normal). En dépit de leur rôle de réservoir d'énergie, les adipocytes ont une activité métabolique assez soutenue, la synthèse et la dégradation des acides gras sont telles que la durée moyenne de renouvellement des triacylglycérols n'est que de quelques jours. Les adipocytes ont une importante activité respiratoire ; ils oxydent le glucose par les voies de la glycolyse, du cycle de l'acide citrique et des oxydations phosphorylantes. Si l'alimentation est riche en glucides, l'acétyl-CoA provenant de la dégradation du glucose est utilisé pour la synthèse des acides gras. Cependant, dans les conditions normales, les acides gras libres utilisés pour la synthèse des triacylglycérols proviennent du foie. Les adipocytes n'ont pas de glycérol kinase, ils ne peuvent donc pas recycler le glycérol provenant de la dégradation des triacylglycérols ; la synthèse des triacylglycérols dans les adipocytes dépend donc de la glycolyse (conversion du glucose en dihydroxyacétone-phosphate, DHAP, et réduction du DHAP en glycérol-phosphate). Les adipocytes ont également besoin de glucose pour alimenter la voie des pentoses phosphates et produire du NADPH

Le glucose joue un rôle clé dans le métabolisme des adipocytes. Si l'apport de glucose est normal, il se forme du glycérol-3-phosphate et les acides gras libérés par la dégradation des triacylglycérols sont estérifiés régénérant les triacylglycérols. Cependant, si l'apport de glucose est insuffisant, la concentration du glycérol-3-phosphate décline, et les acides gras sont libérés dans la circulation (Chapitre 24).

Le tissu adipeux brun. Les nouveaux-nés et les animaux hibernants ont un tissu adipeux spécialisé, le **tissu adipeux brun**. La couleur brune du tissu provient de sa richesse en mitochondries, et donc de l'abondance des cytochromes. Comme dans les autres mitochondries, la translocation des protons entraînée par le transport des électrons sur la chaîne respiratoire est très active. Ces mitochondries contiennent une protéine particulière, la **thermogénine (ou protéine découplante 1),** qui crée, dans les membranes internes, des canaux par lesquels les protons retournent passivement dans la matrice mitochondriale, sans qu'il y ait production d'ATP (Chapitre 21). L'énergie libérée par l'oxydation se dissipe sous forme de chaleur. Les cellules du tissu adipeux brun sont spécialisées dans l'oxydation des acides gras à des fins calorifiques, et non pour la synthèse de l'ATP.

LE FOIE. Chez les vertébrés, le foie est le plus important centre d'activité métabolique. À l'exception des triacylglycérols d'origine alimentaire, qui sont surtout métabolisés dans le tissu adipeux, la plus grande partie des nutriments qui traversent la muqueuse intestinale arrivent au foie par la veine porte. Le glucose-6-phosphate est au carrefour d'un grand nombre des activités métaboliques du foie (Figure 28.12). Il peut être à l'origine du glucose sanguin ou converti en glycogène ; oxydé

Contrôle de l'obésité – la leptine est une protéine qui stimule la combustion des lipides

La leptine (du Grec *lepto*, fin) est une protéine de 146 résidus (16 kDa) essentiellement produite par les adipocytes. L'injection quotidienne d'une dose élevée de leptine à des souris obèses diminue leur besoins alimentaires et augmente la vitesse de l'oxydation des acides gras ; au bout d'un mois, ces animaux perdent 40 % de leur poids. C'est la raison pour laquelle la leptine est considérée comme un « lipostat naturel » ; elle pourrait éventuellement être utilisée pour faire perdre du poids aux personnes obèses. Dans les conditions normales, à mesure que des graisses se déposent dans les adipocytes, ces cellules produisent plus en plus de leptine qui se déverse dans la circulation sanguine. La concentration de la leptine dans le sang signale au système nerveux central le niveau des triacylglycérols dans les adipocytes ; le système nerveux central réagit en modifiant l'appétit de façon appropriée : si la concentration de la leptine est faible (« jeûne ») l'appétit augmente ; si la concentration de la leptine est élevée (« suralimentation »), il y a perte de l'appétit. La leptine régule aussi le métabolisme des graisses dans les adipocytes, elle inhibe la synthèse des acides gras et stimule leur dégradation. Plus précisément, dans ce dernier cas, la leptine induit la synthèse des enzymes de la voie de l'oxydation des acides gras et accroît l'expression de la *protéine découplante 2*, une protéine mitochondriale qui découple l'oxydation de la phosphorylation de sorte que l'énergie d'oxydation est dissipée sous forme de chaleur (thermogenèse). La structure tertiaire de la leptine, un faisceau de quatre hélices, rappelle celle des cytokines (hormones protéiques qui interviennent dans les communications intercellulaires et participent aux réactions inflammatoires).

L'obésité chronique chez les animaux peut résulter soit d'une insuffisance dans la production de la leptine, soit de la résistance aux effets de la leptine. Les récepteurs de leptine sont localisés dans l'hypothalamus, une région du diencéphale à la base du cerveau impliquée dans l'intégration du système nerveux végétatif et d'une partie du système hormonal. La fixation de la leptine sur son récepteur inhibe la libération par l'hypothalamus du *neuropeptide Y*, un puissant stimulant de l'appétit. La leptine est donc un agent *anorexigène* (qui provoque une diminution de l'appétit).

par la voie des pentoses phosphates, il est le précurseur du NADPH et des pentoses ; enfin, il peut être dégradé en acétyl-CoA, précurseur de la synthèse des acides gras et du cholestérol, ou encore, par l'intermédiaire du cycle de Krebs et des oxydations phosphorylantes, le glucose-6-P peut être utilisé pour la production d'énergie. La plus grande partie du glucose-6-phosphate hépatique provient des glucides alimentaires, de la dégradation du glycogène des réserves, ou du lactate produit dans les muscles et entré dans la voie de la néoglucogénèse.

Le foie joue un rôle fondamental dans le métabolisme en ayant un effet tampon sur la concentration du glucose sanguin. Deux enzymes participent à la phosphorylation du

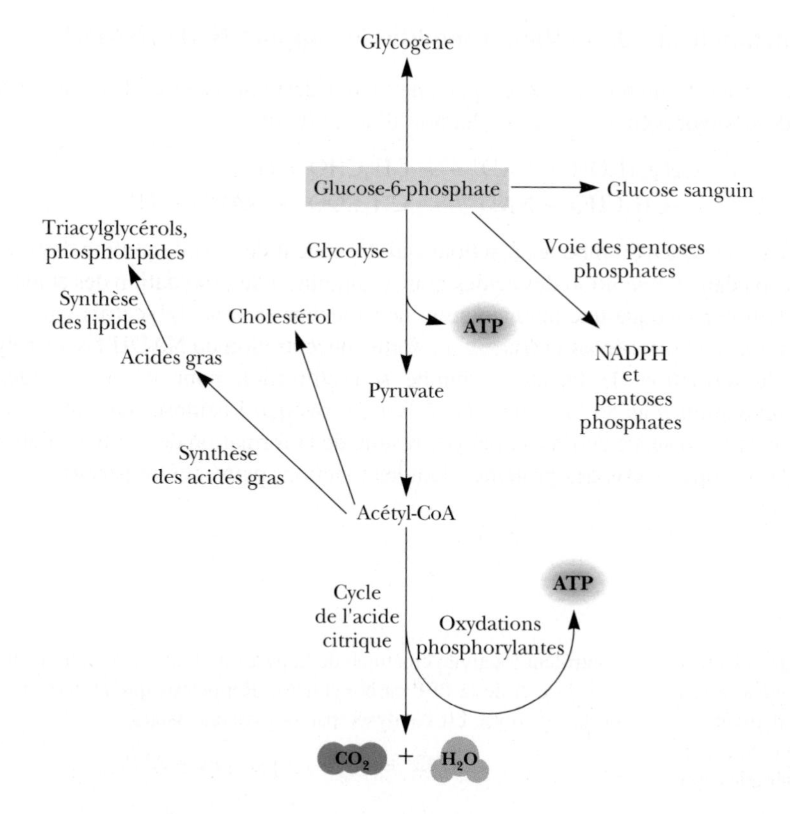

Figure 28.12 • Conversions métaboliques du glucose-6-phosphate dans le foie.

glucose dans le foie, l'hexokinase et la glucokinase. Contrairement à l'hexokinase, la glucokinase a peu d'affinité pour le glucose, son K_m pour le glucose est élevé, voisin de 10 m*M*. Quand le taux du glucose sanguin est élevé, l'activité de la glucokinase s'ajoute à celle de l'hexokinase pour phosphoryler plus rapidement le glucose et accélérer sa mise en réserve sous forme de glycogène. Les principales hormones métaboliques, l'adrénaline, le glucagon et l'insuline, influencent le métabolisme du glucose dans le foie et permettent ainsi que sa concentration dans le sang reste relativement constante (Chapitre 34).

Le renouvellement des acides gras est très actif dans le foie. Lorsque la demande en énergie métabolique est élevée, les triacylglycérols sont hydrolysés et les acides gras sont oxydés en acétyl-CoA ; ce dernier est utilisé pour la synthèse de corps cétoniques qui, par la voie sanguine, rejoignent le cœur, le cerveau et d'autres tissus. Quand la demande énergétique est faible, les acides gras sont incorporés dans des triacylglycérols qui sont transportés vers le tissu adipeux où ils s'accumulent. Le cholestérol est aussi synthétisé dans le foie à partir du malonyl-CoA provenant de l'acétyl-CoA.

En plus de son rôle central dans le métabolisme énergétique à partir des acides gras et du glucose (ou de leurs précurseurs), le foie a d'autres fonctions. Il peut, par exemple, métaboliser les acides aminés. Une première réaction catalysée par des transaminases (ou aminotransférases) convertit les acides aminés en acides α-cétoniques. Le groupe aminé sera ultérieurement excrété après avoir été incorporé dans de l'urée. Le squelette carboné des acides aminés glucogéniques pourra être utilisé pour la néoglucogénèse, celui des acides aminés cétogéniques apparaîtra dans les corps cétoniques. Le foie est aussi le principal lieu de détoxification de l'organisme. Le réticulum endoplasmique des hépatocytes est riche en enzymes pouvant convertir de nombreuses substances biologiquement actives, hormones, poisons, médicaments, en dérivés moins actifs ou moins dangereux.

Les maladies du foie conduisent à de très sérieuses perturbations métaboliques, concernant en particulier le métabolisme des acides aminés. Dans les cas de cirrhose, le foie ne peut plus assurer normalement la conversion de NH_4^+ en urée donc la concentration de NH_4^+ dans le sang s'élève. Cet ion est toxique pour le système nerveux central, si sa concentration s'élève, le coma survient.

Le métabolisme de l'éthanol modifie le rapport NAD+/NADH

Dans le foie, l'éthanol est oxydé par une alcool déshydrogénase et par une acétaldéhyde déshydrogénase, avec production d'acétyl-CoA :

$$CH_3CH_2OH + NAD^+ \longrightarrow CH_3CHO + H^+$$
$$CH_3CHO + NAD^+ \longrightarrow CH_3COO^- + NADH + H^+$$

Un excès de NADH inhibe les réactions qui dépendent de NAD^+, comme dans la glycolyse ou dans l'oxydation des acides gras. L'inhibition de l'oxydation des acides gras dans le foie provoque une augmentation de sa teneur en triacylglycérols qui, avec le temps, forment des dépôts graisseux. La forte concentration du NADH favorise également la formation de lactate et inhibe son utilisation pour la néoglucogénèse. L'accumulation d'acide lactique dans le sang provoque l'acidose. Une autre conséquence de la présence de l'acétaldéhyde résulte de la formation de produits d'addition avec les groupes $-NH_2$ des protéines dont les fonctions peuvent être perturbées.

EXERCICES

1. Cycle de substrats, pyruvate/PEP. Un second cycle de substrats impliquant des réactions de la glycolyse et de la néoglucogénèse (en plus du cycle F-6-P/FBP) concerne la conversion entre le pyruvate et le phosphoénolpyruvate (PEP). La direction favorisée de la conversion dépend des concentrations relatives des régulateurs allostériques qui contrôlent l'activité cinétique de la pyruvate kinase, de la pyruvate carboxylase et de la PEP carboxykinase. Rappelons que la dernière étape de la glycolyse est catalysée par la pyruvate kinase :

$$PEP + ADP \longrightarrow pyruvate + ATP$$

Le coefficient de couplage de l'ATP de cette réaction est de +1 ; la variation d'énergie libre est de –31,7 kJ/mol.

a. Calculez la constante d'équilibre de la réaction.

b. Pour que cette réaction puisse s'effectuer dans la direction inverse, de combien de fois la concentration du pyruvate doit-elle être supérieure à celle du PEP ?

La réversibilité de cette réaction chez les eucaryotes est essentielle pour la néoglucogénèse, elle s'effectue en deux étapes, chacune exigeant un équivalent énergétique d'ATP :

Pyruvate carboxylase

$$\text{Pyruvate} + CO_2 + \text{ATP} \longrightarrow \text{oxalo-acétate} + \text{ADP} + P_i$$

PEP carboxykinase

$$\text{Oxalo-acétate} + \text{GTP} \longrightarrow \text{PEP} + CO_2 + \text{GDP}$$

$$\textit{Bilan}: \text{Pyruvate} + \text{ATP} + \text{GTP} \longrightarrow \text{PEP} + \text{ADP} + \text{GDP} + P_i$$

c. Quel est le coefficient de couplage de cette séquence réactionnelle ?

d. Les deux parties du cycle de substrats ont-elles un coefficient de couplage différent ?

e. $\Delta G^{\circ\prime}$ de la réaction globale est égal à +0,8 kJ/mol. Quelle est la valeur de K_{eq} ?

f. En supposant que [ATP] = [ADP], [GTP] = [GDP] et P_i = 1 m*M* quand la réaction atteint l'état d'équilibre, quel est le rapport [PEP]/[pyruvate] ?

g. Les deux directions de ce cycle de substrats sont-elles fortement favorisées dans les conditions physiologiques ?

2. Supposons les concentrations intracellulaires suivantes dans le muscle : ATP = 8 m*M*, ADP = 0,9 m*M*, AMP = 0,04 m*M*, P_i = 8 m*M*. Quelle est la valeur de la *charge énergétique* ? Quelle est celle du *potentiel de phosphorylation* ?

3. Un exercice musculaire épuisant (par exemple un sprint de 100 m) abaisse rapidement la concentration de l'ATP. Si 1 g de muscle, contenant au départ 8 m*M* d'ATP, utilise 300 µmoles d'ATP par minute, en combien de temps l'ATP sera-t-il consommé ? (Vous supposerez que le muscle contient 70 % d'eau). Le muscle contient également de la phosphocréatine, une réserve de potentiel de phosphorylation. En supposant que [phosphocréatine] = 40 m*M*, [créatine] = 4 m*M* et $\Delta G^{\circ\prime}$ (phosphocréatine + H_2O → créatine + P_i) = -43,3 kJ/mol, à combien la concentration de l'ATP doit-elle descendre pour que l'ATP soit régénéré par la réaction : phosphocréatine + ADP → ATP + créatine ? ($\Delta G^{\circ\prime}$ de l'hydrolyse de l'ATP = –30,5 kJ/mol.)

4. Les potentiels de réduction standard des couples (NAD^+/NADH) et ($NADP^+$/NADPH) ont des valeurs identiques, soit –320 mV. En supposant que les rapports *in vivo* des concentrations sont : NAD^+/NADH = 20 et $NADP^+$/NADPH = 0,1, quelle est la valeur de D*G* de la réaction suivante :

$$\text{NADPH} + NAD^+ \longrightarrow NADP^+ + \text{NADH}$$

Calculez le nombre d'équivalents ATP qui peuvent être formés à partir de ADP + P_i, par l'énergie libérée au cours de cette réaction.

5. Supposons que le pool intracellulaire des dérivés adényliques (ATP + ADP + AMP) = 8 m*M* et que l'ATP représente 90 % de ce pool. Que représentent [ADP] et [AMP] quand la réaction catalysée par l'adénylate kinase est à l'équilibre ? Supposons que la concentration de l'ATP baisse soudainement de 10 %. Que représentent à présent [ADP] et [AMP], en admettant que la réaction catalysée par l'adénylate kinase est à l'équilibre ? De combien la concentration de l'AMP a-t-elle varié ?

6. Cycle de substrats PFK/FBP. La PFK est activée par l'AMP ; la FBPase est inhibée par l'AMP. Dans le muscle, l'activité maximale de la PFK (μmoles de substrat transformé par minute) est 10 fois plus grande que l'activité de la FBPase. Si l'élévation de la concentration de l'AMP déterminée dans l'exercice précédent augmente l'activité de la PFK de 10 % à 90 % de l'activité maximale et abaisse l'activité de la FBPase de 90 à 10 % de l'activité maximale, de combien le flux du fructose-6-P vers la voie de la glycolyse est-il accru ? (*Un conseil* : Admettez que l'activité maximale de la PFK = 10 et que l'activité maximale de la FBPase = 1 ; calculez les activités relatives des deux enzymes à basse et à haute concentration d'AMP ; admettez que *J* le flux du F-6-P dans le cycle de substrats sous toutes les conditions reste égal à la vitesse de la réaction catalysée par la PFK *moins* la vitesse de la réaction catalysée par la FBPase).

7. La leptine, non seulement induit la synthèse des enzymes de l'oxydation des acides gras et de la protéine découplante 2 dans les adipocytes mais elle inhibe aussi l'acétyl-CoA carboxylase, ce qui provoque un déclin de la synthèse des acides gras. Cet effet sur l'acétyl-CoA carboxylase a une autre conséquence : la stimulation de l'oxydation des acides gras. Expliquez comment l'inhibition de l'acétyl-CoA carboxylase par la leptine peut favoriser l'oxydation des acides gras.

LECTURES COMPLÉMENTAIRES

Atkinson, D.E., 1977. *Cellular Energy Metabolism and Its Regulation.* New York : Academic Press. A very readable book on the design and purpose of cellular energy metabolism. Its emphasis is the evolutionary design of metabolism within the constrain is of chemical thermodynamics. The book is filled with novel insights regarding why metabolism is organized as it is and why ATP occupies a central position in biological energy transformations.

Barinaga, M., 1995. « Obese » protein slims mice. *Science* **269** : 475-476, and references therein.

Erickson, J.C., et al., 1996. Attenuation of the obesity syndrome of *ob/ob* mice by the loss of neuropeptide Y. *Science* **274** : 1704-1707.

Flier, J.S., 1997. Leptin expression and action : New experimental paradigms. *Proceedings of the National Academy of Science, USA* **94** : 4242-4245.

Gura, T., 1997. Obesity sheds its secrets. *Science* **275** : 751-753.

Harris, R., et Crabb, D.W., 1997. Metabolic interrelationships. In *Textbook of Biochemistry with Clinical Correlations,* 4th ed., edited by T.M. Devlin. New York : Wiley-Liss. A synopsis of the interdependence of metabolic processes in the major tissues of the human body-brain, liver, muscle, kidney, gut, and adipose tissue. Metabolic aberrations that occur in certain disease states are also discussed.

Newsholme, E.A., Challiss, R.A.J., et Crabtree, B., 1984. Substrate cycle : Their role in improving sensitivity in metabolic control. *Trends in Biochemical Sciences* **9** : 277-280. A review suggesting that substrate cycles provide a mechanism for greater responsiveness to regulatory signals. (See end-of-chapter problems 1 and 6.)

Newsholme, E.A., et Leech, A.R., 1983. *Biochemistry for the Medical Sciences.* New York : John Wiley & Sons.

Sugden, M.C., Holness, M.J., et Palmer, T.N., 1989. Fuel selection and carbon flux during the starved-to-fed transition. *Biochemical Journal* **263** : 313-323. Changes in lipid and carbohydrate metabolism of rats upon carbohydrate feeding after prolonged starvation.

Tartaglia, L.A., 1997. The leptin receptor. *Journal of Biological Chemistry* **272** : 6093-6096.

Zhou, Y.-T., et al., 1997. Induction by leptin of uncoupling protein-2 and enzymes of fatty acid oxidation. *Proceedings of the National Academy of Sciences, USA* **94** : 6386-6390.

Quatrième partie
Le transfert de l'information

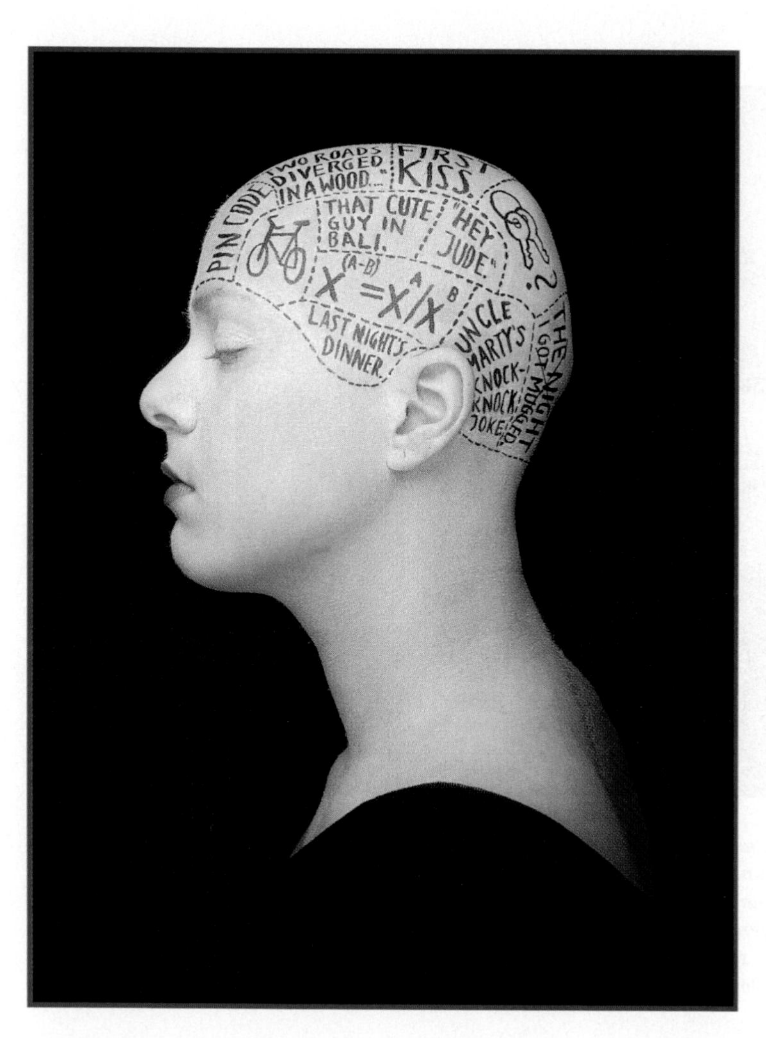

La biochimie du transfert de l'information non seulement comprend le dogme central de la biologie moléculaire (ADN → ARN → protéine) mais elle englobe aussi les mécanismes moléculaires qui permettent les communications intercellulaires chez les organismes pluricellulaires et ceux qui servent à détecter et à intégrer les informations concernant de l'environnement. La biochimie de la mémoire et de l'apprentissage chez les humains dépend de toutes ces formes de transfert de l'information.
(« Manipulation de la mémoire » © 1998 Karen Kuehn/Matrix)

Nos divertissement sont terminés. Ces acteurs,
je vous en avais prévenu, étaient tous des esprits :
Ils se sont dissipés dans l'air, dans l'air aussi léger,
Que notre inconsistante vision.
Les tours couronnées de nuages, les palais somptueux,
Les temples solennels et même ce grand globe,
Oui, et tout ce qu'il accueille se dissoudront,
S'évanouiront comme ce spectacle immatériel
Sans laisser derrière eux un seul petit nuage.
Nous sommes de la même étoffe que nos rêves,
Et notre petite vie est enveloppée de sommeil.

WILLIAM SHAKESPEARE (1564-1616) *La Tempête* (1611-1612)

PLAN

Chapitre 29

L'ADN : information génétique, recombinaison et mutation

La citation de Shakespeare se rapporte à la nature éphémère de la vie. L'hérédité, une question de hasard tout au long de l'histoire de la vie, peut aujourd'hui être manipulée par des scientifiques. Dolly, le premier mammifère à être cloné à partir d'une cellule adulte est ici représentée avec son premier agneau, Bonnie, conçu elle de façon naturelle. Hello Dolly ! (AP/Wide World Photos)

Le fait que l'ADN est porteur des caractères héréditaires est, à présent, communément admis, une proposition que personne n'aurait pu justifier avant la deuxième partie du vingtième siècle. Pourtant, la notion **d'hérédité** que nous pouvons globalement définir comme la *tendance d'un organisme à posséder les caractéristiques de l'organisme parental (ou des organismes parentaux)*, était acquise dès les débuts des temps historiques et servait de base à la classification des organismes d'après leurs similarités. Mais les bases moléculaires de cette hérédité n'étaient pas évidentes. Les premiers généticiens ont démontré que les **gènes**, les éléments, ou les unités, qui portent et transmettent les caractères héréditaires parentaux aux descendants, se trouvaient dans les noyaux cellulaires, associés aux chromosomes. Mais l'identité chimique des gènes restait inconnue et la génétique était une science abstraite. Même la découverte des substances qui constituent les chromosomes n'a pas permis de définir la nature moléculaire du gène car, à cette époque, personne ne comprenait réellement ce que les protéines et les acides nucléiques représentaient.

29.1 • Découverte du rôle de l'ADN comme porteur de l'information génétique

Le support des caractères héréditaires doit avoir certaines propriétés :

1. Il doit être particulièrement stable de sorte qu'il puisse stocker l'information génétique et la transmettre un nombre de fois illimité aux générations suivantes.
2. Il doit pouvoir se copier, ou se répliquer, avec précision, sans que l'information soit perdue ou altérée.
3. Bien que stable, il doit aussi pouvoir subir des modifications pour permettre à court terme l'apparition de mutants et à long terme l'évolution.

La première indication que l'**acide désoxyribonucléique** (ou ADN) pouvait être le support des caractères héréditaires a été apportée par les recherches effectuées sur *Streptococcus pneumoniae*, une des bactéries qui provoquent la pneumonie. En 1928, Frederick Griffith, un microbiologiste anglais, a comparé deux souches de pneumocoques. La première, de **type S** (S pour *smooth*, car les colonies ont un aspect soyeux, lisse), est enveloppée d'une couche gélatineuse qui la protége du système immunitaire de l'hôte, la capsule ; cette souche est virulente. La deuxième souche, de **type R** (R pour *rough*, car les colonies ont un aspect rugueux), est dépourvue d'un des enzymes de la synthèse de la capsule polyosidique ; cette souche n'est pas virulente car elle n'est pas protégée contre le système immunitaire de l'hôte. Lorsque Griffith a injecté des bactéries de type S à des souris, ces bactéries ont proliféré dans le sang de l'animal et les souris n'ont pas survécu. Des bactéries de type S préalablement tuées par la chaleur n'ont aucun effet sur les souris. Mais, si avant l'injection des bactéries de type R sont mélangées avec des bactéries de type S tuées, les souris meurent et de leur sang on peut isoler des bactéries vivantes de type S. Tout se passait comme si les bactéries S tuées par la chaleur avaient transformé les bactéries non virulentes de type R en bactéries virulentes de type S (Figure 29.1). En 1931, M. H. Dawson et R. H. P. Sia ont démontré que des *extraits* de bactéries de type S tuées par la chaleur pouvaient transformer des bactéries non pathogènes de type R en bactéries pathogènes de type S génétiquement stables.

Le « principe transformant » est l'ADN

En 1944, Oswald T. Avery et ses collaborateurs Colin MacLeod et Maclyn McCarty, de l'Institut Rockefeller, ont découvert que la substance active dans la transformation des bactéries de type R en bactéries virulentes était en fait de l'ADN. La découverte était surprenante ; elle ne fut pas immédiatement acceptée car de nombreux scientifiques pensaient que les protéines, substances chimiquement plus complexes et plus variées que les acides nucléiques, étaient les supports des caractères génétiques. Avery, Macleod et McCarty ont ensuite démontré que des préparations très purifiées de « principe transformant » ne contenaient pas de protéines en quantité détectable, qu'elles n'étaient pas inactivées après un traitement par la trypsine ou la chymotrypsine (deux enzymes protéolytiques), ni par la RNase pancréatique (qui hydrolyse l'ARN). Par contre, la substance transformante était rapidement inactivée par l'ADNase pancréatique, un enzyme qui hydrolyse spécifiquement l'ADN. Donc l'ADN devait être l'agent porteur de l'information qui transforme les bactéries R en bactéries S virulentes. Comme la transformation restait stable au cours des générations suivantes, l'ADN méritait d'être considéré comme étant réellement le support matériel de l'hérédité.

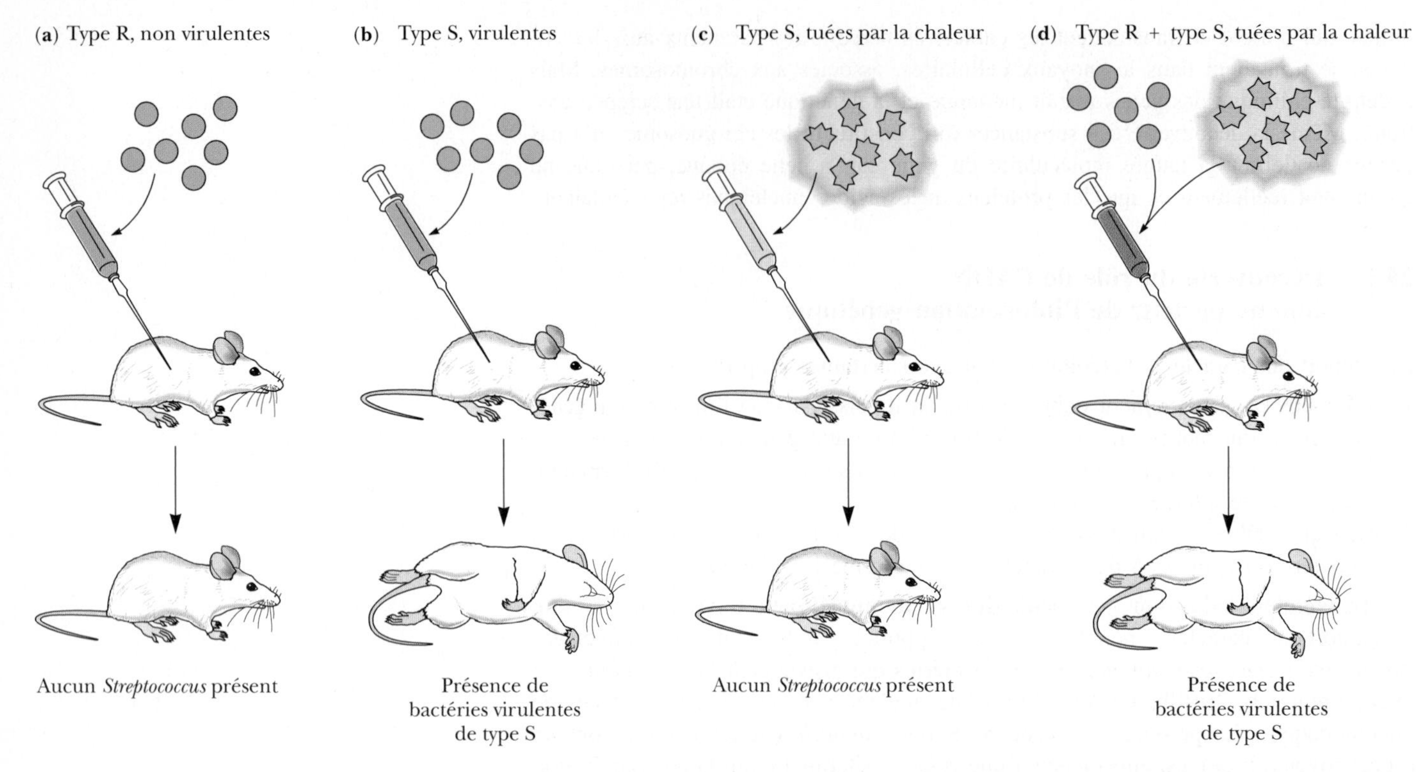

Figure 29.1 • Expérience de Griffith sur la transformation du pneumocoque. (a) Les souris sont résistantes à *Streptococcus pneumoniae* de type R, mais (b) sont tuées par l'injection d'une souche bactérienne virulente de type S. (c) L'injection de bactéries de type S tuées par la chaleur ne tue pas les souris, mais (d) si ces bactéries inactivées sont mélangées avant leur injection avec des bactéries non virulentes de type R, elles ont la capacité de *transformer* les bactéries non virulentes de type R en bactéries virulentes de type S.

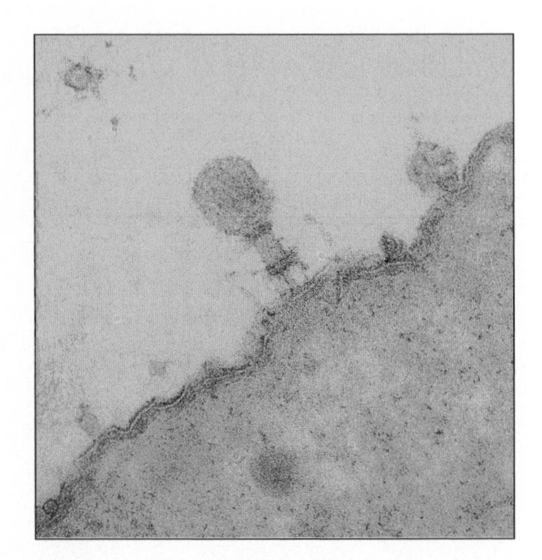

Figure 29.2 • Micrographie électronique d'une particule phagique fixée sur une cellule bactérienne. Un unique phage T4 pèse 5×10^{-13} g ; il est constitué de 60 % d'ADN et de 40 % de protéines. Son volume représente environ le millième de celui d'une cellule d'*E. coli*. La tête du phage T4, un icosaèdre de 100 nm × 35 nm, est attachée à une queue de 100 nm de long et de 25 nm de diamètre. *(J. Broek/Biocentrum, Université de Bâle, Science Photo Library.)*

L'ADN est la molécule héréditaire du bactériophage

Une nouvelle preuve confirmant que l'ADN est bien le matériel génétique est venue de l'étude d'un bactériophage (ou virus bactérien, ou plus simplement phage). En 1952, Alfred Hershey et Martha Chase ont mis au point une élégante méthode pour suivre le sort des deux principaux constituants du bactériophage – l'enveloppe protéique et l'ADN – après l'infection d'une bactérie. Ils ont tenu compte de l'absence de soufre dans les acides nucléiques et de l'absence de phosphore dans les protéines de l'enveloppe pour marquer spécifiquement l'ADN du phage par ^{32}P et ses protéines par ^{35}S. Les bactériophages marqués par l'un ou l'autre des deux éléments radioactifs provenaient de cultures d'*E. coli* infecté par le *phage T2*, cultures effectuées dans un milieu contenant soit du phosphate minéral marqué par ^{32}P, soit de la méthionine marquée par ^{35}S.

Lors de l'infection d'une bactérie par un bactériophage, ce dernier s'adsorbe spécifiquement sur des sites de reconnaissance de la cellule bactérienne. L'ADN phagique pénètre dans la cellule en laissant son enveloppe protéique sur la surface externe de la bactérie (Figure 29.2). Hershey et Chase ont mélangé des bactériophages T2 marqués avec des cellules d'*E. coli* non marquées, en laissant suffisamment de temps pour que les phages s'adsorbent. Puis ils ont vigoureusement agité la culture à l'aide d'un mixeur pour détacher les phages de la surface des cellules bactériennes. Après centrifugation, les bactéries infectées sont récupérées, alors que les enveloppes des phages contenant l'essentiel du ^{32}S restent dans le surnageant. Par contre, si les cellules d'*E. coli* sont infectées par des phages T2 marqués au ^{32}P, le culot bactérien de la centrifugation contient l'essentiel du ^{32}P. Enfin, après la lyse bactérienne, la nouvelle génération de particules virales contient 30% du marquage d'origine par ^{32}P et seulement 1% du ^{35}S (Figure 29.3). Hershey et Chase en ont

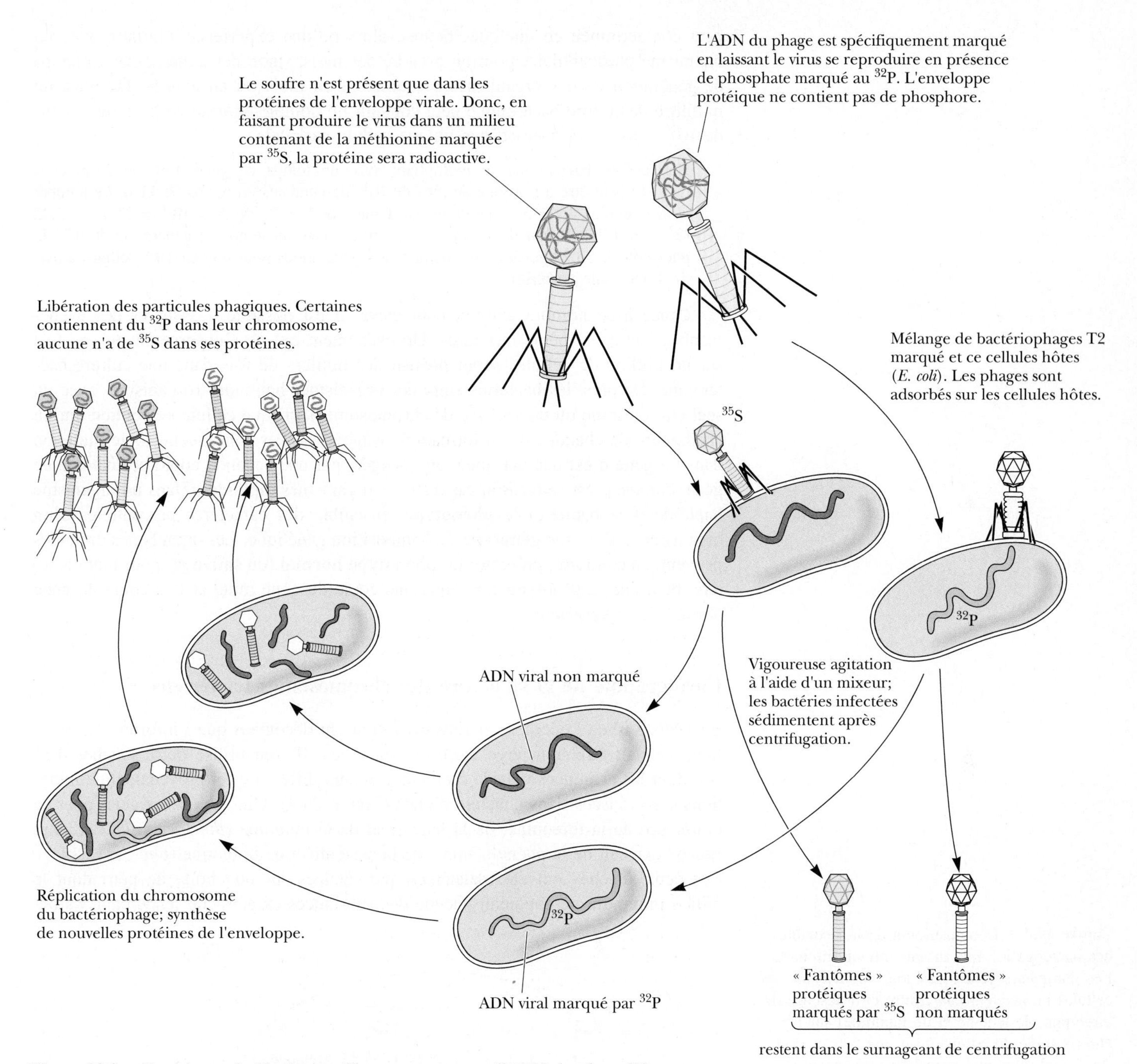
L'ADN du phage est spécifiquement marqué en laissant le virus se reproduire en présence de phosphate marqué au ^{32}P. L'enveloppe protéique ne contient pas de phosphore.
Le soufre n'est présent que dans les protéines de l'enveloppe virale. Donc, en faisant produire le virus dans un milieu contenant de la méthionine marquée par ^{35}S, la protéine sera radioactive.
Libération des particules phagiques. Certaines contiennent du ^{32}P dans leur chromosome, aucune n'a de ^{35}S dans ses protéines.
Mélange de bactériophages T2 marqué et ce cellules hôtes (*E. coli*). Les phages sont adsorbés sur les cellules hôtes.
^{35}S
^{32}P
ADN viral non marqué
Vigoureuse agitation à l'aide d'un mixeur; les bactéries infectées sédimentent après centrifugation.
^{32}P
Réplication du chromosome du bactériophage; synthèse de nouvelles protéines de l'enveloppe.
ADN viral marqué par ^{32}P
« Fantômes » protéiques marqués par ^{35}S
« Fantômes » protéiques non marqués
restent dans le surnageant de centrifugation

Figure 29.3 • Expérience de Hershey et Chase prouvant que l'ADN du phage T2 porte l'information génétique nécessaire à la reproduction de la totalité du phage.

déduit que l'ADN du phage uffisait à la reproduction de tout le virus. Cela voulait dire que l'ADN devait être le matériel génétique.

29.2 • L'information génétique chez les bactéries : organisation, transfert et réarrangement

Les bactéries sont des organismes qui se prêtent particulièrement bien à l'analyse génétique : dans les conditions optimales de croissance et de multiplication, certaines bactéries, comme *E. coli*, se divisent toutes les 20 minutes, chacune des cellules filles étant une nouvelle génération. Une expérience génétique à l'aide de bactéries peut être terminée en quelques heures, alors qu'une expérience similaire avec un organisme pluricellulaire pourrait prendre des mois, sinon des années, car les temps de génération de ces organismes se comptent en mois ou en années. De plus, un millilitre de culture bactérienne peut contenir un nombre énorme de bactéries – plus de 10^{10} – toutes dérivées d'une unique cellule parentale :

Une cellule bactérienne se multipliant avec un temps de génération de 20 minutes (0,33 h) peut être à l'origine de plus de 10^{10} descendants en moins de 11 h. Le nombre N des cellules après n générations est donné par $N = 2^n$. Si $N = 10^{10} = 2^n$, $n = 33{,}22$ ($2^{33{,}22} = 10^{10}$). Il faut donc environ 11 heures, avec un temps de génération de 0,33 h, pour obtenir 33,22 générations (nombre des générations pour obtenir 10^{10} cellules à partir d'une seule bactérie).

Grâce à ce nombre extrêmement élevé, il est possible d'observer des événements génétiques même très rares. Un événement qui ne s'observerait qu'une fois sur un million de cellules serait présent des milliers de fois dans une culture bactérienne. De plus, les bactéries étant des organismes haploïdes (organismes avec un seul chromosome ou un seul jeu de chromosomes), chaque cellule ne contient qu'un exemplaire de chacune des informations génétiques. Par conséquent, toute mutation dans un gène n'est pas masquée, ou corrigée, par une seconde copie normale de ce gène, comme c'est souvent le cas dans les organismes diploïdes. Dans un organisme haploïde (une bactérie) le **phénotype**, ensemble des caractères perceptibles d'un organisme, reflète son **génotype**, sa composition génétique. Les organismes diploïdes peuvent, au contraire, présenter un **phénotype normal** (ou **sauvage**) pour tout caractère, bien que le génotype contienne une copie du gène muté et une copie du gène normal de ce caractère.

Cartographie de la structure des chromosomes bactériens

En 1946, Joshua Lederberg et Edward Tatum ont découvert que l'information génétique pouvait être transférée entre des bactéries. Ils ont utilisé deux souches d'*E. coli* dont les exigences pour la croissance étaient différentes et provenaient de mutations caractérisées dans chacune d'elles (Figure 29.4). Une souche exigeait pour sa croissance de la thréonine, de la leucine et de la thiamine (thr^-, leu^-, thi^-) ; l'autre souche exigeait de la phénylalanine, de la cystéine et de la biotine (phe^-, cys^-, bio^-). Ces deux souches ont été mélangées, puis étalées sur une boîte de pétri dont le milieu minimum ne contenait aucune des substances exigées. Le lendemain, ils ont

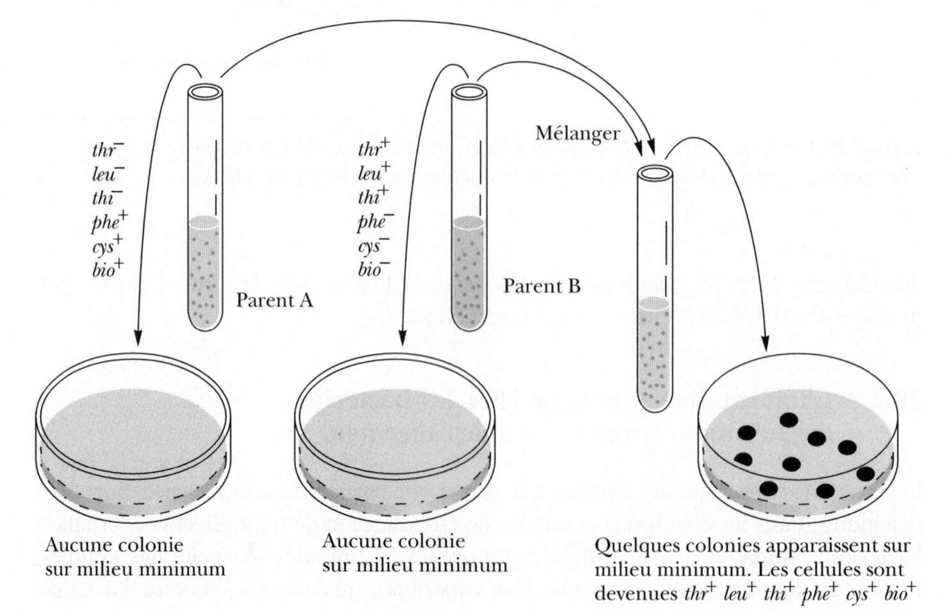

Figure 29.4 • Démonstration de la sexualité des bactéries à l'aide de mutants nutritionnels. Les marqueurs génétiques sont *thr*, *leu*, *thi* (les cellules ne peuvent pas croître en l'absence de thréonine, de leucine et de thiamine) sur le chromosome du parent A, et *phe*, *cys* et *bio* (les cellules exigent pour leur croissance, la phénylalanine, la cystéine et la biotine) sur le chromosome du parent B. Après étalement, sur un milieu minimum, d'une suspension contenant le mélange des deux types de bactéries, très peu de colonies apparaissent ; elles contiennent des bactéries qui sont devenues *thr*, *leu*, *thi*, *phe*, *cys* et *bio* par **recombinaison génétique**. La recombinaison génétique est la formation de chromosomes qui portent des combinaisons de gènes différentes de celles des chromosomes parentaux. Autrement dit, la recombinaison génétique est le processus par lequel se forment de nouvelles combinaisons de gènes. La production d'une descendance par la voie de la sexualité est un des mécanismes de la recombinaison génétique.

observé l'apparition d'un petit nombre de colonies bactériennes. Ces bactéries avaient donc acquis les copies fonctionnelles (les gènes sauvages) de chacun des gènes mutants. Ce résultat remarquable pouvait s'expliquer en admettant que les chromosomes des deux types de cellules différentes s'étaient réunis par un processus analogue à celui observé lors d'une phase sexuée. Les cellules filles ne contenant qu'un seul chromosome, elles ne peuvent acquérir une information génétique provenant des souches parentales que par **recombinaison génétique**. Comme l'écrivaient Lederberg et Tatum, la recombinaison génétique « assortit les gènes dans une nouvelle combinaison ». À un moment donné, il faut que les molécules d'ADN parentales (les chromosomes) se soient alignées, les régions homologues (de séquences similaires) se faisant face, et que des segments de l'une des molécules se soient échangés avec des segments similaires de l'autre molécule ; en conséquence de ces échanges, certains des chromosomes portent les gènes de type sauvage thr^+, leu^+, thi^+, phe^+, cys^+, bio^+ (Figure 29.4). Pour Lederberg et Tatum, si les gènes ont eu la possibilité de se recombiner, c'est que les cellules d'une souche ont été en interaction avec des cellules de l'autre souche.

Conjugaison sexuée chez les bactéries

Le transfert de l'ADN entre deux bactéries s'effectue par un processus appelé la **conjugaison** (pour conjugaison sexuelle), un phénomène auquel personne n'avait pensé avant l'expérience de Lederberg et Tatum. Les cellules bactériennes contiennent parfois, en plus de leur chromosome, des molécules d'ADN extramitochondrial, **les plasmides** (voir Chapitre 13). Ces plasmides représentent une information génétique auxiliaire. La conjugaison entre bactéries est possible si les cellules contiennent un plasmide particulier, appelé le **facteur F** (F pour fertilité). Les cellules F^+, ou « *donneurs* » (aussi appelés cellules mâles), possèdent à leur surface de longs filaments tubulaires (les **filaments sexuels**, ou **pili**, au singulier un *pilus*). Un ou plusieurs pili peuvent se lier à des récepteurs spécifiques de la surface des cellules qui ne contiennent pas le facteur F (cellules F^-, ou cellules « *réceptrices* » femelles ; Figure 29.5). Le pilus forme alors un tunnel reliant les deux cellules. Lors de la conjugaison, un des brins (une des chaînes de l'ADN) du facteur F passe dans la cellule F^- où son brin complémentaire sera synthétisé (Figure 29.6). La cellule F^- devient ainsi une cellule F^+ puisqu'elle contient à présent le facteur F normal bicaténaire. Le facteur F est un plasmide d'environ 94.000 paires de bases ; un tiers de son ADN est constitué d'environ 25 gènes qui codent pour des fonctions en relation avec le transfert du matériel génétique de la cellule F^+ à la cellule F^-. Certains de ces gènes sont nécessaires à la formation des pili. En fait, le facteur F est un agent infectieux.

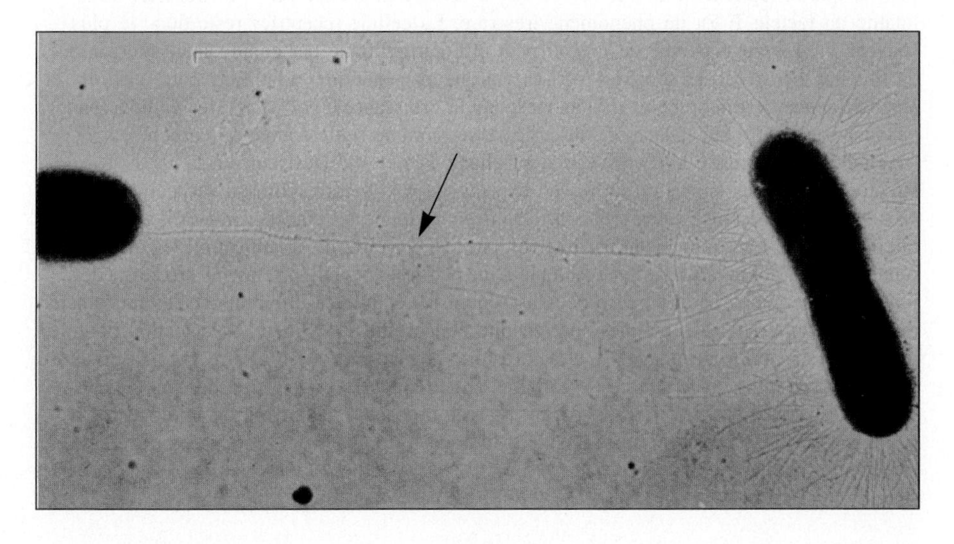

Figure 29.5 • Micrographie électronique de deux cellules d'*E. coli*, l'une F, l'autre F, réunies par conjugaison (sexualité bactérienne). Le pilus qui les réunit est indiqué par une flèche. *(Fred Marsik/Visuals Unlimited.)*

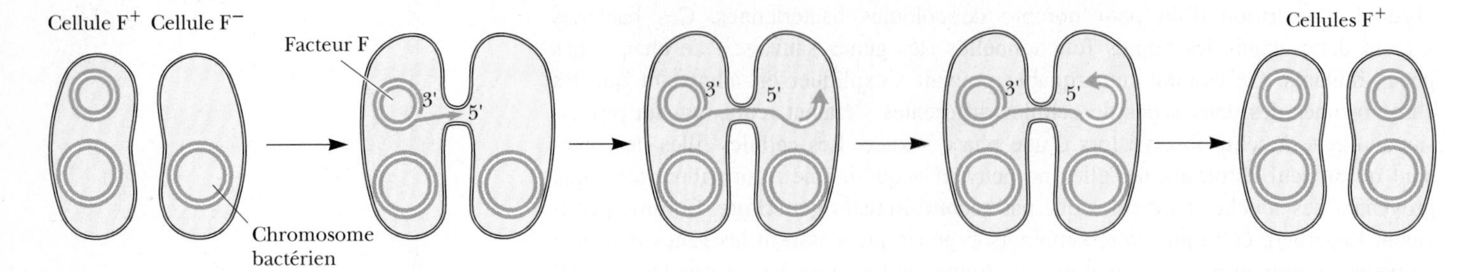

Figure 29.6 • Diagramme représentant le transfert du facteur F d'une cellule F^- à une cellule *F*. Un des deux brins du facteur F est coupé, puis transféré dans la cellule réceptrice F^-. Le brin complémentaire est ensuite synthétisé dans F^-, reconstituant un nouveau facteur F à double brin ; la cellule F^- est transformée en cellule F^+.

Haute fréquence de recombinaison

Il arrive parfois que le facteur F s'intègre dans le chromosome de l'hôte (on appelle **épisomes** les plasmides qui peuvent s'intégrer dans un chromosome). Les cellules contenant un facteur F intégré dans le chromosome ont une fréquence de recombinaison des gènes chromosomiques beaucoup plus élevée lors de leur conjugaison avec des cellules F^- ; pour cette raison, les cellules contenant le facteur F intégré dans le chromosome sont dites ***Hfr*** (pour « Haute fréquence de recombinaison). Avec les cellules *Hfr*, le processus de conjugaison, déterminé par le facteur F, se déroule de la même façon que lorsque le facteur F est indépendant (Figure 29.7). Un des deux brins du chromosome est transféré à une cellule F^- où le brin complémentaire sera synthétisé. Mais, comme le facteur F est intégré dans le chromosome *Hfr*, il entraîne les gènes qui lui sont adjacents. Si la conjugaison se prolonge suffisamment longtemps, la totalité du brin se retrouvera dans la cellule F^- qui aura donc reçu une copie des tous les gènes de la cellule *Hfr*. Cependant, il faut que la conjugaison dure au moins 100 minutes pour que le brin chromosomique soit entraîné dans sa totalité ; habituellement une fraction seulement du chromosome *Hfr* est transférée.

Le transfert des gènes des chromosomes *Hfr* dans les cellules F^- s'effectue dans un ordre fixe. Il faut donc que l'ordre des gènes sur le chromosome *Hfr* soit lui-même fixe, et cet ordre peut être cartographié par la technique de la **conjugaison interrompue** (Figure 29.7). De plus, le site d'intégration du facteur F est différent dans différentes souches d'*E. coli Hfr.* Les gènes qui sont difficilement cartographiés à l'aide d'une souche *Hfr,* car très tardivement transférés (donc très rarement), peuvent donc l'être plus facilement à l'aide d'une autre souche. La carte génétique obtenue par cette méthode montre un arrangement circulaire des gènes, donc une organisation circulaire du chromosome d'*E. coli* (Figure 29.8). Les gènes des autres bactéries sont également répartis sur un chromosome circulaire.

Figure 29.7 • Transfert de segments de chromosome bactérien d'un donneur *Hfr* à une cellule réceptrice F^-. Comme le transfert de tout le chromosome *Hfr* est un événement rare, et que la réplication débute sur un site à l'*intérieur* du facteur F, le transfert de la totalité du facteur F est un phénomène très rare. La cellule réceptrice reste donc le plus souvent F^-. Le chromosome de *E. coli* peut être cartographié par conjugaison interrompue de souches *Hfr* avec des souches F^-. Les marqueurs génétiques sont dans notre cas thr^- et leu^- (exigence de thréonine et de leucine pour la croissance), gal^-, lac^- (les cellules ne peuvent pas croître sur galactose, ou sur lactose, comme seule source de carbone), azi^R (résistance à l'azoture), ton^R (résistance au phage T1) et str^R (résistance à la streptomycine). Les signes ou lettres en exposant, « $^{+}$,^{R},^{S} » correspondent respectivement à type sauvage, résistance, sensibilité. (a) Transfert ordonné du chromosome *Hfr* au cours de la conjugaison. La conjugaison est interrompue par un effet de cisaillement des cellules réunies par la conjugaison, effet résultant d'une violente agitation dans un mixeur à des intervalles de temps choisis ; ce processus sépare les cellules à différents stades du transfert du chromosome *Hfr*. Les cellules sont ensuite étalées sur des milieux de sélection pour tester leur sensibilité au phage T1 et à l'azoture, et leur capacité à croître sur galactose, ou sur lactose, comme seule source de carbone. (b) Fréquence d'apparition des marqueurs génétiques azi^s, ton^s, lac^+ et gal^+, parmi les recombinants en fonction de la durée de la conjugaison. L'extrapolation au temps zéro indique le moment de l'entrée des différents marqueurs dans la cellule réceptrice. *(D'après Jacob, F., et Wollman, E., 1961.* Sexuality and the Genetics of Bacteria, *New York : Academic Press, p. 135.)*

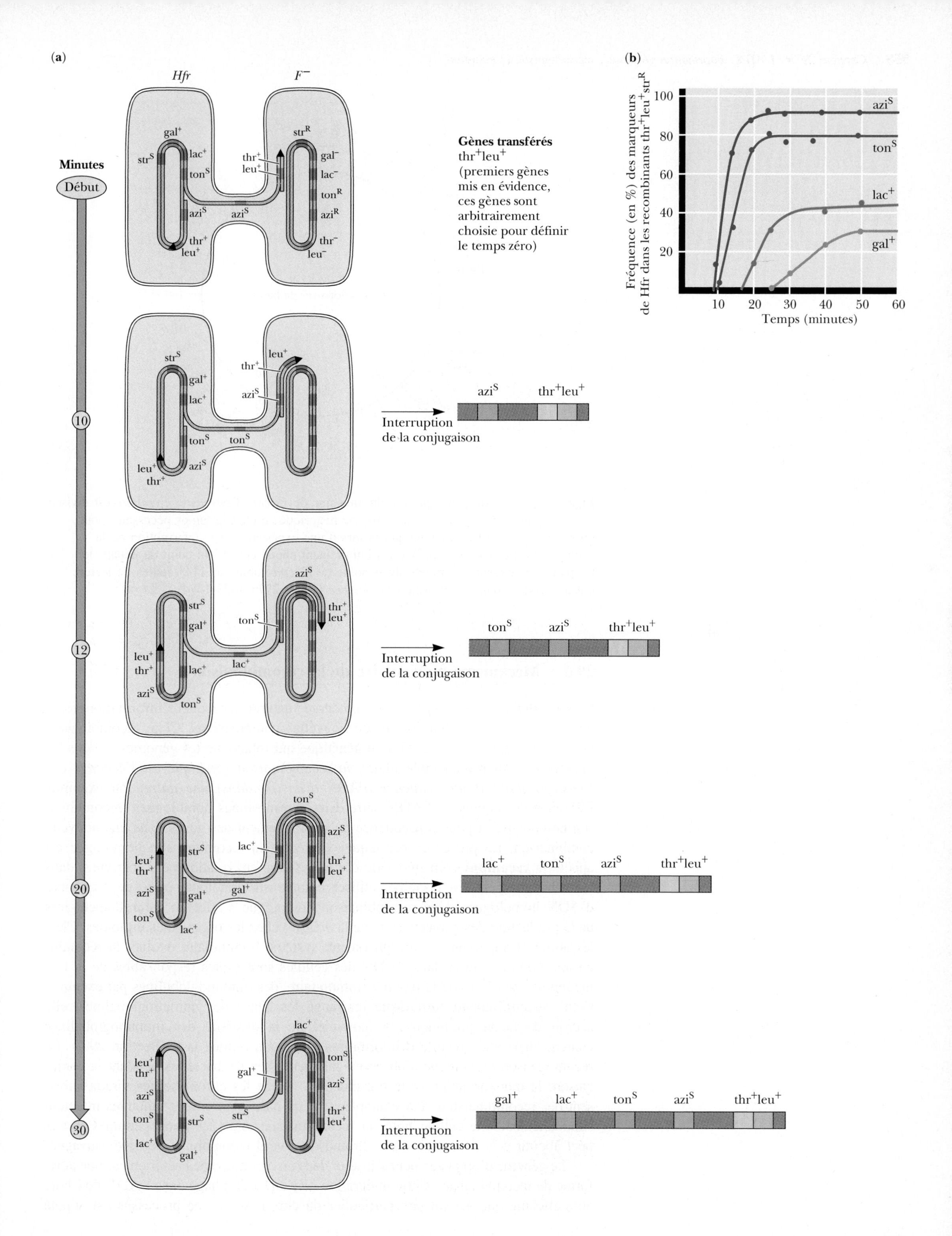
(a)
Hfr
F⁻
Minutes
Début
gal⁺
strS
lac⁺
tonS
aziS
thr⁺
leu⁺
strR
gal⁻
lac⁻
tonR
aziR
thr⁻
leu⁻
Gènes transférés
thr⁺leu⁺
(premiers gènes mis en évidence, ces gènes sont arbitrairement choisie pour définir le temps zéro)
10
12
20
30
Interruption de la conjugaison
aziS thr⁺leu⁺
tonS aziS thr⁺leu⁺
lac⁺ tonS aziS thr⁺leu⁺
gal⁺ lac⁺ tonS aziS thr⁺leu⁺
(b)
Fréquence (en %) des marqueurs de Hfr dans les recombinants thr⁺leu⁺strR
Temps (minutes)
100
80
60
40
20
10
20
30
40
50
60
aziS
tonS
lac⁺
gal⁺

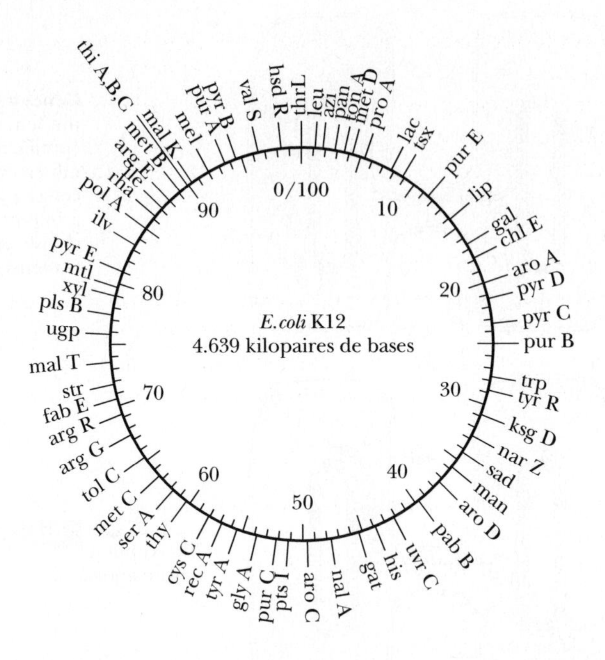

Figure 29.8 • Carte génétique du chromosome de *E. coli.* Cette carte circulaire est divisée en 100 minutes. Cette durée à une origine historique : c'était le temps nécessaire pour observer le transfert de tous les gènes lors d'une expérience avec interruption de la conjugaison. Le marqueur *thrA* est arbitrairement choisi comme le point de départ, le temps 0. La séquence complète du génome de *E. coli* comporte 4405 cadres de lecture ouverts, codant pour 4289 protéines. *Science* (1997) **277 :** 1453-1474)

29.3 • Mécanisme moléculaire de la recombinaison

La *recombinaison génétique* est un processus naturel par lequel l'information génétique est réarrangée pour former de nouvelles combinaisons. Cette recombinaison est une puissante force d'évolution génétique qui refaçonne les génomes de tous les organismes. Au niveau moléculaire, *la recombinaison génétique est l'échange (ou l'incorporation) d'une séquence d'ADN avec (ou dans) une autre.* Par exemple, l'échange de séquences d'ADN entre deux chromosomes homologues (recombinaison homologue) a pour conséquence un réarrangement des gènes dans une nouvelle combinaison. Le processus par lequel s'effectue la recombinaison homologue est appelé la **recombinaison générale** car le système enzymatique qui intervient dans les échanges peut, en principe, utiliser comme substrat toute paire de séquences d'ADN homologues. Une recombinaison homologue s'effectue naturellement lors de la production des gamètes (lors de la *méiose*) chez les organismes diploïdes. Chez les animaux supérieurs, ceux qui ont un système immunitaire évolué, la recombinaison s'observe aussi dans l'ADN des cellules somatiques responsables de la formation des protéines de la réponse immunitaire, des immunoglobulines par exemple. Cette **recombinaison somatique** réarrange les gènes des immunoglobulines, elle accroît de façon prodigieuse le potentiel de la diversité des immunoglobulines contenu dans une quantité d'information génétique limitée (voir Section 29.4). La recombinaison homologue s'observe également chez les bactéries pendant la conjugaison, la transformation et la transduction. Même les chromosomes viraux subissent des recombinaisons. Par exemple, si deux particules virales mutantes infectent simultanément une cellule hôte, la recombinaison entre les deux génomes viraux peut aboutir à la formation d'un chromosome viral recombinant de type sauvage.

Le génome d'un phage peut s'insérer dans un chromosome bactérien par une autre forme de recombinaison. Cette intégration de l'ADN du phage dans l'ADN de l'hôte ne s'effectue que sur un site particulier du chromosome ; ce processus est appelé

recombinaison spécifique de site car il nécessite la présence de séquences d'ADN spécifiques à la fois dans l'ADN bactérien et dans l'ADN du phage. Il suffit de courtes séquences homologues (souvent moins de 15pb) pour que la recombinaison spécifique de site ait lieu, et les enzymes impliqués dans ce processus sont spécifiques de cette séquence. Dans un autre type de recombinaison, la **transposition**, des séquences particulières d'ADN, appelées *transposons* (voir la fin de ce chapitre), peuvent s'insérer dans un ADN, indépendamment, semble-t-il, de toute homologie de séquence avec cet ADN. Mais ces transposons comportent toujours une séquence spécifique indispensable à l'insertion. La transposition est un mécanisme par lequel du matériel génétique peut être déplacé d'un endroit du chromosome à un autre. Une quatrième forme de recombinaison, assez rare, la **recombinaison illégitime**, s'effectue entre des séquences d'ADN non homologues, en l'absence de toute séquence particulière

La recombinaison générale

La recombinaison résulte de la cassure (ou coupure) et de la réunion des brins de l'ADN, de sorte qu'il en résulte un échange de fragments. Matthew Meselson et J. J. Weigle en ont fait la démonstration en 1961 en coinfectant *E. coli* par deux souches de phage λ génétiquement distinctes, l'une obtenue par infection d'*E. coli* cultivé sur un milieu enrichi en ^{15}N, l'autre par infection d'*E. coli* cultivé sur un milieu enrichi en ^{13}C (Figure 29.9). Les particules phagiques de la descendance furent récupérées, puis séparées par centrifugation sur un gradient de densité formé par CsCl. Les particules virales à génotype recombinant se distribuaient à travers tout le gradient tandis que les particules virales ayant conservé le génotype parental (non recombinants) se regroupaient en deux bandes distinctes, une « légère » et une « lourde » du gradient de densité. Ce résultat montre que l'ADN des phages recombinants provient, dans des proportions variées, de l'ADN des deux parents. L'explication logique est que ces ADN recombinants se forment par rupture de la molécule d'ADN, suivie de la réunion des fragments.

Une seconde observation, très intéressante, a été faite à l'issue de cette expérience : certaines des plages de lyse obtenues après infection par les descendants de la coinfection contenaient des phages de deux génotypes différents, bien que chaque plage ait été provoquée par l'infection d'une seule bactérie par un unique phage. Il fallait donc que les chromosomes de certains phages aient contenu une région d'**ADN hétéroduplex**, duplex d'ADN dans lequel une partie de chacun des brins provient d'un parent différent (Figure 29.10).

Modèle de Holliday

En 1964, Robin Holliday a proposé un modèle pour la recombinaison homologue qui fait référence en Biologie moléculaire (Figure 29.11). Les deux duplex de chromosomes homologues sont d'abord juxtaposés de façon à aligner les séquences. Ce processus **d'appariement chromosomique** est appelé le processus de **synapsis** (Figure 29.11a). D'après Holliday, la recombinaison commence par l'introduction d'une coupure dans l'un des deux brins à des sites homologues des deux chromosomes appariés.(Figure 29.11b). Les deux duplex se déroulent partiellement, et, par

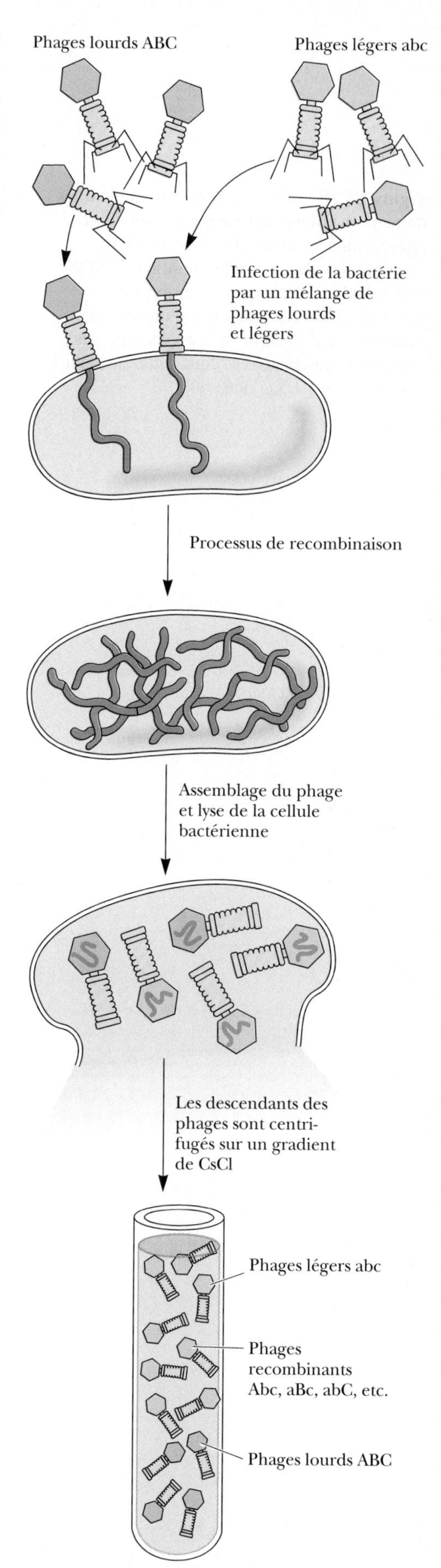

Figure 29.9 • Expérience de Meselson et Weigle démontrant la réalité d'un échange physique de segments de chromosome pendant la recombinaison. Des phages « lourds » (phages ABC dans le diagramme) et des phages « légers » (phages abc) ont été utilisés comme marqueurs de densité pour coinfecter la bactérie. Les particules résultant de l'infection ont été récupérées, puis soumises à centrifugation sur un gradient de CsCl. Les phages de type parental, ABC et abc, sont très bien séparés dans le gradient, mais les phages recombinants (ABc, Abc, aBc, aBC, etc.) se distribuent de façon diffuse entre les deux bandes parentales car chacune des particules virales contient un chromosome constitué de fragments provenant à la fois de l'ADN « lourd et de l'ADN "léger" ». Ces chromosomes recombinants se forment à la suite de la cassure puis de la réunion d'un chromosome parental « lourd » et d'un chromosome parental « léger ».

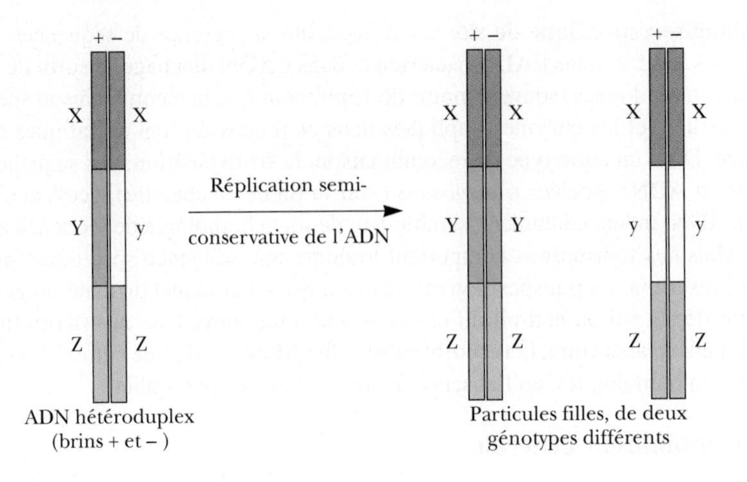

Figure 29.10 • Formation de particules filles de deux génotypes différents à partir d'un phage unique portant une région à ADN hétéroduplex dans son chromosome. L'ADN hétéroduplex est composé d'un brin de génotype XYZ (le brin +) et d'un brin de génotype XyZ (le brin –). Le génotype des deux brins parentaux est donc différent pour le gène Y (l'un est Y, l'autre y).

un processus appelé **l'invasion**, l'extrémité libre d'un des brins du duplex s'apparie avec la région presque complémentaire du brin resté intact dans l'autre duplex ; l'extrémité libre du second brin coupé se comporte de même avec l'autre brin resté intact (Figure 29.11c). Les bouts des brins croisés sont reliés, par réparation de la coupure, aux extrémités libres de la deuxième partie des brins qui avaient été coupés, ce qui crée une structure de Holliday à brins croisés appelée **jonction de Holliday** (Figure 29.11d). Cette jonction en croix peut alors migrer dans les deux directions (**migration de branche**), par déroulement et réenroulement des brins des deux duplex (Figure 29.11e). La migration de branche provoque un **échange de brins** ; il se forme des régions hétéroduplex plus ou moins longues. Pour que les molécules formées par l'échange des brins puissent redonner deux molécules duplex d'ADN, une autre paire de coupures doit être introduite. La séparation des deux molécules est plus facile à se représenter si les duplex sont dessinés avec les bras des chromosomes repliés vers le « haut » et vers le « bas » dans une représentation plane. (Figure 29.11f). Les nouvelles coupures sont introduites soit dans les brins E et W (les brins –) qui avaient déjà été coupés (voir Figure 29.11b), soit dans les brins N et S, (les brins +, ceux qui n'avaient pas été coupés dans notre exemple). Ce processus de séparation, appelé **résolution** des duplex, se conçoit plus aisément en se rappelant que les brins + sont complémentaires des brins –, et que tout duplex doit contenir l'un des deux brins. Les nouvelles coupures dans les brins qui avaient déjà été coupés donnent des duplex dont l'un des deux brins est resté intact. Bien que ces duplex contiennent des régions hétéroduplex, ce ne sont *pas* des recombinants pour les marqueurs (*A/Z* et *a/z*) de part et d'autre de la région hétéroduplex ; ces hétéroduplex (Figure 29.11g) contiennent seulement des régions hybrides (**patch recombinants**). Si les nouvelles coupures ont lieu dans les deux brins qui n'avaient pas été coupés, il se forme des molécules d'ADN qui sont à la fois **hétéroduplex et recombinants** pour les marqueurs *A/a* et *Z/z* (Figure 29.11h). Si ce modèle de Holliday explique les événements de la recombinaison, il ne donne pas le mécanisme de ces réactions d'échange, ni les autres aspects moléculaires du processus.

Enzymologie de la recombinaison générale

Pour illustrer les mécanismes de la recombinaison, nous décrirons plus particulièrement la recombinaison générale chez *E. coli*. Les principales protéines participant à la recombinaison générale sont : le complexe enzymatique **RecBCD,** un complexe enzymatique qui intervient dans l'amorçage de la recombinaison ; la protéine **RecA**, qui se lie à l'ADN monocaténaire et forme un filament nucléoprotéique permettant l'invasion et l'appariement des régions homologues ; la protéine **SSB** (pour *single stranded DNA-binding protein*, protéine se liant à l'ADN monocaténaire) ; et les protéines **RuvA, RuvB** et **RuvC**, qui interviennent dans la migration de branche et la résolution de la jonction de Holliday libérant les ADN recombinants. Des protéines

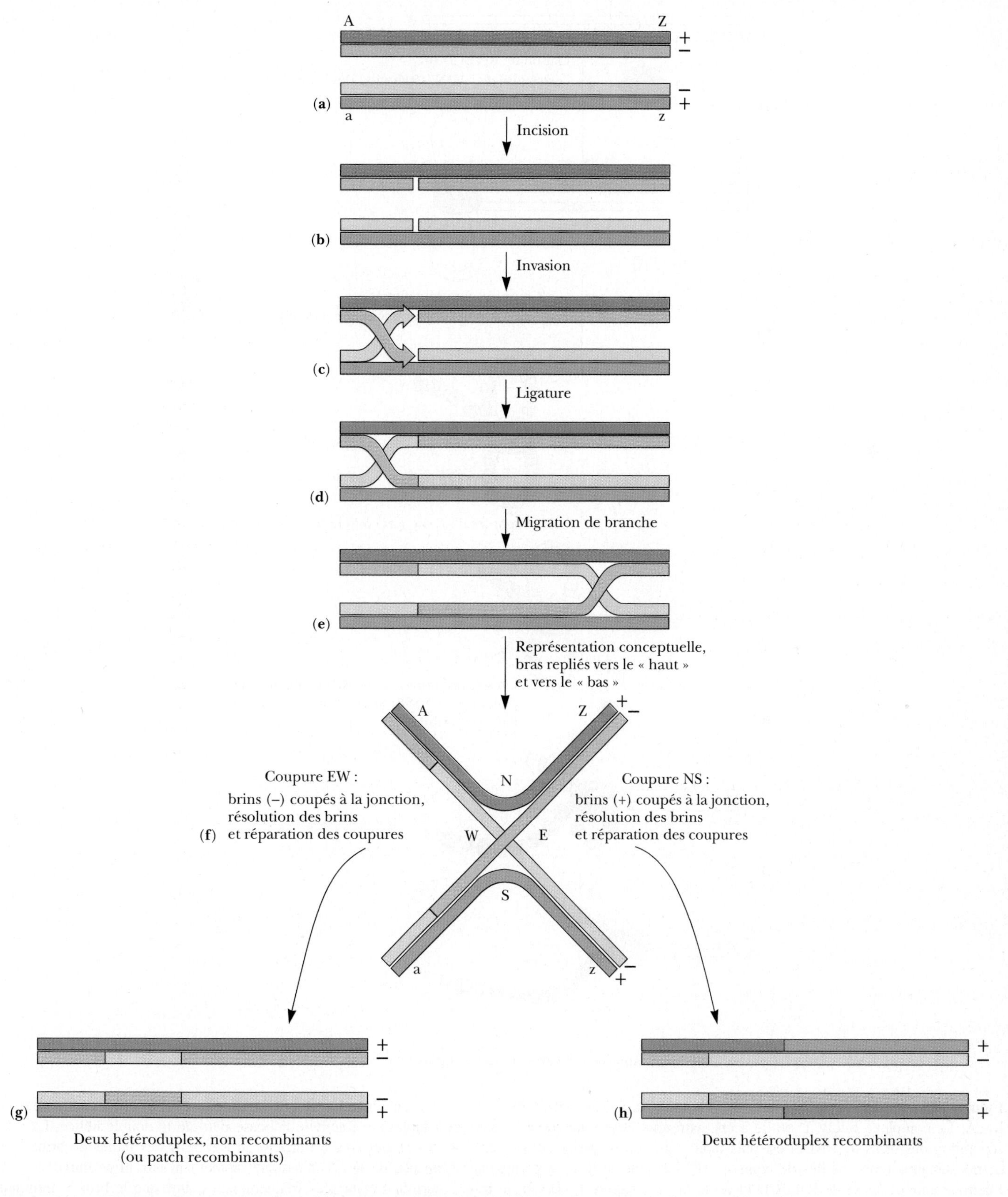

Figure 29.11 • Modèle de recombinaison homologue proposé par Holliday. Les signes + et – marquent les brins de même polarité. Par exemple, si les deux brins 5′ → 3′, en lisant de gauche à droite, sont marqués par le signe +, les deux brins dans le sens 3′ → 5′, toujours en lisant de gauche à droite, sont marqués par le signe –. L'échange d'ADN pendant la recombinaison ne peut avoir lieu qu'entre brins de même polarité (voir le texte pour la description détaillée).

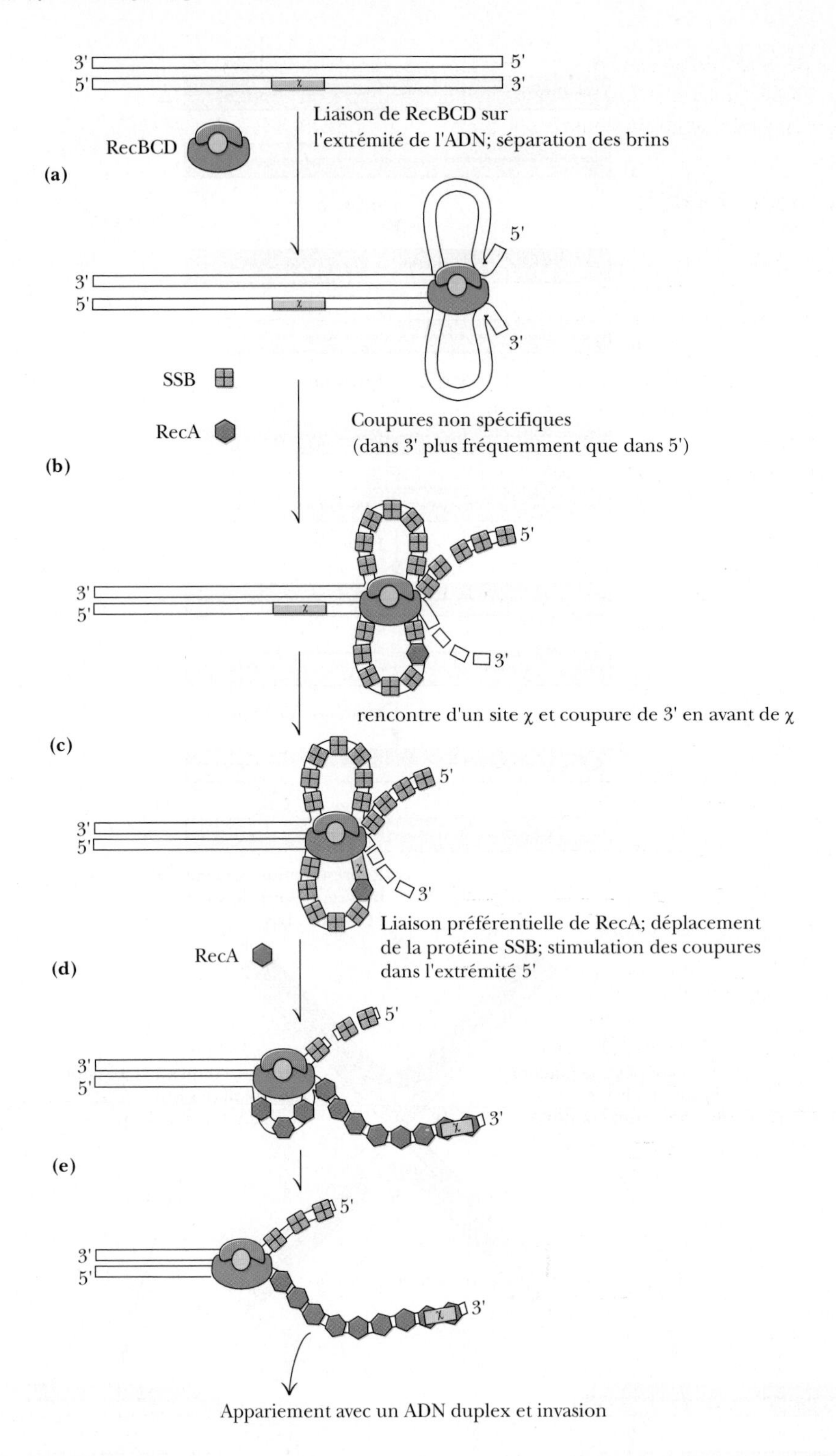

Figure 29.12 • Modèle de recombinaison homologue faisant intervenir le complexe enzymatique RecBCD, un site *Chi*, et la recombinase RecA. Le complexe RecBCD se lie à une extrémité libre d'un ADN bicaténaire (duplex) et l'activité hélicase déroule la double hélice. La séparation des brins de l'ADN est plus rapide que le réappariement des brins libres ce qui crée à l'arrière de RecBCD des bulles de brins monocaténaires (en « oreilles de lapin ») . (b) La protéine SSB (accompagnée d'un peu de RecA) s'associe rapidement aux brins libres ; l'activité endonucléase de RecBCD clive de façon aléatoire l'ADNsb, le brin 3'-terminal étant plus fréquemment coupé que le brin 5'-terminal. (c) Lorsque RecBCD rencontre un site χ, dans sa bonne orientation, le brins 3'-terminal est clivé juste en amont de l'extrémité 3' du site χ. (d) RecBCD perd son activité nucléase à l'égard du brin 3' et RecA, déplaçant la protéine SSB, s'associe à l'extrémité libre du brin 3' ; l'activité endonucléase de RecBCD sur le brin 5' est stimulée. (e) RecA recouvrant l'ADN du brin 3' libre, il se forme un filament nucléoprotéique. Ce filament nucléoprotéique peut s'apparier avec un ADN double brin ce qui amorce l'invasion (voir Figure 29.14). *(D'après Figure 2 dans Eggleston, A.K., et West, S.C., 1996. Exchanging partners : recombination in* E. coli. Trends in Genetics *12 : 20-25 ; et Figure 3 dans Eggleston, A.K., et West, S.C., 1997. Recombination initiation : Easy as A, B, C, D...* χ*?* Current Biology *7 : R745-R749.)*

analogues aux protéines de la recombinaison chez les procaryotes ont été identifiées chez les eucaryotes ; il semble donc que les principales caractéristiques du processus de la recombinaison générale aient été conservées chez tous les organismes.

Le complexe enzymatique RecBCD

Les protéines **RecB** (140 kDa, 1180 résidus), **RecC** (130 kDa, 1122 résidus) et **RecD** (67 kDa, 608 résidus) forment un complexe enzymatique plurifonctionnel ayant à la fois une activité hélicase et endonucléase. Le complexe RecBCD amorce la recombinaison en s'insérant à l'extrémité *libre* d'un duplex (ou au lieu d'une coupure des deux brins de l'ADN), et en déroulant l'ADN double brin, une réaction catalysée par l'activité hélicase qui utilise l'énergie d'hydrolyse de l'ATP (Figure 29.12a). En progressant le long du duplex, le complexe RecBCD génère localement des brins monocaténaires qui sont clivés par l'activité endonucléase (le brin qui correspondait à l'extrémité 3′ au point d'entrée de RecBCD est plus fréquemment clivé que le brin 5′ [Figure 29.12b]).

La protéine SSB (avec la participation de RecA) s'associe rapidement à l'ADN monocaténaire au fur et à mesure de son apparition. Lors de sa progression, le complexe RecBCD rencontre des séquences nucléotidiques particulières **5′-GCTGGTGG-3′** appelées sites ***Chi*** (sites χ). Ces sites χ sont des points de recombinaison ; 1009 sites χ ont été identifiés dans le génome d'*E. coli* (en moyenne un site tous les 4,5 kb d'ADN). Quand le complexe RecBCD rencontre l'extrémité 3′ d'une séquence χ, le complexe coupe le brin d'ADN qui la contient, 4 à 6 bases en amont de l'extrémité 3′ du site χ (Figure 29.12c). L'interaction de RecBCD avec le site χ provoque une modification dans le complexe qui n'exprime plus son activité endonucléase sur le brin 3′, par contre l'activité nucléase sur le brin 5′ est stimulée (Figure 29.12d).

Reprenant son activité hélicase, RecBCD déroule l'ADN double brin (ADNdb) et l'ensemble de ces processus génère, en arrière du complexe, une queue d'ADN monocaténaire (ADNsb, sb pour simple brin) libre porteur d'un site χ à son extrémité 3′. Cet ADNsb peut avoir plusieurs kilobases de longueur. À mesure que ce brin libre apparaît, le complexe modifié par son association avec le site χ favorise la fixation de RecA sur l'extrémité 3′ du brin, à la place de la protéine SSB. Ainsi se forme le **filament nucléoprotéique** (Figure 29.12e) qui enclenche le processus d'invasion et d'appariement avec une région homologue d'une autre molécule d'ADN bicaténaire.

La protéine RecA

La **protéine RecA**, ou **recombinase RecA**, est un enzyme plurifonctionnel de 352 résidus (38 kDa) qui intervient dans la recombinaison générale en catalysant la réaction **d'échange de brins d'ADN** qui aboutit à la formation d'une jonction de Holliday (Figure 29.11b à f). La protéine RecA (Figure 29.13a) cristallise en l'absence d'ADN et forme un filament hélicoïdal qui contient six monomères par tour d'hélice (Figure 29.13b). Le sillon hélicoïdal qui parcourt le filament est assez profond pour recevoir trois brins d'ADN. RecA se lie à l'ADNsb, à raison d'une protéine RecA pour trois nucléotides ; le filament nucléoprotéique formé a un pas variant de 8,5 à 10 nm et contient environ six monomères de RecA par tour. L'ADN présent dans les filaments RecA:ADNsb et dans les filaments RecA:ADNdb est étiré, sa longueur représente 150 % de celle qu'aurait l'ADN-B. Le filament formé par la fixation de RecA sur le segment 3′-terminal d'un brin d'ADN a de l'affinité pour d'autres molécules d'ADN. En fait, la capacité à lier de multiples brins d'ADN est la fonction caractéristique la plus remarquable de RecA.

RecA possède deux sites de liaison de l'ADN, le premier, ou site principal, à haute affinité pour l'ADNsb (Figure 29.14) et le deuxième, le site secondaire, pour

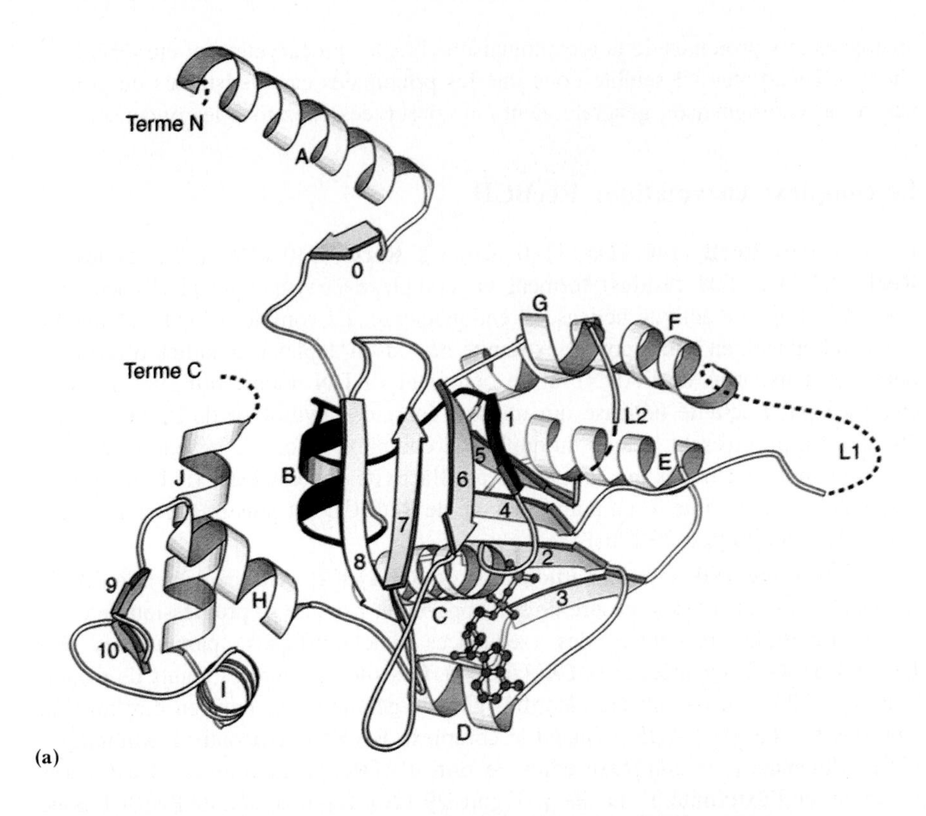

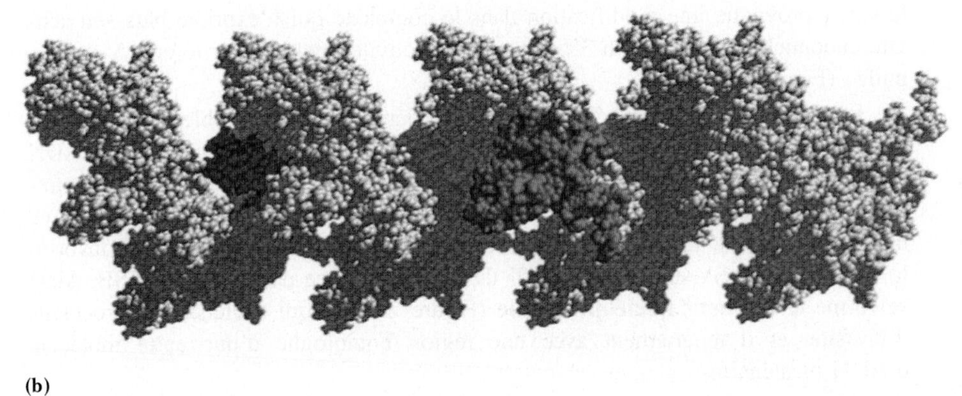

Figure 29.13 • Structure de la protéine RecA. (a) Représentation schématique du monomère. Remarquez la molécule d'ADP liée dans le site près des hélices C et D. (b) Filament RecA. Six monomères de RecA se trouvent dans chacun des quatre tours du filament hélicoïdal. Un des monomères des RecA est coloré en rouge. *(D'après les Figures 2 et 3 dans Roca, A.I., et Cox, M.M., 1997. RecA protein : Structure, function, and role in recombinational DNA repair.* Progress in Nucleic and Research and Molecular Biology ***56*** *: 127-223. Photos courtesy of Michael M. Cox, University of Wisconsin.)*

le duplex homologue. Lorsque le site principal a lié l'ADNsb, le complexe s'associe à d'autres molécules d'ADN par le site secondaire de liaison à l'ADN présent dans RecA. Ce site secondaire a plus d'affinité pour l'ADNsb que pour l'ADNdb. Ces affinités relatives différentes suggèrent un mécanisme pour l'échange des brins d'ADN dans RecA : le complexe nucléoprotéique RecA:ADNsb lie transitoirement un ADNdb sur son site secondaire puis, se déplace dans le petit sillon de l'ADNdb jusqu'à ce qu'il rencontre une séquence homologue de celle de l'ADNsb qu'il contient. Lorsque cette homologie est rencontrée, il se forme un ADN duplex hybride entre l'ADNsb sur le site primaire et son brin complémentaire trouvé dans l'ADNdb parcouru. Le duplex hybride formé déplace ensuite le brin de l'ADNdb qui est le plus semblable à l'ADNsb apporté par le complexe RecA:ADNsb. Ce processus est à la base de l'échange des brins d'ADN. Le brin d'ADN déplacé est lié au site secondaire de RecA avec plus grande affinité que l'ADNdb qui occupait ce site. La plus forte liaison de l'ADNsb sur le site secondaire stabilise le complexe d'échange de brins et assure la formation par RecA d'un hétéroduplex approprié avec les brins d'ADN homologues alignés (Figure 29.14).

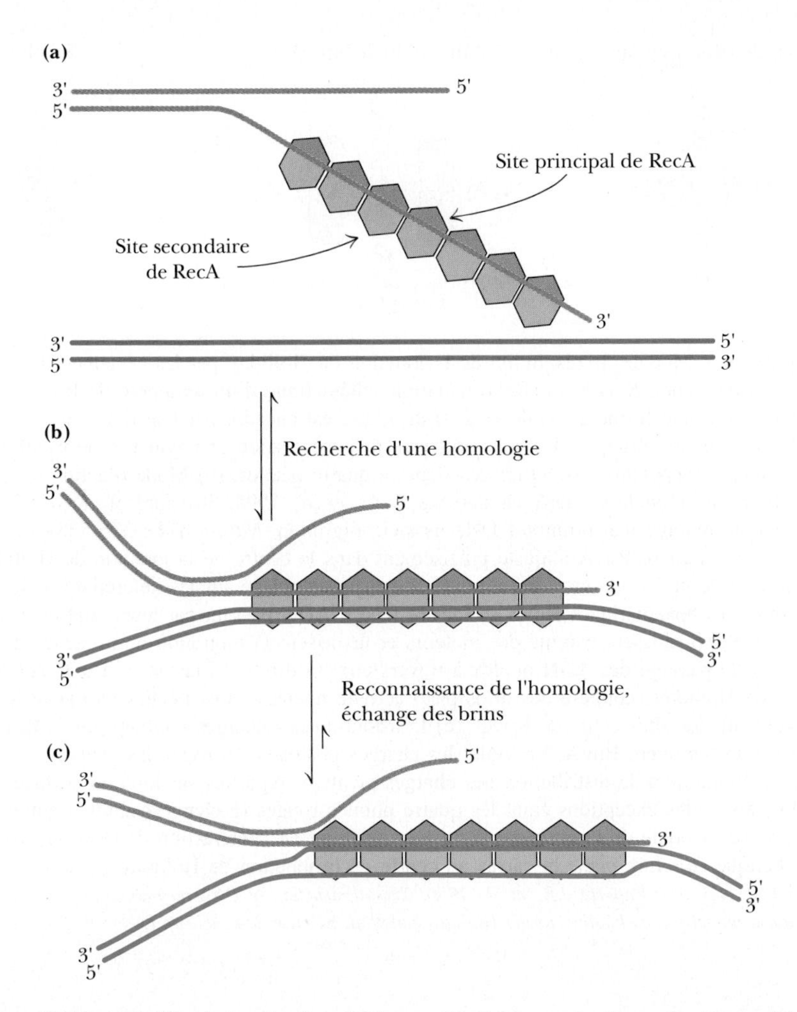

Figure 29.14 • Modèle de la réaction d'échange des brins catalysée par RecA, modèle basé sur les affinités relatives de l'ADN pour le site principal et le site secondaire de liaison de l'ADN dans RecA. (a) L'ADNsb se lie au site principal de liaison de l'ADN. (b) L'ADNdb se lie plus faiblement au site secondaire de liaison de l'ADN et RecA parcourt cet ADN jusqu'à sa rencontre avec une homologie. (c) La reconnaissance d'une homologie provoque l'échange d'un brin d'ADN quand l'ADNsb forme un hétéroduplex avec le brin complémentaire ; cet hétéroduplex occupe le site de reconnaissance principal de RecA. Le monobrin déplacé de l'ADNdb occupe alors le site secondaire de reconnaissance, avec une affinité plus élevée que celle de l'ADNdb d'origine. L'appariement des bases entre ce brin déplacé et le brin $3' \rightarrow 5'$ devenu libre de l'ADN entrant (en jaune-vert) crée une jonction de Holliday. *(D'après la Figure 5 dans Mazin, A.V., et Kowalczykowoski, S.C., 1996. The specificity of the secondary DNA binding site of RecA protein defines its role in DNA strand exchange.* Proceedings of the National Academy of Sciences, USA ***93****: 10673-10678.)*

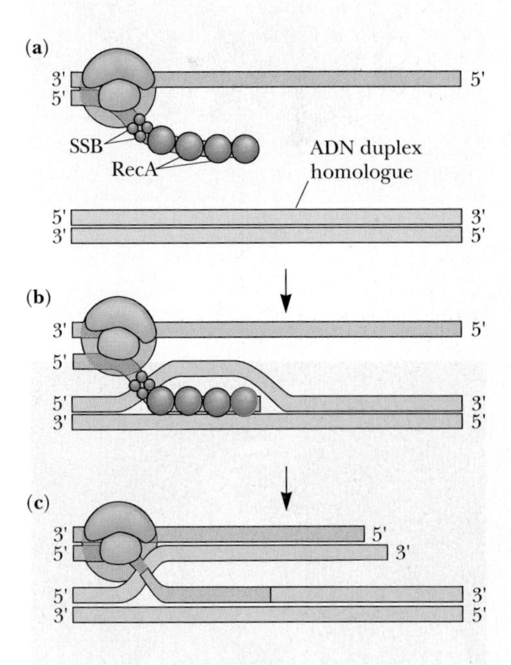

Figure 29.15 • Modèle de la recombinaison homologue catalysée par RecA. (a) La protéine RecA (et SSB) favorise l'invasion du monobrin 3′ dans un ADN duplex homologue et (b) provoque la formation d'une boucle. (c) Le brin déplacé par l'invasion et qui constitue la boucle s'apparie avec les bases du brin complémentaire du duplex d'origine ce qui forme la jonction de Holliday à mesure que l'invasion se poursuit.

Le processus de désappariement des bases de l'ADNdb et de réappariement des bases pour former des brins hybrides dans l'ADN duplex amorce la **migration de branche** (Figure 29.15b). La migration de branche provoque le déplacement du brin homologue de l'ADNdb et son remplacement par l'ADNsb, un processus appelé l'**assimilation du brin** (ou la **capture du brin**). Il n'y a pas assimilation du brin s'il n'y a pas d'homologie entre l'ADNsb fixé sur le site principal de RecA et l'ADNdb envahi. Le brin d'ADN déplacé par l'extrémité 3′ terminale de l'ADNsb envahisseur peut, dans l'espace laissé libre, s'associer par appariement à l'extrémité 5′-terminale du brin d'ADN resté libre, une étape également favorisée par la protéine RecA et la protéine SSB (Figure 29.15c). Il en résulte une jonction de Holliday, l'intermédiaire classique de la recombinaison génétique. Plusieurs protéines contribuent avec RecA à la formation de la jonction de Holliday : les protéines RecF, RecO et RecR.

(a)

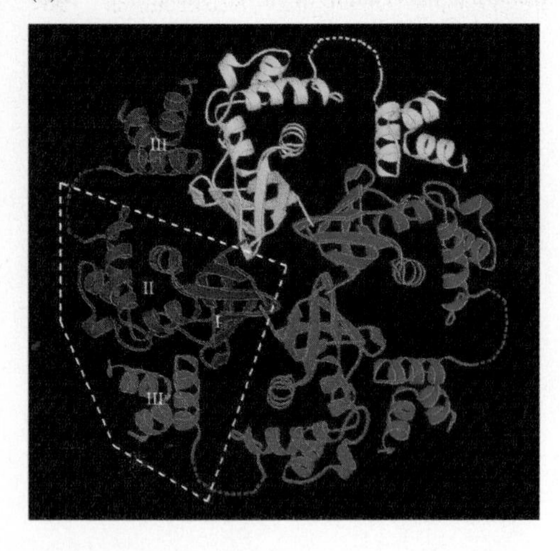

(b)

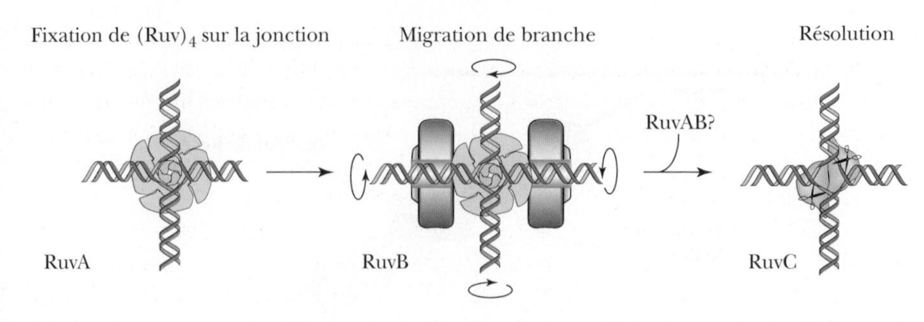

Figure 29.16 • Modèle de résolution de la jonction de Holliday par les protéines RuvA, RuvB et RuvC, chez *E. coli.* (a) Représentation schématique d'un tétramère de RuvA. Les monomères ont une forme générale en L (l'un d'eux est encadré par une ligne en pointillés) ; dans le tétramère, les sous-unités se disposent selon une symétrie de rotation d'ordre quatre, rappelant la structure des fleurs à quatre pétales. (b) Mode d'action de RuvA/RuvB (un modèle suggéré par Parsons, C.A., *et al.*, 1995. Structure of a multisubunit complex that promotes DNA branch migration. *Nature* **374** : 375-378). (*à gauche*), Le tétramère RuvA s'ajuste précisément dans le centre de la jonction de Holliday. (*au centre*) : De part et d'autre du tétramère RuvA, assemblage sur les hétéroduplex de deux structures hexamériques RuvB se faisant face, l'ADN passant par leurs centres. Ces hexamères RuvB agissent comme des moteurs et favorisent la migration de branche en provoquant le passage des ADN duplex à travers eux. (à droite) : Liaison de RuvC sur la jonction de Holliday ; coupure des brins par l'activité nucléase. Les flèches indiquent les emplacements des sites actifs de RuvC. (c) Distribution des charges ioniques sur la face concave d'un tétramère RuvA. En violet les charges positives, en rouge les charges négatives. Remarquez la distribution des charges positives réparties sur toute la surface de $(RuvA)_4$, les seules exceptions étant les quatre pointes rouges (à charge négative) autour du centre. (d) Modèle de la structure compacte résultant de l'interaction de $(RuvA)_4$ avec l'hypothétique structure plane et carrée au centre de la jonction de Holliday. *(D'après les Figures 1, 2, et 3 dans Rafferty, J.B., et al., 1996. Crystal structure of DNA recombination protein RuvA and a model for its binding to the Holliday junction.* Science ***274*** *: 415-421.)*

(c)

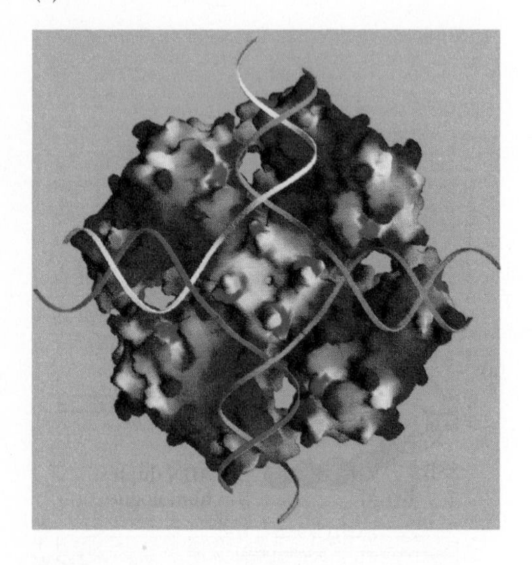

(d)

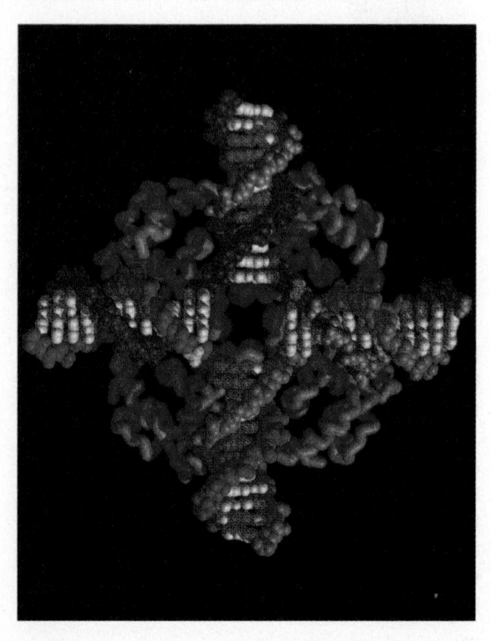

Résolution des jonctions de Holliday par les protéines RuvA, RuvB, et RuvC

Plusieurs protéines, **RuvA, RuvB** et **RuvC,** participent au clivage des jonctions de Holliday et à la production des hétéroduplex. En particulier, RuvA (203 résidus) et RuvB (336 résidus) forment un complexe ayant une activité hélicase, spécifique des jonctions de Holliday, qui dissocie le filament RecA et catalyse la migration de branche. Sous forme d'un tétramère, RuvA (Figure 29.16a) s'insère précisément à l'intérieur du carrefour de jonction (Figure 29.16b) qui forme une structure plane à symétrie de rotation d'ordre quatre ; ce tétramère $(RuvA)_4$ induit l'assemblage de plusieurs molécules de RuvB autour des bras opposés de la jonction de Holliday. Les protéines RuvB s'associent pour former deux structures hexamériques $(RuvB)_6$, d'orientation opposées et encerclant les ADN bicaténaires de part et d'autre de la jonction. La rotation des ADNdb, provoquée par les anneaux hexamériques de RuvB, force la progression des ADNdb à travers $(RuvB)_6$ et déroule les brins d'ADN qui passent dans la « navette » constituée par RuvA ; cette navette assemble les brins d'ADN séparés pour former des duplex hybrides, recombinants (Figure 29.16b). Le tétramère RuvA a la forme d'un disque dont une des faces porte globalement des charges positives (Figure 29.16c) à l'exception de quatre « pointes » centrales négatives, chacune provenant d'un protomère RuvA. Ces quatre pointes s'adaptent très précisément dans le trou au centre de la jonction de Holliday. Les squelettes désoxyriboses phosphates des quatre ADN duplex de la jonction de Holliday, porteurs de charges négatives, sont comme enfilés dans des sillons de la face RuvA portant des charges positives. Les charges négatives des pointes disposées de façon appropriées séparent transitoirement les molécules d'ADN bicaténaire en leurs brins constitutifs par des répulsions électrostatiques. Ces répulsions électrostatiques sont engendrées par les charges également négatives des groupes phosphates de chaque brin d'ADN. Les brins ainsi séparés sont ensuite canalisés dans des sillons à la surface de RuvA où les liaisons hydrogène qui s'établissent entre les bases complémentaires des brins d'ADN provenant de parents différents forment les deux duplex hybrides qui sortiront du complexe RuvAB (Figure 29.16b). Un modèle du tétramère $(RuvA)_4$ positionné sur une jonction de Holliday plane est représenté Figure 29.16d.

Suivant le type de clivage et de résolution des brins dans la jonction de Holliday, il en résultera soit un hétéroduplex non recombinant (patch recombinant), soit un hétéroduplex recombinant (voir Figure 29.11g et h). La protéine RuvC (173 résidus) est une endonucléase, encore appelée **résolvase RuvC**, qui catalyse la résolution des jonctions de Holliday et libère les hétéroduplex. Un dimère de RuvC se lie à la jonction de Holliday et coupe simultanément deux brins d'ADN de même polarité (Figure 29.16b) ; selon la paire de brins qui est coupée, il en résulte un hétéroduplex non recombinant ou un hétéroduplex recombinant.

La recombinaison est un processus fondamental qui est non seulement à l'origine de la diversité génétique, mais qui est aussi impliqué dans la réparation de l'ADN et dans la ségrégation des chromosomes lors de la division cellulaire. Les anneaux hexamériques des hélicases comme RuvB sont des moteurs moléculaires ; des moteurs similaires interviennent dans la réplication de l'ADN pour propulser la séparation des brins préalablement à la synthèse de l'ADN. Le rôle du système RuvABC dans la résolution des jonctions de Holliday pourrait représenter un mode général d'action sur l'ADN dans toutes les cellules.

Les transposons

En 1950, Barbara McClintock a publié les résultats de ses recherches sur un **gène activateur** du maïs (*Zea mays*). Ce gène avait la particularité de provoquer des mutations dans un second gène. Les gènes activateurs étaient donc des agents de mutation internes. Leur propriété la plus surprenante est leur capacité à se déplacer avec une assez grande liberté dans le génome. Comme nous l'avons vu, les chercheurs avaient laborieusement prouvé que les chromosomes étaient formés par une succession de gènes répartis dans un ordre fixe, aussi la plupart des généticiens ne pouvaient-ils admettre l'incroyable idée d'un gène se promenant dans le génome. La reconnaissance des mérites scientifiques de Barbara McClintock qui avait vu et expliqué ce phénomène dut attendre sa validation par les biologistes moléculaires. En 1983, Barbara McClintock reçut enfin le prix Nobel de Médecine. À ce moment, les généticiens avaient compris que de nombreux organismes, des bactéries à l'Homme, avaient des « *gènes sauteurs* », capables de se déplacer d'un site à un autre du génome. Cette mobilité est à l'origine de leur nom : **éléments mobiles**, **éléments transposables**, ou plus simplement **transposons**.

Les transposons sont des segments d'ADN qui sous l'action d'un enzyme se déplacent dans le génome (Figure 29.17). Leur emplacement dans le génome n'est donc pas stable. La taille des transposons varie de quelques centaines de paires de bases à plus de 8 kpb. Ils contiennent un gène qui code pour l'enzyme nécessaire à leur insertion dans un chromosome et pour leur déplacement vers un nouveau site. On appelle ces déplacements des **événements de transposition**. Les plus petits transposons sont aussi appelés des **séquences d'insertion** pour rappeler leur capacité à s'insérer apparemment de façon aléatoire dans le génome. L'insertion dans un nouveau site provoque une mutation puisqu'il y a interruption de la séquence de l'ADN. L'insertion se produit dans des sites qui n'ont guère d'homologie avec le transposon. Bien que certains transposons (comme Tn7 chez *E. coli*) puissent se déplacer une fois par génération, la plupart des événements de transposition sont assez rares, une fois toutes les 10^4 à 10^7 générations. Les transposons de plus grande taille sont aussi plus complexes, ils comportent des gènes qui n'ont pas de rapport avec le mécanisme d'insertion et d'excision des transposons, par exemple des gènes conférant la résistance à des antibiotiques. Les épisomes, ces plasmides qui s'intègrent de façon réversible dans le génome, contiennent des transposons.

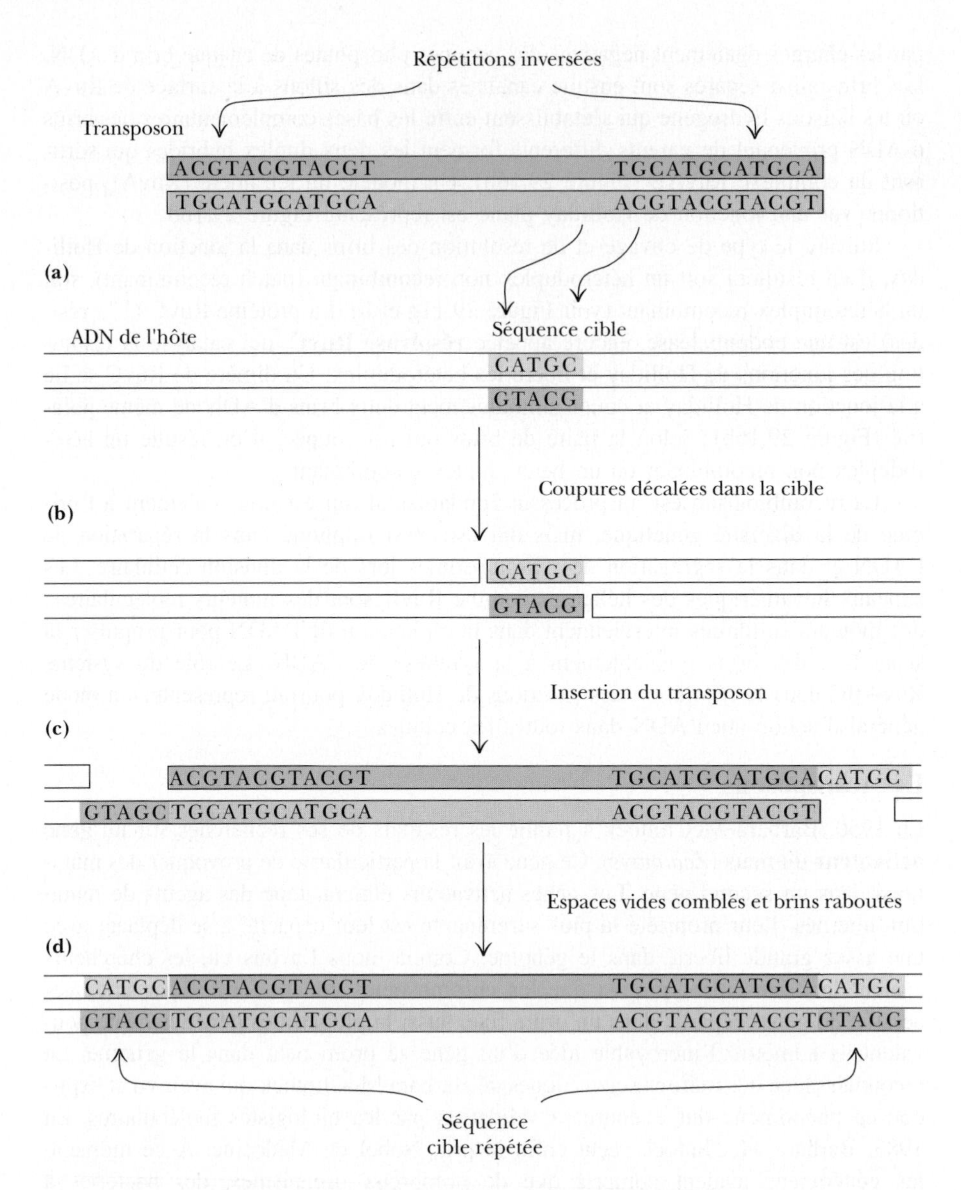

Figure 29.17 • L'archétype du transposon a des séquences nucléotidiques répétées, inversées, à ses extrémités ; ces séquences sont ici représentées par la séquence ACGTACGTACGT. (a) Cette séquence de douze paires de bases permet l'insertion dans la séquence cible (représentée simplement par CATGC) de l'ADN de l'hôte ; (b) le transposon introduit une coupure décalée au voisinage immédiat de la séquence cible. (c) Chacune des extrémités débordantes est liée à un des brins du transposon, les espaces vides sont ensuite comblés puis les nouvelles extrémités sont reliées à l'ADN (d). L'insertion des transposons génère les séquences répétées de la cible (non inversées), dans l'ADN de l'hôte, et ces répétitions sont juxtaposées au transposon qui vient d'être inséré.

29.4 • Gènes de l'immunoglobuline : génération de la diversité protéique par recombinaison génétique

Les gènes des immunoglobulines représentent un système extrêmement évolué permettant de maximiser la diversité de la production des protéines à partir d'une information génétique limitée. Cette diversité est indispensable pour acquérir l'immunité contre une très grande variété d'organismes infectieux et de substances étrangères.

La réponse immunitaire

Seuls les vertébrés présentent une réponse immunitaire. Si une substance étrangère, appelée **antigène,** accède à la circulation sanguine d'un vertébré, l'animal répond par un système de protection, c'est la réponse immunitaire. La réponse immunitaire se traduit par la production de protéines capables de reconnaître l'antigène étranger et de participer à sa neutralisation ou destruction. Les globules blancs participent à la réponse immunitaire, et plus spécialement trois types de cellules sanguines : les **lymphocytes B**, les **lymphocytes T** et les **macrophages**. Les cellules B ont ainsi été dénommées car elles parviennent à maturité dans la **B**ourse de Fabricius, un diverticule du cloaque des oiseaux chez lesquels ils furent d'abord découverts (chez les mammifères, qui n'ont pas de bourse de Fabricius, son équivalent est la moelle osseuse (***bone*** *marrow*) ; les cellules T parviennent à maturité dans le thymus. Chacun de ces types cellulaires peut subir des réarrangements de gènes, un mécanisme qui leur permet de produire les protéines de la réponse immunitaires. Les cellules B sécrètent des immunoglobulines, les **anticorps**, qui reconnaissent et se lient aux antigènes. Comme presque n'importe quoi peut être un antigène, la réponse immunitaire doit avoir un incroyable répertoire d'immunoglobulines capables de reconnaître ces structures. Les vertébrés ont donc un potentiel de production d'immunoglobulines extrêmement diversifiées de façon à reconnaître pratiquement tout antigène.

Les immunoglobulines G

Les **immunoglobulines G (IgG** ou **γ-globulines)** constituent la principale classe des anticorps de la circulation sanguine. Ces protéines sont présentes en très grande quantité, environ 12 mg par ml de sérum. L'immunoglobuline G type est un tétramère $\alpha_2\beta_2$ de 150 kDa. Elle comporte deux chaînes α, ou *H* (pour *Heavy*, lourde) de 50 kDa chacune, et deux chaînes β, ou *L* (pour *Light*, légère) de 25 kDa chacune. Une préparation d'IgG provenant du sérum est hétérogène pour ce qui concerne les acides aminés contenus dans les séquences des chaînes L et H. Cependant, les chaînes L et les chaînes H des IgG produites par un même lymphocyte B ont toutes les mêmes séquences d'acides aminés. Les chaînes L comportent 214 résidus organisés en deux segments de longueurs voisines, les régions $\mathbf{V_L}$ et $\mathbf{C_L}$. La notation V_L souligne le fait que les chaînes L, isolées des IgG du sérum, ont des séquences variables pour les 108 résidus du début de la chaîne ; V_L symbolise donc la « variabilité » de cette région du polypeptide L (la chaîne L). La séquence des acides aminés des polypeptides L est, par contre, constante du résidus 109 au résidu 214, ce qui est symbolisé par la dénomination région constante de la chaîne légère ou, région C_L. Les chaînes lourdes, ou H, contiennent 446 résidus. Comme dans les chaînes L, les 108 premiers résidus des polypeptides H sont variables, ils constituent donc la région variable, $\mathbf{V_H}$, tandis que les résidus 109 à 446 sont constants, ils forment la région constante, $\mathbf{C_H}$. Cette région « constante lourde » est formée de trois domaines pratiquement équivalents, C_H1, C_H2 et C_H3. Chaque chaîne L contient deux ponts disulfure intracaténaires, un dans la région V_L, l'autre dans la région C_L. L'acide aminé de l'extrémité C-terminale des chaînes légères est une cystéine qui forme un pont disulfure intercaténaire avec un résidu Cys de la chaîne H voisine. Chaque chaîne H possède quatre ponts disulfure intracaténaires, un dans chacune des quatre régions. La Figure 29.18 représente schématiquement l'organisation d'une IgG. Dans les régions variables des chaînes L et H, certaines positions sont **hypervariables**. L'hypervariabilité des acides aminés se manifeste sur les résidus 24 à 34, 50 à 55 et 89 à 96 des chaînes L, et sur les résidus 31 à 35, 50 à 65, 81 à 85 et 91 à 102 des chaînes H. Ces régions hypervariables sont aussi appelées **régions déterminant la complémentarité** avec l'antigène, ou **CDR** (de ***c****omplementarity-**d**etermining **r**egions). Elles forment en effet le site structural complémentaire d'une certaine partie de la structure de l'antigène, ce qui est à la base de la reconnaissance et de la formation du complexe anticorps:antigène.*

Dans les gènes des immunoglobulines, l'arrangement des exons est en corrélation avec la structure de la protéine. La structure tertiaire d'une immunoglobuline G est constituée de 12 domaines distincts ayant chacun la structure d'un *tonneau β antiparallèle comprimé* et un motif « *clé grecque* » (voir Figure 6.32). La structure caractéristique de ces domaines, formée par deux feuillets β fortement serrés, est encore appelée **pli de l'immunoglobuline** (Figure 29.19). Chacune des deux chaînes lourdes se reploie en formant quatre domaines et chacune des chaînes légères en forme deux. Les quatre *régions variables* (une par chaîne) sont codées par plusieurs exons, mais les huit *régions constantes* sont chacune le produit d'un seul exon. Tous les exons des régions constantes proviennent d'un même exon ancestral codant pour le pli de l'immunoglobuline. Le principal exon codant pour une région variable provient probablement de cet exon ancestral. Les gènes des immunoglobulines de notre temps sont la conséquence de duplications répétées de l'exon ancestral.

Figure 29.18 • Diagramme de l'organisation d'un molécule d'IgG. Deux chaînes L identiques sont unies à deux chaînes H identiques. Chaque chaîne L est reliée à une chaîne H par un pont disulfure. Les régions variables des quatre polypeptides se trouvent aux extrémités des bras de la molécule en forme d'Y. Ce sont ces régions variables qui, dans les anticorps, reconnaissent et fixent les antigènes. Le site de reconnaissance de l'antigène est plus précisément constitué par des résidus hypervariables des régions V_L et V_H. Pour la clarté de l'illustration, certaines caractéristiques de la molécule ne sont représentées que sur l'une ou l'autre des chaînes L ou H, mais elles sont en réalité présentes sur les deux types de chaînes.

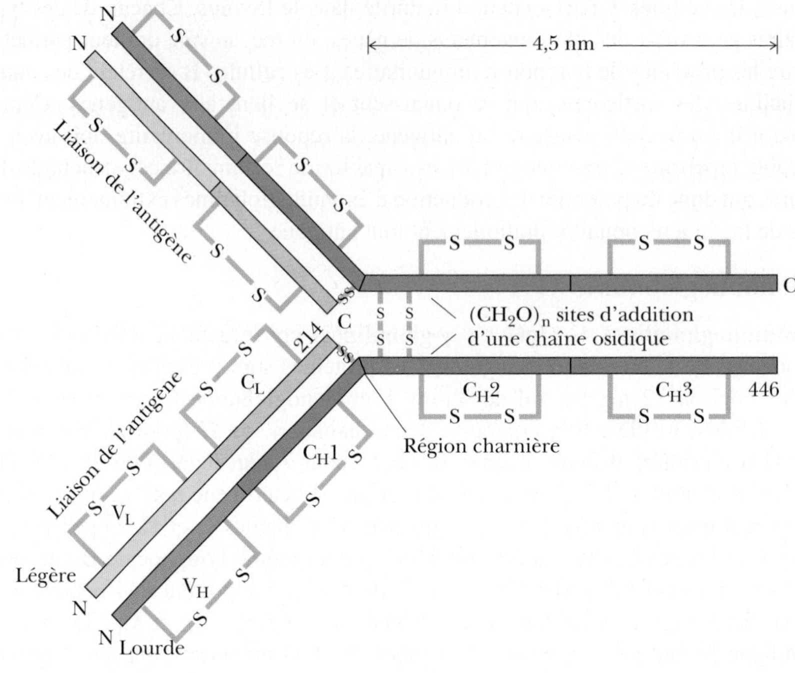

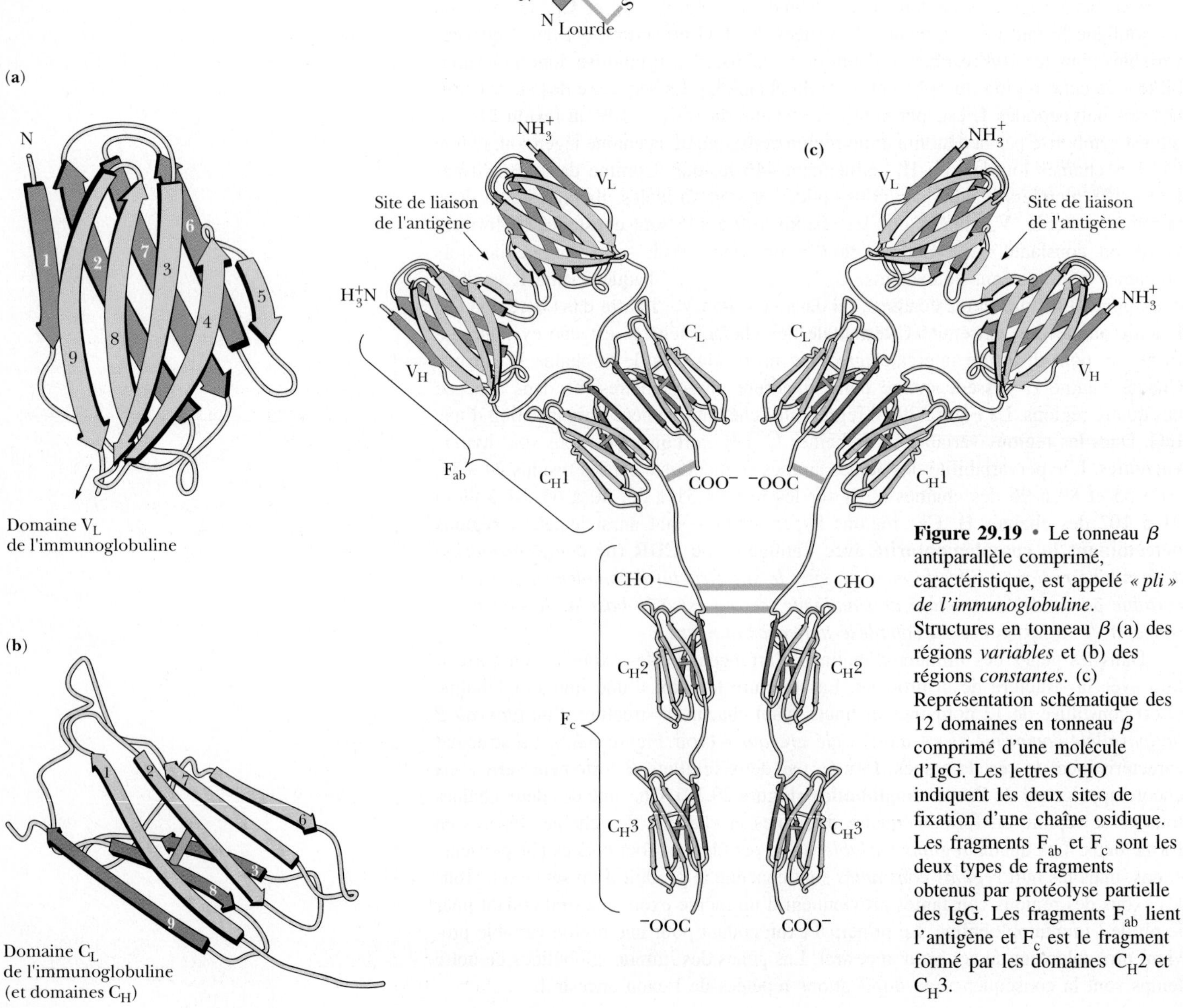

Figure 29.19 • Le tonneau β antiparallèle comprimé, caractéristique, est appelé *« pli » de l'immunoglobuline*. Structures en tonneau β (a) des régions *variables* et (b) des régions *constantes*. (c) Représentation schématique des 12 domaines en tonneau β comprimé d'une molécule d'IgG. Les lettres CHO indiquent les deux sites de fixation d'une chaîne osidique. Les fragments F_{ab} et F_c sont les deux types de fragments obtenus par protéolyse partielle des IgG. Les fragments F_{ab} lient l'antigène et F_c est le fragment formé par les domaines C_H2 et C_H3.

La découverte de la variabilité dans les séquences de chaînes polypeptidiques, qui en dehors de ces régions variables sont constantes, fut surprenante et parut hérétique aux spécialistes des protéines. Pour les généticiens, cela constituait une véritable une énigme. Ils comprenaient que les mammifères qui peuvent produire des millions d'anticorps différents ne pouvaient pas avoir des millions de gènes différents. Comment le génome des mammifères pouvait-il coder pour la diversité reconnue des chaînes L et H ?

Organisation des gènes des immunoglobulines

La réponse à l'énigme de la diversité des séquences des immunoglobulines fut trouvée dans l'organisation des gènes des immunoglobulines. L'information génétique correspondant à une chaîne d'immunoglobuline est dispersée en des centaines de segments le long d'un chromosome d'une cellule germinale (un gamète mâle ou femelle). Au cours du développement des vertébrés et de la formation des lymphocytes B, ces segments se rapprochent puis sont assemblés en un gène unique par un **réarrangement de l'ADN** (par recombinaison génétique). Le réarrangement de l'ADN, ou la **réorganisation génique**, fournit un mécanisme permettant de générer une grande variété de protéines isoformes à partir d'un nombre limité de gènes. Ce réarrangement de l'ADN n'existe que pour un petit nombre de gènes, ceux qui codent pour les protéines liant des antigènes de la réponse immunitaire – les immunoglobulines et les récepteurs des cellules T. Les segments des gènes codant pour la partie amino-terminale des polypeptides des immunoglobulines sont exceptionnellement susceptibles de subir des mutations. Le résultat est que la population des lymphocytes B est hétérogène, leurs gènes codant pour les anticorps ont collectivement une immense diversité, bien qu'un lymphocyte donné ne puisse synthétiser qu'un nombre très limité de chaînes d'immunoglobuline. Finalement, parmi la population des cellules B, au moins une cellule peut vraisemblablement produire un anticorps capable de reconnaître spécifiquement un antigène particulier.

Les réarrangements géniques assemblent le gène de la chaîne L en recombinant trois gènes séparés

La Figure 29.20 présente l'organisation de divers segments du gène de l'immunoglobuline dans le génome de la souris. Les régions variables des chaînes légères sont assemblées à partir de deux types de **gènes souches**, les gènes $\mathbf{V_L}$ et $\mathbf{J_L}$ (J pour *jonction*). Les mammifères ont deux familles distinctes de gènes codant pour

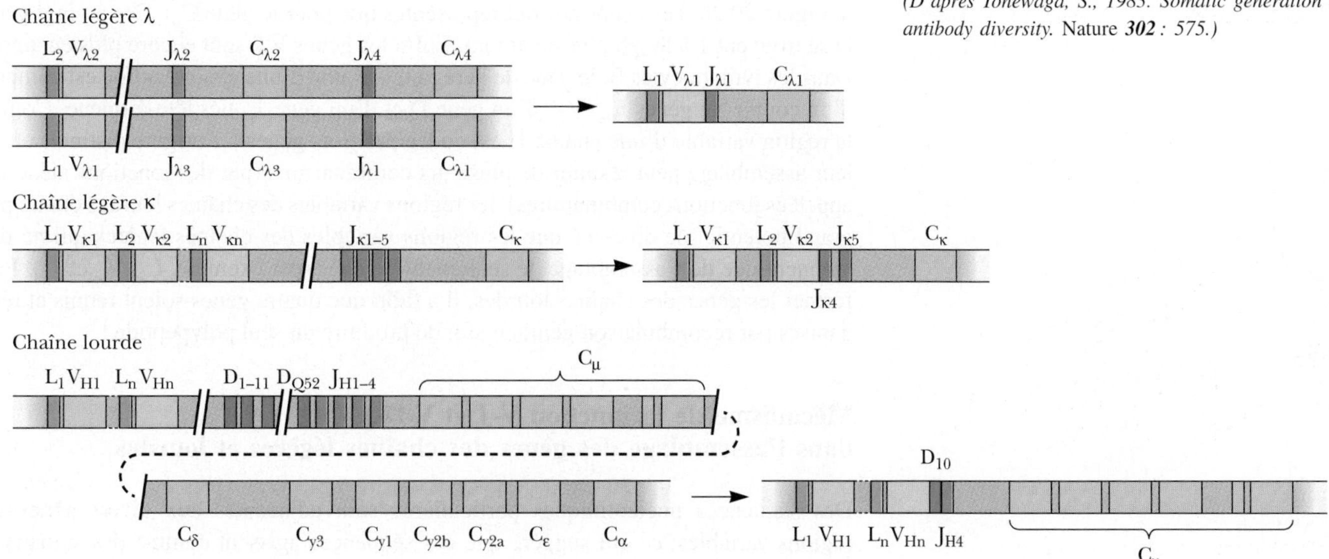

Figure 29.20 • Organisation des loci des gènes de l'immunoglobuline chez la souris. L'organisation dans la lignée germinale est représentée à gauche de la figure, l'organisation des gènes après réarrangement, caractéristique des lymphocytes B fonctionnels après maturation, est à droite des flèches. L'exemple de réarrangement génique représenté n'est qu'un cas parmi les nombreuses possibilités pour chaque famille de gènes. *(D'après Tonewaga, S., 1983. Somatic generation of antibody diversity.* Nature ***302*** *: 575.)*

les chaînes légères, la famille des **gènes κ (kappa)** et la famille des **gène λ (lambda)** ; chacune de ces familles comporte des gènes V et des gènes J. Ces familles de gènes se trouvent sur des chromosomes différents. Les souris ont quatre gènes J_κ fonctionnels (un cinquième n'est pas fonctionnel) ; ces gènes J sont 2,5 à 4 kb en amont d'un unique **gène C_κ** qui code pour la région constante de la chaîne L. Il y a au moins 200 gènes V_κ, chacun avec son propre segment L_κ codant pour la séquence du peptide signal (L pour *Leader peptide*) qui insèrera le polypeptide dans le réticulum endoplasmique où s'effectue l'assemblage de l'IgG avant sa sécrétion (La séquence signal est ultérieurement clivée par la *signal peptidase* dans la lumière du réticulum endoplasmique). L'organisation de la famille des gènes codant pour les chaînes λ est un peu différente ; il n'y a que deux gènes V_λ, chacun étant suivi en aval par le couple de gènes J_λ–C_λ (Figure 29.20). Chacun des lymphocytes B, après maturation, se différencie par sa combinaison particulière des gènes V_κ et J_κ. Ces gènes, qui avec le gène C_κ codent pour la synthèse de chaînes L_κ contiennent des régions V_κ variées. Mais, un lymphocyte B donné n'exprime qu'une combinaison V_κ–J_κ. La construction du gène de la chaîne L au cours de la maturation du lymphocyte B s'effectue donc par des réarrangements de l'ADN qui combinent trois gènes ($V_{\kappa,\lambda}$, $J_{\kappa,\lambda}$, $C_{\kappa,\lambda}$) pour permettre la synthèse d'un unique polypeptide !

Le gène de la chaîne H résulte de réarrangements de l'ADN qui assemblent quatre gènes séparés

Les 98 premiers acides aminés des 108 résidus de la région variable d'une chaîne H sont codés par le **gène V_H**. Chaque gène V_H est accompagné d'un **gène L_H** (L pour *Leader peptide*, peptide signal) qui code pour l'indispensable peptide signal. On estime qu'il y a entre 200 et 1000 gènes V_H qui peuvent être subdivisés en huit familles d'après les homologies des séquences nucléotidiques. Les membres d'une même famille de gènes V_H sont regroupés sur le chromosome, séparés les uns des autres par 10 à 20 pb. Lors de l'assemblage du gène de la chaîne H d'un lymphocyte, un gène V_H est lié à un **gène D** (D pour ***diversité***) qui code pour les résidus 99 à 113 de la chaîne lourde. Ces acides aminés constituent le cœur du troisième CDR de la région variable des chaînes H. L'ensemble V_H-D est ensuite lié à un **gène J_H** qui code pour la partie restante de la région variable de la chaîne H. Dans les cellules lymphocytaires souches, les gènes V_H, les gènes D et les gènes J_H, sont respectivement rassemblés en trois groupes séparés les uns des autres, mais localisés sur un même chromosome. Les quatre gènes J_H sont 7 kb en amont des huit **gènes C** dont le plus proche est le gènes C_μ. Tout gène C pris parmi un groupe de quatre gènes peut coder pour la région constante des chaînes lourdes des IgG : $C_{\gamma 1}$, $C_{\gamma 2a}$, $C_{\gamma 2b}$ et $C_{\gamma 3}$. Chacun de ces gènes est constitué de multiples exons (dans la Figure 29.20, ces exons ne sont représentés que pour le gène C_μ). Dix à vingt gènes D se trouvent 1 à 80 pb plus en amont. Enfin les gènes V_H sont encore plus en amont. Dans les lymphocytes B, le gène de la région variable d'une chaîne lourde est composé d'un couple de gènes L_H–V_H, d'un gène D et d'un gène J_H liés tête-à-queue. Comme la région variable d'une chaîne H est codée par trois gènes à l'origine distincts et que leur assemblage peut résulter de plusieurs combinaisons (par des jonctions aléatoires appelées jonctions combinatoires), les régions variables des chaînes lourdes ont un plus grand potentiel de diversité que les régions variables des chaînes légères qui ne proviennent que de l'assemblage de seulement 2 gènes (par exemple, L_κ–V_κ et J_κ). Pour former les gènes des chaînes lourdes, il a fallu que quatre gènes soient réunis et réorganisés par recombinaison génique afin de produire un seul polypeptide !

Mécanisme de la jonction V-J et V-D-J dans l'assemblage des gènes des chaînes légères et lourdes

Des séquences nucléotidiques particulières sont adjacentes aux divers gènes des régions variables, ce qui suggère que ces séquences agissent comme des signaux de

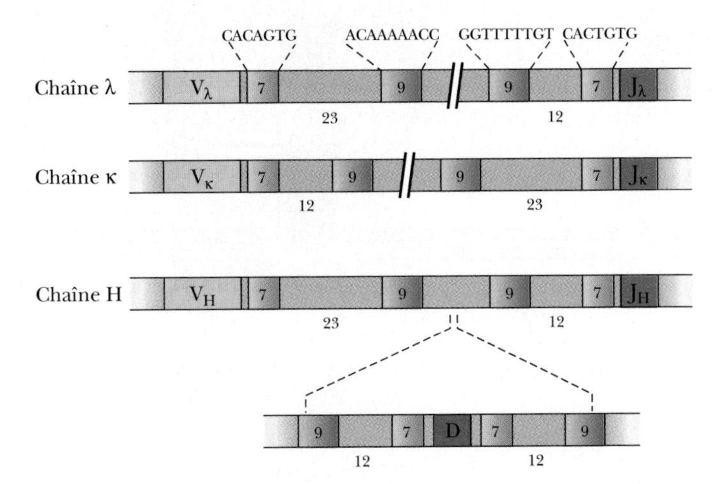

Figure 29.21 • Séquences consensuelles des gènes des régions variables dans la lignée germinale. Ces gènes se recombinent pour former les gènes qui codent pour les chaînes des immunoglobulines. Les séquences consensuelles sont complémentaires et forment un motif constitué d'un heptamère séparé d'un nonamère par une séquence de 12 pb ou de 23 pb. *(D'après Tonewaga, S., 1983. Somatic generation of antibody diversity.* Nature ***302*** *: 575.)*

jonction. Tous les gènes souches V et D sont suivis de la séquence consensuelle CACAGTG (un heptamère) séparé d'une autre séquence consensuelle ACAAAAACC (un nonamère) par une séquence non conservée de 23 pb. De même, tous les gènes souches D et J sont immédiatement précédés d'un nonamère consensuel GGTTTTTGT séparé d'un heptamère consensuel CACTGTG par une séquence de 12 pb non conservées (Figure 29.21). Remarquez que les séquences consensuelles en aval d'un gène sont complémentaires des séquences consensuelles en amont du gène avec lequel il se recombine. Ce sont effectivement ces séquences complémentaires qui servent de **signaux de reconnaissance de la recombinaison (SRR)** et qui déterminent le site de la recombinaison des gènes des régions variables. Une recombinaison efficace ne peut se faire qu'entre deux gènes dont l'un a une séquence d'espacement (un espaceur) de 12 pb et l'autre un espaceur de 23 pb (Figure 29.21). Dans les cellules lymphoïdes, les protéines 1 et 2 activatrices de la recombinaison (RAG1 et RAG2) reconnaissent et se lient aux SRR. Il se forme vraisemblablement une **structure avec tige et boucles** par appariement entre les bases complémentaires des séquences heptamères et par appariement entre les bases des séquences nonamères (Figure 29.22). L'ensemble RAG1 et RAG2 agit comme une **recombinase spécifique de la jonction V(D)J**, *la RAG recombinase*, qui catalyse les coupures puis la réparation de ces coupures, événements nécessaires pour le réarrangement du gène. L'organisation des séquences répétées de part et d'autre des gènes des immunoglobulines et la réaction catalysée par les protéines RAG1/RAG2 suggèrent que ces gènes et la RAG recombinase pourraient provenir de l'évolution d'un transposon ancestral.

Imprécision de la jonction

La jonction des extrémités des régions codantes lors de la réorganisation des gènes n'est pas très précise. Cette imprécision augmente encore plus la diversité des anticorps car il en résulte de nouvelles possibilités de lecture du code. La position 96 des chaînes κ est typiquement codée par le premier triplet du segment J_κ. Dans la plupart des chaînes κ, quatre acides aminés peuvent occuper cette position selon le gène J_κ introduit par le réarrangement. Cependant il arrive que seules la deuxième et la troisième base, et parfois seulement la troisième base du codon codant pour la position 96, proviennent du gène J_κ et que le nucléotide ou les deux nucléotides manquants proviennent du segment V_k (Figure 29.23). Donc, le point précis de la recombinaison lors de la réorganisation génique peut varier d'un ou deux nucléotides, ce qui contribue à augmenter la diversité.

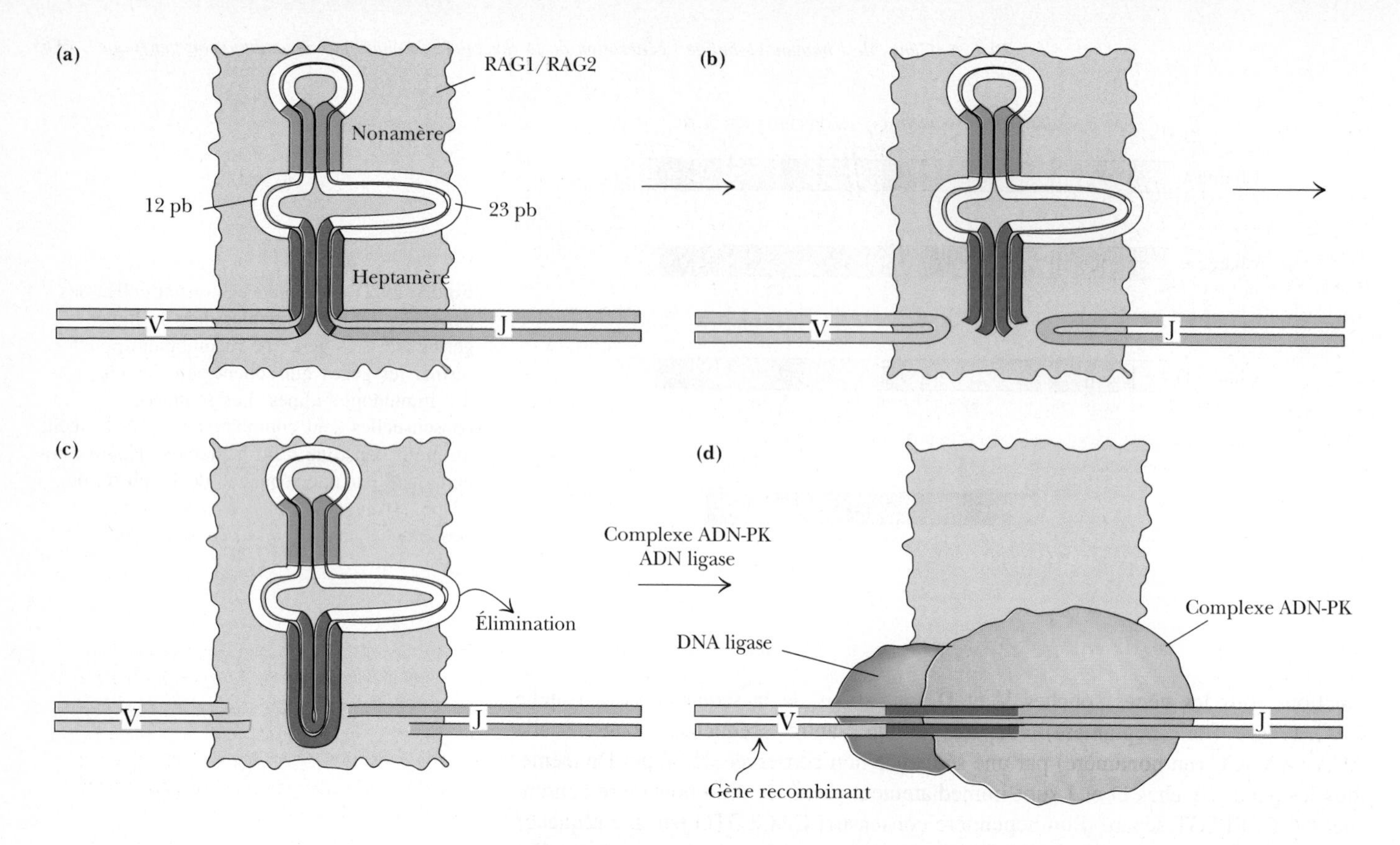

Figure 29.22 • Modèle de la recombinaison V(D)J. (a) Un complexe RAG1:RAG2 s'assemble sur l'ADN dans la région des séquences signal de la recombinaison. (b) Ce complexe clive les deux brins de l'ADN aux limites des séquences codant pour les segments polypeptidiques et des séquences du signal de la recombinaison. Les produits du clivage de l'ADN par RAG1:RAG2 sont d'un type nouveau : si l'ADN porteur du signal de reconnaissance a des bouts francs, l'ADN codant a des extrémités en épingle à cheveux. Les deux brins codant pour les segments polypeptidiques V et J sont réunis par une liaison covalente par suite de réactions de transestérification catalysées par RAG1:RAG2. (c) Pour compléter le processus de recombinaison, les deux extrémités des SRR sont reliés avec précision et ligaturés formant un ADN double brin circulaire clos tandis que les extrémités des régions codant pour V et J subissent des modifications avant d'être réunies. (d) Ces modifications ont une importante conséquence : la réunion des extrémités codant pour V et J est imprécise, ce qui augmentera encore la diversité des anticorps. Enfin, les extrémités des régions codant pour V et J sont réunies ce qui crée un gène recombinant codant pour une immunoglobuline. Ces réactions requièrent la présence de RAG1:RAG2, d'une protéine kinase ADN dépendante (ADN-PK) constituée de trois sous-unités – Ku70, Ku80 et ADN-PK_{CS}), et d'une ADN ligase. *(D'après la Figure 1 dans Weaver, D.T., et Alt, F.W., 1997. From RAGs to stitches.* Nature ***388** : 428-429.)*

	94	95	96	97
	Val	Gln		
V_κ	G T T	C A T	C T T	C G A
J_κ	A T G	G C A	A G C	T T G
			Ser	Leu

	Val	His		
V_κ	G T T	C A T	C T T	C G A
J_κ	A T G	G C A	A G C	T T G
			Ser	Leu

	Val	His		
V_κ	G T T	C A T	C T T	C G A
J_κ	A T G	G C A	A G C	T T G
			Arg	Leu

	Val	His		
V_κ	G T T	C A T	C T T	C G A
J_κ	A T G	G C A	A G C	T T G
			Leu	Leu

Figure 29.23 • La recombinaison entre les gènes V_κ et J_κ peut varier de plusieurs nucléotides, ce qui a pour conséquence une variation de la séquence des acides aminés et accroît donc la diversité des chaînes L des immunoglobulines.

Diversité des anticorps

Prenons par exemple la souris qui a environ 300 gènes V_κ, 4 gènes J_κ, 200 gènes V_H, 12 gènes D et 4 gènes J_H, le nombre possible des combinaisons est égal à $300 \times 4 \times 200 \times 12 \times 4$. Donc plus de 10^7 molécules d'anticorps différents peuvent être formées par environ 500 gènes des régions variables chez la souris. Et la possibilité de jonctions V_κ–J_κ différentes augmente encore cette diversité, de même que la haute fréquence des mutations somatiques dans les gènes des régions variables. (Les mutations somatiques sont des mutations qui ont lieu dans les cellules diploïdes ; elles sont transmises aux cellules qui en proviennent, mais pas aux descendants de l'organisme). Le réarrangement des gènes (la recombinaison génique) est de toute évidence un puissant mécanisme de multiplication du potentiel de l'information génétique codant pour des protéines.

29.5 • Nature moléculaire de la mutation

Les gènes sont normalement transmis de génération en génération, sans modification ; cela résulte de la grande précision et de la fidélité avec laquelle les gènes sont copiés lors de la duplication de l'ADN. Cependant, il peut arriver que des changements surviennent dans le matériel héréditaire (on appelle ces changements des **mutations**). Le plus souvent, un gène muté ou son produit est moins efficace que le gène non muté, l'allèle de type sauvage, mais dans certains cas les mutations donnent à l'organisme un avantage sélectif qui est transmis aux descendants. La mutation, comme la recombinaison, permet la variabilité génétique au sein d'une espèce, et avec le temps, l'apparition d'une nouvelle espèce.

Les mutations changent la séquence des bases dans l'ADN, soit par substitution d'une paire de bases à une autre (**mutations ponctuelles**), soit par insertion ou délétion d'une ou plusieurs paires de bases (**insertions et délétions**).

Mutations ponctuelles

Les mutations ponctuelles sont des mutations dans lesquelles une paire de base en remplace une autre. Il existe deux types de mutations ponctuelles : les mutations de **transition** et les mutations de **transversion**. Dans les mutations de transition, une base purique (ou pyrimidique) est remplacée par une autre base purique (ou pyrimidique), par exemple A → G (ou T → C), dans les mutations de transversion, une purine est remplacée par une pyrimidine, ou inversement.

Les mutations ponctuelles apparaissent à la suite d'un appariement anormal, par l'introduction d'un analogue de base dans l'ADN, ou sous l'effet d'un agent mutagène. L'appariement avec une forme tautomérique non habituelle d'une base est un événement fort rare, soit du fait des propriétés des tautomères (voir Chapitre 11), soit du fait de diverses influences (retournement des purines, de la conformation anti à la conformation syn, ou présence de molécules d'eau formant des ponts hydrogène entre deux pyrimidines appariées). Il faut en effet que la distance C1′-C1′ entre les bases anormalement appariées reste proche de celle d'un appariement normal (de l'ordre de 11 nm, voir Figure 11.20) pour que la paire de bases soit bien en place dans la double hélice. Un groupe amino (–NH_2), normalement donneur dans une liaison H, est parfois tautomérisé en groupe imino (=NH) qui devient un groupe

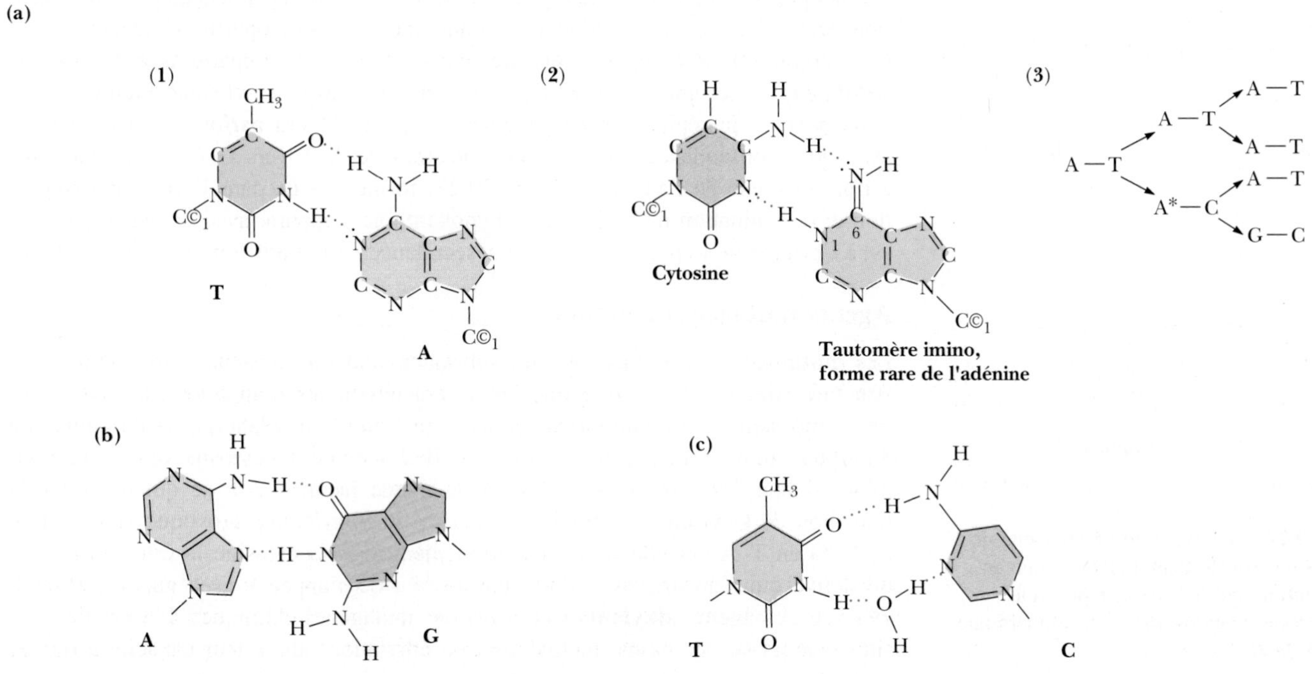

Figure 29.24 • Mutations ponctuelles provoquées par un appariement anormal de bases. (a) Exemple basé sur les propriétés des tautomères. Le tautomère imino, une forme rare de l'adénine, s'apparie avec la cytosine plutôt qu'avec la thymine. (1) Appariement normal A–T. (2) L'appariement A*–C est possible lorsque l'adénine est sous la forme tautomérique résultant du transfert d'un proton du 6-NH_2 au N-1. (3) L'appariement de C avec le tautomère A* de l'adénine a pour conséquence une mutation de transition (A-T en G-C) apparaissant dans la génération suivante. (b) Dans sa conformation syn, A s'apparie avec G (G est dans sa conformation anti, usuelle). (c) T et C peuvent former une paire de bases par des interactions hydrogène établies par l'intermédiaire d'une molécules d'eau.

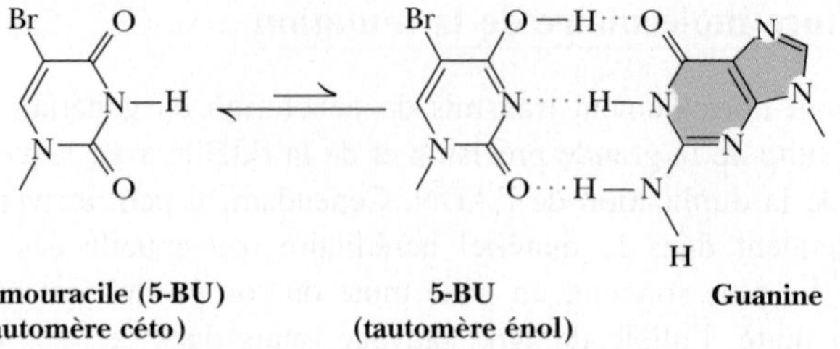

5-Bromouracile (5-BU) (tautomère céto) **5-BU (tautomère énol)** **Guanine**

Figure 29.25 • Le 5-bromouracile adopte plus facilement la forme tautomère céto qui mime les propriétés d'appariement de la thymine, mais la forme céto s'isomérise fréquemment en tautomère énol qui s'apparie avec la guanine ce qui provoque la transition de T-A en C-G.

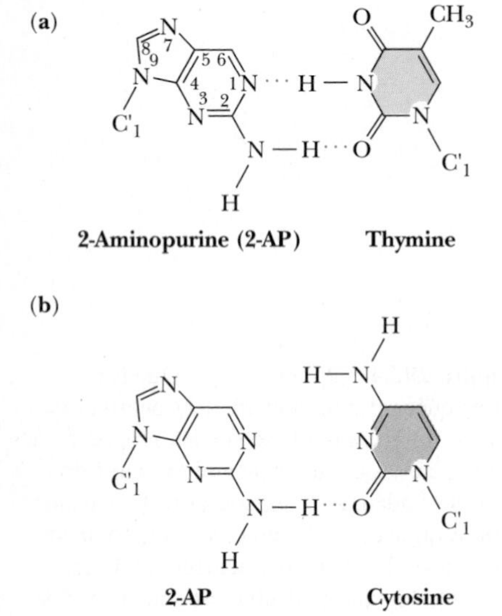

(a) **2-Aminopurine (2-AP)** **Thymine**

(b) **2-AP** **Cytosine**

Figure 29.26 • (a) La 2-aminopurine (2-AP) s'apparie normalement avec T, mais (b) elle peut aussi s'apparier avec la cytosine, avec formation d'une unique liaison hydrogène.

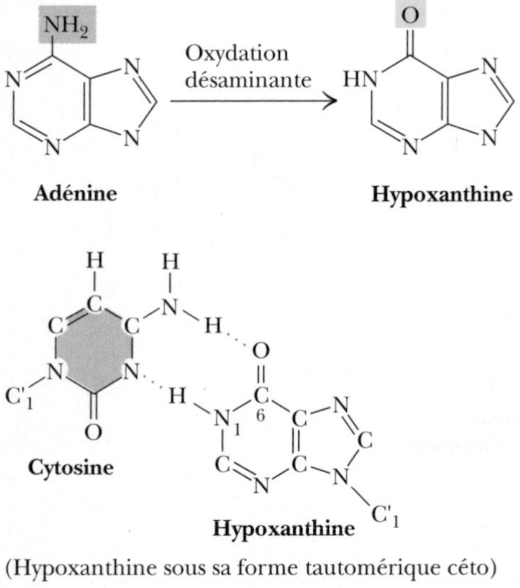

Adénine Oxydation désaminante **Hypoxanthine**

Cytosine **Hypoxanthine**

(Hypoxanthine sous sa forme tautomérique céto)

Figure 29.27 • L'oxydation désaminante de l'adénine incorporée dans l'ADN donne de l'hypoxanthine qui lors de la réplication s'apparie avec la cytosine ; il en résultera une transition de A-T vers G-C.

accepteur. Ou un groupe céto (C=O) normalement accepteur d'H peut devenir un groupe énol (C–OH) donneur d'H. À tout moment, environ 0,01 % des bases sont sous leur forme tautomérique rare. La Figure 29.24 présente l'exemple de la forme imino de l'adénine qui s'apparie avec la cytosine, au lieu de la thymine comme dans les paires normales. Cette erreur d'appariement peut provoquer le changement d'une paire A–T en paire G–C dans la génération suivante. Les mécanismes de correction d'épreuve éliminent au cours de la réplication de l'ADN la plupart des mauvais appariements. En raison de cette correction, la fréquence des mutations spontanées tant chez *E. coli* que chez la drosophile (*Drosophila melanogaster*) est seulement d'une mutation par 10^{10} paires de bases répliquées.

Mutations induites par des analogues de bases

Les analogues de bases qui sont incorporés dans l'ADN peuvent induire des mutations en changeant les possibilités d'appariement des bases. Les deux exemples classiques sont le **5-bromouracile** (**5-BU**) et la **2-aminopurine** (**2-AP**). Le 5-bromouracile est un analogue de la thymine qui s'insère dans l'ADN à la place normalement occupée par la thymine ; le groupe 5-Br a le même encombrement stérique que le groupe 5-méthyl de la thymine. Cependant, le 5-BU prend plus facilement la forme tautomère énol et s'apparie avec G au lieu de A, ce qui peut induire une mutation ponctuelle de transition TA → CG (Figure 29.25). Plus rarement, le 5-BU s'insère dans l'ADN à la place de la cytosine et non à la place de T. Si dans ce cas, le 5-BU adopte la forme céto, analogue à T, il y aura dans la descendance une transition de C–G en T–A. L'analogue de l'adénine, la 2-aminopurine (l'adénine est la 6-aminopurine), se comporte normalement comme A et s'apparie avec T. Mais, la 2-AP peut former une liaison H suffisamment stable avec la cytosine (Figure 29.26), donc pendant la réplication en présence de 2-AP, T sera parfois remplacé par C, avec pour conséquence possible une transition de A–T vers G–C. L'hypoxanthine est un analogue de l'adénine (Figure 29.27) formé *in situ*, dans l'ADN, par oxydation et désamination de l'adénine. L'hypoxanthine s'apparie avec la cytosine ce qui est à l'origine de l'apparition dans la descendance de la transition de A–T vers G–C.

Agents mutagènes chimiques

Les **mutagènes chimiques** sont des substances qui transforment chimiquement les structures des bases de sorte que leurs caractéristiques d'appariement sont modifiées. Par exemple, l'*acide nitreux* (HNO_2) provoque l'oxydation et la désamination du groupe amine primaire de la cytosine et de l'adénine. La cytosine oxydée et désaminée donne l'uracile qui s'apparie de la même façon que T, ce qui provoque la transition de C–G en T–A Figure 29.28a). *L'hydroxylamine* provoque la transition de C–G en T–A car elle réagit spécifiquement avec la cytosine la transformant en un dérivé qui s'apparie avec l'adénine au lieu de s'apparier avec guanine (Figure 29.28c). Les **agents alkylants** sont aussi des mutagènes chimiques. L'alkylation des sites réactifs sur les bases (méthylation ou éthylation) altère leur capacité à former

(a)

HNO$_2$

Cytosine → Uracile · Adénine

HNO$_2$

Adénine → Hypoxanthine · Cytosine

(b) Structure générale des *N*-nitrosamines

$R_1R_2N-N=O$

(c)

NH$_2$OH

Cytosine → · Adénine

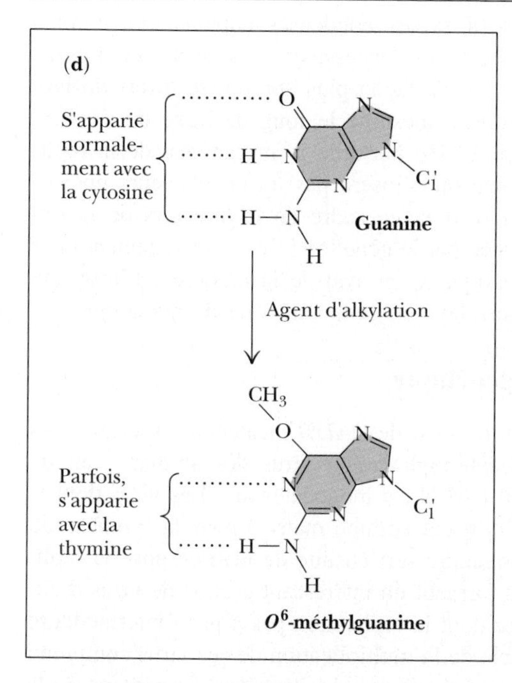

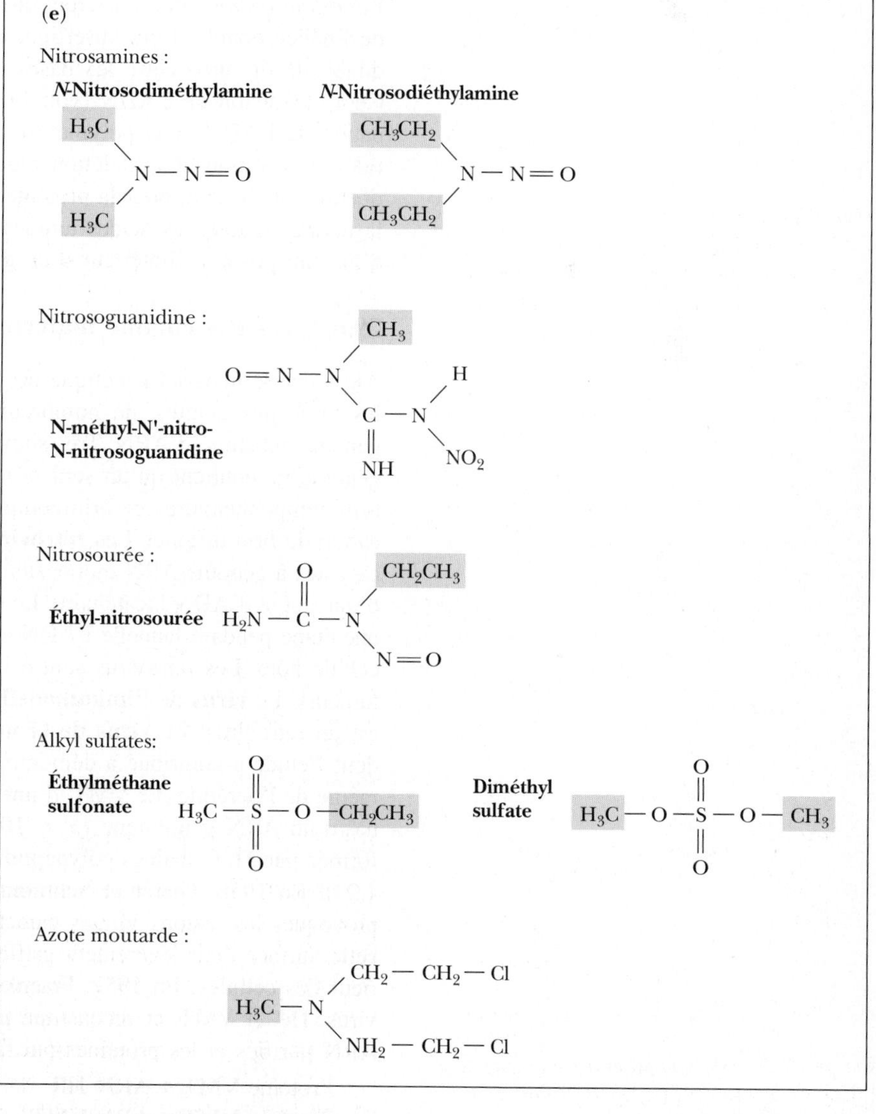

Figure 29.28 • Mutagènes chimiques. (a) L'acide nitreux (HNO_2) convertit la cytosine en uracile et l'adénine en hypoxanthine. (b) Les *N*-nitrosamines, des substances organiques qui réagissent en libérant de l'acide nitreux, oxydent et désaminent A et C. (c) L'hydroxylamine (NH_2OH) réagit avec la cytosine et la convertit en une molécule qui s'apparie avec l'adénine au lieu de la guanine. Le résultat sera une transition de C-G en T-A. (d) L'alkylation des résidus G donne la O_6-méthylguanine qui s'apparie avec T. (e) Les agents d'alkylation comprennent, entre autres composés, les *N-nitrosamines*, les *nitrosoguanidines*, les *nitrosourées*, les *alkyl-sulfates* et les *azote moutardes*. Les nitrosamines sont mutagènes par deux voies différentes. Elles peuvent réagir en donnant HNO_2, ou comme des agents alkylants. La *N-méthyl-N'-nitro-N-nitrosoguanidine* est un puissant mutagène utilisé dans les laboratoires pour induire à des fins expérimentales des mutations dans des organismes comme *Drosophila melanogaster*. L'*éthylméthane sulfonate* (EMS) et le *diméthylsulfate* sont des mutagènes très prisés par les généticiens.

des liaisons H et donc modifie les appariements. Par exemple, la méthylation de O^6 de la guanine (qui donne la O^6-méthylguanine) provoque son appariement avec T, et donc la transition de G–C en A–T (Figure 29.28d). Les agents d'alkylation peuvent également provoquer des mutations ponctuelles de type transversion. L'alkylation du N^7 de la guanine labilise sa liaison *N*-glycosidique, ce qui provoque l'élimination du cycle purique et crée un espace dans la séquence des bases (espace appelé *site AP*, pour *apurique*, quand il y a absence de G ou de A). Cet espace est reconnu par une **AP endonucléase** qui clive du côté 5′ le squelette désoxyribose phosphate de l'ADN. Le « trou » peut ensuite être réparé par une ADN polymérase qui élimine le désoxyribose-5′-phosphate et insère un nouveau nucléotide. Si la réparation enzymatique introduit un nucléotide pyrimidique à la place d'un nucléotide purique, une transversion s'ensuit. Quelques exemples d'agents alkylants sont présentés figure 29.28e

Insertions et délétions

L'addition ou l'élimination d'une ou de plusieurs paires de bases aboutit respectivement à des mutations d'*insertion* ou de *délétion*. Ces mutations sont provoquées par des molécules aromatiques plates (à cycles condensés coplanaires), comme l'*acridine orange*, qui s'insèrent entre les bases successives d'un ou des deux brins de l'hélice double. Cette insertion, appelée de façon plus appropriée **intercalation**, double la distance entre les bases, distance mesurée le long de l'axe de l'hélice. Cette distorsion de l'ADN (voir Figure 12.16) perturbe le mécanisme de la réplication de l'ADN et la polymérase ajoute ou n'insère pas un ou plusieurs nucléotides. L'insertion et la délétion modifient donc le cadre de lecture lors de la traduction ; il s'ensuit, pour la protéine codée par le gène modifié, un changement dans la nature de tous les acides aminés incorporés en aval de la mutation. L'insertion d'un transposon à l'intérieur d'un gène relève de cette catégorie de mutations.

29.6 • L'ARN comme matériel génétique

Alors que le matériel génétique des cellules est de l'ADN bicaténaire, presque tous les virus des plantes, de nombreux bactériophages et virus des animaux ont un génome constitué d'ARN. Très souvent l'ARN est monocaténaire. Les virus dont le génome ne contient qu'un seul brin l'utilisent comme matrice pour la synthèse du brin complémentaire ; ce brin complémentaire sert ensuite de matrice pour la réplication du brin originel. Les **rétrovirus** forment un intéressant groupe de virus d'eucaryotes à génome ARN monocaténaire dont la réplication passe par l'intermédiaire d'une copie d'ADN bicaténaire. Le cycle de la multiplication de ces virus comprend une étape pendant laquelle l'ADN est inséré par transposition dans le génome de la cellule hôte. Les rétrovirus sont à l'origine de nombreuses maladies, y compris de tumeurs. Le **virus de l'immunodéficience humaine** (**VIH-1**), qui provoque le **sida**, est un rétrovirus. Le **virus de la mosaïque du tabac** (**VMT**) est un virus à ARN dont l'étude a contribué à démontrer que les acides nucléiques étaient la substance même de l'hérédité. Le VMT, d'une masse moléculaire de 40 x 10^3 kDa, est constitué d'un ARN génomique (3×10^3 kDa) enchâssé dans une enveloppe protéique formée par 2130 chaînes polypeptidiques identiques chacune de 18 kDa (voir Figure 1.24). En 1956, Gierer et Schramm ont démontré que l'ARN pouvait, à lui seul, provoquer les lésions virales caractéristiques à la surface des feuilles de tabac si cette surface était légèrement griffée afin de permettre l'accès de l'ARN à l'intérieur des cellules. En 1957, Fraenkel-Conrat et Singer, ont utilisé deux souches de virus, HR et VMT, et reconstitué *in vitro* des particules virales en mélangeant les ARN purifiés et les protéines purifiées selon les quatre combinaisons possibles :

Protéine VMT + ARN HR
Protéine VMT + ARN VMT
Protéine HR + ARN HR
Protéine HR + ARN VMT

Les prions : ces protéines sont-elles des agents génétiques ?

Le nom prion est un acronyme formé à partir de «*protein infectious particle*». Les prions sont des agents de maladies transmissibles apparemment constitués d'une protéine ayant adopté une conformation anormale stable. Le terme prion a été créé pour différencier ces particules protéiques infectieuses des autres particules infectieuses contenant des acides nucléiques, les virus et les virions. Les prions sont pathogènes, ils produisent chez les mammifères une dégénérescence du système nerveux central dont l'issue est fatale. Les prions semblent être les agents responsables de plusieurs maladies humaines : le kuru, la maladie de Creutzfeldt-Jakob, le syndrome de Gerstmann-Straüssler-Scheinker et une insomnie mortelle familiale. Les prions provoquent également des maladies chez les animaux, par exemple, l'encéphalopathie spongiforme bovine (maladie de la « vache folle »), une maladie analogue chez les cervidés et la tremblante chez les moutons. Toutes les tentatives effectuées dans le but de prouver que l'agent causal de ces maladies était un agent contenant un acide nucléique ont échoué. Les maladies à prions sont d'un type nouveau car elles sont génétiques *et* infectieuses ; leur apparition peut être sporadique, héréditaire selon un mode dominant, ou acquise par infection. Le fait que la maladie puisse être héréditaire remet en question le rôle unique des acides nucléiques comme agents de l'hérédité.

La protéine prion **PrP**, est le produit d'un gène présent chez tous les vertébrés examinés (et même chez la drosophile). On ignore la fonction de cette protéine qui existe sous différentes formes, la forme cellulaire normale de la protéine prion, **PrP^{c}**, et une forme de prion de conformation différente de celle de PrP^{c}, par exemple, **PrP^{sc}** (sc pour ***sc**rapie*, nom anglais de la tremblante du mouton). La forme PrP^{sc} est résistante à l'action des protéases. Il semble que ces deux formes ne se différencient que par leurs structures secondaires ; dans PrP^{c}, les éléments α-hélicoïdaux sont prédominants (figure a), alors que PrP^{sc} contient à la fois des hélices α et des brins β (figure b). Une des hypothèse avancées admet que la présence de PrP^{sc} favorise la transconformation de PrP^{c} en PrP^{sc}. Les diverses maladies résulteraient de l'accumulation du prion de conformation anormale sous forme de plaques amyloïdes qui provoquent l'apparition de vacuoles dans les tissus du système nerveux central. En 1997 le prix Nobel de médecine a été attribué à Stanley B. Prusiner pour la découverte des prions.

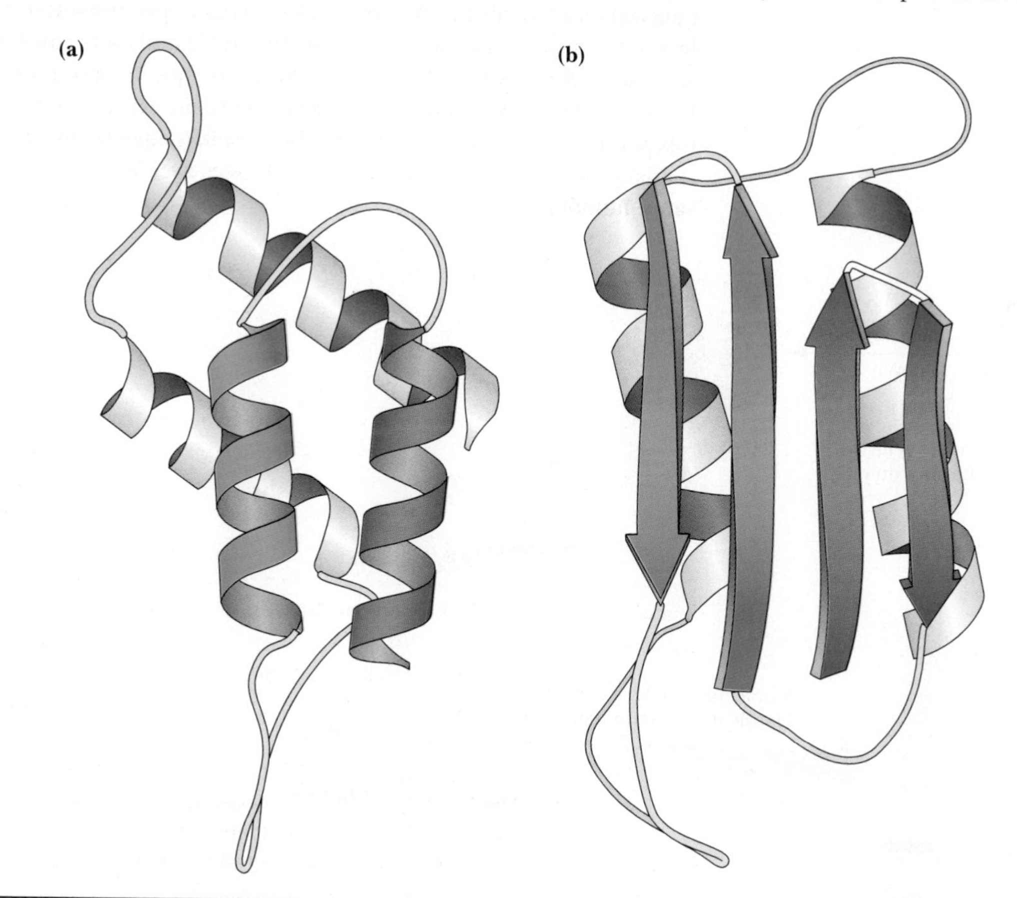

(D'après la Figure 1 dans Prusiner, S.B., 1966. Molecular biology and the pathogenesis of prion diseases. Trends in Biochemical Sciences ***21*** *: 482-487.)*

Ces particules reconstituées sont infectieuses. L'examen des particules obtenues après infection des plantes a montré que la nature de l'enveloppe protéique des particules filles était déterminée par l'ARN contenu dans le virus utilisé pour l'infection : l'ARN de VMT donnait toujours une enveloppe protéique VMT ; l'ARN de

HR donnait toujours une enveloppe protéique HR. Cette expérience a été parmi les premières à confirmer que les acides nucléiques étaient effectivement le matériel de l'information génétique, et non pas les protéines.

29.7 • Animaux transgéniques

Un des derniers progrès dans les techniques de transfert des gènes a ouvert la possibilité d'introduire, par **transfection**, des gènes dans les animaux. La transfection correspond à l'introduction, par capture ou par injection, d'un fragment d'ADN dans une cellule hôte. Les animaux qui ont acquis une nouvelle information génétique par suite de l'introduction de gènes étrangers sont appelés des animaux **transgéniques**, le gène transféré étant un transgène. Le principe de la méthode est relativement simple : des plasmides recombinants, contenant le gène à transférer, sont injectés dans le noyau d'un œuf fécondé, puis cet œuf est implanté dans une femelle réceptive. La technique a d'abord été adaptée à la souris (Figure 29.29). Dans environ 10 % des cas, la souris qui naît de cet œuf possède le gène transfecté, intégré dans un seul site chromosomique. Par le suite, ce gène se transmet aux descendants de l'animal comme s'il était un gène normal. L'expression du nouveau gène dans l'animal transgénique est assez variable car le gène s'intègre de façon aléatoire dans le génome de l'hôte et l'expression des gènes est très souvent influencée par l'environnement chromosomique. Cependant, la transfection a produit quelques résultats saisissants, par exemple dans le cas de la transfection de la souris avec le gène de l'**hormone de croissance du Rat**. La souris transgénique est devenue près de deux fois plus grosse que la souris normale (Figure 29.30). La concentration de l'hormone de croissance dans ces animaux est des centaines de fois plus élevée que dans les témoins. Des résultats équivalents ont été obtenus sur des souris transgéniques qui avaient été transfectées avec le gène de l'**hormone de croissance humaine**.

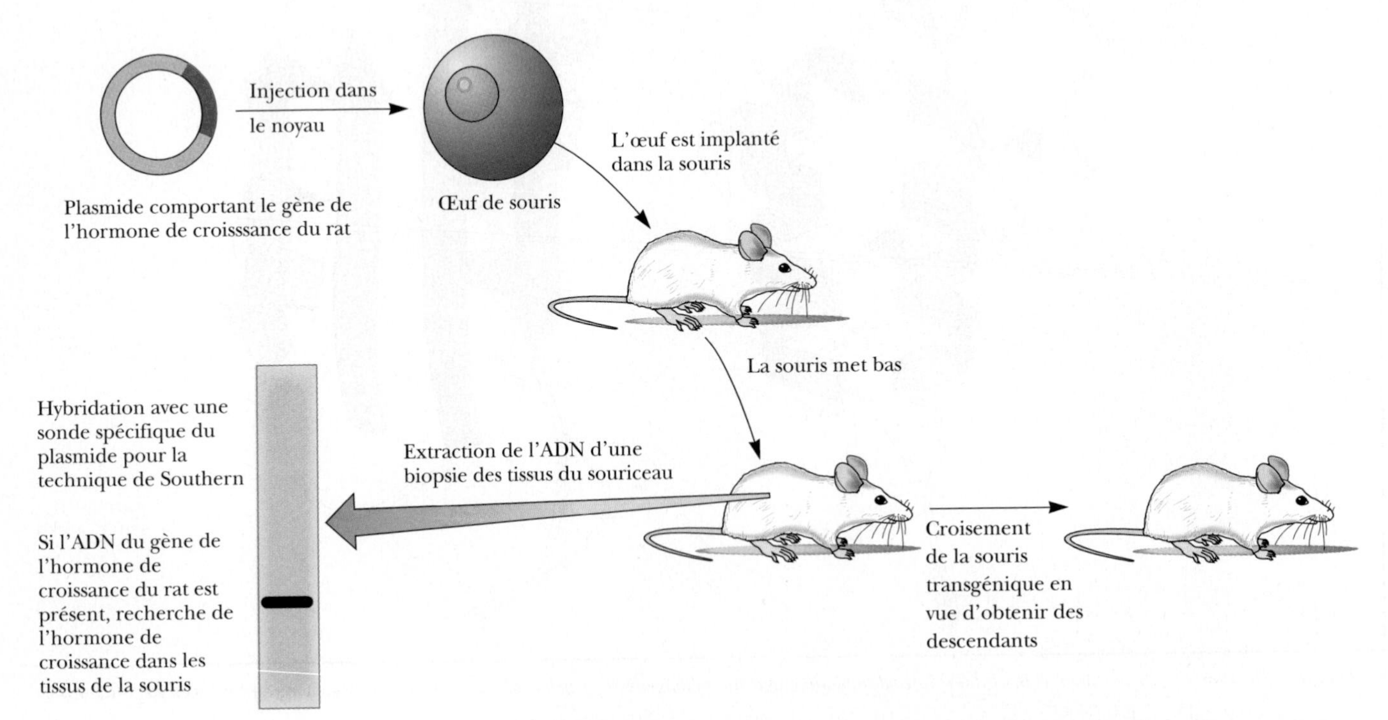

Figure 29.29 • La transfection permet introduire de nouveaux gènes chez l'animal. Le gène de l'hormone de croissance du Rat mis dans un plasmide est injecté dans l'œuf fertilisé d'une souris qui est ensuite implanté dans une femelle souris réceptive. L'intégration du plasmide dans le génome de la souris peut être vérifiée par la technique de Southern appliquée à l'ADN du souriceau. L'expression du gène étranger peut être vérifiée par la recherche du produit du gène, dans ce cas l'hormone de croissance du rat.

Pour en savoir plus

Les souris « knock-out » : une méthode pour analyser la fonction d'un gène

La recombinaison homologue peut être utilisée pour remplacer un gène par son équivalent préalablement inactivé. L'inactivation peut s'effectuer en insérant un gène étranger, par exemple le gène *neo*, un gène codant pour la résistance à la molécule *G418*, dans l'un des exons d'une copie du gène considéré. La recombinaison homologue entre un transgène porteur du gène *neo* et l'ADN sauvage d'une cellule souche embryonnaire remplace le gène cible par le transgène (figure). Les cellules dans lesquelles la recombinaison homologue a eu lieu seront résistantes à G418, elles peuvent ainsi être sélectionnées. Ces cellules souches recombinantes peuvent être injectées dans des embryons encore aux premiers stades du développement où elles ont la possibilité de devenir les cellules germinales de la souris nouveau-né. Si par hasard il en est ainsi, les gamètes de la souris contiendront le gène cible inactivé. L'accouplement d'une souris mâle et d'une souris femelle porteurs du gène inactivé produira une génération de souris homozygotes dites K.-O. (de *Knock-out*) – souris n'ayant pas de copie fonctionnelle du gène cible. L'analyse des caractères de ces souris K.-O. révèle la fonction physiologique qui dépend du gène.

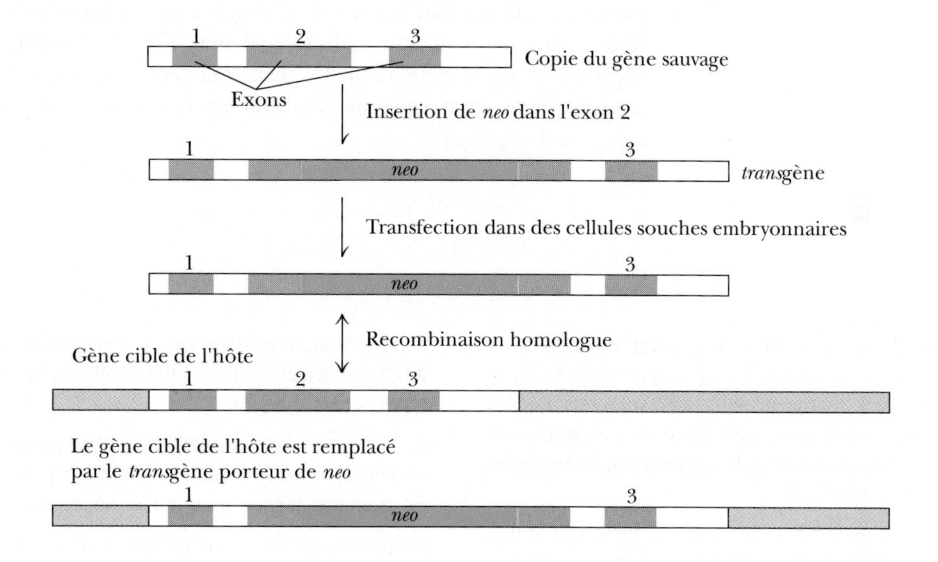

Figure 29.30 • Photographie d'une souris transgénique avec un gène exprimant l'hormone de croissance du rat (*à gauche*). Cette souris transgénique a deux fois la taille d'une souris normale (*à droite*). *(Photographie aimablement communiquée par Ralph L. Brinster, École de médecine vétérinaire, Université de Pennsylvanie.)*

La technologie de la transfection a été étendue aux animaux d'élevage ; il existe aujourd'hui des poules, des vaches, des porcs, des lapins, des moutons et même des poissons transgéniques. Ces animaux transgéniques présentent encore des aspects négatifs, mais la technique semble promise à un bel avenir en agriculture. Les gènes humains codant pour les chaînes α et β de l'hémoglobine ont été introduits par microinjection dans des œufs de souris ; les souris transgéniques produisent de l'hémoglobine humaine. L'hémoglobine « humaine » isolée des érythrocytes de souris transgéniques présente la même courbe d'affinité pour l'oxygène que l'hémoglobine A provenant d'érythrocytes humains, ce qui prouve qu'elle est fonctionnelle. L'hémoglobine « humaine » provenant de porcs transgéniques pourrait un jour, selon certains, être utilisée lors de certaines opérations chirurgicales. Les techniques de transfection pourraient, dans un avenir non encore prévisible, permettre une « thérapie génique », qui remplacerait un gène défectueux par un gène fonctionnel (Chapitre 8). Mais, avant que cela soit réalisable, il faut d'abord résoudre les problèmes de l'intégration et de la régulation du gène transfecté, ainsi que celui de son expression dans la cellule appropriée, au bon moment au cours du développement et de la croissance de l'organisme.

EXERCICES

1. Les facteurs F peuvent s'intégrer dans un génome dans les deux orientations. En supposant qu'un facteur F s'est intégré dans le chromosome d'*E. coli* près du gène marqueur *polA* (à 85 minutes), quelles sont, pour ce qui concerne l'ordre des gènes, les deux possibilités de transfert des gènes lors d'une expérience de conjugaison interrompue entre une souche *Hfr* et une souche F^- ?

2. En utilisant les informations portées Figure 29.11, présentez le diagramme des différentes phases de la recombinaison aboutissant à la formation d'une région hétéroduplex dans le chromosome d'un bactériophage.

3. Si la protéine RecA déroule un duplex d'ADN de sorte qu'il y a environ 18,6 pb par tour, quel est le *changement* de la valeur de $\Delta\phi$, angle de rotation moyenne de l'hélice entre deux paires de bases adjacentes, comparée à sa valeur dans l'ADN-B?

4. Représentez le diagramme d'une jonction de Holliday entre deux ADN bicaténaires et montrez comment la résolvase peut donner deux types d'hétéroduplex.

5. Utilisez la Figure 29.23 et déterminez quel est le nombre de séquences d'acides aminés différentes possibles dans la région V_κ–J_κ de la chaîne légère comprenant les codons 94 à 97.

6. Quels sont les changements dans la séquence d'un ADN bicaténaire (dans le segment du brin codant GCTA), qui peuvent résulter de l'action des agents mutagènes suivants : (a) HNO_2, (b) 5-bromouracile, (c) 2-aminopurine ?

7. Les transposons sont des agents mutagènes. Pourquoi ?

8. PrP^{sc} a des propriétés infectieuses et celles d'un agent génétique. Donnez une explication plausible.

LECTURES COMPLÉMENTAIRES

Alt, F.W., Blackwell, T.K., et Yancopoulos, G.D., 1987. Development of the primary antibody repertoire. *Science* **238** : 1079-1087.

Anderson, D.G., et Kowalczykowski, S.C., 1997. The translocating RecBCD enzyme stimulates recombination by directing RecA protein onto ssDNA in a χ-regulated manner. *Cell* **90** : 77-86.

Behringer, R.R., *et al.,* 1989. Synthesis of functional human hemoglobin in transgenic mice. *Science* **245** : 971-979.

Chiu, S.K., Rao, B.J., Story, R.M., et Radding, C.M., 1993. Interactions of three strands in joints made by RecA protein. *Biochemistry* **32** : 13146-13155.

Connolly, B., *et al.,* 1991. Resolution of Holliday junctions *in vitro* requires the *Escherichia coli ruvC* gene product. *Proceedings of the National Academy of Science, USA* **88** : 6063-6067.

Eggleston, A.K., Mitchell, A.H., et West, S.C., 1997. *In vitro* reconstitution of the late steps of recombination in *E. coli. Cell* **89** : 607-617.

Eggleston, A.K., et West, S.C., 1996. Exchanging partners : Recombination in *E. coli. Trends in Genetics* **12** : 20-25.

Eggleston, A.K., et West, S.C., 1997. Recombination initiation : Easy as A, B, C, D... χ? *Current Biology* **7** : R745-R749.

Hayes, W., 1968. *The Genetics of Bacteria and Their Viruses,* 2nd ed. New York : John Wiley & Sons. An early, advanced text covering many of the historical developments in bacterial genetics that led to the science we now know as molecular biology.

Hiom, K., et Gellert, M., 1997. A stable RAG1-RAG2-DNA complex that is active in V(D)J cleavage. *Cell* **88** : 65-72.

Holliday, R., 1964. A mechanism for gene conversion in fungi. *Genetic Research* **5** : 282-304. The classic model for the mechanism of DNA strand exchange during homologous recombination.

Lambowitz, A.M., et Belfort, M., 1993. Introns as mobile genetic elements. *Annual Review of Biochemistry* **62** : 587-622.

Lewin, B., et al., 1997. *Genes VI.* New York : Oxford University Press, and Cambridge, MA : Cell Press. A contemporary genetics text that seeks to explain heredity in terms of molecular structures.

Lewis, S.M., et Wu, G.E., 1997. The origins of V(D)J recombination. *Cell* **88** : 159-162.

Mazin, A.V., et Kowalczykowski, S.C., 1996. The specificity of the secondary DNA binding site of RecA protein defines its role in DNA strand exchange. *Proceedings of the National Academy of Sciences, USA* **93** : 10673-10678.

Meselson, M., et Weigle, J.J., 1961. Chromosome breakage accompanying genetic recombination in bacteriophage. *Proceedings of the National Academy of Sciences, USA* **47** : 857-869. The experiments demonstrating that physical exchange of DNA occurs during recombination.

Morgan, A.R., 1993. Base mismatches and mutagenesis : How important is tautomerism ? *Trends in Biochemical Sciences* **18** : 160-163.

Morgan, R.A., et Anderson, W.F., 1993. Human gene therapy. *Annual Review of Biochemistry* **62** : 192-217.

Neihardt, F.C., *et al.,* eds. 1996. Escherichia coli *and* Salmonella typhimurium : *Cellular and Molecular Biology,* 2nd ed., vols. 1 and 2. Washington, DC : American Society for Microbiology Press. Definitive treatise on the two bacteria most widely used in molecular biological research.

Palmiter, R.D., *et al.,* 1982. Dramatic growth of mice that develop from eggs microinjected with metallothionein-growth hormone fusion genes. *Nature* **300** : 611-615.

Palmiter, R.D., *et al.,* 1983. Metallothionein-human GH fusion genes stimulate growth of mice. *Science* **222** : 809-814.

Parsons, C.A., *el al.,* 1995. Structure of a multisubunit complex that promotes DNA branch migration. *Nature* **374** : 375-378.

Prusiner, S.B., 1996. Molecular biology and pathogenesis of prion diseases. *Trends in Biochemical Sciences* **21** : 482-487.

Prusiner, S.B., 1997. Prion diseases and the BSE crisis. *Science* **278** : 245-251.

Rafferty, J.B., *et al.,* 1996. Crystal structure of DNA recombination protein RuvA and a model for its binding to the Holliday junction. *Science* **274** : 415-421.

Ramsden, D.A., Paull, T.T., et Gellert, M., 1997. Cell-free *V(D)J*recombination. *Nature* **388** : 488-491.

Rao, B.J., *et al.,* 1995. How specific is the first step in homologous recombination ? *Trends in Biochemical Sciences* **20** : 109-113.

Roca, A.I., et Cox, M.M., 1997. RecA protein : Structure, function, and role in recombinational DNA repair. *Progress in Nucleic Acid Research and Molecular Biology* **56** : 127-223.

Schnieke, A.E., *et al.,* 1997. Human Factor IX transgenic sheep produced by transfer of nuclei from transfected fetal fibroblasts. *Science* **278** : 2130-2133.

Shinagawa, H., et Iwasaki, H., 1996. Processing the Holliday junction in homologous recombination. *Trends in Biochemical Sciences* **21** : 107-111.

Smith, G.R., 1988. Homologous recombination in prokaryotes. *Microbiological Reviews* **52** : 1-28. An authoritative review on homologous recombination by one of its leading investigators.

Story, R.M., *et al.,* 1993. Structural relationship of the bacterial *RecA* proteins to recombination proteins from bacteriophage T4 and'yeast. *Science* **259** : 1892-1899.

Story, R.M., Weber, I.T., et Steitz, T.A., 1992. The structure of the *E. coli RecA* protein monomer and polymer. *Nature* **355** : 318-325. Also, Story, R.M., and Steitz, T.A., 1992. Structure of the RecA protein-ADP complex. *Nature* **355** : 374-376.

Tonegawa, S., 1983. Somatic generation of antibody diversity. *Nature* **302** : 575-581.

van Gent, D.C., Mizuuchi, K., et Gellert, M., 1996. Similarities between initiation of V(D)J recombination and retroviral integration. *Science* **271** : 1592-1594.

Watson, J.D., *et al.,* 1987. *Molecular Biology of the Gene,* 4th ed., vol. 1. Menlo Park, CA : Benjamin/Cummings. The leading textbook of molecular biology.

Weaver, D.T., et Alt, F.W., *1997.* From RAGs to stitches. *Nature* **388** : 428-429.

West, S.C., *1992.* Enzymes and molecular mechanisms of genetic ecombination. *Annual Review of Biochemistry* **61** : 603-640.

Wilmut, I., *et al., 1997.* Viable offspring derived from fetal and adult mammalian cells. *Nature* **385** : 810-818. See also Campbell, K.H.S., *et al.,* 1996. Sheep cloned by nuclear transfer from a cultured cell line. *Nature* **380** : 64-66.

Yancopoulos, G.D., et Alt, F.W., 1986. Assembly and expression of variable-region genes. *Annual Review of Immunology* **4** : 339-368.

« Quand sur une route vous arrivez à un embranchement, prenez le. ».

LAWRENCE PETER (YOGI) BERRA
Baseball Hall-of-Famer (1925-)

Chapitre 30

Réplication et réparation de l'ADN

PLAN

Arche de Noé, par André Normil (Superstock)

La publication du célèbre article de Watson et Crick, intitulé *Molecular Structure of Nucleic Acids : A Structure for Deoxyribose Nucleic Acids* (Figure 30.1), a marqué l'aube d'une nouvelle époque scientifique, l'âge de la Biologie moléculaire. À la fin de leur article décrivant la double hélice de l'ADN, un article bref mais de grande portée, les auteurs ont insisté sur un point particulier, « Il ne nous a pas échappé que l'appariement spécifique (des bases) que nous avons postulé suggère un mécanisme possible de copie du matériel génétique. » Le mécanisme de la réplication de l'ADN qui leur semblait si évident est la *séparation des brins, suivie de la copie de chaque brin.* Dans ce processus, chacun des brins se comporte comme une **matrice** pour la synthèse du brin complémentaire dont la séquence des nucléotides est imposée par la règle de l'appariement des bases proposée par Watson et Crick. La séparation des brins résulte du déroulement de la double hélice (Figure 30.2). L'appariement des bases peut alors dicter une réplication précise des deux brins de l'ADN original.

Matrice • moule en creux ou en relief servant à reproduire des objets par estampage ; en Biologie moléculaire, structure moléculaire, ADN ou ARN, qui lors de la synthèse d'une autre molécule complémentaire, ADN ou ARN, dicte sa structure.

No. 4356 April 25, 1953 NATURE 737

MOLECULAR STRUCTURE OF NUCLEIC ACIDS

A Structure for Deoxyribose Nucleic Acid

WE wish to suggest a structure for the salt of deoxyribose nucleic acid (D.N.A.). This structure has novel features which are of considerable biological interest.

A structure for nucleic acid has already been proposed by Pauling and Corey[1]. They kindly made their manuscript available to us in advance of publication. Their model consists of three intertwined chains, with the phosphates near the fibre axis, and the bases on the outside. In our opinion, this structure is unsatisfactory for two reasons: (1) We believe that the material which gives the X-ray diagrams is the salt, not the free acid. Without the acidic hydrogen atoms it is not clear what forces would hold the structure together, especially as the negatively charged phosphates near the axis will repel each other. (2) Some of the van der Waals distances appear to be too small.

Another three-chain structure has also been suggested by Fraser (in the press). In his model the phosphates are on the outside and the bases on the inside, linked together by hydrogen bonds. This structure as described is rather ill-defined, and for his reason we shall not comment on it.

We wish to put forward a radically different structure for the salt of deoxyribose nucleic acid. This structure has two helical chains each coiled round the same axis (see diagram). We have made the usual chemical assumptions, namely, that each chain consists of phosphate diester groups joining β-D-deoxyribofuranose residues with 3′,5′ linkages. The two chains (but not their bases) are related by a dyad perpendicular to the fibre axis. Both chains follow right-handed helices, but owing to the dyad the sequences of the atoms in the two chains run in opposite directions. Each chain loosely resembles Furberg's[2] model No. 1; that is, the bases are on the inside of the helix and the phosphates on the outside. The configuration of the sugar and the atoms near it is close to Furberg's 'standard configuration', the sugar being roughly perpendicular to the attached base. There is a residue on each chain every 3·4 A. in the z-direction. We have assumed an angle of 36° between adjacent residues in the same chain, so that the structure repeats after 10 residues on each chain, that is, after 34 A. The distance of a phosphorus atom from the fibre axis is 10 A. As the phosphates are on the outside, cations have easy access to them.

Tl diagrammatic. The two ribbons symbolize the two phosphate—sugar chains, and the horizontal rods the pairs of bases holding the chains together. The vertical line marks the fibre axis

The structure is an open one, and its water content is rather high. At lower water contents we would expect the bases to tilt so that the structure could become more compact.

The novel feature of the structure is the manner in which the two chains are held together by the purine and pyrimidine bases. The planes of the bases are perpendicular to the fibre axis. They are joined together in pairs, a single base from one chain being hydrogen-bonded to a single base from the other chain, so that the two lie side by side with identical z-co-ordinates. One of the pair must be a purine and the other a pyrimidine for bonding to occur. The hydrogen bonds are made as follows: purine position 1 to pyrimidine position 1; purine position 6 to pyrimidine position 6.

If it is assumed that the bases only occur in the structure in the most plausible tautomeric forms (that is, with the keto rather than the enol configurations) it is found that only specific pairs of bases can bond together. These pairs are: adenine (purine) with thymine (pyrimidine), and guanine (purine) with cytosine (pyrimidine).

In other words, if an adenine forms one member of a pair, on either chain, then on these assumptions the other member must be thymine; similarly for guanine and cytosine. The sequence of bases on a single chain does not appear to be restricted in any way. However, if only specific pairs of bases can be formed, it follows that if the sequence of bases on one chain is given, then the sequence on the other chain is automatically determined.

It has been found experimentally[3,4] that the ratio of the amounts of adenine to thymine, and the ratio of guanine to cytosine, are always very close to unity for deoxyribose nucleic acid.

It is probably impossible to build this structure with a ribose sugar in place of the deoxyribose, as the extra oxygen atom would make too close a van der Waals contact.

The previously published X-ray data[5,6] on deoxyribose nucleic acid are insufficient for a rigorous test of our structure. So far as we can tell, it is roughly compatible with the experimental data, but it must be regarded as unproved until it has been checked against more exact results. Some of these are given in the following communications. We were not aware of the details of the results presented there when we devised our structure, which rests mainly though not entirely on published experimental data and stereochemical arguments.

It has not escaped our notice that the specific pairing we have postulated immediately suggests a possible copying mechanism for the genetic material.

Full details of the structure, including the conditions assumed in building it, together with a set of co-ordinates for the atoms, will be published elsewhere.

We are much indebted to Dr. Jerry Donohue for constant advice and criticism, especially on interatomic distances. We have also been stimulated by a knowledge of the general nature of the unpublished experimental results and ideas of Dr. M. H. F. Wilkins, Dr. R. E. Franklin and their co-workers at King's College, London. One of us (J. D. W.) has been aided by a fellowship from the National Foundation for Infantile Paralysis.

J. D. WATSON
F. H. C. CRICK

Medical Research Council Unit for the Study of the Molecular Structure of Biological Systems,
Cavendish Laboratory, Cambridge.
April 2.

[1] Pauling, L., and Corey, R. B., *Nature*, **171**, 346 (1953); *Proc. U.S. Nat. Acad. Sci.*, **39**, 84 (1953).
[2] Furberg, S., *Acta Chem. Scand.*, **6**, 634 (1952).
[3] Chargaff, E., for references see Zamenhof, S., Brawerman, G., and Chargaff, E., *Biochim. et Biophys. Acta*, **9**, 402 (1952).
[4] Wyatt, G. R., *J. Gen. Physiol.*, **36**, 201 (1952).
[5] Astbury, W. T., Symp. Soc. Exp. Biol. 1, Nucleic Acid, 66 (Camb. Univ. Press, 1947).
[6] Wilkins, M. H. F., and Randall, J. T., *Biochim. et Biophys. Acta*, **10**, 192 (1953).

Figure 30.1 • Intégralité du célèbre article de Watson et Crick. *(Watson, J.D., et Crick, F.H.C., 1953, Nature **171** : 737-738.)*

30.1 • La réplication de l'ADN est semi-conservative

On peut imaginer trois modèles de réplication de l'ADN compatibles avec la règle d'appariement des bases de Watson et Crick qui veut que la séquence nucléotidique d'un brin dicte la séquence des nucléotides dans l'autre. Ces trois modèles – conservatif, semi-conservatif et dispersif – sont représentés Figure 30.3. En 1958, Matthew Meselson et Franklin Stahl ont démontré expérimentalement la validité du **modèle semi-conservatif** de la réplication de l'ADN. Ils ont cultivé *Escherichia coli* pendant plusieurs générations dans un milieu contenant comme seule source d'azote $^{15}NH_4Cl$. Les atomes d'azote des bases puriques et pyrimidiques de l'ADN de ces cellules étaient donc majoritairement du ^{15}N, un isotope lourd et stable de l'azote. Ils ont ensuite dilué la concentration des atomes ^{15}N dans le milieu en ajoutant à la culture en croissance 10 fois plus de $^{14}NH_4Cl$; puis, à des intervalles de temps déterminés, ils ont prélevé une partie de la culture, récolté les bactéries et les ont lysées. Leur ADN a été analysé par ultracentrifugation dans un gradient de CsCl (voir Appendice, Chapitre 12). Cette technique permet de séparer des macromolécules dont la densité en solution diffère de moins de 0,01 g/ml.

L'ADN isolé des cellules cultivées sur $^{15}NH_4^+$ (temps « zéro » de l'expérience), forme dans la solution d'ultracentrifugation une bande centrée sur une zone dont la densité est de 1,724 g/ml, alors que l'ADN provenant de cellules cultivées pendant 4,1

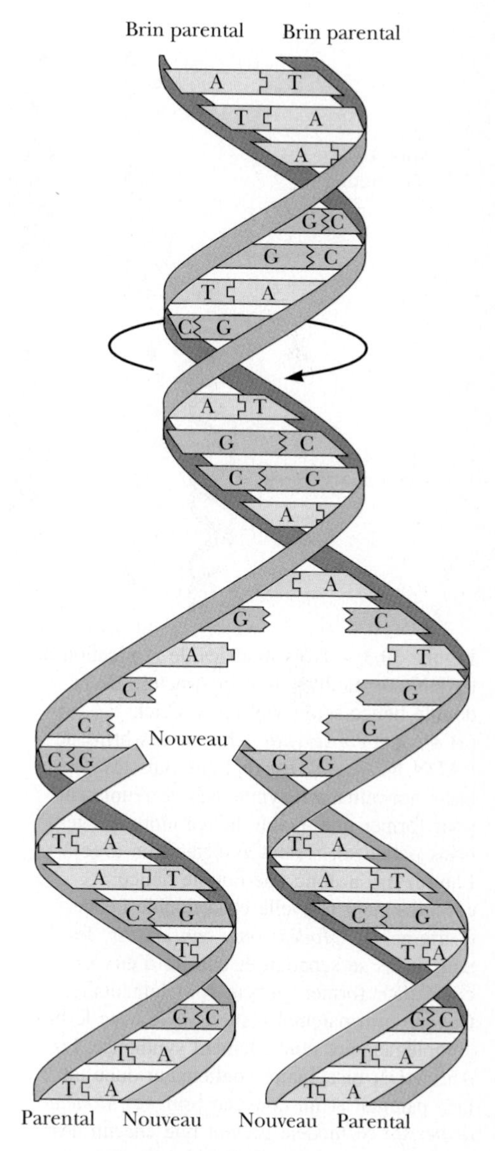

Figure 30.2 • Le déroulement des brins de l'ADN expose les bases qui sont alors disponibles pour la formation de liaisons hydrogène. L'appariement des bases fait que les nucléotides appropriés sont insérés en bonnes positions au cours de la synthèse des brins complémentaires. Par ce mécanisme, la séquence nucléotidique d'un brin impose la séquence du brin complémentaire. Les brins originaux se déroulent par une rotation autour de l'axe de la double hélice de l'ADN non encore répliqué.

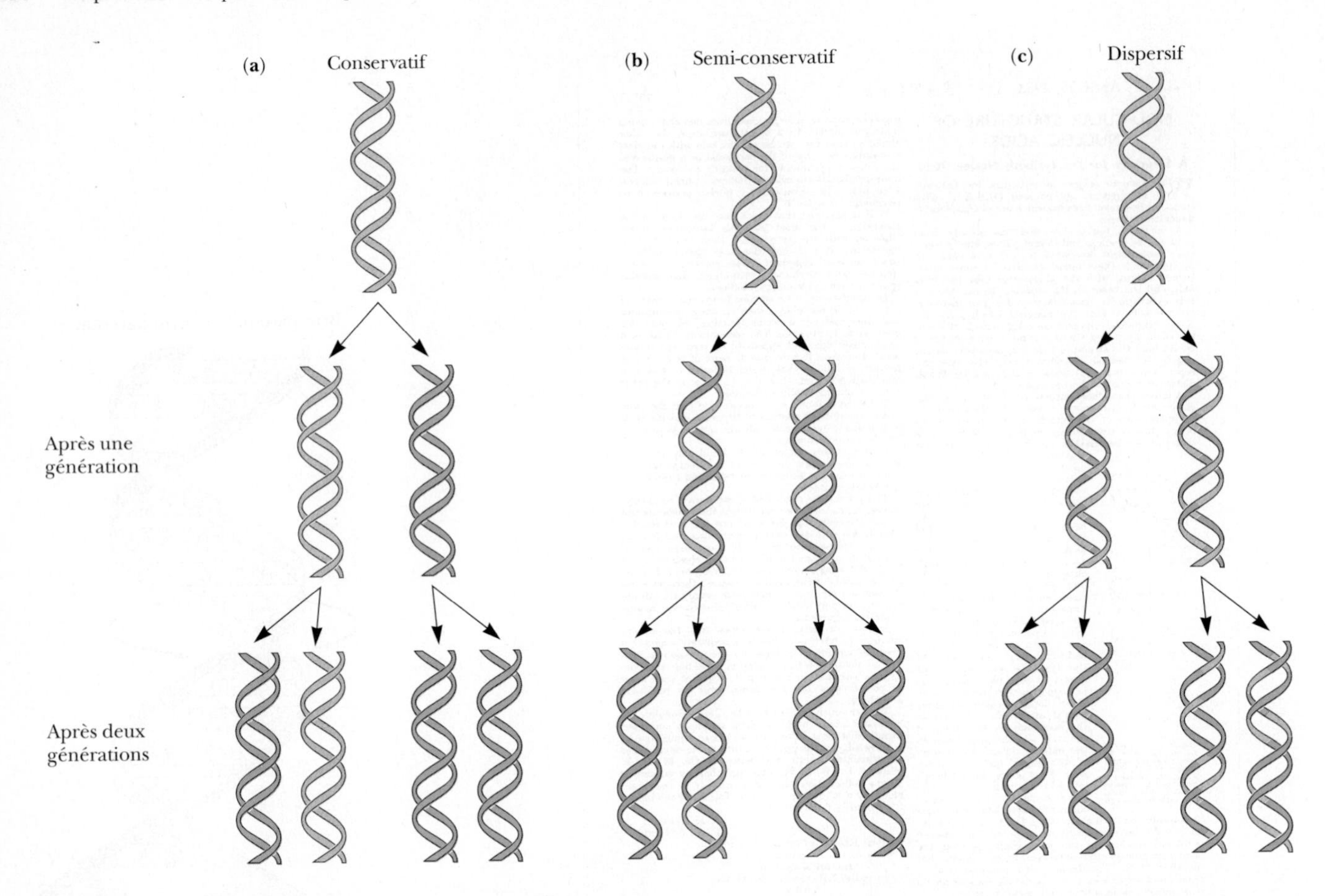

Figure 30.3 • Trois modèles de réplication de l'ADN compatibles avec la structure de la double hélice selon Watson et Crick. (a) *Modèle conservatif*: chacun des brins de l'ADN bicaténaire est répliqué puis les deux brins nouvellement synthétisés se réunissent pour former une double hélice alors que les brins parentaux restent associés l'un avec l'autre. Il y a donc une double hélice complètement nouvelle et la double hélice d'origine. (b) *Modèle semi-conservatif*: les deux brins se séparent et chacun d'eux est copié pour former un brin complémentaire. Chaque brin parental reste associé avec le brin complémentaire nouvellement synthétisé, les deux ADN bicaténaire contiennent donc un brin parental et un nouveau brin. (c) *Modèle dispersif*: ce modèle prévoit que chacun des quatre brins des deux ADN bicaténaires fils contient à la fois des segments nouveaux et des segments provenant des brins parentaux.

générations sur $^{14}NH_4^+$ forme une bande dans la zone de densité 1,710 g/ml (Figure 30.4). Ces bandes correspondent respectivement à « l'ADN lourd » et à l'ADN « léger ». L'ADN isolé de cellules cultivées une génération après l'addition de ^{14}N forme une seule bande, dans la zone de densité 1,717, à mi-chemin entre l'ADN lourd et l'ADN léger, ce qui signifie que chaque molécule d'ADN bicaténaire contient une même quantité d'ADN marqué par ^{15}N et par ^{14}N. Ce résultat est compatible avec le modèle de la réplication semi-conservative, mais pas avec celui de la réplication conservative. Après environ deux générations sur ^{14}N, l'ADN isolé des cellules forme dans le gradient essentiellement deux bandes de même apparence, une à la densité intermédiaire de 1,717 g/ml et l'autre à la densité de 1,710, correspondant à l'ADN « léger » ; ce résultat est également en accord avec une réplication semi-conservative.

Il restait encore la possibilité d'une réplication dispersive, qui aboutirait à la formation d'ADN dans lequel les deux brins des chromosomes seraient, après une génération dans le milieu dilué par ^{14}N, d'une densité intermédiaire. Meselson et Stahl ont écarté cette possibilité de la façon suivante : l'ADN isolé des cellules récoltées une génération après dilution par ^{14}N (cellules préalablement marquées par ^{15}N) est chauffé à 100°C pour dénaturer les duplex (cette opération sépare les deux brins de l'ADN). L'analyse de cet ADN dénaturé montre qu'il se forme, après ultracentrifugation dans un gradient de CsCl, deux bandes distinctes correspondant l'une au brin marqué par ^{15}N, l'autre au brin marqué par ^{14}N. Une réplication selon le modèle dispersif n'aurait donné qu'une bande de densité intermédiaire. Une particularité intéressante de l'ultracentrifugation dans un gradient de densité est que la largeur de la bande formée par une macromolécule est inversement proportionnelle à la racine carrée de la masse moléculaire de la macromolécule. Les largeurs des deux bandes observées avec l'ADN dénaturé par la chaleur correspondent à des masses moléculaires égales à la moitié de celle de l'ADN natif. Cette expérience a prouvé que la réplication de l'ADN s'effectue par un mécanisme semi-conservatif, et confirme en même temps que l'ADN est bien composé de deux chaînes polynucléotidiques de même taille.

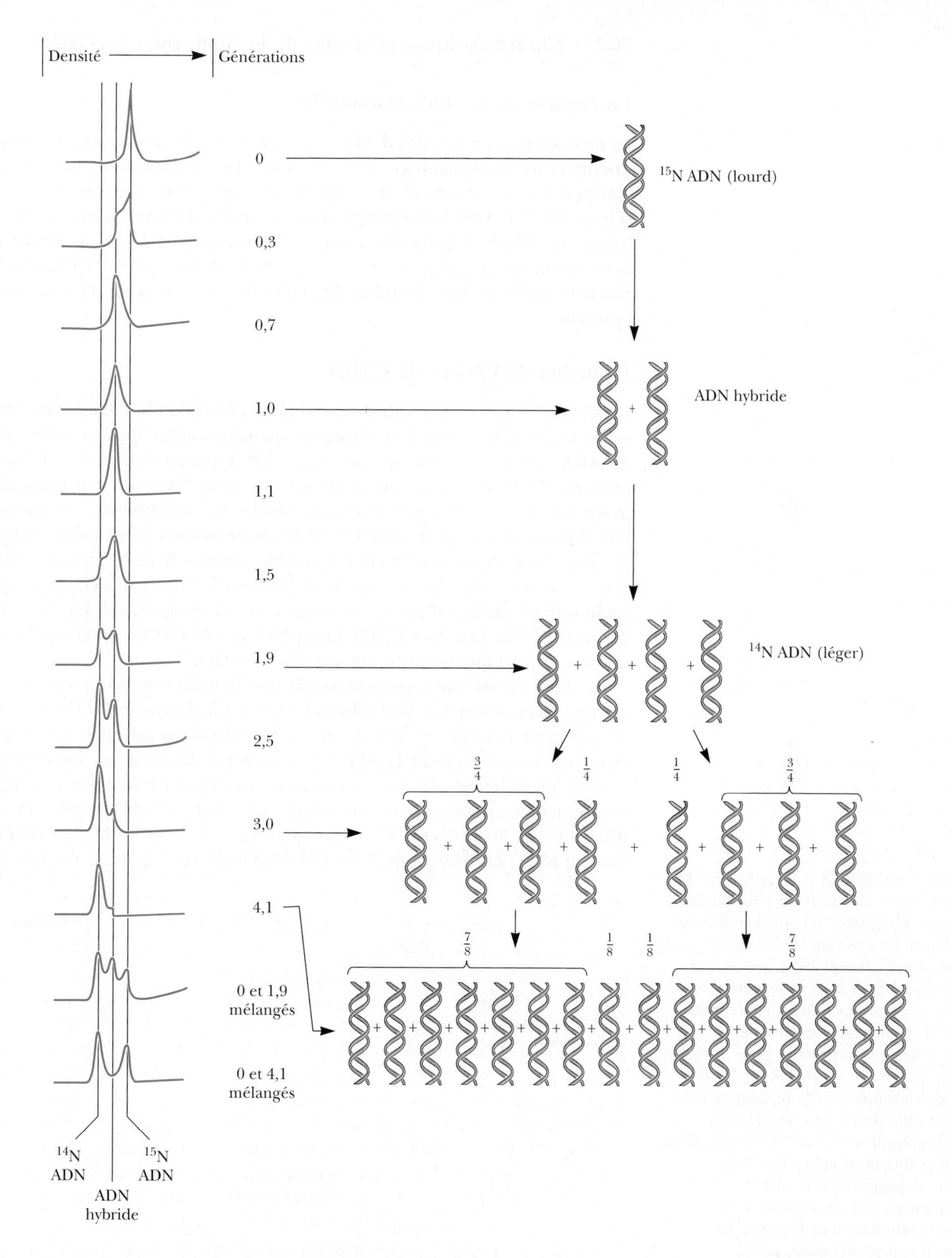

Figure 30.4 • Expérience de Meselson et Stahl démontrant que la réplication de l'ADN est de type semi-conservatif. À gauche tracés densitométriques effectués par spectrophotométrie UV après ultracentrifugation de l'ADN isolé provenant de cellules d'*E. coli* cultivé pendant des durées de temps différentes et dans des conditions normales après avoir été marqué par ^{15}N. Les photographies sont prises lorsque la migration de l'ADN dans le gradient de densité a atteint l'équilibre. Les densités sont plus élevées de la gauche vers la droite. Les pics révèlent la position des bandes formées par l'ADN en fonction de sa densité et de celle de la solution. Le nombre des générations de la culture d'*E. coli* (après 14 générations en présence de ^{15}N) est précisé à droite des tracés densitométriques. À droite de la figure, représentation schématique de la distribution attendue dans le cas d'une réplication semi-conservative. *(D'après Meselson, M., et Stahl, F.W., 1958. Proceedings of the National Academy of Sciences, USA* ***44****: 671-682.)*

30.2 • Caractéristiques générales de la réplication de l'ADN

La réplication est bidirectionnelle

La réplication des molécules d'ADN commence sur un ou plusieurs site(s) appelé(s) **origine(s) de la réplication** (traité Section 30.4), et, sauf pour la réplication du chromosome de certains phages et plasmides, progresse dans les deux directions (Figure 30.5). Par exemple, la réplication de l'ADN d'*E. coli* débute à *oriC*, un site unique de 245 pb. À partir de ce site, la réplication progresse dans les deux directions autour du chromosome circulaire. Cela veut dire que la réplication bidirectionnelle implique deux **fourches de réplication** qui avancent dans des directions opposées.

Détorsion de l'hélice de l'ADN

La réplication semi-conservative dépend de la détorsion (ou déroulement) des brins de la double hélice et de leur séparation qui exposent les matrices monocaténaires à l'ADN polymérase. Pour qu'une double hélice puisse se dérouler, il faut qu'elle ait la possibilité de tourner autour de son axe (avec l'une des extrémités des brins maintenue fixe) ou que des supertours positifs soient introduits, un supertour par tour d'hélice déroulé (Chapitre 12). Si le chromosome est circulaire, comme dans *E. coli*, seul le superenroulement est possible. Comme la réplication de l'ADN d'*E. coli* s'effectue à une vitesse proche de 1000 nucléotides par seconde, et qu'il y a environ 10 pb par tour d'hélice, le chromosome accumulerait 100 superenroulements par seconde ! En fait, dans l'ADN la supertorsion de l'hélice serait rapidement trop importante pour que les brins puissent être déroulés.

L'**ADN gyrase**, une topoisomérase de type II, intervient pour diminuer la tension créée par la détorsion (réaction utilisant l'énergie d'hydrolyse de l'ATP) ; elle introduit des superenroulements négatifs. La réaction de détorsion est catalysée par des **hélicases**, une classe de protéines ATP-dépendantes qui déroulent les doubles hélices de l'ADN. À la différence des topoisomérases qui modifient l'enlacement de l'ADN bicaténaire en introduisant une coupure dans une liaison phosphodiester puis en la réparant (Chapitre 12), les hélicases dissocient simplement les liaisons hydrogène qui maintiennent réunis les deux brins de l'ADN. Une molécule d'hélicase exige la présence

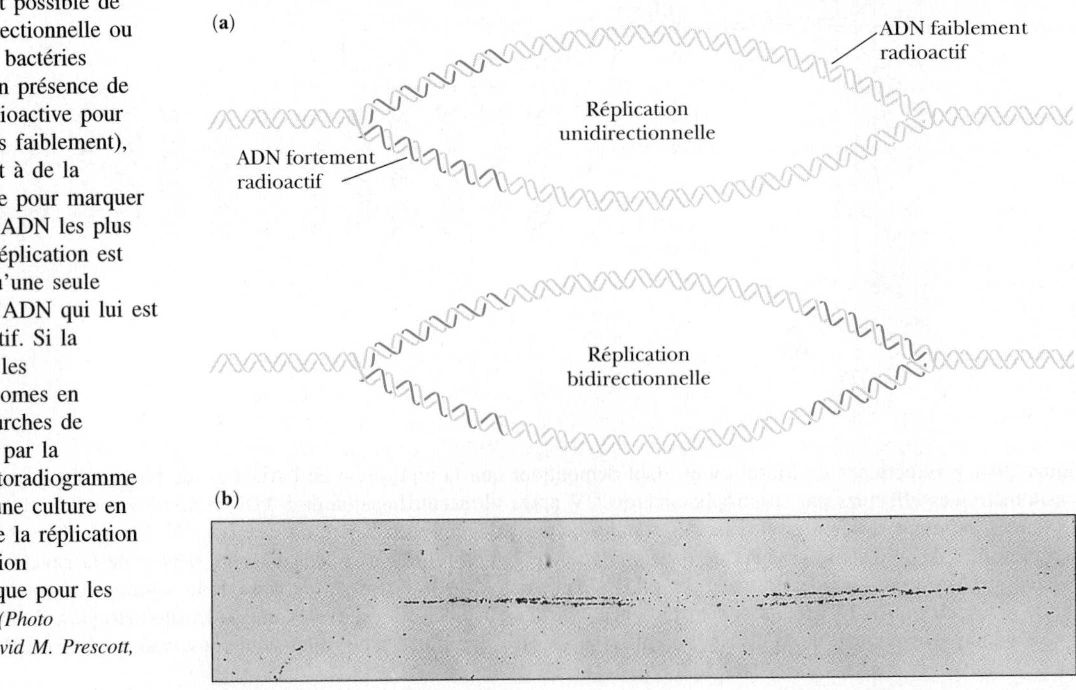

Figure 30.5 • Réplication bidirectionnelle du chromosome d'*E. coli*. (a) Il est possible de trancher entre réplication unidirectionnelle ou bidirectionnelle en cultivant les bactéries pendant plusieurs générations en présence de thymidine tritiée faiblement radioactive pour marquer les chromosomes (mais faiblement), puis en les exposant brièvement à de la thymidine tritiée très radioactive pour marquer plus fortement les régions de l'ADN les plus récemment synthétisées. Si la réplication est unidirectionnelle, il n'y aura qu'une seule fourche de réplication et seul l'ADN qui lui est adjacent sera fortement radioactif. Si la réplication est bidirectionnelle, les autoradiogrammes des chromosomes en réplication montreront deux fourches de réplication fortement marquées par la thymidine radioactive. (b) L'autoradiogramme d'un chromosome d'*E. coli* d'une culture en phase de croissance montre que la réplication est bidirectionnelle. La réplication unidirectionnelle ne s'observe que pour les phages et quelques plasmides. *(Photo aimablement communiquée par David M. Prescott, Université du Colorado.)*

d'une région monocaténaire pour se lier. Ensuite elle se déplace le long d'un brin d'ADN, cette translocation étant couplée à l'hydrolyse de l'ATP. La protéine liant l'ADN monocaténaire (protéine SSB, Chapitre 29), se fixe sur le brin déroulé et empêche sa réassociation. On connaît chez *E. coli*, au moins 10 hélicases différentes participant au métabolisme de l'ADN ou des ARN.

La réplication est semi-discontinue

L'examen des autoradiographies (Figure 30.5) montrent que les deux brins d'un chromosome sont simultanément répliqués par l'ADN polymérase au niveau de chaque fourche de réplication. Les ADN polymérases utilisent comme matrice l'ADN monocaténaire et synthétisent le brin complémentaire en polymérisant des désoxyribonucléotides dans l'ordre spécifié par leur appariement avec les bases de la matrice. Les ADN polymérases ne synthétisent l'ADN que dans la direction $5' \rightarrow 3'$, en lisant la matrice antiparallèle dans le sens $3' \rightarrow 5'$. Ce qui pose un problème : comment l'ADN polymérase peut-elle copier le brin parental qui, dans la fourche de réplication, se lit dans le sens $5' \rightarrow 3'$? En fait, les deux brins-fils sont synthétisés de façons différentes de sorte que la *réplication est semi-discontinue* (Figure 30.6). À mesure que l'hélice de l'ADN est déroulée au cours de la réplication, le brin $3' \rightarrow 5'$ (défini par la direction du déplacement de la fourche de réplication) est copié sans discontinuité par l'ADN polymérase qui progresse dans le sens $5' \rightarrow 3'$ derrière la fourche de réplication. L'autre brin parental n'est copié que

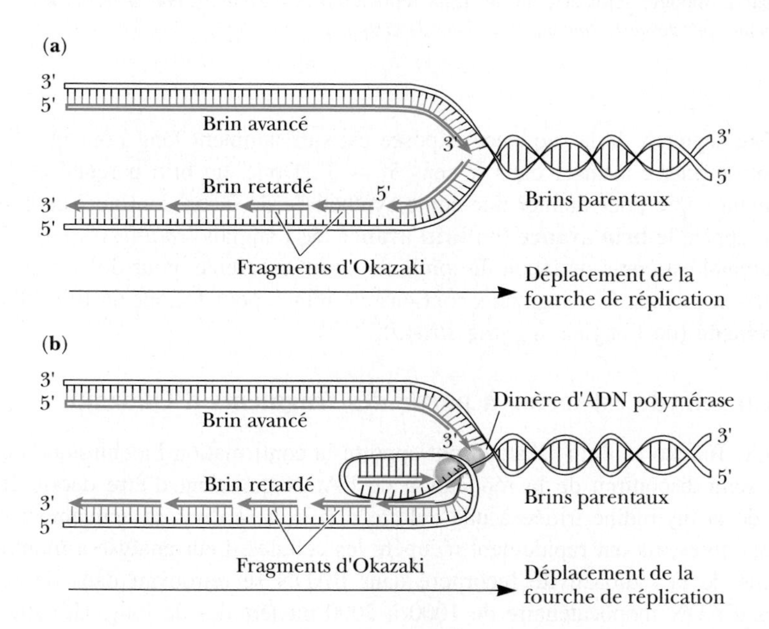

Figure 30.6 • Modèle de la réplication semi-discontinue de l'ADN. Les nouveaux brins d'ADN sont en rouge. Comme les ADN polymérases ne polymérisent les nucléotides que dans la direction $5' \rightarrow 3'$, les deux brins doivent être synthétisés dans la direction $5' \rightarrow 3'$. La copie du brin parental $3' \rightarrow 5'$ est donc synthétisée de façon continue ; ce nouveau brin est appelé **brin avancé**. (a) À mesure que l'hélice se déroule, l'autre brin parental (le brin dans la direction $5' \rightarrow 3'$) est copié de façon discontinue par synthèse d'une succession de fragments de 1000 à 2000 nucléotides appelés **fragments d'Okazaki** ; le brin qui sera formé à partir de ces fragments est appelé **brin retardé**. (b) Puisque les deux brins sont synthétisés de façon concertée par un dimère de la polymérase situé sur la fourche de réplication, le brin matrice parental $5' \rightarrow 3'$ doit s'enrouler en forme de *trombone* afin que l'ADN polymérase qui le réplique puisse progresser sur le brin dans la direction $3' \rightarrow 5'$. Ce brin est copié de façon discontinue car l'ADN polymérase doit régulièrement se dissocier de ce brin et le rejoindre un peu plus loin. Sous l'action de l'ADN ligase, les fragments d'Okazaki sont ultérieurement réunis en un brin continu par des liaisons covalentes.

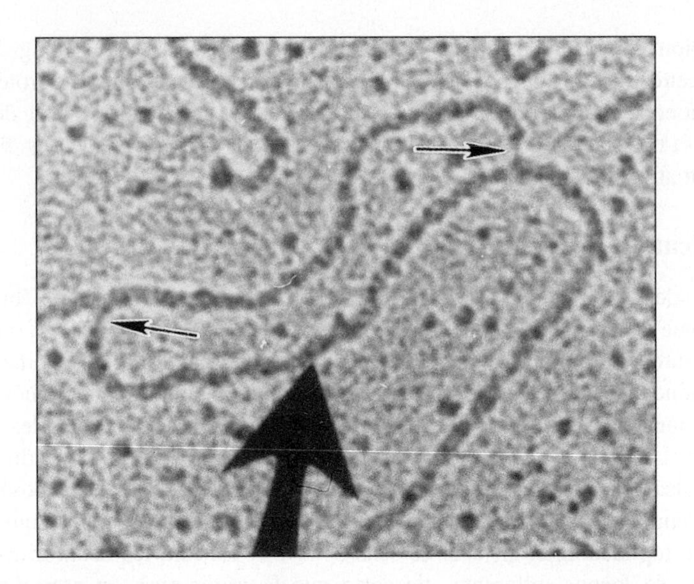

Figure 30.7 • Micrographie électronique de la réplication de l'ADN dans des cellules de l'ovaire du hamster chinois en culture (CHO). La grosse flèche indique une « bulle » de réplication. Remarquez les deux fourches de réplication qui définissent la bulle ; chacune des fourches de réplication est caractérisée par une région plus fine, monocaténaire, sur l'une de ses deux branches (régions indiquées par les petites flèches). Vous pouvez aussi remarquer que chaque région monocaténaire est en *trans* par rapport à l'autre, comme prévu par le modèle semi-discontinu de la réplication de l'ADN. *(Photo aimablement communiquée par Joyce L. Hamlin, Université de Virginie.)*

lorsqu'un segment de la séquence exposée est suffisamment long pour que l'ADN polymérase puisse avancer dans le sens 5′ → 3′. Donc, un brin parental est continuellement copié pour donner une copie synthétisée de façon continue, ce nouveau brin est appelé le **brin avancé** (ou **brin avancé**, de l'anglais *leading strand*) ; l'autre brin parental est copié de façon discontinue, ou intermittente, pour donner une série de courts segments. Ces segments sont ensuite réunis pour former un brin intact, le **brin retardé** (de l'anglais *lagging strand*).

Le brin retardé est formé à partir des fragments d'Okazaki

En 1968, Tuneko et Reiji Okazaki ont apporté la confirmation biochimique du processus semi-discontinu de la réplication de l'ADN qui vient d'être décrit. Ils ont ajouté de la thymidine tritiée à une culture d'*E. coli* se divisant activement et, 30 secondes après, ils ont rapidement récupéré les cellules. Leur analyse a montré que la moitié de la radioactivité incorporé dans l'ADN se retrouvait dans de courtes chaînes d'ADN monocaténaire de 1000 à 2000 nucléotides de long. (L'autre moitié de la radioactivité est incorporée dans de très grosses molécules d'ADN). Des expériences ultérieures effectuées par d'autres auteurs ont montré que, le temps passant, les fragments d'Okazaki étaient reliés de façon covalente et formaient des chaînes d'ADN beaucoup plus longues, en accord avec une réplication semi-discontinue de l'ADN. La généralisation de ce mode de réplication dans les cellules eucaryotes a été corroborée par l'examen au microscope électronique de cellules dont l'ADN était en cours de réplication (Figure 30.7).

30.3 • ADN polymérases – les enzymes de la réplication de l'ADN

Toutes les ADN polymérases découvertes a ce jour, qu'elles proviennent de procaryotes ou d'eucaryotes, présentent les caractéristiques suivantes : (a) La base entrante est sélectionnée dans le site actif de la polymérase par appariement de type Watson-Crick avec la matrice, (b) la chaîne croît uniquement dans la direction 5′ → 3′, elle est antiparallèle au brin matrice et (c) les ADN polymérases ne peuvent pas effectuer une synthèse *de novo* – elles exigent la présence d'un oligonucléotide amorce, avec une extrémité 3′-OH libre à partir de laquelle la chaîne peut s'allonger.

Les ADN polymérases chez *E. coli*

Le Tableau 30.1 présente les propriétés des diverses ADN polymérases identifiées chez *E. coli*. Ces enzymes sont numérotés I, II et III, dans l'ordre de leur découverte. Les ADN polymérase I et II interviennent principalement dans la réparation de l'ADN ; l'ADN polymérase III catalyse la réplication de l'ADN chez *E. coli*. Chaque cellule ne contient que 10 à 20 copies de ce dernier enzyme.

*L'ADN polymérase I d'*E. coli

En 1957, Arthur Kornberg et ses collègues ont découvert la première ADN polymérase, l'**ADN polymérase I**. L'ADN polymérase I catalyse la synthèse de l'ADN *in vitro* si le milieu contient les quatre 2′-désoxyribonucléosides-5′-triphosphates (dATP, dTTP, dCTP et dGTP), des ions Mg^{2+}, un brin ADN matrice à copier (le modèle) *et* une **amorce**. L'amorce est essentielle car les ADN polymérases ne peuvent qu'allonger des chaînes préexistantes ; ces enzymes ne peuvent pas joindre deux désoxyribonucléosides-5′-triphosphates pour former la première liaison phosphodiester. L'amorce s'apparie avec le brin ADN modèle (la matrice) et forme une courte région à double brin. L'extrémité 3′-OH de l'amorce doit être libre, c'est sur cette extrémité que se formera la liaison phosphodiester avec le nouveau désoxyribonucléoside monophosphate. Les quatre dNTP sont des substrats, il y a libération de pyrophosphate (PP_i) et le dNMP entrant est lié à l'extrémité 3′-OH de l'amorce par une liaison phosphodiester (Figure 30.8). Ce nouveau désoxyribonucléoside monophosphate est sélectionné par appariement du dNTP précurseur avec la première base libre de l'ADN matrice. À mesure que l'ADN polymérase catalyse l'addition des désoxynucléotides successifs, la chaîne s'allonge dans la direction 5′→3′, à la fois antiparallèle à la chaîne de la matrice et complémentaire de celle-ci. L'ADN polymérase I catalyse la formation d'une

Tableau 30.1

Propriétés des ADN polymérases d'*E. coli*

Propriétés	Pol I	Pol II	Pol III (cœur)*
Masse (kDa)	103	90	130, 27,5, 8,6
Molécules par cellule	400	?	40
Activité moléculaire†	600	30	1200
Gène de structure	*polA*	*polB*	*dnaE* (sous-unité α) *dnaQ* (sous-unité ϵ) *holE* (sous-unité θ)
Polymérisation 5′ → 3′	Oui	Oui	Oui
Exonucléase 3′ → 5′	Oui	Oui	Oui
Exonucléase 5′ → 3′	Oui	Non	Non

* Sous-unités α, ϵ, et θ.
† Nucléotides polymérisés à 37 °C par min et par molécule d'enzyme
Source : D'après Kornberg, A., et Baker, T.A., 19891. *DNA Replication*, 2nd ed. : New York : W.H. Freeman and Co. and Kelman, Z., et O'Donnell, M., 1995. DNA polymerase III holoenzyme : structure and function of a chromosomal replicating machine. *Annual Review of Biochemistry* **64** : 171-200.

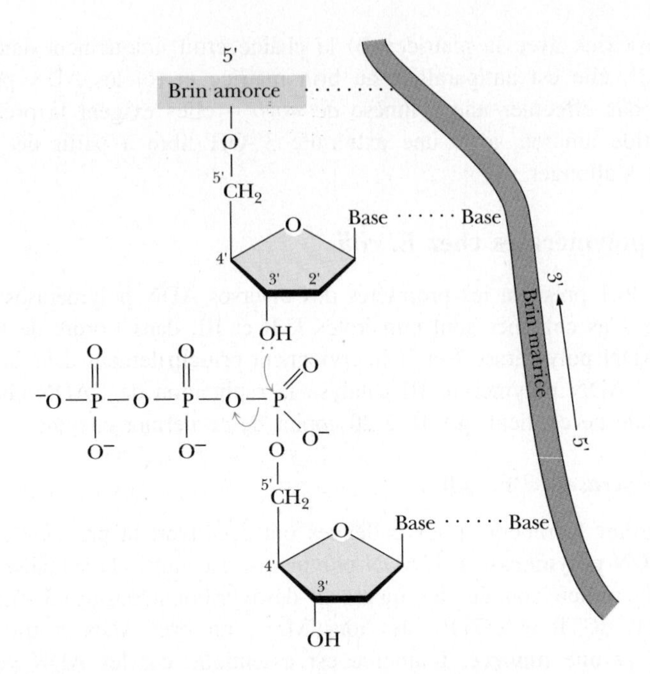

Figure 30.8 • Réaction d'élongation d'une chaîne par l'ADN polymérase. En présence des dNTP (les substrats), l'ADN polymérase I catalyse la formation d'une liaison entre une unité désoxynucléoside-5'-monophosphate et le 3'-OH de l'amorce. Une liaison phosphodiester se forme par suite de l'attaque nucléophile du groupe phosphoryle a du dNTP entrant par le groupe 3'-OH, et PP_i est libéré. L'hydrolyse du PP_i par une pyrophosphatase assure l'irréversibilité de la réaction d'élongation.

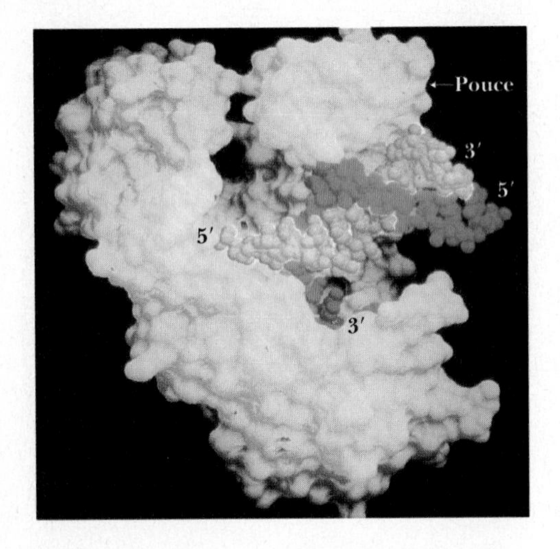

Figure 30.9 • Représentation de la surface accessible au solvant d'un fragment de Klenow lié à de l'ADN. Le brin « matrice » (12 nucléotides) est en bleu; le brin « amorce » est en rouge. La région en forme de « pouce » qui change de conformation lors de la fixation de l'ADN est indiquée par la flèche. Remarquez que la crevasse verticale est en continuité avec la crevasse horizontale occupée par l'ADN. Dans cette figure, l'extrémité 3' de l'amorce est à l'intérieur du site catalytique du domaine de l'activité 3'-exonucléase. Le site de la polymérase se trouve pratiquement juste au-dessus du site 3'-exonucléase, dans la crevasse verticale (voir Figure 30.10). *(D'après Beese, L.S., Derbyshire, V., et Steitz, T.A., 1993.* Science ***260*** *: 352-355. (Photo aimablement communiquée par Thomas A. Steitz de l'Université de Yale.)*

courte séquence complémentaire d'environ 20 bases, puis se dissocie de la matrice. La « **processivité** » d'une ADN polymérase est sa capacité à rester associée à la matrice pendant plusieurs cycles d'addition de désoxyribonucléotides. Comparée aux autres ADN polymérases, l'ADN polymérase I est peu processive. En 1959, Arthur Kornberg a reçu le prix Nobel de Médecine pour la découverte de cette ADN polymérase. L'ADN polymérase est la polymérase la mieux caractérisée, c'est la raison pour laquelle nous examinerons ses propriétés en premier.

L'ADN polymérase I d'*E. coli* a trois sites actifs distincts réunis sur une même chaîne polypeptidique

L'ADN polymérase I d'*E. coli* est une chaîne polypeptidique de 109 kDa, contenant 928 résidus. Outre son activité 5' → 3' polymérase, elle a deux autres fonctions catalytiques, une activité *3' → 5' exonucléase (3'-exonucléase)* et une activité *5' → 3' exonucléase (5'-exonucléase)*. Les trois activités catalytiques de l'enzyme sont réparties dans trois sites actifs distincts. Hans Klenow a montré que la chaîne polypeptidique pouvait être scindée en deux fragments par une digestion limitée en présence de subtilisine ou de trypsine. Le plus petit fragment (du résidu 1 au résidu 323) contient l'activité 5'-exonuclase ; le plus grand fragment (résidus 324 à 928, appelé **fragment de Klenow**) a l'activité polymérase et l'activité 3'-exonucléase. Thomas Steitz et ses collègues ont analysé la structure tridimensionnelle du fragment de Klenow par radiocristallographie (Figure 30.9). La fixation d'un ADN au fond d'une large crevasse provoque un changement de conformation dans une partie de la protéine qui est au contact direct avec un segment de l'ADN duplex. Cette partie flexible de la protéine forme comme un pouce au-dessus de la paume d'une main aux doigts repliés. Les sites actifs de la polymérase et de la 3'-exonucléase du fragment de Klenow sont au fond de la crevasse commune qui forme pratiquement un angle droit à l'intérieur de la protéine, mais ces sites catalytiques sont sur les bras différents de la pliure, très écartés l'un de l'autre, séparés par environ

3,5 nm. L'ADN pénètre dans la crevasse par l'extrémité la plus proche du site de l'activité 3′-exonucléase. Apparemment, l'extrémité 3′ de l'ADN amorce passe alternativement d'un site catalytique à l'autre – le site de l'activité polymérase et le site de l'activité 3′ → 5′ exonucléase – (Figure 30.10), la polymérisation et la correction (voir paragraphes suivants) peuvent donc s'effectuer sans que l'ADN se dissocie de la protéine.

L'ADN polymérase I d'*E. coli* a une fonction de relecture et une fonction de correction sur épreuve

Les activités des deux exonucléases de l'ADN polymérase I chez *E. coli* servent à relire la séquence (fonction de relecture) et à corriger les erreurs (fonction de correcteur d'épreuve), ce qui accroît la précision de la réplication de l'ADN. L'activité 3′-exonucléase élimine des nucléotides à partir de l'extrémité 3′ de la chaîne en croissance (Figure 30.11), une activité qui, en apparence, contrarie l'activité de la polymérase. En fait sa fonction consiste à éliminer les bases incorrectement appariées et incorporées. L'activité de la 3′-exonucléase est plus faible que celle de la polymérase, mais la polymérase ne peut pas catalyser l'élongation d'une amorce dont la dernière base incorporée n'est pas correctement appariée. La 3′-exonucléase a ainsi le temps d'exciser ce nucléotide incorrectement apparié. Donc le site actif de la polymérase a une fonction de relecture et l'activité 3′-exonucléase celle de correction sur épreuve. Cette vérification du bon appariement des bases lors de la réplication de l'ADN augmente la précision globale du processus et accroît la fidélité de la réplication.

L'activité 5′-exonucléase de l'ADN polymérase I s'exerce sur de l'ADN double brin (bicaténaire, ou encore duplex) ; elle dégrade l'ADN à partir de l'extrémité 5′ en libérant des mononucléotides et des oligonucléotides. Elle a pour fonction d'éliminer les segments d'ADN distordus (mal appariés) situés en avant de la polymérase qui allonge le brin en cours d'élongation. Son activité biologique provient de la capacité de l'ADN polymérase I à s'associer à un point de coupure d'un brin appartenant à de l'ADN double brin (ou à des hybrides ARN:ADN), puis à se déplacer dans la direction 5′ → 3′, en catalysant l'élimination successive des nucléotides. (Si le substrat est un ADN bicaténaire, les produits sont des désoxyribonucléotides, si le substrat est un hybride ARN:ADN les produits sont des ribonucléotides). Puis, dans une fonction de correction d'erreur, l'activité 5′ → 3′ polymérase comble l'espace formé par la 5′ → 3′ exonucléase, on dit que l'enzyme effectue **un transfert de coupure** le long de l'ADN (Figure 30.12). Dans cette fonction il n'y a pas de synthèse *nette* d'ADN, mais *in vivo* cette activité de l'ADN polymérase I permet d'éliminer des segments d'ADN endommagés, dans la mesure où une coupure avec une extrémité 3′-OH libre est présente. Cette excision est coordonnée avec l'activité 5′ → 3′ polymérase qui catalyse le remplacement des nucléotides éliminés et reconstitue dans l'ADN une séquence correcte.

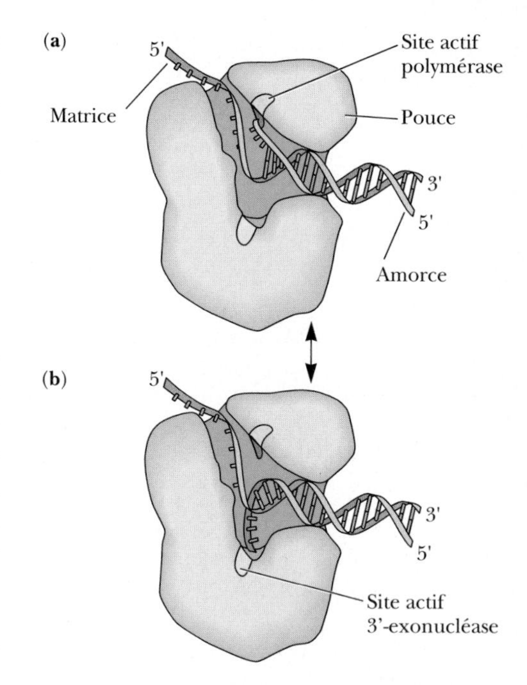

Figure 30.10 • Modèle représentant l'interaction d'un fragment de Klenow avec de l'ADN. (a) l'extrémité 3′ de l'amorce (chaîne en cours d'élongation) se trouve dans le site actif polymérase. (b) L'extrémité 3′ est à présent dans le site actif 3′-exonucléase. L'enzyme glisse le long de l'ADN pour déplacer l'extrémité 3′ de la chaîne en croissance d'un site actif à l'autre. C'est ainsi que la polymérisation et la fonction de correction 3′ → 5′-exonucléase peuvent avoir lieu, sans que l'ADN se dissocie du fragment de Klenow. *(D'après Beese, L.S., Derbyshire, V., et Steitz, T.A., 1993.* Science ***260****: 352-355.)*

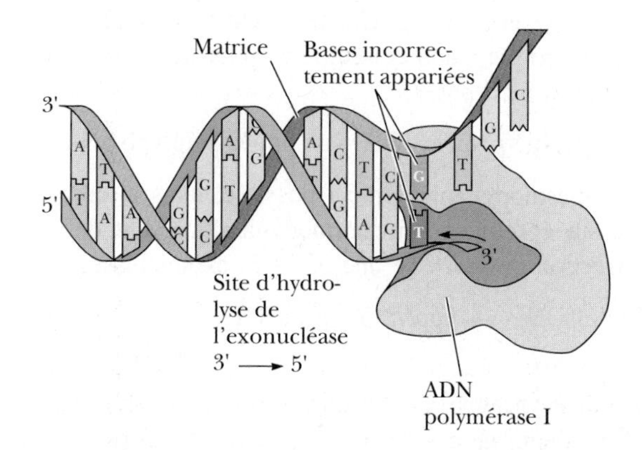

Figure 30.11 • L'activité 3′ → 5′ exonucléase de l'ADN polymérase I élimine les nucléotides à partir de l'extrémité 3′ de la chaîne d'ADN en cours d'élongation.

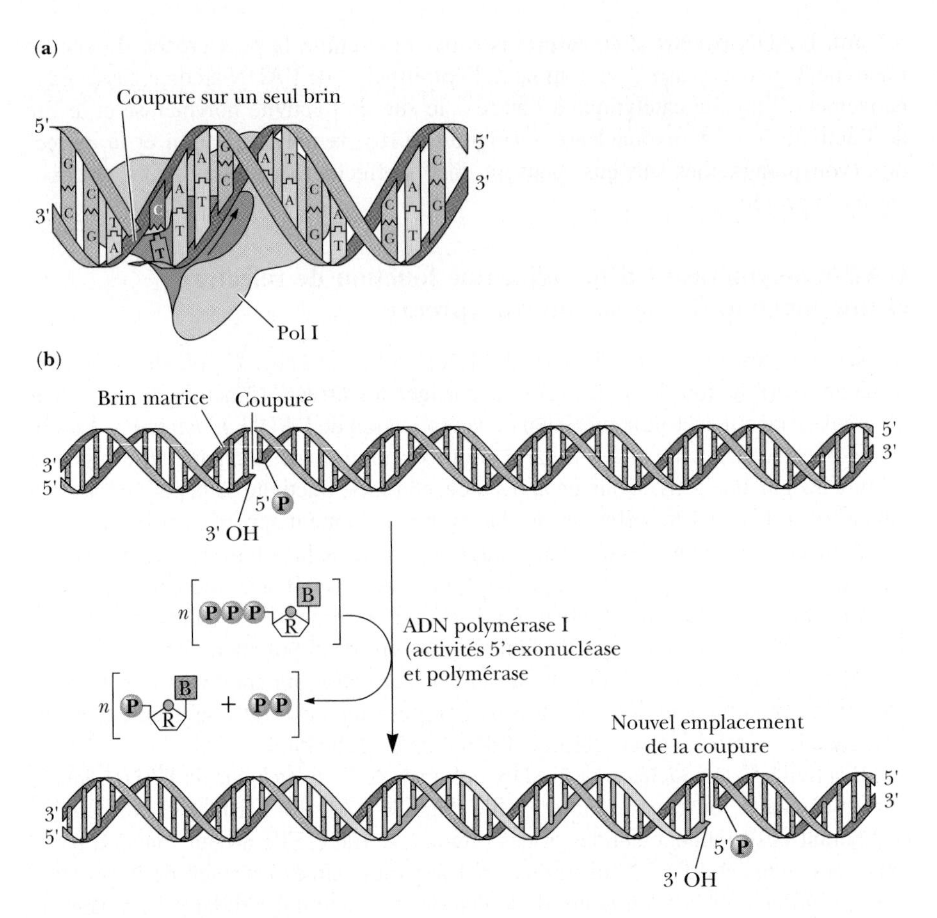

Figure 30.12 • (a) L'activité $5' \rightarrow 3'$-exonucléase de l'ADN polymérase I peut éliminer jusqu'à 10 nucléotides dans la direction 5', à partir d'un 3'-OH apparu après une coupure sur un seul brin. (b) Si l'activité $5' \rightarrow 3'$ polymérase comble ensuite l'espace vide, l'effet final est celui d'une translation de la coupure par l'ADN polymérase.

Les caractéristiques chimiques de la synthèse de l'ADN favorisent la réplication semi-discontinue

Des considérations purement chimiques suggèrent pourquoi l'élongation semi-discontinue de la chaîne dans la réplication de l'ADN et le mécanisme complexe de la synthèse du brin retardé sont apparus au cours de l'évolution. Remarquez que la synthèse $5' \rightarrow 3'$ utilise un intermédiaire activé, le désoxynucléoside-5'-triphosphate, et qu'elle forme une liaison phosphodiester en reliant son 5'-α-phosphate à un groupe 3'–OH, avec élimination de PP_i :

$$dN^{*}TP + pNpNpNpN\text{-}3'OH \longrightarrow PP_i + pNpNpNpNpN^{*}\text{-}3'OH$$

Le 3'–OH de ce nouveau désoxyribonucléotide devient l'accepteur du prochain nucléotide. L'autre possibilité, la liaison du désoxyribonucléoside triphosphate dans la direction $3' \rightarrow 5'$, exigerait que la chaîne en cours d'élongation possède une liaison anhydride phosphorique à son extrémité 5' pour activer la condensation avec le 3'–OH du nucléotide à incorporer :

$$dN^{*}TP + pppNpNpNpN\text{-}3'OH \longrightarrow pppN^{*}pNpNpNpN\text{-}3'OH + PP_i$$

Ce mécanisme est thermodynamiquement possible, mais la correction d'une erreur lors de la lecture sur épreuve serait thermodynamiquement défavorable : l'enzyme permettant la correction devrait être une $5' \rightarrow 3'$ exonucléase

$$pppN^{*}pNpNpNpN\text{-}3'OH \longrightarrow pppN^{*}\text{-}3'\ (p\ ou\ OH) + (OH\ ou\ p)NpNpNpN\text{-}3'OH$$

Son action laisserait un groupe 5'–OH ou un groupe 5'-phosphate à l'extrémité en cours d'élongation ; aucun de ces deux groupes ne peut former de liaison phosphodiester sans une activation chimique préalable. Sans activation, l'extension de la chaîne cesserait.

*L'ADN polymérase III d'*E. coli

Sous sa forme holoenzyme, l'ADN polymérase III est l'enzyme qui catalyse la réplication du chromosome chez *E. coli*.

Noyau minimum de l'ADN polymérase III

Le complexe le plus simple de l'ADN polymérase III ayant une activité polymérase *in vitro* est constitué de trois chaînes polypeptidiques différentes : α (130 kDa), ϵ (27,5 kDa) et θ (10 kDa). Ce complexe de 165 kDa, ou *« noyau minimum » de l'ADN polymérase III* se lie à de courtes régions monocaténaires (< 100 nucléotides) résultant de l'action d'une nucléase sur un ADN bicaténaire, et son action reconstitue la structure duplex. L'enzyme ne peut pas amorcer la synthèse en présence d'un ADN duplex intact. La sous-unité α est responsable de l'activité polymérase. La sous-unité ϵ catalyse l'activité $3' \rightarrow 5'$ exonucléase et contribue à la fonction de correction sur épreuve du complexe minimum. Le rôle de la sous-unité θ n'est pas connu.

L'holoenzyme de l'ADN polymérase III

In vivo, le noyau minimum (le « cœur ») de l'ADN polymérase III ne représente qu'une partie de **l'holoenzyme**, un gros complexe constitué d'au moins 10 sous-unités différentes (Tableau 30.2). Les diverses sous-unités auxiliaires accroissent à la fois l'activité polymérase du noyau minimum et sa processivité. L'holoenzyme synthétise un brin d'ADN à la vitesse d'environ 1 kb par seconde. L'organisation de la structure de l'holoenzyme peut se décrire de la façon suivante : deux noyaux minimum ($\alpha\epsilon\theta$) et un complexe γ sont réunis par un dimère de sous-unités τ en une structure appelée l'**ADN polymérase III*** (ou ADN pol III). Puis chaque noyau minimum de l'ADN polymérase III lie un dimère de sous-unités β ce qui achève la création de l'**holoenzyme ADN polymérase III** (qui peut être considéré comme un dimère de l'ADN polymérase III de réplication). Le complexe γ, formé de 5 protéines (γ, δ, δ', χ et ψ), intervient dans la fixation de l'holoenzyme sur l'ADN. Il catalyse le transfert, ATP dépendant, d'une paire de sous-unités β sur chacun des brins de l'ADN matriciel. Ces sous-unités β forment un cercle fermé autour de la matrice, agissant comme une *bride mobile* qui peut glisser le long de l'ADN (Figure 30.13). La bride mobile, β_2, maintient le noyau minimum de la polymérase sur la matrice, ce qui explique la grande processivité de l'holoenzyme. Ce complexe peut répliquer la totalité d'un brin du génome d'*E. coli* (plus de 4,6 mégabases) sans se dissocier ; à comparer avec la processivité de l'ADN polymérase I qui n'est que de 20 !

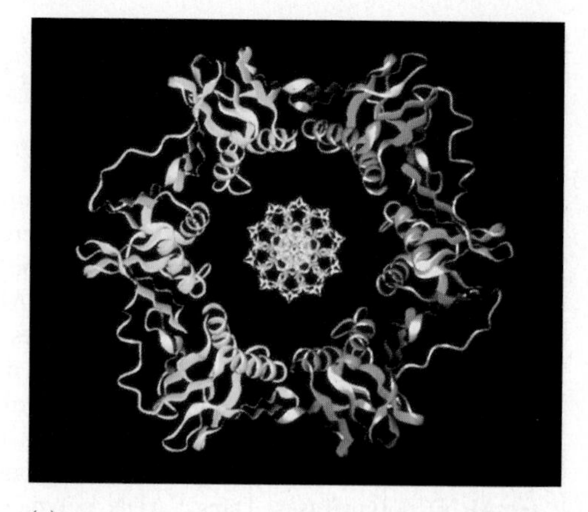

(a)

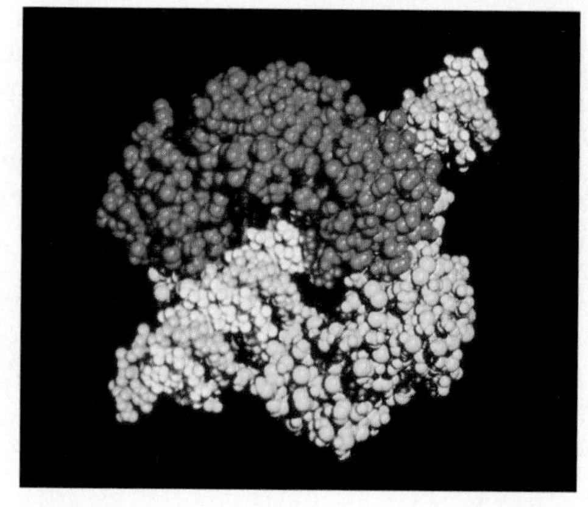

(b)

Figure 30.13 • (a) Représentation schématique du dimère formé par les sous-unités β de l'holoenzyme polymérase III sur l'ADN-B, vu dans l'axe de la double hélice. Un des protomères β est en rouge, l'autre en jaune. L'ADN, au centre, est en bleu. (b) Modèle compact du dimère représenté en (a), le code des couleurs est le même mais l'un des brins de l'ADN est blanc et l'autre bleu. Le trou formé par les sous-unités β (diamètre d'environ 3,5 nm) est assez grand pour recevoir facilement l'ADN-B ou l'ADN-A (diamètre d'environ 2,5 nm) sans provoquer de répulsion stérique. Le reste de l'holoenzyme (« cœur » de la polymérase III + complexe γ) s'associe à cette bride mobile pour donner la forme réplicative de la polymérase (non représenté. *(D'après Kong, X..-P., et al., 1992.* Cell ***69** : 425-437 ; photos aimablement communiquées par John Kuriyan de l'Université Rockefeller.)*

Tableau 30.2

Sous-unités de l'ADN polymérase III d'*E. coli* présentes dans l'holoenzyme

Sous-unité	Masse (kDa)	Gène de structure	Fonction
α	130	*polC (dnaE)*	Polymérase
ϵ	27,5	*dnaQ*	3'-exonucléase
θ	8,6	*holE*	Assemblage de α et ϵ?
τ	71	*dnaX*	Assemblage de l'holoenzyme sur l'ADN
β	41	*dnaN*	Bride mobile, processivité
γ	47,5	*dnaX(Z)*	Partie du complexe γ*
δ	39	*holA*	Partie du complexe γ*
δ'	37	*holB*	Partie du complexe γ*
χ	17	*holC*	Partie du complexe γ*
ψ	15	*holD*	Partie du complexe γ*

* Les sous-unités γ, δ, δ', χ et ψ constituent ce qui est appelé le complexe γ; ce complexe γ permet la liaison des sous-unités β (la bride mobile) sur l'ADN.

Pour en savoir plus

Un mécanisme réactionnel commun à toutes les polymérases

Thomas A. Steitz de l'Université Yale a proposé pour la biosynthèse des acides nucléiques un mécanisme enzymatique qui serait commun à toutes les polymérases. Son hypothèse est fondée sur des études structurales qui indiquent que les ADN polymérases utilisent un mécanisme à deux ions métalliques pour catalyser l'addition d'un nucléotide lors de l'élongation d'une chaîne d'ADN (figure). Deux ions Mg^{2+} sont liés par coordination aux groupes phosphate du nucléotide entrant, et ces deux ions sont en interaction avec deux résidus aspartate hautement conservés dans les ADN (et ARN) polymérases. Dans l'ADN polymérase du phage T7, il s'agit des résidus D705 et D882. Un des ions métalliques, représenté par A, est en interaction avec l'atome O du groupe 3′-OH libre de la chaîne du polynucléotide, ce qui diminue l'affinité de O pour son H. Cette interaction favorise l'attaque nucléophile du 3′-O sur l'atome de phosphore de l'α-phosphate du nucléotide entrant. Le second ion métallique (B dans la figure) facilite le départ du produit de la réaction, le groupe pyrophosphate du nucléotide entrant. Les deux ions métalliques participent à la stabilisation de l'état de transition.

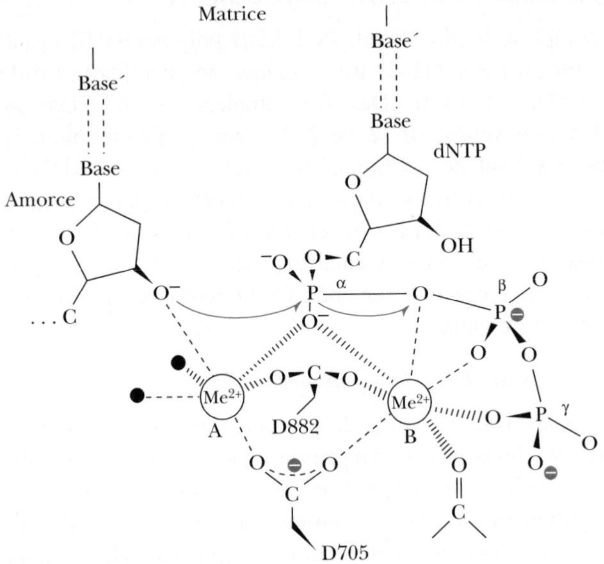

D'après Steitz, T., 1998. A mechanism for all polymerases. Nature ***391*** *: 231-232. (Voir aussi Doublié, et al.,* Nature ***391*** *: 251-258 et Kiefer, et al.,* Nature ***391*** *: 304-307.)*

L'ADN ligase

L'ADN ligase (voir Chapitre 13) relie par une liaison phosphodiester des fragments d'ADN bicaténaire lorsque des extrémités 3′-OH et 5′-phosphate sont proches l'une de l'autre. Le rôle de cet enzyme est essentiel dans la jonction des fragments d'Okazaki qui sont ainsi assemblés en une chaîne polynucléotidique continue. L'ADN ligase des eucaryotes et du phage T4 utilisent l'ATP comme source d'énergie, celle d'*E. coli* exige NAD^+. Au cours de la réaction catalysée par les deux types d'ADN ligase le groupe ϵ-NH_2 d'un résidu lysine de l'enzyme est transitoirement adénylylé (Figure 30.14) ; ensuite, l'adénylylation du groupe 5′-phosphate libre d'un fragment d'ADN active ce groupe phosphate et permet la formation d'une liaison phosphodiester avec le 3′-OH libre voisin. La liaison covalente établit la continuité du squelette constitué par les oses phosphates de l'ADN.

Caractéristiques générales d'une fourche de réplication

Nous pouvons à présent présenter une vue globale de l'ensemble enzymatique réuni sur la fourche de réplication (Figure 30.15 et Tableau 30.3). L'ADN gyrase (une topoisomérase) et l'hélicase déroulent la double hélice de l'ADN et les régions monocaténaires déroulées sont stabilisées par des interactions avec des protéines SSB. La primase synthétise les ARN amorces sur le brin retardé ; le brin avancé, synthétisé de façon continue, ne nécessite qu'une seule amorce, celle qui a été synthétisée lors de l'amorçage de la fourche de réplication. La matrice du brin retardé forme une boucle et l'ADN polymérase de la réplication se déplace sur chacun des brins parentaux dans le sens 5′ → 3′ synthétisant de nouvelles chaînes d'ADN, copies respectives des filaments d'ADN matrice. Pendant la réplication, chaque polymérase de réplication est maintenue sur sa matrice par la bride mobile formée par les sous-unités β. Le complexe γ de l'ADN polymérase III desserre et resserre périodiquement cette bride autour du

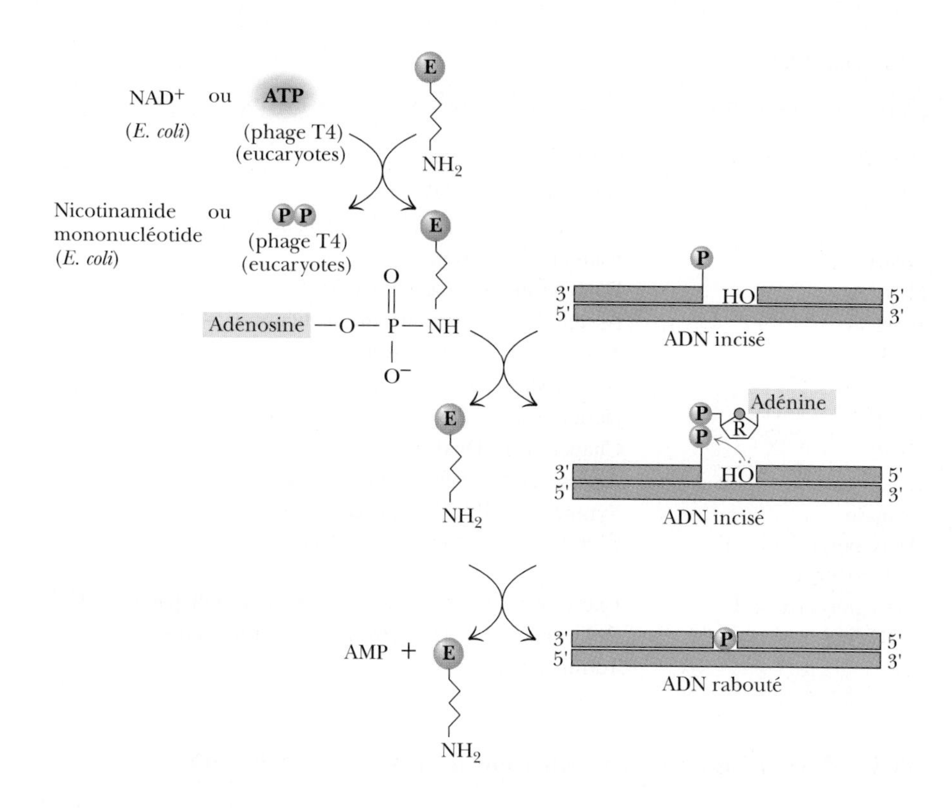

Figure 30.14 • Mécanisme de la réaction catalysée par les ligases. La cinétique de ce mécanisme est de type ping-pong, aussi bien pour la ligase d'*E. coli* que pour celle du phage T4 ; il se forme un intermédiaire covalent de l'enzyme (E′) dans lequel le groupe ϵ-NH_2 d'un résidu Lys de l'enzyme est adénylylé. Les deux enzymes sont différents en ce que NAD^+ est le donneur d'AMP pour la ligase d'*E. coli* tandis que l'ATP a ce rôle pour celle du phage T4 et des eucaryotes.

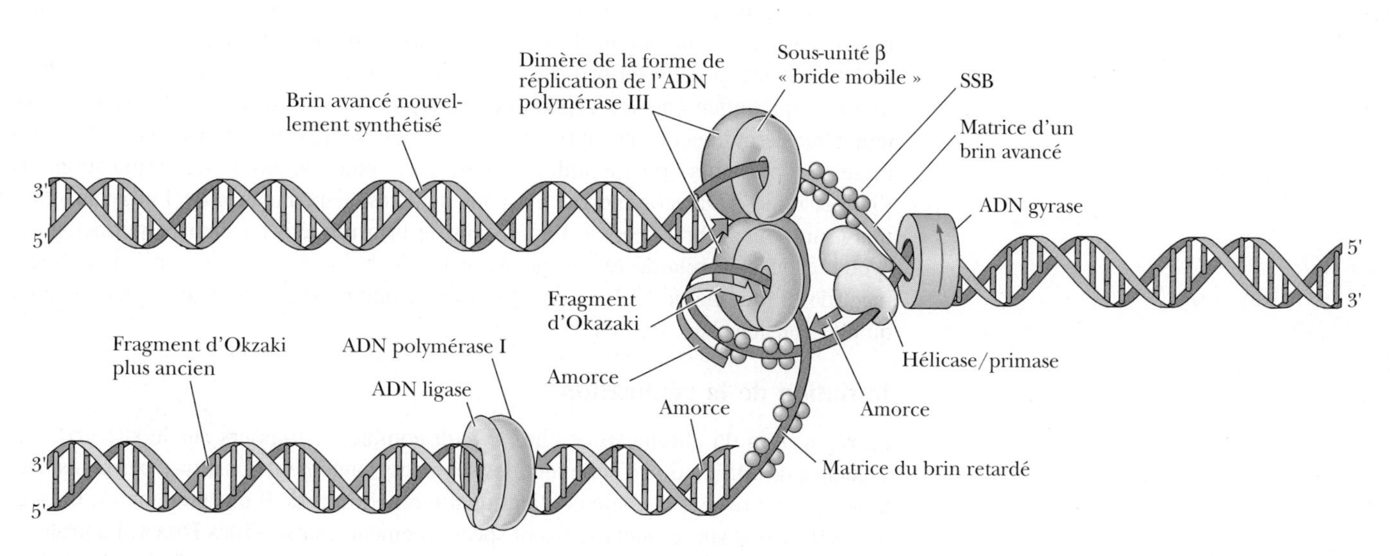

Figure 30.15 • Caractéristiques générales d'une fourche de réplication. L'ADN bicaténaire est déroulé par l'action de l'ADN gyrase et de l'hélicase, les régions monocaténaires sont recouvertes par des protéines SSB. La primase amorce périodiquement les synthèses sur le brin retardé. Chaque moitié de la polymérase de réplication est un holoenzyme lié à son brin matrice par une bride mobile constituée par les sous-unités β. Derrière la fourche de réplication, l'ADN polymérase I agit sur le brin retardé pour éliminer l'ARN des amorces et le remplacer par de l'ADN, puis l'ADN ligase relie les fragments d'Okazaki.

brin retardé à chaque fois qu'elle rencontre l'amorce d'un nouveau fragment d'Okazaki. En arrière, sur le brin retardé, l'ADN polymérase I excise l'ARN amorce et cette remplace cette amorce par de l'ADN, puis l'ADN ligase relie les fragments d'ADN par un pont phosphodiester.

Tableau 30.3

Protéines impliquées dans la réplication de l'ADN chez *E. coli*

Protéine	Fonction
ADN gyrase	Détorsion de l'ADN
SSB	Protéine se liant à l'ADN monocaténaire
DnaA	Facteur d'initiation
HU	De type histone (se lie à l'ADN)
PriA	Assemblage du primosome, hélicase $3' \rightarrow 5'$
PriB	Assemblage du primosome
PriC	Assemblage du primosome
DnaB	Hélicase $5' \rightarrow 3'$ (détorsion de l'ADN)
DnaC	Chaperon de DnaB
DnaT	Assiste DnaC dans le transfert de DnaB
Primase	Synthèse de l'ARN amorce
ADN polymérase III (holoenzyme)	Élongation (synthèse de l'ADN)
ADN polymérase I	Excision de l'ARN amorce, remplacement par de l'ADN
ADN ligase	Relie par une liaison covalente les fragments d'Okazaki
Tus	Terminaison

30.4 • Mécanisme de la réplication de l'ADN chez *E. coli*

La réplication *in vivo* du chromosome d'*E. coli* commence au niveau d'un unique site de réplication, elle est bidirectionnelle et se poursuit, jusqu'à ce que les fourches de réplication se rencontrent. Dans chacune des fourches de réplication, la synthèse du brin avancé et celle du brin retardé sont catalysées par une structure de réplication multiprotéique appelée **réplisome**. Le réplisome est constitué des diverses protéines de déroulement : un agrégat de protéines (le **primosome**) contenant la primase et plusieurs polypeptides nécessaires pour amorcer la réplication, et l'holoenzyme ADN polymérase III contenant les deux noyaux de l'enzyme minimum, un pour le brin avancé, l'autre pour le brin retardé. La matrice permettant la synthèse du brin retardé (celle qui est orientée $5' \rightarrow 3'$, dans le sens du déplacement de la fourche de réplication) doit former une boucle autour du réplisome pour qu'elle soit lue dans le sens $3' \rightarrow 5'$.

Initiation de la réplication

La réplication du chromosome chez *E. coli* commence toujours sur le site *oriC*. La séquence de 245 pb d'*oriC* contient des segments hautement conservés parmi les bactéries à gram négatif. Le site contient quatre répétitions de 9 pb (nonamères, ou segments 9-mères) sur lesquels se fixent spécifiquement les **protéines DnaA.** La protéine DnaA est le *facteur d'initiation* de la réplication de l'ADN. (Figure 30.16). Cette protéine de 52 kDa, se lie à *oriC* de façon coopérative ; lorsqu'une protéine DnaA se fixe sur l'un des quatre segments 9-mères, 20 à 40 autres molécules de la protéine DnaA se lient et recouvrent toute la région *oriC*. Le processus d'assemblage est facilité par la présence d'une protéine de type histone, ***HU*** (Chapitre 12) qui prévient la formation de sites d'initiation non spécifiques ailleurs que sur *oriC*. Le complexe final ressemble à un nucléosome, avec l'ADN d'*oriC* formant un superenroulement négatif autour d'un cœur constitué de protéines DnaA. Les protéines DnaA favorisent alors la détorsion des brins de l'ADN bicaténaire par interaction avec trois segments répétés riches en paires AT (séquence consensus 5′-GATCTNTNTTNTT, dans laquelle N représente toute base), segments situés au voisinage de l'extrémité 5′ de la séquence *oriC*. La formation par la protéine DnaA de ce « complexe ouvert » de 45 pb exige de l'ATP (le complexe est dit ouvert en raison de l'écartement localisé des brins de la double hélice). Puis la **protéine DnaB** (un hexamère de sous-unités de 50 kDa) peut se lier à la forme

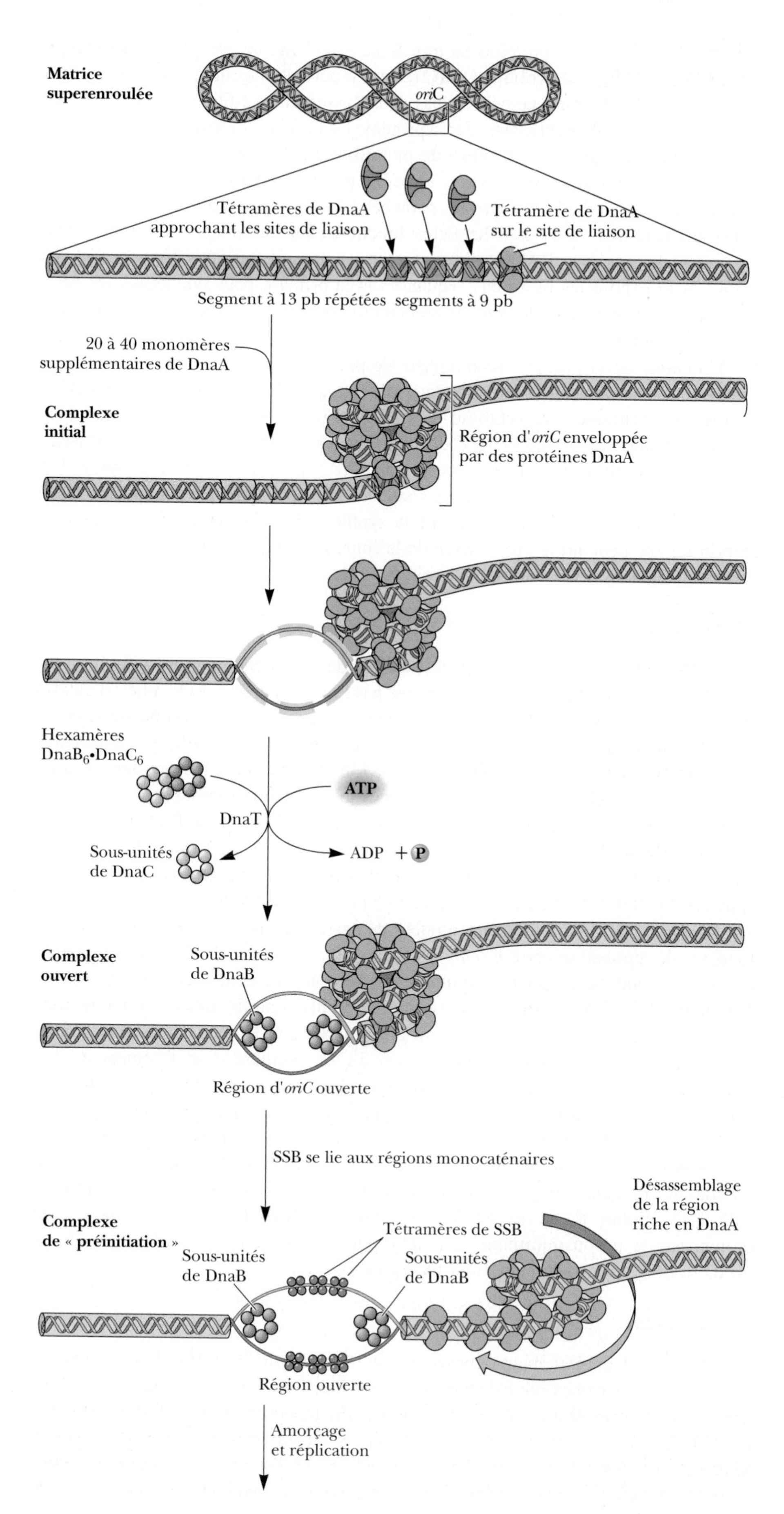

Figure 30.16 • Suite probable des événements chez *E. coli* lors de l'initiation de la réplication sur *oriC*. Des tétramères de DnaA se lient à chacun des quatre segments répétés de 9 pb dans *oriC*, puis d'autres molécules de DnaA se fixent pour former une structure semblable à un nucléosome, l'ADN se trouvant à l'extérieur. « Fusion » des trois régions de 13 pb, riches en paires AT, pour donner un complexe ouvert dans lequel entre la protéine DnaB apportée par le complexe DnaB:DnaC. L'activité hélicase de DnaB détord l'ADN bicaténaire et déplace la protéine DnaA. Des protéines SSB se lient aux brins monocaténaires dès qu'ils apparaissent, ce qui évite leur réassociation.

« ouverte » d'*oriC*. Cette protéine est transférée à *oriC* par un complexe hexamérique $(DnaB{:}DnaC{:}ATP)_6$. La **protéine DnaC** (29 kDa) permet la formation du complexe et le transfert de DnaB, mais ne pénètre pas dans l'assemblage édifié sur *oriC*. Le transfert de DnaB est également assisté par la protéine DnaT. L'addition de la protéine DnaB complète l'assemblage du **complexe de préinitiation**. L'hydrolyse de l'ATP fournit l'énergie nécessaire à ce processus (Figure 30.16). La protéine DnaB a une activité hélicase et, assistée de l'ADN gyrase, parachève au sein du complexe de préinitiation le déroulement de l'ADN dans les deux directions. Des tétramères de protéine SSB recouvrent les régions d'ADN monocaténaires à mesure qu'elles apparaissent. Le déroulement expose les bases des séquences et la primase peut synthétiser les ARN amorces ; les brins séparés deviennent alors les matrices qui sont reconnues par la polymérase de réplication.

L'addition de la primase au complexe de préinitiation complète la formation du primosome, une superstructure protéique d'environ 700 kDa qui synthétise l'ARN amorce indispensable à la synthèse de l'ADN (Figure 30.17a-e). Il est intéressant de constater que les segments répétés riches en paires AT proches de *oriC* ressemblent aux séquences qui sont reconnues par l'ARN polymérase (voir Chapitre 31). Notez qu'il se forme *deux* primosomes sur *oriC*, un pour chaque fourche de réplication. Lorsqu'un primosome a amorcé la synthèse du brin avancé, il reste associé au brin retardé pendant le progression de la fourche de réplication et amorce la synthèse de fragment d'Okazaki quand cela est nécessaire.

Élongation

La double hélice doit être désenroulée en avant de la fourche de réplication qui progresse. La détorsion utilise l'énergie libérée par l'hydrolyse de l'ATP ; elle est catalysée par la protéine DnaB qui possède l'activité hélicase associée au primosome. DnaB se déplace dans la direction $5' \rightarrow 3'$ de la matrice du brin avancé, hydrolysant à chaque fois 2 ATP pour séparer une paire de bases. L'interaction protéine-protéine entre la sous-unité τ de l'ADN polymérase III et DnaB joue un rôle essentiel pour la progression rapide de la fourche de réplication. Comme DnaB, la protéine PriA est une hélicase associée au primosome, mais elle se déplace dans le sens $3' \rightarrow 5'$ le long de la matrice du brin retardé. La fixation de protéines SSB sur les régions monocaténaires apparaissant derrière DnaB et PriA prévient leur réassociation.

La Figure 30.18 présente un modèle de la réplication de l'ADN sur une des fourches de réplication chez *E. coli*. Deux noyaux minimum de l'ADN polymérase III sont présents. L'un pour la synthèse du brin avancé utilise comme matrice le brin parental $3' \rightarrow 5'$. L'autre pour la synthèse du brin retardé utilise comme matrice le brin parental $5' \rightarrow 3'$. La matrice du brin retardé doit former une boucle afin de pouvoir être copiée dans la direction $3' \rightarrow 5'$. La synthèse d'un fragment d'Okazaki, amorcée par un ARN, est terminée quand le noyau minimum pol III lié à la matrice du brin retardé rencontre l'extrémité 5′ d'un fragment précédent. Après la synthèse de l'ARN de l'amorce suivante, catalysée par la primase du primosome, le complexe γ provoque la dissociation de la bride mobile β_2 ce qui libère le brin retardé de l'holoenzyme polymérase III. Le complexe γ assemble ensuite une nouvelle bride mobile β_2 au niveau de l'extrémité 3′-OH de l'ARN amorce ce qui lie de nouveau le noyau minimum de l'ADN polymérase au brin retardé ; le cycle de synthèse du brin retardé peut alors recommencer.

Terminaison

À l'extrémité diamétralement opposée d'*oriC*, sur la carte circulaire du chromosome d'*E. coli*, se trouve une région de terminaison, le locus **Ter**, ou $\boldsymbol{\tau}$. Les fourches de réplication se déplaçant dans des directions opposées se rencontrent sur ce locus ce qui met fin à la réplication. La région *Ter* comprend plusieurs courtes séquences contenant la séquence consensus 5′-GTGTGTTGT. Ces séquences *Ter* ont une fonction de terminaison ; trois ou quatre séquences *Ter* sont disposées de façon à former deux groupes

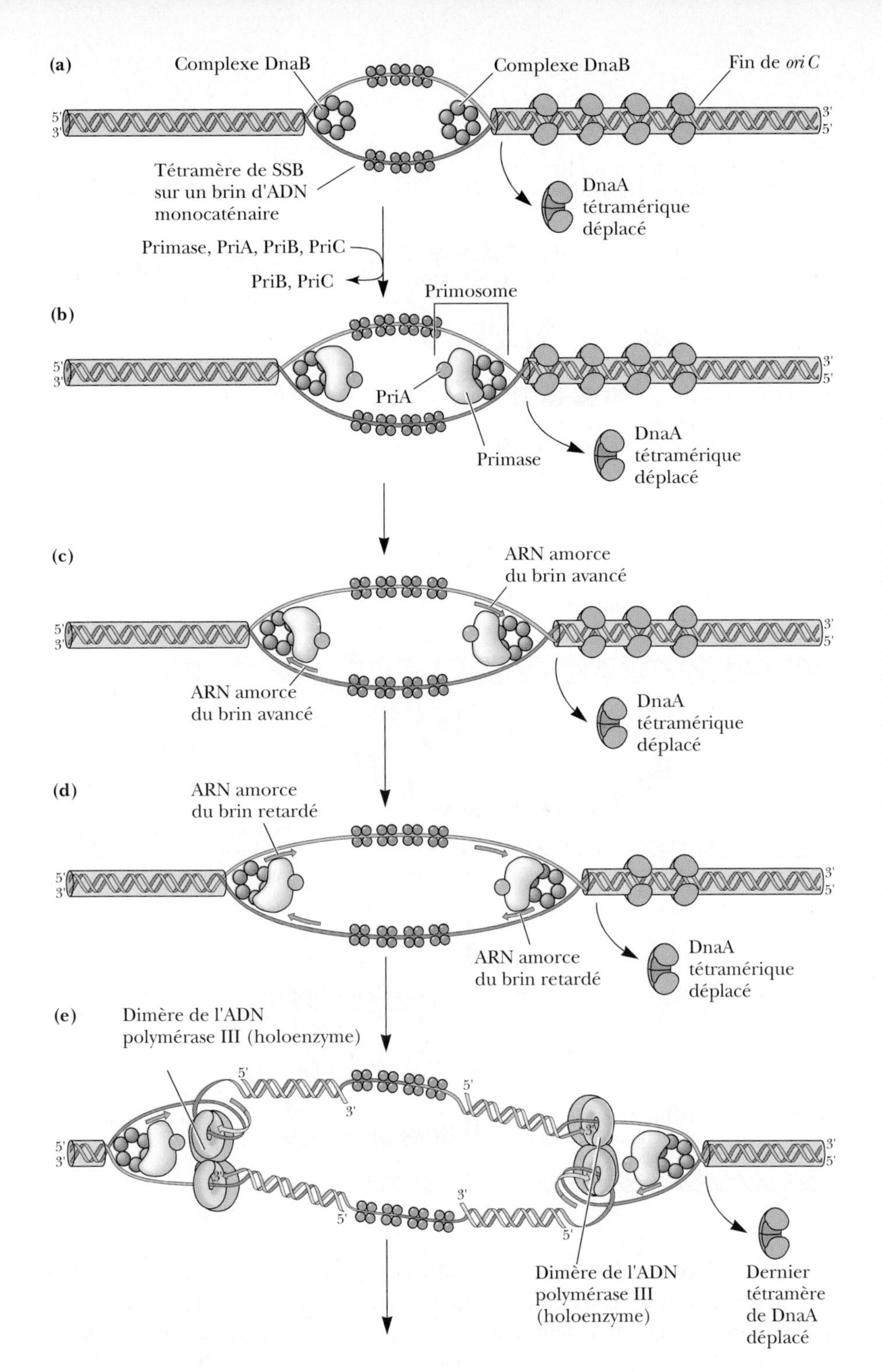

Figure 30.17 • Représentation de l'assemblage d'un réplisome sur chaque fourche de réplication. (a) Le complexe de « préinitiation » de la Figure 30.16 constitue le point de départ. (b) La protéine PriA est apportée sur le primosome par les protéines auxiliaires PriB et PriC. Lorsque PriA a rejoint DnaB, l'assemblage du primosome s'achève avec l'addition de la primase. Dans chacune des fourches de réplication, la primase synthétise un ARN amorce, une amorce pour le brin avancé (c) et (d) une amorce pour le brin retardé. (e) Dans chacune des fourches de réplication une ADN polymérase dimérique (l'holoenzyme pol III) catalyse l'élongation de l'ADN, un complexe polymérase pour la synthèse du brin avancé et un complexe pour la synthèse du brin retardé. L'association de la primase avec DnaB n'est que transitoire ; lorsque l'amorce a été synthétisée, la primase se dissocie jusqu'à ce que la synthèse d'une nouvelle amorce soit nécessaire.

dont les orientations sont opposées. Un groupe de séquences *Ter* bloque la fourche de réplication progressant dans le sens des aiguilles d'une montre et l'autre groupe de séquences inversées bloque la fourche de réplication progressant dans le sens inverse des aiguilles d'une montre. Une séquence *Ter* ne bloque la progression d'une fourche de réplication *que si son orientation par rapport à la fourche qui s'en approche est appropriée* et seulement si une protéine de terminaison spécifique (de 36 kDa), la **protéine Tus**, est liée à cette séquence. La protéine Tus agit comme une **antihélicase**. En effet, la protéine Tus empêche le déroulement de l'ADN bicaténaire en bloquant l'activité hélicase de DnaB ; il s'ensuit un arrêt de la progression de la fourche de réplication. Il faut cependant signaler que des mutations introduites dans le locus *Ter* ou dans le gène codant pour la protéine Tus n'affectent pas sérieusement la réplication de l'ADN, ce qui démontre que ce mécanisme de terminaison n'est pas essentiel.

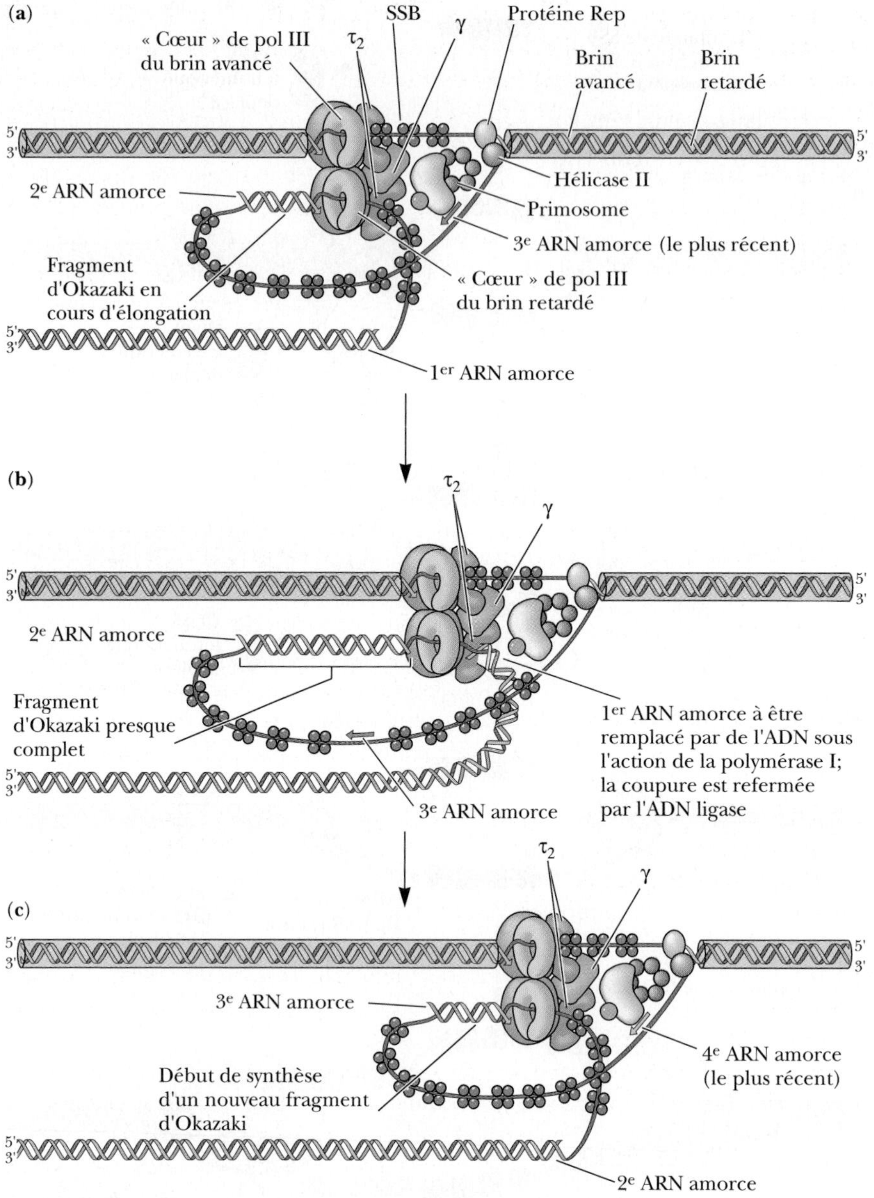

Figure 30.18 • Modèle de dimère asymétrique de la réplication de l'ADN chez *E. coli*. Deux hélicases, la protéine Rep et l'hélicase II, agissent de concert pour désenrouler l'ADN. Le réplisome contient deux ADN polymérase III (holoenzymes pol III) qui restent physiquement associés bien que leurs fonctions soient différentes : l'une synthétise le brin avancé pendant que l'autre synthétise les fragments d'Okazaki précurseurs du brin retardé. Notez (a) que la matrice du brin retardé doit former une boucle autour de l'holoenzyme pol III qui catalyse sa réplication afin que ce dernier puisse progresser sur la matrice dans la direction $3' \rightarrow 5'$; (b) l'holoenzyme pol III du brin retardé doit quitter la matrice quand il arrive au contact de l'extrémité du fragment d'Okasaki synthétisé en dernier lieu ; (c) l'holoenzyme pol III du brin retardé se déplace dans la direction 3′ pour se fixer un peu plus loin sur la matrice et commence un nouveau cycle de synthèse d'un fragment d'Okazaki à partir de la prochaine amorce. La formation d'une boucle par la matrice du brin retardé, selon le **modèle** dit **en trombone** autorise cette succession d'événements. On suppose que l'un des holoenzymes pol III, par son contact avec l'hélicase, a les propriétés biochimiques qui permettent une synthèse continue d'ADN, tandis que l'autre a des propriétés en rapport avec son rôle dans la synthèse discontinue de l'ADN.

Concaténation • enchaînement de chaînes

À ce stade, la synthèse des deux brins-fils est terminée. La fin de la réplication laisse généralement les deux chromosomes entrelacés par 20 à 30 tours, un état dit **concaténaire (ou de concaténation)**. Avant que les chromosomes soient répartis dans les cellules-filles, des coupures portant à la fois sur les deux brins d'un duplex permettent le désengagement des doubles hélices : le duplex non incisé passe à travers la brèche créée par la double coupure puis la continuité des brins incisés est rétablie. La topoisomérase II (ADN gyrase) et surtout la topoisomérase IV participent à ce processus de décaténation.

30.5 • Réplication de l'ADN chez les eucaryotes

La réplication de l'ADN dans les cellules eucaryotes présente beaucoup d'analogies avec la réplication de l'ADN chez les procaryotes, mais la réplication chez les eucaryotes est beaucoup plus complexe. Par exemple, dans une cellule humaine en croissance, environ 6 milliards de paires de bases doivent être dupliquées avec une haute fidélité lors de chaque cycle de la division cellulaire. Les événements associés à la croissance cellulaire et à la division cellulaire des cellules eucaryotes se succèdent dans une séquence qui comporte quatre phases distinctes, M (pour mitose), G_1, S et G_2 (Figure 30.19). Le problème posé par la réplication d'un énorme génome pendant la phase S (quelques heures chez les humains) est résolu par la multiplication des origines de la réplication de l'ADN. Il y a en moyenne une origine de réplication pour 3 à 300 kpb, selon les organismes et le type de cellule considéré (par exemple au moins 200 origines distinctes sur un chromosome humain de taille moyenne). Chez les eucaryotes inférieurs comme la levure, les origines de réplication sont constituées de régions contenant de 100 à 200 paires de bases alors que chez les mammifères, ces régions peuvent s'étendre sur 500 à 50.000 paires de bases. Du fait de la multiplicité des origines de la réplication, la réplication de l'ADN chez les eucaryotes s'effectue de façon concomitante dans tout le génome ; chaque chromosome contient de nombreuses unités de réplication, appelées **réplicons** (le chromosome bactérien constituant un unique réplicon).

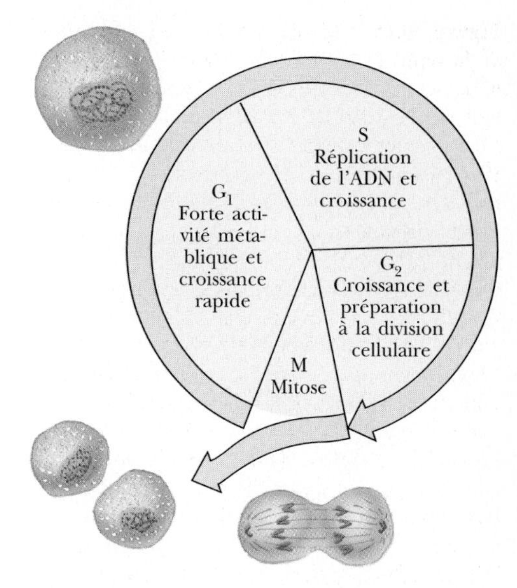

Figure 30.19 • Cycle d'une cellule eucaryote. La phase M (M pour mitose) représente à la fois l'étape de la mitose proprement dite et celle de la division cellulaire. La phase G_1 (G pour *gap*, pas pour *growth*, croissance) est généralement la plus longue du cycle cellulaire ; G_1 se caractérise par une forte activité métabolique et une croissance rapide. Les cellules au « repos », qui ne croissent ni ne se divisent, (par exemple les neurones) sont dans une phase appelée G_0. La phase S est celle de la synthèse (de la réplication) de l'ADN ; elle est suivie de la phase G_2, une courte période de croissance pendant laquelle se prépare la division cellulaire. Chez les mammifères, la durée d'un cycle cellulaire varie de moins de 24 heures (pour les cellules se multipliant rapidement, comme les cellules de l'épithélium buccal ou intestinal) à plusieurs centaines de jours.

Cycle cellulaire du contrôle de la réplication

L'initiation de la réplication implique les sites des origines de la réplication (sites réplicateurs) et un **complexe de reconnaissance** de ces sites (**ORC** pour ***o**rigin **r**ecognition **c**omplex*) ; ce complexe constitué de huit protéines se lie aux sites d'origine de la réplication. Les ORC restent liés aux origines de la réplication pendant toute la durée du cycle cellulaire. Dès le début de la phase G_1 (juste après M), les ORC servent de zones de reconnaissance pour les protéines qui contrôlent la réplication. Ces protéines se lient aux ORC et constituent un **complexe de préréplication** (**pré-RC**), mais ces pré-RC ne peuvent de former que pendant une courte période de la phase G1 (une fenêtre d'opportunité). Une des principales protéines intervenant dans l'assemblage de pré-RC chez la levure est la protéine activatrice de la réplication (Cdc6p) codée par le gène *cdc6* de la levure. Après la liaison de Cdrc6p aux ORC, divers **facteurs protéiques permettant la réplication** de l'ADN (les **RLF** pour ***r**eplication **l**icensing **f**actors*) se lient à leur tour aux chromosomes. Les chromosomes ayant liés ces RLF deviennent alors compétents pour la réplication. Deux RLF indispensables ont été identifiés : **RLF-B** et **RLF-M**. La protéine RLF-B serait localisée dans le cytoplasme et n'aurait accès aux chromosomes qu'après la disparition de la membrane nucléaire au début de la mitose. Il semble que RLF-B s'associe aux ORC liés aux chromosomes sur lesquels cette protéine est présente au début de G_1. RLF-M est un complexe de plusieurs protéines distinctes, les MCM (pour ***m**ini-**c**hromosome **m**aintenance*, ainsi appelées car elle sont essentielles à la stabilité des plasmides – qui sont des minichromosomes – dans les levures). Toutes ces protéines participent par des interactions protéine-protéine à la formation du complexe de pré-réplication comprenant ORC, Cdc6p, le complexe de MCM et d'autres protéines (Figure 30.20).

Le complexe de préréplication étant formé, deux protéines kinases interviennent pour déclencher la réplication. La première de ces protéines kinases est le complexe **cycline B-CDK**, formé d'une **protéine kinase cycline dépendante** (**CDK**, pour ***C**yclin-**D**ependent protein **K**inase*) et de la cycline B. (Les *cyclines* sont des protéines synthétisées pendant l'une des phases du cycle cellulaire et qui sont dégradées au cours d'une autre phase ; la concentration des cyclines varie donc de façon cyclique pendant le cycle cellulaire. La concentration des cyclines B est maximale juste avant le déclenchement de la phase S.) La cycline B-CDK peut phosphoryler des sites présents dans les ORC, dans Cdc6p et dans plusieurs sous-unités des MCM. La phosphorylation de Cdc6p entraîne sa dissociation des ORC puis sa dégradation. Quelques MCM se dissocient également. La cycline B-CDK phosphoryle aussi **Cdc7p-Dbf4p**, la seconde protéine kinase intervenant dans l'activation de la réplication de l'ADN. Le complexe Cdc7p-Dbf4p est constitué d'une protéine kinase, **Cdc7p**, codée par le gène *cdc7* de la levure et du produit du gène *dbf4*, **Dbf4p** (Figure 30.20). Un des modèles proposé admet que Cdc7p est en interaction avec ORC et que Dbf4p est en interaction avec le site de réplication ; le complexe Cdc7p-Dbf4p catalyse la phosphorylation du complexe MCM. À la suite de ces diverses actions, la cellule entre dans la phase S.

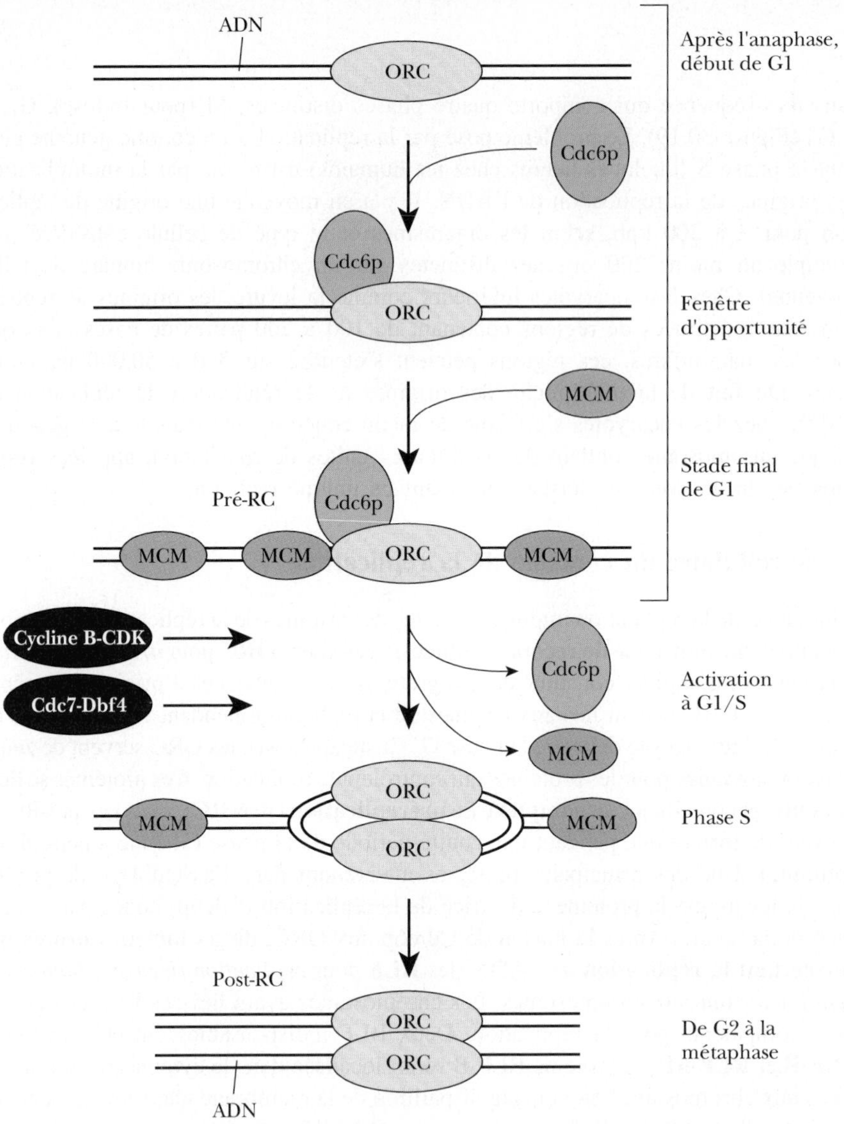

Figure 30.20 • Modèle de l'initiation du cycle de la réplication de l'ADN chez les eucaryotes. Les ORC restent présents sur les sites réplicateurs (les origines de la réplication) pendant toute la durée du cycle cellulaire. Le complexe de préréplication (pré-RC) est assemblé par addition successive de Cdc6p et de MCM (un facteur de la réplication) pendant une fenêtre d'opportunité définie par le niveau d'activité de la cycline B-CDK et de du complexe Cdc7p-Dbf4p. Après l'initiation, l'état pré-RC est transformé en état post-RC. *(Adaptation de la Figure 2 in Stillman, B., 1996. Cell cycle control of DNA replication.* Science ***274****: 1659-1663.)*

Les phosphorylations agissent comme un **commutateur de la réplication** car dès lors que les protéines du complexe pré-RC sont phosphorylées (et peut-être détruites comme l'est Cdc6p), l'état pré-RC est transformé en état **post-RC**. Le complexe de l'état post-RC ne peut pas initier de nouveau une réplication de l'ADN. Cette transformation assure que la réplication de l'ADN chez les eucaryotes ne s'effectue qu'une seule et unique fois par cycle cellulaire.

ADN polymérases des eucaryotes

De multiples ADN polymérases différentes (α, β, γ, etc., selon l'ordre de leur découverte) ont été décrites dans les cellules animales (Tableau 30.4). L'**ADN polymérase α**, un complexe multimérique, amorce la réplication de l'ADN nucléaire. En présence d'une matrice, elle catalyse non seulement la synthèse de l'amorce ARN, mais elle catalyse aussi l'élongation de la chaîne en ajoutant quelques désoxyribonucléotides dans la direction $5' \rightarrow 3'$. L'enzyme est constitué de quatre sous-unités : une polymérase de 180 kDa, deux sous-unités à activité primase (de 60 et 50 kDa) et un polypeptide de 70 kDa dont la fonction n'est pas définie. Il faut remarquer que l'ADN polymérase α de la plupart des eucaryotes est dépourvue d'activité $3' \rightarrow 5'$ exonucléase. L'**ADN polymérase δ** est la principale ADN polymérase dans la réplication de l'ADN chez les eucaryotes. Elle est constituée d'une sous-unité catalytique de 125 kDa et d'une sous-unité de 50 kDa en interaction avec une protéine dite **PCNA** (pour ***P****roliferating* ***C****ell* ***N****uclear* ***A****ntigen*, antigène nucléaire de la prolifération cellulaire, antigène qui n'est présent que lors de la prolifération

Tableau 30.4

Propriétés biochimiques des ADN polymérases des eucaryotes

	α	δ	ϵ	β	γ
Masse (kDa)	>250	170	256	36-38	160-300
État natif	165-180	125	215	36-38	125
Autres sous-unités	70, 50, 60	48	55	Aucune	35, 47
Localisation	Noyau	Noyau	Noyau	Noyau	Mitochondrie
Fonctions associées					
$3' \rightarrow 5'$ exonucléase	Non	Oui	Oui	Non	Oui
Primase	Oui	Non	Non	Non	Non
Propriétés					
Processivité	Faible	Haute	Haute	Faible	Haute
Fidélité	Haute	Haute	Haute	Faible	Haute
Réplication	Oui	Oui	Oui	Non	Oui
Réparation	Non	?	Oui	Oui	Non

D'après Kornberg, A., et Baker, T.A., 1992. *DNA Replication*, 2nd ed., New York : W. H. Freeman and Co.

cellulaire). Associée à PCNA, la polymérase δ effectue la synthèse de l'ADN avec une très haute processivité. La protéine PCNA présente une certaine homologie d'action avec la sous-unité β_2 de la bride mobile observée chez *E. coli* ; elle maintient fermement l'ADN polymérase sur l'ADN. Comme β_2, la protéine PCNA entoure la double hélice, mais, à la différence de la bride mobile β_2 des procaryotes, PCNA est un homotrimère (sous-unités de 37 kDa, Figure 30.21). L'ADN polymérase δ a une activité exonucléase $3' \rightarrow 5'$. L'**ADN polymérase ϵ** joue également un rôle majeur dans la réplication de l'ADN ; son rôle précis n'est pas élucidé, mais elle peut parfois se substituer à la polymérase δ dans la synthèse du brin retardé. La petite **ADN polymérase β** intervient dans la réparation de l'ADN et l'**ADN polymérase γ** catalyse la réplication de l'ADN mitochondrial.

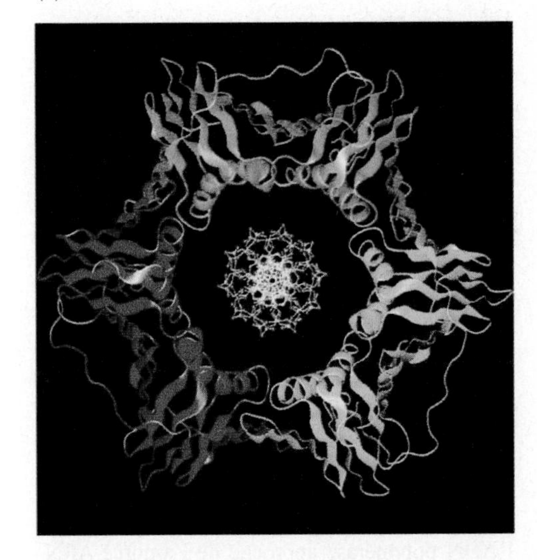

Principaux événements dans la fourche de réplication de l'ADN chez les eucaryotes

Les études sur les virus animaux comme SV40 (SV pour *simian virus*) ont fourni un bon modèle utilisable pour la réplication de l'ADN chez les eucaryotes ; le génome de SV40 constitué d'un ADN bicaténaire circulaire clos de 5 kpb, avec une unique origine de réplication peut être considéré comme un réplicon exemplaire. Le virus utilise essentiellement le système de réplication de la cellule hôte ; une seule protéine supplémentaire participant à la réplication est codée par l'ADN viral, l'**antigène T** (T pour tumeur). L'origine de la réplication dans SV40 est une séquence de 64 pb formée d'au moins trois régions à fonctions distinctes : (a) une série centrale de quatre copies de la séquence GAGGC organisées sous forme de répétitions inversées. Cette région est le site de liaison de l'antigène T. Sur un des côtés de la région liant l'antigène T se trouve une séquence (b) de 17 pb composée exclusivement de résidus A et T ; sur l'autre côté se trouve un palindrome imparfait (c). Une molécule d'antigène T se lie à chacune des quatre séquences GAGGC répétées. L'antigène T est une hélicase ATP dépendante qui, lorsqu'elle est complexée aux répétitions pentamériques, pénètre dans l'ADN bicaténaire au voisinage de la région

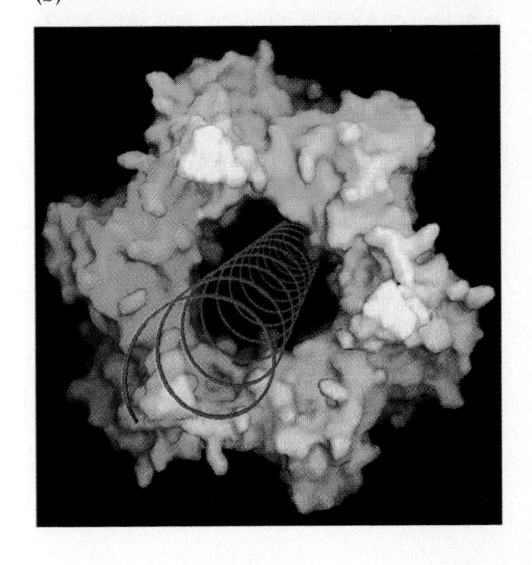

Figure 30.21 • Structure de l'homotrimère PCNA. L'anneau trimérique PCNA des eucaryotes est remarquablement équivalent à la structure de la bride mobile β_2 des procaryotes (Figure 30.13). (a) Représentation schématique d'un trimère avec en son centre un ADN-B bicaténaire (vue axiale). (b) Surface d'un modèle compact, chaque sous-unité étant d'une couleur différente. La spirale rouge représente le squelette des oses phosphates d'un brin d'ADN-B. (*Adaptation de la Figure 3 dans Krishna, T.S., et al., 1994. Crystal structure of the eukaryotic DNA polymerase processivity factor PCNA.* Cell *79 : 1233-1243. Photos aimablement communiquées par John Kuriyan, Université Rockefeller.*)

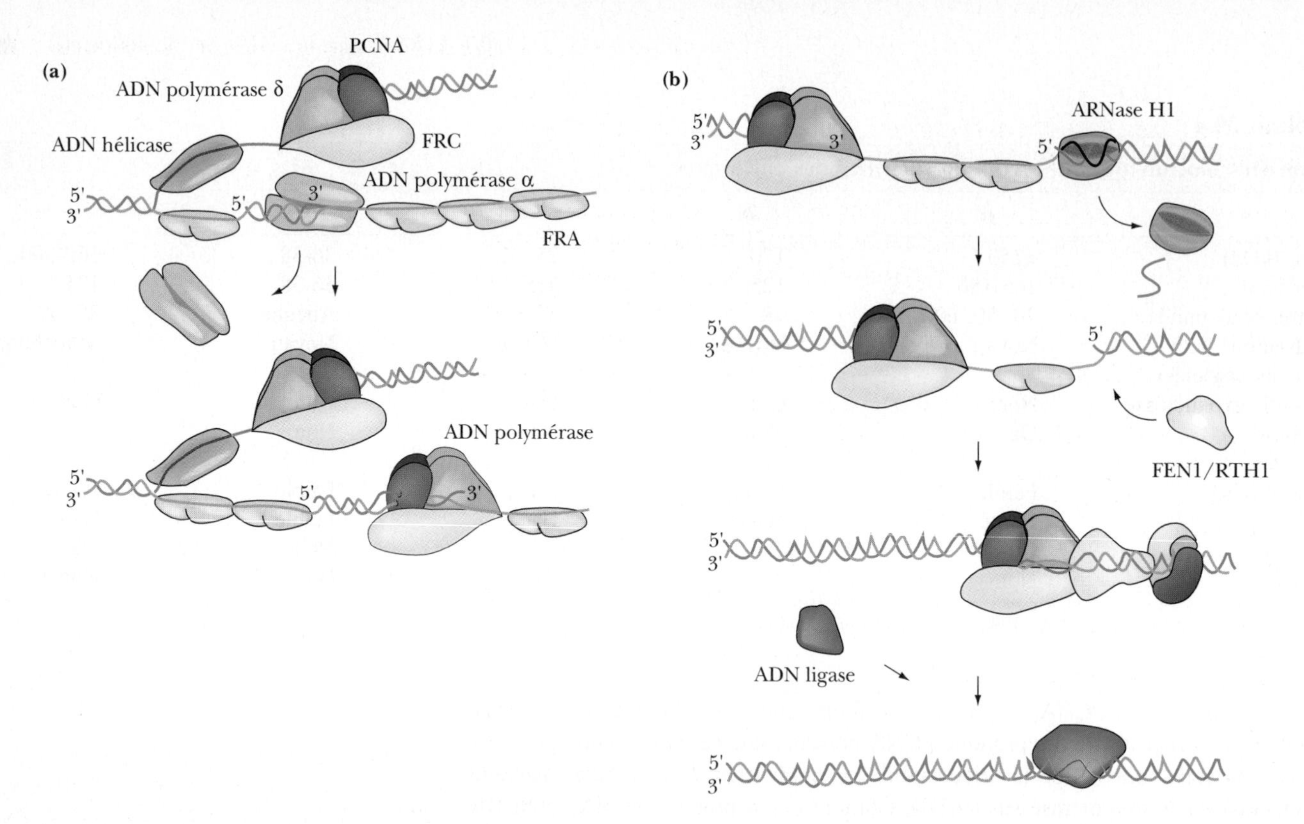

Figure 30.22 • Modèle de la réplication de l'ADN chez les eucaryotes illustrant la commutation de polymérase et l'assemblage des fragments d'Okazaki sur le brin retardé. La synthèse du brin avancé est engagée par l'activité primase de l'ADN polymérase α, puis FRC effectue la commutation de polymérase (élimination de la polymérase α, assemblage de PCNA et addition de la polymérase δ) – phase non représentée. L'hélicase déroule l'ADN au niveau de la fourche de réplication. Sur le brin retardé, l'ADN polymérase α (activité primase) initie la synthèse de l'amorce ARN (en rouge) suivie d'une courte séquence de désoxyribonucléotides. Puis le FRC permet l'addition de PCNA et la fixation d'une seconde polymérase (δ ou ϵ) et la synthèse du fragment d'Okazaki se poursuit. (b) Lorsque l'ADN polymérase approche de l'amorce ARN du fragment d'Okazaki en aval, la RNase H1 dégrade cet ARN en éliminant tous les ribonucléotides à l'exception d'un seul qui sera éliminé par FEN1/RTH1 ; la ligase réunit ensuite les extrémités des fragments d'Okazaki. *(Adaptation de la Figure 1 in Bambara, R.A., Murante, R.S., et Hendricksen, L.A., 1997. Enzymes and reactions at the eukaryotic replication fork.* Journal of Biological Chemistry *272 : 4647-4650.)*

AT adjacente et déroule la double hélice. La région AT dont les paires de bases ne comprennent que deux liaisons H est particulièrement prédisposée à la séparation des brins. Le déroulement de l'hélice crée deux fourches de réplication. Le déroulement est facilité par le **facteur de réplication A** (**FRA**), une protéine de la cellule hôte eucaryote qui se lie à l'ADN monocaténaire et qui correspond à la protéine SSB des procaryotes. La réplication de l'ADN est bidirectionnelle et deux nouvelles chaînes sont synthétisées sur chaque fourche de réplication : le brin avancé et le brin retardé.

Réplication de l'ADN chez les eucaryotes : synthèse du brin avancé

La synthèse du brin avancé est amorcée par un ARN synthétisé par les sous-unités à activité primase de la polymérase α ; puis la polymérase α ajoute à l'amorce un segment d'ADN (Figure 30.22). Ce segment d'ADN étant synthétisé, le **facteur de réplication C (FRC)**, à fonction homologue de celle du complexe γ chez les procaryotes, effectue ce qui est appelé la commutation de polymérase : FRC élimine la polymérase α et assemble la protéine PCNA sur la région terminale de l'amorce. L'ADN polymérase δ se lie à la protéine PCNA et catalyse avec une haute processivité la synthèse du brin avancé.

Réplication de l'ADN chez les eucaryotes : synthèse du brin retardé

L'amorçage de la synthèse des fragments d'Okazaki du brin retardé s'effectue de la même façon que celle du brin avancé : la synthèse de l'amorce est catalysée par l'ADN polymérase α (activité primase) qui ajoute ensuite une série de désoxyribonucléotides, puis il y a commutation de polymérase, l'ADN polymérase δ prenant la suite. La synthèse de l'amorce est un événement fréquent dans la synthèse du brin retardé puisqu'il faut une amorce ARN tous les 50 nucléotides environ. L'amorce ARN d'une dizaine de nucléotides est allongé de 10 à 20 désoxyribonucléotides par la polymérase α avant que la polymérase δ (ou ϵ) ne la remplace (Figure 30.22). Tous les ribonucléotides, à l'exception de celui qui est directement lié à un désoxyribonucléotide, sont éliminés par l'**ARNase H1** ; l'activité exonucléase du complexe **FEN1/RTH1** élimine le dernier ribonucléotide. Finalement, l'ADN ligase catalyse le raboutage des fragments d'Okazaki au brin en cours d'élongation.

L'activité de l'antigène T est régulée par la phosphorylation de la protéine

La phosphorylation du résidu Thr^{124} active l'antigène T qui peut alors se lier au site *ori* de SV40 et engager la réplication. La phosphorylation est catalysée par une protéine kinase cycline dépendante, **CDC2-PK**. Ce type de kinase intervient dans les cellules eucaryotes pour déclencher le passage du cycle cellulaire, de la phase G_2 à la phase mitose. L'antigène T est aussi activé par la déphosphorylation d'autres résidus phosphorylés de la protéine. La **protéine de réplication C (PRC)** est une *sous-unité d'une protéine-phosphatase*, une protéine essentielle des stades précoces de la réplication de SV40. L'action combinée de la protéine kinase et de PRC génère la forme phosphorylée de l'antigène T active dans l'amorçage de la réplication. Ces phosphorylations/déphosphorylations représentent les exemples types du rôle central de la phosphorylation des protéines dans la régulation de la réplication et de la division cellulaire chez les eucaryotes.

30.6 • Réplication des extrémités des chromosomes – télomères et télomérases

Les télomères sont constitués de répétitions en tandem de courtes séquence (5 à 8 pb) riches en G ; ces répétitions forment un segment de 1 à 12 kpb qui coiffe les extrémités 3′ des chromosomes (voir l'Encart page 382). La séquence consensus des télomères des vertébrés est TTAGGG. Une séquence complémentaire se trouve aux extrémités 5′ des brins de l'ADN chromosomique. La présence des télomères est nécessaire à la stabilité et à la réplication des chromosomes. Les ADN polymérases, qui ne peuvent répliquer l'ADN qu'en progressant dans la direction 5′ → 3′ et exigent une matrice et une amorce, ne peuvent pas répliquer la partie finale des extrémités 5′ des chromosomes eucaryotes car ces derniers ont une structure ouverte, ou « linéaire »). La synthèse du brin retardé est amorcée par l'ARN primase qui permet la formation des fragments d'Okazaki, mais ces amorces ARN sont ensuite éliminées d'où l'apparition d'un espace vide (la « trouée de l'amorce » – Figure 30.23) du côté 5′ terminal des nouveaux brins à chaque extrémité des chromosomes. La présence des télomères aux extrémités de ces chromosomes linéaires permet la réplication de la totalité de leur longueur ; un segment de télomère est bien perdu à chaque division cellulaire, mais il est régénéré par

Figure 30.23 • (a) Lors de la réplication du brin retardé, de courtes amorces d'ARN sont ajoutées (en rose) qui sont ensuite allongées par l'ADN polymérase. Lorsque l'amorce ARN à l'extrémité 5′ de chaque brin est éliminée, il ne reste pas de séquence nucléotidique qui puisse être lue par un nouveau cycle de réplication de l'ADN. Il en résulte un espace vide (la trouée de l'amorce) à l'extrémité 5′ de chacun des brins (la figure ne présente qu'une seule extrémité du chromosome). (b) Les astérisques indiquent les séquences à l'extrémité 3′ qui ne peuvent pas être lues (répliquées) par la réplication conventionnelle de l'ADN. La synthèse d'ADN télomérique par la télomérase étend les extrémités 5′ des brins d'ADN ce qui permet la copie des brins par la réplication normale.

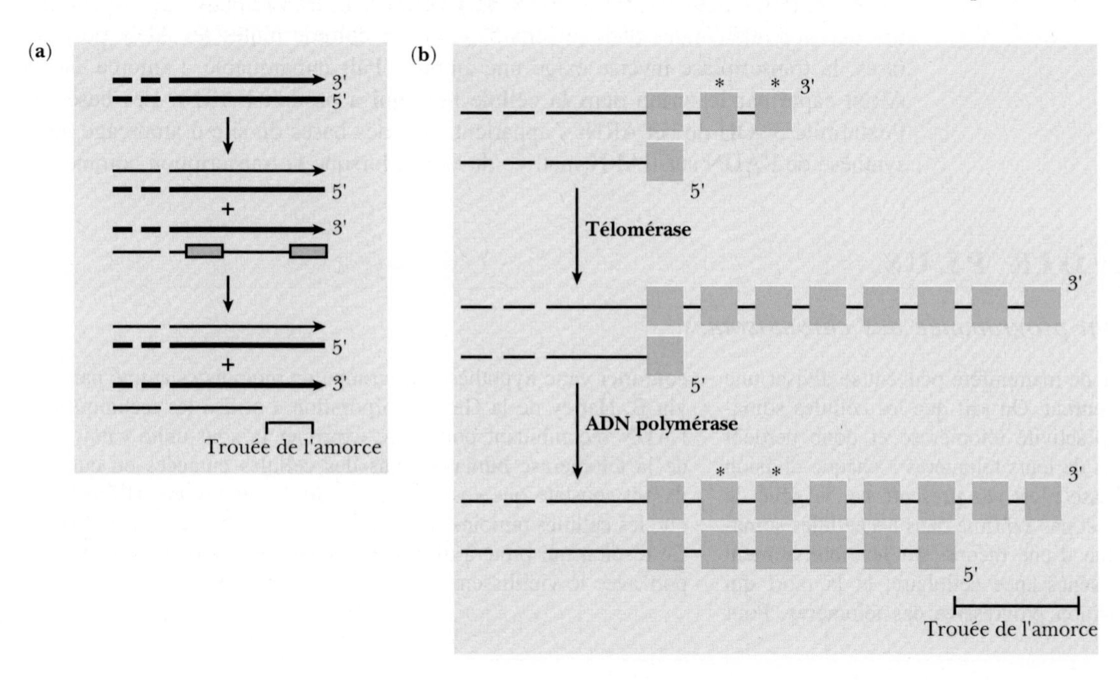

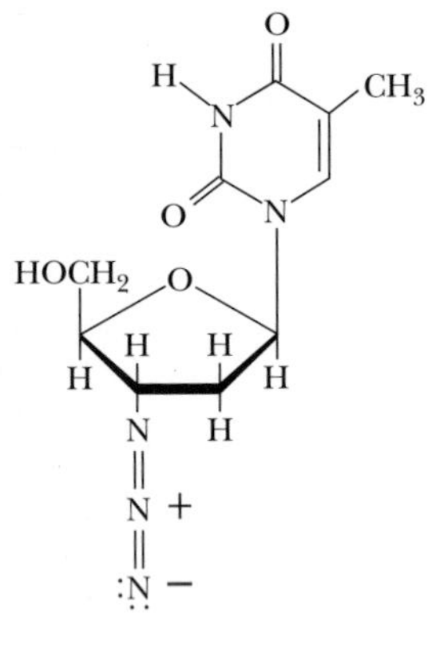

Figure 30.24 • Structure de l'AZT (3′-azido-2′,3′-didésoxythymidine). Ce nucléoside est l'un des principaux médicaments utilisés dans le traitement du sida. L'AZT est phosphorylé *in vivo* en AZTTP (AZT 5′-triphosphate), un analogue du dTTP qui se lie à la transcriptase inverse du VIH. L'AZTMP est incorporé dans la chaîne d'ADN naissante à la place de dTMP. L'AZTMP incorporé bloque l'élongation ultérieure de la chaîne car son groupe 3′-azido ne peut pas former de liaison phosphodiester avec le nucléotide suivant. Les ADN polymérases des cellules hôtes n'ont que peu d'affinité pour l'AZTTP.

la télomérase. La **télomérase** (ou **télomère synthétase**) est une ADN polymérase ARN dépendante (126 kDa) dont la sous-unité catalytique est fortement homologue aux autres transcriptases inverses (voir Chapitre 13 et ci-dessous). Elle permet la conservation de la longueur des télomères en catalysant leur allongement aux extrémités 3′ des chromosomes. La télomérase est une ribonucléoprotéine dont la partie ARN contient une région de 9 à 30 nucléotides qui sert de matrice pour la synthèse des séquences télomériques répétées aux extrémités 3′ des chromosomes. La fraction ARN de la télomérase humaine comporte 450 nucléotides ; la séquence du segment qui sert de matrice est CUAACCCUAAC. La télomérase utilise l'extrémité 3′ de l'ADN comme amorce à laquelle elle ajoute successivement les répétitions TTAGGG, l'ARN de l'enzyme servant de matrice pour chaque addition (Figure 30.24, voir également la figure de l'Encart Télomères et tumeurs, page 382).

30.7 • La transcriptase inverse : une ADN polymérase dont la matrice est l'ARN

L'information codée par l'ADN peut être répliquée dans de nouvelles chaînes d'ADN par des ADN polymérases (ce chapitre) ou transcrite dans des chaînes d'ARN par des ARN polymérases ADN dépendantes (Chapitre 31). Mais il existe aussi la possibilité d'une synthèse de l'ADN à partir d'une matrice d'ARN. En 1964, Howard Temin a observé que des inhibiteurs de la synthèse de l'ADN prévenait l'infection de cellules eucaryotes en culture par des virus tumorigènes à ARN comme le virus du sarcome aviaire. Sur la base de cette observation, Temin a émis une hypothèse audacieuse : l'ADN est un intermédiaire dans la réplication des virus de ce type ; c'est-à-dire qu'*un virus tumorigène à ARN peut utiliser l'ARN viral comme matrice pour la synthèse de l'ADN.*

ARN du chromosome viral → ADN intermédiaire → ARN du chromosome viral

En 1970, Howard Temin et David Baltimore ont indépendamment découvert un enzyme viral capable de catalyser ce processus, une **ADN polymérase ARN dépendante**, ou plus simplement une **transcriptase inverse**. Tous les particules virales des virus tumorigènes à ARN contiennent une transcriptase inverse, ces virus sont regroupés dans la classe des rétrovirus. Il faut signaler que tous les rétrovirus ne sont pas des virus tumorigènes ; le VIH (virus de l'immunodéficience humaine) est le rétrovirus à l'origine du sida (syndrome de l'immunodéficience acquise).

Comme les autres ARN et ADN polymérases, la transcriptase inverse synthétise des polynucléotides dans le sens 5′ → 3′, et comme toutes les ADN polymérases, la transcriptase inverse exige une amorce. Fait remarquable, l'amorce est un ARNt capté par le virion dans la cellule hôte qui a produit l'ARNt. Les bases de l'extrémité 3′-OH de cet ARNt s'apparient avec des bases du site d'amorçage de la synthèse de l'ADN sur l'ARN matrice du virus ; lorsque la transcription commence,

Pour en savoir plus

Les télomères – une fin programmée des chromosomes ?

Mises en culture, les cellules de mammifère peuvent se diviser une cinquantaine de fois puis meurent. On sait que les cellules somatiques ne contiennent pas d'activité télomérase et donc perdent inévitablement des fragments de leurs télomères à chaque division cellulaire. L'activité télomérase n'est pas présente car le gène de cette transcriptase inverse n'est pas exprimé dans les cellules somatiques. Ce fait est à l'origine d'une théorie sur le vieillissement cellulaire selon laquelle la sénescence cellulaire, et la mort qui s'ensuit, est liée à la disparition progressive des télomères. Pour conforter cette hypothèse, un groupe de biologistes animé par Calvin B. Harley de la Geron Corporation a utilisé les techniques de l'ADN recombinant pour faire exprimer la sous-unité catalytique de la télomérase humaine dans des cellules cutanées en culture ; ils ont constaté que ces cellules se divisaient encore 40 fois après que les cellules témoins (non traitées) soient devenues sénescentes. Ce résultat qui prête à discussion semble néanmoins avoir un rapport avec le vieillissement.

l'extrémité 3′-OH libre de l'ARNt accepte le désoxyribonucléotide initial. Ensuite, la transcriptase inverse transcrit l'ARN matrice en un brin d'ADN complémentaire (ADNc) pour former un hybride bicaténaire ADN:ARN.

Activités enzymatiques des transcriptases inverses

Les transcriptases inverses possèdent trois activités enzymatiques qui sont toutes indispensables pour la réplication du virus :

1. Une *activité ADN polymérase ARN dépendante*, qui donne son nom à l'enzyme (voir Figure 13.14).
2. Une *activité ARNase H.* Rappelons que l'ARNase H est une exonucléase qui dégrade spécifiquement les chaînes d'ARN dans les complexes hybrides ADN:ARN (Figure 13.14). L'activité ARNase H de la transcriptase inverse dégrade l'ARN de la matrice génomique et élimine l'ARNt amorce lorsque la synthèse de l'ADN est terminée.
3. Une *activité ADN polymérase ADN dépendante.* Cette activité catalyse la réplication du brin d'ADN restant après la dégradation de l'ARN du génome viral ; le produit final de la réplication est un ADN bicaténaire. Cet ADN bicaténaire est porteur de l'information du génome viral et code pour la suite du processus infectieux, mais il peut aussi s'intégrer dans le génome de la cellule hôte où il peut rester dormant pendant de nombreuses années sous forme de **provirus**. L'activation du provirus restaure l'état infectieux.

La transcriptase inverse du VIH est d'un important intérêt clinique dans la mesure où l'enzyme est indispensable à la réplication du virus. C'est un hétérodimère de sous-unités de 66 et 51 kDa. Les séquences des extrémités N-terminales des deux chaînes polypeptidiques sont identiques, ce qui indique que la sous-unité de 51 kDa provient d'un clivage protéolytique de la sous-unité de 66 kDa. Le polypeptide de 66 kDa est constitué de deux domaines : un domaine N-terminal portant l'activité polymérase et un domaine C-terminal portant l'activité ARNase H. Le domaine N-terminal présente une homologie significative avec la séquence des acides aminés des ADN polymérases virales et bactériennes tandis que le domaine C-terminal est homologue de l'ARNase H bactérienne. Les sites actifs de la polymérase et de l'ARNase H sont physiquement et fonctionnellement distincts. La synthèse de l'ADN par la transcriptase inverse est inhibée par l'AZT (Figure 30.24). La transcriptase du VIH fait facilement des erreurs. Elle incorpore une base non correcte pour 2.000 à 4.000 nucléotides polymérisés. Cette grande fréquence d'erreurs au cours de la réplication du génome de VIH signifie que ce dernier change continuellement, une caractéristique qui ne facilite pas la mise au point d'un vaccin.

30.8 • Réparation de l'ADN

Les macromolécules biologiques peuvent subir des altérations chimiques du fait de l'environnement, ou contenir des erreurs accumulées au cours de leur synthèse. Pour les ARN, les protéines et d'autres molécules biologiques, la plupart des conséquences résultant de ces altérations sont limitées par le remplacement de ces molécules lors de leur renouvellement normal (synthèse et dégradation). Cependant, l'intégrité de l'ADN est vitale pour la survie de la cellule et sa reproduction. Son contenu informatif doit être protégé durant toute la vie de la cellule et préservé de génération en génération. Les sauvegardes comprennent (a) une haute fidélité des systèmes de réplication et (b) des systèmes de réparation l'ADN qui corrigent les dommages subis qui pourraient altérer son contenu informatif. L'ADN est la seule molécule qui peut être réparée par la cellule après avoir été endommagée. Cette réparation est possible car l'information contenue dans les ADN bicaténaires est, par nature, redondante. Les formes les plus courantes de dommages sont (a) l'absence d'une base, ou son altération, ou la présence d'une base non appropriée ; (b) la présence de zones non appariées (et formation de

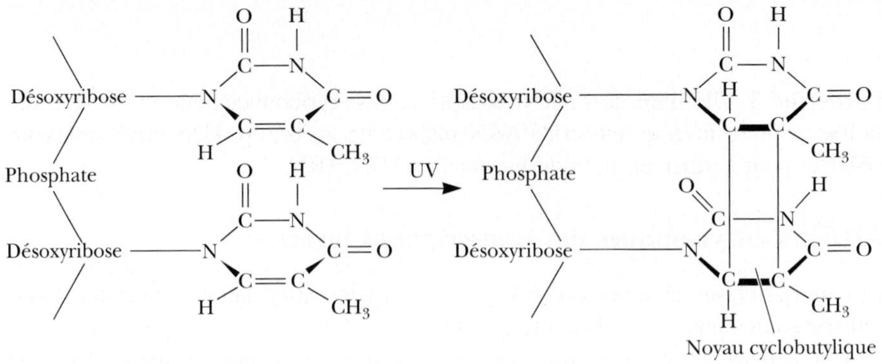

Figure 30.25 • L'irradiation par les UV provoque un double pontage entre deux thymine adjacentes. La création de liaisons covalentes entre les atomes de carbone 5 et 6 des noyaux pyrimidiques forme un dérivé du cyclobutane. L'appariement normal de ces bases est rompu en présence du dimère.

« bosses ») par suite de délétions ou d'insertions ; (c) la formation de dimères de pyrimidine induits par les rayons UV (Figure 30.25) ; (d) des coupures de filaments d'ADN dans la liaison phosphodiester ou dans le cycle des désoxyriboses (Figure 30.26) ; (e) la réticulation covalente des brins de l'ADN (pontages inter ou intracaténaires). Les cellules disposent d'une très grande variété de systèmes de réparations de l'ADN, très efficaces, qui permettent de résoudre ces problèmes. Même lorsque la réparation ne peut pas être effectuée, le génome peut encore être préservé si un mode de réplication moins fidèle permet de court-circuiter la lésion.

Normalement, la complémentarité des brins d'un ADN bicaténaire fait que l'information perdue dans un brin endommagé peut être récupérée à partir de l'autre brin. Mais, même des erreurs impliquant les deux brins peuvent être corrigées. Par exemple, des délétions ou des insertions peuvent être réparées en remplaçant la région défectueuse par des recombinaisons (voir Chapitre 29). Des coupures dans les deux brins, une des lésions potentiellement les plus sérieuses, peuvent être réparées par les ADN ligases ou par des recombinaisons.

La fréquence des erreurs dans la réplication des chromosomes humains est de trois paires de bases non correctes introduites lors de la copie des 6 milliards de paires de bases du génome humain diploïde. Ce très faible taux d'erreur résulte de l'action de systèmes de réparation qui relisent et corrigent l'ADN qui vient d'être synthétisé. Par ailleurs, environ 10^4 bases (des purines pour la plupart) sont chaque jour perdues par suite d'une dégradation spontanée de l'ADN humain ; les systèmes de réparation doivent remplacer ces bases afin de maintenir l'intégrité de l'information contenue dans l'ADN.

Mécanismes moléculaires de la réparation de l'ADN

On peut distinguer deux types fondamentaux de mécanismes moléculaires de la réparation de l'ADN : (a) les mécanismes qui excisent et remplacent les régions endommagées par réplication, recombinaison, ou par **réparation des bases improprement**

Figure 30.26 • Des radicaux oxygénés, en présence d'ions métalliques comme Fe_2^+, peuvent détruire le cycle du désoxyribose dans l'ADN, ce qui provoque la rupture du brin.

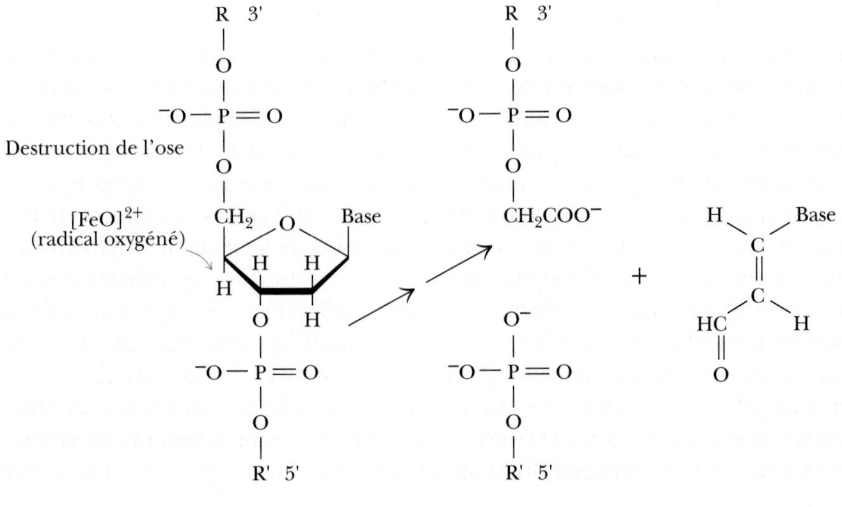

appariées, et (b) les mécanismes qui annulent directement des modifications chimiques dans l'ADN ; ces mécanismes incluent les systèmes de **réparation par excision**.

Réparation des appariements non corrects

Le système de réparation des mésappariements corrige les erreurs introduites pendant la réplication de l'ADN. Le système de réparation explore l'ADN bicaténaire à la recherche de bases mal appariées, excise la région du brin concerné, et la remplace, à l'aide d'une ADN polymérase, par une réplication localisée du brin d'ADN resté intact. La clé de ce type de remplacement réside dans la reconnaissance de la mauvaise base dans la paire mal appariée.

Un de ces systèmes de réparation chez *E. coli* peut reconnaître le brin le plus récent (naissant) d'un ADN bicaténaire en le distinguant du brin parental (la matrice) car il ne possède pas encore de groupes méthyle sur ses bases. La méthylation de l'ADN caractérise souvent l'ADN d'un procaryote ; elle est immédiatement postérieure à la réplication. Il existe cependant une fenêtre d'opportunité entre le début de la méthylation et la fin de la réplication quand seul le brin parental du nouveau duplex est méthylé. Durant cette période, seul le brin parental est méthylé et l'erreur provenant de la réplication est donc contenue dans le nouveau brin. Lorsque le système de réparation fondé sur **la reconnaissance des méthylations** rencontre une paire de bases improprement appariées, il examine l'ADN, sur plusieurs milliers de paires de bases si nécessaire, jusqu'à ce qu'il rencontre une base méthylée.

Le système considère alors que le brin parental est celui qui contient la base méthylée, que sa séquence est celle qui est correcte, et remplace toute la longueur du segment à l'intérieur de la chaîne naissante, depuis le point de reconnaissance jusqu'à la base mal appariée comprise. Le système de réparation des mésappariements utilise une endonucléase qui clive le nouveau brin non méthylé et une exonucléase qui élimine la mauvaise base, ouvrant ainsi un espace vide dans le nouveau brin. L'ADN polymérase III comble ce vide en utilisant le brin méthylé comme matrice. Puis une ligase rétablit la continuité dans le brin.

Réversion des dommages chimiques

PHOTORÉACTIVATION DES DIMÈRES DE PYRIMIDINES. L'irradiation par les UV, par exemple un simple bain de soleil, provoque la formation de liaisons covalentes entre deux résidus thymine adjacents sur un même brin d'ADN, ce qui crée un noyau cyclobutane (Figure 30.25). Comme ces nouvelles liaisons C—C dans le cycle sont plus courtes que la distance normale d'empilement, 0,34 nm, séparant deux bases successives dans l'ADN-B, la structure de l'ADN en ce point est distordue, le brin ne peut plus servir de matrice, ni pour la réplication, ni pour la transcription. Une **photolyase**, enzyme à flavine et ptéridine, se lie au dimère et utilise l'énergie de la lumière visible pour rompre les liaisons induites par les UV, ce qui restaure la structure originale (l'enzyme est aussi appelé **enzyme de photoréactivation**).

RÉPARATION APRÈS EXCISION. Le remplacement de nombreuses bases endommagées ou modifiées s'effectue par des **systèmes d'excision-réparation**. Il existe deux systèmes principaux d'excision spécifiques du dommage à réparer : l'**excision d'une base** et l'**excision de nucléotides**. La réparation par *excision de base* agit sur une base endommagée par une oxydation ou une autre modification chimique survenue au cours des processus cellulaires. Des **ADN glycosidases** reconnaissent une base altérée et l'excisent en coupant la liaison glycosidique créant un site AP. Sur ce site le squelette formé par les désoxyriboses-phosphates de l'ADN est intact, mais il manque une base purique (*site apurinique*) ou une base pyrimidique (*site apyrimidinique*). Une **AP endonucléase** reconnaît ce site et clive le brin d'ADN altéré, puis une exonucléase élimine le désoxyribose phosphate et quelques résidus nucléotidiques voisins. L'ADN polymérase I et l'ADN ligase achèvent la réparation en restaurant la molécule originelle (Figure 30.27).

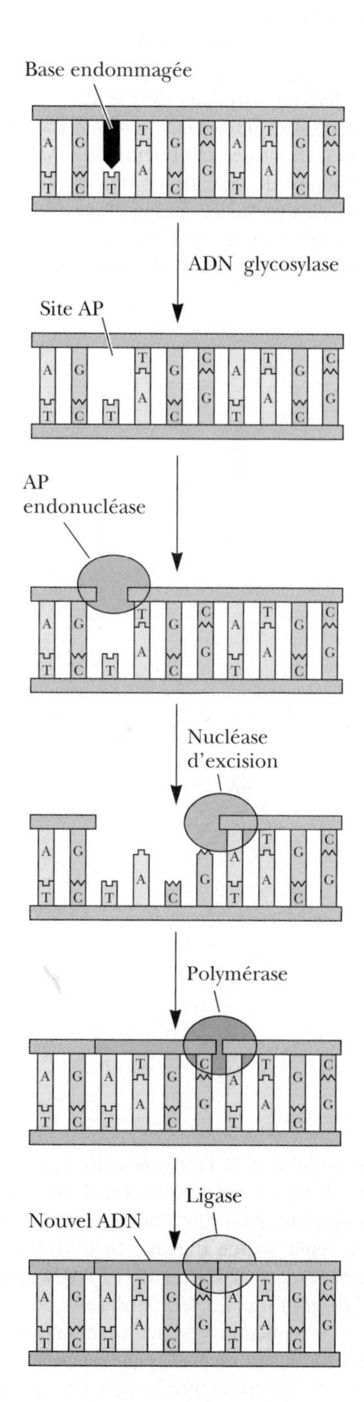

Figure 30.27 • Réparation par excision. Une ADN glycosidase excise spécifiquement la base endommagée (■), ce qui crée un site AP. Une endonucléase spécifique des sites AP (apuriniques et apyrimidiques) scinde le brin d'ADN, puis une exonucléase excise le site AP et quelques nucléotides voisins. L'ADN polymérase I et l'ADN ligase réparent ensuite l'espace vide.

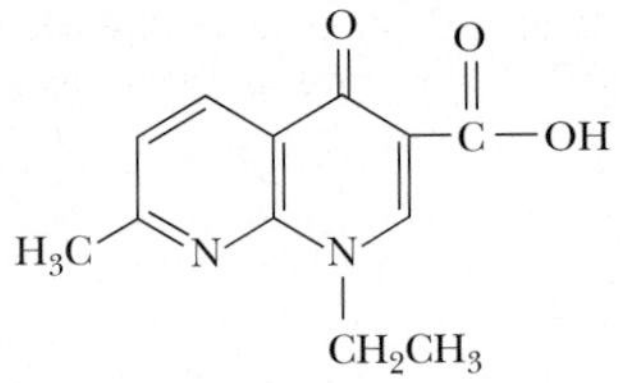

Figure 30.28 • Structure de l'acide nalidixique. Les quinolones, comme l'acide nalidixique, sont des inhibiteurs de l'ADN topoisomérase de type II des procaryotes. En présence de l'un de ces antibiotiques, les sous-unités A de la gyrase se lient par une liaison covalente à l'extrémité 5′ des brins de l'ADN.

La réparation par excision de nucléotides reconnaît et répare des régions plus vastes d'ADN endommagé que la réparation par excision de base. Ce système clive le squelette des oses phosphates en deux endroits, de part et d'autre de la lésion qui est ainsi éliminée. Chez les procaryotes la région éliminée peut comporter 12 ou 13 nucléotides, chez les eucaryotes elle peut s'étendre sur 27 à 29 résidus nucléotidiques. L'espace vide est comblé par une ADN polymérase (l'ADN polymérase I chez les procaryotes et l'ADN polymérase δ ou ϵ + PCNA et FRC chez les eucaryotes). L'ADN ligase intervient ensuite pour relier les extrémités libres.

Chez les mammifères, la réparation par excision de nucléotides est la principale voie d'élimination des lésions carcinogènes (pouvant provoquer un cancer) résultant de l'action du soleil ou d'autres agents mutagènes. Ces lésions sont reconnues par la protéine **XPA**, dénomination provenant de *Xeroderma pigmentosum*, un syndrome humain d'origine génétique (les personnes atteintes souffrent de sérieuses lésions de la peau si elles s'exposent au soleil). Sur les sites reconnus par XPA, un complexe multimérique s'assemble et son activité endonucléase clive la partie du brin endommagée. La synthèse de l'ADN de remplacement utilise le brin intact comme matrice.

La réponse SOS

Chez *E. coli*, les lésions qui bloquent la réplication de l'ADN activent la **réponse SOS**, un système complexe qui permet la restauration de la réplication mais en introduisant des erreurs dans le site des lésions. Ces lésions sont, par exemple, constituées par des dimères pyrimidiques, la réticulation des brins, ou encore les ruptures de chaînes d'ADN induites par des antibiotiques de type quinolone. Par exemple, une quinolone comme l'**acide nalidixique** (Figure 30.28) inhibe l'activité des ADN gyrases bactériennes et bloque donc la progression de la fourche de réplication. Lorsque cette progression est bloquée, la réponse SOS est activée par la fixation de la protéine RecA (Chapitre 29) sur la partie monocaténaire de l'ADN qui reste exposée (ou sur l'ADN bicaténaire endommagé par les UV). Le complexe protéine RecA:ADN lie ensuite la protéine LexA. La liaison de LexA au complexe provoque un changement de sa conformation qui a pour conséquence un autoclivage protéolytique de LexA. Comme la protéine LexA est un répresseur de nombreux gènes qui codent pour des protéines impliquées dans des systèmes de réparation, l'autodestruction de LexA aboutit à la synthèse de ces protéines. Ces dernières s'assemblent sur la lésion et forment un **mutasome**, un complexe de réplication qui répare la lésion, avec moins de fidélité que le système normal. La réplication classique peut ensuite reprendre au-delà de la lésion.

Exercices

1. Des cellules d'*E. coli* sont cultivées pendant de nombreuses générations sur un milieu contenant de l'ammonium, $^{14}NH_4^+$, comme seule source d'azote, puis sont transférées dans un milieu contenant $^{15}NH_4^+$ comme seule source d'azote. Si l'ADN d'*E. coli* marqué par ^{15}N à une densité de 1,724 g/ml et si l'ADN marqué par ^{14}N a une densité de 1,710 g/ml, quelle sera la densité de l'ADN après une génération puisque la réplication est semi-conservative ? Supposant que le mode de réplication soit dispersif, quel serait la densité de l'ADN après une génération ? Décrivez une expérience qui permettrait de faire la distinction entre le mode de réplication semi-conservatif et le mode de réplication dispersif.

2. Quels sont les rôles respectifs de l'activité 5′-exonucléase et de l'activité 3′-exonucléase de l'ADN polymérase I ? Quel serait le phénotype d'une souche d'*E. coli* dont l'ADN polymérase I serait dépourvue d'activité 3′-exonucléase ?

3. En supposant que la réplication de l'ADN s'effectue à la vitesse de 750 paires de bases par seconde, combien de temps faut-il pour la réplication de tout le génome d'*E. coli* ? Dans certaines conditions de culture, les cellules d'*E. coli* se divisent toutes les 20 minutes. Quel est le nombre minimum de fourches de réplication par chromosome pour que ce rythme de division cellulaire soit maintenu ?

4. On estime qu'il y a chez *E. coli* 10 molécules d'ADN polymérase III par cellule. Est-il possible que la vitesse de croissance d'*E. coli* soit limitée par la concentration cellulaire en ADN polymérase III ?

5. Quel est le nombre approximatif de fragments d'Okazaki synthétisés lors de la réplication d'un chromosome d'*E. coli* ? Quel est ce nombre pour un chromosome humain « moyen » en cours de réplication ?

6. Précisez la fonction et le mode d'action des ADN gyrases et des hélicases en soulignant les différences.

7. La recombinaison homologue chez *E. coli* aboutit à la formation de régions d'ADN hétéroduplex. Par définition, ces régions contiennent des bases qui ne sont pas correctement appariées. Pourquoi le système de réparation des bases incorrectement appariées n'élimine-t-il pas ces erreurs ?

8. En supposant que la réplication de l'ADN dans les cellules humaines s'effectue à la vitesse de 100 paires de bases par seconde, et qu'il y a une origine de réplication tous les 300 kpb, combien de temps faut-il pour répliquer la totalité du génome diploïde humain ? Combien faut-il de molécules d'ADN polymérase dans chaque cellule pour effectuer cette réplication du génome ?

Lectures complémentaires

Baker, T.A., et Bell, S.P., 1998. Polymerases and the replisome : Machines within machines. *Cell* **92** : 295-305.

Bambara, R.A., et Huang, L., 1995. Reconstitution of mammalian DNA replication. *Progress in Nucleic Acid Research and Molecular Biology* **51** : 93-122.

Bambara, R.A., Murante, R.S., et Henricksen, L.A., 1997. Enzymes and reactions at the eukaryotic replication fork. *Journal of Biolobical Chemistry* **272** : 4647-4650.

Beese, L.S., Derbyshire, V., et Steitz, T.A., 1993. Structure of DNA polymerase I Klenow fragment bound to duplex DNA. *Science* **260** : 352-355.

Blackburn, E. H., 1992. Telomerases. *Annual Review of Biochemistry* **61** : 113-129.

Boehmer, P.E., et Lehman, I.R., 1997. Herpes simplex virus DNA replication. *Annual Review of Biochemistry* **66** : 347-384.

Botchan, M., 1996. Coordniatnig DNA replication with cell division : current status of the licensing concept. *Proceedings of the National Academy of Sciences* **93** : 9997-10000.

Campbell, J.L., 1993. Yeast DNA replication. *Journal of Biological Chemistry* **268** : 25261-25264.

Chong, J.P.J., et al., 1996. The role of MCM/P1 proteins in the licensing of DNA replication. *Trends in Biochemical Sciences* **21** : 102-106.

DePamphilis, M.E., 1993. Eukaryotic DNA replication : anatomy of all origin. *Annual Review of Biochemistry* **62** : 29-63.

Friedberg, E.C., 1995. Out of the shadows and into the light : the emergence of DNA repair. *Trends in Biochemical Sciences* **20** : 381. (October, 1995 [**20** : 101 is a special issue on DNA repair)

Friedberg, E.C., Walker, G.C., et Siede, W., 1995. *DNA Repair and Mutagenesis*. Washington, DC : ASM Press.

Jallepalli, P.V., et Kelly, T.J., 1997. Cyclin-dependent kinase and initiation at eukaryotic origins : a replication switch ? *Current Opinion in Cell Biology* **9** : 358-363.

Johnson, K.A., 1993. Conformational coupling in DNA polyrnerase fidelity. *Annual Review of Biochemistry* **62** : 685-713.

Kamada, K., et al., 1996. Structure of a replication-terminator protein complexed with DNA. *Nature* **383** : 598-603.

Kearsey, S.E., et al., 1996. The role of MCM proteins in the cell cycle control of genome duplication. *BioEssays* **18** : 183-190.

Kelly, T.J., 1988. SV40 DNA replication. *Journal of Biological Chemistry* **263** : 17889-17892. A review of this viral DNA replication system, which is viewed as a paradigin of eukaryotic DNA replication.

Kelman, Z., et O'Donnell, M., 1995. DNA polymerase III holoenzyme : structure and function of a chromosomal replicating machine. *Annual Review of Biochemistry* **64** : 171-200.

Kim, N.W., 1994. Specific association of human telomerase activity with immortal cells and cancer. *Science* **266** : 2011-2015.

Kim, S., et al., 1996. Coupling of a replicative polymerase and helicase : a τ-DnaB interaction mediates rapid replication fork movement. *Cell* **84** : 643-650.

Kong, X.-P., et al., 1992. The-dimensional structure of the β-subunit of *E. coli* DNA polymerase III holoenzyme : a sliding clamp model. *Cell* **69** : 425-437. The crystal structure of the β-subunit of DNA pol III holoenzyme reveals that this processivity factor forms a closed ring around DNA, tightly clamping the pol III enzyme to its substrate.

Kornberg, A., et Baker, T.A., 1992. *DNA Replication*, 2nd ed., New York : W.H. Freeman and Co. A comprehensive detailed account of the enzymology of DNA metabolism, including replication, recombination, repair, and more.

Krishna, T.S., et al., 1994. Crystal structure of the eukaryotic DNA polymerase processivity factor PCNA. *Cell* **79** : 1233-1243.

Krude, T., et al., 1997. Cyclin/Cdk-dependent initiation of DNA replication in a hunian cell-free system. *Cell* **88** : 109-119.

Lehman, I.R., et Kaguni, L.S., 1989. DNA polymerase α. *Journal of Biological Chemistry* **264** : 4265-4268. A short review of the properties of the major eukaryotic DNA polymerase.

Lieber, M.R., 1996. The FEN-1 family of structure-specific nucleases in eukaryotic DNA replication, recombination, and repair. *BioEssays* **19** : 233-240.

Lilley, D.M.J., ed., 1995. *DNA-Protein : Structural Interactions*. Oxford : Oxford University Press.

Lohman, T.M., 1993. Helicase-catalyzed DNA unwinding. *Journal of Biological Chemistry* **268** : 2269-2272.

Matson, S.W., et Kaiser-Rogers, K.A., 1990. DNA helicases. *Annual Review of Biochemistry* **59** : 289-329. Biochemistry of the enzymes that unwind DNA.

McHenry, C.S., 1991. DNA polymerase III holoenzyme. *Journal of Biological Chemistry* **266** : 19127-19130.

Meselson, M., et Stahl, F.W., 1958. The replication of DNA in *Escherichia coli*. *Proceedings of the National Academy of Sciences, USA* **44** : 671-682. The classic paper showing that DNA replication is semiconservative.

Modrich, R, et Lahue, R. 1996. Mismatch repair in replication fidelity, genetic recombination, and cancer biology. *Annual Review of Biochemistry* **65** : 101-133.

Nakamura, T.M., et al., 1997. Telomerase catalytic subunit homologs from fission yeast and human. *Science* **277** : 955-959.

Newport, J., et Yan, H., 1996. Organization of DNA into foci during replication. *Current Opinion in Cell Biology* **8** : 365-368.

Ogawa, T., et Okazaki, T., 1980. Discontinuous DNA replication. *Annual Review of Biochemistry* **49** : 421-457. Okazaki fragments and their implications for the mechanism of DNA replication.

Park, H.-W., 1995. Crystal structure of DNA photolyase from *Escherichia coli*. *Science* **268** : 1866-1872.

Sancar, A., 1994. Mechanisms of DNA excision repair. *Science* **266** : 1954-1956. (*Science* named the extended family of DNA repair enzymes its « Molecules of the Year » in 1994. See the 23 December 1994 issue of *Science* for additional readings.)

Steitz, T.A., 1998. A mechanism for all polymerases. *Nature* **391** : 231-232.

Stillinan, B., 1994. Smart machines at the DNA replication fork. Cell 78:725-728.

Stillman, B., 1996. Cell cycle control of DNA replication. *Science* **274** : 1659-1663.

Wang, T.A., et Li, J.J., 1995. Eukaryotic DNA replication. *Current Opinion* in *Cell Biology* **7** : 414-420.

Wickner, R.B., 1993. Double-stranded RNA virus replication and packaging. *Journal of Biological Chemistry* **268** : 3797-3800.

Wold, M.S., 1997. Replication protein A : a heterotrimeric, single-stranded DNA-binding protein required for eukaryotic DNA metabolism. *Annual Review of Biochemistry* **66** : 61-92.

Wyman, C., et Botchan, M., 1995. DNA replication : a familiar ring to DNA polymerase processivity. *Current Biology* **5** : 334-337.

« Un jour viendra où quelque moine laborieux
Découvrira mes œuvres pleines de zèle et méconnues,
Allumera...sa lampe et, du parchemin
Secouant la poussière du temps, transcrira
Mes chroniques. »

ALEXANDRE POUCHKINE, *Boris Godounov* (1825)

Chapitre 31

Transcription et régulation de l'expression des gènes

PLAN

« Moine transcrivant un manuscrit » vers 1470. Jean Miélot (auteur des Miracles de Notre-Dame) *à sa table de travail, utilisant une plume d'oie et un grattoir (Bibliothèque Nationale de Paris/Mary Evans Picture Library/London.)*

En 1958, Francis Crick a énoncé le « dogme central de la Biologie moléculaire » (Figure 31.1). Cet énoncé soulignait le transfert résidu par résidu de l'information génétique encodée dans la structure primaire des biopolymères porteurs d'une information, acides nucléiques et protéines. La voie principale du transfert de l'information, ADN → ARN → Protéines, postule que l'ARN est un transporteur d'information entre l'ADN et les protéines, agents des fonctions biologiques. En 1961, François Jacob et Jacques Monod ont élargi l'hypothèse en prédisant que l'ARN intermédiaire, qu'ils ont qualifié d'**ARN messager**, ou **ARNm**, devrait avoir les propriétés suivantes :

1. La séquence de ses bases devrait refléter celle de l'ADN (une propriété compatible avec la notion que les gènes sont les unités codant pour les protéines).
2. Les masses moléculaires devraient être très hétérogènes, cependant la masse moléculaire moyenne serait de quelques centaines de kDa. (Un ARNm de 200 kDa contient près de 750 nucléotides qui codent pour environ 250 acides aminés – environ 30 kDa – une estimation raisonnable de la taille moyenne des polypeptides).
3. Il devrait s'associer aux ribosomes puisque la synthèse des protéines a lieu sur les ribosomes.
4. Son taux de renouvellement devrait être très rapide. (C'est-à-dire que l'ARNm se dégraderait rapidement. La labilité de l'ARNm permettrait que la vitesse de sa synthèse contrôle la vitesse de la synthèse des protéines).

Depuis que F. Jacob et J. Monod ont émis cette hypothèse, on a constaté que les cellules contenaient en fait trois classes principales d'ARN – l'ARNm, l'ARN ribosomique (ARNr) et l'ARN de transfert (ARNt) – qui participent à la synthèse des protéines (Chapitre 11). Tous ces ARN sont synthétisés à partir de matrices ADN par des **ARN polymérases ADN dépendantes** dans un processus appelé la **transcription**. Cependant, seuls les ARNm renferment l'information nécessaire à la synthèse des protéines. Donc tous les gènes ne codent pas pour des protéines, certains gènes codent pour des ARNr ou des ARNt. Le processus de la synthèse des protéines est appelé la **traduction**, c'est le processus par lequel l'information contenue dans la séquence des bases de l'ARNm est traduite en une séquence spécifique d'acides aminés par les ribosomes, qui sont les « machines » de la synthèse des polypeptides (Chapitre 33).

La transcription est extrêmement régulée dans toutes les cellules. À tout moment, il n'y a environ que 3 % des gènes d'un procaryote en cours de transcription. Les conditions métaboliques et l'état de croissance d'une cellule déterminent quels sont les produits des gènes nécessaires à chaque instant. Dans une cellule eucaryote différenciée, on estime que cela correspond à environ 0,01 % des gènes. Ces cellules différenciées n'expriment que l'information caractéristique des fonctions biologiques correspondant à leur type cellulaire et non pas tout le potentiel génétique de leurs chromosomes.

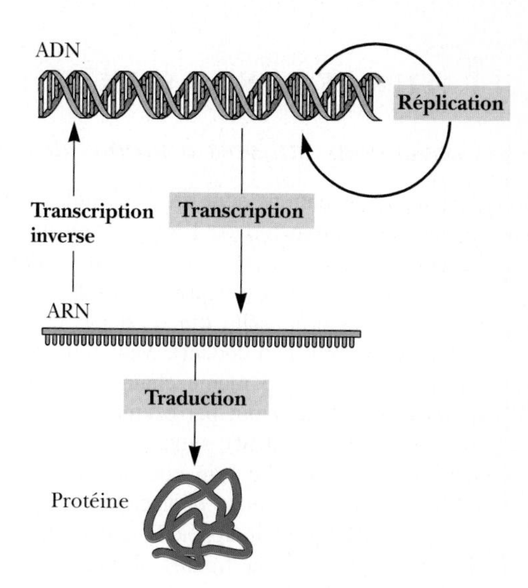

Figure 31.1 • Représentation schématique du « dogme central de la Biologie moléculaire » énoncé par Crick en 1958 : le flux directionnel des séquences informatives va de l'ADN à l'ADN (réplication), de l'ADN à l'ARN (transcription), de l'ARN aux protéines (traduction), et l'on ajoute aujourd'hui, de l'ARN à l'ADN (transcription inverse). Remarquez que l'information ne remonte pas des protéines aux acides nucléiques. Il avait été envisagé une possibilité de synthèse directe des protéines à partir de l'ADN, cette possibilité est à présent écartée. En 1958, l'ARNm n'avait pas encore été découvert.

31.1 • Transcription chez les procaryotes

Chez les procaryotes, pratiquement tous les ARN sont synthétisés par une même *ARN polymérase ADN dépendante* (la seule exception est la synthèse des petites amorces d'ARN par la primase lors de la réplication de l'ADN). Comme les ADN polymérases, l'ARN polymérase relie des ribonucléosides 5′-monophosphates dans un ordre spécifié par appariement des bases avec l'ADN matrice (les substrats précurseurs étant l'ATP, le GTP, le CTP et l'UTP, globalement décrits par NTP) :

$$n \text{ NTP} \longrightarrow (\text{NMP})_n + n \text{ PP}_i$$

L'enzyme progresse le long d'un brin de l'ADN dans la direction 3′ → 5′, reliant le phosphate 5′ d'un ribonucléotide entrant au 3′-OH du résidu précédent. Donc la chaîne de l'ARN s'allonge dans la direction 5′ → 3′ pendant la transcription, exactement comme les chaînes d'ADN pendant la réplication. Comme dans la synthèse de l'ADN, la réaction est rendue irréversible par l'hydrolyse du PP_i formé, hydrolyse catalysée par une pyrophosphatase ubiquitaire.

Structure et fonction de l'ARN polymérase d'*E. coli*

L'**ARN polymérase d'*E. coli*** (**l'holoenzyme**) est un complexe multimérique comprenant 5 protomères, 2 exemplaires de α, un de β, un de β' et un de σ ($\alpha_2\beta\beta'\sigma$, 450 kDa), assez volumineux pour être observable au microscope électronique. La plus grosse des sous-unités, β', de 155 kDa, lie l'enzyme à l'ADN ; la sous-unité β (151 kDa) lie les NTP substrats et est en interaction avec σ (70 kDa). De nombreuses protéines apparentées font partie de la famille des **facteurs sigma (σ)**, et

POUR EN SAVOIR PLUS

Conventions utilisées à propos des séquences des acides nucléiques et des protéines

Certaines conventions sont des plus utiles pour suivre les événements lors du transfert de l'information de l'ADN à la protéine. Le brin de l'ADN bicaténaire qui sert de **matrice** à l'ARN polymérase est celui qui est exprimé (qui donc a une signification, **un sens**). L'autre brin, celui qui n'est pas copié, est appelé le **brin antisens** (ou brin non codant). Mais tous les gènes ne se trouvent pas toujours sur une même chaîne d'ADN ; une chaîne donnée d'ADN peut donc avoir, par exemple, un segment qui est le brin matrice (ou brin codant), suivi d'un segment qui est le brin antisens (non codant). Le brin codant est lu et copié, transcrit, par l'ARN polymérase qui se déplace sur le brin dans la direction 3′ → 5′, et l'ARN produit, appelé le **transcrit**, s'allonge dans la direction 5′ → 3′ (voir la figure). Remarquez que la séquence des nucléotides et la direction du brin antisens sont identiques à celles de l'ARN transcrit, à l'exception des résidus T de l'ADN qui sont remplacés par des résidus U dans le transcrit. Une partie des ARN transcrits (les ARNm) sera traduite en séquences d'acides aminés constitutives des polypeptides (Chapitres 32 et 33) par un processus dans lequel un ensemble de trois bases consécutives (des triplets, appelés **codons**), lues dans la direction 5′ → 3′, **spécifie** un acide aminé particulier. Les chaînes polypeptidiques sont synthétisées dans la direction N → C, et l'extrémité 5′-terminale de l'ARNm code pour l'extrémité N-terminale du polypeptide.

Par convention, lorsque la séquence des nucléotides d'un ADN est précisée, c'est la séquence 5′ → 3′ des nucléotides du brin antisens qui est présentée. Par conséquent, si la convention est respectée, une séquence d'ADN est toujours présentée en des termes qui correspondent directement à la séquence de l'ARNm, qui elle-même correspond à la séquence des acides aminés de la protéine, lue à partir de l'extrémité N-terminale.

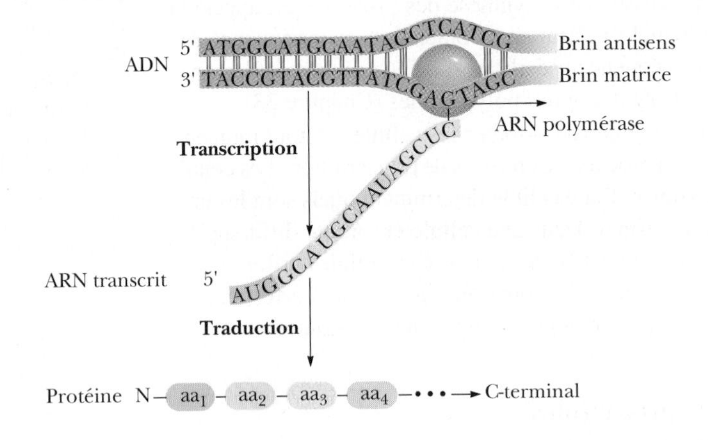

chacun de ces facteurs peut servir de sous-unité σ. La fonction de la sous-unité σ est de reconnaître des séquences spécifiques de l'ADN, appelées **promoteurs**, qui identifient le lieu du *site d'initiation de la transcription*, celui où la transcription s'amorce. Les protomères β et β' contribuent tous les deux à la formation du site catalytique. Les deux sous-unités α (chacune de 36,5 kDa) sont essentielles pour l'assemblage de l'holoenzyme et l'activation de certaines protéines régulatrices. La dissociation de la sous-unité σ de l'holoenzyme laisse une structure, le **cœur de la polymérase** ($\alpha_2\beta\beta'$) qui conserve toute son activité catalytique mais qui ne peut reconnaître les promoteurs.

Étapes de la transcription chez les procaryotes

La transcription peut être divisée en quatre parties : (a) liaison de l'ARN polymérase (l'holoenzyme) sur des sites promoteurs, (b) initiation de la polymérisation, (c) élongation de la chaîne, (d) terminaison de la chaîne. Ces parties seront successivement traitées.

Liaison de l'ARN polymérase à l'ADN matrice

Le processus de la transcription démarre quand la sous-unité σ de l'ARN polymérase reconnaît une séquence promoteur (Figure 31.2) et que l'holoenzyme ARN polymérase et le promoteur forment un complexe, le **complexe fermé** (Figure 31.2, Étape 2), ainsi dénommé car les chaînes de l'ADN doivent ensuite être séparées (*ouvertes*)

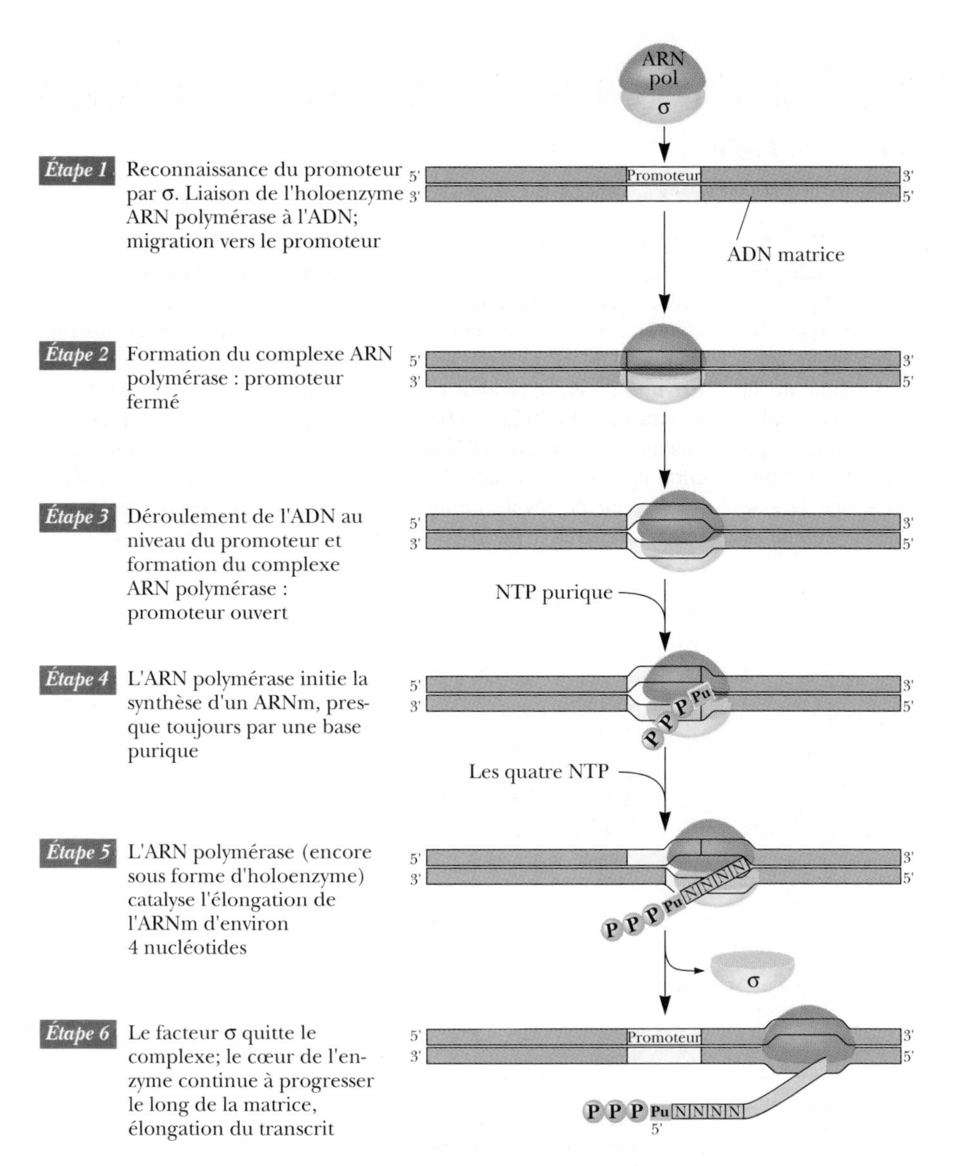
ARN
pol
σ
Étape 1 Reconnaissance du promoteur par σ. Liaison de l'holoenzyme ARN polymérase à l'ADN; migration vers le promoteur
5'
3'
Promoteur
3'
5'
ADN matrice
Étape 2 Formation du complexe ARN polymérase : promoteur fermé
Étape 3 Déroulement de l'ADN au niveau du promoteur et formation du complexe ARN polymérase : promoteur ouvert
NTP purique
Étape 4 L'ARN polymérase initie la synthèse d'un ARNm, presque toujours par une base purique
P P P Pu
Les quatre NTP
Étape 5 L'ARN polymérase (encore sous forme d'holoenzyme) catalyse l'élongation de l'ARNm d'environ 4 nucléotides
P P P Pu N N N N
σ
Étape 6 Le facteur σ quitte le complexe; le cœur de l'enzyme continue à progresser le long de la matrice, élongation du transcrit
Promoteur
P P P Pu N N N N N
5'

Figure 31.2 • Séquence des événements caractérisant les phases d'initiation et d'élongation lors de la transcription chez les procaryotes. Les nucléotides de cette région sont numérotés par référence à la base du site de début de la transcription désignée par +1.

pour que l'ARN polymérase puisse lire et transcrire l'ADN du brin matrice en une séquence d'ARN complémentaire. Les constantes de dissociation du complexe fermé holoenzyme:promoteur sont comprises entre 10^{-6} M et 10^{-9} M

Le complexe fermé (comprenant déjà le promoteur) étant établi, l'holoenzyme ARN polymérase déroule l'hélice de l'ADN sur environ 14 paires de bases (de –10 à +2 par rapport au site de départ de la transcription – voir ci-dessous)) qui se séparent (fusion), pour former avec le promoteur un **complexe ouvert** extrêmement stable (Figure 31.2, Étape 3). Dans ce complexe, l'ARN polymérase est très fortement liée à l'ADN, avec une constante de dissociation voisine de 10^{-14} *M*.

Ce complexe est si stable qu'il est possible d'identifier *in vitro* les séquences des promoteurs. Un ADN bicaténaire susceptible de contenir un promoteur est mis en présence d'ARN polymérase (l'holoenzyme contenant la sous-unité σ). Après incubation, le complexe ADN:ARN polymérase est traité par la DNase I. Cet enzyme dégrade tout ADN qui n'est pas protégé par une protéine liée (ayant de l'affinité pour l'ADN) de sorte que le fragment d'ADN restant après une digestion prolongée définit le site de liaison de l'ARN polymérase, site qui par définition est le site promoteur [1].

[1] Une autre définition, génétique, du site promoteur fait appel aux mutations : les changements de nucléotides dans cette région bloquent l'expression d'un gène car ils provoquent l'inactivation du promoteur.

POUR EN SAVOIR PLUS

Identification de la séquence des nucléotides de l'ADN sur laquelle se lie une protéine (technique de l'empreinte)

La technique de l'**empreinte de la protéine sur un ADN** (DNA foot printing) est largement répandue pour identifier une séquence de nucléotide sur laquelle une protéine ayant de l'affinité pour ce site se lie. Par exemple, la séquence d'un **promoteur** ayant lié l'holoenzyme ARN polymérase. L'interaction d'une protéine avec une séquence d'ADN protège cette séquence de l'action de la DNase I. Dans cette technique, la protéine est mise en incubation avec un fragment d'ADN marqué, *, contenant la séquence qui serait reconnue par la protéine (le fragment d'ADN n'est marqué, le plus souvent par ^{32}P, que sur une extrémité). Puis une DNase comme la DNase I est ajoutée à la solution contenant le complexe protéine:ADN. La DNase I clive le squelette de l'ADN dans la partie de l'ADN où la présence de la protéine liant l'ADN n'empêche pas la DNase de se fixer sur l'ADN et donc d'agir. Une solution témoin contenant l'ADN marqué, mais sans la protéine liant l'ADN est également traitée par la DNase I. Après digestion par la DNase, le produit est analysé par électrophorèse en gel. Il y aura une différence entre les séries de fragments marqués provenant du complexe ADN:protéine et de l'ADN seul. L'absence de certains fragments dans le produit de la digestion du complexe ADN:protéine révèle l'emplacement du site de liaison de la protéine sur l'ADN (figure)

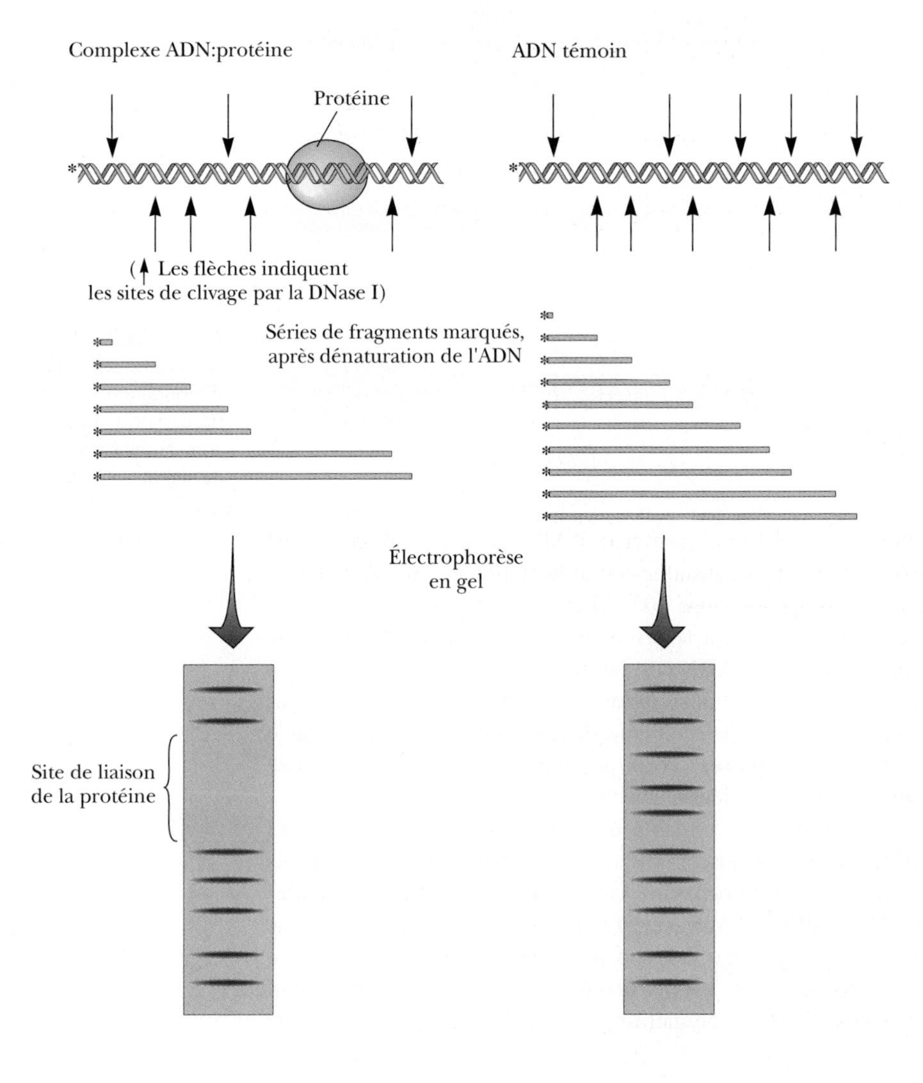

Extrait de Rhodes, D., et Fairall, L., 1997. Analysis of sequence-specific DNA-binding proteins. In Protein Function: A Practical Approach, *T.E. Creighton, ed., Oxford: IRL Press at Oxford University Press.*

La fixation de l'ARN polymérase protège une séquence nucléotidique qui, classiquement, recouvre une région s'étendant de –40 à +20. La position +1 est définie dans le brin anti-sens comme le site d'initiation de la transcription : cette base dans l'ADN spécifie la première base transcrite dans l'ARN. La base suivante, +2 spécifie la seconde base du transcrit. Les bases dans la direction 5′ à partir du site de départ de la transcription sont numérotées –1, –2, etc. (Remarquez l'absence de position zéro.) Les nucléotides dans la direction 5′ sont dits en **amont** du site d'initiation de la transcription, les nucléotides dans la direction 3′ sont en **aval** de site de départ de la transcription. Le site d'initiation sur le brin matrice est presque toujours une pyrimidine de sorte que presque tous les transcrits commencent par une purine.

PROPRIÉTÉS DES PROMOTEURS DE PROCARYOTES. La taille des promoteurs de procaryotes varie de 20 à 200 pb, mais il s'agit le plus souvent d'une région de 40 pb située du côté 5′ du site d'**initiation de la transcription.** À l'intérieur du promoteur se trouvent deux courtes séquences très conservées, généralement représentées par des **séquences consensus** (une séquence « consensus » peut être définie comme *une séquence des bases qui apparaissent avec la plus grande fréquence sur chaque position lorsque l'on compare des séries de séquences présumées avoir la même fonction*). Ces deux courtes séquences sont 1° une séquence centrée sur –10 (séquence appelée **la boîte de Pribnow**[2] ou boîte TATA), dont la séquence consensus hexamérique est TATAAT, et 2° une séquence dans la **région –35** contenant la séquence consensus hexamérique TTGACA (Figure 31.3). La boîte de Pribnow et la région –35 sont séparées par environ 17 pb de séquence non conservée. La sous-unité σ de l'holoenzyme ARN polymérase se lie à ces séquences. L'efficacité de la transcription d'un gène est d'autant plus élevée que la séquence de la région –35 ressemble plus à la séquence consensus. Les gènes *rrn* qui chez *E. coli* codent pour

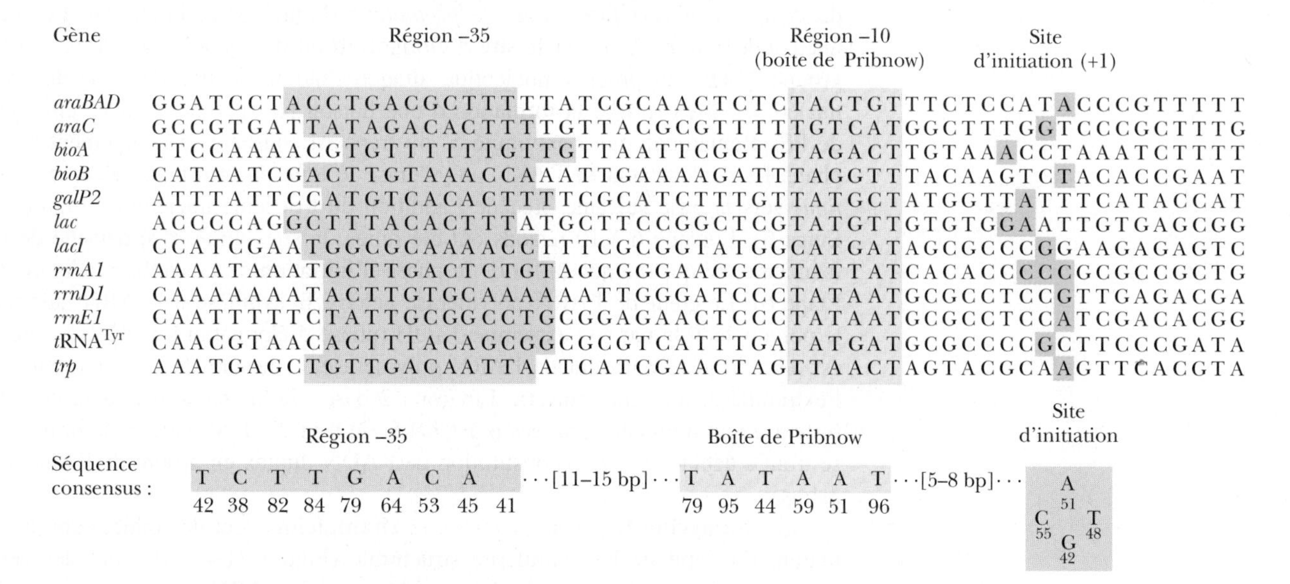

Figure 31.3 • Séquences nucléotidiques de quelques promoteurs d'*E. coli.* (En accord avec la convention, ces séquences sont celles des brins antisens des régions sur lesquelles l'ARN polymérase se lie). Les séquences consensus de la région –35, de la boîte de Pribnow (région –10), et du site d'initiation sont sur la ligne du bas. Les chiffres qui accompagnent les bases représentent la fréquence (en %) de leur présence dans les promoteurs. (Note : la région –35 n'est qu'approximativement centrée sur la base –35, de même la région –10 est approximativement sur la position –10). Dans cette figure les séquences sont alignées par rapport à la boîte de Pribnow.

[2] Ainsi nommée en l'honneur de David Pribnow qui, avec David Hogness, furent les premiers à reconnaître l'importance de cet élément de séquence dans la transcription.

l'ARN ribosomique sont fortement exprimés ; leurs promoteurs contiennent un troisième élément de séquence, l'**élément amont** (élément, ou région, **UP**, pour *upstream*), situé environ 20pb en amont de la région –35 (la transcription des gènes *rrn* représente environ 60 % du total de l'ARN synthétisé chez *E. coli* en croissance rapide). Alors que la sous-unité σ reconnaît les régions –10 et –35, les domaines C-terminaux des sous-unités α de l'ARN polymérase reconnaissent et se lient à la région UP.

Pour que la transcription puisse commencer, l'ADN bicaténaire doit être « ouvert » afin que l'ARN polymérase ait accès au brin matrice. L'efficacité de l'initiation est inversement proportionnelle à la température de fusion, T_m, de la boîte de Pribnow, ce qui donne à penser que cette région riche en A:T facilite la « fusion » de l'ADN bicaténaire (l'écartement des brins) et la création d'un complexe promoteur:ARN polymérase ouvert (Figure 31.2). Un superenroulement négatif (ou la suppression d'un superenroulement positif) facilite l'initiation de la transcription en favorisant la détorsion de l'ADN.

La sous-unité σ de l'ARN polymérase est directement impliquée dans la fusion de l'ADN bicaténaire. L'interaction de la sous-unité σ avec le brin qui n'est pas la matrice maintient ouvert le complexe formé entre l'ARN polymérase et le promoteur, la sous-unité σ agissant comme une protéine liant une séquence spécifique d'un ADN monobrin. Cette association de la sous-unité σ avec le brin antisens stabilise la forme ouverte du complexe promoteur et permet que le site catalytique de l'ARN polymérase ait accès aux nucléotides sur le brin matrice.

Initiation de la polymérisation

L'ARN polymérase lie les NTP sur deux sites différents appelés site d'initiation et site d'élongation. Le **site d'initiation** lie de préférence les nucléotides puriques ; la plupart des ARN ont une base purique à leur extrémité 5′. Le premier nucléotide, fixé sur le site d'initiation, s'apparie par des liaisons H avec la base +1 à l'intérieur du *complexe ouvert formé avec le promoteur* (Figure 31.2, Étape 4)). Le second nucléotide entrant se lie sur le **site d'élongation** où il s'apparie avec la base +2. Le groupe 3′-OH du premier nucléotide attaque l'atome de phosphore α du second nucléotide, il en résulte la formation d'une liaison phosphodiester avec élimination de PP_i. Remarquez que l'extrémité 5′ du transcrit conserve le groupement triphosphate. Le déplacement de l'ARN polymérase le long du brin matrice (*la translocation*) vers la base suivante précède l'addition du troisième nucléotide (Figure 31.2, Étape 5). Lorsque 6 à 10 résidus ont été reliés, la sous-unité σ se détache de l'holoenzyme, ce qui marque la fin de la phase d'initiation de la synthèse (Figure 31.2, Étape 6). Le cœur de l'ARN polymérase achève la synthèse de l'ARN, allongeant le polynucléotide par son extrémité 3′-OH (phase d'élongation). L'ADN bicaténaire est déroulé juste en avant de l'ARN polymérase, à mesure de sa progression vers l'extrémité 3′ du gène transcrit. Environ 12 bases de la chaîne naissante de l'ARN restent à tout moment appariées à des bases du brin d'ADN matrice ; le brin d'ARN se trouve déplacé par la reconstitution de l'ADN duplex en arrière de l'ARN polymérase.

La **rifamycine B** et son analogue, la **rifampicine**, sont des inhibiteurs de l'initiation. En dépit de leur similarité structurale (Figure 31.4), elles ont des actions différentes. La rifamycine se lie à la sous-unité β de l'ARN polymérase et empêche la fixation du NTP entrant sur le site d'initiation. La rifampicine n'intervient qu'après la formation de la première liaison phosphodiester : elle inhibe la translocation de l'ARN polymérase le long du brin matrice. Cependant, si une seconde liaison phosphodiester s'est déjà formée (donc après la synthèse d'un ARN trinucléotide), la rifampicine n'a pas d'effet.

Élongation de la chaîne

L'*élongation* du transcrit est catalysée par le *cœur de l'ARN polymérase*, car la sous-unité σ se dissocie de l'holoenzyme dès qu'une courte chaîne d'ARN s'est formée. La **cordycépine** (Figure 31.5) est un inhibiteur de l'élongation de la chaîne chez les

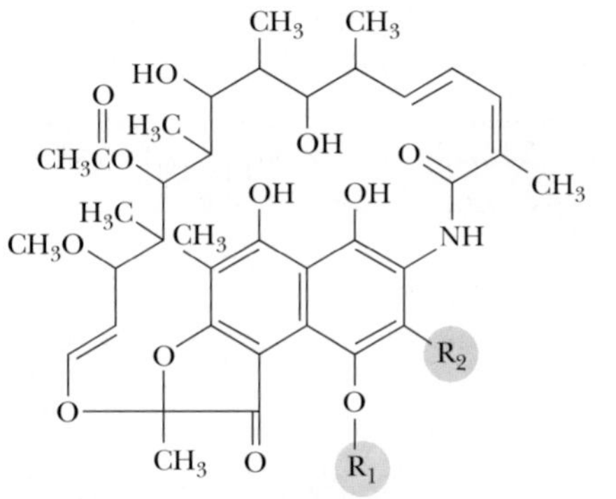

Rifamycine $R_1 = CH_2COO^-$; $R_2 = H$

Rifampicine $R_1 = H$; $R_2 = CH{=}\overset{+}{N}$ $N{-}CH_3$

Figure 31.4 • Structures de la rifamycine B et de la rifampicine, deux inhibiteurs spécifiques des ARN polymérases de procaryotes. Ces molécules n'inhibant pas les ARN polymérases des eucaryotes, se sont révélées très utiles dans le traitement de la tuberculose et des infections provoquées par les bactéries à Gram positif.

procaryotes. Ce nucléoside est phosphorylé *in vivo* en 3′-désoxynucléoside 5′-triphosphate qui se lie au cœur de la polymérase, puis est incorporé dans la chaîne naissante. Cependant, comme la cordycépine n'a pas de groupe 3′-OH, la réaction d'élongation sera bloquée. La fidélité de la transcription est assez élevée, en moyenne une base erronée est incorporée tous les 10^4 nucléotides. Plusieurs transcrits étant synthétisés pour un gène donné, ce taux d'erreur ne présente guère d'inconvénients. D'autre part, la nature du code génétique fait que ces erreurs d'incorporation sont souvent sans conséquences pour la protéine traduite à partir d'un ARNm (Chapitre 32).

L'élongation de la chaîne ne s'effectue pas à vitesse constante, mais varie de 20 à 50 nucléotides par seconde. La progression de l'ARN polymérase ralentit, et parfois fait une pause, dans les régions riches en G:C du fait de la difficulté à séparer les segments de l'ADN bicaténaire riches en G:C. Lorsque l'ARN polymérase progresse sur la matrice, la double hélice de l'ADN est dédoublée juste devant le complexe et elle se reforme aussitôt après le passage de l'ARN polymérase. Seule une très courte région hybride ARN:ADN existe à tout moment. Deux mécanismes peuvent être envisagés pour le dégagement de la chaîne du transcrit. Dans le premier, l'ARN polymérase se déplace le long de la matrice en tournant autour de l'axe de la double hélice, mais cela semble peu vraisemblable, les chaînes des acides nucléiques risqueraient en effet de s'entremêler et d'empêcher le dégagement de l'ARN (Figure 31.6a). L'autre possibilité implique la formation de superenroulements dans l'ADN ; il se forme des superenroulements positifs en avant de la bulle de transcription et des superenroulements négatifs en arrière de la bulle (Figure 31.6b) ; les tensions qui en résultent pouvant bloquer la transcription, des topoisomérases éliminent les superenroulements du segment d'ADN en cours de transcription .

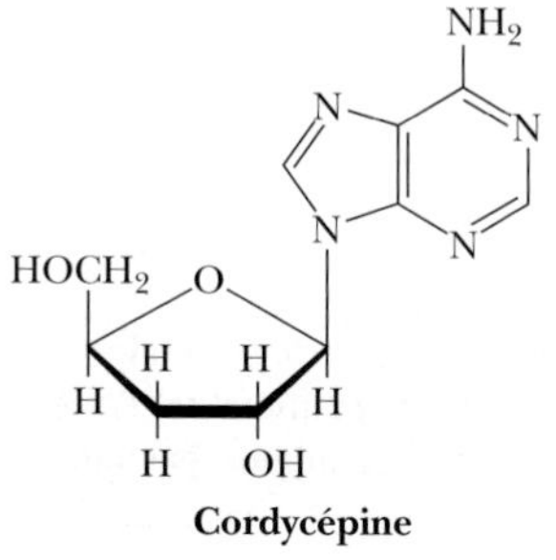

Cordycépine

Figure 31.5 • La *cordycépine* est le nom donné à la 3′-désoxyadénosine.

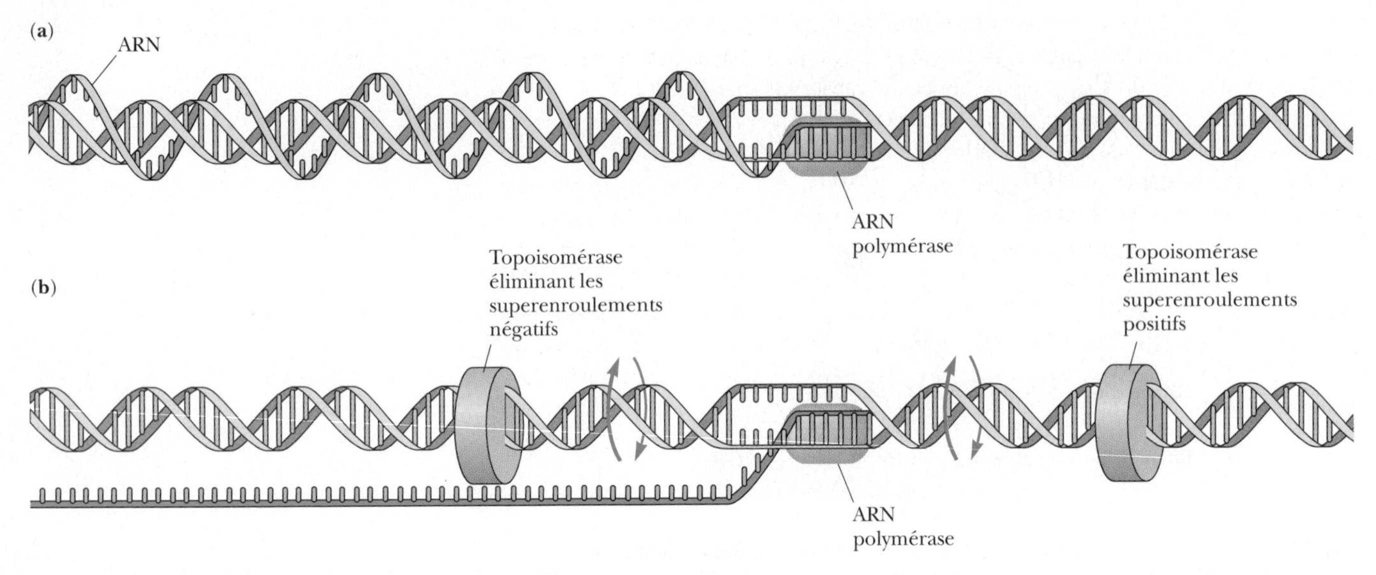

Figure 31.6 • Les superenroulements dans la transcription. (a) Si l'ARN polymérase progresse sur le brin matrice autour de l'axe de l'ADN bicaténaire, il ne se produira pas de superenroulement de l'ADN, mais la chaîne de l'ARN se trouvera enroulée autour de la double hélice, un tour supplémentaire toutes les dix pb. Cette possibilité semble peu vraisemblable car le désenchevêtrement du transcrit deviendrait très difficile, l'ARN ne se dégagerait pas de l'ADN bicaténaire. (b) Une alternative est ouverte par les topoisomérases qui peuvent éliminer les superenroulements. Une topoisomérase capable de d'éliminer les superenroulements en avant de la « bulle de transcription « relaxerait » l'ADN ; une seconde topoisomérase éliminerait les superenroulements négatifs derrière la bulle. *(D'après Futcher, B., 1988. Supercoiling and transcription, or vice versa ?* Trends in Genetics ***4*** *: 271-272.)*

Terminaison de la chaîne

Chez les bactéries, deux types de mécanismes interviennent dans la terminaison de la transcription : l'un dépend de la présence d'une protéine spécifique, **le facteur de terminaison** $\boldsymbol{\rho}$ (rhô), alors que l'autre n'est pas dépendant de cette protéine. Dans ce dernier cas, la terminaison de la transcription est déterminée par des séquences spécifiques de l'ADN appelées **sites de terminaison** (on dit aussi séquence, ou site, terminateur). Ces sites ne sont pas caractérisés par une simple séquence de bases sur laquelle la transcription s'arrêterait. Ils sont au contraire constitués de trois segments caractéristiques dont les possibilités d'appariement commandent la terminaison :

1. L'ensemble du site est formé de deux séquences répétées inversées, particulièrement riches en bases G et C, séparées par un court segment de sorte qu'il se forme une structure en **boucle et tige** très stable dont les bases sont reliées par des liaisons hydrogène intracaténaires (Figure 31.7).
2. Cette région palindrome est terminée par un segment de bases répétées.
3. Une série de 6 à 8 bases A sur le brin matrice, codant pour des U dans le transcrit, termine la séquence.

La terminaison se produit dans les conditions suivantes : dans le transcrit de la région du site de terminaison, il se forme une structure en boucle et tige, ou épingle à cheveux, riche en paires GC. Cette structure déstabilise partiellement le complexe de la bulle de transcription qui marque une pause ; pendant cette pause, la série de bases U des paires

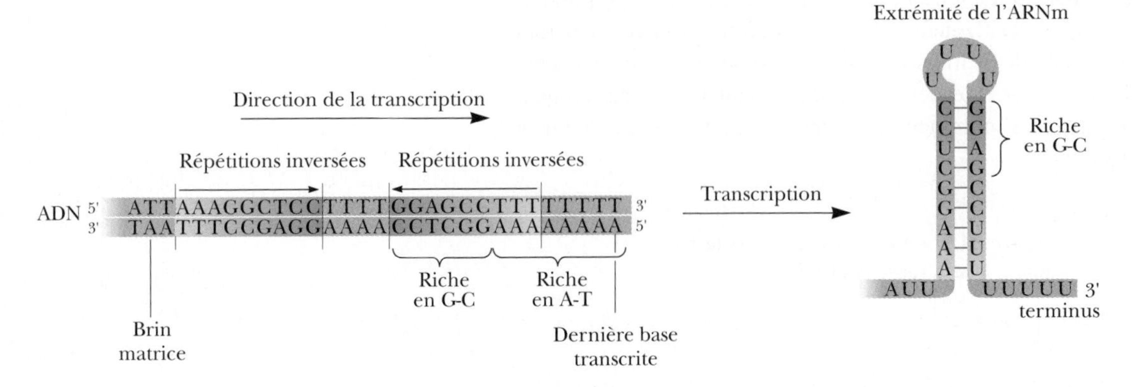

Figure 31.7 • Site de terminaison de la synthèse du transcrit de l'opéron *trp* qui code chez *E. coli* pour les enzymes de la biosynthèse du tryptophanne. Les répétitions inversées provoquent la formation d'une structure en « épingle à cheveux » qui se continue par une série de résidus U.

de bases A:U de l'hybride ADN codant:ARN naissant, est déplacée par les bases T du brin non codant (les liaisons entre les bases A et T sont plus stables que celles entre A et U). Il en résulte une dissociation spontanée du transcrit et de l'ADN.

Le second mécanisme de terminaison, dépendant de la présence d'un facteur de terminaison, est moins fréquent et plus complexe. Le **facteur ρ** est une hélicase ATP dépendante (un hexamère à protomères de 50 kDa) qui catalyse la fusion des hybrides bicaténaires ARN:ADN (et aussi des duplex ARN:ARN). Le facteur ρ reconnaît et se lie à des régions du transcrit riches en C. Ces régions ne doivent avoir aucune structure secondaire ni être liées à un ribosome (qui effectuerait leur traduction) pour que ρ puisse se lier. Puis le facteur ρ progresse dans la direction $5' \rightarrow 3'$ vers la bulle de transcription (Figure 31.8). Dans la bulle, le facteur ρ catalyse la fusion des paires de bases et la dissociation du duplex matrice:ARN naissant, ce qui libère la chaîne du transcrit. L'ARN polymérase doit très vraisemblablement marquer une pause dans une région de terminaison riche en GC pour que l'activité hélicase du facteur ρ se manifeste.

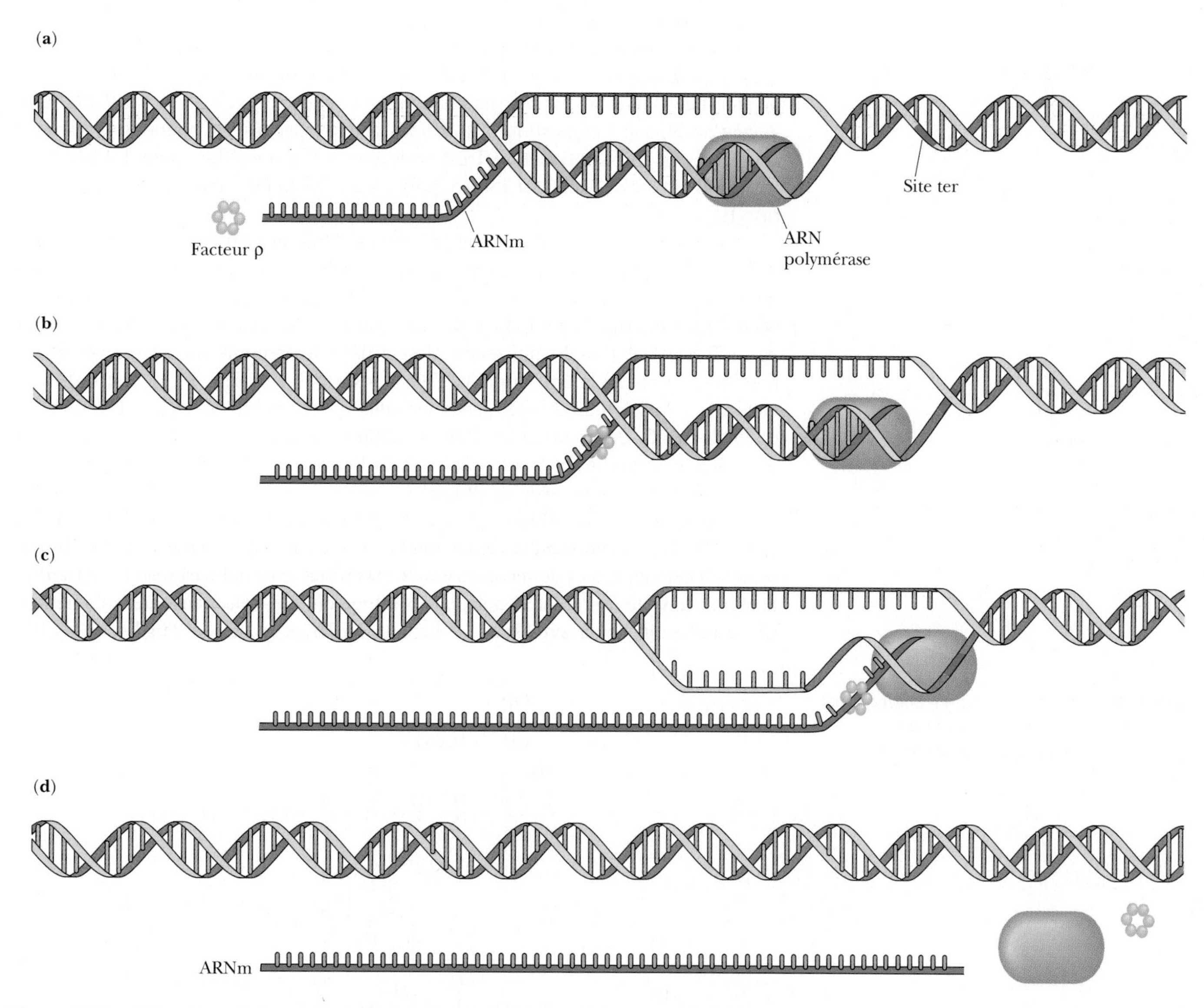

Figure 31.8 • Mécanisme de la terminaison de la transcription par le facteur ρ (rhô). Le facteur ρ se lie à un site de reconnaissance sur l'ARNm, en arrière de l'ARN polymérase (a), puis se déplace vers la polymérase (b). Quand la polymérase marque une pause sur un site de terminaison (c), la facteur ρ dissocie l'hybride ADN:ARN dans la bulle de transcription, ce qui libère la chaîne du transcrit (d).

31.2 • Transcription chez les eucaryotes

Les cellules eucaryotes ont trois classes d'ARN polymérases chacune catalysant la synthèse d'une classe différente d'ARN. Ces trois enzymes sont localisés dans le noyau cellulaire. L'**ARN polymérase I** se trouve dans le nucléole, elle transcrit les principaux gènes des ARN ribosomiques. L'**ARN polymérase II** transcrit les gènes codant pour des protéines et donc catalyse la synthèse des ARNm. L'**ARN polymérase III** transcrit les gènes des ARNt, les gènes codant pour les ARN 5S des ribosomes et ceux de divers autres gènes codant pour de petits ARN, en particulier ceux qui participent à la maturation des ARNm et au transport des protéines.

Ces trois polymérases sont de gros complexes multimériques (protéines de 500 à 700 kDa), contenant au moins 10 types de sous-unités. Bien que les compositions globales de ces trois polymérases soient différentes, plusieurs de leurs petites sous-unités sont les mêmes. De plus, toutes comportent deux grosses sous-unités (de 140 kDa, ou plus) présentant des similarités de séquence avec les sous-unités β et β' de l'ARN polymérase d'*E. coli*. Le site catalytique est donc conservé dans les diverses ARN polymérases.

Les trois classes d'ARN polymérases, différentes par leurs fonctions, peuvent aussi être distinguées par leur sensibilité à l'***α*-amanitine** (Figure 31.9), un octapeptide bicyclique produit par un champignon vénéneux, l'*amanite phalloïde*. L'α-amanitine bloque l'élongation des chaînes d'ARN par les polymérases sensibles à son action. L'ARN polymérase I est résistante à l'α-amanitine, mais l'ARN polymérase II est très sensible et l'ARN polymérase III moins sensible que la polymérase II.

La présence de trois classes de polymérases transcrivant trois groupes de gènes différents implique, pour expliquer cette spécificité, l'existence d'au moins trois catégories de promoteurs. Les trois polymérases interagissent avec leurs promoteurs respectifs par l'intermédiaire de **facteurs de transcription** ; ce sont des protéines ayant de l'affinité pour l'ADN, qui reconnaissent des sites promoteurs spécifiques et initient avec précision la transcription. Pour l'ARN polymérase I, les matrices sont les gènes de l'ARN ribosomique, gènes présents en de multiples copies. L'expression optimale de ces gènes exige les 150 nucléotides de la région 5′ en amont immédiat du site d'initiation de la transcription, mais l'emplacement précis du (des) promoteur(s) n'est pas connu avec certitude.

L'ARN polymérase III interagit avec les facteurs de transcription **TFIIIA**, **TFIIIP** et **TFIIIC**. Il est intéressant de remarquer que le facteur TFIIIA et/ou le facteur TFIIIC se lient à des séquences de reconnaissance spécifique qui sont parfois *à l'intérieur* de la région codante des gènes et non dans la région qui n'est pas transcrite, en amont du site d'initiation de la synthèse. Le facteur TFIIIB s'associe à TFIIIA ou TFIIIC

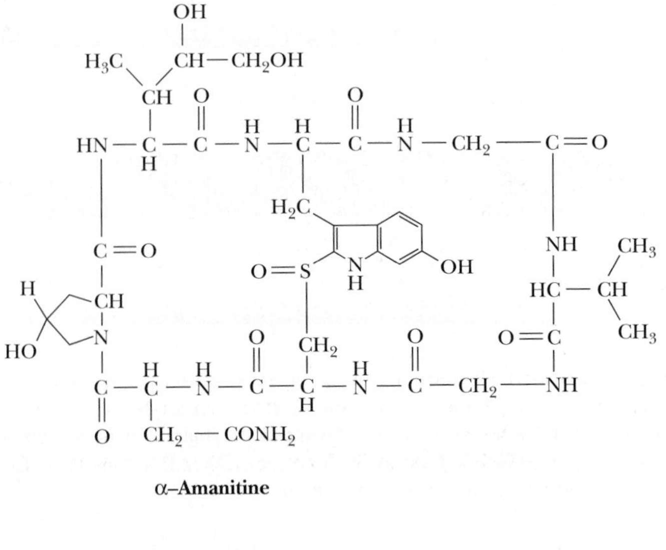

Figure 31.9 • Structure de l'α-amanitine, l'une des substances toxiques du groupe des amatoxines contenues dans un champignon, l'*amanite phalloïde*.

α–Amanitine

lorsqu'ils sont déjà liés à l'ADN, il facilite l'association ultérieure de l'ARN polymérase III (ARN pol III) ; l'ensemble constitue le complexe d'initiation.

Structure et fonction de l'ARN polymérase II

L'ARN polymérase II étant l'enzyme qui catalyse la synthèse régulée de l'ARNm a été plus étudiée que l'ARN pol II et l'ARN pol III. L'ARN pol II doit pouvoir transcrire une grande diversité de gènes, tout en étant sélective quant au choix des gènes à transcrire à tout moment en fonction des besoins métaboliques toujours changeants de la cellule et de sa croissance. L'ARN pol II de levure (*Saccharomyces cerevisiae*) a été particulièrement étudiée ; la levure est considérée par les biologistes moléculaires comme un bon modèle de cellule eucaryote. L'ARN pol II de levure est constituée de 10 polypeptides différents, désignés par RPB1 [3] à RPB10, dont les masses varient de 10 à 220 kDa (Tableau 31.1). Les fonctions de RPB1 et de RPB2 sont homologues de celles des sous-unités β et β' des ARN polymérases de procaryotes : RPB1 à un site de liaison sur l'ADN, RPB2 lie les nucléotides substrats, et tous deux contribuent à la formation du site catalytique. La fonction de RPB3 est homologue de celle de la sous-unité α des procaryotes ; il y a deux protomères RPB3 par molécule d'enzyme et RPB3 joue un rôle fondamental dans l'assemblage de la polymérase. La séquence des acides aminés de RPB4 ressemble à celle de la sous-unité σ. RPB 3, 4 et 7 sont propres à l'ARN pol II tandis que les sous-unités RPB 5, 6, 8 et 10 sont communes aux trois ARN polymérases des eucaryotes. RPB 4 et 7 se dissocient facilement de l'ARN pol II.

La sous-unité RPB I présente une particularité structurale qu'on ne retrouve pas chez les procaryotes : son *domaine C-terminal (DCT)* contient, successivement répétée 27 fois, la séquence PTSPSYS. (La sous-unité équivalente des ARN pol II des autres eucaryotes contient également cet heptapeptide répété jusqu'à 52 fois). Les chaînes latérales de 5 des 7 résidus de cette séquence ont des groupes –OH, ces DCT sont donc très hydrophiles *et* possèdent de multiples sites potentiels de phosphorylation. Le DCT se projette sur plus de 50 nm vers l'extérieur de l'enzyme de type globulaire. L'ARN pol II n'est pas fonctionnelle en l'absence du DCT et l'ARN pol II ne peut initier la transcription que si le DCT n'*est pas* phosphorylé. Par contre,

Tableau 31.1

Sous-unités de l'ARN polymérase II de la levure

Sous-unité	Masse (kDa)*	Caractéristiques	Homologue procaryote
RPB1	220	PTSPSYS CTD	β'
RPB2	150	Lie les NTP	β
RPB3	45	Assemblage du cœur	α
RPB4	32	Reconnaissance du promoteur	σ
RPB5	27	Dans pol I, pol II, et pol III	
RPB6	23	Dans pol I, pol II, et pol III	
RPB7	17	Spécifique à pol II	
RPB8	14	Dans pol I, pol II, et pol III	
RPB9	13		
RPB10	10	Dans pol I, pol II, et pol III	

* Masse des protéines, estimée d'après leur mobilité électrophorétique en gel de polyacrylamide contenant du lauryl-sulfate de sodium. Les masses moléculaires réelles sont quelque peu différentes.

Source : D'après Woychik, N.A., et Young, R.A., 1990. RNA polymerase II : Subunit structure and function. *Trends in Biochemical Sciences* **15** : 347-351.

[3] RPB pour **ARN** **p**olymérase **B** (les ARN polymérases I, II et III sont aussi appelées polymérases A, B et C).

l'élongation n'a lieu qu'après la phosphorylation du DCT de l'enzyme ; il semble donc que la phosphorylation provoque la conversion du complexe d'initiation en complexe d'élongation. Après la terminaison de la transcription, une phosphatase recycle l'ARN pol II en sa forme non phosphorylée

Initiation de la transcription par l'ARN polymérase II

Les promoteurs

Les promoteurs de l'ARN pol II comprennent généralement deux séquences séparées, caractéristiques : un élément « central » (ou, plus simplement, le promoteur), proche du site d'initiation de la transcription, sur lequel se lient les **facteurs de transcription généraux**, et, à une certaine distance, des **éléments régulateurs,** séquences **amplificatrices**, stimulatrices (de l'anglais *enhancers*), ou séquences **silenceurs** ayant un effet contraire de celui des séquences amplificatrices. Ces derniers éléments régulateurs sont reconnus par des protéines liant spécifiquement ces sites et qui activent la transcription au delà du niveau de base (en se liant aux séquences stimulatrices) ou répriment la transcription (en se liant aux silenceurs). L'élément « central » contient souvent une « boîte » TATA (élément consensus TATAAA) et le site d'initiation de la transcription ; la boîte TATA est centrée aux environs de la position –25 (Figure 31.10). Un des rôles de la boîte TATA est d'indiquer le site de l'**élément initiateur (*Inr*), ou enclencheur,** où commence la transcription. L'élément initiateur renferme le point de départ de la transcription. La séquence de *Inr* n'est que faiblement conservée dans les gènes, une séquence consensus pour une famille de gènes est $_{-3}$YYCAYYYYY$_{+6}$ (Y représentant une base pyrimidique). Les *éléments régulateurs* qui se trouvent à proximité du promoteur central (à une distance de 50 à 200 pb en amont du promoteur) sont appelés les **éléments voisins du promoteur** ; ils contiennent un ou plusieurs sites d'interaction avec des protéines régulatrices liant l'ADN et leurs séquences sont très variées. D'autres éléments régulateurs sont plus **distants** ; ces les éléments amplificateurs ou silenceurs (sur lesquels se fixent d'autres protéines régulatrices) ont des positions beaucoup plus éloignées du promoteur dont ils sont le plus souvent en amont, mais aussi parfois en aval.

Initiation de la transcription chez les eucaryotes

Une série de protéines, universelles, dénommée **l'ensemble de base**, se lie au promoteur central et initie la transcription. L'ensemble de base comprend l'ARN polymérase II et les *facteurs de transcription généraux* (**TF** pour *transcription factors*), protéines multimériques nécessaires à la transcription par l'ARN pol II. Six de ces

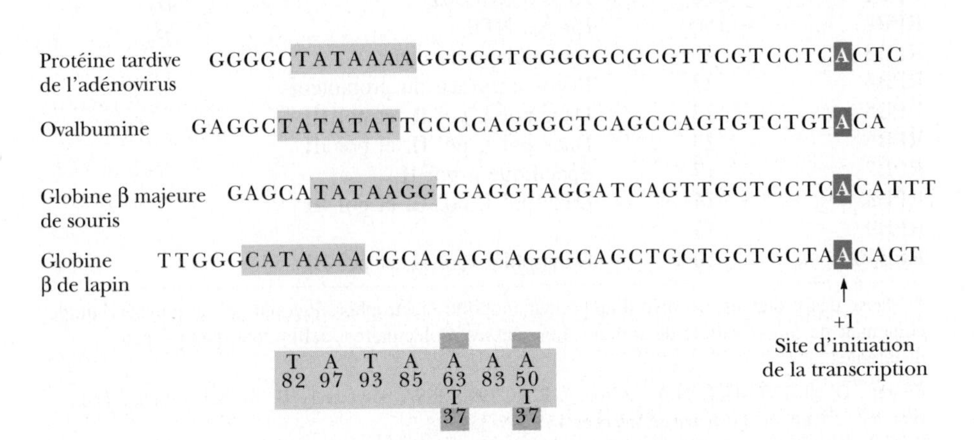

Figure 31.10 • Boîte TATA de quelques gènes eucaryotes. La séquence consensus de ces promoteurs est représentée sur la dernière ligne de la figure ; les nombres qui accompagnent les bases représentent la fréquence (en %) de leur présence dans les boîtes TATA.

Tableau 31.2

Facteurs généraux de transcription en interaction avec l'ARN polymérase II

Facteur	Nombre de sous-unités	Masse (kDa)	Fonction
TFIID — TBP	1	38	Reconnaissance du promoteur central (TATA) ; recrutement de TFIIB
TFIID — TAFs	12	15-250	Reconnaissance du promoteur central (éléments autres que TATA) ; fonctions de régulation positives ou négatives
TFIIA	3	12, 19, 35	Stabilisation de la liaison de TBP ; stabilisation des interactions dans TAF-ADN
TFIIB	1	35	Recrutement de l'ARN pol II-TFIIF ; sélection du site d'initiation par l'ARN pol II
TFIIF	2	30, 74	Fixation de pol II sur le promoteur ; déstabilisation des interactions non spécifiques ARN pol II-ADN
ARN pol II	12	10-220	Synthèse de l'ARN ; recrutement de TFIIE
TFIIE	2	34, 57	Recrutement de TFIIH ; modulation des activités hélicase, ATPase, et kinase de TFIIH ; fusion du promoteur
TFIIH	9	35-89	Écartement des brins dans le promoteur par l'activité hélicase ; départ du transcrit par phosphorylation du DCT

Source : D'après le Tableau 1 dans Roeder, R.G., 1996. The role of general initiation factors in transcription factors in transcription by RNA polymerase II. *Trends in Biochemical Sciences* **21** : 327-335.

facteurs ont jusqu'à présent été définis (Tableau 31.2) : **TFIIB, TFIID, TFIIE, TFIIF, TFIIH, TFIIJ** et le sixième, **TFIIA** qui stimule la transcription en stabilisant les interactions de TFIID avec la boîte TATA. TFIIB est constitué de la protéine TBP (pour TATA *binding protein*) qui reconnaît directement la boîte TATA et d'une série de facteurs associés à TBP (TAF ou TAF_{II}, pour TATA *associated factors*) qui ont un effet positif ou négatif sur la transcription. Certains de ces facteurs peuvent reconnaître le promoteur central, même en l'absence d'une boîte TATA. TBP de lie au promoteur central en établissant des contacts avec des bases au fond du petit sillon, ce qui provoque une distorsion et une courbure de l'ADN et rapproche l'une de l'autre les séquences en amont et aval de la boîte TATA (Figure 31.11a). Dans un des modèles de l'initiation de la transcription, quand TBP a lié le promoteur central, il est rejoint par TFIIB, suivi par l'ARN polymérase IIA associée à TFIIF. Puis d'autres facteurs rejoignent le complexe (Figure 31.11b) pour constituer un *complexe de préinitiation* de la transcription. Pour un autre modèle de l'initiation de la transcription, l'holoenzyme ARN polymérase II (ARN polymérase IIA associée à divers facteurs de transcription généraux autres que TBP ou TFIID) se forme en l'absence de toute interaction avec l'ADN puis se lie à TBP/TFII. Dans les deux cas, lorsque l'ARN polymérase IIA et les facteurs de transcription généraux se sont assemblés sur l'ADN en un complexe de préinitiation, il se forme ensuite un *complexe ouvert* et la transcription commence. La Figure 31.12a illustre la formation du complexe de préinitiation, avec les différentes composantes schématisées à la même échelle ; la Figure 31.12b représente un modèle du complexe TFIIA-TBP-TFIID-promoteur déterminé par ordinateur.

Activation de la transcription chez les eucaryotes

Les éléments amplificateurs (enhancers) des promoteurs eucaryotes stimulent la transcription au delà du niveau de base. Les protéines régulatrices qui se lient à ces éléments influencent la transcription par des interactions avec l'ARN polymérase, interactions qui sont transmises par l'intermédiaires des facteurs associés à la protéine liant le site TATA (les TAF) ou par l'intermédiaire d'un groupe de protéines, appelé **complexe médiateur**, intimement associé au CTD de la sous-unité RBP1 de l'ARN polymérase II. L'association du complexe médiateur avec l'ARN polymérase II est indispensable à la formation de l'holoenzyme ARN polymérase II qui effectue la transcription.

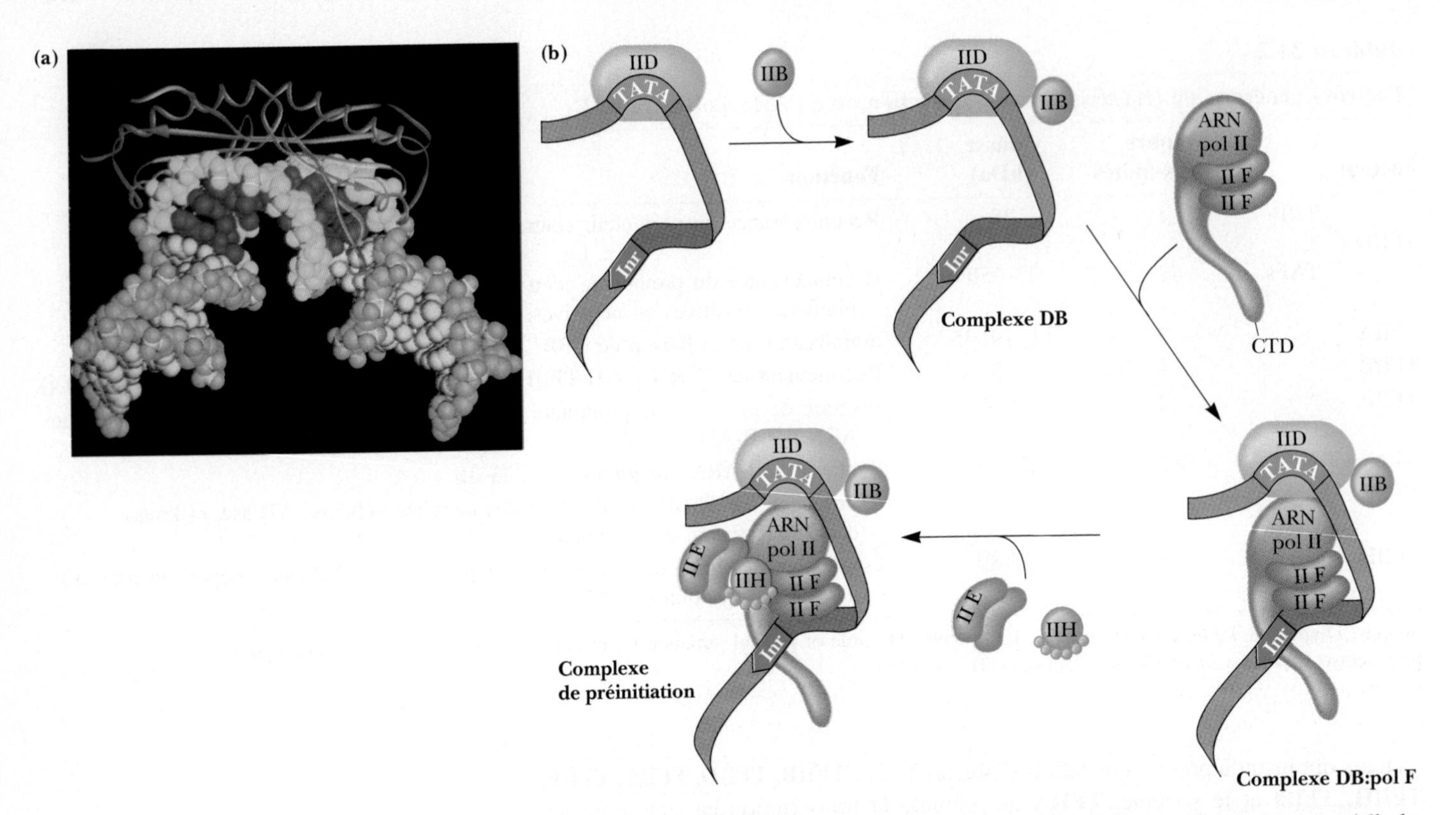

Figure 31.11 • Initiation de la transcription. (a) Modèle de la protéine de levure qui lie le site TATA (TBP pour **T**ATA ***b**inding **p**rotein*) dans un complexe formé avec segment d'ADN de levure contenant ce site. Le squelette des désoxyriboses phosphates de la boîte TATA est en jaune ; les paires de bases sont en rouge ; et les segments d'ADN adjacents sont en bleu. La protéine TBP (en vert), après sa liaison à l'ADN, est peu commune en ce qu'elle se lie au petit sillon de l'ADN comme une selle sur un cheval. La fixation de TBP dans le petit sillon provoque une courbure de 100° de l'axe de la double hélice et le déroulement de l'ADN dans la séquence TATA. Les autres sous-unités de TFIID (Tableau 31.2) sont sur TBP, positionnées comme un « cavalier sur sa selle ». La transcription de tous les gènes eucaryotes connus (y compris ceux qui n'ont pas de séquence TATA ou qui sont transcrits par les ARN polymérases I et III) exigent la présence de TBP. (*Photo aimablement communiquée par Paul B. Sigler de l'Université Yale*). (b) Formation d'un complexe de préinitiation sur un promoteur contenant la séquence TATA. La liaison de TFIID, la protéine multimérique (>100 kDa) contenant TBP et d'autres sous-unités, est stimulée par TFIIA. TFIID lié au motif TATA est rejoint par TFIIB ; l'ensemble constitue le complexe DB. Associée à TFIIF, l'ARN pol II (la forme non phosphorylée de l'ARN polymérase II) se lie au complexe DB pour donner le complexe DB:pol F. Puis TFIIE et TFIIH s'associent à ce complexe et l'ensemble forme le complexe de préinitiation. La fusion de l'ADN autour de *Inr* donne le *complexe ouvert*, et la transcription s'ensuit. (*D'après Weiss, L., et Reinberg, D., 1992.* FASEB Journal *6 : 3300, Figure 1.*)

31.3 • Régulation de la transcription chez les procaryotes

Chez les bactéries, les gènes codant pour les enzymes d'une voie métabolique particulière sont souvent regroupés, adjacents les uns aux autres, formant un segment continu sur le chromosome. Ces ensembles ainsi que les séquences régulatrices qui contrôlent leur transcription sont appelés **opérons**. Ce type d'organisation permet l'expression coordonnée de tous les gènes de l'opéron par leur transcription dans **un même ARNm polycistronique** codant pour tous les enzymes de la voie métabolique concernée [4]. Une

[4] Un **ARNm polycistronique** est une molécule d'ARNm qui code pour plusieurs protéines. Un « cistron » est, en génétique, une région d'ADN qui représente une protéine ; « cistron » et « gène » sont des termes essentiellement équivalents.

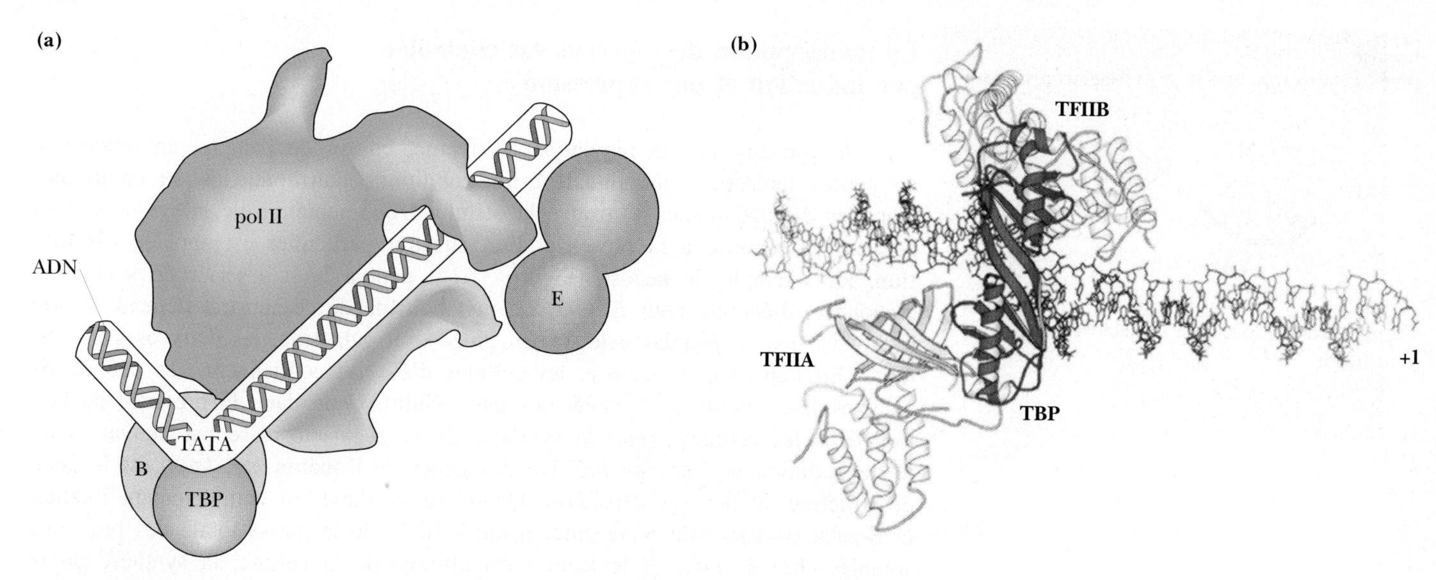

Figure 31.12 • (a) Structure du complexe de préinitiation, avec la distorsion de l'ADN et les positions relatives de l'ARN polymérase II (pol II) , la boîte TATA, TBP, TFIIB (B) et le dimère TFIIE (E). L'initiation de la transcription s'effectue sur un site de la région de l'ADN encerclée par l'ARN polymérase iiA, proche de TFiiE. *(D'après Kornberg, R.D., 1996. RNA polymerase II transcription control.* Trends in Biochemical Sciences ***21** : 325-326.)* (b) Modèle, généré par ordinateur, du complexe TFIIA-TBP-TFIIB-promoteur. Remarquez l'important déplacement latéral des segments d'ADN, en amont et en aval, induit par ces protéines. *(*[a] *D'après la Figure 2 dans Roeder R.G., 1996. The role of general initiation factors in transcription by RNA polymerase II.* Trends in Biochemical Sciences ***21** : 327-335 et* [b] *d'après la Figure 2 dans Patikoglou, G., et Burley, S.K., 1997. Eukaryotic transcription factor-DNA complexes.* Annual Review of Biophysics and Biomolecular Structure ***26** : 289-325. Figure* [b] *aimablement communiquée par Stephen K. Burley, Université Rockefeller.)*

séquence régulatrice en amont de cette unité de transcription détermine si l'opéron sera ou non transcrit. Cette séquence est appelée l'**opérateur** (Figure 31.13). L'opérateur est voisin du promoteur. L'interaction d'une **protéine régulatrice** avec l'opérateur contrôle la transcription de l'opéron en favorisant ou en empêchant l'accès de l'ARN polymérase au promoteur. Bien que ceci constitue la description typique de la régulation de l'expression des gènes chez les procaryotes, il faut signaler que de nombreux gènes de procaryotes n'ont pas d'opérateur et sont régulés par d'autres mécanismes qui ne font pas appel aux interactions protéine:opérateur.

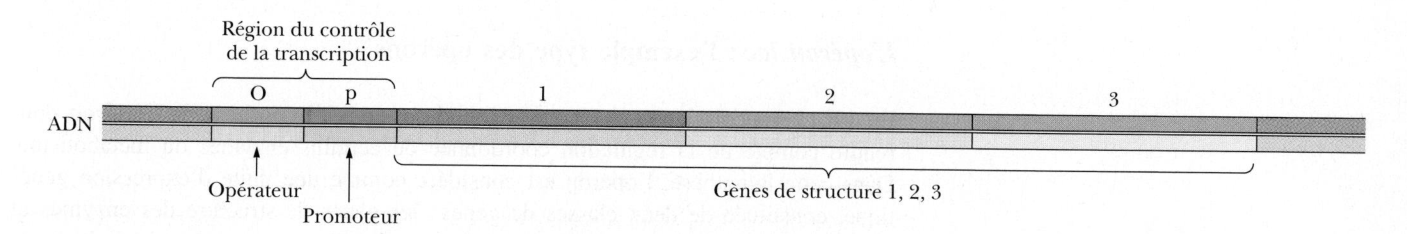

Figure 31.13 • Organisation générale des opérons. Un opéron est constitué des régions de régulation de la transcription et d'une série de gènes de structure adjacents les uns aux autres le long d'un chromosome. Les régions de contrôle de la transcription sont le *promoteur* et *l'opérateur*, qui sont proches l'un de l'autre et parfois se recouvrent partiellement, en amont des gènes de structure qu'ils contrôlent. Un opérateur peut se trouver en amont ou en aval du promoteur. L'expression d'un opéron est déterminée par la présence de l'ARN polymérase sur le promoteur (l'ARN polymérase doit pouvoir y accéder) et la présence de protéines régulatrices sur l'opérateur influence l'accès de l'ARN polymérase au promoteur. L'induction active la transcription ; la répression la prévient.

Lactose
(O-β-D-galactopyranosyl (1 → 4) β-D-glucopyranose)

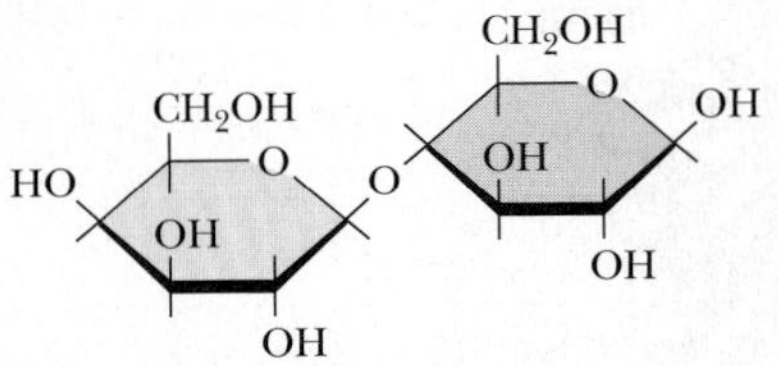

Figure 31.14 • Structure du lactose, un β-galactoside.

Isopropyl β-thiogalactoside (IPTG)

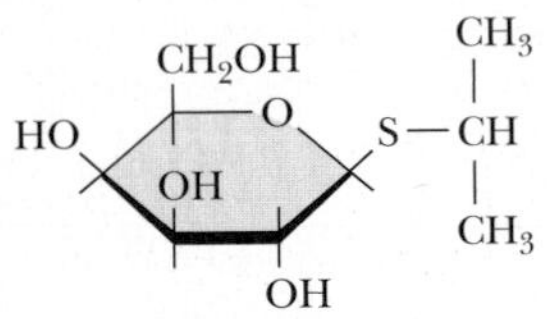

Figure 31.15 • Structure de l'IPTG (isopropyl β-thiogalactoside).

La transcription des opérons est contrôlée par induction et par répression

Chez les procaryotes, la régulation s'effectue, en fin de compte, en réponse à de petites molécules qui signalent les conditions nutritionnelles ou environnementales dans lesquelles se trouve la cellule. L'augmentation de la synthèse d'un enzyme en réponse à la présence d'un substrat particulier est appelée l'**induction**. Par exemple, le lactose (Figure 31.14) peut à la fois servir de source de carbone et d'énergie pour *E. coli*. Le métabolisme de ce substrat dépend de son hydrolyse, par la ***β*-galactosidase,** en glucose et galactose, les deux oses constitutifs. En l'absence de lactose, les cellules d'*E. coli* contiennent très peu de β-galactosidase (moins de 5 molécules par cellule). Cependant, la présence de lactose dans les cellules *induit* la synthèse de la β-galactosidase par activation de la transcription de l'*opéron lac*. Un des gènes de l'opéron *lac*, *lacZ*, est le gène de structure de la β-galactosidase. Quand sa synthèse est complètement induite, la β-galactosidase peut représenter jusqu'à 10 % de la masse totale des protéines solubles chez *E. coli*. Si le lactose est éliminé de la culture, la synthèse de la β-galactosidase cesse.

L'effet contraire à l'induction, la *diminution* de la synthèse des enzymes en réponse à un métabolite spécifique, est appelée la **répression**. Par exemple, les enzymes de la synthèse du tryptophanne chez *E. coli* sont codés par les gènes regroupés dans l'opéron *trp*. S'il y a suffisamment de tryptophanne disponible dans le milieu de culture, l'opéron *trp* n'est pas transcrit, donc les enzymes de la synthèse de Trp ne sont pas produits ; leur synthèse est *réprimée*. La répression de l'opéron *trp* en présence de Trp est un mécanisme de contrôle éminemment logique : si le produit final de la voie de sa synthèse est présent, quel serait l'avantage d'une cellule à gaspiller ses ressources pour la production d'un enzyme inutile ?

L'induction et la répression sont les deux faces d'un même phénomène. Dans l'induction, un substrat active la synthèse d'un (ou de plusieurs) enzyme(s). Les substrats qui sont capables d'activer la synthèse de l'enzyme qui les métabolise sont appelés substrats **co-inducteurs,** ou plus simplement des **inducteurs**. Certains analogues de substrat peuvent induire la synthèse d'enzymes, bien que ces enzymes soient incapables de les métaboliser. Ces analogues de substrat sont des **inducteurs gratuits**. Divers thiogalactosides, comme l'**IPTG** (isopropylthiogalactoside, Figure 31.15) sont d'excellents inducteurs gratuits de la synthèse de la β-galactosidase chez *E. coli*. Dans la répression, un métabolite, d'une façon générale le produit final d'une voie anabolique, réprime (diminue plus ou moins) la synthèse des enzymes de sa propre synthèse. Ces métabolites sont appelés **corépresseurs** (ou **répresseurs**).

L'opéron lac : l'exemple type des opérons

En 1961, François Jacob et Jacques Monod ont émis l'**hypothèse de l'opéron** pour rendre compte de la régulation coordonnée de certains enzymes du métabolisme. Dans cette hypothèse, l'opéron est considéré comme une unité d'expression génétique, constituée de deux classes de gènes : les gènes de structure des enzymes et les gènes (ou éléments de régulation) qui contrôlent l'expression des gènes de structure. Les deux classes de gènes peuvent être distinguées par des mutations. Des mutations dans un gène de structure abolissent l'activité d'un gène particulier, mais des mutations dans un gène régulateur affectent les différents enzymes qui sont sous son contrôle. On connaissait des mutations des deux types, affectant le métabolisme du lactose chez *E. coli*. Des bactéries portant des mutations dans le gène *lacZ* ou dans *lacY* (Figure 31.16) ne peuvent plus métaboliser le lactose – les mutants *lacZ* (souches $lacZ^-$) car ils n'ont plus d'activité β-galactosidase et les mutants *lacY* car le lactose n'est plus transporté dans les cellules. Cependant, le transport du lactose

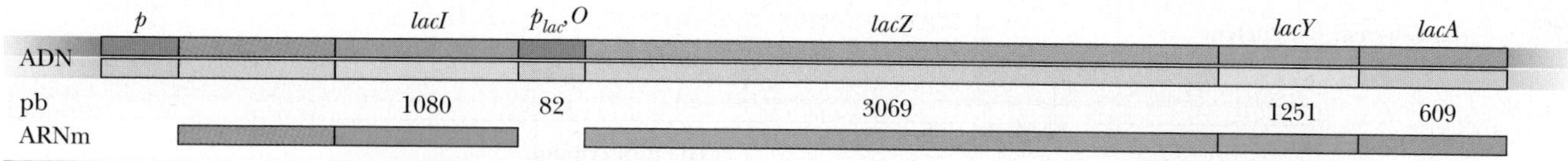

		p	*lacI*	p_{lac}, O	*lacZ*	*lacY*	*lacA*
ADN							
pb			1080	82	3069	1251	609
ARNm							
Polypeptide	Acides aminés		360		1023	417	203
	kDa		38,6		116,4	46,5	22,7
Protéine	Structure		Tétramère		Tétramère	Protéine membranaire	Dimère
	kDa		154,4		465	46,5	45,4
Fonction			Répresseur		β-Galactosidase	Perméase	Trans-acétylase

Figure 31.16 • L'opéron *lac*. L'opéron se compose de deux unités de transcription. La première unité contient trois gènes de structure, *lacZ*, *lacY* et *lacA*, sous le contrôle du promoteur p_{lac} et d'un opérateur, *O*. Dans la seconde unité se trouve le gène régulateur *lacI* (gène de structure de la protéine régulatrice) avec son propre promoteur p_{lacI} (*p*). Le gène *lacI* code pour un polypeptide de 360 résidus (38,6 kDa) qui forme la protéine régulatrice tétramérique (le répresseur). Le gène *lacZ* code pour la *β*-galactosidase, une protéine tétramérique. *lac*Y est le gène de structure de la *β*-galactoside perméase, la protéine membranaire intégrale qui transporte les *β*-galactosides, du milieu de culture vers la cellule. Le dernier gène, *lacA*, code pour le protomère d'une protéine dimérique, la *β*-galactoside transacétylase, qui, *in vitro*, catalyse l'acétylation du groupe –OH sur le C-6 des thiogalactosides (le cosubstrat est l'acétyl-CoA). Le rôle métabolique de cette protéine reste méconnu, les mutants *lacA* ne présentent aucune déficience métabolique détectable. Il a été suggéré que la protéine *lacA* interviendrait dans la détoxification des analogues du lactose par acétylation.

peut toujours être induit dans les mutants *lacZ*, et la *β*-galactosidase reste inductible dans les mutants *lacY*. D'autres mutations ont permis de définir un gène supplémentaire, le gène *lacI*. Ces mutants *lacI* ont un phénotype différent, ils expriment spontanément l'activité *β*-galactosidase et transportent le lactose*, sans avoir été préalablement exposés à un inducteur*. Donc, une simple mutation peut aboutir à l'expression des enzymes du métabolisme du lactose indépendamment de l'inducteur et *lacI* a les propriétés d'un gène régulateur. (On appelle **expression constitutive,** l'expression de gènes indépendamment de toute régulation). L'opéron *lac* comprend le gène régulateur *lacI* et son promoteur *p*, trois gènes de structure, *lacZ*, *lacY*, et *lacA*, avec leur promoteur commun, p_{lac}, et leur opérateur commun, *O* (Figure 31.16).

L'expression des gènes de structure de l'opéron *lac* est contrôlée par une **régulation négative**. C'est-à-dire qu'ils sont transcrits en ARNm sauf si la transcription est bloquée par le produit du gène *lacI*. Le produit de ce gène est le **répresseur *lac***, une protéine tétramérique (Figure 31.17). Le répresseur *lac* a deux sites de liaison, un pour l'inducteur, l'autre pour l'ADN. En l'absence d'inducteur, le répresseur *lac* bloque l'expression des gènes *lac :* le répresseur est alors lié à l'ADN du site opérateur en amont des gènes de structure *lac*, avec pour conséquence la répression de la transcription par l'ARN polymérase à partir du promoteur p_{lac}. Malgré la présence du répresseur *lac*, l'ARN polymérase peut toujours initier la transcription à partir du promoteur p_{lac}, mais le répresseur *lac* bloque l'élongation de la transcription de sorte que l'initiation n'a pas de suite. Dans les mutants *lacI*, le répresseur *lac* fait défaut, ou est incapable de se lier à l'ADN de l'opérateur, la transcription des gènes *lac* n'est pas bloquée et l'opéron *lac* est constitutivement exprimé dans ces mutants. Remarquez que *lacI* est, normalement, exprimé de façon constitutive à partir de son promoteur, de sorte que la protéine répresseur *lac* est toujours disponible pour son rôle régulateur. Il y a environ 10 molécules de répresseur *lac* dans une cellule d'*E. coli*.

La dérépression de l'opéron *lac* s'effectue quand un *β*-galactoside approprié occupe le site inducteur sur le répresseur *lac* ; il s'ensuit un changement de conformation dans la protéine, changement qui abaisse l'affinité du répresseur pour le site opérateur de l'ADN. La forme tétramérique du répresseur *lac* a 4 sites de fixation de l'inducteur et cette fixation est de type coopératif. Le changement de conformation induit par la fixation de l'« inducteur » sur le répresseur, a pour conséquence que le complexe inducteur:répresseur se dissocie de l'ADN ; l'ARN polymérase peut se lier au promoteur et transcrire les gènes structuraux (Figure 31.17). Les effets de l'inducteur sont très rapidement réversibles. La demi-vie de l'ARNm *lac* n'est que de 3 minutes et dès que l'inducteur est éliminé, ou métabolisé par l'organisme, du répresseur *lac* libre s'associe à l'ADN de l'opérateur, la transcription de l'opéron est réprimée, et l'ARNm *lac* résiduel est dégradé.

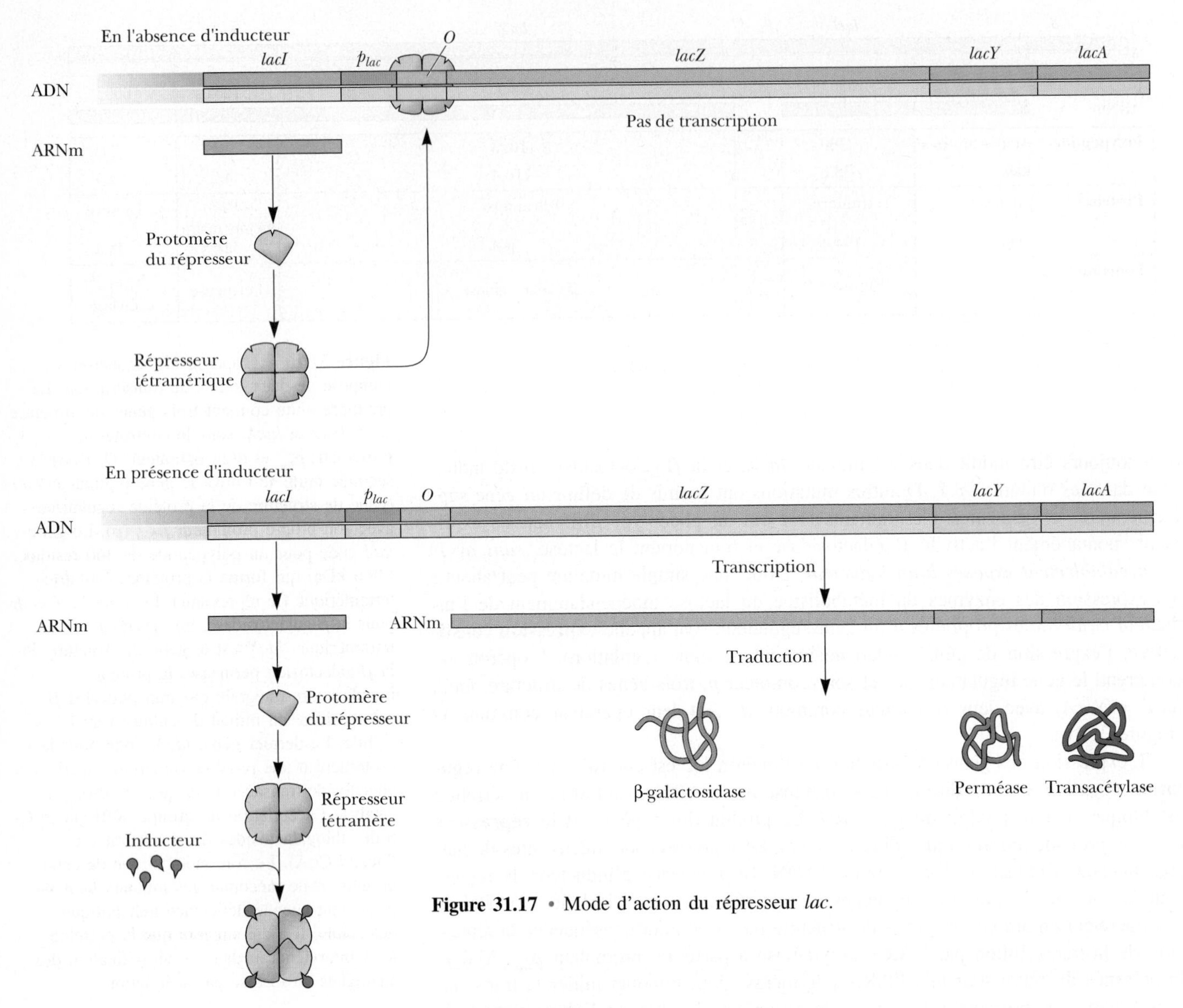

Figure 31.17 • Mode d'action du répresseur *lac*.

L'opérateur *lac*

La séquence de l'opérateur *lac* forme un palindrome imparfait (Figure 31.18). Les **palindromes,** ou séquences « répétées inversées » (Chapitre 12) ont une symétrie binaire, une caractéristique très commune des sites de l'ADN qui lient spécifiquement des protéines régulatrices. Le site opérateur contient 35 pb, dont 26 sont protégées de la digestion par l'ADNase I quand le répresseur *lac* est lié ; cependant, seule une zone centrale définie par 13 pb (de +5 à +17) est impliquée dans les contacts spécifiques avec le répresseur *lac*. Huit des bases de cette zone sont particulièrement importantes : la mutation de l'une d'entre elles conduit à l'expression constitutive de l'opéron *lac* car le répresseur ne peut plus se lier à l'opérateur (Figure 31.18). Ces mutants sont appelés **mutants opérateur constitutifs,** ou O^c. Remarquez que la distribution des mutations O^c n'est pas symétrique par rapport à l'axe de symétrie et cependant, certaines mutations, comme la mutation G:C → A:T en position 7 ou 9, rapproche le palindrome de la perfection. La distribution des mutations O^c montre que les contacts du répresseur avec la moitié gauche du palindrome sont plus cruciaux que ceux avec la moitié droite. Les sites de l'opérateur et du promoteur p_{lac} se recouvrent : le répresseur *lac* protège globalement de la digestion par une DNase une région allant du nucléotide –5 au nucléotide +21, alors que l'ARN polymérase protège de la digestion (définition du promoteur p_{lac}) une région allant de –45 à +18.

POUR EN SAVOIR PLUS

Évaluation quantitative des interactions répresseur lac*:ADN*

L'affinité du répresseur lac *pour des séquences aléatoires de l'ADN fait que toutes les molécules de répresseur sont liées à de l'ADN.* Supposons que l'ADN d'*E. coli* n'a qu'un site opérateur spécifique de liaison du répresseur de l'opéron *lac* et $4{,}64 \times 10^6$ sites non spécifiques. (Puisque le génome d'*E. coli* contient $4{,}64 \times 10^6$ paires de bases et que toute séquence nucléotidique, même décalée de l'opérateur par seulement une paire de bases, constitue un site de liaison non spécifique, il y a $4{,}64 \times 10^6$ sites non spécifiques pouvant lier le répresseur).

La liaison du répresseur à l'ADN est donnée par sa constante d'association, K_A :

$$K_A = \frac{[\text{répresseur:ADN}]}{[\text{répresseur}]\,[\text{ADN}]}$$

équation dans laquelle [répresseur:ADN] est la concentration du complexe répresseur:ADN ; [répresseur] est la concentration du répresseur libre ; et [ADN] est la concentration des sites de liaison non spécifiques.

L'équation peut être réarrangée de la façon suivante :

$$\frac{[\text{répresseur}]}{[\text{répresseur:ADN}]} = \frac{1}{K_A\,[\text{ADN}]}$$

Si le nombre des sites de liaison non spécifiques est de $4{,}64 \times 10^6$, il y a $(4{,}64 \times 10^6) / (6{,}023 \times 10^{23}) = 0{,}77 \times 10^{-17}$ « moles » de sites de liaison dans le volume d'une cellule bactérienne (environ 10^{-15} litre). Donc, $[\text{ADN}] = (0{,}77 \times 10^{-17})/(10^{-15}) = 0{,}77 \times 10^{-2}\ M$. Comme $K_A = 2 \times 10^6\ M^{-1}$ (Tableau 31.3),

$$\frac{[\text{répresseur}]}{[\text{répresseur:ADN}]} =$$

$$\frac{1}{(2 \times 10^6)(0{,}77 \times 10^{-2})} = \frac{1}{(1{,}54 \times 10^4)}$$

De sorte que le rapport répresseur libre à répresseur lié à de l'ADN est de $6{,}5 \times 10^{-5}$. *Moins de 0,01 % du répresseur n'est pas lié à de l'ADN* ! Le comportement du répresseur *lac* est caractéristique des protéines liant l'ADN. Ces protéines se lie avec une faible affinité à des séquences aléatoires d'ADN, mais avec une beaucoup plus forte affinité à leur site cible spécifique (voir Tableau 31.3).

Interactions du répresseur *lac* avec l'ADN

Une digestion limitée du répresseur *lac* par de la trypsine élimine, à l'extrémité N-terminale de chacune des sous-unités, un fragment de 59 résidus et laisse un « cœur » tétramérique qui n'est plus capable de se lier à l'opérateur. Cependant, la fixation de l'IPTG n'est pas affectée. Donc la structure de la protéine comprend deux parties, un domaine N-terminal qui se lie à l'ADN et le reste

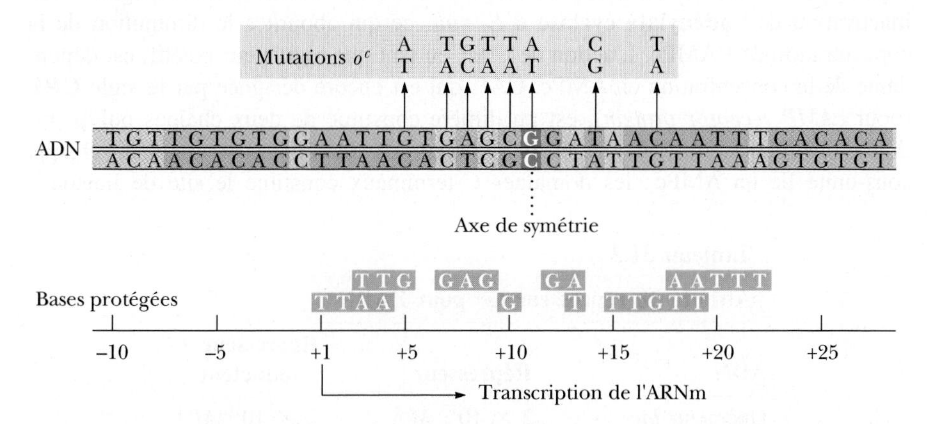

Figure 31.18 • Séquence de l'opérateur *lac*. Cette séquence de 35 pb constitue un palindrome imparfait. Les répétitions inversées symétriques sont en rose. Les bases sont numérotées par rapport à la base +1 du site d'initiation de la transcription. La paire de bases G:C en rouge (à +11) représente l'axe de la symétrie binaire. Les études *in vitro* montrent que le répresseur *lac* protège de la digestion par une DNase, une région de 26 pb s'étendant de –5 à +21. Les mutations O^c sont indiquées au-dessus de l'opérateur. Les bases protégées de la méthylation par le diméthylsulfate en présence du répresseur *lac*, ou qui se lient par pontage au répresseur *lac* sous l'action des UV sont indiquées sous l'opérateur. Remarquez la symétrie de la protection des bases +1 à +4 (TTAA) et +18 à +21 (AATT).

qui participe à la formation du tétramère et à la fixation de l'inducteur. En l'absence d'inducteur, le répresseur *lac* intact se lie de façon non spécifique à l'ADN bicaténaire avec une constante d'association de $2 \times 10^6\ M^{-1}$ (Tableau 31.3) et à la séquence de l'opérateur *lac* avec une beaucoup plus haute affinité, $K_A = 2 \times 10^{13}\ M^{-1}$. Donc, le répresseur *lac* se lie 10^7 fois mieux à l'opérateur *lac* qu'à toute autre séquence d'ADN. L'IPTG se lie au répresseur *lac* avec une constante d'association voisine de $10^6\ M$. Le complexe IPTG :répresseur *lac* se lie à l'opérateur avec une constante d'association, $K_A = 2 \times 10^{10}\ M^{-1}$. Bien que cela représente une affinité élevée, elle est 1000 fois moins importante que l'affinité du répresseur pour l'opérateur *lac* en l'absence d'inducteur. Le répresseur libre et le répresseur ayant fixé de l'IPTG n'ont pas de différence d'affinité pour un ADN autre que celui de l'opérateur. Il semble que le répresseur *lac* se lie à l'ADN et glisse le long de la molécule, à la recherche de la séquence correspondant à l'opérateur *lac* (cette recherche s'effectue dans une seule dimension, elle est donc rapide). Le répresseur lac se lie à l'opérateur avec une haute affinité, il s'y maintient jusqu'à ce que l'inducteur provoque une importante baisse de son affinité qui devient 1000 fois plus faible.

Régulation positive de l'opéron *lac* par la protéine CAP

L'ARN polymérase ne peut initier efficacement la transcription à partir de certains promoteurs que si elle est assistée par une protéine accessoire agissant comme un *régulateur positif*. La protéine **CAP** (pour ***catabolic activator protein***) est une de ces protéines accessoires. Son nom provient d'un phénomène de répression catabolique observé la première fois chez *E. coli*. La répression catabolique est une régulation générale qui coordonne l'expression des gènes en fonction de l'état physiologique global d'une cellule : aussi longtemps que du glucose est disponible, *E. coli* le catabolise, de préférence à tout autre source d'énergie, comme le lactose ou le galactose. La répression catabolique fait que les opérons codant pour les gènes de structure des enzymes nécessaires au métabolisme de ces autres sources de carbone et d'énergie, les opérons *lac* et *gal*, restent réprimés jusqu'à ce qu'il n'y ait plus de glucose. La répression catabolique l'emporte sur tout effet que pourrait avoir un inducteur présent dans le milieu.

L'AMP cyclique est l'agent de la répression catabolique et sa concentration est régulée par le glucose. Le transport du glucose dans la cellule s'accompagne d'une inactivation de l'**adénylate cyclase d'*E. coli***, ce qui aboutit à la diminution de la concentration de l'AMPc. L'action de CAP, en tant que régulateur positif, est dépendante de la concentration en AMPc. CAP, qui est encore désignée par le sigle **CRP** (pour *cAMP receptor protein*), est un dimère constitué de deux chaînes polypeptidiques identiques, de 210 résidus (22,5 kDa). Le domaine N-terminal de chaque sous-unité lie un AMPc ; les domaines C-terminaux constitue le site de liaison à

Tableau 31.3

Affinité du répresseur *lac* pour l'ADN*

ADN	Répresseur	Répresseur + inducteur
Opérateur *lac*	$2 \times 10^{13}\ M^{-1}$	$2 \times 10^{10}\ M^{-1}$
Tout autre ADN	$2 \times 10^6\ M^{-1}$	$2 \times 10^6\ M^{-1}$
Spécificité†	10^7	10^4

* Les valeurs correspondant à la liaison ADN:répresseur sont les constantes d'association, K_A, de la formation du complexe à partir de l'ADN et du répresseur.

† La spécificité est définie par le rapport (K_A de la liaison du répresseur à l'ADN de l'opérateur) / (K_A de la liaison du répresseur à un ADN quelconque).

l'ADN. Le complexe CAP:$(AMPc)_2$ se lie à des sites spécifiques près des promoteurs des opérons (Figure 31.19). Sa présence facilite la formation du complexe fermé promoteur:ARN polymérase. Par exemple, le complexe CAP:$(AMPc)_2$ se lie à la région comprise entre –72 et –52 de l'opéron *lac* et entraîne la formation du complexe fermé ARN polymérase (holoenzyme): p_{lac}. L'analyse de la structure de ce complexe révèle que l'ADN est distordu dans le complexe, il forme un angle de plus de 90° autour d'un centre de symétrie binaire (Figure 31.20). Cette courbure est très probablement en relation avec la capacité de CAP à accroître la fréquence de la formation du complexe d'initiation de la transcription.

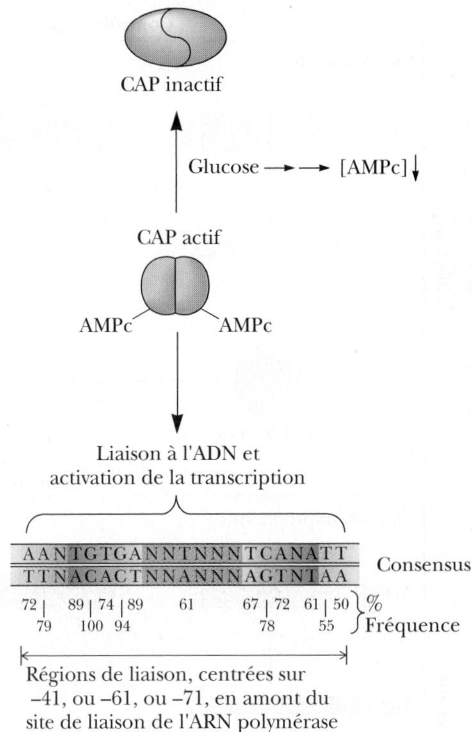

Figure 31.19 • Mécanisme de la répression catabolique et de l'action de CAP. Le glucose est à l'origine de la répression catabolique ; en sa présence, la concentration de l'AMPc est très faible. L'AMPc est nécessaire à la liaison de CAP au voisinage des promoteurs des opérons dont les gènes de structure sont impliqués dans le métabolisme d'une source d'énergie alternative, comme le lactose, le galactose ou l'arabinose. Les sites de liaison du complexe CAP:$(AMPc)_2$ sont des séquences consensus contenant le pentamère TGTGA conservé et une autre séquence, moins bien conservée, la séquence répétée inversée TCANA (dans laquelle N représente tout nucléotide).

Contrôle positif comparé au contrôle négatif

Les systèmes de contrôle positif et de contrôle négatif sont fondamentalement différents. Les gènes soumis à contrôle négatif sont transcrits *à moins* d'être bloqués par la présence d'une protéine répresseur. Souvent, l'activation d'une transcription est essentiellement le résultat d'une *anti-inhibition*, c'est-à-dire de la levée d'une inhibition. Au contraire, les gènes soumis à régulation positive ne sont exprimés *que si* un activateur protéique est présent. L'opéron *lac* permet d'illustrer ces différences. L'action du répresseur *lac* est négative. Il se lie à l'opérateur et bloque alors la transcription ; la transcription de l'opéron ne redeviendra possible que si ce contrôle négatif est levé par la dissociation du répresseur. Au contraire, la régulation de l'opéron

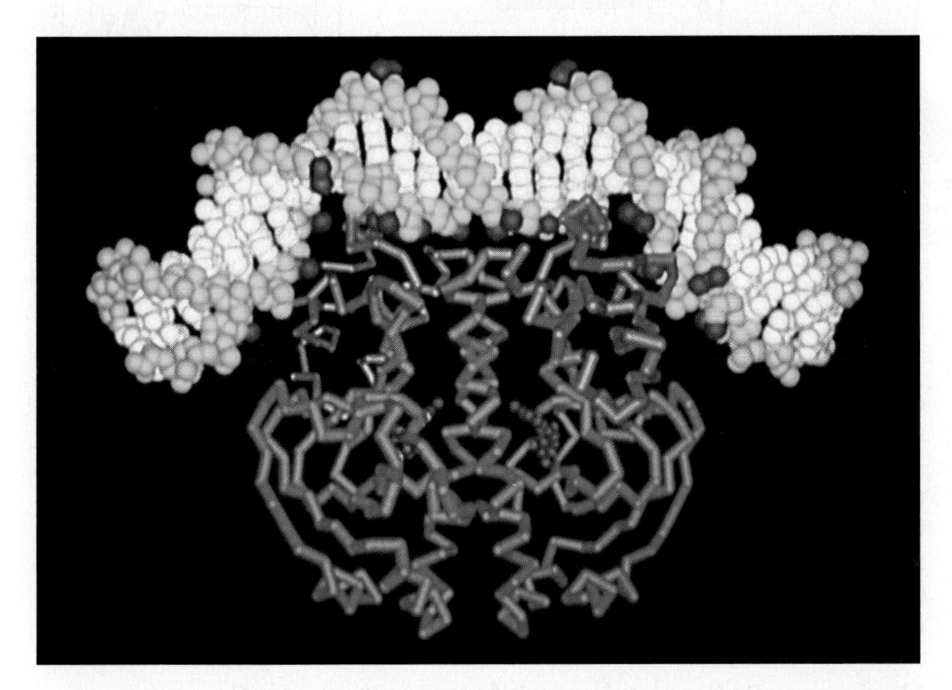

Figure 31.20 • La liaison du complexe CAP:$(AMPc)_2$ introduit une forte courbure dans l'ADN autour du centre de symétrie binaire du site de liaison de ce complexe. Le dimère CAP, lié à deux molécules d'AMPc, est en interaction avec une région de l'ADN bicaténaire comprenant 27 à 30 paires de bases. Le domaine de CAP fixant l'AMPc est en bleu et le domaine liant l'ADN en violet. Les deux molécules d'AMPc liées par CAP sont en rouge. Dans l'ADN, les bases sont en blanc et le squelette des oses phosphates est en jaune. Les groupes phosphate de l'ADN en interaction avec CAP sont colorés en rouge. La liaison du complexe CAP:$(AMPc)_2$ à son site spécifique met en jeu des liaisons hydrogène et des interactions ioniques entre des groupes fonctionnels de la protéine et les groupes phosphate de l'ADN, ainsi que la formation de liaisons hydrogène dans le grand sillon de la double hélice de l'ADN, entre des chaînes latérales des résidus de CAP et des bases appariées de l'ADN. *(D'après Schultz, S.C., Shields, G.C., et Steitz, T.A., 1991. Crystal structure of a CAP-DNA complex : The DNA is bent by 90°.* Science **253** *: 1001-1007. Photographie aimablement communiquée par le Professeur Thomas Steitz de l'Université Yale.)*

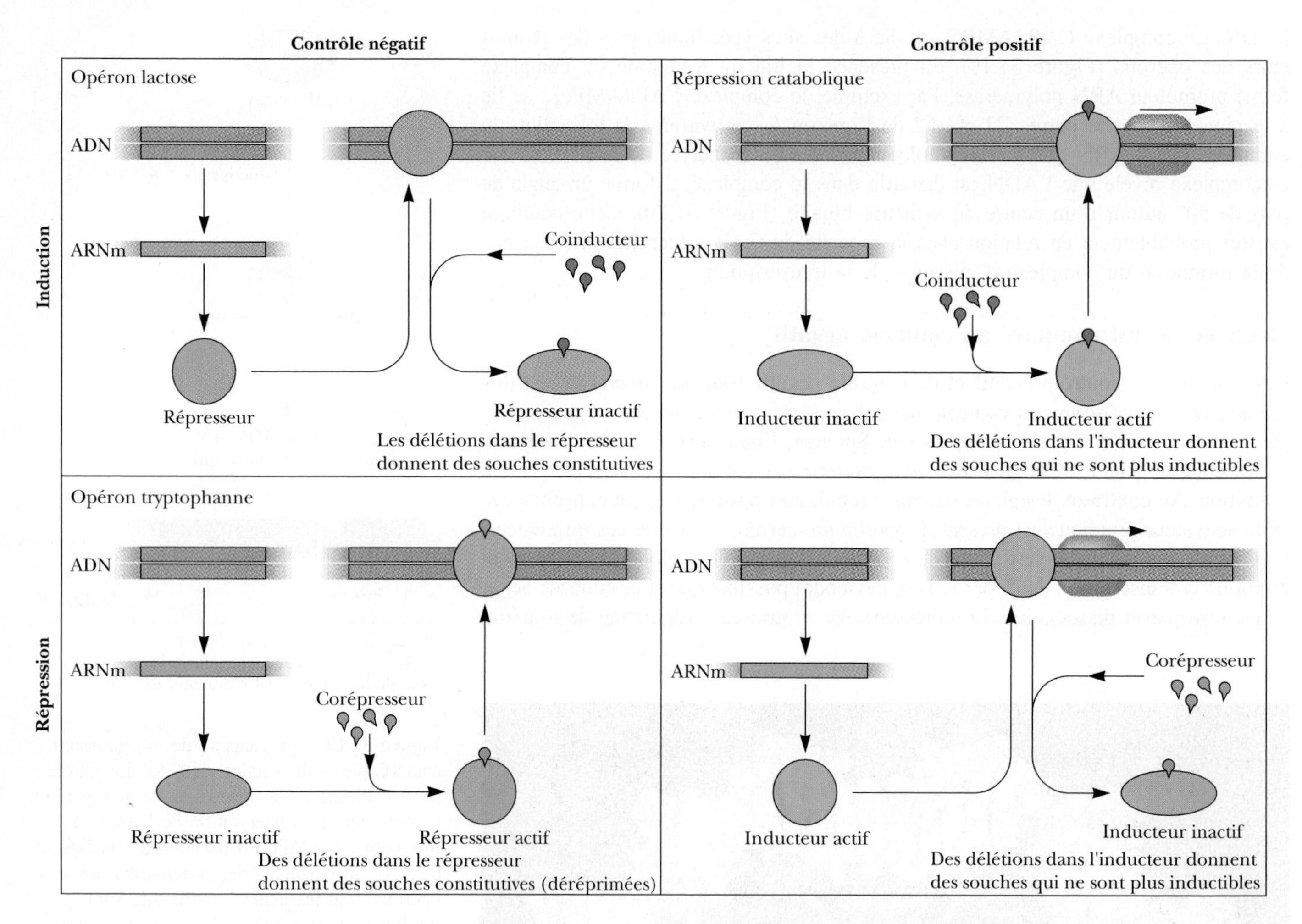

Figure 31.21 • Circuits de contrôle de l'expression des gènes. Ces circuits peuvent être positifs ou négatifs, et soumis à induction ou à répression.

lac par CAP est positive. La transcription de l'opéron par l'ARN polymérase est stimulée par l'action de CAP qui est donc dans ce cas un régulateur positif.

Les opérons peuvent encore être répartis en différentes classes, opérons **inductibles**, opérons **réprimables**, et opérons présentant ces deux caractéristiques à la fois, selon leur réponse à la présence des petites molécules qui interviennent dans leur expression. Les opérons répressibles ne sont exprimés qu'en l'absence de leurs corépresseurs. Les opérons inductibles ne sont exprimés qu'en présence de petites molécules, leurs coinducteurs (Figure 31.21).

L'opéron *araBAD* : contrôle positif et négatif par *AraC*

E. coli peut utiliser le L-arabinose, un pentose d'origine végétale, comme seule source de carbone et d'énergie. L'**opéron *araBAD*** code pour les trois enzymes qui convertissent le L-arabinose en D-xylulose-5-P, un intermédiaire de la voie des pentoses phosphates et substrat de la transcétolase (voir Chapitre 23). La transcription de cet opéron est régulée à la fois par répression catabolique et par induction sous l'effet de l'arabinose. CAP est l'agent de la répression catabolique ; l'induction par l'arabinose fait intervenir le produit du gène *araC*, proche de l'opéron *araBAD* sur le chromosome d'*E. coli*. Le produit du gène *araC*, la protéine régulatrice **AraC**[5],

[5] Les protéines sont souvent nommées d'après leur gène de structure. Par convention, le nom de la protéine s'écrit avec des lettres majuscules, il ne se met pas en italique.

est une protéine à 292 résidus comportant deux domaines, un domaine N-terminal (résidus 1 à 170) qui lie l'arabinose et intervient dans la dimérisation, et un domaine C-terminal (résidus 178 à 292) qui se lie à l'ADN. La régulation d'*araBAD* par AraC présente une particularité nouvelle : AraC est un régulateur qui peut être soit positif, soit négatif. L'opéron *araBAD* a trois sites de liaison pour AraC : un premier site opérateur $araO_1$ (région –106 à –144 par rapport au site d'initiation de la transcription d'araBAD) ; un second site opérateur $araO_2$ (recouvrant la région –265 à –294) ; et un troisième site, *araI,* le promoteur d'*araBAD.* Le site *araI* est constitué de deux « demi-sites » : $araI_1$ (nucléotides –56 à –78) et $araI_2$ (–35 à –51). Le site $araO_1$ ne participe qu'indirectement à la régulation de l'opéron *ara.*

Les détails de la régulation d'*araBAD* sont les suivants :

1. Quand la concentration de la protéine AraC est faible, le gène *araC* est transcrit par l'ARN polymérase, à partir de son promoteur p_c (adjacent à $araO_1$). Le gène *araC* est transcrit dans la direction opposée de celle de *araBAD* (Figure 31.21a).
2. Quand la concentration d'AMPc est faible et qu'il n'y a pas d'arabinose, un dimère de la protéine AraC se lie sur deux sites distincts, le site $araO_2$ et le demi-site $araI_1$. Ce double ancrage provoque la formation d'une boucle qui empêche toute transcription d'*araBAD* (Figure 31.22).
3. En présence de L-arabinose, le monomère AraC se dissocie du site $araO_2$, puis s'associe au deuxième demi-site d'*araI* encore inoccupé, $araI_2$. Le L-arabinose

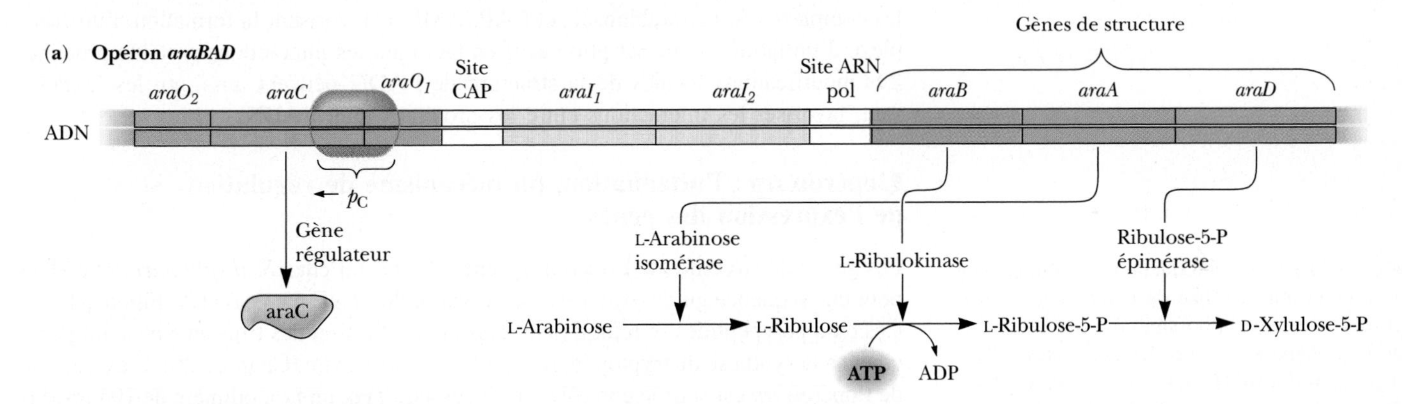

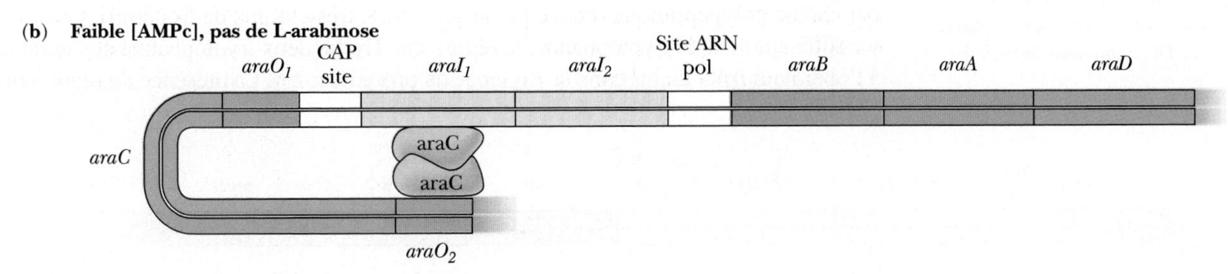

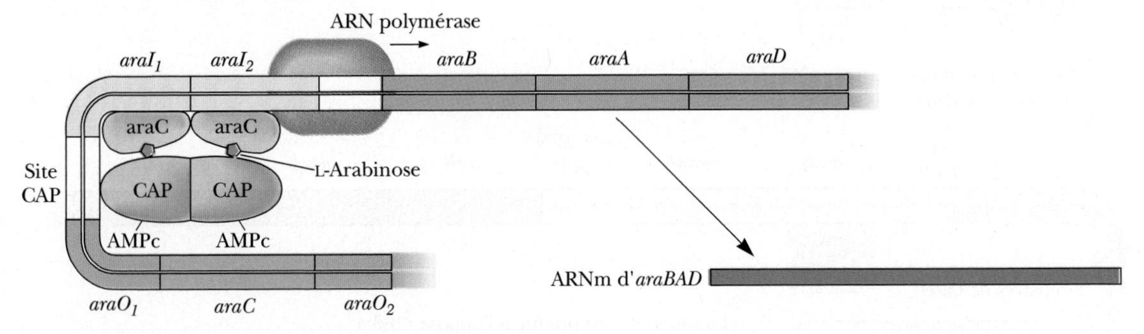

Figure 31.22 • Régulation de l'opéron *araBAD* par l'action combinée de CAP et de la protéine AraC.

se comporte alors comme un effecteur allostérique modifiant la conformation du dimère AraC. Si de plus la concentration en AMPc est élevée (il n'y a plus de glucose), ce dimère AraC s'associe à CAP:$(AMPc)_2$; le nouveau complexe favorise la fixation de l'ARN polymérase sur son site et active la transcription des gènes de l'opéron.

Donc, suivant les circonstances, la protéine AraC réprime *ou* active la transcription.

Les études par délétions montrent qu'$araO_2$ et *araI* doivent être simultanément présents dans le chromosome pour que la protéine AraC réprime l'opéron *araBAD*. La boucle d'ADN formée par la liaison d'AraC à $araO_2$ et *araI* contient 210 pb. L'introduction, ou l'élimination, de 5 pb dans cette région (l'équivalent d'un demi-tour d'hélice), a pour conséquence un changement dans la position des deux sites de liaison d'AraC qui se retrouvent diamétralement opposés, les interactions d'AraC avec ces sites ne sont plus possibles ; on n'observe plus de répression (Figure 31.23). La création d'une boucle d'ADN par des protéines se fixant sur des sites nucléotidiques spécifiques est un mécanisme commun à de nombreux systèmes de régulation impliquant l'ADN. (la formation de boucles d'ADN sera à nouveau traitée à la suite de ce chapitre).

Le contrôle positif de l'opéron *araBAD* a lieu en présence de L-arabinose *et* d'AMPc. La liaison de l'arabinose par AraC provoque la dissociation de la protéine du site $araO_2$, l'ouverture de la boucle de l'ADN et l'association d'AraC avec $araI_2$. Le complexe CAP:$(AMPc)_2$ se lie sur un site localisé entre $araO_1$ et *araI* ; réunis, les complexes AraC:$(arabinose)_2$ et CAP:$(AMPc)_2$ favorisent la formation d'un complexe d'initiation de transcription actif en facilitant les interactions protéine:protéine. Les modifications locales de la structure de l'ADN peuvent aussi, en les juxtaposant, favoriser les interactions entre les protéines liant l'ADN.

L'opéron *trp* : l'atténuation, un mécanisme de régulation de l'expression des gènes

Les gènes de structure de l'opéron *trp* chez *E. coli* (et chez *S. thyphimurium*) codent pour une séquence guide (*trp*L) et cinq polypeptides, *trp*E, D, C, B et A (Figure 31.24). Ces cinq polypeptides se répartissent dans la constitution des trois enzymes qui participent à la synthèse du tryptophanne à partir du chorismate (Chapitre 26). L'expression de l'opéron *trp* est sous le contrôle du **répresseur Trp**, un homodimère de 108 résidus par chaîne polypeptidique (codée par le gène *trp*R très éloigné de l'opéron). Quand il y a suffisamment de tryptophanne, le répresseur Trp lie deux tryptophanne et s'associe à l'opérateur *trp*O inclus dans la séquence du promoteur *trp*. La présence du répresseur

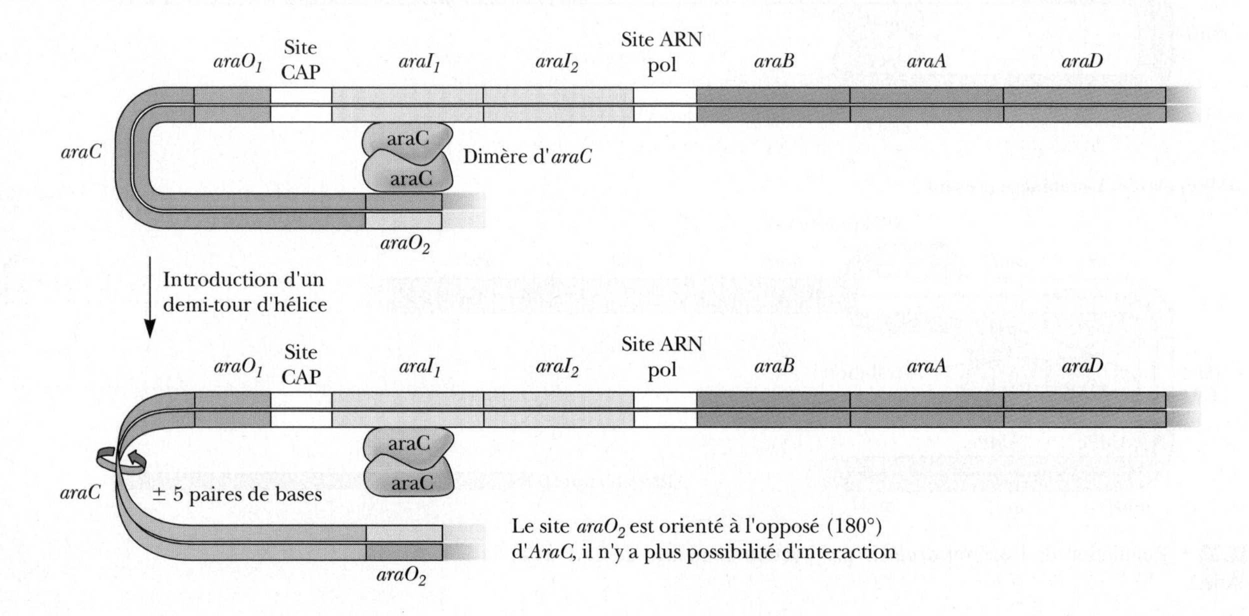

Figure 31.23 • L'introduction ou l'élimination d'un demi tour d'hélice de l'ADN entre $araO_2$ et *araI* supprime la possibilité d'une interaction de la protéine AraC avec les deux sites et la répression d'*araBAD*. (*D'après Schleif, R., 1987. The L-arabinose operon. In* Escherichia coli *and* Salmonella typhimurium, *vol. 2. Édité par Neidhardt, F.C., et al. Washington, DC : American Society for Microbiology.*)

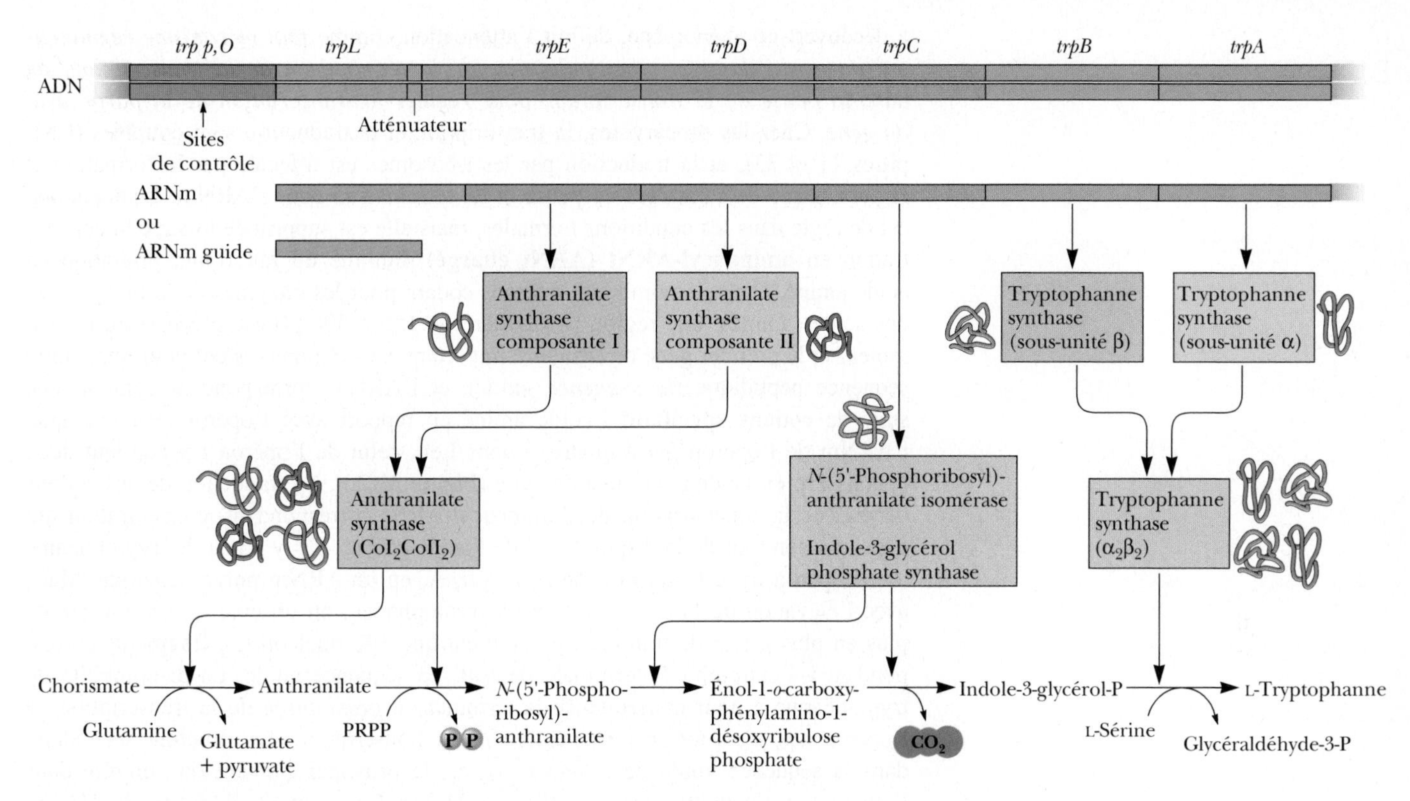

Figure 31.24 • L'opéron *trp* chez *E. coli*.

empêche la liaison de l'ARN polymérase sur le site promoteur et donc la transcription de l'opéron *trp*. Lorsque le tryptophanne devient limitant la répression est levée ; en effet, en l'absence de tryptophanne le répresseur Trp (l'aporépresseur Trp) n'a plus suffisamment d'affinité pour le promoteur. Le comportement du répresseur Trp est donc celui observé dans le cas d'un opéron réprimable qui n'est exprimé qu'en absence du corépresseur (cas du circuit de contrôle négatif, Figure 31.21). Le répresseur Trp régule deux autres opérons, *trp*R et *aro*H (Figure 31.25). Le répresseur Trp est codé par l'opéron *trp*R ; la régulation de cet opéron par le répresseur Trp sert d'exemple classique à **l'autorégulation** (ou **régulation autogène**), la régulation de l'expression d'un gène par le produit de ce gène. L'opéron *aroH* code pour l'isozyme de la DAHP synthase sensible au tryptophanne (cet enzyme intervient dans la voie de la synthèse du chorismate, voir Chapitre 26).

L'atténuation

En plus de la répression, l'opéron *trp* est soumis à régulation par une **atténuation de la transcription**. À la différence des mécanismes examinés jusqu'à présent, l'atténuation régule la transcription *après* qu'elle a commencé. Charles Yanovsky, qui

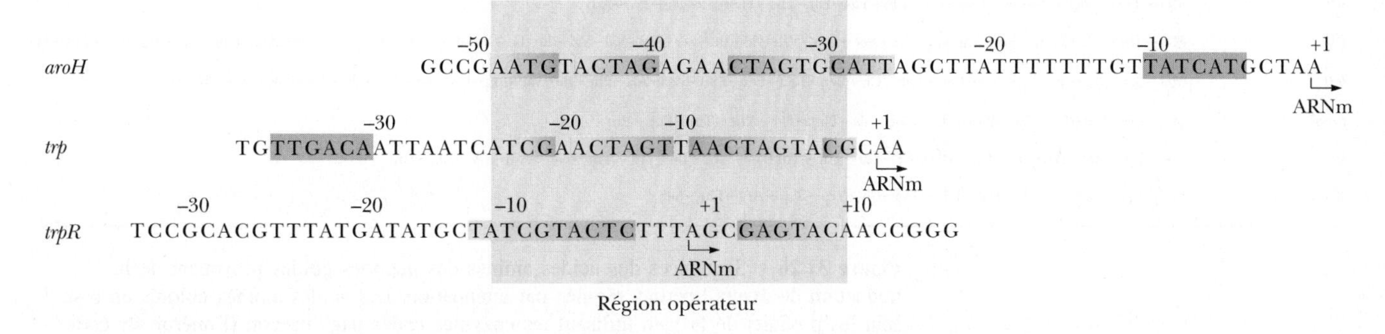

Figure 31.25 • Les trois opérateurs reconnus par le répresseur Trp.

a découvert ce phénomène, définit l'atténuation comme *tout mécanisme régulateur qui intervient dans la « manipulation » de la terminaison de la transcription, ou dans la pause de la transcription, pour réguler la transcription de la partie aval du gène*. Chez les procaryotes, la transcription et la traduction sont couplées (Chapitres 11 et 33), et la traduction par les ribosomes est affectée par la formation et la persistance de structures de pause et de terminaison dans l'ARNm. L'atténuation est de règle dans les conditions normales, mais elle est supprimée lorsque la concentration en **aminoacyl-ARNt** (**ARNt chargé**) diminue du fait d'une limitation en acide aminé. Dans de nombreux opérons codant pour les enzymes de la biosynthèse des acides aminés, une région particulière de 150 à 300 pb est située entre le promoteur et le premier gène de structure important. Ces régions codent pour une courte séquence peptidique (*la séquence guide*), et l'ARNm correspondant contient une suite de **codons spécifiant** l'acide aminé en rapport avec l'opéron. Par exemple, l'ARNm de l'opéron *leu* a quatre codons Leu, celui de l'opéron *trp* contient deux codons Trp en tandem, et ainsi de suite (Figure 31.26). La traduction de ces codons dépend de la concentration de l'aminoacyl-ARNt correspondant, concentration qui dépend à son tour de la disponibilité de l'acide aminé. S'il y a peu de tryptophanne, tout l'opéron trp est transcrit, de *trp*L à *trp*A, en un ARNm polycistronique. Mais, avec l'élévation de la concentration du tryptophanne, on observe qu'un nombre de plus en plus grand de transcrits ne contient que 140 nucléotides, fragments correspondant à l'extrémité 5′-terminale de *trp*L, la séquence guide. La disponibilité du tryptophanne a pour conséquence la terminaison *prématurée* de la transcription de l'opéron *trp*, c'est-à-dire l'atténuation de la transcription. La structure secondaire dans la séquence guide de l'ARNm *trp* est le principal élément du contrôle dans l'atténuation de la transcription (Figure 31.27). Ce segment d'ARNm de 160 pb inclut la région codant pour les 14 résidus du peptide guide. Dans l'ARNm, quatre segments contiennent des bases qui peuvent s'apparier et former trois structures critiques en épingle à cheveux : la **structure de pause 1:2**, celle du **terminateur 3:4** et celle de **l'antiterminateur 2:3**. Il est évident que ces structures s'excluent mutuellement. Une des importantes propriétés de cette région codante provient des deux codons UGG successifs (en tandem) spécifiant le tryptophanne.

Lorsque la transcription par l'ARN polymérase est amorcée, elle progresse jusqu'à la position 92, l'épingle à cheveux 1:2 se forme et provoque une pause dans la réaction d'élongation. Pendant cette pause de l'ARN polymérase, un ribosome commence la traduction de la séquence guide du transcrit. La traduction par le ribosome met fin à la pause de l'ARN polymérase et la transcription reprend, avec l'ARN polymérase et le ribosome se déplaçant à l'unisson. Tant qu'il y a suffisamment de tryptophanne pour que le Trp-ARNt^{Trp} ne soit pas limitant, le ribosome n'est pas arrêté dans sa progression par les deux codons Trp, il suit immédiatement l'ARN polymérase, traduisant l'ARN messager au fur et à mesure de sa synthèse. La présence du ribosome sur le segment 2 empêche la formation de l'épingle à cheveux 2:3 antiterminateur, ce qui permet la formation de l'épingle 3:4 terminateur

Opéron	Séquence des acides aminés
his	Met–Thr–Arg–Val–Gln–Phe–Lys–His–His–His–His–His–His–His–Pro–Asp
ilv	Met–Thr–Ala–Leu–Leu–Arg–Val–Ile–Ser–Leu–Val–Val–Ile–Ser–Val–Val–Val–Ile–Ile–Ile–Pro–Pro–Cys–Gly–Ala–Ala–Leu–Gly–Arg–Gly–Lys–Ala
leu	Met–Ser–His–Ile–Val–Arg–Phe–Thr–Gly–Leu–Leu–Leu–Leu–Asn–Ala–Phe–Ile–Val–Arg–Gly–Arg–Pro–Val–Gly–Gly–Ile–Gln–His
pheA	Met–Lys–His–Ile–Pro–Phe–Phe–Phe–Ala–Phe–Phe–Phe–Thr–Phe–Pro
thr	Met–Lys–Arg–Ile–Ser–Thr–Thr–Ile–Thr–Thr–Thr–Ile–Thr–Ile–Thr–Thr–Gln–Asn–Gly–Ala–Gly
trp	Met–Lys–Ala–Ile–Phe–Val–Leu–Lys–Gly–Trp–Trp–Arg–Thr–Ser

Figure 31.26 • Séquences des acides aminés des peptides guides provenant de la traduction de divers opérons régulés par atténuation. Les acides aminés colorés en rose sont les produits de la voie utilisant les enzymes codés par l'opéron (l'opéron *ilv* code pour des enzymes de la biosynthèse de l'isoleucine, de la leucine et de la valine).

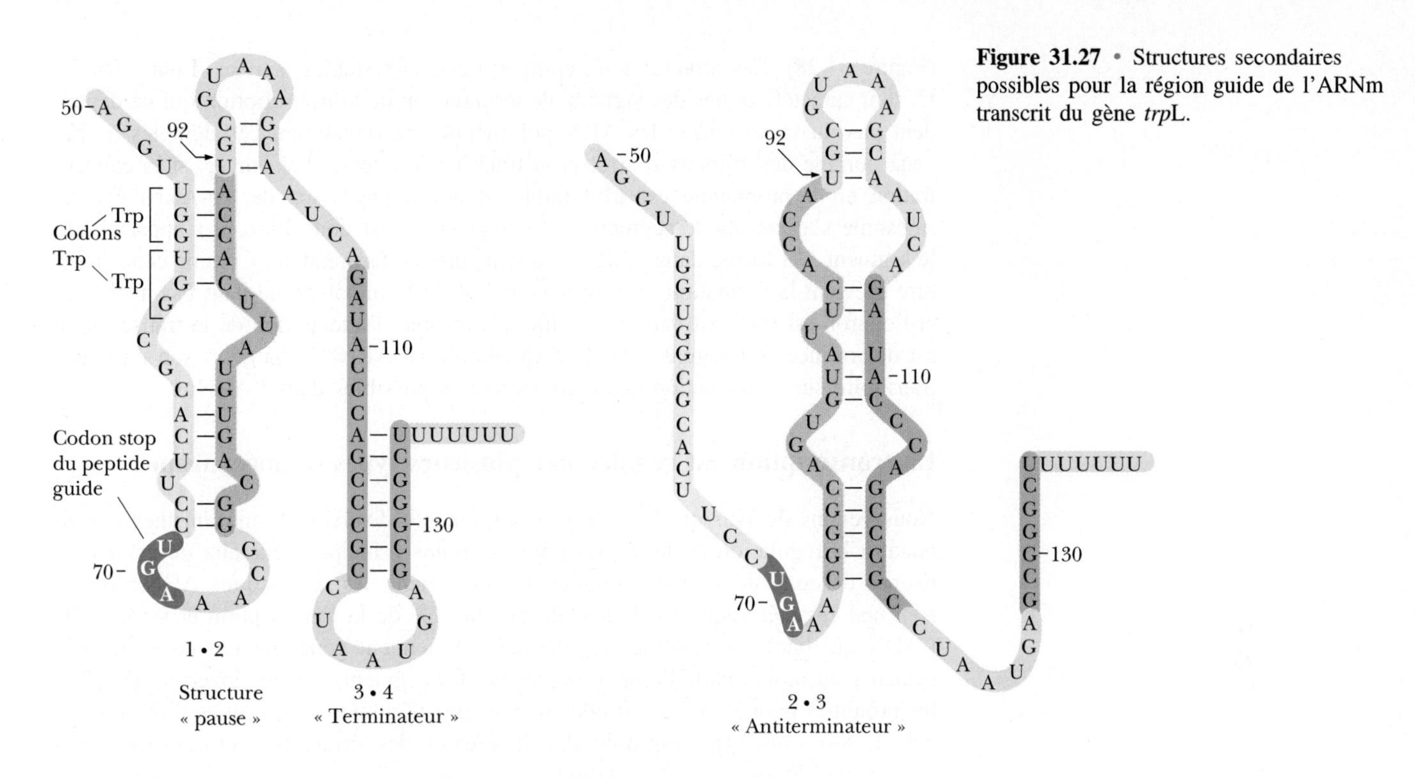

Figure 31.27 • Structures secondaires possibles pour la région guide de l'ARNm transcrit du gène *trp*L.

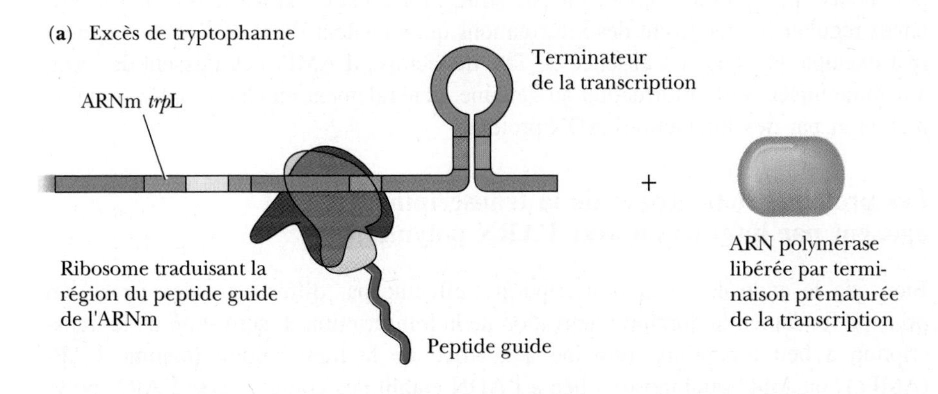

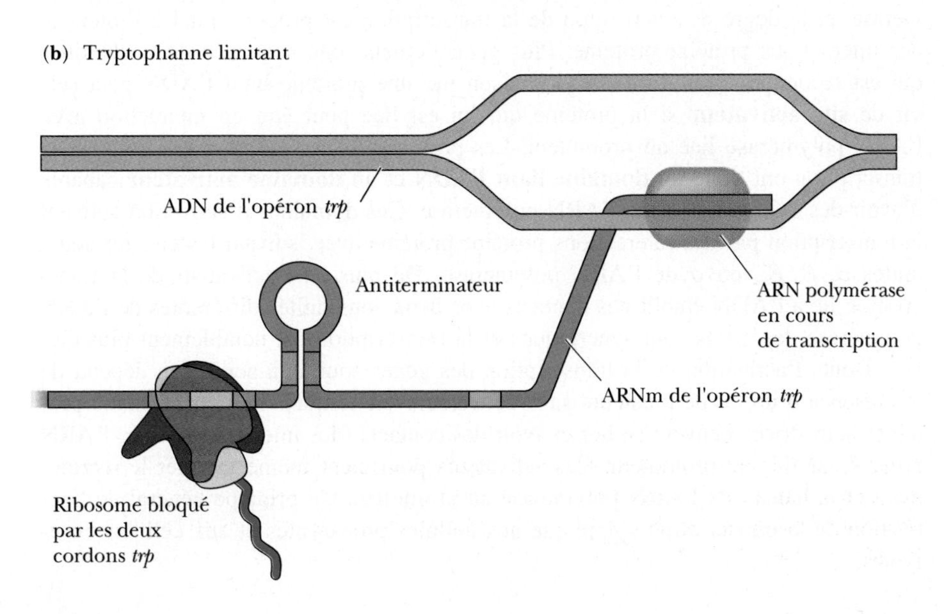

Figure 31.28 • Mécanisme de l'atténuation dans l'opéron *trp*.

(Figure 31.28). Les structures en épingle à cheveux stables, suivies d'une série de U, sont caractéristiques des signaux de terminaison de la transcription qui ne dépendent pas du facteur *rhô* ; les ARN polymérases reconnaissent ces épingles à cheveux comme des signaux d'arrêt et la transcription cesse. Par contre, si la concentration en tryptophanne est trop faible, il n'y a pas assez de trp-ARNt^{trp} et le ribosome s'arrête sur le segment 1. Le segment 2 est donc libre, il s'apparie avec le segment 3 et forme dans l'ARNm la structure antiterminateur. Comme cette structure prévient la formation du terminateur 3 :4, la terminaison ne peut pas avoir lieu et l'opéron est transcrit dans sa totalité. En résumé, l'atténuation de la transcription est déterminée (est régulée) par la disponibilité en ARNt^{trp} chargé et son influence transitoire sur la formation des deux structures possibles dans l'ARNm.

La transcription est régulée par plusieurs types de mécanismes

Nous venons de voir qu'il existe une surprenante diversité de mécanismes contribuant à la régulation de la transcription. Certains principes généraux de ces mécanismes de contrôle sont à souligner. Premièrement, les interactions ADN:protéine sont une caractéristique fondamentale du contrôle de la transcription et les sites de l'ADN qui lient les protéines régulatrices contiennent généralement un segment à symétrie au moins partiellement binaire ou des segments répétés inversés. De plus, les protéines liant l'ADN sont elles-mêmes des oligomères constitués d'un nombre pair de sous-unités (par exemple, des dimères ou des tétramères), et ces oligomères ont un axe de symétrie de rotation d'ordre deux. Deuxièmement, les interactions protéine:protéine sont un facteur essentiel de l'activation de la transcription. Pour ne prendre que deux exemples, nous avons vu cet effet dans l'activation de l'ARN polymérase par CAP:(AMPc)$_2$, ou par AraC:(arabinose)$_2$. Troisièmement, les protéines régulatrices reçoivent des informations qui signalent l'état de l'environnement (par exemple présence ou absence de Trp, de lactose, d'AMPc) et agissent de façon à communiquer cette information au génome, généralement en changeant de conformation et par des interactions ADN:protéine.

Les protéines activatrices de la transcription agissent par interaction avec l'ARN polymérase

Bien que le contrôle de la transcription s'effectue par différents mécanismes, un principe fondamental domine l'activation de la transcription. L'activation de la transcription a lieu lorsqu'une protéine activatrice de la transcription (comme CAP-(AMPc)$_2$ ou AraC-(arabinose)$_2$) liée à l'ADN établit des contacts avec l'ARN polymérase, et le degré de l'activation de la transcription est proportionnel à l'intensité des interactions protéine:protéine. Plus généralement, une séquence de nucléotides qui est reconnue comme un site de liaison par une protéine liant l'ADN peut servir de **site activateur** si la protéine qui lui est liée peut être en interaction avec l'ARN polymérase liée au promoteur. Les protéines liant l'ADN et qui activent la transcription ont donc un **domaine liant l'ADN** et un **domaine activateur** capable d'avoir des interactions avec l'ARN polymérase. Ces domaines d'activation activent la transcription par des interactions protéine:protéine avec, suivant les cas, les sous-unités α, β, β', ou σ de l'ARN polymérase. De plus, si l'activateur de la transcription lié à l'ADN établit des contacts avec deux sous-unités différentes de l'ARN polymérase, les effets sont synergiques et la transcription est notablement plus élevée. Donc, l'activation de la transcription des gènes soumis à activation dépend de la présence d'un ou de plusieurs sites activateurs sur lesquels une ou plusieurs protéines activatrices peuvent se lier et avoir des contacts (des interactions) avec l'ARN polymérase liée au promoteur. Ces activateurs pourraient même faciliter le recrutement et la liaison de l'ARN polymérase au promoteur. Ce principe général de l'activation de la transcription s'applique aux cellules procaryotes et aux cellules eucaryotes.

31.4 • Régulation de la transcription chez les eucaryotes

Chez les eucaryotes, la régulation est nettement plus compliquée. En effet, l'ADN est organisé en une structure, la chromatine, qui réprime la transcription en limitant fortement l'accès des protéines de régulation et de l'ARN polymérase aux sites de régulation et aux promoteurs. La transcription chez les eucaryotes exige donc des facteurs pouvant réorganiser la chromatine afin que la « machinerie » de la traduction ait accès aux divers sites. Chez le levure, le complexe **Swi/Snf** est un de ces facteurs ; il peut constituer une sous-composante du *complexe médiateur* de l'holoenzyme ARN polymérase II. Swi/Snf est un complexe hautement conservé contenant une dizaine de protéines qui s'associe physiquement et fonctionnellement avec le DCT de l'ARN pol II. En présence d'ATP, le complexe Swi/Snf dissocie les rangées de nucléosomes de la chromatine, permettant ainsi la fixation de la TBP et des protéines activatrices sur l'ADN du brin matrice. Un autre aspect de la restructuration de la chromatine implique l'acétylation réversible des groupes $\epsilon\text{-NH}_3^+$ de la lysine présente dans les histones des nucléosomes.

L'acétylation de ces groupes amino par les histone acétyltransférases (HAT) diminue la charge positive des histones et donc leur affinité pour le squelette des oses phosphates de l'ADN, à charge négative. Le processus est inversé par les histone désacétylases (HDAC) qui éliminent ces groupes acétyle. Les conséquences globales de ces effets ne sont pas particulièrement marquées mais néanmoins l'acétylation des histones favorise l'expression des gènes.

Non seulement l'activité métabolique et la division cellulaire doivent être régulées, mais le développement de l'embryon et la différenciation cellulaires doivent être coordonnés par des régulations de la transcription. Toutes ces régulations coordonnées ont lieu dans des cellules où la quantité relative de l'ADN et sa diversité sont très grandes : une cellule de mammifère contient environ 1.500 fois plus d'ADN qu'une cellule d'*E. coli*. Les gènes des eucaryotes ont des promoteurs et d'autres éléments de régulation analogues à ceux trouvés dans les gènes de procaryotes, mais les gènes de structure des eucaryotes sont très rarement organisés en groupes à la façon des opérons. Chaque gène eucaryote est accompagné d'une série de séquences régulatrices distinctes, appropriées aux exigences de son expression. Certaines de ces séquences sont des sites d'interaction avec des facteurs de transcription généraux, tandis que d'autres sont des sites pour des facteurs de transcription spécifiques ce qui permet une régulation encore plus fine de l'expression du gène. De plus, la stabilité de l'ARNm joue un plus grand rôle dans l'expression des gènes eucaryotes ; contrairement aux ARNm des procaryotes, la durée relative de demi-vie des ARNm des eucaryotes est beaucoup plus diversifiée. Plus la durée de demi-vie d'un ARNm est grande, plus son information génétique peut être exprimée de façon continue.

Promoteurs eucaryotes, activateurs de la transcription, éléments de réponse

Promoteurs

Les promoteurs des gènes eucaryotes codant pour des protéines sont définis par des modules de courtes séquences conservées, comme la **boîte TATA**, la **boîte CAAT**, et **la boîte GC**. La présence de la boîte CAAT, généralement autour de la position –80, signifie qu'il s'agit d'un puissant promoteur. Une ou plusieurs copies de la séquence GGGCGG, ou son complément (séquence appelée la boîte GC) se trouvent en amont du site d'initiation de la transcription des gènes qui codent pour les protéines communément présentes dans toutes les cellules, et essentielles aux fonctions normales (on les appelle parfois les « **gènes domestiques** »). La transcription de ces gènes se maintient généralement à un niveau constant. Des nombreux modules à séquences variées se retrouvent dans les régions en amont de ces gènes et définissent collectivement le promoteur. La Figure 31.9 représente des régions promoteur de quelques gènes eucaryotes représentatifs. Le Tableau 31.4 donne une liste

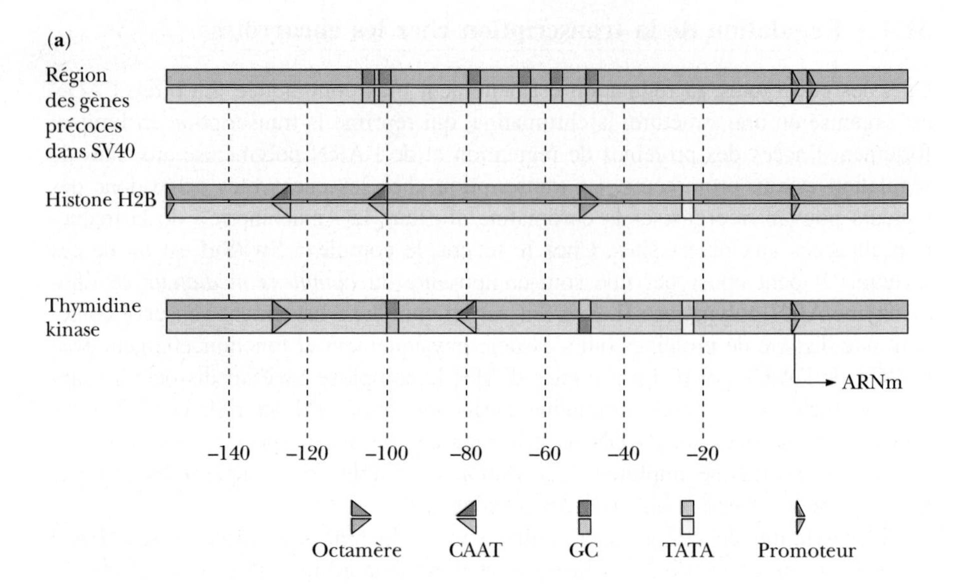

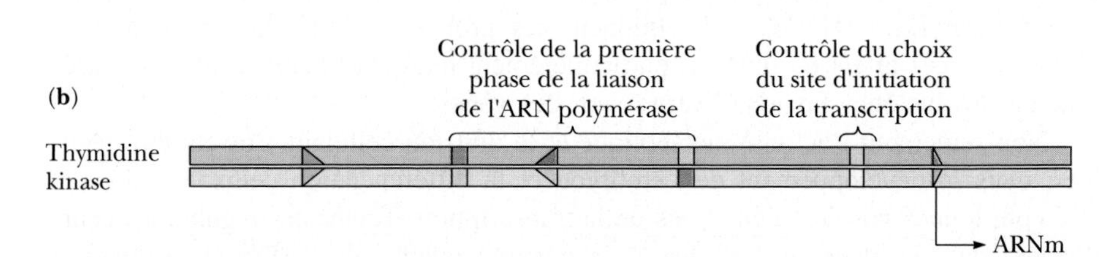

Figure 31.29 • Régions du promoteur de quelques gènes eucaryotes représentatifs. (a) gènes précoces de SV40, gène de l'histone H2B et gène de la thymidine kinase. Remarquez que ces promoteurs contiennent des combinaisons différentes de mêmes modules. En (b), fonction des modules dans le promoteur du gène de la thymidine kinase.

de facteurs de transcription qui se lient à leurs modules respectifs. Ces facteurs de transcription sont typiquement des protéines de régulation positive, ils ont un rôle essentiel dans l'activation de l'ARN polymérase II sur ces promoteurs.

Activateurs de la transcription (Enhancers)

En plus des éléments promoteurs, les gènes eucaryotes se caractérisent par le présence de séquences régulatrices additionnelles, appelées séquences **activatrices de la transcription,** (ou **séquences d'activation amont**, mais elles sont parfois en aval). Ces séquences d'activation assistent l'initiation. Les activateurs sont différents des promoteurs pour deux raisons principales. Premièrement, la localisation des activateurs par

Tableau 31.4

Séquences consensus des divers modules qui déterminent l'activité de l'ARN polymérase II et facteurs de transcription qui se lient à ces modules

Module	Séquence consensus	ADN lié	Facteur	Masse (kDa)	Abondance (molécules/cellule)
Boîte TATA	TATAAAA	~ 10 pb	TBP	27	?
Boîte CAAT	GGCCAATCT	~ 22 pb	CTF/NF1	60	300.000
Boîte GC	GGGCGG	~ 20 pb	SP1	105	60.000
Octamère	ATTTGCAT	~ 20 pb	Oct-1	76	?
"	"	23 pb	Oct-2	52	?
κB	GGGACTTTCC	~ 10 pb	NFκB	44	?
"	"	~ 10 pb	H2-TF1	?	?
ATF	GTGACGT	~ 20 pb	ATF	?	?

Adapté de Lewin, B., 1994. *Genes V.* Cambridge, MA : Cell Press.

rapport au site d'initiation de la transcription varie beaucoup selon les gènes. Les activateurs peuvent se trouver à plusieurs milliers de nucléotides de distance du promoteur et ils agissent en stimulant l'initiation de la transcription, *même s'ils sont en aval* du gène. Deuxièmement, ces séquences activatrices sont *bidirectionnelles* car elles fonctionnent dans les deux orientations. Ces séquences activatrices peuvent être excisées puis réintroduites dans une orientation inverse sans aucun effet négatif sur leur fonction. Comme les promoteurs, les activateurs sont des modules de séquences consensus. Les activateurs sont peu spécifiques car ils stimulent la transcription à partir de tout promoteur qui se trouve dans leur voisinage. Cependant, *la fonction d'activation dépend de la reconnaissance du module par un facteur de transcription spécifique*. Un facteur de transcription spécifique lié à une séquence activatrice interagit avec l'ARN polymérase sur un promoteur voisin en créant une boucle sur l'ADN (Figure 31.30).

Éléments de réponse

Certains modules promoteurs particuliers, présents dans des gènes soumis à régulation sont appelés **éléments de réponse**. Comme exemples, nous citerons l'**élément du choc thermique** (**HSE**, pour *heat shock element*), l'**élément de réponse aux glucocorticoïdes** (**GRE**, pour *glucocorticoid response element*) et l'**élément de réponse aux métaux** (**MRE**, pour *metal response element*). Ces divers éléments sont dans la région promoteur des gènes dont la transcription est activée par un accroissement soudain de la température (choc thermique), par les hormones glucocorticoïdes, ou par des ions métalliques toxiques (Tableau 31.5). La séquence HSE est reconnue par un facteur de transcription spécifique, **HSTF** (pour *heat shock transcription factor*). Les modules HSE se trouvent à environ 15 pb en amont du site d'initiation de la transcription de divers gènes dont l'expression est très fortement stimulée en réponse à l'élévation soudaine de la température. De même, la réponse aux glucocorticoïdes dépend de la présence d'un élément GRE à 250 pb en amont du site d'initiation de la transcription. La liaison sur GRE du facteur de transcription spécifique, le **récepteur de glucocorticoïdes**, s'observe si le récepteur a lié un glucocorticoïde.

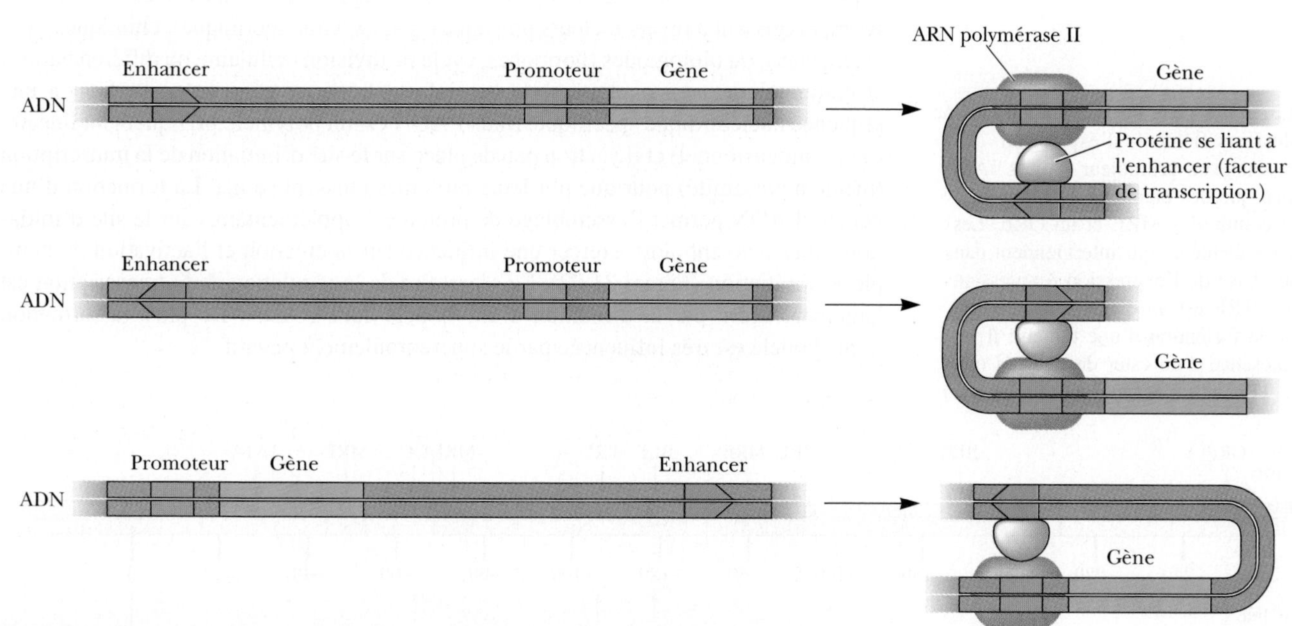

Figure 31.30 • Les « enhancers » sont des séquences activatrices (amplificatrices) de l'initiation de la transcription, en amont ou en aval des promoteurs, et dont l'orientation peut être différente de celle du promoteur. Les facteurs de transcription (des protéines) se lient à ces séquences activatrices et stimulent la liaison de l'ARN polymérase II sur le promoteur voisin.

Tableau 31.5

Éléments de réponse qui identifient les gènes régulés de façon coordonnée en réponse à une situation physiologique particulière

Agent provoquant la réponse	Élément de réponse	Séquence consensus	ADN lié	Facteur	Masse (kDa)
Choc thermique	HSE	CNNGAANNTCCNNG	27 pb	HSTF	93
Glucocorticoïde	GRE	TGGTACAAATGTTCT	20 pb	Récepteur	94
Cadmium	MRE	CGNCCCGGNCNC	?	?	?
Ester de phorbol	TRE	TGACTCA	22 pb	AP1	39
Sérum	SRE	CCATATTAGG	20 pb	SRF	52

Source : d'après Lewin, B., 1994. *Genes V.* Cambridge, MA : Cell Press.

De nombreux gènes sont sous l'influence de multiples facteurs de transcription. Toute une série d'éléments différents contribuent à la régulation de la transcription de ces gènes. Le gène de la **métallothionéine** est un exemple typique (Figure 31.31). La métallothionéine est une protéine liant des métaux ; elle protège les cellules contre la toxicité de certains métaux lourds en les complexant. Cette protéine est toujours présente dans les cellules, mais à faible taux, et sa concentration augmente en réponse à la présence d'ions métalliques comme ceux du cadmium ou en réponse aux hormones glucocorticoïdes. Le promoteur du gène de la métallothionéine est constitué de nombreux éléments : deux éléments promoteurs généraux, une boîte TATA et une boîte GC ; deux activateurs de la transcription de base ; quatre MRE ; et un GRE. Ces éléments fonctionnent indépendamment les uns des autres ; chacun d'eux peut activer la transcription du gène.

Formation d'une boucle d'ADN

La régulation répond à un grand nombre de signaux régulateurs, il faut donc un grand nombre de protéines spécialisées pour que la régulation de l'expression des gènes soit appropriée aux diverses situations. Ces protéines régulatrices, « **sensitives** », ces **détecteurs**, réagissent à divers facteurs physiques (par ex. choc thermique), chimiques, (par ex. métaux), ou biologiques (hormones, cycle de division cellulaire, ou différenciation) et communiquent en quelque sorte ces informations au génome en se liant à une séquence nucléotidique spécifique. Mais l'ADN est un polymère pratiquement linéaire (monodimensionnel) et il y a trop peu de place sur le site d'initiation de la transcription (même à proximité) pour que plusieurs protéines puissent se lier. La formation d'une boucle d'ADN permet l'assemblage de protéines supplémentaires sur le site d'initiation, Elles peuvent alors exercer une influence sur la création et l'activation du complexe d'initiation (Figure 31.32). Le répertoire de la régulation de la transcription est largement accru par la formation d'une boucle dans l'ADN. De plus, la formation d'une boucle est très influencée par le superenroulement négatif.

Figure 31.31 • Le gène de la métallothionéine contient plusieurs éléments d'expression constitutive dans son promoteur (boîtes TATA et GC), ainsi que des éléments de réponse spécifiques comme les MRE et un GRE. Les BLE sont des éléments qui interviennent dans le niveau de base de l'expression (expression constitutive). TRE est un élément de réponse déclenchant la formation d'une tumeur, il activé en présence d'un ester de phorbol (par exemple le TPA, tétradécanoylphorbol-acétate).

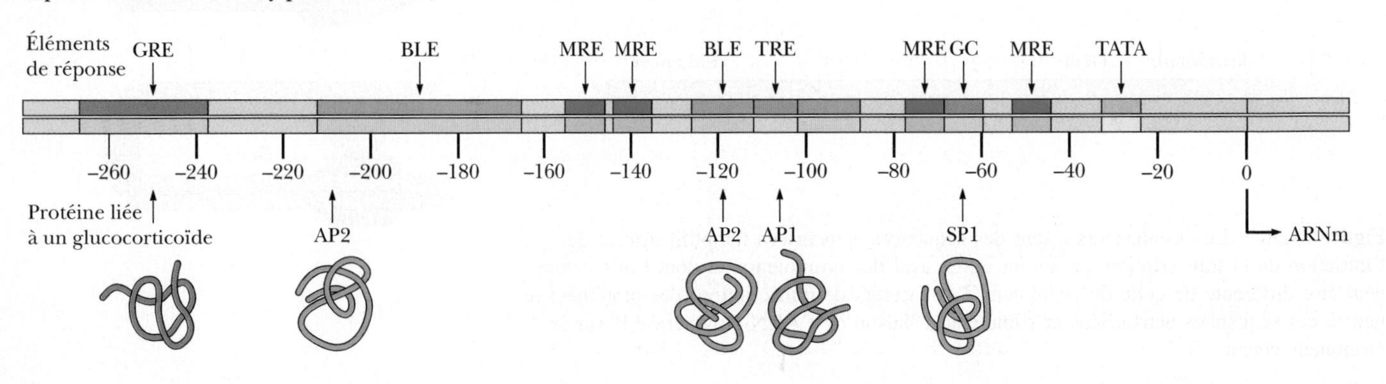

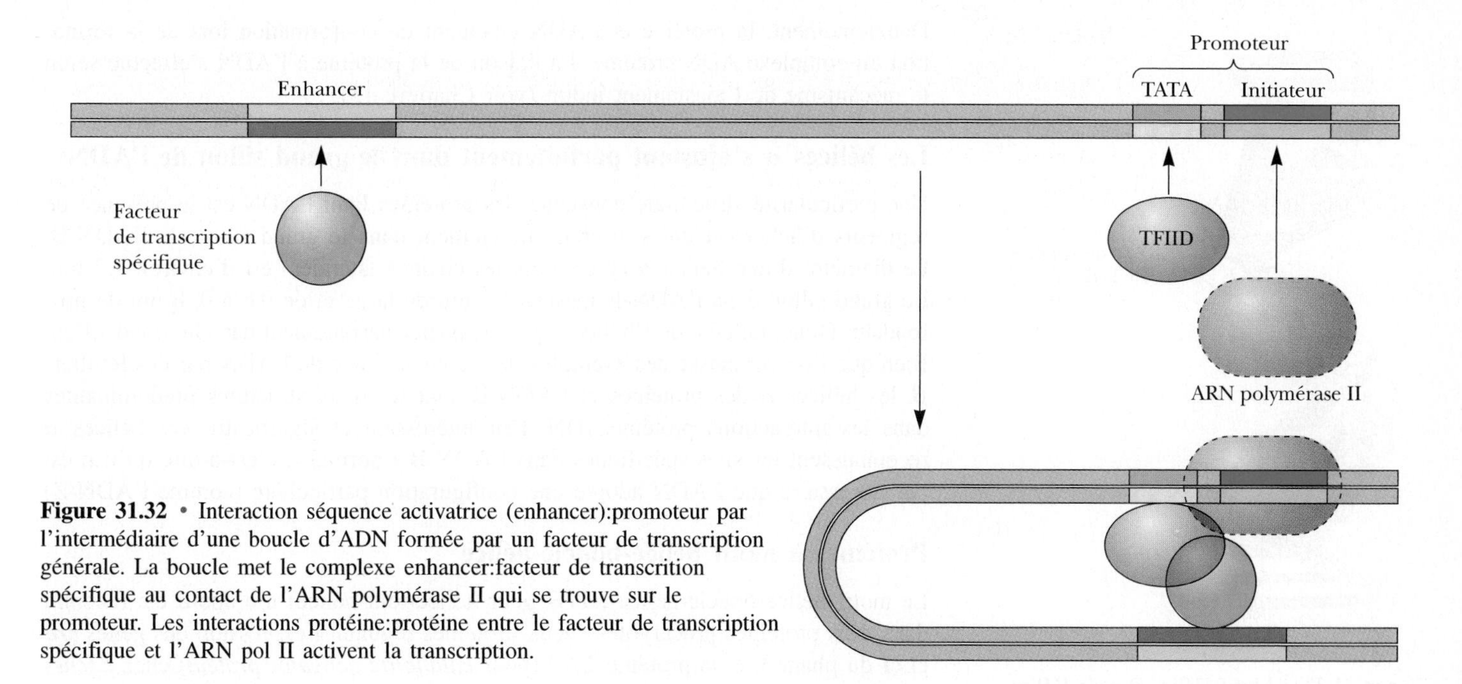

Figure 31.32 • Interaction séquence activatrice (enhancer):promoteur par l'intermédiaire d'une boucle d'ADN formée par un facteur de transcription générale. La boucle met le complexe enhancer:facteur de transcrition spécifique au contact de l'ARN polymérase II qui se trouve sur le promoteur. Les interactions protéine:protéine entre le facteur de transcription spécifique et l'ARN pol II activent la transcription.

31.5 • Motifs structuraux des protéines régulatrices se liant à l'ADN

La reconnaissance des acides nucléiques par des protéines spécifiques s'effectue selon des règles générales de la reconnaissance des macromolécules. Ces protéines ont une structure tridimensionnelle, plus précisément un contour, qui est structuralement et chimiquement complémentaire à la surface de la séquence reconnue dans l'ADN. Lorsque les deux molécules sont au contact, les très nombreuses interactions atomiques qui sous-tendent la reconnaissance et la formation de liaisons non covalentes se manifestent entre ces molécules. La reconnaissance spécifique d'une séquence nucléotidique par la protéine implique des interactions atomiques avec les bases et avec le squelette oses phosphates de l'ADN. Les liaisons hydrogène les plus critiques dans cette reconnaissance se forment entre les chaînes latérales des acides aminés et certaines bases de l'ADN, au fond du grand sillon ; les interactions entre la protéine et le squelette de l'ADN impliquent à la fois des liaisons hydrogène et des liaisons ioniques avec des atomes d'oxygène des ponts phosphodiesters. Les recherches sur la structure des protéines régulatrices qui se lient à des séquences spécifiques de l'ADN ont montré qu'environ 80 % de ces protéines peuvent être regroupées en trois classes selon qu'elles contiennent l'un des trois motifs caractéristiques suivants : le motif **hélice-tour-hélice** (**HTH**), le motif **doigt à zinc**, ou le motif **fermeture éclair à leucine** (ou plus simplement **fermeture éclair**).

En plus de leurs domaines liant l'ADN, ces protéines ont généralement d'autres domaines structuraux qui interviennent dans la reconnaissance protéine:protéine nécessaire à la formation d'oligomères (par exemple de dimère), à la formation de boucles dans l'ADN, à l'activation de la transcription et à l'association avec un signal (par exemple la liaison d'un effecteur). Comme nous le verrons, de grands progrès ont été accomplis dans la compréhension du mode d'association de ces protéines à l'ADN. Cependant, on ne connaît guère le mécanisme moléculaire par lequel ces protéines enclenchent la transcription mais il est évident que ces mécanismes qui dépendent des interactions protéine:protéine impliquent l'ARN polymérase.

Deux caractéristiques universelles concernant la reconnaissance spécifique de séquences de l'ADN par ces protéines sont aujourd'hui reconnues. Premièrement, protéines et ADN sont des macromolécules hydratées et la formation de complexes exige un réarrangement des molécules d'eau à l'interface protéine:ADN. Souvent les molécules d'eau servent de ligands de pontage entre la protéine et l'ADN.

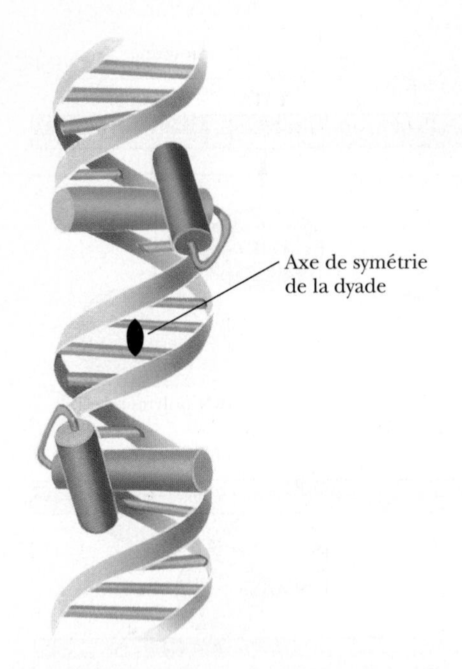

Figure 31.33 • Motif Hélice-Boucle-Hélice (Hélice-Tour-Hélice, HTH). Une protéine dimérique, contenant deux sous-unités identiques à motif HTH, se lie à un site de l'ADN à symétrie approximativement binaire, site constitué de deux sous-sites (remarquez l'axe de symétrie de la dyade). Les hélices de reconnaissance (hélices 3, en rouge) sont représentées par les cylindres qui se logent dans deux grands sillons adjacents, sur chacun des deux sous-sites de l'ADN. L'hélice 2, au-dessus de l'hélice 3, contribue à renforcer son positionnement. *(D'après Johnson, P.F., et McKnight, S.L., 1989. Eukaryotic transcriptional regulatory proteins.* Annual Review of Biochemistry *58 : 799, figure 1.)*

Deuxièmement, la protéine et l'ADN changent de conformation lors de la formation du complexe ADN:protéine. La liaison de la protéine à l'ADN s'effectue selon le mécanisme de l'ajustement induit (voir Chapitre 15).

Les hélices α s'ajustent parfaitement dans le grand sillon de l'ADN

Une particularité structurale constante des protéines liant l'ADN est la présence de segments d'hélices α qui s'insèrent directement dans le grand sillon de l'ADN-B. Le diamètre d'une hélice α (y compris les chaînes latérales) est d'environ 1,2 nm. Le grand sillon dans l'ADN-B mesure 1,2 nm de large et de 0,6 à 0, 8 nm de profondeur. Donc, un côté de l'hélice α peut s'ajuster parfaitement dans le grand sillon. Bien que l'on connaisse des exemples de reconnaissance de l'ADN par des feuillets β, les hélices α des protéines et l'ADN-B sont les deux structures prédominantes dans les interactions protéine:ADN. Fait intéressant et significatif, ces hélices α reconnaissent les sites spécifiques dans l'ADN-B « normal », c'est-à-dire qu'il n'est pas nécessaire que l'ADN adopte une configuration particulière (comme l'ADN-Z)

Protéines à motif hélice-boucle-hélice

Le motif hélice-boucle-hélice (HTH pour hélice-tour-hélice) a d'abord été reconnu dans trois protéines procaryotes : deux protéines régulant l'expression des gènes ***cro*** et ***cI*** du phage l, et la protéine CAP (pour *catabolite activator protein*) chez *Escherichia coli*. Ces trois protéines, sous forme de dimères, se lient à des sites spécifiques de l'ADN constitués de deux sous-sites à symétrie de rotation pratiquement binaire (« la dyade ») ; elles ont toutes les trois un domaine structural contenant le motif HTH formé de deux hélices α successives reliées par une courte boucle β, encore appelée coude pour signaler le brusque changement de direction de ce segment de la chaîne polypeptidique (Figure 31.33). À l'intérieur de ce domaine, l'hélice *a* la plus proche de l'extrémité C-terminale (appelée **hélice 3**) est l'hélice de reconnaissance de l'ADN ; elle s'ajuste parfaitement dans le grand sillon plusieurs des chaînes latérales de ses résidus étant à proximité immédiate des paires de bases de l'ADN. L'**hélice 2**, celle qui est au début du motif HTH, crée par des interactions hydrophobes avec l'hélice 3 un domaine structural stable qui maintient fermement l'hélice 3 sur son site. Les deux hélices 3 du dimère sont antiparallèles de sorte que leurs orientations N $\rightarrow$ C correspondent aux orientations inversées des séquences nucléotidiques du site de reconnaissance à symétrie binaire.

Le motif HTH

Le motif HTH « orthodoxe » est formé par une séquence, d'environ 20 acides aminés, retrouvée dans un grand nombre de protéines liant l'ADN, qu'elles soient d'origine procaryote ou eucaryote (Tableau 31.6). Les résidus 1 à 7 forment la première hélice du motif (hélice 2) et les résidus 12 à 20 la seconde hélice, l'hélice de reconnaissance (hélice 3). Le résidu 9, généralement un glycocolle, est le résidu qui permet la formation de la boucle β. La Figure 31.34a-h représente divers domaines contenant le motif HTH. Remarquez la très grande similarité de structure du motif HTH liant l'ADN, dans des protéines qui par ailleurs sont très différentes.

Figure 31.34 • Domaines HTH de diverses protéines se liant spécifiquement à des séquences palindrome de l'ADN (les dyades). Tous les domaines HTH sont orientés de la même façon ; ils sont représentés vus par l'arrière (le côté opposé à celui qui fait face à l'ADN). Dans cette perspective, la première hélice HTH est globalement verticale, l'hélice de reconnaissance (de couleur orangée) est à l'arrière du domaine. (a) Domaine N-terminal du répresseur (protéine cI) du phage 434 ; (b) protéine Cro de 434 ; (c) domaine N-terminal du répresseur (cI) de l ; (d) Cro de l ; (e) domaine C-terminal de la protéine CAP ; (f) sous-unité du répresseur Trp ; (g) domaine liant l'ADN du répresseur *lac* ; (h) homéodomaine antp. *(D'après Harrison, S.C., et Aggarwal, A.K., 1990.* Annual Review of Biochemistry *59 : 933, figure 2.)* ▶

Tableau 31.6

Séquences des acides aminés des régions HTH de quelques protéines régulatrices de la transcription

cI 434 et Cro 434 sont des protéines du phage 434 ; cI Lam et Cro Lam sont des protéines du phage 1 ; CAP, Rép Trp, Rép Lac représentent respectivement la protéine activateur du catabolisme, le répresseur de *trp*, et le répresseur de *lac* chez *E. coli*. Antp est l'homéodomaine du produit du gène *Antennapedia* de la drosophile. Les nombres qui encadrent les séquences indiquent la position du motif HTH dans la séquence du polypeptide considéré.

		Hélice								Tour			Hélice								
		1	2	3	4	5	6	7	8	9	10	11	12	13	14	15	16	17	18	19	20
Rép. (cI) 434	17 -	Gln	Ala	Glu	**Leu**	**Ala**	Gln	Lys	**Val**	**Gly**	Thr	Thr	Gln	Gln	Ser	**Ile**	Glu	Gln	**Leu**	Glu	Asn - 36
Cro 434	17 -	Gln	Thr	Glu	**Leu**	**Ala**	Thr	Lys	**Ala**	**Gly**	Val	Lys	Gln	Gln	Ser	**Ile**	Gln	Leu	**Ile**	Glu	Ala - 36
Rép (cI) Lam	33 -	Gln	Glu	Ser	**Val**	**Ala**	Asp	Lys	**Met**	**Gly**	Met	Gly	Gln	Ser	Gly	**Val**	Gly	Ala	**Leu**	Phe	Asn - 52
Cro Lam	16 -	Gln	Thr	Lys	**Thr**	**Ala**	Lys	Asp	**Leu**	**Gly**	Val	Tyr	Gln	Ser	Ala	**Ile**	Asn	Lys	**Ala**	Ile	His - 35
CAP	169 -	Arg	Gln	Glu	**Ile**	**Gly**	Glu	Ile	**Val**	**Gly**	Cys	Ser	Arg	Glu	Thr	**Val**	Gly	Arg	**Ile**	Leu	Lys - 188
Rép Trp	68 -	Gln	Arg	Glu	**Leu**	**Lys**	Asn	Glu	**Leu**	**Gly**	Ala	Gly	Ile	Ala	Thr	**Ile**	Thr	Arg	**Gly**	Ser	Asn - 87
Rép Lac	6 -	Leu	Tyr	Asp	**Val**	**Ala**	Arg	Leu	**Ala**	**Gly**	Val	Ser	Tyr	Gln	Thr	**Val**	Ser	Arg	**Val**	Val	Asn - 25
Antp	31 -	Arg	Ile	Glu	**Ile**	**Ala**	His	Ala	**Leu**	**Cys**	Leu	Thr	Glu	Arg	Gln	**Ile**	Lys	Ile	**Trp**	Phe	Gln - 50

Source : d'après Harrison, S.C., et Aggarwal, A.K., 1990. DNA recognition by proteins with the helix-turn-helix motif. *Annual Review of Biochemistry* **59** : 933-969.

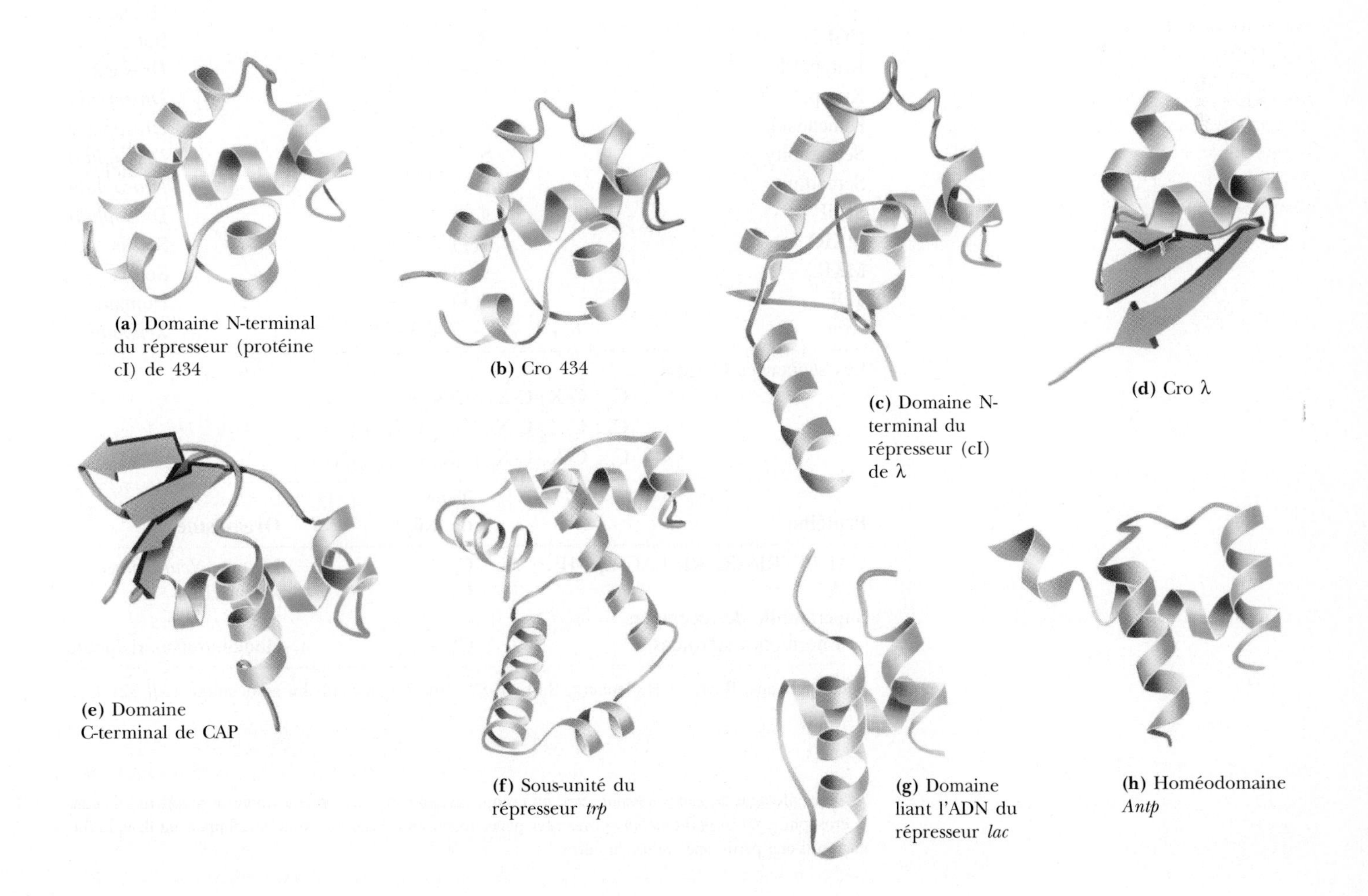

(a) Domaine N-terminal du répresseur (protéine cI) de 434

(b) Cro 434

(c) Domaine N-terminal du répresseur (cI) de λ

(d) Cro λ

(e) Domaine C-terminal de CAP

(f) Sous-unité du répresseur *trp*

(g) Domaine liant l'ADN du répresseur *lac*

(h) Homéodomaine *Antp*

Le motif HTH et l'homéodomaine

La protéine **Antp** (Tableau 31.6, Figure 31.34), fait partie de la famille des protéines eucaryotes qui interviennent dans la régulation des premiers stades du développement embryonnaire et qui ont en commun une séquence d'acides aminés constituant un **domaine** conservé appelé l'**homéodomaine**[6] (ou **domaine** de l'**homéoboîte**). L'homéoboîte est une séquence de l'ADN, très conservée, qui code pour un motif de 60 acides aminés (l'homéodomaine) présent dans des protéines de pratiquement tous les eucaryotes, des levures aux mammifères. À l'intérieur de ces domaines, un motif HTH est toujours présent (Figure 31.35). Les protéines à homéodomaine sont des **facteurs de transcription spécifiques** de certaines séquences d'ADN. Par exemple, deux protéines de mammifères, Oct-1 et Oct-2, sont des protéines à homéodomaine qui se lient à un élément de réponse **octamérique** (ATTTGCAT). La partie de la séquence correspondant à l'homéoboîte ne représente généralement qu'environ 10 % de la masse de la protéine, le reste intervenant dans des interactions protéine :protéine essentielles pour la régulation de la transcription.

Tableau 31.7

Motifs doigts à zinc des classes C_2H_2 et C_x

La séquence consensus du doigt à zinc C_2H_2 est Cys-$X_{2\text{-}4}$-Cys-X_3-Phe-X_5-Leu-X_2-His-$X_{3\text{-}4}$-His.

Protéine	Nombre de C_2H_2 répétés	Organisme
TFIIA	9	*Xenopus*
ADRI	2	Levure
SP1	3	Humain
NGF1-A	3	Rat
Krüppel h	2(+)	*Drosophila*
Krüppel	4	*Drosophila*
Hunchback	4 + 2	*Drosophila*
Serendipity β	5	*Drosophila*
Serendipity δ	6 + 1	*Drosophila*
Snail	4	*Drosophila*
MKR1	7(+)	Souris
MKR2	9(+)	Souris
TDF	13(+)	Humain
Xfin	6 + 6 + 8 + 7 + 3 + 5	*Xenopus*

Les séquences C_x sont :

C_4 : C-X_2-C-X_{13}-C-X_2-C
C_5 : C-X_5-C-X_9-C-X_2-C-X_4-C
C_6 : C-X_2-C-X_6-C-X_6-C-X_2-C-X_6-C

Protéine	Type de doigt	Organisme
GAL4/PPRI/ARGRII/LAC9/*qa*-1F	C_6	Levure, *Neurospora*
E1A	C_4	Adénovirus
Superfamille de récepteurs d'hormones stéroïdes	C_4 + C_5	Humain/rat/souris/poule

Source : Evans, R.M., et Hollenberg, S.M., 1988. Zinc fingers. Gilt by association. *Cell* **52** : 1-3.

[6] *Homeo* provient de *gènes homéotiques*, un groupe de gènes mis en évidence pour la première fois dans la drosophile, *Drosophila melanogaster* ; ces gènes interviennent au cours du développement dans la formation d'une partie spécifique du corps.

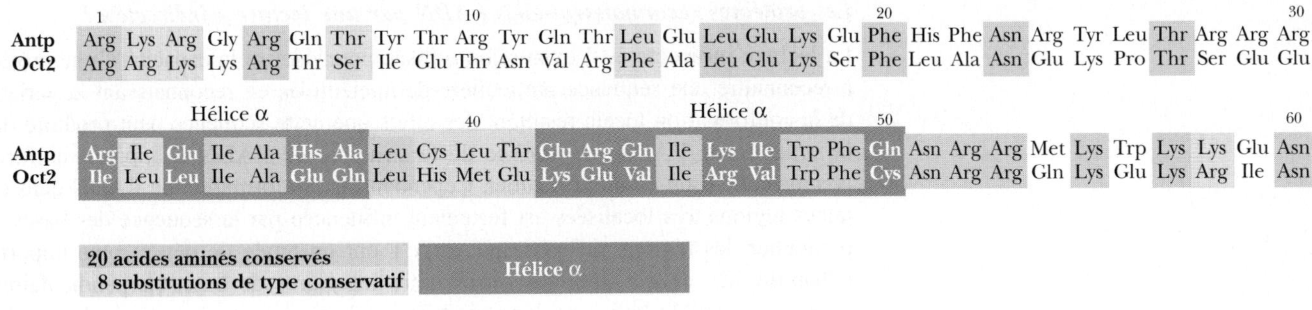

Figure 31.35 • Homéodomaines de Antp et de Oct-2. Antp est une protéine d'insecte et Oct-2 est une protéine de mammifère. Trp^{48}, Phe^{49}, Asn^{51}, et Arg^{53}, sont toujours conservés (invariants) dans tous les homéodomaines connus. Les segments de séquences correspondant visiblement à un motif HTH sont précisés.

Comment l'hélice de reconnaissance reconnaît-elle son site de liaison spécifique dans l'ADN ?

Examinons les contacts possibles entre la protéine et les groupes fonctionnels des bases dans les sillons de l'ADN. Les bords des paires de bases présentent une série de groupes donneurs et d'accepteurs de liaison H, tant dans le grand sillon que dans le petit sillon, mais seule la distribution de ces donneurs et accepteurs dans le grand sillon est différente pour chacune des quatre paires de bases, A:T, T:A, C:G, et G:C. (Contentez-vous pour la démonstration de revoir la structure des paires de bases Chapitre 11). Donc, les paires de bases dans le grand sillon peuvent constituer une **matrice de reconnaissance** identifiable par une protéine et pouvant former avec celle-ci des liaisons hydrogène sans exiger au préalable la fusion des bases appariées pour que leur séquence apparaisse. Si la formation de ces liaisons hydrogène est très importante dans la reconnaissance ADN:protéine, il n'en reste pas moins vrai que d'autres interactions jouent un rôle significatif. Par exemple, le groupe méthyle sur le C5 propre aux résidus thymine constitue un « bouton » hydrophobe se projetant dans le grand sillon.

Existe-t-il un code dans la reconnaissance chaînes latérales:paires de bases ? Certaines chaînes latérales des résidus de la protéine forment avec certaines bases des liaisons H distribuées selon un dessin particulier. Par exemple dans le phage λ, la fixation du répresseur Cro à son opérateur implique la formation de deux liaisons H (liaison « bidentée ») entre la chaîne latérale d'un résidu glutamine et une adénine (Figure 31.36). Un résidu Arg et une guanine présentent une interaction similaire. Cependant, l'examen de divers complexes ADN:protéine dont on connaît la structure tridimensionnelle ne révèle aucun code de reconnaissance simple de ce type. Une des raisons est que la périodicité des groupes fonctionnels dans les hélices α n'a pas de relation spatiale générale avec la périodicité des bases dans l'ADN-B.

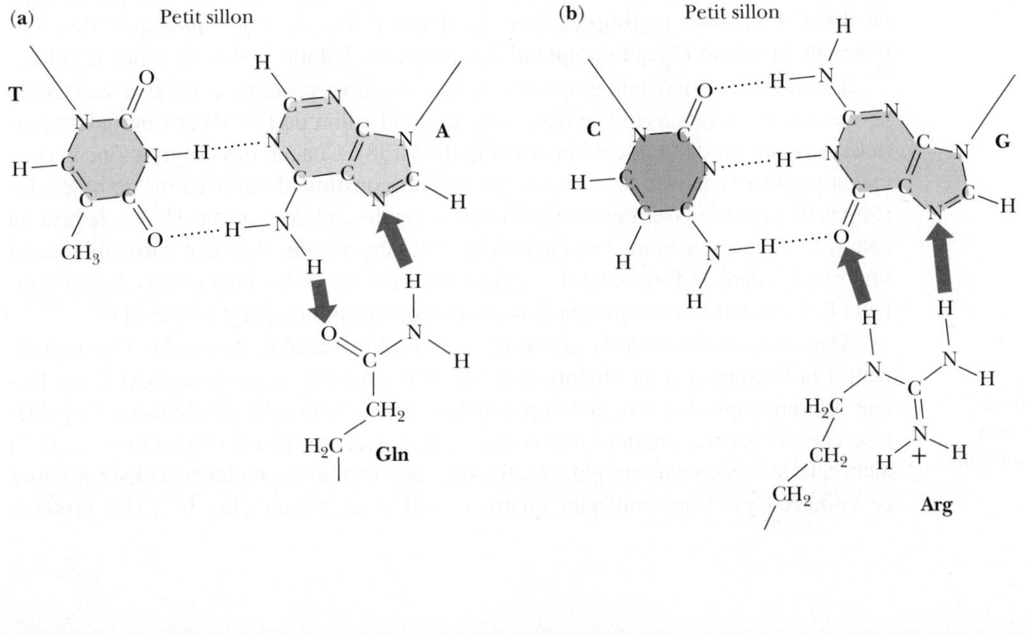

(a) Petit sillon — T, A, Gln

(b) Petit sillon — C, G, Arg

Figure 31.36 • Liaisons H bidentée entre (a) le groupe amide de la glutamine et les atomes N6 et N7 de l'adénine, et (b) le groupe guanido de l'arginine et les atomes O6 et N7 de la guanine. *(Source : Pabo, C.O., et Sauer, R.T., 1984. Protein-DNA recognition.* Annual Review of Biochemistry *53 : 293.)*

Les protéines reconnaissent-elles l'ADN par une lecture « indirecte » ?

La **lecture indirecte** est l'expression utilisée pour décrire la capacité d'une protéine à reconnaître une séquence particulière de nucléotides en reconnaissant la variation de la conformation locale résultant des effets que cette séquence peut produire dans la structure de l'ADN. La surface de la structure de l'ADN-B apparaît uniforme, comme celle d'un cylindre régulier. Cependant, la conformation de l'ADN dans certaines régions très localisées est fortement influencée par la séquence des bases. En particulier, les régions riches en paires A:T ont un angle de dévers plus important (Chapitre 12), ce qui diminue l'écart entre les paires de bases perpendiculaires à l'axe de la double hélice et donc modifie localement la conformation du squelette des oses phosphates de l'ADN. Ces modifications introduisent des variations spécifiques de contour que les protéines peuvent reconnaître. Comme ces contours résultent de la séquence des bases, les protéines liant l'ADN « lisent indirectement » la séquence des bases par des interactions avec le squelette des oses phosphates. Il a été possible de faire cristalliser le complexe répresseur Trp:opérateur *trp* d'*E. coli*. L'analyse de la structure tridimensionnelle montre que le répresseur Trp forme 30 liaisons H spécifiques avec l'ADN, dont 28 impliquent des groupes phosphate du squelette et seulement deux avec des bases. Donc certaines protéines liant l'ADN sont capables de reconnaître la conformation globale de l'ADN déterminée par une séquence spécifique de nucléotides.

Protéines à motif doigt à zinc

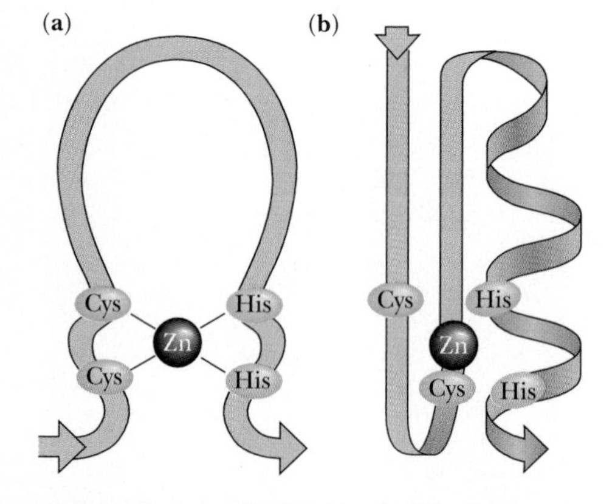

Figure 31.37 • Motif doigt à zinc de type C_2H_2 montrant (a) la coordination des résidus Cys et His à l'atome de zinc, et (b) la structure secondaire. *(D'après Evans, R.M., et Hollenberg, S.M., 1988.* Cell **52** *: 1, figure 1.)*

Le motif doigt à zinc a d'abord été découvert dans TFIIIA, un facteur de transcription de l'ARN polymérase III isolé de *Xenopus laevis* (xénope), un batracien d'origine africaine. La séquence des acides aminés révèle la présence d'un motif répétitif consistant en une paire de résidus Cys séparés par 3 résidus, paire séparée par 12 acides aminés d'une paire de résidus His eux-mêmes séparés par 3 résidus (Cys-x_2-Cys-x_{12}-His-x_3-His). Ce motif est répété 9 fois dans la structure primaire de la protéine. Dans chacun des motifs, un ion zinc est coordonné par les 2 Cys et les 2 His (Figure 31.37). La douzaine de résidus séparant les paires Cys et His forme une longue boucle, le doigt, et constitue un module d'interaction particulier avec l'ADN, l'ensemble du motif est appelé **doigt à zinc**. Lorsque TFIIIA s'associe à l'ADN, chaque doigt à zinc est en interaction avec environ 5 nucléotides au fond du grand sillon, les doigts adjacents étant en interaction avec des segments contigus de l'ADN. D'autres protéines contenant ce motif ont été identifiées par la suite, dont le facteur de transcription **SP1**, une protéine qui stimule de 10 à 20 fois la transcription des gènes à boîte GC. Dans tous les cas connus, le motif doigt à zinc est répété au moins deux fois, et au moins 7 à 8 acides aminés séparent les paires Cys/Cys des paires His/His (Tableau 31.7). Les protéines caractérisées par ce type de distribution sont regroupées dans la classe $\mathbf{C_2H_2}$, pour les distinguer des protéines de la classe $\mathbf{C_x}$ qui comprend des protéines à doigt à zinc de types C_4 et C_6.

L'analyse radiocristallographique d'un complexe protéine à doigt à zinc:ADN révèle que les doigts à zinc se lient dans le grand sillon de l'ADN et s'enroulent partiellement autour de la double hélice (Figure 31.38). Chacun des doigts à zinc s'associe en premier lieu avec un sous-site particulier constitué de trois paires de bases, les résidus de la partie N-terminale de l'hélice α établissant des liaisons H avec le brin du sous-site riche en guanine. Les chaînes latérales des résidus Arg sont particulièrement importantes dans la formation de ces liaisons avec les G ;les interactions Arg:G semblent être une caractéristique générale de la reconnaissance doigt à zinc:ADN.

Chélate • du grec chele, griffe, pince ; complexe de coordination formé par un ion métallique lié à au moins deux atomes non métalliques appartenant à une même molécule (le ligand chélateur).

Dans les protéines de la classe C_x, un nombre variable de résidus Cys participent à la formation d'un **chélate** avec Zn. Par exemple, la protéine GAL4, un facteur de transcription qui régule la production des enzymes du métabolisme du galactose chez la levure, contient une courte région avec six résidus Cys (Tableau 31.7) alors que les récepteurs de glucocorticoïdes des vertébrés contiennent deux groupes de résidus Cys, l'un contenant quatre Cys (C_4) et l'autre cinq (C_5). La protéine

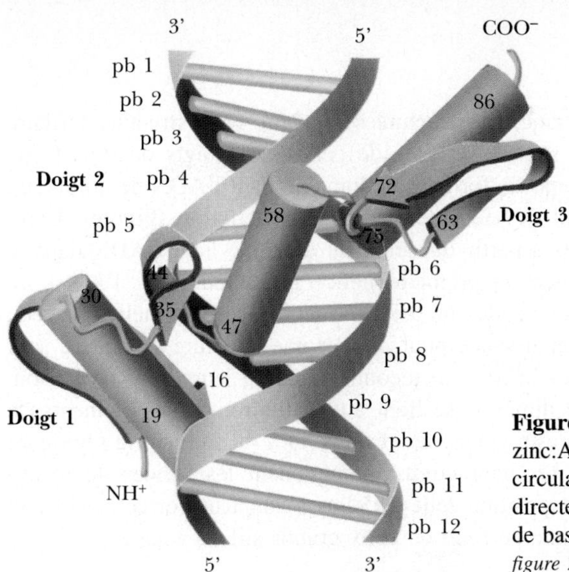

Figure 31.38 • L'analyse par diffraction des rayons X d'un complexe protéine à doigt à zinc:ADN cristallisé révèle que trois doigts à zinc sont disposés en une structure semi-circulaire qui suit le grand sillon autour de l'ADN. L'hélice α de chaque doigt s'ajuste directement dans le grand sillon et des résidus d'acides aminés sont au contact des paires de bases au fond du sillon. *(D'après Pavletich, N., et Pabo, C.O., 1991.* Science ***252** : 806, figure 2.)*

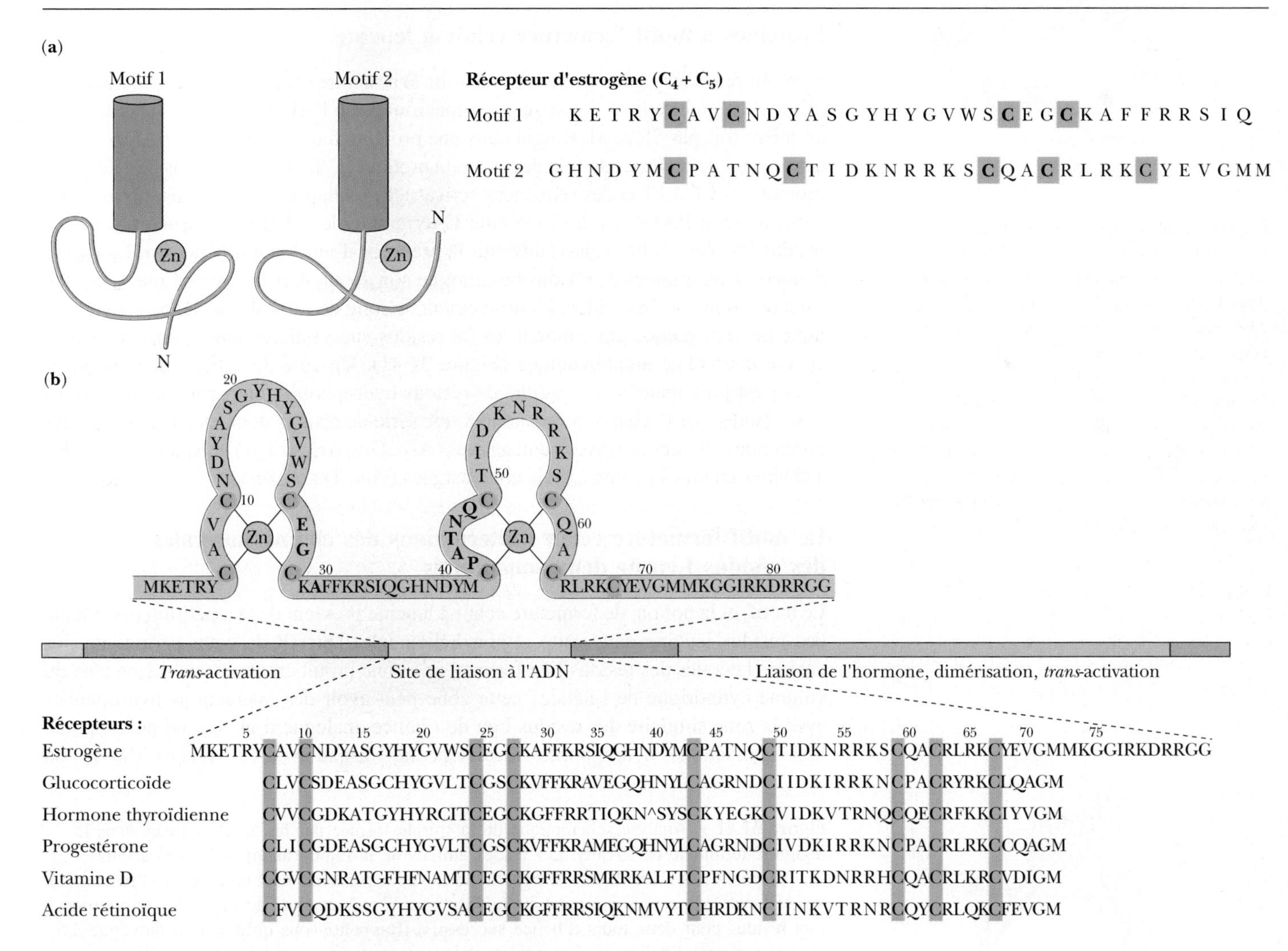

Figure 31.39 • Caractéristiques des protéines à motif doigt à zinc de la famille C_x. (a) Motifs liant l'ADN du récepteur d'estrogène. Remarquez la structure secondaire des doigts à zinc de type C_x et l'absence de feuillet β dans ce type de doigt. (b) Répartition des fonctions dans les protéines récepteurs d'hormone de type C_x. En plus du domaine complexant le zinc et liant l'ADN, remarquez dans ces protéines les domaines ayant d'autres fonctions : activation de la transcription (*trans*-activation), liaison de l'hormone et dimérisation. *(D'après Schwabe, J.W.R., et Rhodes, D., 1991.* Trends in Biochemical Sciences ***16** : 291, figures 1 et 2.)*

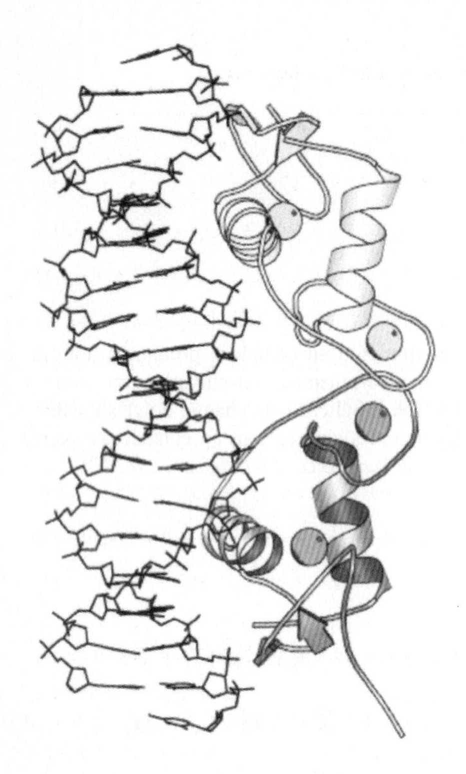

Figure 31.40 • Domaine de l'homodimère du récepteur d'estrogène liant l'ADN (ER) complexé à son élément de reconnaissance dans l'ADN. *(D'après Schwabe, J.W.R., et al., 1993. The crystal structure of the oestrogen receptor DNA-binding domain bound to DNA : How receptors discriminate between their response elements.* Cell *75 : 567-578 [figure 10 (en bas) in Patikoglou, G., et Burley, S.K., 1997. Eukaryotic transcription factor – DNA complexes.* Annual Review of Biophysics and Biomolecular Structure *26 : 289-325] Figure aimablement communiquée par Stephen K. Burley, Université Rockefeller.)*

GAL4 n'a qu'un seul doigt à zinc. La structure secondaire et la structure tertiaire des doigts à zinc de type C_x sont différentes de celles des doigts de type C_2H_2 (Figure 31.39). Les doigts de type C_x forment le domaine liant l'ADN de nombreux récepteurs d'hormones qui sont des activateurs de la transcription (Figure 31.40). Les résidus 25 à 35 (numérotés à partir du début du domaine liant l'ADN dans le récepteur des estrogènes) forment la première hélice α du motif C_x, l'*hélice de reconnaissance* de l'ADN, et les résidus 60 à 72 forment la seconde hélice α, celle qui s'accole à l'hélice de reconnaissance pour donner une structure stable. Ce sont ces structures qui présentent les hélices de reconnaissance à leurs sites de liaison. Les récepteurs, sous forme de dimères, se lient aux palindromes des éléments de réponse. Dans le récepteur des estrogènes, les résidus 44 à 48 forment la région de contact entre les sous-unités ; les interactions maintiennent les hélices de reconnaissance respectives dans une position telle qu'elles s'adaptent correctement aux deux « demi-sites » du palindrome au fond de deux grands sillons adjacents (Figure 31.40).

Protéines à motif fermeture éclair à leucine

Le motif fermeture éclair à leucine constitue la structure caractéristique de la troisième classe de protéines liant des séquences spécifiques de l'ADN. Ce motif a été décrit la première fois par Steve McKnight dans une protéine thermostable liant l'ADN, isolée des noyaux des cellules du foie de rat ; cette protéine, C/EBP, liait à la fois des éléments promoteurs CCAAT et des séquences activatrices (enhancers) de la transcription [7]. Le domaine liant l'ADN est à l'extrémité C-terminale de C/EBP. L'absence notable de résidus Pro dans cette région suggérait la présence d'une série d'hélices α. La région contient deux groupes de résidus basiques en son début, A et B, suivis d'une séquence caractéristique de 28 résidus. L'enroulement, le long de l'axe d'une hélice α hypothétique de la séquence qui contient les 28 résidus successifs commençant par Leu^{315}, génère une hélice amphipathique (Figure 31.41). Un côté de cette hélice amphipathique est principalement constitué de résidus hydrophobes (en particulier de résidus Leu), tandis que le côté opposé contient une série de résidus dont les chaînes latérales portent des charges positives ou négatives (Asp, Glu, Arg, et Lys) ainsi que des résidus à chaînes latérales polaires, mais non chargées (Gln, Thr, et Ser).

Le motif fermeture éclair : interactions des chaînes latérales des résidus Leu de deux sous-unités

Le motif, et la notion, de fermeture éclair à leucine provient de la répétition périodique des résidus leucine dans cette région hélicoïdale. Du fait de cette périodicité, les chaînes latérales des résidus Leu forment une zone protubérante sur un même côté du volume cylindrique de l'hélice ; cette zone peut avoir des interactions hydrophobes avec la zone similaire des résidus Leu de l'hélice analogue d'un second polypeptide. Ces interactions hydrophobes favorisent la formation d'un dimère (homo ou

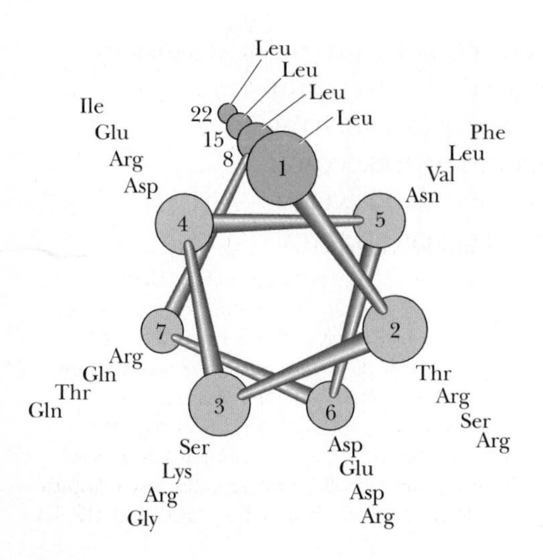

Figure 31.41 • Analyse schématique de la spirale formée par les acides aminés dans la région C-terminale de C/EPB. Les acides aminés de la région allant de Leu^{315} à Gln^{342} sont disposés selon une hélice α hypothétique vue à partir du haut de l'axe de l'hélice. Le résidu Leu^{315} est représenté par Leu 1, Thr^{316} est Thr 2, et ainsi de suite. Il y a environ sept résidus pour deux tours d'hélice successifs. (Rappelez-vous qu'il y a en moyenne 3,6 résidus par tour d'hélice α). Les acides aminés de cette région génèrent une hélice α amphipathique. En particulier, les résidus Leu sont régulièrement espacés de sept résidus (positions 1, 8, 15, et 22), et s'alignent sur un même côté de l'hélice formant un domaine linéaire hydrophobe. *(D'après Landschulz, W.H., Johnson, P.F., et McKnight, S.L., 1988.* Science *240 : 1759-1764, figure 1.)*

[7] C/EPB désigne, en anglais, une « *CCAAT and Enhancer Binding Protein* », protéine liant CCAAT et une séquence enhancer.

Protéine	Région basique A — Région basique B — Fermeture éclair à leucines
C/EBP	278–D K N S N E Y R V R R E R N N I A V R K S H D K A K Q R N V E T Q Q K V L E L T S D N D R L R K R V E Q L S R E L D T L R G–341
Jun	257–S Q E R I K A E R K R M R N R I A A S K C H K R K L E R I A R L E E K V K T L K A Q N S E L A S T A N M L T E Q V A Q L K O–320
Fos	233–E E R R R I R R I R R E R N K M A A A K C R N R R R E L T D T L Q A E T D Q L E D K K S A L Q T E I A N L L K E K E K L E F–296
GCN4	221–P E S S D P A A L K R A R N T E A A R R S R A R K L Q R M K O L E D K V E E L L S K N Y H L E N E V A R L K K L V G E R–COOH
YAP1	60–D L D P E T K Q K R T A Q N R A A Q R A F H E R K E R K M K E L E K K V Q S L E S I Q Q Q N E V E A T F L R D Q L I T L V N–123
CREB	279–E E A A R K R E V R L M K N R E A A R E C R R K K K E Y V K C L E N R V A V L E N Q N K T L I E E L K A L K D L Y C H K S D–342
Cys-3	95–A S R L A A E E D K R K R N T A A S A R F R I K K K Q R E Q A L E K S A K E M S E K V T Q L E G R I Q A L E T E N K Y L K G–148
CPC1	211–E D P S D V V A M K R A R N T L A A R K S B E R K A Q R L E E L E A K I E E L I A E R D R Y K N L A L A H G A S T E–COOH
HBP1	176–W D E R E L K K Q K R L S N R E S A R R S R L R K Q A E C E E L G Q R A E A L K S E N S S L R I E L D R I K K E Y E E L L S–239
TGA1	68–S K P V E K V L R R L A Q R N E A A R K S R L R K K A Y V Q Q L E N S K L K L I Q L E Q E L E R A R K Q G M C V G G G V D A–131
Opaque2	223–M P T E E R V R K R K E S N R E S A R R S R Y R K A A H L K E L E D Q V A Q L K A E N S C L L R R I A A L N Q K Y N D A N V–286
Consensus	– – – – – – – – – B B – B N – – A A – B – R – B B – – – – – – L E/Q – – – – – L – – – – – – L – – – – – – L – – – – – – L – –

Figure 31.42 • Comparaison de 11 séquences d'acides aminés (régions basiques et la région de la fermeture éclair à leucine) de protéines liant des séquences spécifiques de l'ADN. Ces protéines proviennent d'organismes animaux ou végétaux, ou de champignons. *(D'après Vinson, C.R., Sigler, P.B., et McKnight, S.L., 1989.* Science ***246****: 912, figure 1.)*

hétérodimère) en stabilisant sa structure (voir Figure 31.43). Remarquez qu'à la différence des motifs THT et des motifs doigt à zinc, la fermeture éclair *ne constitue pas* un domaine liant l'ADN ; son rôle est de permettre la dimérisation des protéines. La motif fermeture éclair a été retrouvé dans d'autres protéines régulatrices de la transcription chez les mammifères, par exemple les produits des gènes *myc*, *fos* et *jun*.

La région basique des protéines à motif fermeture éclair

La surface de ces protéines qui reconnaît et se lie à un élément de reconnaissance de l'ADN est un segment de 16 résidus qui se termine exactement 7 résidus *avant* le premier résidu Leu de la fermeture éclair. Ce segment, riche en résidus basiques, est pour cette raison appelé la **région basique**. Sa séquence consensus est BB-BN—AA-B-R-BB, dans laquelle B est un résidu basique (Arg ou Lys), N est Asn, AA représente une paire très conservée (Ala), et R est un résidu Arg invariant. L'alignement de la région basique et du motif fermeture éclair est exactement le même dans plusieurs protéines à fermeture éclair (Figure 31.42). La présence constante d'une région basique au voisinage de la fermeture éclair a conduit à rassembler toutes ces protéines dans la classe des protéines *bZIP* (*b* pour *basic* et *ZIP* fermeture éclair). Le modèle hypothétique de la structure secondaire des protéines *bZIP* montre que chacune des régions basiques peut se subdiviser en deux segments hélicoïdaux α, BR-A et BR-B. Dans ce modèle, le résidu invariant Asn termine l'hélice BR-A et permet que la chaîne se plie entre les segments BR-A et BR-B.

Les protéines *bZIP* reconnaissent des sites spécifiques de l'ADN ayant une symétrie binaire. Deux polypeptides *bZIP* s'associent par la fermeture éclair à leucine pour donner une molécule dimérique en forme de Y. La tige du Y correspond à une paire d'hélices α retenues par les interactions dans la fermeture éclair. Chacun des bras du Y correspondent à la région basique d'un polypeptide ; ce sont ces bras qui forment la surface de contact avec l'ADN (Figure 31.43). Lorsque le dimère est en interaction avec la séquence cible de l'ADN, le point de bifurcation du Y est situé au centre de symétrie (Figure 31.44). Les deux bras du Y progressent ensuite le long du grand sillon de l'ADN, dans des directions opposées, pour « lire » la séquence de reconnaissance spécifique. La raison pour laquelle on admet qu'il y a deux hélices dans la région basique (les bras du Y) devient à présent plus claire. La présence d'un résidu Asn après la

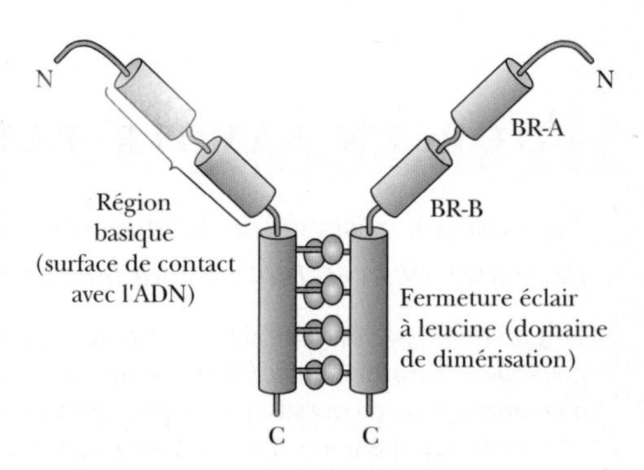

Figure 31.43 • Modèle schématique d'un dimère de protéine de type *bZIP*. Deux polypeptides *bZIP* s'associent pour donner une molécule en forme d'Y. La tige de cet Y représente la fermeture éclair ; les interactions hydrophobes entre les résidus Leu, maintiennent réunis les deux polypeptides. Chacun des bras du Y, formé par les régions basiques de l'un des polypeptides, est composé de deux segments hélicoïdaux, BR-A et BR-B.

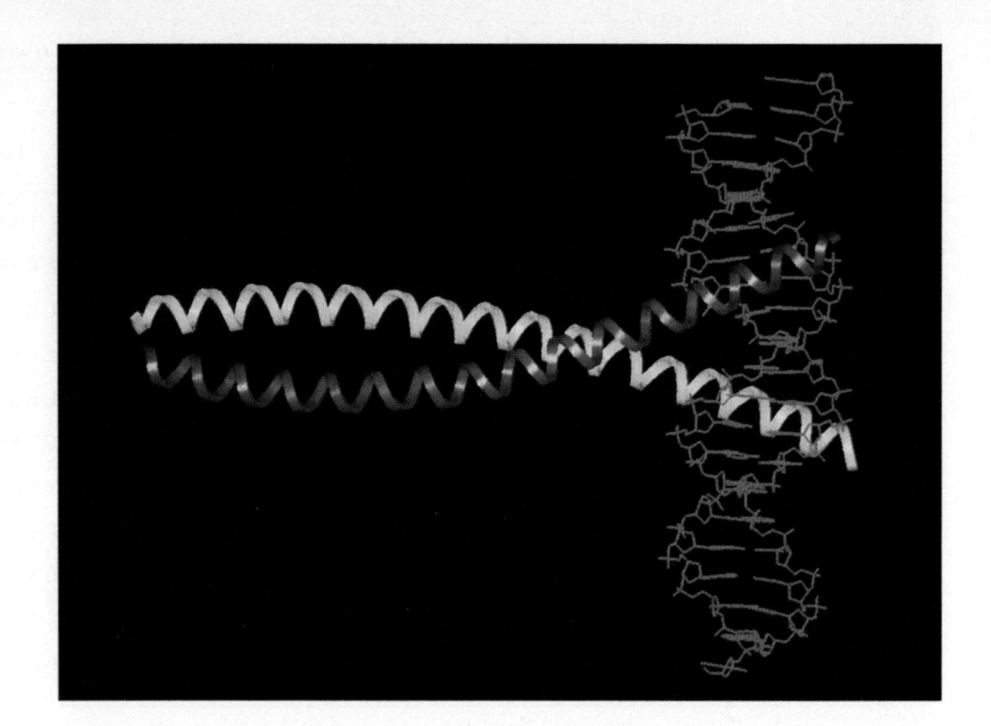

Figure 31.44 • Structure cristalline d'un facteur de transcription *bZIP* hétérodimère, c-Fos:c-Jun, lié à un oligomère d'ADN contenant la séquence cible AP-1 (séquence consensus TGACTCA). *(D'après Glover, J.N.M., et Harrison, S.C., 1995. Crystal structure of the heterodimeric* bZIP *transcription factor c-Fos:c-Jun bound to DNA.* Nature *373 : 257-261.)*

structure hélicoïdale BR-A induit une courbure de la chaîne polypeptidique qui lui permet de suivre le grand sillon autour de la double hélice de l'ADN. L'hélice BR-B se trouve ainsi directement placée elle aussi dans la continuité du grand sillon. Les chaînes latérales à charges positives des acides aminés conservés dans BR-A et BR-B sont orientées vers les charges négatives du squelette des oses phosphates de l'ADN.

Un aspect intéressant des protéines *bZIP* est que les dimères ne doivent pas toujours être constitués de sous-unités identiques (Figure 31.44). Il suffit que les deux chaînes polypeptidiques contiennent chacune une région à motif fermeture éclair. Il s'ensuit que le site de reconnaissance sur l'ADN n'est pas nécessairement de symétrie binaire. Les régions BR-A et BR-B de deux polypeptides différents (par exemple Fos et Jun lorsqu'ils constituent un hétérodimère) peuvent lire deux demi-sites différents (non symétriques), chaque polypeptide de l'hétérodimère reconnaissant les sous-sites asymétriques respectifs. La formation d'hétérodimères augmente considérablement les possibilités de reconnaissance de l'ADN et de régulation de la transcription par cette classe de protéines.

Pour en savoir plus

La mise en réserve de la mémoire à long terme dépend de l'expression de gènes activés par des facteurs de transcription de type CREB

L'*apprentissage* peut être défini comme le processus par lequel de nouvelles informations (connaissances) sont acquises, et la *mémoire* est le processus par lequel cette information est retenue (stockée). La mémoire à court terme (qui dure quelques minutes ou quelques heures) n'exige que des modifications covalentes de protéines déjà présentes, mais la mémoire à long terme (celle qui persiste des jours, des semaines, ou toute une vie) dépend de l'expression de gènes, de la synthèse des protéines, et de la formation de nouvelles connections neuronales.

La synthèse des macromolécules nécessaires au stockage à long terme de la mémoire exige des facteurs de transcription de type CREB (pour *cAMP-Response Element binding protein*) et l'activation de gènes dépendant de l'AMPc. La sérotonine (5-hydroxytryptamine, une hormone impliquée dans l'apprentissage et le développement de la mémoire) agit sur des neurones, elle déclenche la synthèse de l'AMPc lorsqu'elle se fixe sur son récepteur. L'AMPc stimule ensuite l'activité de la protéine kinase A qui phosphoryle des facteurs de transcription de type CREB lesquels, une fois phosphorylés, activent la transcription des gènes inductibles par l'AMPc. Ces gènes sont caractérisés par la présence de CRE (pour cAMP *Response element*), séquence consensus contenant le palindrome TGACGTCA. Les facteurs de transcription CREB sont des protéines de type fermeture éclair à leucine. Ces découvertes excitantes sont à l'origine de l'ouverture d'un nouvel espace de recherche, la biologie moléculaire de la cognition.

Cognition • Ensemble des fonctions permettant à l'organisme d'acquérir des connaissances.

31.6 • Maturation post-transcriptionnelle des ARNm de cellules eucaryotes

La transcription et la traduction sont des processus concomitants chez les procaryotes, mais chez les eucaryotes ces processus sont déconnectés, à la fois dans l'espace et dans le temps (Chapitre 11). *La transcription de l'ADN s'effectue dans le noyau et la traduction du transcrit par les ribosomes s'effectue dans le cytoplasme.* Il faut donc que les transcrits passent du noyau au cytosol. Durant ce passage d'un compartiment cellulaire à l'autre, les transcrits subissent des modifications (des remaniements) par un processus de **maturation** comportant plusieurs étapes. La maturation recouvre un ensemble de modifications qui convertissent l'ARN pré-messager nouvellement synthétisé, ou *transcrit primaire*, en un ARNm fonctionnel. De plus, contrairement aux ARN messagers des procaryotes qui peuvent coder pour plusieurs protéines à la fois (ils sont alors polycistroniques), les ARNm d'eucaryotes ne codent que pour un seul polypeptide (ils sont exclusivement monocistroniques).

Les gènes eucaryotes ont une séquence codante discontinue

La plupart des gènes des eucaryotes supérieurs sont divisés en régions codantes, les **exons** [8], et en région non codantes, les **introns** (Figure 31.45 ; voir aussi Chapitre 6). Les introns sont des séquences de nucléotides intercalées qui sont éliminées du transcrit primaire au cours de sa maturation. L'expression des gènes chez les eucaryotes ne comprend donc pas seulement la transcription et la traduction, mais encore la *maturation des transcrits primaires* en molécules d'ARN que nous classerons en ARNm, ARNt, ARNr, etc.

Organisation des gènes à séquence discontinue

Le nombre et la taille des séquences intercalées dans les gènes interrompus sont extrêmement variés. Le **gène de l'actine** de la levure n'a qu'un seul intron de 309 pb qui sépare les codons codant pour les trois premiers acides aminés des autres codons

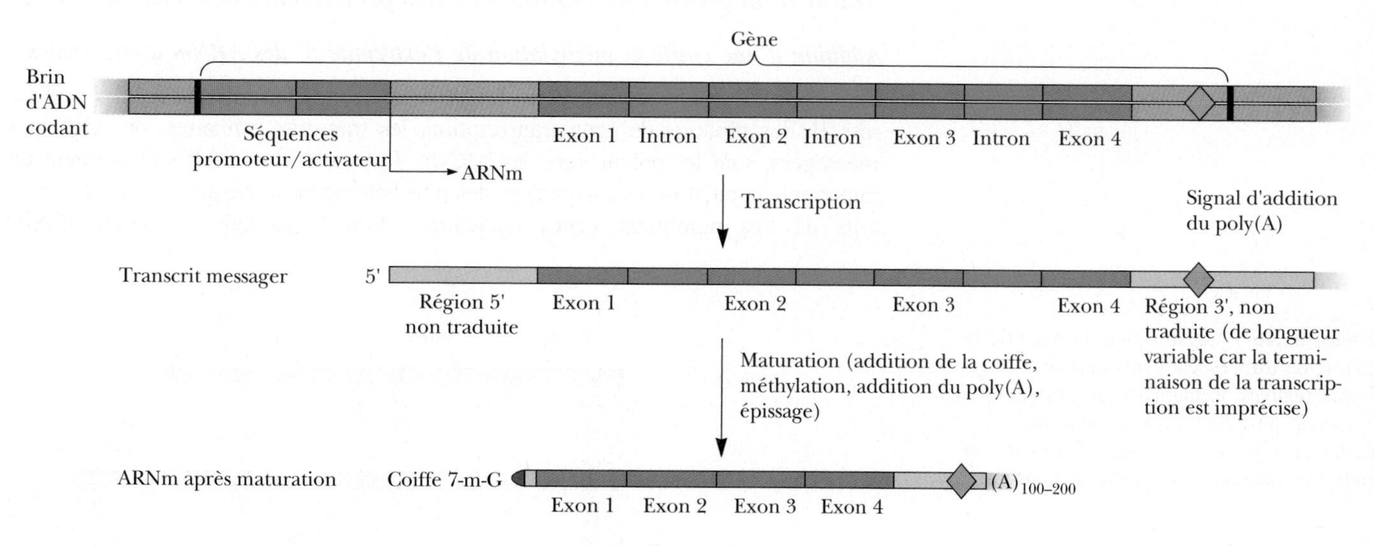

Figure 31.45 • Organisation des gènes eucaryotes à séquence discontinue.

[8] Bien que le terme *exon* fasse généralement référence aux régions des gènes discontinus codant pour des protéines, les exons sont plus précisément *les séquences présentes dans les molécules d'ARN après la fin du processus de maturation.* Cette définition englobe non seulement les gènes qui codent pour des protéines, mais aussi les gènes codant pour les divers ARN (comme les ARNt ou ARNr) dont les séquences intercalées doivent être excisées pour que la molécule devienne fonctionnelle.

codant pour les quelques 350 autres acides aminés de la protéine. Le gène de l'**ovalbumine** de poule est composé de 8 exons et de 7 introns. Les **deux gènes de la vitellogénine** du xénope sont tous deux répartis sur plus de 21 kpb ; dans le transcrit primaire, les 6 kb de l'ARN messager final sont parsemés de 33 introns. Le gène du **pro $\alpha 2$ collagène** de poule contient environ 40 kpb ; les régions codantes ne correspondent qu'à 5 kb répartis dans 51 exons comprenant seulement 45 à 249 bases chacun.

Visiblement, le mécanisme d'excision des introns et d'épissage de multiples exons en une séquence d'ARN continue, qui peut être traduite, est à la fois précis et compliqué. Si une seule base de plus qu'il n'est nécessaire est éliminée, ou si les bases des introns ne sont pas excisées dans leur totalité, la séquence de codage de l'ARNm sera interrompue. Le gène de la **dihydrofolate réductase** de mammifère (**DHFR**) est scindé en 6 exons répartis sur plus de 31 kpb d'ADN. Après excision et épissage, l'ARNm n'a que 6kb (Figure 31.46). Remarquez que si la taille et la position des exons dans le gène de trois espèces différentes sont essentiellement les mêmes dans ces mammifères, les longueurs des introns correspondants varient considérablement. En fait, la longueur des introns dans les gènes des vertébrés varie d'environ 60 pb (au minimum) à plus de 10.000 paires de bases.

En dépit de certaines variations dans l'organisation des gènes discontinus, les gènes à séquences intercalées ont en commun un certain nombre de caractéristiques. Premièrement, l'ordre des exons dans l'ARNm après maturation est le même que celui dans le transcrit primaire et dans l'ADN. Donc, bien que les régions codantes des gènes discontinus soient interrompues par des régions non codantes, leur ordre est fixe et non pas aléatoire le long du gène. Deuxièmement, pour un gène donné, la taille et la répartition des exons et des introns sont identiques dans tous les tissus, dans toutes les cellules d'un même organisme, et, à l'exception des gènes de la réponse immunitaire et du complexe majeur de l'histocompatibilité, aucun réarrangement spécifique d'une cellule n'est connu. Troisièmement, de nombreux introns ont des codons stop dans les trois phases de lecture, ils ne peuvent donc pas être traduits. Tout comme dans les gènes nucléaires, il existe des introns dans les gènes des mitochondries et des chloroplastes. Des introns ont été observés chez les archaebactéries, et même dans le phage T4, mais jamais chez les eubactéries.

Maturation post-transcriptionnelle des précurseurs des ARN messagers

Addition d'une coiffe et méthylation de l'extrémité 5′ des ARNm d'eucaryotes

Les gènes eucaryotes codant pour des protéines sont transcrits par l'ARN polymérase II ; les produits de cette transcription, les transcrits primaires, ou **ARN prémessagers**, sont les précurseurs des ARNm. Les molécules d'ARN constituent une importante population aux séquences des plus hétérogènes, puisque ce sont des transcrits de très nombreux gènes nucléaires, d'où l'appellation générale d'**ARN**

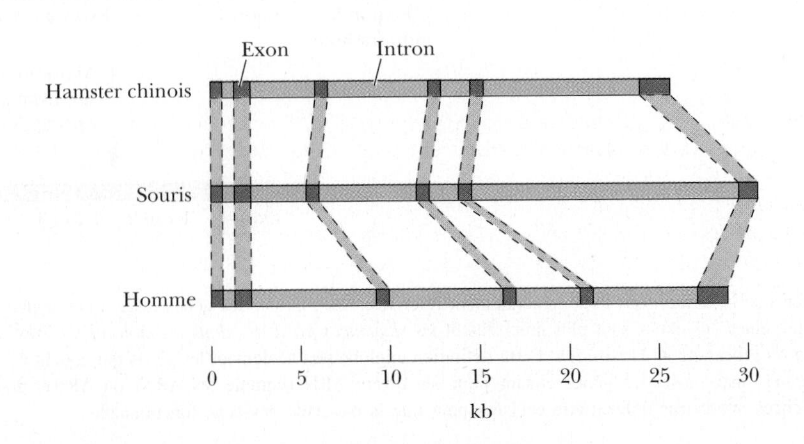

Figure 31.46 • Organisation du gène de la DHFR de trois espèces mammifères représentatives. Remarquez que les exons sont beaucoup plus courts que les introns. Remarquez aussi que la taille des exons est bien plus conservée que celle des introns.

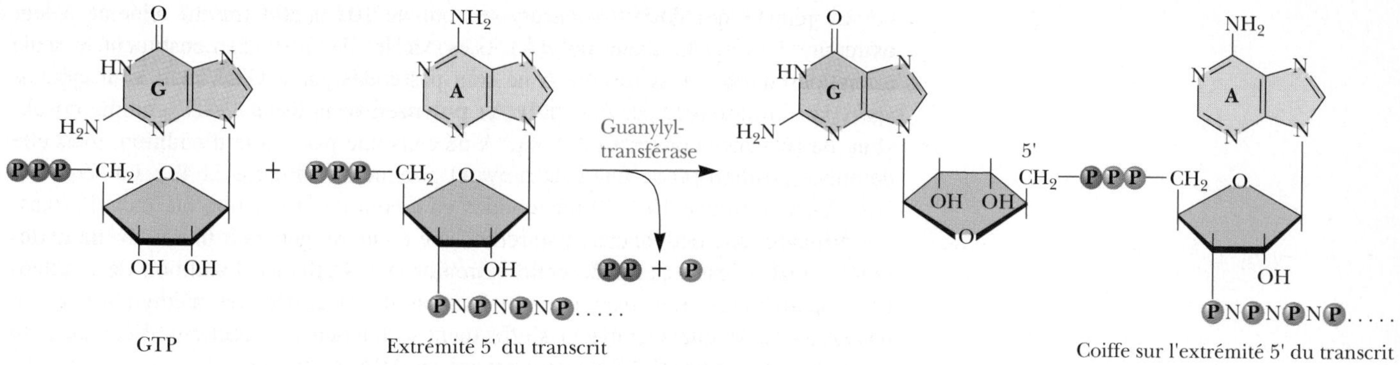

GTP

Extrémité 5' du transcrit

Guanylyl-transférase

Coiffe sur l'extrémité 5' du transcrit

Figure 31.47 • Formation de la coiffe sur les ARN prémessagers d'eucaryotes. La guanylyltransférase catalyse l'addition d'un résidu guanylyle (*Gp*), provenant d'un GTP, sur l'extrémité 5′ de la chaîne du transcrit naissant qui porte déjà un groupe 5′-triphosphate. Au cours de cette réaction, le GTP perd un PP_i, (*pp*), et l'extrémité 5′ du transcrit le P, (p), terminal.

nucléaire hétérogène, ou **ARNnh**. Peu après l'initiation de la transcription, l'extrémité 5′ du transcrit en cours d'élongation est coiffée (de *capping*, en anglais) par un résidu guanylyle. La **guanylyltransférase**, un enzyme nucléaire qui utilise comme cosubstrat le GTP, catalyse cette réaction d'addition (Figure 31.47). Puis le C-7 du résidu guanylyle de la coiffe est méthylé. Après la formation du 7-méthyl G, les deux nucléosides suivant la coiffe peuvent être méthylés sur le 2′-O et le groupe 6-amino de la première adénine suivante peut aussi être méthylé (Figure 31.48).

Polyadénylation de l'extrémité 3′ des ARNm d'eucaryotes

La transcription par l'ADN polymérase II se poursuit au-delà de la fin (la partie codante) de l'ARN messager. Peu de choses sont connues concernant les signaux qui régulent de la terminaison de la transcription chez les eucaryotes et les transcrits primaires ont des séquences hétérogènes aux extrémités 3′, ce qui signifie que le point précis de la terminaison n'est pas spécifique. Cependant, cette dernière ne s'arrête pas avant que l'ARN polymérase II ait transcrit et dépassé une séquence consensus, AAUAAA, séquence appelée **site d'addition du poly (A)$^+$**.

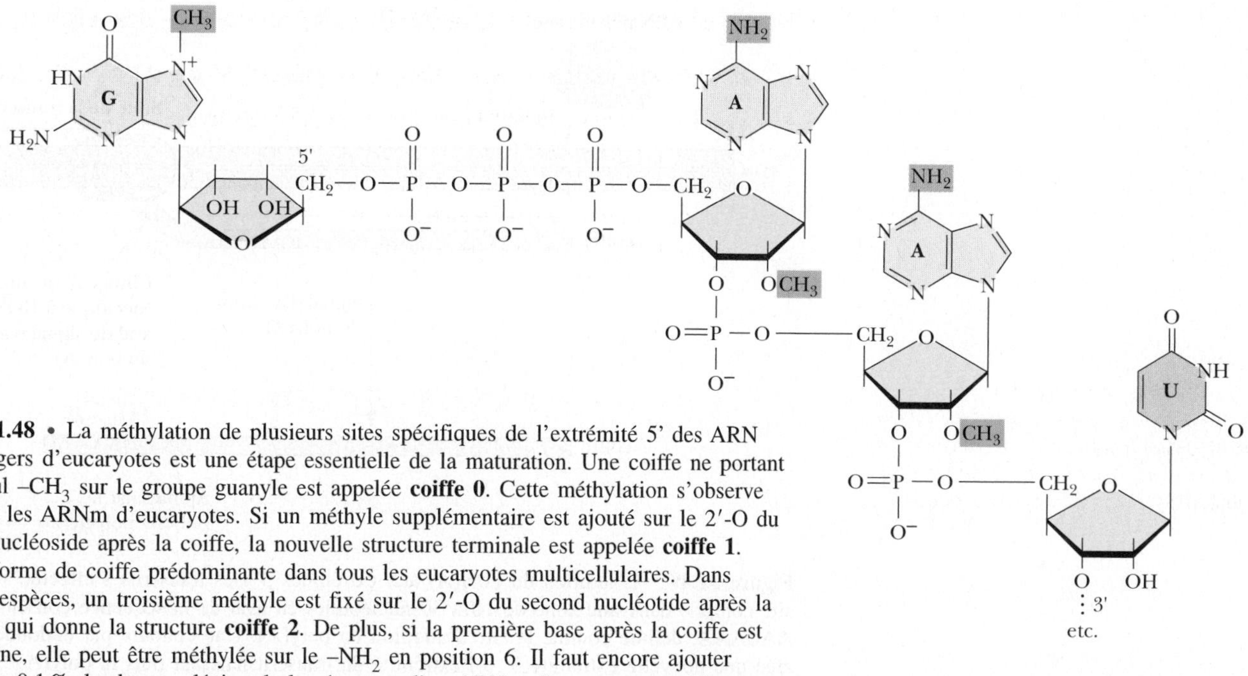

Figure 31.48 • La méthylation de plusieurs sites spécifiques de l'extrémité 5' des ARN prémessagers d'eucaryotes est une étape essentielle de la maturation. Une coiffe ne portant qu'un seul $-CH_3$ sur le groupe guanyle est appelée **coiffe 0**. Cette méthylation s'observe dans tous les ARNm d'eucaryotes. Si un méthyle supplémentaire est ajouté sur le 2′-O du premier nucléoside après la coiffe, la nouvelle structure terminale est appelée **coiffe 1**. C'est la forme de coiffe prédominante dans tous les eucaryotes multicellulaires. Dans quelques espèces, un troisième méthyle est fixé sur le 2′-O du second nucléotide après la coiffe, ce qui donne la structure **coiffe 2**. De plus, si la première base après la coiffe est une adénine, elle peut être méthylée sur le $-NH_2$ en position 6. Il faut encore ajouter qu'environ 0,1 % des bases adénine de la séquence d'un ARNm d'eucaryote supérieur sont méthylés sur le $6-NH_2$.

La plupart des ARNm d'eucaryotes ont de 100 à 200 résidus adénine à leur extrémité 3′, c'est la queue poly(A). (Les ARNm des histones constituent la seule exception connue). Ces résidus A ne sont pas codés par l'ADN, mais sont ajoutés, après la transcription, par une **poly(A) polymérase** utilisant l'ATP comme cosubstrat. La séquence consensus AAUAAA ne constitue pas le site d'addition, mais elle définit la position où se fixera la poly(A) polymérase (Figure 31.49). La séquence AAUAAA se trouve 10 à 30 nucléotides en amont de la position où, dans le transcrit primaire, une endonucléase introduit une coupure, générant une nouvelle extrémité 3′ OH. C'est à partir de cette extrémité que s'effectue l'addition des nucléotides adényliques. Les réactions de fixation de la coiffe, de méthylation et de formation de la queue poly(A) s'effectuent avant que les réactions d'épissage du transcrit transforment l'ARN prémessager en ARN messager.

Épissage de l'ARN prémessager nucléaire

À l'intérieur du noyau, les ARNnh forment des **particules ribonucléoprotéiques (PRNnh)** par association avec des protéines nucléaires spécifiques. Ces protéines s'associent avec la chaîne d'ARN naissante ; elles maintiennent les ARNhn dans une conformation ouverte, accessible. Le substrat de l'épissage, c'est-à-dire de l'excision des introns et du raboutage des exons, est la molécule d'ARN avec une coiffe, méthylée et polyadénylée, sous forme de PRNnh. L'épissage ne se produit que dans le noyau. L'ARNm produit (l'ARNm « mature »), est ensuite exporté vers le cytoplasme où il sera traduit. L'épissage exige le clivage précis des extrémités 5′ et 3′ des introns, puis le raboutage des extrémités libres. Des séquences consensus définissent les jonctions exon/intron dans les ARN prémessagers des gènes de vertébrés (Tableau 31.8). Notez la fréquence élevée des séquences GU et AG, respectivement aux extrémités 5′ et 3′ des introns des ARN prémessagers (pré-ARNm) des eucaryotes supérieurs. En plus des jonctions d'épissage, une séquence conservée dans l'intron, **le site de branchement**, est essentielle à l'épissage de l'ARNm. Ce site se trouve de 18 à 40 nucléotides en amont du site d'épissage 3′ et, chez les eucaryotes supérieurs, est représenté par la séquence consensus $Y_{80}NY_{87}R_{75}A_{100}Y_{95}$, dans laquelle Y est une base pyrimidique, R une base purique, N l'une des quatre

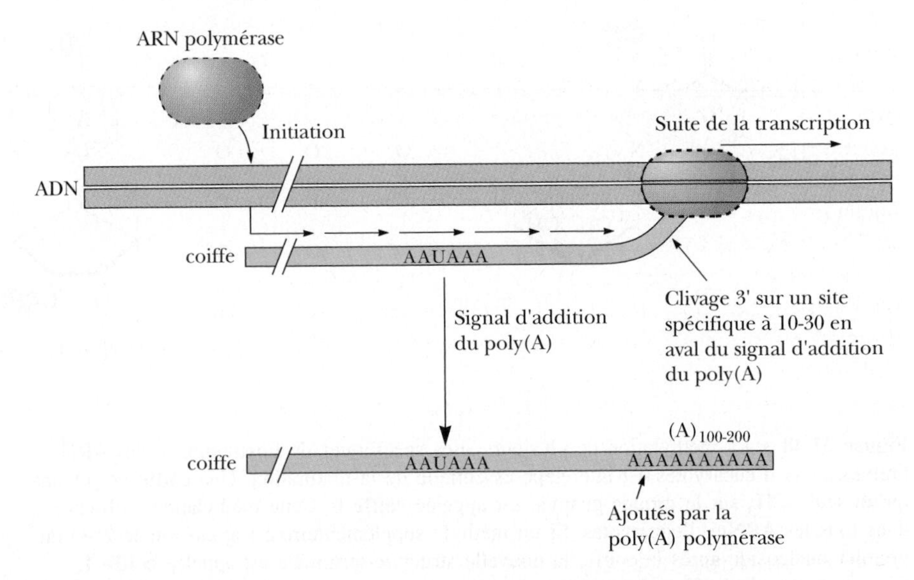

Figure 31.49 • L'addition du poly(A) aux extrémités 3′ des transcrits s'effectue sur un site compris dans une zone de 10 à 30 nucléotides en aval de la séquence consensus AAUAAA, définie comme le site d'addition du poly(A). Une coupure par endonucléase crée une nouvelle extrémité 3′ à l'extrémité du transcrit naissant puis la poly(A) polymérase ajoute successivement jusqu'à environ 200 résidus adénylyle à cette extrémité 3′.

Tableau 31.8

Séquences consensus des sites d'épissage dans les gènes de vertébrés*

Site d'épissage 5′

	Exon		**Intron**					
%G	13	77	100	0	32	12	84	18
%A	62	8	0	0	60	74	9	15
%U	13	8	0	100	5	7	3	50
%C	12	8	0	0	3	7	4	17
Consensus	A	G	G	U	A	A	G	U

Site d'épissage 3′

	Intron												**Exon**	
%G	10	7	7	10	9	5	5	5	24	0	0	100	55	27
%A	7	4	9	8	10	8	4	9	26	2	100	0	20	21
%U	56	59	43	49	41	46	42	46	23	19	0	0	8	32
%C	27	30	42	33	40	40	49	41	27	78	0	0	17	20
Consensus	Py	Py	Py	Py	Py	Py	Py	Py	–	C	A	G	G	–

* Les gènes des vertébrés ont des introns commençant par GU et finissant par AG. (Quelques rares introns commencent par le dinucléotide GC ; ces exceptions sont exclues du tableau). Notez la séquence consensus 5′ AG:GU (A)AGU dans laquelle le signe deux points représente le site du clivage de la jonction intron/exon. Remarquez aussi la séquence consensus 3′ (série de Py) NCAG:G, le signe deux point représente le site 3′ du clivage de la jonction intron/exon).

Source : d'après Padgett, R.A., et al., 1986. *Annual Review of Biochemistry* **55** : 119-1150.

bases. Les nombres en indice donnent la fréquence de chaque base dans la séquence consensus. A est invariant.

La réaction d'épissage : formation du lasso

L'épissage des tous les précurseurs d'ARNm s'effectue dans le noyau, selon un mécanisme qui semble universel (Figure 31.50). Une boucle d'ARN, fermée par une liaison covalente, le **lasso** (*lariat* en anglais), se crée par formation d'une liaison 2′-5′ phosphodiester entre le groupe 5′-phosphate de la base invariante, 5′-G, de l'intron et le 2′-OH de la base invariante, A, du site de branchement (cette base A constitue le point de branchement sur lequel se referme le lasso). Remarquez que la formation du lasso crée une structure branchée, peu commune dans les acides nucléiques. La structure lasso est excisée lorsque le 3′-OH de la base consensus G en 3′ de l'exon (l'Exon 1, Figure 31.50), forme une liaison covalente avec le groupe 5′-phosphate à l'extrémité 5′ de l'exon voisin en aval (site accepteur de l'exon 3′, ou Exon 2). Les deux réactions sont des réactions de transestérification au cours desquelles un groupe –OH réagissant avec une liaison phosphodiester, déplace un –OH et forme une nouvelle liaison phosphodiester (Figure 31.51). Comme ces réactions ne modifient pas le nombre final des liaisons phosphodiester, un apport d'énergie, par exemple sous forme d'ATP, n'est pas nécessaire. Le lasso libéré n'est pas stable : la liaison 2′-5′ phosphodiester est hydrolysée et l'intron libre, linéarisé, est rapidement dégradé dans le noyau.

L'épissage nécessite la présence de petites particules ribonucléoprotéiques (PRNnp)

Le complexe PRNnh formé entre les transcrits primaires et des protéines nucléaires n'est pas le seul complexe impliqué dans le processus d'épissage. Ce processus dépend aussi de la présence d'une série de petites particules ribonucléoprotéiques nucléaires, les **PRNnp** (en anglais snRNPs, pour *small nuclear ribonucleoprotein*

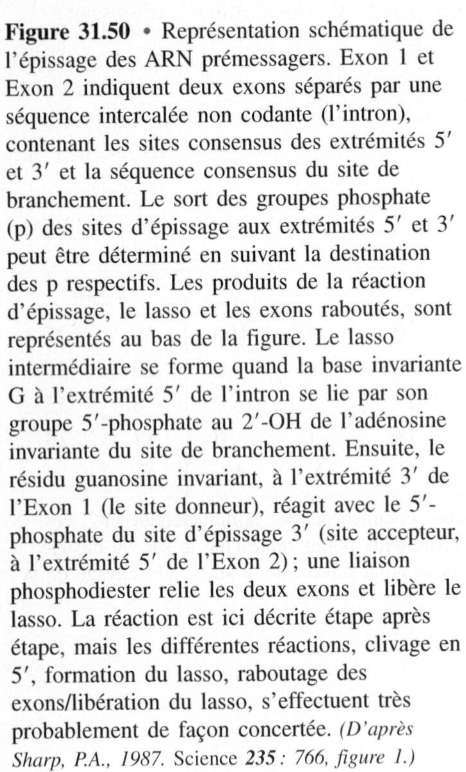

Figure 31.50 • Représentation schématique de l'épissage des ARN prémessagers. Exon 1 et Exon 2 indiquent deux exons séparés par une séquence intercalée non codante (l'intron), contenant les sites consensus des extrémités 5′ et 3′ et la séquence consensus du site de branchement. Le sort des groupes phosphate (p) des sites d'épissage aux extrémités 5′ et 3′ peut être déterminé en suivant la destination des p respectifs. Les produits de la réaction d'épissage, le lasso et les exons raboutés, sont représentés au bas de la figure. Le lasso intermédiaire se forme quand la base invariante G à l'extrémité 5′ de l'intron se lie par son groupe 5′-phosphate au 2′-OH de l'adénosine invariante du site de branchement. Ensuite, le résidu guanosine invariant, à l'extrémité 3′ de l'Exon 1 (le site donneur), réagit avec le 5′-phosphate du site d'épissage 3′ (site accepteur, à l'extrémité 5′ de l'Exon 2) ; une liaison phosphodiester relie les deux exons et libère le lasso. La réaction est ici décrite étape après étape, mais les différentes réactions, clivage en 5′, formation du lasso, raboutage des exons/libération du lasso, s'effectuent très probablement de façon concertée. *(D'après Sharp, P.A., 1987.* Science *235 : 766, figure 1.)*

particles, se prononce « snurps » dans les laboratoires américains). Chez les eucaryotes supérieurs, chaque PRNnp est constitué d'une petite molécule d'ARNnp, de 100 à 200 nucléotides de long, et d'environ 10 protéines différentes. (Les ARNnp de levure sont beaucoup plus gros, plus de 1000 nucléotides de long). Certaines des protéines s'assemblent en un « cœur » commun à toutes les PRNnp, tandis que d'autres sont spécifiques de PRNnp particulières. Les principales PRNnp sont très abondantes, plus de 100.000 copies par noyau. Les ARNnp de ces PRNnp sont typiquement riches en uridine, d'où la dénomination des classes de PRNnp, U1, U2,

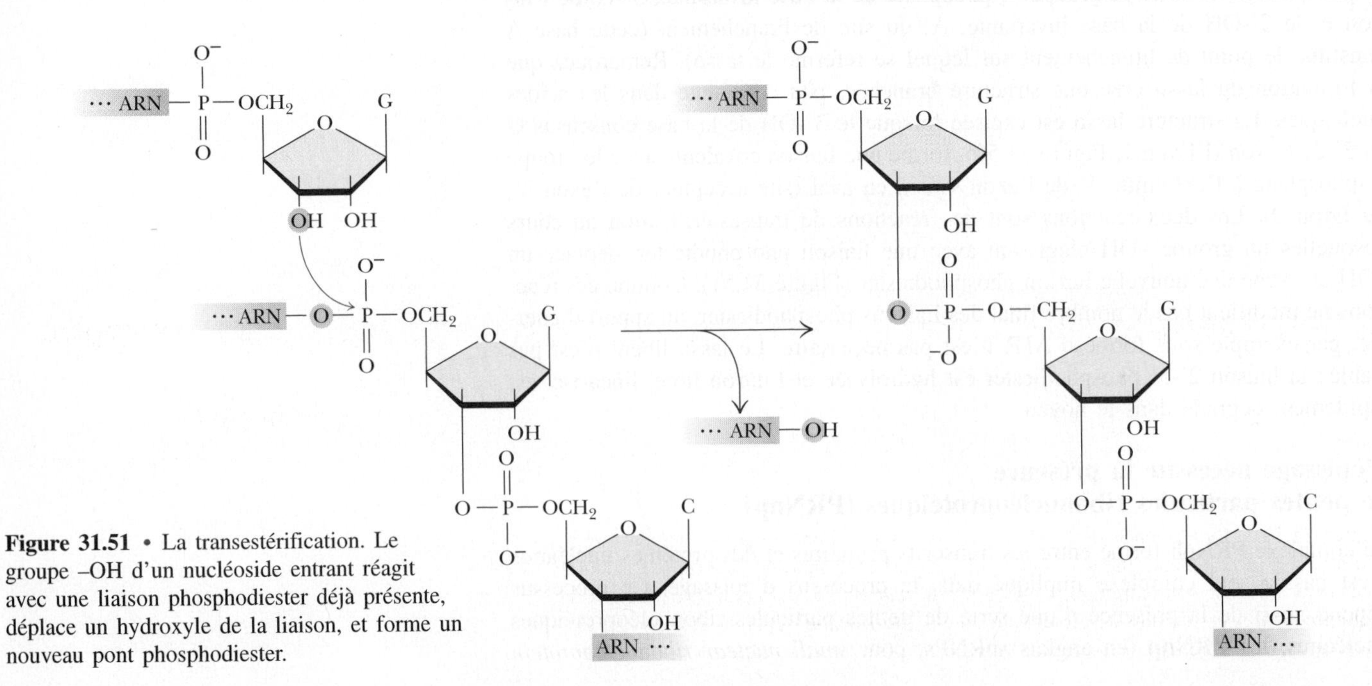

Figure 31.51 • La transestérification. Le groupe –OH d'un nucléoside entrant réagit avec une liaison phosphodiester déjà présente, déplace un hydroxyle de la liaison, et forme un nouveau pont phosphodiester.

etc. Les ARNnp des PRNnp ont en commun deux caractéristiques : une coiffe triméthylguanosine à leur extrémité 5′ et une séquence consensus interne AUUUUUG. Les propriétés des principales PRNnp sont données Tableau 31.9. Présentée de façon à contenir un maximum de bases appariées par des liaisons H intracaténaires, la chaîne des nucléotides de l'ARNnp U1 peut former une structure secondaire ne laissant libres que 11 nucléotides de l'extrémité 5′. Cette extrémité 5′ de U1 est complémentaire de la séquence consensus du site d'épissage 5′ du pré-ARNm (Figure 31.52). L'extrémité de l'ARNnp U2 est complémentaire de la séquence consensus du site de branchement (voir Figure 31.54).

Tableau 31.9

Propriétés des PRNnp des eucaryotes supérieurs

PRNnp	Nombre de nucléotides	Cible d'épissage
U1	165	Épissage 5′
U2	189	Branchement
U4	145	Épissage 5′, recrutement du point de branchement par le site d'épissage 5′
U5	115	
U6	106	

Les PRNnp forment des spliceosomes

Les réactions d'épissage ont lieu après que divers PRNnp se soient liés aux ARN pré-messagers pour donner des structures complexes, les **spliceosomes** (de l'anglais *splice*, épissage, soudure). Les spliceosomes sont de très gros complexes, de la taille des ribosomes, et leur assemblage exige de l'énergie, fournie par l'hydrolyse de l'ATP. Un modèle d'assemblage a pu être proposé. Un PRNnp U1 se lie au site d'épissage 5′ d'un pré-ARNm (Figure 31.53). PRNnp U2 se substitue à la protéine BBP (pour *branch-point binding protein*) qui est liée à la séquence du site de branchement (UACUAAC chez la levure) puis le complexe de trois PRNnp formé par U4/U6·U5 remplace U1 sur le site d'épissage 5′ (voir Figure 31.54). Le remplacement de l'appariement des bases (et donc des interactions) entre U1 et le site d'épissage 5′ du pré-ARNm par des appariement entre les bases de U5 et celles du site d'épissage 5′ n'est qu'un exemple des nombreux réarrangements qui accompagnent la réaction d'épissage. L'appariement des bases entre les ARNnp U4 et U6 est ensuite supplanté par un appariement des bases entre les ARNnp U4 et U2, ce qui rapproche la séquence du site d'épissage 5′ de la séquence du site d'embranchement. Les interactions entre U2 et U6 déstabilisent les interactions entre U6 et U4 de sorte que comme l'ARNnp U1, l'ARNnp U4 est libéré (Figure 31.54). Le spliceosome est alors fonctionnel : il catalyse une réaction de transestérification impliquant une attaque nucléophile, par le 2′-O du résidu invariant A de la séquence du site d'embranchement, qui déplace l'exon 5′ de l'intron, ce qui crée un lasso intermédiaire. L'extrémité libre 3′-O de l'exon peut à présent déclencher une seconde transestérification par une attaque nucléophile sur l'atome de P au site d'épissage de l'exon 3′. Cette deuxième réaction réunit les deux exons et libère l'intron avec sa structure en lasso. En plus des PRNnp, plusieurs autres protéines favorisant l'appariement de segments d'ARN ainsi que des protéines ATP dépendantes capables de

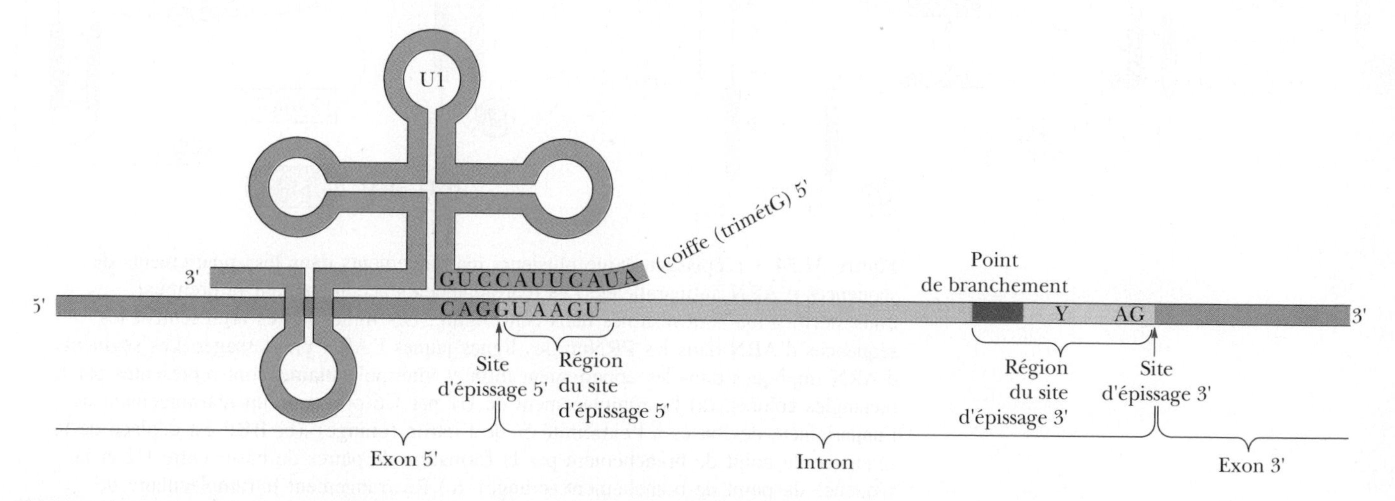

Figure 31.52 • La séquence de l'ARNnp U1 des mammifères peut, en formant un maximum d'appariements intracaténaires, être représentée par une structure secondaire faisant apparaître à son extrémité 5′ un brin non apparié qui est complémentaire de la séquence consensus du site d'épissage du côté 5′ de l'intron. *(D'après Rosbash, M., et Seraphin, B., 1991.* Trends in Biochemical Sciences ***16****: 187, figure 1.)*

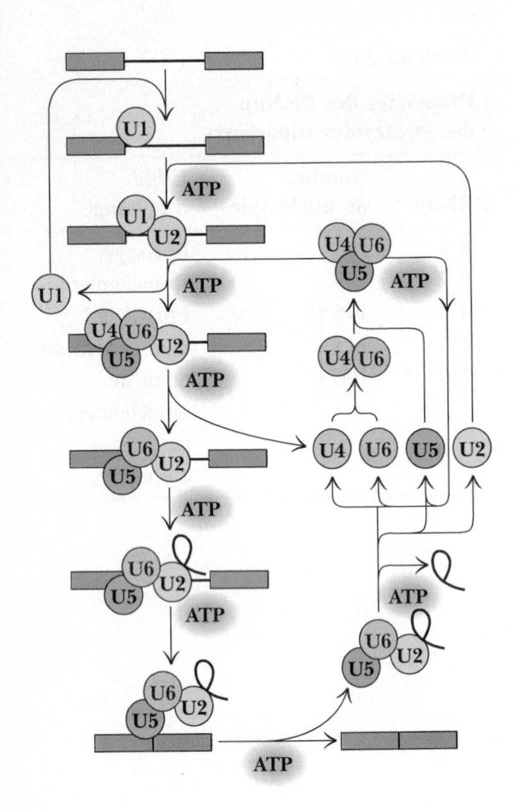

Figure 31.53 • Modèle de l'assemblage du spliceosome. Le PRNnp U1 se lie au site d'épissage 5′, puis U2 se lie à la séquence UACUAAC du site de branchement. Le complexe triple des PRNnp U4/U6·U5 remplace U1 sur le site d'épissage 5′ et entraîne la juxtaposition de la séquence du point de branchement et de la séquence du site d'épissage 5′, avec élimination de PRNnp U4. La formation du lasso qui s'ensuit libère l'extrémité 3′ de l'exon 5′ et cette extrémité 3′ peut alors s'unir à l'extrémité 5′ de l'exon 3′, ce qui termine l'épissage des exons . Les PRNnp U2, U5 et U6 se dissocient du lasso après le raboutage des exons. L'assemblage du spliceosome, les réarrangements et le désassemblage exigent une apport d'énergie (de l'ATP) et la participation de nombreuses autres protéines (Prp) ainsi que des protéines de la boîte DEXD/H (non représenté). *(D'après Staley, J.P., et Guthrie, C., 1998. Mechanical devices of the spliceosome : Motors, clocks, springs, and things.* Cell ***92*** *: 315-326, figure 2.)*

dérouler les doubles brins contribuent activement à la fonction des spliceosomes. Les protéines qui favorisent la formation d'ARN duplex ont des motifs de reconnaissance de l'ARN et des domaines RS constitués de répétitions du dipeptide Arg-Ser qui établissent des interactions avec les ARN et facilitent l'hybridation des séquences complémentaires. Le spliceosome est donc une structure dynamique qui utilise l'ARN prémessager comme une matrice d'assemblage, effectue les réactions de transestérification, puis se désassemble quand la réaction d'épissage est terminée. La découverte par Thomas Cech d'ARN à activité catalytique (voir les ribozymes Chapitre 14) autorise une hypothèse : les réactions de transestérification seraient catalysées par les ARNnp eux-mêmes et non pas par les protéines des PRNnp

L'épissage différentiel (alternatif)

Dans l'un des modes d'épissage, chaque intron est éliminé et chaque exon est incorporé, sans exception, dans l'ARNm final. Ce mode d'épissage, appelé **épissage constitutif**, aboutit à la formation d'un seul type d'ARNm à partir du transcrit primitif.

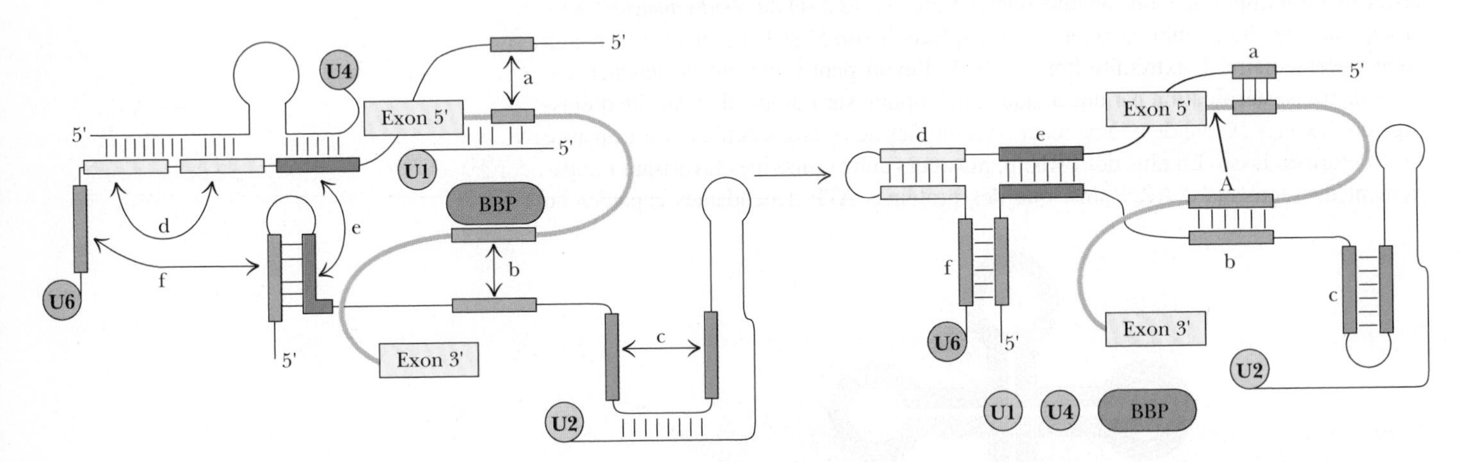

Figure 31.54 • L'épissage exige plusieurs réarrangements dans les appariements de séquences d'ARN antiparallèles. Les réarrangements accompagnant la première transestérification sont résumés dans cette figure. Les lignes noires représentent les séquences d'ARN dans les PRNnp, les lignes jaunes l'ARN prémessager. Les segments d'ARN impliqués dans les appariement intra et intermoléculaires sont représentés par les rectangles colorés. (a) Le remplacement de U1 par U6 provoque un réarrangement de l'appariement des bases à l'extrémité 5′ de l'intron (orange) .(b) BBP est déplacé de la séquence du point de branchement par la formation de paires de bases entre U2 et la séquence du point de branchement (orange). (c) Réarrangement intramoléculaire de l'appariement des bases dans U2 (bleu). (d) Rupture des interactions U4:U6 et formation d'une structure à tige et boucle dans U6 (jaune). (e) Rupture des interactions U4 :U6 en faveur des interactions U2:U6 (rouge). (f) Interactions supplémentaires U2:U6 (bleu-vert). *(D'après Staley, J.P., et Guthrie, C., 1998. Mechanical devices of the spliceosome : Motors, clocks, springs, and things.* Cell ***92*** *: 315-326, figure 3.)*

Cependant, de nombreux gènes eucaryotes peuvent être à l'origine de protéines différentes. Les mécanismes de la production de plusieurs polypeptides à partir d'un même gène comprennent l'utilisation de promoteurs différents, la sélection de sites de polyadénylation différents, l'**épissage différentiel (alternatif)** du transcrit primaire, ou encore, une combinaison des trois possibilités.

La production possible de différents transcrits à partir d'un même gène permet la formation d'une série de polypeptides à fonctions voisines, ou **protéines isoformes**, chacune ayant une capacité fonctionnelle légèrement différente. Ces variations contribuent à augmenter la capacité apparente de codage du génome. De plus, l'épissage différentiel offre un niveau supplémentaire de régulation de l'expression d'un gène. Par exemple, des ARNm spécifiques d'une cellule, d'un tissu, ou d'une étape du développement peuvent provenir d'un même gène, par un choix spécifique des sites d'épissage 5′ et 3′, ou par l'omission totale de certains exons. Les protéines isoformes produites par la traduction de ces ARNm répondent aux besoins spécifiques de ces cellules particulières. Cette expression régulée de protéines isoformes distinctes est une caractéristique fondamentale de la différenciation cellulaire et du développement des eucaryotes. Les facteurs qui déterminent la sélection du site d'épissage dans l'épissage différentiel ne sont pas connus ; ils comprennent vraisemblablement des protéines régulatrices qui reconnaissent des sites d'épissage spécifiques ou/et des structures secondaires différentes qui se formeraient dans les transcrits primaires.

Le gène de la troponine T des muscles du squelette – un exemple d'épissage différentiel

Outre les cas particuliers, l'épissage différentiel est le mécanisme prédominant de la production de protéines isoformes à partir des gènes codant pour les protéines musculaires (Chapitre 17). Cet épissage différentiel permet la production de protéines adaptées à la fonction de chaque muscle. Un exemple impressionnant d'épissage différentiel est donné par l'expression de multiples possibilités dans le cas du **gène de la troponine T**, une protéine des muscles rapides du squelette du rat

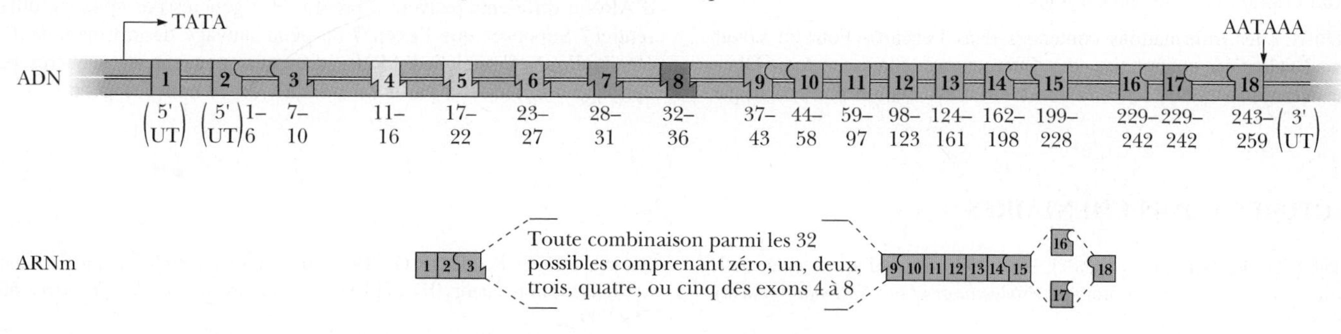

Figure 31.55 • Organisation du gène de la troponine T des muscles rapides du squelette et les 64 ARNm possibles qui peuvent être produits à partir du transcrit primaire. Les exons sont *constitutifs* (en jaune), *combinatoires* (en vert), ou *mutuellement exclusifs* (en bleu ou orange). L'exon 1 est constitué d'une séquence qui ne sera pas traduite (UT pour ***untranslated***, non traduit), et l'exon 18 contient le site de polyadénylation (AATAAA) et une séquence non traduite (UT) en 3′. La boîte TATA indique le site d'initiation de la transcription. Le nombre des résidus d'acides aminés codés par chaque exon est indiqué sous l'exon. Plusieurs des jonctions intron/exon se trouvent entre des codons, mais certaines sont à l'intérieur d'un codon. Une limite en « dent de scie » d'un exon signifie que le site d'épissage se trouve entre le premier et le deuxième nucléotide d'un codon, une limites concave/convexe indique que le site d'épissage est entre le deuxième et le troisième nucléotide d'un codon, une limite normale, droite, aux extrémités des exons signifient que le site d'épissage est entre deux codons intacts. Tous les ARNm contiennent les exons constitutifs plus une des 32 combinaisons possibles des exons 4 à 8, et, soit l'exon 16 soit l'exon 17. *(D'après Breitbart, R.E., Andreadis, A., et Nadal-Ginard, B., 1987.* Annual Review of Biochemistry ***56****: 467, figure 2.)*

(Figure 31.55). Ce gène contient 18 exons dont 11 se retrouvent dans tous les ARNm après maturation, (exons 1 à 3, 9 à 15 et 18) et sont donc **constitutifs**. Cinq exons, de 4 à 8, sont **combinatoires**, chacun de ces derniers pouvant être inclus ou exclus des ARNm, selon les combinaisons. Enfin, les exons 16 et 17 *s'excluent mutuellement*; l'un ou l'autre est toujours présent, mais jamais les deux à la fois. Il peut ainsi, par des épissages différents, se former 64 ARNm différents à partir d'un même transcrit primaire. Comme chaque exon représente une *cassette* d'information génétique codant pour un segment de protéine, l'épissage différentiel est un moyen très souple d'introduction d'une variabilité fonctionnelle dans un thème protéique commun.

EXERCICES

1. L'extrémité 5′ d'un ARNm a la séquence suivante :

...AGAUCCGUAUGGCGAUCUCGACGAAGACUC-
CUAGGGAAUCC...

Quelle est la séquence du brin ADN matrice à partir duquel il a été transcrit ? Si cet ARNm est traduit à partir du premier codon AUG, quelle est la séquence N-terminale de la protéine formée ? (Consultez le Tableau 32.1 pour le code génétique)

2. Décrivez la succession des événements de l'initiation de la transcription par l'ARN polymérase d'*E. coli*. Incluez dans votre description les caractéristiques que doit avoir un gène pour qu'il soit reconnu et transcrit par l'ARN polymérase.

3. L'ARN polymérase a deux sites de liaison pour les ribonucléosides triphosphates, le *site d'initiation* et le *site d'élongation*. Le K_m du site d'initiation pour les substrats, les NTP, est plus élevé que le K_m du site d'élongation. Quelle signification ce fait peut-il avoir pour le contrôle de la transcription dans les cellules ?

4. En quoi le transcription chez les eucaryotes est-elle différente de la transcription chez les procaryotes ?

5. Utilisez les informations contenues dans l'encart « Pour en savoir plus : Évaluation quantitative des interactions répresseur *lac*:ADN » pour déterminer quelle serait la constante d'association non spécifique pour la liaison du répresseur *lac* à l'ADN si le rapport ADN libre/ADN lié au répresseur était égal à 0,10

6. Dans la transcription, l'atténuation vous semble-t-elle être un mécanisme important pour la régulation de la transcription dans les cellules eucaryotes ? Justifiez votre réponse.

7. Les protéines liant l'ADN peuvent reconnaître et se lier à des régions spécifiques de l'ADN, soit en lisant la séquence des bases, soit par une « lecture indirecte ». En quoi ces deux modes de reconnaissance diffèrent-ils ?

8. Pourquoi supposez-vous que la formation d'une boucle dans la régulation de la transcription est un mécanisme commun aux procaryotes et aux eucaryotes ?

9. Expliquez pourquoi la capacité des protéines *bZIP* à former des hétérodimères augmente le répertoire des gènes dont la transcription peut répondre à la régulation par ces protéines.

10. Admettez que l'exon 17 a été éliminé du gène de la troponine T des cellules des muscles à contraction rapide (Figure 31.55). Combien d'ARNm différents peuvent à présent être générés par épissage différentiel ? Supposez que l'exon 7 du gène sauvage de la troponine T a été dupliqué. Combien d'ARNm différents peuvent être générés par épissage différentiel à partir du transcrit de ce nouveau gène ?

LECTURES COMPLÉMENTAIRES

Bailey, C.H., Bartsch, D., et Kandel, E.R., 1996. Toward a molecular definition of long-term memory storage. *Proceedings of the National Academy of Sciences, USA* **93** : 13445-13452.

Barberis, A., et al., 1995. Contact with a component of the polymerase II holoenzyme suffices for gene activation. *Cell* **81** : 359-368.

Berg, J.M., et Shi, Y., 1996. The galvanization of biology : A growing appreciation for the roles of zinc. *Science* **271** : 1081-1085.

Berg, O.G., et von Hippel, P.H., 1988. Selection of DNA binding sites by regulatory proteins. *Trends in Biochemical Sciences* **13** : 207-211. A discussion of the quantitative binding aspects of DNA:protein interactions.

Björklund, S., et Kim, Y.J., 1996. Mediator of transcriptional regulation. *Trends in Biochemical Sciences* **21** : 335-337.

Breitbart, R.L, Andreadis, A., et Nadal-Ginard, B., 1987. Alternative splicing : A ubiquitous mechanism for the generation of multiple protein isoforms from single genes. *Annual Review of Biochemistry* **56** : 467-495.

Burley, S.K., 1996. X-ray crystallographic studies of eukaryotic transcription initiation factors. *Philosophical Transactions of the Royal Society of London, Series B* **351** : 483-489.

Burley, S.K, et Roeder, R.G., 1996. Biochemistry and structural biology of transcription factor IID (TFIID). *Annual Review of Biochemistry* **65** : 769-799.

Busby, S., et Ebright, R.H., 1994. Promoter structure, promoter recognition, and transcription activation in prokaryotes. *Cell* **79** : 743-746.

Chan, C., Lonetto, M.A., et Gross, C.A., 1996. Sigma domain structure : One down, one to go. *Current Biology* **4** : 1235-1238.

Chatterje, S., et Struhl, K., 1995. Connecting a promoter-bound protein to TBP bypasses the need for a transcriptional activation domain. *Nature* **373** : 820-822.

Conaway, R.C., et Conaway, J.W, 1993. General initiation factors for RNA polymerase II. *Annual Review of Biochemistry* **62** : 161-190.

Corden, J.L., 1990. Tails of RNA polymerase II. *Trends in Biochemical Sciences* **15** : 383-387. Possible roles for the repetitive PTSPSYS tail domain of RNA polymerase II.

Das, A., 1993. Control of transcription termination by DNA-binding proteins. *Annual Review of Biochemistry* **62** : 893-930.

de Crombrugghe, B., Busby, S., et Buc, H., 1985. Cyclic AMP receptor protein : Role in traiiscription activation. *Science* **224** : 831-838. The role of CAP in activating expression of prokaryotic genes.

Dover, S.L, et al., 1997. Activation of prokaryotic transcription through arbitrary protein-protein contacts. *Nature* **386** : 627-630.

Dreyfuss, G., et al., 1993. hnRNP proteins and the biogenesis of mRNA. *Annual Review of Biochemistry* **62** : 289-321.

Edelman, G.M., et Jones, F.S., 1993. Outside and downstream of the homeobox. *Journal of Biological Chemistry* **268** : 20683-20686.

Edmondson, D.G., et Olson, E.N., 1993. Helix-loop-helix proteins as regulators of muscle-specific transcription. *Journal of Biological Chemistry* **268** : 755-758.

Evans, R.M., et Hollenberg, S.M., 1988. Zinc fingers : Gilt by association. *Cell* **52** : 1-3.

Farrell, S., et al., 1996. Gene activation by recruitment of RNA polymerase II holoenzyme. *Genes and Development* **10** : 2359-2367.

Foulkes, N.S., et Sassone-Corsi, P., 1996. Transcription factors coupled to the cAMP-signalling pathway. *Biochimica et Biophysica Acta* **1288** : F101-F121.

Glover, J.N.M., et Harrison, S.C., 1995. Crystal structure of the heterodimeric bZIP transcription factor c-Fos-c-Jun bound to DNA. *Nature* **373** : 257-261.

Harrison, S.C., 1991. A structural taxonomy of DNA-binding proteins. *Nature* **353** : 715-719. The various structural motifs found in DNA-binding proteins are described.

Harrison, S.C., et Aggarwal, A.K, 1990. DNA recognition by proteins with the helix-turn-helix motif. *Annual Review of Biochemistry* **59** : 933-969.

Jacob, F., et Monod, J., 1961. Genetic regulatory mechanisms in the synthesis of proteins. *Journal of Molecular Biology* **3** : 318-356. The classic paper presenting the operon hypothesis.

Johnson, P.F., et McKnight, S.L., 1989. Eukaryotic transcriptional regulatory proteins. *Annual Review of Biochemistry* **58** : 799-839. A review of the structure and function of eukaryotic DNA-binding proteins that activate transcription.

Katonaga, J.T., 1998. Eukaryotic transcription : An interlaced network of transcription factors and chromatin-modifying machines. *Cell* **92** : 306-313.

Kim, J.L., Nikolov, D.B., et Burley, S.K., 1993. Co-crystal structure of a yeast TBP recognizing the groove of a TATA element. *Nature* **365** : 520-527.

Kim, Y., Geiger, J.H., Hahn, S., et Sigler, P.B., 1993. Crystal structure of a yeast TBP/TATA-box complex. *Nature* **365** : 512-519.

Klevit, R.L, 1991. Recognition of DNA by Cys_2,His_2 zinc fingers. *Science* **253** : 1367, 1393.

Kolb, A., et al., 1993. Transcriptional regulation by cAMP and its receptor protein. *Annual Review of Biochemistry* **62** : 749-795.

Kornberg, R.D., 1996. RNA polymerase II transcription control. *Trends in Biochemical Sciences* **21** : 325-326.

Kornberg, T.B., 1993. Understanding the homeodomain. *Journal of Biological Chemistry* **268** : 26813-26816.

Krämer, A., 1996. The structure and function of proteins involved in mammalian pre-mRNA splicing. *Annual Review of Biochemistry* **65** : 367-409.

Landschulz, W.H., Johnson, P.F., et McKnight, S.L., 1988. The leucine zipper : A hypothetical structure common to a new class of DNA-binding proteins. *Science* **240** : 1759-1764. The initial structural description of the leucine zipper dimerization motif found in certain eukaryotic DNA-binding proteins.

Leff, S.E., Rosenfeld, M.G., et Evans, R.M., 1986. Complex transcriptiorial units : Diversity in gene expression by alternative RNA processing. *Annual Review of Biochemislry* **55** : 1091-1117.

Levine, M., et Hoey, T., 1988. Homeobox proteins as sequence-specific transcription factors. *Cell* **55** : 537-540.

Lobell, R.B., et Schleif, R.F., 1990. DNA looping and unlooping by AraC protein. *Science* **250** : 528-532. Regulation of *araBAD* expression involves DNA looping mediated by AraC protein.

Lucas, P.C., et Granner, D.K., 1992. Hormone response domains in gene transcription. *Annual Review of Biochemistry* **61** : 1131-1173.

Malhtra, A., et al., 1996. Crystal structure of a σ_{70} subunit fragment from *E. coli* RNA polymerase. *Cell* **87** : 127-136.

Matthews, K.S., 1992. DNA looping. *Microbiological Reviews* **56** : 123-136. A review of DNA looping as a general mechanism in the regulation of gene expression.

Mermelstein, F.H., Flores, O., et Reinberg, D., 1989. Initiation of transcription by RNA polymerase II. *Biochimica et Biophysica Acta* **1009** : 1-10. The interplay of RNA polymerase and transcription factors (TFs) in the initiation of eukaıyotic transcription.

Mitchell, P.J., et Tjian, R., 1989. Transcriptional regulation in mammalian cells by sequence-specific DNA binding proteins. *Science* **245** : 371-378.

Montminty, M., 1997. Transcriptional regulation by cAMP. *Annual Review of Biochemistry* **66** : 807-822.

Neidhardt, F.C., et al. eds., 1996. *Escherichia coli* and *Salmonella typhimurium* : *Cellular and Molecular Biology*, 2nd ed. Washington, DC : American Society for Microbiology. Compendium of the molecular biology and biochemistry of the two enteric bacteria most commonly used in research.

Pabo, C.O., et Sauer, R.T., 1992. Transcription factors : Structural families and principles of DNA recognition. *Annual Review of Biochemistry* **61** : 1053-1095.

Padgett, R.A., et al., 1986. Splicing of messenger RNA precursors. *Annual Review of Biochemistry* **55** : 1119-1150.

Palmer, J.M., et Folk, W.F., 1990. Unraveling the complexities of transcription by RNA polymerase III. *Trends in Biochemical Sciences* **15** : 300-304.

Patikoglou, G, et Burley, S.K., 1997. Eukaryotic transcription factor-DNA complexes. *Annual Review of Biophysics and Biomolecular Structure* **26** : 289-325.

Pavletich, N., et Pabo, C.O., 1991. Zinc finger-DNA recognition : Crystal structure of a Zif268-DNA complex at 2.1 Å. *Science* **252** : 809-817.

Platt, T., 1998. RNA structure in transcription elongation, termination, and antitermination. Pages 541-574 in Simons, R.W., et Grunberg-Monago, M., eds. *RNA Structure and Function.* Cold Spring Harbor, NY : Cold Spring Harbor Press.

Polyakov, A., Severinova, E., et Darst, S.A., 1995. Three-dimensional structure of *E. coli* core RNA polymerase : Promoter binding and elongation conformation of the enzyme. *Cell* **83** : 365-373.

Ptashne, M., 1988. How eukaryotic transcriptional activators work. *Nature* **335** : 683-689.

Roberts, C.W., et Roberts, J.W., 1996. Base-specific recognition of the nontemplate strand of promoter DNA by *E. coli* RNA polymerase. *Cell* **86** : 495-501.

Roeder, R.G., 1996. The role of general initiation factors in transcription by RNA polymerase II. *Trends in Biochemical Sciences* **21** : 327-335.

Rosbash, M., et Seraphin, B., 1991. Who's on first ? The U1 snRNP5'-splice site interaction and splicing. *Trends in Biochemical Sciences* **16** : 187-190.

Sachs, A., et Wahle, E., 1993. Poly (A) tail metabolism and function in eucaryotes. *Journal of Biological Chemistry* **268** : 22955-22958.

Saltzman, A.G., et Weinmann, R., 1989. Promoter specificity and modulation of RNA polymerase II transcription. *FASEB Journal* **3** : 1723-1733.

Sawadogo, M., et Sentenac, A., 1990. RNA polymerase B (II) and general transcription factors. *Annual Review of Biochemistry* **59** : 711-754.

Schleif, R., 1992. DNA looping. *Annual Review of Biochemistry* **61** : 199-223. An excellent review of DNA looping as a regulatory mechanism in gene expression.

Schultz, S.C., Shields, G.C., et Steitz, T.A., 1991. Crystal structure of CAP-DNA complex : The DNA is bent by 90°. *Science* **253** : 1001-1007.

Schwabe, J.W.R., et Rhodes, D., 1991. Beyond zinc fingers : Steroid receptors have a novel structural motif for DNA recognition. *Trends in Biochemical Sciences* **16** : 291-296.

Shadel, G.S., et Clayton, D.A., 1993. Mitochondrial transcription initiation. Variation and conservation. *Journal of Biological Chemistry* **268** : 16083-16086.

Sharp, P.A., 1987. Splicing of messenger RNA precursors. *Science* **235** : 766-771.

Soisson, S.M., et al., 1997. Structural basis for ligand-regulated oligomerization of AraC. *Science* **276** : 421-424.

Staley, J.P., et Guthrie, C., 1998. Mechanical devices of the spliceosome : Motors, clocks, springs, and things. *Cell* **92** : 315-326.

Stargell, L., et Struhl, K., 1996. Mechanisms of transcriptional activation *in vivo* : Two steps forward. *Trends in Genetics* **12** : 311-315.

Steitz, T.A., 1990. Structural studies of protein-nucleic acid interaction : The sources of sequence-specific binding. *Quarterly Review of Biophysics* **23** : 205-280. A comprehensive account of the structural properties of DNA binding proteins and their interaction with DNA.

Struhl, K., 1995. Yeast transcriptional regulatory mechanisms. *Annual Review of Genetics* **29** : 651-674.

Struhl, K., 1996. Chromatin structure and RNA polymerase II connection : Implications for transcription. *Cell* **84** : 179-182.

Thomas, M.J., et al., 1998. Transcription fidelity and proofreading by RNA polymerase II. *Cell* **93** : 627-637.

Totuchette, N., 1993. Molecular saddle offers new view of transcription. *The Journal of NIH Research* **5** : 54-58.

Tully, T., 1997. Regulation of gene expression and its role in long-term memory and synaptic plasticity. *Proceedings of the National Academy of Sciences, USA* **94** : 4239-4241.

Uptain, S.M., Kane, C.M., et Chamberlin, M.J., 1997. Basic mechanisms of transcription elongation and its regulation. *Annual Review of Biochemistry* **66** : 117-172.

Verrijzer, C.P., et Tijan, R., 1996. TAFs promote transcriptional activation and promoter selectivity. *Trends in Biochemical Sciences* **21** : 338-342.

Vinson, C.R., Sigler, P.B., et McKnight, S.L., 1989. Scissors-grip model for DNA recognition by a family of leucine zipper proteins. *Science* **246** : 911-916. A model for the interaction of a *bZIP* protein with its DNA site.

Weiss, L., et Reinberg, D., 1992. Transcription by RNA polymerase II : Initiator-directed formation of transcription-competent complexes. *FASEB Journal* **6** : 3300-3309.

Wiener, A.M., 1993. mRNA splicing and autocatalytic introns : Distant cousins or the products of chemical determinism ? *Cell* **72** : 161-164. This article considers the possibility that small nuclear RNAs (such as U2 and U6) are the catalysts inediating mRNA splicing.

Woychik, N.A., et Young, R.A., 1990. RNA polymerase II : Subunit structture and function. *Trends in Biochemiml Sciences* **15** : 347-351.

Yanofsky, C., 1988. Transcription attenuation. *Journal of Biological Chemistry* **263** : 609-612. A mini-review of the mechanism of transcription attenuation.

Chapitre 32

Le code génétique

« Il est impossible de dissocier le langage de la science ou la science du langage car chaque science naturelle implique toujours trois choses : la séquence des phénomènes sur lesquels la science est fondée ; le concept abstrait... ; et les mots par lesquels ces concepts sont exprimés. Pour énoncer un concept, il faut un mot ; pour représenter un phénomène, il faut un concept. Ces trois choses reflètent une seule et même réalité ».

ANTOINE-LAURENT de LAVOISIER 1743-1794
Traité élémentaire de Chimie (1789)

PLAN

Les Mayas écrivaient leur histoire à l'aide de hiéroglyphes, leur code, gravés sur des stèles ou sur des temples comme ceux de Tikal, Guatemala. (© George Holton/Photo Researchers Inc.)

Nous examinerons à présent comment la séquence des nucléotides d'un ARNm est traduite en une séquence spécifique d'acides aminés dans une protéine. Le problème soulève des questions concernant tant l'information que le mécanisme de son transfert. En tout premier lieu, quelle est la nature du code génétique qui permet que l'information spécifiée par une séquence de bases soit traduite en une séquence d'acides aminés dans une protéine ? Comment le langage des acides nucléiques, n'utilisant que quatre lettres, peut-il être traduit dans le langage des protéines utilisant 20 lettres ? Cette question pose implicitement un dilemme aux biologistes spécialistes des structures. Il est facile de comprendre comment l'appariement des bases établit la relation permettant la synthèse directe d'un polynucléotide à partir d'une matrice, qu'il s'agisse de la réplication ou de la transcription. Cependant, il n'y a pas d'affinité chimique évidente entre une base purique ou pyrimidique et les 20 différents acides aminés. Il n'y a pas non plus de complémentarité structurale, ni de relation stéréochimique entre les polynucléotides et les acides aminés qui pourraient servir de guide dans la traduction de l'information.

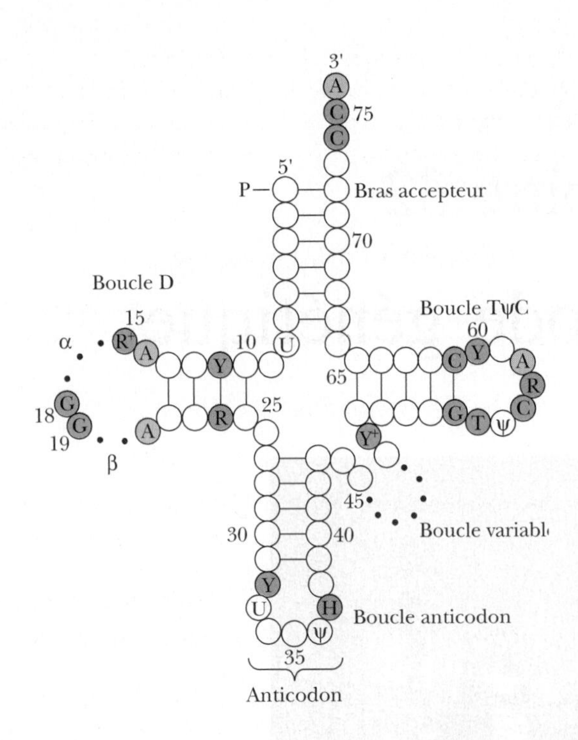

Figure 32.1 • Structure générale des ARNt. Chaque cercle représente un nucléotide de la séquence de l'ARNt. Les nombres à côté de la séquence sont ceux du système de numérotation standardisé (le nombre réel des nucléotides varie avec les ARNt). Les points intercalés dans la séquence indiquent les nucléotides qui peuvent varier (nature, présence, absence) dans les différentes molécules d'ARNt. Souvenez-vous de la présence de bases rares (modifiées) dans les molécules d'ARNt (Chapitre 11).

Francis Crick a estimé que des **adaptateurs** (**molécules adaptatrices**) pourraient jouer un rôle dans le transfert de l'information. Ces adaptateurs devraient interagir spécifiquement avec les acides nucléiques (ARNm) et avec les acides aminés. Au minimum 20 adaptateurs différents seraient nécessaires, au moins un pour chaque acide aminé. Les divers adaptateurs seraient capables de lire le code génétique d'un ARNm matrice et d'aligner les acides aminés dans la même direction que celle de la matrice de sorte qu'ils puissent être polymérisés en un polypeptide spécifique. Les ARN de transfert (ARNt, Figure 32.1) sont ces molécules adaptatrices (Chapitres 11 et 12). Les acides aminés se lient par une liaison carboxyester au groupe 3'-OH de l'extrémité 3'-CCA des ARN de transfert. Des **aminoacyl-ARNt synthétases** spécifiques catalysent la formation des aminoacyl-ARNt, appelés « ARNt chargés ». Il y a au moins une synthétase spécifique pour la reconnaissance de chacun des 20 acides aminés, et une aminoacyl-ARNt synthétase ne reconnaît comme accepteur de groupe aminoacyle à transférer que l'ARNt approprié. Puis, les ARNt chargés reconnaîtront spécifiquement, par appariement avec des bases complémentaires, certaines séquences de bases de l'ARNm.

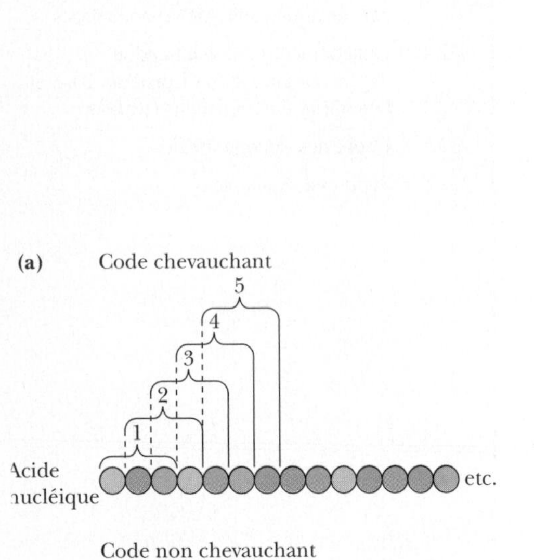

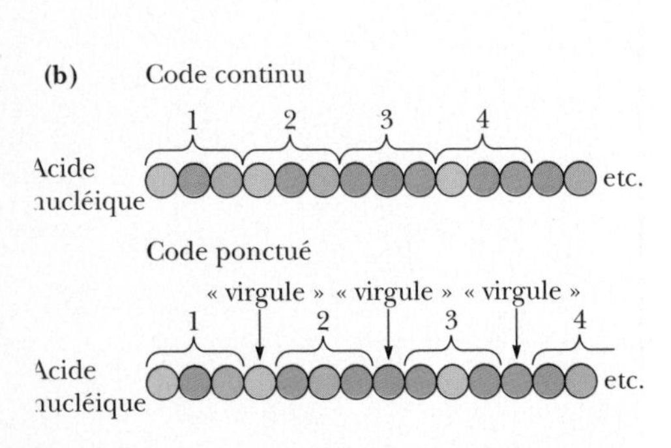

Figure 32.2 • (a) Code chevauchant comparé à code non chevauchant. (b) Code continu comparé à code ponctué.

32.1 • Élucidation du code génétique

Dès que l'on eut admis que la séquences des bases d'un gène spécifiait la séquence des acides aminés dans la protéine correspondante, diverses possibilités de code génétique furent examinées. Combien faut-il de bases pour spécifier chaque acide aminé ? Le code génétique est-il chevauchant ou non-chevauchant (Figure 32.2) ? Le code est-il ponctué ou continu ? Des considérations mathématiques ont rapidement favorisé l'hypothèse d'un triplet de bases (un codon) comme longueur minimale d'un « mot » du code pour chaque acide aminé : un code à deux bases (un doublet) constitué à partir des quatre bases possibles, A, C, G et U n'offre que 4^2 combinaisons spécifiques, ce qui est insuffisant pour coder pour les 20 acides aminés. Un code à trois bases offre $4^3 = 64$ combinaisons possibles, plus qu'il n'en faut pour couvrir tous les besoins de la traduction. Des expériences génétiques ont fourni les premières réponses aux autres questions. Par exemple, des mutations ponctuelles dans le gène codant pour l'enveloppe protéique du virus de la mosaïque du tabac (TMV, Chapitre 29) provoquent le remplacement d'un seul acide aminé, ce qui élimine l'hypothèse d'un code chevauchant. Si le code était chevauchant, le changement d'une seule base provoquerait le changement de plusieurs acides aminés dans la protéine. Par exemple, on observerait trois changements si le code était constitué de triplets (Figure 32.2).

Caractéristiques générales du code génétique

Le code génétique est constitué de triplets successifs qui se lisent de façon continue à partir d'un point de départ fixé dans chaque ARNm. Plus précisément, le code génétique a les caractéristiques suivantes :

1. Un codon, ou triplet, est composé de trois bases codant pour un acide aminé déterminé
2. Le code n'est **pas chevauchant**
3. La séquence des bases est lue à partir d'un point de départ fixe, et **sans ponctuation**. Les séquences des ARNm ne contiennent pas de « virgule » délimitant des groupes de triplets. Si la phase de lecture est déplacée d'une seule base, toute la lecture de la suite de la séquence reste décalée d'une base ; aucune virgule, aucun signe de ponctuation intermédiaire, ne permet de rétablir la bonne phase de lecture.
4. Le code est **dégénéré**, ce qui signifie qu'il y a une certaine redondance, que dans la plupart des cas un même acide aminé est codé par l'un quelconque des codons d'un groupe de triplets différents.

Concernant ce dernier point, rappelez-vous qu'un code basé sur des triplets dispose de 64 codons pour 20 acides aminés. Si seulement 20 codons étaient utilisés, la majorité des codons n'auraient pas de sens puisqu'ils ne coderaient pour aucun acide aminé. Une conséquence de la dégénérescence est que la plupart des codons (61 sur 64) codent pour un acide aminé.

Élucidation du code génétique par l'approche biochimique

L'assignation effective des codons à leurs acides aminés respectifs s'est faite à l'aide de polyribonucléotides synthétiques utilisés *in vitro* comme ARN messagers. Marshall Nirenberg et Heinrich Matthaei ont découvert qu'un extrait acellulaire d'*Escherichia coli* catalysait la synthèse de polyphénylalanine (poly[Phe]) en présence d'acide polyuridylique (poly[U]). Le système acellulaire utilisé contenait en particulier des ribosomes, des ARNt et les enzymes solubles qui activent les acides aminés pour la synthèse des protéines. Bien que les 19 autres acides aminés soient également présents dans le milieu réactionnel, seule la phénylalanine est incorporée lorsque du poly[U] sert d'ARNm. Alors même que les autres 19 acides aminés étaient présents dans l'incubation, seule la phénylalanine était incorporée dans la protéine quand le poly[U] servait d'ARNm. C'est ainsi que le premier codon a été déchiffré : *UUU code pour Phe*. Des expériences similaires en présence de poly[A] ou de poly[C] aboutissent respectivement à la synthèse de polylysine et de polyproline, ce qui prouve que AAA code pour Lys et CCC pour Pro [1].

Des trinucléotides liés aux ribosomes favorisent la liaison d'aminoacyl-ARNt spécifiques

En 1964, Marshall Nirenberg et Philip Leder ont montré que des ribosomes ayant lié des trinucléotides synthétiques fixaient ensuite des aminoacyl-ARNt spécifiques de ces trinucléotides. En d'autres termes, un complexe ternaire ribosome:

[1] L'acide polyguanylique (poly[G]) a fortement tendance à constituer des hélices multicaténaires en solution, il n'a pas pu être utilisé comme matrice pour la synthèse d'une protéine. On a découvert plus tard que GGG codait pour Gly.

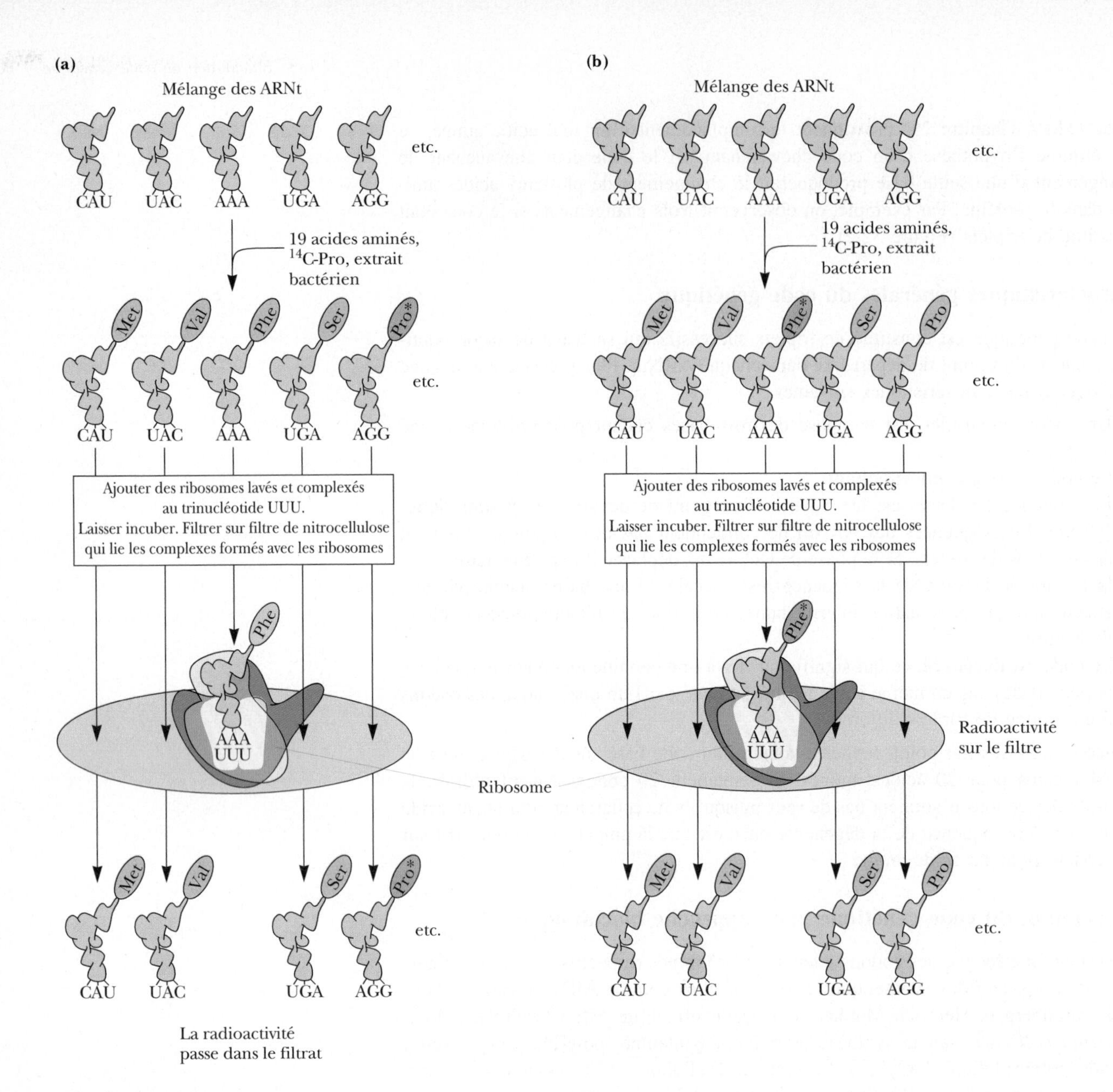

Figure 32.3 • Élucidation du code génétique par la technique de filtration. Le mélange réactionnel comprend des ribosomes purifiés (lavés), du Mg^{2+}, un trinucléotide particulier (pUpUpU dans cet exemple), les 20 aminoacyl-ARNt dont l'un est radioactif (marqué par du ^{14}C). (a) Prolyl-ARNt marqué au ^{14}C.
(b) Phénylalanine-ARNt marqué au ^{14}C. Seul sera retenu sur le filtre de nitrocellulose l'aminoacyl-ARNt dont la fixation aux ribosomes est entraînée par la présence du trinucléotide codon. La radioactivité du complexe retenu par le filtre indique la présence de l'aminoacyl-ARNt marqué (Phe-ARNt^{Phe}) spécifiquement lié en présence du trinucléotide (UUU). Cette technique a rapidement permis d'attribuer à chacun des 64 trinucléotides possibles, en fait à 61 codons, l'un des 20 acides aminés. Le code génétique était « cassé ». *(D'après Nirenberg, M.W. et Leder, P., 1964. RNA codewords and protein synthesis.* Science ***145****: 1399-1407.)*

trinucléotide:aminoacyl-ARNt se forme, *à la double condition* qu'un trinucléotide et l'aminoacyl-ARNt approprié soient présents. Les aminoacyl-ARNt ont été produits en ajoutant à une fraction soluble d'*E. coli* contenant les aminoacyl-ARNt synthétases, les 20 acides aminés et un mélange purifié d'ARNt. Afin de suivre la formation du complexe lors d'une expérience, seul l'un des acides aminés était marqué au ^{14}C. Les trinucléotides sont des équivalents de codons, de sorte que si un nucléotide donné entraîne la formation d'un complexe avec un aminoacyl-ARNt marqué au ^{14}C, la séquence des bases dans le trinucléotide est la même que celle du codon correspondant à cet acide aminé marqué. La formation du complexe est détectée par filtration car les ribosomes sont retenus sur la membrane de nitrocellulose utilisée, alors que les aminoacyl-ARNt libres passent à travers ; donc, seuls les aminoacyl-ARNt liés aux ribosomes sont retenus (Figure 32.3).

Cette technique expérimentale a rapidement été exploitée pour élucider le code génétique. L'élucidation du code génétique est probablement la plus grande découverte scientifique des années 1960. Pour leur contribution fondamentale à cette élucidation, Marshall Nirenberg et H. Gobind Khorana ont conjointement reçu le prix Nobel de Médecine en 1968.

32.2 • Nature du code génétique

Le Tableau 32.1 présente la traduction complète du code génétique. Comme les autres séquences nucléotidiques, celles des codons sont lues dans la direction 5' → 3'. Les codons représentent des triplets de bases de l'ARNm, ou, en remplaçant les U par des T, des triplets du brin d'ADN qui n'est pas transcrit (brin qui n'est pas la matrice). Les principales caractéristiques du code génétique sont les suivantes :

1. *Tous les codons ont une signification.* Soixante et un parmi les 64 codons spécifient des acides aminés particuliers. Les trois autres codons – UAA, UAG et UGA – ne spécifient pas d'acides aminés ; pour cette raison, on dit que ce sont des **codons non-sens**. Ils ont cependant une signification, ils servent de signal de fin de traduction, ce sont de **codons de terminaison,** ou codons « stop ».

Tableau 32.1

Le code génétique

Première position (extrémité 5')	**Deuxième position** U	C	A	G	**Troisième position (extrémité 3')**
U	UUU Phe	UCU Ser	UAU Tyr	UGU Cys	U
	UUC Phe	UCC Ser	UAC Tyr	UGC Cys	C
	UUA Leu	UCA Ser	UAA Stop	UGA Stop	A
	UUG Leu	UCG Ser	UAG Stop	UGG Trp	G
C	CUU Leu	CCU Pro	CAU His	CGU Arg	U
	CUC Leu	CCC Pro	CAC His	CGC Arg	C
	CUA Leu	CCA Pro	CAA Gln	CGA Arg	A
	CUG Leu	CCG Pro	CAG Gln	CGG Arg	G
A	AUU Ile	ACU Thr	AAU Asn	AGU Ser	U
	AUC Ile	ACC Thr	AAC Asn	AGC Ser	C
	AUA Ile	ACA Thr	AAA Lys	AGA Arg	A
	AUG Met*	ACG Thr	AAG Lys	AGG Arg	G
G	GUU Val	GCU Ala	GAU Asp	GGU Gly	U
	GUC Val	GCC Ala	GAC Asp	GGC Gly	C
	GUA Val	GCA Ala	GAA Glu	GGA Gly	A
	GUG Val	GCG Ala	GAG Glu	GGG Gly	G

* AUG signale l'amorçage de la traduction et code pour les résidus Met.

Code de coloration de la troisième base dégénérée

Relation coloration, troisième base	Troisièmes bases ayant la même signification	Nombre de codons
Troisième base sans importance	U, C, A, G	32 (8 familles)
Purines	A ou G	12 (6 paires)
Pyrimidines	U ou C	14 (7 paires)
Trois sur quatre	U, C, A	3 (AUX = Ile)
Définitions uniques	seulement G	2 (AUG = Met) (UGG = Trp)
Définition unique	seulement A	1 (UGA = Stop)

2. *Le code génétique est non-équivoque,* il est dépourvu d'ambiguïté. Chacun des 61 codons ayant un «sens» ne code que pour un acide aminé.
3. *Le code génétique est dégénéré.* À l'exception de Met et Trp, chaque acide aminé est codé par plus d'un codon. Certains acides aminés – Arg, Leu et Ser – sont même représentés par 6 codons différents. Les codons codant pour un même acide aminé sont des **codons synonymes**.
4. *Les codons codant pour un même acide aminé, ou pour un acide aminé chimiquement similaire, tendent à avoir des séquences similaires.* Souvent, seule la troisième base est différente, de sorte que, par exemple, les quatre codons de la famille GGX spécifient Gly et ceux de la famille UCX spécifient Ser (Tableau 32.1). Cette caractéristique, connue sous l'appellation de **dégénérescence de la troisième base,** indique que l'assignation des codons aux divers acides aminés ne relève pas du hasard. Remarquez également que les codons qui ont une pyrimidine en deuxième position codent le plus souvent pour un acide aminé à chaîne latérale hydrophobe et que ceux qui ont une purine à cette seconde position spécifient des acides aminés à chaînes latérales polaires ou chargées. Les deux acides aminés à charge négative, Asp et Glu, sont codés par les codons GAX ; GA-pyrimidine donne Asp et GA-purine spécifie Glu. Une des conséquences de ces similarités est que les mutations ont moins de chance d'avoir des effets néfastes puisque le changement d'une seule base dans un codon (en particulier la troisième) ne conduira souvent à aucun changement ou se traduira par l'incorporation dans un polypeptide d'un acide aminé similaire à celui d'origine. La dégénérescence du code génétique est un tampon d'origine évolutive contre une brutale perturbation résultant d'une mutation.
5. *Le code génétique est « universel ».* S'il existe des exceptions mineures dans l'usage d'un codon (voir Pour en savoir plus : Variations naturelles dans le code génétique standard), la caractéristique la plus remarquable du code génétique est son universalité : les codons ont le même sens, dans pratiquement tous les organismes – archaebactéries, eubactéries, plantes et animaux. Cette universalité est une forte présomption en faveur de l'hypothèse selon laquelle tous les organismes actuels résultent de l'évolution d'un ancêtre commun.

Pour en savoir plus

Variations naturelles dans le code génétique standard

Les génomes des mitochondries, de quelques procaryotes, et des eucaryotes inférieurs, présentent quelques exceptions par rapport au code génétique standard (Tableau 32.1). Le phénomène est plus commun dans les mitochondries. Par exemple, le codon de terminaison UGA code pour le tryptophanne dans les mitochondries de divers animaux, des protozoaires et des champignons. AUA qui normalement code pour l'isoleucine code pour la méthionine dans le génome de quelques animaux et des champignons et AGA (codon de l'arginine) est un codon de terminaison dans les mitochondries des vertébrés mais code pour la sérine dans les mitochondries de la drosophile. Les mitochondries de quelques espèces de levure utilisent les codons CUX pour spécifier la thréonine au lieu de la leucine. Les mitochondries des plantes supérieures utilisent CGG (codon de l'arginine) pour spécifier le tryptophanne.

Quelques variations des codons du génome des procaryotes et des cellules eucaryotes sont moins communes. Parmi les eucaryotes inférieurs, certains protozoaires ciliés (*Tetrahymena* et *Paramecium*) utilisent UAA et UGA comme codons de la glutamine plutôt que comme des codons de terminaison. *Mycoplasma*, un procaryote, utilise le codon de terminaison UGA pour spécifier Trp. Mais l'utilisation la plus intéressante de certains des codons UGA d'une séquence, aussi bien par les procaryotes que par les eucaryotes (y compris les humains) est celle qui lui fait spécifier la **sélénocystéine**, un analogue de la cystéine dans lequel un atome de sélénium remplace l'atome de soufre de la cystéine. Après l'identification de résidus sélénocystéine dans les protéines provenant d'eubactéries, d'archaebactéries ou d'eucaryotes, certains scientifiques ont même proposé de considérer la sélénocystéine comme le 21e acide aminé. La formation de la sélénocystéine exige un nouvel ARNt, ARNt^{Sec}, spécifique de la sélénocystéine. Cet ARNt^{Sec} est d'abord chargé par une sérine, réaction catalysée par l'aminoacyl-ARNt synthétase de la sérine. Puis l'atome d'oxygène de la sérine est remplacé par Se, un processus qui utilise l'ATP comme source d'énergie. La traduction de certains codons UGA par le sélénocystéine-ATNt^{Sec} requiert quelques protéines additionnelles et la formation d'une structure secondaire stable en forme de tige et boucle dans l'ARNm à proximité du codon UGA.

$$\text{H}-\text{Se}-\text{CH}_2-\underset{\underset{\text{NH}_3^+}{|}}{\overset{\overset{\text{H}}{|}}{\text{C}}}-\text{COO}^-$$

Sélénocystéine

D'après Fox, T.D., 1987. Natural variation in the genetic code. *Annual Review of Genetics* **21** : 67-91 ; et Low, S.C., et Berry, M.J., 1996. Knowing when not to stop. *Trends in Biochemical Sciences* **21** : 203-208.

32.3 • Le second code génétique : la reconnaissance des substrats appropriés par les aminoacyl-ARNt synthétases

La reconnaissance des codons est une propriété des aminoacyl-ARNt. Pour obtenir une traduction précise, l'aminoacyl-ARNt approprié « lit », le codon par appariement avec des bases de la **boucle de l'anticodon** (Chapitre 12). Une fois que l'aminoacyl-ARNt a été synthétisé, le résidu acide aminé ne participe en rien à la précision de la traduction de l'ARNm. La démonstration en a été faite par von Ehrenstein. Après. avoir chargé du ^{14}C-cystéine sur son ARNt particulier, ARNt^{Cys}, il a réduit par du nickel Raney le cystéinyl-ARNt^{Cys}. Cette réduction élimine le groupe –SH de la cystéine et transforme le cystéinyl-ARNt^{Cys} en alanyl-ARN^{Cys} (Figure 32.4). Cet alanyl-ARNt^{Cys} a ensuite été ajouté à un système de traduction *in vitro* de l'ARNm de l'hémoglobine et la séquence de l'hémoglobine produite a ensuite été analysée. De l'alanine radioactive (formée à partir de la cystéine radioactive) a été trouvée à des positions normalement occupées par la cystéine. Donc la « machinerie » de la synthèse protéique ne considère pas Ala-ARNt^{Cys} comme une molécule non appropriée ou «étrangère». L'acide aminé lié à un ARNt est véhiculé passivement ; son insertion dans la chaîne polypeptidique en cours d'élongation est dictée par la seule reconnaissance codon-anticodon.

Il existe donc un **second code génétique**, le code par lequel chaque aminoacyl-ARNt synthétase sélectionne, parmi les 20 acides aminés et les nombreux ARNt, les molécules qui seront ses substrats – soit un acide aminé spécifique et l'ARNt (ou les ARNt) approprié(s) parmi plus de 400 combinaisons possibles. Les ARNt appropriés sont ceux qui ont des anticodons pouvant avec les bases du codon spécifiant un acide aminé particulier. Les acides aminés doivent évidemment être chargés par des ARNt appropriés afin que l'ARNm soit traduit avec fidélité. Bien que le premier code génétique soit la clé du dogme central de la biologie moléculaire, permettant de comprendre comment l'ADN code pour les protéines, le second code génétique est tout aussi crucial pour la fidélité du transfert de l'information.

Les cellules ont 20 aminoacyl-ARNt synthétases différentes, une pour chacun des acides aminés. Chacune catalyse l'estérification (ATP dépendante) de son acide aminé substrat par l'extrémité 3′OH de l'un de ses ARNt spécifiques (Figure 32.5). La réaction catalysée par les aminoacyl-ARNt synthétases a deux finalités :

1. Elle active l'acide aminé afin qu'il puisse facilement réagir pour former une liaison peptidique.
2. Elle comble l'absence de lien direct entre le codon porteur de l'information et l'acide aminé incapable de reconnaître l'information contenue dans l'ARNm.

Les mécanismes de la reconnaissance moléculaire, utilisés par chaque aminoacyl-ARNt synthétase pour apporter l'acide aminé approprié à l'ARNt capable de lire le codon (ou la famille de codon) qui spécifie cet acide aminé particulier, sont au cœur même du second code génétique.

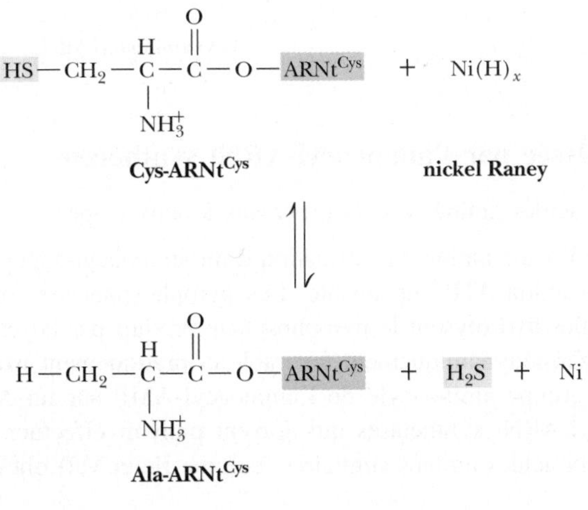

$$HS{-}CH_2{-}\underset{NH_3^+}{\overset{H}{C}}{-}\overset{O}{\overset{\|}{C}}{-}O{-}ARNt^{Cys} \quad + \quad Ni(H)_x$$

Cys-ARNt^{Cys} **nickel Raney**

$$\rightleftharpoons$$

$$H{-}CH_2{-}\underset{NH_3^+}{\overset{H}{C}}{-}\overset{O}{\overset{\|}{C}}{-}O{-}ARNt^{Cys} \quad + \quad H_2S \quad + \quad Ni$$

Ala-ARNt^{Cys}

Figure 32.4 • La réduction du cystéinyl-ARNt^{Cys} par du nickel Raney convertit le groupe -CH_2SH de la cystéine en -CH_3. La cystéine est donc transformée en alanine.

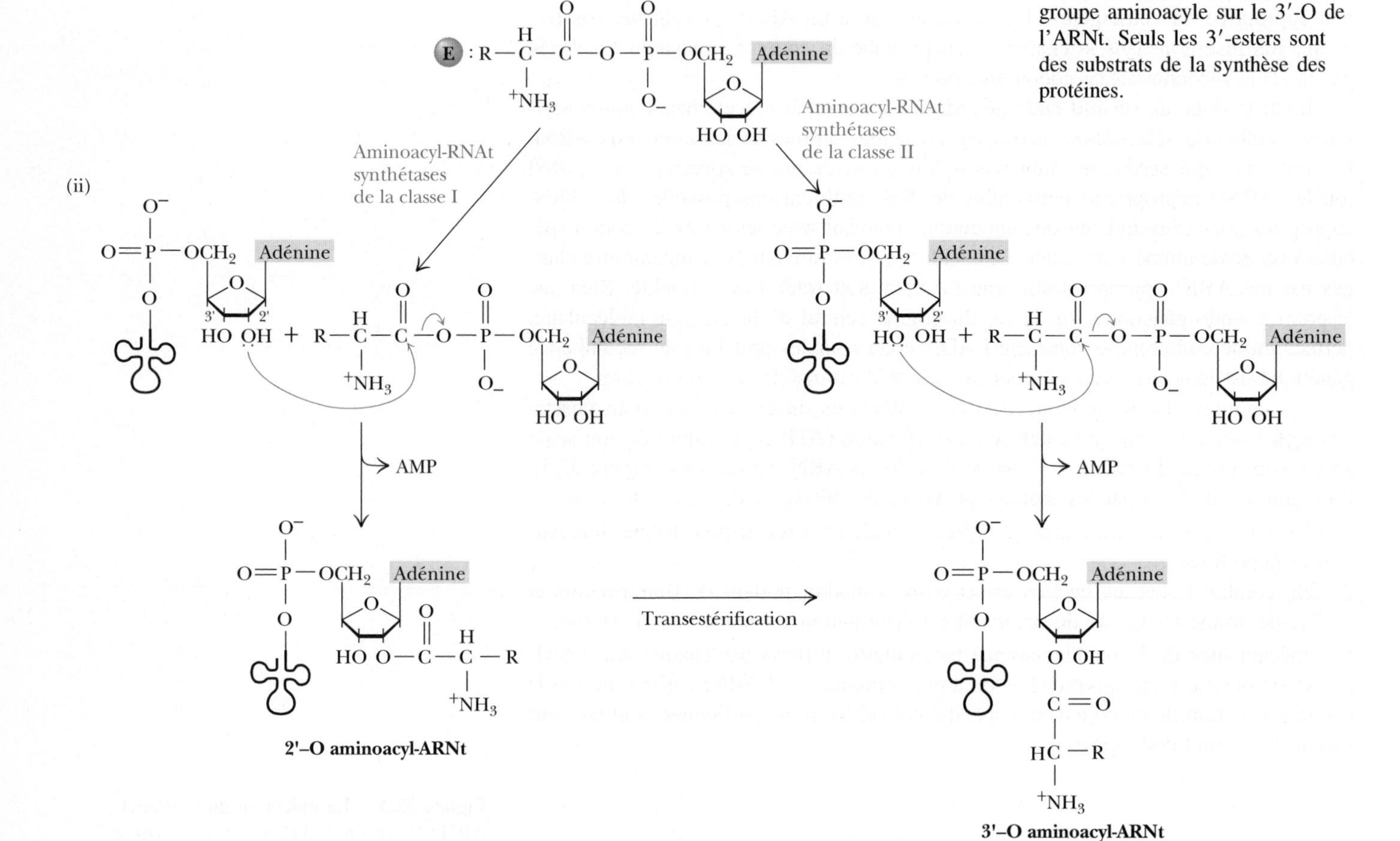

Figure 32.5 • Réactions catalysées par les aminoacyl-ARNt synthétases. (a) La réaction globale. (b) Le processus comporte deux étapes intermédiaires : (i) formation d'un aminoacyl-adénylate et (ii) transfert de la partie aminoacyle activée de l'anhydride mixte au 2′-OH (synthétases de la classe I) ou directement au 3′-OH (synthétases de la classe II) du ribose de l'acide adénylique terminal de l'extrémité 3′-CCA commune à tous les ARNt. Les aminoacyl-ARNt formés sur le 2′-OH subissent ensuite une transestérification qui déplace le groupe aminoacyle sur le 3′-O de l'ARNt. Seuls les 3′-esters sont des substrats de la synthèse des protéines.

Réaction catalysée par l'aminoacyl-ARNt synthétase

L'activation des acides aminés est un processus à deux étapes :

1. Activation de l'acide aminé par formation d'un aminoacyl-adénylate (aminoacyl-AMP), une réaction ATP dépendante. Les pyrophosphatases toujours présentes dans les cellules hydrolysent le pyrophosphate produit par la réaction et rendent l'activation thermodynamiquement favorable et pratiquement irréversible.
2. Transfert du groupe aminoacyle de l'aminoacyl-AMP sur un ARNt spécifique. Les aminoacyl-ARNt synthétases qui doivent pouvoir effectuer une discrimination entre deux acides aminés similaires (comme Ile et Val) ont deux niveaux de

spécificité dans la réaction à deux étapes qu'elles catalysent. La spécificité de la première étape n'est pas absolue : cela peut être observé par la capacité de l'**isoleucyl-ARNt synthétase** à catalyser la réaction d'échange ATP $\rightleftharpoons$ PP_i aussi bien en présence de valine que de leucine (Réaction (i), Figure 32.5). Cependant, bien qu'il se forme du valyl-adénylate, il n'y a pas synthèse de valyl-$ARNt^{Ile}$. La spécificité globale de la réaction catalysée par l'isoleucyl-ARNt synthétase est donc absolue. L'enzyme a une fonction de correction qui lui assure cette spécificité : la formation accidentelle de valyl-$ARNt^{Ile}$ active le site désacylase correcteur de l'enzyme qui hydrolyse l'aminoacyl-ARNt formé par erreur.

Les deux classes d'aminoacyl-ARNt synthétases

En dépit de leur fonction enzymatique commune, les aminoacyl-ARNt synthétases forment un groupe de protéines variées en termes de taille, de séquence des acides aminés et de structure oligomérique. Les sous-unités sont de taille très variées (par exemple de 334 à 951 résidus dans les enzymes d'*E. coli*) avec quatre types différents d'organisation quaternaire – α, α_2, α_4 et $\alpha_2\beta_2$. Chez les eucaryotes supérieurs, plusieurs aminoacyl-ARNt synthétases sont de gros complexes multiprotéiques. Les aminoacyl-ARNt synthétases peuvent être réparties en deux classes principales (I et II, Tableau 32.2), selon les motifs qu'ils contiennent, leur état oligomérique et leur fonction d'acylation. Les enzymes de la classe I sont généralement monomériques, ceux de la classe II sont toujours oligomériques (en général des homodimères). Les synthétases de la classe I lient l'acide aminé au 2'-OH du résidu adénylate terminal des ARNt avant de le transférer sur le 3'-OH, tandis que les enzymes de la classe II fixent directement l'acide aminé sur le 3'-OH (Figure 32.5). Seuls les esters du 3'-OH sont des substrats de la synthèse des protéines.

Tableau 32.2

Les deux classes d'aminoacyl-ARNt synthétases

Classe I	Classe II
Arg	Ala
Cys	Asn
Gln	Asp
Glu	Gly
Ile	His
Leu	Lys
Met	Phe
Trp	Pro
Tyr	Ser
Val	Thr

Les structures tertiaires des sites actifs des aminoacyl-ARNt synthétases de la classe I comprennent un feuillet β parallèle entouré d'hélices α sur les deux faces, motif fréquent dans les protéines liant des nucléotides (ce motif est appelé le *pli de Rossman* du nom de celui qui l'a décrit) et deux motifs à séquence conservée (HIGH et KMSKS) qui complètent le site de liaison de l'ATP. Par contre, les aminoacyl-ARNt synthétases de la classe II ont des structures différentes de celles de la classe I ; ces structures ont en commun une série de motifs à séquences conservées (motifs 1,2 et 3). Le motif 1 constitue une partie du motif de dimérisation, les motifs 2 et 3 apportent les résidus essentiels du site actif. Ces différences de structure suggèrent que les domaines catalytiques de ces enzymes résultent de l'évolution de deux prédécesseurs ancestraux différents. Apparemment, les aminoacyl-ARNt synthétases sont à compter parmi les plus anciennes protéines puisqu'il existait différentes formes de ces enzymes à une période très précoce de l'évolution. Les structures cristallographiques ont été résolues par diffraction des rayons X pour la majorité des 20 aminoacyl-ARNt synthétases. Les aminoacyl-ARNt synthétases des classes I et II établissent des interactions avec l'extrémité CCA 3'-terminale et le bras accepteur par les côtés opposés de l'hélice du bras accepteur (Figure 32.6). Les enzymes de la classe I lient l'hélice du bras accepteur de l'ARNt du côté du petit sillon tandis que les enzymes de la classe II lient cette hélice du côté du grand sillon.

Les aminoacyl-ARNt synthétases de la classe I et de la classe II peuvent globalement être considérées comme des structures à deux domaines, tout comme la structure de leurs substrats, les ARNt en forme de L, qui ont un bras accepteur CCA-3'-OH à une extrémité et une boucle (à tige) anticodon à l'autre extrémité (voir Figures 12.38 et 32.8). Dans la structure tertiaire en L des ARNt, une distance de 7,6 nm sépare l'extrémité CCA du bras accepteur de la boucle anticodon. Ces deux domaines des ARNt ont des fonctions distinctes. L'extrémité CCA est le site de l'aminoacylation et le domaine contenant l'anticodon est celui de l'interaction avec l'ARNm. Les deux domaines des ARNt sont en interaction avec des domaines séparés dans les synthétases. L'un des deux principaux domaines dans les aminoacyl-ARNt synthétases est le domaine catalytique (qui définit la différence entre les enzymes de la classe I et ceux de la classe II) ;

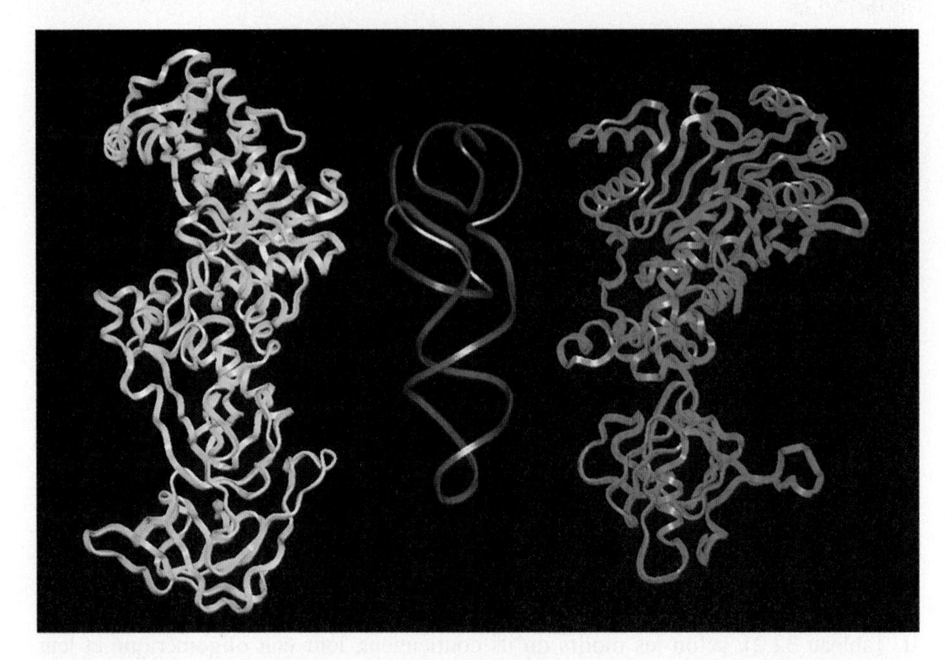

Figure 32.6 • Les interactions des aminoacyl-ARNt synthétases de la classe I et de la classe II avec leur ARNt substrat présentent une certaine symétrie. Ces deux classes d'aminoacyl-ARNt synthétases se lient sur des faces opposées des molécules d'ARNt. À gauche, modèle de la glutaminyl-$ARNt^{Gln}$ synthétase, une synthétase de la classe I ; les synthétases de la classe I se lient sur le côté de leur ARNt substrat représenté le plus proche dans cette figure, (le modèle de l'$ARNt^{Phe}$ est ici utilisé). A droite, modèle de l'aspartyl-ARNtAsp synthétase, de la classe II ; les synthétases de la classe II se lient sur le côté de l'ARNt représenté le plus proche dans cette figure. *(D'après Arnez, J.G., et Moras, D., 1997. Structural and functional considerations of the aminoacylation reaction.* Trends in Biochemical Sciences ***22*** *: 211-216, figure 5.)*

c'est aussi le domaine qui établit des interactions avec l'extrémité 3′-CCA des ARNt. L'autre domaine principal des aminoacyl-ARNt synthétases est hautement variable, il établit des interactions avec la partie de l'ARNt qui se trouve au-delà du domaine du bras accepteur et de la boucle TψC, y compris parfois l'anticodon. Les structures schématiques de deux aminoacyl-ARNt synthétases représentatives de la classe I et de la classe II sont présentées Figure 32.7.

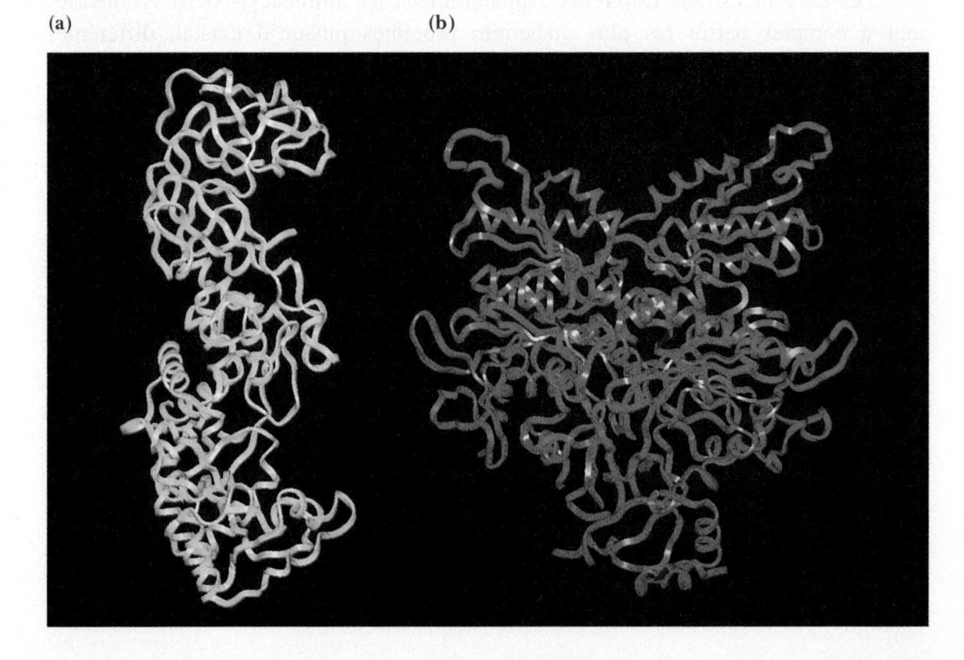

Figure 32.7 • Modèles (a) de la glutaminyl-$ARNt^{Glu}$ synthétase d'*E. coli*, un enzyme de la classe I. (b) de la glycyl-$ARNt^{Gly}$ de *Thermus thermophilus*, un enzyme de la classe II. *(D'après Cusack, S., 1995. Eleven down and nine to go.* Nature Structural Biology ***2*** *: 824-831, figures 2 et 5.)*

Reconnaissance spécifique des ARNt par les aminoacyl-ARNt synthétases

Outre la reconnaissance spécifique de l'acide aminé qui est activé, les aminoacyl-ARNt synthétases doivent aussi être capables de reconnaître spécifiquement l'ARNt à acyler. Les structures caractéristiques qui permettent la reconnaissance et l'aminoacylation de l'ARNt approprié ne sont pas universelles car il n'y a pas de règles communes régissant la reconnaissance des ARNt par les synthétases. Le plus surprenant est que les caractéristiques de reconnaissance ne sont pas limitées à l'anticodon et que, dans certains cas, l'anticodon n'est même pas inclus. En règle générale, plusieurs éléments de séquence distincts doivent être reconnus par l'aminoacyl-ARNt synthétase plutôt qu'une séquence particulière de nucléotides ou de paires de bases. Ces éléments comprennent en général un ou plusieurs des points suivants : (a) au moins une base de l'anticodon ; (b) au moins une des trois paires de bases du bras accepteur ; (c) la base sur la position canonique 73 (la base non appariée qui précède l'extrémité CCA), appelée **base de discrimination** car elle est invariante dans les ARNt d'un acide aminé particulier. La Figure 32.8 présente le diagramme d'une molécule d'ARNt avec les positions les plus communes des

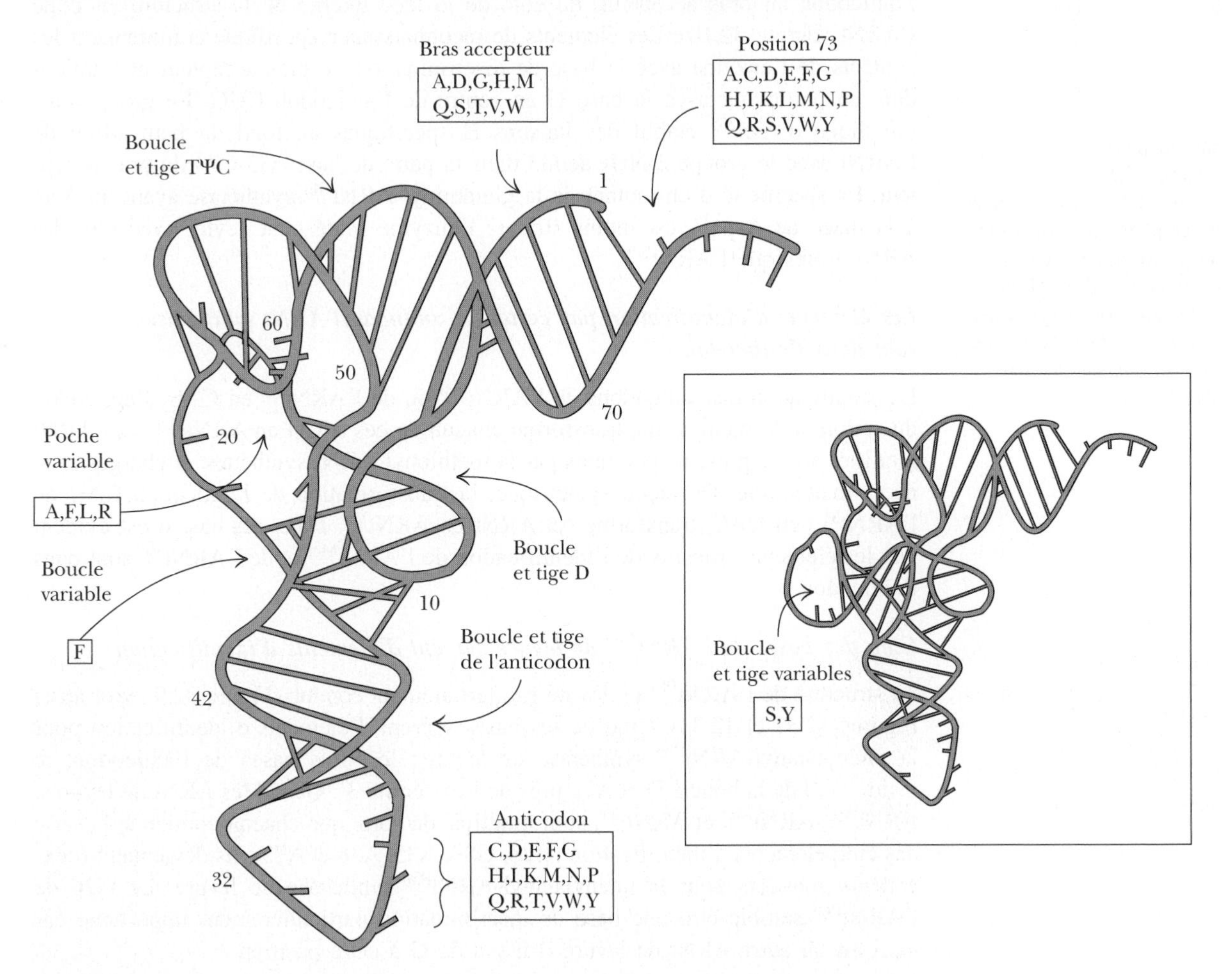

Figure 32.8 • Diagramme de la structure tertiaire des l'ARNt. Les nombres représentent la position d'un nucléotide ou d'une séquence consensus (voir Figure 32.1). Les positions des nucléotides reconnus par les différentes aminoacyl-ARNt synthétases sont précisées ; dans les rectangles, acides aminés (code à une lettre) dont les aminoacyl-ARNt synthétases respectives sont en interaction avec la base de discrimination (position 73), le bras accepteur, la poche variable et/ou la boucle variable, ou l'anticodon. En insert, sites de reconnaissance supplémentaires dans les ARNt dont la boucle variable forme une structure à tige et boucle. *(D'après Saks, M.E., Sampson, J.R., et Abelson, J.N., 1994. The transfer RNA problem : A search for rules.* Science ***263*** *: 191-197, figure 2.)*

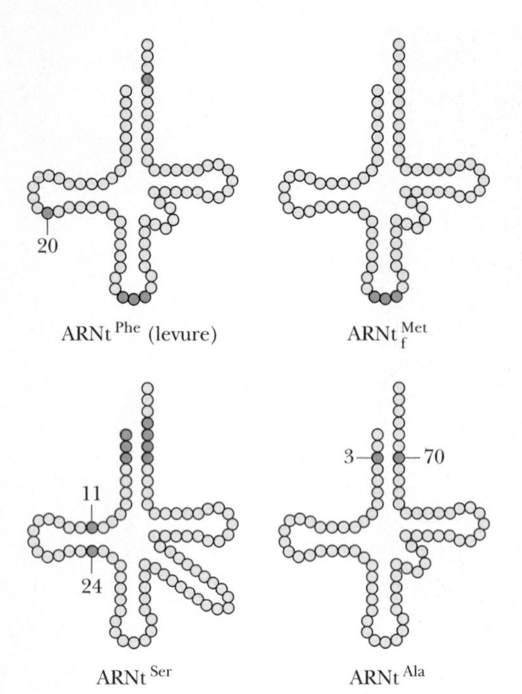

Figure 32.9 • Éléments majeurs d'identification dans quatre ARNt différents. Chacune des bases de ces ARNt est représentée par un cercle. Les cercles pleins (en rouge) et numérotés indiquent la position des éléments d'identification qui, à l'intérieur d'un ARNt, sont reconnus par l'aminoacyl-ARNt synthétase spécifique. *(D'après Schulman, L.H., et Abelson, J., 1988. Recent excitment in understanding transfer RNA identity.* Science ***240****: 1591-1592.)*

nucléotides qui contribuent à la reconnaissance spécifique de chacun des 20 acides aminés par leurs aminoacyl-ARNt synthétases respectives. De plus, les mêmes caractéristiques qui servent de déterminant positifs à la liaison et à l'aminoacylation des ARNt par les synthétases appropriées peuvent agir comme déterminants négatif qui empêchent la liaison et l'aminoacylation des ARNt par des aminoacyl-ARNt synthétases qui ne sont pas appropriées. Puisqu'il n'existe pas de règles communes, le second code génétique est un **code opérationnel** basé sur la reconnaissance par les aminoacyl-ARNt synthétases de diverses séquences et caractéristiques structurales des différentes molécules d'ARNt au cours du processus de synthèse de l'aminoacyl-ARNt. Quelques exemples de ce code sont donnés Figure 32.9 et dans le texte ci-dessous.

*Sites de reconnaissance de l'ARNt par la glutaminyl-ARNt^{Gln} synthétase d'*E. coli

La glutaminyl-ARNt^{Gln} synthétase d'*E. coli* est un enzyme monomérique de la classe I ; sa chaîne est constituée de 553 résidus (63,4 kDa). L'étude de la structure cristalline du complexe formé par la glutaminyl-ARNt^{Gln} synthétase et l'ARNt^{Gln} révèle que l'enzyme est en interaction avec l'ARNt sur toute une longueur qui s'étend de l'anticodon au bras accepteur, du côté de la face interne de la structure en L de l'ARNt (Figure 32.10). Les éléments de reconnaissance spécifique comprennent les contacts de l'enzyme avec la base de discrimination, le bras accepteur et l'anticodon, en particulier avec la base U au centre de l'anticodon CUG. Le groupe carboxylique d'Asp^{235} établit des liaisons H spécifiques au fond du petit sillon de l'ARNt avec le groupe 2-NH_2 de G3 dans la paire de bases G3-C70 du bras accepteur. La spécificité d'un mutant de la glutaminyl-ARNt^{Gln} synthétase ayant un Asn, à la place de Asp^{235}, est moins stricte : l'enzyme muté peut acyler avec Gln des ARNt autres que l'ARNt^{Gln}.

Les éléments d'identification par certaines aminoacyl-ARNt synthétases sont dans l'anticodon

La modification des anticodons de l'ARNt^{Trp} ou de l'ARNt^{Val} en CAU, l'anticodon du codon de la méthionine, transforme chacun de ces ARNt en ARNt^{Met}. Ces ARNt modifiés sont à présents reconnus par la méthionyl-ARNt synthétase et chargés avec de la méthionine. De façon symétrique, la transformation de l'anticodon CAU de l'ARNt^{Met} en UAC, transforme cet ARNt en ARNt^{Val}. Dans ces cas, il est évident que les éléments cruciaux de l'identification de l'ARNt^{Met} et de l'ARNt^{Val} sont dans l'anticodon.

Cinq des bases de l'ARNt^{Phe} de levure servent d'éléments d'identification

La structure de l'ARNt^{Phe} de levure est parfaitement connue (Figure 32.9 ; voir aussi Figures 12.37 et 12.38). Cinq de ses bases servent d'éléments d'identification pour la phénylalanyl-ARNt^{Phe} synthétase de levure : les trois bases de l'anticodon, le résidu G20 de la boucle D et A73 près de l'extrémité 3′. Quand les ARNt de levures, ARNt^{Arg}, ARNt^{Met} et ARNt^{Tyr}, sont modifiés de sorte que chacun contienne la série des cinq éléments d'identification (G20, G34, A35, A36 et A73), ils deviennent d'excellents substrats pour la phénylalanyl-ARNt^{Phe} synthétase de levure. Le G20 de l'ARNt^{Phe} semble être une base de discrimination particulièrement importante car dans aucun autre ARNt de levure il n'y a de G à cette position.

Douze nucléotides définissent spécifiquement la famille des ARNt^{Ser}

Six codons spécifient la sérine. Six ARNt isoaccepteurs distincts peuvent être aminoacylés par la séryl-ARNt^{Ser} synthétase d'*E. coli*. Cinq de ces ARNt^{Ser} sont des produits de gènes d'*E. coli*, le sixième est codé par un gène du phage T4. Parmi les anticodons de ces six ARNt, quatre sont UGA, CGA, GGA, GCU ; il existe donc des variations de base sur les trois positions de l'anticodon. Les séquences nucléotidiques des six ARNt ont été comparées et seulement 12 positions sont occupées

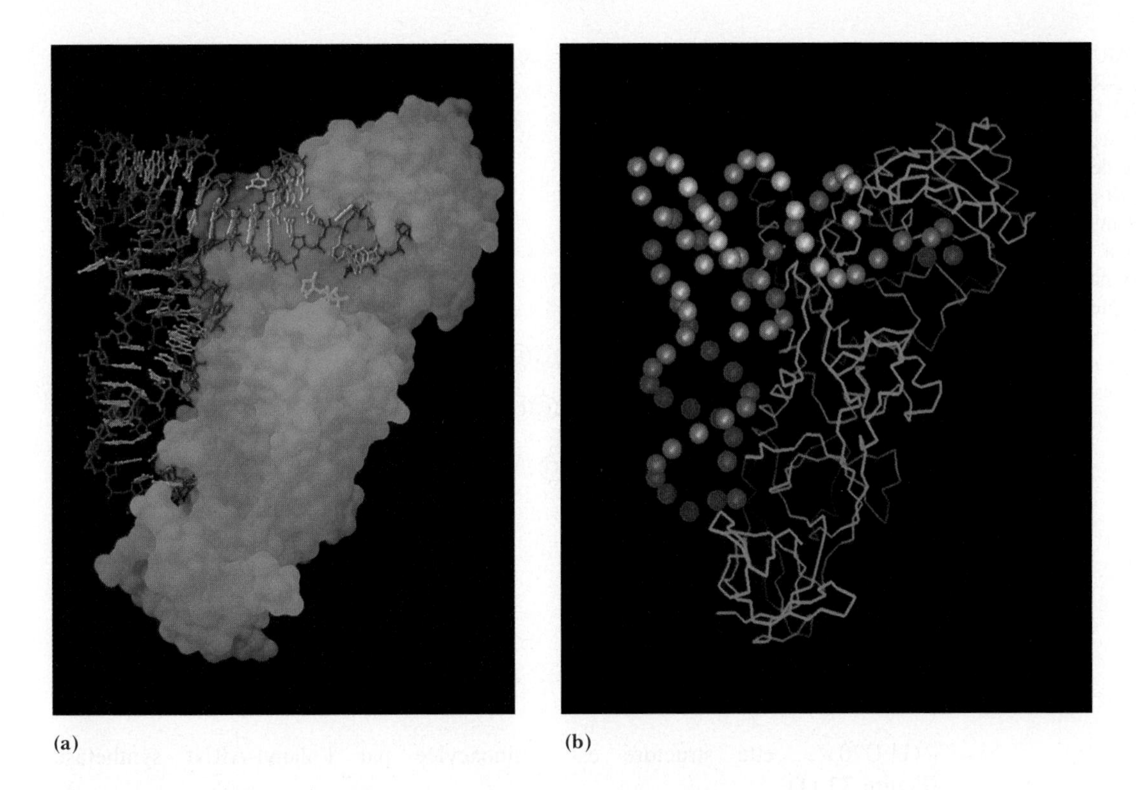

(a) (b)

Figure 32.10 • (a) Structure du complexe $ARNt^{Glu}$:ATP:glutaminyl-$ARNt^{Gln}$ synthétase d'*E. coli* cristallisé, modélisé par ordinateur d'après les études de diffraction des rayons X. Représentation de la partie accessible au solvant ; la protéine est en bleu, le squelette des riboses phosphates de l'ARNt est en rouge et ses bases sont en jaune. La région de contact entre l'enzyme et l'ARNt s'étend sur toute une longueur de la protéine étirée. Le bras accepteur de l'ARNt et l'ATP (en vert) se lient dans une crevasse, au sommet de la protéine sur cette vue. L'enzyme est aussi en interaction avec l'anticodon (extrémité inférieure de l'$ARNt^{Gln}$). (b) Représentation schématique de la structure du complexe $ARNt^{Gln}$:glutaminyl-$ARNt^{Gln}$ synthétase ; seuls les atomes de phosphore de l'ARNt (les sphères pourpres) et les Cα de l'enzyme (en bleu) sont représentés. *((a) D'après Rould, M.A., et al., 1989. Structure of* E. coli *glutaminyl-tRNA synthetase complexed with $tRNA^{Gln}$ and ATP at 2.8 Å resolution.* Science ***246*** *: 1135 ; photographie aimablement communiquée par Thomas A. Steitz de l'Université Yale.)*

par des bases communes. Ces nucléotides sont : dans le bras accepteur, G1, G2, A3 (ou U3) et U70 (ou A70), C71, C72, G73, et dans le bras D (dihydrouracile) C11 et G24. Tous ces nucléotides, à l'exception de G73, sont impliqués dans des liaisons H intracaténaires (Figure 32.9). Lorsqu'un ARNt spécifique de la leucine est transformé de façon à contenir les 12 nucléotides communs aux $ARNt^{Ser}$, il devient un accepteur de sérine.

Une unique paire de bases, G:U, définit les $ARNt^{Ala}$

En contraste avec ce que nous venons de décrire, une unique paire de bases, non canonique, G3:U70, est le principal élément d'identification par lequel l'alanyl-ARNt synthétase reconnaît les ARNt qui sont ses substrats. Tous les $ARNt^{Ala}$ cytoplasmiques séquencés à ce jour, des archaebactéries aux eucaryotes, possèdent cette paire G3:U70. Les ARNt spécifiques de la lysine, de la cystéine, ou de la phénylalanine possèdent une paire G3:C70 ; la transformation de cette paire G3:C70 en paire G3:U70 transforme ces trois ARNt en accepteurs d'alanine. Inversement, la modification de la paire de bases inhabituelle G3:U70 de l'$ARNt^{Ala}$ en G:C, A:U, ou même U:G abolit sa capacité à être aminoacylé par l'alanine. On a synthétisé un analogue de l'$ARNt^{Ala}$, une « micro hélice » de 24 nucléotides contenant la paire

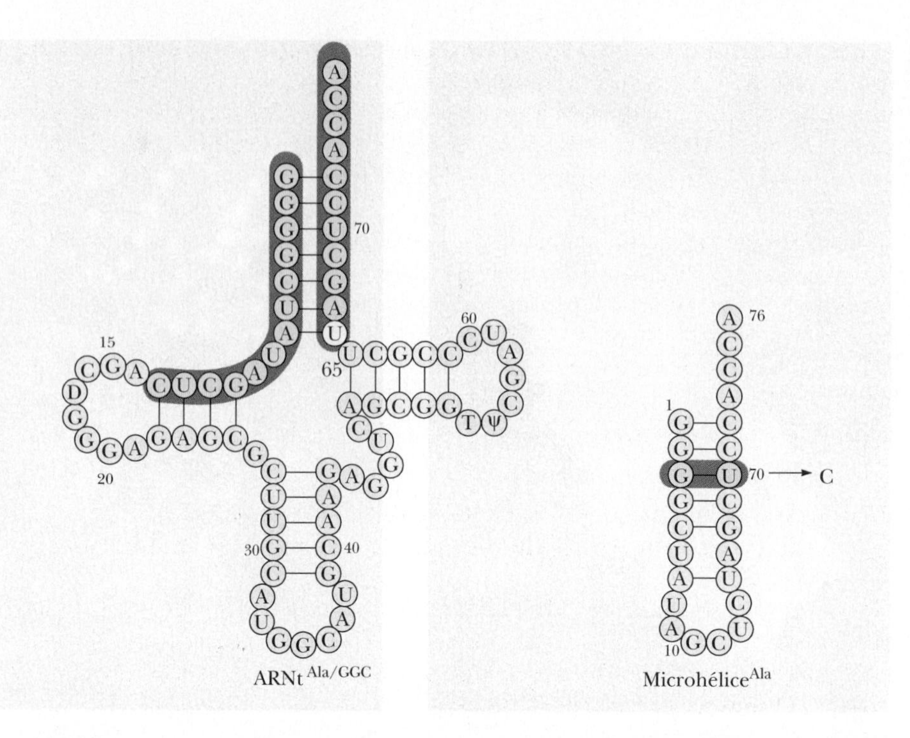

Figure 32.11 • Séquences de l'ARNt$^{Ala/GGC}$ et d'une microhélice analogue de l'ARNt^{Ala} . La microhélice, analogue de l'ARNt^{Ala}, est acylée par l'aminoacyl-ARNt^{Ala} synthétase, sous réserve qu'elle contienne la paire de bases G3:U70. Le remplacement de U70 par C abolit cette capacité à accepter Ala. La microhélice^{Ala} ne contient que les nucléotides 1 à 13 de l'ARNt^{Ala}, directement reliés aux nucléotides 66 à 76 pour recréer le bras accepteur de 7 paires de bases de l'ARNt^{Ala}. *(D'après Schimmel, P., 1989. Parameters for the molecular recognition of transfer RNAs.* Biochemistry ***28*** *: 2747-2759.)*

« G3:U70 » ; cette structure est aminoacylée par l'alanyl-ARNt synthétase (Figure 32.11).

Paul Schimmel a pu déterminer que la caractéristique clé du déterminant G3:U70 est le groupe 2-NH_2 de G3. Il avait synthétisé une série d'analogues de l'ARNt^{Ala} dans lesquels d'autres paires de bases remplaçaient la paire G3:U70 (Figure 32.12). Seul l'analogue contenant la paire G3:U70 était aminoacylé par l'alanine en présence de l'alanyl-ARNt synthétase. Remarquez que dans les structures hélicoïdales des ARNt,

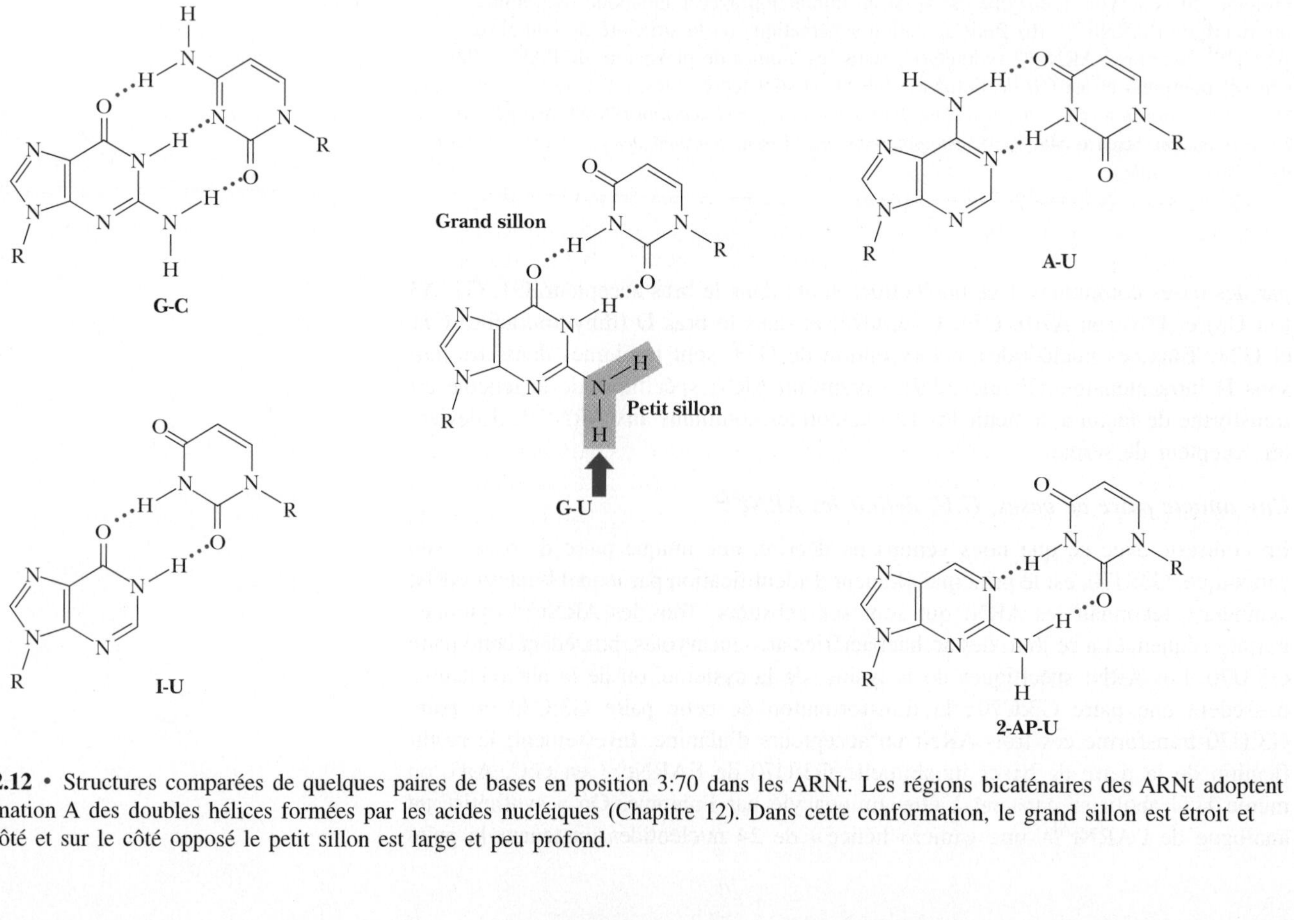

G-C

Grand sillon

Petit sillon

G-U

A-U

I-U

2-AP-U

Figure 32.12 • Structures comparées de quelques paires de bases en position 3:70 dans les ARNt. Les régions bicaténaires des ARNt adoptent la conformation A des doubles hélices formées par les acides nucléiques (Chapitre 12). Dans cette conformation, le grand sillon est étroit et profond côté et sur le côté opposé le petit sillon est large et peu profond.

de conformation A tout comme l'ARN bicaténaire, le groupe 2-amino de G3 est exposé dans le petit sillon de la double hélice (Figure 32.12). Quand G3 s'apparie avec U70, cet $-NH_2$ est libre car non engagé dans une liaison H. Dans les analogues contenant des paires G:C ou 2-AP:U, cet $-NH_2$ n'est pas libre car il est engagé dans une liaison H avec C ou avec U ; les analogues avec les paires I:U ou A:U n'ont pas de groupe $2\text{-}NH_2$. Dans l'analogue inverse, U3:G70 (non représenté), le $2\text{-}NH_2$ se trouve dans le grand sillon ; cet analogue n'est pas reconnu par la synthétase. La conclusion tirée par Paul Schimmel et ses collègues de l'ensemble de leurs expériences est la suivante : la présence dans le petit sillon d'une guanine non appariée, ayant donc son groupe $2\text{-}NH_2$ libre, marque spécifiquement les ARNt qui sont ainsi reconnus et acylés par l'aminoacyl-ARNt synthétase. Puisque cette caractéristique structurale est commune à tous les $ARNt^{Ala}$ cytoplasmiques, les éléments de reconnaissance des divers ARNt doivent être apparus très tôt au cours de l'évolution.

32.4 • Appariement codon-anticodon, dégénérescence de la troisième base, hypothèse du flottement (« wobble »)

La synthèse des protéines dépend de la stricte reconnaissance des codons par les aminoacyl-ARNt correspondants, de sorte que la séquence des acides aminés soit alignée selon les spécifications de l'ARNm en cours de traduction. Cet alignement est la conséquence de l'appariement codon-anticodon, les séquences trinucléotidiques étant disposées dans une orientation antiparallèle (Figure 32.13). Il y a cependant une forte dégénérescence du code génétique sur la troisième position. Cette dégénérescence pouvait se concevoir de deux façons : (a) la reconnaissance codon-anticodon est hautement spécifique, il faut donc un anticodon complémentaire pour chaque codon, ou (b) il faudrait moins de 61 anticodons pour «sentir», reconnaître, les codons si une certaine tolérance (ou dérogation) aux règles d'appariement des bases était possible. Quelques anticodons pourraient ainsi reconnaître plus d'un codon. Dès 1965, Nirenberg a démontré que le poly(U) liait *tous* les $Phé\text{-}ARNt^{Phé}$, bien que UUC soit l'un des codons Phe. Ce résultat indiquait que les ARNt spécifiques de la phénylalanine reconnaissaient aussi bien UUU qu'UUC. L'$ARNt^{Ala}$ de levure, isolé par Robert Holley en 1965 (Chapitre 12), se lie à trois codons synonymes : GCU, GCC et GCA.

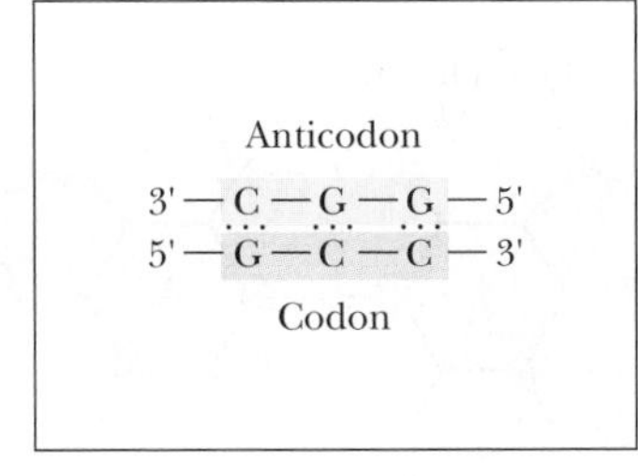

Figure 32.13 • Appariement codon:anticodon. Les segments trinucléotidiques des deux séquences complémentaires s'alignent de façon antiparallèle.

L'hypothèse du wobble (flottement)

En présence de ces résultats, Francis Crick a réexaminé les possibilités d'appariement des bases en construisant des modèles. Son hypothèse de travail était la suivante : les deux premières bases du codon et les deux dernières bases de l'anticodon s'apparient selon les règles canoniques d'appariement, règles de Watson-Crick, A avec U et G avec C, mais les appariements de la troisième base du codon avec la première base de l'anticodon obéissent à des règles moins strictes. C'est-à-dire qu'une certaine **flexibilité**, un certain **flottement** (ou *wobble* en anglais), peut exister dans les appariements à cette position. La première base de l'anticodon est parfois appelée la **position du flottement**. Crick a donc examiné les conséquences stériques de divers appariement non-canoniques, en particulier la distance entre les liaisons glycosidiques et les angles qu'elles formaient. L'inosine, une base purique, a été ajoutée aux bases classiques car on savait qu'elle était présente dans l'anticodon de quelques ARNt. Dans quelques paires, les bases étaient plutôt proches les unes des autres, ce qui peut se constater en observant les positions relatives des atomes C'_1 (Figure 32.14). La Figure 32.14b montre la position du C'_1 du troisième nucléotide du codon par rapport au C'_1 du premier nucléotide de l'anticodon considéré comme fixe. Le code génétique doit souvent pouvoir distinguer entre U ou C par rapport à A ou G en troisième position, (par exemple pour ne pas confondre les codons Phe et Leu ou His et Gln). Les possibilités d'appariement qui rapprocheraient les deux atomes C'_1 (par exemple les deux possibilités U....U et la possibilité U....C/C....U de la Figure 32.14b) ne doivent pas pouvoir être tolérées. Si tel

(a)

Paire adénine-guanine

Les deux arrangements possibles de la paire uracile-uracile

Paire uracyle-cytosine

Les paires guanine-uracile et inosine-uracile sont similaires

Paire inosine-adénine

(b)

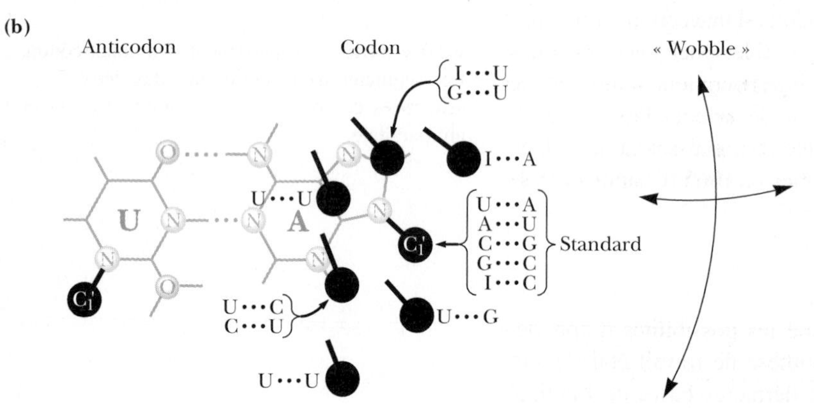

Figure 32.14 • Diverses possibilités d'appariement entre les bases. (a) G:A est peu probable car le 2-NH_2 de G ne peut former aucune de ses liaisons H potentielles ; même l'eau est stériquement exclue. U:C semble possible, bien que les deux C=O se trouvent juxtaposés. Deux arrangements U:U sont possibles. G:U et I:U sont possibles et presque similaires. La paire de bases puriques I:A est également possible. (b) Positions relatives des atomes C'_1 osidiques dans diverses paires de bases. La variation de position, vue de l'atome de carbone C'_1 du codon, donne une indication sur la possibilité de flottement. Dans les paires U:C, C:U, et les deux arrangements de la paire U:U, les atomes C'_1 glycosidiques respectifs sont plus proches que dans la position standard ; l'espace entre les atomes C'_1 des paires I:U, G:U, et U:G est à peu près celui de la position standard ; l'espace est plus grand dans la paire I:A. *(D'après Crick, F.H.C., 1966. Codon-anticodon pairing : The wobble hypothesis.* Journal of Molecular Biology *19 : 548-555.)*

n'était pas le cas, l'anticodon U ne s'apparierait pas seulement avec A et G mais reconnaîtrait toutes les bases en troisième position du codon et lors de l'interaction codon-anticodon les quatre paires U:U, U:C, U:G, et U:A pourraient se former.

De ces contraintes résulte l'existence de règles d'appariement entre la troisième base du codon et la première base de l'anticodon (Tableau 32.3). Les règles de la flexibilité font que U en première position dans l'anticodon reconnaît A ou G en troisième position dans le codon ; G en première position de l'anticodon peut reconnaître U ou C en troisième position du codon ; I en première position de l'anticodon peut reconnaître U, C, ou A en troisième position du codon [2].

L'inosine est une base qui introduit une grande partie de la dégénérescence. (L'inosine présente dans les ARNt provient de la désamination d'un résidu A spécifique). Les $ARNt^{Ala}$ de levure ont un I en position de flexibilité (voir Figure 12.36). Les règles de la flexibilité prédisent que les familles à quatre codons (comme pour

Tableau 32.3

Possibilités d'appariement avec la base en troisième position du codon

Base en première position de l'anticodon	Bases reconnues dans le codon
U	A, G
C	G
A	U
G	U, C
I	U, C, A

Source : d'après Crick, F.H.C., 1966. Codon-anticodon pairing : The wobble hypothesis. *Journal of Molecular Biology* **19** : 548-555.

[2] Donc la première base de l'anticodon indique si l'ARNt peut lire un, deux, ou trois codons différents : les anticodons commençant par A ou C ne lisent qu'un codon, ceux commençant par G ou U lisent deux codons et ceux commençant par I en lisent trois.

Pro ou Thr), dans lesquelles chacune des quatre bases peut se trouver en troisième position, exigent au moins deux ARNt différents. Ces familles à quatre codons peuvent être reconnues par un ARNt dont la première base de l'anticodon reconnaît U et C et par un autre ARNt dont la première base reconnaît A et G (ou, pour un autre couple d'ARNt, les bases U,C,A, et G).

Seules les familles des codons pour Leu, Ser et Arg, familles à six codons, présentent une différence dans l'une des deux premières bases ; ces acides aminés nécessitent au moins trois ARNt différents. Il faudrait donc au minimum 32 ARNt pour interpréter (transcoder) les 61 codons spécifiant un acide aminé, plus un $ARNt_i^{Mét}$ pour l'amorçage de la traduction. Cependant, la plupart des cellules ont plus de 32 espèces d'ARNt différentes. Nous avons déjà signalé qu'*E. coli* a cinq ARNT différents pour les 6 codons Ser. Certains ARNt ont les mêmes anticodons, mais les séquences des autres nucléotides de ces ARNt sont différentes. Par exemple, chez *E. coli*, deux $ARNt^{Tyr}$ différents ont le même anticodon GUA capable de lire les codons UAU et UAC de Tyr. Cependant, dans tous les cas, une même aminoacyl-ARNt synthétase intervient dans le chargement de tous les membres d'une même série d'ARNt spécifiques d'un acide aminé donné. On appelle **ARNt isoaccepteurs**, les ARNt qui font partie d'une même série spécifique d'un acide aminé.

Intérêt cinétique de la flexibilité

Les deux premières bases du codon confèrent l'essentiel de la spécificité à l'appariement codon:anticodon. La paire de bases en position de flottement participe également à la reconnaissance et à la spécificité, mais les liaisons hydrogène entre des bases non-canoniques sont plus faibles et donc, l'appariement des bases est plus « lâche ». La flexibilité est possible car le côté 5′ de l'anticodon (la première base) est situé dans une partie de la boucle anticodon de l'ARNt où la conformation est flexible. Le flottement offre un avantage cinétique. Si les trois paires de bases du complexe codon:anticodon étaient de type Watson-Crick, les associations codon-anticodon seraient plus stables et les ARNt se dissocieraient moins rapidement de l'ARNm, ce qui ralentirait la vitesse de la synthèse des protéines. Comme la contribution à l'interaction codon-anticodon de la troisième base du codon avec la première base de l'anticodon n'est que marginale, le flottement tend à accélérer le processus de traduction.

32.5 • Choix des codons utilisés

Puisqu'il existe plusieurs codons pour la plupart des acides aminés, il est possible d'envisager qu'il y ait des variations dans l'utilisation des codons. Effectivement, l'utilisation des codons est adaptée au fait que la composition relative A:T/G:C de l'ADN de différents organismes varie. Cependant, même dans des organismes dont l'ADN a globalement la même composition en bases, le choix des codons utilisés peut être différent. Le Tableau 32.4 rassemble les données connues chez *E. coli* et chez les humains ; il est évident que l'utilisation des codons n'est pas aléatoire. Parmi les 109.000 codons Leu recensés dans les gènes humains, CUG est présent plus de 48.000 fois, CUC plus de 23.000 fois et UUA seulement 6.000 fois.

La fréquence des codons dans l'ARNm d'*E. coli* est bien corrélée à l'abondance relative des ARNt qui les transcodent. *Les codons les plus fréquents sont représentés par les ARNt isoaccepteurs les plus abondants.* Par ailleurs, les ARNm des protéines synthétisées en abondance tendent à avoir les codons qui sont utilisés de préférence. Les ARNt les plus rares correspondent aux codons les plus rarement utilisés et la traduction des ARNm contenant ces codons peut être plus lente.

32.6 • Suppression d'une mutation non-sens

Les mutations dans un codon qui entraînent sa transformation en codon de terminaison – UAA, UAG, ou UGA – sont appelées mutations non-sens ; elles ont pour

Tableau 32.4

Utilisation des codons dans les gènes humains et d'*E. coli*

Les résultats pour *E. coli* sont calculés à partir des codons répartis dans 1.562 gènes ; ils sont exprimés en fréquence pour 1.000 codons recensés. Les résultats pour les gènes humains sont calculés à partir des codons répartis dans 2.681 gènes. (Comme la composition en acides aminés des protéines d'origine humaine et d'*E. coli* n'est pas la même, la fréquence d'un acide aminé particulier n'est pas non plus la même dans les deux espèces.)

Acide aminé	Codon	Gène d'*E. coli* Fréquence p. 1000	Gène humain Fréquence p. 1000
Leu	CUA	3,2	6,1
	CUC	9,9	20,1
	CUG	54,6	42,1
	CUU	10,2	10,8
	UUA	10,9	5,4
	UUG	11,5	11,1
Pro	CCA	8,2	15,4
	CCC	4,3	20,6
	CCG	23,8	6,8
	CCU	6,6	16,1
Ala	GCA	15,6	14,4
	GCC	34,4	29,7
	GCG	32,9	7,2
	GCU	13,4	18,9
Lys	AAA	36,5	21,9
	AAG	12,0	35,2
Glu	GAA	43,5	26,4
	GAG	19,2	41,6

D'après Wada, K., et al., 1992. Codon usage tabulated from GenBank genetic sequence data. *Nucleic Acids Research* **20** : 2111-2118.

conséquence une terminaison prématurée de la synthèse des protéines et la libération de polypeptides tronqués (incomplets). Les généticiens ont observé qu'une deuxième mutation, dans une autre partie du génome, pouvait *supprimer* les effets d'une mutation non-sens et que l'organisme pouvait ainsi survivre à une mutation létale. Les bases moléculaires de ces suppressions intergéniques sont longtemps restées mystérieuses. Depuis, il a été reconnu que les mutations permettant la suppression étaient des mutations dans les gènes des ARNt ; plus précisément ces mutations modifient l'anticodon des ARNt, qui peut alors reconnaître un codon « stop » particulier, le transcoder, et donc permettre l'élongation de la chaîne peptidique. Par exemple, la mutation de l'anticodon de l'ARNt^{Tyr}, de GUA en CUA, permet la lecture du codon stop UAG et l'insertion d'un résidu Tyr dans la chaîne polypeptidique. Le caprice des chercheurs a fait que les codons stop, ou non-sens, sont appelés *ambre* (UAG), *ocre* (UAA) et *opale* (UGA). Les **ARNt suppresseurs** sont typiquement produits par mutation des ARNt très peu représentés dans les séries des isoaccepteurs ; la mutation de ces isoaccepteurs rares et leur recrutement dans un nouveau rôle ne sont guère pénalisants pour un organisme. Plusieurs ARNt suppresseurs ont été caractérisés chez *E. coli* pour chacun des codons de terminaison.

Une intéressante propriété apparaît à la suite d'une mutation suppresseur du codon ambre (UAG) lorsque l'anticodon de l'ARNt^{Trp}, CCA, est transformé en CUA : cet ARNt suppresseur insère Gln et *non pas* Trp ! Les ARNt suppresseurs ne chargent donc pas nécessairement le même acide aminé que l'ARNt sauvage. (Les organismes porteurs de ce suppresseur doivent avoir une copie du gène de l'ARNt sauvage pour survivre). Ce suppresseur n'est plus un substrat de la tryptophannyl-ARNt^{Trp} synthétase qui naturellement reconnaît son ARNt substrat par son anticodon. C'est la glutaminyl-ARNt synthétase qui charge le suppresseur avec Gln. Cet enzyme a donc une certaine spécificité pour ce substrat. Le changement d'une seule base a modifié la reconnaissance codon:anticodon et l'interaction de l'ARNt avec des aminoacyl-ARNt synthétases.

EXERCICES

1. La séquence suivante représente une partie de la séquence d'un ADNc cloné :

...CAATACGAAGCAATCCCGCGACTAGACCTTAAC...

Pouvez-vous déterminer de façon non ambiguë la séquence des acides aminés du segment de protéine codé par cet ADNc ?

2. La polynucléotide phosphorylase catalyse la polymérisation aléatoire de ribonucléotides :

$$x \text{ NDP} \longrightarrow (\text{NMP})_x + x\text{P}_\text{i}$$

En l'absence de matrice, cet enzyme qui utilise comme substrat des ribonucléosides diphosphates catalyse la formation *de novo* de chaînes polynucléotidiques. La composition en bases du polynucléotide formé est déterminée par la nature du mélange des NDP présents dans le milieu d'incubation.

Un copolymère aléatoire (AG) est synthétisé à l'aide de la polynucléotide phosphorylase en utilisant comme substrat un mélange de 5 parties d'ADP pour une partie de GDP. Si ce copolymère aléatoire sert d'ARNm dans un système de synthèse *in vitro*, quels seront les acides aminés incorporés dans le polypeptide produit ? Quelles seront les abondances relatives de ces acides aminés ?

3. Donnez la liste des réactifs et des composants cellulaires qui seront nécessaires pour élucider le code génétique en utilisant la méthode de filtration du complexe aminoacyl-ARNt:trinucléotide:ribosome de Nirenberg et Leder. Décrivez le protocole expérimental.

4. Francis Crick pensait que les ARNt étaient des molécules adaptatrices et que ce rôle ne leur accordait pas de possibilité de choix dans la traduction de l'ARNm en protéine. Quelle a été la preuve expérimentale de la validité de cette interprétation ?

5. Citez les faits qui prouvent que les aminoacyl-ARNt synthétases interviennent pour établir la liaison entre l'information portée par les codons et les acides aminés. Quels sont les différents niveaux de spécificité des aminoacyl-ATNt synthétases nécessaires à la haute fidélité de la traduction des ARNm.

6. Dessinez les structure des paires de bases suivantes (a) G:C, (b) C:G, (c) G:U et (d) U:G. Précisez leur potentiel de formation de liaisons hydrogène à l'intérieur du grand ou du petit sillon de la double hélice d'un acide nucléique.

7. Pourquoi, selon l'hypothèse du wobble (du flottement) de Crick, la traduction des 61 codons qui spécifient un acide aminé peut-elle exiger moins de 61 anticodons ? Pourquoi le flottement contribue-t-il à accélérer la vitesse de la traduction ?

8. Combien de codons peuvent devenir des codons de terminaison par la mutation d'une seule base ? Pour quels acides aminés codent-ils ?

9. La suppression d'une mutation non-sens s'observe quand un mutant suppresseur apparaît, qui peut lire un codon de terminaison (codon non-sens) comme s'il s'agissait d'un codon ayant un « sens » et donc insérer un acide aminé. D'après vous, quels sont les acides aminés les plus susceptibles d'être incorporés dans une chaîne polypeptidique par des mutants suppresseurs.

LECTURES COMPLÉMENTAIRES

Arnez, J.G., et Moras, D., 1997. Structural and functional considerations of the aminoacylation reaction. *Trends in Biochemical Sciences* **22** : 211-216.

Burbaum, J.J., et Schimmel, P., 1991. Structural relationships and the classification of aminoacyl-tRNA synthetases. *Journal of Biological Chemistry* **266** : 16965-16968.

Carter, C.W., Jr., 1993. Cognition, mechanism, and evolutionary relationships in aminoacyl-tRNA synthetases. *Annual Review of Biochemistry* **62** : 715-748.

Cedergren, R., et Miramontes, P., 1996. The puzzling origin of the genetic code. *Trends in Biochemical Sciences* **21** : 199-200.

Crick, F.H.C., 1966. Codon-anticodon pairing : The wobble hypothesis. *Journal of Molecular Biology* **19** : 548-555. Crick's original paper on wobble interactions between tRNAs and mRNA.

Crick, F.H.C., et al., 1961. General nature of the genetic code for proteins. *Nature* **192** : 1227-1232. An insightful paper on insertion/deletion mutants providing convincing genetic arguments that the genetic code was a triplet code, read continuously from a fixed starting point. This genetic study foresaw the nature of the genetic code, as later substantiated by biochemical results.

Cusack, S., 1995. Eleven down and nine to go. *Nature Structural Biology* **2** : 824-831.

Draper, D.E., 1995. Protein-RNA recognition. *Annual Review of Biochemistry* **64** : 593-620.

Eriani, G., et al., 1990. Partition of tRNA synthetases into two classes based on mutually exclusive sets of sequence motifs. *Nature* **347** : 203-206.

Francklyn, C., Shi, J.-P., et Schimmel, P., 1992. Overlapping nucleotide determinants for specific aminoacylation of RNA microhelices. *Science* **255** : 1121-1125. One of a series of papers from Schimmel's laboratory elucidating tRNA features that serve as aminoacyl-tRNA synthetase recognition elements.

Hale, S.P., et al., 1997. Discrete determinants in transfer RNA for editing and aminoacylation. *Science* **276** : 1250-1252.

Huttenhofer, A., et Bock, A., 1998. RNA structures involved in selenoprotein synthesis. pp. 603-639 in Simons, R.W., et Grunberg-Monago, M., eds., *RNA Structure and Function.* Cold Spring Harbor, NY : Cold Spring Harbor Laboratory Press.

Ibba, M., Curnow, A.W., et Söll, D., 1997. Aminoacyl-tRNA synthesis : Divergent routes to a common goal. *Trends in Biochemical Sciences* **22** : 39-42.

Ibba, M., Hong, W.-W., et Söll, D., 1996. Glutaminyl-tRNA synthetase : From genetics to molecular recognition. *Genes to Cells* **1** : 441-427.

Khorana, H.G., et al., *1966.* Polynucleotide synthesis and the genetic code. *Cold Spring Harbor Symposium on Quantitative Biology* **31** : 39-49. The use of synthetic polyribonucleotides in elucidating the genetic code.

Low, S.C., et Berry, M.J., 1996. Knowing when not to stop : Selenocysteine incorporation in eukaryotes. *Trends in Biochemical Sciences* **21** : 203-208.

Musier-Forsyth, K., et al., 1991. Specificity for aminoacylation of an RNA helix : An unpaired, exocyclic amino group in the minor groove. *Science* **253** : 784-786. An unpaired amino group at a particular location in the minor groove of $tRNA^{Ala}$ determines its amino acid acceptor specificity.

Musier-Forsyth, K., et Schimmel, P., 1993. Aminoacylation of RNA oligonucleotides : Minimalist structures and origins of specificity. *The FASEB Journal* **7** : 282-289.

Nirenberg, M.W., et Leder, P., 1964. RNA codewords and protein synthesis. *Science* **145** : 1399-1407. The use of simple trinucleotides in the ribosome-binding assay to decipher the genetic code.

Nirenberg, M.W., et Matthaei, J.H., 1961. The dependence of cell-free protein synthesis in *E. coli* upon naturally occurring or synthetic polyribonucleotides. *Proceedings of the National Academy of Sciences, USA* **47** : 1588-1602.

Normanly, J., et Abelson, J., 1989. tRNA identity. *Annual Review of Biochemistry* **58** : 1029-1049. Review of the structural features of tRNA that are recognized by aminoacyl-tRNA synthetases.

Ribas de Pouplana, L., et al., 1996. Evidence that two present-day components needed for the genetic code appeared after nucleated cells separated from -bacteria. *Proceedings of the National Academy of Sciences, USA* **93** : 166-170.

Rould, M.A., et al., 1989. Structure of *E. coli* glutaminyl-tRNA synthetase complexed with $tRNA^{Gln}$ and ATP at 2.8 Å resolution. *Science* **246** : 1135-1142. One of the first high-resolution, three-dimensional structures of an aminoacyl-tRNA synthetase complexed with its cognate tRNA provides insights into the features employed by these enzymes in recognizing unique tRNAs and translating the genetic code.

Saks, M.E., Sampson, J.R., et Abelson, J.N., 1994. The transfer RNA problem : A search for rules. *Science* **263** : 191-197.

Schimmel, P., 1987. Aminoacyl-tRNA synthetases : General scheme of structure-function relationships in the polypeptides and recognition of transfer RNAs. *Annual Review of Biochemistry* **56** : 125-158.

Schimmel, P., 1989. Parameters for the molecular recognition of transfer RNAs. *Biochemistry* **28** : 2747-2759.

Schimmel, P., 1995. An operational RNA code for amino acids and variations in critical nucleotide sequences in evolution. *Journal of Molecular Evolution* **40** : 531-536.

Schimmel, P., et al., 1993. An operational RNA code for amino acids and possible relationship to genetic code. *Proceedings of the National Academy of Sciences, USA* **90** : 8763-8768.

Schimmel, P., et Ribas de Pouplana, L., 1995. Transfer RNA : From minihelix to genetic code. *Cell* **81** : 983-986.

Schimmel, P., et Schmidt, L., 1995. Making connections : RNA-dependent amino acid recognition. *Trends in Biochemical Sciences* **20** : 1-2.

Schulman, L.H., et Abelson, J., 1988. Recent excitement in understanding transfer RNA identity. *Science* **240** : 1591-1592.

Speyer, J.F., et al., 1963. Synthetic polynucleotides and the amino acid code. *Cold Spring Harbor Symposium on Quantitative Biology* **28** : 559-567.

Yanofsky, C., et al., 1964. On the colinearity of gene structure and protein structure. *Proceedings of the National Academy of Sciences, USA* **51** : 266-272. Yanofsky's classic work establishing the colinearity of genes and proteins.

Chapitre 33

Synthèse et dégradation des protéines

« ...nous sommes une spectaculaire et splendide manifestation de la vie. Nous avons un langage et pouvons élaborer des métaphores aussi adroitement et aussi précisément que les ribosomes font les protéines. Nous ressentons de l'affection. Nous avons des gènes pour l'utilité et être utile, c'est être aussi proche du but général de la nature que je peux l'imaginer. Et finalement, et sans doute au-dessus de tout, nous avons la musique. »

LEWIS THOMAS (1913-1994)
« La plus jeune et la plus brillante chose au monde », dans *La méduse et l'escargot* (1979).

PLAN

Le braille est un système de points en relief qui permet de traduire des mots écrits en une sensation tactile. (Hulton-Deutsch Collection/Corbis)

La biosynthèse des protéines est la conséquence d'un processus de **traduction**. La traduction convertit le langage de l'information génétique, représenté par la séquence des bases d'un ARN messager, en une séquence d'acides aminés dans une chaîne polypeptidique. Au cours de la traduction, les protéines sont synthétisées sur les ribosomes par la liaison des acides aminés dans un ordre linéaire spécifique, stipulé par la séquence des codons d'un ARNm. Les *ribosomes* sont les agents de la synthèse des protéines.

33.1 • Structure et assemblage des ribosomes

Les **ribosomes** sont des particules ribonucléoprotéiques compactes qui se trouvent dans le cytosol de toutes les cellules, ainsi que dans la matrice des mitochondries et dans le stroma des chloroplastes. La structure générale des ribosomes a été décrite Chapitre 11; dans ce chapitre, nous considérerons leur composition sous l'angle de leur fonction dans la synthèse des protéines. Les ribosomes sont des systèmes mécanico-chimiques qui se déplacent le long des matrices d'ARNm, orchestrant les interactions entre des codons successifs et les anticodons correspondants présentés par les amino-acyl-ARNt. Au fur et à mesure que les ribosomes alignent les acides aminés successifs par l'intermédiaire de la reconnaissance codon-anticodon, ils catalysent aussi la formation des liaisons peptidiques entre les résidus d'acides aminés adjacents.

Composition des ribosomes de procaryotes

L'organisation structurale des ribosomes d'*E. coli* est représentative de la version procaryote de ces machines supramoléculaires qui synthétisent les protéines (Tableau 33.1, voir aussi Figure 11.25). Le ribosome d'*E. coli* est une particule globulaire de 25 nm de diamètre, dont la masse est d'environ 2.520 kDa et la constante de sédimentation 70S. Elle est constituée de deux sous-unités de tailles différentes qui se dissocient quand la concentration du Mg^{2+} du milieu est inférieure à 1 m*M*. La plus petite sous-unité, ou **sous-unité 30S,** comporte 21 protéines différentes et une molécule d'ARN ribosomique (ARNr) l'**ARNr 16S**, de 1.542 nucléotides. Les 21 protéines, numérotées de **S1 à S21**, dans l'ordre décroissant de leur taille (S, pour *small*, rappelle qu'il s'agit des protéines de la petite sous-unité) contribuent pour 370 kDa à la masse globale, 930 kDa, de la sous-unité 30S. La plus grande sous-unité, la sous-unité **50S**, comporte 31 protéines différentes, numérotées **L1 à L34** (voir sous-section suivante) et deux ARNr, l'un de 2904 nucléotides, l'**ARNr 23S**, l'autre de 120 nucléotides, l'**ARNr 5S**. La masse des ribosomes provient pour environ deux tiers des ARNr et pour un tiers des protéines. Une cellule d'*E. coli* contient approximativement 20.000 ribosomes qui représentent près de 20 % de la masse cellulaire après dessiccation.

Protéines ribosomiques

À l'exception de la protéine L7/L12, il n'y a qu'une copie de chacune des protéines ribosomiques dans le ribosome 70S. Les protéines L7 et L12 sont des polypeptides identiques qui ne diffèrent que par le degré d'acétylation de leur extrémité N-terminale. Une seule protéine est commune aux deux sous-unités, S20 = L26. Les séquences des 52 protéines du ribosome d'*E. coli* sont connues. La plus longue est celle de S1 (557 résidus, 61,2 kDa), la plus petite celle de L34 (46 résidus, 5,4 kDa). Ces séquences n'ont guère de similitude. Les protéines ribosomiques contiennent peu d'acides aminés aromatiques et sont riches en acides aminés basiques (cationiques), Lys et Arg, caractéristique appropriée puisqu'il s'agit de protéines qui sont en très forte interaction avec des ARN polyanioniques. Les structures cristallines examinées à ce jour révèlent une grande diversité de structures. Comme les structures possibles de l'ARN sont beaucoup plus variées que celle de l'ADN, il faut s'attendre à une grande diversité des motifs dans la reconnaissance ARN-protéines.

Tableau 33.1

Organisation structurale des ribosomes d'*E. coli*

	Ribosome	Petite sous-unité	Grande sous-unité
Coefficient de sédimentation	70S	30S	50S
Masse (kDa)	2520	930	1590
Principaux ARN		16S = 1542 bases	23S = 2904 bases
ARN mineurs			5S = 120 bases
Masse de l'ARN (kDa)	1664	560	1104
Proportion d'ARN	66 %	60 %	70 %
Nombre de protéines		21 polypeptides	31 polypeptides
Masse des protéines (kDa)	857	370	487
Proportion des protéines	34 %	40 %	30 %

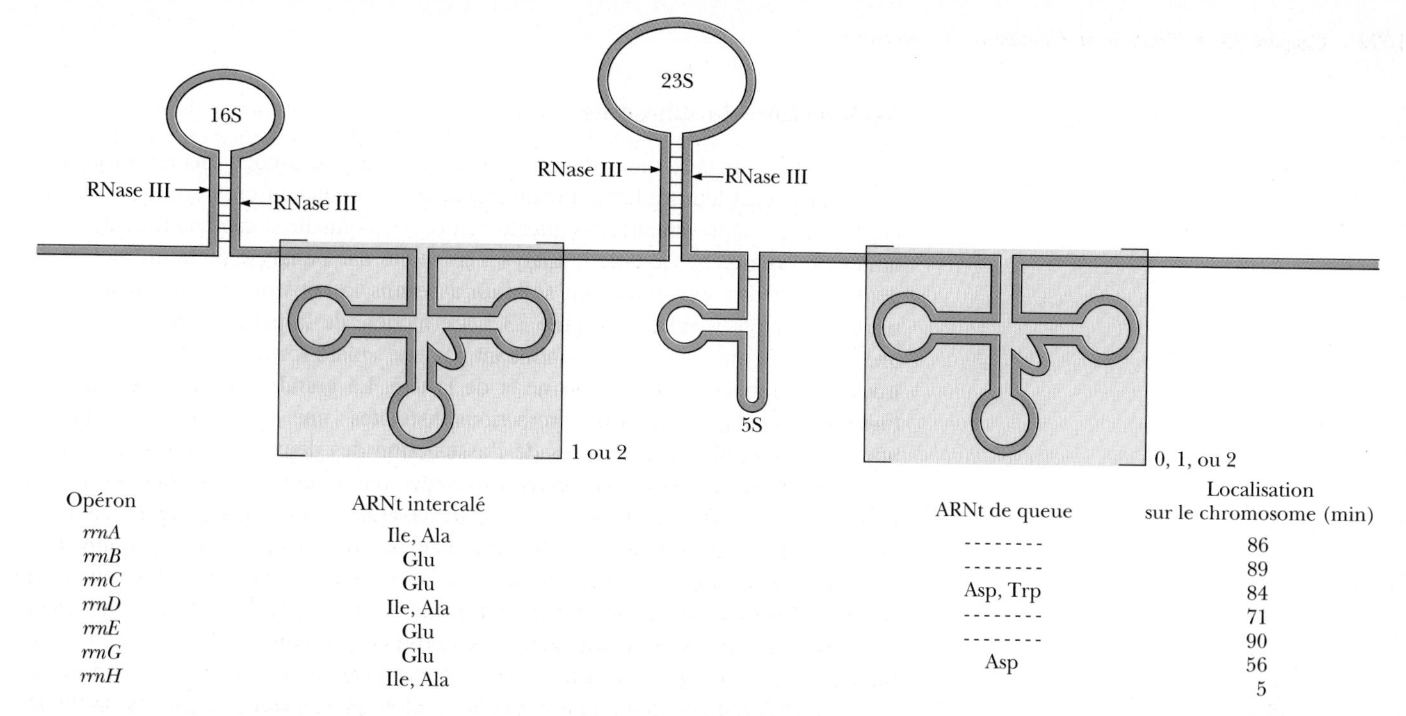

Opéron	ARNt intercalé	ARNt de queue	Localisation sur le chromosome (min)
rrnA	Ile, Ala	--------	86
rrnB	Glu	--------	89
rrnC	Glu	Asp, Trp	84
rrnD	Ile, Ala	--------	71
rrnE	Glu	--------	90
rrnG	Glu	Asp	56
rrnH	Ile, Ala		5

Figure 33.1 • Les sept opérons de l'ARN ribosomique chez *E. coli.* Ces opérons, ou groupes de gènes, sont transcrits en un unique ARN précurseur qui est ensuite scindé par la RNase III (et par d'autres nucléases) au niveau des sites indiqués. Ces coupures libèrent les ARNr 23S, 16S, et 5S, ainsi que des ARNt spécifiques de chacun des opérons. Les chiffres à droite des structures symbolisées des ARNt (entre crochets) indiquent le nombre des diverses espèces d'ARNt présentes dans les transcrits.

ARN ribosomiques (ARNr)

Les trois molécules d'ARNr d'*E. coli* – 23S, 16S, et 5S – proviennent d'un unique transcrit précurseur de 30S, qui comprend également quelques ARNt (Figure 31.1). Les ARNr ont un très grand potentiel de formation de liaisons H intracaténaires et adoptent des structures secondaires qui rappellent celles des ARNt, mais sont encore plus complexes (Figures 12.39 et 12.40). Près de la moitié des bases de l'ARNr 16S sont appariées. La structure secondaire des molécules d'ARNr est caractérisée par la présence d'un grand nombre de petites épingles à cheveux, chacune étant une double hélice plus ou moins longue, séparées par de courts segments monocaténaires. Quatre domaines (de I à IV) peuvent être distingués dans la structure secondaire. Les modèles des structures tridimensionnelles des ARNr montrent que ces structures ont des formes générales proches de celles des sous-unités ribosomiques. La Figure 33.2 présente la structure tridimensionnelle de l'ARN 16S au sein de la sous-unité 30S.

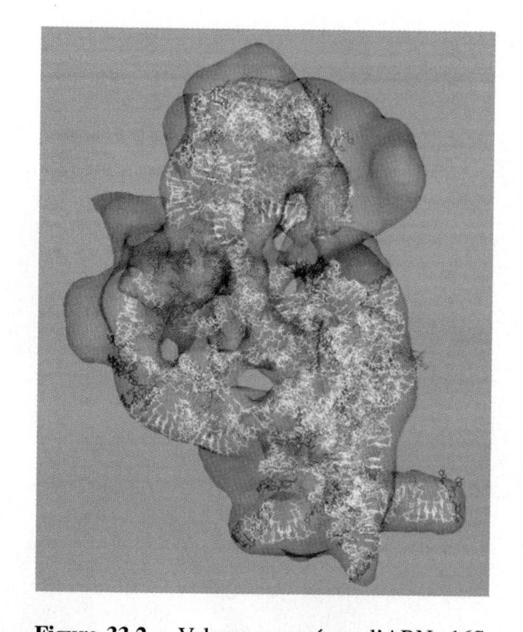

Figure 33.2 • Volume occupé par l'ARNr 16S au sein de la sous-unité ribosomique 30S. Vu depuis le « côté du solvant » de la sous-unité 30S (du côté opposé au site de liaison à la sous-unité 50S – voir Figure 33.3) *(D'après Mueller, F., et Brimacombe, R., 1997. A new model for the three-dimensional folding of* Escherichia coli *16S ribosomal RNA : I. Fitting the RNA to a 3D electron microscopic map at 20 Å.* Journal of Molecular Biology ***271** : 524-544, figure 2. Reproduction aimablement autorisée par Florian Mueller et Richard Primacombe, Institut de Génétique moléculaire Max Planck, Berlin.)*

Auto-assemblage des ribosomes

L'auto-assemblage des sous-unités ribosomiques est l'un des modèles exemplaires de la formation spontanée de complexes supramoléculaires à partir des macromolécules qui les constituent. Si les protéines et l'ARNr (ou les ARNr) d'une sous-unité sont mélangées dans des conditions de pH et de force ionique appropriées, on observe leur auto-assemblage spontané en une sous-unité fonctionnellement compétente, sans qu'aucun facteur additionnel ou protéine chaperon soit nécessaire. Apparemment, l'ARNr se comporte comme une charpente sur laquelle les diverses protéines ribosomiques s'assemblent. Les protéines ribosomiques se lient les unes après les autres dans un ordre bien défini.

L'assemblage de la sous-unité 30S commence avant même que la synthèse du précurseur des ARNr soit terminée. La première partie de l'ARNr 16S à être transcrite, la région 5′, possède une série de sites liant les protéines avec des affinités particulièrement élevées.

Architecture du ribosome

L'examen des images des sous-unités obtenues au microscope électronique, après cryodécapage, et leur traitement mathématique par ordinateur ont permis la construction d'images représentant l'architecture tridimensionnelle caractéristique des sous-unités ribosomiques. Ce type d'analyse, complété par l'analyse de la diffraction des neutrons par des sous-unités en solution a permis la construction du modèle de la petite sous-unité représenté Figure 33.3. Le modèle de la petite sous-unité présente une « tête » et une « base » se continuant par une «plate-forme». Une « crevasse » se trouve à la limite de la plate-forme et de la tête. La grande sous-unité a une structure plus globulaire, avec trois projections distinctes : une « protubérance centrale », une « crête » et une « aile ». Lors de l'association des deux sous-unités, un côté de la petite sous-unité s'introduit dans la cuvette (ou vallée) de la grande sous-unité, la plate-forme étant orientée vers l'aile de la grande sous-unité (Figure 33.3). La crevasse de la petite sous-unité est face à la cuvette de la grande sous-unité, formant une sorte de cavité. La taille de la cavité ainsi constituée entre les deux sous-unités est suffisamment importante pour accueillir au moins deux ARNt et plusieurs protéines impliquées dans la synthèse des protéines (Figure 33.4). La grande sous-unité forme un tunnel conduisant à la crevasse. Pendant la synthèse de la protéine, l'ARNm et la chaîne peptidique en cours d'élongation passent à travers ce tunnel. Bien que les protéines ribosomiques soient disposées à la périphérie des ARNr, les ARNr occupent environ 30 à 40 % de la surface des sous-unités ribosomiques.

Ribosomes des eucaryotes

En plus des ribosomes cytoplasmiques, les cellules d'eucaryotes ont des ribosomes dans leurs mitochondries (et éventuellement dans leurs chloroplastes). Par leur taille, leur organisation générale, leur structure, et leur fonction, les ribosomes

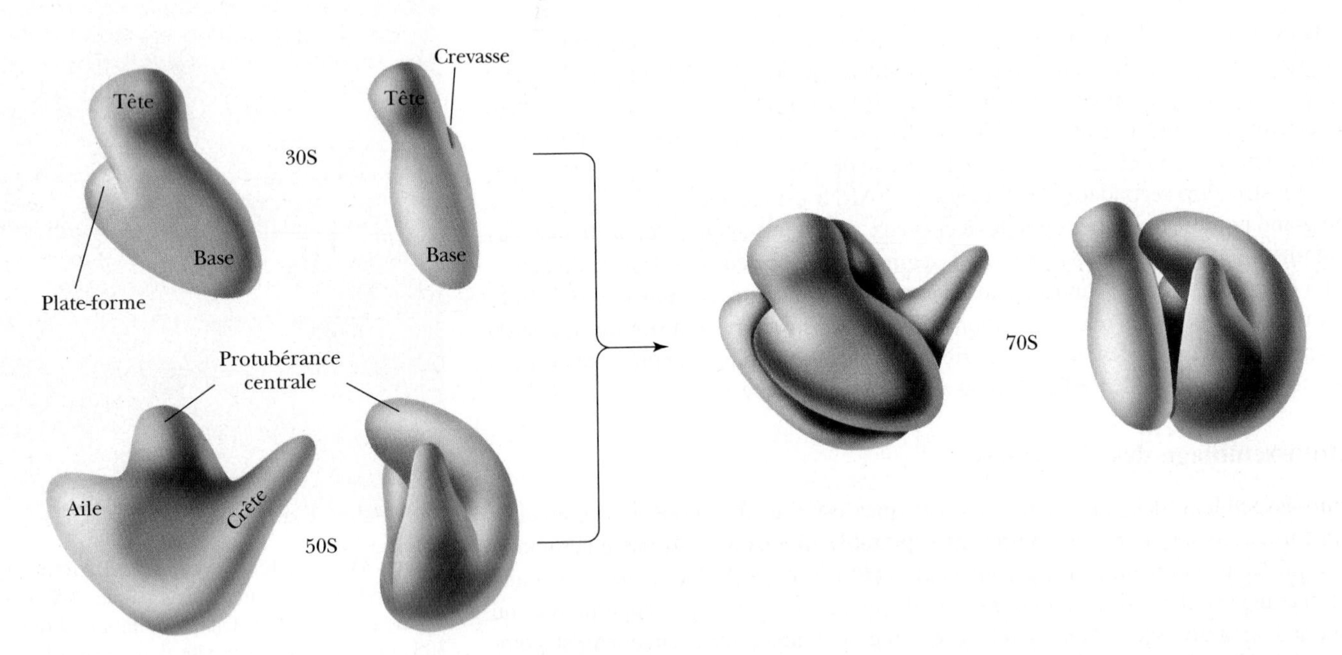

Figure 33.3 • Modèle tridimensionnel du ribosome d'*E. coli*, structure déterminée par reconstruction d'images à l'aide d'un ordinateur. Les structures 30S, 50S et 70S sont représentées sous deux angles différents, après une rotation de 90°. La petite sous-unité et la grande sous-unité ont chacune des caractéristiques morphologiques comme des protubérances et des crevasses. La sous-unité 30S, asymétrique, est relativement allongée ; elle mesure 5,5 × 22 × 22 nm. La sous-unité 50S est plutôt globulaire, mais avec trois projections ; elle mesure 15 × 20 × 20 nm. Un tunnel de 2,5 nm passe sous la grande sous-unité, dans la région de la « cuvette » ou vallée centrale comprise entre les trois protubérances de la grande sous-unité.

mitochondriaux et ribosomiques ressemblent aux ribosomes procaryotes, un fait qui rappelle l'origine procaryote de ces particules. Tout en conservant les principales caractéristiques structurales et fonctionnelles des ribosomes de procaryotes, les ribosomes des eucaryotes sont plus gros et considérablement plus complexes que ceux des procaryotes. Les ribosomes des eucaryotes supérieurs sont aussi plus complexes que ceux des eucaryotes inférieurs. Par exemple, les ribosomes du cytosol des levures ont deux principaux ARNr de 3.392 nucléotides (grande sous-unité) et de 1.799 nucléotides (petite sous-unité) ; les principaux ARNr des ribosomes cytosoliques de mammifères contiennent respectivement 4.718 et 1.874 nucléotides. Le Tableau 33.2 donne les propriétés des ribosomes cytosoliques d'un mammifère représentatif, le rat. Leur masse est environ 1,7 fois plus élevée que celle des ribosomes d'*E. coli* et la proportion, en poids, des protéines est aussi plus élevée. Les petites sous-unités (40S) contiennent 33 protéines différentes et les grandes (60S) en ont 49. Les grandes sous-unités contiennent 3 ARNr caractéristiques : 28S, 5,8S, et 5S. La séquence des ARNr 5,8S est homologue de l'extrémité 5′ de l'ARNr 23S des procaryotes ; il peut donc s'agir d'une divergence évolutive. Par appariement de bases complémentaires, cet ARNr 5,8S forme une structure secondaire commune avec l'ARNr 28S. La comparaison entre les séquences des ARNr de différents organismes et les structures secondaires correspondantes suggère que l'évolution a conservé la structure secondaire de ces molécules, mais pas nécessairement la séquence des nucléotides formant ces structures. La conservation d'une paire de bases à des positions particulières des structures secondaires semble plus importante que la nature G:C ou A:U de ces paires. La morphologie générale des ribosomes cytosoliques eucaryotes ressemble à celle des ribosomes procaryotes.

De nombreuses bases conservées dans les ARNr sont regroupées dans certaines régions monocaténaires

Bien que la rétention de la structure secondaire soit apparemment fondamentale dans l'évolution des ARNr, la conservation de la structure primaire à certaines positions est également une caractéristique significative de ces molécules. La comparaison des séquences des ARNr de type 16S (de la petite sous-unité) provenant d'organismes différents révèle qu'environ un tiers des nucléotides sont universellement conservés. Et pour la plupart, ces nucléotides sont regroupés dans seulement quelques régions qui restent monocaténaires dans la structure secondaire des molécules. Certaines de ces séquences, de 10 à 20 nucléotides, sont essentiellement invariantes dans tous les organismes étudiés. Une telle conservation signifie que ces éléments de séquence ont certainement un rôle fonctionnel dans la synthèse des protéines.

Tableau 33.2

Organisation structurale des ribosomes cytosoliques de mammifères (foie de rat)

	Ribosome	Petite sous-unité	Grande sous-unité
Coefficient de sédimentation	80S	40S	60S
Masse (kDa)	4220	1400	2820
Principaux ARN		18S = 1874 bases	28S = 4718 bases
ARN mineurs			5,8S = 160 bases 5S = 120 bases
Masse de l'ARN (kDa)	2520	700	1820
Proportion de l'ARN	60 %	50 %	65 %
Nombre des protéines		33 polypeptides	49 polypeptides
Masse des protéines (kDa)	1700	700	1000
Proportion des protéines	40 %	50 %	35 %

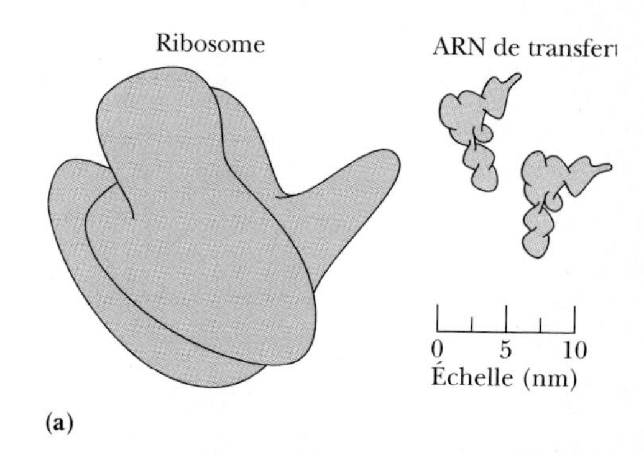

(a)

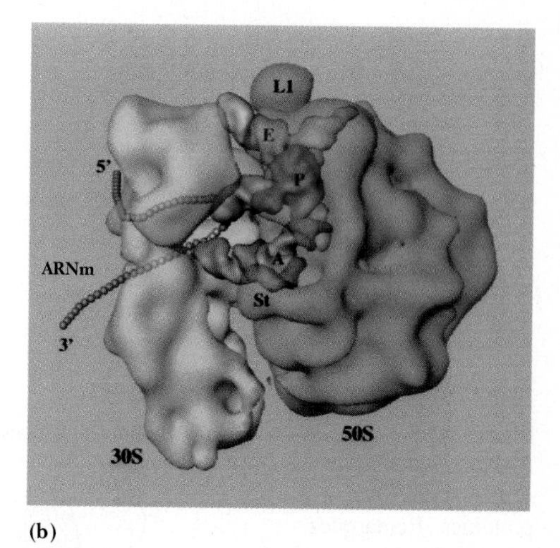

(b)

Figure 33.4 • (a) Comparaison des tailles relatives des ribosomes et des ARNt. Les ribosomes sont assez volumineux pour lier simultanément deux ARNt. (b) Image d'un ribosome 70S d'E. coli, déterminée par ordinateur à partir de micrographies électroniques après cryodécapage. Cette vue est perpendiculaire à l'interface 30S:50S, la sous-unité 30S étant à gauche et la sous-unité 50S à droite. Le lieu de passage de l'ARNm est représenté ainsi que la position des trois molécules d'ARNt dans la cavité centrale. (Voir Figure 33.6 au sujet des trois sites de liaison des ARNt dans les ribosomes.) *(D'après Frank, J., 1997. The ribosome at higher resolution – The donut takes shape.* Current Opinion in Structural Biology *7 : 266-272, figure 2. Figure (b), aimablement communiquée par Joachim Frank, Wadsworth Center, New York State Department of Health, Albany.)*

33.2 • Mécanisme de la synthèse des protéines

Comme les processus de polymérisation chimiques, la biosynthèse des protéines est, dans toutes les cellules, caractérisée par trois phases distinctes : l'amorçage, l'élongation et la terminaison. À chacune de ces étapes, l'énergie nécessaire provient de l'hydrolyse du GTP et des protéines spécifiques, solubles, participent aux événements.

L'initiation (l'amorçage) implique la liaison d'un ARNm par la petite sous-unité ribosomique, suivie de l'association d'un **aminoacyl-ARNt initiateur** particulier qui reconnaît le premier codon à traduire. Ce premier codon est généralement parmi les 30 premiers nucléotides de l'ARNm qui s'étend sur la petite sous-unité. La plus grande sous-unité s'adjoint ensuite à ce complexe d'initiation et le prépare pour la phase d'élongation.

L'élongation comprend la synthèse de toutes les liaisons peptidiques, de la première à la dernière. Le ribosome reste associé à l'ARNm pendant toute la durée de l'élongation, se déplaçant sur sa longueur et traduisant l'information qu'il contient en une séquence d'acides aminés. Ce processus est la conséquence d'un cycle répétitif d'événements au cours desquels des aminoacyl-ARNt successifs rejoignent le complexe ribosome:ARNm dans l'ordre des codons et la longueur de la chaîne polypeptidique s'accroît d'un acide aminé à la fois.

À tout moment, deux molécules d'ARNt font partie du complexe ribosome:ARNm. Chacun est sur un site distinct (Figure 33.5). Le **site A**, ou **site**

Figure 33.5 • Étapes fondamentales de la synthèse des protéines. Remarquez que le ribosome contient deux sites principaux de liaison des l'ARNt, un site A, ou accepteur, et un site P, ou site peptidyle.

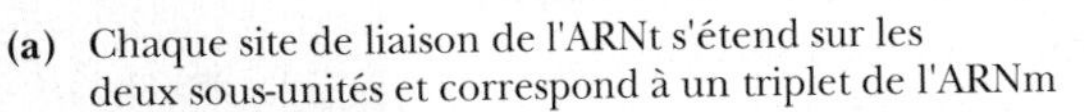
(a) Chaque site de liaison de l'ARNt s'étend sur les deux sous-unités et correspond à un triplet de l'ARNm

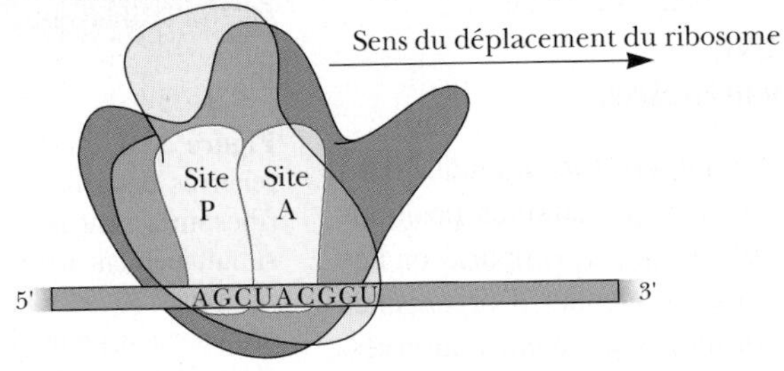

(b) Les deux sites de liaison de l'ARNt sont occupés avant la formation d'une liaison peptidique : un aminoacyl-ARNt sur le site A et le polypeptidyl-ARNt sur le site P

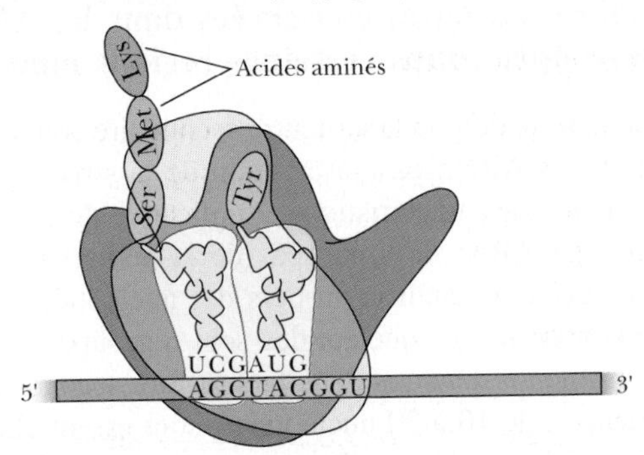

(c) La formation de la liaison peptidique implique le transfert du polypeptide au groupe amino de l'acide aminé chargé sur l'ARNt au site A

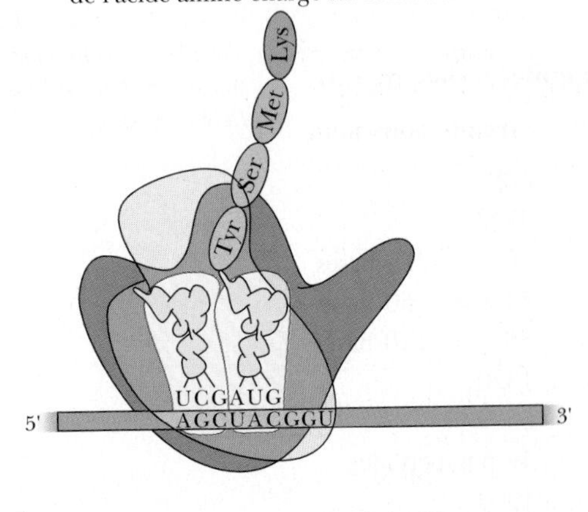

(d) Le ribosome se déplace ensuite (par translocation) sur le codon suivant de l'ARNm et l'ARNt déchargé se dissocie. La translocation place le polypeptide-ARNt sur le site P et aligne un nouveau codon sur le site A prêt à accepter le prochain aminoacyl-ARNt

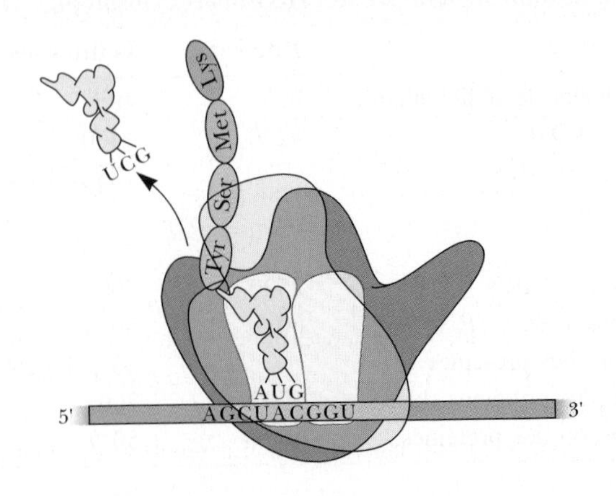

accepteur, est le site de liaison de l'aminoacyl-ARNt entrant. Le **site P**, ou **site peptidyle**, est le site occupé par le peptidyl-ARNt, l'ARNt portant la chaîne polypeptidique en cours d'élongation. La réaction d'élongation transfère la chaîne peptidique du peptidyl-ARNt sur le site P à l'acide aminé de l'aminoacyl-ARNt sur le site A. Ce transfert s'accompagne de la formation d'une nouvelle liaison covalente, une liaison peptidique, entre le carboxyle α du polypeptide et le groupe α-amino de l'aminoacyl-ARNt. Le nouveau peptidyl-ARNt, plus long d'un résidu d'acide aminé, se déplace du site A au site P pendant que le ribosome progresse sur l'ARNm jusqu'au codon suivant. Cette translocation du ribosome laisse vacant le site A qui peut alors accepter un nouvel aminoacyl-ARNt entrant. Cette séquence d'événements est résumée Figure 33.5. Un troisième site de liaison d'ARNt, le **site de sortie**, ou **site E** (E pour *exit*), est transitoirement occupé par l'ARNt déchargé qui quitte le site P après avoir perdu sa chaîne peptidyle. La Figure 33.6 représente les emplacements plausibles des sites de liaison des ARNt sur les ribosomes. L'élongation est la plus rapide des phases de la synthèse des protéines.

La terminaison est activée lorsque le ribosome rencontre un codon «stop» sur l'ARNm. La chaîne polypeptidique est alors libérée et les sous-unités ribosomiques se désassocient du complexe formé avec l'ARNm.

La synthèse des protéines est un processus assez rapide. Chez les bactéries en cours de prolifération active, la chaîne polypeptidique en croissance s'allonge d'environ une vingtaine de résidus d'acides aminés par seconde. Une molécule de protéine de taille moyenne, environ 300 résidus, est donc synthétisée en seulement 15 secondes. La vitesse de la synthèse des protéines chez les eucaryotes est 10 fois moins rapide. Nous examinerons en premier lieu les détails de la synthèse des protéines chez les procaryotes, plus précisément chez *E. coli*, le système le plus finement étudié.

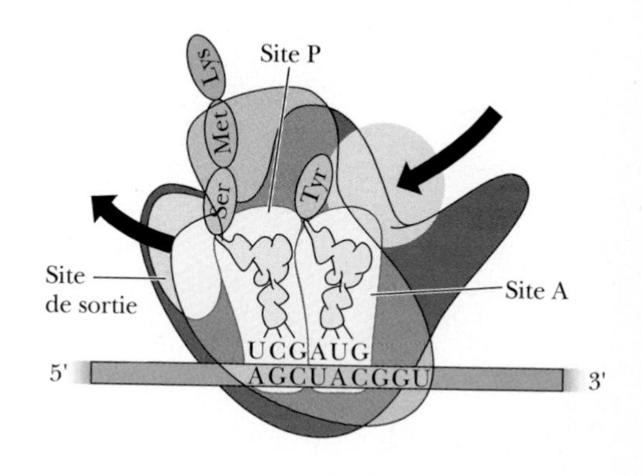

Figure 33.6 • Emplacements probables des sites de liaison de l'ARNt dans le ribosome. Le site accepteur, le site A, lie l'aa-ARNt entrant correspondant au codon de l'ARNm qui est dessous sur la figure. La zone colorée en rose représente le site approximatif d'interaction avec EF-Tu. Le site peptidyle, P, est occupé par le peptidyl-ARNt lié au codon de l'ARNm qui se trouvait précédemment sur le site A. Les flèches indiquent la direction vraisemblablement suivie par les ARNt lorsqu'ils participent aux événements de la synthèse des protéines. La proximité des bras accepteurs des ARNt sur les sites A et P facilite le transfert du peptidyle. *(D'après Noller, H.F., 1991. Ribosomal RNA and translation.* Annual Review of Biochemistry ***60****: 191-277.)*

Initiation de la chaîne peptidique chez les procaryotes

Pour l'initiation de la chaîne peptidique, les composants nécessaires comprennent: (a) l'ARNm, (b) les sous-unités ribosomiques 30S et 50S, (c) une série de protéines appelées **facteurs d'initiation**, (d) du GTP et (e) un ARN chargé spécifique, le **formyl-Met-ARNt$_f^{Met}$**.

L'ARNt initiateur

L'ARNt$_f^{Met}$ est un ARNt particulier qui lit AUG (parfois GUG, ou même UUG), le codon qui signale le site de départ, c'est-à-dire l'extrémité N-terminale de la chaîne polypeptidique à synthétiser. Cet ARNt$_f^{Met}$ ne reconnaît pas les codons AUG intermédiaires, il ne participe donc pas à l'élongation de la chaîne. Ce rôle dans l'élongation est assuré par un autre ARNt, également spécifique de la méthionine, l'ARNt$_m^{Met}$, qui ne peut pas remplacer l'ARNt$_f^{Met}$ dans sa fonction d'initiation. (Ces deux ARNt sont cependant chargés par la même méthionyl-ARNt synthétase). La structure de l'ARN$_f^{Met}$ d'*E. coli* possède quelques caractéristiques distinctives (Figure 33.7). À la différence de ce qui est de règle dans tous les autres ARNt, la base terminale en 5′ dans l'ARNt$_f^{Met}$ n'est pas appariée avec une base complémentaire du bras accepteur, il n'y a donc pas de paire de bases en cette position. L'ARNt$_f^{Met}$ contient aussi dans la boucle D une séquence CCU qui lui est propre, ainsi qu'une série de trois paires G:C dans la tige de la boucle de l'anticodon. Ces trois particularités identifient cet ARNt comme essentiel pour l'initiation et inapproprié pour l'élongation de la chaîne peptidique.

La synthèse de tous les polypeptides d'*E. coli* commence par l'incorporation d'une méthionine modifiée, la *N*-formyl-méthionine, qui sera le résidu N-terminal. Cependant, dans environ la moitié des protéines d'*E. coli*, ce résidu est éliminé par clivage dès que la chaîne polypeptidique contient une dizaine de résidus de sorte que de nombreuses protéines d'*E. coli* n'ont pas de méthionine en position N-terminale.

La méthionine participant à l'initiation de la chaîne peptidique est particulière car son groupe amino est formylé. La réaction de formylation est catalysée par un

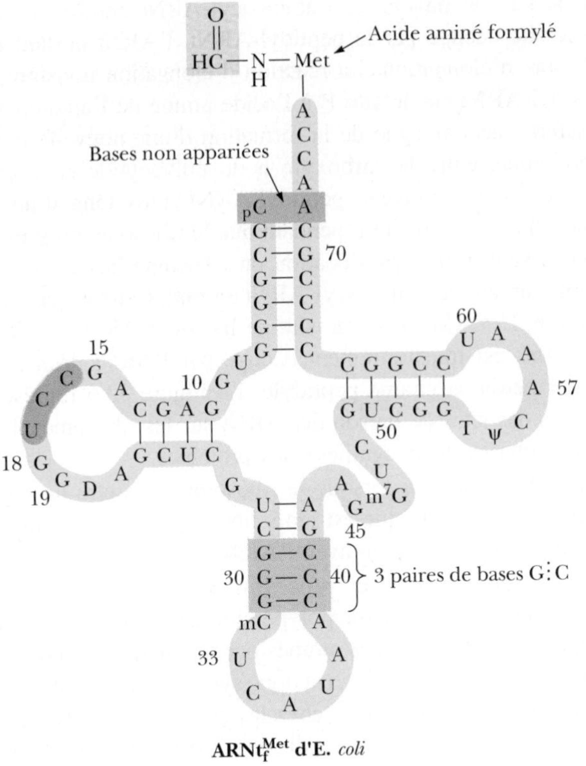

Figure 33.7 • Structure du formyl-méthionyl-$ARNt_f^{Met}$ d'*E. coli*. Les différences caractéristiques avec les ARNt qui ne sont pas initiateurs sont signalées par des couleurs différentes de celle de la chaîne des nucléotides.

enzyme spécifique, la **méthionyl-$ARNt_f^{Met}$ formyltransférase** (Figure 33.8). Remarquez que le blocage du $-NH_2$ de la méthionine par formylation crée un groupe terminal qui ressemble à un groupe peptidique. La méthionine d'initiation est en quelque sorte transformée en un analogue minimum d'une chaîne peptidique.

Reconnaissance de l'ARNm et alignement du ribosome

Afin que l'ARNm soit traduit avec précision, la séquence de ses codons doit être correctement disposée par rapport aux divers sites de l'appareil de traduction. La reconnaissance des séquences d'initiation de la traduction sur l'ARNm implique l'ARN 16S de la petite sous-unité du ribosome. L'appariement des bases entre l'extrémité 3′ de l'ARN 16S, riche en bases pyrimidiques et l'extrémité 5′ de l'ARNm de procaryote riche en bases puriques aligne (positionne) correctement la sous-unité 30S par rapport au site de début de la traduction sur l'ARNm. La séquence de l'ARNm, riche en bases puriques, qui constitue le **site de l'attachement du ribosome** à l'ARNm (ou site de l'attachement) est souvent appelée la **séquence Shine-Dalgarno** en l'honneur des deux chercheurs qui l'ont découverte. La Figure 33.9 présente quelques-unes des séquences Shine-Dalgarno observées dans des ARNm de procaryotes, ainsi que la séquence complémentaire de l'extrémité 3′ de l'ARNr 16S d'*E. coli*. L'extrémité 3′ de l'ARNr 16S se trouve dans la région « tête » de la sous-unité 30S.

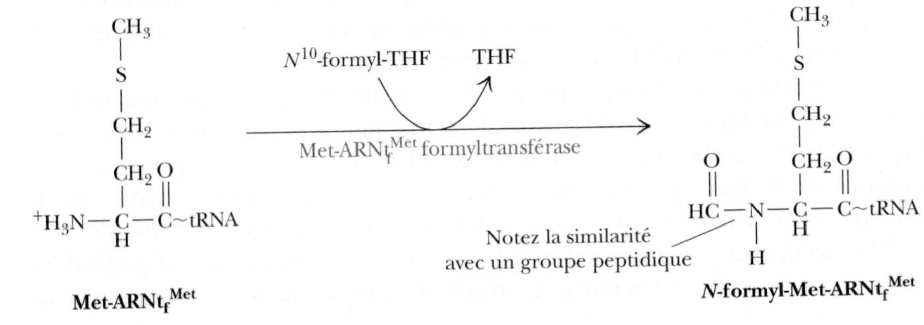

Figure 33.8 • La méthionyl-$ARNt_f^{Met}$ formyltransférase catalyse la transformylation du méthionyl-$ARNt_f^{Met}$ par le N^{10}-formyl-THF donneur du groupe formyle. Le méthionyl-$ARNt^{Met}$ n'est pas un substrat de cette transformylase.

	Codon d'initiation
araB	- U U U G G A U G G A G U G A A A C G A U G G C G A U U -
galE	- A G C C U A A U G G A G C G A A U U A U G A G A G U U -
lacI	- C A A U U C A G G G U G G U G A A U G U G A A A C C A -
lacZ	- U U C A C A C A G G A A A C A G C U A U G A C C A U G -
Réplicase du phage Q β	- U A A C U A A G G A U G A A A U G C A U G U C U A A G -
Protéine A du phage ϕX174	- A A U C U U G G A G G C U U U U U U A U G G U U C G U -
Protéine de la capside du phage R17	- U C A A C C G G G G U U U G A A G C A U G G C U U C U -
Protéine ribosomique S12	- A A A A C C A G G A G C U A U U U A A U G G C A A C A -
Protéine ribosomique L10	- C U A C C A G G A G C A A A G C U A A U G G C U U U A -
trpE	- C A A A A U U A G A G A A U A A C A A U G C A A A C A -
Séquence guide de *trpL*	- G U A A A A A G G G U A U C G A C A A U G A A A G C A -
Extrémité 3' de l'ARN 16S	3' $_{HO}$A U U C C U C C A C U A G - 5'

Figure 33.9 • Quelques séquences Shine-Dalgarno reconnues par les ribosomes d'*E. coli*. Ces séquences se trouvent environ 10 nucléotides en amont de leur codon AUG respectif, elles sont complémentaires au cœur UCCU de l'élément de séquence 3′-terminal de l'ARN 16S d'*E. coli*. La paire G:U ainsi que les paires canoniques G:C et A:U sont impliquées dans cette reconnaissance.

L'importance de cette reconnaissance est démontrée par l'étude des ribosomes bactériens traités par une protéine bactéricide, la **colicine E3**. Cette protéine, une phosphodiestérase, clive spécifiquement la liaison qui suit le nucléotide 1.493 dans l'ARN 16S, éliminant ainsi les 49 nucléotides de l'extrémité 3′. Ce segment comprend le site riche en nucléotides pyrimidiques qui se lie à la séquence Shine-Dalgarno (voir Figure 12.39). Des ribosomes traités par la colicine E3 sont encore fonctionnels pour l'élongation des chaînes polypeptidiques dont la synthèse est déjà initiée, mais ils ne peuvent plus initier la traduction de l'ARNm.

Facteurs d'initiation

L'initiation implique l'interaction de **facteurs d'initiation** (**IF-1, IF-2 et IF-3**) avec du GTP, un *N*-formyl-ARNt_f^{Met}, l'ARNm, et la sous-unité 30S pour former le **complexe d'initiation 30S** ; ce complexe 30S s'associe ensuite avec la sous-unité 50S pour former le **complexe d'initiation 70S**. Les facteurs d'initiation sont des protéines solubles indispensables à l'assemblage correct des complexes d'initiation. Leurs propriétés sont résumées Tableau 33.3. La nécessaire présence de ces protéines a été découverte quand il a été observé que des sous-unités 30S « lavées » avec une solution de NH_4Cl 1 *M*, n'étaient plus capables d'initier la synthèse des protéines ; cette capacité était restaurée par l'addition des protéines qui avaient été éliminées par le « lavage ».

Événements propres à l'initiation

L'initiation commence lorsqu'un complexe sous-unité 30S:(IF-3:IF-1) lie l'ARNm et un complexe formé par IF-2, GTP, et le formyl-Met-ARNt_f^{Met}. La séquence des événements est résumée Figure 33.10. Bien qu'IF-3 soit absolument indispensable pour la liaison de la sous-unité 30S à l'ARNm, ce facteur n'intervient pas dans le positionnement correct du ribosome sur le site d'initiation de la traduction de l'ARNm. Par contre, la présence d'IF-3 sur les sous-unités 30S empêche leur réassociation avec des

Tableau 33.3

Propriétés des facteurs d'initiation d'*E. coli*

Facteur	Masse (kDa)	Molécules/ ribosome	Fonction
IF-1	9	0,15	Assiste IF3 dans sa fonction
IF-2	97		Lie l'ARNt initiateur et le GTP
IF-3	23	0,25	Se lie aux sous-unités 30S et régit la liaison de l'ARNm

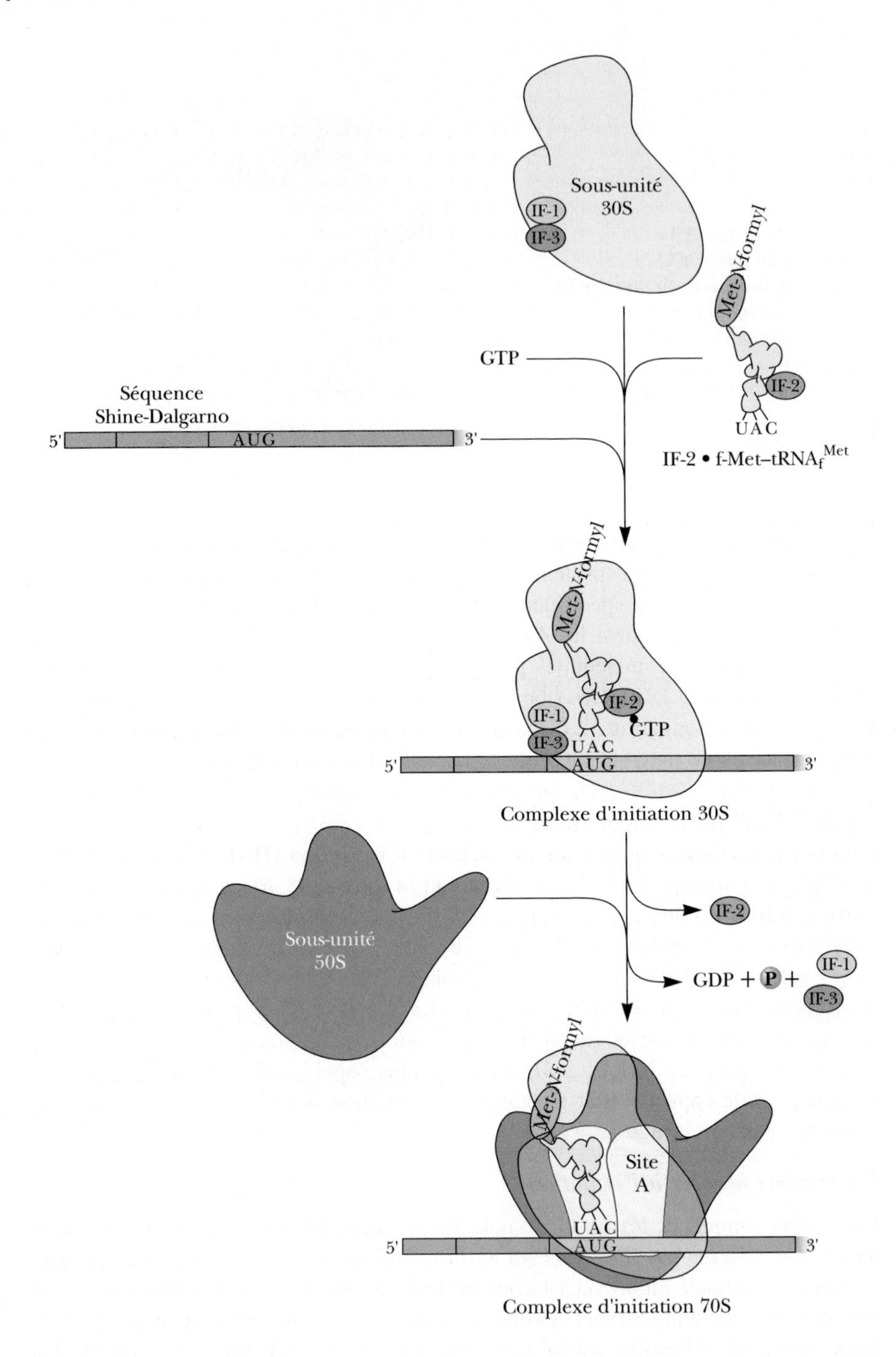

Figure 33.10 • Séquence des événements dans l'initiation de la formation de la chaîne peptidique.

unités 50S. Il faut que IF-3 se dissocie du complexe formé avec la sous-unité 30S pour que la sous-unité 50S puisse s'associer au complexe ARNm:30S.

Le facteur IF-2 intervient dans la fixation du f-Met ARNt$_f^{Met}$ par un processus qui exige du GTP. Apparemment, la sous-unité 30S est alignée avec l'ARNm de façon à avoir le codon d'initiation situé dans la « partie 30S » du site P (les sous-unités 30S et 50S participent toutes les deux à la formation des sites P et A). Lors de sa fixation, le f-Met-ARNt$_f^{Met}$ pénètre dans cette partie 30S du site P. Un analogue non hydrolysable du GTP, le GMPPCP (Figure 33.11) peut remplacer le GTP à ce stade de l'initiation. Cependant, seule l'hydrolyse du GTP permet la formation du complexe actif final, 70S. L'hydrolyse du GTP s'accompagne de la libération des facteurs IF-1 et IF-2, probablement lors de l'addition de la sous-unité 50S. L'hydrolyse du GTP est catalysée par une protéine ribosomique, pas par IF-2. De toute

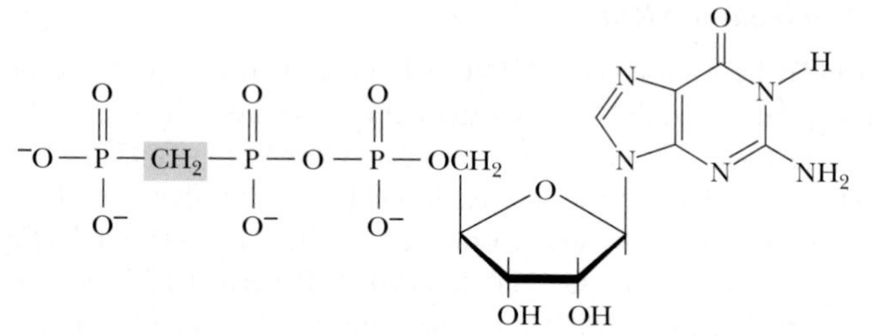

Figure 33.11 • Structure du GMPPCP (ou GDPCP), un analogue non hydrolysable du GTP. L'avantage du GMPPCP est qu'il permet d'observer les événements entraînés par la présence du GTP en les séparant de ceux qui résultent de l'hydrolyse du GTP.

façon, il semble acquis que l'hydrolyse du GTP entraîne un changement de conformation par lequel le ribosome 70S devient fonctionnel pour l'élongation de la chaîne peptidique. Le site A du *complexe d'initiation 70S* est alors en place pour accueillir l'aminoacyl-ARNt entrant.

Élongation de la chaîne peptidique

Pour l'élongation de la chaîne peptidique, les composants nécessaires sont les suivants : (a) un complexe d'initiation ARNm:ribosome 70S:complexe peptidyl-ARNt (peptidyl-ARNt sur le site P), (b) des aminoacyl-ARNt, (c) une série de protéines appelées **facteurs d'élongation** et (d) du GTP. L'élongation de la chaîne peut être divisée en trois étapes principales :

1. Liaison sur le site A de l'aminoacyl-ARNt correspondant au codon présent.
2. Formation de la liaison peptidique : transfert de la chaîne peptidique, du peptidyl-ARNt au groupe $-NH_2$ du nouvel acide aminé apporté par l'aminoacyl-ARNt sur le site A.
3. Translocation sur le site P du peptidyl-ARNt, qui vient d'être allongé d'un résidu, afin de libérer la place sur le site A pour l'arrivée de l'aminoacyl-ARNt suivant. Ces déplacements sont couplés avec le mouvement du ribosome qui avance d'un codon sur l'ARNm.

Cycle de l'élongation

Les propriétés des protéines solubles requises pour l'élongation de la chaîne peptidique sont résumées Tableau 33.4. Ces protéines sont présentes en grandes quantités, ce qui reflète l'importance de la synthèse protéique pour la vitalité cellulaire. Par exemple, le **facteur d'élongation Tu (EF-Tu,** EF pour ***elongation factor*** et Tu ***temperature unstable***) est la protéine la plus abondante chez *E. coli*, près de 5 % de la masse totale des protéines cellulaires.

Tableau 33.4

Propriétés des facteurs d'élongation d'*E. coli*

Facteur	Masse (kDa)	Molécules/ ribosome	Fonction
EF-Tu	43	70.000	Lie l'aminoacyl-ARNt en présence de GTP
EF-Ts	74	10.000	Déplace le GDP du facteur EF-Tu
EF-G	77	20.000	Lie le GTP, entraîne la translocation du ribosome sur l'ARNm

Liaison de l'aminoacyl-ARNt

Le facteur EF-Tu lie l'aminoacyl-ARNt et le GTP. Il n'y a qu'une espèce d'EF-Tu pour tous les aminoacyl-ARNt et ces derniers ne se lient au site A des ribosomes 70S que sous la forme du complexe aminoacyl-ARNt:EF-Tu:GTP. Lorsque l'aminoacyl-ARNt est en place sur le site A, le GTP est hydrolysé en GDP et P_i et les molécules EF-Tu sont libérées sous forme de complexes EF-Tu:GDP (Figure 33.12). (L'analogue non hydrolysable du GTP, le GMPPCP, permet la fixation du complexe aminoacyl-ARNt:EF-Tu:GMPPCP sur le site, mais le facteur EF-Tu ne peut pas être libéré et l'élongation est bloquée). EF-Tu ne s'associe pas au f-Met-ARNt$_f^{Met}$.

Le **facteur d'élongation Ts (EF-Ts**, Ts pour *temperature stable*) permet le recyclage de EF-Tu en favorisant le déplacement du GDP lié à EF-Tu et son remplacement par du GTP. Ce déplacement s'effectue en deux temps : dans le premier EF-Ts s'associe à EF-Tu et déplace le GDP, puis du GTP s'associe à EF-Tu et déplace EF-Ts du complexe intermédiaire EF-Tu:EF-Ts (Figure 33.12).

Transfert du peptidyle

La **transpeptidation**, ou transfert du peptide, est la réaction centrale de la synthèse des protéines, c'est l'étape de la formation de la liaison peptidique. Aucun apport d'énergie d'origine externe n'est nécessaire (par exemple sous forme d'ATP ou de

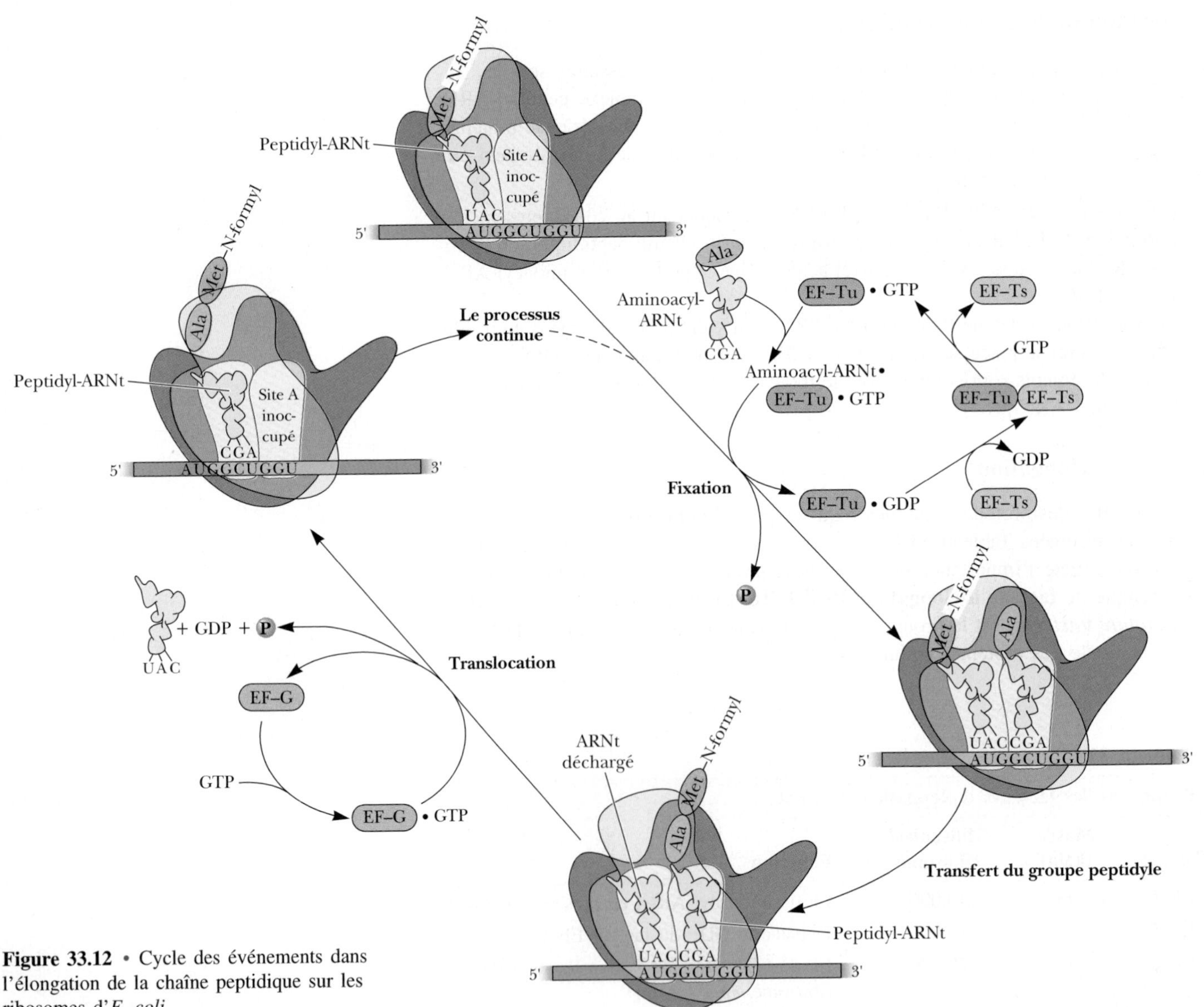

Figure 33.12 • Cycle des événements dans l'élongation de la chaîne peptidique sur les ribosomes d'*E. coli*.

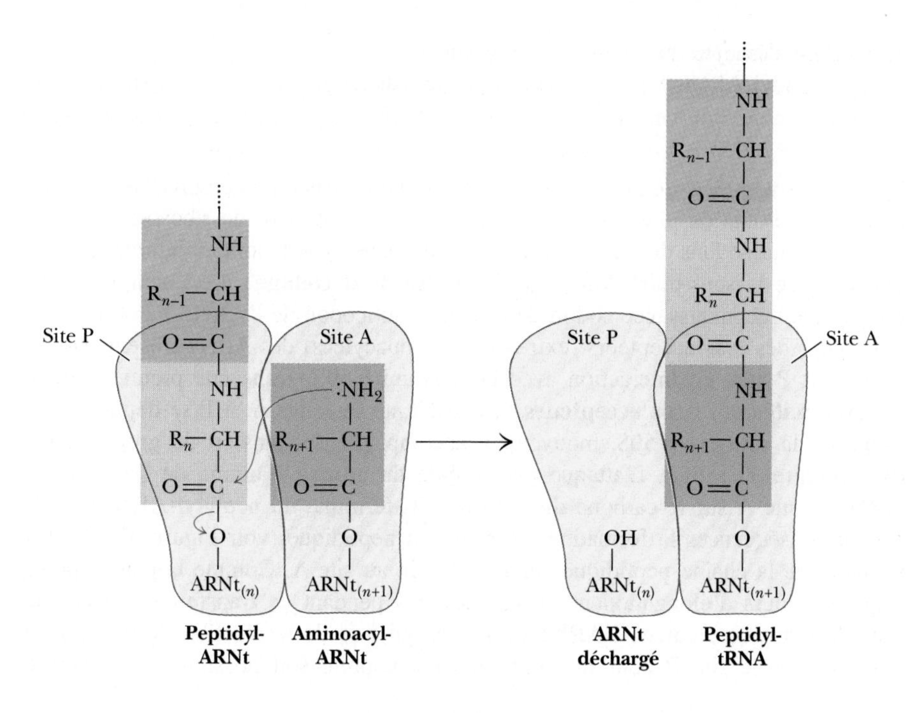

Figure 33.13 • La réaction de la chaîne peptidyle du peptidyl-ARNt avec le groupe α-amino de l'aminoacyl-ARNt adjacent n'exige pas un apport d'énergie d'activation supplémentaire (comme l'hydrolyse d'un ATP).

GTP) ; la liaison ester entre le groupe peptidyle et l'ARNt est suffisamment réactive (Figure 33.13). L'activité peptidyltransférase, qui catalyse la formation de la liaison peptidique, est associée à la sous-unité ribosomique 50S.

L'ARN 23S est la peptidyltransférase

Fait remarquable, les sous-unités ribosomiques 50S d'*E. coli* dont on a pratiquement éliminé toutes les protéines conservent une activité peptidyltransférase significative. (Cette activité étant mesurée par une réaction simplifiée qui mime la mesure classique de l'activité peptidyltransférase, Figure 14.24). Ces expériences, réalisées par Harry Noller et ses collègues, impliquent que *la molécule à activité peptidyltransférase est l'ARNr 23S*. Le *centre peptidyltransférase* présumé de l'ARNr 23S est représenté Figure 33.14. Les séquences des nucléotides de cette région des ARNr 23S sont parmi les plus conservées de tous les acides nucléiques.

La translocation

Trois événements sont encore nécessaires avant que le complexe ribosome:ARNm 70S actif soit revenu au point de départ du cycle d'élongation :

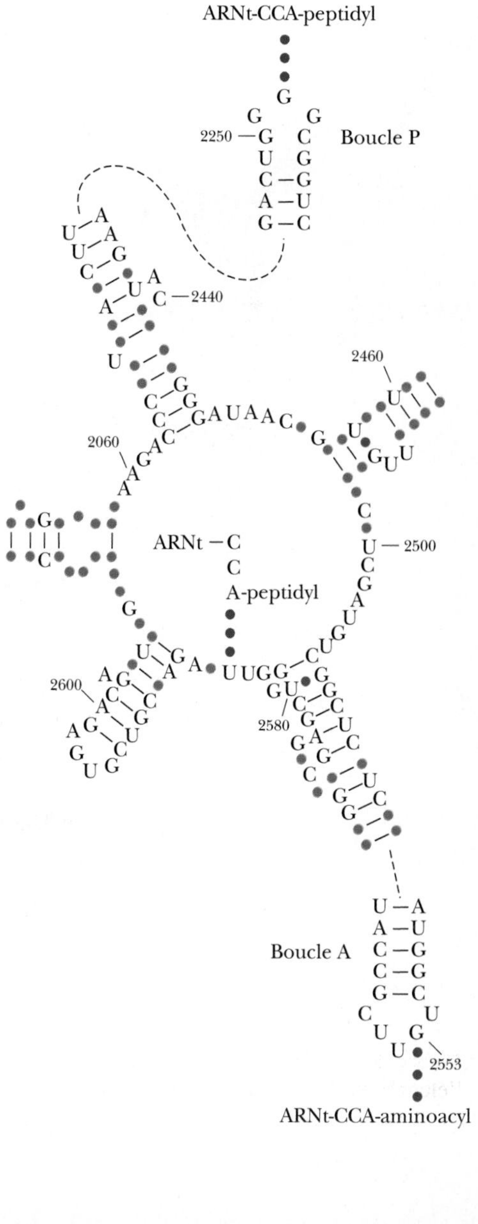

Figure 33.14 • Centre peptidyltransférase de l'ARNr 23S. La structure secondaire de l'ARNr 23S hautement conservée rappelle celle de l'ARNr 16S (voir Figure 12.39). Seule les séquences impliquées dans la fonction peptidyltransférase sont représentées dans cette figure. Les nombres placés auprès de certaines bases indiquent la position de ces bases dans la séquence de l'ARNr 23S. Les points verts remplacent les bases qui ne sont pas conservées dans les ARN 23S de différentes origines. Les sites de l'ARNr 23S impliqués dans des interactions avec le peptidyl-ARNt et l'aminoacyl-ARNt, les substrats de la synthèse des protéines, sont précisés. Le résidu 2252 est en contact étroit avec l'extrémité CCA de l'ARNt (peptidyl-ARNt) au site P, et le résidu 2553 est en contact étroit avec l'extrémité CCA de l'ARNt (aminoacyl-ARNt) au site A. La boucles qui contiennent ces deux résidus sont respectivement appelées la *boucle P* et la *boucle A*. Il semble que dans la structure tertiaire de l'ARN 23S le peptidyl-ARNt associé à la boucle P est en interaction avec la base U2585 dans la région centrale. *(D'après Pace, N.R., 1992. New horizons for RNA catalysis.* Science ***256** : 1402-1403, Porse, B., et al., 1997. The donor substrate sitez within the peptidyl transferase loop of 23S rRNA and its putative interactions with the CCA-end of N-blocked aminoacyl-tRNA.* Journal of Molecular Biology ***266** : 472-483, and Green, R., et al., 1998. Ribosome-catalyzed peptide-bond formation with an A-site substrate covalently linked to 23S ribosomal RNA.* Science ***280** : 286-289.)*

1. L'ARNt désacylé doit avoir quitté le site P.
2. Le peptidyl-ARNt doit se déplacer (par translocation) du site A au site P.
3. Le ribosome doit avancer d'un codon sur l'ARNm de façon à positionner sur le site A le codon suivant à traduire.

Le mécanisme précis de la translocation n'est encore pas bien compris, mais le processus se déroule en plusieurs étapes distinctes. À l'intérieur du ribosome 70S, les extrémités anticodons des ARNt présents sur les sites A et P sont en interaction avec une zone de la sous-unité 30S, appelée **centre de décodage ;** c'est dans ce centre qu'a lieu la reconnaissance codon de l'ARNm :anticodon de l'ARNt. Par contre, les extrémités des bras accepteurs (extrémités aminoacylées) des ARNt présents sur les sites A et P sont en interaction avec la sous-unité 50S. Dans une première étape, les **extrémités des bras accepteurs** des ARNt sur les sites A et P se déplacent par rapport à la sous-unité 50S, mouvement accompagné du transfert du groupe peptidyle (Figure 33.15c-d). L'attaque nucléophile du groupe α-amino de l'aminoacyl-ARNt au site A sur le carbone du carbonyle C-terminal du peptidyl-ARNt (site P) a pour conséquences la formation de la liaison peptidique (voir Figure 33.13) et le transfert de la chaîne peptidique sur l'ARNt lié au site A. Comme la chaîne peptidique en cours d'élongation ne se déplace pas pendant ce transfert de la chaîne, c'est le bras accepteur de l'ARNt au site A qui lors de la réaction de transfert se déplace vers le site P pour que l'attaque nucléophile soit possible et recevoir la

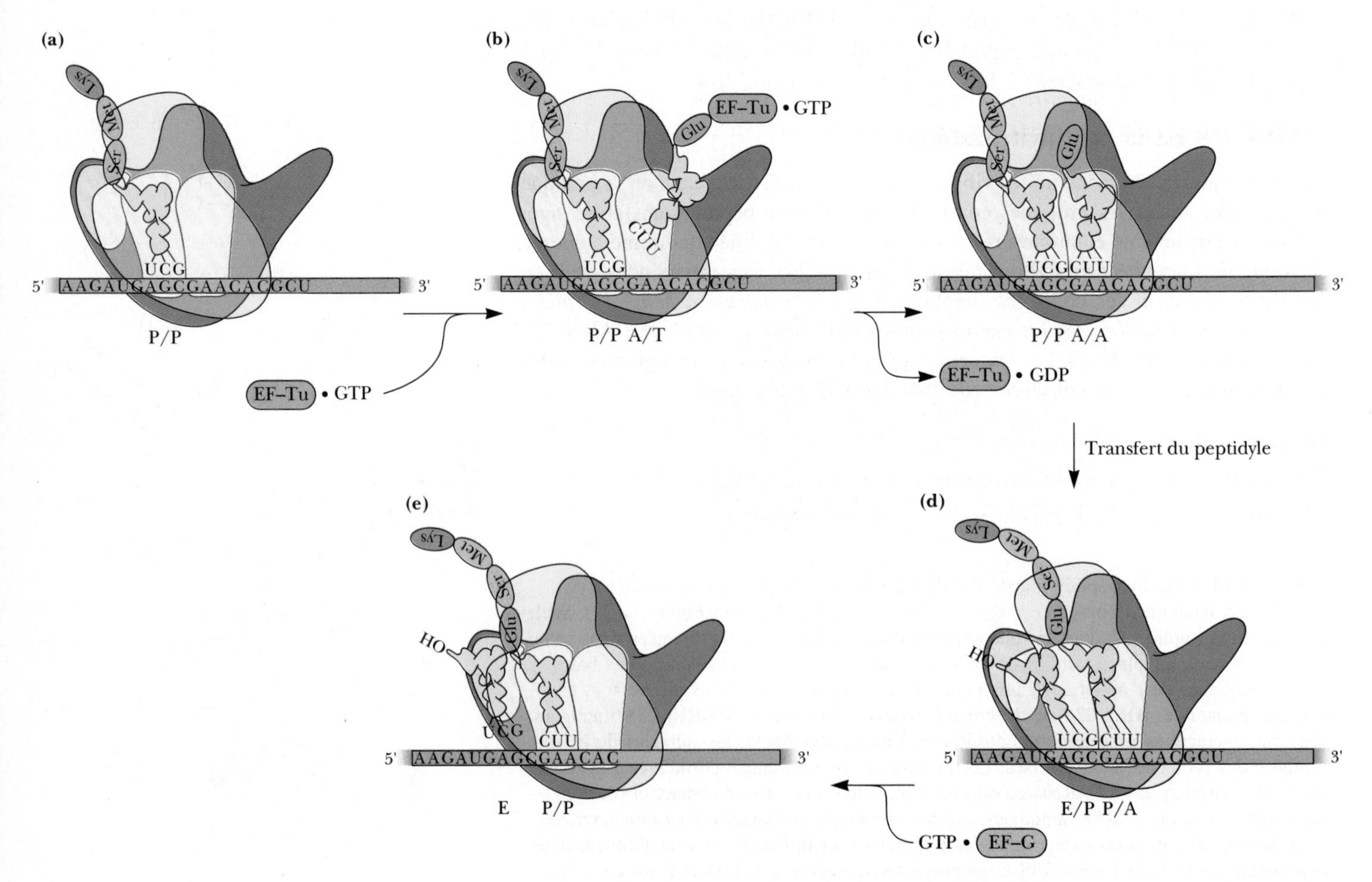

Figure 33.15 • Modèle des différents états de liaison, de (a) à (e), lors des mouvements des ARNt pendant la traduction. Dans ce modèle, les états de liaison hybride sont les états A/T, E/P, et P/A. La lettre à gauche de la barre oblique représente l'état hypothétique de la sous-unité 50S et celle à droite de la barre l'état correspondant de la sous-unité 30S. *(D'après Noller, H.F., 1991. Ribosomal RNA and translation.* Annual Review of Biochemistry ***60*** *: 191-227.)*

chaîne peptidique. L'extrémité du bras accepteur de l'ARNt au site P est ensuite déplacée vers le site E. Il s'ensuit la formation de deux états *hybrides* de liaison des ARNt : *l'état E/P* et *l'état P/A* (Figure 33.15d). À la fin de cette première étape, les deux extrémités d'un même ARNt sont associées à des sites différents (par exemple, dans l'état P/A, la chaîne peptidique est liée à l'ARNt dont l'extrémité du bras accepteur est sur le site P de la sous-unité 50S et l'extrémité anticodon est sur le site A de la sous-unité 30S). Dans une seconde étape, les ARNt et l'ARNm se déplacent par rapport à la sous-unité 30S : l'extrémité anticodon du peptidyl-ARNt est transférée du site A de la s/u 30 S au site P (Figure 33.15[e]) de sorte que l'ARNm se trouve passivement déplacé d'un codon. Simultanément, l'ARNt désacylé est déplacé sur le site E. Une protéine de translocation, le **facteur d'élongation G (EF-G)** couple ces mouvements à l'énergie libérée par hydrolyse de GTP (voir Figures 33.12 et 33.15). La translocation de la petite sous-unité sur l'ARN messager place le codon suivant sur le site A. Le facteur EF-G se lie au ribosome sous forme d'un complexe EF-G:GTP. L'hydrolyse du GTP ne fournit pas seulement l'énergie nécessaire à la translocation, mais elle est aussi nécessaire pour qu'EF-G puisse se dissocier ultérieurement du ribosome. Les facteurs EF-G et EFTu sont en compétition pour un même site de liaison sur le ribosome. Il faut donc impérativement que EG-G se dissocie pour que le complexe ribosome:ARNm 70S revienne au point de départ du cycle d'élongation.

Ce modèle de translocation en deux étapes (Figure 33.15) identifie six différents états de liaison des ARNt : les états **P/P** (un peptidyl-ARNt sur le site P), **A/T** (un aminoacyl-ARNt arrivant sur le site A), **A/A** (l'aminoacyl-ARNt est sur le site A), **P/A** (la chaîne peptidique a été transférée sur l'aminoacyl-ARNt lié au site A), **E/P** (l'ARNt désacylé quitte le site P), et **E** (l'ARNt désacylé est sur le site de sortie, E). L'état A/T est le premier état dans la sélection de l'aminoacyl-ARNt entrant

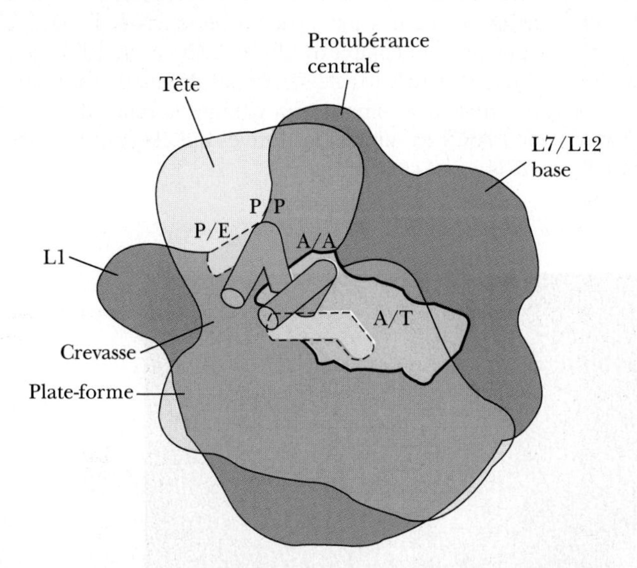

Figure 36.16 • Modèle présentant les positions relatives des deux molécules d'ARNt dans un ribosome lors du transfert du groupe peptidyle et de la translocation. Ces ARNt sont schématisés par des cylindres repliés en L ; leurs déplacements relatifs sont marqués par les lignes en pointillés. Les extrémités anticodon des ARNt sont orientées vers la crevasse de la petite sous-unité (dans la figure, ces extrémités sont représentées par des cercles). Remarquez que les extrémités CCA des ARNt sont proches l'une de l'autre, ce qui facilite la formation de la liaison peptidique. Notez aussi l'effet éventuel d'une rotation de ces ARNt autour de l'axe des tiges de leurs boucles anticodon et également autour de l'axe des bras accepteurs. L'ARNm traverse le ribosome le long d'un tracé qui suit la crevasse de la sous-unité 30S. La zone de la position approximative du site de liaison du complexe EF-Tu:aminoacyl-ARNt:GTP/EF-G:GTP est colorée en jaune. *(D'après Wilson, K., et Noller, H.F., 1998. Molecular movement inside the translational engine.* Cell *92 : 337-349, figure 4 ; and Wilson, K., et Noller, H.F., 1998. Mapping the position of EF-G in the ribosome by directed hydroxyl radical probing.* Cell *92 : 131-139, figure 7.)*

sur le site A ; cette sélection implique l'interaction du ribosome avec un complexe ternaire aminoacyl-ARNt:EF-Tu:GTP. La reconnaissance codon:anticodon et la fidélité de la traduction sont déterminées à cette étape. La Figure 33.16 illustre les positions relatives des deux molécules d'ARNt dans la cavité située entre les sous-unités 30S et 50S pendant ces différents états.

Dans le modèle de transfert de la chaîne peptidyle et de la translocation que nous venons de décrire, les extrémités opposées des deux ARNt se déplacent par rapport aux deux sous-unités ribosomiques lors de deux étapes distinctes, les extrémités du bras accepteur se déplacent d'abord puis ce sont les extrémités anticodons qui se déplacent. De plus, les réajustements nécessaires au bon positionnement des sous-unités ribosomiques, l'une par rapport à l'autre, et par rapport à l'ARNm impliquent un déplacement relatif des sous-unités 30S et 50S. *En proposant que les grandes sous-unités se déplacent relativement par rapport aux petites sous-unités,*

Pour en savoir plus

Mimétisme moléculaire – structures du complexe EF-Tu:aminoacyl-ARNt et de EF-G

EF-Tu et EF-G sont en compétition pour un même site de liaison sur le ribosome. EF-Tu a la propriété de reconnaître et de lier tout aminoacyl-ARNt et de le céder au ribosome lors d'une réaction GTP-dépendante. EF-G catalyse la translocation du ribosome, cette réaction également GTP-dépendante. La structure tertiaire de EF-Tu:Phe-ARNt^{Phe} de *Thermus aquaticus* complexée avec GMPPNP (un analogue non hydrolysable du GTP) est remarquablement analogue à la structure tertiaire de EF-G:GDP (figure). EF-Tu est une protéine à trois domaines (ici en vert, jaune, et bleu clair) ; un modèle compact de l'ARNt qui lui est lié est coloré en violet. EF-G est une protéine à six domaines dont cinq correspondent à la structure globale du complexe EF-Tu:ARNt. Les domaines 1 et 2 de EF-G correspondent aux domaines colorés en rouge et en vert de la protéine EF-Tu ; la structure des domaines 3, 4, et 5 de EF-G (ici colorés en violet) présente une ressemblance remarquable avec la partie ARNt du complexe EF-Tu:ARNt. (EF-G a un domaine supplémentaire coloré en bleu sombre dans la figure). Certaines parties de la structure de EF-G miment donc la structure d'une molécule d'ARNt.

Une des hypothèses concernant les débuts de l'évolution envisage l'ARN comme la macromolécule primordiale, capable d'avoir toutes les fonctions biologiques, en particulier l'activité catalytique et la fonction de stockage de l'information qui sont essentiellement assumées de nos jours par les protéines et l'ADN. L'analogie des structures du complexe EF-Tu:ARNt et de EF-G pourrait provenir d'une structure fossile datant des débuts de l'évolution, lorsque les protéines ont commencé à prendre le relais de certaines fonctions de l'ARN en mimant les formes qui étaient fonctionnelles dans les ARN.

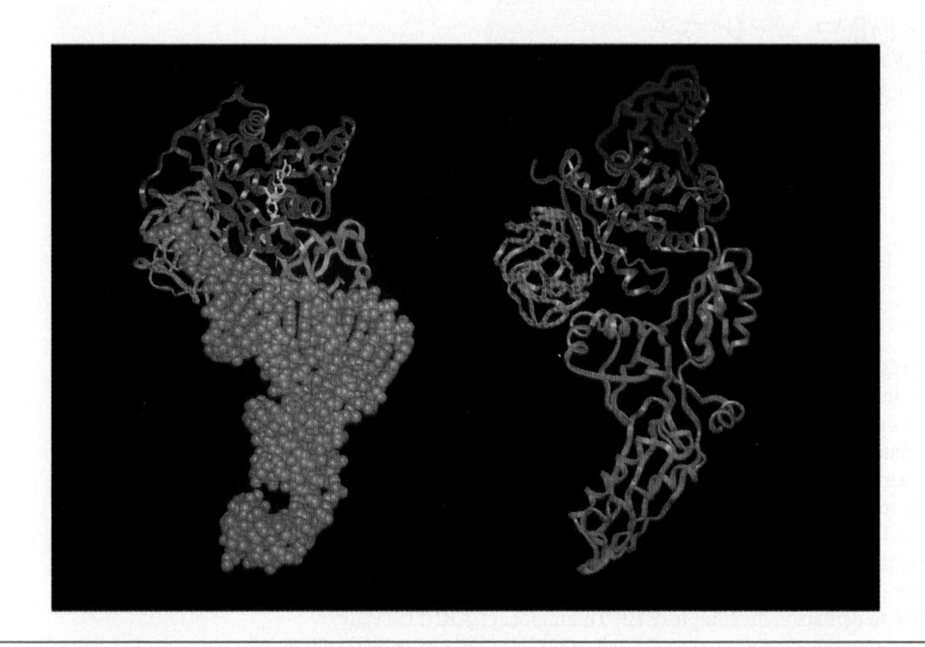

Adapté de Nyborg, J., et al., 1996. Structure of the ternary complex of EF-Tu : Macromolecular mimicry in translation. *Trends in Biochemical Sciences* **21** : 81-82.

ce modèle, opposé au modèle dans lequel les deux sous-unités se déplacent comme une seule unité, fournit une explication convaincante à l'universelle organisation des structures ribosomiques en deux sous unités.

L'hydrolyse du GTP fournit l'énergie nécessaire aux changements de conformation dont dépendent les diverses fonctions des ribosomes

Pendant l'élongation de la chaîne peptidique, deux molécules de GTP sont hydrolysées pour chaque acide aminé incorporé dans une liaison peptidique, une lors de la liaison de l'aminoacyl-ARNt (l'intervention du complexe aminoacyl-ARNt:EF-Tu:GTP) et une supplémentaire lors de la translocation. Par analogie avec le rôle de l'ATP dans la contraction musculaire, le rôle du GTP (avec EF-Tu ou avec EF-G) semble être d'ordre mécanique (Chapitre 17). La liaison du GTP induit un changement de conformation des composants du ribosome qui les engage activement dans le mécanisme de la synthèse des protéines ; l'hydrolyse ultérieure du GTP et la libération du GDP et du P_i, favorisent le retour du système à sa conformation d'origine de sorte qu'un nouveau cycle peut commencer. L'énergie nécessaire à la synthèse d'une liaison peptidique provient d'au moins 4 liaisons anhydride phosphorique à haut potentiel d'hydrolyse. Outre celles des deux GTP, il en faut deux de plus pour l'activation des acides aminés lors de la synthèse d'un aminoacyl-ARNt (Figure 32.5).

Terminaison de la synthèse de la chaîne peptidique

L'élongation de la chaîne polypeptidique se poursuit jusqu'à ce que le ribosome 70S rencontre un codon « stop » sur l'ARNm. À ce point, le polypeptidyl-ARNt est sur le site P et l'arrivée du codon « stop » sur le site A signale que la fin de la chaîne est atteinte (Figure 33.17). Les codons non-sens ne sont pas « lus » par des « ARNt terminateurs » (ils n'existent pas) ; ils sont reconnus par des protéines spécifiques, **les facteurs de libération** (**RF**, pour ***r****eleasing* ***f****actor*) qui, se fixant sur le ribosome, provoquent la libération de la chaîne. Ces facteurs se lient au site A. **RF-1** (36 kDa) reconnaît les codons UAA et UAG, alors que **RF-2** (41 kDa) reconnaît UAA et UGA. Il n'y a environ qu'une molécule de RF-1 et une de RF-2 pour 50 ribosomes. La fixation de RF-1 ou de RF-2 est en compétition avec celle d'EF-G ; elle est favorisée par la présence d'un troisième facteur de terminaison, **RF-3** (46 kDa). La fonction de RF-3 exige du GTP.

La présence des facteurs de terminaison et d'un codon non-sens sur le site A crée un complexe **ribosome 70S:RF-1** (ou **FR-2**):**RF-3-GTP:signal de terminaison** qui transforme l'activité peptidyltransférase du ribosome en activité hydrolase. Au lieu de catalyser le transfert de la chaîne polypeptidique du polypeptidyl-ARNt sur le $-NH_2$ d'un aminoacyl-ARNt accepteur, l'enzyme catalyse l'hydrolyse de la liaison ester reliant la chaîne polypeptidique à son ARNt transporteur. En fait, la peptidyltransférase catalyse le transfert de la chaîne polypeptidique sur une molécule d'eau. L'hydrolyse du GTP du complexe provoque un changement de conformation qui aboutit à la dissociation de l'ARNt déchargé, puis à l'expulsion des facteurs de terminaison liés au ribosome (Figure 33.17).

Cycle du ribosome

Les sous-unités ribosomiques sont rapidement recyclées au cours de la synthèse des protéines. Pendant une croissance très active des bactéries, 80 % des ribosomes sont à tout moment engagés dans la synthèse des protéines. Lorsque la synthèse d'une chaîne polypeptidique est terminée et que la chaîne synthétisée est libérée, les ribosomes 70S se dissocient de l'ARNm et les sous-unités 50S et 30S se séparent (Figure 33.18). Les ribosomes 70S intacts sont inactifs pour l'initiation de la synthèse des protéines car seules les sous-unités 30S libres peuvent s'associer aux facteurs d'initiation. La liaison

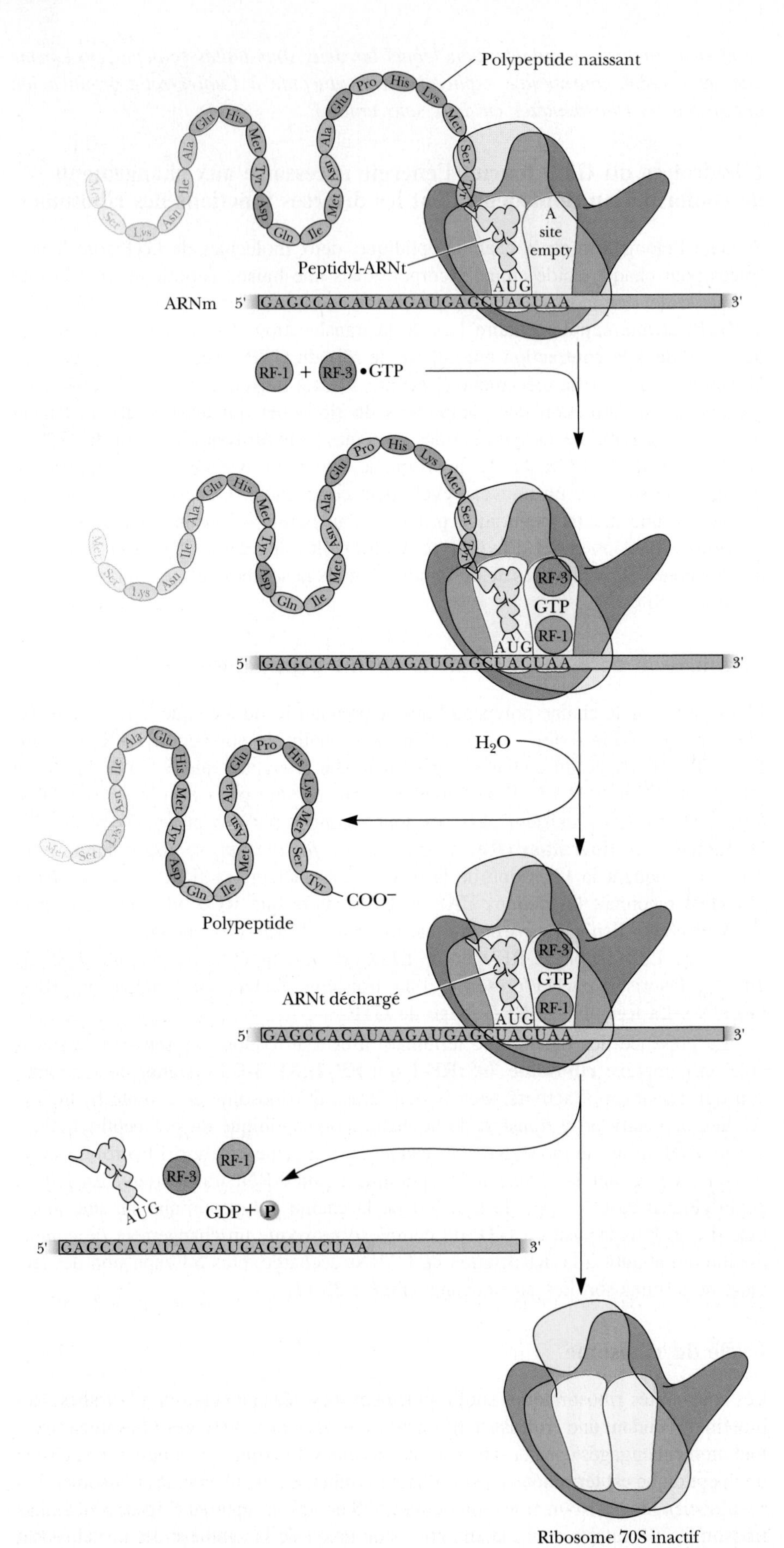

Figure 33.17 • Suite des événements dans la terminaison de la synthèse de la chaîne peptidique.

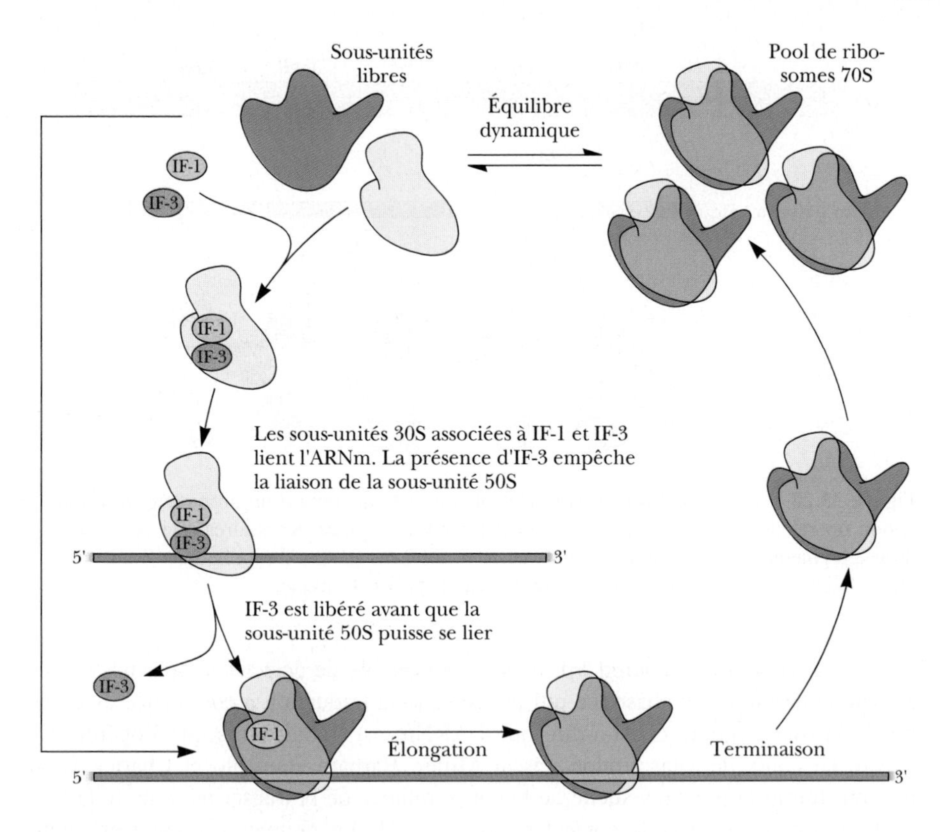

Figure 33.18 • Cycle d'un ribosome. Notez qu'IF-3 est libéré avant que la sous-unité 50S s'associe à la sous-unité 30S.

du facteur IF-3 à la sous-unité 30S et la liaison de la sous-unité 30S à la sous-unité 50S s'excluent mutuellement. Une sous-unité 30S liée aux facteurs d'initiation s'associe à l'ARNm, mais l'addition de la sous-unité 50S requiert qu'IF-3 soit préalablement dissocié de la sous-unité 30S.

Des polyribosomes constituent la structure active dans la synthèse des protéines

Les unités actives dans la synthèse des protéines sont constituées d'un ARNm et de plusieurs ribosomes qui lui sont liés. Ces structures sont des **polyribosomes**, ou, plus simplement des **polysomes** (Figure 33.19). La synthèse de toutes les protéines s'effectue sur des polysomes. Dans un polysome, chaque ribosome (séparé du ribosome voisin par au moins 80 nucléotides) parcourt l'ARNm et le traduit indépendamment en un polypeptide. Plus le ribosome a progressé sur l'ARNm, plus la chaîne peptidique qui lui est associée est longue. Chez les procaryotes, on peut trouver jusqu'à 10 ribosomes dans un polysome. En moyenne, environ 300 ribosomes participent simultanément ou successivement à la traduction d'un ARNm, de sorte que 300 molécules de protéine peuvent être synthétisées à partir d'un unique transcrit. Les polysomes d'eucaryotes contiennent généralement moins de 10 ribosomes.

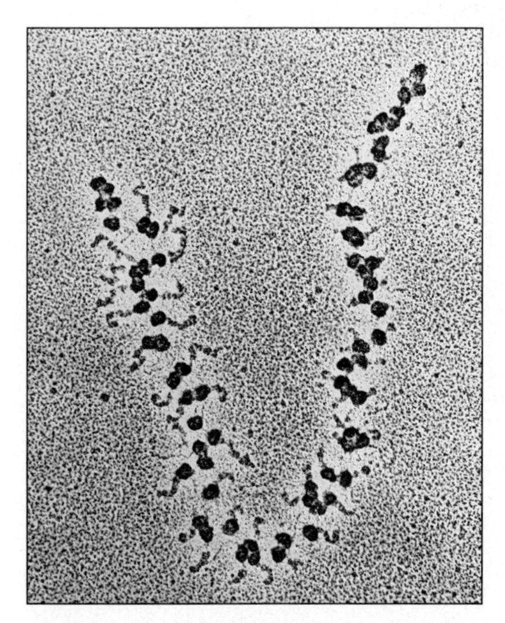

Figure 33.19 • Micrographie électronique d'un polysome: de multiples ribosomes participent à la traduction d'un même ARNm. *(Publié dans Franke, C., et al., 1982. Electron microscopic visualization of a discrete class of giant translation units in salivary glands cells of* Chironomus tentans. The EMBO Journal ***1*** *: 59-62. Photographie aimablement communiquée par Oscar L. Miller, University of Virginia.)*

Relations entre la transcription et la traduction chez les procaryotes

Chez les procaryotes, les ribosomes s'attachent à l'ARNm avant même que la transcription de l'ARNm soit achevée ; on peut donc trouver des polysomes associés à de l'ADN. Les preuves biochimiques de cette relation entre transcription et traduction proviennent de l'étude de l'expression des enzymes de la biosynthèse du tryptophanne chez *E. coli*. Ces enzymes sont codés par l'opéron *trp*, contenant une série de 5 gènes de structure consécutifs (Figure 33.20). La transcription de l'opéron *trp* ne s'observe normalement qu'en l'absence de tryptophanne et la transcription de tout l'opéron prend plus de 5 minutes. Les deux premiers gènes, E et D, codent pour les sous-unités de l'anthranilate synthase. Deux minutes et demie après le début

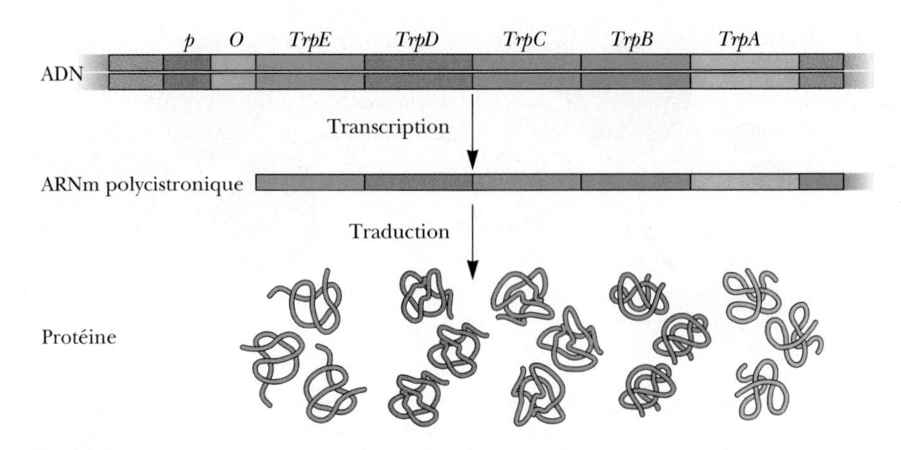

Figure 33.20 • L'opéron *trp* d'*E. coli*. Cet opéron est constitué d'un promoteur, *p*, d'une région opérateur, *O* et de cinq gènes codant pour les enzymes nécessaires à la biosynthèse du tryptophanne. Sous le contrôle de *O* et de *p*, tous ces gènes, disposés dans l'ordre E, D, C, B et A, sont transcrits en un unique ARNm polycistronique.

de la transcription de l'opéron *trp*, il est déjà possible de détecter la présence d'une activité anthranilate synthase, ce qui prouve que la traduction a commencé avant la fin de la transcription. C'est-à-dire que l'ARNm est traduit alors que l'opéron est encore en cours de transcription. Oscar Miller, Barbara Hamkalo et Charles Thomas ont fourni la preuve visuelle de la concomitance de la transcription et de la traduction comme on peut le constater Figure 33.21. Le premier ribosome est vraisemblablement au contact direct de l'ARN polymérase.

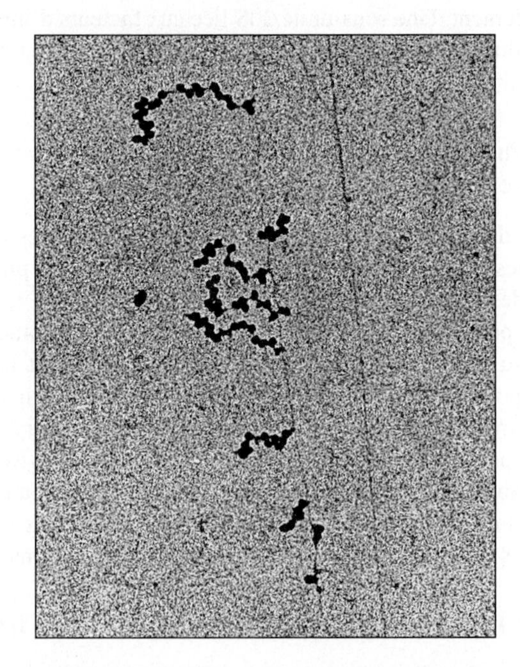

Figure 33.21 • Micrographie électronique montrant que la traduction s'effectue en même temps que la transcription. L'ARN polymérase initie la transcription (en bas de la photo) et se déplace le long de l'ADN pour le transcrire en un brin d'ARN complémentaire. Des ribosomes (les corps noirs) s'attachent successivement à l'extrémité 5′ de l'ARN et commencent la traduction avant même que la transcription soit achevée. On peut constater la présence de ribosomes de plus en plus nombreux sur la chaîne d'ARN de plus en plus longue (de bas en haut de la photo) à mesure que l'ARN polymérase progresse le long de l'ADN à partir du site d'initiation de la transcription. *(D'après Miller, O.L., Jr., Hamkalo, B., et Thomas, C., 1970. Visualization of bacterial genes in action.* Science ***169** : 392-395. Photographie aimablement communiquée par Oscar L. Miller, Université de Virginie.)*

33.3 • Synthèse des protéines dans les cellules eucaryotes

Les ARNm des eucaryotes sont caractérisés par deux modifications post-transcriptionnelles : la formation de la **coiffe 5′-^{7}méthyl-GTP** et l'addition de la **queue poly(A)** (Figure 33.22). Chez les eucaryotes, la coiffe ^{7}méthyl-GTP à l'extrémité 5′ est essentielle pour la liaison de l'ARNm par le ribosome et elle augmente la stabilité de ces ARNm en les protégeant de la dégradation par des 5′-exonucléases. La queue poly(A) accroît à la fois la stabilité et l'efficacité de la traduction des ARNm d'eucaryotes. Les séquences Shine-Dalgarno, présentes à l'extrémité 5′ des ARNm de procaryotes, sont absentes des ARNm d'eucaryotes.

Initiation de la synthèse de la chaîne peptidique chez les eucaryotes

Les événements de l'initiation de la chaîne peptidique chez les eucaryotes sont résumés Figure 33.23 et les propriétés des **facteurs d'initiation eucaryotes**, symbolisés par **eIF**, sont présentées dans le Tableau 33.5. L'ARNt initiateur des eucaryotes est un ARNt spécifique ne participant qu'à l'initiation. Comme celui des procaryotes, l'ARNt initiateur des eucaryotes ne charge que Met. Mais, à la différence du formyl-Met-$ARNt_f^{Met}$ des procaryotes, la méthionine sur l'ARNt correspondant des eucaryotes n'est pas méthylée. L'ARNt initiateur eucaryote est donc habituellement désigné par **$ARNt_i^{Met}$**, « i » précisant qu'il s'agit de l'ARNt initiateur.

L'initiation de la chaîne peptidique chez les eucaryotes peut être divisée en trois étapes principales. *Étape 1* : Les facteurs d'initiation eIF-2, eIF1A et eIF3, ainsi que Met-$ARNt_i^{Met}$ s'associent à la sous-unité 40S ce qui donne le **complexe de préinitiation 43S** (Figure 33.23, étape 1). La formation du complexe de préinitiation 43S s'effectue de la façon suivante : d'une part, formation d'un complexe ternaire eIF2:GTP:Met-$ARNt_i^{Met}$ qui pourra s'associer à la sous-unité 43S ; d'autre part, eIF1A et eIF3 s'associent à une sous-unité 40S pour donner un complexe sous-unité ribosomique 43S :facteurs d'initiation ; ensuite eIF4A catalyse l'association du complexe ternaire eIF2:GTP:Met-$ARNt_i^{Met}$ avec le complexe 43S pour donner le complexe de préinitiation 43S. Il faut aussi noter une différence avec le processus d'initiation chez les procaryotes : le Met –$ARNt_i$ se lie à la sous-unité ribosomique *en l'absence d'ARNm*, la liaison de Met-$ARNt_i^{Met}$ est donc indépendante des codons de l'ARNm. *Étape 2* : Liaison du complexe de préinitiation 43S à l'ARNm et migration du complexe vers un codon AUG d'initiation, le plus généralement le premier codon AUG rencontré (Figure 33.23, Étape 2). Le complexe de préinitiation 43S s'associe à l'extrémité 5′-terminale de l'ARNm, sur la coiffe ^{7}méthyl-guanosine. eIF4E, la protéine de liaison à la coiffe de l'ARNm est un élément régulateur clé de la traduction chez les eucaryotes. Pour que eIF4E soit actif, il doit préalablement s'associer à eIF4G pour donner le complexe dénommé **eIF4F** qui contient aussi eIF4A ; la liaison de eIF4F à la coiffe est un préalable indispensable à la fixation d'un dernier facteur eIF4B et à la formation du complexe de préinitiation 48S.

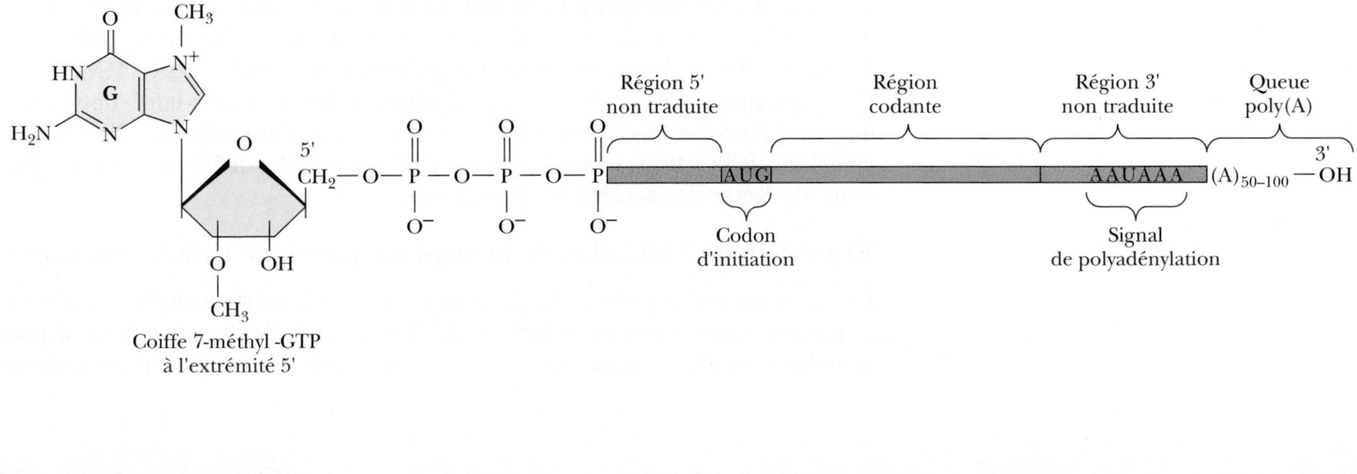

Figure 33.22 • Structure caractéristique des ARNm d'eucaryotes. Des régions non traduites, de 40 à 150 bases de long, se trouvent aux extrémités 5′ et 3′ de l'ARNm. À l'extrémité 5′, un codon d'initiation, invariablement AUG, signale le site du début de la traduction.

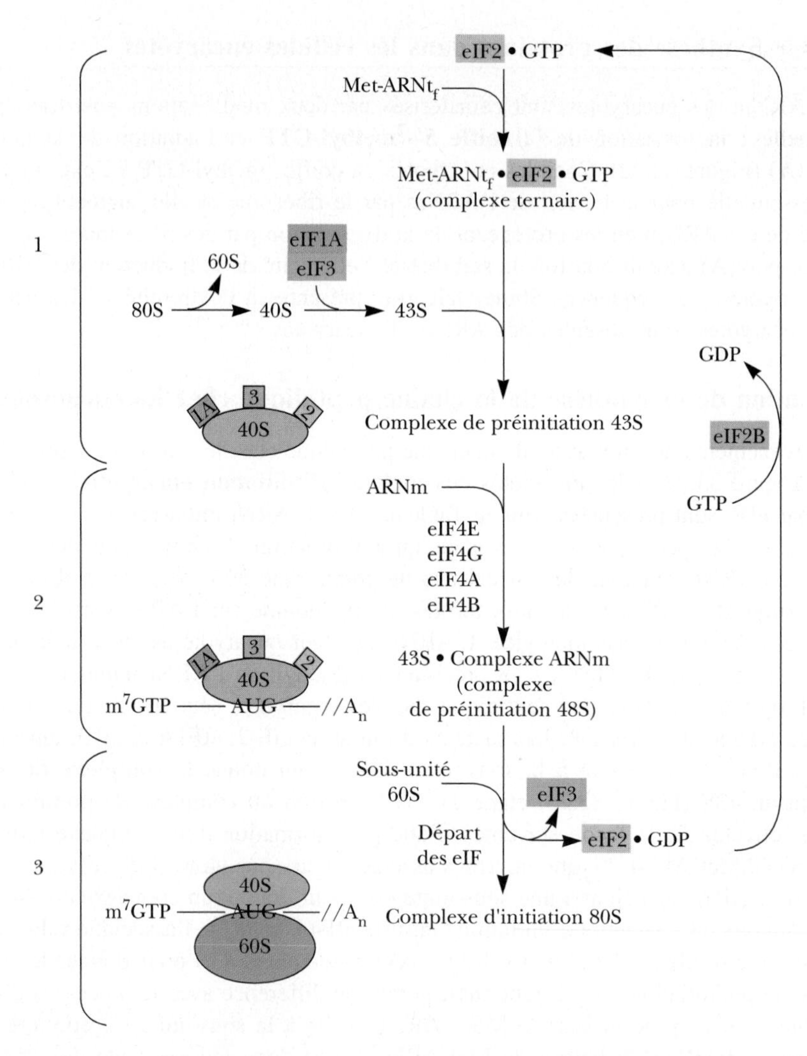

Figure 33.23 • Les trois étapes de l'initiation de la traduction dans les cellules eucaryotes. Voir Tableau 33.5 pour la description des fonctions des divers facteurs d'initiation chez les eucaryotes (eIF). *(D'après Pain, V.M., 1996. Initiation of protein synthesis in eukaryotic cells.* European Journal of Biochemistry ***236** : 747-771, figure 1.)*

La traduction est inhibée quand eIF4E est liée par **4E-BP** (la protéine se liant à eIF4E). Les facteurs de croissance stimulent la synthèse des protéines en provoquant la phosphorylation de 4E-BP ce qui prévient sa fixation sur eIF4E. La coiffe ^{7}méthyl-guanosine à l'extrémité 5′-terminale de l'ARNm et la queue poly(A) 3′-terminale ont un effet synergique sur l'accroissement de l'efficacité de la traduction. Une protéine se liant au poly(A), **Pab1P**(pour ***poly(A) binding protein***), a deux sites de liaison, un pour se lier à la séquence poly(A) de l'ARNm, l'autre pour se lier à eIF4G (Figure 32.24). Pab1P sert donc de pont entre la queue poly(A) de l'ARNm et eIF4G c'est-à-dire, par l'intermédiaire des autres facteurs d'initiation dont eIF3, entre la queue et la coiffe de l'ARNm et aussi la sous-unité 40S. Toutes ces interactions déclenchent la recherche du codon d'initiation AUG par le complexe de préinitiation. *Étape 3* : L'addition de la sous-unité 60S au complexe de préinitiation 48S forme le **complexe d'initiation 80S** et la traduction commence (Figure 33.23, étape 3). Lorsque le complexe de préinitiation s'arrête sur le codon AUG d'initiation, l'hydrolyse du GTP au sein du complexe ternaire eIF2:GTP:Met-ARN-t_i^{Met} provoque le départ des facteurs d'initiation liés à la sous-unité ribosomique 40S, ce qui permet l'association des deux sous-unités ribosomiques, 40S et 60S. Le complexe eIF2:GDP sera recyclé en eIF2:GTP par eIF2B ; eIF2B est un *facteur facilitant l'échange* des nucléotides guanyliques.

Régulation de l'initiation de la synthèse protéique chez les eucaryotes

La régulation de l'expression des gènes peut être post-transcriptionnelle, elle s'exerce alors par le contrôle de la traduction de l'ARNm. Un cycle de phosphorylation/déphosphorylation de divers composants du système de traduction est le principal mécanisme

Tableau 33.5

Propriétés des facteurs d'initiation des cellules eucaryotes

Facteur	Sous-unité	Masse (kDa)	Fonction
eIF1		15	Stimule la formation du complexe d'initiation
eIF1A		17	Stabilise la liaison du Met-ARNt$_i^{Met}$ aux ribosomes
eIF2		125	Liaison GTP dépendante de Met-ARNt$_i^{Met}$ à la s/u 40S
	α	36	Régulé par phosphorylation
	β	50	Lie Met-ARNt$_i^{Met}$
	γ	55	Lie GTP et Met-ARNt$_i^{Met}$
eIF2B		270	Facilite l'échange des nucléotides guanyliques sur eIF2
	α	26	
	β	39	Lie le GTP
	γ	58	Lie l'ATP
	δ	67	Lie l'ATP
	ϵ	82	Régulé par phosphorylation
eIF2C		94	Stabilise le complexe ternaire en présence d'ARN
eIF3		550	Participe à la liaison du Met-ARNt$_i^{Met}$ à l'ARNm
	p35	35	
	p36	36	
	p40	40	
	p44	44	
	p47	47	
	p66	66	Lie l'ARN
	p115	115	Principale sous-unité phosphorylée
	p170	170	
eIF4A		46	Lie l'ARN ; activité ATPase ; ARN hélicase ; et contribue à la liaison de l'ARNm aux s/u 40S
eIF4B		80	Lie l'ARN ; contribue à l'activité ARN hélicase et à la liaison de l'ARNm aux s/u 40S
eIF4E		25	Se lie aux coiffes des ARNm
eIF4G		153,4	Se lie à eIF4A, eIF4E, et eIF3
eIF4F*			Le complexe se lie aux coiffes de l'ARNm ; activité ARN hélicase ; contribue à la liaison de l'ARNm aux s/u 40S
eIF5		48,9	Contribue à l'activité GTPase de eIF2, éjection des eIF
eIF6			Dissocie le ribosome 80S ; se lie à la s/u 60S

D'après Clark, B.F.C., et al., eds. 1996. Prokaryotic and eukaryotic translation factors. Biochimie ***78** : 1119-1122.*

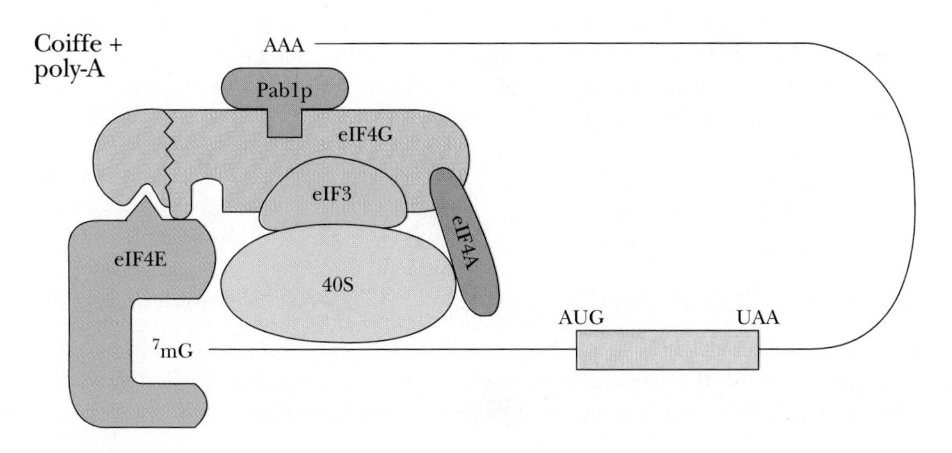

Figure 33.24 • Le facteur d'initiation eIF4G a un rôle d'adaptateur plurifonctionnel ; il sert à réunir le complexe coiffe ^{7}méthyl-G:eIF4E, l'ensemble Pab1 :poly(A) et la sous-unité ribosomique 40S lors de la formation du complexe d'initiation de la traduction chez les eucaryotes. *(D'après Hentze, M.W., 1997. eIF4G : A multipurpose ribosome adapter ?* Science ***275** : 500-501.)*

de cette régulation. L'initiation de la chaîne peptidique, la phase initiale de la synthèse protéique, constitue un site optimum pour le contrôle de la traduction. La phosphorylation de la protéine S6 de la sous-unité 40S, facilite l'initiation de la synthèse protéique car elle favorise le déplacement de l'équilibre de la population des ribosomes inactifs vers des polysomes actifs dans la traduction. La phosphorylation de S6 est stimulée par des facteurs de croissance du sérum (Chapitre 34). Le complexe multimérique qui s'associe à la coiffe de l'ARNm, eIF-4, doit être phosphorylé pour être actif. Par contre, la phosphorylation d'autres composants du système de traduction inhibe la synthèse des protéines. Par exemple, la sous-unité α du facteur eIF-2 peut être phosphorylée sur un résidu Ser spécifique, puis déphosphorylée, par un système eIF-2α kinase/phosphatase (Figure 33.25). La phosphorylation d'eIF-2α inhibe l'initiation de la synthèse de la chaîne peptidique non pas parce qu'elle inactive ce facteur, mais indirectement car eIF-2 phosphorylé (eIF-2-P) lie beaucoup plus fortement eIF-2B qu'eIF-2 non phosphorylé. La totalité du facteur eIF-2B, dont la concentration n'est que 20 à 30 % celle d'eIF-2, est complètement bloquée dans le complexe eIF-2-P:eIF-2B, et donc eIF-2 ne peut pas être régénéré à partir du complexe eIF-2:GDP pour participer à de nouveaux cycles d'initiation (eIF-2B doit être présent à l'état libre pour faciliter l'échange du GDP lié dans le complexe eIF-2:GDP). La phosphorylation réversible d'eIF-2 est un important moyen de régulation de la synthèse de la globine dans les réticulocytes. Si l'hème nécessaire à la synthèse de l'hémoglobine devient limitant dans ces cellules, eIF-2*a* est phosphorylé et l'ARNm de la globine n'est plus traduit. Lorsque l'hème est à nouveau disponible, le groupe phosphate sur le résidu Ser est éliminé sous l'effet de l'activité d'une protéine phosphatase, ce qui lève l'inhibition.

Élongation de la chaîne peptidique chez les eucaryotes

Le processus d'élongation de la chaîne peptidique chez les eucaryotes est très proche du processus d'élongation chez les procaryotes. L'aminoacyl-ARNt entrant se lie au site A du ribosome alors que le peptidyl-ARNt occupe le site P. Le transfert de la chaîne peptidique est suivi de la translocation du ribosome sur l'ARNm jusqu'au codon voisin. Deux facteurs d'élongation, EF-1 et EF-2, interviennent dans ce processus d'élongation. EF-1 contient plusieurs constituants : EF-1A, une protéine de 50 kDa, et EF-1B, un complexe de deux sous-unités, β (de 31 kDa) et γ (de 50 kDa). EF-1A est l'équivalent d'EF-Tu des procaryotes ; il forme avec l'aminoacyl-ARNt et le GTP le complexe qui se fixe sur le site A. EF-1B est l'équivalent d'EF-Ts des procaryotes : il catalyse l'échange du GDP lié à EF-1A (EF-1:GDP) pour du GTP afin de régénérer EF-1:GTP. Le facteur EF-2, une protéine de 110 kDa, est le facteur de la translocation chez les eucaryotes. Comme son équivalent procaryote, EF-G, EF-2 lie du GTP et l'hydrolyse de ce GTP fournit l'énergie nécessaire à la translocation.

Terminaison de la synthèse de la chaîne peptidique chez les eucaryotes

Alors que la terminaison de la synthèse chez les procaryotes implique trois facteurs différents (les RF), il n'en faut qu'un pour la terminaison de la synthèse chez les

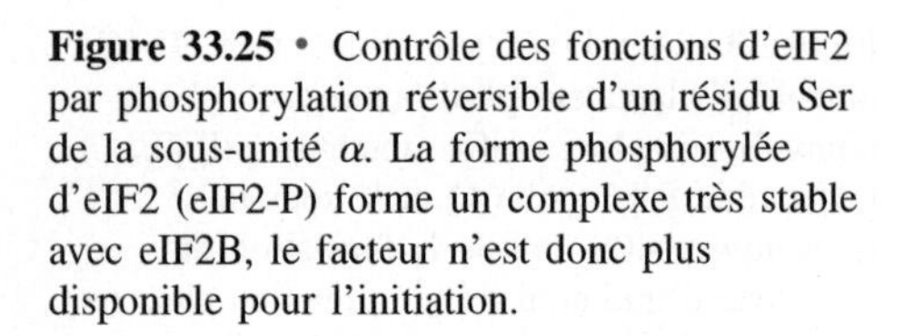

Figure 33.25 • Contrôle des fonctions d'eIF2 par phosphorylation réversible d'un résidu Ser de la sous-unité α. La forme phosphorylée d'eIF2 (eIF2-P) forme un complexe très stable avec eIF2B, le facteur n'est donc plus disponible pour l'initiation.

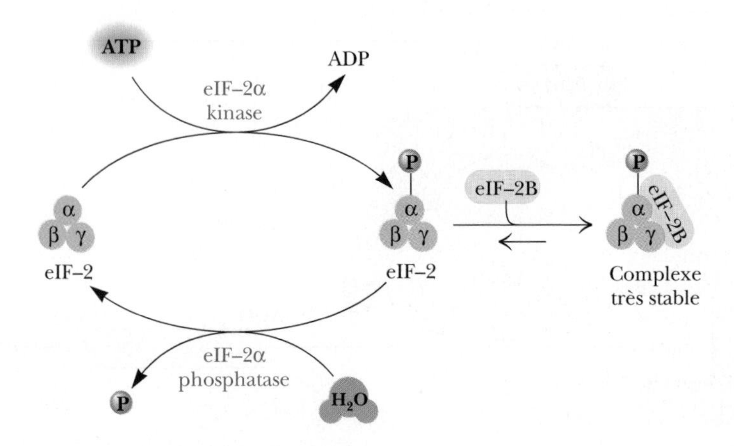

eucaryotes. Ce RF d'eucaryote (110 kDa) est une protéine dimérique formée de deux sous-unités identiques (α_2) de 55 kDa. La liaison de RF au site A exige du GTP ; RF-GTP se lie au site A lorsque ce dernier est occupé par un codon de terminaison. L'hydrolyse de la liaison ester du polypeptidyl-ARNt sur le site P, et du GTP, libère la chaîne peptidique et l'ARNt désacylé du ribosome ; le ribosome se dissocie ensuite de l'ARNm.

33.4 • Inhibiteurs de la synthèse protéique

Les inhibiteurs de la synthèse protéique présentent deux avantages intéressants, parfois complémentaires. Premièrement, ils ont joué un très grand rôle dans l'élucidation des mécanismes biochimiques de la synthèse des protéines. Deuxièmement, certains de ces inhibiteurs n'affectent la synthèse des protéines que chez les procaryotes ; ces inhibiteurs sont donc des antibiotiques importants en thérapeutique. Le Tableau 33.6 présente une liste partielle de ces inhibiteurs ainsi que leur mode d'action. Les structures de quelques-unes de ces substances sont représentées Figure 33.26.

La streptomycine

La streptomycine est un aminoglycoside qui affecte les fonctions de la sous-unité ribosomique 30S des procaryotes. La démonstration en est donnée par le fait que la cartographie des mutations donnant une résistance à la streptomycine situe ces mutations dans le gène codant pour la protéine S12 de la sous-unité 30S, ou en position 912 de la séquence de l'ARNr 16S. Les faibles concentrations de streptomycine induisent des erreurs de lecture et des acides aminés ne correspondant pas au codon sur le site A sont incorporés dans le polypeptide. Les codons avec des bases pyrimidiques en première et en deuxième position sont particulièrement susceptibles d'une mauvaise traduction induite par la streptomycine. Ces erreurs *ne sont pas* dues à des erreurs de cadre de lecture, de sorte que les protéines synthétisées en présence d'une faible concentration de streptomycine ne sont pas totalement aberrantes. Les cellules sensibles à l'action de la

Tableau 33.6

Inhibiteurs de la synthèse des protéines

Inhibiteur	Système inhibé	Mode d'action
Initiation		
Acide aurinetricarboxylique	Procaryote	Prévient la liaison des IF à la s/u 30S
Kasugamycine	Procaryote	Inhibe la liaison de f-Met-ARNt$_f^{Met}$
Streptomycine	Procaryote	Prévient la formation des complexes d'initiation
Élongation : liaison de l'aminoacyl-ARNt		
Tétracycline	Procaryote	Inhibe la fixation de l'aminoacyl-ARNt sur le site A
Streptomycine	Procaryote	Mauvaise lecture du codon, insertion d'un acide aminé non approprié
Élongation : formation de la liaison peptique		
Sparsomycine	Procaryote	Inhibiteur de la peptidyl-transférase
Chloramphénicol	Procaryote	Se lie à la s/u 50S, inhibe l'activité de la peptidyltransférase
Érythromycine	Procaryote	Se lie à la s/u 50S, inhibe l'activité de la peptidyltransférase
Cycloheximide	Eucaryote	Inhibe la translocation du peptidyl-ARNt
Élongation : translocation		
Acide fusidique	Les deux	Inhibe la dissociation du complexe EF-G:GDP lié au ribosome
Thiostreptone	Procaryote	Inhibe l'activité GTPase d'EF-Tu et d'EF-G liés au ribosome
Toxine diphtérique	Eucaryote	Inactive eEF-2 par ADP-ribosylation
Terminaison prématurée		
Puromycine	Les deux	Analogue des aminoacyl-ARNt, agit comme accepteur du groupe peptidyle ce qui met fin à l'élongation de la chaîne
Inactivation du ribosome		
Ricine	Eucaryote	Inactivation catalytique de l'ARN 28S

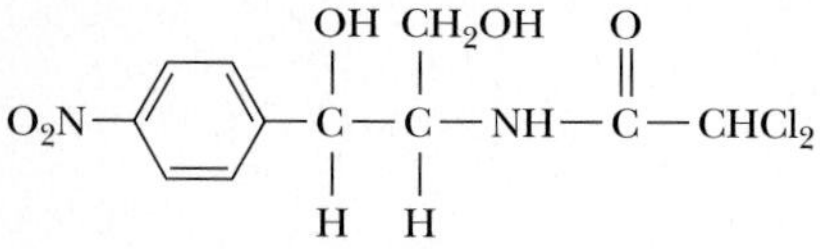

Chloramphénicol

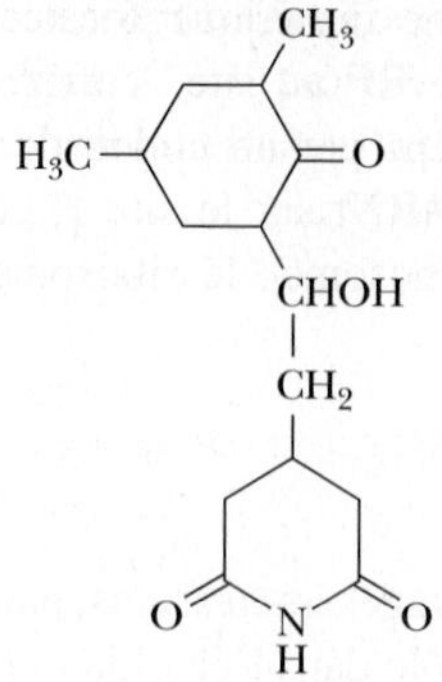

Cycloheximide

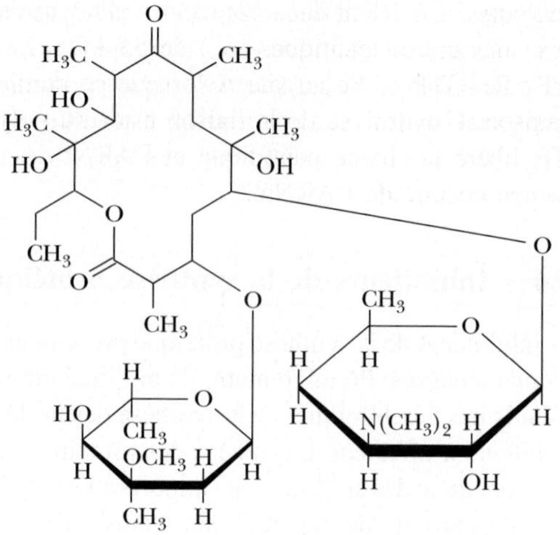

Érythromycine

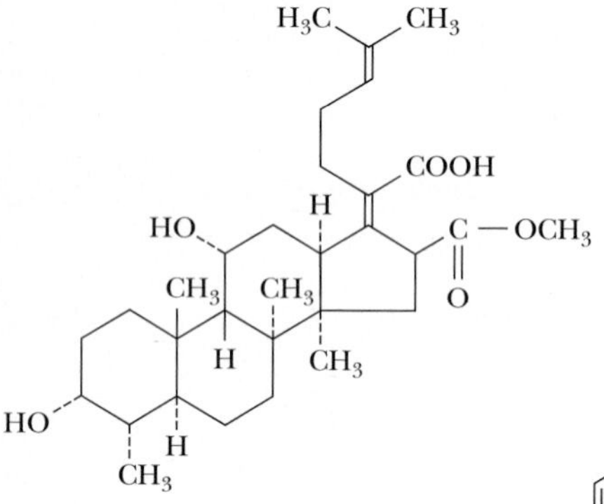

Acide fusidique

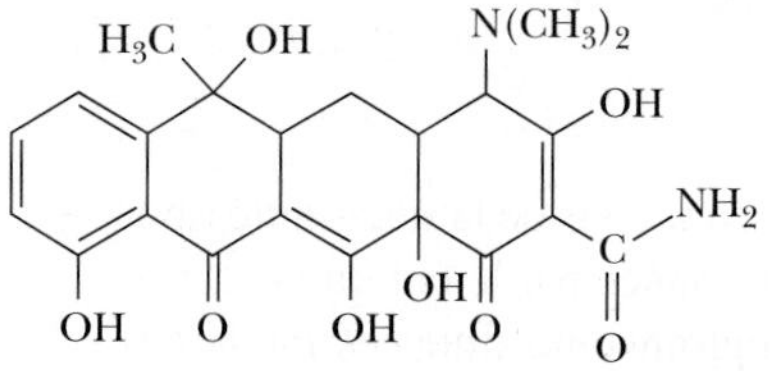

Tétracycline

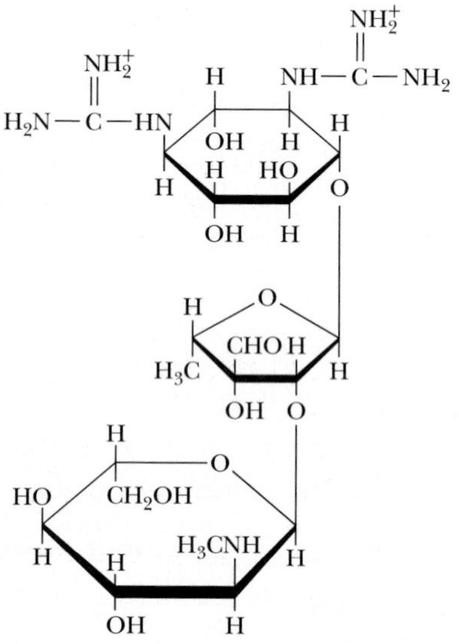

Streptomycine

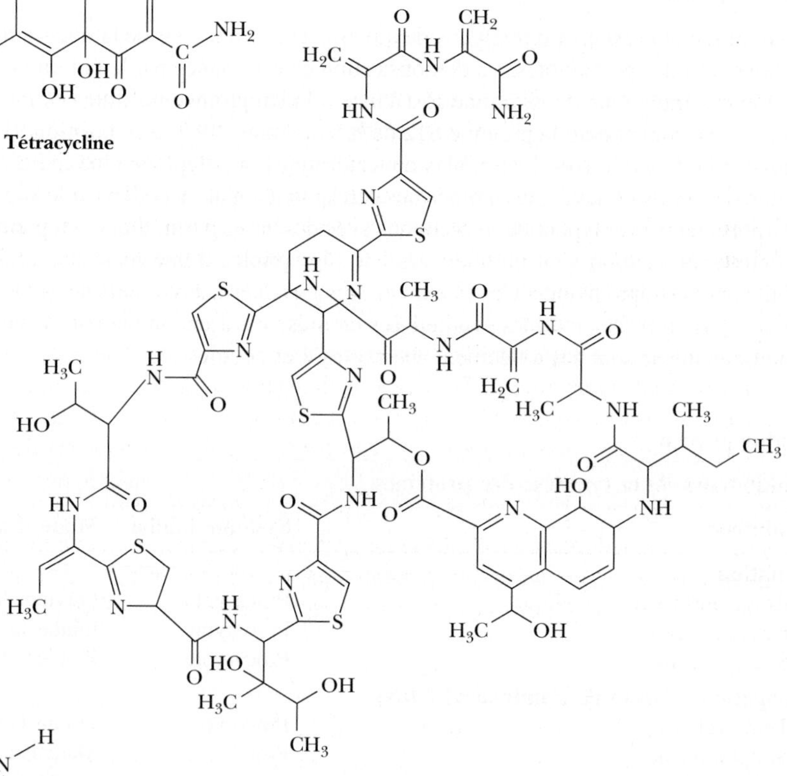

Thiostreptone

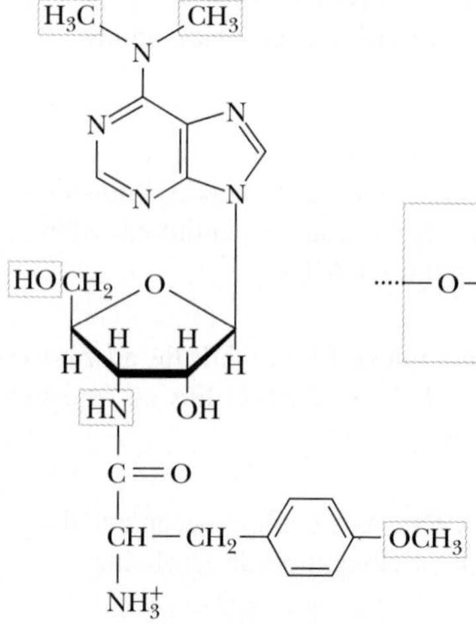

Puromycine

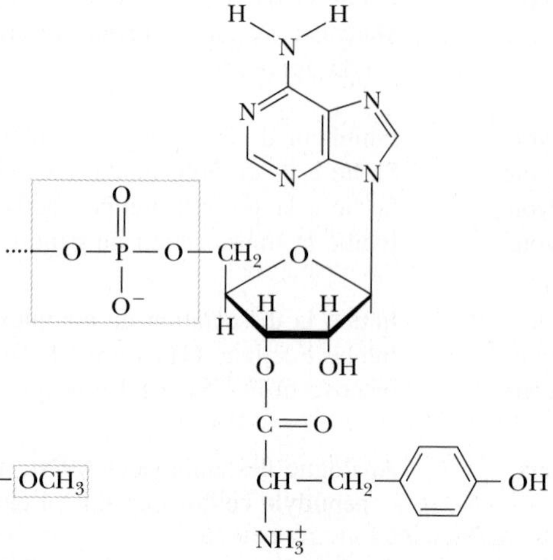

Tyrosyl-ARNt

Figure 33.26 • Structures de quelques antibiotiques inhibiteurs de la synthèse des protéines. La puromycine est un analogue de la structure des aminoacyl-ARNt, elle ressemble à l'extrémité 3′ de Tyr-ARNt.

streptomycine ne sont donc pas tuées, mais leur vitesse de croissance est très affectée. Lorsque la concentration en streptomycine est plus élevée, les complexes ribosome:ARNm 70S défectueux s'accumulent et ils ne permettent pas la formation de complexes d'initiation actifs avec de nouvelles molécules d'ARNm.

La puromycine

La puromycine est un analogue structural du groupe aminoacyl-adénylate présent à l'extrémité 3′ des aminoacyl-ARNt (Figure 33.26). La puromycine se lie au site A des ribosomes procaryotes et eucaryotes, et sa fixation ne dépend pas d'EF-Tu (ou d'EF-1). La puromycine sert d'accepteur du groupe peptidyle provenant du peptidyl-ARNt situé sur le site P ; la peptidyltransférase catalyse dans ce cas la liaison du groupe peptidyle au groupe NH_3^+ libre de la puromycine. La peptidylpuromycine est un produit terminal car la chaîne peptidique est à présent liée par une liaison amide à l'extrémité 3′-NH de l'analogue et non par une liaison ester au 3′-OH de l'extrémité de tous les ARNt. La puromycine bloque la synthèse des protéines en provoquant une terminaison prématurée, ce qui aboutit à la libération de polypeptides tronqués, non fonctionnels.

La toxine diphtérique

La diphtérie est une maladie consécutive à l'infection par *Corynebacterium diphteriae*, une bactérie porteuse d'un bactériophage, le *corynephage β*. La toxine diphtérique est un enzyme codé par le phage, non pas par le génome bactérien. Sécrétée par les bactéries, elle inactive de nombreuses protéines liant et hydrolysant le GTP (protéines G) en catalysant le transfert de la partie ADP-ribosyle provenant du NAD^+ sur un résidu de la protéine. La toxine diphtérique est donc une ADP-ribosyl-transglycosidase dont le cosubstrat est le NAD^+. Une des cibles de la toxine diphtérique est le facteur de translocation eucaryote, EF-2. Ce facteur contient un résidu His modifié, le **diphtamide**. La formation du diphtamide résulte d'une modification post-traductionnelle d'EF-2 ; sa fonction biologique n'est pas connue. (Le facteur EF-G des procaryotes n'a pas cette modification, il n'est pas sensible à l'action de la toxine diphtérique). La toxine diphtérique catalyse le transfert du groupe ADP-ribosyle sur un atome d'azote du cycle imidazole du diphtamide contenu dans EF-2 (Figure 33.27). EF-2 ADP-ribosylé peut toujours lier le GTP, mais a perdu sa capacité fonctionnelle dans la synthèse des protéines. Comme la toxine diphtérique est un enzyme, et donc agit de façon catalytique pour modifier de nombreuses protéines cibles, il suffit de quelques microgrammes de toxine pour provoquer la mort.

La ricine

La ricine est une glycoprotéine extrêmement toxique produite par une plante, *Ricinus communis* (le ricin). C'est un hétérodimère $\alpha\beta$ dont les sous-unités sont reliées par des ponts disulfure. La sous-unité A (32 kDa) est un enzyme, c'est la sous-unité toxique; elle peut pénétrer dans les cellules car la sous-unité B (33 kDa), est une **lectine**. (Les lectines constituent une classe de protéines qui se lient spécifiquement à des motifs osidiques de certaines glycoprotéines et de glycolipides communément exposées à la surface des cellules). L'endocytose de la ricine liée, suivie de la réduction des ponts disulfure libère dans le cytosol la sous-unité A dont l'action catalytique inactive les grandes sous-unités des ribosomes eucaryotes. Une seule molécule du polypeptide A de la ricine dans le cytosol peut inactiver 50.000 ribosomes et tuer une cellule eucaryote ! Cet enzyme attaque spécifiquement un résidu adénosine hautement conservé dans les ARNr 28S des eucaryotes et son activité glycosidase élimine l'adénine en laissant intact le squelette des oses phosphates de l'ARNr. L'élimination de cette seule base suffit pour inactiver la grande sous-unité ribosomique 60S. L'adénine de cette région hautement conservée de l'ARNr 28S semble avoir un rôle crucial dans les fonctions de la sous-unité 60S qui impliquent les facteurs EF-1 et EF-2.

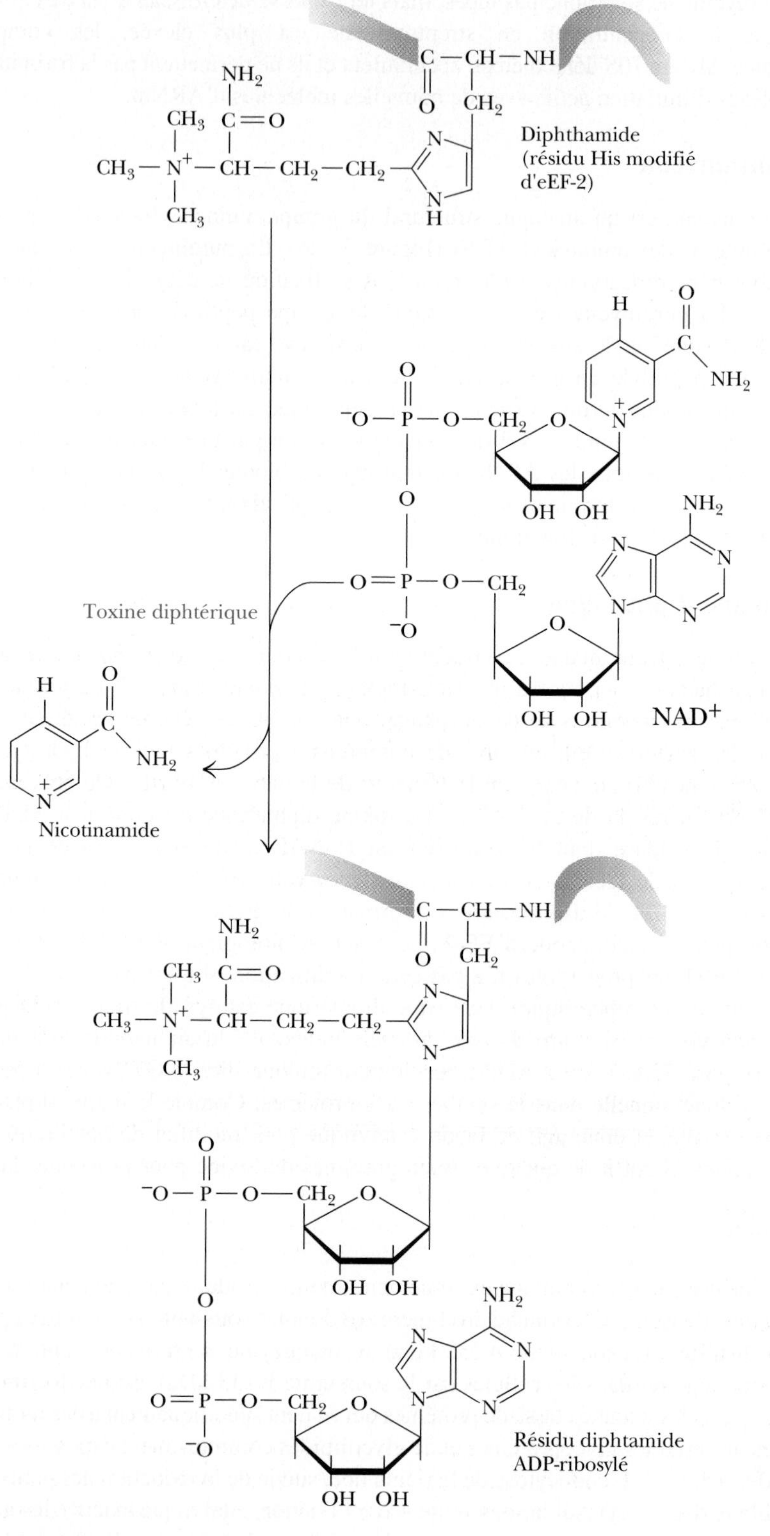

Figure 33.27 • La toxine diphtérique catalyse, en présence de NAD^+ comme cosubstrat, l'ADP-ribosylation spécifique de certaines protéines. ADP-ribosylation du diphtamide du facteur EF2 eucaryote. (Diphtamide = 2-[3-carboxamido-3-(triméthylammonio)propyl] histidine.)

33.5 • Reploiement des protéines

La structure primaire des protéines (la séquence des acides aminés) contient toute l'information nécessaire à son reploiement en une structure particulière, tridimensionnelle. Le reploiement des protéines commence au cours même de leur synthèse (Figure 33.28a). Cependant, le reploiement des protéines est parfois assisté par des protéines, les **protéines chaperon**, ou **chaperonines** (voir Chapitre 6). Des

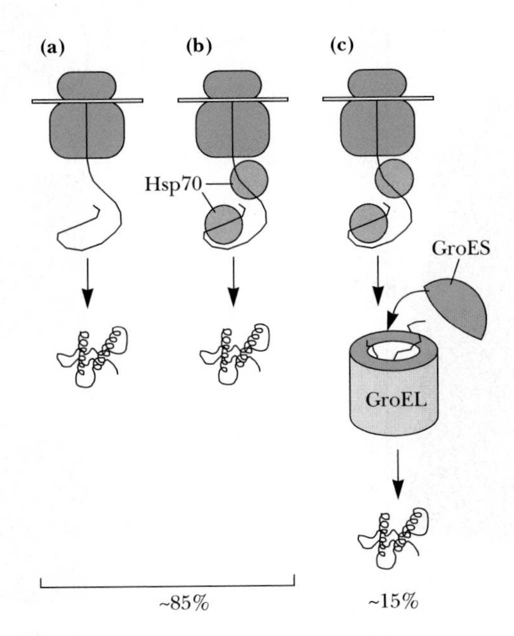

Figure 33.28 • Reploiement d'une protéine. (a) Reploiement indépendant des protéines chaperon ; il s'effectue au cours même de la synthèse (ribosome en vert) alors que le polypeptide s'allonge, ou immédiatement après. (b) Reploiement assisté par Hsp70. Hps70 se lie aux chaînes polypeptidiques en cours d'élongation et participe à leur reploiement. (c) Reploiement assisté par Hps70 et le complexe GroES-GroEL (chez *E. coli*) ou, chez les eucaryotes, par le complexe TRiC (pour ***TCP-1 ring Complex***) ou CCT (pour ***Cytosolic Chaperonin containing TCP-1***). La grande majorité des protéines se reploie suivant le schéma (a) ou le schéma (b). *(D'après Netzer, W.J., et Hartl, F.U., 1998. Protein folding in the cytosol : Chaperonin-dependent and -independent mechanisms.* Trends in Biochemical Sciences ***23*** *: 68-73, figure 2.)*

chaperonines interviennent également dans le transfert de certaines protéines vers leurs destinations finales.

Les protéines chaperon de la classe des Hsp70 ou de la classe des Hsp60 semblent intervenir successivement lors du reploiement des protéines. (Figure 33.28b). Les protéines Hsp70 (**DnaK** chez *E. coli*) se lient aux chaînes polypeptidiques naissantes, sur des régions exposées, riches en résidus hydrophobes. En se liant sur ces régions, Hsp70 empêche un reploiement prématuré ou une association anormale avec une autre protéine et maintient la chaîne polypeptidique dans son état natif, déployée ou partiellement reployée, jusqu'à ce que toutes les interactions nécessaires puissent se manifester. La phase finale du reploiement de la protéine exige le départ de Hsp70 ; cette étape exige l'énergie d'hydrolyse d'un ATP.

La fin du reploiement dépend dans certains cas d'une autre classe de protéines chaperon, celle des Hsp60. Ces Hsp60 protègent les molécules, partiellement reployées, des interactions avec des protéines voisines mais permettent qu'elle achèvent leur reploiement. Chez *E. coli*, la principale chaperonine de ce type est le complexe **GroES-GroEL**. GroEL est une molécule multimérique, α_{14} dont les protomères sont assemblés en deux anneaux superposés contenant chacun sept sous-unités (de 60 kDa) et formant une sorte de manchon de 15 nm de haut et de 14 nm de diamètre (Figure 33.29). La cavité central de 5 nm de diamètre est le site ATP-dépendant du reploiement des protéines. GroES n'est constitué que d'un anneau de 7 sous-unités de 10 kDa posé comme un dôme sur GroEL (Figure 33.29). (Chez les eucaryotes la protéine analogue à GroEL, **TriC**, est plus complexe, elle a une structure à double anneau comprenant chacun 8 ou 9 sous-unité de 55 kDa. Il n'y a pas de protéine équivalente à GroES). Une protéine partiellement reployée se lie dans la cavité centrale du manchon où son reploiement final est facilité par l'hydrolyse de molécules d'ATP. Plusieurs cycles de liaison de la protéine en cours de reploiement, d'hydrolyse de l'ATP suivie de la libération de la protéine, puis de sa

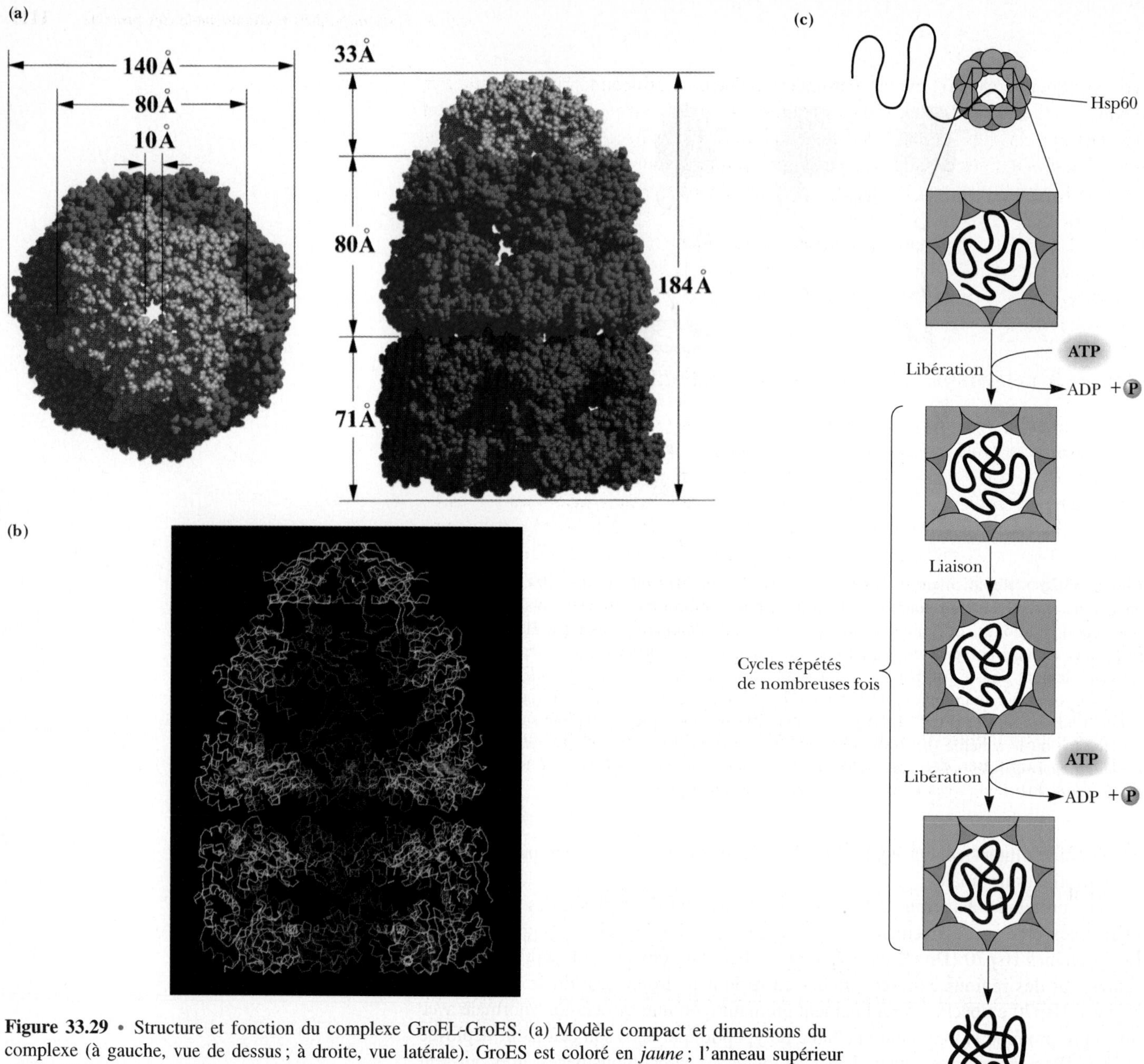

Figure 33.29 • Structure et fonction du complexe GroEL-GroES. (a) Modèle compact et dimensions du complexe (à gauche, vue de dessus ; à droite, vue latérale). GroES est coloré en *jaune* ; l'anneau supérieur de GroEL est en *vert* et l'anneau inférieur en *rouge*. (b) Section longitudinale passant par le centre du complexe montrant la cavité centrale. Pour la structure du complexe GroEL-GroES, seule la trace des atomes de carbone α est représentée. Les molécules d'ADP liées à GroEL sont représentées par leur structure compacte. (c) La protéine se lie à la surface de la cavité centrale, une succession de liaisons et de libérations, ATP dépendantes, s'achève par la libération définitive de la protéine qui sort de la cavité complètement reployée. *(Figures (a) et (b) d'après la Figure 1 in Xu, Z., Horwich, A.L., et Sigler, P.B. [1997]* Nature *388 : 741-749. Graphiques moléculaires aimablement communiqués par Paul B. Sigler, Université Yale.)*

réassociation à la surface de la cavité du manchon se succèdent rapidement ; pendant les cours instants où la protéine est libre, les étapes du reploiement s'enchaînent (Figure 33.29c). Le reploiement de la rhodanase, un enzyme de 33 kDa seulement, requiert l'hydrolyse d'environ 130 équivalents ATP. Lorsque la protéine atteint sa conformation reployée finale, elle est définitivement libérée de GroEL.

33.6 • Maturation post-traductionnelle des protéines

Outre le processus du reploiement, la libération d'une chaîne polypeptidique par un ribosome n'est pas nécessairement l'étape finale de la formation d'une protéine. De nombreuses protéines doivent encore subir des modifications covalentes avant de devenir fonctionnelles. Lors de ces modifications, la structure primaire peut être modifiée et /ou de nouveaux groupes chimiques ou de nouvelles molécules peuvent être liés aux chaînes latérales des acides aminés. Plusieurs centaines de modifications d'acides aminés dans les protéines sont connues, toutes survenues après la traduction. La modification d'un résidu His en diphtamide dans le facteur EF-2, décrite ci-dessus, en est un exemple, de même que son ADP-ribosylation par la toxine diphtérique. La liste de ces modifications est extrêmement fournie ; quelques-unes sont très communes, tandis que d'autres sont propres à une seule protéine. Un résumé des principaux groupes chimiques liés aux protéines, comme les oses et les groupes phosphate, a été donné Chapitre 5.

Clivage protéolytique de chaînes polypeptidiques

Le clivage protéolytique, représentant la principale forme de modification post-traductionnelle des protéines, mérite une attention particulière. Que la protéolyse puisse être un mécanisme de construction semble assez étrange: pourquoi assembler des acides aminés dans une séquence si c'est pour en éliminer une certaine partie ensuite ? Trois raisons peuvent être avancées. Premièrement, cela peut introduire une diversité là où il n'y en avait pas. Par exemple, la **Met-aminopeptidase** en catalysant l'élimination du résidu Met invariant du début de toutes les chaînes polypeptidiques introduit une diversité à l'extrémité N-terminale. Deuxièmement, la protéolyse est aussi un mécanisme d'activation qui permet de retarder l'expression biologique d'une protéine jusqu'à ce qu'elle devienne nécessaire. De nombreuses protéines du métabolisme, y compris les enzymes digestifs et les hormones sont synthétisées sous forme de précurseurs inactifs, des **pro-protéines**, qui sont ensuite activées par protéolyse (voir les **zymogènes**, Chapitre 15). Troisièmement, la protéolyse est impliquée dans le transfert des protéines vers leur destination cellulaire finale, un processus appelé **translocation des protéines**.

Translocation des protéines

De nombreuses protéines de diverses structures cellulaires ou destinées à être exportées de la cellule sont synthétisées sous forme de précurseurs ayant à leurs extrémités N-terminales une séquence de résidus (le peptide guide) appelée **séquence signal**. Ces séquences signal servent de « code postal », elles permettent que ces protéines parviennent à leur destination, le compartiment cellulaire approprié. L'information spécifiant la localisation cellulaire correcte d'une protéine est ainsi inscrite dans le gène de structure. Lorsque la protéine est dirigée vers sa destination, la séquence signal est clivée, séparée, du reste de la protéine par protéolyse

En plus de la membrane plasmique des bactéries, d'autres membranes eucaryotes sont des lieux de translocation de protéines; elles comprennent les membranes du réticulum endoplasmique (RE), du noyau, des mitochondries, des chloroplastes, des peroxysomes. Plusieurs caractéristiques sont communes aux systèmes de translocation :

1. Les protéines destinées à la translocation sont synthétisées sous forme de préprotéines, elles contiennent des séquences continues d'acides aminés qui constituent des signaux de destination.
2. Les membranes impliquées dans les translocations contiennent des récepteurs spécifiques, exposés sur leur face cytosolique.
3. Des **translocases,** structures complexes contenant plusieurs protéines à fonctions différenciées catalysent le déplacement des protéines à travers la membrane ; un apport d'énergie métabolique, sous forme d'ATP, de GTP, ou de potentiel de membrane est indispensable.
4. Les préprotéines sont peu reployées, elles sont maintenues dans une conformation compatible avec leur translocation par des interactions avec des protéines chaperon.

Translocation des protéines chez les procaryotes

Les bactéries à Gram négatif ont quatre compartiments caractéristiques : le cytoplasme, la membrane interne (ou membrane plasmique), l'espace périplasmique (ou périplasme) et la membrane externe. La plupart des protéines destinées à une autre localisation que le cytoplasme sont synthétisées avec une séquence signal N-terminale de 16 à 26 résidus. Ces *séquences signal* sont constituées d'une région N-terminale basique, d'un domaine central de 7 à 13 résidus hydrophobes et d'une région C-terminale non hélicoïdale (Figure 33.30). Les caractéristiques conservées dans la région C-terminale de la séquence signal comprennent un résidu Gly ou Pro qui empêche la formation d'une hélice et des acides aminés à courte chaîne latérale situés un et trois résidus avant le site de clivage protéolytique. À la différence de la région basique N-terminale et de la région centrale non polaire, la région C-terminale n'est pas nécessaire à la translocation, elle sert seulement de site de reconnaissance pour la **signal peptidase** qui clive la séquence signal. La nature précise des acides aminés dans la séquence signal a peu d'importance. Il suffit que la région centrale contienne des résidus non polaires et de quelques résidus Lys à l'extrémité N-terminale pour que la translocation soit possible. Les séquences signal retardent le reploiement des préprotéines afin qu'elle puisse s'associer à des chaperonines, elles apportent aussi les signaux de reconnaissance pour la translocation et la signal peptidase.

Sélection et translocation des protéines eucaryotes

Les cellules eucaryotes ont de nombreux compartiments délimités par des membranes. En général, les protéines quittant le cytoplasme contiennent une séquence signal N-terminale, *clivable*, qui les dirige vers leur destination finale ; cependant, de nombreuses protéines ont des séquences internes, non clivables, ayant le même rôle. L'élimination, par protéolyse, de la séquence signal est catalysée par des protéases spécialisées, mais la translocation n'est pas dépendante de l'élimination de cette séquence. Il n'y a pas de similarités dans les séquences signal qui dirigent les protéines vers chaque compartiment. L'information réside donc dans des caractéristiques plus générales de ces séquences, comme la distribution des charges électriques, la polarité relative des diverses régions de la séquence signal et la structure secondaire.

La synthèse des protéines sécrétées et de nombreuses protéines membranaires est couplée à leur translocation à travers la membrane du réticulum endothélial

Les signaux reconnus par les systèmes de translocation du réticulum endoplasmique (RE) ne peuvent guère être distingués des séquences signal bactériennes; ils sont même interchangeables *in vitro*. Chez les eucaryotes supérieurs, la traduction et la translocation à travers la membrane du RE sont pour de nombreuses protéines des processus étroitement couplés. C'est-à-dire que la translocation à travers le RE s'effectue pendant la traduction de l'ARNm. Lorsque la séquence signal N-terminale d'une préprotéine (les protéines contenant une séquence signal sont des préprotéines) émerge du ribosome, elle est reconnue par une particule spécialisée, la **particule de reconnaissance du signal** (**SRP**, pour ***signal*** **r**ecognition **p**article; Figure 33.31). SRP est une particule ribonucléoprotéique de 325 kDa qui contient six polypeptides différents et un ARN de 300 nucléotides, l'ARN 7S. La liaison de SRP à la séquence signal bloque la continuation de la synthèse de la protéine. Ceci empêche que le polypeptide naissant soit libéré dans le cytoplasme avant qu'il atteigne le RE et son lieu de destination. Le complexe SRP:ribosome diffuse vers la face cytosolique du

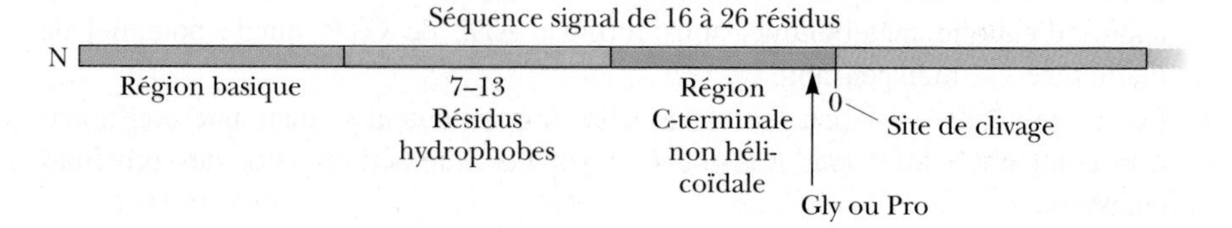

Figure 33.30 • Caractéristiques générales des séquences signal N-terminales des protéines d'*E. coli* destinées à la translocation : une région N-terminale basique, un domaine central non polaire, et une région C-terminale non hélicoïdale.

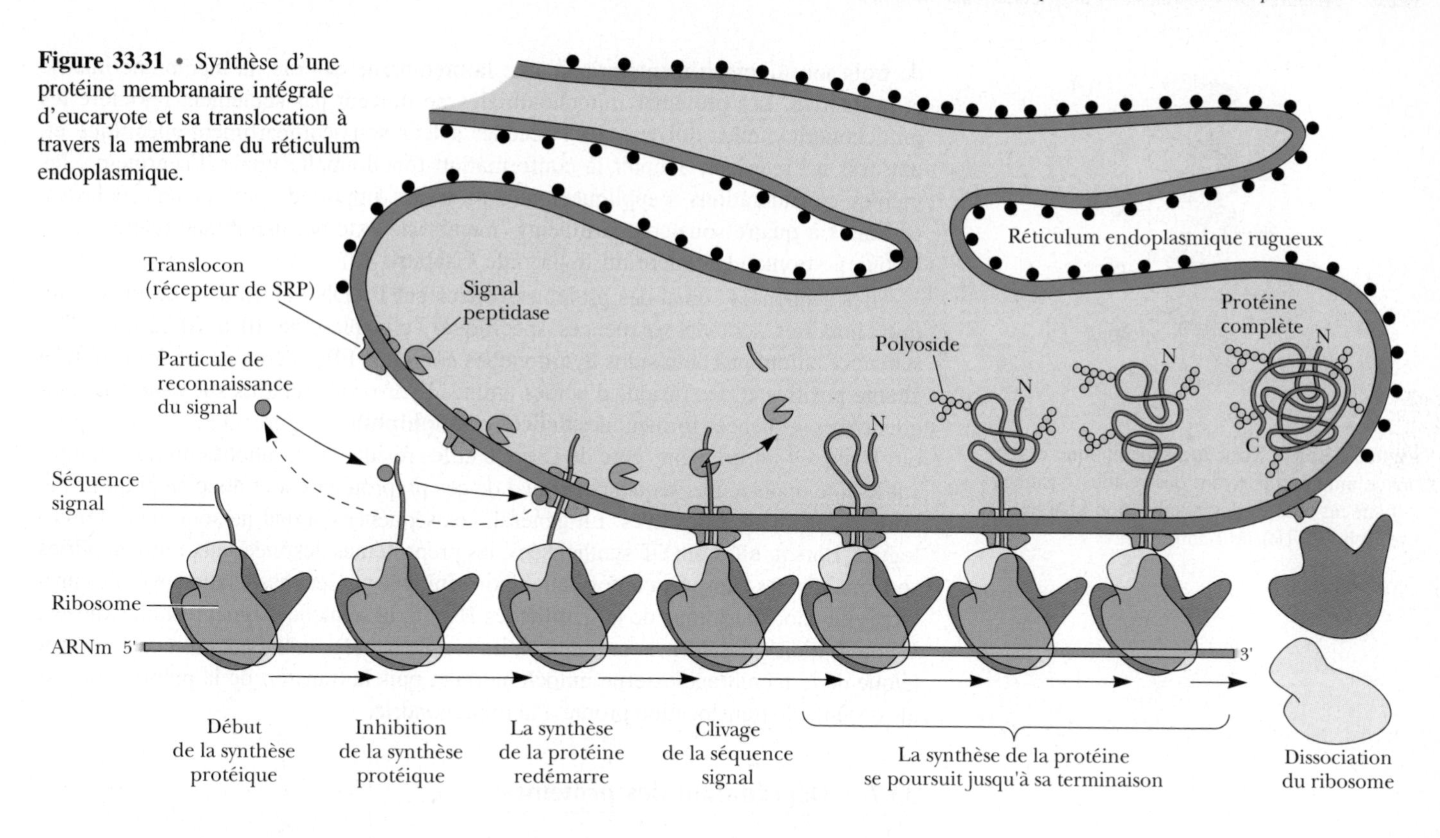

Figure 33.31 • Synthèse d'une protéine membranaire intégrale d'eucaryote et sa translocation à travers la membrane du réticulum endoplasmique.

RE et son site de translocation où il se lie au **récepteur de SRP** (ou **protéine d'accostage**), une protéine transmembranaire hétérodimérique. La sous-unité α de la protéine d'accostage est ancrée à la membrane par la sous-unité β, une protéine transmembranaire ; chacune de ces deux sous-unités a une activité GTPase. Lors de l'accostage, l'énergie libérée par l'hydrolyse d'un GTP dissocie SRP de son complexe avec le ribosome et la synthèse de la protéine reprend, la chaîne polypeptidique naissante s'associant alors un **complexe membranaire de translocation** (ou **translocon**). Le complexe de translocation est un complexe plurifonctionnel qui comprend, entre autres protéines, le récepteur SRP et **Sec61p**, un complexe de trois protéines membranaires (chez les procaryotes, **SecYEGp** est l'homologue de Sec61p). La structure de sous-unité α de Sec61p contient 10 segments transmembranaires tandis que la structure des sous-unités β et γ ne contient qu'un unique segment transmembranaire. Sec61p sert de canal transmembranaire par lequel la chaîne polypeptidique naissante est transférée dans la lumière du RE (Figure 33.31). Le diamètre du pore de Sec61p est d'environ 2 nm.

Peu après l'entrée de la chaîne polypeptidique dans la lumière du RE, la séquence signal est clivée par une **signal peptidase** liée à la membrane. Des enzymes de modification présents dans la lumière du RE peuvent ensuite introduire diverses modifications post-traductionnelles dans la protéine, comme une glycosylation par des résidus osidiques spécifiques. Les protéines qui seront sécrétées par la cellule, ou incluses dans des vésicules comme les lysosomes, se retrouvent finalement dans la phase soluble de la lumière du RE. Par contre, les polypeptides destinés à devenir des protéines membranaires contiennent dans un de leurs domaines une séquence hydrophobe de 20 résidus (**séquence de blocage de la translocation**) qui les immobilise dans la membrane du RE. Ces protéines restent dans la membrane avec leur extrémité C-terminale du côté cytosolique du RE ; elles atteindront d'autres destinations après avoir subi diverses modifications dans le RE.

Importation des protéines dans les mitochondries

La plupart des protéines mitochondriales sont codées par le génome nucléaire et sont synthétisées sur les ribosomes cytosoliques. Les mitochondries sont constituées

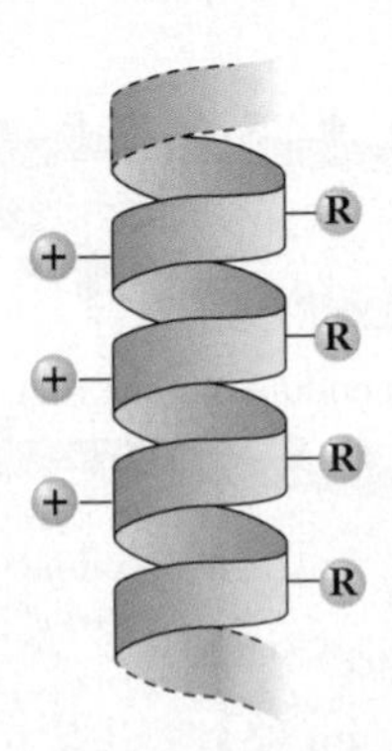

Figure 33.32 • Structure schématique d'une hélice amphiphile ayant des résidus basiques (+) sur un côté et des résidus non chargés hydrophobes (R) de l'autre.

de trois sous-compartiments principaux: la membrane externe, la membrane interne et la matrice. Les protéines mitochondriales ne doivent pas seulement rejoindre les mitochondries, elles doivent aussi accéder à leur sous-compartiment spécifique et, une fois à l'intérieur, adopter la conformation fonctionnelle finale. En principe, les mêmes considérations s'appliquent aux protéines importées par les chloroplastes, organites à quatre sous-compartiments (membrane externe, membrane interne (thylacoïde), stroma et lumière du thylacoïde Chapitre 22).

Les séquences signal des protéines codées par l'ADN nucléaire et destinées aux mitochondries sont des séquences spécifiques, clivables, de 10 à 70 résidus. Ces séquences n'ont pas de résidus hydrophobes contigus. Elles contiennent des résidus à charge positive et des résidus d'acides aminés hydroxylés répartis sur toute leur longueur. Ces séquences forment des **hélices α amphiphiles** (Figure 33.32), avec les résidus basiques sur un même côté de l'hélice et les résidus hydrophobes ou non chargés sur le côté opposé. Les séquences signal de ces préprotéines sont donc amphiphiles et portent des charges positives. En général, ces séquences signal ne sont guère homologues. Lorsqu'elles ont été synthétisées, les préprotéines destinées aux mitochondries sont maintenues dans une conformation non reployée par leur association avec des protéines du choc thermique de la famille des Hsp70, la séquence signal restant exposée. L'importation des protéines implique la liaison de la préprotéine par un récepteur protéique de la membrane externe mitochondriale, puis le transfert de la préprotéine par un système de translocation propre à la mitochondrie.

33.7 • Dégradation des protéines

Les protéines cellulaires sont dans un état de renouvellement dynamique, la vitesse de synthèse et celle de dégradation d'une protéine étant en fin de compte déterminées par la quantité de protéine présente à tout moment. Dans de nombreux cas, la régulation de la transcription détermine la concentration de certaines protéines alors que la dégradation ne joue qu'un rôle mineur. Dans d'autres cas, la synthèse des protéines est constitutive et les quantités des enzymes clés et des protéines régulatrices, par exemple les cyclines et les facteurs de la transcription, sont contrôlées par des dégradations spécifiques. De plus, certaines protéines anormales provenant d'erreurs dans la biosynthèse ou d'altérations post-traductionnelles doivent être détruites pour éviter les conséquences néfastes de leur accumulation. L'élimination des protéines suit généralement une cinétique d'ordre un ; les durées de demi-vie ($t_{1/2}$) des différentes protéines vont de quelques minutes à plusieurs jours. Une simple coupure protéolytique, au hasard, dans le squelette d'un polypeptide semble suffisante pour entraîner sa rapide disparition puisqu'on n'observe jamais de protéine partiellement dégradée dans une cellule.

La dégradation des protéines n'est pas sans danger pour les processus cellulaires. Pour contrôler ces dangers, la dégradation des protéines est compartimentée, elle s'effectue soit dans des structures macromoléculaires, les **protéasomes**, soit dans des organites spécialisés comme les lysosomes. La dégradation des protéines dans les lysosomes n'est pas sélective, la sélection s'effectue lors de l'entré des protéines dans le lysosome. Il existe des protéasomes aussi bien chez les procaryotes que chez les eucaryotes. Un protéasome a une structure et des fonctions aussi complexes que celles d'un ribosome. La régulation de la concentration d'un protéine par sa dégradation est un mécanisme cellulaire fondamental. La régulation par la dégradation est à la fois rapide et irréversible.

Dégradation des protéines par la voie de l'ubiquitine chez les eucaryotes

Chez les eucaryotes, l'**ubiquitinylation** est le mécanisme le plus commun de marquage d'une protéine pour sa dégradation par un protéasome. L'**ubiquitine** est un polypeptide extrêmement conservé de 76 résidus (8,5 kDa) largement répandu chez les eucaryotes, d'où son appellation. Les séquences de l'ubiquitine humaine et de la levure sont pour 53 % identiques. La liaison, par une liaison covalente, d'une

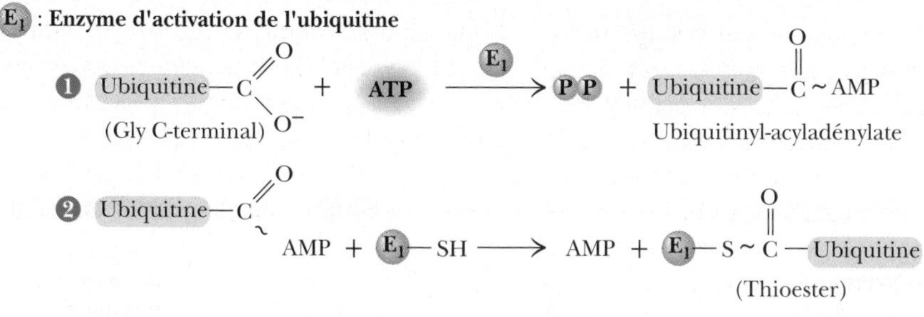

E2 : **Protéine transportant l'ubiquitine**

E1—S~C(=O)—Ubiquitine + E2—SH → E1—SH + E2—S~C(=O)—Ubiquitine

E3 : **Ligase**

E3 + Protéine (substrat) → E3 : Protéine

E3 : Protéine + E2~S~C(=O)—Ubiquitine → E2—SH + E3 + Protéine—Ubiquitine

Figure 33.33 • Réactions de la fixation de l'ubiquitine sur les protéines dégradées par la voie de l'ubiquitine. L'ubiquitine est liée aux protéines par des liaisons isopeptidiques formées entre le carboxyle terminal de l'ubiquitine et un groupe $-NH_2$ libre de la protéine (α-NH_2 terminal ou ϵ-NH_2 de la chaîne latérale d'un résidu Lysine).

protéine à l'ubiquitine l'engage irréversiblement dans la voie de la dégradation. En plus de l'ubiquitine, trois enzymes sont impliqués dans le processus de formation de la liaison: $\mathbf{E_1}$, $\mathbf{E_2}$ et $\mathbf{E_3}$ (Figure 33.33). E_1 est **l'enzyme d'activation de l'ubiquitine** (un dimère de 105 kDa). Il se lie par une liaison thioester au résidu Gly à l'extrémité C-terminale de l'ubiquitine; l'énergie libérée par l'hydrolyse de l'ATP (en AMP + PP_i) permet la synthèse préalable d'un ubiquitinyl-adénylate intermédiaire. L'ubiquitine est ensuite transférée, d'E_1 au groupe –SH de E_2, **la protéine transportant l'ubiquitine** (E_2 est en fait une famille de nombreuses protéines, dont plusieurs sont des protéines du choc thermique). E_2-S ~ ubiquitine a deux sorts possibles. La partie ubiquityle peut être directement transférée sur un groupe $-NH_2$ libre (N-terminal ou chaîne latérale d'un résidu Lys) de certaines protéines, comme les histones, mais cette voie ne semble pas prédominante dans la dégradation des protéines. Ou, deuxième voie, la partie ubiquityle de l'ubiquityl~S-E_2 est transférée sur un groupe $-NH_2$ libre d'une protéine sélectionnée par E_3, l'**ubiquitine protéine ligase** (180 kDa). En se liant à une protéine substrat, E_3 catalyse le transfert de l'ubiquitine provenant de l'ubiquityl ~ S-E_2 à un groupe $-NH_2$ libre (généralement ϵ-NH_2 d'un résidu Lys) de la protéine. Dans de nombreux cas, plus d'un groupe ubiquitinyle est lié à la protéine substrat qui doit être dégradée; chaque ubiquitine est liée à la suivante par une *liaison isopeptidique* entre son carboxyle terminal et le ϵ-NH_2 de Lys^{48} de l'ubiquitine entrante.

L'enzyme E_3 joue un rôle central dans la reconnaissance et la sélection des protéines à dégrader. Le groupe α-NH_2 terminal doit être libre et la nature du résidu N-terminal est importante. Les protéines avec un résidu N-terminal Met, Ser, Ala, Thr, Val, Gly, ou Cys ne sont pas dégradées par la voie de l'ubiquitine. Par contre, les protéines dont le résidu N-terminal est Arg, Lys, His, Phe, Tyr, Trp, Leu, Asn Gln, Asp, ou Glu ont des durées de demi-vie de seulement 2 à 30 minutes. E_3 a trois sites de reconnaissance différents pour les protéines qui doivent être dégradées. Le site de type I pour les protéines ayant un résidu N-terminal basique comme Arg, Lys, ou His ; le site de type II pour les protéines ayant un résidu terminal hydrophobe et volumineux (Phe, Tyr, Trp, ou Leu); le site de type III pour les protéines dont le résidu N-terminal n'est ni basique, ni hydrophobe.

Les protéines qui ont un résidu N-terminal acide (Asp ou Glu) présentent un cas particulier : leur dégradation exige l'intervention d'un ARNt chargé (Figure 33.34). Le

Arg-ARNt^{Arg}

Arg-ARNt^{Arg}
Protéine transférase

(Asp, Glu)

Protéine avec un résidu N-terminal acide (Asp ou Glu)

Arg —(Asp, Glu)

Protéine avec un résidu Arg N-terminal

ARNt^{Arg}

Figure 33.34 • La dégradation des protéines avec une extrémité N-terminale acide exige un ARNt. L'arginyl-ARNt^{Arg}:protéine transférase catalyse le transfert du résidu Arg à l'extrémité α-NH_2 libre des protéines commençant par Asp ou Glu. Cette arginyl-ARNt^{Arg}:protéine transférase fait partie du système de reconnaissance et de dégradation des protéines.

transfert d'Arg de l'ARNt-Arg sur l'extrémité N-terminale de ces protéines transforme l'extrémité acide en extrémité basique qui est alors reconnue par le site de type I de E_3. Il est aussi intéressant de constater que le Met de l'extrémité N-terminale a moins de chances d'être éliminé si le résidu suivant est un acide aminé qui rend la protéine particulièrement susceptible à la dégradation par la voie de l'ubiquitine.

La plupart des protéines ayant un résidu N-terminal reconnu *ne sont pas* des protéines normalement intracellulaires; il s'agit plutôt de protéines sécrétées dont le résidu N-terminal reconnu se trouve exposé par suite de l'action de la signal peptidase. Une des fonctions du système de reconnaissance de l'extrémité N-terminale est probablement de reconnaître et d'éliminer du cytosol les protéines qui ne devraient pas s'y trouver car d'origine « étrangère », ou qui aurait dû être sécrétées.

D'autres protéines qui seront reconnues par le système d'ubiquitinylation et dégradées dans les protéasomes contiennent des **séquences PEST** – séquences courtes, hautement conservées, riches en résidus proline (P), glutamate (E), sérine (S) et thréonine (T).

Les protéasomes

Les protéasomes sont de grandes structures oligomériques enfermant une cavité centrale dans laquelle la protéolyse prend place. Le protéasome 20S de *Thermoplasma*

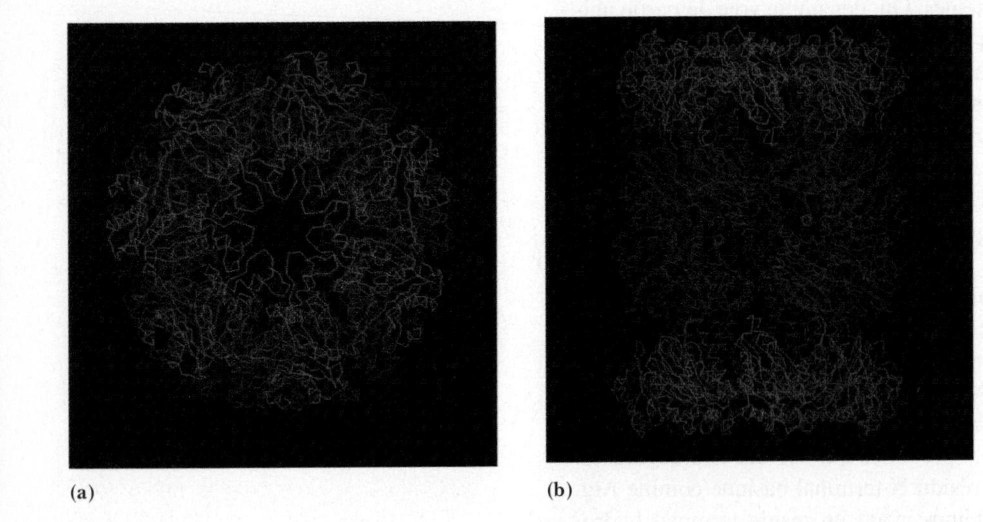
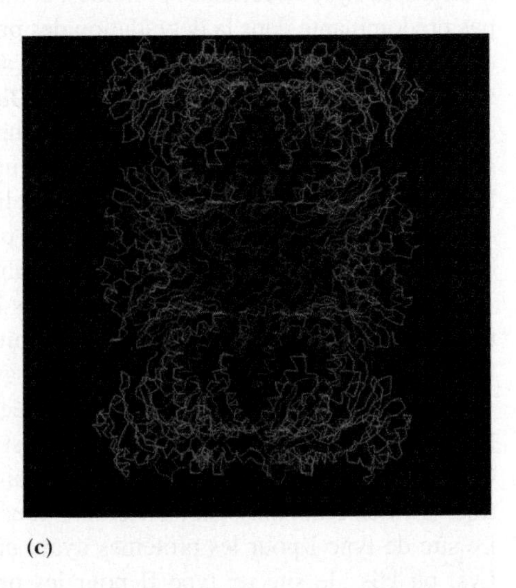

(a) (b) (c)

Figure 33.35 • Structure du protéasome 20S de *T. acidophilum*. (a) Vue de dessus. (b) Vue latérale. (c) Section transversale. *(D'après Löwe, J., et al., 1995. Crystal structure of the 20S proteasome from the archeon* T. acidophylum *at 3,4 Å resolution.* Science ***268****: 533-539. Figures aimablement communiquées par Robert Huber, Institut de Biochimie Max Planck, Martinsried, Allemagne.)*

Figure 33.36 • Diagramme de la dégradation des protéines par la voie de l'ubiquitine et du protéasome. Les structures colorées en rose symbolisent les molécules d'ubiquitine. *(D'après Hilt, W., et Wolf, D.H., 1996. Proteasomes : Destruction as a program.* Trends in Biochemical Sciences ***21*** *: 96-102, figure 1.)*

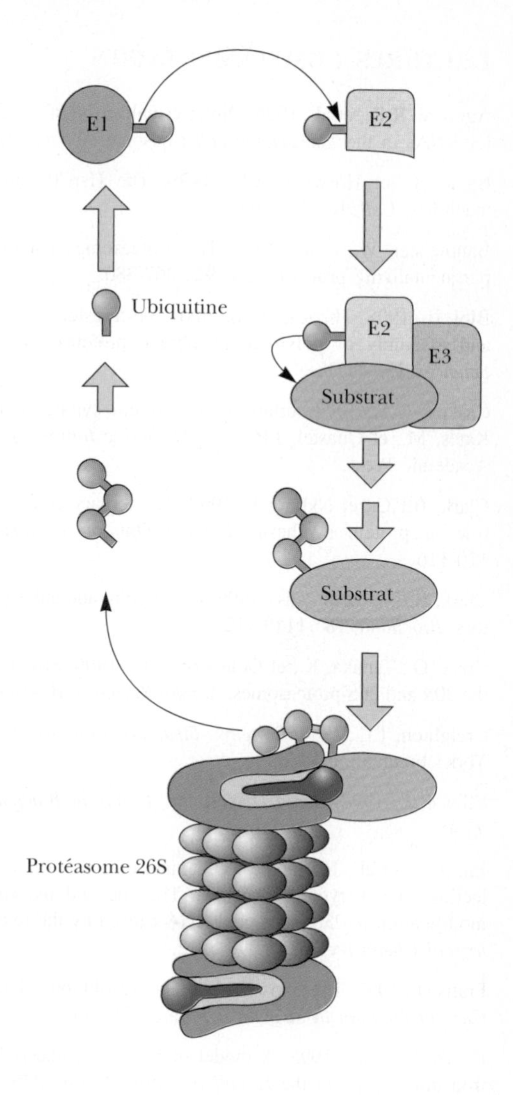

acidophilum (une archaebactérie) est une structure de 700 kDa, en forme de tonneau composé de deux différentes chaînes polypeptidiques, α et β, disposées de façon à former quatre anneaux superposés heptamériques, $\alpha_7\beta_7\beta_7\alpha_7$. Le tonneau du protéasome 20S mesure environ 15 nm de haut et 11 nm de diamètre (Figure 33.35). L'activité protéolytique se trouve à l'intérieur de la cavité. L'accès à la cavité est contrôlé par une ouverture de 1,3 nm de diamètre formée par les anneaux externes α_7. La fonction de ces anneaux serait de déployer (dénaturer) la structure des protéines destinées à la dégradation et de les transporter dans la cavité centrale. Les sous-unités β portent l'activité protéolytique. Les produits de la dégradation des protéines dans le protéasome sont des oligopeptides de 7 à 9 résidus de long.

Les cellules eucaryotes contiennent deux types de protéasomes : les protéasomes 20S et les protéasomes 26S. Le protéasome 26S (1700 kDa) est une structure de 45 nm de long composée d'un protéasome 20S et de deux sous-structures complémentaires appelées PA700 (pour *proteasome* ***a****ctivator-****700*** *kDa*). À la différence des protéasomes 20S des archaebactéries, les protéasomes des eucaryotes comportent 7 différentes sortes de sous-unités α et sept différentes sortes de sous-unités β. Le protéasome 26S se forme quand une sous-structure PA700 s'associe à chacun des deux anneaux externes α_7 de la structure cylindrique du protéasome 20S (Figure 33.36). Ces sous-structures complémentaires contiennent au moins 15 différentes sortes de sous-unités dont plusieurs ont une activité ATPase. Le remplacement de certaines des sous-unités de PA700 par d'autres change la spécificité du protéasome. La présence des PA700 modifie la fonction du protéasome qui devient spécifique de certaines protéines ubiquitinylées et exige de l'ATP. Les PA700 sont donc des complexes régulateurs de la reconnaissance et de la sélection des protéines qui seront dégradées dans la cavité du protéasome 20S. PA700 effectue aussi la dénaturation et le transport de la protéine ubiquitinylée vers la cavité centrale.

EXERCICES

1. Comment expliquez-vous que la vitesse de la synthèse des protéines eucaryotes n'est que le dixième de celle des procaryotes ?

2. Les ribosomes eucaryotes sont plus gros et plus complexes que les ribosomes procaryotes. Quels avantages, ou désavantages, cette plus grande complexité des ribosomes apporte-t-elle à la cellule eucaryote ?

3. Comment pouvez-vous expliquer pourquoi les ribosomes sont invariablement constitués de deux sous-unités plutôt que d'une seule plus grosse particule ?

4. Comment les cellules procaryotes déterminent-elles si un Met-$ARNt^{Met}$ donné doit servir à initier la synthèse des protéines ou a l'incorporation d'un résidu Met en position interne dans une chaîne polypeptidique ? En quoi les codons Met correspondant à ces deux usages sont-ils différents ? Comment les cellules eucaryotes résolvent-elles ces problèmes ?

5. Qu'est-ce que la séquence de Shine-Dalgarno ? À quoi sert-elle ? L'efficacité de l'initiation de la synthèse des protéines varie de 1 à 100 selon les ARNm. En quoi la séquence de Shine-Dalgarno peut-elle être à l'origine de cette différence ?

6. Parmi les événements de la synthèse des protéines décrits dans la section intitulée *Translocation*, quelle est la phrase qui explique de la meilleure façon la réaction de transfert du groupe peptidyle : (a) Le peptidyl-ARNt cède sa chaîne peptidique au nouvel aminoacyl-ARNt entrant sur le site A, *ou*, (b) L'extrémité aminoacyle de l'aminoacyl-ARNt sur le site A se déplace vers le site P, pour accepter la chaîne peptidyle ? Lequel de ces deux scénarios vous semble le plus plausible ? Pourquoi ?

7. Pourquoi pensez-vous que les facteurs d'élongation EF-Tu et EF-Ts sont apparentés aux protéines G des systèmes membranaires de transduction des signaux décrits Chapitre 15 ?

8. En quoi les polypeptides synthétisés en présence de (a) streptomycine, (b) puromycine, diffèrent-ils des polypeptides synthétisés en l'absence de ces inhibiteurs ?

9. Parmi les inhibiteurs mentionnés Tableau 33.6, quels sont ceux qui pourraient avoir un usage clinique comme antibiotiques ?

10. La rhodanase humaine (33 kDa) contient 296 résidus. Combien d'équivalents ATP sont-ils approximativement consommés pour la synthèse de ce polypeptide à partir des acides aminés constitutifs jusqu'au reploiement de la chaîne une structure tertiaire fonctionnelle ?

11. Une unique coupure protéolytique dans une chaîne polypeptidique naissante est souvent suffisante pour initier sa complète dégradation. En tenant compte de ce fait, que pensez-vous des conséquences de l'introduction d'une coupure dans une protéine ?

Lectures complémentaires

Agrawal, R.K., et al., 1996. Direct visualization of A-, P-, and E-site transfer RNAs in the *Escherichia coli* ribosome. *Science* **271** : 1000-1002.

Baku, B., et Horwich, A.L., 1998. The Hsp70 and Hsp60 chaperone machines. *Cell* **92** : 351-366.

Baumeister, W., et al., 1998. The proteasome : Paradigm of a self-compartmentalizing protease. *Cell* **92** : 367-380.

Bibi, E., 1998. The role of the ribosome-translocon complex in translation and assembly of polytopic membrane proteins. *Trends in Biochemical Sciences* **23** : 51-58.

Caskey, C.T., 1973. Inhibitors of protein synthesis. In Hochster, R.M., Kates, M., et Quastel, J.H., eds. *Metabolic Inhibitors*, vol. 4. New York : Academic Press.

Clark, B.F.C., et Nyborg J., 1997. The ternary complex of EF-Tu and its role in protein synthesis. *Current Opinion in Structural Biology* **7** : 110-116.

Clark, B.F.C., et al., eds., 1996. Prokaryotic and enkaryotic translation factors. *Biochimie* **78** : 1119-1122.

Coux, O., Tanaka, K., et Goldberg, A.L., 1996. Structure and functions of the 20S and 26S proteasomes. *Annual Review of Biochemistry* **65** : 801-847.

Creighton, T.E., 1984. *Proteins : Structures and Molecular Properties*. New York : Freeman and Co.

Ellis, R.J., 1998. Steric chaperones. *Trends in Biochemical Sciences* **23** : 43-45.

Endo, Y., et al., 1987. The mechanism of action of ricin and related toxic lectins on eukaryotic ribosomes. The site and the characteristics of the modification in 28S ribosomal RNA caused by the toxins. *Journal of Biological Chemistry* **262** : 5098-5912.

Frank, J., 1997. The ribosome at higher resolution – The donut takes shape. *Current Opinion in Structural Biology* **7** : 266-272.

Frank, J., et al., 1995. A model of protein synthesis based on cryo-electron microscopy of the *E. coli* ribosome. *Nature* **376** : 441-444.

Giri, L., Hill, W.E., et Wittman, H.G., 1984. Ribosomal proteins : Their structure and spatial arrangement in prokaryotic ribosomes. *Advances in Protein Chemistry* **36** : 1-78. The properties of *E. coli* ribosomal proteins and their associations within ribosomes is given in detail.

Green, R., et Noller, H.F., 1997. Ribosomes and translation. *Annual Review of Biochemistry* **66** : 679-716.

Green, R., Samaha, R.R., et Noller, H.F., 1997. Mutations at nucleotides G2251 and U2585 of 23 S rRNA perturb the peptidyl transferase center of the ribosome. *Journal of Molecular Biology* **266** : 40-50.

Green, R., Switzer, C., and Noller, H.F., 1998. Ribosome-catalyzed peptide-bond formation with an A-site substrate covalently linked to 23S ribosomal RNA. *Science* **280** : 286-289.

Guttell, R.R., et al., 1985. Comparative anatomy of 16S-like ribosomal RNA. *Progress in Nucleic Acid Research and Molecular Biology* **32** : 155-216.

Haas, A.L., 1997. Introduction : Evolving roles for ubiquitin in cellular regulation. *The FASEB Journa*l **11** : 1053-1054.

Haas, A.L., et Siepman, T.J., 1997. Pathways of ubiquitin conjugation. *The FASEB Journal* **11** : 1257-1268.

Hartl, F.U., 1996. Molecular chaperones in cellular protein folding. *Nature* **381** : 571-580.

Hendrick, J.P., et Hartl, F.U., 1993. Molecular chaperone functions of heat-shock proteins. *Annual Review of Biochemistry* **62** : 349-384.

Hentze, M.W., 1997. eIF4G : A multipurpose ribosome adapter ? *Science* **275** : 500-501.

Hershey, J.W.B., 1991. Translational control in mammalian cells. *Annual Review of Biochemistry* **60** : 717-755.

Hershey, J.W.B., Mathews, M.B., et Sonenberg, N., eds., 1996. Translational Control. Cold Spring Harbor, NY : Cold Spring Harbor Laboratory Press.

Hershko, A., 1996. Lessons from the discovery of ubiquitin system. *Trends in Biochemical Sciences* **21** : 445-449.

Hershko, A., 1988. Ubiquitin-mediated protein degradation. *Journal of Biological Chemistry* **263** : 15237-15240. Minireview of the ubiquitin-mediated pathway for selective protein degradation in eukaryotic cells.

Hill, W.E., et al., eds., 1990. The Ribosome : Structure, Function and Evolution. Washington DC : American Society for Microbiology Press. The properties of ribosomes, as reported in 1989 at a research conference on the structure, function, and evolution of ribosomes.

Hilt, W., et Wolf, D.H., 1996. Proteasomes : Destruction as program. *Trends in Biochemical Sciences* **21** : 96-101.

Hochstrasser, M., 1996. Ubiquitin-dependent protein degradation. *Annual Review of Genetics* **30** : 405-439.

Joseph S., Weiser, B., et Noller, H.F., 1997. Mapping the inside of the ribosome with an RNA helical ruler. *Science* **278** : 1093-1098.

Lorimer, G.H., 1996. A quantitative assessment of the role of chaperonin proteins in protein folding *in vivo*. *The FASEB Journal* **10** : 5-10.

Löwe, J., et al., 1995. Crystal structure of the 20S proteasome from the archaeon *T. acidophilum* at 3.4 Å resolution. *Science* **268** : 533-539.

Lupas, A., et al., 1997. Self-compartmentalizing proteases. *Trends in Biochemical Sciences* **22** : 399-404.

Marcotrigiano, J., et al., 1997. Cocrystal structure of the messenger RNA 5′ cap-binding protein (eIF4E) bound to 7-methyl-GTP. *Cell* **89** : 951-961.

Martin, J., et Hard, F.U., 1997. Chaperone-assisted protein folding. *Current Opinion in Structural Biology* **7** : 41-52.

Matlack, K.E.S., Mothes, W., et Rapoport, T.A., 1998. Protein translocation : Tunnel vision. *Cell* **92** : 381-390.

Matsuo, H., et al., 1997. Structure of translation factor eIF4E bound to 7mGDP and interaction with 4E-binding protein. *Nature Structural Biology* **4** : 717-724.

Moldave, K., 1985. Eukaryotic protein synthesis. *Annual Review of Biochemistry* **54** : 1109-1149. The detailed features of protein synthesis as it occurs in eukaryotic cells.

Moore, P.B., 1997. The conformation of ribosomes and rRNA. *Current Opinion in Structural Biology* **7** : 343-347.

Mueller, F., et Brimacombe, R., 1997. A new model for the three-dimensional folding of *Escherichia coli* 16S ribosomal RNA : I. Fitting the RNA to a 3D electron microscopic map at 20 Å. II. The RNA-protein interaction. III. The topography of the functional center (avec van Heel, H.S., et Rinke-Appel, J.). *Journal of Molecular Biology* **271** : 524-587.

Netzer, W.J., et Hard, F.U., 1998. Protein folding in the cytosol : Chaperonin-dependent and -independent mechanisms. *Trends in Biochemical Sciences* **23** : 68-73.

Neuport, W., 1997. Protein import into mitochondria. *Annual Review of Biochemistry* **66** : 863-917.

Nissen, P., et al., 1995. Crystal structure of the ternary complex of Phe-tRNA^{Phe}, EF-Tu, and a GTP analog. *Science* **270** : 1464-1472.

Noller, H.F., Hoffarth, V., et Zimniak, L, 1992. Unusual resistance of peptidyl transferase to protein extraction procedures. *Science* **256** : 1416-1419. Research paper presenting evidence that the peptide bond-forming step in protein synthesis – the peptidyl transferase reaction – is catalyzed by 23S rRNA.

Nyborg, J., et al., 1996. Structure of the ternary complex of EF-Tu : Macromolecular mimicry in translation. *Trends in Biochemical Sciences* **21** : 81-82.

Pagano, M., 1997. Cell cycle regulation by the ubiquitin pathway. *The FASEB Journal* **11** : 1067-1075.

Pain, V.M., 1996. Initiation of protein synthesis in eukaryotic cells. *European Journal of Biochemistry* **236** : 747-771.

Pickart, C.M., 1997. Targeting of substrates to the 26S proteasome. *The FASEB Journal* **11** : 1055-1066.

Porse, B., Thi-Ngoc, H.P., et Garrett, R.A., 1997. The donor substrate site within the peptidyl transferase loop of 23S rRNA and its putative interactions with the CCA-end of N-blocked aminoacyl-tRNA. *Journal of Molecular Biology* **266** : 472-483.

Rapoport, T.A., Jungnickel, B., et Kytay, U., 1996. Protein transport across the eukaryotic endoplasmic reticulum and bacterial inner membranes. *Annual Review of Biochemistry* **65** : 271-303.

Rechsteiner, M., Hoffman, L., et Dubiel, W., 1993. The multicatalytic and 26S proteases. *Journal of Biological Chemistry* **268** : 6065-6068.

Rechsteiner, M., et Rogers, W.S., 1996. PEST sequences and regulation by proteolysis. *Trends in Biochemical Sciences* **21** : 267-271.

Rhoads, R.E., 1993. Regulation of eukaryotic protein synthesis by initi~tion factors. *Journal of Biological Chemistry* **268** : 3017-3020.

Riis, B., et al., 1990. Eukaryotic protein elongation factors. *Trends in Biochemical Sciences* **15** : 420-424. Properties of the elongation factors in eukaryotic cells.

Samuel, C.E., 1993. The eIF-2α protein kinases, regulators of translation in eukaryotes from yeast to humans. *Journal of Biological Chemistry* **268** : 76037606.

Schmidt, M., et Kloetzel, P.-M., 1997. Biogenesis of 20S proteasomes : The complex maturation pathway of a complex enzyme. *The FASEB Journal* **11** : 1235-1243.

Stark, H., et al., 1997. Arrangement of tRNAs in pre- and posttranslational ribosomes revealed by electron cryomicroscopy. *Cell* **88** : 19-28.

Stark, H., et al., 1997. Visualization of elongation factor Tu on the *Escherichia coli* ribosome. *Nature* **389** : 403-406.

Svergun, D.I., et al., 1997. Solution scattering analysis of the 70S *Escherichia coli* ribosome by contrast variation. I. Invariants and validation of electron microscopy models. II. A model of the ribosome and its RNA at 3.5 nm resolution. *Journal of Molecular Biology* **271** : 588-618.

Tarun, S.Z., Jr., et al., 1997. Translation factor eIF4G mediates *in vitro* poly(A) tail-dependent translation. *Proceedings of the National Academy of Sciences, USA* **94** : 9046-9051.

Varshavsky, A., 1997. The ubiquitin system. *Trends in Biochemical Sciences* **22** : 383-387.

Weijland, A., et Parmeggiani, A., 1993. Toward a model for the interaction between elongation factor Tu and the ribosome. *Science* **259** : 1311-1314.

Wickner, W., Driessen, A.J.M., et Hard, F.U., 199 1. The enzymology of protein translocation across the *Escherichia coli* plasma membrane. *Annual Review of Biochemistry* **60** : 101-124.

Wilkinson, K.D., 1997. Regulation of ubiquitin-dependent processes by deubiquitinating enzymes. *The FASEB Journal* **11** : 1245-1256.

Wilson, K., et Noller, H.F., 1998. Molecular movement inside the translational engine. *Cell* **92** : 337-349.

Wilson, K., et Noller, H.F., 1998. Mapping the position of translational elongation factor EF-G in the ribosome by directed hydroxyl radical probing. *Cell* **92** : 131-139.

Xu, Z., Horwich, A.L., et Sigler, P.B., 1997. The crystal structure of the asymmetric GroEL-GroES-$(ADP)_7$ chaperonin complex. *Nature* **388** : 741-750.

« Nous savons si peu de choses, il reste tant à découvrir,
Des forces chimiques qui s'écoulent d'un amant vers l'autre.
Nous comprenons si peu de ce qui déclenche ce frémissement
Qui soudain explose quand deux frémissements s'entremêlent.
Qui se soucie de la chimie que cela représente ?
Qui se soucie quand tes lèvres sont sur les miennes
De tout ce que notre félicité ignore,
Aussi longtemps que tu m'embrasses et que le monde autour de nous vacille ?
Que nous importe notre ignorance ?

« How little we know » (Nous savons si peu de choses) de P. SPRINGER et C. LEIGH (NdT : traduction libre)
Chanson enregistrée le 5 avril 1956 par Franck Sinatra.

PLAN

Chapitre 34

Réception et transmission de l'information d'origine extracellulaire

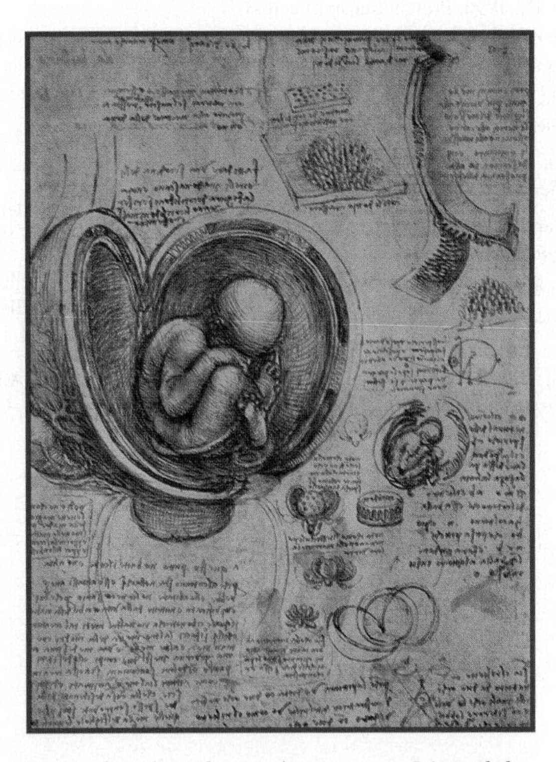

Dessin d'un fœtus humain in utero, *par Léonard de Vinci. La sexualité humaine et le développement embryonnaire sont deux processus régulés par voie hormonale d'un intérêt universel.* (*Florentine Royal Collection. Windsor, Angleterre, A.K.G., Berlin/Superstock, International.*)

Les organismes vivants doivent avoir des mécanismes moléculaires capables de détecter les informations provenant de l'environnement et, pour les organismes pluricellulaires, des mécanismes qui permettent les communications intercellulaires et tissulaires. Les systèmes sensitifs détectent et intègrent les informations physiques et chimiques de l'environnement et, chez les animaux, transmettent ces informations par un processus de neurotransmission. Le contrôle et la coordination des processus au niveau cellulaire ou tissulaire ne s'effectuent pas seulement par l'intermédiaire de la neurotransmission, mais aussi par des signaux chimiques sous forme d'hormones qui sont sécrétées par diverses cellules pour influencer l'activité d'autres cellules. Dans ce chapitre, nous examinerons ces mécanismes de transfert de l'information en commençant par les bases moléculaires de l'action hormonale et nous terminerons par un sujet particulier : Membranes excitables, neurotransmission et systèmes sensitifs.

Les hormones sont sécrétées par certaines cellules, généralement regroupées dans des glandes ; elles exercent leurs effets sur des cellules cibles qu'elles atteignent soit par simple diffusion soit par la voie de la circulation sanguine. Nous verrons que de nombreuses hormones se lient à des récepteurs spécialisés de la membrane plasmique et induisent des réponses sans entrer dans la cellule. D'autres hormones pénètrent dans la cellule et se lient à des récepteurs spécifiques intracellulaires. Les hormones régulent ainsi les processus métaboliques de diverses cellules ou de divers tissus ; elles facilitent et contrôlent la croissance, la différenciation, la reproduction, l'apprentissage et la mémoire. Enfin, les hormones aident l'organisme à réagir efficacement aux conditions changeantes et aux contraintes de l'environnement.

34.1 • Hormones et voies de la transduction des signaux

La nature chimique des hormones est très variée. Les **hormones stéroïdes**, qui dérivent toutes du cholestérol, régulent le métabolisme, l'équilibre hydrique et salin, les processus inflammatoires et les fonctions sexuelles. D'autres hormones sont des **dérivés des acides aminés ;** en particulier, citons l'*adrénaline* et la *noradrénaline* qui régulent la contraction des muscles lisses et la relaxation, la pression sanguine, le rythme cardiaque, les processus de lipolyse et de glycogénolyse ; les *hormones thyroïdiennes* qui stimulent le métabolisme sont également des dérivés d'un acide aminé. Les **hormones peptidiques** forment une famille toujours plus nombreuse d'hormones qui régulent des processus dans tous les tissus, y compris la libération d'autres hormones.

Les hormones et d'autres molécules signal des systèmes biologiques se lient avec une haute affinité à leurs récepteurs, les K_D étant de l'ordre de 10^{-12} à 10^{-6} *M*. Les concentrations des hormones sont maintenues à des niveaux équivalents ou légèrement au-dessus de ces valeurs de K_D. Dès lors qu'une hormone a induit ses effets, elle est le plus souvent rapidement métabolisée.

La régulation hormonale dépend du transfert du signal hormonal à travers la membrane plasmique vers les sites intracellulaires spécifiques, en particulier vers le noyau. Plusieurs des étapes des voies de transmission des signaux impliquent la phosphorylation de résidus sérine, thréonine, ou tyrosine, présents dans les protéines cibles. On estime qu'il existe entre 1.000 et 3.000 protéines kinases codées par le génome humain, une estimation qui permet de saisir la complexité de la transduction des signaux. Bien que seulement quelques-unes de ces kinases – et autres molécules ou protéines signal – aient été identifiées, les principes qui régissent les voies de transduction sont globalement connus (Chapitre 15).

Le transfert des signaux intracellulaires vers leurs cibles spécifiques doit s'effectuer avec rapidité et précision. Mais comment cela est-il assuré ? De nombreuses protéines kinases et protéines phosphatases ont une spécificité assez large, mais leur activité dépend strictement des interactions entre des domaines de reconnaissance spécialisés des diverses protéines impliquées et aussi de la localisation des molécules de la signalisation. Nous verrons par la suite que des protéines modulaires ayant un ou plusieurs domaines de reconnaissance protéine:protéine ou protéine:lipide interviennent dans le transfert des signaux.

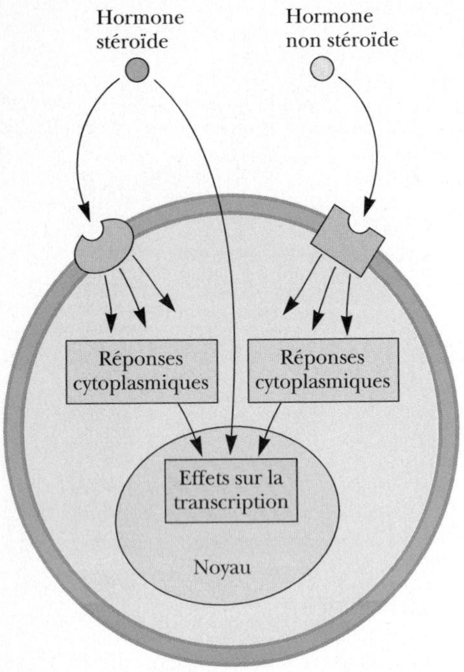

Figure 34.1 • Les hormones autres que les hormones stéroïdes se lient exclusivement à des récepteurs de la membrane plasmique qui sont les médiateurs de la réponse cellulaire à ces hormones. Les hormones stéroïdes exercent leurs effets en se liant à des récepteurs de la membrane plasmique ou diffusent vers le noyau où elles modulent la transcription.

34.2 • Les récepteurs transducteurs de signal transmettent le message hormonal

Dans la vie de tous les jours, le message est souvent plus important que le messager, et cela est encore plus vrai pour les hormones. La structure et les propriétés chimiques d'une hormone ne sont importantes que pour la liaison spécifique de l'hormone à son récepteur approprié. Ce qui est le plus important, et le plus intéressant, c'est l'information métabolique portée par l'hormone signal. L'information implicite dans le signal hormonal est interprétée par la cellule et il s'ensuit une série de réponses cellulaires imbriquées.

Les hormones stéroïdes peuvent soit se lier à des récepteurs de la membrane plasmique des cellules cible, soit exercer leurs effets en pénétrant d'abord dans le cytoplasme cellulaire puis migrer vers leur site d'action par l'intermédiaire de récepteurs protéiques spécifiques (Figure 34.1). Les hormones non stéroïdes agissent en se liant à des récepteurs membranaires faisant face au milieu environnant, ce qui active des voies de transduction des signaux qui mobilisent divers seconds messagers – nucléotides cycliques, ions Ca^{2+} et d'autres substances – qui activent ou inhibent spécifiquement des enzymes ou des cascades d'enzymes. Ces processus activés ou inhibés par des hormones sont l'objet de ce chapitre.

Tous les récepteurs qui interviennent dans le processus de la transduction des signaux peuvent être regroupés dans l'une des **trois superfamilles de récepteurs :**

1. Les **récepteurs à sept domaines (segments) transmembranaires (7-STM)** sont des protéines membranaires intégrales avec sept segments transmembranaires hélicoïdaux, un site de reconnaissance du ligand extramembranaire et un site intramembranaire d'affinité (de reconnaissance) pour une **protéine liant le GTP**, ou **protéine G** (voir Section 34.4).
2. Les **récepteurs à un seul domaine (segment) transmembranaire et à activité catalytique (1-STM)** sont des protéines n'ayant qu'un unique segment transmembranaire mais avec un important domaine globulaire sur chacune des faces de la membrane (face externe et face interne). Le domaine extracellulaire est le domaine reconnu par le ligand et le domaine intracellulaire à activité catalytique est soit une **(tyrosine) protéine kinase** (ou plus simplement, **tyrosine kinase)** soit une **guanylate cyclase**.
3. Les **canaux ioniques oligomériques** sont formés par l'association de sous-unités protéiques dont chacune contient plusieurs segments transmembranaires. Ces structures oligomériques sont des **canaux ligand-dépendants**. La liaison d'un ligand spécifique ouvre le canal ionique. Les ligands de ces canaux ioniques sont des *neurotransmetteurs*.

34.3 • Seconds messagers intracellulaires

AMP cyclique et modèle du second messager

L'adrénaline et le glucagon activent la dégradation du glycogène dans le foie (Chapitres 15 et 23). Le mécanisme de cette activation était resté inconnu jusqu'à ce que Sutherland et ses collègues eurent montré que l'adrénaline et le glucagon stimulaient la réaction catalysée par la glycogène phosphorylase (Figure 23.16), première étape de la dégradation du glycogène. Plus tard, il fut démontré que l'activation de la phosphorylase résultait de sa phosphorylation par une protéine kinase ATP-dépendante. Sutherland a également montré qu'une phosphatase des cellules hépatiques inactivait la phosphorylase activée par phosphorylation. Enfin, la découverte la plus intéressante fut la démonstration par Sutherland que les hormones n'activaient la phosphorylase qu'en présence de fragments de la membrane plasmique. Il émit alors l'hypothèse suivante : la liaison de

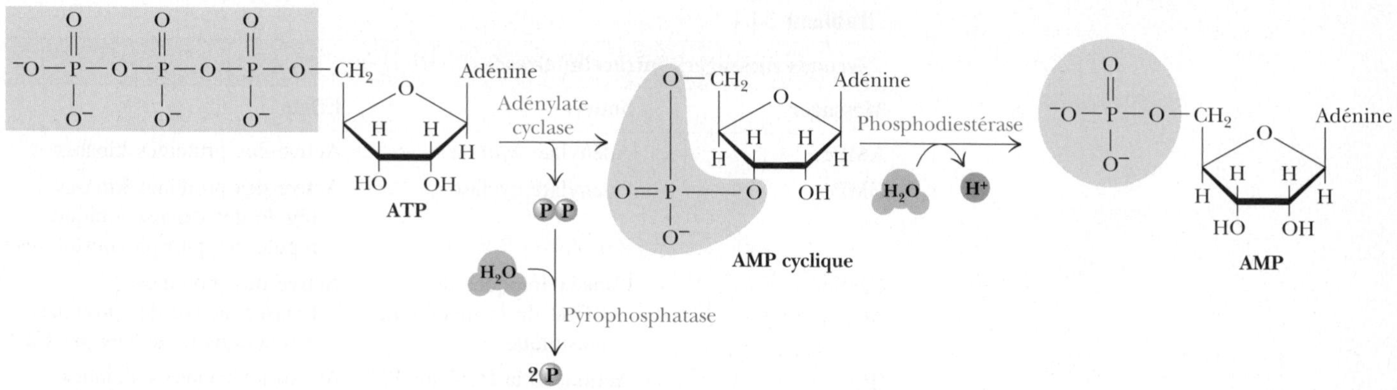

Figure 34.2 • L'AMPc est synthétisé par une adénylate cyclase membranaire et hydrolysé par une phosphodiestérase soluble.

l'adrénaline ou du glucagon à un récepteur membranaire active la synthèse ou la libération d'une substance qui active la phosphorylation de la phosphorylase. En 1957, cette substance cruciale fut identifiée comme étant l'**adénosine 3′-5′-monophosphate cyclique**, ou **AMP cyclique**, en abrégé **AMPc**.

Synthèse et dégradation de l'AMP cyclique

L'AMPc est produit par un enzyme membranaire, une protéine intégrale, l'**adénylate cyclase** (Figure 34.2). La tension et la distorsion de la liaison diester dans la structure cyclique font que la formation de l'AMPc est un processus endergonique ; elle est rendue possible par l'hydrolyse du pyrophosphate formé au cours de la réaction. La réaction catalysée par une phosphodiestérase hydrolyse l'AMPc en AMP. Comme cette réaction supprime la tension existant dans la structure de l'AMPc, elle est fortement exergonique ($\Delta G°' = -50{,}4$ kJ/mol ; voir Tableau 3.1). Sutherland a pensé que l'hormone était le premier messager signalant un besoin nécessitant la dégradation du glycogène, il a donc considéré que l'AMPc était un **second messager**. Le processus global tel que Sutherland l'imaginait dans les années 60 est décrit Figure 34.3. Pour sa remarquable contribution à l'élucidation de ce modèle, Earl Sutherland s'est vu attribuer le prix Nobel de Médecine en 1971.

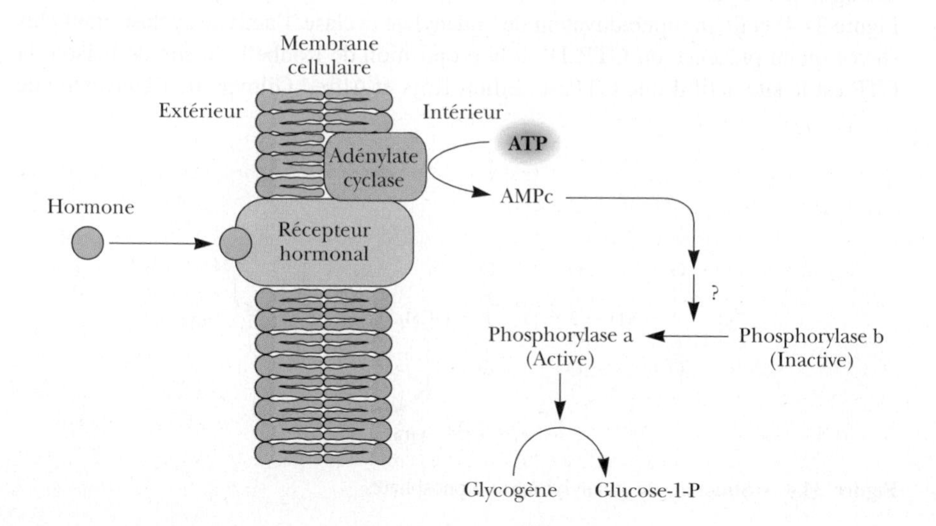

Figure 34.3 • Modèle de l'action hormonale décrit par Earl Sutherland autour de 1967. Par la suite, il a été démontré que la phosphorylase a était la forme phosphorylée de la glycogène phosphorylase. On sait aujourd'hui que l'interaction entre le récepteur hormonal et l'adénylate cyclase n'est pas directe, elle implique des protéines liant le GTP.

Tableau 34.1

Seconds messagers intracellulaires*

Messager	Source	Effets
AMPc	Adénylate cyclase	Active des protéines kinases
GMPc	Guanylate cyclase	Active des protéines kinases, régule des canaux ioniques, régule des phosphodiestérases
Ca^{2+}	Canaux ioniques du RE et de la membrane plasmique	Active des protéines kinases, active des protéines à fonctions modulées par Ca^{2+}
IP_3	Action de la PLC sur PI	Active les canaux calciques
DAG	Action de la PLC sur PI	Active la protéine kinase C
Acide phosphatidique	Un composant de la membrane, et produit par l'action de la PLD	Active les canaux calciques, inhibe l'adénylate cyclase
Céramide	Action de la PLC sur la sphingomyéline	Active des protéines kinases
Monoxyde d'azote (NO)	NO synthase	Active la guanylate cyclase, stimule la relaxation des muscles lisses
ADP-ribose cyclique	ADP-ribose synthase	Active les canaux calciques

* IP_3 pour inositol-1,4,5-*tris*phosphate ; PLC pour phospholipase C ; PLD pour phospholipase D ; PI pour phosphatidylinositol ; DAG pour diacylglycérol.

Depuis que Sutherland a découvert l'AMPc, de nombreux autres seconds messagers ont été identifiés (Tableau 34.1). Tous les médiateurs de la formation des seconds messagers de tous les récepteurs 7-TMS sont des protéines liant le GTP.

34.4 • Protéines liant le GTP : le lien manquant

Au début des années 1970, deux observations ont impliqué une nouvelle protéine dans l'activation de l'adénylate cyclase. La première : la purification de l'adénylate cyclase et du récepteur hormonale aboutissait à la perte de la stimulation de l'adénylate cyclase par l'hormone. La seconde : Martin Rodbell et ses collègues ont montré que le GTP était nécessaire à l'activation hormonale de l'adénylate cyclase. Fait intéressant, un analogue non hydrolysable du GTP, le **5′-guanylylimidodiphosphate** (**GMP-PNP**, Figure 34.4) était un superactivateur de l'adénylate cyclase, l'activité cyclase étant plus élevée qu'en présence du GTP. D'où la proposition de Rodbell : le site de liaison du GTP est le site actif d'une GTPase. Elliott Ross et Alfred Gilman, de l'Université de

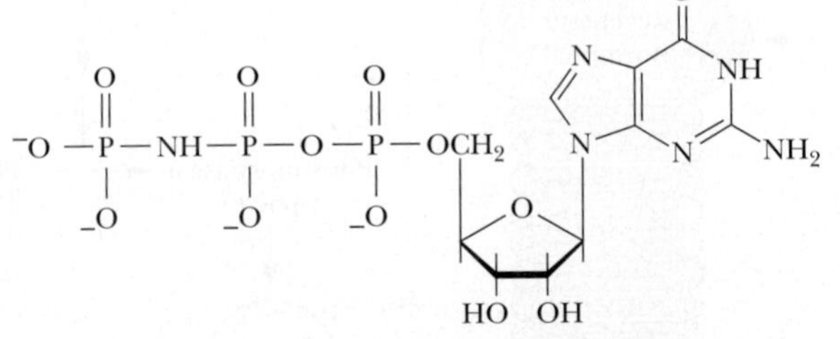

Figure 34.4 • Structure du guanylylimido-diphosphate.

Virginie, ont réussi en 1977 à purifier partiellement une protéine liant le GTP qui, mise en présence de la cyclase et du récepteur, restaurait la stimulation hormonale de la réaction catalysée par la cyclase. Donc, l'adénylate cyclase n'est pas directement activée par le complexe hormone:récepteur. En fait, la liaison de l'hormone à son récepteur stimule une protéine liant le GTP (plus simplement appelée **protéine G**) qui à son tour active l'adénylate cyclase.

Les protéines G

Les protéines G sont des hétérotrimères, elles sont constituées des sous-unités α (45 à 47 kDa), β (35 kDa) et γ (7 à 9 kDa). La sous-unité α, G_α, lie le GTP ou le GDP et possède une faible activité GTPase. Le site nucléotide de la forme non activée du complexe $G_{\alpha\beta\gamma}$ contient du GDP (Figure 34.5). La liaison de l'hormone sur son récepteur stimule un échange rapide du GDP sur G_α pour du GTP. La fixation du GTP sur G_α provoque la dissociation du complexe trimérique en G_α et $G_{\beta\gamma}$, et G_α(GTP) se lie à une protéine effectrice, l'adénylate cyclase par exemple. *La liaison de G_α(GTP) active l'adénylate cyclase* et l'adénylate cyclase catalyse la synthèse de l'AMPc tant que le complexe G_α(GTP) reste lié à l'enzyme. Cependant, l'activité GTPase propre à G_α hydrolyse le GTP en GDP ce qui conduit à la dissociation de G_α(GDP) de l'adénylate cyclase et à sa réassociation avec le dimère $G_{\beta\gamma}$ reconstituant ainsi le complexe trimérique $G_{\alpha\beta\gamma}$.

Deux niveaux d'amplification sont observables dans la réponse hormonale impliquant la protéine G. Premièrement, un seul complexe hormone:récepteur peut activer de nombreuses protéines G avant que l'hormone se dissocie de son récepteur. Deuxièmement, et de façon plus évidente, l'adénylate cyclase activée par G_α(GTP) synthétise de très nombreuses molécules d'AMPc. Finalement, la fixation de l'hormone sur un très petit nombre de récepteurs membranaires a pour conséquence une forte augmentation de la concentration de l'AMPc dans la cellule. L'ensemble récepteur hormonal, protéine G et adénylate cyclase constitue l'unité complète de la transduction du signal (Figure 34.6a).

Une protéine G donnée peut être activée par différents complexes hormone:récepteur. Par exemple, la liaison du glucagon ou de l'adrénaline à leur récepteur spécifique active les mêmes espèces de protéines G dans les hépatocytes. Leurs effets sont additifs et la stimulation par le glucagon et l'adrénaline aboutit à concentration intracellulaire de l'AMPc plus élevée que l'activation obtenue par une seule des deux hormones.

Les protéines G sont un « outil » universel de la transduction du signal chez les animaux supérieurs ; outre l'adénylate cyclase, elles activent de nombreux processus cellulaires qui dépendent de la formation d'un complexe hormone:récepteur. Ces processus comprennent en particulier l'activation des phospholipases C et A, l'ouverture et la fermeture des canaux K^+, Na^+ et Ca^{2+} dans le cerveau, les muscles, le cœur, et d'autres organes (Tableau 34.2). Des protéines G participent aux processus de la vision et de l'olfaction. Plus de 100 différents couples protéines G-récepteurs et au moins 21 protéines G distinctes sont connus. Au moins une douzaine de protéines effectrices, enzymes ou canaux ioniques, dont les activités sont régulées par une protéine G sont actuellement identifiées.

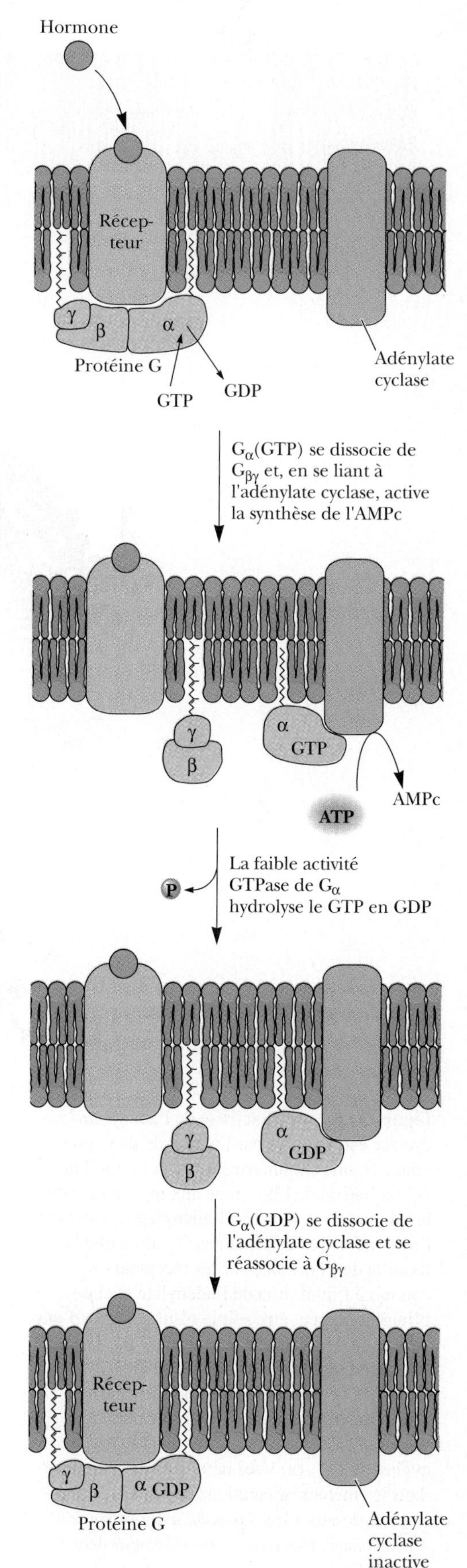

Figure 34.5 • Activation de l'adénylate cyclase par une protéine G. La liaison d'une hormone à son récepteur provoque un changement de conformation dans la structure du récepteur qui favorise la substitution du GDP lié à la sous-unité G_α par du GTP. Le complexe G_α(GTP) se dissocie de $G_{\beta\gamma}$ et se lie à l'adénylate cyclase, ce qui stimule la synthèse de l'AMPc. Le GTP lié est lentement hydrolysé en GDP par une activité GTPase intrinsèque à G_α. G_α(GDP) se dissocie de l'adénylate cyclase et se réassocie à $G_{\beta\gamma}$. Les protéines G_α et G_γ sont liées à la membrane par des ancres lipidiques. L'adénylate cyclase est une protéine membranaire intégrale comportant 12 segments hélicoïdaux transmembranaires.

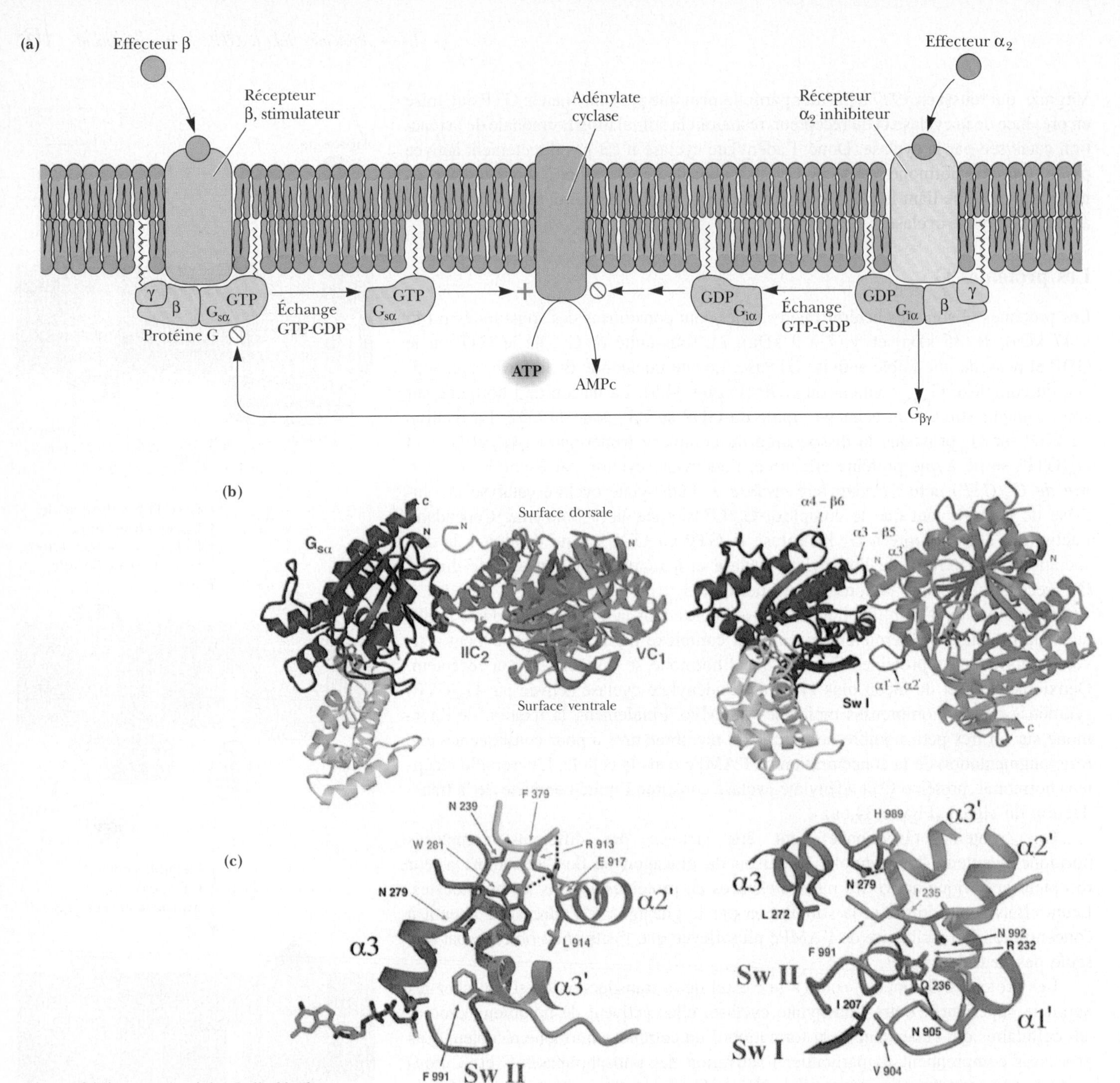

Figure 34.6 • (a) L'activité de l'adénylate cyclase est modulée par l'action de deux protéines G, une stimulatrice, G_s, l'autre inhibitrice, G_i. La liaison de l'hormone aux récepteurs adrénergiques β_1 et β_2 active l'adénylate cyclase par l'intermédiaires de protéines G_s, alors que la fixation de l'hormone sur les récepteurs α_2 conduit à l'inhibition de l'adénylate cyclase. L'inhibition peut être soit le résultat direct d'une inhibition de l'activité de la cyclase par $G_{i\alpha}$, soit le résultat indirect de la liaison de $G_{i\beta\gamma}$ à G_s(GTP), ce qui fait cesser une activation. (b) Deux vues du complexe formé entre le domaine catalytique VC_1-IIC_2 de l'adénylate cyclase et $G_{s\alpha}$. (c) Vues détaillées du complexe dans les mêmes orientations que dans les structures ci-dessus. *(Avec l'aimable autorisation de Alfred Gilman, University of Texas Southwestern Medical Center.)*

Effet de stimulation ou d'inhibition par les protéines G

Les processus régulés par des protéines G peuvent être stimulés (ce que nous venons de voir) ou inhibés. Chaque récepteur hormonal reconnaît spécifiquement un type de protéine G ; si la conséquence de la liaison d'une hormone à son récepteur est une stimulation de la protéine effectrice, il s'agit d'une protéine de type $\mathbf{G_s}$ (s pour stimulation) ; si la conséquence est une inhibition de la protéine effectrice, il s'agit d'une protéine de type $\mathbf{G_i}$ (i pour inhibition). Par exemple, l'adrénaline peut se lier à quatre types de récepteurs adrénergiques désignés par α_1, α_2, β_1, ou β_2. La fixation de l'adrénaline sur les récepteurs α_1 n'a pas d'effet sur l'adénylate cyclase, alors que sa liaison aux récepteurs β_1 et β_2 se traduit par une stimulation de la cyclase et qu'à l'inverse, la liaison de l'adrénaline aux récepteurs α_2 se traduit par une inhibition de l'adénylate cyclase. La « protéine G » décrite Figure 34.5 est en fait une protéine G de type G_s. Il

Tableau 34.2

Les protéines G et leurs effets physiologiques

Protéine G	Localisation	Agent de stimulation	Effecteur	Effet
G_s	Foie	Adrénaline, glucagon	Adénylate cyclase	Dégradation du glycogène
G_s	Tissu adipeux	Adrénaline, glucagon	Adénylate cyclase	Dégradation des lipides
G_s	Rein	Hormone antidiurétique (vasopressine)	Adénylate cyclase	Réabsorption de l'eau
G_s	Follicule ovarien	FSH et LH	Adénylate cyclase	Accroissement de la synthèse des estrogènes et de la progestérone
G_i	Muscle cardiaque	Acétylcholine	Canal potassique	Ralentissement du rythme cardiaque et diminution de la pression sanguine
G_i/G_o	Neurones cérébraux	Enképhalines, endorphines, opioïdes	Adénylate cyclase, canaux potassiques, canaux calciques	Modifications de l'activité électrique des neurones
G_q	Cellules musculaires lisses des vaisseaux sanguins	Angiotensine	Phospholipase C	Contraction des cellules musculaires lisses, élévation de la pression sanguine
G_{olf}	Cellules neuro-épithéliales de la muqueuse nasale	Molécules odorantes	Adénylate cyclase	Perception des odeurs
Transducine (G_t)	Cellules en cônes et bâtonnets de la rétine	Lumière	GMPc phosphodiestérase	Perception de la lumière
GPA1	Levure de boulangerie	Phéromones	Inconnu	Conjugaison

D'après Hepler, J., et Gilman, A., 1992. G proteins. *Trends in Biochemical Sciences* **17** : 383-387.

existe deux possibilités d'interaction entre les sous-unités d'une protéine G_i et la protéine effectrice (Figure 34.6a). La liaison d'une hormone à son récepteur déclenche l'échange GDP $\rightleftharpoons$ GTP et la dissociation de la sous-unité $G_{i\alpha}$(GTP) de $G_{i\beta\gamma}$. L'inhibition de la protéine effectrice peut alors provenir *soit* de la fixation de $G_{i\alpha}$(GTP) sur l'adénylate cyclase dont l'activité est alors directement inhibée, soit d'une façon indirecte lorsque $G_{i\beta\gamma}$ est en compétition avec $G_{s\alpha}$ pour le site de liaison sur la protéine effectrice. La présence d'une plus grande quantité de G_i que de G_s dans les membranes plasmiques des hépatocytes favorise l'effet compétitif de $G_{i\alpha\beta}$.

Alfred Gilman, Stephen Sprang et leurs collaborateurs, ont déterminé la structure d'un complexe formé entre $G_{s\alpha}$ (lié au GTP) et le domaine cytoplasmique (VC_1 et IIC_2) de l'adénylate cyclase (Figure 34.6b). $G_{s\alpha}$-GTP se lie dans une crevasse de l'un des angles du domaine C_2 et la surface de $G_{s\alpha}$ qui s'associe à l'adénylate cyclase est celle qui s'associe au dimère $G_{\alpha\beta}$ dans la protéine G. Le site catalytique sur lequel l'ATP est converti en AMPc est très éloigné du site de liaison de G_α.

La toxine cholérique agit sur G_s

De nombreux détails concernant le rôle médiateur des protéines G dans les effets des hormones ont été élucidés par l'utilisation de deux toxines bactériennes très actives, la toxine cholérique et la toxine pertussique. *Vibrio cholerae*, une bactérie Gram négatif qui provoque le choléra, induit chez les victimes de sévères diarrhées pouvant devenir mortelles en l'absence d'une abondante réhydratation (eau et ions appropriés). La toxine cholérique est une protéine de 87 kDa, constituée d'une sous-unité A et de cinq sous-unités B. Les sous-unités B sont les agents de la reconnaissance de la cellule hôte. La sous-unité A résulte de la liaison par un pont disulfure de deux polypeptides A_1 et A_2. Le polypeptide A_1, de 22 kDa, catalyse l'ADP-ribosylation du résidu Arg^{201} de la sous-unité G_α d'une protéine G_s (Figure 34.7) en utilisant le NAD^+ comme cosubstrat. L'ADP-ribosylation inhibe fortement l'activité GTPase de $G_{s\alpha}$, ce qui maintient $G_{s\alpha}$

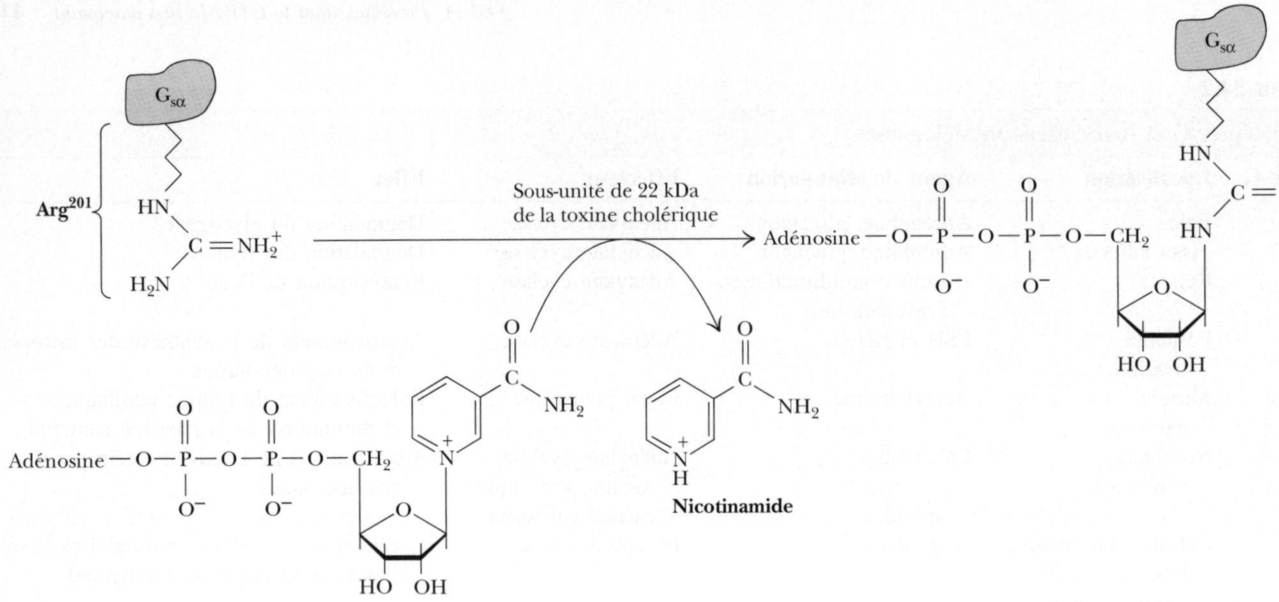

Figure 34.7 • ADP-ribosylation de $G_{s\alpha}$ par la toxine cholérique.

sous sa forme $G_{s\alpha}$(GTP) active et provoque une activation prolongée de l'adénylate cyclase. Un taux élevé d'AMPc dans les cellules de l'épithélium intestinal provoque une abondante sécrétion d'eau et de sels minéraux vers la lumière intestinale. Pendant toute la maladie, les bactéries cholériques et la toxine persistent dans l'intestin, mais si l'organisme est correctement réhydraté, le système immunitaire a le temps de réagir et en fin de compte détruit les bactéries.

La toxine pertussique provoque l'ADP-ribosylation de G_i

La toxine pertussique est sécrétée par *Bordetella pertussis*, la bactérie qui provoque la coqueluche. Cette toxine catalyse l'ADP-ribosylation d'un résidu Cys de $G_{i\alpha}$. La toxine pertussique est une protéine hexamérique de 110 kDa, constituée d'une sous-unité A de 28 kDa et de cinq sous-unités B. Dans le cas de la toxine pertussique, l'ADP-ribosylation inhibe l'échange du GDP pour du GTP et donc prévient l'inhibition de l'adénylate cyclase par $G_{i\alpha}$ qui reste bloqué sous la forme $G_{i\alpha}$(GDP) inactive. À la différence du choléra, même si l'effet de l'infection se caractérise particulièrement par l'inhibition des sécrétions bronchiques, tout l'organisme est atteint et la régulation de l'adénylate cyclase est bloquée dans tous les tissus.

Gène *ras* et petites protéines G

Diverses protéines liant le GTP sont impliquées dans les mécanismes de contrôle de la croissance chez les organismes supérieurs. Certains génomes de virus tumorigènes contiennent des gènes codant pour des protéines qui codent pour des protéines de 21 kDa qui lient le GTP et contiennent des régions dont les séquences présentent une bonne homologie avec les protéines G classiques. Le premier gène de ce type a été identifié dans le virus du sarcome de rat (***ra****t* ***s****arcoma virus*) d'où sa dénomination **gène *ras***. Les gènes impliqués dans la formation des tumeurs sont appelés des **oncogènes** ; ce sont fréquemment des versions mutantes de gènes normaux, non cancérigènes, impliqués dans la régulation de la croissance ; ces derniers sont pour cette raison appelés des **proto-oncogènes**. Le produit normal du gène *ras*, $p21^{ras}$, est une protéine liant le GTP dont la fonction est analogue à celle des protéines G qui viennent d'être décrites ; elle active des processus métaboliques lorsqu'elle est liée au GTP et devient inactive quand le GTP est hydrolysé en GDP. L'activité GTPase de $p21^{ras}$ normale est très faible, comme il est logique pour une protéine G qui régule des effets à long terme puisqu'elle intervient dans la croissance et la différenciation. Une protéine spécifique,

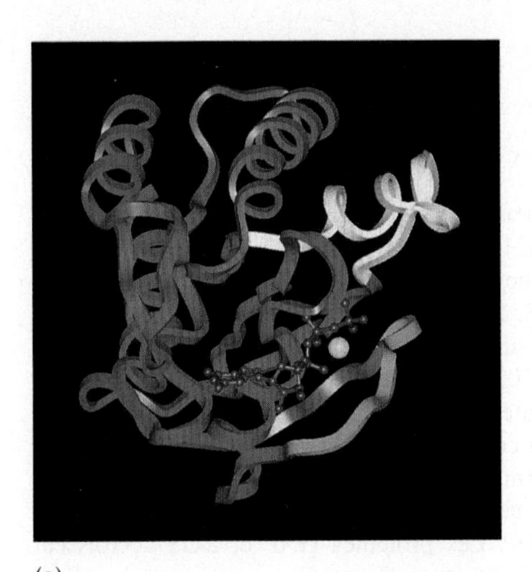

(a)

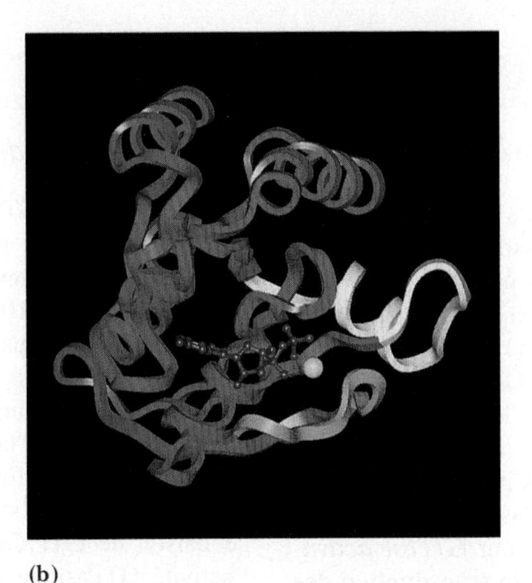

(b)

Figure 34.8 • Structure de p21^{ras} lié à (a) du GDP et (b) du GMP-PNP. Le complexe p21^{ras}-GMP-PNP est la forme active de la protéine.

GAP (pour *GTPase-**a**ctivating **p**rotein*) accroît l'activité GTPase p21^{ras}. Les protéines codées par *ras* muté (oncogène) ont une activité GTPase très affectée, ce qui se traduit par de sérieuses altérations de la croissance et du métabolisme des cellules constituant les tumeurs. Des études cristallographiques ont permis la détermination des structures de la protéine *ras* liée à du GDP, à du GMP-PNP, ou à du GMP-PCP (analogues non-hydrolysables du GTP dans lesquels les P α et β sont reliés par un atome N ou C au lieu de l'atome O normal). p21^{ras} est constituée d'un feuillet β à six brins avec cinq hélices α sur chacun des côtés du feuillet (Figure 34.8). Les cinq boucles (G-1 à G-5) reliant les brins β, qui forment une poche comprenant le site de liaison du GTP ou du GDP, sont les éléments les plus conservés dans ce type de structure. Deux régions de la structure de p21^{ras} changent de conformation après l'hydrolyse du GTP. La première, dénommées *switch I*, correspond à la boucle G-2 qui forme une partie du site de liaison de Mg^{2+}. Ce segment joue un rôle dans la liaison des protéines GAP (voir l'encart Pour en savoir plus) et de celle des protéines cibles de p21^{ras} ; la boucle G-2 est pour cette raison appelée la **boucle effectrice**. La seconde région flexible, *switch II*, inclus G-3 (qui comprend le site de liaison du Pγ du GTP) et l'hélice $\alpha 2$ qui suit.

La structure d'un complexe entre un analogue de p21^{ras}, appelé **raps**, et le **domaine de liaison de p21^{ras}** provenant d'un effecteur appelé **c-raf-1** (Figure 34.9) révèle partiellement la nature des interactions moléculaires entre p21^{ras} et une protéine effectrice (une protéine cible). Les principales interactions dans ce complexe impliquent la formation d'un feuillet β au sein du complexe, feuillet constitué par l'association de deux brins antiparallèles provenant de chacune des protéines. L'hydrolyse du GTP induit la transconformation de la boucle à l'extrémité N-terminale du domaine switch II en une hélice et une réorientation consécutive de toute l'hélice $\alpha 2$ qui détruit le site de liaison de la protéine effectrice.

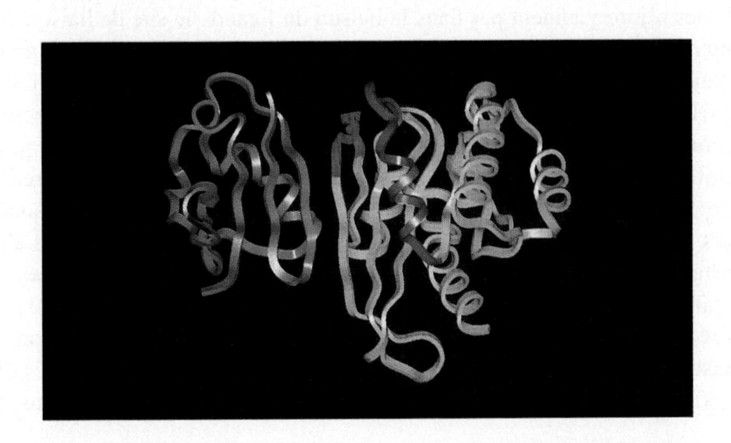

Figure 34.9 • Complexe de raps (un analogue de p21^{ras}, en vert) et du domaine de liaison de p21^{ras} présent dans c-raf-1, en pourpre.

POUR EN SAVOIR PLUS

RGS et GAP – des interrupteurs (switches) qui mettent fin à l'action des protéines G

$p21^{ras}$ et $G_{s\alpha}$ sont normalement des protéines à très faible activité catalytique. Par exemple, la constante de vitesse de l'hydrolyse du GTP par $p21^{ras}$ n'est que de 0,02 min^{-1}. Ces protéines G ne sont actives que lorsqu'elles sont liées à du GTP et elles se dissocient de leurs cibles après hydrolyse du GTP. Si $p21^{ras}$ et $G_{s\alpha}$ avaient une forte activité catalytique, la forme liée au GTP n'aurait qu'une très brève durée et les signaux transmis par les protéines G ne seraient guère efficaces.

Mais comment le signal transmis par les protéines G actives peut-il être interrompu avec une activité GTPase aussi faible ? La réponse est donnée par les protéines **GAP** (pour ***G**TPase-**a**ctivating **p**roteins*) et les **protéines régulatrices de la transduction des signaux par les protéines G** (**RGS** pour ***r**egulators of **G** protein **s**ignaling*) qui, en se liant aux protéines G, accroissent très fortement leur activité GTPase. La figure de gauche présente la structure schématique de $p21^{ras}$ (en blanc) liée à un fragment de GAP (en bleu). Les protéines GAP accroissent l'activité GTPase de $p21^{ras}$ d'un facteur 10^5. La figure de droite représente un RGS (en bleu) lié à une sous-unité $G_{s\alpha}$ (en jaune). Les protéines RGS accroissent d'environ 100 fois la vitesse d'hydrolyse du GTP catalysée par une sous-unité $G_{s\alpha}$. Dans $p21^{ras}$ tout comme dans $G_{s\alpha}$, l'activité GTPase et la conversion du GTP en GDP provoquent un changement de conformation dans les *régions switch I et switch II*, ces parties de la structure des protéines G qui entourent le site de liaison de GTP/GDP. Les protéines GAP et RGS accroissent l'activité GTPasique de leurs protéines G respectives en se liant près du site actif et en stabilisant l'état de transition de la réaction d'hydrolyse du GTP.

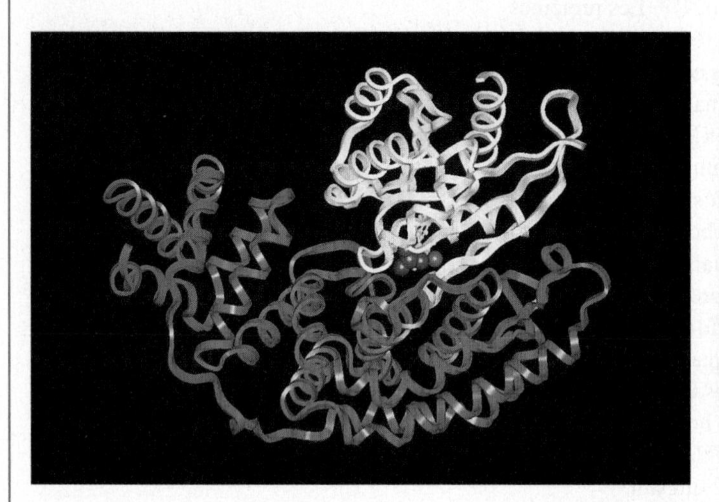

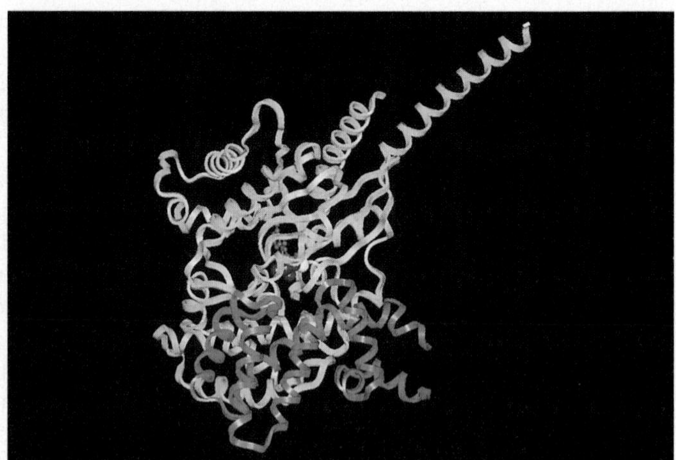

34.5 • Récepteurs à sept segments transmembranaires

Les structures primaires et secondaires des récepteurs à sept segments transmembranaires (7-STM) sont analogues à celles de la bactériorhodopsine. Les récepteurs **α-** et **β-adrénergiques**, auxquels se lie l'adrénaline, sont de bons exemples de ce type de récepteurs (Figure 34.10). L'analyse hydropathique de leur séquence révèle la présence de sept segments hélicoïdaux, les segments transmembranaires. Le segment N-terminal possède deux sites de glycosylation. Les boucles hydrophiles reliant les sept segments hydrophobes n'interviennent pas dans la liaison du ligand : le site de liaison du ligand est à l'intérieur du cœur hydrophobe du récepteur dans le cas des catécholamines.

La liaison de l'adrénaline à un récepteur β-adrénergique enclenche l'activation de l'adénylate cyclase par une protéine G ainsi que nous l'avons décrit Section 34.4. L'activation des récepteurs α_1-adrénergiques stimule le métabolisme du phosphatidylinositol (voir Section suivante). La stimulation des récepteurs α_2-adrénergiques neutralise l'accroissement de la concentration en AMPc d'origine hormonale. Les récepteurs β-adrénergiques sont reliés à des protéines G qui sont couplées à diverses voies métaboliques, adénylate cyclase, guanylate cyclase, phospholipases A et C, canaux calciques et potassiques, ou phosphodiestérases.

Les récepteurs β-adrénergiques sont désensibilisés par phosphorylation, soit par une **kinase spécifique de ces récepteurs** soit par la **protéine kinase A** (**PKA**), la protéine kinase AMPc-dépendante. Les sites de phosphorylation sont dans les deux

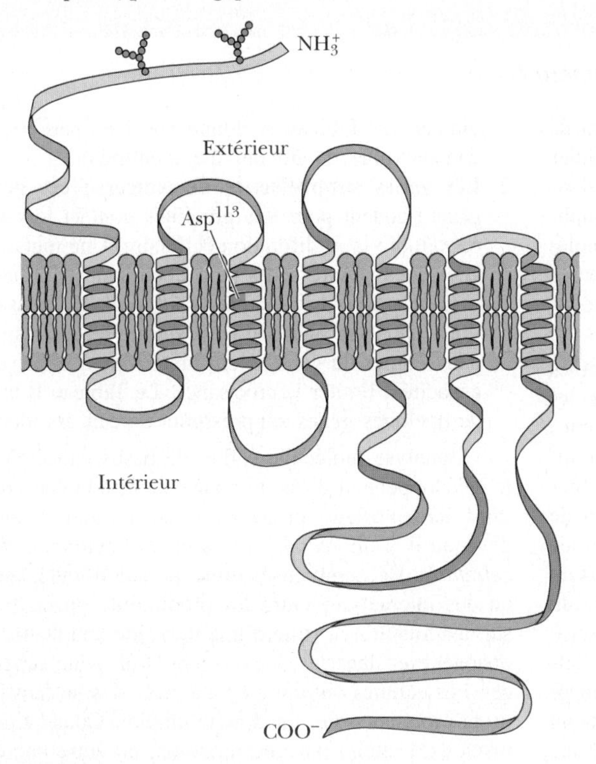

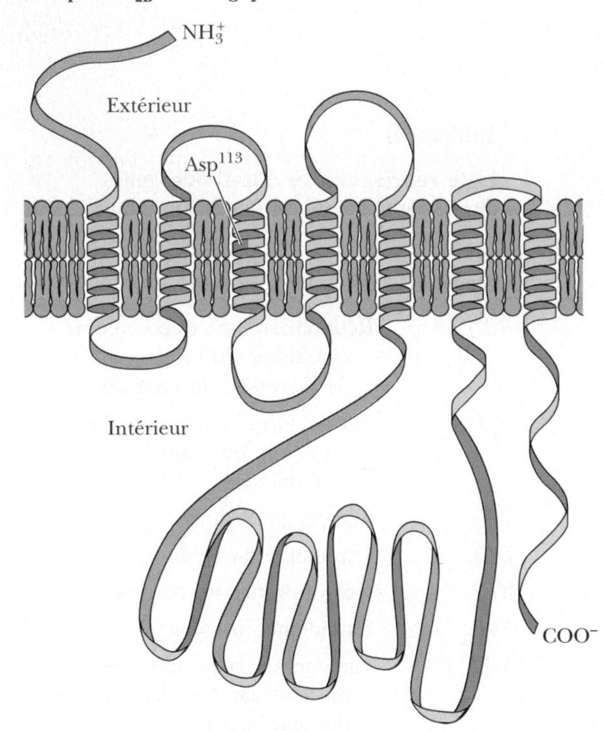

Figure 34.10 • Schémas de l'arrangement des récepteurs β_2 et α_2-adrénergiques dans la membrane. Le remplacement de Asp^{113} dans le troisième domaine hydrophobe du récepteur β-adrénergique par un résidu Asn ou Gln (par mutagenèse dirigée) diminue très fortement l'affinité du récepteur, à la fois pour les agonistes et pour les antagonistes. Ce résidu Asp est conservé dans tous les autres récepteurs couplés à des protéines G dont les ligands sont des amines biogènes, mais il est absent des récepteurs dont les ligands ne sont pas des amines. Asp^{113} semble être le contre-ion de la partie amine des ligands adrénergiques.

cas situés dans le domaine C-terminal des récepteurs. Les sites phosphorylés par la protéine kinase A sont adjacents aux segments du récepteurs qui participent au couplage du récepteur aux protéines G, il semble donc que la phosphorylation de ces sites interfère avec le couplage. La désensibilisation par la kinase spécifique des récepteurs β-adrénergiques relève d'un mécanisme différent ; elle impliquerait une autre protéine qui n'a pas encore été identifiée.

Pour en savoir plus

Cancers, oncogènes et gènes suppresseurs de tumeurs

Les états pathogènes englobés sous le nom de cancers relèvent de la prolifération incontrôlée d'un ou de plusieurs types de cellules au sein de l'organisme. Le contrôle de la croissance et de la division des cellules est un processus extrêmement complexe impliquant les protéines transductrices de signaux (et des petites molécules) décrites au cours de ce Chapitre ainsi que de nombreuses molécules à fonctions analogues. Les gènes qui codent pour les protéines contrôlant la croissance sont de deux types distincts :

1. **Les oncogènes** : Ces gènes codent pour des protéines capables de stimuler la croissance et la division cellulaires. Dans les tissus normaux, et les organismes, ces protéines stimulantes sont elles-mêmes régulées de sorte que la croissance est limitée de façon appropriée. Mais une mutation dans ces gènes peut se traduire par la perte de la fonction de régulation de la croissance et donc une prolifération cellulaire incontrôlée avec développement d'une tumeur. Ces gènes mutants sont appelés *oncogènes* car ils sont à l'origine des tumeurs, du cancer. Les précurseurs de ces gènes sont appelés des proto-oncogènes (ou c-*onc*), ce sont des gènes normaux, essentiels à la croissance cellulaire et à la différenciation. Les oncogènes sont dominants, une mutation dans l'une des deux copies d'un proto-oncogène peut provoquer la formation d'une tumeur. Le Tableau A donne une liste partielle des oncogènes connus (plus de 60 ont été identifiés).
2. **Les gènes suppresseurs de cancers :** ces gènes (*anti-oncogènes*) codent pour des protéines dont la fonction normale est restreindre la prolifération cellulaire. Une mutation dans l'un de ces gènes suppresseurs peut aboutir à la formation d'une protéine ayant perdu sa capacité à limiter la croissance. Les mutations dans les anti-oncogènes sont récessives, il faut que les deux copies du gène soient mutées pour observer la perte de la capacité à limiter la croissance. Le Tableau B présente une liste de quelques gènes suppresseurs de cancers identifiés.

L'analyse moléculaire fine de tissus cancéreux a montré que le développement d'une tumeur peut être la conséquence de mutations dans plusieurs proto-oncogènes ou anti-oncogènes. Il semble donc qu'il y ait *redondance dans la régulation de la croissance cellulaire*. De nombreuses tumeurs (sinon toutes) seraient le résultat des interactions entre les produits de plusieurs oncogènes, ou surviendraient à la suite d'une mutation simultanée dans un proto-oncogène et dans les deux copies d'un gène suppresseur de cancer. Les cellules ont donc évolué avec des mécanismes de contrôle de la croissance faisant double emploi. Quand l'un de ces mécanismes est atteint par une mutation, un autre prend le relais.

Tableau A

Liste représentative de proto-oncogènes impliqués dans les tumeurs humaines

Proto-oncogène	Tumeur produite
abl	Leucémie myéloïde chronique
erb-1	Astrocytome ; carcinome squameux
erb-2 (neu)	Adénocarcinome du sein, de l'ovaire et de l'estomac
myc	Lymphome de Burkitt, carcinome du poumon, du sein, de l'utérus
H-ras	Carcinome du colon, du poumon, du pancréas ; mélanome
N-ras	Carcinome urogénital et de la thyroïde ; mélanome
ros	Astrocytome
src	Carcinome du colon
jun *fos*	Divers types

D'après Bishop, J.M., 1991. Molecular themes in oncogenesis. *Cell* **64** : 235-248.

Tableau B

Liste représentative d'anti-oncogènes impliqués dans les tumeurs humaines

Anti-oncogène	Tumeur produite
RB1	Rétinoblastome ; ostéosarcome ; carcinome du sein, de la vessie, du poumon
p53	Astrocytome ; carcinome du sein, du colon, du poumon ; ostéosarcome
WT1	Tumeur de Wilms
DCC	Carcinome du colon
NF1	Neurofibromatose de type I
FAP	Carcinome du colon
MEN-1	Tumeurs de la parathyroïde, du pancréas, de l'hypophyse, des surrénales

D'après Bishop, J.M., 1991. Molecular themes in oncogenesis. *Cell* **64** : 235-248.

34.6 • Des phospholipases spécifiques libèrent des seconds messagers

Une série de seconds messagers provient de la dégradation de phospholipides membranaires. La liaison de certaines hormones ou facteurs de croissance à leurs récepteurs respectifs enclenche un processus qui aboutit à l'activation de phospholipases spécifiques. L'action de ces phospholipases sur des phospholipides membranaires produits divers seconds messagers (Figure 34.11).

La dégradation des phosphatidylinositol phosphates produit principalement l'inositol-1,4,5-trisphosphate et du diacylglycérol

La dégradation du **phosphatidylinositol (PI)** et de ses dérivés phosphorylés produit une famille de seconds messagers. Les phosphorylations successives du PI produisent le **phosphatidylinositol-4-P (PIP)** et le **phosphatidylinositol-4,5-bisphosphate (PIP_2)**, pour les molécules les mieux connues (Figure 34.12). Quatre isozymes phospholipase C (isozymes α, β, γ et δ) hydrolysent le PI, le PIP et le PIP_2. L'hydrolyse du PIP_2 par la phospholipase C produit simultanément deux seconds messagers, l'**inositol-1,4,5-*tris*phosphate (IP_3)** et le **diacylglycérol (DAG)**. IP_3 est une molécule hydrosoluble qui diffuse vers les organites intracellulaires dans lesquels elle active la sortie du Ca^{2+}. Par contre, DAG est une molécule lipophile qui reste dans la membrane plasmique où elle active une protéine Ca^{2+}-dépendante, la **protéine kinase C** (voir Section suivante).

Des protéines G ou des tyrosine kinases sont les médiateurs de l'activation de la phospholipase C

Les différents isozymes phospholipase C ne sont pas activés par les mêmes événements intracellulaires (Figure 34.13). Les phospholipases C-β, -γ et -δ sont toutes Ca^{2+}-dépendantes. De plus, la phospholipase C-β est stimulée par un groupe de protéines G particulières les protéines G_q. La liaison d'hormones polypeptidiques comme la vasopressine, ou la bradykinine, à des récepteurs de la famille des récepteurs à sept segments transmembranaires libère $G_{q\alpha}$(GTP) du trimère $G_{q\alpha\beta\gamma}$. $G_{q\alpha}$(GTP) active alors la phospholipase C-β (Figure 34.13). Par contre, la phospholipase C-γ est activée par des

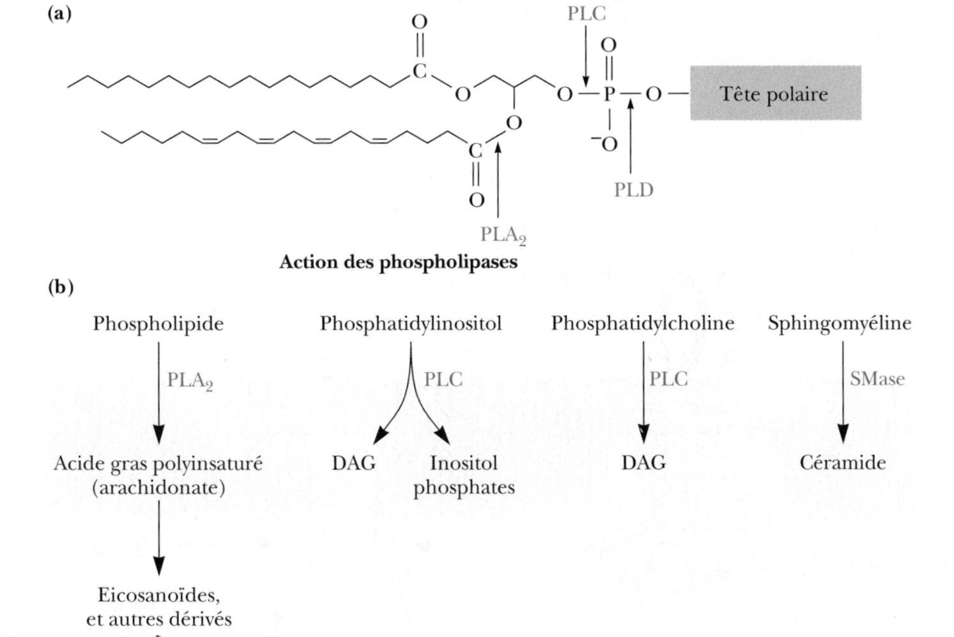

Figure 34.11 • (a) Liaisons scindées par la phospholipase A_2 (PLA_2), la phospholipase C (PLC) et la phospholipase D (PLD).
(b) Synthèse de seconds messagers à partir des phospholipides sous l'effet des phospholipases et de la sphingomyélinase (SMase).

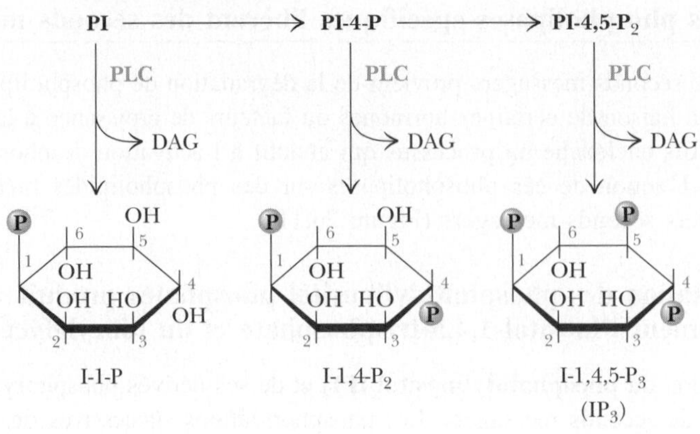

Figure 34.12 • Famille des seconds messagers produits par phosphorylation et dégradation du phosphatidylinositol. L'action de la phospholipase C sur PI-4,5-P_2 produit simultanément deux seconds messagers distincts, IP_3 et DAG.

récepteurs à activité **tyrosine kinase** (Figure 34.14). Les principales caractéristiques des structures primaires des phospholipases C-β et C-γ sont présentées Figure 34.15. Les domaines X et Y de ces deux isozymes sont hautement homologues, ils sont tous deux nécessaires à l'activation de la phospholipase C. Les autres domaines déterminent la spécificité de l'activateur, protéine G ou tyrosine kinase.

Métabolisme des seconds messagers dérivés de l'inositol

La Figure 34.16 présente un résumé des transformations métaboliques des seconds messagers dérivés de l'inositol provenant de l'action d'une phospholipase C sur du PIP_2. La demi-vie cellulaire de IP_3 n'est que de quelques secondes. Il est rapidement transformé par deux voies principales : (a), il peut être catabolisé par une série de phosphatases pour donner successivement l'inositol-1,4-*bis*phosphate, l'inositol-4-phosphate et enfin le myo-inositol qui peut être réutilisé pour la synthèse de nouvelles molécules de phosphatidylinositol ; ou (b), IP_3 peut être phosphorylé pour donner l'inositol-1,3,4,5-*tétrakis*phosphate qui ensuite subit une série complexe de phosphorylations et de déphosphorylations aboutissant à la formation d'au moins six autres dérivés phosphorylés de l'inositol. *Plusieurs de ces molécules ont également une fonction de second messager dans divers processus cellulaires* ; certaines serviraient de signal extracellulaire dans la régulation de mécanismes neuronaux spécifiques.

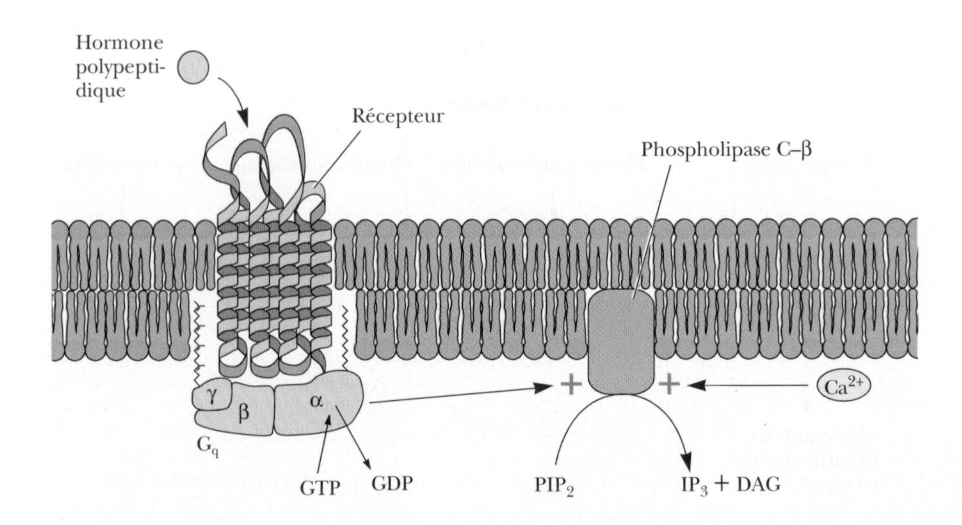

Figure 34.13 • La phospholipase C-β est spécifiquement activée par G_q, une protéine G, et par Ca^{2+}.

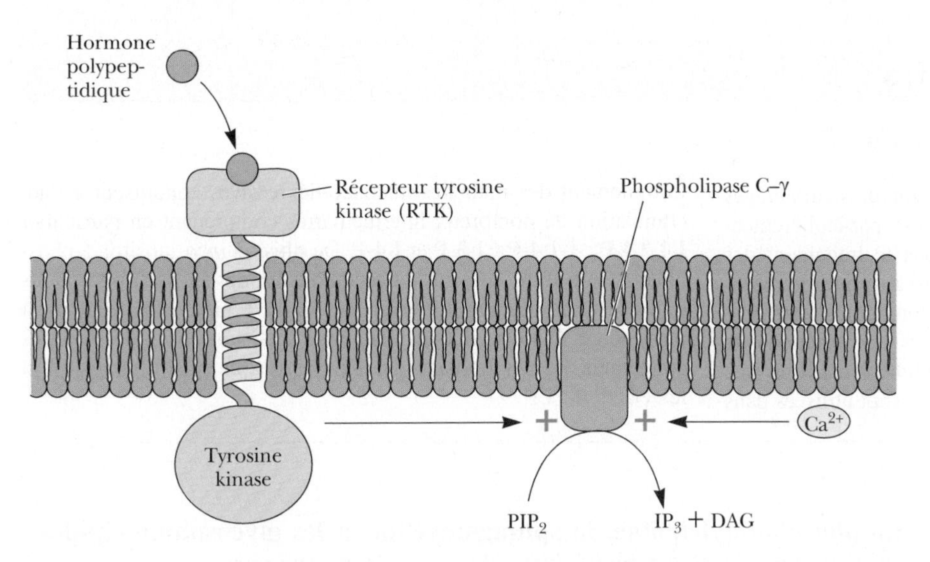

Figure 34.14 • La phospholipase C-γ est activée par des récepteurs tyrosine kinases et par Ca^{2+}.

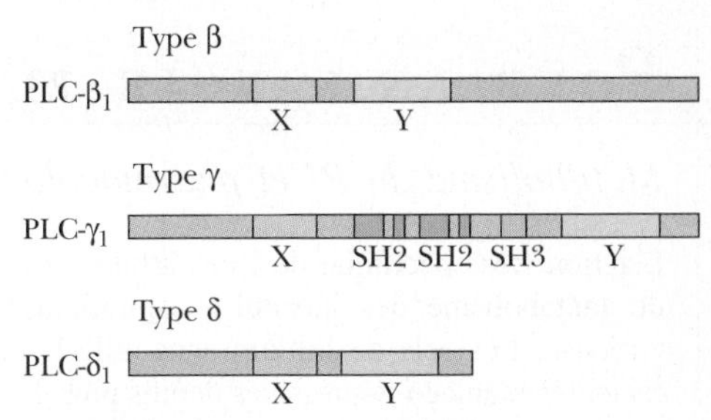

Figure 34.15 • Séquences des isozymes phospholipase C. Les isozymes β, γ, et δ, ont en commun deux domaines homologues, les domaines X et Y. La séquence de l'isozyme γ contient en plus les domaines, SH2 et SH3, homologues de *src*. Le domaine SH2 (long d'environ 100 résidus) reconnaît des protéines contenant un résidu phosphotyrosine (par exemple les RTK), tandis que SH3 contribue aux interactions avec des protéines du cytosquelette. *(D'après Dennis, E., Rhee, S., Gillah, M., et Hannun, E., 1991. Role of phospholipases in generating lipid second messengers in signal transduction.* The FASEB Journal *5 : 2068-2077.)*

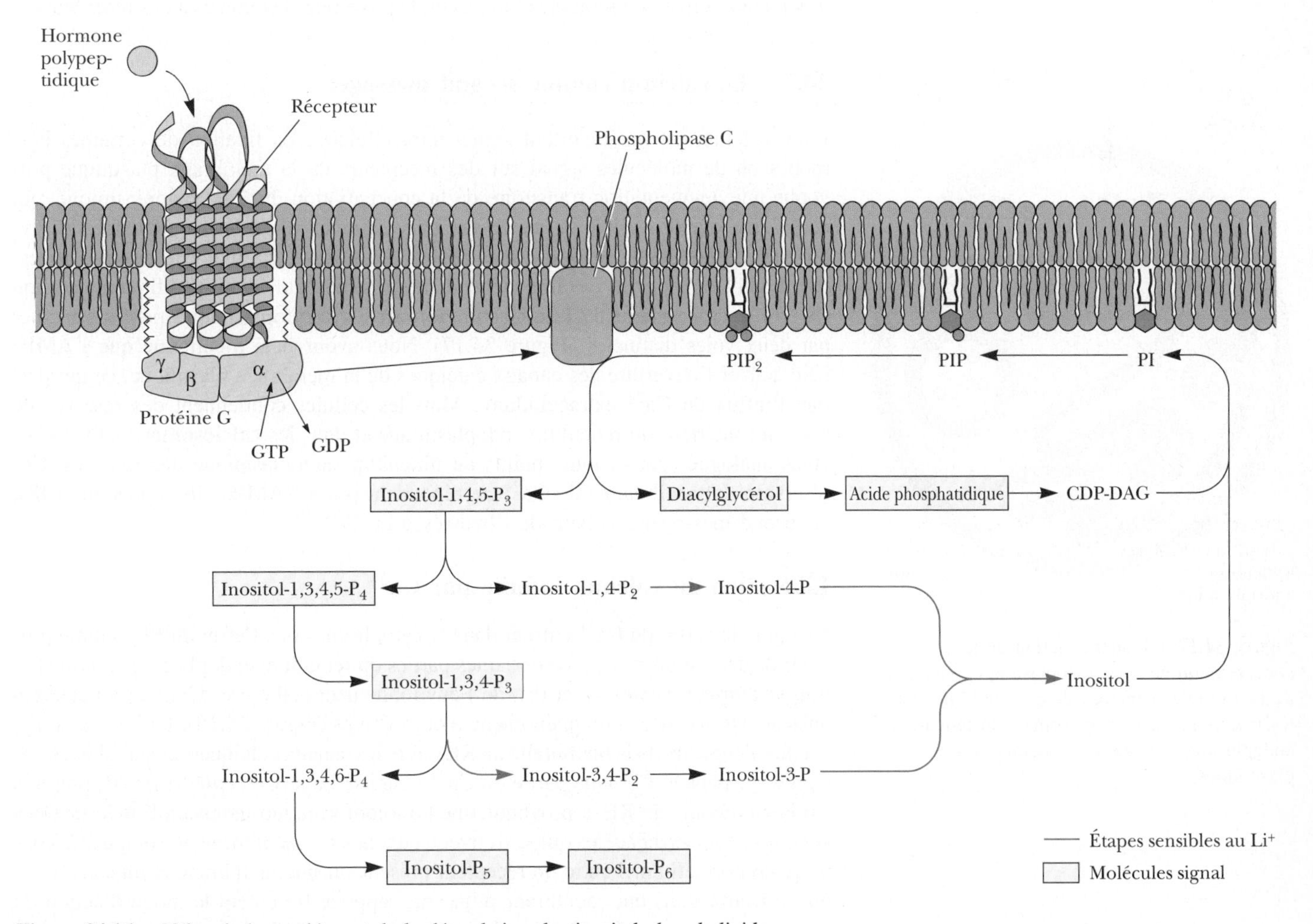

Figure 34.16 • Voies de la synthèse et de la dégradation des inositol-phospholipides.

POUR EN SAVOIR PLUS

Métabolisme du PI et pharmacologie du Li^+

L'action très spécifique de l'ion lithium, Li^+, sur plusieurs étapes du métabolisme des inositol-phospholipides est particulièrement curieuse. Les sels de lithium sont utilisés dans le traitement des maladies maniaco-dépressives depuis plus de 30 ans, mais le mécanisme des effets thérapeutiques du lithium est longtemps resté obscur. Récemment, il a été montré que plusieurs des réactions de déphosphorylation de la Figure 34.16 étaient inhibées par l'ion Li^+. Des concentrations de Li^+ analogues à celles qui sont utilisées dans le traitement des maladies maniaco-dépressives conduisent à l'accumulation de nombreux intermédiaires comprenant en particulier I-1,3,4-P_3, I-1,4-P_2, I-3-P et I-4-P. De plus, la *myo*-inositol-1-phosphatase, un autre enzyme du métabolisme des inositol-phospholipides, est inhibée par Li^+ avec un K_i de 1 m*M*. Mais tout n'est pas encore élucidé, il faut s'attendre à de nouvelles découvertes concernant le métabolisme des dérivés du phosphatidylinositol et les effets du Li^+.

La phosphatidylcholine, la sphingomyéline et les glycosphingolipides sont également des précurseurs de seconds messagers

D'autres phospholipides que PI sont des sources de seconds messagers. La dégradation de la phosphatidylcholine par les phospholipases donne plusieurs seconds messagers, dont le diacylglycérol, l'acide phosphatidique, les acides gras précurseurs des prostaglandines. L'action de la **sphingomyélinase** sur la sphingomyéline produit la **céramide** qui stimule une **protéine kinase dépendante de la céramide**. De même, les produits de la dégradation des gangliosides comme le ganglioside G_{M3} (Chapitre 8) modulent l'activité de protéines kinases et de protéines G couplées à des récepteurs.

34.7 • Le calcium comme second messager

L'ion calcium est un important signal intracellulaire. La fixation de certaines hormones ou de molécules signal sur des récepteurs de la membrane plasmique provoque une augmentation transitoire de la concentration du Ca^{2+} cytoplasmique, qui active une grande variété de processus enzymatiques (dont le métabolisme du glycogène), la contraction des muscles lisses, l'exocytose. La majorité de ces processus d'activation par le calcium dépend de protéines qui lient spécifiquement l'ion Ca^{2+}. L'accroissement de la concentration du Ca^{2+} cytoplasmique peut s'effectuer par deux voies distinctes (Figure 34.17). Nous avons déjà mentionné que l'AMPc peut activer l'ouverture des canaux calciques de la membrane plasmique, ce qui permet l'influx du Ca^{2+} extracellulaire. Mais les cellules contiennent des réserves de Ca^{2+}, à l'intérieur du réticulum endoplasmique et dans les **calciosomes**, petites vésicules analogues par certains points au réticulum sarcoplasmique des muscles. Ces réservoirs intracellulaires de Ca^{2+} ne répondent pas à l'AMPc ; ils répondent à IP_3, le second messager résultant de l'hydrolyse du PIP_2.

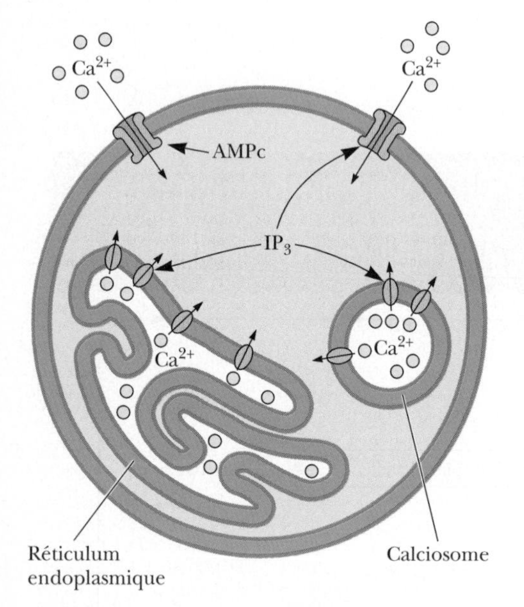

Figure 34.17 • L'augmentation de la concentration en Ca^{2+} cytoplasmique résulte de l'ouverture des canaux calciques présents dans les membranes des calciosomes, du réticulum endoplasmique et dans les membranes plasmiques.

Libération du calcium induite par Ca^{2+}

Une grande partie du Ca^{2+} entrant dans le cytoplasme sous l'effet du PI_3 semble provenir de deux sources : (a), de certaines parties du réticulum endoplasmique *associées à la membrane plasmique* et (b), de l'environnement cellulaire. L'entrée du calcium dans le cytoplasme est un phénomène à deux étapes (Figure 34.18). La liaison de IP_3 sur des récepteurs de la membrane du RE ouvre les canaux calciques, ce qui libère Ca^{2+} en réserve dans le RE. Une partie du Ca^{2+} libéré se lie aux *récepteurs de IP_3* présents sur la membrane du RE et provoque une transconformation induisant l'ouverture des *canaux calciques* adjacents qui se trouvent, eux, *dans la membrane plasmique*. Ce couplage conformationnel entre un récepteur présent sur une membrane et un canal Ca^{2+} qui se trouve dans une membrane adjacente rappelle fortement le mode d'action du récepteur de la ryanodine du réticulum sarcoplasmique (Chapitre 17) ; le récepteur de

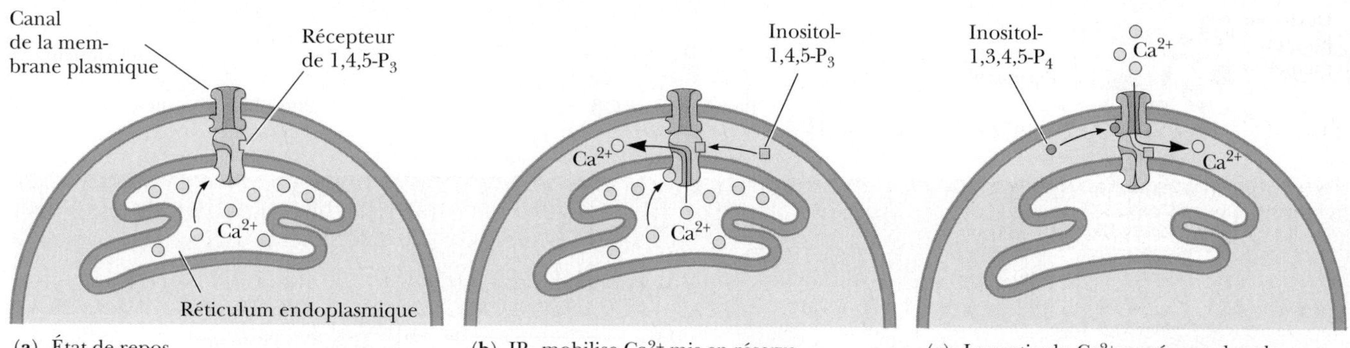

(**a**) État de repos

(**b**) IP_3 mobilise Ca^{2+} mis en réserve dans le réticulum endoplasmique

(**c**) La sortie du Ca^{2+} en réserve dans le RE induit un changement de conformation dans le complexe récepteur de IP_3 qui ouvre le canal calcique membranaire; 1,3,4,5-P_4 participe peut-être à ce processus

Figure 34.18 • IP_3 stimule la libération d'ions Ca^{2+} qui à leur tour induisent l'entrée dans le cytoplasme d'une plus grande quantité de Ca^{2+}. La fixation de IP_3 sur les récepteurs du RE ouvre les canaux calciques du RE. Le flux du Ca^{2+} à travers ces canaux induit un changement de conformation qui ouvre d'autres canaux calciques, ceux de la membrane plasmique. *(D'après Berridge, M., 1990. Calcium oscillations.* Journal of Biological Chemistry ***265** : 9583-9586.)*

l'inositol-1,4,5-*tris*phosphate et le récepteur de la ryanodine présentent d'ailleurs de remarquables similarités structurales.

Les actions des deux seconds messagers, IP_3 et DAG sont complémentaires (Figure 34.19). IP_3 élève le taux du Ca^{2+} cytoplasmique et DAG active la protéine kinase C stimulée par Ca^{2+} en présence de phosphatidylsérine.

Oscillations de la concentration intracellulaire du Ca^{2+}

Une des observations les plus excitantes dans le domaine de la régulation par le Ca^{2+} a été la découverte par Michael Berridge, et par d'autres chercheurs, de la nature **oscillatoire** de l'élévation de la concentration intracellulaire du Ca^{2+} induite par IP_3 ! La Figure 34.20 présente quelques exemples d'oscillations de $[Ca^{2+}]$. Ces oscillations de la concentration de Ca^{2+} sont généralement induites par l'activation de récepteurs qui réagissent en stimulant la voie du PIP_2. Par exemple, les récepteurs α_1 *adrénergiques*, les récepteurs de la *vasopressine* et de l'*angiotensine* des hépatocytes, les récepteurs de l'*histamine* des cellules endothéliales, les récepteurs de la *cholécystokinine* des cellules du pancréas et les récepteurs B_2 de la *bradykinine* dans les cellules chromaffines (cellules endocrines de l'intestin).

Plusieurs modèles ont été proposés pour rendre compte de ces oscillations, modèles impliquant une oscillation de IP_3 et modèles dans lesquels le taux de IP_3 reste constant mais induit des fluctuations de la libération et de la capture du Ca^{2+}. La raison des oscillations de Ca^{2+} n'est pas connue, mais explications sont avancées : (a), les oscillations résultent de la nécessité de protéger certains processus intracellulaires très sensibles de l'action prolongée du Ca^{2+}, et (b), de la nécessité de créer des « ondes » spatiales de Ca^{2+} dans la cellule. Plusieurs des systèmes oscillatoires présentent effectivement une organisation spatiale de sorte que les variations transitoires de la concentration en Ca^{2+} se transmettent à travers la cellule comme une vague de Ca^{2+} qui progresserait à la vitesse de 10 à 100 µm par seconde. Il existe aussi des preuves de la propagation de ces vagues d'une cellule à l'autre. Par exemple, les cellules activées de l'épithélium cilié pulmonaire excitent les cellules voisines par l'intermédiaire d'un signal, probablement Ca^{2+}, qui se répand à la façon d'une onde à la vitesse d'environ 10 µm par seconde.

Protéines intracellulaires qui lient le calcium

Compte tenu de l'important rôle central du Ca^{2+} comme messager intracellulaire, l'existence de mécanismes complexes de régulation de sa concentration n'est pas surprenante. Lorsque le signal Ca^{2+} est généré par l'AMPc, l'inositol-*tris*phosphate ou d'autres agents, il est traduit en une réponse **intracellulaire** par l'intermédiaire de **protéines liant le calcium** (les calciprotéines) qui ensuite régulent de nombreux

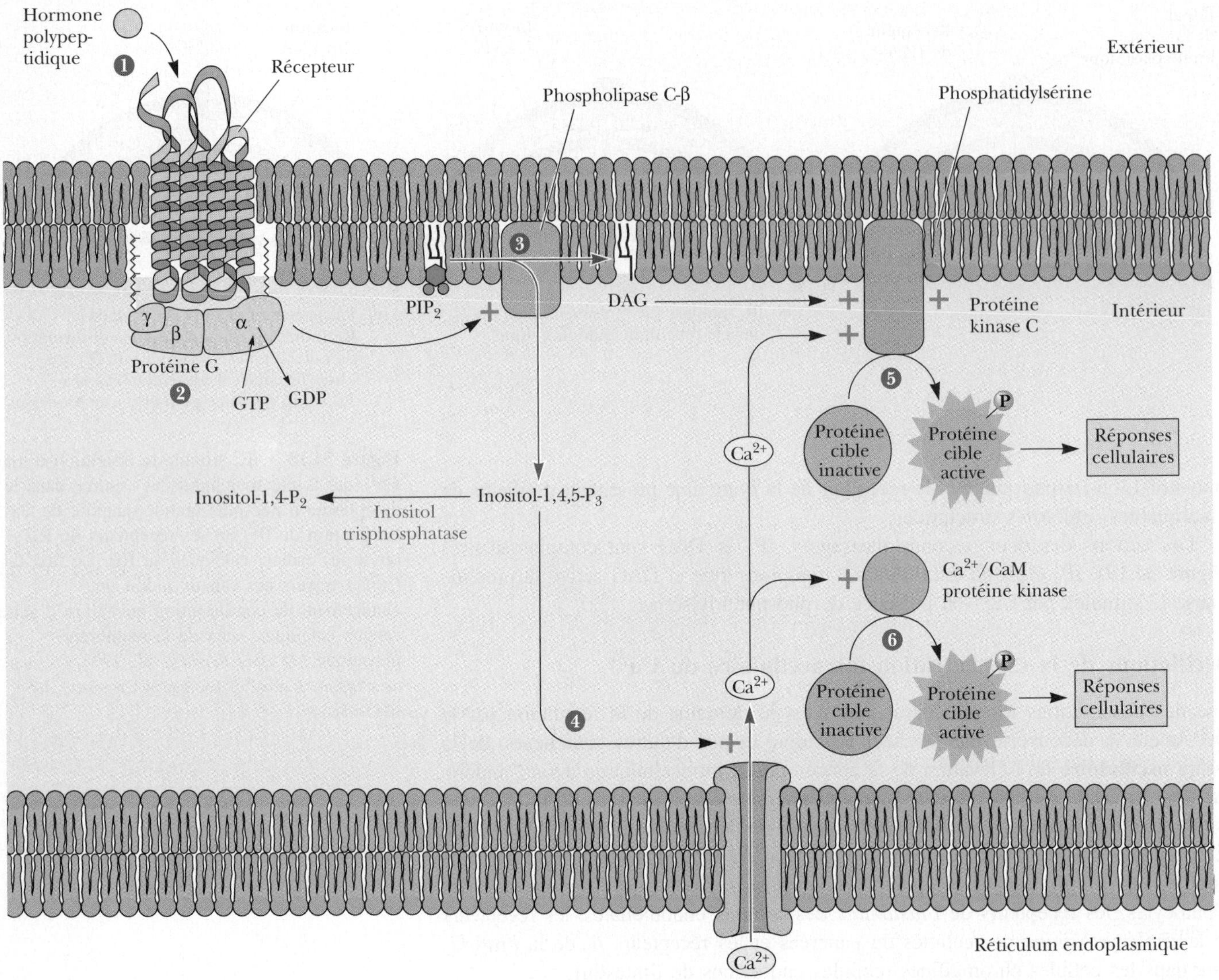

Figure 34.19 • Voies de la transduction du signal dans lesquelles IP_3 intervient. Un accroissement de $[Ca^{2+}]$ active des protéines kinases qui phosphoryleront les protéines cibles. Ca^{2+}/CaM représente la calci-calmoduline (Ca^{2+} complexé à la calmoduline, une protéine régulatrice).

processus cellulaires. L'un des enzymes ainsi régulé est la protéine kinase C, décrite section 34.8. Les deux principales classes de calciprotéines, basées sur la structure et la fonction de la protéine, sont : (a), les **protéines dont** la **conformation change en présence de calcium**, **calmoduline**, **parvalbumine**, **troponine C**, ainsi que de nombreuses autres protéines qui ont en commun un motif structural appelé la **main EF** (Figure 6.26 et Figure 17.30) et (b), les **annexines** une famille de protéines homologues qui, en présence de Ca^{2+}, se lient aux phospholipides des membranes plasmiques.

Plus de 170 protéines dont la conformation change en présence de Ca^{2+} sont actuellement connues (Tableau 34.3). Toutes ont en commun un domaine caractéristique constitué d'une courte hélice α, d'une boucle de 12 résidus et d'une seconde hélice α. Robert Kretsinger de l'Université de Virginie a découvert ce motif dans la parvalbumine, une protéine d'abord identifiée dans la carpe puis, par la suite, dans les neurones à grande fréquence de potentiel d'action et à forte activité respiratoire. Kretsinger a dénommé les six hélices de la parvalbumine en utilisant les lettres A à F avant de remarquer que les hélices E et F,

Figure 34.20 • Oscillations du Ca^{2+} induites en réponse : (a) au carbachol, dans la glande parotide ; (b) à la noradrénaline dans les hépatocytes ; à l'histamine dans les cellules endothéliales. *(D'après Berridge, M., 1990. Calcium oscillations.* Journal of Biological Chemistry ***265** : 9583-9586.)*

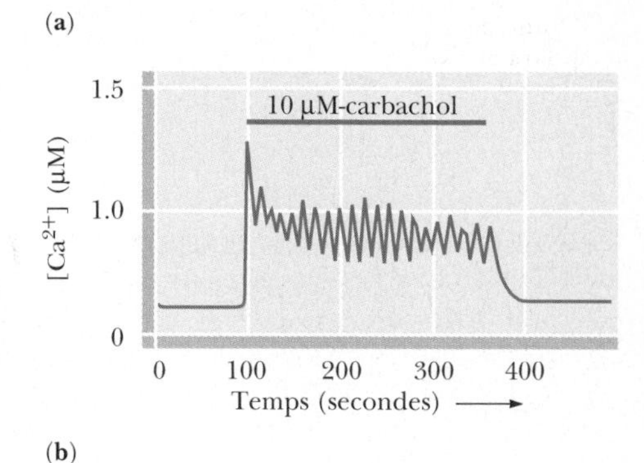

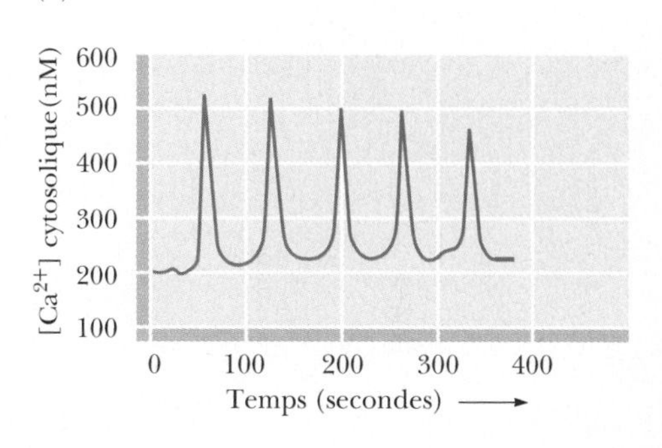

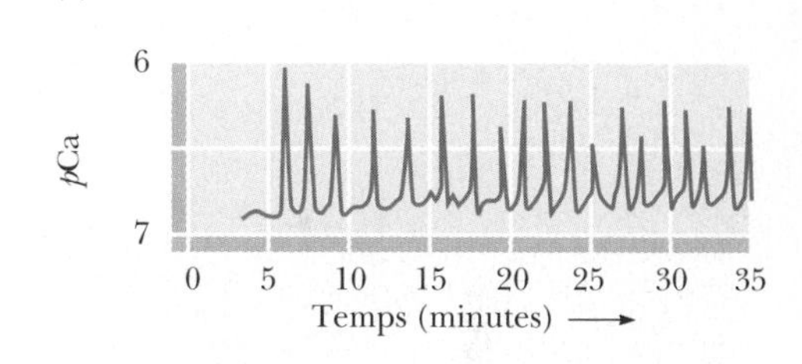

reliées par une boucle, formaient une structure ressemblant au pouce et à l'index de la main droite ; il a appelé cette structure *la main EF*, un nom devenu commun de nos jours pour identifier le motif hélice-boucle-hélice des protéines liant le calcium. L'ion calcium est lié dans le motif EF de la parvalbumine par six liaisons de coordination avec six atomes d'oxygène appartenant au groupe carboxylique d'un résidu glutamate, aux groupes carboxyliques de trois résidus aspartate, au carbonyle d'une liaison peptidique et à une molécule d'eau. Le motif main EF est également présent dans la *calmoduline* (Figure 34.21), la *troponine C* et la *calbindine* (protéine qui transporte le calcium à travers les cellules de la paroi intestinale). La plupart des protéines à main EF contiennent au moins deux motifs EF (et même jusqu'à huit) ; ces motifs sont généralement au contact direct l'un de l'autre dans la structure tertiaire.

Les protéines cibles de la calmoduline contiennent une hélice basique amphiphile

Des mesures de dichroïsme circulaire montrent que les protéines à main EF subissent d'importantes modifications de conformation lors de la fixation de Ca^{2+}. Ce changement de conformation entraîne la liaison de la protéine à main EF à sa (ou ses) protéine(s) cible(s). Par exemple, la calmoduline (CaM), une protéine de 148 résidus présente dans de nombreux types de cellules, module l'activité d'un grand nombre de protéines cibles, comme les Ca^{2+}-ATPases, des protéines kinases, des phosphodiestérases, la NAD^+ kinase, et diverses protéines impliquées dans la motilité intracellulaire. La calmoduline s'associe à ses protéines cibles avec une très haute affinité (K_D compris entre la picomole et la nanomole). Toutes les protéines cibles de la CaM **possèdent une hélice α basique amphiphile** qui est le site de

Tableau 34.3

Exemples de protéines modulées par le calcium

Protéine	Fonction
Actinine α	Réticulation de l'actine F du cytosquelette
Calcineurine B	Ser/Thr protéine phosphatase
Calmoduline	Module l'activité de protéines Ca^{2+} dépendantes
Calrétine	Module les processus neuronaux calcium dépendants
Caltractine	Module la contraction des fibres contractiles sensibles au Ca^{2+}
Cristallines β et γ	Modulent dans le cristallin les processus Ca^{2+}-dépendants
Protéine flagellaire liant le Ca^{2+}	Motilité cellulaire et fonctions des flagelles
Fréquinine	Transduction du signal lumineux dans les cônes rétiniens
Phospholipase C spécifique des inositol-phospholipides	Libération de seconds messagers, signaux extracellulaires
Myéloperoxydase	Réaction inflammatoire des neutrophiles
Parvalbumine	Accélération de la relaxation musculaire, complexant de Ca^{2+}
S-100	Progression du cycle cellulaire, différenciation cellulaire, interactions cytosquelette-membrane
Thiorédoxine réductase	Participe au transfert des électrons dans les kératinocytes
Troponine C	Activation de la contraction musculaire

D'après Heizmann, C.W., ed., 1991. *Novel Calcium Binding Proteins – Fundamentals and Clinical Implications.* New York : Springer-Verlag.

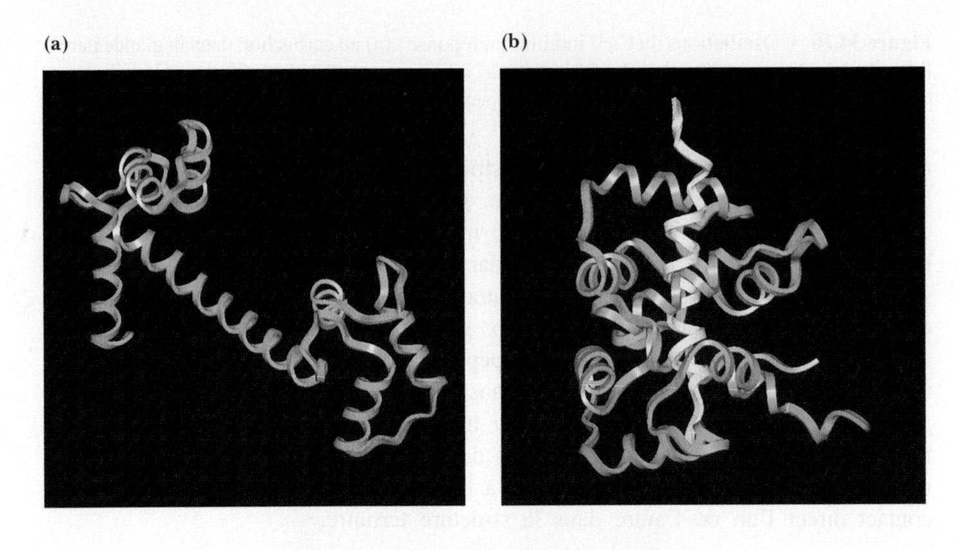

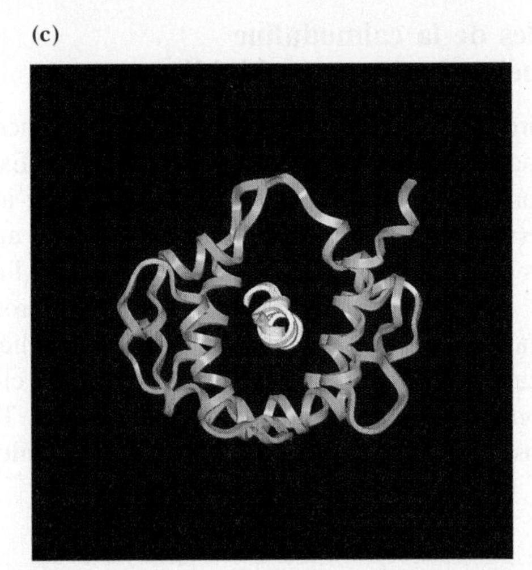

Figure 34.21 • (a) Structure de la calmoduline libre. La calmoduline, avec deux domaines globulaires reliés par une longue hélice centrale, a une structure en forme de haltère ; elle contient quatre domaines de liaison du Ca^{2+}. Chaque domaine globulaire comporte deux motifs EF juxtaposés. Une particularité assez surprenante de ces motifs EF est qu'en dépit du faible degré d'homologie de leurs séquences (seulement 25 % dans certains cas), leurs structures tridimensionnelles sont presque identiques. (b et c) Complexe de la calmoduline (en jaune) et d'un peptide provenant de la chaîne légère de la myosine (en blanc) : (b) vue latérale ; (c) vue de dessus.

liaison spécifique de la CaM. Vue par le dessus et présentée sous forme de **roue hélicoïdale** (Figure 34.22), cette hélice basique a ses résidus hydrophobes généralement rassemblés sur un des côtés de l'hélice et ses résidus basiques sur l'autre côté. Bien que conformes à ce modèle, les hélices α basiques des protéines cibles de la CaM ont néanmoins des séquences très différentes. Comment la calmoduline, une protéine à séquence hautement conservée peut-elle reconnaître et s'associer à des protéines ayant une telle variété de séquences et de structures ? Chacun des deux domaines globulaires de la calmoduline comporte une grande surface hydrophobe encadrée par des régions dont les surfaces portent de nombreuses charges négatives, surfaces appropriées pour des interactions avec une hélice basique et amphiphile. La longue hélice centrale qui relie les domaines globulaires se comporte comme une attache flexible. Lorsque CaM s'associe à la protéine cible, les domaines globulaires se rapprochent pour former un unique site de liaison. La flexibilité de l'hélice attache

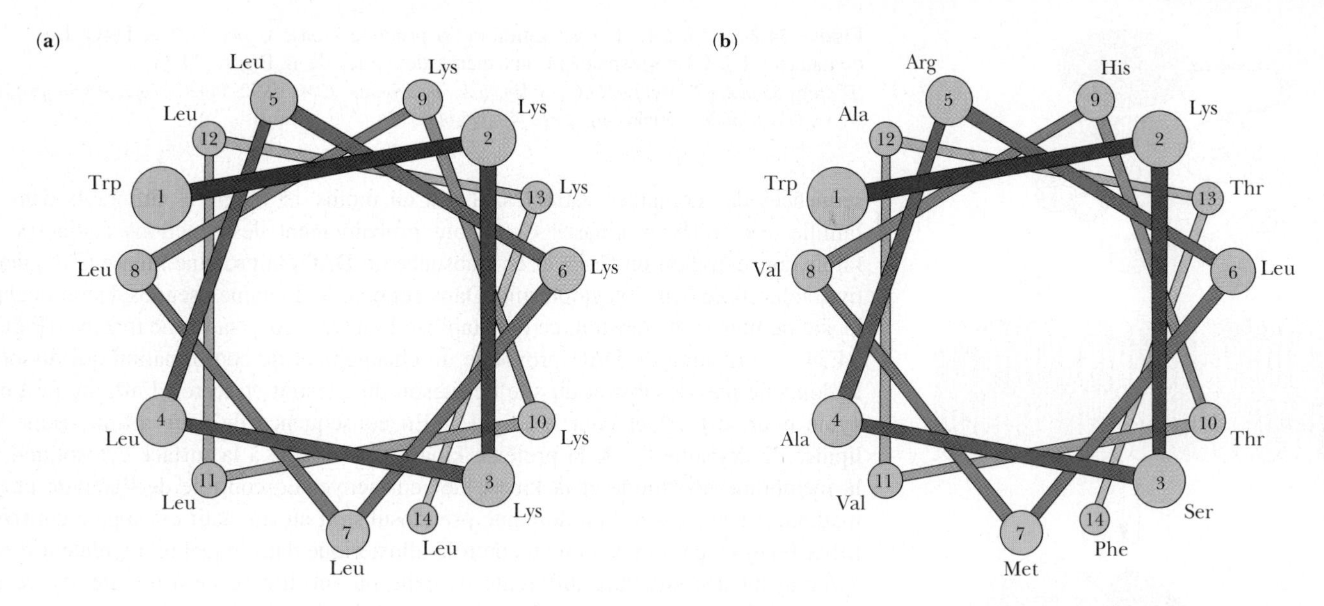

Figure 34.22 • Représentations de la roue hélicoïdale de (a) un peptide modèle, Ac-WKKLLLKLLKKLLKL-CONH$_2$ et (b) du domaine liant le calcium de la spectrine. Les résidus porteurs d'une charge positive et les résidus polaires sont colorés en vert, les résidus hydrophobes sont colorés en orange. *(D'après O'Neil, K., et DeGrado, W., 1990. How calmodulin binds its targets : Sequence independent recognition of amphiphilic α-helices.* Trends in Biochemical Sciences *15 : 59-64.)*

permet un meilleur ajustement des deux domaines globulaires afin que la liaison avec la cible, protéine ou peptide soit maximale.

34.8 • La protéine kinase C, agent de la transduction des signaux de deux seconds messagers

En catalysant la phosphorylation de résidus Ser ou Thr des protéines cibles, la **protéine kinase C** (**PKC**) est à l'origine d'une grande variété de réponses. La PKC est spécifiquement activée par deux seconds messagers intracellulaires : le diacylglycérol et l'ion Ca^{2+} (le « C » de PKC marque cette réponse au calcium). Comme la concentration en Ca^{2+} intracellulaire s'élève en réponse à IP_3, l'activation de PKC dépend des deux seconds messagers résultant de l'hydrolyse de PIP_2 (DAG et IP_3). La protéine kinase C est un transducteur intracellulaire qui traduit le message hormonal et les signaux des deux seconds messagers en phosphorylant des protéines qui contrôlent la croissance et le développement.

La protéine kinase C est un polypeptide de 80 kDa contenant quatre domaines conservés et cinq régions variables. Les régions conservées comprennent le domaine de liaison de l'ATP, le domaine de liaison du substrat, le domaine de liaison du calcium et le domaine de liaison du DAG (Figure 34.23). Le domaine de liaison du DAG est parfois appelé le domaine pseudosubstrat car sa séquence ressemble beaucoup à celle des protéines substrats de l'enzyme. Compte tenu de la variabilité des

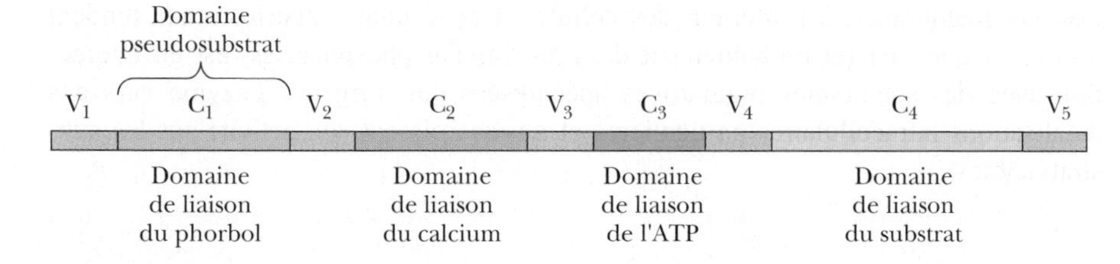

Figure 34.23 • Structure primaire de l'isozyme α de la protéine kinase C. V indique les régions variables, C les domaines conservés. Le domaine de liaison des esters de phorbol est le domaine de liaison du DAG.

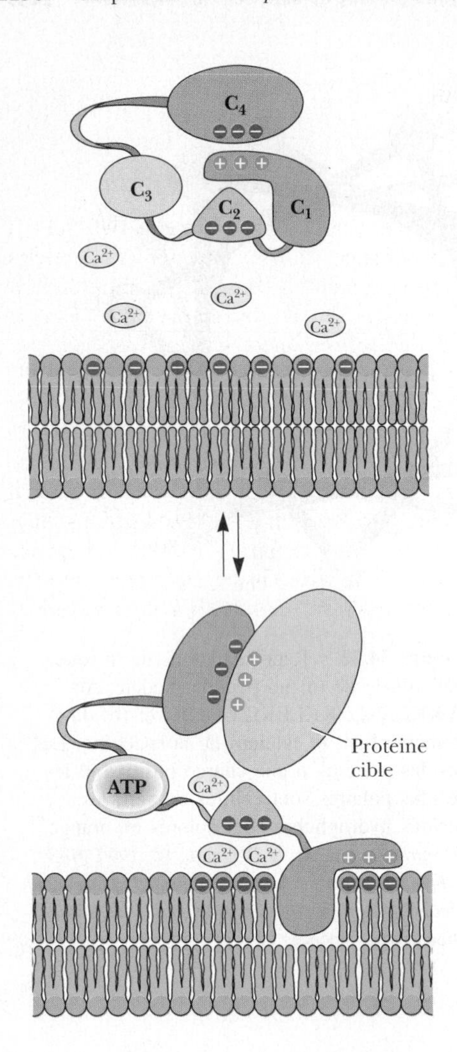

Figure 34.24 • Modèle de l'activation de la protéine kinase C par Ca^{2+} et DAG. Les domaines C1 à C4 correspondent aux même domaines de la Figure 34.23.
(D'après Sando, J.J., Maurer, M.C., Bolen, E.J., et Grisham, C.M., 1992. Role of cofactors in protein kinase C activation. Cellular Signalling *4 : 595-609.)*

séquences des domaines variables, il y a au moins 11 membres différents dans la famille des protéines kinases C qui ont probablement des fonctions distinctes. À faible concentration en Ca^{2+}, et en l'absence de DAG, la protéine kinase C est inactive, solubilisée dans le cytoplasme. Dans cet état, le domaine pseudosubstrat occupe le site de liaison du substrat, ce qui stabilise l'enzyme sous sa forme inactive (Figure 34.24). La fixation de DAG provoque un changement de conformation qui dissocie le domaine pseudosubstrat du site de liaison du substrat et accroît l'affinité de l'enzyme pour le Ca^{2+} et pour les lipides. En conséquence de cette affinité pour les lipides, le domaine C_1 de la protéine kinase C s'associe à la surface cytosolique de la membrane plasmique et la kinase devient active. Le contrôle de l'activité enzymatique par la liaison d'un domaine pseudosubstrat au site actif est appelé **contrôle intrastérique**, par opposition au contrôle allostérique dans lequel un régulateur d'enzyme ayant une structure différente de celle du substrat se lie à un site séparé du site actif. De nombreuses protéines kinases et de protéines phosphatases sont régulées par un contrôle intrastérique (Chapitre 15).

La PKC phosphoryle des résidus Ser et Thr d'un grand nombre de protéines substrats. Un des rôles de la protéine kinase C dans la croissance et la division cellulaires est démontré par sa très forte activation par divers **esters de phorbol** (Figure 34.25). Ces substances, extraites des graines de *Croton tiglium* (l'euphorbe), sont des promoteurs de tumeurs, des agents qui par eux-mêmes ne sont pas tumorigènes, mais qui potentialisent les effets des carcinogènes. Les esters de phorbol, analogues structuraux du diacylglycérol, se lient au domaine pseudosubstrat régulateur de l'enzyme et activent la protéine kinase C.

Des protéines cibles intracellulaires sont déphosphorylées par des phosphoprotéines phosphatases

Parallèlement à la confirmation de l'importance de la phosphorylation des protéines en réponse aux hormones, aux facteurs de croissance et autres signaux du contrôle cellulaire, les rôles des phosphoprotéines phosphatases sont apparus aussi importants. De nombreuses phosphoprotéines phosphatases, spécifiques soit des résidus sérine/thréonine phosphate, soit des résidus tyrosine phosphate, ont été caractérisées. Les **phosphoprotéines phosphatases de type 1** (**PP1**) déphosphorylent la sous-unité β de la phosphorylase kinase. Les phosphoprotéines phosphatases 1 sont inhibées par des concentrations nanomolaires de deux protéines thermostables, l'**inhibiteur 1** et l'**inhibiteur 2**. Les trois autres classes de sérine/thréonine phosphatases sont des **phosphoprotéines phosphatases de type 2**, ce sont les classes **PP2A**, **PP2B** et **PP2C**. Ces enzymes se distinguent en partie par leur sensibilité aux cations divalents. PP1 et PP2A n'exigent pas la présence de cations divalents, alors que PP2B exige la présence de Ca^{2+} et de calmoduline et que PP2C requiert Mg^{2+}.

Les phosphatases PP2A et PP2C sont surtout cytosoliques tandis que PP1 est liée aux membranes, à l'intérieur des cellules. Les résultats expérimentaux tendent à montrer que PP1 (et probablement d'autres Ser/Thr phosphatases) est en interaction avec des sous-unités régulatrices spécialisées qui dirigent l'enzyme vers des localisations intracellulaires particulières et qui accroissent son activité sur les substrats cibles.

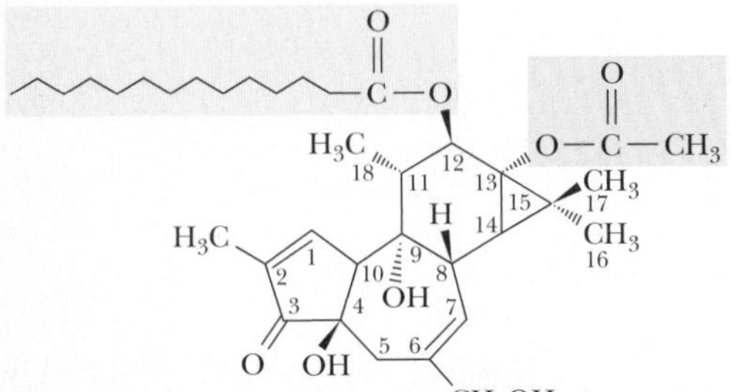

12-*O*-Tétradécanoylphorbol-13-acétate

Figure 34.25 • Structure d'un ester de phorbol. Un acide gras à longue chaîne se trouve généralement en position 12 alors qu'un résidu acétate est habituellement en position 13.

POUR EN SAVOIR PLUS

L'acide okadaïque : une toxine du plancton et un puissant tumorigène

Substance inhibitrice des phospho-(serine/thréonine)phosphatases, **l'acide okadaïque** est un acide gras complexe produit par des dinoflagellés marins (une des composantes du plancton) qui s'accumule dans les glandes digestives des fruits de mer et des éponges, en particulier de *Halichondria okadaii* d'où le nom de cet acide. L'acide okadaïque, principale cause des violentes diarrhées provoquées par les fruits de mer contaminés, est aussi un puissant promoteur de tumeurs. Il inhibe spécifiquement PP1 et PP2A, mais n'a pas d'effet sur les autres phosphatases et protéines kinases. Comme PP1 et PP2A sont des enzymes qui suppriment les effets consécutifs à la phosphorylation de protéines par la protéine kinase C, il n'est pas surprenant de constater que l'acide okadaïque est un agent tumorigène aussi puissant que les esters de phorbol. L'acide okadaïque est une molécule hydrophobe qui diffuse facilement dans les cellules où sa présence prolonge la durée de l'état phosphorylé de certaines protéines cellulaires. Ce faisant, elle a pour conséquence la persistance de la contraction des muscles lisses du système vasculaire et aussi mime l'effet de l'insuline sur le métabolisme du glucose. Le rôle de l'acide okadaïque dans la diarrhée consécutive à l'empoisonnement par les fruits de mer contaminés est apparenté à l'action de la toxine cholérique ; cette dernière active l'adénylate cyclase et donc la protéine kinase AMPc-dépendante qui phosphoryle les protéines contrôlant la sécrétion du Na^+ par les cellules intestinales. L'acide okadaïque provoque probablement la diarrhée en inhibant la déphosphorylation de ces mêmes protéines qui régulent le canal sodique. La **calyculine** A est une toxine à propriétés similaires, extraite de l'éponge *Discodermia calyx*. Bien que sa structure soit différente de celle de l'acide okadaïque, c'est également un puissant inhibiteur de PP1 et de PP2A et un promoteur de tumeurs.

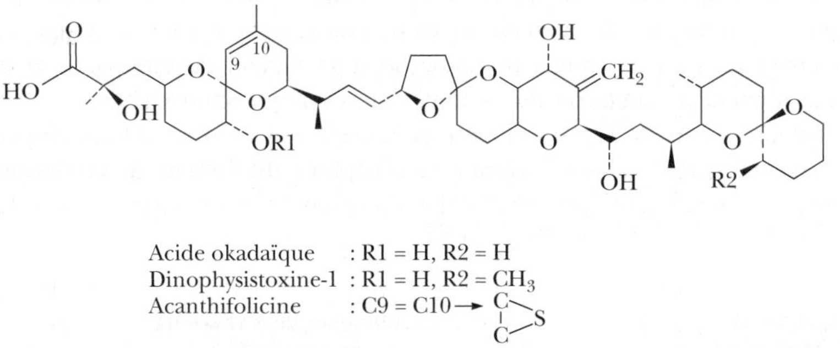

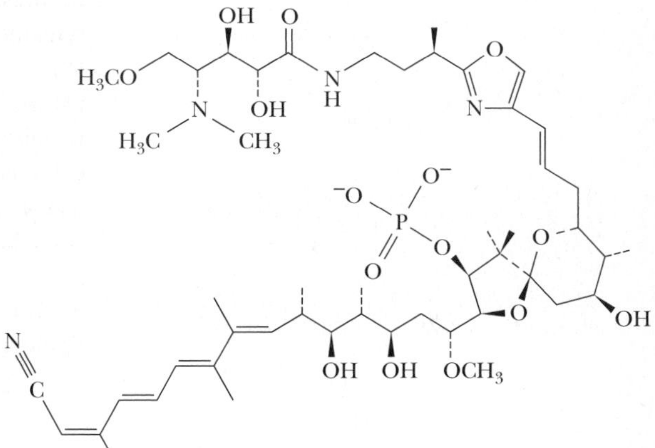

Acide okadaïque : R1 = H, R2 = H
Dinophysistoxine-1 : R1 = H, R2 = CH_3
Acanthifolicine : C9 = C10 → C–S–C (épisulfure)

Calyculine A

Structures de l'acide okadaïque, de la calyculine A et de toxines apparentées.

34.9 • Récepteurs à un segment transmembranaire

Deux classes principales de récepteurs hormonaux possèdent une activité enzymatique intrinsèque : les **récepteurs à activité protéine (tyrosine) kinase** (ou plus simplement tyrosine kinase) et les **récepteurs à activité guanylate cyclase**. Chacune de ces activités se manifeste sous deux formes cellulaires différentes. C'est ainsi que l'activité guanylate cyclase se retrouve à la fois dans des récepteurs liés à la membrane et dans des protéines cytoplasmiques solubles. Par contre, les deux différents types de protéines manifestant une activité tyrosine kinase sont toujours membranaires. Les récepteurs tyrosine kinase sont des protéines transmembranaires intégrales, alors que les tyrosine kinases qui ne sont pas des récepteurs sont des protéines périphériques ancrées dans les lipides membranaires. Ces dernières tyrosine kinases sont apparentées à une famille de protéines agents de la transformation par les rétrovirus.

Tyrosine kinases qui ne sont pas des récepteurs membranaires

Les premières tyrosine kinases découvertes ont été assimilées aux **protéines des virus transformants**. Ces protéines, produites par des virus oncogènes, donnent à ces virus

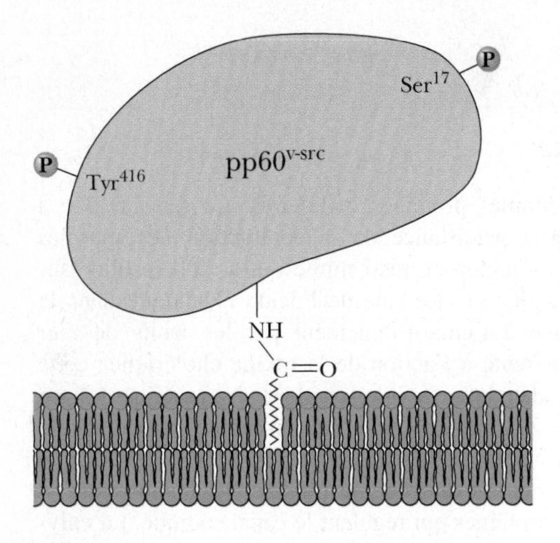

Figure 34.26 • La tyrosine kinase soluble, pp60$^{\text{v-src}}$ est ancrée dans la membrane par un groupe myristyle lié à son extrémité N-terminale.

la capacité de *transformer* les cellules animales, c'est-à-dire qu'elle les convertissent en un état cancéreux. Le meilleur exemple est celui de la tyrosine kinase exprimée par le gène ***src*** de **Rous** (**virus du sarcome aviaire**). Le produit de ce gène est la protéine pp60$^{\text{v-src}}$ (pour ***phospho-protein, 60 kD, viral origin, sarcoma-causing***). Le gène *v-src* dérive d'un proto-oncogène aviaire *c-src* incorporé au cours de la formation de ce virus (la lettre *c* devant le nom du gène précise qu'il s'agit d'un gène normal, cellulaire). Le produit du proto-oncogène homologue de pp60$^{\text{v-src}}$ est pp60$^{\text{c-src}}$. Le polypeptide pp60$^{\text{v-src}}$ est une protéine membranaire périphérique de 526 résidus. Elle subit deux modifications post-traductionnelles : (a), le groupe amino du glycocolle NH_2-terminal est modifié par l'addition covalente d'un groupe myristyle (modification nécessaire à l'association de la kinase à la membrane ; voir Figure 34.26) et (b), Ser^{17} et Tyr^{416} sont phosphorylés. La phosphorylation de Tyr^{416}, qui accroît l'activité de la kinase de deux à trois fois, semble résulter d'une autophosphorylation. Si de très nombreuses protéines cellulaires (le plus souvent à fonctions non encore déterminées) sont phosphorylées par ces kinases, le rôle dans la croissance cellulaire, et dans la transformation, des protéines qui ne sont pas des récepteurs mais ont une activité tyrosine kinase n'est pas complètement élucidé.

Récepteurs à activité tyrosine kinase

La liaison d'hormones polypeptidiques et de facteurs de croissance à des récepteurs tyrosine kinases déclenche leur activité tyrosine kinase. La structure de ces récepteurs à activité catalytique comporte trois domaines (Figure 34.27) : un domaine extracellulaire glycosylé, le domaine récepteur proprement dit, un domaine transmembranaire constitué d'une seule hélice α transmembranaire et un domaine intracellulaire qui comprend un sous-domaine tyrosine kinase dont le site catalytique est activé en réponse à la liaison d'une hormone ou d'un facteur de croissance et un sous-domaine régulateur contenant de multiples sites autophosphorylables.

Les récepteurs à activité tyrosine kinase se répartissent en trois classes (Figure 34.27). Les récepteurs de la classe I, comme le **récepteur du facteur de croissance épidermique**, ont un domaine extracellulaire comprenant deux segments répétés

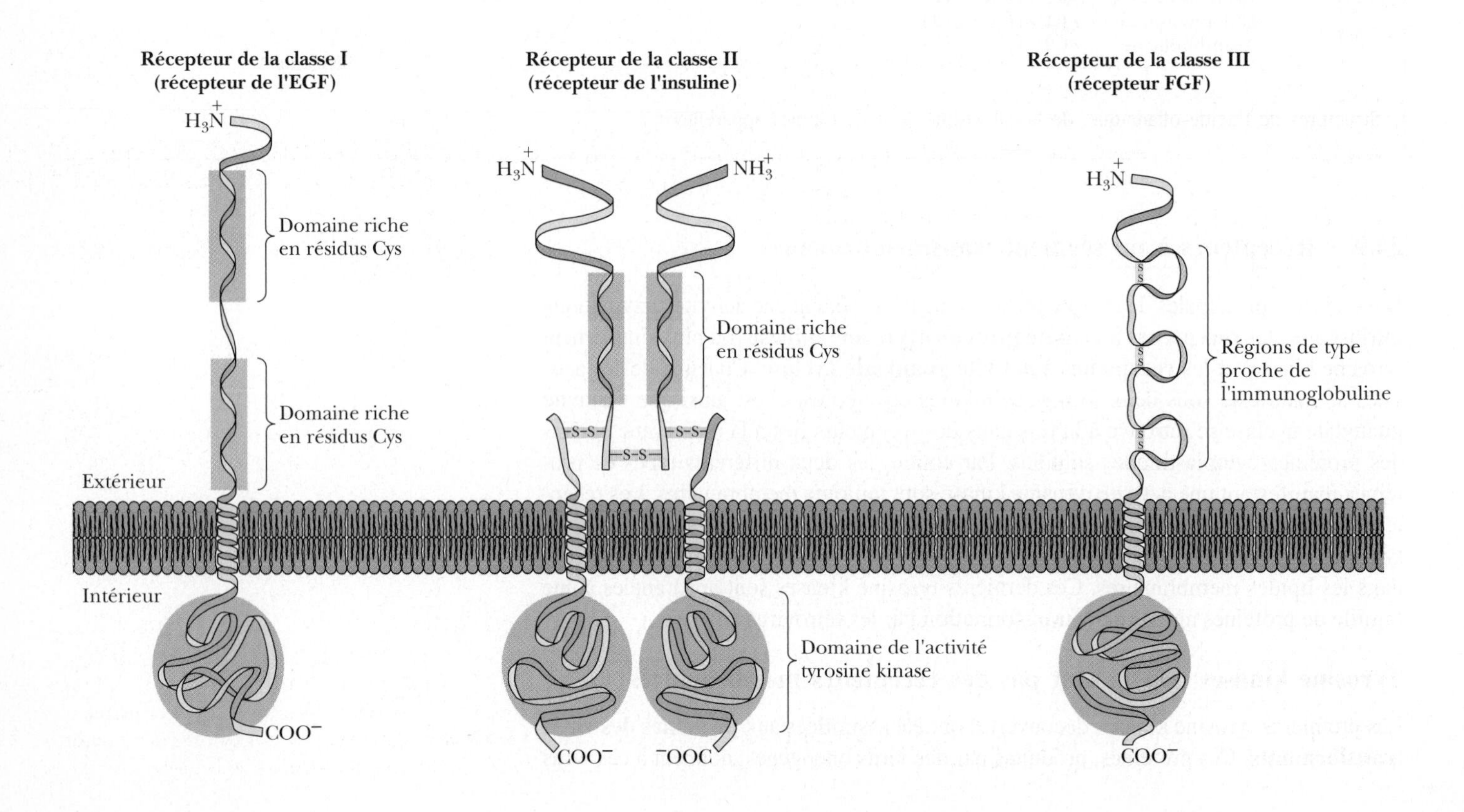

riches en résidus Cys. Les récepteurs de la classe II, comme le **récepteur de l'insuline**, ont une structure $\alpha_2\beta_2$ tétramérique dont les sous-unités β sont transmembranaires et les sous-unités α, extracellulaires, contiennent un domaine riche en résidus Cys. Les récepteurs de la classe III, comme le **récepteur du facteur de croissance d'origine plaquettaire**, ont cinq domaines extracellulaires (parfois seulement trois) de type immunoglobuline.

Les récepteurs tyrosine kinases sont des enzymes allostériques associés à la membrane

Étant donné que les domaines des récepteurs tyrosine kinases ne sont reliés que par un unique segment hélicoïdal transmembranaire, comment la liaison extracellulaire d'une hormone peut-elle activer le site tyrosine kinase intracellulaire ? Comment s'effectue la transduction du signal ? La fixation d'un ligand sur le récepteur induit une association oligomérique de plusieurs récepteurs selon le processus présenté Figure 34.28. La liaison de l'hormone déclenche un changement de conformation du domaine *extracellulaire* qui induit une association avec un récepteur voisin. Cette association permet l'interaction entre des domaines *cytoplasmiques* adjacents, ce qui est suivi de la phosphorylation de ces domaines cytoplasmique et de la stimulation de l'activité tyrosine kinase. Dans le cas des récepteurs de la classe II, par exemple le récepteur de l'insuline, la fixation de l'hormone induit des interactions entre les deux demi-parties $\alpha\beta$ du complexe récepteur, demi-parties qui sont liées par des ponts disulfure. Du fait de ces changements de conformation induits par la liaison d'un ligand et des interactions dans l'oligomère, les récepteurs à activité tyrosine kinase sont des enzymes allostériques associés à la membrane.

L'autophosphorylation de résidus Tyr fait que l'activité catalytique du récepteur persiste même après que l'hormone activatrice est dissociée du récepteur. Cependant, la tyrosine kinase peut être inactivée par phosphorylation de résidus Ser/Thr intracellulaires. Ces phosphorylations d'inactivation sont catalysées par la protéine kinase C et par des protéines kinases dépendantes de l'AMPc, ce qui établit un lien direct entre les récepteurs tyrosine kinases et divers seconds messagers comme l'AMPc, IP_3, DAG, et Ca^{2+}.

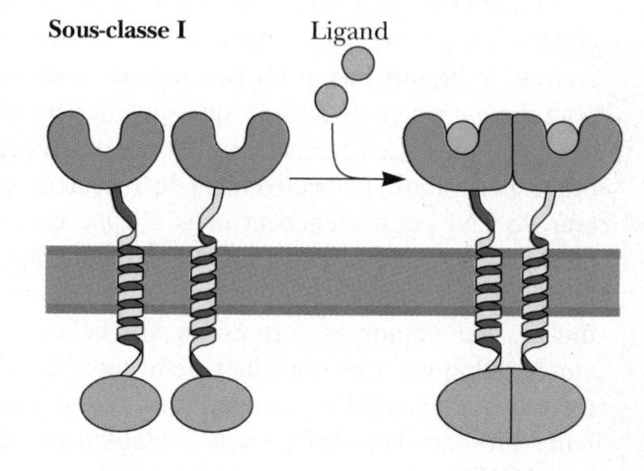

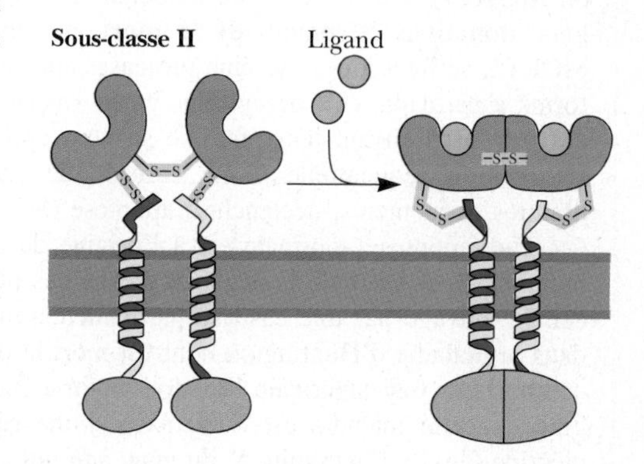

Les récepteurs tyrosine kinases phosphorylent un grand nombre de protéines cibles intracellulaires

Les récepteurs à activité tyrosine kinase catalysent la phosphorylation de très nombreuses protéines cibles intracellulaires, ce qui produit des changements coordonnés dans les processus cellulaires, en particulier dans le transport des ions et des acides aminés, la transcription des gènes et la synthèse des protéines. Plusieurs cibles de la phosphorylation ont été identifiées, parmi lesquelles les isozymes γ phospholipase C

◀ **Figure 34.27** • Les trois classes de récepteurs tyrosine kinases. Les récepteurs de la classe I sont des monomères, ils contiennent une paire de séquences répétées, riches en résidus Cys. Le récepteur de l'insuline, un exemple typique des récepteurs de la classe II, est une glycoprotéine tétramérique formée de deux sortes de sous-unités, $\alpha_2\beta_2$. Le précurseur des sous-unités α et β est une unique chaîne polypeptidique comportant une séquence signal N-terminale. Lors de la maturation, une protéase clive cette chaîne et sépare les sous-unités α et β. Les sous-unités β de 620 résidus chacune, sont transmembranaires ; chaque extrémité N-terminale est à l'extérieur de la cellule, reliée par une seule hélice α transmembranaire à l'extrémité C-terminale intracellulaire. Les sous-unités α, de 735 résidus chacune, sont des protéines extracellulaires reliées entre elles par un pont disulfure et également reliées aux sous-unités β par deux ponts disulfure. Le domaine de liaison de l'insuline se trouve dans une région riche en résidus Cys des sous-unités α. Les récepteurs de la classe III contiennent plusieurs domaines de type immunoglobuline. Le schéma du récepteur de classe III présenté est celui du récepteur du facteur de croissance des fibroblastes (FGF pour *fibroblast growth factor*) qui contient trois domaines de type immunoglobuline. *(D'après Ulrich, A., et Schlessinger, J., 1990.* Cell ***61** : 203-212.)*

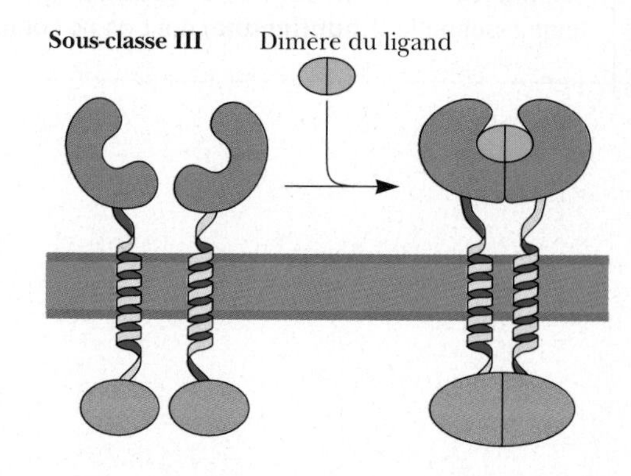

Figure 34.28 • Stimulation de l'association des protomères des récepteurs tyrosine kinases par la fixation du ligand (l'hormone).

POUR EN SAVOIR PLUS

L'apoptose – suicide programmé des cellules

Selon un proverbe japonais « dès lors que nous sommes parmi les vivants, nous finirons par mourir ». Si cela est évident pour les êtres humains, cela est également vrai pour les cellules de notre corps. Au cours de la multiplication cellulaire et de la différenciation, de nombreuses cellules en excès et /ou de cellules anormales sont produites. Ces cellules doivent être éliminées ou détruites afin de maintenir l'intégrité et l'homéostasie de l'organisme. L'importance quantitative de cette mortalité cellulaire est souvent surprenante : plus de 95 % des thymocytes meurent pendant la maturation du thymus ! La mort cellulaire qui survient au cours de l'embryogenèse, de la métamorphose et lors du renouvellement des cellules, est appelée mort programmée des cellules ou apoptose.

L'apoptose peut être déclenchée de plusieurs façons. L'une de celles-ci implique des « facteurs de la mort » – des protéines comme le **ligand Fas** et les **facteurs de nécrose tumorale** (**TNF**, pour *tumor necrosis factor*) qui sont des membres de la famille des cytokines. Ces facteurs se lient à des récepteurs de la membrane plasmique, respectivement le récepteur de Fas et le récepteur de TNF, et déclenchent dans chaque cas une association trimérique du récepteur concerné. La structure de ces récepteurs (voir la figure) est caractérisée par la présence de *domaines de la mort*, motifs peu communs formés de six hélices α antiparallèles et amphipathiques. Ces domaines de la mort dans les récepteurs forment des associations oligomériques avec d'autres domaines similaires présents dans des *protéines adaptatrices* (dénommées **FADD** ou **MORT1**). Du fait de cette association, des domaines particuliers, **domaines effecteurs de la mort**, présents dans FADD et MORT1, se lient à des cystéine protéases appelées **caspases** (nom formé à partir du « c » de cystéine et de « asp » pour rappeler que ces protéases clivent leur protéine substrat après un résidu Asp). L'activation séquentielle d'une cascade de caspases, ajoutée à d'autres événements, déclenche l'apoptose (la mort cellulaire).

Une apoptose anormale est à l'origine de certaines maladies humaines, par exemple la dégénérescence des neurones ou le cancer. Le clivage par une caspase particulière semble jouer un rôle dans la maladie d'Huntington dont est mort le célèbre chanteur et compositeur folk américain Woodrie Guthrie. La mutation à l'origine de cette maladie est l'extension d'une répétition du trinucléotide CAG à l'extrémité 5′ du gène *hdh* qui code pour une protéine essentielle (l'**huntingtine**) dont on ne connaît pas la fonction. L'extension de la répétition terminale CAG est traduite sous forme d'un domaine polyglutamine à l'extrémité N-terminale de la protéine. La maladie d'Huntington se manifeste si la région polyglutamine comporte plus de 35 résidus Gln. En aval de la région poly-Gln se trouve un ensemble de cinq motifs DXXD qui sont spécifiquement clivés par la *caspase 3*. Plus la région poly-Gln est longue, plus l'activité caspase 3 est élevée. Les domaines poly-Gln libérés sont cytotoxiques, ils provoquent la mort des neurones affectés, d'où une perte progressive du contrôle des mouvements volontaires, puis une dégénérescence générale du système nerveux et la mort.

« Domaine de la mort » de la protéine Fas.

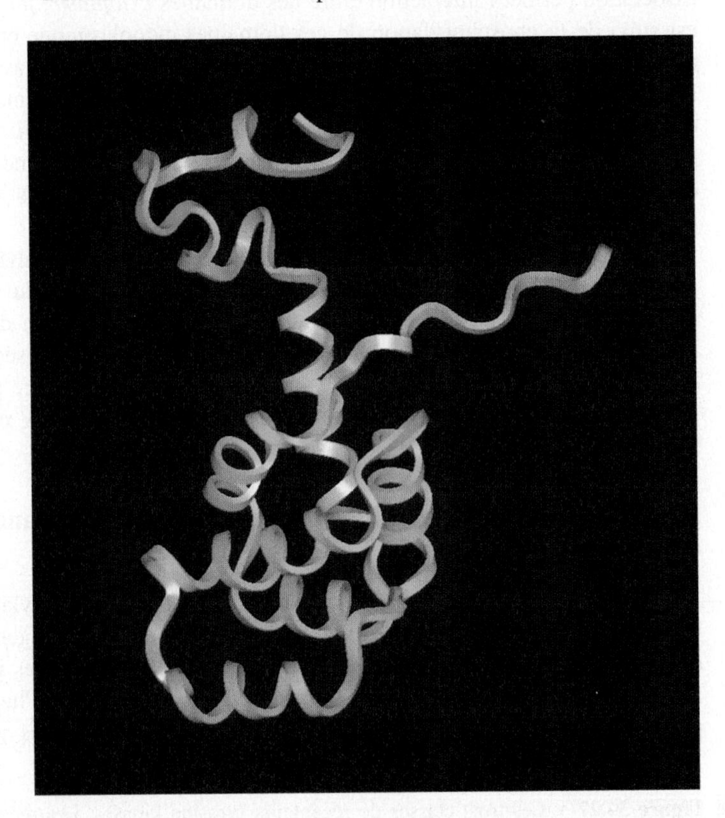

et la phosphatidylinositol-3-kinase. Ce dernier enzyme phosphoryle le PI en position 3 ; les dérivés phosphorylés du PI qui proviennent du PI-3P ne sont hydrolysés par aucune phospholipase C connue. Ces molécules pourraient agir comme des seconds messagers associés à la membrane ou être hydrolysés par d'autres phospholipases.

Hormones polypeptidiques

La classe des **hormones polypeptidiques** est, chez les vertébrés, celle qui contient le plus grand nombre d'hormones (Tableau 34.4). L'une des premières hormones polypeptidiques découvertes, l'insuline, fut décrite par Banting et Best en 1921. L'insuline,

Tableau 34.4

Hormones polypeptidiques

Hormone	Nombre de résidus	Source	Cellules cibles	Fonction
Hormone adrénocorticotrope (ACTH)	39	Hypophyse antérieure	Corticosurrénales	Stimule la production des hormones corticoïdes
Bradykinine	9	Rein, autres tissus	Vaisseaux sanguins	Provoque la vasodilatation
Calcitonine	33	Glande thyroïde	Os	Régulation du Ca^{2+} et du phosphate dans le sang
Gonadotrophine chorionique	α, 96 β, 147	Placenta	Organes de la reproduction	Poursuite de la gestation
Hormone folliculo-stimulante (FSH)	α, 96 β, 120	Hypophyse antérieure	Gonades	Stimule la croissance et le développement des organes sexuels
Gastrine	17	Système gastro-intestinal	Système gastro-intestinal, vésicule biliaire, pancréas	Régule la digestion
Glucagon	29	Pancréas	Essentiellement le foie	Régule le métabolisme et le glucose sanguin
Hormone de croissance (GH ou STH)	191	Hypophyse antérieure	Nombreuses cibles, os, lipides, foie	Stimule la croissance du squelette et des muscles
Insuline	A, 21 B, 30	Pancréas	Principalement le foie, muscles et lipides	Régule le métabolisme et le glucose sanguin
Hormone lutéotrope (LH)	α, 96 β, 121	Hypophyse antérieure	Gonades, follicules ovariens	Déclenche l'ovulation
Prolactine	197	Hypophyse antérieure	Sein	Stimule la lactation
Somatostatine	14	Hypothalamus	Hypophyse antérieure	Inhibe la sécrétion hormonale

Source : D'après Rhoades, R., et Pflanzer, R., 1992. *Human Physiology*, 2nd ed. Philadelphia : Saunders College Publishing.

sécrétée par le pancréas, contrôle l'utilisation du glucose et favorise la synthèse des protéines, des acides gras et du glycogène. L'insuline qui est l'exemple typique des **hormones peptidiques sécrétées** a été décrite Chapitres 5, 15, et 23.

De nombreuses autres hormones polypeptidiques sont produites d'une manière analogue à celle de l'insuline. Trois caractéristiques concernant leur synthèse et leur maturation doivent être notées. Premièrement, toutes les hormones polypeptidiques sécrétées sont synthétisées avec une séquence signal qui facilite leur accumulation dans des granules sécrétoires puis leur sortie vers le milieu extracellulaire. Deuxièmement, les hormones peptidiques sont généralement traduites à partir de leurs ARNm sous une forme inactive, les préprohormones, qui seront activées par protéolyse. Troisièmement, un unique polypeptide précurseur, la préprohormone, peut produire plusieurs hormones peptidiques distinctes par des clivages protéolytiques appropriés. Les événements suivants sont communs à toutes les préprohormones :

1. Clivage protéolytique du peptide signal hydrophobe, N-terminal
2. Clivage protéolytique à un site défini par des paires de résidus basiques
3. Clivage protéolytique à un site Arg spécifique
4. Modifications post-traductionnelles de certains résidus, par exemple, amidation du résidu C-terminal, phosphorylation, glycosylation, ou acétylation du résidu N-terminal.

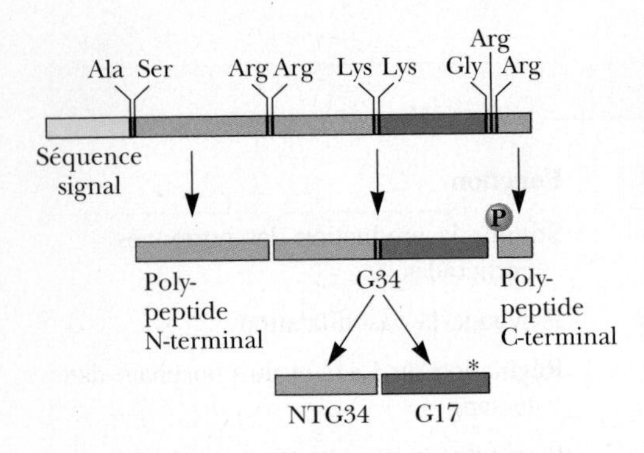

Figure 34.29 • Principale voie de la synthèse de la gastrine dans les cellules de la muqueuse intestinale humaine. L'astérisque (*) indique la présence d'un groupe sulfate et le P un site de phosphorylation. *(D'après Dockray, G., et al., 1989. Gastrin and CCK-related peptides. In Martinez, J., ed.* Peptide Hormones as Prohormones. *New York, Halstead Press.)*

Maturation de la gastrine

La biosynthèse de la gastrine, un heptadécapeptide (17 résidus) représente un bon exemple de maturation. Cette hormone est sécrétée par la muqueuse de l'antre pylorique, elle active la sécrétion de H^+ et de Cl^- par les cellules spécialisées de l'estomac et stimule la croissance de la muqueuse des glandes fundiques (où se trouvent ces cellules). Elle est produite sous forme de **préprogastrine**, un peptide de 101 résidus (chez l'homme) ou de 104 résidus (chez le porc). Comme pour toutes les hormones polypeptidiques sécrétées, la préprogastrine a une séquence signal (de 21 résidus) dont le clivage produit la **progastrine** (Figure 34.29). Trois autres clivages au niveau de paires de résidus basiques (notés dans la figure) puis une amidation du résidu C-terminal produisent la gastrine (G17) et trois peptides différents. La progastrine subit plusieurs modifications post-traductionnelles : fixation d'un groupe sulfate sur Tyr^{12}, phosphorylation de Ser^{21} et modifications des extrémités N- et C-terminales de la gastrine, modifications qui protègent l'hormone peptidique contre la dégradation par des peptidases. Le résidu N-terminal de la gastrine est un pyroglutamate (ou pyrrolidone carboxylate), formé par cyclisation de la glutamine N-terminale apparue après le clivage protéolytique de la séquence peptidique en amont. La bactériorhodopsine porte la même modification à son extrémité N-terminale (Chapitre 9). À l'extrémité C-terminale, trois réactions enzymatiques interviennent dans la formation d'un résidu amidé qui protège l'hormone de l'action des carboxypeptidases. Les étapes successives sont les suivantes : un clivage de type trypsique à l'extrémité C-terminale, un clivage de type carboxypeptidase qui élimine le deuxième résidu arginine, puis une dégradation du résidu Gly terminal qui laisse un nouveau résidu C-terminal, modifié, l'amide de la phénylalanine (Figure 34.30).

Un exemple assez impressionnant de production de plusieurs hormones à partir d'un unique précurseur est donné par la **prépro-opiomélanocortine**, un précurseur à 250 résidus, synthétisé dans l'hypophyse. Une cascade d'étapes protéolytiques produit une substance naturelle opiacée (l'**endorphine**), des mélanostimulines (α- et β-MSH, pour ***m**elanocyte **s**timulating **h**ormone*) et la corticotropine (ACTH pour ***a**dreno**c**orticotrophic **h**ormone*). Ces clivages se produisent dans des tissus différents (Figure 34.31). Le clivage de la pro-opiomélanocortine a lieu dans la partie antérieure de l'hypophyse, avec production de la corticotropine et de la β-lipoprotéine qui passent ensuite dans les cellules du système nerveux central pour les étapes protéolytiques finales.

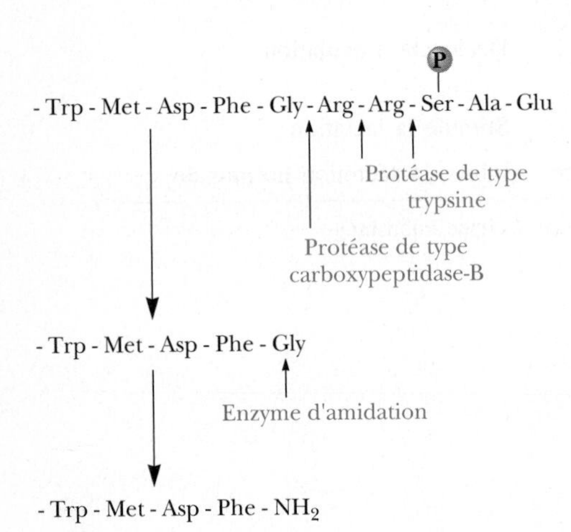

Figure 34.30 • Une protéolyse et une réaction d'amidation du résidu C-terminal de la progastrine produisent la gastrine.

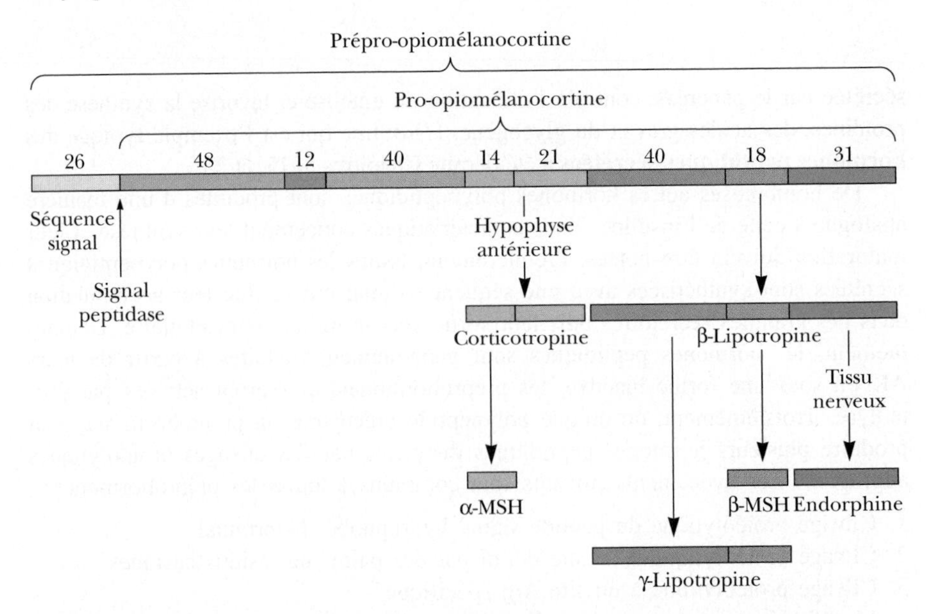

Figure 34.31 • Conversion de la prépro-opiomélanocortine en une famille d'hormones peptidiques comprenant la corticotropine, les lipotropines β et γ, les MSH α et β et l'endorphine.

Phosphotyrosine-protéines phosphatases

Les phosphatases spécifiques des résidus Tyr phosphorylés dans les protéines sont différentes des phosphatases spécifiques des résidus sérine/thréonine phosphorylés. Ces **phosphotyrosine-protéines phosphatases (PTPases)** ont des structures très variées. Certaines sont des protéines membranaires intégrales, d'autres sont cytoplasmiques (Figure 34.32 et Tableau 34.5). Les PTPases cytoplasmiques comportent un domaine

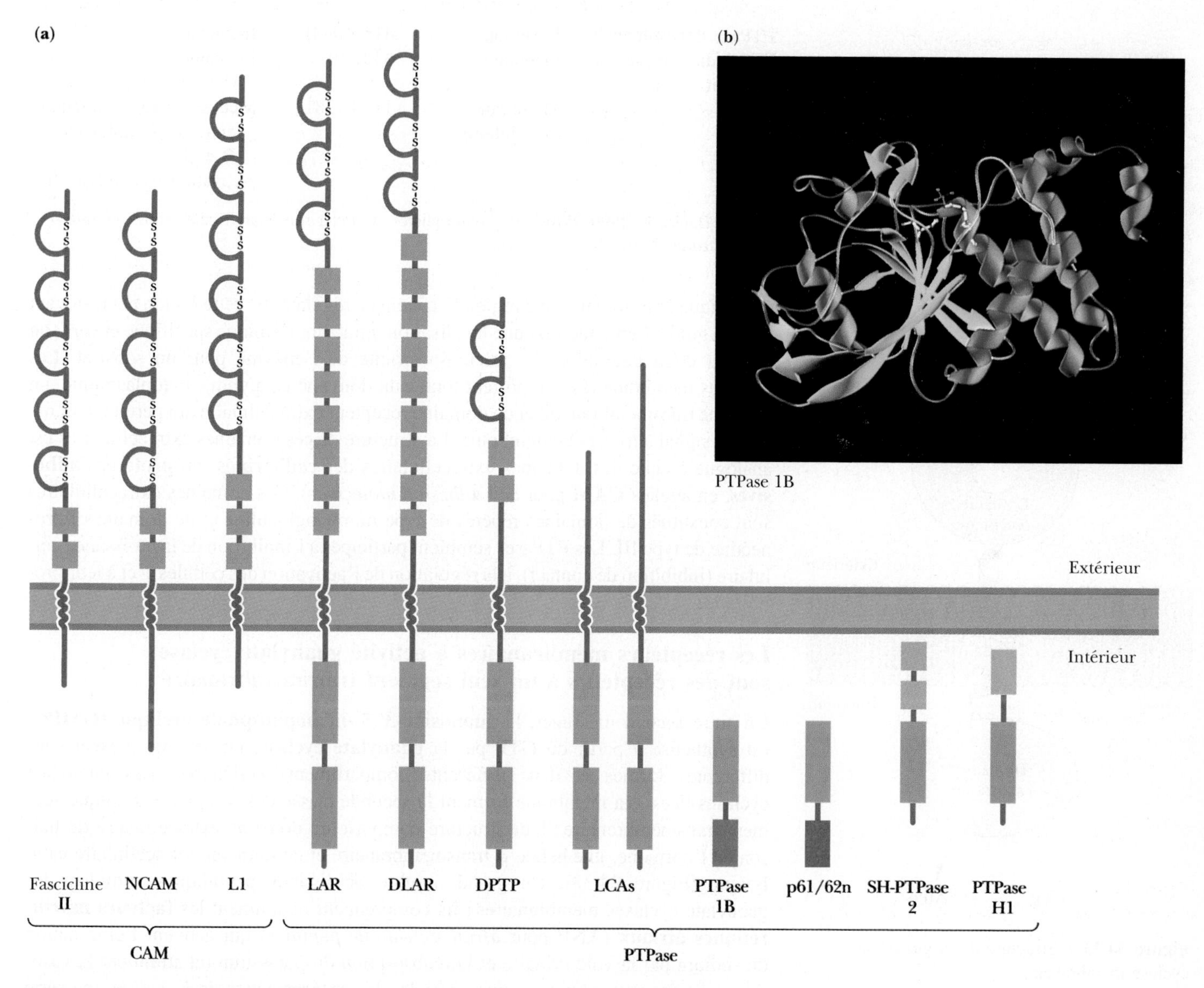

Figure 34.32 • (a) Structures primaires des phosphotyrosine-protéines phosphatases (PTPases) solubles et membranaires et des cadhérines (CAM). Clés : les boucles avec un pont S-S représentent des domaines de type immunoglobuline ; les carrés bleus représentent des domaines de fibronectine ; les rectangles jaunes représentent les domaines catalytiques des phosphotyrosine-protéines phosphatases (PTPases) ; le rectangle verts et le rectangle rouge sont des domaines associés à la membrane ; les carrés bleus de la SH-PTPase sont des domaines SH2 ; le rectangle vert-clair de la PTPase H est un domaine lié au cytosquelette ; (b) Représentation schématique de la PTPase 1B. *(D'après Streuli, M., et al., 1989. A family of receptor-linked protein tyrosine phosphatases in humans and* Drosophila. Proceedings of the National Academy of Sciences, USA ***80*** *: 8698-8702 ; et Mauro, I.J., et Dixon, J.E., 1994. Zip codes direct intracellular protein tyrosine phosphatases to the correct "address".* Trends in Biochemical Sciences ***19*** *: 151-155. Molecular graphic courtesy of David Barford, Oxford University.)*

Tableau 34.5

Famille des phosphotyrosine-protéines phosphatases

Nom	Localisation cellulaire	Nombre de résidus (masse, kDa)	Fonction
PTPase IB	Face cytosolique du RE	432 (50)	Inconnue
PTPase des cellules T	Inconnue	415 (48,4)	Inconnue
PTP-1 du cerveau de rat	Inconnue	432 (50)	Inconnue
CD45	Membrane cellulaire	1120-1281	Médiation des interactions entre les lymphocytes B et T ? Activation des cellules T ?

D'après Banks, P., 1990. Tyrosine pyrophosphates : Cellular superstars in the offing. *Journal of NIH Research* **2** : 62-66.

catalytique N-terminal et une région C-terminale régulatrice ; cette région peut, suivant les cas, guider l'enzyme vers une localisation intracytoplasmique spécifique et vers son substrat et/ou déterminer la stricte spécificité de l'enzyme pour un substrat. Les PTPases membranaires comportent toutes un domaine catalytique cytoplasmique, un domaine transmembranaire et un domaine récepteur extracellulaire qui permet le transfert du signal à travers la membrane. La structure de ces domaines extracellulaires est analogue à celle des domaines extracellulaires des **cadhérines** (ou **protéines adhésives**, en anglais **CAM** pour *cell adhesion molecules*). Ces domaines extracellulaires sont constitués de domaines répétés de type immunoglobuline et de domaines fibronectine de type III. Les PTPases semblent participer à l'inhibition de la croissance cellulaire (inhibition de contact), à la régulation de l'activation des cellules T et à leur prolifération.

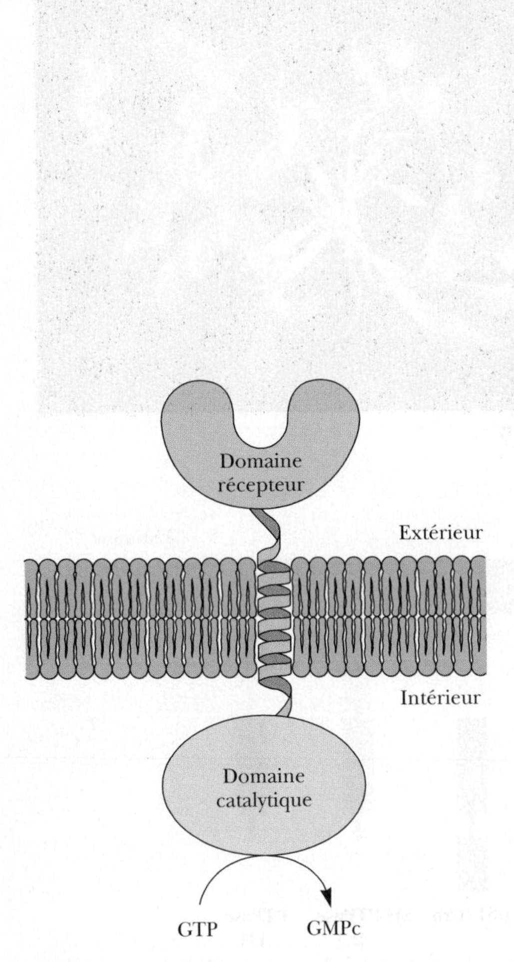

Figure 34.33 • Structure de la guanylate cyclase membranaire.

Les récepteurs membranaires à activité guanylate cyclase sont des récepteurs à un seul segment transmembranaire

Un autre second messager, la **guanosine-3′,5′-monophosphate cyclique (GMPc)**, est synthétisé à partir du GTP par la **guanylate cyclase**, un enzyme présent sous différentes formes et dans différents compartiments cellulaires. Les guanylate cyclases liées à la membrane forment la seconde classe des récepteurs à unique segment transmembranaire ; leur structure comporte un domaine extracellulaire de liaison de l'hormone, une hélice α transmembranaire et un domaine intracellulaire catalytique (Figure 34.33). Un grand nombre de ligands peptidiques stimulent les guanylate cyclases membranaires ; ils comprennent notamment les **facteurs natriurétiques atriaux** (**ANP** pour *atrial natriuretic peptides*) qui activent l'élimination du sodium par la voie urinaire et la réabsorption du potassium (et stimulent la vasodilatation des vaisseaux sanguins artériels), les **entérotoxines** de *E. coli* et une série de peptides sécrétés par les ovules de mammifères qui stimulent la motilité des spermatozoïdes et les attirent. Les séquences de deux peptides qui stimulent le chimiotactisme des spermatozoïdes et les attirent sont données Figure 34.34. La fixation de ces peptides sur un site extracellulaire de la guanylate cyclase membranaire du spermatozoïde induit un changement de conformation qui active le site catalytique intracellulaire de l'enzyme. L'activation pourrait passer par une oligomérisation des

Speract	Gly - Phe - Asp - Leu - Asn - Gly - Gly - Gly - Val - Gly
Resact	Cys - Val - Thr - Gly - Ala - Pro - Gly - Cys - Val - Gly - Gly - Gly - Arg - Leu

Figure 34.34 • Structures primaires de deux peptides activateurs de la guanylate cyclase. Leurs récepteurs sont des glycoprotéines de 120 à 180 kDa.

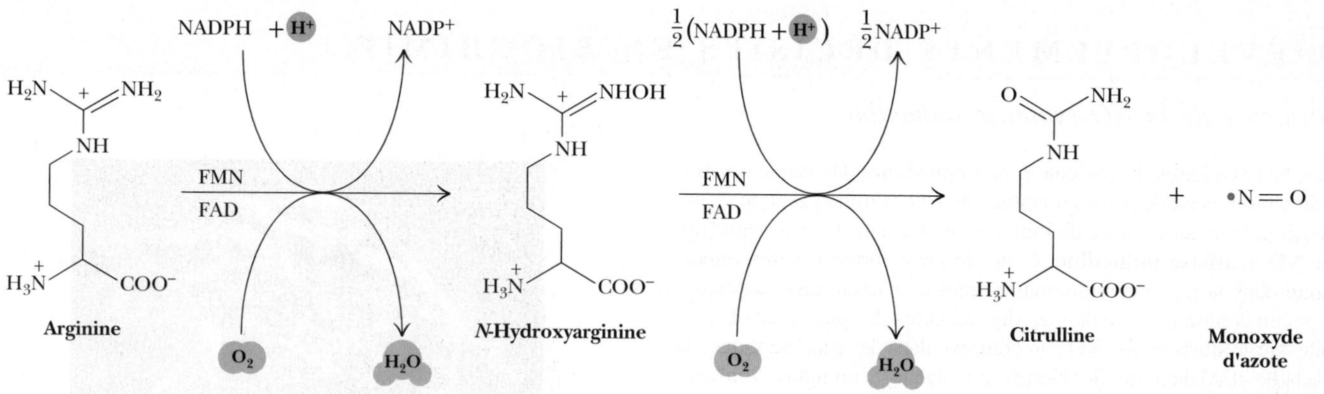

Figure 34.35 • Synthèse du monoxyde d'azote par la NO synthase.

récepteurs, comme dans le cas des récepteurs à activité tyrosine kinase. Dans le cas des entérotoxines, il a été possible de séparer leur site de fixation de celui de la guanylate cyclase, les récepteurs de ces toxines et de la guanylate cyclase seraient donc distincts.

Les guanylate cyclases solubles sont des récepteurs du monoxyde d'azote

Une guanylate cyclase, en solution dans le cytoplasme, est le récepteur du monoxyde d'azote, **NO'**, un radical libre très réactif qui a deux effets différents dans la cellule. D'une part NO' est un neurotransmetteur et un second messager qui induit la relaxation des muscles lisses du système vasculaire et l'érection du pénis par vasodilatation de ses vaisseaux sanguins ; d'autre part, NO' est l'agent qui permet aux macrophages de tuer les cellules bactériennes et tumorales.

Le GMPc, produit par la stimulation de la guanylate cyclase par NO', est un second messager qui peut activer, ou inhiber, divers processus. Par exemple, GMPc (a) régule l'ouverture des canaux ioniques des cellules gliales du système verveux central et (b) bloque la conductivité des canaux lacunaires.

Le monoxyde d'azote est synthétisé à partir de l'arginine par la **NO synthase** qui catalyse deux réactions consécutives, de type mono-oxygénase (Figure 34.35). La molécule, un gaz en solution dans le cytoplasme, diffuse très facilement à travers les membranes en l'absence de tout mécanisme de transport apparent. Cette propriété en fait un second messager très particulier car le monoxyde d'azote synthétisé dans une cellule peut rapidement exercer ses effets dans les cellules voisines de son lieu de production. Mais la demi-vie de NO' est très brève, de 1 à 5 secondes, il est vite dégradé par des processus non enzymatiques.

La fixation de NO' sur le groupe prosthétique de la guanylate cyclase (un hème) accroît d'au moins quatre cent fois la vitesse de synthèse du GMPc. La guanylate

Pour en savoir plus

Monoxyde d'azote, nitroglycérine et Alfred Nobel

Le monoxyde d'azote NO· est la substance libérée par la nitroglycérine (voir la figure) un médicament efficace qui soulage les symptômes dans l'infarctus du myocarde et dans l'angor (douleurs aiguës dans la poitrine dues à une insuffisance coronarienne) en provoquant la dilatation des artères coronaires. La nitroglycérine est aussi le principe actif de la dynamite. Par une ironie de l'histoire, Alfred Nobel l'inventeur de la dynamite qui a légué une partie de sa fortune à la Fondation du prix Nobel, souffrait d'une angine de poitrine. Dans une lettre adressée à un ami en 1885, A. Nobel écrivait « Cela peut paraître un fait ironique que mon médecin me prescrive de prendre de la nitroglycérine par voie orale. »

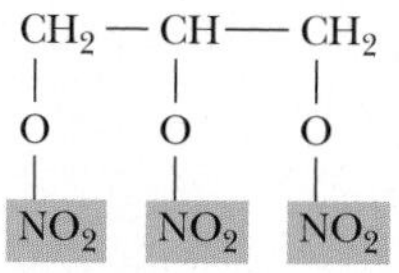

Structure de la nitroglycérine, un puissant vasodilatateur.

DÉVELOPPEMENTS DÉCISIFS EN BIOCHIMIE

Structure de la NO synthase inductible

Les NO synthases du cerveau et de l'épithélium des vaisseaux sanguins produisent de petites quantités de NO· comme agent de signalisation. Une autre forme de l'enzyme existe dans les macrophages, la **NO synthase inductible**. Cette dernière forme est très importante dans la réponse immunitaire, mais elle serait aussi impliquée dans un certain nombre de maladies au cours desquelles on observe une surproduction de NO·, y compris dans le choc septique, la maladie d'Alzheimer, la sclérose en plaque, l'infarctus, l'inflammation intestinale, la polyarthrite rhumatoïde et divers troubles d'origine inflammatoire.

Dennis Stuehr, John Tainer et leurs collègues ont déterminé la structure du domaine de l'activité oxygénase de la NO synthase inductible (le dimère est représenté dans la figure). Relativement allongée et incurvée, la structure tertiaire du monomère contient un domaine α/β de type peu commun. L'hème, essentiel à l'activité de l'enzyme, est au centre de la partie concave du feuillet β.

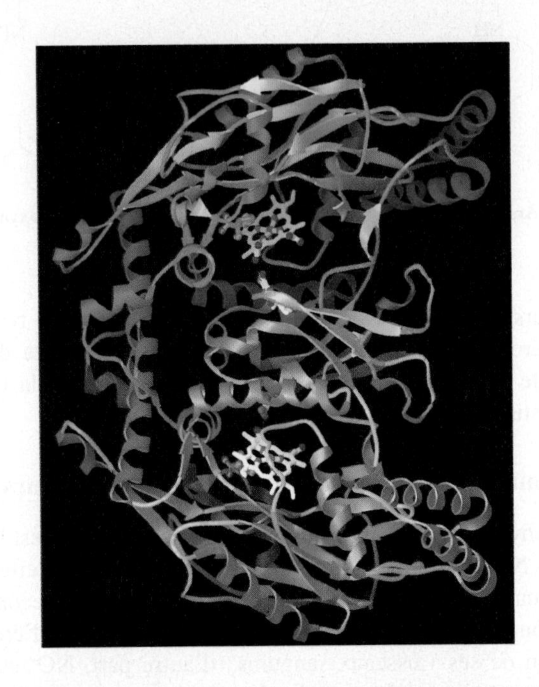

(Figure aimablement communiquée John A. Tainer, Scripps Research Institute.)

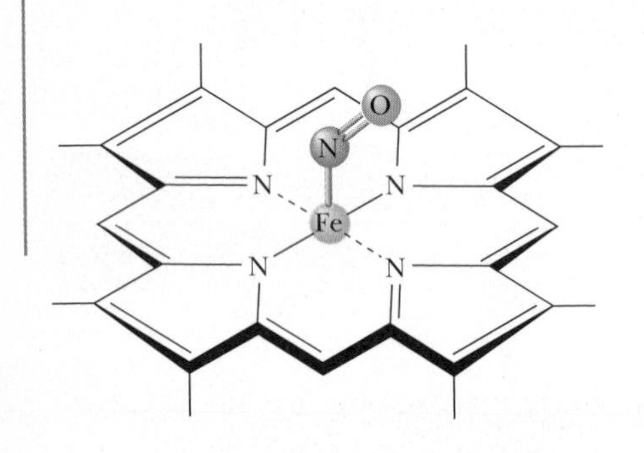

Figure 34.36 • La liaison de NO· à l'hème de la guanylate cyclase produit un nitrosohème.

cyclase soluble est un dimère constitué d'une sous-unité α (82 kDa), d'une sous-unité β (70 kDa), et d'un hème auquel NO· se lie pour donner un nitrosohème (Figure 34.26). La séquence de la région carboxy-terminale de la sous-unité β est homologue de la séquence du domaine C-terminal des guanylate cyclases membranaires.

34.10 • Modules protéiques de la transduction des signaux

Dans les cellules, des interactions protéine:protéine et protéine:phospholipide interviennent dans la transduction des signaux. Ces interactions ont lieu au niveau de modules protéiques. Les protéines contenant deux (ou plus) de ces modules s'associent simultanément à deux (ou plus) molécules partenaires pour former un ensemble fonctionnel complexe qui est soit sur un récepteur activé de la surface cellulaire, soit libre dans le cytoplasme. Le **domaine SH2** (pour *src **h**omology*) qui se lie avec une haute affinité aux motifs peptidiques comprenant un résidu phosphotyrosine est un bon exemple de module protéique de la transduction des signaux (Figure 34.37). La liaison d'un domaine SH2 donné à un motif phosphotyrosine donné dépend d'une séquence particulière de résidus en aval de la phosphotyrosine. Le domaine SH2 est un module d'environ 100 résidus dont la structure tridimensionnelle est celle d'un petit feuillet β avec des hélices α sur chacun des côtés du feuillet.

Les domaines SH2 sont les prototypes d'un nombre croissant de modules protéiques qui jouent un rôle dans la signalisation cellulaire. Les modules **PTB** (pour ***p**hospho**t**yrosine **b**inding*) reconnaissent et se lient à des motifs phosphotyrosine mais d'une manière différente de celle des modules SH2. Les modules **SH3** et **WW** se lient à des séquences cibles riches en résidus proline et les modules **PDZ** se lient aux quatre ou cinq derniers résidus des protéines cibles. Les modules **PH** (pour ***p**leckstrin **h**omology*) dont les structures tertiaires sont très proches de celles des modules PTB ont une fonction différente, ils s'associent à des inositol phospholipides et induisent l'incorporation de la protéine cible dans la membrane plasmique. La Figure 34.37 illustre les structures tertiaires de ces modules et présente quelques diagrammes de protéines qui les contiennent.

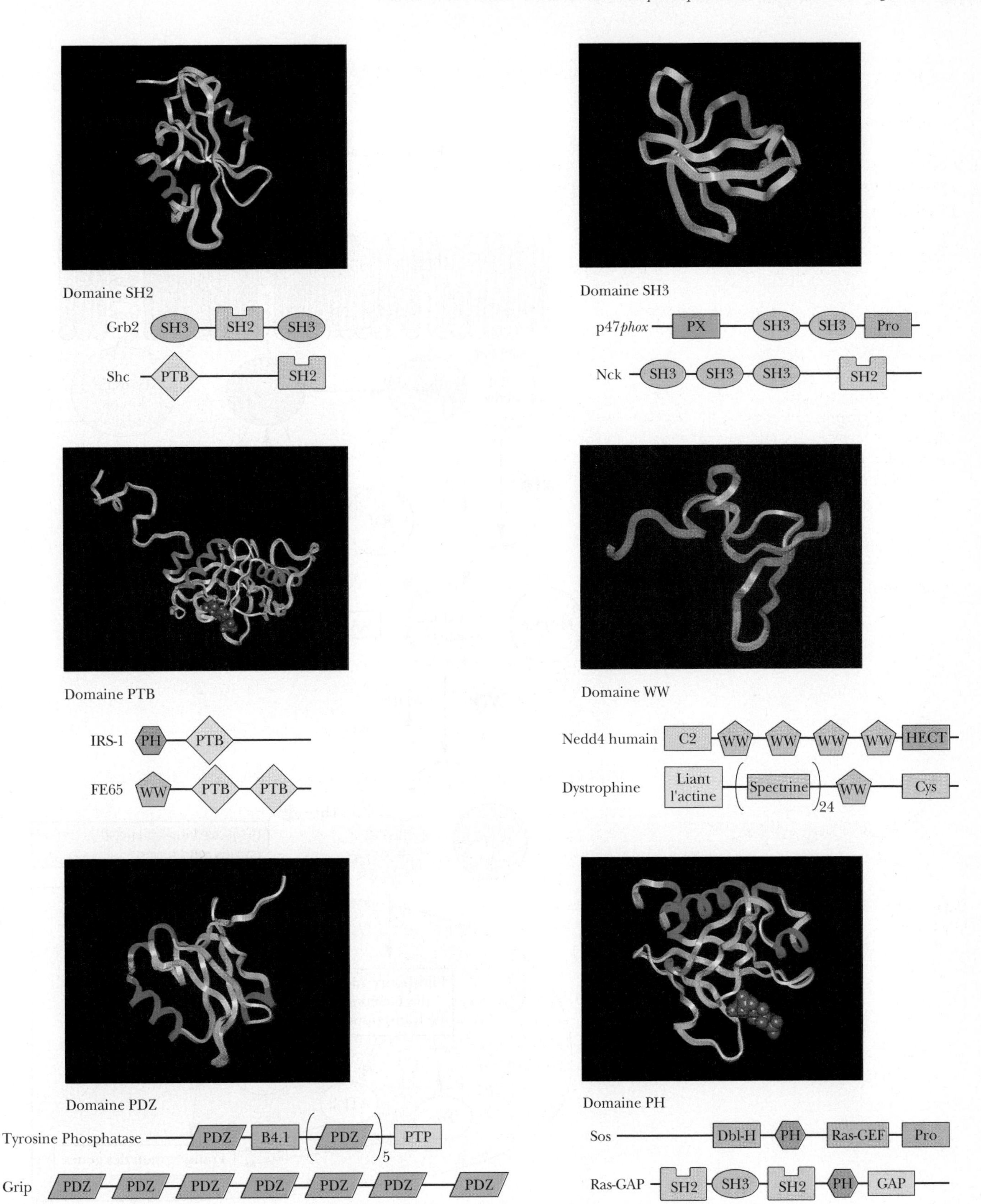

Figure 34.37 • Six des modules protéiques observés dans les protéines de la signalisation cellulaire. Chacun des graphiques moléculaires est accompagné de la structure de protéines dans lesquelles un ou plusieurs modules sont présents. *(Les coordonnées du module WW ont aimablement été communiquées par Harmut Oschkinat, Forschungsinstitut für Molekulare Parmakologie, et Marius Sudol, Mount Sinai School of Medicine.)*

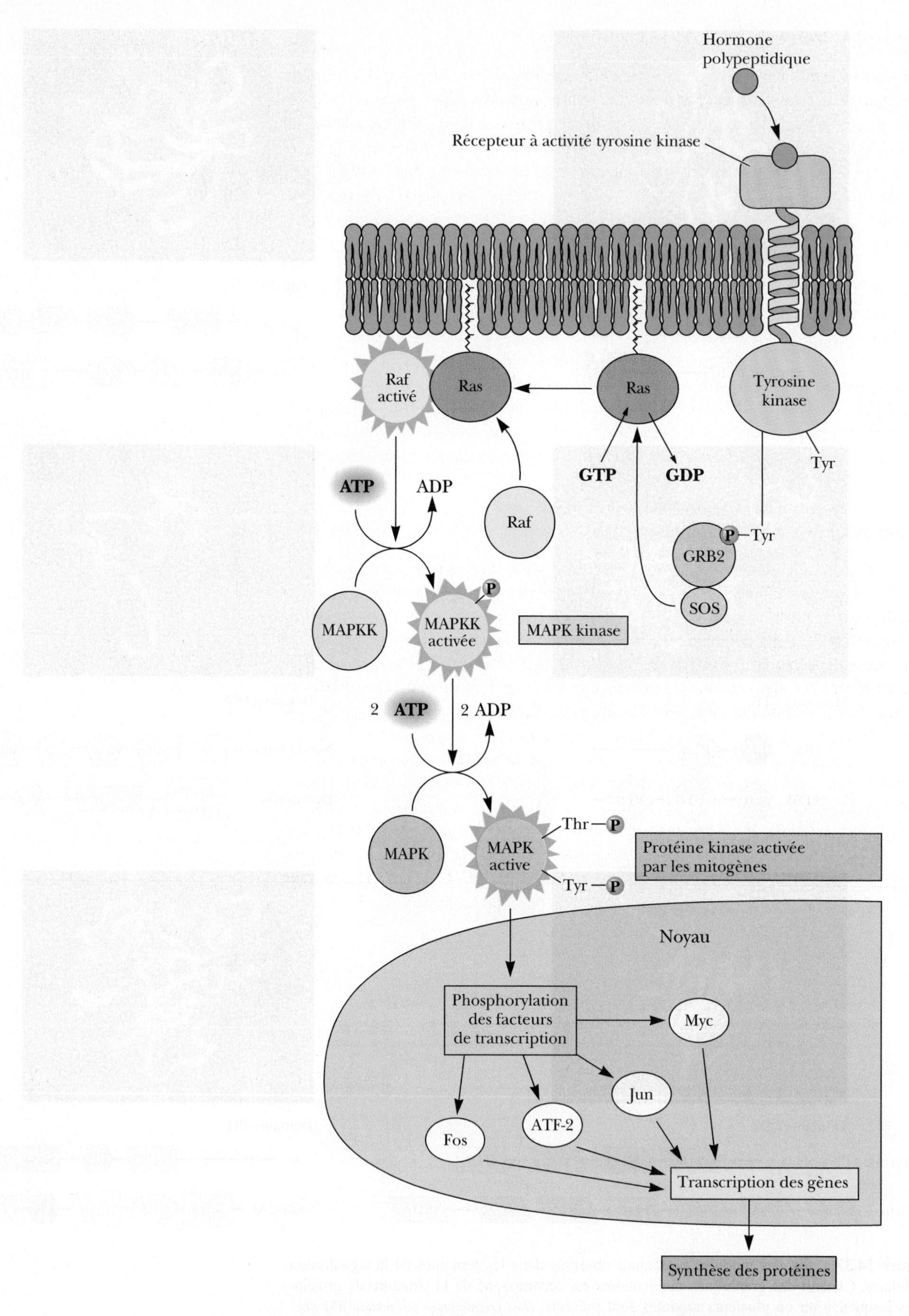

Figure 34.38 • Voie complète de la transduction d'un signal qui relie le récepteur hormonal à la transcription dans le noyau. Plusieurs voies analogues ont été caractérisées.

Adressage des molécules de la signalisation

Le signal transmis par les récepteurs liés à la membrane peut être amplifié par l'intermédiaire de protéines adaptatrices qui contiennent des sites reconnus par des modules de signalisation contenus dans d'autres protéines. Une protéine adaptatrice possède généralement une séquence N-terminale qui dirige la protéine vers la membrane (par exemple un domaine PH ou un site qui peut être myristoylé) et un domaine PTB qui lui permet de se lier à un résidu Tyr phosphorylé du récepteur, ainsi que des modules additionnels et des sites de phosphorylation qui facilitent la liaison de protéines cibles. Un exemple typique est donné par **IRS-1** (pour ***I****nsulin* ***R****eceptor* ***S****ubstrate-**1***), une protéine substrat du récepteur de l'insuline. IRS-1 contient un domaine PH, N-terminal, suivi d'un domaine PTB et de 18 résidus Tyr, sites potentiels de phosphorylation. Les domaines PH et PTB dirigent IRS-1 vers la membrane ce qui facilite la phosphorylation de ses sites Tyr par l'activité tyrosine-kinase du récepteur de l'insuline et facilite l'intervention d'agents complémentaires de la signalisation. Une autre protéine adaptatrice, **Shc**, possède un domaine PTB (N-terminal) qui lie à la fois les sites phosphotyrosine, les inositol-phospholipides, plusieurs de ses propres sites Tyr phosphorylables, et un module SH2 (C-terminal) qui peut se lier à d'autres résidus phosphotyrosine présents dans des protéines cibles.

Complexité des voies de la transduction du signal de la membrane au noyau

La séquence complète des événements de la signalisation qui à partir de la liaison de l'hormone au récepteur de la membrane plasmique aboutit à la modulation de la transcription dans le noyau, n'est connue que dans quelques rares cas. La Figure 34.38 présente une voie « complète » de la transduction du signal qui relie les récepteurs à activité tyrosine kinase, la GTPase *ras*, le facteur cytoplasmique Raf et deux autres protéines kinases aux facteurs de la transcription qui régulent l'expression des gènes nucléaires. Cette voie ne représente qu'une partie du réseau complexe qui implique de nombreuses autres protéines et facteurs de la signalisation. Les modèles actuels de la signalisation supposent que les voies sont redondantes car des expériences d'inactivation de gènes (voir Encart, Chapitre 29) montrent que de nombreux facteurs de la signalisation cellulaires peuvent être éliminés (un seul gène est inactivé par expérience) sans que la croissance et le développement d'un organisme en soient affectés. De plus, les voies de la signalisation peuvent converger vers une même protéine ou au contraire diverger. Par exemple, les protéines *ras* se lient et participent à l'activation de

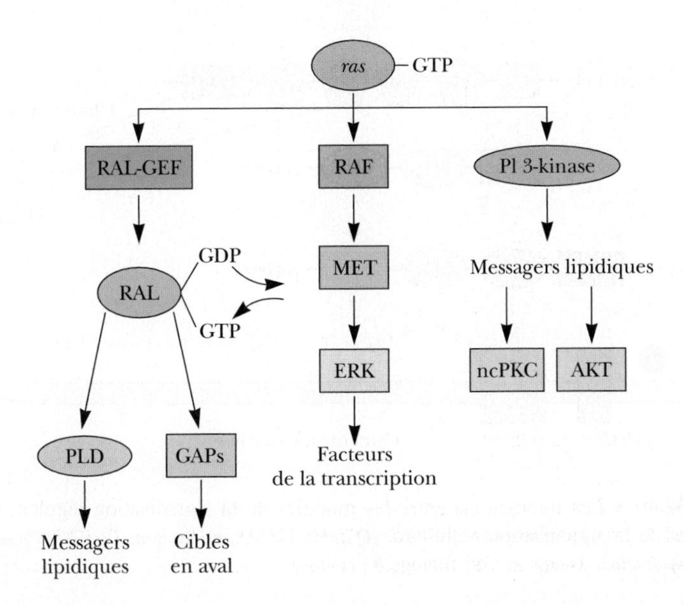

Figure 34.39 • Les voies de la signalisation peuvent converger et diverger. Par exemple, les protéines ras activent de multiples cibles.

plusieurs cibles distinctes (Figure 34.39). Cette multiplicité des interactions provient de la multiplicité des modules de signalisation présents dans les protéines impliquées dans les voies de la signalisation. La Figure 34.40 donne un exemple des interactions modulaires dans la voie d'un récepteur tyrosine kinase ainsi que des interactions modulaires qui semblent intervenir dans d'autres voies de signalisation. L'existence présumée de milliers de protéines kinases et la liste croissante du nombre des facteurs intervenant dans la signalisation annoncent la présence d'un réseau complexe et entrelacé d'interactions dans presque toutes les cellules.

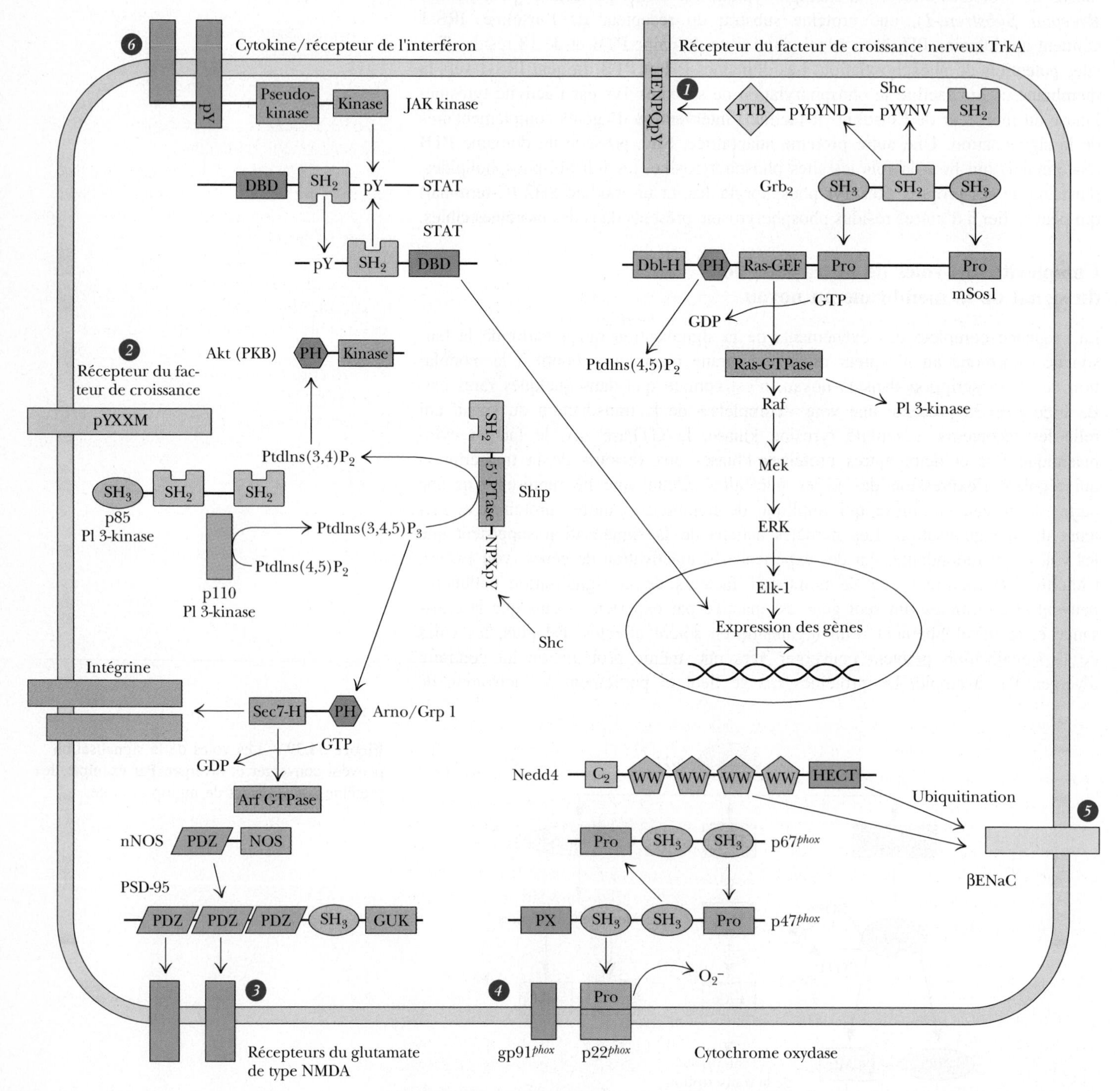

Figure 34.40 • Les interactions entre les modules de la signalisation régulent et orientent les étapes de la signalisation cellulaire. *(D'après Lin, D., et Pawson, T., 1997. Protein modules in signal transduction.* Trends in Cell Biology ***8** : centre.)*

Pour en savoir plus

Protéines et gènes à noms bizarres

Le développement rapide des études sur la signalisation cellulaire, avec l'identification de centaines de nouvelles protéines, a été une occasion sans précédent pour les biologistes et les généticiens de faire preuve de créativité dans l'appellation de ces protéines. Dans les débuts de la biologie moléculaire, ces noms étaient le plus souvent des abréviations ou des acronymes énigmatiques. Par exemple, la famille des protéines 14-3-3, ainsi dénommée en raison du profil de répartition de ces protéines lors de leur chromatographie sur DEAE-cellulose ou de leur électrophorèse en gel d'amidon. À partir des années 1970, quelques scientifiques imaginatifs ont proposé des noms parfois curieux pour les gènes nouvellement découverts, par exemple *sevenless* par référence à R7, l'un des huit photorécepteurs de l'œil composé de la drosophile.

Ce qui a commencé comme un léger frémissement s'est transformé en une avalanche de noms curieux à mesure de la découverte de nouvelles protéines et de nouveaux gènes. Le gène *sevenless* fut suivi par les gènes ***bride of sevenless*** (la fiancée de *sevenless*), ou *boss*, un ligand de *sevenless*, et naturellement ***son of sevenless*** *(sos*, isolé lors d'un ciblage des gènes de la voie de signalisation stimulée par le récepteur tyrosine kinase). Les gènes *hedgehog (hh)*, en particulier le gène *sonic hedgehog (Shh)*, dont le rôle est critique dans le développement et l'organisation des tissus embryonnaires chez les vertébrés, n'ont aucun rapport avec le hérisson ; ils ont ainsi été appelés en souvenir d'un jeu vidéo très populaire.

La colonne contient des exemples de noms curieux de gènes et de produits de gènes dont un grand nombre ont été identifiés chez la drosophile.

N.d.T. Il serait vain de traduire des noms qui n'auraient parfois guère de sens en français, même si *reaper* pourrait être remplacé par « grande faucheuse » pour rappeler l'image de la mort. De même que la mutation « petite colonie » chez la levure garde cette dénomination en anglais, les noms scientifiques ne changent généralement pas.

Nom	**Fonction**
armadillo	placoglobine – caténine bêta
bag of marbles	une protéine impliquée dans l'ovogenèse et la spermatogenèse
bullwinkle	protéine de l'ovocyte
cactus	protéine de la signalisation – homologue de IkB
cheap date	sensibilité à l'alcool
chikadee	homologue de la profiline – organisation de l'actine dans les microfilaments
corkscrew	une phosphotyrosine protéine phosphatase
dachshund	une protéine nucléaire à fonction inconnue
dishevelled	une protéine cytoplasmique dans la voie du phénotype wingless
dunce	une phosphodiestérase de l'AMPc
hopscotch	de la famille des tyrosine-kinases
naked	gène d'un segment de polarité
reaper	un domaine de la mort d'une protéine de l'apop-
tose	
rutabaga	une protéine kinase dépendante de la calmoduline et du Ca^{2+}
shark	Une tyrosine-kinase à motif SH2
yak	acronyme de *yet another kinase* (encore une nouvelle kinase)

34.11 • Hormones stéroïdes

Les hormones stéroïdes molécules liposolubles dérivées du cholestérol (Figure 34.41), comprennent les **glucocorticoïdes** (cortisol et corticostérone), les **minéralocorticoïdes** (aldostérone), la **vitamine D** et **les hormones sexuelles** (par exemple, la testostérone, la progestérone et l'estradiol). Les détails de leur synthèse ont été présentés Chapitre 25. Les hormones stéroïdes exercent leurs effets de deux façons différentes. Premièrement, en diffusant dans les cellules et vers le noyau, ces hormones en modulant l'expression des gènes agissent comme des régulateurs de la transcription. Ces effets des hormones stéroïdes s'exercent pendant des heures et impliquent la synthèse de nouvelles protéines. Deuxièmement, il est de plus en plus évident que les hormones stéroïdes agissent aussi au niveau de la membrane en régulant l'activité de canaux ioniques et peut-être d'autres processus. À la différence des effets précédents, ces derniers effets se manifestent très rapidement en l'espace de quelques secondes ou minutes.

Des récepteurs protéiques transportent les stéroïdes vers le noyau

Les effets **intracellulaires** des hormones stéroïdes se manifestent après que les stéroïdes ont diffusé dans le cytoplasme et se sont liés à des récepteurs spécifiques. La liaison de ces hormones à leurs récepteurs respectifs est particulièrement forte, les constantes de dissociation sont de l'ordre de la nanomole. Presque toutes les molécules réceptrices d'une cellule sensible aux stéroïdes se trouvent dans le noyau. Cependant, comme les stéroïdes sont des molécules extrêmement hydrophobes, il

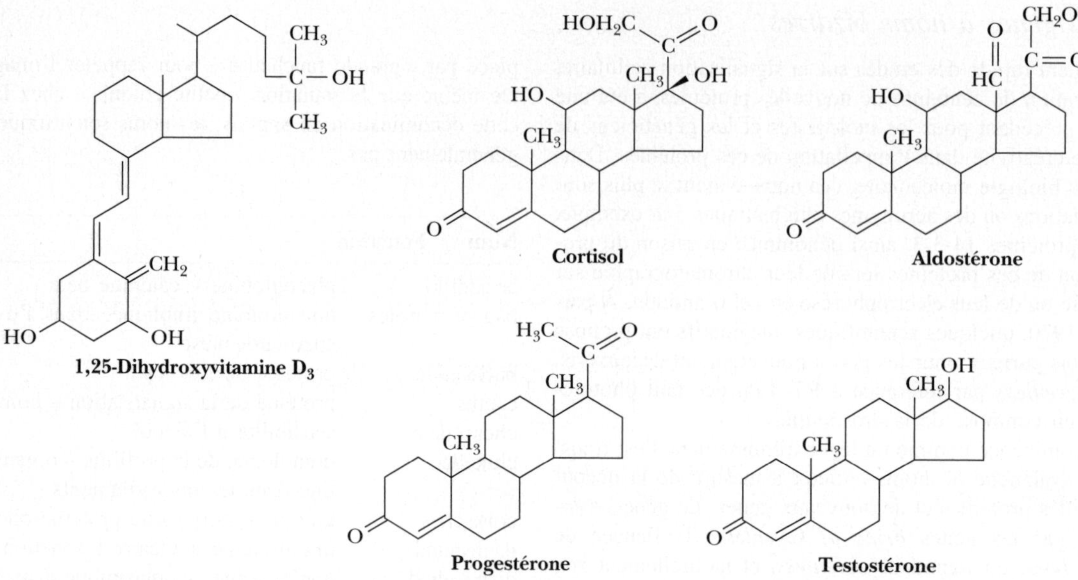

1,25-Dihydroxyvitamine D_3

Cortisol

Aldostérone

Progestérone

Testostérone

Figure 34.41 • Structures de quelques hormones stéroïdes.

semble peu vraisemblable qu'elles migrent à travers le cytoplasme et rejoignent le noyau sans l'aide de protéines réceptrices ; on admet que de très petites quantités de protéines réceptrices sont présentes dans le cytoplasme pour transférer les stéroïdes de la membrane plasmique au noyau (Figure 34.42).

Un même type d'organisation structurale caractérise les récepteurs de stéroïdes, ils font donc partie d'une *superfamille* de protéines ; les gènes qui codent pour ces protéines dérivent vraisemblablement d'un gène ancestral commun (Figure 34.43).

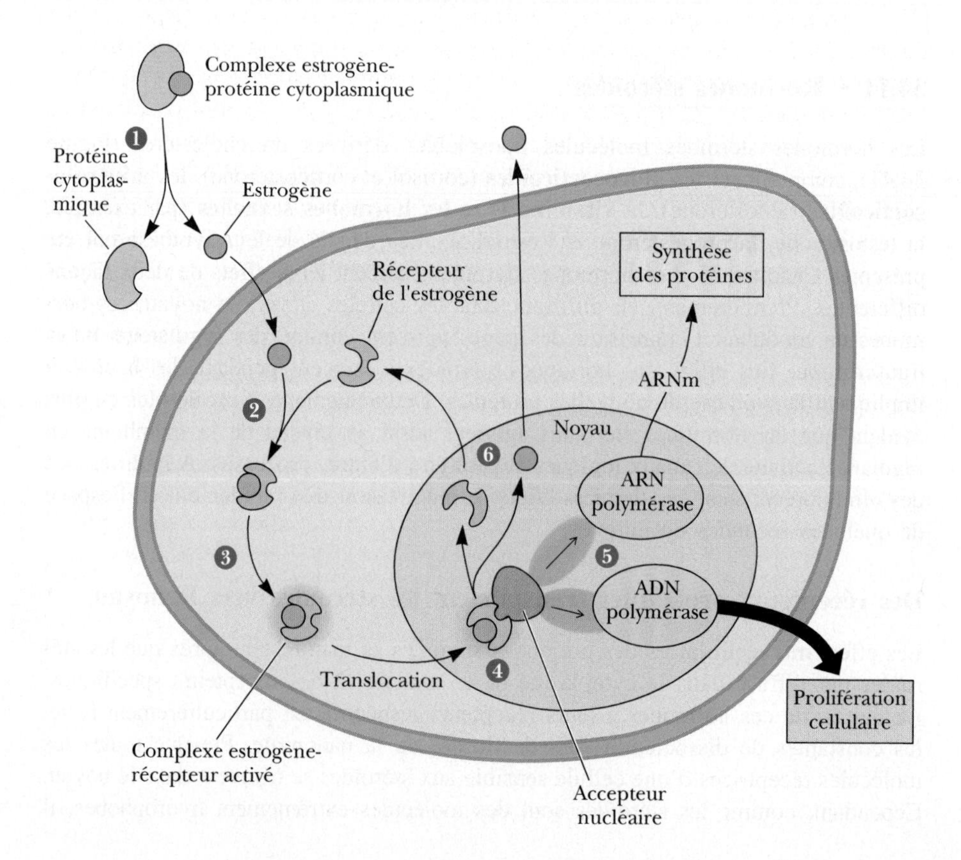

Figure 34.42 • Modèle de l'action d'une hormone stéroïde sur une cellule cible. L'hormone (par exemple une hormone estrogène) se dissocie des protéines du plasma sanguin, diffuse dans la cellule et se lie à des récepteurs protéiques. Le complexe hormone-récepteur activé migre dans le noyau ou il entre en interaction avec l'ADN ou des facteurs de transcription, ou les deux à la fois. *(D'après Welshons, W., et Jordan, V., 1987. Heterogeneity of nuclear steroid hormone receptors with an emphasis on unfilled receptor sites. In Clark, C., ed.,* Steroid Hormone Receptors. *Ellis Horwood, New York, VCH Publishers.)*

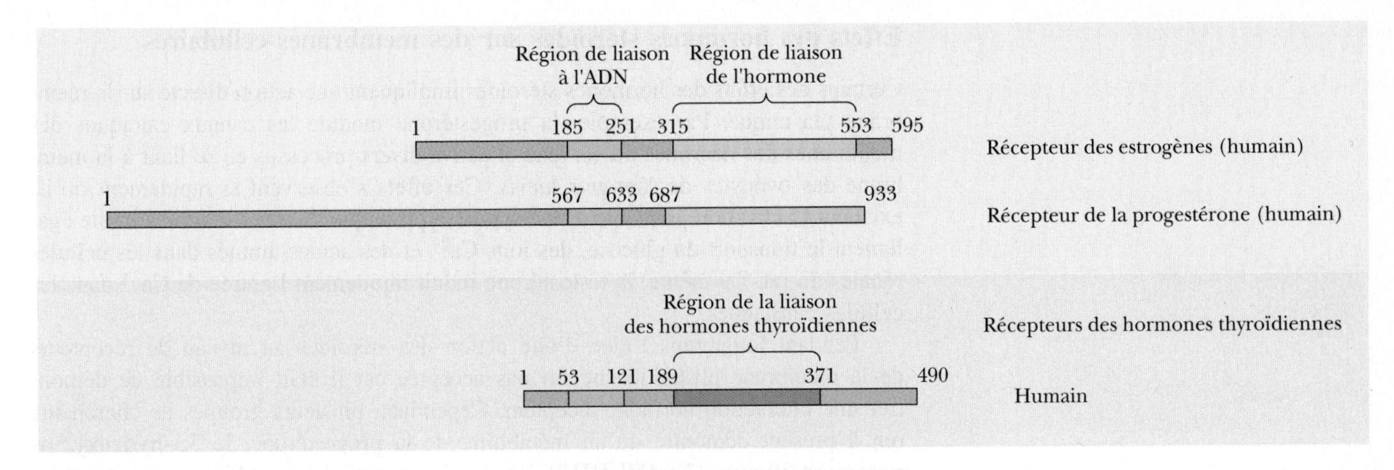

Figure 34.43 • Structure primaires des récepteurs nucléaires d'hormones stéroïdes et d'hormones thyroïdiennes. *(D'après Gronmeyer, H., ed., 1988. Affinity labelling and cloning of steroid and thyroid hormone receptors. Ellis Horwood, VCH Publishers.)*

Chacun de ces récepteurs possède un domaine hydrophobe près de l'extrémité C-terminale, domaine qui semble lier le stéroïde, et un domaine central hydrophile qui reconnaît et se lie à des séquences spécifiques de l'ADN. Ces domaines de liaison à l'ADN présentent de fortes homologies (Figure 34.43) ; leur caractéristique la plus remarquable est la présence constante de neuf résidus Cys. Trois paires de ces résidus Cys sont dans des séquences Cys-X-X-Cys, déjà observées dans les motifs doigt à zinc de certaines protéines liant l'ADN (Chapitre 31). Les séquences primaires des domaines de liaison du stéroïde au récepteur présentent moins d'homologie, mais certains résidus sont conservés et se retrouvent aux mêmes positions dans tous les récepteurs. Ces domaines formeraient les poches spécifiques de chacune des hormones stéroïdes.

Le complexe récepteur:stéroïde a deux fonctions dans le noyau. Il peut se lier directement à l'ADN et réguler une transcription, ou il peut se lier à des facteurs de transcription comme les protéines *Jun* ou *Fos* (voir Tableau A, Encart page 1140). Dans ce dernier cas, le récepteur d'hormone stéroïde régule l'expression des gènes cibles sans avoir d'interaction directe avec l'ADN.

Les séquences des récepteurs des hormones thyroïdiennes (Figure 34.44) sont hautement homologues de celles des récepteurs des hormones stéroïdes (Figure 34.43). Ces récepteurs lient la **thyroxine (T_4)** et la **triiodothyronine (T_3)**. Leur domaine de liaison à l'ADN contient le même motif Cys-X-X-Cys et les mêmes résidus conservés Lys et Arg que les domaines correspondants dans les récepteurs des hormones stéroïdes. Malgré cette haute homologie, les récepteurs des hormones thyroïdiennes *reconnaissent spécifiquement des séquences particulières de l'ADN des gènes cibles* (Chapitre 31).

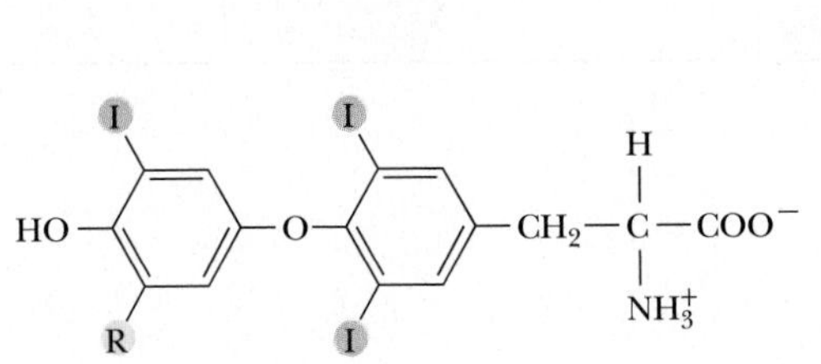

I I H
HO — O — CH_2 — C — COO^-
R I NH_3^+

R = H **Triiodothyronine (T_3)**
R = I **Thyroxine (T_4)**

Figure 34.44 • Structures de la triiodothyronine et de la thyroxine.

Effets des hormones stéroïdes sur des membranes cellulaires

Certains des effets des hormones stéroïdes impliquent une action directe sur la membrane plasmique. Par exemple, la progestérone module les canaux calciques des membranes des neurones du cerveau et active divers processus en se liant à la membrane des ovocytes de *Xenopus laevis*. Ces effets s'observent si rapidement qu'ils excluent l'activation préalable d'une synthèse protéique. La testostérone stimule également le transport du glucose, des ions Ca^{2+} et des acides aminés dans les cellules rénales du rat. De même, la testostérone induit rapidement l'entrée de Ca^{2+} dans les cellules cardiaques.

Pendant longtemps l'idée d'une action des stéroïdes au niveau de récepteurs de la membrane plasmique ne fut pas acceptée car il était impossible de démontrer une interaction hormone:récepteur. Cependant, plusieurs groupes de chercheurs ont à présent démontré qu'un métabolite de la progestérone, le **3α-hydroxy,5α-prègnane-20-one** (**3α-OH-DHP**) se lie avec une haute affinité au récepteur

Pour en savoir plus

La réaction acrosomienne

Lors de la **réaction acrosomienne** est un processus qui doit avoir lieu avant que le spermatozoïde humain puisse fertiliser un ovule ; des hormones stéroïdes participent à cette réaction par leurs effets sur les canaux ioniques. L'acrosome est un organite qui se trouve dans la tête du spermatozoïde, juste sous la membrane plasmique, et qui enveloppe partiellement le noyau haploïde du spermatozoïde. C'est essentiellement une grande vésicule enfermant des enzymes hydrolytiques et protéolytiques. Lors de la réaction acrosomienne, un influx de Ca^{2+} provoque la fusion de la membrane dite « externe » de l'acrosome avec la membrane plasmique. Le complexe membranaire qui en résulte se fragmente et diffuse, libérant les enzymes de l'acrosome qui peuvent alors attaquer l'ovule en laissant exposés des sites de liaison présents sur la membrane « interne » de l'acrosome, sites qui semblent se lier à l'ovule dans le processus de sa fertilisation.

La réaction acrosomienne est induite par la **progestérone**, une hormone femelle sécrétée par les cellules du corps jaune ovarien qui entoure l'ovule ! La concentration intracellulaire de Ca^{2+} s'élève en quelques secondes lorsque du sperme humain est mis en présence de progestérone. Cet effet ne peut résulter que d'une liaison de l'hormone à la membrane plasmique. Il faudrait beaucoup plus de temps pour que la progestérone agisse en stimulant la transcription.

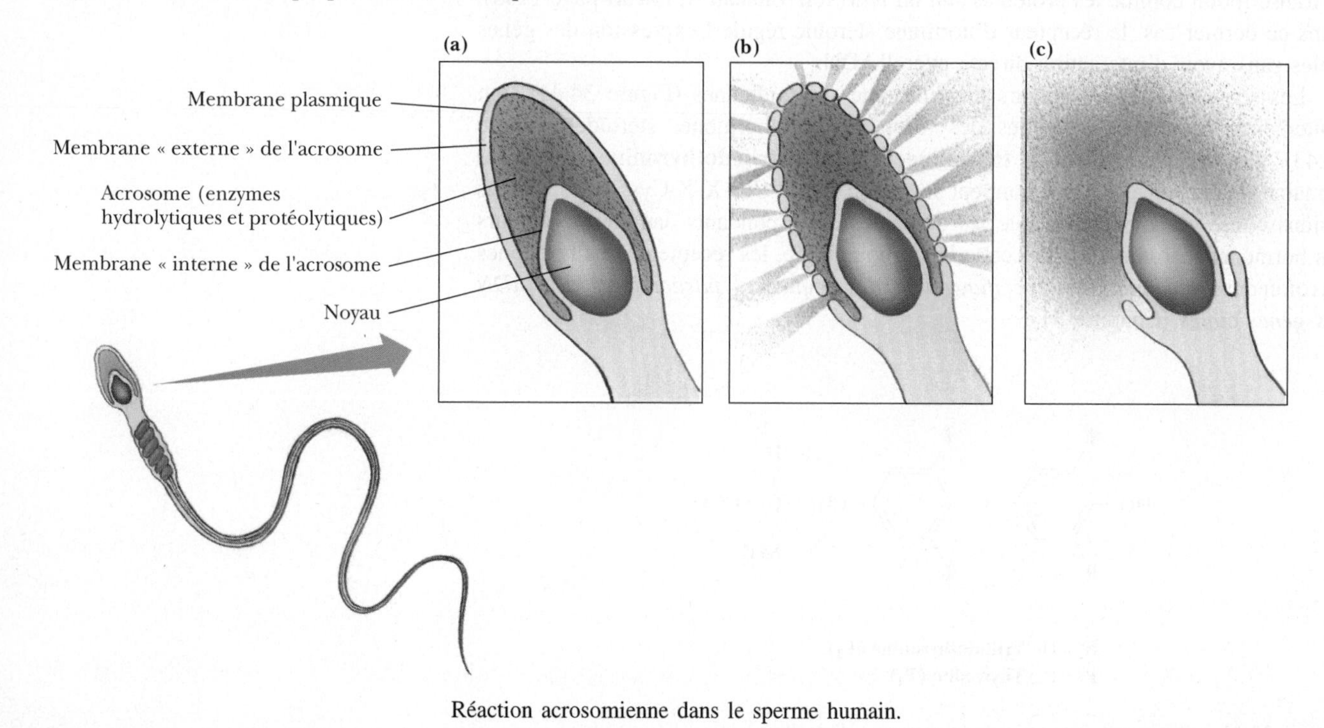

Réaction acrosomienne dans le sperme humain.

$GABA_A$ du cerveau et augmente les effets inhibiteurs du ligand sur la transmission nerveuse. Nous verrons dans le sous-chapitre suivant que le récepteur $GABA_A$ est un canal chlorure (Figure 34.45) qui s'ouvre quand il lie l'acide **γ-aminobutyrique** (GABA). La démonstration de la stimulation d'un canal par une hormone stéroïde est une découverte majeure qui conduira à revoir l'assertion selon laquelle les stéroïdes n'agissent que sur des sites intracellulaires.

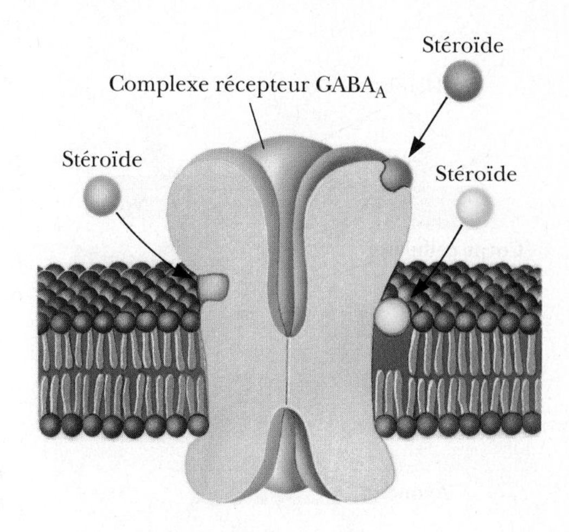

Figure 34.45 • Schéma du modèle du récepteurs $GABA_A$, indiquant les sites d'interaction des hormones avec le récepteur. *(D'après Touchette, N., 1990. Man bites dogma : A new role for steroid hormones.* Journal of NIH Research *2 : 71-74.)*

34.12 • Membranes excitables, neurotransmission et systèmes sensitifs

La survie des organismes supérieurs est tributaire de leur capacité à répondre rapidement à des signaux sensitifs comme ceux qui sont fournis par la vue, l'ouïe et l'odorat. Les réponses à ces stimulations comprennent aussi bien les mouvements musculaires que les différentes formes de communication intercellulaire. Les hormones ne peuvent se déplacer dans l'organisme qu'à une vitesse déterminée par le système circulatoire. Pour la plupart des organismes supérieurs un moyen de communication *plus rapide* est crucial. Les influx nerveux qui peuvent se propager à des vitesses élevées, jusqu'à 100 m par seconde, fournissent un moyen de signalisation cellulaire assez rapide pour permettre une réponse appropriée à la reconnaissance du signal sensitif, qu'il s'agisse du comportement physique des organismes supérieurs (mouvements) ou d'autres fonctions physiologiques. La formation et la transmission des influx nerveux chez les vertébrés dépendent d'un réseau incroyablement complexe de neurones qui relient toutes les parties de l'organisme au cerveau – lui-même un réseau de plus de 10^{12} cellules nerveuses interconnectées.

En dépit de leur diversité et de leur complexité, les systèmes nerveux des organismes supérieurs ont des caractéristiques et des mécanismes communs. Les stimuli physiques ou chimiques sont reconnus par des **récepteurs protéiques** spécialisés, présents dans les membranes des **cellules excitables**. Les changements dans la conformation des récepteurs induisent un changement d'activité enzymatique ou de perméabilité membranaire. Ces changements spécifiques et réversibles se propagent ensuite de cellule à cellule pour transmettre l'information. Dans ce dernier sous-chapitre, nous décrirons les caractéristiques des cellules excitables et les mécanismes grâce auxquels l'information est transmise dans tout l'organisme.

Les cellules du système nerveux

Les **neurones** et les **cellules gliales** sont des cellules propres au système nerveux. La réception et la transmission des influx nerveux sont effectuées par les neurones (Figure 34.46) alors que les cellules gliales ont des fonctions de protection et de support. Plusieurs caractéristiques différencient les cellules gliales des neurones. Les cellules gliales n'ont pas d'axones ou de synapses et conservent la capacité de se diviser. Les cellules gliales qui sont beaucoup plus nombreuses que les neurones (au moins 10 fois plus) sont de différents types. Certaines cellules gliales, comme les **cellules de Schwann**, enveloppent les neurones, formant une gaine protectrice. D'autres cellules gliales peuvent phagocyter et éliminer les débris cellulaires du tissu nerveux. Des cellules gliales forment la muqueuse qui tapisse les cavités du cerveau et de la moelle épinière.

Les neurones se différencient des autres cellules par de longues extensions cytoplasmiques, ou projections, l'**axone** et les **dendrites** (Figure 34.46). La structure de la plupart des neurones se décompose en trois régions distinctes : le **corps cellulaire**, l'**axone** et les **dendrites**. Les axones se terminent dans de petites structures, les **terminaisons axonales** (ou extrémités synaptiques). Les dendrites sont de courtes projections cytoplasmiques, très ramifiées, qui reçoivent l'influx nerveux et le transmettent au corps cellulaire. L'espace compris entre l'extrémité synaptique d'un neurone et l'extrémité d'un dendrite appartenant à un neurone adjacent est la **synapse**.

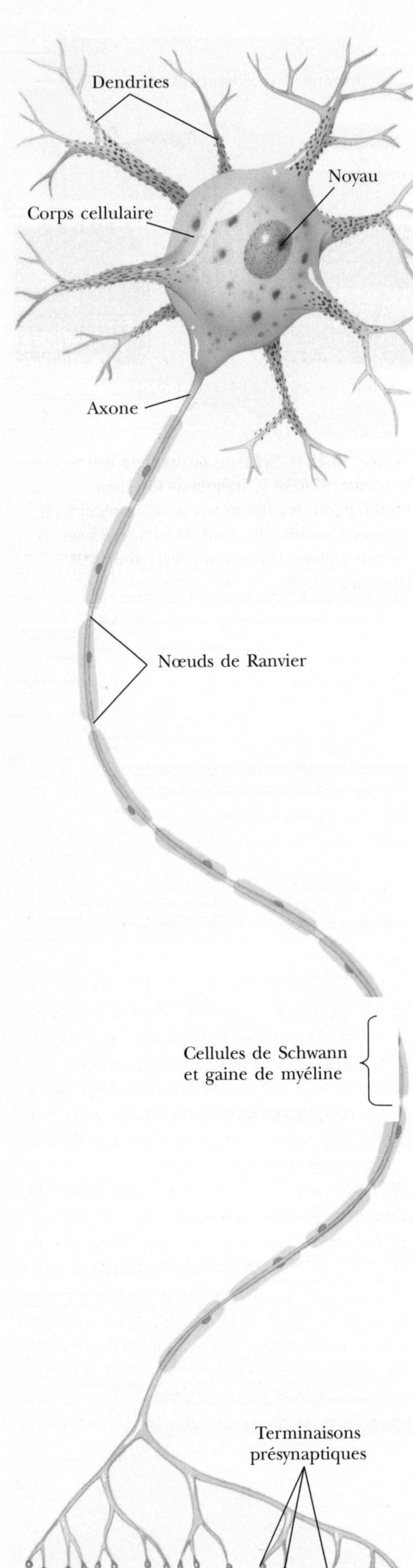

Figure 34.46 • Structure d'un neurone moteur de mammifère. Le noyau et la plupart des autres organites sont dans le corps cellulaire. Un long axone et de nombreux dendrites se projettent hors du corps cellulaire. Les dendrites reçoivent les signaux en provenance d'autres neurones et les conduisent au corps cellulaire. L'axone transmet les signaux émanant de cette cellule à d'autres cellules par l'intermédiaires des boutons synaptiques. Les cellules gliales, dans ce cas les cellules de Schwann, enveloppent l'axone et forment une gaine myélinique isolante. Bien que les cellules gliales se trouvent le plus souvent à proximité des neurones, il n'existe aucune relation physique spécifique (par exemple pas de jonction communicante) entre les cellules gliales et les neurones. Cependant, il y a des jonctions communicantes entre des cellules gliales adjacentes.

Les organismes supérieurs contiennent trois types de neurones : les neurones sensitifs, les interneurones et les neurones moteurs. Les **neurones sensitifs** captent les signaux sensitifs, soit directement, soit à partir de récepteurs sensoriels spécifiques, et transmettent cette information aux interneurones ou aux neurones moteurs. Les **interneurones** sont des neurones intermédiaires qui reçoivent une information provenant d'un neurone et la transmettent à d'autres interneurones ou à des neurones moteurs. Les **neurones moteurs** acheminent l'influx jusqu'aux cellules musculaires, leur stimulation induit l'activité musculaire.

Des gradients ioniques sont à l'origine des potentiels électriques des neurones

Les impulsions transmises le long des axones sont de nature électrique. *Ces signaux électriques correspondent à des variations transitoires de la différence de potentiel électrique (voltage) à travers la membrane des neurones (et d'autres cellules). Des* ***gradients ioniques*** *sont à l'origine des potentiels de membrane.* Dans le cytoplasme d'un neurone au repos, la concentration des ions Na^+ est plus faible et celle des ions K^+ plus élevée que les concentrations de ces mêmes ions dans les fluides extracellulaires (Figure 34.47). Ces gradients ioniques sont générés par l'activité de la Na^+, K^+-ATPase (voir Chapitre 10). Dans un neurone au repos (neurone non stimulé), la différence de potentiel est voisine de –60 mV (l'intérieur de la membrane est négatif). Considérons le cas d'un gradient de potassium dans une vésicule isolée (Figure 34.48). Le potentiel électrochimique résultant de la distribution des ions à travers la membrane a été donné par l'Équation 10.2 :

$$\Delta G = G_2 - G_1 = RT \ln\left(\frac{C_2}{C_1}\right) + Z\mathcal{F}\Delta\psi$$

S'agissant du gradient de potassium de la Figure 34.48, quel est le *potentiel d'équilibre* pour lequel aucun flux ionique ne sera observé ? À l'équilibre, $\Delta G = 0$, l'Équation 10.2 devient :

$$RT \ln\left(\frac{C_2}{C_1}\right) = -Z\mathcal{F}\Delta\psi \qquad (34.1)$$

C'est une forme de l'équation de Nernst qui relie les différences de concentrations aux différences de potentiels. Dans le cas de la Figure 34.48, avec $Z = 1$,

$$RT \ln\left(\frac{400}{20}\right) = -\mathcal{F}\Delta\psi \qquad (34.1)$$

soit à 25 °C, avec $\mathcal{F} = 96{,}48\ \mathrm{kJ \cdot V^{-1} mol^{-1}}$,

$$\Delta\psi = -77\ \mathrm{mV}$$

Pour une différence de potentiel de –77 mV, le flux net du K^+ à travers cette membrane sera nul. Quel est le potentiel d'équilibre pour Na^+ dans la Figure 34.47 ? Appliquant de nouveau l'équation de Nernst, nous trouvons un potentiel d'équilibre de +53,4 mV.

Le potentiel d'action

Les impulsions nerveuses, ou, **potentiels d'action**, correspondent à des variations transitoires du potentiel de membrane qui se propagent rapidement le long des neurones (le

Axone	Intérieur	50 mM Na^+ 400 mM K^+ 60 mM Cl^-
	Extérieur	400 mM Na^+ 20 mM K^+ 560 mM Cl^-

Figure 34.47 • Concentrations du Na^+, du K^+, et du Cl^- , internes et externes, typiques d'un axone de mammifère au repos. En supposant que les perméabilités relatives pour K^+, Na^+ et Cl^- sont respectivement de 1, 0,04 et 0,45, l'équation de Goldman donne un potentiel de membrane de –60 mV. *(Voir* Pour en savoir plus, *cette page).*

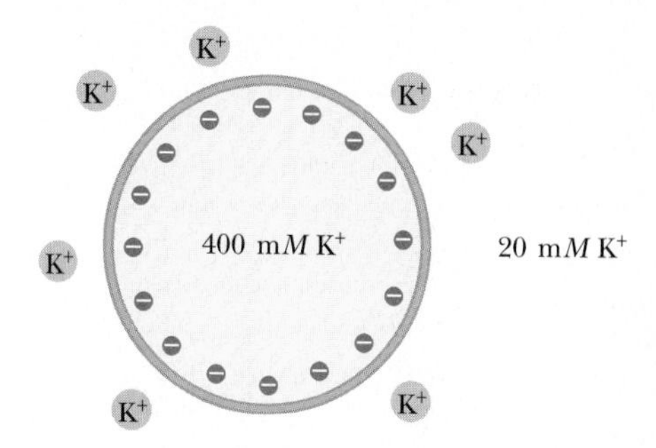

Figure 34.48 • La concentration du K^+ à l'intérieur d'un axone au repos est d'environ 400 mM alors que sa concentration à l'extérieur est de 20 mM. En l'absence d'une différence de potentiel électrique à travers la membrane, le K^+ aurait une forte tendance thermodynamique à diffuser hors de l'axone. Selon l'équation de Nernst, le gradient de concentration du K^+ serait exactement équilibré (à 25 °C) par une différence de potentiel de –77 mV (négatif à l'intérieur). Pour $\Delta\psi$ = –77 mV, le flux net du K^+ est nul.

potentiel d'action est en fait répété de proche en proche). Les potentiels d'action apparaissent lorsque la membrane est localement **dépolarisée** d'environ –20 mV par rapport à l'état de repos de –60 mV et atteint une nouvelle valeur de –40 mV. Cette petite variation est suffisante pour avoir des effets très marqués sur des protéines spécifiques de la membrane de l'axone (l'axolemme) appelées canaux ioniques **voltage-dépendants**. Ces protéines sont des canaux ioniques, spécifiques de Na^+ ou de K^+, normalement fermés lorsque le potentiel est de –60 mV (potentiel de repos). Lorsque la différence de potentiel atteint –40 mV, les canaux Na^+ (les « portes » de ces canaux) s'ouvrent et les ions Na^+ entrent dans la cellule sous l'influence du potentiel électrochimique. Avec l'entrée de Na^+ dans la cellule, le potentiel de membrane continue à s'élever et de nouveaux canaux sodiques s'ouvrent (Figure 34.49). Le potentiel s'élève jusqu'à plus de +30 mV. À ce moment, l'influx de Na^+ cesse car le potentiel électrochimique approche du potentiel d'équilibre de Na^+. Quand les canaux Na^+ se ferment, les canaux K^+ s'ouvrent et les ions K^+ sortent de la cellule, le potentiel de membrane revient alors à des valeurs négatives. Il peut même dépasser la valeur de l'état de repos

POUR EN SAVOIR PLUS

Différence de potentiel transmembranaire réelle

Pour bien comprendre la relation entre les gradients ioniques et la *différence de potentiel réelle* à travers la membrane d'un axone, il faut d'abord répondre à deux questions : Comment la différence de potentiel réelle est-elle calculée ? et, que nous apprennent les potentiels d'équilibre pour Na^+ et K^+ au sujet de la différence de potentiel réelle de –60 mV dans la Figure 34.47 ? La réponse à la première question a été suggérée par D. E. Goldman en 1943. Il est plus compliqué de calculer un potentiel global transmembranaire dans le cas où plusieurs espèces chargées sont distribuées de part et d'autre de la membrane (comme dans la Figure 34.47) que dans le cas avec une seule espèce pour lequel l'équation de Nernst fait l'affaire. Goldman avait compris que si le potentiel total est une résultante des potentiels de plusieurs espèces d'ions, c'est qu'aucune de ces espèces ioniques prises individuellement *n'est à l'équilibre*. Dans les systèmes qui ne sont *pas* à l'équilibre, la **perméabilité** *de la membrane à l'égard des divers ions est tout aussi importante que les concentrations elles-mêmes*. L'équation de Goldman, qui décrit un **état d'équilibre dynamique** plutôt qu'un équilibre, est la suivante :

$$\Delta\psi = \frac{RT}{\mathcal{F}} \ln\left(\frac{\Sigma P_C[C]_{\text{extérieur}} + \Sigma P_A[A]_{\text{intérieur}}}{\Sigma P_C[C]_{\text{intérieur}} + \Sigma P_A[A]_{\text{extérieur}}}\right)$$

dans laquelle [C] et [A] sont respectivement les concentrations en cations et en anions, et P_C et P_A sont respectivement les coefficients de perméabilité (Chapitre 10) des cations et des anions. En utilisant les valeurs des concentrations et des perméabilités de la Figure 34.47, l'équation de Goldman permet de calculer Δy ; le calcul donne Δy = –60 mV, une valeur correspondant à celle qui est déterminée expérimentalement dans les neurones.

La réponse à la deuxième question est fondamentalement liée à la génération de l'influx nerveux. Le potentiel d'équilibre pour Na^+ (+53,4 mV) est très éloigné du potentiel mesuré, alors que le potentiel d'équilibre pour K^+ est très proche de la valeur observée. Ce qui signifie que les ions Na^+ ont une beaucoup plus forte tendance thermodynamique à pénétrer dans les neurones que les ions K^+ à en sortir. Si la membrane de l'axone devenait soudainement perméable à ces ions, l'événement principal serait une entrée massive de Na^+ et une sortie bien plus faible de K^+ – c'est bien ce qui est observé lors de la transmission de l'influx nerveux.

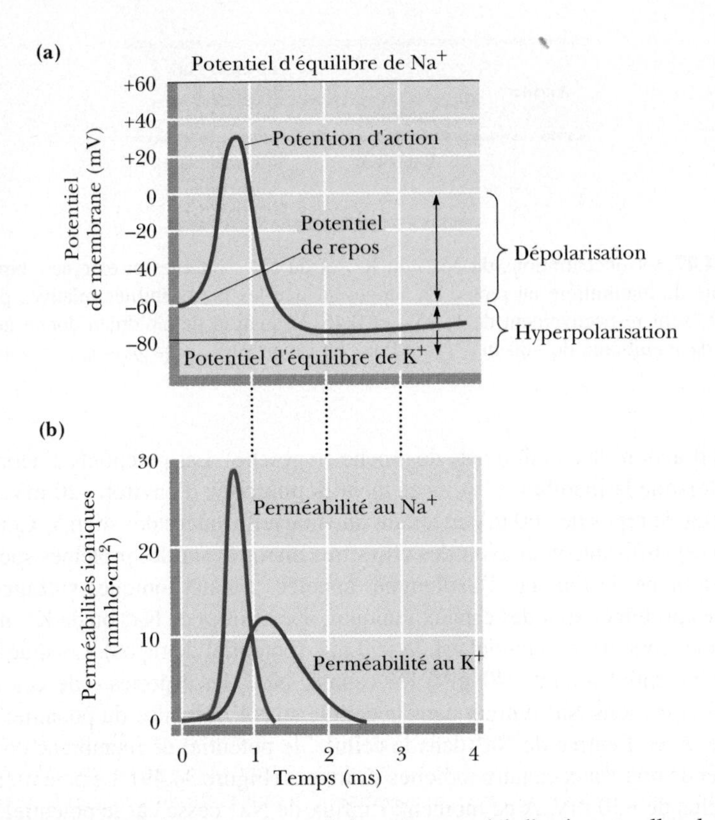

Figure 34.49 • Comparaison entre les variations du potentiel d'action et celles des perméabilités ioniques de K^+ et Na^+ en fonction du temps. L'augmentation rapide du potentiel de membrane de –60 mV à un peu plus de +30 mV (a) est appelé « dépolarisation ». Cette dépolarisation est provoquée par un soudain accroissement de la perméabilité au Na^+ (b). Lorsque la perméabilité sodique diminue, la perméabilité au K^+ s'élève et le potentiel de membrane chute, jusqu'à une valeur inférieure à celle du potentiel de repos, c'est l'état « d'hyperpolarisation » qui sera suivi d'un lent retour à l'état de repos normal du potentiel de membrane. *(D'après Hodgkin, A., et Huxley, A., 1952. A quantitative description of membrane current and its application to conduction and excitation in nerve.* Journal of Physiology ***117**: 500-544.)*

(hyperpolarisation). À ce moment, les canaux potassiques se ferment puis les équilibres ioniques du potentiel de l'état de repos sont restaurés sous l'action de la Na^+, K^+-ATPase et d'autres canaux. Alan Hodgkin et Andrew Huxley furent les premiers à observer l'augmentation et la diminution transitoires de la perméabilité aux ions Na^+ et de la perméabilité aux ions K^+. Pour cette découverte et l'ensemble de leurs travaux, Hodgkin et Huxley, avec J. C. Eccles, reçurent en 1963 le prix Nobel de médecine.

Les flux des ions Na^+ et K^+ sont à l'origine du potentiel d'action

Les variations du potentiel d'action dans une partie de l'axone sont rapidement propagées le long de l'axolemme (Figure 34.50). Les ions sodium qui passent rapidement dans une région déterminée de l'axone diffusent vers les régions voisines où ils augmentent la concentration de Na^+ *et* dépolarisent la membrane, ce qui provoque l'ouverture des « portes » des canaux sodiques de la région adjacente. Il s'ensuit qu'à la façon d'une onde, le potentiel d'action se propage vers l'extrémité de l'axone. Ce processus relativement simple a des propriétés remarquables :

1. Les potentiels d'action se propagent rapidement, parfois même à plus de 100 m à la seconde.
2. Le potentiel d'action n'est pas atténué (son intensité ne faiblit pas) avec la distance parcourue.

Un apport continu d'énergie tout au long de l'axone, sous forme des gradients ioniques maintenus par la Na^+, K^+-ATPase, fait que la forme et l'intensité du potentiel d'action

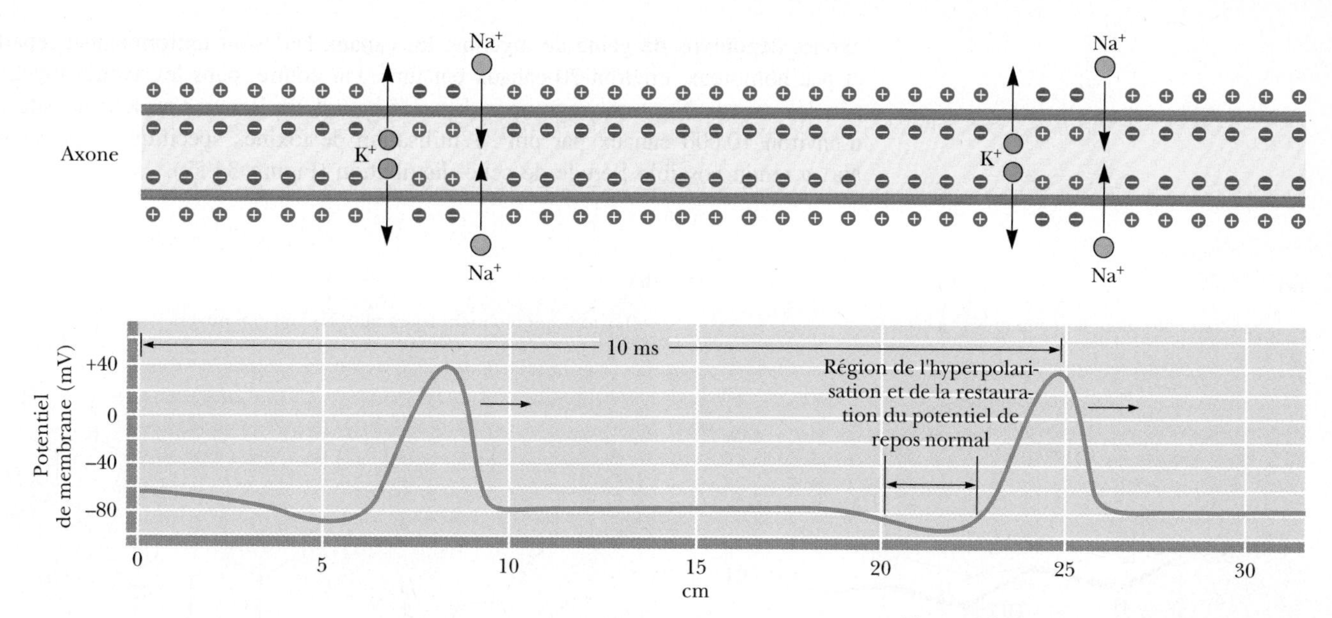

Figure 34.50 • Propagation des potentiels d'action le long d'un axone. La Figure 34.49 montre la variation d'un potentiel d'action en un point précis de l'axone. Cette figure montre comment le potentiel de membrane varie le long de l'axone au cours de la propagation du potentiel d'action ; pour cette raison, la forme du potentiel d'action est différente de celle de la Figure 34.49. À l'arrivée du potentiel d'action, la dépolarisation de la membrane provoque l'ouverture, très brève, des canaux Na^+. À mesure que le potentiel d'action se déplace le long de l'axone, les canaux Na^+ se ferment alors que les canaux K^+ s'ouvrent d'où une chute du potentiel de membrane et l'état d'hyperpolarisation transitoire. Lorsque le potentiel de repos normal est rétabli, un autre potentiel d'action peut se déclencher.

restent constantes sur de longues distances. Le potentiel d'action est une réaction de type tout ou rien. Il n'y a pas de degrés dans son amplitude ; un neurone donné est soit au repos (avec sa membrane normalement polarisée), soit il transmet un influx nerveux (avec inversion de la polarisation). Puisque l'amplitude du potentiel d'action est constante, son intensité n'intervient pas dans l'interprétation du signal transmis par le système nerveux. *Ce qui transmet une information spécifique, c'est le nombre et la fréquence des potentiels d'action successifs.*

Canaux Na^+ et canaux K^+ voltage-dépendants

Le potentiel d'action, déclenché par une stimulation de la membrane post-synaptique, est la résultante d'un effet réciproque délicatement orchestré entre la Na^+, K^+-ATPase et les canaux sodiques et potassiques dont l'ouverture dépend du potentiel (voltage-dépendants). La densité et la distribution des canaux Na^+ le long de l'axone sont différentes selon que l'axone est myélinisé ou non (Figure 34.51). Dans les

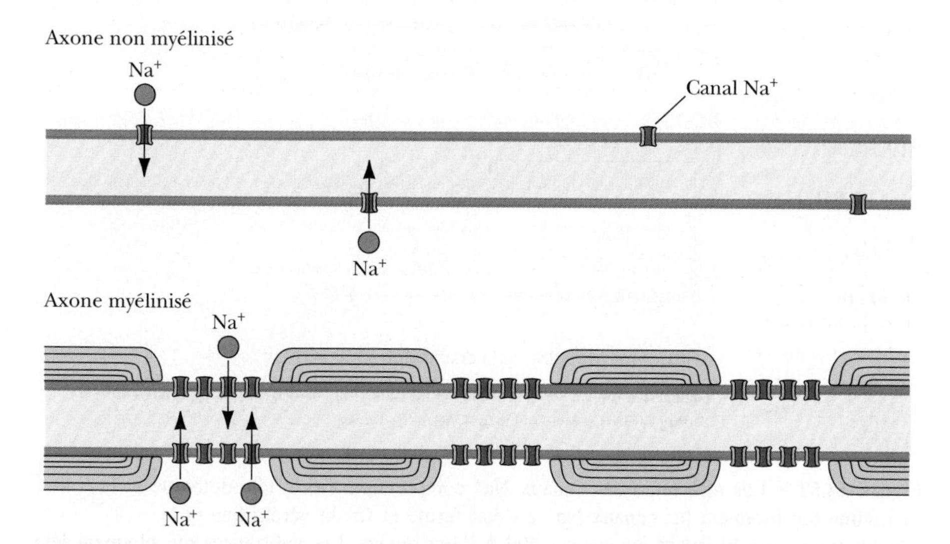

Figure 34.51 • Dans les axones dépourvus de gaine de myéline, les canaux Na^+, peu nombreux, sont répartis de façon aléatoire. Dans les axones myélinisés, les canaux Na^+, présents en très grand nombre, sont regroupés sur les nœuds de Ranvier, entre les régions entourées d'une gaine de myéline.

axones dépourvus de gaine de myéline, les canaux Na^+ sont uniformément répartis et peu nombreux, environ 20 canaux par μm^2. Par contre, dans les axones myélinisés, les canaux Na^+ sont regroupés dans les nœuds de Ranvier où leur densité est d'environ 10.000 canaux par μm^2. L'utilisation de toxines spécifiques des canaux Na^+ a rendu possible l'étude de cette distribution (Figure 34.52).

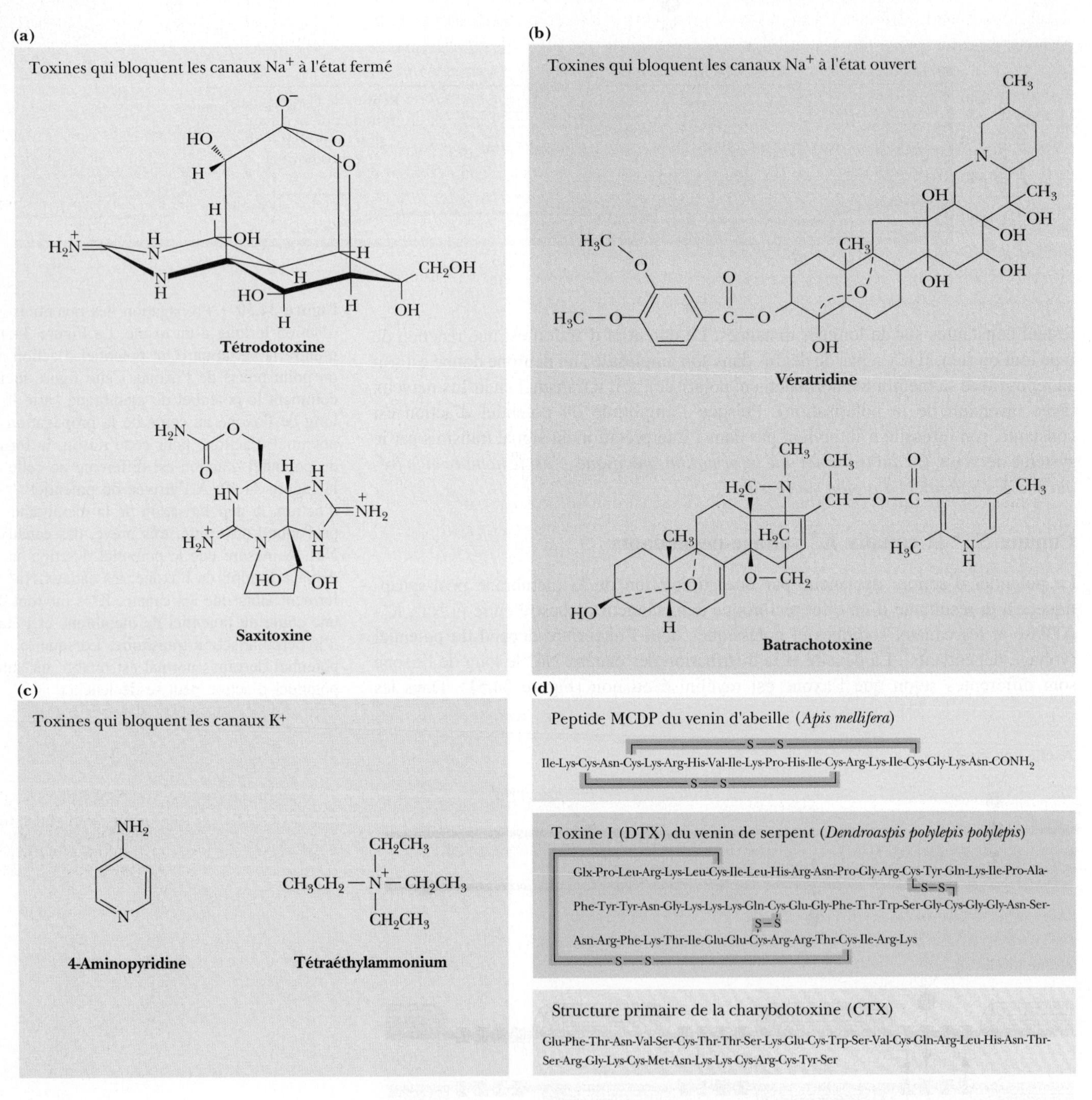

Figure 34.52 • Les effecteurs des canaux Na^+ comprennent (a) la tétrodotoxine et la saxitonine qui bloquent les canaux Na^+ à l'état fermé et (b) la vératridine et la batrachotoxine qui bloquent les canaux Na^+ à l'état ouvert. Les substances qui bloquent les canaux K^+ comprennent (c) la 4-aminopyridine, l'ion tétraéthylammonium, le peptide de dégranulation des mastocytes (MCDP) la dendrotoxine et la charybdotoxine(CTX). *(Voir* les encarts Pour en savoir plus, *« La tétrodotoxine et les toxines inhibitrices des canaux Na^+ » et « Les toxines inhibitrices des canaux K^+ ».)*

Le canal sodique purifié à partir du cerveau de mammifère est un hétérotrimère constitué des sous-unités α (260 kDa), β_1 (36 kDa) et β_2 (33 kDa). Ces trois sous-unités sont exposées à la surface extracellulaire et sont abondamment glycosylées (Figure 34.53). La sous-unité β_2 est liée à la sous-unité α par un pont disulfure. La sous-unité α, qui contient le site de liaison des toxines, est subdivisée en quatre domaines de 300 à 400 résidus chacun (Figure 34.54) dont 50 % sont identiques ou conservés. Chaque domaine comporte six segments (segments S1 à S6) dont les structures probablement hélicoïdales sont assez longues pour constituer des segments transmembranaires. Les segments S5 et S6 sont uniformément hydrophobes, S1 et S2 sont hydrophobes, mais avec quelques résidus hydrophiles, S3 possède quelques résidus avec une charge électrique. S4 contient à la fois des résidus hydrophobes et des résidus à charge positive ; sa séquence est hautement conservée dans tous les canaux Na^+, K^+, et Ca^{2+} dont l'ouverture est voltage-dépendante. Presque tous les troisièmes résidus de la séquence du segment S4 sont des résidus Lys ou Arg. Les études avec des formes mutantes du canal sodique tendent à montrer que ce segment serait une partie du mécanisme de détection de la différence de potentiel. Shosaku Numa et ses collègues ont obtenu des canaux Na^+ dont le segment S4 contenait un ou plusieurs résidus Arg ou Lys en moins et trouvé que la sensibilité aux variations de potentiel du canal sodique voltage-dépendant diminuait avec la réduction de la charge positive nette de S4. S. Numa pense que les quatre segments S2 de la sous-unité α forment les parois du canal Na^+ (Figure 34.55).

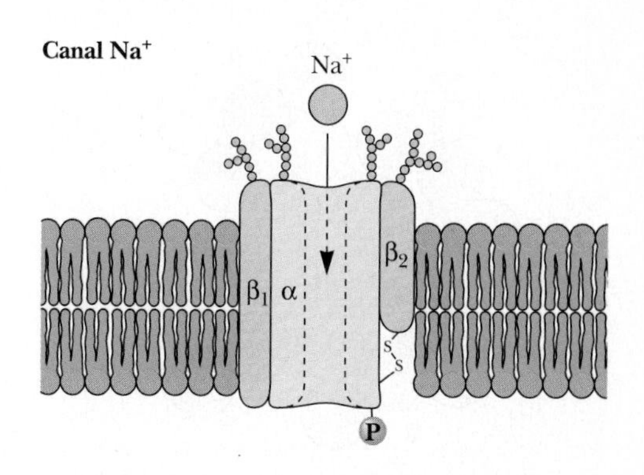

Figure 34.53 • Le canal Na^+ comporte trois sous-unité, α, β_1 et β_2. Un pont disulfure relie les sous-unités α et β_2. Les trois sous-unités sont glycosylées et la sous-unité α peut être phosphorylée du côté de la surface cytoplasmique.

Des canaux K^+ voltage-dépendants, ont été identifiés dans les tissus de plusieurs espèces. Bien que les structures primaires de ces protéines soient hautement homologues, leurs propriétés fonctionnelles sont différentes. De même que pour les canaux Na^+ voltage-dépendants, l'identification et la caractérisation des canaux K^+ voltage-dépendant a été facilitée par l'utilisation de molécules inhibitrices à haute affinité. Les canaux potassiques des membranes de synaptosomes de rat (fraction comprenant les extrémités des neurones, séparée du reste du neurone par centrifugation)

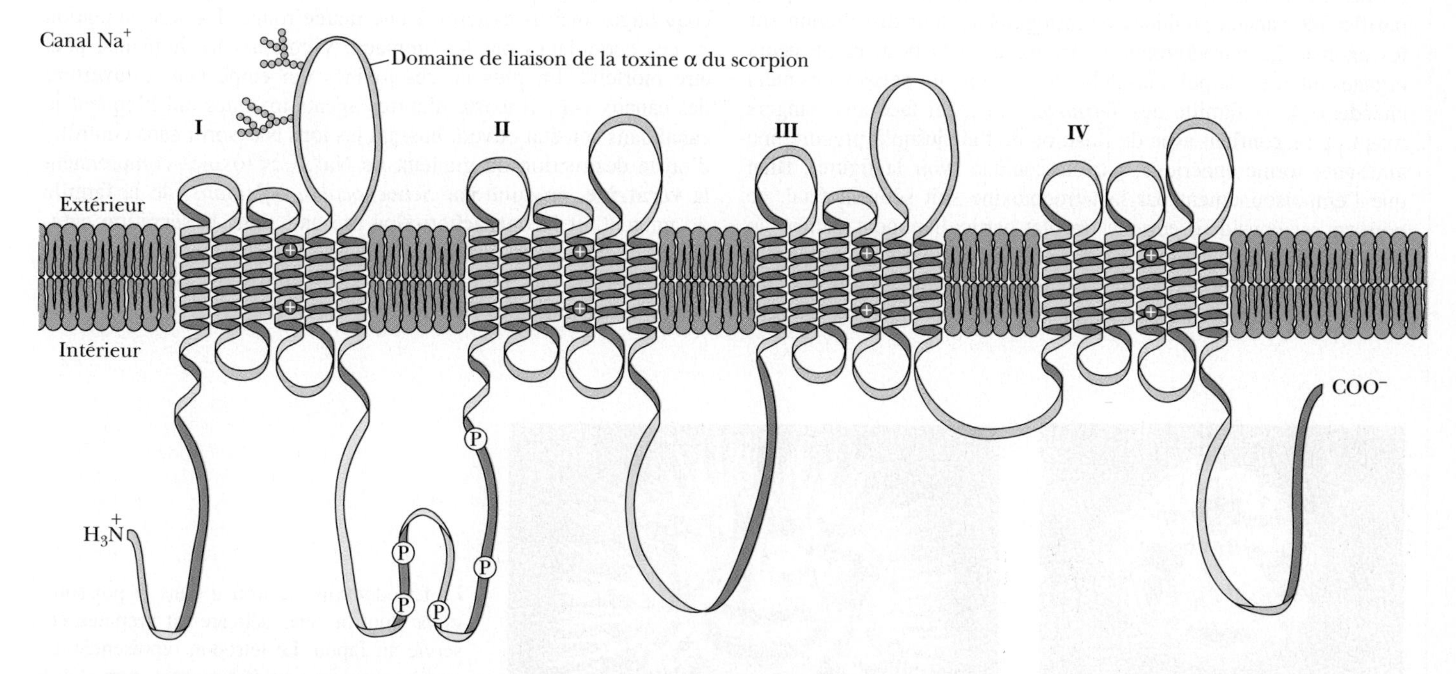

Figure 34.54 • Modèle de l'arrangement des sous-unités α du canal Na^+ dans la membrane plasmique. La sous-unité α comporte quatre domaine (de I à IV) et chacun de ces domaines contient six segments hélicoïdaux transmembranaires, de S1 à S6. Les sites de phosphorylation (P) et l'emplacement des charges positives sur les hélices α des segments S4 sont indiqués.

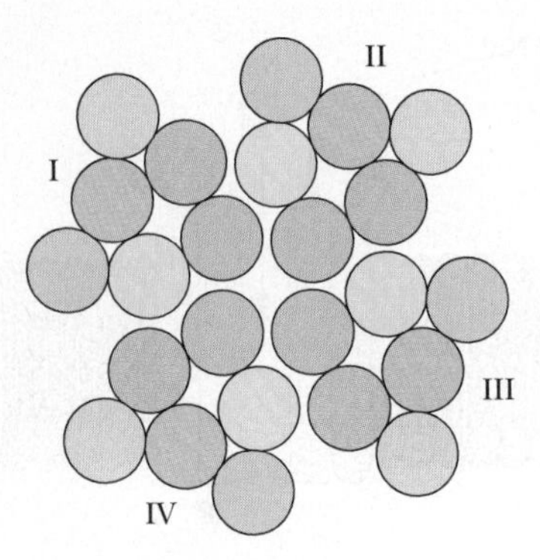

Figure 34.55 • Modèle de la formation du canal ionique à partir des quatre domaines transmembranaires du canal Na^+. Le pore ionique est au centre de la structure. Quatre segments hélicoïdaux équivalents (un segment par domaine) forment les parois du canal (en violet). Les segments S4 (en vert) interviendraient comme détecteurs de la variation du potentiel et donc seraient des intermédiaires de l'ouverture et de la fermeture du canal.

sont des dimères constitués d'une sous-unité α de 76 à 80 kDa et d'une sous-unité β de 38 kDa. La phosphorylation de la sous-unité α, soit par une protéine kinase AMPc-dépendante, soit par une protéine kinase endogène, active le canal K^+. La sous-unité α contient des sites de liaison pour la dendrotoxine et pour le MCDP (Figure 34.52). La séquence de la sous-unité α du canal K^+ de la drosophile est formée de 616 résidus. L'analyse hydropathique révèle la présence de six (ou sept) segments à caractère hydrophobe ayant la possibilité de former des hélices. Le quatrième des six segments transmembranaires possibles présente une forte homologie avec le segment S4 du canal Na^+, et l'arrangement proposé de la chaîne polypeptidique de la sous-unité α du canal K^+ dans la membrane est analogue à celui des quatre domaines homologues du canal Na^+. Le rôle de S4 du canal Na^+ comme

Pour en savoir plus

La tétrodotoxine et autres toxines inhibitrices du canal Na^+

La tétrodotoxine et la saxitoxine sont des inhibiteurs extrêmement spécifiques des canaux Na^+ auxquels ils se lient avec une très haute affinité ($K_D \cong 1$ n*M*). Ces propriétés ont permis d'utiliser les formes radioactives de la tétrodotoxine et de la saxitoxine pour purifier les canaux sodiques et cartographier leur distribution sur les axones. La tétrodotoxine se trouve dans la peau et plusieurs organes internes du poisson-globe (le tétrodon, un poisson des mers chaudes), de la famille des *Tetraodontidae*, qui face aux dangers réagit en se gonflant avec de l'eau ou de l'air jusqu'à prendre une amusante forme sphérique, parfois conique (voir la figure). Bien que l'empoisonnement par la tétrodotoxine soit souvent fatal, ce poisson est considéré comme un plat particulièrement délicat au Japon où il est servi sous le nom de *fugu*. Le poisson doit au préalable être nettoyé et les organes toxiques sont éliminés par des cuisiniers bien formés. La saxitoxine est produite par deux espèces de dinoflagellés marins, *Gonyaulax catenella* et *G. tamarensis*, responsables des « marées rouges » qui provoquent la mort de grandes quantités de poissons. La saxitoxine peut être concentrée par les moules, les coquilles Saint-Jacques, les pétoncles et autres coquillages marins exposés à une marée rouge. La consommation de ces coquillages par les animaux, y compris les humains, peut être mortelle. En plus de ces toxines qui empêchent l'ouverture des canaux Na^+, il existe d'autres agents toxiques qui bloquent le canal dans son état ouvert, laissant les ions Na^+ sortir sans contrôle, d'où la destruction du gradient de Na^+. Ces toxines comprennent la **vératrine**, produite par *Schoenocolon officinalis*, de la famille du muguet, et la **batrachotoxine** présente dans la sécrétion cutanée d'un crapaud de Colombie, *Phyllobates aurotaenia*. Ces sécrétions cutanées ont traditionnellement été utilisées pour empoisonner les extrémités des flèches.

La tétrodotoxine se trouve dans le poisson-globe dont la chair délicate est préparée et servie au Japon. Le tétrodon représentée à gauche est dans son état normal, non gonflé, celui de droite est gonflé. *(À gauche, photo de Zig Leszczynski/Animals ; à droite photo de Tim rock/Animals.)*

POUR EN SAVOIR PLUS

Les toxines inhibitrices du canal K^+

Les principaux inhibiteurs des canaux du potassium sont (Figure 34.52) la **4-aminopyridine**, l'**ion tétraéthylammonium**, quelques toxines peptidiques, dont les **dendrotoxines (DTX)**, le **peptide de dégranulation des mastocytes** (**MCDP**, pour ***m**ast **c**ell **d**egranulating **p**eptide*) et la **charybdotoxine (CTX)**. La dendrotoxine I est un peptide de 60 résidus du venin de serpent noir mamba de l'Afrique sub-saharienne. Le MCDP est une toxine du venin d'abeille qui produit la dégranulation des mastocytes et provoque des convulsions. C'est un peptide de 22 résidus avec deux ponts disulfure, un résidu proline et un résidu C-terminal amidifié. La charybdotoxine est un peptide du venin de scorpion, *Leiurus quinquestriatus* qui contient 37 résidus dont huit à charge positive (3 Arg, 4 Lys et un His). Tous ces agents se lient avec une haute affinité aux membranes comportant des canaux K^+ voltage-dépendants.

détecteur de la variation du voltage et sa ressemblance avec le quatrième segment du canal K^+ fait envisager un même rôle pour ce dernier segment. Roderick MacKinnon et ses collaborateurs ont déterminé la structure, plus simple, du canal K^+ à deux hélices de *Streptomyces lividans* (Figure 34.56b).

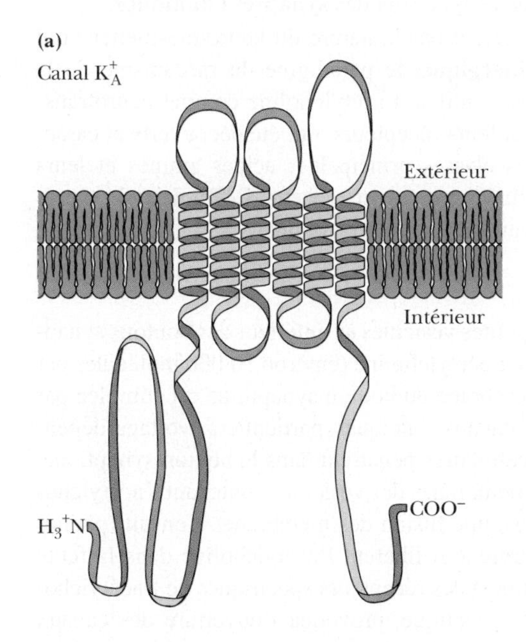

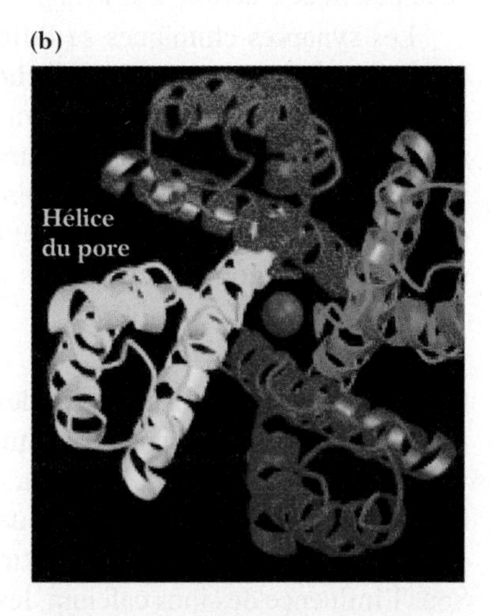

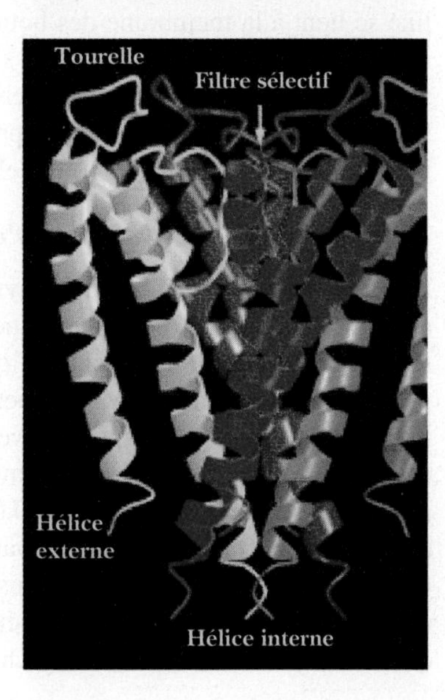

Figure 34.56 • (a) Modèle de l'insertion de la sous-unité α du canal K^+ dans la membrane plasmique. Le domaine transmembranaire, hautement homologue du domaine correspondant du canal Na^+, comporterait six segments transmembranaires hélicoïdaux. (b) Structure du canal K^+ de *Streptomyces lividans*, vue de dessus et vue latérale *(Images aimablement communiquées par Roderick MacKinnon, Université Rockefeller.)*

Tableau 34.6

Familles de neurotransmetteurs
Agent cholinergique
Acétylcholine
Catécholamines
Noradrénaline
Adrénaline
L-Dopa
Dopamine
Octopamine
Acides aminés et dérivés
Acide γ-aminobutyrique (GABA)
Alanine
Aspartate
Cystathionine
Glycocolle
Glutamate
Histamine
Proline
Sérotonine
Taurine
Tyrosine
Neurotransmetteurs peptidiques
Cholécystokinine
Enképhalines et endorphines
Gastrine
Gonadotrophines
Neurotensine
Ocytocine
Sécrétine
Somatostatine
Substance P
Facteur de libération de la thyrotropine
Vasopressine
Peptide intestinal à action vasomotrice
Neurotransmetteurs gazeux
Monoxyde carbone
Monoxyde d'azote

Communication intercellulaire dans la synapse

Comment les signaux transmis par un neurone passent-ils au neurone suivant ? La jonction entre deux neurones juxtaposés est appelée synapse et l'espace compris entre les deux neurones est la **fente synaptique**. Le nombre des synapses dans lesquelles un neurone donné est engagé est très variable. Il peut n'y avoir qu'une seule synapse par cellule post-synaptique (dans le diencéphale) ou plusieurs milliers par cellule. Un seul neurone moteur de la moelle épinière, un exemple typique, est en relation avec 10.000 **boutons synaptiques** (les terminaisons présynaptiques) dont 8.000 par les dendrites et 2.000 sur le corps cellulaire. Le rapport du nombre de synapses au nombre des neurones dans un lobe frontal du cerveau est d'environ 40.000 à 1 !

Les synapses sont en fait des structures spécialisées et il en existe de différents types. *Une petite minorité des synapses chez les mammifères, les* ***synapses électriques****, sont caractérisées par la très faible distance – environ 2 nm – séparant la* ***cellule présynaptique*** *(celle qui envoie le signal) de la* ***cellule post-synaptique*** *(celle qui reçoit le signal).* Dans les synapses électriques, l'arrivée du potentiel d'action sur la membrane présynaptique dépolarise directement la membrane post-synaptique et amorce un nouveau potentiel d'action dans la cellule post-synaptique. Cependant, la plupart des fentes synaptiques sont beaucoup plus ouvertes, avec une largeur de 20 à 50 nm. *Dans ces synapses, le potentiel d'action dans la membrane présynaptique provoque la sécrétion par la cellule présynaptique d'une substance chimique appelée* ***neurotransmetteur****.* Le neurotransmetteur se lie à la membrane post-synaptique et déclenche un nouveau potentiel d'action. Les synapses de ce type sont des **synapses chimiques**.

Les synapses chimiques se différencient par la nature du neurotransmetteur qui leur est spécifique. La **synapse cholinergique**, le paradigme du mécanisme de la transmission chimique dans les synapses, utilise l'acétylcholine comme neurotransmetteur. D'autres neurotransmetteurs, et leurs récepteurs, ont été découverts et caractérisés. Ils sont regroupés en quelques classes principales : acides aminés et leurs dérivés, catécholamines, peptides et neurotransmetteurs gazeux. Le Tableau 34.6 présente une liste, non limitative, des neurotransmetteurs connus.

Synapses cholinergiques

Dans les synapses cholinergiques, des petites vésicules à l'intérieur des boutons synaptiques contiennent de grandes quantités d'acétylcholine (environ 10.000 molécules par vésicule ; Figure 34.57). Lorsque la membrane du bouton synaptique est stimulée par l'arrivée d'un potentiel d'action, des canaux calciques particuliers, voltage-dépendants, s'ouvrent et les ions Ca^{2+} extracellulaires pénètrent dans le bouton synaptique. Sous l'influence des ions calcium, les membranes des vésicules contenant l'acétylcholine se lient à la membrane des boutons, une fusion des membranes s'ensuit (phénomène d'exocytose). Les vésicules s'ouvrent et libèrent l'acétylcholine dans la fente synaptique. La fixation de l'acétylcholine à des récepteurs spécifiques de l'acétylcholine, présents dans la membrane post-synaptique, provoque l'ouverture des canaux ioniques et la création d'un potentiel d'action dans le neurone post-synaptique.

La libération de l'acétylcholine s'effectue par paquets

L'action des ions Ca^{2+} sur l'exocytose et la libération de l'acétylcholine n'est pas clairement comprise. Les membranes des vésicules synaptiques contiennent un protéine de 75 kDa, la **synapsine I**, qui lie la calmoduline et peut être phosphorylée par une protéine kinase AMPc-dépendante. Elle semble faciliter la fusion de la membrane de la vésicule synaptique avec la membrane du bouton synaptique. Au début des années 1950, Bernard Katz a avancé l'hypothèse suivante : l'acétylcholine serait libérée par paquets discontinus (10.000 molécules par vésicule). Cette idée, nouvelle en son temps, était basée sur l'apparition fréquente, aléatoire, de petits signaux électriques dans les jonctions neuromusculaires au repos (non stimulées). L'intensité de ces signaux – 3 mV et moins – était voisine de celle qui était estimée en conséquence de la libération de l'acétylcholine contenue dans une seule vésicule. Le signal

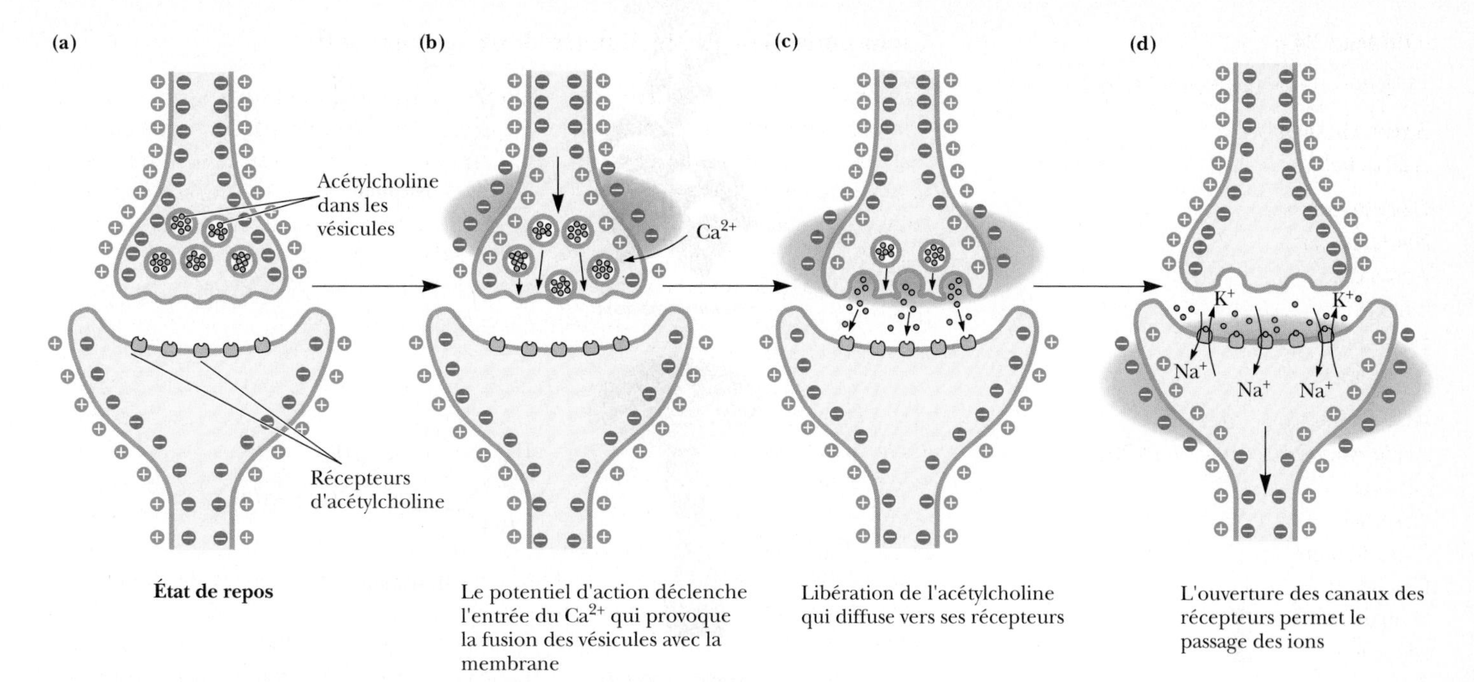
(a)
(b)
(c)
(d)
Acétylcholine dans les vésicules
Ca2+
K+
Na+
Récepteurs d'acétylcholine
État de repos
Le potentiel d'action déclenche l'entrée du Ca2+ qui provoque la fusion des vésicules avec la membrane
Libération de l'acétylcholine qui diffuse vers ses récepteurs
L'ouverture des canaux des récepteurs permet le passage des ions

Figure 34.57 • La communication intercellulaire dans la synapse s'effectue par des neurotransmetteurs comme l'acétylcholine (a), une molécule produite à partir de la choline et de l'acétyl-CoA, dans une réaction catalysée par la choline-acétyltransférase. L'arrivée d'un potentiel d'action sur le bouton synaptique (b) ouvre les canaux Ca^{2+} de la membrane présynaptique. L'entrée du Ca^{2+} induit la fusion des vésicules contenant l'acétylcholine avec la membrane présynaptique et la libération d'acétylcholine dans la fente synaptique (c). La liaison de l'acétylcholine aux récepteurs de la membrane post-synaptiques ouvre les canaux Na^+ (d). L'entrée de Na^+ dépolarise la membrane post-synaptique et génère un nouveau potentiel d'action.

électrique observé en réponse à un potentiel d'action présynaptique correspond à la libération de l'acétylcholine contenue dans environ 400 vésicules.

De nombreuses toxines affectent ce processus. La bactérie anaérobie *Clostridium botulinum* responsable du botulisme, un empoisonnement alimentaire qui peut être mortel, produit plusieurs protéines toxiques qui inhibent la libération d'acétylcholine (la toxine botulique est l'ensemble de ces toxines). La veuve noire, *Lactrodescus mactans*, est une araignée dont le venin contient une protéine, l'***α*-latrotoxine**, qui provoque la libération de quantités anormalement élevées d'acétylcholine dans les jonctions neuromusculaires. La morsure par la veuve noire provoque des douleurs, la nausée, une légère paralysie du diaphragme, mais est rarement mortelle.

Les deux classes de récepteurs d'acétylcholine

Deux types de récepteurs d'acétylcholine sont présents dans les membranes post-synaptiques. À l'origine, ils furent distingués par leurs réponses à la **muscarine**, un alcaloïde toxique du champignon vénéneux, *Amanita muscaria*, et à la **nicotine**. Les **récepteurs nicotiniques** sont des canaux cationiques de la membrane post-synaptique alors que les **récepteurs muscariniques** sont des protéines transmembranaires en interaction avec des protéines G. Les récepteurs des ganglions du système sympathique et ceux des plaques motrices des muscles du squelette sont des récepteurs nicotiniques. La nicotine bloque les canaux de ces récepteurs dans leur état ouvert. Les récepteurs muscariniques se trouvent dans les muscles lisses et dans les glandes. La muscarine mime les effets de l'acétylcholine sur ces derniers récepteurs.

Le récepteur cholinergique de type nicotinique est une glycoprotéine transmembranaire d'environ 270 kDa, comportant quatre sous-unités différentes, les sous-unités α (54 kDa), β (56 kDa), γ (58 kDa) et δ (60 kDa), réunies dans une structure quaternaire $\alpha_2\beta\gamma\delta$. Chaque sous-unité α possède un site de liaison de

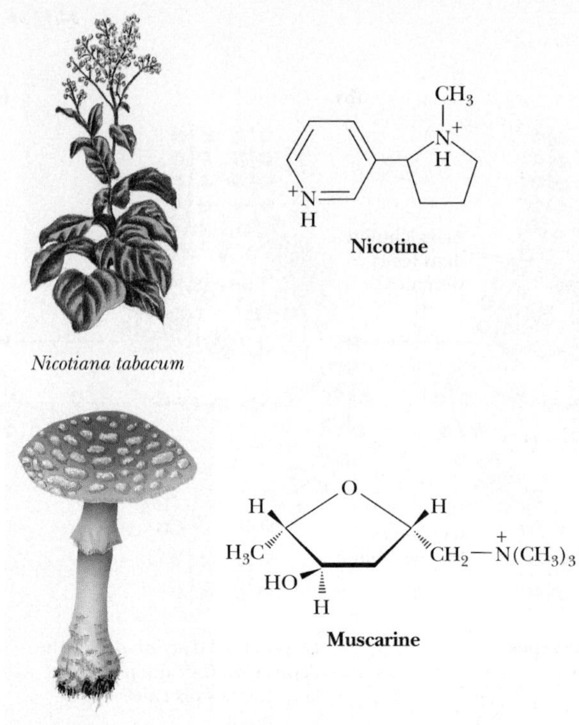

Figure 34.58 • Deux types de récepteurs de l'acétylcholine sont connus. Les récepteurs nicotiniques sont bloqués dans leur état ouvert par la nicotine. Produite dans les feuilles de tabac, la nicotine doit son nom à Jean Nicot, l'ambassadeur de France au Portugal qui en 1550 a envoyé en France les premières graines de tabac afin de développer la culture de la plante. Les récepteurs muscariniques sont stimulés par la muscarine, une toxine extraite du champignon extrêmement vénéneux *Amanita muscaria* (amanite tue-mouche ou fausse oronge).

l'acétylcholine. Les quatre sous-unités ont des séquences homologues et résultent probablement de la duplication d'un gène ancestral. Chaque sous-unité comporte cinq régions hydrophobes qui pourraient former des segments hélicoïdaux transmembranaires (Figure 34.59). Les reconstitutions tridimensionnelle effectuées par ordinateur donnent au récepteur une forme conique, avec une symétrie de rotation de pseudo-ordre cinq et un pore central (Figure 34.60). Les modèles indiquent que des résidus porteurs d'une charge sont rassemblés sur une des faces de la quatrième hélice de chacune des sous-unités. Les faces chargées de ces hélices pourraient tapisser la paroi du canal transmembranaire.

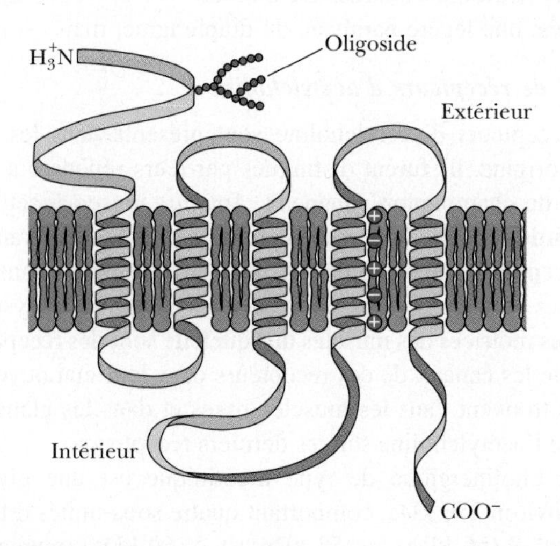

Figure 34.59 • Modèle de l'arrangement de la sous-unité α du récepteur de l'acétylcholine dans la membrane post-synaptique.

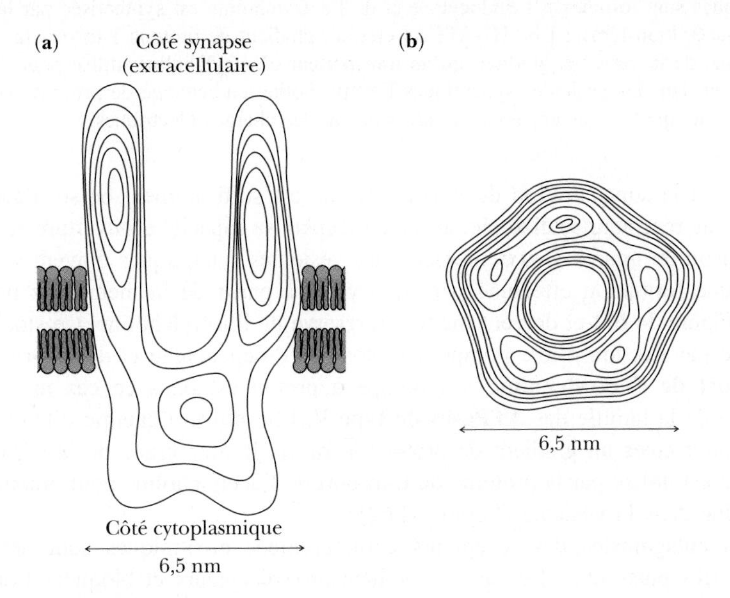

Figure 34.60 • Vue latérale (a) et vue de dessus (b) de l'image obtenue par reconstruction à l'aide d'un ordinateur de micrographies électroniques du canal Na^+ du récepteur nicotinique de l'acétylcholine. Le diamètre du pore à l'entrée du canal (face à la synapse) est de 2,2 nm. *(D'après Brisson, A., et Unwin, P.N.T., 1985. Quaternary structure of the acetylcholine receptor.* Nature ***315*** *: 474-477.)*

Le récepteur nicotinique est un canal ionique contrôlé par son ligand

Le récepteur cholinergique nicotinique est un **canal ionique qui s'ouvre sous l'effet de son ligand**, et sa structure est celle d'un **canal oligomérique**. La liaison de l'acétylcholine (le ligand) à son récepteur provoque un changement de conformation qui ouvre le canal qui est perméable aux ions Na^+ et K^+. Les ions Na^+ pénètrent en grande quantité, pendant que les ions K^+ sortent, mais comme le gradient transmembranaire du Na^+ est plus élevé que celui du K^+, l'entrée du sodium est quantitativement plus importante que la sortie du potassium. L'influx des ions Na^+ dépolarise la membrane post-synaptique et déclenche un potentiel d'action dans la membrane adjacente. Après quelque millisecondes, le canal se referme, bien que l'acétylcholine soit encore liée aux sites récepteurs. Le canal restera fermé jusqu'à ce que la concentration de l'acétylcholine dans la fente synaptique soit redescendue vers environ 10 n*M*.

L'acétylcholine est rapidement dégradée dans la fente synaptique par l'acétylcholinestérase

Après chaque transmission d'un signal synaptique, la synapse doit être préparée pour l'arrivée d'un nouveau potentiel d'action. Plusieurs événements doivent très rapidement avoir lieu. Premièrement, l'acétylcholine présente dans la fente synaptique doit être dégradée pour que son récepteur soit de nouveau sensible et restaurer l'excitabilité de la membrane post-synaptique. Cette dégradation est catalysée par l'**acétylcholinestérase** (Figure 34.61).

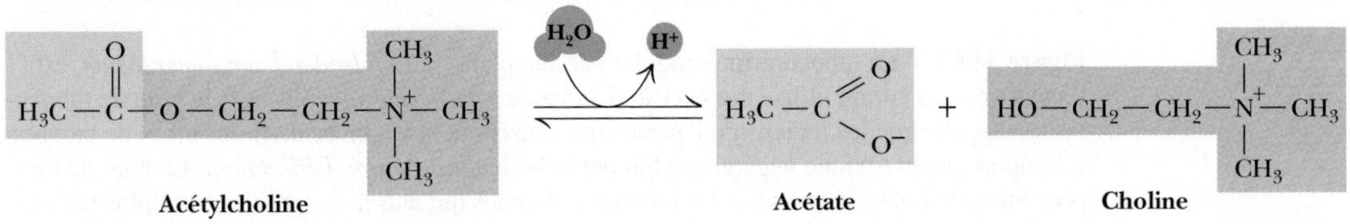

$$H_3C-C(=O)-O-CH_2-CH_2-N^+(CH_3)_3 + H_2O \rightleftharpoons H_3C-C(=O)O^- + HO-CH_2-CH_2-N^+(CH_3)_3 + H^+$$

Acétylcholine **Acétate** **Choline**

Figure 34.61 • L'acétylcholine est hydrolysée en acétate et choline par l'acétylcholine estérase, une sérine-protéase.

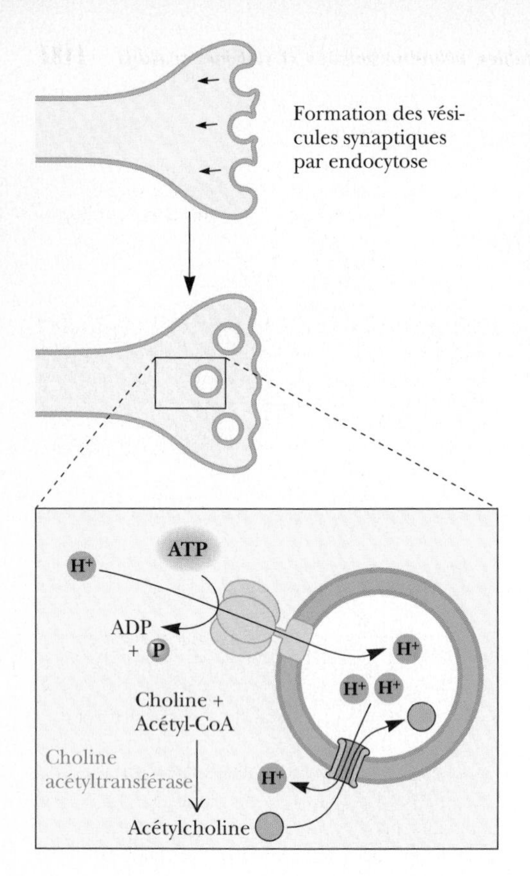

Figure 34.62 • Après une transmission synaptique, les réserves d'acétylcholine sont reconstituées dans les vésicules par un processus à plusieurs étapes. De nouvelles vésicules synaptiques sont formées par endocytose et de l'acétylcholine est synthétisée par la choline-acétyltransférase. Une H^+-ATPase crée un gradient de protons à travers la membrane de la vésicule, gradient qu'un transporteur d'acétylcholine utilise pour transporter dans les vésicules synaptiques l'acétylcholine en échange de protons ; ce processus antiport est neutre pour ce qui concerne les charges électriques.

Quand la concentration de l'acétylcholine est suffisamment basse, l'acétylcholine liée au récepteur se dissocie, le canal récupère sa capacité d'ouverture en réponse à la liaison du ligand. Deuxièmement, des vésicules synaptiques doivent se reconstituer, une formation effectuée par endocytose à partir de la membrane présynaptique (Figure 34.62) et doivent mettre en réserve de l'acétylcholine. Ce stockage est catalysé par l'action d'une pompe à protons ATP-dépendante et de la **protéine du transport de l'acétylcholine**. La pompe à proton est dans ce cas une protéine membre de la famille des **ATPases de type V**. Elle utilise l'énergie d'hydrolyse de l'ATP pour créer un gradient de protons à travers la membrane de la vésicule. Ce gradient est utilisé par la protéine du transport de l'acétylcholine pour amener l'acétylcholine dans la vésicule (Figure 34.62).

Les antagonistes des récepteurs cholinergiques nicotiniques sont des neurotoxines très puissantes. Ces agents se lient aux récepteurs et bloquent l'ouverture du canal ionique ; ils comprennent en particulier la **d-tubocurarine** (Figure 34.63), le principe actif du **curare** utilisé en Amérique du sud pour empoisonner l'extrémité des flèches, et d'autres petites protéines contenues dans le venin des serpents venimeux. Parmi celles-ci, citons la **cobratoxine** du venin de cobra et l'***α*-bungarotoxine**, de *Bungarus multicinctus*, un serpent commun à Taïwan.

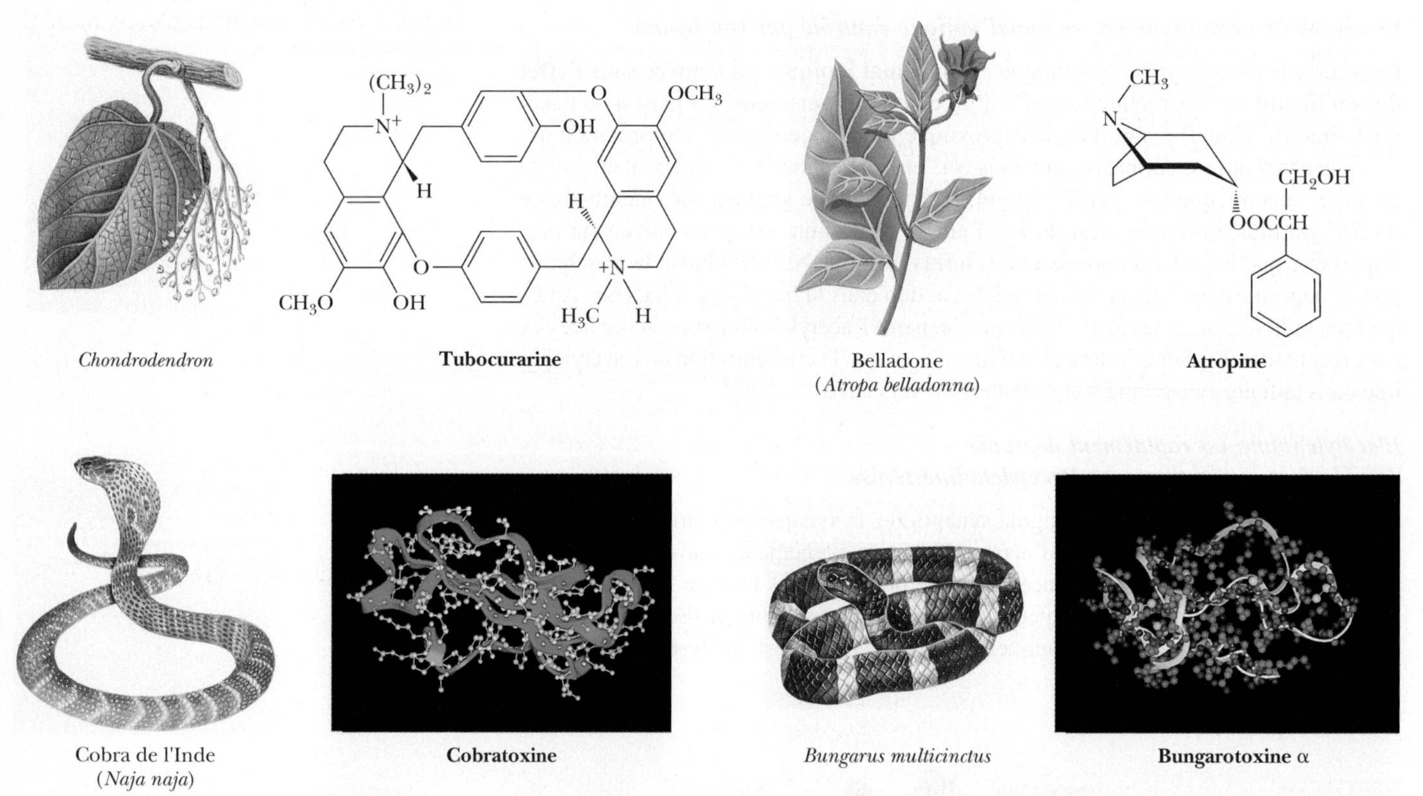

Figure 34.63 • La tubocurarine produite par une plante, *Chondrodendrum tomentosum*, est l'agent actif du curare utilisé par les tribus indiennes de l'Amérique du sud ; le nom de tubocurarine rappelle que les indiens de l'Amazonie conservaient le curare dans des tubes de bambou. L'atropine est un toxique végétal produit par la belladone, *Atropa belladonna*. Le nom de l'espèce vient de son utilisation par les femmes italiennes qui autrefois, pour paraître plus belles, l'utilisaient pour dilater leurs pupilles. L'atropine est encore utilisée pour dilater les pupilles avant un examen ophtalmologique. La cobratoxine et la-bungarotoxine *α* sont respectivement produites par le cobra (*Naja naja*) et par le serpent *Bungarus multicinctus*.

La fonction d'un récepteur muscarinique se manifeste par l'intermédiaire d'une protéine G

Il existe différentes sortes de récepteurs cholinergiques muscariniques ; ces récepteurs sont différents par leurs structures et par leurs fonctions apparentes dans la transmission synaptique. Cependant, certaines caractéristiques structurales et fonctionnelles restent communes. Les récepteurs muscariniques qui ont été isolés ou clonés et séquencés sont des glycoprotéines de 70 kDa (dont 25 à 27 % de glucides) de la famille des récepteurs à sept segments transmembranaires.

L'activation de récepteurs muscariniques (par liaison de l'acétylcholine) produit plusieurs effets dont l'**inhibition de l'adénylate cyclase**, la **stimulation de la phospholipase C** et l'**ouverture de canaux K^+**. Tous ces effets requièrent l'intervention de différentes protéines G selon la nature du récepteur muscarinique activé (Figure 34.64). Parmi les antagonistes des récepteurs muscarinique, le plus connu est l'atropine, un alcaloïde extrait de la belladone (*Atropa belladonna*), une plante dont les baies noires sont douces et savoureuses, mais très vénéneuses (Figure 34.63).

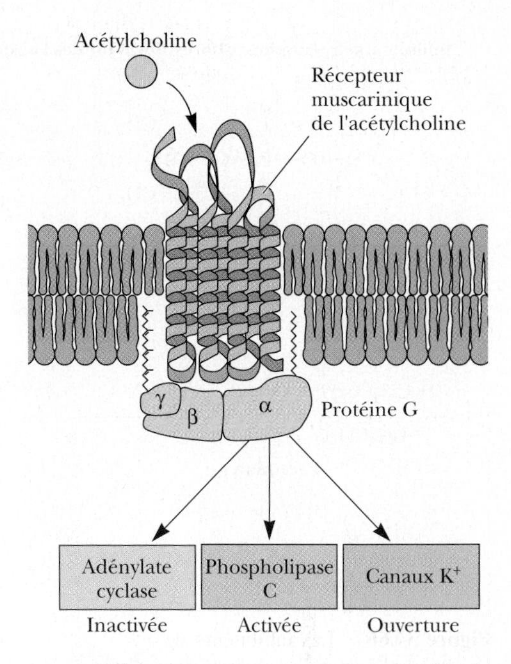

Figure 34.64 • Les récepteurs muscarinique de l'acétylcholine sont des récepteurs à sept segments transmembranaires typiques. La liaison de l'acétylcholine à ces récepteurs active des protéines G qui inactivent l'adénylate cyclase, activent la phospholipase C et ouvrent les canaux K^+.

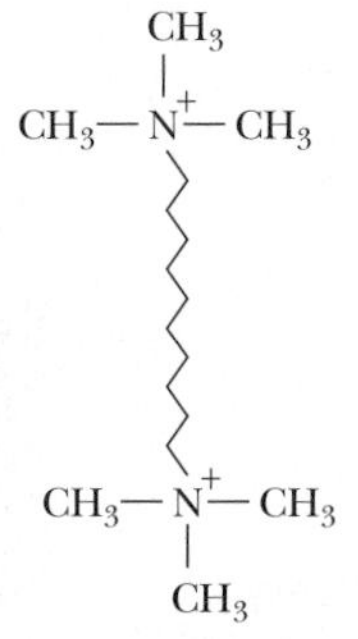

Les récepteurs nicotiniques et les récepteurs muscariniques sont sensibles à certains agents dont les effets se traduisent par une hyperstimulation du récepteur. Deux phénomènes différents peuvent être à l'origine de ce résultat. Certaines substances analogues de l'acétylcholine, comme le **décaméthonium** et la **succinylcholine** (Figure 34.65) se lient et activent les récepteurs mais ne pas rapidement dégradées pat l'acétylcholinestérase. Elles restent liées aux récepteurs pendant de longues périodes et maintiennent ouvert le canal ionique. D'autres substances inhibent l'acétylcholinestérase, aboutissant ainsi aux mêmes résultats que les précédentes. L'acétylcholinestérase est une sérine-estérase analogue à la trypsine et à la chymotrypsine (Chapitre 16) Le résidu sérine du site actif de ces enzymes est la cible des inhibiteurs organophosphorés (Figure 34.66). **Le diisopropylfluorophosphate (DIFP)** et les substances apparentées forment des dérivés covalents stables avec la sérine du site actif et inhibent irréversiblement l'enzyme. Le **malathion** et le **parathion** sont communément utilisés comme insecticides, le **sarin** et le **tabun** sont des gaz toxiques pour le système nerveux ; ces sont des armes de la guerre chimique. Tous ces agents bloquent efficacement l'influx nerveux, ce qui paralyse la respiration et provoque la mort par asphyxie.

Des inhibiteurs plus modérés de l'acétylcholinestérase sont utilisés comme agents thérapeutiques. La **physostigmine (l'ésérine)**, un alcaloïde de la fève de Calabar, et la **néostigmine**, un analogue de synthèse, contiennent un groupe carbamylester (Figure 34.66). La réaction avec le résidu sérine du site actif de l'acétylcholinestérase donne un intermédiaire qui n'est hydrolysé que lentement ; l'activité enzymatique est donc inhibée. L'ésérine et la néostigmine sont utilisées dans le traitement de la **myasthénie**, une maladie chronique caractérisée par une grande fatigabilité musculaire pouvant conduire à la paralysie. La myasthénie est une maladie auto-immune ; les individus atteints produisent des anticorps qui se lient aux récepteurs cholinergiques bloquant ainsi la réponse à l'acétylcholine. En inhibant l'acétylcholinestérase (ce qui a pour effet d'augmenter la concentration de l'acétylcholine dans la fente synaptique), l'ésérine et la néostigmine diminuent les symptômes de la myasthénie.

$$(CH_3)_3\overset{+}{N}-(CH_2)_{10}-\overset{+}{N}(CH_3)_3$$

Décaméthonium

$$\begin{array}{l} H_2C-C(=O)-O-CH_2-CH_2-\overset{+}{N}(CH_3)_3 \\ | \\ H_2C-C(=O)-O-CH_2-CH_2-\overset{+}{N}(CH_3)_3 \end{array}$$

Succinylcholine

Figure 34.65 • Structures de l'ion décaméthonium et de la succinylcholine.

Autres jonctions synaptiques et neurotransmetteurs

Les jonctions synaptiques qui utilisent comme neurotransmetteurs des acides aminés, des catécholamines et des peptides (voir Tableau 34.6) fonctionnent globalement de la même façon que les synapses cholinergiques. Les vésicules présynaptiques libèrent leur contenu dans la fente synaptique où le neurotransmetteur peut se lier à des récepteurs spécifiques présents sur la membrane post-synaptique pour induire le changement de conformation qui provoque une réponse particulière. Mais à côté de ce mécanisme commun, les synapses utilisant ces neurotransmetteurs se caractérisent par des propriétés très différentes. Pour certaines, la réponse aux influx

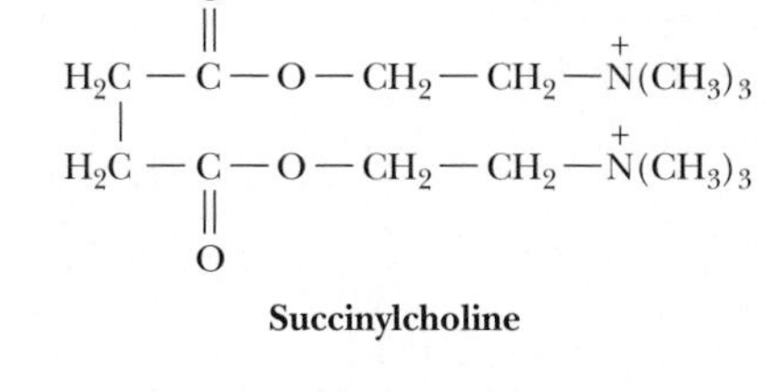

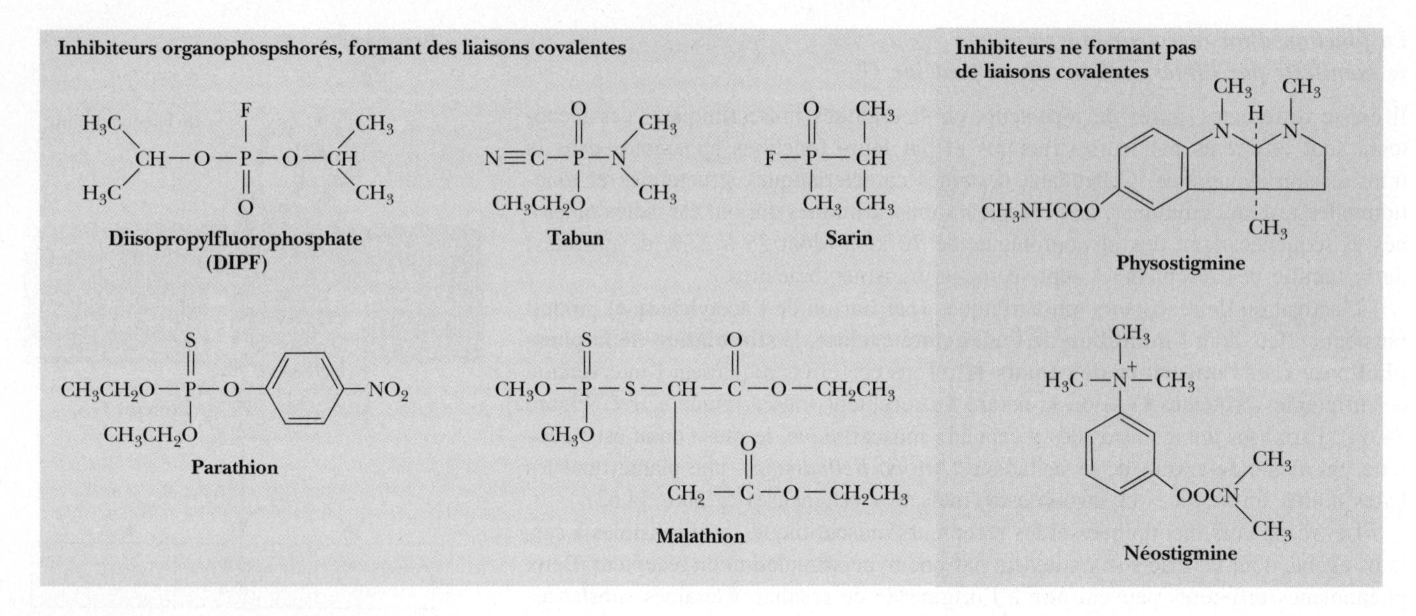

Figure 34.66 • Les inhibiteurs de l'acétylcholinestérase par formation d'une liaison covalente (en bleu) comprennent le DIFP, les gaz toxiques pour le système nerveux (utilisés comme armes chimiques) sarin et le tabun, ainsi que les insecticides, le parathion et le malathion. Les inhibiteurs plus doux, ne formant pas de liaisons covalentes (en rose), comprennent la physostigmine (l'ésérine) et la néostigmine.

nerveux est très rapide alors que pour d'autres cette réponse est plutôt lente. Les neurotransmetteurs peuvent se diviser en deux groupes : ceux qui ont un effet **excitant** et stimulent les neurones post-synaptiques, et ceux qui ont un effet inverse, **inhibiteur** et empêchent la réponse du neurone post-synaptique à d'autres signaux. De plus, il devient évident que chacun des neurotransmetteurs connus agit sur une famille de récepteurs post-synaptiques. De même que l'acétylcholine agit sur des récepteurs nicotiniques et muscariniques, la plupart des neurotransmetteurs agissent sur plusieurs (et parfois nombreux) types de récepteurs. Les biochimistes commencent seulement à comprendre toute la complexité et tout le raffinement de la transmission du signal par la voie su système nerveux.

Glutamate et aspartate : deux acides aminés neurotransmetteurs à effets excitants

Le glutamate et l'aspartate sont deux acides aminés communs qui sont aussi des neurotransmetteurs. Comme l'acétylcholine, ce sont des agents d'excitation, ils stimulent des récepteurs sur la membrane post-synaptique et déclenchent un potentiel d'action. Les détails du cycle du glutamate et de l'excitation d'une jonction synaptique sont présentés Figure 34.67. À l'état de repos, la concentration du glutamate dans l'espace extracellulaire est d'environ 1 μM, alors que dans le cytoplasme du neurone présynaptique et dans les vésicules synaptiques les concentrations sont respectivement proches de 10 et 100 mM. Ces concentrations sont atteintes et maintenues par l'action de transporteurs protéiques spécifiques. Les transporteurs des membranes présynaptiques et des cellules gliales sont Na^+-dépendantes et la valeur de leur K_m pour le glutamate est de 2 μM. Dans les membranes des vésicules présynaptiques, des ATPases établissent un gradient de protons qui fournit l'énergie permettant l'accumulation de l'anion glutamate dans les vésicules par un transporteur dont la valeur du K_m pour le glutamate est de l'ordre de la millimole. L'arrivée d'un influx nerveux déclenche l'exocytose Ca^{2+}-dépendante, d'une manière analogue à celle observée lors de la libération de l'acétylcholine, et le glutamate libéré se lie aux récepteurs spécifiques sur la membrane post-cytoplasmique. Comme il n'existe pas dans l'espace extracellulaire d'enzymes (équivalents de l'acétylcholinestérase) pour dégrader le glutamate, ce dernier doit être éliminé par les transporteurs à haute affinité présents dans la membrane présynaptique et celle des cellules gliales ; un processus appelé « **recapture** ». Le glutamate qui entre ainsi dans les cellules gliales est converti en glutamine par une glutamine synthétase puis la glutamine passe dans la fente synaptique. La concentration de la glutamine dans l'espace extracellulaire (où elle n'a pas d'activité physiologique) est voisine de 0,5 mM ; elle passe ensuite

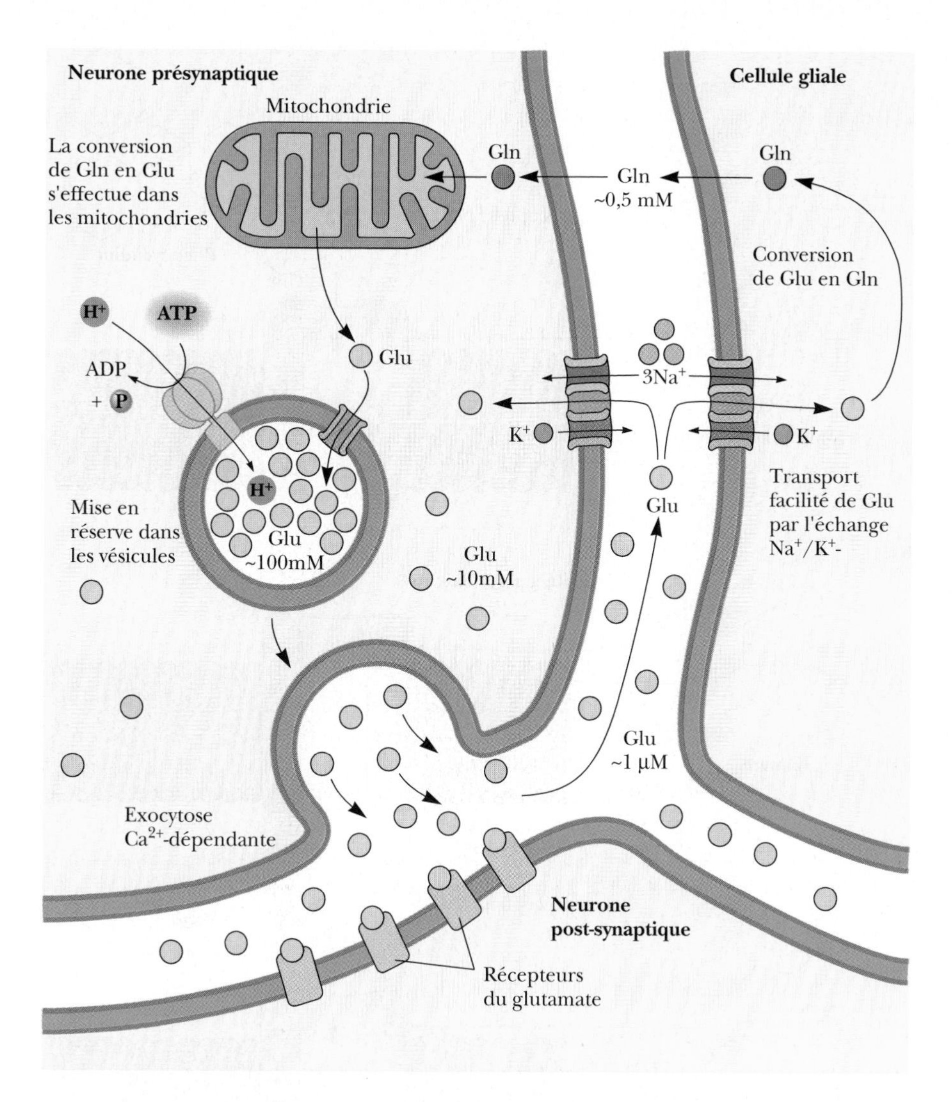

Figure 34.67 • Le glutamate, un neurotransmetteur à effet excitant, est éliminé de la fente synaptique par deux voies différentes. Un transporteur K^+-dépendant de recapture du glutamate peut le transférer dans le neurone présynaptique, ou l'accumuler dans des cellules gliales voisines par un processus analogue. Le glutamate est ensuite mis en réserve dans les vésicules synaptiques par un transporteur qui échange le glutamate contre des protons. Cette dernière voie dépend de la formation préalable d'un gradient de protons à travers la membrane de la vésicule synaptique. Dans les cellules gliales, le glutamate est converti en glutamine qui est ensuite transportée dans les neurones présynaptiques où elle est convertie en glutamate dans les mitochondries.

dans le neurone présynaptique par un transporteur indépendant de l'ion Na^+. Elle peut alors être reconvertie en glutamate par une glutaminase mitochondriale et accumulée dans les vésicules synaptiques.

Au moins cinq sous-classes de récepteurs du glutamate sont connus. Quatre d'entre eux ont été identifiés par les effets d'antagonistes spécifiques des récepteurs glutamate (Figure 34.68). Les récepteurs liant le ***N*-méthyl-D-aspartate (NMDA)**, le **kainate** et l'**α-amino-3-hydroxy-5-méthyl-4-isoxazolepropionate (AMPA)** sont des **canaux ioniques activés par leur ligand**. Les récepteurs métabotrophes sont des récepteurs utilisant des protéines G couplées au métabolisme du phosphatidylinositol un peu à la manière des récepteurs muscariniques de l'acétylcholine. Le récepteurs du NMDA, le mieux connu de ces récepteurs excitants, est un canal ionique qui, activé (ouvert), laisse entrer les ions Ca^{2+} et Na^+ dans la cellule et laisse sortir le K^+. Une propriété caractéristique de ces seuls canaux est qu'ils sont fermés par l'ion Mg^{2+} d'une façon qui est dépendante du potentiel de membrane. La **phencyclidine (PCP)** est un antagoniste spécifique du récepteur du NMDA (Figure 34.68) ; à la différence de Mg^{2+}, son action inhibitrice n'est pas voltage-dépendante. La phencyclidine fut utilisée comme anesthésique, mais son utilisation fut rapidement abandonnée quand on s'aperçut qu'elle provoquait des réactions psychiques et des comportements bizarres. Depuis elle est illégalement vendue comme drogue hallucinogène sous le nom de **poussière d'ange**. Malheureusement pour ses utilisateurs, elle provoque à long terme de très sérieux désordres psychologiques.

(a)

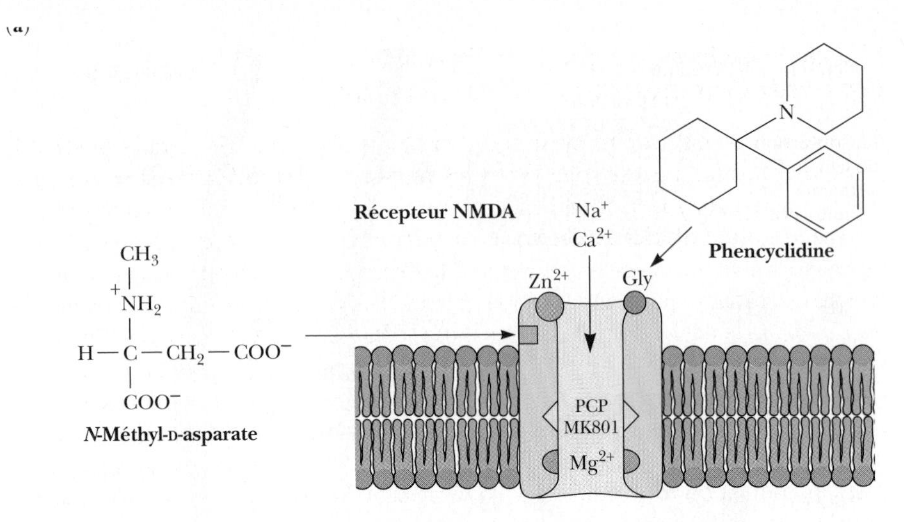

(b)

(c)

(d)

Figure 34.68 • Les quatre classes de récepteurs du glutamate. (a) Le récepteur NMDA est un canal sodique et calcique régulé par l'ion Zn^{2+} et le glycocolle ; il est stimulé par le *N*-méthyl-D-aspartate et inhibé par la phencyclidine (PCP) et l'anticonvulsivant MK-801. (b) Le récepteur kainate est un canal sodique et potassique. (c) Le récepteur AMPA est un canal sodique activé par l'acide α-amino-3-hydroxy-5-méthyl-4-isoxazolepropionique (AMPA). (d) Le récepteur métabotropique est un récepteur couplé à une protéine G qui est stimulé par l'acide iboténique. *(D'après Young, A., et Fagg, G., 1990. Excitatory amino acid receptors in the brain. Membrane binding and receptor autoradiographic approaches.* Trends in Pharmacological Sciences *11 : 126-133.)*

L'acide γ-aminobutyrique et le glycocolle : deux neurotransmetteurs à effets inhibiteurs

Certains neurotransmetteurs en se fixant sur leurs récepteurs spécifiques inhibent le neurone post-synaptique qui ne peut plus transmettre les influx nerveux provenant d'autres neurones. Les deux principaux neurotransmetteurs à action inhibitrice sont l'**acide γ-aminobutyrique** (**GABA**, pour *γ-aminobutyric acid*) et le **glycocolle**. Ces molécules en se fixant sur les récepteurs du Gaba et du glycocolle déclenchent l'ouverture des canaux spécifiques de l'ion chlorure et ligand-dépendants, et la membrane post-synaptique devient perméable aux ions Cl^-. L'entrée de Cl^- provoque l'**hyperpolarisation** (le potentiel de membrane est encore plus négatif qu'à l'état de repos) de la membrane post-synaptique. L'hyperpolarisation élève le seuil du déclenchement du potentiel d'action du neurone, ce qui le rend résistant à la stimulation par les neurotransmetteurs excitants (Figure 34.69). Les récepteurs du GABA sont principalement présents dans le cerveau tandis que les récepteurs du glycocolle sont surtout dans la moelle épinière. Les effets de l'alcool (l'éthanol) sur le cerveau proviendraient pour partie de l'ouverture des canaux chlorures des récepteurs du GABA. Le GABA provient d'une décarboxylation du glutamate, il est dégradé sous les actions successives d'une transaminase et d'une déshydrogénase (Figure 34.70). Les récepteurs du GABA sont des hétéro-oligomères de 220 à 400 kDa.

Le récepteur du glycocolle peut être mis en évidence par son affinité spécifique pour la **strychnine**, un alcaloïde convulsivant (Figure 34.71). Le récepteur du glycocolle purifié à partir de la moelle épinière est une glycoprotéine constituée de sous-unités de 48 kDa, 58 kDa et 93 kDa. La sous-unité de 48 kDa contient le site de liaison de la strychnine. Les sous-unités de 48 et de 58 kDa sont des protéines membranaires intégrales, homologues, qui semblent former le cœur du canal chlorure du récepteur, tandis que la sous-unité de 93 kDa est une protéine membranaire périphérique localisée sur la face cytoplasmique du complexe récepteur post-synaptique. La séquence de la sous-unité de 48 kDa est homologue de celle du récepteur du GABA et du récepteur cholinergique de type nicotinique.

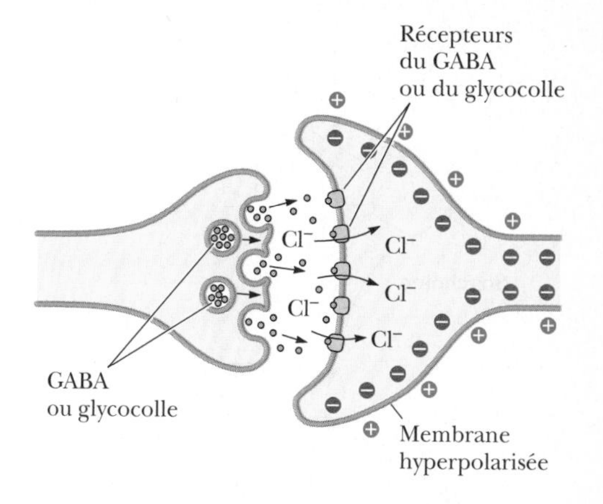

Figure 34.69 • L'acide γ-aminobutyrique (GABA) et le glycocolle sont des neurotransmetteurs à action inhibitrice qui activent des canaux Cl^-. L'entrée des ions Cl^- provoque une hyperpolarisation de la membrane post-synaptique.

Les catécholamines neurotransmetteurs

L'adrénaline, la **noradrénaline**, la **dopamine** et la **dopa** (dihydroxyphénylalanine) qui constituent le groupe des **catécholamines** sont des neurotransmetteurs. Ces molécules sont synthétisées à partir de la tyrosine (Figure 34.72) dans les neurones du système sympathique et dans la médullosurrénale. Elles agissent comme des neurotransmetteurs dans le cerveau et comme des hormones dans les autres tissus irrigués par la circulation sanguine. Cependant les deux pools sont séparés par la barrière méningée qui ne permet le passage vers le cerveau que de certaines molécules très hydrophobes ; en dépit de cette distinction fondamentale, les récepteurs de

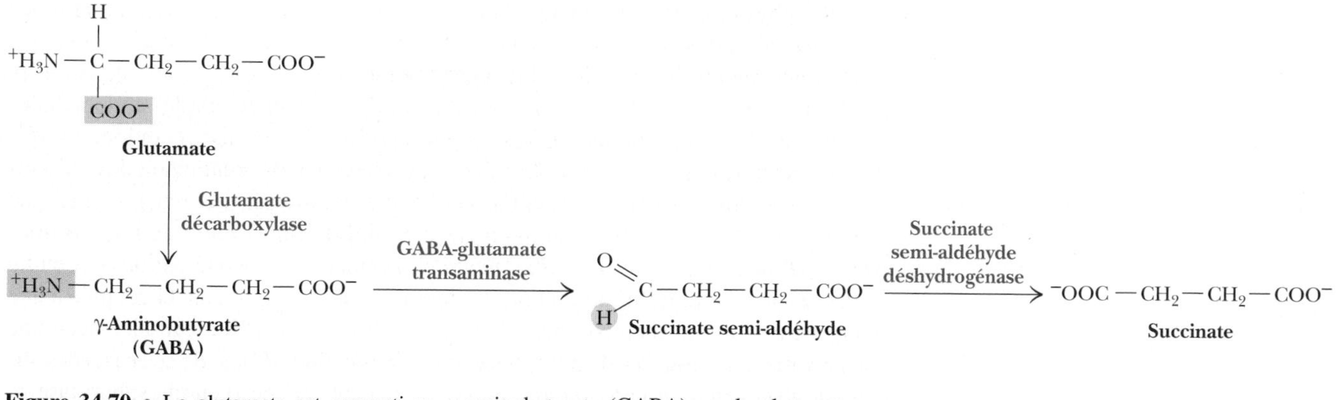

$^+H_3N-CH(COO^-)-CH_2-CH_2-COO^-$
Glutamate

↓ Glutamate décarboxylase

$^+H_3N-CH_2-CH_2-CH_2-COO^-$
γ-Aminobutyrate (GABA)

→ GABA-glutamate transaminase

$OHC-CH_2-CH_2-COO^-$
Succinate semi-aldéhyde

→ Succinate semi-aldéhyde déshydrogénase

$^-OOC-CH_2-CH_2-COO^-$
Succinate

Figure 34.70 • Le glutamate est converti en γ-aminobutyrate (GABA) par la glutamate décarboxylase. Le GABA est dégradé par la γ-aminobutyrate-glutamate transaminase puis par la semi-aldéhyde déshydrogénase ; le produit de ces deux réactions est le succinate.

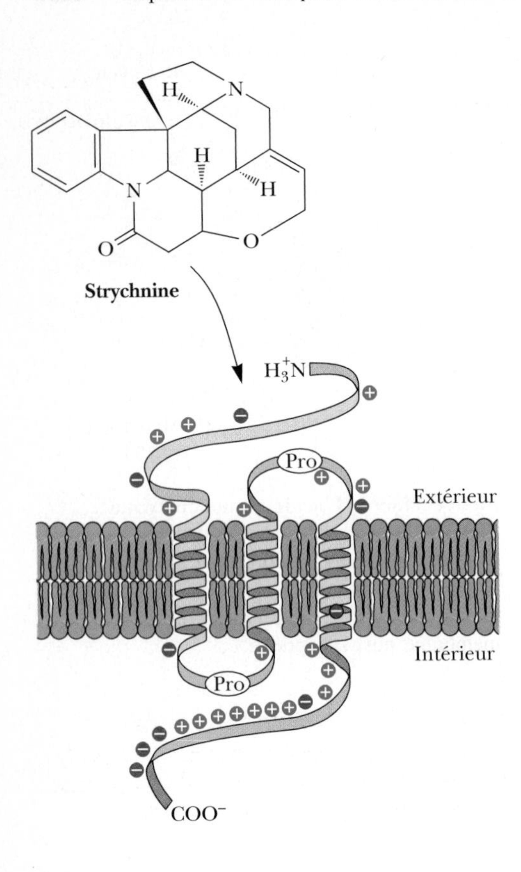

Figure 34.71 • Les récepteurs du glycocolle sont caractérisés par leur affinité pour la strychnine. La figure présente un modèle de l'arrangement de la sous-unité de 48 kDa du récepteur du glycocolle dans la membrane post-synaptique.

l'adrénaline dans le cerveau sont appelés récepteurs **adrénergiques**. L'hydroxylation de la tyrosine par la **tyrosine hydroxylase**, qui produit la **3,4-dihydroxyphénylalanine** (L-dopa), est l'étape limitante de la voie de la production des catécholamines. La dopamine dont l'insuffisance et l'excès sont impliqués dans des troubles neurologiques est synthétisée à partir de la L-dopa par la **dopa décarboxylase**, un enzyme à pyridoxal phosphate. Puis une hydroxylation et une méthylation produisent successivement la noradrénaline et l'adrénaline. (Figure 34.72). La S-adénosylméthionine est le cofacteur de la méthylation de la noradrénaline.

Chacune des catécholamines joue un rôle unique dans la transmission synaptique. Par exemple, la noradrénaline est le neurotransmetteur dans les jonctions entre les nerfs du système sympathique et les muscles lisses. La dopamine intervient dans d'autres processus. Un excès de production de la dopamine dans le cerveau, ou une hypersensibilité des récepteurs de la dopamine, est responsables de troubles psychotiques et de la schizophrénie ; une production de dopamine insuffisante et la perte de neurones sensibles à la dopamine sont d'importants facteurs de la maladie de Parkinson.

Au moins trois sortes de récepteurs de la dopamine ont été caractérisés (D_1, D_2 et D_3). Ces sous-types de récepteurs sont homologues entre eux et avec les récepteurs β-adrénergiques ; il semble qu'il s'agisse de protéines à sept segments transmembranaires. Toutes ces protéines possèdent le résidu Asp conservé dans le troisième segment, comme dans la séquence des récepteurs adrénergiques. Les récepteurs de catécholamine ont en plus deux résidus Ser conservés dans le cinquième segment transmembranaire, résidus intervenant dans la reconnaissance des ligands agonistes à groupe catéchol (1,2-dihydroxybenzène). Les **récepteurs D_1** stimulent l'adénylate cyclase. Les **récepteurs D_2** ont été impliqué dans de multiples fonctions, inhibition de l'adénylate cyclase, inhibition de la dégradation et du renouvellement des dérivés du phosphatidylinositol, activation de canaux K^+ et inhibition de canaux Ca^{2+}. Les **récepteurs D_3** ont des effets analogues à ceux des récepteurs D_2.

Les neurotransmetteurs peptidiques

De nombreux peptides relativement courts sont des neurotransmetteurs (voir Tableau 36.4). Une des difficultés dans ce domaine de recherche est que les neuropeptides connus pourraient ne constituer qu'une petite sous-fraction des neuropeptides existants. Une autre difficulté provient de la très faible concentration de ces molécules in vivo et du petit nombre de leurs récepteurs spécifiques présents dans les tissus nerveux. Les rôles physiologiques de la plupart de ces peptides est complexe. Les **endorphines** et les **enképhalines** sont des substances opioïdes naturelles qui diminuent puissamment la perception de la douleur. Les **endothélines** forment une famille de peptides régulateurs homologues ; ces peptides synthétisés par certaines cellules endothéliales et épithéliales agissent sur les cellules des muscles lisses et des tissus conjonctifs voisins des lieux de leur production. Ils induisent ou modulent la contraction des muscles lisses, la vasoconstriction, les fonctions cardiaques, pulmonaires et rénales, ainsi que la mitogenèse et la reconstitution tissulaire. Le **peptide intestinal à action vasomotrice** (**VIP** pour *vasoactive intestinal peptide*), synthétisé et sécrété par des extrémité nerveuses du tube digestif, produit par l'intermédiaire d'une protéine G couplée à une adénylate cyclase un accroissement de la concentration en AMPc qui déclenche une grande variété de cascades de phosphorylation de protéines. L'une de ces cascades stimule la glycogènolyse par la conversion de la phosphorylase β en phosphorylase α. D'autre part, le VIP a des effets de synergie avec d'autres neurotransmetteurs comme la noradrénaline. En plus de l'élévation de la concentration en AMPc par son action sur

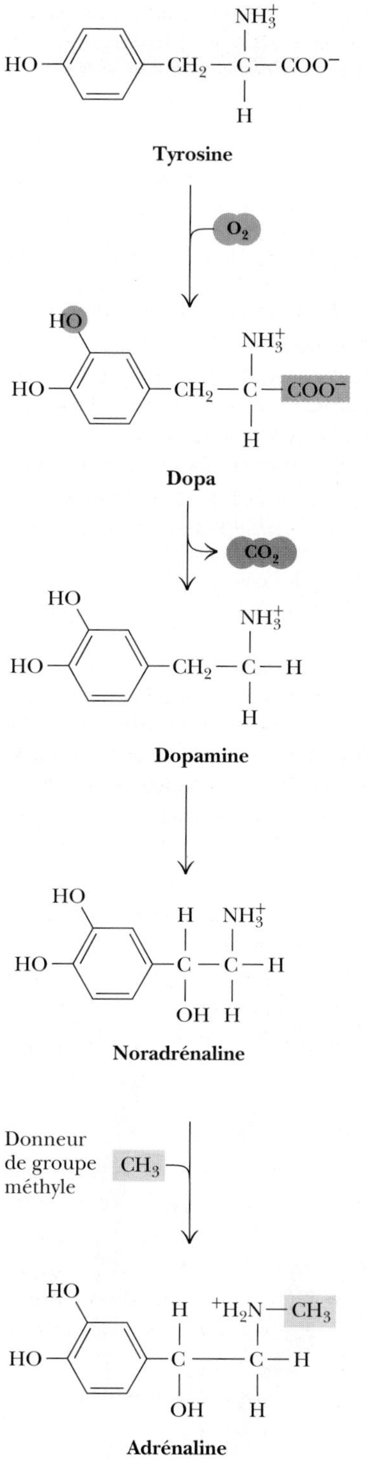

Tyrosine

O_2

Dopa

CO_2

Dopamine

Noradrénaline

Donneur de groupe méthyle CH_3

Adrénaline

Figure 34.72 • Voie de la synthèse des neurotransmetteurs catécholamines. La dopa, la dopamine, la noradrénaline et l'adrénaline, sont successivement synthétisées à partir de la tyrosine.

les récepteurs β-adrénergiques, la noradrénaline agissant sur les récepteurs α_1-adrénergiques accroît notablement la concentration de l'AMPc produit en réponse au VIP. De nombreux autres effets ont encore été constatés. Par exemple, l'injection de VIP accroît la vitesse des mouvements du globe oculaire pendant le sommeil et diminue le temps d'éveil chez le rat. Le façon dont ces effets complexes sont produits et reliés n'est pas comprises, mais il a été montré qu'il existait des récepteurs du VIP dans des régions du système nerveux central en relations avec la modulation du sommeil.

BIOCHIMIE HUMAINE

Biochimie des troubles neurologiques

Des anomalies dans le métabolisme des catécholamines sont à l'origine des symptômes de plusieurs troubles neurologiques comme la dépression (qui implique la noradrénaline) et la maladie de Parkinson (insuffisance de dopamine). Comme dans le cas du glutamate, la noradrénaline et la dopamine après avoir déclenché une réponse, doivent être éliminées de la fente synaptique (figure, partie a). Il existe plusieurs mécanismes d'élimination. Les membranes présynaptiques et celles des cellules gliales voisines contiennent des protéines du transport et de la recapture de la noradrénaline et de la dopamine. D'autre part, ces neurotransmetteurs peuvent être métabolisés et inactivés par la **catéchol-*O*-méthyltransférase** dans la fente synaptique et par la **monoamine oxydase** dans les mitochondries (figure, partie b, page suivante). Les catécholamines transportées en retour dans le neurone présynaptique sont accumulées dans les vésicules synaptiques par le même mécanisme d'échange H^+/catécholamine que celui décrit pour le glutamate. La dépression est traitée par deux approches thérapeutiques. Les inhibiteurs de la monoamine oxydase ont un effet antidépresseur en accroissant la concentration des catécholamines dans la fente synaptique. Un autre groupe d'antidépresseurs tricycliques comme la désipramine (figure, partie c) agit sur plusieurs classes de transporteurs de la recapture et prolonge ainsi la stimulation des récepteurs post-synaptiques. Le Prozac est un inhibiteur plus spécifique, il agit seulement sur les transporteurs de la recapture de la sérotonine.

La maladie de Parkinson se caractérise par une synthèse insuffisant de dopamine, une dégénérescence des neurones dopaminergiques et en réaction à cette dégénérescence par une surproduction des récepteurs post-synaptiques de la dopamine. La bromocriptine (figure, partie d), un agoniste de la dopamine, stimule de façon prolongée les récepteurs post-synaptiques et pallie l'insuffisance de la production de dopamine.

Les neurones catécholaminergiques sont impliqués dans d'autres phénomènes pharmacologiques intéressants. Par exemple, la réserpine (figure, partie e) un alcaloïde extrait du rauwolfia (une plante verte originaire de l'Inde) est un puissant sédatif qui abaisse le niveau des catécholamines dans le cerveau en inhibant l'échange H^+/catécholamines dans les membranes des vésicules présynaptiques.

La cocaïne (figure, partie d) une drogue qui provoque une forte dépendance se lie avec une haute affinité et spécificité aux transporteurs de la recapture des catécholamines dans les membranes présynaptiques. Donc, au moins un des effets pharmacologiques de la cocaïne est de prolonger l'action de ces neurotransmetteurs sur la membrane post-synaptique.

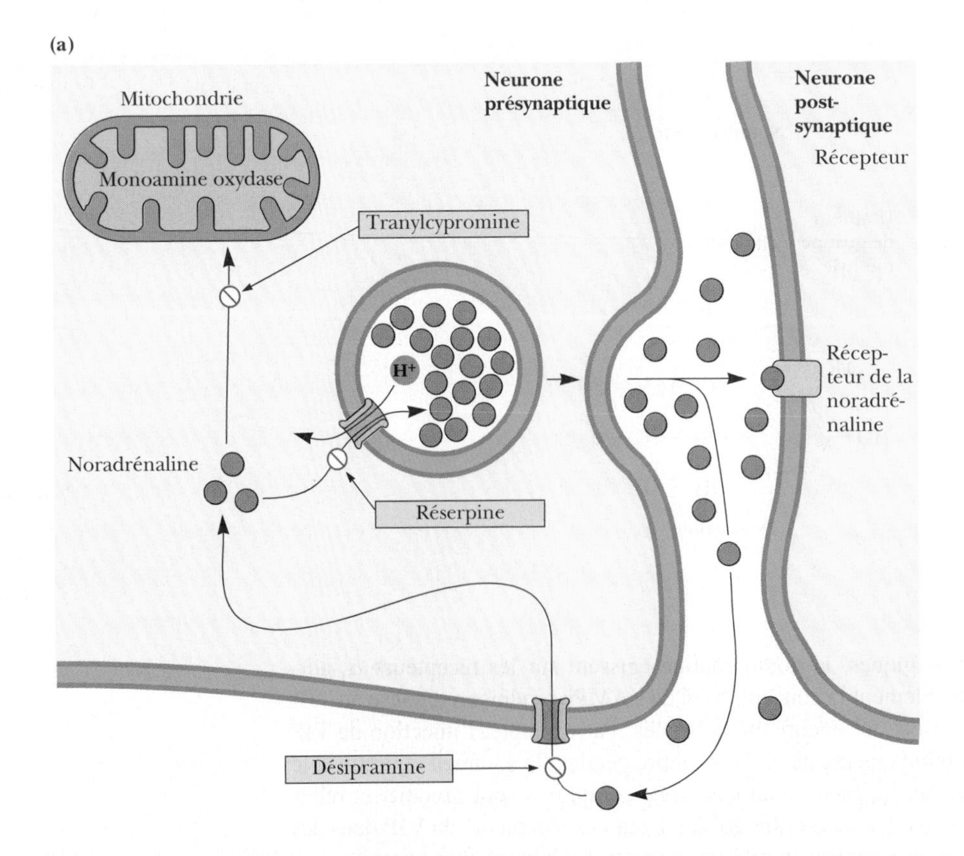

(b)

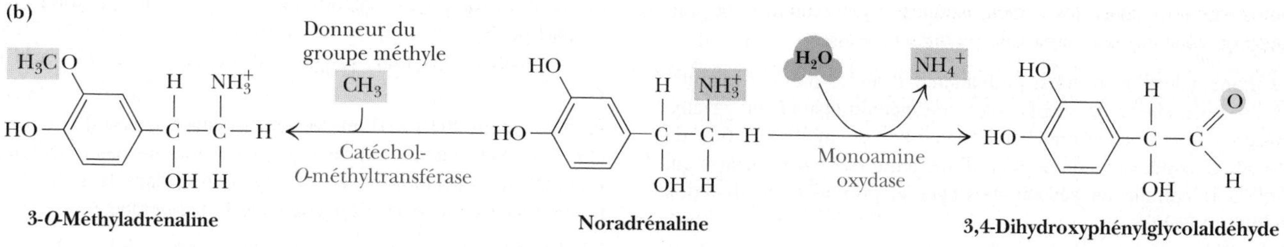

Donneur du groupe méthyle

Catéchol-O-méthyltransférase

Monoamine oxydase

3-O-Méthyladrénaline

Noradrénaline

3,4-Dihydroxyphénylglycolaldéhyde

(c)

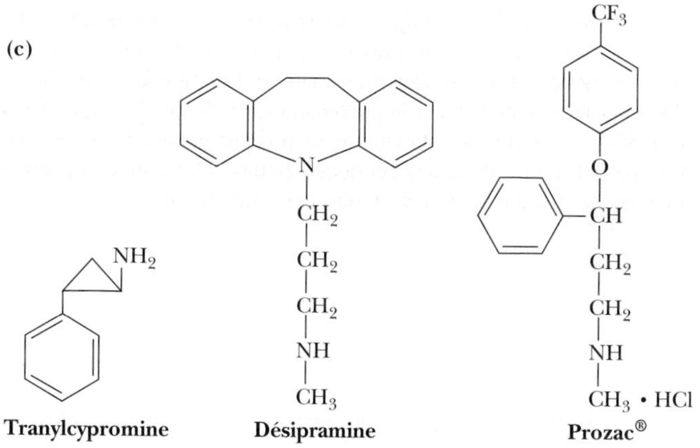

Tranylcypromine

Désipramine

Prozac®

(d)

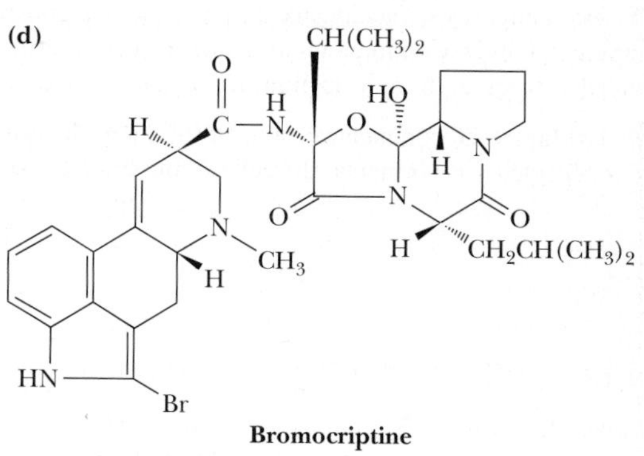

Bromocriptine

(e)

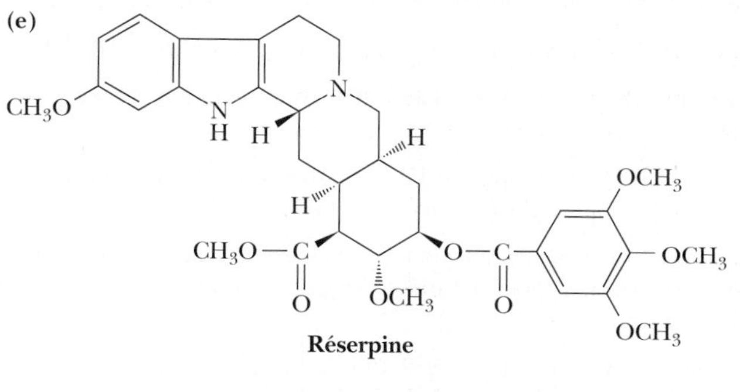

Réserpine

(f)

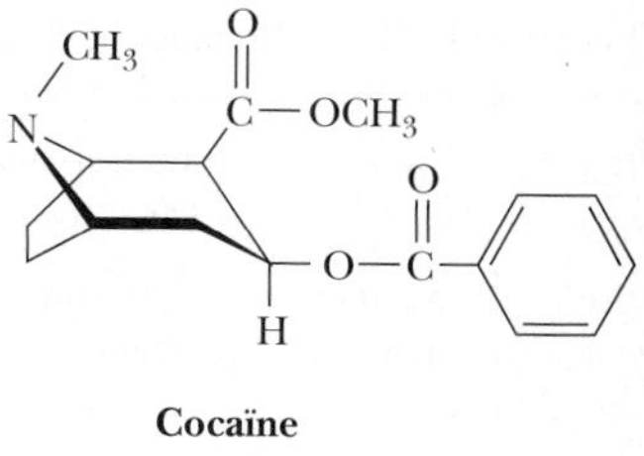

Cocaïne

Voie de la recapture et de la mise en réserve dans les vésicules des neurotransmetteurs du groupe des catécholamines. Les sites d'action de la désipramine, de la tranylcypromine et de la réserpine sont indiqués. (b) La noradrénaline peut ête dégradée dans la fente synaptique par la catéchol-O-méthyltransférase ou dans les mitochondries des neurones présynaptiques par la monoamine axydase. (c) Structures de la tranylcypromine, de la désipramine et du Prozac. (d) Structure de la bromocriptine. (e) Structure de la réserpine. (f) Structure de la cocaïne.

EXERCICES

1. Comparez les caractéristiques, les avantages physiologiques et les modes d'action de chacune des principales classes d'hormones, hormones stéroïdes, hormones polypeptiques et hormones dérivées des acides aminés

2. Comparez et opposez les caractéristiques et les avantages physiologiques de chacune des classes de seconds messagers

3. Le monoxyde d'azote n'est probablement que le premier membre d'une nouvelle classe de second messager/neurotransmetteur gazeux. En tenant compte de ce que vous connaissez du mode d'action du monoxyde d'azote, suggérez le nom d'une autre molécule gazeuse qui pourrait agir comme un second messager et proposez une fonction pour cette molécule.

4. L'herbimycine A est un antibiotique qui inhibe l'activité de la tyrosine-kinase en se liant aux groupes SH des résidus Cys de la protéine (tyrosine) kinase codée par le gène *src* et de protéines kinases similaires. Quels effets cette molécule pourrait-elle avoir sur des cellules rénales de rat qui auraient été transformées par le virus du sarcome de Rous. Pouvez-vous décrire quels autres effets vous pouvez escompter de l'action de cet intéressant antibiotique ?

5. Des anticorps monoclonaux dirigés contre la phosphotyrosine sont commercialisés. Comment un tel anticorps peut-il être utilisé pour étudier les voies de la transduction des signaux et leurs mécanismes ?

6. Expliquez et commentez cette affirmation : la principale fonction des récepteurs d'hormones est celle d'amplifier les signaux.

7. Utilisez l'équation de Nernst pour calculer le potentiel d'équilibre à travers une membrane qui sépare une solution de Na^+, 330 m*M* (côté 1) d'une solution de Na^+ 70 m*M* (côté 2).

8. Utilisez l'équation de Goldman pour calculer la différence de potentiel réelle à travers une membrane qui sépare une solution contenant 30 m*M* de Na^+, 70 m*M* de K^+ et 80 m*M* de Cl^- (côté 1) d'une solution contenant 100 m*M* de Na^+, 20 m*M* de K^+ et 140 m*M* de Cl^- (côté 2).

9. Le diamètre externe d'une vésicules synaptique est d'environ 40 nm et chaque vésicule contient environ 10.000 molécules d'acétylcholine. Calculez la concentration de l'acétylcholine dans la vésicule synaptique. Tenez compte de l'épaisseur de la membrane.

10. Le décaméthonium et la succinylcholine inhibent l'acétylcholinestérase mais les effets du décaméthonium persistent plus longtemps. Pourquoi ? L'une de ces molécules est utilisée comme anesthésique lors de certaines opérations chirurgicales. Quelle est cette molécule et pourquoi est-elle utilisée ?

11. Le GTPγS est un analogue non hydrolysable du GTP. Les expériences avec l'axone géant du calmar révèlent que l'injection de GTPγS dans l'extrémité du neurone présynaptique inhibe lentement et irréversiblement la libération du neurotransmetteur. Les signaux calciques produits par le potentiel d'action présynaptique et le nombre des vésicules synaptiques s'associant à la membrane présynaptique ne sont pas modifiés par le GTPγS. Proposez un modèle pour la libération du neurotransmetteur qui prenne en compte toutes ces observations.

LECTURES COMPLÉMENTAIRES

Ames, J.B., Ishima, R., Tanaka, T., et al., 1997. Molecular mechanics of calcium-myristoyl switches. *Nature* **389** : 198-202.

Armstrong, C., 1998. The vision of the pore. *Science* **280** : 56-57.

Asaoka, Y., et al., 1992. Protein kinase C, calcium and phospholipid degradation. *Trends in Biochemical Sciences* **17** : 414-417.

Avruch, J., Zhang, X.-F., et Kyriakis J.M., 1994. Raf meets ras : Completing the framework of a signal transduction pathway. *Trends in Biochemical Sciences* **19** : 279-283.

Bajjalieh, S.M., et Scheller, R.H., 1995. The biochemistry of neurotransmitter secretion. *The Journal of Biological Chemistry* **270** : 1971-1974.

Barchi, R.L., 1988. Probing the molecular structure of the voltage-dependent sodium channel. *Annual Review of Neurosciences* **11** : 455-495.

Bell, R., et Burns, D., 1991. Lipid activation of protein kinase C. *Journal of Biological Chemistry* **266** : 4661-4664.

Bork, P., Schultz, J., et Ponting, C.P., 1997. Cytoplasmic signalling domains : The next generation. *Trends in Biochemical Sciences* **22** : 296-298.

Bourne, H.R., 1997. Pieces of the true grail : A G protein finds its target. *Science* **278** : 1898-1899.

Bourne, H., Sanders, D., et McCormick, F., 1991. The GTPase superfamily : Conserved structure and molecular mechanism. *Nature* **349** : 117-127.

Bredt, D.S., et Snyder, S.H., 1994. Nitric oxide : A physiologic messenger molecule. *Annual Review of Biochemistry* **63** : 175-195.

Cadena, D., et Gill, G., 1992. Receptor tyrosine kinases. *The FASEB Journal* **6** : 2332-2337.

Casey, P.J., et Seabra, M.C., 1996. Protein prenyltransferases. *Journal of Biological Chemistry* **271** : 5289-5292.

Catterall, W.A., 1988. Structure and function of voltage-sensitive ion channels. *Science* **252** : 50-61.

Catterall, W.A., 1995. Structure and function of voltage-gated ion channels. *Annual Review of Biochemistry* **64** : 493-531.

Chuang, D.-M., 1989. Neurotransmitter receptors and phosphoinositide turnover. *Annual Review of Pharmacology and Toxicology* **29** : 71-110.

Clapham, D.E., 1996. The G-protein nanomachine. *Nature* **379** : 297-229.

Clapham, D.E., 1997. Some like it hot : Spicing up ion channels. *Nature* **389** : 783-784.

Cobb, M.H., et Goldsmith, E.J., 1995. How MAP kinases are regulated. *Journal of Biological Chemistry* **270** : 14843-14846.

Cohen, P., 1992. Signal integration at the level of protein kinases, protein phosphatases and their substrates. *Trends in Biochemical Sciences* **17** : 408-413.

Cohen, P., et Cohen, P.T.W., 1989. Protein phosphatases come of age. *Journal of Biological Chemistry* **264** : 21435-21438.

Coleman, D.E., et Sprang, S.R., 1996. How G proteins work : A continuing story. *Trends in Biochemical Sciences* **21** : 41-44.

Dennis, E.A., 1997. The growing phospholipase A_2 superfamily of signal transduction enzymes. *Trends in Biochemical Sciences* **22** : 1-2.

DeVos, A., Ultsch, M., et Kossiakoff, A., 1992. Human growth hormone and extracellular domain of its receptor : Crystal structure of the complex. *Science* **255** : 306-312.

Doyle, D.A., Cabral, J.M., Pfuetzner, R.A. et al., 1998. The structure of the potassium channel : Molecular basis of K^+ conduction and selectivity. *Science* **280** : 69-77.

Eichmann, K., 1993. Transmembrane signaling of T lymphocytes by ligand-induced receptor complex assembly. *Angewandte Chemie, International Edition* **32** : 54-63.

Exton, J., 1990. Signaling through phosphatidylcholine breakdown. *Journal of Biological Chemistry* **265** : 1-4.

Feig, L.A., Urano, T., et Cantor, S., 1996. Evidence for a ras/ral signaling cascade. *Trends in Biochemical Sciences* **21** : 438-441.

Ferrell, J.E., 1997. How responses get more switch-like as you move down a protein kinase cascade. *Trends in Biochemical Sciences* **22** : 288-289.

Galione, A., 1993. Cyclic ADP-ribose : A new way to control calcium. *Science* **259** : 325-326.

Garbers, D., 1989. Guanylate cyclase, a cell surface receptor. *Journal of Biological Chemistry* **264** : 9103-9106.

Gilman, A., 1987. G proteins : Transducers of receptor-generated signals. *Annual Review of Biochemistry* **56** : 615-649.

Gudermann, T., Schönberg, T., et Schultz, G., 1997. Functional and structural complexity of signal transduction via G-protein-coupled receptors. *Annual Review of Neuroscience* **20** : 399-427.

Hakamori, S., 1990. Bifunctional role of glycosphingolipids. *Journal of Biological Chemistry* **265** : 18713-18716.

Hannun, Y.A., et Obeid, L.M., 1995. Ceramide : An intracellular signal for apoptosis. *Trends in Biochemical Sciences* **20** : 73-77.

Hepler, J., et Gilman, A., 1992. G proteins. *Trends in Biochemical Sciences* **17** : 383-387.

Hollenberg, M., 1991. Structure-activity relationships for transmembrane signaling : The receptor's turn. *The FASEB Journal* **5** : 178-186.

Hulme, E., Birdsall, N., et Buckley, N., 1990. Muscarinic receptor subtypes. *Annual Review of Pharmacology and Toxicology* **30** : 633-673.

Hunter, T., et Cooper, J., 1985. Protein-tyrosine kinases. *Annual Review of Biochemistry* **54** : 897-930.

Jackson, H., et Parks, T., 1989. Spider toxins : Recent applications in neurobiology. *Annual Review of Neurosciences* **12** : 405-414.

James, P., Vorherr, T., et Carafoli, E., 1995. Calmodulin-binding domains : Just two faced or multi-faceted ? *Trends in Biochemical Sciences* **20** : 38-42.

Jones, D., et Reed, R., 1989. G_{olf}: An olfactory neuron specific-G protein involved in odorant signal tranduction. *Science* **244** : 790-795.

Kaziro, V, et al., 1991. Structure and function of signal-transducing GTP-binding proteins. *Annual Review of Biochemistry* **60** : 349-400.

Kemp, B., et Pearson, R., 1991. Intrasteric regulation of protein kinases and phosphatases. *Biochimica et Biophysica Acta* **1094** : 67-76.

Kennelly, P., et Krebs, E., 1991. Consensus sequences as substrate specificity determinants for protein kinases and protein phosphatases. *Journal of Biological Chemistry* **266** : 15555-15558.

Knowles, R., et Moncada, S., 1992. Nitric oxide as a signal in blood vessels. *Trends in Biochemical Sciences* **17** : 399-402.

Koch, C., et al., 1991. SH2 and SH3 domains : Elements that control interactions of cytoplasmic signaling proteins. *Science* **252** : 668-674.

Linder, M., et Gilman, A., 1992. G proteins. *Scientific American* **267** : 56-65.

Liskovitch, M., 1992. Crosstalk among multiple signal-activated phospholipases. *Trends in Biochemical Sciences* **17** : 393-399.

Marshall, M.S., 1993. The effector interactions of $p21^{ras}$. *Trends in Biochemical Sciences* **18** : 250-254.

Mathias, S., et al., 1993. Activation of the sphingomyelin signaling pathway in intact EL4 cells and in a cell-free system by IL-1β. *Science* **259** : 519-522.

Mauro, L.J., et Dixon, J.E., 1994. Zip codes direct intracellular protein tyrosine phosphatases to the correct « address ». *Trends in Biochemical Sciences* **19** : 151-155.

Menniti, F., et al., 1993. Inositol phosphates and cell signaling : New views of $InsP_5$ and $InSP_6$. *Trends in Biochemical Sciences* **18** : 53-56.

Milligan, G., Parenti, M., et Magee, A.I., 1995. The dynamic role of palmitoylation in signal transduction. *Trends in Biochemical Sciences* **20** : 181-186.

Monaghan, D., Bridges, R., et Cotman, C., 1989. The excitatory amino acid receptors : Their classes, pharmacology, and distinct properties in the function of the central nervous system. *Annual Review of Pharmacology and Toxicology* **29** : 365-402.

Montal, M., 1990. Molecular anatomy and molecular design of channel proteins. *The FASEB Journal* **4** : 2623-2635.

Mustelin, T., et Burn, P., 1993. Regulation of *Src* family tyrosine kinases in lymphocytes. *Trends in Biochemical Sciences* **18** : 215-220.

Nathanson, N., 1987. Molecular properties of the muscarinic acetylcholine receptor. *Annual Review of Neurosciences* **10** : 195-236.

Nicholson, D.W., et Thornberry, N.A., 1997. Caspases : Killer proteases. *Trends in Biochemical Sciences* **22** : 299-306.

Omer, C.A., et Kohl, N.E., 1997. CA_1A_2X-competitive inhibitors of farnesyltransferase as anticancer agents. *Trends in Pharmacological Sciences* **18** : 437-444.

Pawson, T., et Scott, J.D., 1997. Signalling through scaffold, anchoring and adaptor proteins. *Science* **278** : 2075-2080.

Pazin, M., et Williams, L., 1992. Triggering signaling cascades by receptor tyrosine kinases. *Trends in Biochemical Sciences* **17** : 374-378.

Petrou, S., et al., 1993. A putative fatty acid-binding domain of the NMDA receptor. *Trends in Biochemical Sciences* **18** : 41-42.

Plotkin, M., 1993. *Tales of a Shaman's Apprentice.* New York : Viking Penguin.

Prescott, S.M., 1997. A thematic series on phospholipases. *Journal of Biological Chemistry* **272** : 15043.

Putney, J.W., 1998. Calcium signaling : Up, down, up, down.... what's the point ? *Science* **279** : 191-192.

Rhee, S., et Choi, K., 1992. Regulation of inositol phospholipid-specific phospholipase C isozymes. *Journal of Biological Chemistry* **267** : 12393-12396.

Salveson, G.S., et Dixit, V.M., 1997. Caspases : Intracellular signaling by proteolysis. *Cell* **91** : 443-446.

Samelson, L., et Klausner, R., 1992. Tyrosine kinases and tyrosine-based activation motifs. *Journal of Biological Chemistry* **267** : 24913-24916.

Satoh, T., Nakafuku, M., et Kaziro, Y., 1992. Function of *ras* as a molecular switch in signal transduction. *Journal of Biological Chemistry* **267** : 24149-24152.

Schimerlik, M., 1989. Structure and regulation of muscarinic receptors. *Annual Review of Physiology* **51** : 217-227.

Schlessinger, J., 1993. How receptor tyrosine kinases activate Ras. *Trends in Biochemical Sciences* **18** : 273-275.

Schlichting, I., et al., 1990. Time-resolved X-ray crystallographic study of the conformational change in Ha-*Ras* p21 protein on GTP hydrolysis. *Nature* **345** : 309-314.

Sieghart, W., 1992. $GABA_A$ receptors : Ligand-gated Cl^- ion channels modulated by multiple drug-binding sites. *Trends in Physiological Sciences* **13** : 446-450.

Sprang, S.R., 1997. GAP into the breach. *Science* **277** : 329-330.

Sprang, S.R., 1997. G protein mechanisms : Insights from structural analysis. *Annual Review of Biochemistry* **66** : 639-678.

Stamler, J., Singel, D., et Loscalzo, J., 1992. Biochemistry of nitric oxide and its redox-active forms. *Science* **258** : 1898-1902.

Sternweiss, P.C., et Smrcka, A.V., 1992. Regulation of phospholipase C by G proteins. *Trends in Biochemical Sciences* **17** : 502-506.

Strader, C.D., Fong, T.M., Tota, M.R., et Underwood, D., 1994. Structure and function of G-protein-coupled receptors. *Annual Review of Biochemistry* **63** : 101-132.

Takasawa, S., et al., 1993. Cyclic ADP-ribose in insulin secretion from pancreatic β cells. *Science* **259** : 370-373.

Taylor, C., et Marshall, I., 1992. Calcium and inositol 1,4,5-trisphosphate receptors : A complex relationship. *Trends in Biochemical Sciences* **17** : 403-407.

Taylor, R., 1991. Whiff and poof. Adenylyl cyclase in olfaction. *The Journal of NIH Research* **3** : 49-53.

Traylor, T., et Sharma, V., 1992. Why NO ? *Biochemistry* **31** : 2847-2849.

Ullrich, A., et Schlessinger, J, 1990. Signal transduction by receptors with tyrosine kinase activity. *Cell* **61** : 203-212.

Whittaker, V., 1990. The contribution of drugs and toxins to understanding of cholinergic function. *Trends in Physiological Sciences* **11** : 8-13.

Wickelgren, I., 1997. Biologists catch their first detailed look at NO enzyme. *Science* **278** : 389.

Wittinghofer, A., et Pai, E., 1991. The structure of *ras* protein : A model for a universal molecular switch. *Trends in Biochemical Sciences* **16** : 382-387.

Yarden, Y., et Ullrich, A., 1988. Growth factor receptor tyrosine kinases. *Annual Review of Biochemistry* **57** : 443-478.

Réponses abrégées aux exercices

Chapitre 1

1. Comme les bactéries (par comparaison avec les humains) ont des exigences nutritionnelles simples, leurs cellules contiennent évidemment les systèmes enzymatiques appropriés qui convertissent les précurseurs élémentaires (même des substances minérales comme NH_4^+, NO_3^-, N_2, et CO_2) en molécules biologiques – protéines, acides nucléiques, polyosides, et lipides complexes. Par contre, les animaux ont différents types de cellules à multiples fonctions physiologiques spécifiques ; ces cellules doivent en conséquence avoir un plus grand répertoire de molécules complexes leur permettant d'accomplir toutes ces fonctions.

2. Consultez les Figures 1.21, 1.22, et 1.23 pour confirmer votre réponse.

3. a. Il faut mettre bout à bout 250 cellules d'*E. coli* pour recouvrir le diamètre d'une tête d'épingle.
   b. Le volume d'une cellule d'*E. coli* est d'environ 10^{-15} l.
   c. La surface de la paroi cellulaire est d'environ $6,3 \times 10^{-12}$ m^2. Le rapport de la surface au volume est de $6,3 \times 10^6$ m^{-1}
   d. 600.000 molécules
   e. 1,7 n*M*
   f. Le volume calculé d'un ribosome étant de $4,2 \times 20^{-24}$ m^3 (ou $4,2 \times 10^{-21}$ l), 15.000 ribosomes occuperaient $6,3 \times 10^{-17}$ l, soit 6,3 % du volume cellulaire.
   g. Puisqu'un chromosome d'*E. coli* contient 4.600 kilopaires de bases ($4,6 \times 10^3$), la longueur totale de la double hélice de l'ADN serait de 1,6 mm, soit environ 800 fois celle de la cellules. Cet ADN pourrait coder pour 4.300 protéines différentes, de 360 acides aminés chacune.

4. a. Le volume d'une mitochondrie est de $4,2 \times 10^{-16}$ l (environ 40 % du volume d'une cellule d'*E. coli* calculé dans l'exercice 3).
   b. Une mitochondrie contiendrait en moyenne moins de huit molécules d'oxalo-acétate.

5. a. Il faut mettre bout à bout 25 hépatocytes pour recouvrir le diamètre d'une tête d'épingle.
   b. Le volume de la cellule hépatique est d'environ 8×10^{-12} l (8.000 fois le volume d'une cellule d'*E. coli*).
   c. La surface de l'enveloppe de la cellule est de $2,4 \times 10^{-9}$ m^2 ; le rapport de la surface au volume est de 3×10^5 m^{-1}, soit environ le 1/20 de celui d'un cellule d'*E. coli*. Les cellules ayant un plus petit rapport surface/volume ont des échanges plus limités avec leur environnement.
   d. Le nombre des paires de bases dans l'ADN d'une cellule hépatique est de 6×10^9 pb, ce qui correspond à une longueur total de 2 m, dans une cellule n'ayant qu'environ 20 µm de côté ! La quantité maximale d'information dans l'ADN d'une cellule hépatique est de 3×10^9 codons, qui pourraient correspondre à $2,5 \times 10^6$ protéines différentes de 400 acides aminés.

6. Les chaînes latérales des acides aminés ont des caractéristiques extrêmement variées de formes, de polarités et de propriétés chimiques différentes, se sorte qu'il est pratiquement toujours possible à une protéine d'avoir une surface complémentaire à la surface de toute molécule.

7. Les polymères biologiques peuvent être des molécules portant une information car ils sont formés à partir d'unités monomériques (les « lettres ») réunies tête à queue, dans un ordre particulier (les « mots », les « phrases »). Les polyosides sont souvent des polymères linéaires composés d'unités correspondant à seulement un ose simple, parfois deux ; ils ne contiennent donc que peu d'information. Les polyosides formés d'une plus grande variété d'oses peuvent transmettre une information par interaction spécifique avec d'autres molécules biologiques. De plus, les unités osidiques peuvent participer à la formation de structures ramifiées, qui elles, seront potentiellement très riches en information (par exemple, dans les molécules des surfaces cellulaires où elles servent de marqueur spécifiques aux différents types de cellules des organismes multicellulaires).

8. La reconnaissance moléculaire est basée sur la complémentarité des structures. Si les interactions de complémentarité impliquaient des liaisons covalentes (liaisons à forte énergie), il se formerait des structures stables qui seraient moins facilement aptes à répondre à la dynamique des changements continuels qui caractérise les processus des cellules vivantes.

9. De petits changements de température, de pH, de concentration ionique, etc, sont assez importants pour rompre des liaisons faibles (liaisons H, liaisons ioniques, interactions de Van der Waals, interactions hydrophobes).

10. Les systèmes vivants se maintiennent par un flux continu de matière et d'énergie. En dépit d'une incessante transformation de matière et d'énergie par ces systèmes dynamiques haute-

ment organisés, en apparence, il semble que rien ne change : ils sont dans un *état d'équilibre dynamique*.

Chapitre 2

1. a. 3,3 ; b. 9,85 ; c. 5,7 ; d. 12,5 ; e. 4,4 ; f. 6,97.
2. a. 1,26 mM ; b. 0,25 μM ; c. 4×10^{-12} M ; d. 2×10^{-4} M ; e. $3{,}16 \times 10^{-10}$ M ; f. $1{,}26 \times 10^{-7}$ M (0,126 μM).
3. a. $(H^+] = 2{,}51 \times 10^{-5}$ M ; b. $K_a = 3{,}13 \times 10^{-8}$; $pK_a = 7{,}5$.
4. a. pH = 2,38 ; b. pH = 4,23.
5. Il faut ajouter 813 ml d'une solution d'acétate de sodium 0,1 M à 187 ml d'une solution d'acide acétique 0,1 M.
6. $[HPO_4^{2-}]/[H_2PO_4^-] = 0{,}398$.
7. Il faut ajouter 444,3 ml de H_3PO_4 0,1 M à 555,7 ml de Na_3PO_4 0,1 M. La concentration finale des ions sera : $[H_2PO_4^-]$ = 0,0333 M ; $[HPO_4^{2-}]$ = 0, 0667 M ; $[Na^+]$ = 0,1667 M ; $[H^+]$ = $3{,}16 \times 10^{-8}$ M.
8. Il faut ajouter 432 ml d'HCl 0,1 M à 1 l de BICINE 0, 05 M. La concentration de la BICINE sera égale à 0,05 M / 1,432 soit 0,0349 M.
9. a. Fraction de H_3PO_4 : à pH 0 = 0,993 ; à pH 2 = 0,58 ; à pH 4 = 0,01 ; négligeable à pH 6.
   b. Fraction de $H^2PO_4^-$: à pH 0 = 0,007 ; à pH 2 = 0,41 ; à pH 4 = 0,986 ; à pH 6 = 0,94 ; à pH 8 = 0,14 ; négligeable à pH 10.
   c. Fraction de HPO_4^{2-} : négligeable à pH 0, 2, et 4 ; à pH 6 = 0,06 ; à pH 8 = 0,86 ; à pH 10 ≅ 1,0 ; à pH 12 = 0,72.
   d. Fraction de PO_4^{3-} : négligeable à tout pH < 10 ; à pH 12 = 0,28.
10. À pH 5,2, $[H_3A] = 4{,}33 \times 10^{-5}$ M ; $[H_2A^-]$ = 0,0051 M ; $[HA^{2-}]$ = 0,014 M ; $[A^{3-}]$ = 0,0009 M.
11. a. pH = 7,02 ; $[H_2PO_4^-]$ = 0,0200 M ; $[HPO_4^{2-}]$ = 0,0133 M.
    b. pH = 7,38 ; $[H_2PO_4^-]$ = 0,0133 M ; $[HPO_4^{2-}]$ = 0,0200 M.
12. $[H_2CO_3]$ = 2,2 μM ; $[CO_{2(d)}]$ = 0,75 mM. Quand $[HCO_3^-]$ = 15 mM et $[CO_{2(d)}]$ = 3 mM, pH = 6,8

Chapitre 3

1. $K_{eq} = 613$ M ; $\Delta G° = -15{,}9$ kJ/mol
2. $\Delta G° = 1{,}69$ kJ/mol à 20 °C ; $\Delta G° = -5{,}80$ kJ/mol à 30 °C. $\Delta S° = 0{,}75$ kJ/mol·K
3. $\Delta G = -24{,}8$ kJ/mol.
4. Les fonctions d'état sont des quantités qui dépendent de l'état du système et non pas des voies ou des processus par lesquels cet état est atteint. Le volume, la pression, la température sont des fonctions d'état. La chaleur et toutes les formes de travail, comme le travail mécanique ou électrique, ne sont pas des fonctions d'état.
5. $\Delta G°' = \Delta G° - 39{,}5\, n$ (en kJ/mol), n étant le nombre de H^+ produits dans tout processus. De sorte que $\Delta G° = \Delta G°' + 39{,}5\, n = -30{,}5$ kJ/mol + 39,5 (1) kJ/mol.
   $\Delta G° = 9{,}0$ kJ/mol si $[H^+] = 1$ M.
6. a. $K_{eq}(AC) = (0{,}02 \times 1000) = 20$.
   b. $\Delta G°$ (AB) = 10,1 kJ/mol
   $\Delta G°$ (BC) = –17,8 kJ/mol
   $\Delta G°$ (AC) = –6,0 kJ/mol
   $K_{eq} = 20$.
7. $K_{eq} = [Cr]\,[P_i]/[CrP]\,[H_2O]$
   $K_{eq} = 3{,}89 \times 10^7$.
8. Il faudrait 135,5 moles des CrP par jour pour fournir les 5.860 kJ requis, soit 17.730 g de CrP par jour. L'organisme ne contenant que 20 g de CrP, chaque molécule serait recyclée 886 fois par jour.
   Dans le cas du glycérol-3-P, il en faudrait 637 moles, soit 108.300 g par jour. Chaque molécule serait recyclée 5.410 fois par jour.
9. $\Delta G = -46{,}1$ kJ/mol.
10. La réaction catalysée par l'hexokinase correspond à la somme des réaction d'hydrolyse de l'ATP et de la phosphorylation du glucose :

$$\begin{array}{l} ATP + H_2O \rightleftharpoons ADP + P_i \\ Glucose + P_i \rightleftharpoons G6P + H_2O \\ \hline Glucose + ATP \rightleftharpoons G6P + ADP \end{array}$$

    La variation d'énergie libre de la réaction est donc égale à la somme des variations d'énergie libre des deux réactions partielles.
    $\Delta G°' = -30{,}5$ kJ/mol + 13,9 kJ/mol = –16,6 kJ/mol.
11. La comparaison entre le groupe acétyle de l'acéto-acétyl-CoA et le groupe méthyle de l'acétyl-CoA, permet raisonnablement de penser que le groupe acétyle est d'une nature plus électrophile. Il doit donc tendre à déstabiliser plus fortement la liaison thioester de l'acéto-acétyl-CoA et l'énergie libérée lors de l'hydrolyse de l'acéto-acétyl-CoA devrait être plus importante que celle libérée par l'hydrolyse de l'acétyl-CoA. En fait, $\Delta G°' = -43{,}9$ kJ/mol pour l'hydrolyse de l'acéto-acétyl-CoA, à comparer à $\Delta G°' = -31{,}5$ kJ/mol pour l'hydrolyse de l'acétyl-CoA.
12. La variation de l'énergie libre lors de l'hydrolyse du carbamyl-phosphate devrait être plus importante que lors de l'hydrolyse de l'acétyl-phosphate, au moins en raison de la plus grande possibilité de stabilisation par résonance des produits de la réaction. En fait, $\Delta G°' = -51{,}5$ kJ/mol pour l'hydrolyse du carbamyl-phosphate, à comparer à $\Delta G°' = -43{,}3$ kJ/mol pour l'hydrolyse de l'acétyl-phosphate.

Chapitre 4

1. Les structures de Gly, Asp, Leu, Ile, Met, et Thr, sont présentées Figure 3.3
2. Asparagine = Asn = N.
   Arginine = Arg = R.
   Cysteine = Cys = C.
   Lysine = Lys = K.
   Proline = Pro = p.
   Tyrosine = Tyr = Y.
   Tryptophan = Trp = W.

3. **Dissocation de l'alanine :**

$$H_3N^+-CH(CH_3)-COOH \rightleftharpoons H_3N^+-CH(CH_3)-COO^- \rightleftharpoons H_2N-CH(CH_3)-COO^-$$

Dissociation du glutamate :

$$H_3N^+-CH(CH_2CH_2COOH)-COOH \rightleftharpoons H_3N^+-CH(CH_2CH_2COOH)-COO^- \rightleftharpoons H_3N^+-CH(CH_2CH_2COO^-)-COO^- \rightleftharpoons H_2N-CH(CH_2CH_2COO^-)-COO^-$$

Dissociation de l'histidine :

$$H_3N^+-CH(CH_2\text{-imidazolium } H^+N)-COOH \rightleftharpoons H_3N^+-CH(CH_2\text{-imidazolium } H^+N)-COO^- \rightleftharpoons H_3N^+-CH(CH_2\text{-imidazole})-COO^- \rightleftharpoons H_2N-CH(CH_2\text{-imidazole})-COO^-$$

Dissociation de la lysine :

$$H_3N^+-CH((CH_2)_4NH_3^+)-COOH \rightleftharpoons H_3N^+-CH((CH_2)_4NH_3^+)-COO^- \rightleftharpoons H_2N-CH((CH_2)_4NH_3^+)-COO^- \rightleftharpoons H_2N-CH((CH_2)_4NH_2)-COO^-$$

Dissociation de la phénylalanine :

$$H_3N^+-CH(CH_2C_6H_5)-COOH \rightleftharpoons H_3N^+-CH(CH_2C_6H_5)-COO^- \rightleftharpoons H_2N-CH(CH_2C_6H_5)-COO^-$$

4. La proximité du groupe α-carboxylique abaisse le pK_a du groupe aminé lié au même carbone.

5.

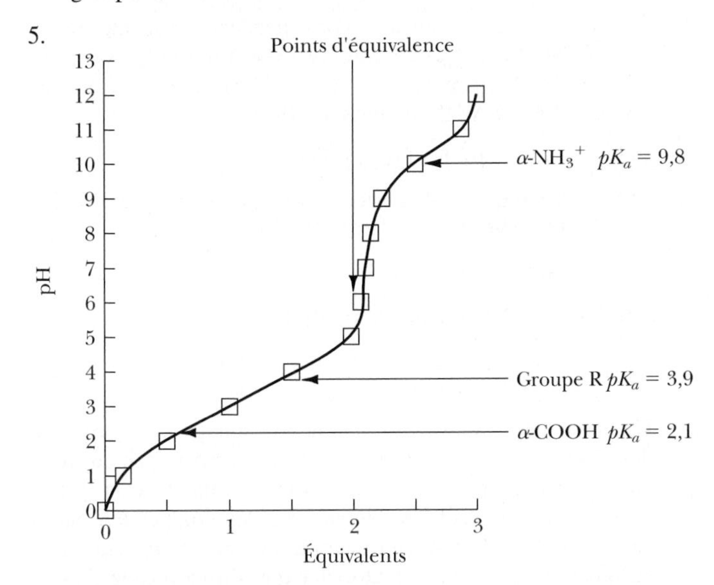

6. Représentant les quatre espèces ioniques de l'histidine par His^{2+}, His^+, His^0 et His^-, les concentrations sont les suivantes :

pH 2 : $[His^{2+}] = 0{,}097\ M$, $[His^+] = 0{,}153\ M$, $[His^0] = 1{,}53 \times 10^{-5}\ M$, $[His^-] = 9{,}6 \times 10^{-13}\ M$.

pH 6,4 : $[His^{2+}] = 1{,}78 \times 10^{-4}\ M$, $[His^+] = 0{,}071\ M$, $[His^0] = 0{,}179\ M$, $[His^-] = 2{,}8 \times 10^{-4}\ M$.

pH 9,3 : $[His^{2+}] = 1{,}75 \times 10^{-12}\ M$, $[His^+] = 5{,}5 \times 10^{-5}\ M$, $[His^0] = 0{,}111\ M$, $[His^-] = 0{,}139\ M$.

7. $pH = pK_a = \log(2/1) = 4{,}3 + 0{,}3 = 4{,}6$.

Le groupe γ-carboxyle de l'acide glutamique est dissocié aux 2/3 à pH = 4,6.

8. $pH = pK_a + \log(1/4) = 10{,}5 + (-0{,}6) = 9{,}9$.

9. a. Le pH d'une solution 0,3 *M* de chlorhydrate de leucine est approximativement 1,46.

b. Le pH d'une solution 0,3 *M* de leucinate de sodium est approximativement 11,5.

c. Le pH d'une solution 0,03 M de leucine au point isoélectrique est approximativement 6,05.

10. La concentration de l'arginine est égale à : $35° / [a]_D^{25} \times 1$ dm.

Si pour la L-arginine $[a]_D^{25} = 12{,}5$ (Tableau 4.2), alors [Arg] = 2,8 g/ml.

11. La séquence de réactions présentée ci-dessous démontre que la L-(–)sérine a la même configuration stéréochimique que le L-(–)glycéraldéhyde.

COOH | H_2N—C—H | CH_2OH → COOH | H_2N—C—H | CH_3 ← (boucle) COOH | H—C—Br | CH_3

L-(–)-Sérine — L-(–)-Alanine — Acide 2-bromopropylique

↓ (boucle)

CHO | HO—C—H | CH_2OH → COOH | HO—C—H | CH_2OH → COOH | HO—C—H | CH_3

L-(–)-Glycéraldéhyde — Acide L-glycérique — Acide 2-hydroxypropylique

Les flèches indiquent les réactions qui ont lieu avec conservation de la configuration.
Les flèches avec une boucle indiquent une inversion de la configuration.
(D'après Kopple, K.D., 1966. Peptides and amino acids, New York : Benjamin Co.)

12. La cystine (deux molécules de cystéine reliées par un pont disulfure) a deux atomes de carbone asymétriques, les deux atomes de carbone α de chaque résidu Cys. Comme chaque centre de chiralité peut exister sous deux formes, il y a théoriquement quatre stéréoisomères. Cependant, il est impossible de distinguer la L-cystéine/D-cystéine de la D-cystéine/L-cystéine. Il n'y a donc que trois stéréoisomères de cystine distincts :

COO^-, $H_3\overset{+}{N}$—C—H, CH_2—S—S—CH_2, $H_3\overset{+}{N}$—C—H, COO^- : L-Cystine

Miroir plan

COO^-, H—C—$\overset{+}{N}H_3$, CH_2—S—S—CH_2, H—C—$\overset{+}{N}H_3$, COO^- : D-Cystine

COO^-, $H_3\overset{+}{N}$—C—H, CH_2—S ¦ S—CH_2, H—C—$\overset{+}{N}H_3$, COO^- (Miroir plan) : *méso*-Cystine

13. I—CH_2—C(=O)—NH_2 + S^-—CH_2—C(H)($H_3\overset{+}{N}$)—COO^- → I^- + NH_2—C(=O)—CH_2—S—CH_2—C(H)($H_3\overset{+}{N}$)—COO^-

14. Profil d'élution attendu :
    a. acides aminés basiques, avec charge positive,
    b. acides aminés neutre, acides aminés sans charge électrique,
    c. acides aminés acides, avec charge négative.

    L'ordre d'élution devrait donc être le suivant : arginine , histidine, isoleucine, valine, aspartate. (Les valeurs de pK_a de la valine sont légèrement plus faibles que celles de l'isoleucine, la vitesse d'élution de la valine doit donc être légèrement plus lente que celle de l'isoleucine.)

15. Les configurations R-S sont les suivantes :
    L-thréonine : (2*S*, 3*R*)-thréonine.
    D-thréonine : (2*R*, 3*S*)-thréonine.
    L-allothréonine : (2*S*, 3*S*)-thréonine.
    D-allothréonine : (2*R*, 3*R*)-thréonine.

Chapitre 5

1. La nitrate réductase est un dimère (2Mo/240.000 Mr)
2. Phe-Asp-Tyr-Met-Leu-Met-Mys.
3. Tyr-Asn-Trp-Met-(Glu-Leu)-Lys. Les parenthèses indiquent que les informations données pour l'exercice ne permettent pas de déterminer la position relative de Glu et de Leu.
4. Ser-Glu-Tyr-Arg-Lys-Lys-Phe-Met-Asn-Pro.
5. Les deux séquences suivantes correspondent aux mêmes résultats analytiques : Ala-Arg-Met-Tyr-Asn-Ala-Val-Tyr ou Asn-Ala-Val-Tyr-Ala-Arg-Met-Tyr. (Avec le code à une lettre ce serait : ARMYNAVY OU NAVYARMY.)
6. G ly-Arg-Lys-Trp-Met-Tyr-Arg-Phe.
7. Les quatre séquences suivantes sont possibles : NIGIRVIA, GINIRVIA, VIRNIGIA et VIRGINIA.
8. Gly-Trp-Arg-Met-Tyr-Lys-Gly-Pro.
9. Leu-Met-Cys-Val-Tyr-Arg-Cys-Gly-Pro. (Cys—S——S—Cys)
10. L'alanine liée à une phase solide par son groupe carboxyle doit être mise en présence de la lysine activée par du dicyclohexylcarbodiimide. Les deux groupes aminés de la lysine, en α et en ϵ, doivent être bloqués par des groupes *tert*-butylcarbonyle. Pour former un tripeptide en ajoutant un résidu Leu au dipeptide Lys-Ala, il faut éviter que l'α-carboxyle de Leu puisse réagir avec le groupe ϵ-aminé au lieu de réagir avec le groupe α-aminé de Lys.

Chapitre 6

1. Le domaine central de la kératine est composé d'hélices α distordues, avec 3,6 résidus par tour, mais avec un pas de 0,51 nm, au lieu de 0,54 nm pour une hélice normale. Sa longueur est donc :
(0,51 nm/tour) (312 résidus) / (3,6 résidus/tour) = 44,2 nm = 442 Å.
Pour une hélice α, la longueur serait :
(0,54 nm/tour) (312 résidus) / (3,6 résidus/tour) = 46,8 nm = 468 Å.
Dans les feuillets antiparallèles β, la distance entre les résidus est de 0,347 nm, elle est de 0,325 nm pour les feuillets parallèles β. Pour 312 résidus, le segment reployé en feuillet β antiparallèle aurait une longueur de 1083 Å, reployé en feuillet β parallèle, la longueur du segment serait de 1014 Å.

2. L'hélice du collagène a 3,3 résidus par tour et mesure 0,29 nm par résidu, soit 0,96 nm par tour. Donc :
(10 cm/an) (10^7 nm/cm) / 0,96 nm/tour) = 0,96 $\times$ 10^8 tours/an.
(0,96 $\times$ 10^8 tours/an) / (365 jours/an) (24 h/jour) (60 min/heure) = 182 tours/min.

3. **Asp** : Le carboxyle ionisable peut participer à la formation de liaisons H et ioniques. Les interactions hydrophobes et de Van der Waals sont négligeables.
Leu : la chaîne latérale ne participe pas à la formation de liaisons H ou ioniques, mais elle participe aux interactions hydrophobes et de Van der Waals.
Tyr : Le pK_a relativement élevé de l'hydroxyle permet la participation de ce groupe à la formation d'une liaison ionique, mais à pH élevé, et l'hydroxyle peut aussi bien donner qu'accepter un H. La tyrosine protonée peut avoir des interactions hydrophobes. La chaîne latérale de la tyrosine, étant relativement volumineuse, permet des interactions de Van der Waals assez importantes.
His : L'imidazole de la chaîne latérale peut permettre la formation de liaisons H à la fois comme donneur et comme accepteur. Quand elle est protonée, elle peut participer à la formation de liaisons ioniques ; on peut s'attendre à des interactions de Van der Waals, mais les interactions hydrophobes sont dans la majorité des cas peu probables.

4. L'azote de la proline étant engagé dans le cycle pyrrolidine (c'est un acide α-aminé substitué), le groupe NH_2 classique est absent et l'amine secondaire n'a plus qu'un hydrogène. Engagé dans une liaison peptidique, cet azote n'a plus d'atomes H et ne peut donc plus fonctionner comme donneur d'H pour la formation d'une liaison hydrogène dans une hélice α. Par contre, la proline stabilise la configuration *cis* d'une liaison peptidique, elle favorise donc la formation de tours β qui exigent cette configuration *cis*.

5. Pour une liaison transversale droite, en allant de l'extrémité N-terminale vers l'extrémité C-terminale, la liaison va dans le sens des aiguilles d'une montre lorsqu'elle est vue du côté C-terminal vers le côté N-terminal. L'inverse est vrai pour les liaison transversale gauches ; le mouvement de l'extrémité N-terminale vers l'extrémité C-terminale s'accompagne d'une rotation dans le sens inverse des aiguilles d'une montre.

6. Le graphe de Ramachandran révèle les valeurs de ϕ et de ψ permises dans la formation d'une hélice α ou d'un feuillet β. Ces graphes tiennent compte de l'encombrement stérique et sont relativement spécifiques pour chaque acide aminé. Par exemple, les liaisons peptidiques contenant un résidu glycocolle adoptent une plus grande série de valeurs possibles des angles ϕ et ψ que les liaisons peptidiques contenant du tryptophanne.

7. La protéine semble être un tétramère de quatre sous-unités de 60 kDa. Chacune de ces sous-unités constitue un hétérodimère de deux protomères, de 34 kDa et 26 kDa, réunis par au moins un pont disulfure.

8. Les interactions hydrophobes jouent souvent un rôle majeur dans les interactions entre sous-unités. Les surfaces qui participent aux interactions entre les sous-unités de la protéine B_4 contiennent très probablement un plus grand nombre de résidus hydrophobes que les surfaces correspondantes de la protéine A.

9. La longueur de cette hélice est donnée par : (53 résidus) $\times$ (0,15 nm/encombrement d'un résidu) = 7,95 nm. Le nombre de tours dans l'hélice est de (53 résidus) / 3,6 résidus/tour) = 14,7 tours. Cette hélice comporte 49 liaisons hydrogène.

Chapitre 7

1. Le nom systématique du stachyose (Figure 7.19) est : α-D-galactopyranosyl-(1 → 6)-α-D-galactopyranosyl-(1 → 6)-α-D-glucopyranosyl-(1 → 2)-β-D-fructofuranoside.

2. Le nom systématique du tréhalose est : α-D-glucopyranosyl-(1 → 1)-α-D-glucopyranoside. Le tréhalose n'est pas un diholoside réducteur, les deux carbones anomériques sont engagés dans la liaison osidique.

3. Une solution contenant 0,69 g/ml d'α-D-glucose et 0,31 g/ml de β D-glucose aura un pouvoir rotatoire spécifique de 83°.

4. Un échantillon de 0,2 g d'amylopectine contient 0,2/162 = 1,23 millimoles de résidus glucose. Les 50 µmoles de 2,3-diméthylglucose correspondent à 4 % des résidus totaux de l'échantillon. La méthylation complète de l'amylopectine donne également des résidus 1,2,3,6-tétraméthylglucose aux extrémités réductrices. L''échantillon d'amylopectine contient 1,2 $\times$ 10^{18} extrémités réductrices.

Chapitre 8

1 a. Comme il est précisé que les triacylglycérols doivent contenir à la fois de l'acide stéarique et de l'acide arachidonique, cela élimine les triacylglycérol qui ne contiennent que de l'acide stéarique ou que de l'acide arachidonique. Il reste donc six possibilités :

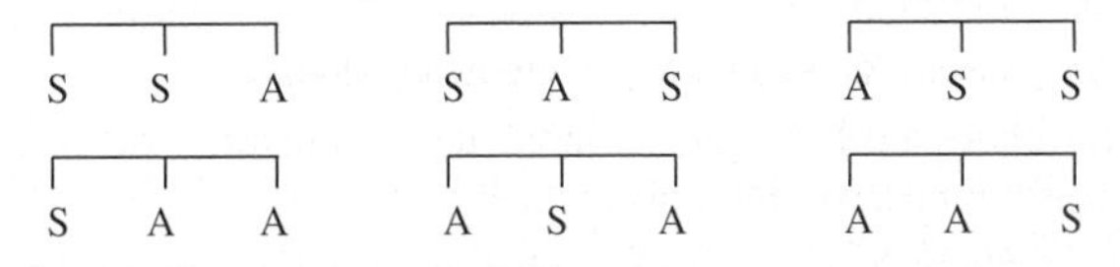

2. a. La phosphatidyléthanolamine et la phosphatidylsérine ont une charge positive nette, mais seulement à bas pH.
   b. L'acide phosphatidique, le phosphatidylglycérol, le phosphatidylinositol, la phosphatidylsérine et le diphosphatidylglycérol ont dans les conditions normales une charge négative nette.
   c. La phosphatidyléthanolamine et la phosphatidylcholine ont une charge nulle à pH neutre.

3. Une alimentation riche en cholestérol augmente le risque de troubles cardiaques et d'infarctus. Par contre, les stérols végétaux se lient aux récepteurs du cholestérol dans l'intestin mais ne passent pas dans les cellules. Une alimentation riche en stérols végétaux réduit la concentration sanguine du cholestérol de façon significative.
4. L'ancien secrétaire à l'Intérieur, James Watt s'était fait remarquer sous la présidence de Reagan en affirmant à plusieurs reprises que les arbres étaient des facteurs de pollution. Comme nous l'avons signalé dans ce chapitre, il est vrai que les arbres émettent des isoprènes à l'origine de la brume bleue présente dans l'atmosphère de l'est des États-Unis d'Amérique vers la fin de l'été. Cependant, ces dérivés isopréniques ne sont guère toxiques pour les organismes vivants, il est abusif de les considérer comme des polluants.
5. Louis L'Amour connaissait bien sa Biochimie. Le pilote de sa nouvelle savait que la graisse est plus énergétique que les protéines ou les glucides. Lorsque la nourriture risque de se raréfier (et c'est le cas pour un homme perdu dans la nature et devant se cacher), il vaut mieux consommer des lipides plutôt que des protéines ou des glucides. Le même raisonnement s'applique pour les oiseaux migrateurs dans les semaines qui précèdent leur migration.

Chapitre 9

1. Le rapport molaire phospholipides/protéines dans les taches pourpres de *H. halobium* est de 10,8.
2. $r = (4Dt)^{1/2}$

   D'après cette équation, un phospholipide avec $D = 1 \times 10^{-8}$ cm^2 se déplacera d'environ 200 nm en 10 millisecondes.
3. La fibronectine, avec t = 10 millisecondes, $r = 1{,}67 \times 10^{-7}$ cm = 1,67 nm.

   La rhodopsine : r = 110 nm.

   Toutes choses restant égales par ailleurs, la valeur de D est en première approximation proportionnelle à $(M_r)^{-1/3}$. Les masses moléculaires de la rhodopsine et de la fibronectine sont respectivement de 40.000 et 460.000. Le rapport des coefficients de diffusion devrait être $(40.000)^{1/3} / (460.000)^{1/3} = 2{,}3$. Mais le rapport réellement observé est de 4.286. Cette importante différence est expliquée par l'ancrage de la fibronectine à la membrane (par des interactions avec les protéines du cytosquelette), sa diffusion est donc fortement restreinte par rapport à celle de la rhodopsine.
4. a. Les cations divalents augmentent la valeur de T_m.
   b. Le cholestérol élargit la durée de la transition de phase, sans changer significativement T_m.
   c. L'addition de distéaroylphosphatidylsérine accroît la valeur de T_m ; effet dû à la présence de chaînes saturées plus longues, et aux interactions plus fortes entre les têtes polaires de PS plus négatives et des têtes polaires positives de PC.
   d. Le dioléylphosphatidylcholine avec ses chaînes insaturés abaissera le T_m.
   e. Les protéines intégrales élargiront la phase de transition, et leur influence sur T_m, augmentation ou diminution, dépend de la nature de la protéine.

Chapitre 10

1. $\Delta G = RT \ln ([C_2]/[C_1])$

   $\Delta G = +4{,}0$ kJ/mol
2. $\Delta G = RT \ln ([C_{ext}]/[C_{int}]) + Z\mathcal{F}\Delta\psi$

   $\Delta G = +1{,}19$ kJ/mol

   Malgré un potentiel électrique favorable à la sortie de Na^+, le gradient ionique (la différence de potentiel chimique) l'emporte et pour des raisons thermodynamiques, la sortie des ions Na^+ n'est pas favorisée.
3. La réponse à cette question pourrait être obtenue en traçant la courbe de v en fonction de [S], $1/v$ en fonction de 1/[S], ou de $[S]/v$ en fonction de [S], mais il est plus simple d'examiner la valeur de $[S]/v$ pour chaque valeur de [S]. Le graphe selon Hanes-Woolf montre que $[S]/v$ est constant pour toutes les valeurs de [S] dans le cas d'une diffusion passive. Dans le cas présent, la valeur de $[S]/v$ égale à 0,0588 $(l/min)^{-1}$, est constante. Il s'agit donc d'une diffusion passive de l'histidine.
4. C'est un exercice en deux parties. Il faut d'abord calculer l'énergie d'hydrolyse de l'ATP disponible dans les conditions standard, puis utiliser la réponse pour calculer la concentration interne maximale de fructose contre laquelle le fructose peut être transporté grâce au couplage énergétique avec l'hydrolyse de l'ATP. En admettant une valeur de –30,5 kJ/mol pour $\Delta G°$ de l'ATP, avec les valeurs des concentrations indiquées pour l'ATP, l'ADP, et le P_i, Δg d'hydrolyse de l'ATP dans ces conditions, et à 298 K, = –52 kJ/mol. En portant la valeur de +52 kJ/mol dans l'équation 10.1, il est possible de déterminer C_2, ce qui donne la concentration maximale de fructose intracellulaire : 1.300 *M* ! Donc l'hydrolyse de l'ATP pourrait théoriquement entraîner le transport du fructose contre une concentration interne pouvant atteindre cette valeur. (En fait, cette valeur excède largement la limite de la solubilité du fructose).
5. La nigéricine est un transporteur d'ions mobile alors que la cécropine est un ionophore formant un canal. Ainsi que nous l'avons signalé au cours de ce chapitre, les vitesses du transport par un ionophore mobile sont sensibles à la température (pour des températures voisines de celles de la transition de phase des membranes) ; au contraire, les vitesses de transport par des ionophores formant des canaux sont relativement insensibles à la températures. La transition de phase pour des bicouches DPPC s'observe à 41,1 °C (Tableau 9.1). Donc, la vitesse du transport du potassium en présence de nigéricine devrait notablement augmenter en passant de 35 °C à 50 °C, mais en présence de cécropine, la vitesse du transport sera pratiquement la même à 50 °C qu'à 35 °C.
6. Chacun des systèmes de transport décrits peut être inhibé (avec plus ou moins de spécificité). L'inhibition du transport du rhamnose par l'un ou l'autre des inhibiteurs serait en faveur de l'implication d'un système dans le transport du rhamnose. Les analogues non hydrolysables de l'ATP inhibent les systèmes de transport ATP-dépendants ; les découplants inhibent les transports couplés à des gradients d'ions ou de protons ; et les fluorures inhibent le système PTS (par inhibition de l'énolase).

Chapitre 11

1. Voir Figure 11.17.
2. $f_A = 0{,}304$; $f_G = 0{,}195$; $f_C = 0{,}182$; $f_T = 0{,}318$.
3. 5′-TAGTGACAGTTGCGAT-3′.
4. 5′-ATCGCAACTGTCACTA-3′.
5. 5′-TACGGTCTAAGCTGA-3′.
6. Il y a deux possibilités, a et b. (E = site *EcoR1* ; B = site *BamH1*).

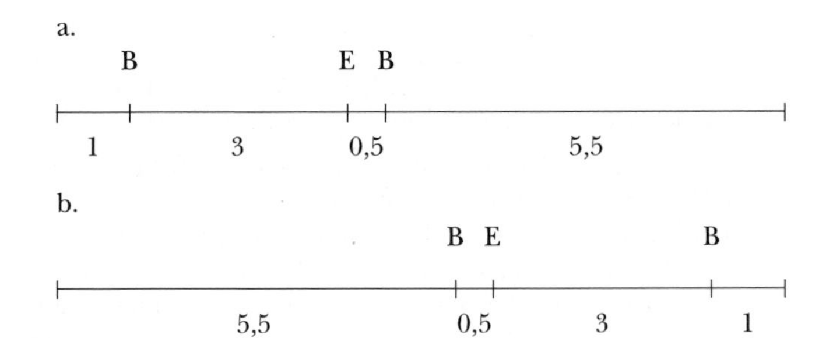

Chapitre 12

1. a. Méthode aux didésoxy de Sanger :

A	*G*	*C*	*T*
			——
——			
		——	
	——		
	——		
——			
		——	
			——
	——		
——			

b. Méthode de clivage chimique de Maxam et Gilbert :
i. ADN marqué sur l'extrémité 3′

G	*A + G*	*C*	*C + T*
	——		
			——
——	——		
		——	——
		——	——
			——
——	——		
	——		
		——	——
			(——)

ii. ADN marqué sur l'extrémité 5′

G	*A + G*	*C*	*C + T*
			——
		——	——
	——		
——	——		
			——
		——	——
		——	——
——	——		
			——
	(——)		

2. La séquence du nucléotide analysé est : 5′-dAGACTT-GACGCT. Après marquage de l'extrémité 3′ et séquençage par la méthode de Maxam et Gilbert, le diagramme des bandes d'électrophorèse est le suivant :

G	*A + G*	*C*	*C + T*
	——		
——	——		
	——		
		——	——
			——
			——
——	——		
	——		
		——	——
——	——		
		——	——
			——

3. $\Delta Z = 0{,}32$ nm ; $P = 3{,}36$ nm/tour ; 10,5 paires de bases par tour ; $\Delta\phi = 34{,}3°$; $c = 6{,}72$ nm.

4. 27,3 nm ; 122 paires de bases.

5. 4.325 nm (4,325 μm).

6. $L_0 = 160$. Si $W = -12$, $L = T + W = 160 + (-12) = 148$. $\sigma = \Delta L/L_0 = -12/160 = -0{,}075$.

7. Pour un tour d'ADN-B (10 paires de bases) : $L_B = 1{,}0 + W_B$.

   Pour l'ADN-Z, 10 paires de bases ne constituent que 10/12 de tour (0,833 tour), et $L_Z = 0{,}833 + W_Z$.

   Lors de la transition de la conformation B vers la conformation Z, les brins ne sont pas coupés, de sorte que $L_B = L_Z$; donc $1{,}0 + W_B = 0{,}833 + W_Z$, soit, $W_Z - W_B = +0{,}167$.

   (En passant de B à Z, le changement de W, le nombre de superenroulements, est positif). Cela signifie que si l'ADN-B contient des superenroulements négatifs, leur nombre sera réduit dans la conformation Z. Donc toutes choses restant égales par ailleurs, un superenroulement négatif favorise la transition B → Z.

8. 6×10^9 pb / 200 pb = 3×10^7 nucléosomes.
   Longueur totale de l'ADN-B à 6×10^9 pb = (0,34 nm) $\times$ (6×10^9) = $2{,}04 \times 10^9$ nm, soit plus de 2 m ! Sous forme d'un « collier », la longueur des 3×10^7 nucléosomes = (6 nm) $\times$ (3×10^7) = 18×10^7 nm (0,18 m).

9. Dans le schéma ci-dessous, les régions contenant des bases complémentaires reliées par des liaisons H intracaténaires sont signalées par des ombrages identiques.

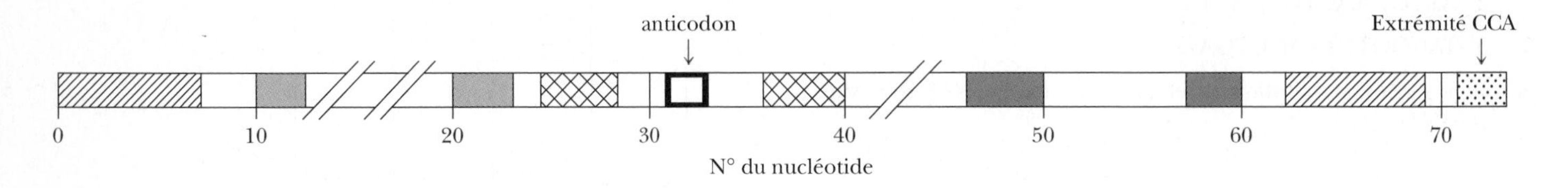

10. Dans l'ordre croissant des valeurs de T_m : levure < homme < saumon < blé < *E. coli.*

11. En solution NaCl 0,2 *M*, T_m (°C) = 69,3 + 0,41 (% G+C) :
    Rats (% G+C) = 40 %, T_m = 69,3 + 0,41 (40) = 85,7 °C
    Souris (% G+C) = 44 %, T_m = 69,3 + 0,41 (44) = 87,3 °C
    Comme la teneur en G+C de l'ADN de souris diffère de celle de l'ADN de rat, ces ADN peuvent être séparés par centrifugation isopycnique sur gradient de CsCl.

12. D'après le Tableau 11.3 et les équations utilisées dans l'exercice 2 (Chapitre 11), la teneur en GC est 0,714. La densité de l'ADN du bacille tuberculeux aviaire, ρ = 1,660 + 0,098 (GC) = 1,730 g/ml.

Chapitre 13

1. Il peut se former des molécules d'ADN linéaire ou circulaire ne contenant que des fragments d'ADN génomique ; des molécules d'ADN linéaire ou circulaire ne contenant que des fragments d'ADN plasmidique ; des molécules d'ADN linéaire ou circulaire contenant une ou plusieurs copies des deux types d'ADN.

2. -GAATTCCCGGGATCCTCTAGAGTCGACCTGCAGGCATGC
   GAATTC GGATCC GTCGAC GCATGC
   EcoRI *BamHI* *SalI* *SphI*
   CCCGGG TCTAGA CTGCAG
   SmaI *XbaII* *PstI*

3. a. AAGCTTGAGCTCGAGATCTAGATCGAT
   HindIII *XhoI* *XbaI*
   SacI *BglII* *ClaI*

   b.
   Vecteur : *HindIII* : 5'-A.........-espace-.........CGAT-3' : *ClaI*
   3'-TTCGA......-espace-............TA-5'
   Fragment : *HindIII* : 5'-AGCTT(NNNN-etc-NNNN)AT-3'
   3'-4(NNNN-etc-NNNN)TAGC-5'

4. N = 3.838.

5. N = 10,4 millions.

6. 5'-ATGCCGTAGTCGATCAT et
   5'-ATGCTATCTGTCCTATG.

7. Thr-Met-Ile-Thr-Asn-Ser-Pro-*Asp-Pro-Phe-Ile-His-Arg-Ala-Gly-Ile-Pro-Lys-Arg-Arg-Pro...*
   La jonction entre la β-galactosidase et la séquence codé par l'insert est entre Pro et Asp, de sorte que le premier acide aminé codé par l'insert est Asp. (le polylinker code pour Asp juste au site *BamHI*, mais dans la construction du gène de fusion, cet Asp, comme toute la section en aval du polylinker, est déplacé et se retrouve après la fin de l'insert).

8. 5'-(G)AATTCNGGNATGCAYCCNGGNAAR$_C{}^T$T$_N{}^Y$GCNA-GYTGGTTYGTNGGGAATTCN-
   Remarque : Le triplet souligné, AGY, représente le résidu Ser du milieu de la région. Les codons de Ser sont soit AGY, soit TCN (avec Y pour une base pyrimidique et N pour toute base) ; le triplet AGY a été choisi car la mutagenèse de ce codon en codon Cys (TGY) n'implique que le changement de A en T dans la séquence.
   Comme le résidu Ser au centre de la région est plus proche de l'extrémité 3' du fragment *EcoRI*, l'amorce mutante pour amplification par PCR doit comprendre cette extrémité. C'est-à-dire qu'elle doit être l'amorce pour le brin 3' → 5' du fragment *EcoRI* :

   5'-NNNGAATTCCCN$_c$ACR$_c$AACCAR$_c$CAN$_c$GC-3'

   dans lequel le triplet muté (Ser → Cys) est souligné, NNN = quelques bases supplémentaires à l'extrémité 5' afin que le site *EcoRI* soit interne à la séquence, et R$_c$ = la pyrimidine complémentaire à la purine dans cette position dans le brin 5' → 3'.

Chapitre 14

1. v/V_{max} = 0,8

2. v = 91 µmol·ml^{-1}/s^{-1}.

3. K_s = $1{,}43 \times 10^{-5}$ *M* ; K_m = 3×10^{-4} *M*. Comme k_2 est 20 fois plus grand que k_{-1}, le système se comporte comme un système à l'état stationnaire.

4. Avec un graphe selon Lineweaver-Burke (double inverse) : V_{max} = 51 µmol·ml^{-1}/s^{-1} et K_m = 3,2 m*M*. L'inhibiteur (2) agit par compétition, avec K_I = 2,13 m*M*. L'inhibiteur (3) provoque une inhibition non compétitive, avec K_I = 4 m*M*.

5. a. La pente est donnée par $K_m{}^B / V_{max}(K_S{}^A$ / [A] + 1).
   b. Intersection avec l'axe des y = $(K_m{}^A)$/[A] + 1) $1/V_{max}$.
   c. Les coordonnées horizontales et verticales du point d'intersection sont : 1/[B] = $-K_m{}^A / K_S{}^A K_m{}^B$, et $1/v = 1/V_{max}$ $(1 - K_m{}^A / K_S{}^A)$.

6. En haut à gauche : (1) Inhibition compétitive (*I* est en compétition avec *S* pour la liaison à *E*). (2) *I* se lie et forme un complexe avec *S*.
   En haut à droite : (1) Inhibition non compétitive pure. (2) Réaction à deux substrats, de type séquentiel aléatoire, la liaison de A n'affecte pas celle de B, et réciproquement. Parmi

les autres possibilités : (3) Inhibition irréversible de E par I ; (4) graphe obtenu en portant $1/v$ en fonction de 1/[S] pour deux concentrations différentes de l'enzyme
En bas : (1) Inhibition non compétitive mixte. (2) Réaction à deux substrats, de type séquentiel ordonné.

7. Clancy doit boire 694 ml de vin, soit près d'une bouteille (750 ml).

Chapitre 15

1. a. Lorsque la concentration du produit de la réaction [P] augmente, la vitesse de sa formation semble diminuer car la réaction inverse $P \rightarrow S$ devient plus importante.
   b. La disponibilité du substrat et des cofacteurs
   c. Un changement de la concentration en enzyme, résultant de la synthèse ou de la dégradation de l'enzyme.
   d. Une modification covalente.
   e. Par régulation allostérique.
   f. Par des contrôles spécialisés, comme l'activation d'un zymogène ou des isozymes à activités catalytiques différentes.
2. Les enzymes protéolytiques pourraient dégrader les protéines des cellules qui les synthétisent. Leur synthèse sous forme de zymogène est une façon de retarder l'expression de leur activité jusqu'au moment et au lieu appropriés.
3. Courbes de l'activité d'un enzyme allostérique du système K de Monod, Wyman, Changeux:

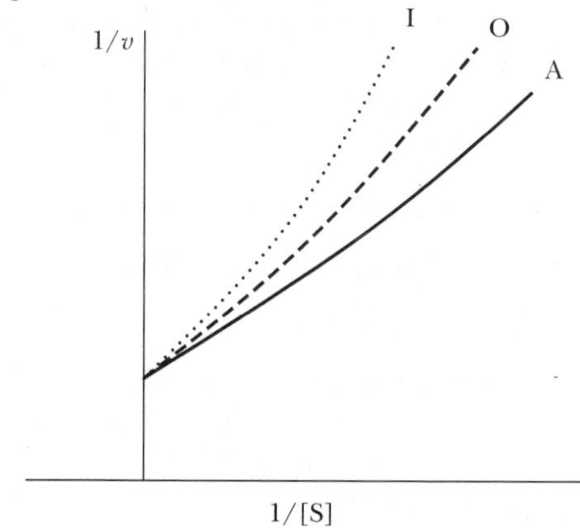

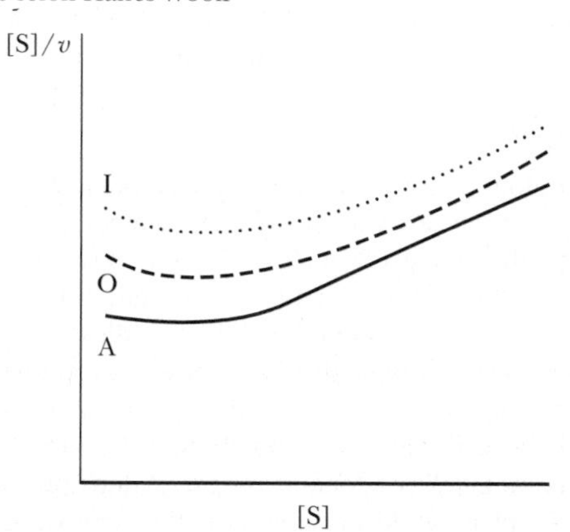

Courbes de l'activité d'un enzyme du système V:

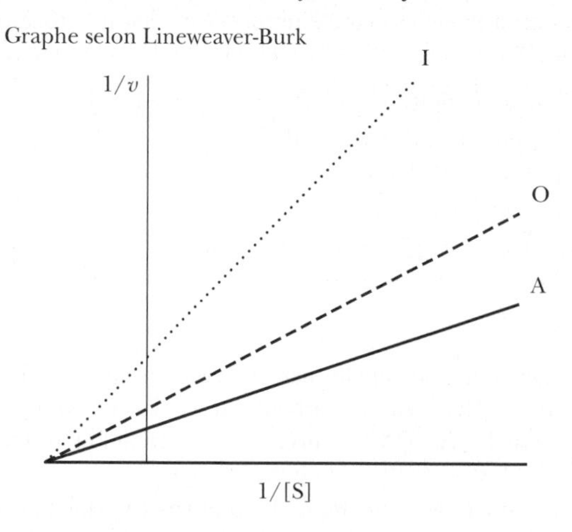

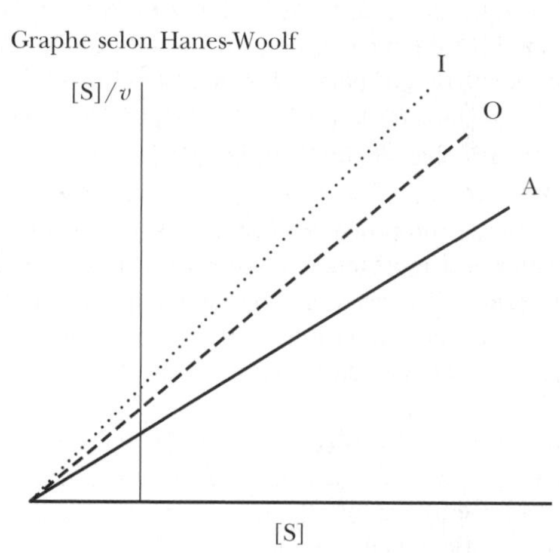

4. Si L_0 est très grand, c'est-à-dire si $T_0 \gg R_0$, l'activateur, A, aura un effet homotrope positif. Si L_0 est très petit et $R_0 \gg T_0$, l'inhibiteur I aura un effet homotrope positif.
5. Pour n = 2, 8, $Y_{poumons}$ = 0,98 et $Y_{capillaires}$ = 0,77.
   Pour n = 1,0, $Y_{poumons}$ = 0,79 et $Y_{capillaires}$ = 0,61.
   Donc avec n = 2,8 et P_{50} = 26 torrs, l'hémoglobine est pratiquement saturée par l'oxygène dans les poumons et la saturation tombe à 77 % dans les tissus au repos, une différence correspondant à 21 % de la saturation. Avec n = 1, et $P50$ = 26 torrs, l'hémoglobine ne serait saturée qu'à 79 % dans les poumons et à 61 % dans les tissus au repos, un changement de seulement 18 %. Cette différence dans la saturation de l'hémoglobine par l'oxygène pour des valeurs de n = 2,8 et n = 1,0 peut sembler faible, (21 – 18 = 3 % de saturation), mais remarquez que le potentiel de fourniture d'oxygène (98 % de saturation dans un cas, 79 % dans l'autre) devient crucial quand pO_2 baisse sous une valeur de 40 torrs dans les tissus où le métabolisme est très actif.
6. Une plus grande proportion de la glycogène phosphorylase sera sous le forme activée (glycogène phosphorylase *a*). Mais la caféine favorise la conformation T, moins active, de la glycogène phosphorylase
7. Les érythrocytes du sang stocké métabolisent le 2,3-BPG par la voie de la glycolyse, et [BPG] baisse au cours du temps. Si la concentration de BPG chute, l'hémoglobine liera l'oxygène, mais avec une affinité telle qu'elle ne pourra pas le libérer dans

les tissus (voir Figure 15.35). Un patient recevant du sang dépourvu de BPG peut se retrouver en état d'anoxie (suffocation).

8. a. Par définition, quand $[P_i] = K_{0,5}$, $v = 0,5\ V_{max}$
   b. En présence d'AMP, à $[P_i] = K_{0,5}$, $v = 0,85\ V_{max}$ (d'après la Figure 15.16 (c)).
   c. En présence d'ATP, à $[P_i] = K_{0,5}$, $v = 0,12\ V_{max}$ (d'après la Figure 15.16 (b)).

Chapitre 16

1. a. L'attaque nucléophile par un azote du noyau imidazole du résidu His^{57} sur le carbone du $-CH_2-$ du groupe chlorométhyle du TPCC, suivie de la formation d'une liaison covalente, inactive la chymotrypsine.
   b. Le TPCC est spécifique de la chymotrypsine car le noyau aromatique du résidu Phe se lie dans la poche de liaison du site actif de la chymotrypsine. Cela positionne le groupe chlorométhyl- qui peut réagir avec His^{57}.
   c. Le remplacement du résidu Phe du TPCC par de l'arginine ou de la lysine donne des réactifs qui sont spécifiques de la trypsine.
2. a. La structure proposée par Craik, et al., 1987 (*Science* **237** : 905-907) est représentée ci-dessous. (Si vous lisez l'article donné en référence, vous constaterez que les lettres A et B dans la légende de la Figure 3 de cet article correspondent aux lettres B et A de la figure ci-dessous.)

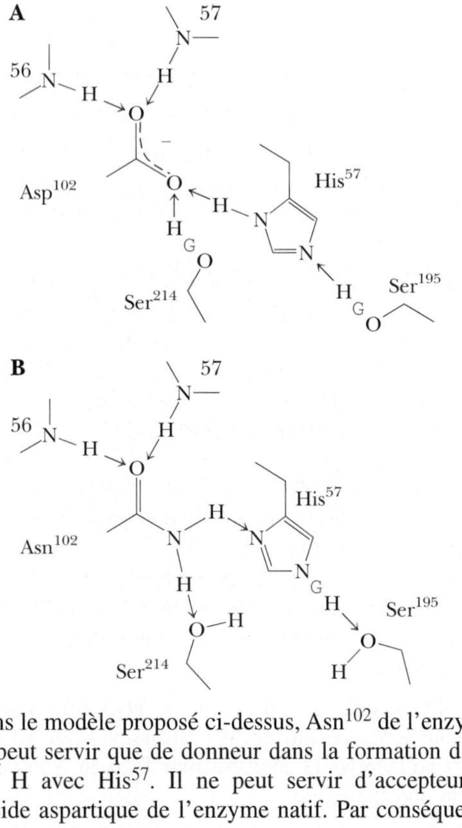

   b. Dans le modèle proposé ci-dessus, Asn^{102} de l'enzyme muté ne peut servir que de donneur dans la formation d'une liaison H avec His^{57}. Il ne peut servir d'accepteur comme l'acide aspartique de l'enzyme natif. Par conséquent, His^{57} n'est pas capable d'agir comme une base générale dans le transfert d'un proton provenant de Ser^{195}. Cela rend probablement compte de l'activité très réduite de la trypsine mutée.
3. a. L'explication classique pour les propriétés inhibitrices de la pepstatine est que le résidu central Sta (statine) mime la structure tétrahédrique du dihydrate d'amine de l'état de transition d'un bon substrat de la pepsine et de son groupe hydroxyle caractéristique.
   b. La pepsine et d'autres aspartate protéases clivent de préférence les chaînes peptidiques entre deux résidus hydrophobes, la protéase VIH-1 clive de préférence la liaison amide Tyr-Pro. Comme la pepstatine correspond plus particulièrement au profil d'un substrat de la pepsine, la pepstatine est *a priori* un meilleur inhibiteur de la pepsine que de la protéase VIH-1. En fait, si la pepstatine est un bien puissant inhibiteur de la pepsine, ($K_I < 1nM$), elle inhibe également, mais moins fortement, la protéase VIH-1 avec un K_I d'environ 1 μM.
4. En utilisant la dernière équation obtenue dans l'exercice suivant :
$$\frac{k_e}{k_u} = e^{(\Delta G_u^{\ddagger} - \Delta G_e^{\ddagger})/RT}$$
nous pouvons facilement montrer que la différence dans l'énergie d'activation entre les réactions d'hydrolyse du méthylphosphate, non catalysée et catalysée, $(\Delta G_u - \Delta G_c)$ est de 92 kJ/mol.
5. La trypsine catalyse la conversion du chymotrypsinogène en π-chymotrypsine, et la chymotrypsine elle-même catalyse la conversion de la π-chymotrypsine en α-chymotrypsine.
6. La vitesse de la réaction catalysée est donnée par :
$$v = k_e[ES] = k_e'[EX^{\ddagger}]$$
$$K_e^{\ddagger} = \frac{[EX^{\ddagger}]}{[ES]}$$
$$\Delta G_e^{\ddagger} = -RT \ln K_e^{\ddagger}$$
$$K_e^{\ddagger} = e^{-\Delta G_e^{\ddagger}/RT}$$
$$[EX^{\ddagger}] = K_e^{\ddagger}[ES] = e^{-\Delta G_e^{\ddagger}/RT}[ES]$$
Si $\quad k_e[ES] = k_e' e^{-\Delta G_e^{\ddagger}/RT}[ES]$

ou $\quad k_e = k_e' e^{-\Delta G_e^{\ddagger}/RT}$

De même pour la réaction non catalysée :
$$k_u = k_u' e^{-\Delta G_u^{\ddagger}/RT}$$
En admettant que $\quad k_u' \cong k_e'$

Alors $\quad \dfrac{k_e}{k_u} = e^{-\Delta G_e^{\ddagger}/RT} \backslash e^{-\Delta G_u^{\ddagger}/RT}$
$$\frac{k_e}{k_u} = e^{(\Delta G_u^{\ddagger} - \Delta G_e^{\ddagger})/RT}$$

Chapitre 17

1. L'antilope à cornes fourches est réellement un animal remarquable avec des caractéristiques anatomiques et moléculaires particulièrement évoluées. Citons une trachée largement ouverte (afin d'inhaler plus d'oxygène à la fois, et d'exhaler plus de CO_2), des poumons trois fois plus développés que chez les animaux comparables (la chèvre) avec une surface alvéolaire cinq fois plus grande afin que la diffusion de l'oxygène dans les capillaires soit plus rapide. Le sang contient un plus grand nombre de globules rouges et donc plus d'hémoglobine. Le squelette et le muscle cardiaque sont de même adaptés à

la course rapide et à l'endurance. Le cœur est trois fois plus volumineux que celui des animaux comparables et pompe un volume de sang proportionnellement plus grand à chaque contraction. Les muscles contiennent un plus grand nombre de mitochondries productrices d'énergie et les fibres musculaires sont plus courtes permettant des contractions plus rapides. Toutes ces caractéristiques font que la vitesse de l'antilope à cornes fourchues est presque deux fois plus élevée que celle des chevaux de course et que cette vitesse peut être maintenue pendant environ une heure.

2. Consultez la Figure 17.23, étape 5, pendant laquelle la conformation de la tête de la myosine change ; c'est l'étape qui exige l'hydrolyse de l'ATP, elle sera donc inhibée par le β,γ-méthylène-ATP qui n'est pas hydrolysable.

3. La phosphocréatine est synthétisée à partir de la créatine (réaction catalysée par la créatine kinase) essentiellement dans les mitochondries des muscles (où l'ATP est généré) puis est transportée dans le sarcoplasme où elle peut agir comme une réserve d'ATP. La réaction catalysée par la créatine kinase sarcoplasmique produit de la créatine qui sera transportée dans la mitochondrie. Comme beaucoup d'autres protéines mitochondriales, la créatine kinase mitochondriale est codée par l'ADN de la mitochondrie alors que la créatine kinase sarcoplasmique est codée par l'ADN nucléaire.

4. Remarquez, Figure 17.23, étape 4, que l'ATP stimule la dissociation des têtes de la myosine des filaments d'actine. Lorsque la concentration de l'ATP décline (ce qui se fait rapidement après la mort), la plus grande partie des têtes de myosine ne peuvent plus se dissocier de l'actine, la relaxation musculaire ne peut avoir lieu, c'est l'origine de la rigidité cadavérique.

5. La surface transversale totale des muscles du squelette chez les humains est d'environ 55.000 cm^2. Celle du grand fessier représente environ 300 cm^2. En admettant une tension maximale de 4 kg par cm^2, le grand fessier peut générer une tension de 1.200 kg (valeur cité dans l'exercice). Le même calcul montre que la tension totale développée par tous les muscles du squelette d'un corps est de 22.000 kg, 20 tonnes !

Chapitre 18

1. $6{,}5 \times 10^{12}$ (6.500 milliards) d'êtres humains.
2. Consultez le Tableau 18.2.
3. O_2, H_2O, et CO_2.
4. Voir Section 18.2.
5. Consultez la Figure 18.6.
6. Voir *Pourquoi les séquences métaboliques comportent-t-elles de si nombreuses étapes*, p. 552
7. Consultez : *Les voies de l'anabolisme et du catabolisme qui dégradent ou synthétisent une même molécule sont très différentes*, p. 576. Voir également Figure 18.8.
8. Voir : *Le cycle de l'ATP*, p. 577 ; *Le NAD^+ accepte les électrons libérés lors du catabolisme*, p. 577 ; et : *Le NADPH fournit le pouvoir réducteur nécessaire aux processus métaboliques*, p. 578.
9. La vitesse de la réponse aux divers modes de régulation est : régulation allostérique > modification covalente > synthèse ou dégradation de l'enzyme.
10. Voir : *Compartimentation des voies métaboliques dans les cellules*, p. 582.
11. Quand [ATP] / [ADP] = 10 et P_i = 1 mM, le potentiel de phosphorylation (G) = 10.000 M^{-1}, et ΔG d'hydrolyse de l'ATP = –53,3 kJ/mol.
12. Un grand nombre de mutations dans les α-cétoacide déshydrogénases mitochondriales du métabolisme des acides aminés ramifiés ont été identifiées chez les patients atteints de leucinose. Certaines de ces mutations produisent des α-cétoacide déshydrogénases ayant une faible activité enzymatique mais d'autres mutations semblent diminuer la durée de demi-vie des enzymes qui sont dégradés beaucoup plus rapidement dans la cellule que les enzymes normaux. Pour cette raison, même si la cétoacide déshydrogénase conserve une activité normale, chaque cellule contenant moins de molécules d'enzymes l'activité enzymatique totale est plus faible. Les recherches de Louis Elsas à l'Université Emory ont abouti à montrer que la thiamine pyrophosphate stabilise une conformation plus résistante à la dégradation. La traitement de certains patients, atteints de leucinose, par des doses quotidiennes de 100 à 500 mg de thiamine accroît la durée biologique de demi-vie des molécules et donc accroît l'activité totale α-cétoacide déshydrogénase dans les mitochondries.

Chapitre 19

1. a. Les réactions catalysées par les enzymes suivants : phosphoglucose isomérase, fructose bisphosphate aldolase, glycéraldéhyde-3-phosphate déshydrogénase, phosphoglycérate mutase, énolase.
   b. Hexokinase/glucokinase, phosphofructokinase, phosphoglycérate kinase, pyruvate kinase, lactate déshydrogénase.
   c. Hexokinase et phosphofructokinase.
   d. Phosphoglycérate kinase et pyruvate kinase.
   e. D'après l'Équation (3.12), les réactions dans lesquelles le nombre des substrats est différent de celui des produits sont très influencées par les concentrations. Ces réactions sont extrêmement sensibles aux variations de concentration. En utilisant ce critère, nous pouvons prédire à partir du Tableau 19.1 que les variations d'énergie libre des réactions catalysées par la fructose bisphosphate aldolase et par la glycéraldéhyde-3-P déshydrogénase seront fortement influencées par des modifications dans les concentrations.
   f. Les réactions dont le ΔG est proche de zéro sont à l'équilibre, ou très proches de l'équilibre (voir Tableau 19.1 et figure 19.31).
2. Le carbone carboxylique du pyruvate provient des atomes de carbone 3 et 4 du glucose. Le carbone cétonique provient des atomes de carbone 2 et 5. Le carbone méthylique provient des atomes de carbone 1 et 6 du glucose.
3. L'accroissement de la concentration de l'ATP ou du citrate inhibe la glycolyse. L'accroissement de la concentration de l'AMP, du fructose-1,6-bisphosphate, du fructose-2,6-bisphosphate, ou du glucose-6-P stimule la glycolyse.

4. Les mécanismes réactionnels de la fructose bisphosphate aldolase et de la glycéraldéhyde-3-P déshydrogénase sont respectivement présentés Figures 19.13 et 19.18.

5. Les réactions propres au métabolisme du galactose sont présentées Figure 19.33.

6. Le résidu Cys du site actif de la glycéraldéhyde-3-P sera alkylé ; ce résidu est nécessaire à l'activité de l'enzyme qui est irréversiblement inhibé par l'acide iodoacétique.

7. En omettant la possibilité d'une incorporation du ^{32}P dans l'ATP, la seule réaction de la glycolyse qui utilise P_i est celle catalysée par la glycéraldéhyde-3-P qui convertit le glycéraldéhyde-3-P en 1,3-bisphosphoglycérate. Le marqueur est perdu à la réaction suivante, aucun autre intermédiaire de la glycolyse ne sera directement marqué. (Lorsque le ^{32}P aura été incorporé dans l'ATP, il réapparaîtra dans le glucose-6-P, le fructose-6-P, et le fructose-1,6-bisphosphate.)

8. La réaction catalysée par la saccharose phosphorylase produit directement du glucose-6-P, en court-circuitant l'étape de l'hexokinase. La production directe de glucose-6-P a l'avantage évident d'économiser une molécule d'ATP.

9. Toutes les kinases impliquées dans la glycolyse, ainsi que l'énolase, sont activées par Mg^{2+}. Une déficience en Mg^{2+} peut donc réduire l'activité des ces enzymes. Cependant la déficience en Mg^{2+} a d'autres effets sur l'organisme, encore plus graves.

10. a. 0,133.
    b. 0,0266 m*M*.

11. +1,08 kJ/mol.

12. a. –13,8 kJ/mol.
    b. K_{eq} = 194.850.
    c. [Pyr] / [PEP] = 24.356.

13. a. –13,8 kJ/mol.
    b. K_{eq} = 211.
    c. [FBP] / [F6P] = 528.

14. a. –19,1 kJ/mol.
    b. K_{eq} = 1651.
    c. [ATP] / [ADP] = 13,8.

Chapitre 20

1. Le glutamate entre dans le cycle des acides tricarboxyliques après une transamination qui produit de l'α-cétoglutarate. Le carbone γ d'un glutamate qui entre ainsi dans le cycle de Krebs est équivalent au carbone méthylique d'un acétate entrant (apporté par un acétyl-CoA). Donc la radioactivité provenant d'un marquage du carbone γ ne sera pas perdue à l'issue du premier ni du deuxième cycle, mais 50 % de ce marquage sera perdu à l'issue de chacun des cycles suivants (Figure 20.21).

2. a. Le NAD^+ active la pyruvate déshydrogénase et l'isocitrate déshydrogénase, un accroissement de sa concentration augmentera donc l'activité du cycle de Krebs. Si cet accroissement de NAD^+ s'effectue au détriment du NADH, la baisse de la concentration en NADH activera également le cycle en stimulant la citrate synthase et l'α-cétoglutarate déshydrogénase. L'ATP inhibe la pyruvate déshydrogénase, la citrate synthase et l'isocitrate déshydrogénase ; la réduction de la concentration en ATP activera donc le cycle. L'isocitrate n'est pas un régulateur du cycle, mais l'augmentation de sa concentration mimera l'effet d'un accroissement du flux de l'acétate à travers le cycle et donc augmentera l'activité globale du cycle.

3. Pour la plupart des enzymes régulés par phosphorylation, la formation d'une liaison phosphoryle covalente sur un site distant induit un changement de conformation du site actif qui active ou inhibe l'activité catalytique de l'enzyme. Cependant, les études radiocristallographiques révèlent que la forme phosphorylée et la forme non phosphorylée de l'isocitrate déshydrogénase ont des structures identiques, à l'exception d'un faible changement de conformation de Ser^{113} site de la phosphorylation (changement très probablement sans conséquences). La phosphorylation empêche la fixation de l'isocitrate (sans modifier l'affinité pour $NADP^+$). Comme le montre la Figure 2 de l'article de Barford, cité dans l'exercice, le groupe g-carboxyle d'un isocitrate lié à l'enzyme forme une liaison H avec l'hydroxyle de Ser^{113}. La phosphorylation empêche donc la fixation de l'isocitrate en prévenant la formation d'une liaison H critique entre l'enzyme et le substrat, mais également par une répulsion électrostatique ainsi que par encombrement stérique.

4.

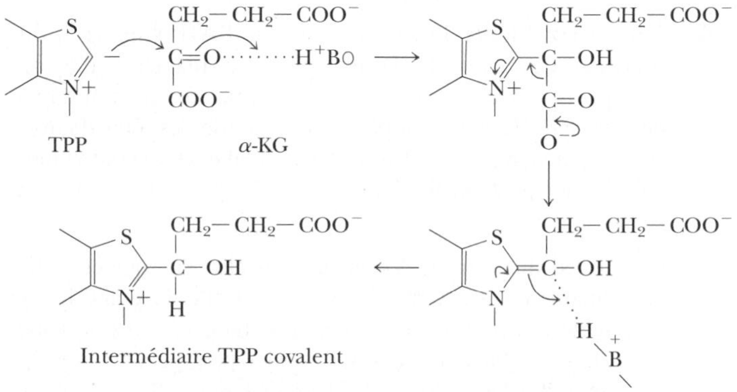

$CH_2-CH_2-COO^-$ / C=O ····· H^+BO / COO^- → $CH_2-CH_2-COO^-$ / C–OH / C=O / O$^-$ → $CH_2-CH_2-COO^-$ / C–OH / H+ B → $CH_2-CH_2-COO^-$ / C–OH / H

TPP

α-KG

Intermédiaire TPP covalent

5. L'aconitase est inhibée par le fluorocitrate, le produit de l'action de la citrate synthase sur le fluoroacétate. Dans un tissu, sous l'effet du fluoroacétate la concentration de tous les métabolites du cycle de Krebs est réduite. Le fluorocitrate remplace le citrate et la concentration de l'isocitrate et de tous les autres métabolites suivants est réduite par suite de l'inhibition de l'aconitase.

6. Le $FADH_2$ est incolore alors que le FAD est jaune, avec une absorbance maximale à 450 nm. Il est donc possible de suivre facilement l'activité de la succinate déshydrogénase en mesurant, à l'aide d'un spectrophotomètre, la diminution de l'absorption de la lumière dans une solution contenant l'enzyme flavinique et le substrat.

7. La réaction catalysée par l'aconitase réduit le carbone central du citrate (C-3) et oxyde un carbone adjacent. L'isocitrate déshydrogénase oxyde évidemment l'hydroxyle. Dans la réaction catalysée par l'α-cétoglutarate déshydrogénase, le carbone du CO_2 partant et celui qui lui est adjacent sont tous deux oxydés. Les deux atomes de carbone des $-CH_2-$ sont oxydés par la succinate déshydrogénase. Donc, à l'exception du citrate, toutes ces molécules sont oxydées dans cette partie du cycle de l'acide citrique.

8. Parmi les analogues de métabolites du cycle de Krebs, citons le malonate, un analogue du succinate, et le 3-nitro-2-S-hydroxypropionate, dont le carbanion est un analogue de l'état de transition de la réaction catalysée par la fumarase.

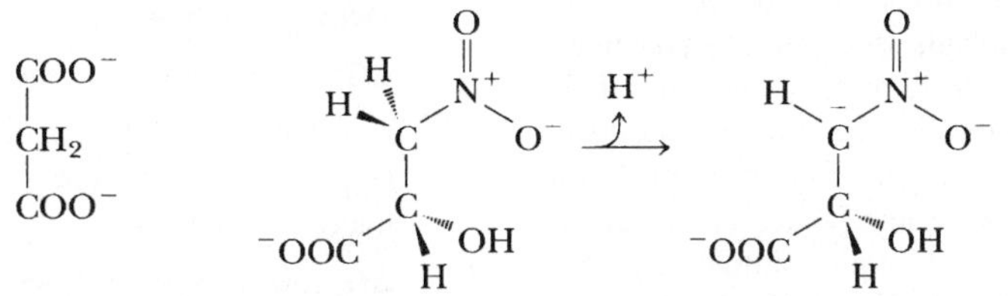

Malonate (analogue du succinate) — 3-Nitro-2-S hydroxypropionate — Analogue de l'état de transition de la réaction catalysée par la fumarase

9.

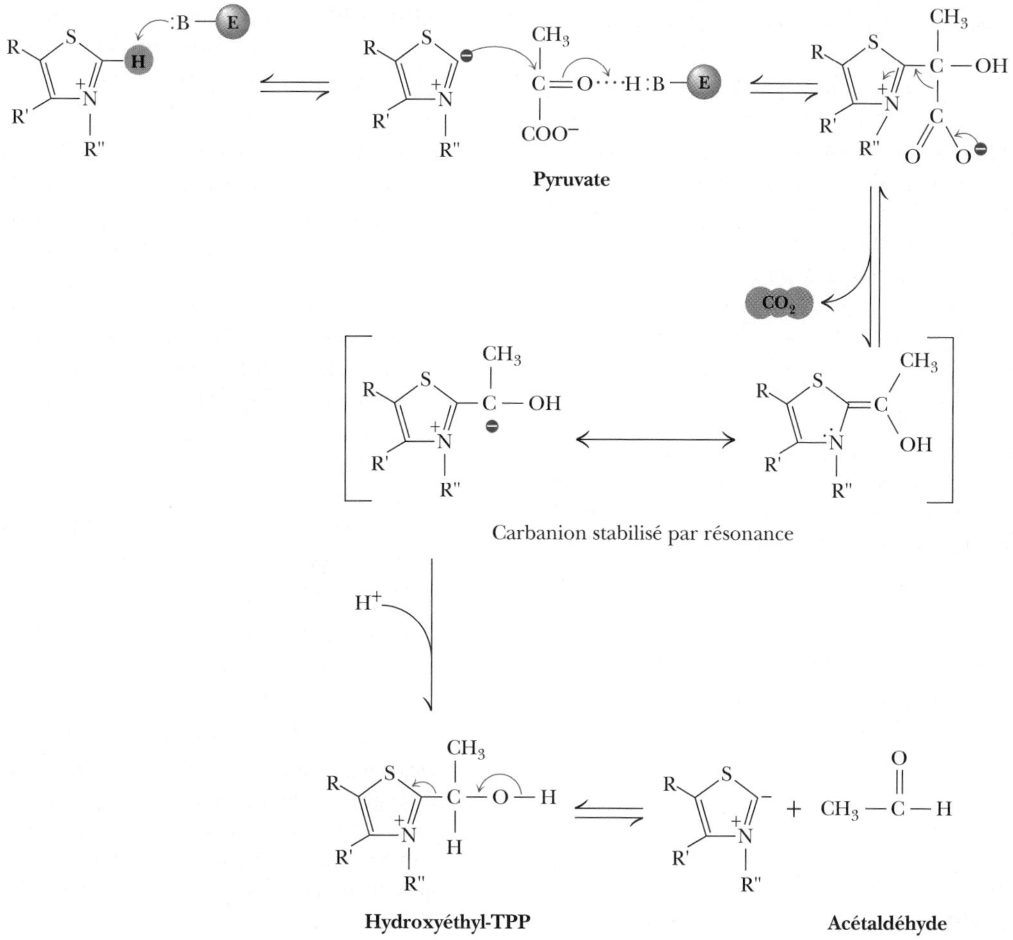

Pyruvate

Carbanion stabilisé par résonance

Hydroxyéthyl-TPP — **Acétaldéhyde**

10. [isocitrate] / [citrate] = 0,1. Quand [isocitrate] = 0,03 m*M*, [citrate] = 0,3 m*M*.

Chapitre 21

1. Le couple rédox accepteur d'électrons est celui du cytochrome et le couple donneur est le couple FAD/$FADH_2$ (lié à l'enzyme) car le couple du cytochrome a un plus haut (plus positif) potentiel de réduction.

$$\Delta\mathscr{E}_0' = 0{,}254 \text{ V} - 0{,}02 \text{ V*}$$

* Ceci est une valeur typique pour les enzymes à FAD lié.

$$\Delta G - n\mathscr{F}\Delta\mathscr{E}_0' = -43{,}4 \text{ kJ/mol.}$$

2 $\Delta\mathscr{E}_0' = -0{,}03$ V ; $\Delta G = +5.790$ J/mol

3. Cette situation est analogue à celle décrite Section 3.3. Le résultat net de la réduction de NAD^+ est la consommation d'un proton. L'effet pour le calcul de la variation de l'énergie libre est semblable à celui décrit par l'Équation (3.22). En ajoutant le terme approprié à l'Équation (21.13), nous avons)

$$\mathscr{E} = \mathscr{E}_0' - RT \ln [H^+] + (RT/n\mathscr{F}) \ln ([ox]/[red])$$

4. Le cyanure agit principalement en se liant au cytochrome a_3, et la concentration du cytochrome a_3 dans l'organisme est bien plus faible que celle de l'hémoglobine. Le nitrite est un bon antidote dans l'empoisonnement par le cyanure car il a la capacité d'oxyder la ferrohémoglobine en ferrihémoglobine, une forme d'hémoglobine qui est en compétition très efficace avec le cytochrome a_3 pour le cyanure. La quantité de ferrohémoglobine nécessaire pour neutraliser une dose de cyanure qui serait létale est faible en comparaison avec la quantité totale d'hémoglobine dans l'organisme. Ainsi, bien qu'une petite quantité d'hémoglobine soit sacrifiée pour neutraliser (bloquer)

une dose de cyanure qui serait létale, le transport de l'oxygène n'en est guère affecté.

5. Vous devriez dissuader le riche investisseur d'apporter son concours financier. Les découplants peuvent effectivement contribuer à une forte réduction de la masse pondérale, mais ils peuvent être mortels. Le dinitrophénol a bien été commercialisé pendant quelque temps pour « faire maigrir », mais il a été retiré de la vente quand on s'est aperçu des effets secondaires mortels de cette « thérapie ». Il est plus simple de perdre du poids en s'assurant que la quantité des calories ingérées est inférieure à celle nécessaire au métabolisme énergétique pour couvrir ses besoins (environ 17.000 kJ, soit 4.000 calories). Une personne qui métabolise environ 2.000 kJ (près de 500 calories) de plus que ce qu'elle consomme par jour perd environ 500 g en huit jours.
6. Les calculs effectués Section 21.8 supposent les mêmes conditions que celles de cet exercice (gradient d'une unité de pH à travers la membrane et une différence de potentiel électrique de 0,18 V). Le transport d'une mole de H^+ à travers cette membrane génère une énergie de 23,3 kJ, soit 69,9 kJ pour trois moles de H^+. Donc, avec l'Equation (3.12), nous avons :

   69.900 J/mol = 30.500 J/mol + RT ln ([ATP]/[ADP] [P_i])
   39.400 J/mol = RT ln ([ATP]/[ADP] [P_i]
   [ATP]/[ADP] [Pi] = 4,36 $\times$ 10^6 à 37 °C.

   En l'absence d'un gradient de protons, ce même rapport est égal à 7,25 $\times$ 10^{-6} à l'équilibre !
7. Le couple rédox succinate/fumarate a le plus haut potentiel de réduction (le plus positif) de tous les couples de la glycolyse et du cycle de Krebs. L'oxydation du succinate par NAD^+ serait d'un point de vue thermodynamique très défavorable. Oxydation du succinate par NAD^+ :

   $$\Delta\mathscr{E}_0' = -0{,}35 \text{ V} ; \Delta G°' = 67.500 \text{ J/mol}$$

   Par contre, l'oxydation du succinate par [FAD] est aisée : $\Delta\mathscr{E}_0' \approx 0$, $\Delta G°' \approx 0$, la valeur précise dépend du potentiel de réduction exact du FAD lié.
8. a. –73,3 kJ/mol.
   b. $K_{eq} = 7{,}1 \times 10^{12}$.
   c. [ATP] / [ADP] = 19,7.
9. a. –151,5 kJ/mol.
   b. $K_{eq} = 3{,}54 \times 10^{26}$.
   c. [ATP] / [ADP] = 8,8.
10. a. –219 kJ/mol.
    b. $K_{eq} = 2{,}63 \times 10^{38}$.
    c. [ATP] / [ADP] = 54,4.
11. a. –217 kJ/mol.
    b. $K_{eq} = 1{,}08 \times 10^{38}$.
    c. [ATP] / [ADP] = 3479.
12. a. –26 kJ/mol.
    b. $K_{eq} = 3{,}68 \times 10^4$.
    c. [NAD^+] / [NADH] = 1,25.
13. a. $K_{eq} = 4{,}8 \times 10^3$.
    b. + 48 kJ/mol.
    c. [ATP] / [ADP] = 2,3.

Chapitre 22

1. L'efficacité = $\Delta G°'$ / énergie lumineuse captée = $n\mathscr{F}\Delta\mathscr{E}_0'/(Nhc/\lambda) = 0{,}564$
2. $\Delta G°' = = n\mathscr{F}\Delta\mathscr{E}_0'$, donc $\Delta G°'/n\mathscr{F} = \Delta\mathscr{E}_0'$.
   $n = 4$ pour $2H_2O \longrightarrow 4e^- + 4H^+ + O_2$. $\Delta\mathscr{E}_0' = 0{,}0648$ V = ($\mathscr{E}_0'$ (oxydant primaire) – $\mathscr{E}_0'(1/2\ O_2 / H_2O)$). $\mathscr{E}_0'$ (oxydant primaire) = +0,88 V.
3. ΔG pour la synthèse de l'ATP est alors égal à 50.336 J/mol. $\Delta\mathscr{E}_0' = 0{,}26$ V.
4. La radioactivité se retrouvera dans le C-1 du 3-phosphoglycérate ; les C-3 et C-4 du glucose ; les C-1 et C-4 de l'érythrose-4-P ; les C-3, C-4 et C-5 du sédoheptulose-1,7-BP ; et les C-1, C-2, et C-3 du ribose-5-P.
5. $CO_2 + 3\ H_2O + 2\ NADPH + 2\ H^+ + 2\ ATP + RuBP \longrightarrow$ glucose + 2 $NADP^+$ + 2 ADP + 2 P_i.
6. Efficacité de la photophosphorylation non cyclique = 2 *hv*/ATP ; efficacité de la photophosphorylation cyclique = 1,5 *hv*/ATP.
7. La lumière induit trois effets dans les chloroplastes : (1) élévation du pH dans le stroma ; (2) génération d'un pouvoir réducteur (sous forme de ferrédoxine) ; (3) une sortie du Mg^{2+} de la lumière des thylacoïdes. Les enzymes clés de la fixation du CO_2 par la voie de Calvin-Benson sont activés par un ou plusieurs de ces effets. En plus, la rubisco activase est indirectement activée par la lumière et l'enzyme active ensuite la rubisco.
8. Considérons individuellement les réactions qui impliquent des molécules d'eau :
   1. Synthèse de l'ATP :
   $$18\ ADP + 18\ P_i \longrightarrow 18\ ATP + 18\ H_2O$$
   2. Réduction du NADP et photolyse de l'eau :
   $$12\ H_2O + 12\ NADP^+ \longrightarrow 12\ NADPH + 12\ H^+ + 6\ O_2$$
   3. Réaction globale de la synthèse d'un hexose :
   $$6\ CO_2 + 12\ NADPH + 12\ H^+ + 18\ ATP + 12\ H_2O \longrightarrow \text{glucose} + 12\ NADP^+ + 6\ O_2 + 18\ ADP + 18\ P_i$$
   Bilan : $6\ CO_2 + 6\ H_2O \longrightarrow \text{glucose} + 6\ O_2$

   Des douze molécules d'eau consommées dans la production de l'oxygène (réaction 2), et des douze molécules d'eau consommées par les réactions du cycle de Calvin-Benson (réactions 3), 18 sont régénérées par la libération de molécules d'eau lors de la formation des liaisons anhydrides dans la réaction 1.

Chapitre 23

1. Les réactions qui contribuent à l'équation de la page 748, correspondant à la conversion du pyruvate en glucose par la voie de la néoglucogénèse, sont les suivantes :
   $$2\ \text{Pyruvate} + 2\ H^+ + 2\ H_2O \longrightarrow \text{glucose} + O_2$$
   $$2\ NADH + 2\ H^+ + O_2 \longrightarrow 2\ NAD^+ + 2\ H_2O$$
   $$4\ ATP + 4\ H_2O \longrightarrow 4\ ADP + 4\ P_i$$
   $$2\ GTP + 2\ H_2O \longrightarrow 2\ GDP + 2\ P_i$$
   La somme de ces 4 réactions donne l'équation de la page 748.
2. Cet exercice implique essentiellement l'examen des trois étapes spécifiques à la néoglucogénèse. La conversion du PEP en pyruvate (Chapitre 19) a un $\Delta G°'$ de –31,7 kJ/mol. Pour la conversion du pyruvate en PEP, il nous faut donc ajouter la conversion du GTP en GDP (équivalente à celle de l'ATP en ADP) dans la réaction inverse. Donc :

Pyruvate $\longrightarrow$ PEP : $\Delta G^{\circ\prime}$ = +31,7 kJ/mol – 30,5 kJ/mol = 1,2 kJ/mol

Utilisant l'Équation (3.12) nous aurons :

ΔG = 1,2 kJ/mol + RT ln ([PEP] [ADP]^2 / [P_i] [Pyruvate] [ATP]^2)

ΔG (dans les érythrocytes) = –14,1 kJ/mol

Dans le cas de la réaction catalysée par la fructose-1,6-bisphosphatase,

$\Delta G^{\circ\prime}$ = –16, 3 kJ/mol (voir Équation [19.6])

ΔG = –16, 3 kJ/mol + RT ln ([F6P] / [F1,6P])

ΔG (dans les érythrocytes) = –18,3 kJ/mol

Pour la réaction catalysée par la glucose-6-phosphatase,

$\Delta G^{\circ\prime}$ = –13,8 kJ/mol (voir Tableau 3.3)

ΔG = –13,8 kJ/mol + RT ln ([Glu] / [G6P]) = 3,2 kJ/mol.

À partir de ces valeurs de ΔG, et de celles données Tableau 19.1, ΔG de la néoglucogénèse dans les érythrocytes = –35,6 kJ/mol.

3. L'inhibition par le fructose-2,6-bisphosphate 25 μM est voisine de 94 % en présence de fructose-1,6-bisphosphate 25 μM, et d'environ 44 % en présence de fructose-1,6-bisphosphate 100 μM.
4. L'hydrolyse de l'UDP-glucose en UDP et glucose est caractérisée par un ΔG° de –31,9 kJ/mol. C'est plus que suffisant pour couvrir le coût énergétique de la formation d'une liaison osidique dans une molécule de glycogène. La valeur de $\Delta G^{\circ\prime}$ pour la réaction catalysée par la glycogène synthase est de –13,3 kJ/mol.
5. D'après le Tableau 243.1, une personne de 70 kg dispose de 1.920 kJ de glycogène musculaire. Sans connaître la quantité de glycogène présente dans les muscles à contraction rapide, nous pouvons simplement utiliser les valeurs données dans l'encart de la page 759. Les graphes de cette page montrent que les réserves de glycogène sont épuisées après 60 min d'exercice musculaire intense. En faisant abstraction de la courbure du tracé, une énergie de 1.920 kJ est consommée en 60 min, soit 533 J/s.
6. Le C-6 du glucose devient le C-5 du ribose pour les cinq molécules de glucose passant par les interconversions de la voie des pentoses-phosphates Figure 23.38. Le C-3 du glucose devient le C-3 d'une molécule de ribose, le C-2 de deux molécules de ribose et le C-1 dans les deux autres molécules de ribose. Le C-1 du glucose devient le C-5 d'une sixième molécule de ribose et le C-1 de quatre molécules de ribose.
7. Trois molécules de glucose sont exigées pour un passage selon le la voie de la Figure 23.40. Le C-2 de l'une des molécules de glucose devient le C-3 d'un pyruvate et le C-4 de la même molécule de glucose devient le C-1 d'une autre molécule de pyruvate. Pour un autre glucose passant par cette voie, le C-2 devient le C-3 d'un pyruvate et le C-4 devient le C-1 d'un autre pyruvate. Enfin, pour la troisième molécule de glucose passant par cette voie, le C-2 et le C-4 deviennent des C-1 de molécules de pyruvate.
8. Bien qu'il existe d'autres possibilités d'inhibition, les enzymes dont le mécanisme réactionnel implique la formation d'une base de Schiff intermédiaire avec le résidu Lys du site actif sont plus spécifiquement inhibés par le borohydrure de sodium (Voir l'encart page 622). La réaction catalysée par la transaldolase dans la voie des pentoses phosphates implique ce type d'intermédiaire dans le site actif, elle est donc susceptible d'être inhibée par le borohydrure de sodium.
9. Les molécules de glycogène n'ont aucune extrémité réductrice libre, quelle que soit la taille de la molécule. S'il y a un branchement tous les huitièmes résidus et si un branchement contient huit résidus (soit 16 par point d'embranchement, une molécule de glycogène de 8.000 résidus aura environ 500 extrémités. Si les branchements ont lieu tous les douzièmes résidus, une molécule de glycogène à 8.000 résidus contiendra 334 extrémités.
10. a) L'augmentation de la concentration du F-1,6-BP activera la pyruvate kinase, effet stimulant la glycolyse. (b) L'augmentation de la concentration du glucose sanguin freine la néoglucogénèse et stimule la synthèse du glycogène. (c) L'accroissement de la concentration de l'insuline dans le sang inhibe la néoglucogénèse et stimule la synthèse du glycogène. (d) L'accroissement de la concentration du glucagon dans le sang inhibe la synthèse du glycogène et stimule la dégradation du glycogène. (e) Comme l'ATP inhibe à la fois la phosphofructokinase et la pyruvate kinase, et comme son niveau reflète le statut énergétique de la cellule, la baisse de la concentration de l'ATP dans les tissus aura pour conséquence la stimulation de la glycolyse. (f) L'augmentation de la concentration de l'AMP aura le même effet que la baisse de celle de l'ATP : stimulation de la glycolyse et inhibition de la néoglucogénèse. (g) Le fructose-6-P n'est pas une molécule régulatrice, la baisse de sa concentration ne devrait affecter notablement ni la glycolyse, ni la néoglucogénèse (en faisant abstraction de la baisse de [G6P] en conséquence de la baisse de [F6P]).
11. À 298K, en supposant que les concentrations des molécules de glycogène de différentes longueurs sont égales, la concentration du glucose-1-P serait d'environ 3,5 mM.
12. Ces quatre réactions commencent par la formation de la N-carboxybiotine :

$$ATP + HCO_3^- \xrightleftharpoons{ADP} {}^-O-\overset{O}{\overset{\|}{C}}-O-\overset{O}{\overset{\|}{P}}-O^- \xrightarrow{P_i} {}^-O-C(=O)-N\text{(biotine)}$$

Réaction de carboxylation du β-méthylcrotonyl-CoA :

$$\mathrm{B:}\ \ \mathrm{H{-}H_2C(H_3C)C{=}CH{-}C({=}O){-}SCoA}$$

$$\mathrm{H_2C{=}C(H_3C){-}\bar{C}H{-}C({=}O){-}SCoA} + \text{carboxybiotine} \longrightarrow {}^{-}\mathrm{OOC{-}CH_2{-}C(CH_3){=}CH{-}C({=}O){-}SCoA}$$

Carboxylation du géranyl-CoA et de l'urée :

$$\mathrm{H_2N{-}C({=}O){-}NH_2} + \text{carboxybiotine} \longrightarrow {}^{-}\mathrm{OOC{-}NH{-}C({=}O){-}NH_2}$$

Le mécanisme d'une réaction de transcarboxylation est une combinaison du mécanisme de la réaction catalysée par la pyruvate carboxylase (Figure 23.4 du texte) et de l'inverse de la réaction catalysée par la propionyl-CoA carboxylase.

13.

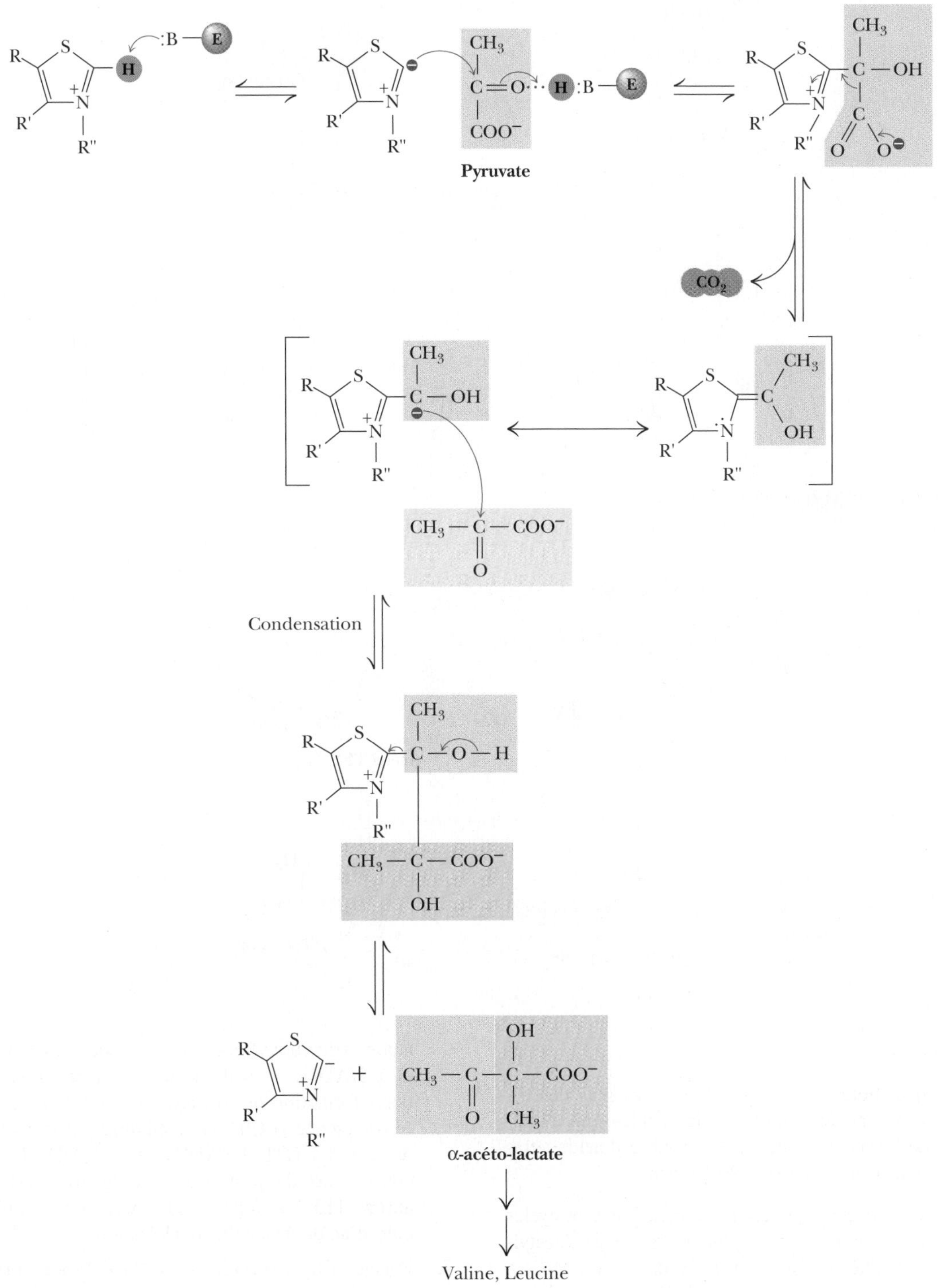

Pyruvate

CO_2

Condensation

α-acéto-lactate

Valine, Leucine

Mécanisme de la réaction catalysée par l'acéto-lactate synthase :

Mécanisme de la réaction catalysée par la phosphocétolase

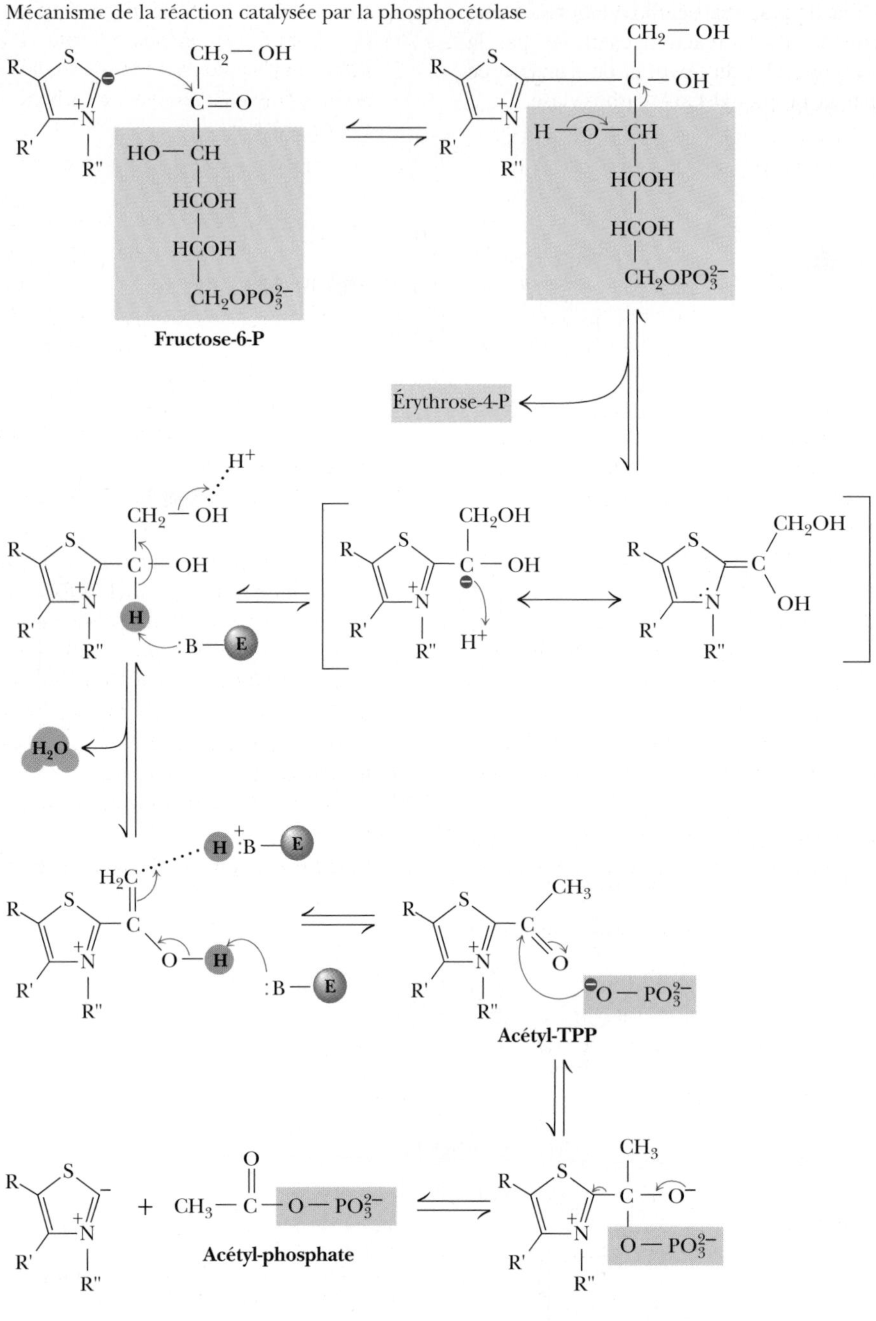

Fructose-6-P

Érythrose-4-P

H_2O

Acétyl-TPP

Acétyl-phosphate

Chapitre 24

1. En supposant que toutes les chaînes des acides gras des triglycérides sont de l'acide palmitique, les acides gras représentent 95 % de la masse totale. Cette quantité d'acides gras produira après oxydation environ 120 l d'eau.

2. L'acide 11-cis-heptadécènoïque est métabolisé par sept cycles de β-oxydation, il se forme un propionyl-CoA et de l'acétyl-CoA. Dans le cinquième cycle de β-oxydation l'acyl-CoA déshydrogénase n'intervient pas car la double liaison cis est déjà présente à la bonne position. Donc la β-oxydation a produit 7 NADH (= 17,5 ATP), 6 $FADH_2$ (= 9 ATP) et 7 acétyl-CoA (= 70 ATP), soit au total l'équivalent de 96,5 ATP. Le propionyl-CoA est converti en succinyl-CoA (avec utilisation d'1 ATP), qui sera oxydé en oxalo-acétate dans le cycle des acides tricarboxyliques (avec production d'1 GTP, 1 $FADH_2$ et 1 NADH). L'oxalo-acétate peut être converti en pyruvate (sans formation ni utilisation nette d'ATP) et le pyruvate sera oxydé en acétyl-CoA et métabolisé par le cycle de Krebs (production d'1 GTP, 1 $FADH_2$, et 4 NADH). Le bilan net de ces conversions du propionate est de 16,5 ATP. Au total, nous aurons 113 ATP à partir de l'oxydation complète d'une molécule d'acide 11-cis-heptadécènoïque.

3. Puisque l'hydroxylation et la β-oxydation normale ne sont pas possibles, il faut envisager une α-hydroxylation qui placera un groupe hydroxyle sur le C-2 de l'acide phytanique, ce qui facilite une oxydation décarboxylante ; l'acide formé peut ensuite être activé et donner le dérivé acyl-CoA. Ce produit subit six cycles de β-oxydation. En plus d'une molécule de CO_2, les autres produits de ces cycles de β-oxydation sont 3 molécules

d'acétyl-CoA, 3 molécules de propionyl-CoA et une molécule de 2-méthyl-propionyl-CoA.

4. L'acétate ne peut pas permettre la synthèse nette de glucose chez les animaux. Mais l'oxalo-acétate peut passer dans la voie de la néoglucogénèse après avoir été converti en PEP (il doit d'abord passer dans le cytoplasme, sous forme de malate, et l'oxalo-acétate donne du PEP sous l'action de la PEP carboxykinase). Si l'acétate est marqué sur le carboxyle, le ^{14}C se retrouvera d'abord, à parts égales, sur les C-3 et C-4 du glucose nouvellement synthétisé. Si l'acétate est marqué sur le carbone du groupe méthyle, le ^{14}C se retrouvera d'abord, à parts égales, sur les C-1, C-2, C-5 et C-6, à parts égales, du glucose nouvellement synthétisé.

5. L'hypoglycine des fruits non mûrs de l'akee inactive irréversiblement l'acyl-CoA déshydrogénase ; la β-oxydation des acides gras est donc bloquée. Or, c'est une des principales voies contribuant à la synthèse du glucose sanguin. Les victimes d'un empoisonnement par des fruits de l'akee non encore parvenus à maturité ont souvent une forte hypoglycémie car elle ont épuisé leurs réserves osidiques.

6. À masse égale les graisses mettent en réserve plus d'énergie (37 kJ/g) que les glucides (16 kJ/g). Cinq kg de graisses correspondent à une énergie équivalente à 5.000 × 37 = 185.000 kJ. Pour disposer de la même quantité d'énergie, il faudrait 185.000/16 = 11.562,5 g de glucides, soit 6.562 g de réserves supplémentaires, non comprise l'eau d'hydratation du glycogène.

7. La méthylmalonyl-CoA mutase, qui catalyse la troisième étape de la conversion du propionyl-CoA en succinyl-CoA, est un enzyme dont l'activité dépend de la présence de la vitamine B_{12}. Lors d'une carence en cette vitamine, et si les lipides de l'alimentation contiennent de grande quantités d'acides gras à nombre impair d'atomes de carbone, le L-méthylmalonyl-CoA s'accumulerait.

8. Les équations de l'oxydation complète sont :
   a. Acide myristique :
   $$CH_3(CH_2)_{12}CO\text{-}CoA + 94\ P_i + 94\ ADP + 20\ O_2 \longrightarrow 94\ ATP + 14\ CO_2 + 113\ H_2O + CoA$$
   b. Acide stéarique :
   $$CH_3(CH_2)_{16}CO\text{-}CoA + 122\ P_i + 122\ ADP + 26\ O_2 \longrightarrow 122\ ATP + 18\ CO_2 + 147\ H_2O + CoA$$
   c. Acide α-linolénique
   $$C_{17}H_{29}CO\text{-}CoA + 116{,}5\ P_i + 116{,}5\ ADP + 24{,}5\ O_2 \longrightarrow 116{,}5\ ATP + 18\ CO_2 + 138{,}5\ H_2O + CoA$$
   d. Acide arachidonique :
   $$C_{19}H_{31}CO\text{-}CoA + 128\ P_i + 128\ ADP + 27\ O_2 \longrightarrow 128\ ATP + 20\ CO_2 + 152\ H_2O + CoA$$

9. Lors de l'étape d'hydratation, les éléments de l'eau se fixent sur la double liaison des énoylacyl-CoA. De plus, dans la réaction catalysée par la thiolase, un proton provient de l'eau de la solution ; l'acétyl-CoA produit doit donc contenir deux atomes de tritium. À partir d'un palmityl-CoA, il se formera donc huit acétyl-CoA, dont sept avec deux atomes de tritium sur le C-2.

10. Une déficience en carnitine se traduira vraisemblablement par un transport défectueux des acides gras vers la matrice mitochondriale. L'oxydation des acides gras s'en trouvera très limitée.

11. Voir les réactions ci-dessous et page suivante.

α-Méthylèneglutarate mutase

$$^-OOC{-}CH(H){-}CH_2{-}C(=CH_2){-}COO^- \ (+\ B_{12}\cdot) \longrightarrow\ ^-OOC{-}\dot{C}H{-}CH_2{-}C(=CH_2){-}COO^-$$
$$\downarrow$$
$$^-OOC{-}CH{-}\dot{C}H_2\ (C{-}COO^-,\ =CH_2)\ +\ H{-}B_{12} \longrightarrow\ ^-OOC{-}CH(CH_3){-}C(=CH_2){-}COO^-$$

Diol déshydratase

$$H_3C{-}CH(OH){-}CH_2{-}OH\ (+\ B_{12}\cdot) \longrightarrow H_3C{-}CH(OH){-}\dot{C}H{-}OH$$
$$\downarrow$$
$$H_3C{-}CH{-}C(H)(OH){-}O{-}H\ \ :B\ \ (H{-}B_{12};\ B{:}H) \longrightarrow H_3C{-}CH_2{-}CHO + H_2O$$

Glycérol déshydratase

$CH_2(OH)-CH(OH)-CH(OH)-H \longrightarrow CH_2(OH)-CH(OH)-C(H)(OH)\cdot$ (·B_{12})

$\downarrow$

$CH_2(OH)-\dot{C}H-C(H)(OH)-OH$ (B_{12}—H, H:B, :B) $\longrightarrow CH_2(OH)-CH_2-C(H)=O$ $+ H_2O$

Éthanolamine ammonium lyase

$CH_2(NH_3^+)-C(H)(OH)-H \longrightarrow CH_2(NH_3^+)-C(H)(OH)\cdot$ (·B_{12})

$\downarrow$

B_{12}—H $\dot{C}H_2-C(H)(NH_3^+)-O-H$ (:B, B:H) $\longrightarrow CH_3-C(H)=O$ $+NH_4^+$

Chapitre 25

1. Les équations permettant de répondre aux questions de cet exercice se trouvent page 811.

2. Les atomes de carbone C-1 et C-6 du glucose deviennent le C-2 des acétyl-CoA utilisables pour la synthèse des acides gras. Seul le citrate qui est immédiatement exporté vers le cytosol fournit des maillons carbonés (provenant du glucose) pour la synthèse des acides gras. Le citrate qui entre dans le cycle de Krebs ne donne pas de maillons carbonés immédiatement utilisables pour la synthèse des acides gras.

3. Un modèle compatible avec les renseignements contenus dans ce chapitre serait que le mécanisme de régulation fondamental de l'acétyl-CoA carboxylase repose sur un changement de conformation consécutif à la formation d'une structure polymérique. L'effet primaire de tous les effecteurs – palmityl-CoA, citrate, et phosphorylation-déphosphorylation – serait de modifier l'équilibre protomère inactif-polymère actif. La polymérisation rapprocherait les différents domaines des protomères (ceux du bicarbonate, de l'acétyl-CoA, et le domaine liant la biotine) ou rapprocherait ces domaines situés sur des protomères différents.

4. Le groupe acide pantothénique peut, au moins dans une certaine mesure, jouer le rôle d'un « bras flexible » transportant les groupes acyles entre les sites actifs de la malonyltransférase et de la cétoacyl-ACP synthase. Le groupe pantothénique mesure 1,9 nm de long, la distance maximale entre les sites actif est donc de 3,8 nm. En fait, les modèles moléculaires indiquent que la distance entre ces sites est vraisemblablement inférieure à cette valeur limite.

5. Deux électrons passent le long de la chaîne, du NADH au FAD, puis aux deux cytochromes de la cytochrome b_5 réductase et à la désaturase. Deux électrons supplémentaires proviennent de l'acyl-CoA substrat ; les quatre électrons réduisent O_2 avec production de deux molécules d'eau. Les atomes d'hydrogène de ces molécules d'eau proviennent, pour deux d'entre eux, du substrat, les deux autres des protons de la solution.

6. Éthanolamine + glycérol + 2 acyl-CoA + 2 ATP + CTP + H_2O $\longrightarrow$ phosphatidyléthanolamine + 2 ADP + 2 CoA + CMP + PP_i + P_i.

7. La synthèse du lanostérol à partir de l'acétyl-CoA peut être décrite par l'équation suivante :

$$18 \text{ Acétyl-CoA} + 13 \text{ NADPH} + 13 H^+ + 18 \text{ ATP} + 0{,}5 O_2 \longrightarrow \text{Lanostérol} + 18 \text{ CoA} + 13 \text{ NADP}^+ + 18 \text{ ADP} + 6 P_i + 6 PP_i + CO_2$$

La conversion du lanostérol en cholestérol est compliquée et pour ce qui concerne les atomes de carbone, trois seront perdus. On peut considérer que cela représente l'équivalent de 1,5 groupe acétate pour faciliter l'écriture d'une équation stœchiométrique équilibrée de la biosynthèse du cholestérol.

8. Les atome de carbone du cholestérol signalés par les nombres 1 à 4 indiquent l'origine des atomes de carbone occupant ces positions dans le mévalonate (cette numérotation est sans rapport avec la numérotation du mévalonate selon la nomenclature systématique) :

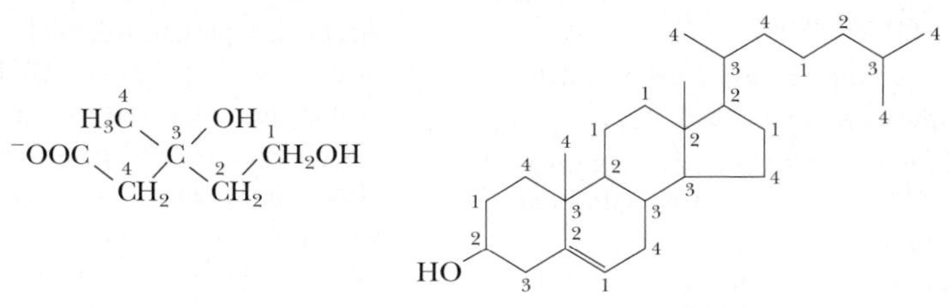

Mévalonate

Cholestérol

9. Le domaine du récepteur des LDL, lié à des oligosides par des liaisons osidiques, a probablement pour fonction d'écarter le domaine liant les LDL de la surface cellulaire de sorte que le récepteur puisse reconnaître les lipoprotéines qui se trouvent dans la circulation.

10. Comme indiqué Figures 25.19 et 25.22, les biosynthèses des glycérophospholipides chez les eucaryotes (PC, PS, PE, PI, PG et diphosphatidylglycérol) exigent du CTP pour la synthèse du CDP-diacylglycérol. Une déficience en CTP affecterait la voie de ces biosynthèses.

11. La synthèse d'1 malonyl-CoA « coûte » 1 ATP. Chaque cycle d'élongation catalysé par l'acide gras synthase utilise 2 molécules de NADPH, chacune équivalente à 3,5 ATP. Donc, chacun des sept cycles nécessaires pour la synthèse d'une molécule d'acide palmitique consomme 8 ATP. Il faut donc un total de 56 ATP (équivalents ATP) pour la biosynthèse d'une molécule d'acide palmitique.

12. Le mécanisme de la réaction catalysée par la 3-cétosphinganine synthase est le suivant

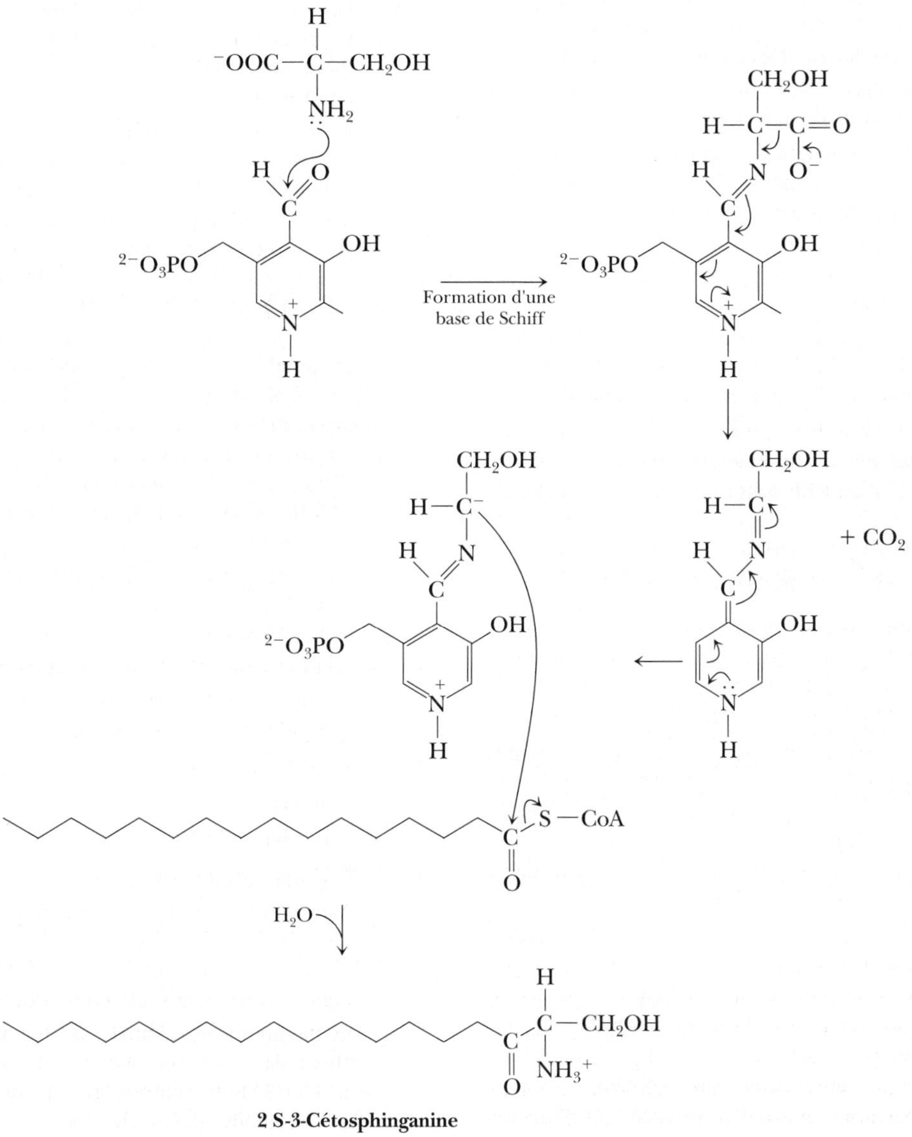

Formation d'une base de Schiff

$+ CO_2$

2 S-3-Cétosphinganine

Chapitre 26

1. Le nombre d'oxydation de l'azote dans le nitrate est +5 ; dans le nitrite, +3 ; dans NO, +2 ; dans N_2O, +1 ; dans N_2, 0.
2. a. En admettant que l'assimilation du nitrate exige 4 équivalents de NADPH par NO_3^- réduit en NH_4^+, 4 NADPH ont une valeur métabolique égale à 16 ATP.
   b. La fixation de l'azote exige 8 e^- (Équation [26.3]) et 16 ATP (Figure 26.6) par N_2 réduit. Si 4 NADH fournissent les 8 e^-, chaque NADH ayant une valeur métabolique de 3 ATP, 28 équivalents d'ATP sont donc consommés par N_2 réduit lors de la fixation biologique de l'azote (ou 14 équivalents ATP par NH_4^+ formé).
3. a. L'augmentation de la concentration en ATP favorisera l'adénylylation ; la valeur de n sera supérieure à 6 ($n > 6$).
   b. L'augmentation de la concentration en UTP favorisera la désadénylylation ; la valeur de n sera inférieure à 6 ($n < 6$).
   c. Si le rapport [a-CG]/[Gln] augmente, la désadénylylation sera favorisée ; $n < 6$.
   d. La diminution de la concentration en P_i favorisera l'adénylylation ; la valeur de n sera supérieure à 6 ($n > 6$).
4. Deux ATP sont consommés dans la réaction catalysée par la carbamyl-phosphate synthétase I et 2 liaisons anhydride phosphorique (équivalent à 2 ATP) dans la réaction catalysée par l'arginino-succinate synthétase. Donc 4 équivalents d'ATP sont consommés dans le cycle de l'urée pour la formation d'1 d'urée, 1 fumarate à partir de 1 CO_2, 1 NH_3 et 1 aspartate.
5. Le catabolisme protéique génère des squelettes carbonés pour la production d'énergie, mais aussi libère les groupes amino des acides aminés et l'excès d'azote sera éliminé par les urines, principalement sous forme d'urée.
6. Il faudra un ATP dans la réaction 1, un NADPH dans la réaction 2, un NADPH dans la réaction 11 et un succinyl-CoA dans la réaction 12, ce qui fait un total de 10 équivalents ATP. (La réaction catalysée par la succinyl-CoA synthétase dans le cycle de Krebs, Figure 20.12, fixe la valeur métabolique du succinyl-CoA à un GTP, soit un ATP).
7. D'après la Figure 26.36 : les atomes de carbone marqués au ^{14}C et dérivés du ^{14}C-2 du PEP sont ombrés dans la figure ci-dessous

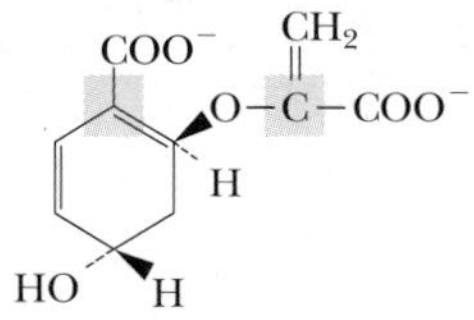

COO⁻ ; CH_2 ; O–C–COO⁻ ; H ; HO ; H

8.
   1. 2 aspartate → *transamination* → 2 oxalo-acétate
   2. 2 oxalo-acétate + 2 GTP → *PEP carboxykinase* → 2 PEP + 2 CO_2 + 2 GDP.
   3. 2 PEP + 2 H_2O → *énolase* → 2 2-PG.
   4. 2 2-PG → *glycérol-phosphate mutase* → 2 3-PG.
   5. 2 3-PG + 2 ATP → *glycérol-3-P kinase* → 2 1,3 bisPG + 2 ADP/.
   6. 2 1,3 bisPG + 2 NADH + 2 H^+ → *G3P G3P déshydrogénase* → 2 G3P + 2 NAD^+ + 2 P_i.
   7. 1 G3P → *triose-P isomérase* → 1 DHAP.
   8. G3P + DHAP → *aldolase* → Fructose-1,6-bisP.
   9. F-1,6-bisP + H_2O → *FBPase* → F6P + P_i.
   10. F6P → *glucose-phosphate isomérase* → G6P.
   11. G6P + H_2O → *glucose phosphatase* → glucose P_i.

   Bilan : 2 aspartate + 2 GTP + 2 ATP + 2 NADH + 6 H^+ + 4 H_2O → glucose + 2 CO_2 + 2 GDP + 2 ADP + 4 P_i + 2 NAD^+
   Notez que quatre des six H^+ sont nécessaires pour équilibrer les charges portées par les deux molécules d'oxalo-acétate.
   (En conséquence de la réaction [1], deux α-cétoacides (par exemple l'α-cétoglutarate) seront aminés pour devenir deux acides aminés (par exemple du glutamate).

Chapitre 27

1. Voir Figure 27.2 (pour les bases puriques) et Figure 27.17 (pour les bases pyrimidiques).
2. Supposons que du ribose-5-P soit disponible.
   La synthèse du précurseur des nucléotides puriques nécessite : 2 équivalents ATP dans la réaction catalysée par la ribose-5-P pyrophosphorylase, 1 pour la réaction catalysée par la GAR synthétase, 1 pour la FGAM synthétase, 1 pour la AIR carboxylase, 1 pour la CAIR synthétase et 1 pour la SACAIR synthétase dont le produit de la réaction est l'IMP, précurseur commun à l'ATP et au GTP. Soit au total 7 équivalents ATP.
   a. Pour l'ATP : 1 GTP (1 équivalent ATP) est consommé pour la conversion de l'IMP en AMP ; 2 autres équivalents ATP permettent la formation d'ATP à partir de l'AMP. La synthèse de l'ATP à partir du ribose-5-P nécessite donc 10 équivalents ATP.
   b. Pour le GTP : 1 NADH est formé lors de la conversion de l'IMP en GMP ; 2 liaisons anhydride phosphorique à haut potentiel d'énergie seront fournies par l'ATP pour la formation du GMP à partir de l'XMP ; deux équivalents ATP sont ensuite nécessaires pour avoir le GTP. En admettant que 1 NADH correspond à 3 équivalents ATP, il faut 8 équivalents ATP pour la synthèse du GMP à partir du ribose-5-P. *La synthèse du précurseur des nucléotides pyrimidiques* : à partir de HCO_3^- et de Gln, 2 ATP sont consommés par la carbamyl-phosphate synthétase II, et 1 NADH est produit lors de la formation de l'orotate. La synthèse de l'OMP à partir du ribose-5-P et d'orotate requiert la formation préalable du PRPP, donc 2 équivalents ATP. Au total la synthèse de l'UMP nécessite seulement 1 équivalent ATP (en tenant compte du NADH formé).
   c. La formation de l'UTP à partir de l'UMP exige 2 équivalents ATP. La synthèse de l'UTP à partir de HCO_3^- et de Gln nécessite donc 3 équivalents ATP.
   d. La biosynthèse du CTP à partir de l'UTP consomme 1 équivalent ATP. Au total, il faut donc 4 équivalents ATP pour la synthèse du CTP.
3. a. Voir Figure 27.7.
   b. Voir Figure 27.19.
   c. Voir Figure 27.19.
4. a. L'azasérine inhibe l'activité des enzymes utilisant la glutamine comme cosubstrat : comme la glutamine:PRPP amidotransférase, et la FGAM synthétase de la synthèse de l'IMP (étapes 2 et 5), ainsi que la GMP synthétase (étape 2, Figure 27.6) et la CTP synthétase (Figure 27.18).
   b. Le méthotrexate, un analogue de l'acide folique, est un inhibiteur des réactions utilisant le THF, comme les étapes 4 et 10 (GAR transformylase et AICAR transformylase) de la biosynthèse des nucléotides puriques (Figure 27.3) et de

la thymidylate synthase (Figure 27.29) dans la synthèse des nucléotides pyrimidiques.

c. Les sulfamides sont des analogues de l'acide *p*-aminobenzoïque (PABA). Comme le méthotrexate, les sulfamides inhibent la formation du THF. Donc les sulfamides inhibent la biosynthèse des nucléotides, aux mêmes sites que le méthotrexate, mais seulement dans les organismes comme les procaryotes qui synthétisent leur THF à partir de précurseurs plus simples, par exemple le PABA.

d. L'allopurinol est un inhibiteur de la xanthine oxydase (Figure 27.13).

e. Le 5-fluorouracile inhibe la réaction catalysée par la thymidylate synthase (Figure 27.31).

5. L'UDP qui donnera le dUDP (Figure 27.27) est un précurseur du dTTP essentiel à la synthèse de l'ADN.

6. Voir Figure 27.26.

7. Le catabolisme des nucléotides produit le ribose-5-P (voir l'action des nucléosides phosphorylases Figure 27.9). Le ribose-5-P est catabolisé par la voie des pentoses phosphates et par la glycolyse pour donner du pyruvate qui sera oxydé par la voie du cycle tricarboxylique. Remarquez (voir Figure 23.40) que le catabolisme de 3 ribose-5-P (isomérisé pour former 1 ribulose-5-P et 2 xylulose-5-P) en 5 molécules de pyruvate consomme 2 ATP, produit 10 ATP et 5 NADH (15 équivalents ATP). Si 1 pyruvate vaut 15 équivalents ATP (comme chez les procaryotes) , le rendement global est de 75 + 25 − 2 = 98 équivalents ATP pour 3 ribose-5-P. Le rendement net pour 1 ribose-5-P est donc de 32 à 33 équivalents ATP.

8. En comparant les figures 27.3 et 26.408, remarquez que l'AICAR (5-aminoimidazole-carboxamide ribonucléotide) est un intermédiaire commun aux deux voies de synthèse. C'est le produit de l'étape 5 de la biosynthèse de l'histidine (Figure 26.40) et de l'étape 9 de la biosynthèse des nucléotides puriques (Figure 27.3). Donc, la formation d'AICAR dans la biosynthèse de l'histidine à partir de PRPP et d'ATP court-circuite les 9 premières étapes de la biosynthèse des nucléotides puriques. Mais les cellules ont besoin de plus grandes quantités de nucléotides puriques que d'histidine et donc ces 9 premières étapes de leur synthèse sont essentielles, ne serait-ce que pour la synthèse des acides nucléiques.

9. Voir la figure ci-dessous.

ÉTAPE 6

ÉTAPE 8

ÉTAPE 9

Chapitre 28

1. a. K_{eq} = 360.333
   b. En supposant que les concentrations de l'ATP et de l'ADP sont très voisines, la concentration du pyruvate doit être supérieure à 360.333 fois celle du PEP pour que la réaction inverse ait lieu.
   c. Coefficient de couplage de la séquence = –2.
   d. Oui. Le coefficient de couplage du cycle est de –1.
   e. K_{eq} = 0,724.
   f. [PEP] / [pyruvate] = 724.
   g. Oui. Les deux réactions sont thermodynamiquement possibles, tant que [PEP]/[pyruvate] est compris entre 0,0000028 et 724.
2. Valeur de la charge énergétique = 0,945 ; du potentiel de phosphorylation = 1111 M^{-1}.
3. L'ATP 8 m*M* serait épuisé en 1,12 s. Comme la constante d'équilibre de la réaction créatine-P + ADP → Cr + ATP est de 175, il faut que la concentration en ATP soit inférieure à 1750 [ADP] pour que la réaction créatine-P + ADP → Cr + ATP évolue vers la droite quand [Cr-P] = 40 m*M* et [Cr] = 4 m*M*.
4. D'après l'Équation (21:13), E($NADP^+$/NADPH) = –0,350 V; E(NAD^+/NADH) = –0,281 V; donc $\Delta\mathscr{E}$ = 0,069 V, et ΔG = 13.316 J/mol. Si la formation d'un ATP « coûte » 50 kJ/mol, cette réaction peut produire environ 0,27 équivalents ATP à ces concentrations de NAD^+, NADH, $NADP^+$, et NADPH.
5. Supposons que K_{eq} pour la réaction ATP + AMP → 2 ADP = 1,2 (légende, Figure 28.5). Quand [ATP] = 7,2 m*M*, [ADP] = 0,737 m*M* et [AMP] = 0,063 m*M*. Quand [ATP] baisse, d'environ 10 %, à 6,48 m*M*, [ADP] + [AMP] = 1,52 m*M*, et donc [ADP] = 1,30 m*M* et [AMP] = 0,22 m*M*. Une baisse de 10 % de la concentration en ATP a pour conséquence une augmentation de 0,22/0,063 = 3,5 fois la concentration de l'AMP.
6. *J*, le flux du F-6-P à travers le cycle de substrats = 0,1 à concentration faible en AMP ; *J* à forte concentration en AMP = 8,9. Donc le flux du F-6-P est 89 fois plus rapide.
7. L'inhibition de l'acétyl-CoA carboxylase par la leptine se traduit par une baisse de la concentration en malonyl-CoA. Comme le malonyl-CoA inhibe le transfert des acyl-CoA vers les mitochondries (Figure 25.16), la baisse de [malonyl-CoA] favorise l'oxydation des acides gras.

Chapitre 29

1. Consultez la Figure 29.8. Les deux possibilités pour l'ordre du transfert des gènes sont (a) : *ilv, pyr E, mtl, xyl, pls B*, etc. ; et (b) : *rha, ile, arg E, met B, thi A, B, C*, etc.
2. À titre d'illustration, voyons comment le chromosome hétéroduplex de la Figure 29.10 a pu se former:

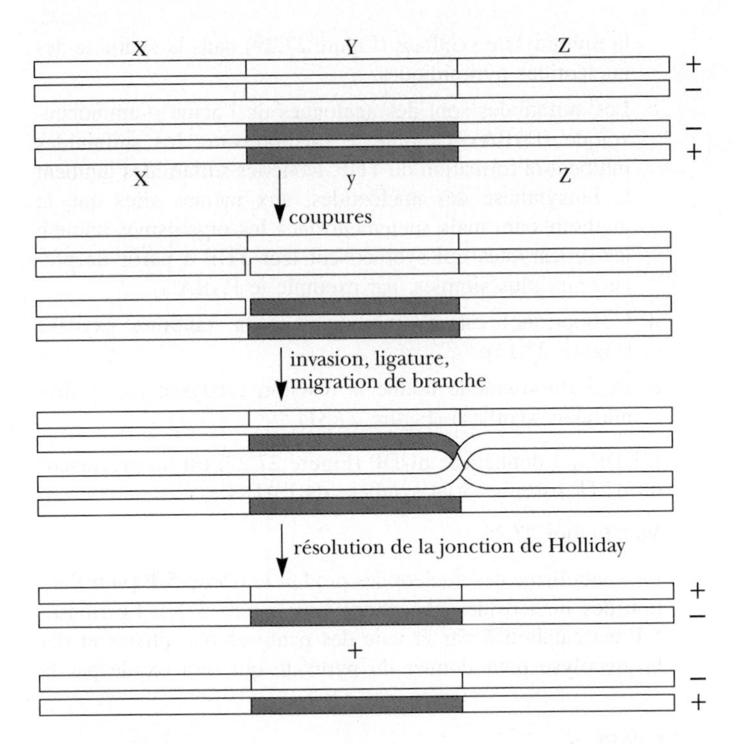

3. L'hélice de l'ADN-B contient normalement 10 pb par tour, de sorte que la rotation, $\Delta\phi$, est de 36° par résidu (pb). Si en présence de la protéine RecA il y a 18,6 pb par tour dans l'hélice, $\Delta\phi$ devient égal à 19,4°. La valeur de $\Delta\phi$ change de 16,6°.
4.

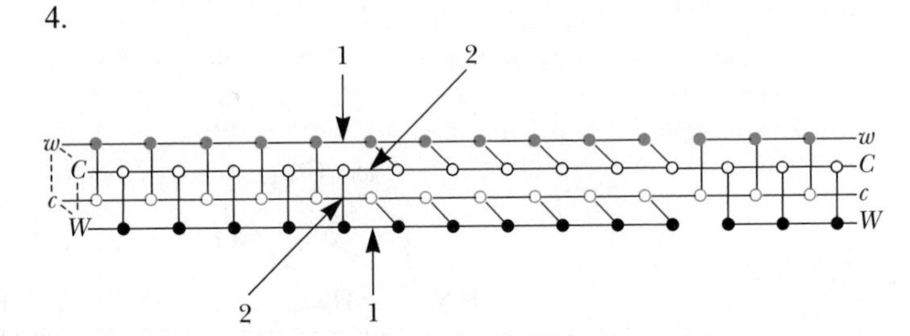

L'espace à droite représente la coupure initiale, dans ce cas dans les brins *W* et *w*. Un clivage au niveau des flèches **1** et la ligature des brins se correspondant (*W* avec *w* et *C* avec *c*) donnera un hétéroduplex non recombinant (patch recombinant) ; un clivage au niveau des flèches **2** et la ligature des brins se correspondant donnera un hétéroduplex recombinant.

5. En supposant qu'il n'y a qu'un événement à la fois, une recombinaison réunissant V_κ et J_κ à *l'intérieur* des codons 94 à 97 nous aurons :

GTT.CAT.CTT.CGG = Val.His.Leu.Arg
GTT.CAT.CTT.CTG = Val.His.Leu.Leu
GTT.CAT.CTT.TTG = Val.His.Leu.Leu
GTT.CAT.CTC.TTG = Val.His.Leu.Leu
GTT.CAT.CGC.TTG = Val.His.Arg.Leu
GTT.CAT.AGC.TTG = Val.His.Ser.Leu
GTT.CAA.AGC.TTG = Val.Gln.Ser.Leu
GTT.CCA.AGC.TTG = Val.Pro.Ser.Leu
GTT.GCA.AGC.TTG = Val.Ala.Ser.Leu

Remarquez que ces 9 séquences de codons donnent seulement 7 séquences d'acides aminés différentes.

6. La séquence de l'ADN est : GCTA
CGAT

a. HNO_2 provoque la désamination de C et de A. La désamination de C donne U qui s'apparie comme T, ce qui donne :

GTTA et ACTA et (rarement) ATTA
CAAT TGAT TATT

La désamination de A donne I qui s'apparie comme G, ce qui donne :

GCTG et GCCA et (rarement) GCCG
CGAC CGGT CGGC

b. Le bromouracile remplace généraLement T, et s'apparie comme C :

GCCA et GCTG et (rarement) GCCG
CGGT CGAC CGGC

Plus rarement, le bromouracile remplace C et mime T dans ses appariements :

GTTA et ACAT et (rarement) ATTA
CAAT TGTA TAAT

c. La 2-amino-purine remplace A et normalement s'apparie avec T, parfois elle s'apparie avec C :

GCTG et CGGT et (rarement) GCCG
CGAC GCCA CGGC

7. Les transposons sont des éléments porteurs d'information génétique, mobiles, qui peuvent changer de place dans le génome. L'insertion d'un transposon dans un gène, ou à sa proximité, peut désorganiser le gène ou inactiver son expression.

8. La forme PrP^{sc} du prion s'accumule chez les personnes atteintes de la maladie de Creutzfeldt-Jacob, une maladie qui semble génétiquement transmissible. Par ailleurs, des maladies causées par le prion peuvent survenir après ingestion de PrP^{sc}, ce qui donne un caractère infectieux à cette forme de protéine.

Chapitre 30

1. Comme la réplication de l'ADN est semi-conservative, la densité de l'ADN après une génération sera de (1,724 + 1,71) / 2 = 1,717 g/ml. Si la réplication était de type dispersif, la densité serait également de 1,717 g/ml. Pour distinguer le mode de réplication, il faut chauffer à 100°C l'ADN bicaténaire obtenu après une génération dans le milieu contenant $^{15}NH_4^+$ pour séparer les chaînes, puis examiner leur répartition après ultracentrifugation sur un gradient de densité. Si la réplication est réellement semi-conservative, on observera deux bandes d'ADN monocaténaire, une « lourde » contenant le ^{15}N, l'autre « légère » contenant le ^{14}N. Si la réplication est de type dispersif, il n'y aura qu'une seule bande, de densité intermédiaire.

2. L'activité 5′-exonucléase de l'ADN polymérase I élimine les segments de séquence d'ADN incorrectement appariés (distordus et portant une coupure) qui se trouvent dans l'ADN en avant de la polymérase. L'activité 3′-exonucléase se manifeste dans la correction « d'épreuve », lorsqu'une base complémentaire à la matrice vient juste d'être ajoutée. Si elle n'est pas correctement appariée (si elle n'est pas complémentaire à la base de la matrice), l'activité 3′-exonucléase l'élimine, (fonction d'éditeur) et la polymérase peut en incorporer une autre. Une souche d'*E. coli* dont l'ADN polymérase I serait dépourvue de l'activité 3′-exonucléase aurait une fréquence élevée de mutations spontanées.

3. Supposons que la vitesse de la polymérisation par chaque moitié l'ADN polymérase III dimérique est de 750 nucléotides par seconde. Le génome d'*E. coli* est formé de 4,64 $\times$ 10^6 pb. À raison de 750 pb par seconde par homodimère $\beta\beta$ de pol III (un sur chaque fourche de réplication) la réplication de la totalité de l'ADN prendrait près de 3.100 secondes (51,7 minutes ; 0,86 h). Quand *E. coli* se divise toutes les 20 minutes, l'ADN doit être répliqué à la vitesse de 4,64 $\times$ 10^6 paires de bases en 20 min (3.867 pb/s). Pour atteindre cette vitesse de réplication, il faut une initiation de la réplication au site *ori* toutes les 20 min et un minimum de 3.867/750 = 5,14 fourches de réplication (ou 2,57 bulles de réplication).

4. S'il n'y a que 10 molécules d'ADN polymérase III (sous forme d'ADN pol III homodimères) par cellule d'*E. coli*, et si *E. coli* se multipliant à sa vitesse maximale a environ cinq fourches de réplication par chromosome, la cellule contient assez d'ADN polymérase III pour se multiplier à cette vitesse.

5. Les fragments d'Okazaki contiennent de 1.000 à 2.000 nucléotides. Comme la réplication de l'ADN chez *E. coli* génère des fragments d'Okazaki dont la longueur totale doit être de 4,64 $\times$ 10^6 nucléotides, 2.300 à 4.700 fragments d'Okazaki seront synthétisés. À titre de comparaison, voyons la réplication de l'ADN d'une cellule humaine. Le génome haploïde humain contient 3 $\times$ 10^9 pb, mais la plupart des cellules sont diploïdes (6 $\times$ 10^9 pb). Les fragments d'Okazaki contiendront collectivement 6 $\times$ 10^9 nucléotides répartis dans 3 à 6 millions de fragments distincts.

6. Les ADN gyrases sont des topoisomérases, ATP-dépendantes, qui introduisent des superenroulements négatifs dans l'ADN. Les ADN gyrases changent *l'indice de torsion*, *L*, de la double hélice de l'ADN en clivant les squelettes des oses-phosphates puis en rétablissant leur continuité (voir Figure 12.24). Les hélicases sont des enzymes ATP-dépendants qui détruisent la double hélice en rompant les liaisons hydrogène entre les bases appariées. Dans leur progression, les hélicases laissent derrière elles des ADN monocaténaires.

7. Le système de réparation de l'ADN chez *E. coli* repose sur la méthylation de certaines bases de l'ADN qui permet de distinguer la base « correcte » de la base « non-correcte » dans le cas d'un mauvais appariement. Le brin non méthylé, celui qui vient d'être synthétisé, (il n'a pas eu le temps d'être méthylé), est par définition celui qui n'est pas le bon. La recombinaison homologue implique des duplex d'ADN au même stade de méthylation, aucun ne peut être interprété comme étant le « non correct », et donc la système de réparation ne peut pas fonctionner.

8. L'ADN d'une cellule diploïde humaine contient 6 $\times$ 10^9 pb. Avec une origine de réplication tous les 300 kpb, il y a 20.000 origines de réplication. Si la réplication de l'ADN progresse à raison de 100 pb par seconde, à chacune des fourches de réplication (2 par origine), 6 $\times$ 109 pb peuvent être répliquées en 1.500 secondes (25 min). Pour disposer de 2 molécules d'ADN polymérase par fourche de réplication, une cellule doit contenir 80.000 molécules de cet enzyme.

Chapitre 31

1.

5′-AGAUC CGUAUGGCGAUCUCGACGAAGACUCCUAGGGAAUCC... ARNm
3′-TCTAGGCATACCGCTAGAGCTGCTTCTGAGGATCCCTTAGG... 5′ = ADN matrice

Le premier codon est souligné :

5′-AG AUCCGU<u>AUG</u>GCGAUCUC-
GACGAAGACUCCUAGGGAAUCC...

En lisant à partir du codon AUG, la séquence de la protéine est :

(N-term)Met-Ala-Ile-Ser-Thr-Lys-Thr-Pro-Arg-Glu-Ser-...

2. Voir Figure 31.2 pour un sommaire des événements dans l'initiation de la transcription par l'ARN polymérase d'*E. coli*. Un gène doit avoir un promoteur pour être correctement reconnu et transcrit par l'ARN polymérase. La région du promoteur (à laquelle se lie l'ARN polymérase) est généralement constituée de 40 pb, elle est située du côté 5′ du point de départ de la transcription. Le promoteur est caractérisé par deux éléments de séquence consensus : une séquence consensus hexamérique TTGACA dans la région -35, et la boîte de Pribnow (séquence consensus TATAAT) dans la région –10 (voir Figure 31.3).

3. Le fait que le site initiateur dans l'ARN polymérase a un K_m plus élevé pour les NTP que le site d'élongation assure que l'initiation de la synthèse de l'ARNm ne commencera pas avant que la concentration en NTP soit suffisante pour la synthèse complète d'un ARNm.

4. À la différence des procaryotes (qui n'ont qu'une seule sorte d'ARN polymérase), les eucaryotes ont 3 ARN polymérases distinctes – I, II et III – agissant dans la transcription de trois types distincts de gènes (voir Section 31.2). L'organisation des sous-unités de ces ARN polymérases eucaryotes est plus complexe que celle de l'ARN polymérase des procaryotes. Les trois types de gènes sont reconnus par leurs ARN polymérases respectives car ils ont des promoteurs spécifiques à ces 3 types. Des facteurs de transcription particuliers permettent que les ARN polymérases reconnaissent les éléments de séquence des promoteurs des gènes qu'ils doivent transcrire. Les gènes eucaryotes codant pour des protéines ont, comme les gènes procaryotes, deux séquences consensus dans leurs promoteurs, une boîte TATA dans la région –25 (séquence consensus TATAAA) et un élément *Inr*, un initiateur, qui recouvre le site de début de la transcription. En plus, les promoteurs eucaryotes contiennent souvent des petits modules conservés, comme les séquences activatrices de transcription (séquences d'activation amont, les « enhancers ») et des éléments de réponse appropriés pour la régulation de la transcription. Il y a plusieurs mécanismes de terminaison de la transcription, aussi bien chez les procaryotes que chez les eucaryotes. Chez les procaryotes, les deux principaux systèmes de terminaison sont les suivants : une terminaison dépendant d'une protéine, le facteur *rhô*, et une terminaison codée dans le site de terminaison de la transcription de l'ADN. La terminaison de la transcription chez les eucaryotes est moins précise, la terminaison n'a lieu qu'après la transcription d'une séquence consensus AAUAAA appelée site d'addition du poly(A)$^+$. Le processus de maturation post-transcriptionnelle de l'ARNm (Section 31.6) est un important aspect de la transcription chez les eucaryotes.

5. Étant donné que [répresseur] / [répresseur:ADN] = $1 / K_A$ [ADN] et que [ADN] = $0{,}77 \times 10^{-2}$ *M*, si [répresseur] / [répresseur:ADN] = 0,10, alors K_A = 1299 M^{-1}.

6. Puisque la transcription dans les cellules eucaryotes a lieu dans le noyau et la traduction par les ribosomes dans le cytosol, la transcription et la traduction ne sont pas couplées chez les eucaryotes alors que ces mécanismes sont couplés chez les procaryotes. Donc l'atténuation de la transcription n'est pas un mécanisme possible chez les eucaryotes.

7. Lorsque des protéines liant l'ADN « lisent » des séquences spécifiques de bases dans l'ADN, elles reconnaissent une série (matrice) spécifique de donneurs et d'accepteurs de liaisons H situés sur les bords des bases à l'intérieur du grand sillon de l'ADN-B. Lorsque les protéines liant l'ADN reconnaissent une région spécifique de l'ADN par « lecture indirecte », elles discernent les variations de la conformation locale de la surface cylindrique de la double hélice de l'ADN. Ces variations de conformation sont la conséquence des séquences particulières des paires de bases qui constituent cette région de l'ADN.

8. La formation d'une boucle est un mécanisme universel de régulation de la transcription, il existe chez les procaryotes et les eucaryotes car il dépend de la nature fondamentale de l'ADN. L'information contenue dans la séquence se présente essentiellement dans un arrangement monodimensionnel, de sorte que le contenu informatif d'une courte séquence d'ADN est limité. Pour réunir une information supplémentaire (comme un signal de régulation) sur un site particulier, l'ADN doit former une boucle. La formation de la boucle accroît l'information contenue dans le polymère monodimensionnel en rassemblant des séquences supplémentaires dans un espace tridimensionnel.

9. Si les cellules contiennent des protéines dimériques qui ont en commun le motif fermeture éclair, mais diffèrent par leur hélice de reconnaissance, il peut se former des protéines hétérodimériques *bZip* qui contiendront deux *régions basiques* de reconnaissance de l'ADN différentes (considérez cette possibilité en examinant les Figures 31.42, 31.43 et 31.44). Ces hétérodimères ne se limitent plus à se lier aux seuls sites de l'ADN qui ont une dyade symétrique ; le répertoire des gènes avec lesquels ils peuvent avoir des interactions s'en trouve fortement accru.

10. L'exon 17 du gène de la troponine T dans les cellules des muscles à contraction rapide est l'un des *exons qui s'excluent mutuellement* (voir Figure 31.55). La délétion de cet exon réduira donc de moitié les possibilités d'épissage alternatif ; il ne se formera que 32 ARNm à partir de ce gène. Si l'exon 7, un *exon combinatoire*, était dupliqué, il s'agirait probablement d'une duplication en tandem. Les ARNm après maturation contiendraient 0, 1, ou 2 copies de l'exon 7. Les 32 combinaisons possibles au centre de la Figure 31.55 représentent les ARNm avec 0 et 1 exon 7. Il y en aurait 16 avec 2 copies : les ARNm 456778 ; 56778 ; 46778 ; 6778 ; 45778 ; 4778 ; 5778 ; 778 ; 4577 ; 577 ; 5677 ; 45677 ; 4677 ; 477 ; 677 ; et

77. Compte tenu du fait que les exons 17 et 18 sont *mutuellement exclusifs*, il pourrait se former 96 ARNm différents.

Chapitre 32

1. La séquence d'ADNc suivante :

   CAATACGAAGCAATCCCGCGACTAGACCTTAAC...

   a six cadres de lectures possibles, trois dans la séquence elle-même et trois implicites dans la séquence complémentaire, écrite dans le sens $5' \rightarrow 3'$:

   ...GTTAAGGTCTAGTCGCGGGATTGCTTCGTATTG

   Deux des trois cadres de lecture de l'ADNc ont des codons de terminaison (stop). Le troisième cadre de lecture est une séquence de lecture ouverte (une séquence codante dépourvue de codon stop) :

   CAATACGAAGCAATCCCGCGACTAGACCTTAAC...

   (un codon sur deux est souligné)

   Cette séquence de nucléotides code pour la séquence d'acides aminés suivante :

   Gln-Tyr-Glu-Ala-Ile-Pro-Arg-Leu-Asp-Leu-Asn...

   Deux des trois cadres de lecture de la séquence complémentaire contiennent également des codons stop. La troisième est aussi une séquence de lecture ouverte :

   ...GTTAAGGTCTAGTCGCGGGATTGCTTCGTATTG

   (un codon sur deux est souligné)

   Il n'est donc pas possible de donner une réponse précise concernant la séquence partielle des acides aminés codés par cet ADNc.

2. Un copolymère (AG) aléatoire contiendra des proportions variées des codons suivants :

   AAA AAG AGA GAA AGG GAG GGA GGG codant respectivement pour : Lys Lys Arg Glu Arg Glu Gly Gly. Le copolymère (AG) aléatoire permettrait la synthèse d'un polypeptide contenant les résidus Lys, Arg, Glu et Gly. La fréquence relative des différents codons dépend de la probabilité avec laquelle une base apparaît dans un codon. Par exemple, si le rapport A/G est de 5/1, le rapport AAA/AAG est de $(5 \times 5 \times 5)/(5 \times 5 \times 1) = 5/1$. Si la valeur 100 est assignée au codon 3A, le codon 2A1G a une fréquence de 20. L'abondance relative des acides aminés dans le polypeptide sera :
   Lys = 120 ; Arg = 24 ; Glu = 24 ; Gly = 4,8
   Soit pour Lys = 100 : Arg = 20 ; Glu = 20 ; et Gly = 4

3. Voir Figure 32.3

4. Les molécules d'ARNt et les acides aminés n'ayant aucune affinité chimique notable, ni aucune similarité de configuration stérique, Francis Crick a suggéré pour les ARNt un rôle d'adaptateur dans la traduction de l'information génétique. L'expérience de von Ehrenstein a permis de vérifier cette hypothèse. Le traitement du Cys-ARNt^{Cys} par du nickel Raney réduit le résidu Cys en résidu Ala. L'ARNt^{Cys} ainsi chargé par Ala, Ala-ARNt^{Cys}, est introduit dans un système de synthèse *in vitro* de l'hémoglobine (Figure 32.7). La démonstration que des résidus Ala occupent des positions normalement occupées par Cys a confirmé l'hypothèse de F. Crick.

5. Revoyez le texte Section 32.5 décrivant en particulier les deux niveaux de spécificité des aminoacyl-ARNt synthétases (1°, au niveau de l'échange ATP $\rightleftharpoons$ PP$_i$ et de la synthèse de l'aminoacyladénylate en présence d'acide aminé, mais en l'absence d'ARNt ; et 2°, au niveau du chargement du groupe aminoacyle sur l'ARNt accepteur).

6. Les paires de bases sont dessinées de façon à avoir le grand sillon en haut (voir structures ci-dessous).

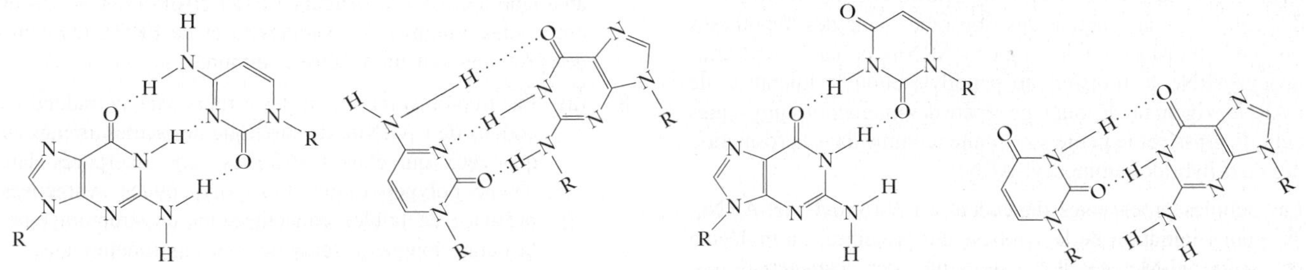

   G:C C:G G:U U:G

7. Selon les règles du « wobble », U situé en première base de l'anticodon peut reconnaître A ou G en troisième position dans le codon ; G peut reconnaître U ou C ; I peut reconnaître U, C, ou A en troisième position dans le codon. Donc les codons, dégénérés pour un acide aminé particulier, ayant en troisième position la base A ou G (le Tableau 32.3 révèle que tous les codons ayant une base purique en troisième position sont dégénérés à l'exception de ceux codant pour Met et Trp), peuvent être reconnus par un même ARNt ayant U en première position dans l'anticodon. Plus remarquable encore, les codons ayant une base pyrimidique (C ou U) en troisième position sont toujours dégénérés et peuvent être reconnus par un même ARNt ayant G en première position dans l'anticodon. La possibilité d'une base I en première position dans l'anticodon diminue encore plus le nombre total des ARNt nécessaires pour la traduction des 61 codons spécifiant un acide aminé. Le « wobble » tend à accélérer la vitesse de la traduction car les appariements non canoniques entre les bases occupant la troisième position d'un codon et la première position dans l'anticodon sont moins stables. Donc la durée de l'interaction codon-anticodon est plus brève.

8. Les codons stop sont UAA, UAG et UGA.

   Les codons spécifiant un acide aminé et ne différant d'UAA que par une base sont :

   CAA (Pro), AAA (Lys), GAA (Glu), UUA (Leu), UCA (Ser), UAU (Tyr) et UAC (Tyr).

   Ceux différant d'UAG par une seule base sont :

   CAG (Gln), AAG (Lys), GAG (Glu), UCG (Ser), UUG (Leu), UGG (Trp), UAU (Tyr) et UAC (Tyr).

Ceux différant d'UGA par une seule base sont :

CGA (Arg), AGA (Arg), GGA (Gly), UUA (Leu), UCA (Ser), UGU (Cys), UGC (Cys) et UGG (Trp).

Au total, 19 des 61 codons spécifiant un acide aminé ne diffèrent des codons stop que par une seule base.

9. La réponse à l'exercice 8 est une bonne base de départ pour répondre à cette question. Les acides aminés dont les codons contiennent une base en position « wobble » qui constitue la seule différence avec un codon stop sont les plus susceptibles de se trouver dans la liste demandée car les règles d'appariement avec la base se trouvant en cette position sont moins strictes. Nous aurons donc UAU (Tyr) et UAC (Tyr) pour les codons stop UAA et UAG ; et UGU (Cys), UGC (Cys) et UGG (Trp) pour le codon stop UGA.

Chapitre 33

1. La réponse la plus évidente est que les ribosomes eucaryotes sont plus grands, plus complexes, et donc plus lents que les ribosomes procaryotes. De plus, l'initiation de la traduction nécessite un plus grand nombre de facteurs d'initiation chez les eucaryotes que chez les procaryotes. Il faut aussi signaler que les cellules eucaryotes sont moins soumises à la pression de sélection qui favorise les procaryotes se multipliant plus rapidement.

2. Des ribosomes plus grands et plus complexes ont un potentiel de réponse aux influences régulatrices plus important et un processus de traduction plus fidèle ; ils peuvent aussi avoir plus de possibilités d'entrer en interaction avec des structures subcellulaires. Leur taille plus volumineuse ralentit la vitesse de la traduction, ce qui parfois peut se révéler désavantageux.

3. L'organisation structurale des ribosomes en deux sous-unités est universelle – elle se retrouve chez les archaebactéries, les eubactéries et les eucaryotes – ce qui signifie qu'elle joue un rôle fondamental dans la fonction des ribosomes. Une des hypothèses est que la translocation le long de l'ARNm, la liaison de l'aminoacyl-ARNt, le transfert du peptidyle et/ou la libération de l'ARNt exigent un découplage répété des interactions physiques entre la grosse et le petite sous-unité (comme dans la formation des états hybrides aminoacyl-ARNt).

4. Les cellules procaryotes dépendent du *N*-formyl-Met-$ARNt_f^{Met}$ pour l'initiation de la synthèse des protéines. La molécule de *N*-formyl-Met-$ARNt_f^{Met}$ présente des caractéristiques, absentes des autres ARNt, propres à son rôle dans l'initiation de la traduction (voir Figure 33.7). Le *N*-formyl-Met-$ARNt_f^{Met}$ ne reconnaît que les codons d'initiation (AUG ou, plus rarement, GUG). Un autre $ARNt^{Met}$, $ARNt_m^{Met}$, sert à l'incorporation de résidus Met, spécifiés par les codons AUG en positions internes dans la séquence de l'ARNm. Les deux ARNt, $ARNt_f^{Met}$ et $ARNt_m^{Met}$, sont chargés par la même méthionyl-ARNt synthétase et AUG est le codon Met à la fois pour l'initiation et pour l'élongation de la chaîne polypeptidique. La particularité du codon AUG d'initiation est d'être situé environ 10 nucléotides en aval de la séquence Shine-Dalgarno du côté 5' de l'ARN messager ; cette séquence détermine le site de début de la traduction (voir Figure 33.9). Les cellules eucaryotes ont également deux $ARNt^{Met}$, dont l'un ne fonctionne que pour l'initiation de la traduction, l'$ARNt_i^{Met}$. Les ARNm des eucaryotes n'ont pas l'équivalent de la séquence Shine-Dalgarno ; il semble que la petite sous-unité ribosomique se lie à l'extrémité 5′ de l'ARNm et avance jusqu'au premier codon AUG. Ce premier AUG définit le site de début de la traduction chez les eucaryotes.

5. La séquence Shine-Dalgarno est un élément de séquence riche en bases puriques à proximité de l'extrémité 5′ des ARNm procaryotes (Figure 33.9). Elle s'apparie avec une région riche en bases pyrimidiques proche de l'extrémité 3′ de l'ARNr 16S, l'ARNr de la petite sous-unité du ribosome procaryote. L'appariement de la séquence Shine-Dalgarno et de l'ARNr 16S place le site de début de la traduction sur le site A du ribosome procaryote. Comme la séquence Shine-Dalgarno varie quelque peu d'ARNm en ARNm, alors que la séquence complémentaire sur l'ARNr 16S est invariable, l'affinité des différents ARNm pour les petites sous-unités ribosomiques varie selon les ARNm. Ceux qui se lient avec une plus grande affinité seront plus fréquemment traduits.

6. La phrase la plus appropriée est donnée sous (b). La chaîne polypeptidique contient généralement des centaines de résidus. Des chaînes si encombrantes, liées au site P, ont beaucoup plus d'inertie que l'extrémité de l'aminoacyl-ARNt au site A.

7. Les facteurs d'élongation EF-Tu et EF-Ts ont des interactions de même type que les protéines G des voies de transduction des signaux (voir pages 478-479). EF-Tu se lie le GTP et le complexe EF-Tu:GTP:aminoacyl-ARNt transfère l'aminoacyl-ARNt sur le ribosome pendant que le GTP est hydrolysé pour donner EF-Tu:GDP et P_i. EF-Ts facilite l'échange du GDP lié à EF-Tu avec du GTP libre et régénère le complexe EF-Tu:GTP pour un autre cycle de transfert d'aminoacyl-ARNt. La sous-unité α de la protéine G hétérotrimérique, G_α, lie également le GTP. G_α a une activité GTPasique intrinsèque et le GTP lié sera finalement hydrolysé pour donner le complexe GDP:G_α et P_i. Les sous-unités β et γ des protéines G facilitent l'échange du GDP lié à G_α contre du GTP libre, un cycle analogue à celui des facteurs EF-Tu et EF-Ts. Les séquences des acides aminés des protéines G et de EF-Tu révèlent que ces protéines ont un ancêtre commun.

8. (a) La streptomycine induit des erreurs dans la traduction des codons de l'ARNm, de sorte que des acides aminés autres que ceux qui étaient spécifiés sont incorporés dans la chaîne polypeptidique. Les polypeptides synthétisés en présence de faibles concentrations de streptomycine ont la bonne longueur, mais ne sont pas fonctionnels.

   (b) La structure de la puromycine est un analogue de la structure des aminoacyl-ARNt. Elle peut se lier au site A sur les ribosomes et accepter la chaîne polypeptidique en cours d'élongation provenant du peptidyl-ARNt sur le site P du ribosome. Ce transfert sur la puromycine bloque toute élongation ultérieure et les produits de la traduction seront une série de polypeptides tronqués ayant un groupe puromycine à leurs extrémités C-terminales.

9. L'acide aurinetricarboxylique, la kasugamycine, la streptomycine, la tétracycline, la sparsomycine, le chloramphénicol, l'érythromycine et la thiostreptone, sont tous des antibiotiques potentiels car ils sont spécifiques de la synthèse des protéines chez les procaryotes. Cependant plusieurs de ces substances ont des effets secondaires qui les rendent impropres à l'usage clinique. L'érythromycine, la tétracycline et, plus rarement, le chloramphénicol, sont prescrits dans le traitement des infections bactériennes.

10. La rhodanase d'origine humaine contient 296 résidus. Sa synthèse à partir des acides aminés exige 4 équivalents ATP par résidu, soit 1.184 équivalents. Le reploiement de la chaîne par le complexe $Hsp60a_{14}$ consomme environ 130 autres équivalents ATP. Le nombre total d'équivalents ATP nécessaires pour la synthèse et le reploiement de la rhodanase est donc d'environ 1.314.

11. Puisqu'une seule coupure protéolytique dans une chaîne polypeptidique naissante est suffisante pour initier sa complète dégradation, les protéines clivées ne sont visiblement pas tolérées par les cellules et sont rapidement dégradées. Les cellules sont pratiquement dépourvues de fragments protéiques en partie dégradés (qui seraient des intermédiaires de la dégradation des protéines). L'absence de ces intermédiaires et la disparition rapide des protéines clivées dans les cellules prouve que la dégradation des protéines est un processus cellulaire rigoureusement sélectif et très efficace.

Chapitre 34

1. Les hormones polypeptidiques constituent un groupe d'hormones beaucoup plus nombreux et structuralement plus variées que les hormones stéroïdes ou dérivées des acides aminés ; il est donc possible d'en conclure que la spécificité des interactions hormone polypeptidique: récepteur est, au moins dans certains cas, extrêmement élevée. Les hormones stéroïdes peuvent agir soit en se liant à des récepteurs de la membrane plasmique, soit en diffusant dans la cellule et en se liant à des protéines qui contrôlent directement l'expression des gènes. Les hormones polypeptidiques et celles dérivées des acides aminés agissent par contre exclusivement en se liant à des récepteurs de la surface cellulaire. L'interconversion des hormones dérivées des acides aminés peut être rapidement effectuée par des réactions enzymatiques ce qui permet des réponses rapides aux changements de conditions extérieures.

2. Les nucléotides cycliques n'ayant aucun rôle métabolique chez les animaux, ont une action hautement spécifique. L'ion Ca^{2+} présente l'avantage sur les autres second messagers d'être très rapidement « produit » par un simple processus de diffusion qui ne requiert aucune activité enzymatique. Deux des produits du métabolisme du phosphatidylinositol, IP3 et DAG, forment une paire d'effecteurs qui peuvent agir soit séparément, soit en synergie, pour produire une grande variété d'effets physiologiques. Le DAG et l'acide phosphatidique ont la particularité de pouvoir être obtenus à partir de différents lipides précurseurs. Le monoxyde d'azote, un second messager gazeux, ne requiert aucun mécanisme de transport ou de translocation, il diffuse rapidement vers ses sites d'interaction.

3. Le monoxyde d'azote agit essentiellement en se liant à l'hème du groupe prosthétique d'une guanylate cyclase soluble ce qui active l'enzyme. Un agent qui se lierait à la place de NO – mais sans activer la guanylate cyclase – pourrait supprimer les effets physiologiques du monoxyde d'azote. Le monoxyde de carbone, dont l'affinité certains hèmes est depuis longtemps connue, semble jouer ce rôle. Solomon Snyder et ses collègues de l'Université Johns Hopkins ont démontré que l'administration de CO à des cellules stimulées par NO atténuait les effets induits par NO.

4. Mises en présence d'herbimycine (structure ci-dessous) des cellules transformées par le virus du sarcome de Rous perdent cet état, probablement par suite de l'inactivation de la tyrosine kinase virale. Les manifestations de la transformation (de cellules rénales de rat par exemple) comprennent une modification de la morphologie (les cellules ont une forme ronde), un accroissement de l'entrée du glucose et de l'activité glycolytique, et la possibilité de proliférer sans support physique (par exemple en suspension dans un milieu de culture). L'herbimycine annule toutes ces caractéristiques. Compte tenu de ces observations, il était possible d'envisager que l'herbimycine inhiberait aussi les tyrosine kinases ayant une certaine homologie avec la tyrosine kinase virale, $pp60^{v\text{-}src}$. Cette inactivation a effectivement été constatée et l'herbimycine est utilisée pour la mise en évidence des tyrosine-kinases dans les voies de la signalisation cellulaire.

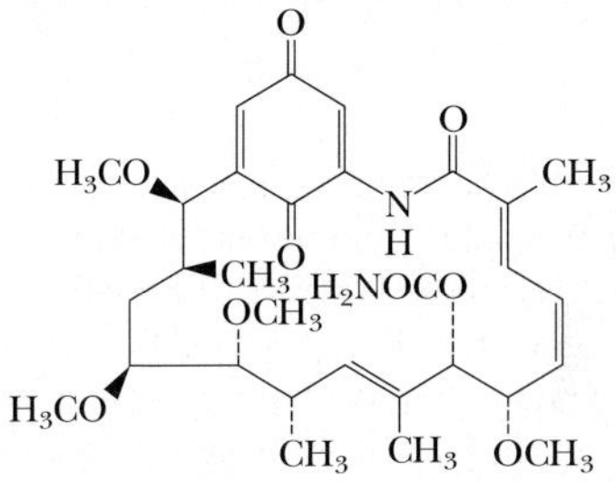

5. L'identification chimique des résidus tyrosine phosphorylés dans les protéines cellulaires est assez difficile. Les quantités des protéines phosphorylées sont en général très faibles et la distinction entre les résidus tyrosine phosphorylés et les résidus Ser/Thr phosphorylés est laborieuse. Par contre, les anticorps monoclonaux qui reconnaissent les résidus phosphotyrosine dans une protéine sont un excellent moyen de détection et de caractérisation des protéines à résidus phosphotyrosine, par exemple après un transfert « Western ».

6. Les hormones agissent à de très faibles concentrations, mais les conséquences métaboliques de l'activation hormonale (synthèse de nucléotides cycliques, libération d'ions Ca^{2+}, formation de DAG, etc., et les modifications provoquées dans les voies métaboliques) impliquent des concentration plus élevées des espèces moléculaires affectées. Comme nous l'avons vu au cours de chapitre la plupart des récepteurs connus activent des enzymes après avoir lié une hormone appropriée (adénylate cyclase, phospholipases, protéines kinases et phosphatases). Une molécule d'enzyme activé peut catalyser la formation de milliers de molécules de produit avant que l'enzyme soit inactivé par un processus de régulation cellulaire.

7. Si le côté 1 est le côté avec 330 mM de Na^+ et le côté 2 celui avec 70 mM de Na^+, le potentiel d'équilibre calculé est $\Delta\psi = \psi_2 - \psi_1$ 40 mV. Notez que dans la réalité il y a toujours des ions de charge opposée, mais ce calcul ne considère que les concentrations des ions de part et d'autre de la membrane.

8. Utilisez les coefficients de perméabilité donnés Figure 34.47. La différence de potentiel calculée est de –21 mV.

9. Les vésicules avec un diamètre extérieur de 40 nm ont un diamètre intérieur d'environ 36 nm soit un rayon de 18 nm. Le volume d'une vésicule est donc de $2{,}44 \times 10^{-20}$ l. La quantité d'acétylcholine dans une vésicule est de $10.000/6{,}02 \times 10^{23}$ molécules/mole = $1{,}66 \times 10^{-20}$ mole. Soit une concentration de 1,66 / 2,44 = 0,68 *M*.

10. Le décaméthonium et la succinylcholine sont deux analogues de l'acétylcholine qui se lient au récepteur de l'acétylcholine

et l'activent. L'acétylcholinestérase n'a aucune action sur le décaméthonium mais hydrolyse lentement la succinylcholine. Donc les effets du décaméthonium perdurent plus longtemps que ceux de la succinylcholine. La succinylcholine est parfois utilisée en chirurgie musculaire pour son effet relaxant car elle bloque la transmission de l'influx nerveux aux muscles. Comme est lentement hydrolysée par l'acétylcholinestérase, et par d'autres cholinestérases du foie et du sang, ses effets diminuent rapidement après son administration.

11. Les résultats de l'action du GTPγS présentés dans l'énoncé de cet exercice permettent d'envisager un rôle pour l'AMPc dans la fusion des membranes des vésicules avec les membranes présynaptiques et dans la libération du neurotransmetteur. Le GTPγS peut activer une protéine G inhibitrice, libérant la sous-unité $G_{\alpha i}$ (GTPγS) qui inhibe l'adénylate cyclase et donc empêcher la formation de l'AMPc requis.

Index

B = Encart ; **D** = Définition ; **F** = Figure ; **G** = Modèle de structure ; **S** = Structure ; **T** = Tableau.

PA700, 1125

Dépôt légal : avril 2000
Achevé d'imprimer sur les presses de l'Imprimerie G. Canale & C. S.p.A. - Borgaro T.se - Torino
le 10 avril 2000